1

DICTIONNAIRE
DE LA
POLITIQUE
FRANÇAISE

DICTIONNAIRE
DE LA
POLITIQUE
FRANÇAISE

publié sous la direction de

HENRY COSTON

PUBLICATIONS HENRY COSTON

DIFFUSION : LA LIBRAIRIE FRANÇAISE
27, rue de l'Abbé-Grégoire - PARIS VIe

IL A ÉTÉ TIRÉ DE CET OUVRAGE :
CINQUANTE EXEMPLAIRES SUR VÉLIN
BLANC NUMÉROTÉS DE I A L,
TROIS CENTS EXEMPLAIRES SUR
REGISTRE NUMÉROTÉS DE 1 A 300
PLUS MILLE EXEMPLAIRES
NUMÉROTÉS DE 301 A 1 300,
RÉSERVÉS AUX SOUSCRIPTEURS
AINSI QUE QUELQUES EXEMPLAIRES
HORS COMMERCE H. C., LE TOUT
CONSTITUANT L'ÉDITION ORIGINALE

Imprimé en France
© 1967 by Henry Coston, Paris
Tous droits réservés pour tous pays, y compris l'U.R.S.S.

**Veuillez adresser toute communication concernant cet ouvrage
à Henry Coston — B.P. 92-18, Paris (XVIIIᵉ)**

Avertissement

Depuis l' « *Encyclopédie socialiste* » et le « *Dictionnaire politique et critique* » de Charles Maurras, rien d'analogue n'avait paru en France.

En 1960, nous avons publié, sous le titre « *Partis, journaux et hommes politiques d'hier et d'aujourd'hui* », un livre qui, après plusieurs tirages, est aujourd'hui totalement épuisé. Son succès nous a montré l'intérêt du public pour un ouvrage qui lui fournissait des précisions sur le cheminement des idées et le processus qui ont abouti à l'état politique actuel de notre pays. Intérêt confirmé par le copieux pillage dont ce livre a été l'objet de la part d'auteurs — écrivains et journalistes — qui ont trop souvent « omis » de citer leurs sources.

Notre souci a donc été de reprendre la matière de ce numéro spécial, de l'ordonner, de l'étendre et de la compléter considérablement, d'en expliciter les modalités et, pour faciliter les recherches, de présenter dans l'ordre alphabétique ces partis, ces journaux et ces hommes politiques, de rappeler leurs origines, leurs activités, leurs évolutions.

Toute civilisation ne saurait être que le fruit du passé et, n'en déplaise à certains, elle en demeure inséparable et tributaire. Comment comprendre le présent sans se référer à l'héritage de nos pères? « *Les morts gouvernent les vivants* », affirme Auguste Comte.

Il devient donc indispensable de connaître la pensée de ceux qui nous ont précédés, le sens de leurs actes replacés dans leur contexte, quel que soit par ailleurs notre jugement sur eux. Nous avons cité ainsi des personnages disparus, depuis longtemps parfois, mais dont les écrits, la doctrine, les disciples ou les entreprises exercent encore une influence *importante* sur la politique actuelle de la France. Par contre, nous avons quelque peu négligé telles notabilités de leur époque qui n'ont rien laissé d'authentique.

Nous avons entrepris cet énorme travail de recherches et de critique pour mettre à la disposition de l' « honnête homme » de nos jours des faits patents, des textes fondamentaux ou significatifs concernant des organisations, des publications ou des personnages disparus, qui ont largement contribué à la formation politique de nos contemporains, parfois même sans qu'ils s'en doutent.

Et, bien entendu, nous avons fait la plus large place aux partis, aux journaux et aux hommes politiques de notre temps.

Nous avons mis un soin particulier à démystifier l'affabulation politique partisane qui incite un homme de droite à tenir pour mauvais tout ce qui vient de la gauche, et un homme de gauche à considérer comme exécrable tout ce qui est de droite, comme si la vérité n'appartenait qu'à un seul parti. Nous nous refusons à cette rhétorique de réunion publique, car *nous nous voulons honnêtes,* ne jugeant que sur des réalités.

D'aucuns seront peut-être surpris de notre méfiance pour les thèses de penseurs et d'historiens en renom : la « vérité officielle » ne nous inspire aucun respect quand elle est démentie par les témoignages et par les faits. De même, nous mentionnons des hommes dont on chercherait en vain le nom dans les dictionnaires et les encyclopédies célèbres, lorsque cet ostracisme nous a paru injustifié, alors que nous avons ignoré des « pontifes » trop souvent pris en flagrant délit de contre-vérité. *Le conformisme n'est pas notre religion.*

N OTRE souci constant a été la recherche scrupuleuse de la précision, ce qui implique à la base des définitions sans équivoque, même si elles s'écartent sensiblement de celles que tentent d'imposer certains, à seule fin de créer des confusions : nous parlons français.

Nos sources : les archives amassées depuis plus de six lustres, et surtout au cours de ces quinze dernières années. Elles ont déjà servi, d'ailleurs, pour la documentation de nos précédents ouvrages.

Il va sans dire que, sur de telles bases, notre œuvre s'est heurtée à d'inextricables difficultés. Que nous les ayons surmontées tant bien que mal fait notre fierté.

Sur le plan matériel :

— aucune subvention officielle,

— aucune aide financière, aucun commanditaire,

— seules les souscriptions... et la collaboration d'une équipe, petite mais enthousiaste, de journalistes, d'écrivains et d'historiens amis.

Sur le plan documentaire :

— état civil souvent incomplet dans les mairies (en particulier, les décès ne sont pas toujours mentionnés en marge des registres des naissances), parfois même erronés,

— mauvaise volonté de certains parents ou amis des défunts à nous donner des renseignements,

— inexactitudes de certains annuaires,

— silence ou refus de réponse de divers intéressés,

— discrétion *surprenante* d'organisations déclarées,

— dates fantaisistes de fondation de certains organes de presse — parfois soulignées dans le corps de l'ouvrage.

D'où des *retards,* des *imperfections* que nous sommes les premiers à déplorer. Mais on y trouvera *la preuve de notre totale indépendance et de notre non-conformisme : nous professons hautement notre liberté absolue.*

E N conclusion...
Malgré toute l'attention apportée à la rédaction et à la vérification des informations, *ce dictionnaire ne peut pas ne pas comporter d'erreurs.* Nous nous en excusons à l'avance et nous serons reconnaissants aux intéressés et aux lecteurs qui voudront bien nous les signaler : nous nous ferons un devoir de les corriger dans les éditions ultérieures.

Pareil ouvrage comporte des « *trous* ». Certains nous sont connus : c'est ainsi que, à part l'Affaire Dreyfus, nous ne traitons aucun des grands scandales politico-financiers ou autres. Le manque de place, d'une part, et le souci de ne pas donner d'interprétation tendancieuse ou erronée de faits encore mal élucidés, d'autre part, nous ont décidés à ne pas les mentionner dans le présent ouvrage, nous réservant de le faire ultérieurement.

Il est aussi des omissions involontaires : nous vous demandons de nous les signaler.

Si, comme nous osons l'espérer, ce « *Dictionnaire* » reçoit un accueil favorable, nous avons l'intention de publier ultérieurement un second volume

qui réparera les erreurs et omissions,

qui mettra à jour ou étoffera les notices déjà publiées,

et qui comportera un *index général* des noms cités dans les deux tomes pour permettre de se référer facilement aux diverses notices dans lesquelles ils apparaîtraient.

Ce « Dictionnaire » est œuvre de bonne foi. Nous pensons l'avoir fait comprendre dans cette introduction, et nous estimons que le texte en témoigne par notre souci de ne porter aucun jugement, même sur les personnages appartenant à l'Histoire et quelle que puisse être l'opinion personnelle de ceux qui ont collaboré à cet ouvrage.

Nous nous engageons volontiers à rectifier dans les rééditions toutes les erreurs qui nous seront signalées, erreurs que nous espérons peu nombreuses, mais que nous savons inévitables dans un travail de cette ampleur.

Qu'il soit permis à l'animateur de remercier ici sa petite équipe d'amis et de collaborateurs qui ont bien voulu compléter sa propre documentation, ainsi que la poignée de techniciens, correcteurs, metteurs en pages et ouvriers d'imprimerie qui ont accepté la lourde tâche de réaliser matériellement son œuvre dans des conditions trop souvent difficiles.

18-1-1967.

N.B. — *Les lecteurs qui désireraient être informés de la publication de l'éventuel second volume peuvent nous en aviser dès maintenant.*

A

ABBEVILLE (fusillés d').

Le 20 mai 1940, dans Abbeville bombardé, vingt et un détenus belges et français que l'on transférait de la prison de Loos vers un établissement pénitentiaire du Midi, et qui étaient provisoirement enfermés sous le kiosque à musique d'Abbeville, furent passés par les armes, sans jugement, par le peloton qui les gardait. Parmi eux se trouvaient Jan Rijkoort, un nationaliste belge, et son ami Joris van Severen, considéré aujourd'hui comme « l'inventeur » (avant la lettre) du Benelux, qui avaient été arrêtés en Belgique quelques jours plus tôt et que l'on avait transférés en France. Les cadavres des vingt et un « fusillés d'Abbeville » furent enterrés dans le coin des pauvres au cimetière de la ville. Les dépouilles de van Severen et de Rijkoort reçurent, en 1949, une sépulture plus digne ; sur leur tombe du cimetière d'Abbeville s'élève depuis 1951 un imposant monument portant notamment l'inscription suivante :

HIC QVIESCIT
RESVRRECTIOÑEM EXSPECTANS
JORIS VAN SEVEREN
NOVI BELGII
CONDITOR
PATER PATRIAE
XIX. VII. MDCCCXCIV
XX. V. MCMXL

ABBEVILLE-LIBRE.

Journal républicain fondé en 1944 par le radical Marcel Lafosse, imprimeur à Abbeville. Remplaça, en quelque sorte, *Le Pilote de la Somme* disparu en 1944. Depuis la mort de Lafosse, *Abbeville libre,* seul hebdomadaire de la ville, est dirigé par Edouard Gambiez, gendre du fondateur, qui poursuit la même politique (17, rue des Teinturiers, Abbeville).

ABDICATION.

Renonciation à une dignité souveraine, à une couronne. Par extension : abandon de ses droits, renonciation au pouvoir.

ABEILLE D'ETAMPES (L').

Hebdomadaire des arrondissements de Corbeil et de Rambouillet, fondé en 1812 et disparu en 1944. Dirigé avant la guerre par le député Maurice Dormann et René Collard, et après l'armistice, par ce dernier.

ABEL-DURAND (Abel, Marie).

Avocat, né à Saint-Etienne-de-Montluc (Loire-Inférieure), le 10 mars 1879. Professeur honoraire à l'Institut de droit de Nantes, sénateur de la Loire-Atlantique (1946, réélu en 1948, 1955, et 1959) et président du Conseil général, fut vice-président du Conseil de la République (1955-1958) et président du Groupe des *Républicains indépendants* de cette assemblée.

ABELIN (Pierre-Louis-Ernest-Armand).

Homme politique, né à Poitiers (Vienne), le 16 mai 1909. Ancien animateur du Comité d'Organisation des Cacaos, Chocolaterie, Confiserie (1941). Ancien directeur de l'Union française des industries exportatrices et du Comité d'exportation de l'industrie cotonnière. Ancien directeur du *Groupement national d'importation des Cacaos.* Président de l'Institut français du café, du cacao, etc. (10 octobre 1960). Ancien président, puis délégué général de la Chambre syndicale des chocolatiers et confiseurs. Président de la *Cie Française pour le développement des fibres textiles.* Administrateur du *Groupement National des Fruits et Légumes.* Membre du conseil d'administration des *Ets Rouzaud « A la marquise de Sévigné »,* de la *Sté d'Edition des Producteurs agricoles, industriels et coloniaux* et de la Sté *Avenir Publicité* (1947). Ancien membre du Comité directeur du journal *La Tribune économique* (1945-47). Membre du *Rotary.* Membre des deux Assemblées constituantes (1945-46). Elu député *M.R.P.* de la Vienne, le 10 novembre 1946, le 17 juin 1951 et le 2 janvier 1956, battu le 30 novembre 1958, et à nouveau élu le 25 novembre 1962. *Secrétaire d'Etat à la Présidence du Conseil, chargé de l'Information* (Cab. Schuman, novembre 1947-juillet 1948 et septembre 1948). *Secrétaire d'Etat aux Finances* (Cab. Pinay, 18 septembre-23 décembre 1952). *Secrétaire d'Etat aux Affaires économiques* (2ᵉ cab. Edgar Faure, 1ᵉʳ mars 1955-25 février 1956). Maire de Châtellerault (16 mai 1959). Non réélu en novembre 1958 à l'Assemblée nationale, entra au Conseil économique et social (4 juin 1959) comme représentant les activités économiques et sociales des départements et territoires d'Outre-Mer (commerce et transports).

ABELLIO (Georges, Raymond SOULES, dit Raymond).

Homme de lettres, né à Toulouse, le 11 novembre 1907. Polytechnicien, ingénieur des Ponts et Chaussées à Valence (1932-1936). Fit partie du cabinet de Charles Spinasse, ministre de l'Economie nationale dans le gouvernement de Léon Blum, puis fut directeur du service des grands travaux et de l'urbanisme à la présidence du Conseil (1936-1937) et ingénieur des Ponts et Chaussées à Versailles (1937-1943). Appartenant à vingt-trois ans aux *Jeunesses Socialistes* de la Seine, milita ensuite à la *S.F.I.O.,* et fit partie de la tendance *Gauche Révolutionnaire,* composée principalement de trotskystes et de pacifistes antiblumistes. Au début de 1932, se fit initier à la Loge *Lalande* qu'il fréquenta (peu assidûment) jusqu'en 1940. Lorsque la fraction *Gauche Révolutionnaire* se transforma en *Parti Socialiste Ouvrier et Paysan* (sous la direction de Marceau Pivert), rejoignit la tendance dite de *Redressement Socialiste* (dont L. Zoretti était l'un des *leaders*) et la représenta au congrès du *Parti socialiste* en 1939 à Nantes comme il avait représenté la *Gauche Révolutionnaire* à la C.A.P. de la *S.F.I.O.* en 1937. Bien que mobilisé en 1939 comme lieutenant du génie, il fut perquisitionné à son domicile parisien par la police de Daladier à la suite d'une violente attaque du pacifiste Zoretti contre Léon Blum. Fait prisonnier à Calais, il fut interné à l'Oflag IV D et y organisa, avec des officiers ralliés au maréchal Pétain, un groupement révolutionnaire national. Libéré en mars 1941, il adhéra presque aussitôt au *M.S.R.* et fit partie de son comité exécutif (1941-1942). Après la mort d'Eugène Deloncle, devint membre du Bureau politique de ce parti, chargé du secrétariat général avec André Mahé. Fit également partie du comité directeur du *Front Révolutionnaire National* (1943). Depuis 1946, connu dans la littérature sous le pseudonyme d'Abellio ; a publié : « *Heureux les Pacifiques* », « *Vers un nouveau prophétisme* », « *Les yeux d'Ezechiel sont ouverts* », « *La Bible, document chiffré* », « *Assomption de l'Europe* », « *La fosse de Babel* ». Est le directeur général de la *Société d'organisation de transports et de manutentions* (S.O.T.E.M.) depuis une douzaine d'années. Bien que retiré de toute activité politique, a fait connaître par la voie de *Notre République,* organe *U.N.R.-U.D.T.,* son opinion (favorable) au projet gaulliste d'intéressement des travailleurs à l'autofinancement des entreprises.

ABRAHAM (Pierre, Abraham BLOCH, dit).

Homme de lettres, né à Paris, le 1ᵉʳ mars 1892. Ingénieur (de l'Ecole polytechnique), chef du service commercial à la *Société des consommateurs de pétrole* (1920-1926) ; entra en 1927 dans la carrière littéraire artistique et politique et fut, successivement : acteur à la Compagnie Gaston Baty (1931-1933), directeur de *La Revue de l'Encyclopédie française,* conseiller municipal de Nice (1947-1959), directeur de la revue

Europe (depuis 1949), membre du *Comité National des Ecrivains*. Auteur de divers ouvrages littéraires.

ABRAMI (Léon).

Homme politique (1879-1939). Originaire de Constantinople. Député du Pas-de-Calais (1914-1918, 1932-1936). Appartenait à la *Gauche radicale*. Fut l'un des sous-secrétaires d'Etat de Clemenceau.

ABROGATION.

Annulation d'un décret, d'une loi, résiliation d'un traité ou d'un accord, avec le consentement des parties contractantes.

ABSOLUTISME.

Système politique laissant entre les mains d'un seul l'ensemble du pouvoir.

ABSTENTION.

Refus de prendre part à un vote, à une discussion. L'*abstentionnisme*, qui peut être une arme redoutable — mais à double tranchant —, fut parfois employé dans diverses consultations électorales. Les anarchistes, en particulier, ont souvent préconisé l'*abstention* comme moyen de lutte contre la société bourgeoise.

ACCAMBRAY (Alphonse, Léon).

Homme politique (1868-1934). Membre influent du *Grand Orient* (18e, chapitre « *La Clémente amitié* »). Député radical-socialiste de l'Aisne de 1914 à 1938, fut l'un de ceux qui implantèrent l'idée républicaine dans ce département.

ACCORD.

Convention, pacte conclu entre plusieurs puissances. L'*accord de commerce* concerne plus particulièrement le trafic des marchandises entre deux Etats. Le règlement des exportations prévues par cette convention fait l'objet d'un *accord de paiement ;* celui-ci est d'autant plus nécessaire lorsque les parties contractantes n'ont pas de monnaie librement convertible.

ACCORDS DE MUNICH.

Convention signée à Munich le 29 septembre 1938 par Neville Chamberlain, Edouard Daladier, Adolf Hitler et Benito Mussolini au nom de leur pays respectif, la Grande-Bretagne, la France, l'Allemagne et l'Italie. Survenant au moment où la guerre semblait inévitable, ces *accords* furent accueillis avec soulagement par l'immense majorité des peuples directement menacés par le conflit, sauf naturellement par la Tchécoslovaquie. Celle-ci dut, en effet, abandonner à l'Allemagne le pays des Sudètes, dont la population d'expression allemande (3 000 000 d'habitants) réclamait, par la voix de Conrad Heinlein, son rattachement au Reich ; elle céda, en outre, des territoires de moindre importance à la Pologne (districts de Teschen et de Frystat) et à la Hongrie (Ruthénie). Les *accords de Munich* furent ratifiés par la Chambre des députés le 5 octobre 1938 (535 voix *pour*, 75 voix, dont 73 communistes, *contre* et 3 abstentions). La Société des Nations, par la voix de son président, proclama que Chamberlain, considéré comme le principal responsable des *accords*, « *est béni aujourd'hui dans tous les foyers du monde* » (*Journal officiel de la S.D.N.*, année 1938, vol. XIX, p. 877). Tandis que l'ancien président du Conseil, Pierre-Etienne Flandin envoyait des télégrammes de félicitations à Chamberlain, à Hitler et à Mussolini, *Paris-Soir* (direction : Prouvost-Lazareff) et *L'Œuvre* ouvraient une souscription pour offrir au Premier britannique — « the Lord of Peace » — « *une maison de la paix sur un coin de la terre de France* ». « *En vingt-quatre heures*, rappelle Raymond Manevy, *on recueillit plus de* 100.000 *francs. Les deux premiers souscripteurs s'appelaient Louis Louis-Dreyfus et Henry Bernstein* » (« *Histoire de la Presse* », par R . Manevy, Paris, 1945). La presse française, dans son ensemble, était favorable. Même *l'aube*, dont le futur président du Conseil, Georges Bidault, était le principal rédacteur et l'éditorialiste, qui titrait sur 6 colonnes : « *L'allégresse des peuples salue la Paix maintenue.* » Quelques rares journalistes et écrivains exprimaient leur hostilité : Emmanuel Mounier, Emile Buré, Gabriel Marcel, Henry de Montherlant, Pertinax, H. de Kérillis et les collaborateurs de la presse communiste étaient du nombre. « *Munich* » est devenu, plus tard, le symbole de l'abandon, de la capitulation, voire même de la trahison. On traite aujourd'hui de *Munichois* ceux qui font ou semblent faire des concessions excessives à l'*ennemi du moment* ou à la puissance étrangère considérée comme telle.

ACHILLE-FOULD (Aymar).

Homme politique, né à Tarbes (Hautes-Pyrénées), le 17 juillet 1925. Fils de

Armand-Achille Fould (ancien député, ancien ministre de Pierre Laval et d'André Tardieu). Descendant d'Achille Fould, banquier du XIXᵉ siècle et ministre de Napoléon III ; a été autorisé à s'appeler Achille-Fould par décret du 25-6-1948 (les Fould sont députés de père en fils). Administrateur de sociétés (S.O.C.O.M.I., *Foncière de l'Hôtel Continental, Equatoriale de Commerce et de Représentation, Nigeria and Trading Cᵒ, Sté de Luze et Fils, Publinamic, Editions du Carnet de Paris*). Gérant de la S.A.R.L. *Lukens Sauvage et Washburn.* Ancien gérant et directeur général de la *Sté commerciale de matériel industriel.* Prisonnier de guerre en 1940 (évadé en 1942). Ancien officier de marine (1943-1949). Secrétaire à la propagande du *Mouvement du Manifeste aux Français* (de Clarus). Conseiller général du canton de Saint-Laurent-et-Benon (11 juin 1962). Député indépendant de la 5ᵉ circ. de la Gironde (25 novembre 1962).

ACTION.

Journal d'extrême-gauche fondé dans la clandestinité en octobre 1943 par Marcel Degliame, dit Fouché. Etait alors rédigé par Maurice Kriegel-Valrimont, V. Leduc, Charlotte Kaldor et Jeanne Modigliani. Parut hebdomadairement, au grand jour, le 9 septembre 1944, sous la direction de Kriegel-Valrimont et V. Leduc, avec Pierre Courtade comme rédacteur en chef. A partir du 20 janvier 1949, Yves Farge en fut le directeur et Pierre Hervé, le rédacteur en chef. Disparut en mai 1952, lorsque le *Parti Communiste* cessa d'alimenter sa caisse. Fut, pendant huit ans, le plus vivant des journaux d'extrême-gauche.

ACTION (L').

Journal quotidien anti-clérical fondé en 1903 par Henry Berenger, avec la collaboration de Marguerite Durand, de Rollin, futur fondateur de *L'Internationale,* et de Zadoks, coulissier parisien. Ses rédacteurs se recrutaient parmi les révolutionnaires et les syndicalistes.

ACTION (L').

Journal socialiste de gauche fondé en 1964 par Claude Bourdet, qui venait d'être évincé de *France-Observateur* (devenu aujourd'hui *Le Nouvel Observateur*). L'équipe rédactionnelle se composait, au début, de Guy Desson, ancien député socialiste, René Bleibtreu, Maurice Nadeau, directeur des *Lettres Nou-*velles, Jean Poperen, rédacteur à *La Tribune Socialiste,* J.-R. Chauvin, O. Hahn, O. Rosenfeld, J.-M. Vincent, du dessinateur Maurice Henry et de divers autres militants ou journalistes de la gauche progressiste. (Direction : Claude Bourdet, 47, avenue d'Iéna, Paris 16ᵉ.)

ACTION (collection) (voir : Europe-Action).

ACTION CATHOLIQUE (L').

La vieille *Fédération Nationale Catholique* (du général de Castelnau) prit ce titre à la Libération. Elle groupe plusieurs dizaines de milliers d'adhérents, principalement recrutés dans les milieux de droite. Ses dirigeants, Le Cour Grandmaison, ancien député conservateur, puis Jean de Fabrègues, écrivain monarchiste, et R.G. Nobecourt publient un journal hebdomadaire, *La France Catholique,* à laquelle collaborent Jean Guitton, Gustave Thibon, L.-H. Parias, directeur du *Miroir de l'Histoire,* etc. Appuie l'action de l'*Association parlementaire pour la Liberté de l'Enseignement* (12, rue Edmond-Valentin, Paris 7ᵉ).

ACTION CIVIQUE NON VIOLENTE.

Organisation de gauche favorable à une paix de compromis en Algérie. Principaux participants (1961) : Robert Barrat, Claude Bourdet, Jean Cassou, André Cayeux de Sénarpont, Jean-Marie Domenach, Mme Camille Drevet, pasteur J.-M. Hornus, Jacques Madaule, L. Martin-Chauffier, Jacques Nantet, pasteur Henri Roser, Robert Verdier, Pierre Vidal-Naquet, Mme André-Pierre Viénot, pasteur Maurice Voge.

ACTION ETUDIANTE GAULLISTE DE PARIS.

Groupe estudiantin parisien dépendant de l'*U.N.R.*, ayant fait place à l'*Union des Etudiants pour le progrès* (voir à ce nom).

ACTION-FATIMA-LA SALETTE.

Groupement catholique fondé et animé par l'abbé Boyer, condamné dans l'affaire des enfants Kovacs et emprisonné en 1965-1966 au régime « droit commun ». *Action Fatima-La Salette* lutte, dans les milieux catholiques pour le maintien des traditions dans l'Eglise.

Qualifiée d' « intégriste » par les catholiques de gauche. A publié divers ouvrages, en particulier la traduction de l'Encyclique « Ecclesiam Suam », d'après l'original, en faisant ressortir les passages « omis » ou « dénaturés » dans les autres traductions éditées en France. D'abord installé à Seignosse, dans les Landes, l'association a son siège à Sant-Geours-de-Maremne, même département.

ACTION FRANÇAISE (L').

Mouvement royaliste qui a pris naissance de l'Affaire Dreyfus. Il est l'œuvre de Charles Maurras (voir à ce nom), écrivain et journaliste, déjà connu par ses poèmes, ses chroniques et ses livres philosophiques. Habitué des cercles littéraires du *Voltaire* et du *Café de Flore*, il se lia d'amitié avec Charles Le Goffic, Jean Moreas, Barrès, Jules Lemaître, Anatole France. C'est aux cours des réunions du *Café de Flore* qu'il conçut et mit au point sa doctrine du « nationalisme intégral » : monarchie traditionnelle, héréditaire, antiparlementaire et décentralisée. Il se rallia au *Comité d'Action Française* — républicain à ses débuts —, fondé par Henri Vaugeois, le 8 août 1898, pour grouper par une revue les diverses tendances nationalistes écœurées par les excès de la IIIᵉ République. Maurras ne tarda pas à convaincre ses membres et à les rallier à sa formule du nationalisme intégral. Au « *Comité d'Action Française* », dont la direction était assumée par Vaugeois, que secondaient Maurice Pujo et le colonel de Villebois-Mareuil — il devait, l'année suivante, aller combattre l'Angleterre aux côtés des Boers —, fut adjointe, un an après sa fondation, une petite revue grise, bi-mensuelle, *L'Action Française*, à laquelle collaborèrent non seulement Vaugeois et Maurras, mais aussi Paul Bourget, Lucien Moreau, Jacques Bainville, Léon de Montesquiou et quelques autres. Le 14 janvier 1905, le *Comité* se transforma en *Ligue d'Action Française*, dont André Buffet et Eugène de Lur-Saluces, qui venaient d'être condamnés en Haute Cour pour complot contre la sûreté de l'Etat, furent présidents d'honneur, Henri Vaugeois président, et Léon de Montesquiou secrétaire général. Chaque adhérent était lié par l'engagement suivant, qu'il signait en s'affiliant à la *Ligue d'A. F.* :

« Français de naissance et de cœur, de raison et de volonté, je remplirai tous les devoirs d'un patriote conscient.

« Je m'engage à combattre tout régime républicain. La République en France est le régime de l'étranger. L'esprit républicain désorganise la Défense nationale et favorise les influences religieuses directement hostiles au catholicisme traditionnel. Il faut rendre à la France un régime qui soit français.

« Notre unique avenir est donc dans la Monarchie, telle que la personnifie Monseigneur le Duc d'Orléans, héritier des quarante rois qui, en mille ans, firent la France. Seule, la Monarchie assure le salut public et, répondant de l'ordre, prévient les maux possibles que l'antisémitisme et le nationalisme dénoncent. Organes nécessaires de tout intérêt général, la Monarchie relève l'autorité, les libertés, la prospérité et l'honneur.

« Je m'associe à l'œuvre de la restauration monarchique.

« Je m'engage à la servir par tous les moyens. »

Les adhérents affluèrent et, le 12 décembre 1907, un congrès réunissait à Paris une centaine de délégués. A ce mouvement, il fallait un grand quotidien; aussi, le 21 mars 1908, sortait le premier numéro du journal *L'Action Française*. Ce fut, a dit Michel Vivier, « *un événement de première importance, non seulement dans l'histoire du journalisme, mais dans l'histoire des idées au vingtième siècle. Depuis 1900, aucun quotidien, ni L'Humanité de Jaurès, ni L'Aube des années 30, ni le Combat d'Albert Camus n'ont exercé une influence comparable sur les esprits. Pour trouver des précédents il faudrait remonter à L'Univers de Veuillot, à L'Avenir de Lamennais ou, sous la Restauration, à l'équipe du Globe. Le Conservateur de Chateaubriand, malgré l'oraison funèbre qui lui est consacrée dans les « Mémoires d'Outre-Tombe », ne fut qu'un brillant feu d'artifice sans influence durable : on doute qu'il ait jamais converti un seul adversaire, alors que l'A.F. a fait des conversions par milliers. Pour neuve, pour originale qu'elle soit, l'Action Française n'est évidemment pas le fruit d'une génération spontanée. En elle aboutissent et se mêlent plusieurs grandes traditions jusqu'alors divergentes. René Rémond s'est plu à montrer comme l'A.F. héritait non seulement des fidélités légitimistes, mais encore, quoiqu'à des degrés moindres, des élégances académiques et bourgeoises de l'orléanisme en même temps que des violences plébéiennes et tricolores du bonapartisme. Il semble toutefois qu'il ait quelque peu majoré l'importance de ces deux traditions, et il importe davantage de mettre en lumière comment l'A.F. prolonge l'enseignement contre-révolutionnaire de Maistre et de*

Bonald, de Balzac et de Le Play, du Taine des Origines et du Renan de la Réforme. A ces traditions, hautement proclamées, il convient d'en ajouter d'autres : celle de Comte évidemment, que d'ailleurs les démocrates-chrétiens sursiment car on ne croit pas que Maurras ait fait partager sa ferveur comtiste a beaucoup de ses disciples. Ce positivisme est, en outre, balancé par l'influence des grands réactionnaires catholiques : un Barbey d'Aurevilly et un Léon Bloy. On discernait encore dans la jeune A.F. quelques traces, minimes mais sensibles, du néopaganisme fin de siècle, unissant le culte de l'antique cher à Moréas, à France, à Pierre Louys, avec le nietzschéisme d'un Hugues Rebell ou d'un René Quinton. On pourrait voir enfin, dans l'anticonformisme violent de l'A.F., une manière d'anarchisme, cet « anarchisme d'extrême-droite » dans lequel peuvent communier les héritiers des Chouans et les disciples de Proudhon.

« De ces éléments fort divers où domine la pensée contre-révolutionnaire du dix-neuvième siècle, l'esprit religieux et volontaire de Charles Maurras allait faire la puissante synthèse — une synthèse architecturale, toute dorée des feux d'un grand style, une sorte de Versailles de la politique française. Plus qu'une doctrine toutefois, Maurras apportait une méthode : il montrait chaque jour comment un sage empirisme peut juger les faits et les hommes selon le critère du bien commun national. »

Si Maurras demeurait le chef spirituel et le doctrinaire incontesté, une équipe de collaborateurs prestigieux l'entourait, au premier plan desquels figuraient « les deux personnalités contrastées du voltairien Jacques Bainville, lucide, élégant, ironique, et du catholique de choc Léon Daudet par qui revivent les fureurs joyeuses du seizième siècle et les vertes polémiques de la Satire Ménippée. Au pur maurrassisme, qui a pour patrie la mer latine et la tradition classique, Léon Daudet apportait le complément d'une culture aussi vaste qu'éclectique où Goethe, Shakespeare, Rembrandt et Beethoven n'avaient pas une moindre place que Virgile ou Mistral. Telle quelle, l'Action Française a pour quelques dizaines d'années insufflé un sang neuf et une jeune vigueur au vieux royalisme. » Ce royalisme, d'ailleurs, n'est pas de sentiment, mais de raisonnement, déduit avec une logique rigoureuse de l'étude de l'histoire, ce qu'on a appelé le « pragmatisme historique » de Maurras, et lucidement exposé dans « L'Enquête sur la Monarchie » (1900). C'est d'ailleurs au nom de ce pragmatisme historique que Maurras,

agnostique, reconnaît la prééminence de la religion catholique traditionnelle. D'où ses attaques violentes contre Le Sillon de Marc Sangnier. D'où aussi les attaques violentes qu'il subira lui-même plus tard : on l'accusera d'utiliser la religion catholique pour ses fins politiques. Mais c'est au nom du nationalisme intégral que L'Action Française luttera sans arrêt contre la démocratie (« le régime de l'étranger »), contre la ploutocratie internationale (« la fortune anonyme et vagabonde », d'après le duc d'Orléans), contre la corruption républicaine (soumise à « l'emprise juive et maçonnique »). Dès son premier numéro, sa doctrine était résumée ainsi : « Nous n'épargnerons ni cette anarchie parlementaire qui annule le pouvoir en le divisant, ni l'anarchie économique dont l'ouvrier français est la plus cruelle victime, ni l'anarchie bourgeoise qui se dit libérale et qui cause plus de malheurs que les bombes des libertaires. » S'affichant ainsi traditionaliste et monarchique, elle allait plus loin, refusant de représenter les idées dites de « droite ». « Nous ignorons, pour notre part, » écrivait alors Maurras, dans sa première revue de presse (signée Criton), ce que sont les partis de droite, n'étant d'aucun parti, n'étant que Français et par déduction royalistes. » Ainsi l'A.F. se présentait comme révolutionnaire au grand scandale des vieux « bonzes » orléanistes, demeurés attachés à la fois à leurs privilèges de caste et à l'aspect bourgeois libéral de la monarchie louis-philipparde. Déjà Georges Sorel écrivait que « les vrais ennemis de l'Action Française sont à droite » et il ajoutait : « Je ne suis pas prophète : je ne sais pas si Maurras ramènera le roi en France. Et ce n'est pas ce qui m'intéresse chez lui. Ce qui m'intéresse, c'est qu'il se dresse devant la bourgeoisie falote et réactionnaire en lui faisant honte d'avoir été vaincue et en essayant de lui donner une doctrine. » D'où conflit avec l'entourage du prétendant : il prit une telle gravité, vers 1910-1911, qu'on s'attendait à une rupture avec le duc d'Orléans. Et il contribua certainement au désaveu de l'A.F. par le comte de Paris (au nom de son père) en 1937. En revanche, dira Pierre Andreu, l'apparition du quotidien royaliste fut le grand moment où la rencontre « parut ou put se faire dans les esprits et dans les cœurs, entre le nationalisme et le syndicalisme, entre le prolétariat et la bourgeoisie, entre la droite et la gauche. En esprit, si ce n'est dans les détails si changés d'aujourd'hui, la leçon reste bonne. »

Dès lors, l'A.F. mena une lutte sans

merci contre tous les adversaires de sa doctrine, contre les scandales, contre le gouvernement et surtout contre l'impréparation à la guerre menaçante (« *Kiel et Tanger* » de Maurras, « *L'Avant-Guerre* » de Léon Daudet).

La guerre de 1914-1918 décima ses cadres : Léon de Montesquiou, Henri Lagrange, Octave de Barral, Jacques de Lesseps et tant d'autres furent tués à l'ennemi. L'*A.F.*, qui avait si violemment pris parti contre les gouvernements imprévoyants, proposa l'*Union sacrée* et soutint vigoureusement Clemenceau qu'elle traînait dans la boue avant 1914. C'est aux vigoureuses campagnes de Léon Daudet contre les partisans de la « *paix blanche* » (Caillaux, Malvy, Briand) et contre le « *défaitisme* » que Pétain dut d'avoir pu remonter le moral de l'armée. Comme corollaire, l'*A.F.* stigmatisa et fit condamner les « traîtres » : Almereyda, directeur du *Bonnet Rouge*, Bolo-Pacha, Malvy, Caillaux. L'attitude courageuse des dirigeants du mouvement et la haute tenue du journal valurent à l'*A.F.* l'audience d'une grande partie du public, même de ceux qui ne partageaient pas ses opinions monarchistes. Si bien que Daudet décida Maurras à tenter l'expérience parlementaire. Daudet fut élu député de Paris à la Chambre *bleu horizon*, ainsi qu'une quinzaine de royalistes dans les départements. Pendant ce temps, Georges Valois tentait d'organiser les anciens combattants d'*A.F.* S'étant brouillé avec les dirigeants, il entraîna au *Faisceau* une partie des troupes du mouvement. Mais la violence des attaques contre le régime et ses « supporters » publics ou occultes valut à l'*A.F.* des haines qui se manifestèrent par des campagnes de diffamation, d'innombrables procès et même par des meurtres prémédités : Marius Plateau, secrétaire général de la *Ligue d'A.F.* et Berger, tombèrent sous les balles de leurs adversaires, Philippe Daudet mourut dans des circonstances mystérieuses, Maurras, lui-même visé à plusieurs reprises, n'échappa que de justesse à quelques attentats. Pour avoir défendu la mémoire de son fils, Léon Daudet fut poursuivi et condamné à cinq mois de prison. A peine l'eût-on incarcéré, après un siège d'une semaine des bureaux de l'*Action Française*, sis 12, rue de Rome, qu'il s'évada — le 25 juin 1927 — et réussit, exilé pour trois ans, à se réfugier en Belgique. C'est à ce moment (1926) que l'archevêque de Bordeaux lancera sa condamnation de l'*A.F.*, suivie d'une condamnation en consistoire secret, le 29 décembre 1926, par le pape Pie XI : il s'ensuivit une perte sensible d'adhérents à la *Ligue*. (L'interdiction ne sera levée que le 15 juillet 1939.) La *Ligue d'Action Française*, alors forte de plusieurs dizaines de milliers de membres, disséminés sur toute l'étendue du pays, en Afrique du Nord, dans les plus lointaines colonies et même à l'étranger (Belgique, Suisse, Canada, etc.) était dirigée par des catholiques fervents : l'amiral Schwerer, président d'honneur, le colonel Bernard de Vesins, président, le comte François de La Motte, vice-président, et Pierre Lecœur, secrétaire général. Aucun d'eux ne quitta le mouvement, lors de l'interdiction. A la Fédération Paris-Banlieue, fondée en 1913 par Henri Bannier, même fidélité : H. Brame, le docteur Henri Martin — activiste connu, emprisonné sous tous les régimes (IIIe République, Etat Français, IVe et Ve République) —, Maurice Dardelle, P. Chastres, Hervé Le Grand, le commandant Dublaix, Jean Gazave, d'autres encore, demeurèrent au sein de l'*A.F.* Si cet entre-deux-guerres apporta à l'*Action Française* quelques démissions retentissantes, — celles de Georges Valois et de ses amis fascistes en 1925-1926, celles du colonel de Vesins, de F. de La Motte, des Drs Henri Martin et Paul Guérin, des frères Claude et Gabriel Jeantet, en 1930, de Georges Bernanos en 1932, des « cagoulards » en 1936-1937 —, elle fut aussi l'époque d'adhésions nouvelles et non moins retentissantes. René Benjamin, Thierry Sandre, François Duhourceau, Pierre Dominique (qui ralliera ensuite *Le Rappel*, puis *La République* de tendance radicale, avant de devenir l'un des principaux rédacteurs de *Rivarol*), André Lavedan, Ambroise Rendu, conseiller municipal de Paris, Eugénie Marsan, Pierre Gaxotte, Robert Vallery-Radot, Jules Delahaye, Albert Pestour, Maurice Constantin-Weyer, Robert Brasillach, Lucien Rebatet, le professeur Perrot, Xavier de Magallon, ancien député, le professeur Mauriac, Franz Funck-Brentano, André Bellessort, André Rousseaux, Dominique Sordet, le futur fondateur de l'agence *Inter-France*, Georges Planes, Paul Mathiex, le général Lavigne-Delville, N. Sant'Andréa, Abel Manouvriez, Louis de Gérin-Ricard, le colonel Larpent, Hubert de la Massue, etc. prirent la parole dans les réunions de l'*Action Française*, écrivirent dans ses publications, participèrent à ses manifestations ; les dessinateurs Sennep, Bib, Ben, Ralph Soupault, le chansonnier Augustin Martini, celui-ci malgré son sentiment bonapartiste, collaborèrent à sa presse.

Cette presse revêtait alors une certaine importance : outre *L'Action Française* quotidienne, *L'Action Française*

~~TENDANT A~~ RANIMER
+ SOUS +

L'ÉTOILE ~~DES~~ MAGES

LE CŒUR ET LA PENSÉE DU GRAND POÈTE DE PROVENCE
~~QUI EUT LA GLOIRE UNIQUE D'ÊTRE~~ PRÉFÉRÉ A TOUT AUTRE
PAR L'AUGUSTE AÏEUL DU DAUPHIN DE FRANCE

PHILIPPE VII

CES
‹ SOUVENIRS MISTRALIENS ›
SONT TRÈS RESPECTUEUSEMENT DÉDIÉS ET OFFERTS

A

MONSEIGNEUR

LE PRINCE HENRI DE FRANCE

COMTE DE PARIS

A L'HEUREUSE OCCASION DE SON MARIAGE AVEC
~~SON ALTESSE IMPÉRIALE~~

MADAME LA PRINCESSE

ISABELLE D'ORLÉANS BRAGANCE

PAR LE COMITÉ ROYALISTE FORMÉ DE PROVENÇAUX
DES ALPES MARITIMES, DES BASSES ALPES
DES BOUCHES DU RHONE, DE VAUCLUSE ET DU VAR

COMME SIGNE DE JOIE
MÉMOIRE D'ESPÉRANCE
HOMMAGE DE PROFONDE ET SINCÈRE FIDÉLITÉ

AVRIL 1931

Correction d'une page d'épreuve d'un livre du doctrinaire
de l'Action Française **dédié au comte de Paris.**

Agricole (hebdomadaire), *La Production Française* (hebdomadaire), *Le Rail,* organe des cheminots royalistes, *La Revue Universelle, L'Étudiant Français,* qui dépendaient directement des *Comités Directeurs de l'A.F.* — instances suprêmes du mouvement —, plusieurs journaux étaient liés à *l'A.F.* par des convictions politiques communes : *L'Éclair* (Montpellier), *L'Express du Midi* (Toulouse), deux quotidiens influents du midi, *Le Charivari* (Paris), *Le Petit Patriote,* dirigé par J.-Robert Lefèvre, *L'Intérêt Français,* d'Auguste Cavalier, *Candide, Je suis partout, L'Insurgé* et une trentaine de journaux périodiques de province. Parmi les *Camelots du Roi,* à la *Ligue d'Action Française* militaient : le baron Tristan Lambert, Maxime Réal del Sarte, Georges Calzant, Philippe Roulland, Bernard Denisane, Bernard de Vaulx — qui fut, après Amédée d'Yvignac, le secrétaire de Maurras —, Roger Sémichon, Firmin Bacconnier, le commandant Paul Robin, Lucien Lacour, — père du docteur Lacour, de « l'affaire Walter-Lacaze » —, Jacques Delafon, l'industriel des *Établissements Jacob Delafon,* Marcel Wiriath, l'actuel président-directeur général du *Crédit Lyonnais,* Christian de Lorgeril, le comte Guy de Hauteclocque, le marquis de Saint-Exupéry, Pierre Chombart de Lauwe (Lille), Henri Mabille de Poncheville, baron Robert de France, Élie de Séze, André Grandmoujin, Fouquet-Lapar, le joaillier, le vicomte du Halgouët (Saint-Pol-de-Léon), le comte de Toulouse-Lautrec, le comte E. de Pas, le comte Pierre de La Rocque, Jacques Tardieu fils, de Buenos-Ayres, — parent du futur président du Conseil municipal de Paris Julien Tardieu, — Eugène Mathon, l'industriel du Nord, Georges Gaudy, président de *l'Association Marius Plateau,* Pierre Héricourt, futur consul général de France à Barcelone, Binet-Valmer, écrivain, etc.

A côté de l'*Action Française,* l'*Union des Corporations françaises* groupait les cercles ouvriers et corporatifs, dits cercles La Tour du Pin, sous la direction de Pierre Chaboche, le « patron » de *la Salamandre,* puis de Jacques Delafon, assistés de Roger Sémichon. Quant à ceux qui, tout en partageant les idées générales de Maurras, ne croyaient pas à la possibilité ou à l'opportunité d'une restauration d'ordre monarchique, ou qui ne pouvaient signer la déclaration de liqueur de l'A.F., ils s'inscrivaient à l'*Alliance d'Action Française.* C'étaient des sympathisants, dont le rôle ne fut pas négligeable. L'un d'eux, René Groos,

israélite et nationaliste français, écrira un livre sur le *Problème juif* qui sera très apprécié dans les milieux monarchistes et antisémites.

Cette puissance n'était pas sans inquiéter le gouvernement, d'autant que, en 1929, Maurras avait ouvertement menacé de représailles le ministre de l'Intérieur, Schrameck, à la suite d'attentats contre les patriotes et que l'influence de l'A.F. s'était manifestée lors de l'élection de Paul Doumer à la présidence de la République contre Briand, en 1931 ; que, en 1936, Maurras menaçait encore publiquement (le « *couteau de cuisine* ») les 140 parlementaires accusés de vouloir déclarer la guerre à l'Italie à propos de sa campagne éthiopienne. Or les 22 novembre et 4 décembre 1937, le comte de Paris, agissant au nom de son père, le prétendant, désavouait l'A.F., ses dirigeants et sa doctrine. Relation de causes à effet ? En tout cas, aucune de ces obstructions ne put interrompre les ardentes campagnes de Maurras dénonçant le « péril allemand » que représentait la prise du pouvoir par Hitler, la folie de notre participation à la guerre civile espagnole, le suicide collectif d'une déclaration de guerre à l'Allemagne alors que nous étions aussi mal préparés moralement que matériellement. La *Ligue* avait été dissoute par le gouvernement, mais le journal continuait et les militants s'étaient regroupés dans des comités locaux. A la débâcle de 1940, l'A.F. se replia à Poitiers, Limoges et enfin Lyon où elle se rallia au maréchal Pétain sans rien sacrifier de sa méfiance envers l'Allemagne, mais menant une campagne incessante pour préserver l'unité des Français. D'où les attaques qu'elle eut à supporter, tant de la part des occupants que de la Résistance rejointe par une grande partie de ses anciens adhérents. Bien que son audience en fut réduite en nombre, l'A.F. conservait une influence dont témoignait Georges Villiers, alors maire de Lyon et futur président du C.N.P.F., en présentant Maurras le 19 octobre 1941 pour une conférence au *Théâtre des Célestins* : « *Monsieur Maurras,* disait-il, *est en effet devant nous l'exemple de cette matière dure et solide dont nous voulons fondre nos cœurs nouveaux. Souhaitons de voir se propager les résonances profondes de son œuvre et de son action.* » La Libération marqua la fin de *l'Action Française* classée parmi les « journaux infâmes » : Daudet était mort le 1er juillet 1942, Maurras et Pujo emprisonnés, l'équipe dirigeante décimée. Il appartenait à Georges Calzant de reprendre le flambeau avec *Aspects de la France* (voir à ce mot).

On a souvent parlé des déficits du journal *L'Action Française*, chiffrés arbitrairement. Un relevé, établi par l'administrateur du journal a été publié dans les *Cahiers Charles Maurras* (n° 1, avril 1960) ; il s'établit ainsi :

Pertes du journal

Années	1920		1 171 427,10
—	1921		617 649,33
—	1922 (bénéfice)		162 132,44
—	1923		409 098,37
—	1924		829 086,23
—	1925		534 171,17
—	1926		1 209 305,05
—	1927		804 472,39
—	1928		569 805,24
—	1929		1 040 675,23
—	1930		1 565 187,39
—	1931		1 662 612,07
—	1932		1 587 248,35
—	1933		871 500,12
—	1934		169 570,70
—	1935		1 062 572,78
—	1936		966 988,44
—	1937		1 425 845,37
—	1938		1 440 083,32

Ces chiffres, qui peuvent paraître élevés, n'en étaient pas moins normaux pour un mouvement d'opposition dont les polémiques n'épargnaient personne, et pas même les gros souscripteurs aux incessants appels de fonds lancés par le journal (1). C'est le succès de ces souscriptions qui permettait la survie du quotidien et du mouvement.

ACTION LATINE (L').

Mouvement fondé en 1953 par Roger Barthe, assisté du général d'Astier de la Vigerie, de Paul Gache et de Henry Coston. R. Barthe est l'auteur d'un livre, *L'Idée Latine*, préconisant l'union des pays latins.

ACTION LIBERALE POPULAIRE.

Fondée par Jacques Piou, chef de file des catholiques *ralliés* (ex-monarchistes ralliés à la République). Georges Goyau, de l'Académie française, en fut longtemps l'animateur.

---

(1) *L'Action Française* fut un des très rares journaux repliés à Lyon qui refusèrent la subvention mensuelle que le gouvernement du maréchal Pétain accordait aux publications soutenant sa politique (voir nos documents photographiques à « *Fonds spéciaux* »).

ACTION NATIONALE (L').

Organe de liaison et d'information du *Mouvement National Etudiant*. Fondé en 1958 et rédigé par Paul Raynal, Paul Martinez, Louis-Jacques Martin, Jacques Saulnier, François Caviglioli, etc. (136, cours Lafayette, Lyon).

ACTION NATIONALE REPUBLICAINE.

Front groupant divers partis et ligues de droite, créé à la veille des élections de 1924. La *Ligue Civique*, la *Ligue des Patriotes*, l'*Action Libérale Populaire*, la *Fédération des républicains démocrates* et la *Fédération républicaine* en faisaient partie. Principales personnalités adhérentes : François Arago, le pasteur Ed. Soulié, Ed. de Warren, Xavier de La Rochefoucauld, Albert Orry (ancien socialiste), Yves Guyot, François de Wendel, Raphaël-Georges Lévy, Marcel Habert, Chassaigne-Goyon, Boivin-Champeaux, etc.

ACTION NOUVELLE (L').

Journal publié en 1933 par Pierre Mouton, futur directeur de *Prima Presse* (avant la guerre) et de *Paris-Soir* (1941-1943), avec la collaboration de Jacques Debû-Bridel, Nino Baldanza, R. Cheminat, André Chaumet, etc. Avait organisé en 1933 un congrès des diverses tendances nationales auquel participèrent : le *Mouvement National Populaire* (Mouton, Debû-Bridel), *Ordre et Bon Sens* (Dalle, Malverge), le *Parti Social National* (A. Escautier), *La Voix de la Terre* (Pietri), les *Jeunesses Agraires* (Leroux), *La France Ouvrière* (Bourgoin), les *Comités Nationalistes de la Seine* (Bernardini, Ploncard), les *Groupes d'Action* (Axel de Holstein), l'*Action Publique* (Jacques Arthuys), la *Ligue des Patriotes*. A propos de ce congrès, Jacques Debû-Bridel faisait cette déclaration : « *Nous sommes anti-capitalistes parce que nationaux et anti-marxistes... Notre doctrine a ses racines dans le sol du pays. Le terme même de national-socialisme, on le trouve chez un de nos maîtres les plus chers : Barrès* » (*L'Action Nouvelle*, 18-8-1933).

ACTION NOUVELLE.

Mouvement créé à Toulon par Jean Reimbold, professeur de lettres, qui se donne pour taches essentielles de : « *créer un Etat fort, respecté, hiérarchisé, capable de maintenir l'ordre à l'intérieur, de se faire respecter à l'extérieur et de défendre partout ses nationaux* », de « *libérer les moyens d'expression, d'information et de diffusion, dans toute la mesure où leur activité ne s'exerce pas contre l'intérêt de la nation* » ; de « *créer une Europe Unie, dans laquelle les nations puissent s'intégrer progressivement sans perdre leurs caractères particuliers, et qui trouve dans l'Afrique son complément naturel* » ; de « *participer dans ce cadre à l'Alliance atlantique et réaliser face au communisme l'unité d'action du Monde occidental* ». (26, rue Mirabeau, Toulon.)

ACTION REPUBLICAINE (L').

Bi-hebdomadaire de gauche fondé sous la IIIe République et ressuscité en 1944 par Maurice Viollette qui le dirigeait avant la guerre et qui l'avait sabordé en 1940. Fait partie aujourd'hui du groupe *Hersant* (voir à ce nom). Diffusé dans tout le département, principalement dans la région de Dreux et de Nogent-le-Rotrou. Tirage moyen : 22 000 exemplaires (23, rue Saint-Martin, Dreux).

ACTION REPUBLICAINE DES COMBAT-TANTS.

Fondée au lendemain du référendum de 1946 par des officiers résistants et anticommunistes qui avaient fait campagne pour le rejet de la constitution. Le Mouvement était animé par Antoine Chalvet de Récy — le Récy des « bons d'Arras » — alors président de l'Union des Evadés de France, Thadée Diffre, compagnon de la Libération, attaché de cabinet de René Pleven, et Pierre Mauresse-Lebrun, champion de polo, futur gendre de l'industriel Solvay. A fusionné avec les *Compagnons de la Victoire* pour constituer la *Confédération Générale des Combattants,* organisation politique nationale.

ACTION REPUBLICAINE ET SOCIALE (A. R. S.).

Groupe parlementaire créé, en 1952, par les députés *R.P.F.* qui avaient voté l'investiture du président Pinay malgré les ordres contraires du général De Gaulle. En firent partie les députés Bardon, Barrachin, Bergasse, Billotte, Boisdé, Cochart, Couinaud, Coulon, Febvay, Frédéric-Dupont, Georges, Godin, Halleguen, Henault, July, Kuehn, Legendre, Mallez,

Mignot, Mondon, Patria, Pelleray, Priou, Puy, Raingeard, Renaud, Samson, de Sesmaisons, Thiriet, ainsi que deux apparentés : Bendjelloul et Rousseau. L'*A.R.S.* fusionna avec le *Centre National des Indépendants* le 23 juin 1954.

ACTION SOCIALISTE ET REVOLUTION-NAIRE.

Groupe d'extrême-gauche né (mort-né) d'une scission à la *S.F.I.O.* Animateur : Yves Dechezelles.

ACTIVISTE.

Personne se livrant à une activité politique, parfois clandestine ou illégale, souvent de caractère violent, en faveur d'un groupe ou contre le pouvoir établi. L'*activiste* se distingue du *militant* par son comportement : le premier recherche avant tout l'action, persuadé qu'en elle seule réside la chance de succès ; le second, politiquement formé, est d'abord un propagandiste : plus volontiers homme de parti que le premier, il compte surtout sur la conquête des masses ou d'une élite pour faire triompher ses idées. Il s'ensuit que l'activiste se fixe très rarement et qu'il passe avec facilité d'un groupe à un autre groupe voisin sans trop se soucier des doctrines et des programmes. Au cours des années 1960-1963, on qualifiait d'*activistes* les clandestins de l'*O.A.S.* et des autres groupes se réclamant du nouveau *C.N.R.* de Georges Bidault, ou travaillant en liaison avec le groupe du colonel Chateau-Jobert ou celui du capitaine Sergent.

ADAM (Paul).

Ecrivain (1862-1920). Participa à la propagande révolutionnaire par ses écrits dans les feuilles d'avant-garde et publia dans *Les Entretiens politiques et littéraires* (juillet 1892) un « *Eloge de Ravachol* » où l'on lisait : « *Quelles qu'aient pu être les invectives de la presse bourgeoise et la ténacité des magistrats à flétrir l'acte de la victime, ils n'ont pas réussi à nous persuader de son mensonge. Après tant de débats judiciaires, de chroniques et d'appels au meurtre légal, Ravachol reste bien le propagateur de la grande idée des religions anciennes qui préconisèrent la recherche de la mort individuelle pour le bien du monde ; l'abnégation de soi, de sa vie et de sa renommée pour l'exaltation des pauvres, des humbles. Il est définitivement le rénovateur du sacrifice* essentiel. *Avoir affirmé le droit à l'existence au risque de se laisser honnir par le troupeau des esclaves civiques et d'encourir l'ignominie de l'échafaud, avoir conçu comme une technique la suppression des inutiles afin de soutenir une idée de libération, avoir eu cette audace de concevoir, et ce dévouement d'accomplir, n'est-ce pas suffisant pour mériter le titre de rédempteur ?* » Cet anarchiste s'assagit en vieillissant.

AGENCE CENTRALE PARISIENNE DE PRESSE.

Cette agence de presse de gauche fut créée le 24 février 1951 par deux journalistes d'obédience *S.F.I.O.,* Georges Lustac et Henri Noguères, qui apportèrent chacun la somme de 50 000 francs. La société, sous forme de S.A.R.L., s'appelait alors *Agence Centrale de Presse* ; elle avait son siège et ses bureaux dans les locaux parisiens du *Provençal,* 1, rue Caumartin, à Paris. Ce n'est que le 25 avril suivant qu'elle prit son titre actuel. Si Henri Noguères était surtout connu comme le fils du président de la Haute Cour qui avait condamné le maréchal Pétain, Lustac, lui, jouissait déjà d'une certaine notoriété dans la *presse issue de la Résistance.* Né à Odessa le 4 octobre 1917, Georges-Alexandre Lustac, dont la famille israélite paya un lourd tribut à la guerre — « *son père, sa mère et son jeune frère sont morts en déportation* », a précisé *Le Monde* (23-12-1961) — avait rejoint Alger en 1943 et s'était engagé dans la 2ᵉ D.B. Chargé de mission au cabinet du ministre de l'Information après la Libération, il fut en 1946 le chef de cabinet de Gaston Defferre à ce même ministère. Puis il devint le collaborateur de Defferre au *Provençal.* Il fut, pendant plusieurs années, le directeur-administrateur du quotidien marseillais. Il avait, entre-temps, présidé l'*Agence Régionale Télégraphique,* dont Francis Leenhart faisait partie en qualité de membre du C.A. et administré *Gavroche,* l'hebdomadaire de Jean Texier. En raison de la personnalité de Georges Lustac, l'*Agence Centrale Parisienne de Presse* fut bientôt considérée dans les milieux politiques comme un organisme dépendant de Gaston Defferre. Par la suite, deux nouveaux associés firent leur apparition : M. Paul Braunstein, auquel Lustac avait cédé 3 de ses 50 parts, et M. Gilbert Viala, qui reçut également 3 parts, mais, lui, de M. Henri Noguères. Ce dernier céda ses autres actions à sept grands journaux régionaux. A la mort de Georges Lustac, survenue le 22 décembre 1961, une importante transformation fut opérée : le 20 juin 1962, la S.A.R.L. devint une société anonyme, et son capital social fut porté à 100 000 francs. Dès lors, les actionnaires sont, outre Mme Vve Lustac, née Christiane-Augustine Bizet, et ses enfants mineurs, qui détiennent ensemble (officiellement) 470 actions de 10 F : M. Paul Braunstein, journaliste, né à Paris (5ᵉ) (30 actions) ; la Société *La Montagne,* à Clermont-Ferrand (30 actions) ; la Société *La Presse Socialiste et Démocratique du Nord de la France (Nord-Matin),* à Lille (120 actions) ; la Société *Le Journal du Centre,* à Nevers (30 actions) ; la Société *La Nouvelle République du Centre-Ouest,* à Tours (50 actions) ; la Société *Les Presses Nouvelles de l'Est,* à Dijon (60 actions) ; la Société *République,* à Toulon (30 actions) ; la Société *Le Provençal,* à Marseille (150 actions) ; la *Société Messine d'Editions et d'Impression (Le Républicain Lorrain),* à Metz (30 actions). Dirigée à la mort de Lustac par Paul Braunstein, la société est depuis 1964 présidée par André Cordesse, beau-frère de Gaston Defferre (voir : A. Cordesse). L'*A.C.P.* compte, en dehors de ses actionnaires, des clients importants (comme *Nice-Matin*), qui publient régulièrement les informations qu'elle leur transmet. Si, comme tout le porte à croire, cette agence est en fait sous la dépendance de Defferre, on devine quel puissant instrument de propagande elle est pour le mouvement socialiste et pour toute la gauche.

AGENCE COOPERATIVE INTERREGIONALE DE PRESSE (A.C.I.P.).

Agence de presse à forme coopérative, créée en 1960 par une vingtaine d'hebdomadaires de province de tendance modérée, libérale ou conservatrice avec l'appui du *C.E.P.E.C.,* parmi lesquels *L'Impartial des Andelys, L'Authie, L'Eveil du Périgord, Le Valentinois, La Voix de la Corrèze, Le Pays Roannais, Les Echos de Seine-et-Oise, Ouest-Normandie, Le Courrier de la Mayenne, La Savoie,* etc. Compte aujourd'hui : 125 journaux adhérents, dits *coopérateurs,* une centaine de journaux amis, dits *correspondants,* utilisant régulièrement les services de l'agence et une centaine de journaux sympathisants, abonnés au bulletin de l'*A.C.I.P.* Ce bulletin fournit une abondante *copie* à la presse provinciale (billets politiques, informations, documents, chroniques, etc.) et s'est assuré la collaboration de Thierry-Maulnier, Marc Lauriol, Bertrand Motte, Lunet de la Malène, Camille Laurens, et de divers autres personnalités politiques littéraires et économiques. Son premier congrès, tenu au château de Menars (Loir-et-Cher), les 4, 5 et 6 juillet 1964, réunissait cent cinquante directeurs d'hebdomadaires et de publications, sous le parrainage de Georges-René Laederich, président du *C.E.P.E.C.* A son 2e congrès, tenu à Paris même, sous la présidence de Léon Borioli, assistaient cent quarante directeurs, rédacteurs en chef et animateurs de journaux modérés et centristes. A la table d'honneur, autour du comte Barrozi, dit Pierre Baruzy, vice-président du *C.E.P.E.C.* et de Serge Scheer, président-directeur général d'*Esso* — le groupe pétrolier, qui prêtait sa salle de restaurant, — avaient pris place : Th. E. Boury, président de l'*Omnium d'Impression et de Publicité* (*O.I.P.*), le comte François de Clermont-Tonnerre, vice-président de l'*A.C.I.P.*, Marc Pradelle, directeur de l'*O.I.P.*, secrétaire général du *C.E.P.E.C.*, Paul Breittmayer, président du *Syndicat des Hebdomadaires de Province*, Choppin de Janvry, directeur des R.E. d'*Esso*, le colonel Rémy, vice-président du *C.E.P.E.C.*, Raymond-Laurent et Georges Potut, anciens ministres, Edouard Rieunaud, ancien député, J.L. Bourdelle, bâtonnier de l'Ordre des avocats, vice-président du *C.E.P.E.C.*, Roland Boudet, directeur de *Nos Cantons*, maire et conseiller général de Laigle, René Mameaux, directeur du *Courrier du Loiret,* André Lafond, conseiller économique et social, l'amiral Auphan, le général Vanuxem, la vicomtesse Pierre d'André, Marcel Bocquet, administrateur de *L'Echo de Touraine*, Bernard Manceau, directeur de l'*Intérêt choletais*, Emile Clément, directeur du *Valentinois*, L. Piney, directeur de *Rhône-Presse*, etc. L'*agence* est dirigée par J.L. Bourdelle (qui succéda à Christian Taupin), L. Borioli, François de Clermont-Tonnerre, Georges Gros et Marc Pradelle (4, rue de la Michodière, Paris 2e).

AGENCE ECONOMIQUE ET FINANCIERE (L') (voir : L'Information).

AGENCE FOURNIER.

Agence de presse — l'une des plus anciennes — fondée à Paris en 1879, par Georges Fournier, qui fut l'un des

pionniers de la presse libérale. Installée avant la guerre rue de la Bourse, dans des locaux que l'*A.F.P.* a occupé après la Libération. En 1937, le journaliste Jean Fontenoy, futur co-fondateur du *Rassemblement National Populaire* (avec Marcel Déat), s'était associé avec Robert Bollack, directeur de l'*Agence Economique et Financière,* pour prendre le contrôle de l'entreprise. Mais la collaboration fut de courte durée. Les efforts faits en 1953-1954 pour redonner vie à l'*Agence Fournier* ne furent pas couronnés de succès : les bailleurs de fonds (notamment l'industriel Grousset, de la Loire) y engloutirent inutilement quelques millions.

AGENCE FRANÇAISE D'INFORMATION DE PRESSE (A.F.I.P.).

Agence de presse fonctionnant sous l'occupation dans les locaux parisiens des services d'information de l'*Agence Havas* et remplaçant celle-ci auprès des journaux de la zone Nord.

AGENCE FRANÇAISE DE PRESSE (A. F. P.).

Agence de presse ayant succédé, à la Libération, à l'*Office Français d'Information* (*O.F.I.*), créé par le gouvernement du maréchal Pétain en 1940, et à l'*Agence Française d'Information et de Presse* (*A.F.I.P.*) constituée sous le contrôle des Allemands avec le concours de l'agence *D.N.B.* Elle succédait aussi à l'*Agence Française Indépendante* (*A.F.I.*), fondée à Londres en 1940, dans les bureaux de l'*Agence Havas* avec le concours le l'*Agence Reuter*, par les partisans du général De Gaulle. En 1942, après le débarquement des Alliés en Afrique du Nord, l'infrastructure et le personnel de l'*O. F. I.* d'Alger formèrent l'*Agence France-Afrique* dont Paul-Louis Bret, ancien chef du bureau *Havas* de Londres, prit la direction. En mars 1944, le Comité d'Alger constitua un nouvel organisme, l'*Agence Française de Presse*, sous la direction de Géraud Jouve, qui absorba l'*A.F.I.* et l'*Agence France-Afrique*. A la même époque, le *Conseil National de la Résistance* avait constitué en France même une *Agence d'Information et de Documentation* (*A.I.D.*) qui fonctionnait clandestinement sous la direction de Léon Rollin, ancien chef des services étrangers de l'*Agence Havas*. C'est l'équipe de l'*A.I.D.*, sous la direction de Martial Bourgeon, dit Claude-Martial, successeur de Léon Rollin, arrêté par les Allemands, qui prit possession, en août 1944, des locaux d'*Havas* à Paris occupés alors par l'*A.F.I.P.* Il y fit paraître aussitôt un bulletin d'information que des cyclistes livrèrent aux journaux ayant remplacé ceux de l'occupation. Quelques jours plus tard, les équipes des bureaux de Londres et d'Alger regagnèrent Paris et formèrent un bureau parisien de l'*Agence Française de Presse*, dont une ordonnance d'Alger, datée du 22 juin 1944, avait fait l'agence officielle, ayant « *seule qualité à l'exclusion de toute autre agence française ou étrangère, pour distribuer à l'intérieur du territoire à la presse et à la radio les communiqués et textes officiels et les informations françaises ou étrangères* » et ceci, était-il précisé, « *au fur et à mesure de la libération du territoire métropolitain* ». Une nouvelle ordonnance (30-9-1944), confirmant cet état de choses, créa (avec effet rétro-actif à partir du 20-8-1944) « *sous le nom d'Agence France Presse, un établissement public doté de la personnalité civile et de l'autonomie financière* » à la disposition de laquelle on mettait gratuitement les locaux, installations et matériels ayant appartenu à l'*Office Français d'Information*. On lui remit même le portefeuille de titres qui appartenait à cet organisme. Claude-Martial en fut le premier directeur et François Crucy lui succéda en avril 1945. Un peu plus tard, Maurice Nègre remplaça Crucy décédé (1946). Puis, Paul-Louis Bret prit la place de Nègre qui avait été suspendu en juin 1947, et qui fut réintégré en février 1950. En janvier 1952, Jacques Lucius remplaça ce dernier jusqu'en 1953 et, après un retour de Maurice Nègre (février 1953-septembre 1954), Jean Marin devint le directeur général de l'agence. Ce dernier occupe toujours ce poste. Dépendant de l'Etat, mais autonome, l'*A.F.P.* est contrôlée par un conseil supérieur de huit membres, présidé par un conseiller d'Etat. Un conseil d'administration est responsable du bon fonctionnement de l'agence. En dehors de son président, il comprend : huit représentants de la presse, deux représentants de l'*O.R.T.F.*, trois représentants des services publics usagers de l'agence, désignés par le Gouvernement, et deux représentants élus par le personnel de l'Agence. L'*Agence Havas* d'avant-guerre comptait environ 1 200 collaborateurs ; l'*A.F.P.* en a aujourd'hui près de 2 000, dont 40 % de journalistes. Elle possède en outre environ 500 correspondants à l'étranger. Sous la présidence d'Yves Morvan, dit Jean Marin, directeur général, sont groupés les services administratifs et financiers, dirigés par Henri Pilorge, les services rédactionnels, animés par le rédacteur en chef Fernand Moulier et ses adjoints Jacques Boetsch, Georges Fis, Jean-Jacques Faust et André Pradelle. Claude Roussel assume le secrétariat général. L'équipe compte en outre : Raymond Hubert, rédacteur diplomatique, Pierre Doublet, chef du service de langue anglaise, Gustave Aucouturier, Edwin Forte, Bernard Redmont, Jean Mauriac, fils de l'académicien, chargé des rapports avec l'Elysée, Tania Dimitriu, Serge de Gunsburg, Danielle Eyquem, Paul Loby, Claude Imbert, chargé des informations politiques, Maurice Tillier, Pierre Meunier, Henri Schwob, chargé des services économiques, Yves Gayard, chargé des informations militaires, Claude Benedick, Daniel Rocher, etc. (11, place de la Bourse, Paris 2ᵉ).

AGENCE HAVAS.

Entreprise de publicité qui fut, avant la guerre, à la fois agence de presse et agence de publicité. L'*Agence Havas* était la plus ancienne agence de presse de France. Elle fut fondée en 1835 par Charles Havas, un Rouennais issu d'une famille d'origine israélite portugaise réfugiée en France et convertie au catholicisme au milieu du XVIIIᵉ siècle. Havas avait fondé, trois années auparavant, rue Jean-Jacques Rousseau, en face de l'Hôtel des Postes, un bureau de traductions. Ce bureau fournissait aux journaux, aux ambassades et aux ministères, la traduction des journaux anglais, allemands, espagnols, italiens, etc. Charles Havas le transforma en véritable agence d'information en 1840, lorsqu'il eut établi un service régulier de dépêches par pigeons voyageurs entre Paris, Bruxelles et Londres. Balzac, qui avait parfaitement compris l'importance et le mécanisme du bureau Havas, nous en fait la description dans sa *Revue parisienne* :

« *Il existe à Paris, rue Jean-Jacques Rousseau, un bureau dirigé par M. Havas, ex-banquier, ex-co-propriétaire de la Gazette de France, ex-co-associé d'une entreprise pour l'exploitation des licences accordées par Napoléon à l'époque du blocus continental. M. Havas a vu beaucoup de gouvernements ; il vénère le fait et professe peu d'admiration pour les principes ; aussi a-t-il servi toutes les administrations avec une égale fidélité. Si les personnes changent, il sait que l'esprit ne change jamais, et que la direction à donner à l'esprit public est toujours la même. M. Havas a une agence que personne n'a intérêt à divulguer, ni les ministères, ni les journaux d'opposition. Voici pourquoi M. Havas a des cor-*

respondances dans le monde entier ; il reçoit tous les journaux de tous les pays du globe, lui le premier. Aussi est-il logé rue Jean-Jacques Rousseau, en face de l'Hôtel des Postes, pour ne pas perdre une minute. Tous les journaux de Paris ont renoncé, pour des motifs d'économie, à faire, pour leur compte, les dépenses auxquelles M. Havas se livre d'autant plus en grand qu'il a maintenant un monopole et tous les journaux, dispensés de traduire comme autrefois les journaux étrangers et d'entretenir des agents, subventionnent M. Havas par une somme mensuelle pour recevoir de lui, à heure fixe, les nouvelles de l'étranger. A leur insu, ou de science certaine, les journaux n'ont que ce que le premier ministre leur laisse publier... S'il y a vingt journaux et que la moyenne de leur abonnement avec M. Havas soit de 200 francs, M. Havas reçoit d'eux 4 000 francs par mois. Il en reçoit 6 000 du Ministère... Comprenez-vous maintenant la pauvre uniformité des nouvelles étrangères dans tous les journaux ? Chacun peint en blanc, en vert, en rouge ou en bleu la nouvelle que lui envoie M. Havas, le maître Jacques de la Presse. Sur ce point, il n'y a qu'un journal, fait par lui, et à la source duquel puisent tous les journaux... »

Malgré ses deux cents abonnés, malgré l'habileté de son adjoint Israel-Josaphat Beer, futur fondateur de l'Agence Reuter sous le nom de Julius Reuter, malgré l'appui du Ministère, ce « maître Jacques de la Presse » n'aurait pas réussi à consolider et à développer son affaire sans l'adoption du télégraphe électrique qu'on venait d'inventer et qu'il utilisa pour la transmission des dépêches que ses correspondants envoyaient aux quatre coins de l'Europe. Dès lors, l'Agence Havas connut un essor prodigieux. En 1852, elle absorba le Bulletin de Paris, qui fournissait aux journaux des départements et de l'étranger des informations gratuites contre l'insertion, également gratuite, de placards de publicité, et elle lui substitua une Correspondance générale Havas. En 1865, elle installa place de la Bourse à Paris un organisme qui draina vers elle tous les contrats de publicité destinés à la presse. En 1879, elle se transforma en société anonyme avec l'appui financier du baron d'Erlanger. En 1914-19, elle mit pratiquement en tutelle les Cinq Grands dont elle afferma la publicité. Enfin, de 1919 à 1939, elle prit des intérêts dans la plupart des autres agences de publicité qui, sous des noms divers, furent en fait ses filiales.

Pendant l'occupation, l'agence de presse proprement dite devint un organisme officiel : plus exactement, l'Agence Havas Information fut remplacée par l'Office Français d'Information O.F.I., dont le siège était à Vichy, à l'Hôtel de la Paix, et qui avait des bureaux communs, 13, place de la Bourse (bureau de l'agence de presse jusqu'en 1940), avec l'Agence Française d'Information de Presse (A.F.I.P.), créée au début de l'occupation en liaison avec l'agence allemande D.N.B. L'assemblée générale extraordinaire des actionnaires de la société anonyme Agence Havas, tenue le 29 mars 1941, avait autorisé la cession à l'Etat Français, pour la somme de 25 millions de francs, de la branche Information, et pris l'engagement de lui céder une participation dans la branche Publicité « avec rétrocession partielle à un groupe allemand » ; elle avait également donné son accord pour que fussent cédés à une société germanique 51 % des actions de ses filiales : la Société Européenne de Publicité, l'Agence Havas Belge et la Havas Limited. Le capital social, qui était alors de 105 millions, fut réduit à 52 500 000 francs. Le mois suivant, une nouvelle assemblée générale extraordinaire, réunie le 19 avril 1941, procédait à une augmentation de capital entièrement souscrite par l'Etat français qui, en versant 54 750 000 francs, devenait majoritaire. A la Libération, l'ex-Agence Havas (Information) devenue l'O.F.I., fut transformée en Agence France Presse. Au cours des augmentations de capital successives, l'Etat ou des organismes officiels ont augmenté leur participation dans l'Agence Havas devenue uniquement une entreprise de publicité. Par exemple la Caisse de Dépôts et Consignations souscrivit à 475 283 actions en 1948, à 21 577 actions en 1949, et le ministère des Finances, cette même année, s'inscrivit pour 146 043 actions et en 1951 pour 40 541 actions. La participation de l'Etat dépasse actuellement 57 %.

L'Agence Havas est le centre d'un immense réseau publicitaire, composé de ses filiales et des sociétés dans lesquelles elle possède des participations importantes : Avenir Publicité, Information et Publicité (entreprise liée aux Disques de France et à Paris-Télévision), Damour Publicité, Havas Tourisme, Sté des Machines Havas, Diffusions Modernes, Office d'Annonces, Cinéma et Publicité et Métrobus Publicité (ces deux firmes étant liées à Publicis, de Marcel Bleustein-Blanchet), Sté de Publicité Religieuse (S.P.R.), ayant la régie de nombreux journaux catholiques), Gaumont Actualités (en liaison avec les Ets Gaumont où Havas possède une petite participation),

Somopura (*Sté Monégasque de Publicité Radiophonique*), *Cie Luxembourgeoise de Télédiffusion* (*Radio-Luxembourg*), etc. Elle est, par son importance et le chiffre d'affaires qu'elle réalise, la première agence de publicité de France. Son conseil d'administration comprend : Jean Schloesing, qui fut conseiller commercial à l'étranger, et que le Gouvernement nomma administrateur provisoire en 1945 et qui fut président du conseil d'administration par la suite (actuellement président honoraire); Gaston Vagogne, administrateur et conseiller technique d'*Information et Publicité,* président directeur général de l'*Office Spécial de Publicité* (actuellement président d'honneur); Christian Chavanon, président-directeur général, maître des requêtes au Conseil d'Etat, également administrateur d'*Information et Publicité* et de la *Cie Luxembourgeoise de Télédiffusion* ; Pierre Carré, président du groupement des journaux en régie *Havas* ; Yves Chataigneau, ancien gouverneur général de l'Algérie et ancien ambassadeur de France à Moscou ; Francis-Louis Closon, président-directeur général d'*Informations et Publicité* et des *Mines de Bor,* vice-président de la *Cie Libanaise de Télévision* et administrateur de *France-Investissement ;* Jean Ehrhard, président directeur général des *Machines Havas,* administrateur des sociétés *Publicité Transports Parisiens, Havas belge* et *Office d'Annonces ;* François Ortoli, inspecteur des Finances, ancien directeur de cabinet de Georges Pompidou ; Pierre du Pont, inspecteur général des Finances, administrateur de la *Cie Française du Gabon ;* Ludovic Rossler, et Jean Sainteny, ancien député *U.N.R.-U.D.T.,* ancien ministre des Anciens Combattants. L'*Agence Havas* a la régie publicitaire d'une quarantaine de quotidiens, d'une centaine d'hebdomadaires, bi ou tri-hebdomadaires, ainsi que de nombreux périodiques. Elle représente en outre 450 journaux et publications de l'étranger. (62, rue de Richelieu, Paris 2ᵉ.)

AGENCE D'INFORMATION ET DE DOCUMENTATION (A.I.D.).

Agence d'information de la presse de la Résistance. Avait englobé l'*Agence France Libre,* le *Centre d'Information et de Documentation* (du M.U.R.) et le *Bulletin de la France combattante* (publié par le *Bureau d'Information et de Presse,* directeur : Georges Bidault ; collaborateurs : Rémy Roure, Louis Terrenoire, André Sauger, Pierre-Louis Falaize, Pierre Courtade, Pierre Hervé, Pierre Corval, etc.).

AGENCE DE PRESSE.

Entreprise commerciale (privée ou nationale), recherchant, réunissant, rédigeant des informations, à l'intention de clients recrutés essentiellement parmi les journaux et les postes d'émission de radiodiffusion et de télévision. Les principales *agences de presse,* dans le monde, sont l'*A.F.P.* (France), *Reuter* (Grande-Bretagne), *United Press, Associated Press* (U.S.A.), *A.N.S.A.* (Italie), *Tass* (U.R.S.S.), *D.P.A.* (Allemagne de l'Ouest), *Kyodo* (Japon), *Belga* (Belgique), *Lusitania* (Portugal), etc.

AGENCE TECHNIQUE DE LA PRESSE.

Bulletin quotidien d'informations politiques et financières fondé en 1926 par Jacques Landau, un ancien du *Bonnet Rouge* amnistié quelques années auparavant. Fournit, jusqu'en 1939, une documentation à la presse républicaine. Alexandre Zévaès et R. de Marmande y collaboraient régulièrement.

AGENT.

L'*agent diplomatique* est une personne remplissant une mission diplomatique. L'*agent provocateur* est un individu qui suscite des incidents entraînant des représailles à l'encontre du groupe ou des gens en faveur desquels il fait semblant d'agir. Les polices politiques emploient couramment des *agents provocateurs* pour amener l'opposition à commettre des actes illégaux qui obligent les autorités judiciaires à sévir. Les régimes totalitaires ont fait appel à des *agents provocateurs* pour découvrir les opposants. De tels agents sont également utilisés par des groupements politiques contre leurs adversaires. Le terme *agent* désigne, dans le langage politique courant, la personne agissant pour le compte d'un groupe, d'un *lobby,* d'une puissance étrangère, etc.

AGITATION.

Action politique menée par la parole ou par l'écrit en vue d'exciter les masses populaires, ou une fraction déterminée de la population. Le *Parti Communiste* a réuni ses activités *agitation* et *propagande* sous une même autorité, les deux ayant pour objectif d'orienter l'opinion publique dans un sens bien déterminé. Certains de ses adversaires l'ont imité.

AGRESSION.

Attaque brutale et soudaine contre une personne, un groupe, une entreprise, soit pour les mettre hors de combat, soit pour les contraindre à plus de discrétion. L'attaque armée d'un Etat contre un autre est qualifiée d'*agression :* elle a pour objectifs l'occupation de son territoire et la mise sous contrôle de sa population. En terminologie politique, l'*agresseur* est toujours l'adversaire ; celui-ci est, en outre, qualifié de *provocateur* s'il n'a pas donné lui-même les premiers coups.

AIDE A L'ETRANGER.

En principe, assistance donnée à un pays ami pour l'aider à surmonter une crise passagère, ou pour lui permettre de développer son économie ou de renforcer son armée. En fait, instrument efficace de la politique étrangère de certains grands pays (U.S.A. et U.R.S.S. principalement). Utile au début, l'*aide à l'étranger* peut bien vite devenir une gêne pour le bénéficiaire, dans la mesure où elle favorise ou permet la colonisation économique de l'assisté, ou quand elle l'incite au moindre effort et paralyse son esprit d'initiative. L'*aide de développement,* consenti par des organismes internationaux (*ONU, OCED, Fonds Monétaire International, Banque Mondiale,* etc.), sous forme de crédits à longs termes, de livraisons de matériel, d'assistance technique aux pays sous-développés, n'échappe pas toujours aux reproches que l'on fait à l'*aide à l'étranger,* en raison des pressions de tous ordres que les puissances (publiques ou cachées) peuvent exercer sur les pays assistés, par le truchement des organismes officiels accordant leur aide.

AILLIERES (Michel d').

Homme politique, né à Paris, le 17 décembre 1923. Fils de Bernard d'Aillières, ancien député, gendre de François Saint-Paul de Sincay, administrateur de sociétés minières et métallurgiques, et de Mme, née Geneviève de Nervo, elle-même fille du financier Léon de Nervo et de la baronne, née Davillier, de la famille des banquiers. Le député (conservateur, sympathisant *P.S.F.*) d'Aillières, son père, fut évincé du Parlement à la Libération parce qu'il était pétainiste. Maire d'Aillières. Conseiller général du canton de La Fresnaye-sur-Chédouet, depuis 1951. Député de la Sarthe (5ᵉ circonscription), depuis 1958. Membre du groupe des *Républicains indépendants* et fidèle soutien du gouvernement, a fait campagne pour le général De Gaulle à l'élection présidentielle de 1965. Administrateur de la *S.A. d'Exploitation des Journaux Hebdomadaires Régionaux.*

AISNE NOUVELLE (L').

Tri-hebdomadaire issu de la Résistance, fondé en 1944 par Pierre Choquart, président-directeur général. Publie en « *tribune* » l'opinion des diverses tendances politiques. Ses 21 000 exemplaires sont répandus dans les régions de Saint-Quentin, de Laon et de Vervins. L'équipe du journal est animée par son directeur général, qui est adjoint au maire de Saint-Quentin, secondé par Henri Delcroix, directeur technique, Roger Chaffard-Luçon, ancien rédacteur en chef de *l'aube,* directeur de la rédaction et Alain Grandmery, Jean Cambrelin, Marc Zambla, Michel Drancourt (33, rue Raspail, Saint-Quentin).

AIZIER (Gaston-Paul).

Homme politique, né à L'Isle-Adam (S.-et-O.), le 18 avril 1922. Architecte. Membre du *Rotary.* Maire de l'Isle-Adam. Député *U.N.R.* de Seine-et-Oise (élu en 1962).

ALAIN (Emile-Auguste CHARTIER, dit).

Universitaire, né à Mortagne (Orne), en 1868, mort au Vésinet (Seine-et-Oise) en 1951. Il enseigna d'abord à Rouen, puis au lycée Henri-IV. André Maurois et Henri Massis furent ses élèves. Ses « *Propos* », signés Alain, le rendirent célèbre ; il en publia des milliers dans *La Dépêche de Rouen* (1906-1914), la *Nouvelle Revue Française, La Lumière, L'Ecole Libératrice, Europe, La Revue des Vivants,* etc. ; réunis, ils forment plusieurs volumes publiés par la *N.R.F.,* après avoir été édités chez divers autres éditeurs (Lecerf et Wolf, Rieder, Paul Hartmann, Camille Bloch, etc.). Volontiers batailleur et polémiste, Alain rédigea maints articles et plusieurs livres pour défendre ses idées radicales, en particulier « *Eléments d'une doctrine radicale* ». Opposé aux idéaux et aux méthodes fascistes, il fut l'un des fondateurs du *Comité de Vigilance des Intellectuels anti-fascistes* (1934), qui mena une violente campagne contre l'Allemagne hitlérienne. Lorsque la guerre éclata, ce vieux pacifiste signa le fameux tract rédigé par Louis Lecoin, « *Paix immédiate* », que la plupart des signataires répudièrent lorsque la justice s'en mêla. « Maître à penser » d'une partie de la gauche française, il est l'auteur d'un grand nombre d'ouvrages, dont « *Histoire de mes pensées* » (1935), « *Eléments de philosophie* » (1941), « *Vigiles de l'Esprit* » (1942), « *Aventures du cœur* » (1945) et « *Les Dieux* » (1947).

ALBERT (Charles, Victor, Albert, Fernand DAUDET, dit).

Journaliste, né à Carpentras, le 23 novembre 1869, mort au Kremlin-Bicêtre, le 1er août 1957. Issu d'une famille aisée d'universitaire, il entra dans le mouvement socialiste à la suite de la sanglante affaire de Fourmies (1891), mais évolua vers l'anarchie par réaction contre « l'autoritarisme » de Jules Guesde. Tout en étant correcteur d'imprimerie à Lyon, il collabora à la presse libertaire (*Entretiens politiques et littéraires, La Société Nouvelle, La Révolte, Les Temps Nouveaux*). Le 12 août 1893, il créa, à Lyon, un hebdomadaire communiste-anarchiste *L'Insurgé*, qui disparut l'année suivante, puis il fonda à Paris, un peu plus tard, une imprimerie destinée à satisfaire les besoins de la propagande anarchiste et où furent tirés les premiers numéros du *Libertaire*, que venait de fonder Louise Michel et Sébastien Faure ; la déconfiture de l'entreprise mit fin à l'expérience. Dreyfusiste ardent, antimilitariste violent, anticlérical acharné, Charles Albert poursuivit sans relâche sa propagande par la parole et par la plume, collaborant à *l'Humanité nouvelle*, au *Journal du Peuple*, à *La Guerre Sociale*. Dans ce dernier, il précisait sa position politique : « *J'ai toujours cru, écrivait-il, je crois encore que le communisme anarchiste est le but idéal vers lequel s'achemine l'humanité. Mais je me sépare aujourd'hui délibérément, sans le moindre regret, des hommes assez ignorants, assez dépourvus du sens de l'observation et de la réalité pour supposer que l'idylle communiste anarchiste va succéder sans transition à la société bourgeoise. Il y aura forcément des étapes. Et le problème de la première étape sollicite d'une façon pressante tous les révolutionnaires, quels qu'ils soient.* » (Cf. *Contre-Courant.*) Bien qu'antiparlementaire, il se prononçait contre un abstentionnisme « agressif » pour deux raisons majeures : « *1° Parce que cette attitude nous brouille avec les socialistes et qu'il est profitable à la cause révolutionnaire que pour certaines actions nous puissions marcher avec eux ; 2° Parce qu'il est faux de dire que la présence à la Chambre de certains éléments de gauche ne facilite pas, dans une certaine mesure, l'obtention de réformes qui faciliteront à leur tour*

l'action révolutionnaire. » Lorsque la guerre de 1914 éclata, Charles Albert ne pensa qu'à sa patrie. Dans *La Bataille*, il attaqua Romain Rolland et les pacifistes et provoqua le départ de Marcelle Capy et Fernand Desprès, dit A. Desbois, d'un journal lancé par des syndicats où l'antimilitarisme et l'internationalisme avaient été à l'honneur. Il consacra même à Rolland tout un pamphlet, édité par Marcel Rivière, intitulé : « *Au-dessous de la mêlée* ». Il fustigea les « *nigauds de Zimmerwald* », le « *doctrinarisme incompréhensif d'un Merrheim ou d'un Bourderon* ».

ALBERT (Didier, François, André).

Journaliste, né à Paris, le 19 février 1911. Fils de François-Albert, ancien ministre. Attaché de cabinet de Raymond Patenôtre (1932), fut élu à Melle (D.-S.), aux élections générales (1936), sous l'étiquette du *Parti Radical-socialiste Camille Pelletan*. Vota la délégation de pouvoir au maréchal Pétain (juillet 1940), puis se retira de la politique active. Rédacteur à *l'Œuvre* et au *Petit Journal*, avant la guerre, fut depuis, chef du service politique de *Paris-Presse* (1947-1950) puis rédacteur à *l'Aurore*.

ALBERT (François) (Voir : François-Albert).

ALBERT (Marcelin).

Viticulteur, né à Argelliers, le 29 mars 1851, mort dans cette même localité, le 12 décembre 1921. Son nom est lié au fameux soulèvement sanglant des viticulteurs du Midi de 1907 et à la mutinerie du 17e régiment d'infanterie, glorifié par le célèbre chant révolutionnaire « *Gloire au Dix-septième* ».

ALBERT-BUISSON (François, Albert BUISSON, dit).

Administrateur de sociétés (1881-1961). Maire d'Issoire, conseiller général du Puy-de-Dôme, fut élu sénateur de ce département en 1937 avec l'appui officiel de la *Fédération radicale-socialiste* et plus discret de Pierre Laval. Vota pour le maréchal Pétain en juillet 1940, auquel il demeura fidèle puisqu'il fit partie du comité d'honneur de l'Association fondée pour défendre sa mémoire. Fut président de *Rhône-Poulenc* et appartint au conseil d'administration de nombreuses sociétés financières et industrielles. Membre de l'Académie française. Auteur de nombreux ouvrages historiques et économiques. Directeur de la *Revue d'Histoire Economique et Sociale*.

ALBERT-SOREL (Jean, Albert SOREL, dit).

Homme de lettres, né à Paris, le 7 novembre 1902. Petit-fils d'Albert Sorel, historien et académicien. Avocat à la Cour de Paris. Membre de la Commission d'Enquête sur les événements de 1933 à 1945 (1947-1948). Elu député indépendant de Paris en 1958 ; battu en 1962. Délégué à l'Assemblée du Conseil de l'Europe (1958-1962). Membre du groupe parlementaire de la *Ligue Internationale contre l'Antisémitisme* (1959). Collaborateur de *La Revue des Deux Mondes*. Membre du comité de la Société des Gens de Lettres. Anc. président du Groupe des Combattants du Palais. Auteur de nombreux ouvrages d'histoire, dont « *Le déclin de la Monarchie* » (1715-1789) », « *Histoire de France et d'Angleterre* », « *Le Calvaire* 1940-1944 » et « *Le destin de l'Europe* ».

ALBERT-THOMAS (Aristide).

Universitaire et homme politique, né à Champigny-sur-Marne (Seine), mort à Paris le 8 mai 1932. Fils d'un boulanger, fit ses études au lycée Michelet de Vanves. Lauréat d'histoire et de géographie au Concours général, entra à l'Ecole normale supérieure et en sortit agrégé d'histoire en 1902 avec le n° 1. Mais n'enseigna que quelques années et se lança dans la politique. Conseiller municipal socialiste puis maire de sa ville natale, élu député de son parti dans la Seine en 1910, fut réélu, dans le Tarn, en 1919. Entre-temps, avait été rédacteur à *L'Humanité* et rédacteur en chef de *La Revue Socialiste* (qui avait absorbé *La Revue Syndicaliste*, dont il était le fondateur) ; dirigea également la collection « *Les documents du socialisme* », Pendant la 1re Guerre mondiale, fut sous-secrétaire d'Etat, puis ministre de l'Armement (1914-1917). Fut envoyé comme ambassadeur extraordinaire de la France auprès des révolutionnaires russes dans l'espoir qu'il parviendrait à les inciter à poursuivre la guerre. Revenu en France, participa à la conférence de la Paix. Introduisit dans la section XIII du Traité de Versailles d'utiles principes sociaux (limitation de la journée de travail, repos hebdomadaire, suppression du travail des enfants, etc.) et l'idée d'un *Bureau International du Travail* placé sous l'égide de la Société des Nations, dont on lui confia naturellement la direction en 1921. S'étant démis de son mandat de député, se consacra dès lors au *B.I.T.* On lui doit divers ouvrages dont : « *Le syndicalisme allemand* » (1903), « *La Russie, race colonisatrice* » (1906) et « *L'Histoire du Second Empire* » (dans « *L'Histoire socialiste* » de Jaurès, 1907).

ALBRAND (Médard).

Homme politique, né au Petit-Canal (Guadeloupe), le 8 juin 1898. Ancien instituteur. Commerçant. Maire de Petit-Canal (élu pour la 1re fois en 1935). Conseiller général de la Guadeloupe (depuis 1937). Ancien président du Conseil général de la Guadeloupe. Conseiller de l'Union française (groupe *R.P.F.*, 1950). Non réélu le 10 octobre 1953. Elu député *U.N.R.-U.D.T.* de la Guadeloupe en 1958 et 1962.

ALDUY (Paul).

Homme politique, né à Lima (Pérou), le 4 octobre 1914. Conseiller des Affaires étrangères. Ancien maire d'Amélie-les-Bains. Ancien attaché d'ambassade à Ankara (1942). Ancien chef de cabinet du délégué général de la République française au Levant. Directeur adjoint des affaires politiques au Levant (1943-1944). Ancien directeur du cabinet de M. Yves Chataigneau, gouverneur général de l'Algérie (décembre 1944-46, puis de janvier à décembre 1947). Nommé préfet de 3e classe hors cadre (20 mars 1946). Chargé de mission pour les affaires d'Algérie au cabinet de M. Edouard Depreux, ministre de l'Intérieur (juin-novembre 1946). Directeur du cabinet de M. Guy Mollet, ministre d'Etat (décembre 1946-janvier 1947). Conseiller de l'Union française (1947) et président du groupe socialiste de cette Assemblée (1947-1956). Préfet de 2e classe (8 novembre 1950), puis de 1re classe (1er juillet 1955), actuellement hors cadre. Elu conseiller général du canton de Prats-de-Mollo, le 17 avril 1955. Elu député *S.F.I.O.* des Pyrénées-Orientales, le 2 janvier 1956, réélu le 30 novembre 1958. Secrétaire général de la *Convention Républicaine* (gaullistes de gauche). Elu maire de Perpignan (mars 1959). Elu conseiller général du canton sud de Perpignan (12 avril 1959). Membre du *Rotary*. Réélu député socialiste indépendant le 25 novembre 1962.

ALERME (Michel).

Officier supérieur, né à Arques-la-Bataille, le 14 octobre 1878. Mort à Paris, le 1ᵉʳ mars 1949. Colonel. Sous-chef de cabinet de Clemenceau. Directeur de *L'Echo National*, d'André Tardieu, puis directeur d'une filiale de l'*Agence Havas* pour l'Extrême-Orient. Co-fondateur, en 1938, de l'*Agence Inter-France*, dont il fut le président jusqu'en 1944.

ALERTE (L').

Autour des années 1928-1929 paraissait à Paris, sous ce titre, un journal indépendant et libéral qui avait vu le jour en 1898, mais qui n'était plus guère vendu que par abonnement. En septembre 1940, Léon Bailby, fondateur du *Jour,* privé de ce journal (qu'il avait dû abandonner au député Fernand-Laurent), fonda à Nice un hebdomadaire qui reprit les thèmes de la Révolution nationale et réclamait non seulement le châtiment des responsables de la guerre et de la défaite, mais aussi la dissolution effective de la franc-maçonnerie et l'élimination des israélites de tous les leviers de commande tant politiques qu'économiques. Son rédacteur en chef, Guillain de Bénouville exigeait, dès le premier numéro, la révision des décorations décernées pendant la « drôle de guerre » : « *Il faut*, écrivait-il, *réviser toutes les croix de guerre. Il faut réviser toutes les citations et ne pas confondre la croix avec une médaille commémorative.* » La foi de *L'Alerte* en Pétain était totale : « *L'heure de la justice est venue,* écrivait G. de Bénouville dans le numéro 3 (8-10-40). *Enfin, vous êtes véritablement représentés par des organismes purs. Aujourd'hui, la Légion française des Combattants, demain le Rassemblement de tous les Français. Les coupables vont être jugés. La vie reprend. Avec tous, le Maréchal veut reconstruire. Donnez-vous avec foi et confiance.* » Le châtiment des hommes qui trahissaient le maréchal Pétain et l'Etat nouveau devait être exemplaire : « *Il faut être sans pitié et sans rage. Il faut se souvenir et frapper.* » (G. de Bénouville, 15-10-1940). Après le débarquement anglo-américain en Afrique du nord, *L'Alerte,* reste ferme à côté du Gouvernement et s'insurge contre « *la majorité des chefs militaires et civils que le maréchal Pétain avait pourtant chargé de défendre contre quiconque notre Empire* » (L. Bailby, 19-12-1942). Auprès de Léon Bailby et de Guillain de Bénouville, constituant l'équipe de *L'Alerte,* se tenaient : Jean Kerdro, qui écrivait des articles sur la question juive, Georges Maurevert, Maurice Martin du Gard, Jean Renoir (pour le cinéma exclusivement et très peu de temps),

Jehan de Castellane, Pierre Gallet, René Jouglet, P. d'Estailleur-Chanteraine, H. Laurenti, chef des Compagnons de Nice, A. Praviel, Guy des Cars, Louis Jasseron, Saint-Brice, Claude Roy, Henry Pourrat, Robert Bré, Kléber Haedens. Y collaboraient également : Léon Daudet, le duc de La Force, Gabriel Hanoteaux, André Rivollet, Robert Vallery-Radot, etc.

ALFARIC (Prosper).

Universitaire, né à Livinhac-le-Haut (Aveyron), le 21 mai 1876, mort à Paris, le 28 mars 1955. Cet ancien élève du petit séminaire de Saint-Pierre-sous-Rodez et du grand séminaire de Rodez, qui reçut l'ordination le 1ᵉʳ avril 1899, perdit la foi et milita dans les organisations laïques. Présida le *Cercle Parisien de la Ligue de l'Enseignement,* et le *Cercle Ernest Renan* et fut, à la tête de l'*Union Rationaliste*, le principal animateur du mouvement anti-religieux des années qui suivirent la Libération. La pensée de Prosper Alfaric se trouve disséminée dans de nombreux écrits, en particulier dans « *Evolution intellectuelle de saint Augustin* », complétée par les « *Ecritures Manichéennes* », « *Les Manuscrits de la Vie de Jésus d'Ernest Renan* », « *De la foi à la raison* », « *Jean Macé* », « *A l'Ecole de la raison* », « *Origines sociales du christianisme* ». Citons aussi ses articles des *Cahiers laïques,* des *Cahiers de l'Union rationaliste* et des *Cahiers du Cercle Ernest Renan,* ses collaborations à *La Revue biblique* du Père Lagrange et à *La Revue d'histoire et de littérature religieuses* de Loisy.

ALGERIE FRANÇAISE.

Au cours de ces dernières années, étaient « Algérie française » les hommes politiques et, en général, les personnes qui se disaient favorables au maintien des populations algériennes de toute origine et de toute confession dans la communauté française. Au début du soulèvement (novembre 1954), l'immense majorité des Français étaient « Algérie française », à gauche comme à droite. Par son jeu habile, le général De Gaulle, qui était hostile à cette idée depuis 1957 (au moins), réussit à détacher progressivement l'opinion publique de l'Algérie et à lui faire admettre la sécession par référendum (8 avril 1962). De nombreux groupements créés, au cours des années 1956-1962, furent dissous entre-temps par décision gouvernementale ou cessèrent leur activité (*Mouvement populaire du 13 mai, Rassemblement pour l'Algé-*

rie Française, Front de l'Algérie Fran-
çaise, Front National pour l'Algérie
Française, l'Union pour le Salut et le
Renouveau de l'Algérie Française, Centre
de liaison et de coordination du Colloque
de Vincennes, etc.).

ALLAIS (Maurice, Félix, Charles).

Ingénieur, né à Paris, le 31 mai 1911.
Ingénieur des mines à Nantes (1937-
1943), directeur du Bureau de Documentation Minière (1943-1948), professeur
d'économie générale à l'Ecole nationale
supérieure des Mines de Paris (depuis
mars 1944), professeur d'économie théorique à l'Institut de statistique de l'Université de Paris (depuis novembre 1947),
directeur des recherches au C.N.R.S.
(depuis octobre 1954), ingénieur général
des mines (1965). Membre du *Conseil*
Français du Mouvement Européen et du
Comité Français pour une Union Fédé-
rale Atlantique, délégué général du
Mouvement pour une Société Libre. Collaborateur de *Combat* et du *Monde*. Auteur
de : « *Traité d'Economie Pure* » (1943),
« *Economie et intérêt* » (1947), « *Mani-*
feste pour une Société Libre » (1959),
« *L'Europe unie, route de la prospérité* »
(1960), « *Le Tiers Monde au carrefour* »
(1961), « *L'Algérie d'Evian* » (1962).

ALLARD (Maurice, Edouard, Eugène).

Avocat et journaliste, né à Amboise
(I.-et-L.) le 1ᵉʳ mai 1860, mort le
27 novembre 1942. Fonda le groupe
révolutionnaire des Ecoles en 1880 qui
reçut les communards amnistiés et qui
publia *L'Etudiant* et *L'Echo de la Rive*
Gauche. Fut rédacteur au *Républicain*
d'Indre-et-Loire qu'il dirigea, à *La Lan-*
terne, au *Petit Sou*, à *L'Action*, à *La*
Raison, au *Petit Provençal*, au *Petit Var*,
au *Socialiste*, à *L'Humanité*. Au cours
d'un duel de presse, fut atteint d'une
balle dans le ventre et n'échappa à la
mort que de justesse. Elu député socialiste du Var en 1898, fut réélu en 1902
et 1906, mais en 1910 perdit son siège.

ALLEG (affaire).

Henri Salem, dit Alleg, israélite algérien, directeur du quotidien communiste
Alger Républicain, auteur de « *La Ques-*
tion » (ouvrage poursuivi), fut traduit
(juin 1960) devant le tribunal permanent
des forces armées d'Alger pour atteinte
à la sûreté extérieure de l'Etat, association de malfaiteurs et reconstitution de
ligue dissoute (juin 1960). On lui reprochait particulièrement d'avoir participé
à la réorganisation du *Parti communiste*
algérien dissout le 12 septembre 1955 en
raison de son aide à la rébellion. Assigné à résidence le 20 novembre 1956,
puis arrêté le 12 juin 1957, il se plaignait d'avoir subi des tortures. Le tribunal le condamna à deux ans de prison
(13 juin 1960). Supportant mal la détention, son état de santé inspirant des
inquiétudes à l'Administration Pénitentiaire, il fut d'abord admis à l'Hôtel-
Dieu, dans une cellule de sûreté, puis
envoyé, après un nouveau séjour en prison, au Centre hospitalier régional de
Pontchaillou, à Rennes, où il occupa une
chambre au rez-de-chaussée. Etant parvenu, « *on ne sait comment* » (la presse
dixit), à se reprocurer une pince et à
découper l'épais grillage de la fenêtre, il
sauta dans la cour et s'enfuit à travers
champs. Quelques mois plus tard, on
apprit qu'il avait trouvé asile à Moscou
et qu'il collaborait à la *Pravda*. Dans un
numéro de janvier 1962 de ce journal
soviétique, il écrivait : « *...Par sa lutte*
libératrice, le peuple algérien porte des
coups aux impérialistes et contribue au
maintien de la paix universelle. C'est
pourquoi la solidarité de l'Union sovié-
tique et des autres pays soviétiques ap-
parait également comme une contribu-
tion à l'œuvre de paix. Elle est non seu-
lement dans l'intérêt du peuple algérien,
mais de l'humanité tout entière. Et de-
main, lorsque le peuple algérien aura
conquis son indépendance et marchera
sur le chemin de la justice et du progrès
social, ses liens fraternels formés dans
les journées difficiles, s'affermiront en-
core davantage. Ils donneront leurs
fruits. » Retourné en Algérie après l'indépendance, Alleg y fit reparaître *Alger*
Républicain. Mais le journal fut peu
après interdit par le gouvernement algérien, et *l'Humanité* s'inquiéta bientôt
pour la vie de son ami, menacé d'un
attentat.

ALLEMANE (Jean).

Homme politique, né à Sauveterre
(Haute-Garonne), le 25 août 1843, mort
à Herblay (S.-et-O.) le 6 juin 1935. Son
père, ayant fait de mauvaises affaires à
la suite de la révolution de 1848, vint
s'établir à Paris. Le jeune Jean grandit
parmi les gamins des faubourgs et entra
très tôt comme apprenti à l'imprimerie
Dupont. A seize ans, il était déjà révolutionnaire et ennemi du Pouvoir. Son
premier acte de militant fut sa participation à une grève qui éclata chez l'imprimeur Donnaud, rue Cassette, où il
travaillait. Son action révolutionnaire

ayant attiré l'attention de la police
impériale, il fut emprisonné pendant
deux mois. A sa sortie des geôles il était
devenu socialiste et il organisa divers
groupements dans les milieux ouvriers.
Il prit une part active à la Commune
et fut le délégué du 59ᵉ Bataillon au
comité central. Arrêté après l'écrasement des communards, il fut d'abord
condamné à quinze mois de prison par
un tribunal militaire, puis un autre
conseil de guerre le condamna à mort.
Ayant bénéficié des circonstances atté-
nuantes, il ne fut pas exécuté, mais
envoyé au bagne de Toulon, où il resta
aux fers pendant cinq longs mois. Il fut
ensuite embarqué pour l'île Nou. Ayant
tenté de s'évader, il fut condamné à
cinq ans de double chaînes. C'était là
le régime imposé aux dangereux criminels de droit commun. Allemane le subit
trois ans et demi. Le supplice prit fin
lorsqu'un numéro du *Journal Officiel* lui
tombant dans les mains apprit au forçat
qu'un ministre venait d'affirmer que les
déportés communards ne subissaient pas
le sort des bagnards. Allemane refusa
dès lors d'obéir et fit un tel scandale que
le gouverneur, passablement ennuyé,
finit par soustraire les communards
déportés au régime de double-chaînes.
Après l'amnistie de 1879 il rentra en
France. Mais avec soixante autres communards, il était condamné à cinq ans
de bannissement et ne pouvait donc rester à Paris. Il refusa cependant de

quitter la capitale et le gouvernement
n'osa pas le faire arrêter. Il organisa
des réunions, milita à la *Fédération des
Travailleurs Socialistes*, fonda des groupes de quartier et bientôt créa le
Parti Ouvrier Socialiste Révolutionnaire.
L'allemanisme, bien avant la C.G.T., préconisait comme moyen de lutte contre
l'Etat bourgeois, la grève générale, et il
ne concevait d'action parlementaire que
pour donner beaucoup plus d'ampleur
à la propagande socialiste. Il fut élu
député de la 1ʳᵉ circonscription du
11ᵉ arrondissement de Paris à une élection partielle, le 3 février 1901, mais fut
battu l'année suivante par un mutualiste.
Il prit sa revanche aux élections législatives de mai 1906 en battant le député
sortant au deuxième tour. Aux élections
générales suivantes (avril-mai 1910) le
futur ministre Henry Paté, républicain
de gauche, le battit. Dès lors, son activité politique se déploya principalement
à l'intérieur du mouvement socialiste et
il mourut, à peu près oublié, un an avant
le triomphe du *Front populaire*. Auteur
des « *Mémoires d'un Communard* » et
du « *Socialisme en France* ».

ALLIANCE.

Réseau créé pendant l'occupation en
liaison avec l'*Intelligence Service* et
n'ayant, assure R. Hostache, l'historien
de la Résistance, aucun lien avec les
réseaux créés par le B.C.R.A., Service
de Renseignements de la France Libre.
Fondé par le commandant Loustaunau-
Lacau et dirigé ensuite par le commandant Faye, puis par Mme Méric, dite
« Marie-Madeleine », aujourd'hui Mme
Fourcade.

ALLIANCE COMMUNISTE REVOLU-
TIONNAIRE.

Groupement né d'un schisme provoqué, en 1896, au sein du *Parti Ouvrier
Socialiste Révolutionnaire* par plusieurs
députés et conseillers municipaux de
Paris, membres de ce parti, qui s'étaient
refusés à verser les 4 000 F que l'on
voulait prélever annuellement sur leur
indemnité. Ses principaux bastions se
situaient à Paris (Xᵉ et XXᵉ arrondissement), dans le Jura, le Doubs, les Ardennes et la Côte-d'Or. Ses principaux
militants étaient : Victor Dejeante, député de la Seine ; Arthur Groussier,
futur président du Grand Orient de
France ; Berthaut, Faillet, Marchand et
Chéradame. Fusionna en 1901 avec le
Parti Ouvrier Français, le *Parti Socia-*

Les Hommes du jour

Dessin de A. Delannoy   Texte de Flax

liste *Révolutionnaire* et divers autres groupes régionaux pour constituer le *Parti Socialiste de France.*

ALLIANCE DEMOCRATIQUE.

Créée par Waldeck-Rousseau, eut pour présidents, outre son fondateur : de Lanessan, Paul Deschanel, Jules Siegfried, Pierre-Etienne Flandin. De longues années — avant la guerre et immédiatement après —, l'*Alliance* fut profondément divisée entre partisans de Flandin et partisans de Paul Reynaud. Ses derniers animateurs étaient : son président, Flandin, son secrétaire général, Ventenat, ainsi que Jacques Charpentier, G. Oudard, André François-Poncet, Odette Gilbert-Privat, le professeur G. Portmann, Jacques Pirche, Joseph Clochard, Frédéric Dupont, Jules Loubeyre, Maurice Drouot, Louis Rougier, Maurice Grimaud, Armand Lanote, et les parlementaires Antoine Pinay, Jean Moreau, Chamant, Louis Rollin, Jacquinot, Laniel, Léon Baréty, etc. Applaudit le retour au pouvoir du général De Gaulle en 1958, et fit voter *oui* au référendum, la même année. Prit position en octobre 1962 pour le « *non à De Gaulle* ». Avait alors pour principaux animateurs : L. Rougier, le sénateur Pellenc, le professeur Portmann. Ce dernier en est toujours le leader (Georges Portmann, 226, boulevard Saint-Germain, Paris 7e).

ALLIANCE FRANCE-ISRAEL.

Fondée par Jacques Soustelle, l'*Alliance France-Israël* a pour objectif la conclusion d'une alliance militaire entre le jeune Etat juif et notre pays. Les protagonistes de cette alliance, s'ils se rejoignaient dans leurs conclusions, obéissaient à des mobiles très différents : les uns estimaient que l'appui militaire de l'armée israélienne, considérée comme la meilleure du Proche-Orient, obligerait la Ligue Arabe à plus de prudence dans son aide au F.L.N. et permettrait ainsi à la France de réduire la rébellion ; les autres avaient surtout en vue la défense d'Israël, menacé dans son existence même par les pays arabes, disent-ils ; pour eux, l'Algérie en guerre était un *abcès de fixation* : tant que les Arabes seraient occupés en Afrique du Nord, ils ne s'occuperaient pas d'Israël. L'homologue israélien de cette alliance a pour président Bégin, chef du parti *Herout,* nettement expansionniste, dont le programme se résume en ces mots : « *Du*

Nil à l'Euphrate ». Mais il ne semble pas que le comité israélien jouisse d'une grande influence à Jérusalem. Au moment où la guerre d'Algérie battait son plein, le parlement israélien rejeta, par 58 voix contre 8 (19-11-1958), le traité d'alliance avec la France que proposait Menahem Bégin. Les dirigeants actuels de l'*Alliance France-Israël* sont : le général Pierre Kœnig (qui a remplacé Soustelle, actuellement « quelque part en Europe »), président ; Lazare Rachline (dit Lucien Rachet), « patron » des *Matelas Rachet,* adm. de *Publicis* (Bleustein-Blanchet) et de la Société qui édite *L'Express,* secrétaire général ; Patrice Brocas, Louis Christians, Arthur Conte, Philippe Dechartre, Georges Duhamel, Roger Frey, O. Harty de Pierrebourg, Michel Jacquet, Louis Jacquinot, le général E. Laurent, Edmond Michelet, François Missoffe, Raymond Mondon, Jean Sainteny, Maurice Schumann, Raymond Schmittlein, Raymond Triboulet, Eugène Van der Mersch, conseillers ; Salomon Friedrich, directeur général (cf. *Perspectives France-Israël,* avril 1963).

ALLIANCE INTERNATIONALE ANTI-MILITARISTE (Voir : Ligue antimilitariste).

ALLIANCE REPUBLICAINE DEMOCRA-TIQUE.

Fondée en 1901 par Adolphe Carnot et des républicains de gauche attachés à la politique opportuniste. Se réclamait de Gambetta et de Sadi Carnot, Participa activement à la création, en 1919, de la coalition électorale connue sous le nom de *Bloc National* (voir à ce nom). Présidée par Adolphe Carnot, puis par le sénateur Célestin Jonnart. En 1920, se transforma en *Parti Républicain Démocratique et Social.*

ALLIANCE REPUBLICAINE POUR LES LIBERTES ET LE PROGRES.

Parti national et libéral fondé par Jean-Louis Tixier-Vignancour, au lendemain de l'élection présidentielle de décembre 1965. Ayant obtenu 1 254 000 suffrages après une campagne de meetings et d'affiches, l'avocat du général Salan estima qu'il devait poursuivre son action. L'ancien *Comité Tixier-Vignancour* ayant éclaté à la suite d'une scission, il constitua avec les amis demeurés fidèles, l'*Alliance Républicaine pour les libertés* et le progrès qui vit le jour en janvier 1965. L'*Alliance* s'est donnée une charte qui reprend les grands thèmes de Tixier-Vignancour développés pendant la campagne présidentielle : « *La droite et la gauche constituent deux notions toujours vivantes, mais à l'échelle du monde et non plus à celle de la nation. La droite, c'est l'Occident. La gauche, c'est le communisme et le gaullisme, son compagnon de route.* » (Cf. *Le Monde*, 10-5-1966). A son Conseil national du 23 octobre 1966, confirmant ses positions, l'*Alliance* soulignait « *la convergence existant entre le gaullisme et le communisme qui, l'un et l'autre, ont pour but de détruire l'Alliance Atlantique et de pousser la France dans une Europe de l'Atlantique à l'Oural, dominée par l'Union soviétique* ». Après avoir « *constaté que de nombreux opposants apparents s'apprêtaient, en réalité, à solliciter l'investiture dite de la Ve République* », son Conseil national s'est donné « *pour règle de faire battre aux prochaines élections législatives, les candidats gaullistes et communistes partout où les candidats de l'opposition non communistes auront exprimé leur accord avec le principe essentiel de l'Alliance Républicaine* » (*L'Alliance*, n° 9, novembre 1966). Le Bureau politique du mouvement se compose de : Jean-Louis Tixier-Vignancour, président ; commandant Michel March, secrétaire général ; colonel Jean-Robert Thomazo, ancien député, trésorier ; Raymond Bourgine, directeur du *Spectacle du Monde* et de *Finances-Valeurs actuelles*, Alain de Lacoste-Lareymondie, ancien député, Michel Denoix de Saint-Marc, Victor Barthélemy, Jules Monnerot, professeur, Robert Tardif, avocat, Marcel Chaboche, Georges Robert, Jean-Claude Varanne, Christian Baeckeroot, Marc de Lacoste-Lareymondie et Pierre Roudier. Au Conseil national siègent, d'autre part : Trémollet de Villers, ancien député, Moore, directeur de *La Gazette du Palais*, le professeurs Montane de la Roque, Vaysse-Tempé, du *R.A.N.F.R.A.N.*, Antoine Leonetti, le Dr Maurice Luzuy, l'amiral Eynaud du Fay, Dr Paul Robert Mimet, Philippe Luyt, le professeur Jean-Marc Travail, Hervé Salmon-Malebranche, ancien secrétaire général de la *F.N.E.F.*, général Bouvattier, André Borgel, le professeur Natter, Mme Edmond About, baronne Le Gouellec de Schwarz, etc. Le journal du parti, *L'Alliance*, paraît mensuellement, avec la collaboration des dirigeants de l'*A.R.L.P.*, d'Abel Clarté, de Pierre Dominique, de l'écrivain Michel de Saint-Pierre, du chansonnier Philippe Olive, etc. (53, rue de Vaugirard, Paris 6e).

ALLIANCE SOCIALISTE REPUBLICAINE.

L'un des premiers partis socialistes ayant vu le jour après l'amnistie de 1879. Etait formé principalement d'anciens communards : Alphonse Humbert, Theisz, Jaclard, Jourde, Amouroux, Avrial, Lucipia, Arnould, Urbain, etc. auxquels s'ajoutèrent de nouveaux venus dans la lutte socialiste, comme Stephen Pichon, Henry Maret, Abel Hovelacque, Louis Fiaux et Victor Gelez. La vie de l'*Alliance* fut éphémère : elle disparut au bout d'un peu plus d'une année, et ses membres adhérèrent soit au *Parti Radical*, soit au *Parti Ouvrier Français*, ou restèrent à l'écart de toute grande formation.

ALLOBROGES (Les).

Quotidien communiste disparu. Fondé à Grenoble à la Libération, il se réclamait de l'organe clandestin du même nom, dont le premier numéro parut en mars 1942 sous la direction de P. Monval.

ALMEREYDA (Eugène, Bonaventure, Jean-Baptiste VIGO, dit Miguel).

Né à Béziers (Hérault), le 8 janvier 1883, mort à Fresnes, le 14 août 1917. Fils d'un père espagnol et d'une mère française. Son grand-père Bonaventure de Vigo était, selon certains historiographes, originaire de Sardaigne et avait été viguier d'Andorre, c'est-à-dire juge de la petite principauté pyrénéenne. Ne s'entendant pas avec sa mère, le jeune homme fut, dès l'âge de quinze ans, livré à lui-même. Apprenti photographe, seul, il fréquenta les milieux anarchistes, fut condamné à deux mois de prison pour une pécadille, puis à un an pour activité subversive. A peine sorti des geôles, il reprit sa propagande antimilitariste et récolta condamnations sur condamnations : 3 ans de prison pour des articles sur le Maroc, 6 mois pour la grève des cheminots. Collaborateur de *Libertaire*, il représenta ce journal avec Francis Jourdain au Congrès antimilitariste d'Amsterdam et fonda la section française de l'*Association Internationale Antimilitariste* qu'il dirigea avec Yvetot. Sa devise était alors : « *Pas un homme, pas un centime pour l'armée* », ce qui le rapprocha d'un jeune professeur, fort antimilitariste lui aussi, Gustave Hervé, avec lequel il allait lancer *La Guerre Sociale*. Il organisa et dirigea les *Jeunes Gardes Révolutionnaires* qui firent le coup de poing contre les *Camelots du Roi*. Quelques années avant la guerre, Almereyda quitta *La Guerre Sociale,* collabora au *Courrier Européen* de Paix-Séailles, puis créa son propre journal *Le Bonnet Rouge,* un hebdomadaire agressif, dont le n° 1 parut le 22 novembre 1913. Seize semaines plus tard, le journal devint quotidien et se présenta comme le seul grand journal républicain du soir. Ses campagnes contre la police et son chef Xavier Guichard, contre l'*Action Française,* Maurras et Daudet, en faveur de Joseph Caillaux et de Malvy furent particulièrement violentes. La guerre déclarée, le fougueux antimilitariste parut s'aligner sur l'ensemble de ses confrères : « *L'heure n'est plus aux dissertations sur les horreurs de la guerre, écrivait-il dans Le Bonnet rouge. L'heure est à l'action. On nous force à nous battre : nous nous battrons !... La guerre actuelle est une guerre sainte. Notre cause c'est la cause de l'indépendance des peuples, c'est la cause de la liberté, celle pour laquelle nos pères allaient au combat et mouraient en chantant. Nous n'avons pas renoncé à notre grand rêve de fraternité universelle. Au contraire. A l'heure tragique où nous sommes, ce qui fait nos cœurs plus vaillants c'est la conviction que cette guerre porte précisément en elle la réalisation de ce grand rêve.* » Bien que son nom figurât — avec ceux de beaucoup d'autres révolutionnaires — sur le fameux « *Carnet B* », Malvy, alors ministre de l'Intérieur, ne lui créa aucune difficulté ; mieux, le ministre lui déclara, alors qu'il avait demandé, lui réformé depuis huit ans, à partir au front : « *Pour le moment des hommes comme vous sont plus utiles à Paris qu'à la frontière* » (Cf. « *Un siècle de vie sociale* », t. I, p. 107). Un matin de décembre 1916, Léon Daudet qualifia, dans *L'Action Française,* Almereyda de voleur, d'indicateur de police de l'espèce la plus vulgaire et la plus méprisable, qui aurait entraîné de naïfs syndicalistes dans un guet-apens policier. Une polémique féroce s'ensuivit. Almereyda, qui avait de gros besoins d'argent, s'était commis avec des individus suspects. En même temps, *Le Bonnet rouge,* qui était retourné à ses tendances anciennes, faisait campagne pour les congressistes de Zimmerwald et de Kienthal et applaudissait les révolutionnaires russes, publiant même (2-5-1917), d'après Lénine, la relation de la traversée de l'Allemagne dans le fameux train plombé. Inquiet, le gouvernement interdit *Le Bonnet rouge* et fait arrêter, à la frontière suisse, l'administrateur du journal, Duval, sur lequel on trouva un chèque tiré sur une banque de Mannheim. Almereyda fut arrêté : au cours de la perquisition opérée chez lui, on découvrit un document concernant l'armée d'Orient. Incarcéré à Fresnes, il fut trouvé un matin étranglé dans sa cellule au moyen d'un lacet de chaussure. Personne ne crut vraiment à un suicide. Depuis, chaque fois que l'on met en doute le suicide d'un détenu ou que l'on redoute la fin prématurée d'un accusé, on parle du « *lacet d'Almereyda* ». Sa mort ne fermait pas le « *dossier de la trahison* » que la justice, aiguillonnée par Clemenceau, venait d'ouvrir. Malvy, qui le tutoyait, dut démissionner quinze jours plus tard. Et puis ce fut la Haute Cour...

ALRIC (Gustave).

Ingénieur, né à Toulouse (Hte-Gar.) le 15 février 1894. Sénateur de l'Aube depuis 1946, inscrit au groupe des *Républicains indépendants.* Administrateur des *Ateliers de construction Lavalette,* directeur des *Etablissements Poron,* (bonneterie, filature, teinture).

ALSACE (L').

Quotidien modéré de Belfort, fondé en 1903. Propriété, après la Première Guerre mondiale, du sénateur Louis Veillard, qui en était directeur politique. Fusionna en octobre 1933 avec *La Dépêche Républicaine* de Besançon, du marquis de Moustier, pour former *La République de l'Est.*

ALSACE (L').

Quotidien modéré fondé en 1944. Dirigé par J.-F. Durm et Louis Zimmermann. Diffuse plus de 100 000 exemplaires par jour dans toute la région (2, avenue Aristide-Briand, Mulhouse).

ALSACIEN (L').

(Voir : *Der Elsässer.*)

ALTMANN (Georges).

Journaliste (1901-1960). Collabora à la presse de gauche et d'extrême-gauche (l'*Humanité, Monde, La Lumière,* avant la guerre ; *Volontés, Demain,* après 1944), fut même le rédacteur en chef de *Franc-Tireur* (1944-1947) avant de devenir le rédacteur du conservateur et libéral *Figaro* et le secrétaire général adjoint du *Figaro Littéraire.*

ALTSCHULER (Georges).

Journaliste, né à Paris le 17 février 1906. Fils d'un diamantaire. Militant de gauche, appartint avant la guerre à la rédaction de *Paris-Soir* et fit partie, à la Libération, de l'équipe de *Combat*. Depuis 1954, est *speaker* à *Europe n° 1* et dirige ses services politiques avec le titre de rédacteur en chef adjoint.

ALUNNI (Dominique, Jean).

Administrateur de société, né à Nice, le 27 février 1930. Président national de la *Jeunesse Ouvrière Chrétienne* et membre du C.A. des *Editions Ouvrières*.

AMARGIER (Louis).

Homme de lettres, né à Saugues (Haute-Loire), le 3 juin 1902. Bibliothécaire en chef (retraité) de l'*Electricité de France*. Champion de l'Union latine et du régionalisme auvergnat. Président de l'*Union des Ecrivains et Artistes Latins* et de *La Veillée d'Auvergne*. Collaborateur régulier de *L'Auvergnat de Paris* et de *La France latine*. Auteur de « *La Chanson de Gévaudan* », « *Merveilles* », « *Terre et Ciel* », « *Secrets* ».

AMAURY (Emilien).

Journaliste et publicitaire, né à Etampes, le 5 mars 1909. Très tôt enrôlé dans la petite phalange démocrate-chrétienne que conduisait Marc Sangnier, il fut, plusieurs années durant, le secrétaire de l'ancien chef du *Sillon* et dirigea, à vingt-trois ans, le service de publicité de son journal *La Jeune République*, avant d'être administrateur de *l'Eveil des peuples*. Publicitaire entreprenant et déjà averti, il anima les services de publicité de *La Jeunesse Ouvrière*, organe jociste, du *Petit Démocrate*, de Robert Cornilleau, du *Petit Echo des Ligueuses Françaises*, de *La Vie catholique* et de *l'aube* dont Francisque Gay lui vendit le titre à la veille de la guerre. A vingt-neuf ans, il était ainsi à la tête d'un petit *pool* publicitaire dont l'*Office de Publicité Générale*, fondé (en 1932) et dirigé par lui, fournissait l'armature. En 1937, il était conseiller technique au ministère des Colonies. Officier de spahis pendant la « *drôle de guerre* », il fut fait prisonnier avec ses hommes en 1940, mais parvint à s'évader. Il reprit alors son activité à l'*O.P.G.* Utilisant ses talents d'administrateur, le secrétariat général à la Famille à Vichy lui confia la gérance de son budget de propagande. Mais, foncièrement hostile à l'Allemagne nazie, il entra dans la Résistance et, dès décembre 1940, se mit en liaison avec d'Estienne d'Orves, en compagnie de Raymond-Laurent, Jean Letourneau, Max André. Il fut, sous le pseudonyme de Champain, l'organisateur et l'animateur

du *groupe de la rue de Lille*. Il appartint également à l'*Organisation Civile et Militaire* (*O.C.M.*), collabora aux clandestines *Lettres Françaises* et fut l'un des fondateurs (et membre du bureau permanent) de la *Fédération nationale de la Presse clandestine*. A la Libération, il fut parmi les fondateurs du *M.R.P.* avec ses amis de *l'aube* (dont il devint alors membre du Comité de direction) et également l'un des cinq fondateurs du *Parisien libéré*, lancé sous les auspices de l'*O.C.M.* A la même époque, il fonda *Carrefour* et prit la direction du *Courrier de l'Ouest* et de l'*Agence Havas* (Publicité). Par la suite, il créa diverses entreprises de presse : *Société de Presse et d'Edition Féminines, Société d'Etudes et d'Exploitation de Périodiques, La Tribune Economique, Société d'Editions Françaises et Modernes* (*France et Monde*), *Société A Présent, La Liberté du Centre, Le Journal de la France agricole*, etc. Il est aujourd'hui à la tête d'un très important groupe de presse comprenant, outre *Le Parisien libéré*, quatre quotidiens provinciaux, un quotidien et un hebdomadaire sportifs, un hebdomadaire politique et littéraire et un magazine féminin (voir : *Le Parisien libéré*). Il préside la *Fédération Nationale de la Presse Française*, le *Syndicat de la presse hebdomadaire parisienne* et le *Comité National intersyndical de la presse périodique française*. Ne cachant pas ses sentiments pro-*Algérie française*, il n'hésita pas à engager ses journaux dans la lutte, ce qui lui valut de solides inimitiés dans les milieux favorables à l'abandon des trois provinces algériennes. Sa femme est agrégée de l'Université et son fils est licencié en droit et diplômé d'études supérieures de droit public et de sciences politiques. Sa fille, également agrégée de l'Université, prépare une thèse d'histoire qui sera la monographie d'un grand quotidien de la IIIe République : *Le Petit Parisien*.

AMBROISE-RENDU (Ambroise).

Agriculteur, né à Paris le 29 décembre 1874. Fils d'Ambroise Rendu, conseiller municipal royaliste de Paris. Ingénieur agricole, fut quelques années député et est actuellement vice-président de l'*Union nationale des syndicats agricoles* et de la *Société des agriculteurs de France*.

AME FRANÇAISE (L').

Hebdomadaire démocrate et chrétien fondé en 1917. Principaux animateurs ou rédacteurs : Ernest Pezet, un ancien du

Sillon, futur député et sénateur ; le Dr Besson ; Raymond Laurent, futur secrétaire d'Etat ; Charles Pichon ; Jean des Cognets ; Robert Cornilleau, l'un des pionniers de la démocratie chrétienne ; Emm. Rivière, animateur de *La Croix du Centre* ; Paul Archambault, percepteur, futur rédacteur à *La Vie catholique,* à *L'aube* et au *Petit Démocrate* ; l'académicien Georges Goyau ; Jean Lerolle, député de Paris ; Philippe de Las Cases, fils et continuateur du sénateur Emmanuel de Las Cases ; l'ingénieur Maurice Lacoin ; l'abbé Thellier de Poncheville ; le syndicaliste Gaston Tessier, etc. Ce journal fut, jusqu'à sa disparition, en 1926, le rassembleur des « anciens » (sillonnistes) et des « nouveaux » (démocrates populaires) démocrates-chrétiens.

AMENDEMENT.

Modification apportée à un projet de loi (soumis à une assemblée législative) et présentée sous la forme d'une motion par un parlementaire ou un groupe.

AMI DES FOYERS CHRETIENS.

Hebdomadaire catholique démocrate bilingue, fondé à Metz avant la 1re Guerre mondiale, sous le nom de *Metzer Katholiches Volksblatt*[1], paraissant le dimanche. Son tirage est de 35 000 exemplaires environ. Le chanoine J. Regler en est le directeur (30, rue Mazelle, Metz).

AMI DU PEUPLE (L') (voir : **François Coty**).

AMI DU PEUPLE (L').

Hebdomadaire catholique et modéré d'Alsace, fondé en 1858. Ses deux éditions (en français et en allemand) totalisent près de 100 000 exemplaires. Directeur : abbé Louis Ehrhard.

AMIAUD (André).

Professeur à la faculté de droit de Paris, nommé, le 2 novembre 1941, membre du *Conseil national* (voir à ce nom).

AMIOT (Pierre, Jacques).

Editeur, né à Levallois-Perret (Seine), le 28 janvier 1911. D'abord ouvrier électricien, dessinateur et correcteur, devint chef de service à la *Nouvelle Edition,*

puis fonda avec Dumont les *Editions Amiot-Dumont,* dont il fut pratiquement exclu par un commanditaire (Elissen), et créa avec deux associés *Les Productions de Paris.* Fut, sous la IVe République l'un des rares éditeurs non conformistes acceptant de publier des livres d'opposition nationale.

AMIS D'ARISTIDE BRIAND.

Groupement des admirateurs du « pèlerin de la Paix », dont Paul Boncour et René Cassin sont les dirigeants.

AMIS D'ANTOINE ARGOUD.

Association créée par Marc Fenodot et ses amis bordelais pour apporter un soutien moral au colonel Argoud, opposant actif au gouvernement et au régime gaulliste, enlevé le 25 février 1963 sur le territoire allemand par des « barbouzes » françaises et maintenu en prison malgré les protestations du gouvernement de Bonn (siège : 21, rue Edouard Branly, Bordeaux).

AMIS D'EDOUARD DRUMONT.

Association fondée en 1964 par Abel Manouvriez et Hubert Biucchi, pour défendre la mémoire du grand écrivain et perpétuer son souvenir. Présidée depuis 1966 par Georges Vavasseur, ancien secrétaire général du *Mouvement de la Libération Nationale.* Le comité de patronage comprend des personnalités de diverses tendances : Maurice Bardèche, Em. Beau de Loménie, Henry Coston, Robert Coiplet, Pierre Dominique, Jean-André Faucher, Georges Gaudy, M. Justinien, H. Poulain, J. Ploncard d'Assac, Saint-Paulien, X. Vallat. La société s'est donnée pour première tâche de publier une anthologie des œuvres de Drumont devenues introuvables et de faire paraître des *Cahiers* où aucun des aspects de Drumont, « *notre plus grand historien* », selon Jules Lemaître, ne serait laissé dans l'ombre.

AMIS D'HENRI DE LA ROCHEJAQUELEIN.

Groupe publiant des cahiers d'études et de documentation historiques, créés en 1960 et défendant la mémoire de l'une des grandes figures de la Chouanerie. Le baron de La Tousche d'Avrigny est l'animateur des *Amis d'Henri de La Rochejaquelein* « *qui s'inscrivent en réaction énergique contre l'école libérale et démocrate* ».

---

(1) Certains annuaires donnent comme date de fondation : 1908. D'autres indiquent : 1873 (cf. « *Nomenclature* » de l'*Argus,* 1936-1937).

AMIS DE LA JUSTICE ET DE LA LIBERTE.

Association fondée et présidée par Pierre Marcilhacy (voir : *Le Courrier de la Liberté*). A pour objet de combattre les abus dont se rendent coupables les Pouvoirs publics.

AMIS DE ROBERT BRASILLACH (Association des).

Bien que siégeant en Suisse et dirigée par des citoyens helvétiques, cette association, qui comprend surtout des membres français, joue un certain rôle dans la politique de notre pays. Ses fondateurs sont des Genevois et des Vaudois, admirateurs de Robert Brasillach et de son œuvre : le président Pierre Favre, le secrétaire général André Martin, Adolphe Raviola, Dick et Jacques Aeschlimann, Pascal Quartier, Jean-Marie Giovanna, Louis Curchod, Marc Odelet, Georges Tschopp, J.-Cl. Fontanet, le Dr Roger Steinmetz, Mme Ferdinand Hodler. Selon l'article 2 de ses statuts, « *le but de l'association est de faire connaître l'œuvre de l'écrivain et poète Robert Brasillach* ». Les *Amis* ont contribué à la réédition de la plupart des livres de Robert Brasillach et patronné l'édition des « *Œuvres complètes* » en douze tomes. De nombreux travaux universitaires en France, en Italie, aux Etats-Unis, en Angleterre ont été préparés grâce aux documents et conseils de l'*Association*. Le n° 1 des *Cahiers des Amis de Robert Brasillach* paru en 1950, aujourd'hui introuvable, a été suivi d'une douzaine de fascicules, riches d'importants inédits de l'auteur des « *Sept Couleurs* », d'une bibliographie complète de ses œuvres, y compris les articles de presse, de témoignages et souvenirs du plus grand intérêt. Pour le vingtième anniversaire de l'exécution du poète nationaliste, l'association a édité un « *Livre d'hommages à Robert Brasillach* », auquel une centaine d'écrivains de France, de Belgique, d'Italie et d'Allemagne ont collaboré. L'association publie, en outre, un bulletin qui est adressé, tous les trois mois, à ses 1 200 adhérents de Belgique, du Canada, de Suisse, d'Italie, des Etats-Unis, d'Angleterre, d'Afrique, d'Asie et, bien entendu, de France. Parmi les personnalités qui ont donné leur appui aux *Amis de Robert Brasillach* figurent : Jean Anouilh, Marcel Aymé, Jacques Isorni, Georges Blond, † Paul Léautaud, Gonzague de Reynold, † Jean de La Varende, le professeur Lombard, Edmond Heuzé, de l'Institut, † Gaston Baty, † Valéry Larbaud, Xavier Vallat, † Henry Bordeaux, Pierre Fresnay, Jean Davy, Jean Hort, Saint-Paulien, Frédéric Dupont, Félicien Challaye, Alfred Fabre-Luce, Willy de Spens, Philippe Amiguet, Michel Braspart, Claude Jamet, André Soubiran, Pol Vandromme, Maurice Gait, Jean Pleyber, Bernard de Fallois, Raymond Abellio, Jean-Marie Aimot, Henry Coston, Alice Cocea, Jacques Hebertot, Charles Mauban, Paul Estèbe, † Général Henry de Fornelle de La Laurencie, Jean-Albert Foex, Paul Rassinier, Claude Elsen, Georges Allary, Robert Castille, Henri Massis, Jean Madiran, etc. (Siège à Lausanne, Case postale Saint-François 1214.)

AMIS DE LA RUSSIE NATIONALE.

Organisation anti-bolchevique (fondée avant la guerre), présidée par le sénateur Henry Lémery, assisté d'Arsène de Goulévitch. (7, avenue Léon-Heuzey, Paris 16e.)

AMIS DU SOCIALISME FRANÇAIS ET DE LA COMMUNE.

Association fondée en mai 1966, ayant pour but d' « *aider à la renaissance du socialisme dont la doctrine, à la suite de la destruction de la Commune, a été étouffée, falsifiée, détournée par le courant de la pensée marxiste* ». Les fondateurs se réclament des pionniers du socialisme tels que Proudhon, Blanqui, Sorel, Fourier, Saint-Simon. Les Amis sont animés par Liliane Ernout, secrétaire générale du *Parti National Syndicaliste Français*. Les écrivains Maurice Bardèche, Pierre Dominique et Saint-Loup ont donné leur adhésion à cette initiative. (Siège : 5, rue Las-Cases, Paris, 7e.)

AMIS DE TEMOIGNAGE CHRETIEN.

Groupement créé en marge de l'hebdomadaire *Témoignage chrétien* et ayant pour objet de diffuser les idées du journal et de soutenir moralement et matériellement son entreprise. Devenus un sorte de club, animé par Claude Gault, les *Amis de Témoignage Chrétien* ont adhéré à la *Convention des institutions républicaines*, puis s'en sont retirés en septembre 1966 en précisant que « *leur retrait de la Convention n'implique pas, de leur part, une hostilité à l'égard de la Fédération de la gauche démocrate et socialiste* ».

AMIS DE L'UNION SOVIETIQUE.

Organisation créée avant la guerre et interdite par le gouvernement Daladier après la signature du pacte germano-soviétique en 1939. Elle était la section française de la *Société des relations culturelles entre l'U.R.S.S. et l'étranger* (V.O.K.S.) et publiait une revue : *Russie d'aujourd'hui.* Fernand Grenier en assumait le secrétariat général. Reconstituée, en quelque sorte, après la Libération, sous le nom d'*Association France-U.R. S.S.* (voir à ce nom).

AMITIES FRANÇAISES UNIVERSITAIRES.

Organe mensuel des *Etudiants de la Restauration Nationale,* fondé en 1955. Dirigé par Pierre Pujo, également directeur d'*Aspects de la France* (voir à ce nom). Principaux collaborateurs : Jacques Ploncard d'Assac, Bernard Leduc, Patrice Sicard, Jacques Lamberville, Jean Kerber, Luc Duret, Michel Frederic, Jean Branzac, etc. (10, rue Croix-des-Petits-Champs, Paris 1er).

AMNISTIE.

Acte du parlement qui efface les condamnations, détruit leurs effets et fait disparaître le ou les faits qui en sont la cause (ne pas confondre avec la *grâce* et la *grâce amnistiante* qui sont du domaine du chef de l'Etat).

AMOURETTI (Frédéric).

Ecrivain, né à Toulon, le 18 juillet 1863, mort à Pierrefeu, le 25 août 1903. Disciple de Le Play et de La Tour du Pin, familier de Frédéric Mistral et de Fustel de Coulanges, ami de Paul Bourget, Maurice Barrès, Jules Lemaître et Charles Maurras. Collabora à *La Libre Parole, La Cocarde, Le Soleil, La Gazette de France* et à la revue *L'Action Française* sous divers pseudonymes (J. François, Bezaudun, Lérins). Auteur de divers ouvrages dont : « *Pour l'Autorité* » et « *Contre la démocratie* », publiés après sa mort. Exerça une influence considérable sur les hommes de droite de sa génération et peut, à juste titre, être considéré comme un précurseur du *nationalisme intégral* monarchiste. Dans l'article qu'il publia dans *Le Gaulois* (13-9-1903), Maurice Barrès rendit hommage à l'écrivain qui « *avait rendu les plus grands services à l'élaboration de la doctrine traditionaliste* ».

AMOUROUX (Henri).

Journaliste, né à Périgueux, le 1er juillet 1920. Secrétaire général de la rédaction, puis rédacteur en chef adjoint (1963) et rédacteur en chef (1966) du quotidien *Sud-Ouest.* Membre du comité directeur du *M.R.P.* de la Gironde. Auteur de : « *Israël, Israël* » (1951), « *Croix sur l'Indochine* » (1955), « *Le Monde de long en large* » (1957), « *Une fille de Tel-Aviv* » (roman), « *J'ai vu vivre Israël* » (1958), « *la Vie des Français sous l'occupation* » (1961), « *le 18 juin 1940* ». A obtenu pour ses œuvres le Grand prix littéraire de la ville de Bordeaux (1962), et un prix de l'Académie française (1962).

ANALYSES ET DOCUMENTS.

Bulletin bi-mensuel politique, économique et social de tendance marxiste, lié au *Centre d'Etudes Socialistes* (même adresse) et dirigé par Jean Risacher. (29, rue Descartes, Paris 5e.)

ANARCHIE.

Etat d'un peuple privé de gouvernement. Selon la *Grande encyclopédie Larousse* : « *L'anarchie est une doctrine qui a pour but de rendre les hommes égaux et libres par la suppression de la propriété privée, source de l'oppression, et du gouvernement, instrument de l'oppression.* » C'est, en fait, un système politique visant à libérer l'individu de toute tutelle, les droits de l'homme étant, selon Godvin, incompatibles avec le régime social de notre temps. Max Stirner définit ainsi ces droits dans son livre « *L'unique et sa propriété* » : « *L'humanité n'a d'existence et de valeur que par les individus qui la composent ; le vrai culte est donc le culte de l'individu, le culte du MOI qui sera complet lorsque toutes les entités scolastiques de l'Humanité, de la Nationalité, de l'Etat, de l'Autorité, de la Loi auront fait place à la réalité unique : le Moi.* » Pour P.J. Proudhon (in « *Du principe fédératif* »), c'est un système social à base de mutuellisme, de coopération et de fédéralisme qui doit donner à ces droits exclusivement moraux dans leur formulation antérieure, un contexte social sans autorité, donc sans Etat.

ANARCHISTE (Mouvement).

Se réclamant de Bakounine, Kropotkine, Elisée Reclus et Sébastien Faure, qui, eux-mêmes, avaient continué l'Anglais Godvin, l'Allemand Max Stirner et J.-P. Proudhon, les anarchistes sont, de nos jours, principalement groupés autour du *Monde libertaire,* de *Défense de l'Homme,* de *Contre-Courant,* de *Liberté,* de *La Voie de la Paix* et du *Combat syndicaliste.* A la fin du XIXe siècle, Louise

L'attentat de l'anarchiste Vaillant, à la Chambre des députés, le 9 décembre 1893.

Michel et Sébastien Faure (voir à ces noms) fondèrent *Le Libertaire* qui exprima une sorte de synthèse de l'anarchisme social (proudhonien) et de l'individualisme (stirnérien). Les individualistes marquaient leur préférence pour *L'Anarchie*, où l'on rencontra, un peu plus tard, Victor Serge (Kibaltiche, de l'affaire Bonnot), pour *Les Temps Nouveaux*, de Jean Grave, ou *Les Hommes du Jour*, de Henri Favre. Jusque-là l'anarchisme avait connu la période dite « tragique » : procès de Lyon (1883) après divers attentats à la bombe dans la région lyonnaise ; affaire Duval (1886) ; procès des 18 (1890) ; affaire de Levallois, de Clichy ; procès des 30 ; attentat de Vaillant ; la bombe Henry, etc. Les lois dites scélérates de 1894 rendirent cette « propagande par le fait » à

peu près impossible et les anarchistes y renoncèrent pour entrer dans les milieux corporatifs et syndicaux et y faire prévaloir quelques-uns de leurs principes ou de leurs méthodes d'action. D'accord sur la primauté de l'effort syndical, Griffuelhes et Pelloutier (des Bourses du Travail), Yvetot et quelques autres exercèrent une influence considérable sur le syndicalisme qu'ils orientèrent vers la grève générale et l'indépendance à l'égard de l'Etat, des partis et des religions. De cette époque date l'anarcho-syndicalisme à qui l'on doit en outre la théorie de l'action directe et la Charte d'Amiens (1906). Léon Jouhaux fit ses premières armes dans cet anarchisme-là. En 1919, un fort contingent d'anarchistes avait rejoint le *Parti Communiste*, suivant en cela l'exemple donné par Victor Serge : Monatte, Rosmer, Colomer, etc. Sur le plan syndical, ceux-là rejoignirent la *C.G.T.U.* Leur thèse était que, la Révolution étant faite en Russie, il fallait l'orienter. Victor Serge, réfugié en Espagne pendant la guerre de 1914-1918, partit en Russie où il joua un rôle aux côtés de Lénine. Bientôt il fut envoyé en Sibérie par les bolchevicks qui liquidèrent progressivement et physiquement les anarchistes sur tout le territoire. Après avoir longtemps résisté, les armes à la main et à la tête d'une armée en Ukraine, le plus célèbre d'entre eux, Makno, se réfugia en France où il mourut en 1924. Quant à Victor Serge, il fut arraché à la Sibérie par Laval en 1934 et revint en France. Entre les deux guerres, *Le Libertaire* subsista, paraissant tantôt hebdomadairement, tantôt mensuellement, et même disparaissant pour de longues périodes. De nombreuses publications sporadiques lui firent une concurrence intermittente parmi lesquelles il faut citer *Le Semeur* d'A. Barbé. A la veille de la Seconde Guerre mondiale, la constitution d'une *Entente anarchiste* fut tentée qui n'eut que peu de succès. Louis Lecoin, le militant anarchiste qui domina cette période, fonda encore un hebdomadaire, *S.I.A. Solidarité internationale antifasciste* auquel collabora Henri Jeanson. Peu de mois après la déclaration de guerre à l'Allemagne, ce fut encore Louis Lecoin qui prit l'initiative du célèbre tract « Paix immédiate ». Au lendemain de la Seconde Guerre mondiale, *Le Libertaire* reparut sous la responsabilité d'une Fédération qui se recommandait de l'esprit de la Résistance et avait adopté les méthodes bolcheviques. Cette fédération s'étant écroulée sous coups de la Justice et *Le Libertaire* (qui avait adopté Marty dans ses derniers numéros) ayant disparu, *Le Monde Libertaire* fut créé. Ce journal est l'organe de la *Fédération anarchiste* (3, rue Ternaux, Paris 11ᵉ) dont Maurice Joyeux, Gérard Schaafs, Maurice Laisant, P.V. Berthier, J.L. Gérard, etc. sont les militants les plus connus et à laquelle se rattachent : le *Groupe d'Etudes et d'Action anarchiste*, le *Groupe libertaire Louise Michel* (110, passage Ramey, Paris 18ᵉ), le *Groupe des liaisons internationales*, le *Groupe des Jeunes révolutionnaires anarchistes* (Eric Koscas), le *Groupe Duruti* (Claude Michel), le *Groupe Jules Vallès* (Ramon Finster), le *Groupe Eugène Varlin* (Richard Perez), le *Groupe Emile Henry* (Corbeil), le *Cercle d'Etudes et d'Action libertaire* (Robert Pannier, de Montreuil-sous-Bois), le *Groupe Francisco Ferrer* (C. Fayolle, de Versailles), auxquels il faut ajouter les groupes

d'Avignon (Jacky Blachère), d'Amiens, de Bordeaux (Ph. Jacques, J. Salamero), de Carcassonne (Francis Dufour), de Lens (J. Glapa), de Lille (Henri Walraeve), de Lyon (14, rue Jean-Larrivé), de Marseille (René Louis, 13, rue de l'Académie), de Montluçon (Louis Malfant), de Nantes (Marcel Guyon, Michel Le Ravalec), de Thionville (Louis Piron), de Rouen (Dauguet), de Rennes (René Michel), de Saint-Etienne (H. Freydure), de Saint-Nazaire (Yvon Perrot), de Toulouse (J.-C. Bruno), de Vannes (Lochu) et le *Groupe anarchiste-communiste* de Grenoble (Kiravis).

ANARCHISME ET NON-VIOLENCE.

Revue pacifiste fondée en 1966 et animé par Michel Tepernowski, Marcel Viaud (de Toulon), Denis Durand (de Marseille), Jean Coulardeau (de Bordeaux) et Lucien Grelaud (de Roanne). (Siège : 16, rue Neuve-de-la-Chardonnière, Paris, 18ᵉ.)

ANARCHO-SYNDICALISME.

Théorie selon laquelle les syndicats sont la base de l'organisation ouvrière et doivent avoir le rôle principal dans la lutte sociale. On lui doit la charte d'Amiens (1906). Léon Jouhaux, qui devint secrétaire général de la *C.G.T.*, fit ses premières armes dans l'*anarcho-syndicalisme*. L'anarcho-syndicalisme a survécu malgré les progrès du communisme.

ANCHALD (Etienne).

Agriculteur, né à Maubeuge, le 16 février 1908. Ingénieur technique d'agriculture. Directeur du *Journal du Marquenterre et du Ponthieu* et de *La Baie de la Somme*, où il écrit sous le pseudonyme de Jacques Franc-Picard.

ANCIENS DE LA RUE SAINT-ANDRE.

Association des anciens étudiants d'*Action Française,* créée par Georges Calzant en 1957 (le siège des *Etudiants d'A.F.* était avant la guerre rue Saint-André-des-Arts, dans le 6ᵉ arrondissement). Elle rassemble « *quelles que soient les voies qu'ils ont librement suivies depuis l'époque de leurs études, tous les anciens étudiants d'A.F. qu'une commune admiration pour Charles Maurras rapprochait alors, à Paris comme en Province* ». Parmi eux, citons: Boursat, J. Dijon, Huet, Claude Jeantet, P. Loisier, P. Sortais, Pierre Tezenas du Montcel, J.-L. Tixier-Vignancour et le Dr Raymond Tournay qui en assume le secrétariat.

ANDIGNE (Famille d').

Les Andigné ont eu plusieurs des leurs au parlement : le marquis Henri, Marie, Léon d'Andigné (1821-1895), pair de France en 1847, puis sénateur de Maine-et-Loire de 1876 à 1895 ; son fils, le marquis Marie, Pierre, Fortuné d'Andigné, comte de Sainte-Gemme, baron de Segré (1866-1935), qui représenta le même département à la Chambre des députés de 1932 à 1935 ; et le comte Charles, François, Geoffroy d'Andigné (1858-1932), qui fut député de Maine-et-Loire de 1924 à 1932.

ANDIGNE (comte Amédée, Marie, Louis, Charles d').

Administrateur de sociétés, né à Durtal (Maine-et-Loire), le 26 novembre 1900. Descendant du général vendéen. Président des *Amis de la Cité catholique* et de l'*Association française des camériers et anciens camériers de Sa Sainteté le Pape*. Auteur de « *Un apôtre de la charité : Armand de Melun* » (couronné par l'Académie française) et de « *L'équivoque révolutionnaire* ».

ANDORRADIO (Radio des Vallées).

Poste radiophonique privé créé par la *Sofirad* (voir à ce nom) en 1951, avec l'aide du Trésor public français, mais ne fonctionnant que depuis 1959. Le capital de la société *Andorradio* est, en majorité, aux mains de la *Sofirad* (51 %). Jean-Christian Barbé, ancien chef des services de presse du mouvement gaulliste et président du *Centre d'Information Civique,* est le directeur général du poste (Andorra la Vieja, Andorre).

ANDRE (Jean, Marie, Jacques, Pierre, vicomte d').

Auteur dramatique, né à Soisy-sous-Montmorency (S.-et-O.), le 24 janvier 1914. Avocat à la cour d'appel de Paris pendant huit ans, puis auteur dramatique et journaliste fondateur, après la guerre, de l'*Association Royaliste Catholique* (A.R.C.), qui publiait *L'Etendard*. Ensuite : critique cinématographique à *Ouest-France,* président de l'*Office catholique français du cinéma,* secrétaire général de *Vox* (Association nationale catholique des auditeurs et spectateurs du cinéma, de la radio et de la télévision). Camérier secret de Pie XII, Jean XXIII et Paul VI.

ANDRE (Louis).

Agriculteur, né à Douai (Nord) le 6 janvier 1891. Vice-président de la Chambre d'agriculture du Calvados. Fut conseiller général du canton de Ryes et membre du Conseil économique. Est actuellement maire de Meuvaines et sénateur du Calvados (1948, réélu en 1955, 1959 et 1962), inscrit au groupe des Républicains indépendants.

ANDRE (Pierre).

Assureur conseil, né à Dieulouard (M.-et-M.) le 27 octobre 1903. Militant nationaliste et monarchiste avant la guerre, fut élu député de Meurthe-et-Moselle en 1946 et le demeura jusqu'à la chute de la IVe République. Membre du *Centre National des Indépendants,* milita pour l'Algérie française et adhéra à l'*Alliance France-Israël*. Dirige le cabinet d'assurances *Pradal et André*.

ANDRIEU (René, Gabriel).

Journaliste, né à Beauregard (Lot) le 24 mars 1920. Militant communiste et résistant, fut d'abord professeur, puis, pour défendre ses idées, se fit journaliste. Fut rédacteur diplomatique au quotidien *Ce Soir* (1946) et est, actuellement, rédacteur en chef du quotidien *L'Humanité* (depuis 1959). Nommé en 1961 membre suppléant du comité central du parti communiste.

ANDRIEUX (Louis).

Homme politique (1840-1931). Député de Lyon (1876-1885), puis préfet de police (1879). A raconté dans ses mémoires comment il fonda une feuille anarchiste *La Révolution sociale,* abusant de la bonne foi de Louise Michel et de ses amis. « *Donner un journal aux anarchistes, c'était placer un téléphone entre la salle des conspirations et le cabinet du préfet de police. On n'a pas de secrets pour un bailleur de fonds, et j'allais connaître, jour par jour, les plus mystérieux desseins. Le Palais-Bourbon allait être sauvé ; les représentants du peuple pouvaient délibérer en paix.* » Contraint de donner sa démission de préfet en 1881, devint ambassadeur de France à Madrid, puis député des Basses-Alpes (1885-1889). Serait le père de Louis Aragon.

ANIMATEUR DES TEMPS NOUVEAUX (L').

Hebdomadaire paraissant entre les deux guerres, dirigé par Louis Forest (Nathan). Anti-étatiste et anti-marxiste.

ANJOU (Jacques-Henri de Bourbon, duc d').

Prétendant au trône de France, fils d'Alphonse XIII d'Espagne (Alphonse Ier pour les légitimistes français), descendant de Louis XIV et de son petit-fils, le duc d'Anjou, devenu roi d'Espagne sous le nom de Philippe V. Quelques années après la mort de son père, le duc d'Anjou et de Ségovie a fait enregistrer par-devant notaire, le 31 juillet 1946, une déclaration rendue publique en France, à la fin de janvier 1947 : « *Nous, soussigné, Jacques-Henri, duc d'Anjou et de Ségovie, né le 23 juin 1908, héritier des droits de mes ascendants au titre de chef de la branche aînée de la Maison de Bourbon, déclarons par les présentes ne renoncer à aucune des prérogatives attachées à notre naissance (...) Nous nous engageons à faire valoir ce droit par tous les moyens, pour empêcher que d'autres prétendants soient substitués à nous.* » À la fin de 1959, le duc d'Anjou confirma sa position dans une protestation qu'il adressait à la presse française au sujet de la politique poursuivie par le Gouvernement à l'égard des départements français d'Algérie. La presse algérienne, contrairement à celle de la métropole, diffusa très largement les déclarations du prince : « *Notre qualité d'héritier légitime du trône de France,* y était-il dit, *ne nous permet plus, par notre silence, de paraître adhérer à des thèses issues de la Révolution (...) Le droit, illégalement donné à la population d'une province française de faire sécession, risque d'arracher l'Algérie à la France. Un roi la lui a donnée. Fidèle à la tradition de ses ancêtres, leur légataire affirme que le territoire de la patrie est inaliénable et que nul ne peut s'arroger le droit d'en disposer.* » Bien qu'il soit le prétendant légitime de cette branche — à condition que l'on ne tienne aucun compte du traité d'Utrecht et de la renonciation de Philippe V à tous ses droits, pour lui et ses descendants —, ce n'est pas lui, mais son fils, le prince Louis-Alphonse, qui est aux yeux des légitimistes le véritable prétendant. L'infirmité du duc d'Anjou le rend inapte à certains actes du gouvernement et d'autre part, devant les catholiques traditionalistes, il se trouve dans une situation familiale irrégulière puisqu'il a divorcé d'avec Emanuela de Dampierre et qu'il a épousé civilement la cantatrice Carlotta Tiedeman. De son union avec sa première épouse, le prince a deux fils : Louis-Alphonse-Jacques (né en 1936) et Charles-Gonzalve-Victor (né en 1937) (voir : *Légitimiste* et *duc de Bourbon*).

ANNEXION.

Incorporation de tout ou partie d'un Etat à un autre en recourant à la force. Dans certains cas, lorsque le ou les vainqueurs sont assez puissants pour faire admettre ou pour imposer leur point de vue à la quasi-totalité des autres Etats, l'*annexion* peut être appelée *libération*.

ANQUETIL (Georges) (Voir : La Rumeur).

ANSQUER (Vincent).

Homme politique, né à Treize-Septiers (Vendée), le 11 janvier 1925. Ancien fonctionnaire de l'Administration d'Outre-Mer (1946-1947). Attaché commercial en Guinée (1946-1952). Directeur des Usines *Chaudières et Cie* (chaussures). Secrétaire départemental de l'*U.N.R.* Député de la Vendée (4e circ.) depuis 1962.

ANTENNE (L').

Quotidien d'information maritime, commerciale et aéronautique fondé en 1946. Secrétaire général : J. Michel ; rédacteur en chef : J. Boucard (17, rue Venture, Marseille 1er).

ANTERIOU (Louis).

Homme politique (1887-1931). Commis principal des Contributions, fut élu député républicain socialiste de l'Ardèche en 1919 et le restera jusqu'à sa mort. Fut en 1925 et en 1928-1929 ministre des Pensions (cabinets Painlevé et Poincaré). Appartenait à la Loge *La République*. Son fils, Jacques LOUIS-ANTERIOU, s'intéressa à la politique il y a quelques années (voir à ce nom).

ANTHONIOZ (Marcel).

Hôtelier, né à Divonne-les-Bains (Ain), le 26 avril 1911. Membre du Bureau National de l'Hôtellerie et président de l'Hôtellerie départementale de l'Ain. Membre de la Chambre de commerce de l'Ain. Membre du Conseil supérieur du Tourisme. Vice-président de l'Hôtellerie saisonnière française. Membre de *l'Alliance France-Israël*. Conseiller général du canton de Gex (octobre 1945). Vice-président du Conseil général de l'Ain. Maire de Divonne (mai 1945). Elu député indép. pays. le 17 juin 1951. Réélu les 2 janvier 1956 (sur un programme de « Défense des contribuables et des libertés professionnelles »), 30 novembre 1958 et 25 novembre 1962. Inscrit au groupe des *Républicains Indépendants*.

ANTICLERICALISME.

Attitude hostile au clergé catholique et à son ingérance dans les affaires publiques. *L'anticléricalisme* fut particulièrement ardent à la fin du siècle dernier et au début de celui-ci. De Léon Gambetta à Emile Combes, les chefs du « parti républicain », qui appartenaient pour la plupart à la franc-maçonnerie, enfourchèrent ce cheval de bataille pour foncer sur l'ennemi. La campagne anticléricale permit finalement aux républicains d'éliminer de la carte électorale les monarchistes, puis les conservateurs même *ralliés*, présentés par eux comme des suppôts de cette mystérieuse Compagnie de Jésus dont les agissements inquiétaient si fort les lecteurs des romans d'Eugène Sue. Fort assagi de nos jours, *l'anticléricalisme* ne se manifeste guère à l'état pur que dans quelques publications confidentielles comme *La Raison*, et au sein de quelques loges provinciales du Grand Orient. Au congrès socialiste d'Amsterdam, d'où sortit l'unification des divers groupes socialistes français rivaux, Jules Guesde ne cacha pas son sentiment sur *l'anticléricalisme* des bourgeois républicains de son époque : « *L'anticléricalisme dont on fait parade a surtout pour but de détourner les travailleurs de leur lutte contre le capitalisme. C'est une comédie !... »*

ANTICOLONIALISME.

Opposition au colonialisme, exploitée tantôt par les communistes pour dresser les populations *coloniales* contre les puissances occidentales, tantôt par les capitalistes étrangers pour contraindre les intérêts nationaux à s'incliner devant les leurs.

ANTICOMMUNISME.

Attitude d'hostilité à l'égard de la doctrine et de l'action communistes. A souvent servi de paravent à divers groupes capitalistes soucieux de conserver leurs avantages ou leurs privilèges en recrutant à bon compte des défenseurs parmi les militants politiques de droite. Très vivace au sein du parti socialiste, surtout depuis « le coup de Prague » et la révolte de Budapest, *l'anticommunisme* n'a jusqu'ici abouti à aucune mesure sérieuse de la part de ceux qui s'en réclamaient dans leurs manisfestes électoraux et qui siègent aujourd'hui au parlement : au nom des principes démocratiques, ils accordent à leurs adversaires ce que ceux-ci leur refuseraient au nom des principes communistes. Les organisations et les revues spécialisées dans la lutte anticommuniste étaient nombreuses avant la guerre : *Centre de Propagande des Républicains nationaux* (de Henri de Kerillis), *La vague rouge* (du sénateur Gustave Gautherot, etc., Aujourd'hui, en raison de l' « attitude compréhensive » des grands intérêts économiques à l'égard des démocraties populaires, de l'U.R.S.S. et de Pékin, elles le sont beaucoup moins. Outre *Politique-Eclair*, qui donne régulièrement des informations sur le communisme et sur leurs « *compagnons de route* », il existe une revue anticommuniste spécialisée, *Est et Ouest* (ex. *B.E.I.P.I.*), que publie l'*Association d'Etudes et d'Informations Politiques Internationales*, et qui paraît deux fois par mois (réservé aux abonnés).

ANTICONSTITUTIONNEL.

Contraire à la constitution.

ANTIER (Ernest, Marie, Louis, Alphonse, Joseph).

Homme politique (1868-1943). Bâtonnier de l'Ordre des avocats au Puy. Député (1919-1924 et 1928-1932), puis sénateur (1938-1943) de la Haute-Loire. Appartint au groupe des *Démocrates Populaires*. Vota le 10 juillet 1940, comme son fils Paul, pour le maréchal Pétain.

ANTIER (Paul).

Agriculteur, né au Puy, le 20 mai 1905. Fils de Joseph Antier (1868-1943), ancien député (1919-1924, 1928-1932) et ancien sénateur (1938-1943) de la Haute-Loire. Il appartient à une famille de la bourgeoisie du Velay dont les membres se sont, pour la plupart, consacrés à l'Apostolat. Elu conseiller général et maire de Laussonne en 1933, puis conseiller général du canton de Monastier et député agraire du Puy en 1936, il fut en 1940 l'un des premiers parlementaires à répondre à « l'Appel du 18 juin » et à rejoindre le général De Gaulle à Londres, tandis que Vichy le condamnait à mort. Chargé de diverses missions par le Comité Français de Libération Nationale jusqu'en 1943, il fut cette année-là nommé membre de l'Assemblée consultative provisoire d'Alger. En 1945 et en 1946, il fit partie des deux assemblées constituantes, puis il fut élu député à l'Assemblée nationale en novembre 1946. Réélu en 1951 et 1956, il fut battu en 1958. Sous la IVe République, il fit partie de plusieurs ministères : cabinets Queuille (1950), Pleven (1950-1951), Queuille (1951), Pleven (1951), Faure (1955-1956) ; d'abord à l'Agriculture, ensuite (dernier cabinet) à la Marine marchande. Membre dirigeant du *Parti Agraire et Paysan Français* — qui avait encouragé la constitution du *Front de la Liberté*, fondé par Jacques Doriot —, il participa aux luttes anti-Front populaire d'avant-guerre. Il appartenait alors à la rédaction de *La Voix de la Terre* (avec P. Mathé, de Clermont-Tonnerre, Ihuel). Après la guerre, il fut l'un des fondateurs du *Parti Paysan*, qu'il anima comme secrétaire général, puis qu'il présida. Il dirigea également l'hebdomadaire du Parti, *L'Unité paysanne*. Avec les autres parlementaires du parti, il constitua à l'Assemblée le *Groupe Républicain d'Action Paysanne et d'Union Sociale* qui compta jusqu'à quarante-sept députés. A la suite d'un conflit avec René Mayer, ministre des Finances et ancienne éminence grise des Rothschild, et de sa démission du gouvernement (il fut remplacé par M. Camille Laurens, secrétaire général du *Parti Paysan*), il prit la tête du *Groupe Paysan d'Union Sociale* qui reçut l'adhésion de vingt et un députés paysans, les autres s'affiliant au *Centre Républicain d'Action Paysanne et Sociale* créé par Camille Laurens. Il refusa, par la suite, malgré une apparente réconciliation, de rejoindre le *Centre des Indépendants* lorsque Laurens et ses amis s'y affilièrent (1956). L'année suivante il fondait avec Henri Dorgères et Pierre Poujade le *Rassemblement Paysan*, ce qui consomma sa brouille avec les *laurensistes*. (En 1959, ledit Rassemblement fut pratiquement dissous, chacun des fondateurs reprenant sa liberté de mouvement.) Entre-temps, dès mai 1958, il s'était rallié au néo-gaullisme, ce qui ne l'empêcha pas d'être battu aux élections suivantes. Soupçonné de sympathies pour l'Algérie française, il fut interrogé par la police en 1962, en même temps qu'une centaine de personnes dont le journaliste Grandmougin, alors éditorialiste de *Radio-Luxembourg*. En 1965, d'accord avec Pierre Poujade, il posa sa candidature à l'élection présidentielle ; mais il la retira au tout dernier moment, Poujade ayant rallié le camp de Jean Lecanuet : il se désista pratiquement pour ce dernier.

ANTIFASCISME.

Attitude d'hostilité à l'égard du fascisme et du national-socialisme et, par extension, à l'endroit de tout mouvement nationaliste ou d'opposition nationale. Avant la guerre, l'*antifascisme* était le ciment du Front populaire et, en général, de la gauche et de l'extrême-gauche. Depuis, la terminologie communiste a fait du mot *antifasciste* le synonyme de *communiste*, transformant ainsi tout non-communiste — à plus forte raison, tout anti-communiste — en *fasciste*.

ANTIGNAC (Antoine).

Militant politique (1864-1930). Eut de nombreux métiers (clerc de notaire, commis, livreur, etc.). Membre de la Première Internationale et proudhonien, convertit Sébastien Faure à l'anarchie dont il était à Bordeaux le propagandiste zélé. Collaborait à *La Voix Libertaire*, au *Libertaire* et à *La Révolte*.

ANTIMAÇONNISME.

Attitude d'hostilité à l'endroit de la Franc-Maçonnerie. Aujourd'hui très peu développé en raison de l'affaiblissement sensible de l'influence de la maçonnerie, principalement du Grand Orient, dans la politique française, l'*antimaçonnisme* fut très actif et même virulent entre 1884 (encyclique *Humanum Genus* de Léon XIII) et 1944 (fermeture des organisations antimaçonniques et emprisonnement de leurs dirigeants). Roger Mennevée a consacré un petit ouvrage à « *L'Organisation antimaçonnique en France* » (Paris 1928). Une courte étude du mouvement antimaçonnique français d'avant 1914, de l'entre-deux-guerres et de pendant la guerre de 1939-1945 fait l'objet d'un chapitre de « *La République du Grand Orient* », par H. Coston (Paris 1964).

ANTISEMITISME.

Doctrine ou attitude de ceux qui s'opposent à l'influence des Juifs, pour des motifs économiques ou politiques, religieux ou raciaux. Bernard Lazare, l'un des grands journalistes israélites de la fin du XIXe siècle, affirmait dans son

livre « *L'Antisémitisme* » (Paris, 1894)
que le Juif fut « *tour à tour, et également, maltraité et haï par les Alexan-
drins et par les Romains, par les Per-
sans et par les Arabes, par les Turcs et
par les nations chrétiennes* ». Il ajoutait
que « *les ennemis des Juifs appartenaient aux races les plus diverses, qu'ils
vivaient dans des contrées fort éloignées
les unes des autres, qu'ils étaient régis
par des lois différentes* ». Bref qu'ils
n'avaient aucun point commun, sauf
l'*antisémitisme*, ce qui détruisait par
avance la thèse du professeur Jules
Isaac, accusateur de l'Eglise. L'antisémitisme moderne a recruté des adeptes
dans tous les milieux. De Voltaire, qui
écrivit des pages terribles contre les
Juifs, à Céline, en passant par le philosophe Proudhon, le socialiste Toussenel,
le communard Tridon, le sociologue
catholique La Tour du Pin et le monarchiste Maurras, nombreux furent ceux
qui s'en prirent à ce qu'Edouard Drumont, l'auteur de « *La France juive* »
appelait « *la conquête juive* ». De nos
jours, l'*antisémitisme*, interdit par la loi
(décret-loi Marchandeau, 21 avril 1939),
n'a plus aucune manifestation extérieure
en France. Mais si l'on en croit une
récente enquête de l'*Institut Français
d'Opinion Publique* (I.F.O.P.), publiée
dans le *Nouvel Adam* (décembre 1966)
par le directeur de cet orangisme de
sondage d'opinion, Roland Sadoun, lui-
même israélite, la persistance du sentiment antisémite est indéniable chez les
Français : près de 20 % des personnes
interrogées présentent des « *caractéristiques sérieuses d'antisémitisme* ».

ANTONINI (Paul, André, Charles).

Publiciste, né à Nouméa (Nlle Calédonie), le 10 avril 1896. Receveur central
honoraire de l'Enregistrement, directeur
honoraire du Contrôle économique, ancien conseiller d'arrondissement de la
Corse, conseiller honoraire de l'Union
française, assemblée dont il présida la
commission des Finances et la commission de l'Information au sujet de la dévaluation de la piastre indochinoise, ancien membre de la Commission des
comptes de la Nation. Président de l'Association des conseillers de l'Union
française. Conseiller économique et
financier du président de la République
du Gabon. Directeur du journal *Union
française*, de Paris (1948-1958). Président de la 113ᵉ section des Médaillés
militaires de Paris, membre du bureau
de l'*Association des Médaillés de la
Résistance* (F.F.L.). Membre du Comité

directeur de l'*Association des Français
libres*.

ANXIONNAZ (Paul).

Ingénieur, né à Aime (Savoie) le
31 décembre 1902. Militant de gauche,
se fit élire sous le signe du *Front Populaire* conseiller général de Moutiers en
1937. Se trouvait à Budapest, attaché
d'ambassade, lorsque survint l'armistice
de 1940. Rallia la France libre et fut
nommé à l'Etat-major des Forces Aériennes Libres au Moyen-Orient (1942). Attaché aux Etats-majors du général Cochet, puis du général Lombard (1944),
fut nommé membre de l'Assemblée
consultative provisoire (1944-1945), puis
élu député radical de la Marne (1946-
1951) et conseiller général du canton
d'Ecury-sur-Coole (1949-1961), Secrétaire
général du *Parti Républicain Radical et
Radical-Socialiste* (avant 1940, puis de
1945 à 1948, et de 1955 à 1957), élu à
nouveau député de la Marne (1956-
décembre 1958) devint secrétaire d'Etat
aux forces armées (marine) (cabinet Guy
Mollet, 1956-1957). Avait eu comme secrétaire le fameux Ducret (voir à ce
nom) dont la mort fit découvrir un
scandale. Depuis quelques années, est
professeur au lycée de l'O.T.A.N. à Saint-
Germain-en-Laye. Poursuivant son action
politique dans le socialisme de gauche,
représentant au sein de la Franc-Maçonnerie la fraction la moins hostile au
communisme, a été porté à la Grande
Maîtrise du *Grand Orient de France*, en
remplacement du Dr Alexandre Chevalier.

APATRIDE.

Qui n'a pas de patrie, qui est légalement sans nationalité. Après la Révolution russe, fut créé pour les réfugiés
(Russes blancs) un passeport spécial dit
« passeport Nansen » (du nom du
fameux explorateur et homme politique
norvégien), qui fut utilisé, par la suite,
par d'autres *apatrides* et que reconnaissent un certain nombre de pays.

APPARENTE.

Parlementaire n'appartenant pas effectivement au groupe auquel il est *apparenté*, mais se rattachant administrativement à lui.

APPARENTEMENT.

Accord liant plusieurs listes lors d'une
élection. Appliqué pour la première fois
en France aux élections législatives de
1951, le système de l'apparentement fut
néfaste aux candidats gaullistes (R.P.F.).

APPEL (L').

Journal hebdomadaire fondé en 1941 par le commandant Constantini et publié sous sa direction jusqu'en 1944. Rédigé par une équipe, souvent remaniée, dont René Jolivet (rien de commun avec René-Louis Jolivet, sauf le nom), Vauquelin, Paul Riche furent tour à tour les dirigeants. Elle comprenait, à la fois, des littéraires aux idées assez floues et des politiques aux convictions bien tranchées : Pierre Pascal, Bernard Denisane, Bernard Fay, Emile Dortignac, Jean Contoux, Robert Jullien-Courtine, Guy Berthet (qui signait aussi Jean Gébé) et sa femme, la caricaturiste Foussi, Firmin Bacconnier, Joseph Rouault (Prix Drumont 1944), Xavier Sitter, André Chaumet, Jacques Dyssord, Charles-Louis Lecoq, René Trintzius, Sylvain France, R. Cardinne-Petit, Serpeille de Gobineau, Pierre Devaux, Jean Drault, Lucien Rebatet, Gaston Denizot, professeur Montandon, Camille Mauclair, N. Sant'Andréa, Jacques Boulenger, Louis Léon-Martin, Philibert Géraud, Noël B. de la Mort, Roger de Lafforest, Henry Castillou, J.-A. Foëx, Lucienne Delforge, Pierre Masteau, Georges Claude, Charles Kunstler, Edmond Pilon, Jean Héritier, Xavier de Magallon, colonel Larpent (qui avait collaboré avec Maurras à L'Action Française), Pierre Mouton, Louis-Charles Royer, Pierre Imbourg, les dessinateurs R. Soupault, Julhès, A.-R. Charlet, God, Zazoute, Michel Jacquot, J. Berger-Buchy, etc. Beaucoup de ces journalistes furent épurés. L'un deux, Paul Riche, fut condamné à mort et exécuté. Cet ancien franc-maçon, nommé Mamy, payait non seulement sa « trahison » envers le Grand Orient, mais ses révélations sensationnelles sur une société secrète, dont il a été beaucoup parlé depuis : la Synarchie. C'est, en effet, l'ancien vénérable de la Loge Ernest Renan, rallié en 1940 à la Révolution nationale, qui, le premier à Paris, révéla dans L'Appel du 21 août 1941 l'existence de cette société d'un type particulier, en décrivit les rouages, et en dénonça les plans. Ce sont des choses que l'on ne pardonne pas...

APPEL DE PARIS (L').

Journal publié après la Libération, L'Appel de Paris était l'organe du Rassemblement Travailliste Français, dirigé par M. Michel Coanet. Y collaboraient : Julien Dalbin, président du dit Rassemblement, avant-guerre directeur de La Belle France, ami de Péron dont il aurait reçu un appui financier important (cf. Le Monde, 28-1 et 7-2-1953), Georges Valençay, Marcel Gilliet, Jacques Mafioly, Jean Serrelande, S. Thenaud. Ce journal abandonna bientôt un titre (bien compromettant) pour celui (plus anodin) de La République Moderne, racheté au groupe fédéraliste de C.-M. Hytte, anc. collaborateur de Gaston Bergery. Les Cahiers de la République Moderne, de Hytte, étaient l'organe du mouvement national révolutionnaire. Ils avaient été fondés dès 1944.

APPEL REPUBLICAIN (L').

Hebdomadaire fondé en 1934. Antifasciste. Directeur : Fernand Corcos.

APPEL DES VINGT-NEUF.

Manifeste signé par vingt-neuf personnalités de gauche et d'extrême-gauche ayant appuyé la candidature du général De Gaulle à l'élection présidentielle de 1965. Cet appel fut lancé en mai 1966, à la veille de la réunion constitutive du Comité d'Action pour la Ve République. Il était signé par : Antoine Antoni, Emmanuel d'Astier de la Vigerie, ancien directeur du quotidien progressiste Libération, Robert Barrat, Théo Bernard, Mme Yvonne Bongert, René Cerf-Ferrière, Philippe Dechartre, Jacques Chazelles, Jacques Dauer, secrétaire général du Front du Progrès, Guy Decroix, Jean-Marie Domenach, directeur d'Esprit, Pierre Emmanuel, Paul-Marie de la Gorce, Lucien Junillon, ancien membre du comité directeur de la S.F.I.O., Bernard Lavergne, Pierre Le Brun, ancien secrétaire de la C.G.T., François Lecat, Jean Lescure, Yvon Morandat, François Perroux, André Philip, ancien ministre S.F.I.O., Maurice Rolland, David Rousset, Armand Salacrou, François Sarda, Mme Germaine Sénéchal, R. Worms dit Stéphane, Jacques Vernant et André Weil-Curiel, conseiller municipal socialiste (« Signataires de l'appel », 41, rue des Archives, Paris 4e) auxquels se joignirent ensuite d'autres militants de gauche, dont Germaine Tillion, Henri Hoppenot, ambassadeur de France, les pasteurs Saint-Blancat et Toureille, l'abbé Jacques Durandeaux, etc.

APRES-DEMAIN.

Journal mensuel publié par la Ligue des Droits de l'Homme sous la direction de Claudine Seligmann (27, rue Jean Dolent, Paris 14e).

ARAGON (Louis).

Homme de lettres, né à Paris, le 3 octobre 1897. Marié le 28 février 1939 avec Elsa Kagan, ex-Mme Triolet (en littérature : Elsa Triolet). Après avoir fréquenté la Faculté de médecine de Paris, il se mêla au mouvement surréaliste qu'il anima avec André Breton et Philippe Soupault. Il déclarait alors : « *Nous sommes ceux-là qui donneront toujours la main à l'ennemi.* » (*La Révolution surréaliste*, n° 4, conférence à Madrid le 18 avril 1925.) Aragon a participé aux campagnes antimilitaristes et antipatriotiques allant jusqu'à déclarer : « *Tout ce qui est français me répugne à proportion que c'est français... Un Français ? Vous me prenez pour un Français ? Je me lève pourtant en face de cette idée locale, la bouche débordant d'imprécations. J'arrache de moi cette France qui ne m'a rien donné que de petites chansons et des vêtements bleus d'assassin...* » (*Ibid*). Dans sa « *Lettre à Paul Claudel* », il déclarait : « *Nous saisissons cette occasion pour nous désolidariser publiquement de tout ce qui est français, en paroles et en actions.* » (1er juillet 1925.) A la même époque, il signa avec d'autres écrivains (Paul Eluard, Marcel Fourrier, etc.) le manifeste « *La Révolution d'abord et toujours* » où l'on lisait : « *C'est au tour des Mongols de camper sur nos places... Plus encore que le patriotisme qui est une hystérie comme une autre, mais plus creuse et plus mortelle qu'une autre, ce qui nous répugne, c'est l'idée de patrie, qui est vraiment le concept le plus bestial.* » Dans son livre « *Traité du style* » il écrivait un peu plus tard : « *J'ai bien l'honneur, chez moi, dans ce livre, à cette place, de dire très consciemment JE CONCHIE L'ARMEE FRANÇAISE dans sa totalité.* » (Publié par la *N.R.F.*, Paris 1929). Cette littérature surprenait fort ceux qui avaient connu Aragon quelques années, ou même quelques mois plus tôt, puisque l'écrivain, au début de 1925, collaborait à la très colonialiste publication *Informations d'Extrême-Orient*, qui le présentait en ces termes : « *M. Louis Aragon, disciple de Barrès, homme remarquable, styliste et philosophe de grande valeur, a bien voulu nous réserver ces pages inédites qu'il a écrites sur son maître...* » (28 janvier 1925). En 1930, il se convertit au communisme, après avoir été son adversaire et parlé de « *Moscou la gâteuse* » dans un pamphlet publié à la mort d'Anatole France sous le titre « *Un cadavre* ». Il entonnait alors une ode en l'honneur du Guépéou, la police secrète soviétique :

J'appelle la terreur du fond de mes
[poumons...

Je chante le Guépéou qui se forme
En France à l'heure qu'il est.
Je chante le Guépéou nécessaire de
[France.

(« *Persécuté persécuteur* », par Louis Aragon, édit. Denoël et Steele, p. 82 et 83). A la même époque, dans « *Aux enfants rouges* », il écrivait :

Les trois couleurs à la voirie
Le drapeau rouge est le meilleur
Leur France, jeune travailleur
N'est aucunement ta patrie.

A l'annonce du pacte germano-soviétique, qui consterna l'immense majorité des Français — en particulier les hommes de gauche qui voyaient dans l'U.R.S.S. le défenseur des droits de l'homme contre le fascisme — Aragon se réjouit. Il expliqua dans le quotidien communiste *Ce Soir* que le pacte signé par Staline avec Hitler éloignait la guerre : « *Je le répète, la guerre a reculé hier, et déjà les postes de radio le constataient ce matin.* » Quelques jours après, la guerre éclatait, mais effectivement elle était (provisoirement en tout cas) écartée de la Russie soviétique... Demeuré en France sous l'occupation, Louis Aragon se fit plus discret. Néanmoins la *Nouvelle Revue Française*, alors dirigée par Drieu la Rochelle et imprimée à Paris avec l'autorisation de la censure de l'occupant, publia un texte de l'écrivain communiste sous le titre : « *Les Voyageurs de l'Impériale* », tandis que l'éditeur Denoël faisait paraître un roman d'Elsa Triolet, intitulé « *Le Cheval blanc* ». Cette collaboration avec Drieu et Denoël n'empêcha pas Aragon de faire paraître dans la clandestinité une petite feuille *La Drôme en armes*, où il incitait les maquisards à agir avec vigueur. Il était alors retiré à Avignon, et c'est au cours d'un voyage à Paris qu'il fut interpellé par la police allemande, pour vérification d'identité, à la ligne de démarcation. Cette mésaventure, qui lui valut vingt-quatre heures de garde à vue, servira de prétexte à un poème qu'il insérera dans un recueil intitulé « *Ecrit en prison* » où furent rassemblés des textes de résistants authentiques arrêtés par la police allemande et dont plusieurs sont morts dans les camps de concentration. Ces titres de résistance lui permirent de devenir le leader et l'inspirateur du *Comité National des Ecrivains* qui épura les milieux littéraires français à la Libération. (Ses adversaires lui reprochèrent alors d'avoir même « *voulu épurer un mort, tombé au champ d'honneur en 1940* » : Paul Nizan, un écrivain communiste qui avait désavoué le pacte Staline-Hitler en août

Louis Aragon.

1939 et qui s'était fait tuer à Dunkerque). Militant communiste actif, Louis Aragon fut directeur de *Ce Soir* (1937-1939 et 1944-1952), associé de la société *La Marseillaise* de Paris (1945), membre du comité d'honneur des Amis des F.T.P., associé-gérant de la Société *La Bibliothèque française*, vice-président de l'Association des Ecrivains combattants (démissionnaire en 1960) ; il est actuellement membre du comité central du *P.C.F.*, directeur des *Lettres Françaises* (dont il est l'un des associés) et codirecteur des *Editeurs Français Réunis*. Parmi ses principaux livres, citons : « *Feu de joie* » (1920), « *Anicet ou le Panorama* » (1921), « *Le mouvement perpétuel* » (1925), « *Les Cloches de Bâle* » (1933), « *Hourra l'Oural* » (1934), « *Les beaux quartiers* » (1936), « *Le crève-cœur* » (1941), « *Les yeux d'Elsa* » (1942) [1] « *Les voyageurs de l'Impériale* » (1942), « *La Diane française* » (1945), « *Aurélien* » (1946), « *Les Communistes* » (1949-1950), « *La Semaine sainte* » (1958), « *Le fou d'Elsa* » (1963), « *Histoire parallèle des U.S.A. et de l'U.R.S.S.* » (1962), etc.

---

(1) Ne pas confondre avec le conte érotique qui lui fut tant reproché et qui parut sous le titre « *Le C... d'Irène* » (dans *Littérature pornographique 1929* », album de photographies obscènes accompagnées de poèmes scatologiques signés Benjamin Péret et Louis Aragon).

ARAMON (Marie, Joseph, BERTRAND DE SAUVAN D').

Homme politique (1876-1949). Gendre du banquier Stern. Député de Paris de 1910 à 1914 et de 1928 à 1942. Inscrit au groupe de l'*Union Républicaine Démocratique*, rattaché à la *Fédération Républicaine*. Vota pour le maréchal Pétain en juillet 1940.

ARBELLOT DE VACQUEUR (Simon).

Journaliste (1897-1965). Issu d'une famille limousine. Débuta dans le journalisme au *Figaro* (1920-1932) et collabora ensuite au *Temps* (1932-1942). Directeur de la presse au ministère de l'Information à Vichy (1940-1942), puis consul général de France à Malaga (1943-1944). Après la Libération, écrivit dans divers journaux (*Revue des Deux Mondes, Ecrits de Paris, Charivari,* etc.) et publia des livres de souvenirs : « *J'ai vu mourir le boulevard* », « *Eau de Vichy, vin de Malaga* », ainsi qu'un ouvrage de documentation « *La presse française sous la Francisque* », publié par *L'Echo de la Presse*.

ARBITRAIRE.

Se dit de tout acte, de toute décision qui viole la loi.

ARCHAMBAULT (Pierre, Jean, Alexandre).

Directeur de journal, né à Tours (Indre-et-Loire), le 24 juin 1912. Appartint, au dire du journaliste monarchiste Claude Hisard, aux *Camelots du Roi* avant la guerre (cf. *Histoire de la Spoliation de la Presse Française*, p. 203). Débuta à l'*Agence Havas* en 1927, puis fut employé chez *Mame*, à Tours (1931-1938) et à la *Sté Van Berkel* (1939-1942). Attiré par les idéaux de la gauche, milita pendant la guerre dans la Résistance (réseaux *Castille* et *Libé-Nord*) et fut, à la Libération, membre du C.D.L. d'Indre-et-Loire et chargé de fonctions préfectorales dans le département. Nommé peu après adjoint au maire de Tours, prit la direction générale du quotidien *La Nouvelle République du Centre-Ouest*, à Tours. Est actuellement : président du *Syndicat national de la presse quotidienne régionale* et de la *Confédération de la presse*, membre du *Conseil supérieur de l'Agence France-Presse*, et du conseil d'administration de l'O.R.T.F., ainsi que le président ou le dirigeant d'un grand nombre de groupements et d'associations de presse.

ARCHE (L').

Revue mensuelle éditée sous l'égide du *Fonds social juif unifié* présidé par le baron Guy de Rothschild, principal dirigeant de la banque *de Rothschild frères.* Directeur : Julien Samuel ; rédacteur en chef : Michel Salomon, assisté de Jacques Sabbath ; principaux collaborateurs : H. Milstein, Edouard Roditi, Arnold Mandel et Rabi ; administrateur : Raoul Strul. Avec un tirage de 36 000 exemplaires, *l'Arche* est la revue israélite la plus importante de France (14, rue Georges-Berger, Paris 17e).

ARCHIMBAUD (Léon, Daniel, Josué).

Homme politique (1880-1944). Fils de Daniel Archimbaud, député de la Drôme de 1908 à 1910. Etant étudiant en théologie protestante, se présenta à une élection partielle (15-9-1907), à Die et fut élu. Mais n'ayant pas accompli la totalité de ses obligations militaires fut déclaré inéligible. Son père se présenta à sa place et fut élu. Directeur de *La République du Peuple,* rédacteur en chef du *Rappel,* militant radical-socialiste et membre de la Loge *Les Etudiants,* fut élu député de la Drôme en 1919 et le resta jusqu'en 1942. Fut, en 1930, sous-secrétaire d'Etat aux Colonies dans l'éphémère cabinet Chautemps. Son dernier acte politique fut son vote du 10 juillet 1940 en faveur du maréchal Pétain.

ARDANT (Gabriel).

Inspecteur des Finances, né à Bex (Suisse), le 29 janvier 1906. Frère de Henri Ardant, ancien inspecteur des Finances, ancien directeur général de la *Société Générale* et de diverses sociétés financières, industrielles et commerciales. Marié avec Louise Bernheim. Entra à l'inspection des Finances (1929). Chef de cabinet de L.-O. Frossard, ministre du Travail (gouvernement Pierre Laval, 1935), directeur du cabinet de Henri Queuille, ministre des Travaux publics (gouvernement Chautemps, 1938). Pendant la guerre, au ministère des Finances. Conseiller technique au cabinet Félix Gouin, président du Gouvernement provisoire (1946). Secrétaire général du Comité Central d'Enquête sur le coût et le rendement des services publics (1946). Commissaire général à la Productivité, depuis octobre 1953. Membre du groupe d'études pour l'amplification du programme économique, dit « des dix-huit mois » (juin 1954). Conseiller officieux du président Mendès-France (1954), avec lequel il écrivit et publia en 1954 : « La *Science économique et l'action* ». Membre du Comité de direction des *Cahiers de la République* (de Pierre Mendès-France). Nommé inspecteur général des Finances en mai 1956. Considéré comme le « dictateur à la productivité » et l'un des « Sages » de la technocratie.

ARDENNAIS (L').

Quotidien de centre-gauche fondé à Charleville en 1944 pour remplacer *Le Petit Ardennais* interdit à la Libération. Créé par Fernand Vallaud et Pierre Tainturier, ancien préfet, vice-président du Syndicat des Quotidiens de province. Rédacteur en chef : André Viot, ancien chef de service à l'*O.R.T.F.* Principaux rédacteurs : Pol Chaumette, Charles Thomas, Juliette Régnier. Ses 32 000 ex. sont diffusés dans les Ardennes et les départements limitrophes (36, cours Aristide-Briand, Charleville).

ARDOUIN (Paul, Raymond).

Agriculteur, né à Saint-Porquier (Tarn-et-Garonne), le 5 juin 1921. Militant syndicaliste agricole, participa à l'action des *Comités de Défense et d'Action Paysanne,* puis à la fondation de la *C.G.A.* de Tarn-et-Garonne, à la Libération. Fut le secrétaire général de cette organisation paysanne en même temps que membre influent de la *F.N.S.E.A.* et de nombreux groupements agricoles. Membre du *P.C.F.* de 1944 à 1956, appartint au bureau fédéral du parti de 1946 à 1951. Membre du Bureau fédéral du *P.S.U.* de Tarn-et-Garonne et candidat suppléant de Serge Mallet (P.S.U.) aux élections législatives de 1962. Membre du *Cercle d'Etudes Civiques,* de Montauban.

ARFEL (Jean).

Nom patronymique de Jean Madiran, homme de lettres et militant de la Droite catholique, directeur de la revue *Itinéraires* (voir à ce nom).

ARGENLIEU (Philippe d') (voir : THIERRY D'ARGENLIEU).

ARGOUD (Antoine, Charles, Louis, Marie).

Officier, né le 26 juin 1914 à Darney (Vosges). Ecole Polytechnique (promo 1934 ; sorti dans la cavalerie. Spécialiste des blindés, fut en 1954 le promoteur de la brigade « Javelot », noyau de la 7ᵉ division mécanique rapide, première grande unité « atomique » française. Attaché au cabinet de Jacques Chevallier (secrétaire d'Etat à la guerre dans le cabinet Mendès-France). Commandant du secteur de L'Arba en Algérie, puis attaché au cabinet de Chaban-Delmas (ministre de la Défense, fin 1957). Retour en Allemagne où, en 1959, il prononça une conférence opposée à l'intégration de l'Algérie et favorable à une certaine autodétermination. Fin 1959, nommé chef d'Etat-Major du général Massu à Alger. Dans un rapport au général Massu — publié plus tard par l'*O.A.S.* —, il avançait que la guerre d'Algérie était « *un épisode de la lutte entre le monde communiste et le monde occidental* » et que « *autour de l'Algérie peut et doit se sceller la réconciliation nationale, de l'intelligentsia et de l'armée en particulier. Les conceptions sociales de l'une et de l'autre sont bien faites pour les rapprocher* ». Théoricien de la guerre subversive. En janvier 1960, lors de l'affaire des barricades, il interpella violemment Michel Debré venu clandestinement se rendre compte sur place. Suspect de ce fait, il fut rappelé à Metz et il prépara le « putsch » d'avril 1961 en faisant une « tournée clandestine » en Algérie en compagnie du général Gardy. Le putsch échoua et il réussit à se réfugier en Espagne. Condamné à mort par contumace le 11 juillet 1961 avec Salan, Jouhaud, Gardy et quatre colonels. Interné aux Canaries par les autorités espagnoles sur la demande expresse du gouvernement français, il refusa de rejoindre Salan en Algérie qui, pour lui, n'était plus qu'un théâtre secondaire, le but principal étant de provoquer une révolution à Paris. Fidèle à sa théorie du « communisme national », il apparaissait à beaucoup comme un doctrinaire politique et un révolutionnaire plus qu'un simple rebelle. Pour parvenir à ses fins, il s'échappa des Canaries en février 1962 pour mener une existence errante qui le conduisit à Toulon, puis à Metz, enfin en Allemagne où il fit une « tournée des popotes » presque ouvertement — à la grande fureur du gouvernement français — et où il reçut de vifs encouragements de nombreux officiers qui, compromis en Algérie, avaient été mutés en Allemagne. En mai, il annonçait dans le journal belge *La Dernière Heure* la formation d'un Comité exécutif (Bidault-Soustelle), amorce du *C.N.R.* Repéré au cours de ses pérégrinations, il fut enlevé à Munich, le 26 février 1963 par des « barbouzes » françaises et passé en fraude à la frontière pour être remis, le visage tuméfié, aux mains de la police dans des circonstances « rocambolesques » mais sur lesquelles le commissaire Bouvier devait déclarer à la barre des témoins qu' « *aucun fait n'est venu infirmer la version que l'accusé m'a donnée de son enlèvement* » (cf. *Le Monde*, 29-30 décembre 1963). En dépit des protestations du gouvernement allemand qui réclamait la restitution du « kidnappé », et malgré le mutisme absolu opposé par l'inculpé et ses avocats (« *Je ne suis pas à Paris, je suis toujours à Berlin* »), Argoud fut condamné en décembre 1964 à la détention criminelle à perpétuité par la Cour de Sûreté. Entre temps, Argoud avait déposé une plainte en forfaiture contre le ministre des Affaires étrangères, Couve de Murville.

ARGUS SOISSONNAIS (L').

Journal républicain national paraissant à Soissons (Aisne). Fondé en 1819 et dirigé successivement par Emilien, René, André et Henry Fossé d'Arcosse. Disparu pendant la guerre. Publiait encore en 1942 trois éditions bi-hebdomadaires pour le Soissonnais, le Laonnais et Château-Thierry, totalisant plus de 30 000 exemplaires.

ARGYRIADES (Panagiotis).

Avocat (1849-1901). Originaire de Macédoine. Fut le défenseur attitré des militants révolutionnaires de la fin du XIXᵉ siècle. Militant lui-même, de tendance blanquiste, directeur - fondateur de *La Comète révolutionnaire*, dirigeant du *Parti Socialiste Révolutionnaire*, collabora au *Cri du Peuple*, au *Petit Sou* et à *La Revue Socialiste* et fonda *La Revue Sociale* et l'*Almanach de la Question sociale*. Auteur de : « *Le poète socialiste : Eugène Potier* », « *Essai sur le socialisme scientifique* », « *Concentration capitaliste : trusts et accaparements* », etc.

ARISTOCRATIE.

En principe, gouvernement exercé par une élite ; en fait, gouvernement exercé par la classe noble. Désigne aujourd'hui la classe des nobles elle-même.

ARMAND (Lucien, Ernest JUIN, dit Ernest).

Militant et écrivain, né à Paris, le 26 mars 1872, mort à Rouen, le 19 février 1962. Fit d'abord partie de l'*Armée du Salut* (1889-1897), puis rallia l'anarchie, où ses idés chrétiennes le firent souvent mal juger de ses nouveaux compagnons. Fonda et anima tour à tour *L'Ère nouvelle* (mai 1901), journal de tendance tolstoïenne ou anarchiste chrétienne, puis *Hors le troupeau* (septembre 1911), *Les Réfractaires* (décembre 1912), *Par-delà la mêlée* (novembre 1915), *L'en dehors* (mai 1922) et *L'Unique,* qui fusionnera, à la veille de sa mort, avec *Défense de l'Homme.* Entre-temps assura la direction de *L'Anarchie,* qu'Albert Libertad avait créée en 1905. Disciple de Stirner, de Tucker et de Mackay, E. Armand, qui représentait le courant individualiste, laisse une bonne centaine de livres et de brochures, dont *L'initiation individualiste anarchiste,* parue en 1923, est l'œuvre maîtresse.

ARMAND (Louis, François).

Haut fonctionnaire, né à Cruseilles (Haute-Savoie), le 17 janvier 1905. Fils d'instituteurs. Beau-père de Nicolas du Pré de Saint-Maur, ingénieur du génie maritime, fils d'Antoine du Pré de Saint-Maur, et de Mme, née de La Panouse (parente des Wendel, Vogüe et Debré) et frère de Jean du Pré de Saint-Maur, haut fonctionnaire des Finances. Ingénieur au Service central du matériel de traction à la *Cie des Chemins de fer du P.L.M.* (1934), puis ingénieur en chef. Directeur du service du matériel (1937). Responsable du groupe clandestin « Résistance-Fer » (1943-1944). Arrêté par les Allemands le 25 juin 1944 ; libéré le 18 août 1944 à la suite des accords Nordling. Considéré comme l'un des chefs de file de la technocratie française. Directeur général adjoint de la *S.N.C.F.* (1946) et adm. de la *Sté Française des Transports et Entrepôts Frigorifiques* (1947). Membre du Conseil de l'Economat de la *S.N.C.F.* (1949). Président de l'Union Internationale des Chemins de fer, adm. des *Pétroles Serco* (1951), des *Charbonnages Nord-Africains* (1952), de la *Cie Internationale des Wagons-Lits* (1952), président de la *S.N.C.F.* (1955). Président de l'*Euratom.* Membre de l'Académie des Sciences Morales et Politiques (1960). Est (ou fut) en outre : membre du Conseil supérieur du Pétrole, du Conseil Scientifique du Commissariat à l'Energie Atomique, de la Commission de l'Energie au Commissariat Général du Plan, de la Commission de l'Electro-Industrie d'Outre-mer, et de la Commission d'Enquête sur les disparités des prix français, du Bureau de Recherches géologiques et minières, du Comité de la Revue *Synthèse,* directeur du Comité d'Organisation de la Z.O.I.A. N° 1 (de-

venu Bureau d'Organisation des Ensembles Industriels Africains), président de la Commission de l'Energie Nucléaire, du Comité Intergouvernemental de Bruxelles, du Conseil de Perfectionnement de l'Ecole polytechnique et des *Houillères du Bassin de Lorraine,* adm. de *Socantar,* de *Cofrep,* d'*Amonia,* etc. L'un des auteurs du « Plan Rueff-Armand » (1961). Classé par *Entreprise* (avril 1953) parmi « *Ceux qui comptent* » et par le journal *L'Express* (novembre 1953) parmi les « *100 qui portent l'avenir* ».

ARMENGAUD (André).

Ingénieur conseil, né à Paris, le 10 janvier 1901. Membre actif de la Résistance. Sénateur représentant les Français établis hors de France, depuis 1946. Inscrit au Groupe des Républicains indépendants.

ARNAL (Frank).

Pharmacien, né à Vialas (Lozère), le 30 octobre 1898. Militant socialiste et résistant, présida le *Comité départemental de la Libération* du Var en 1944 et fut nommé maire de Toulon. Elu conseiller général du 2e canton de Toulon en 1945, appartint aux deux assemblées constituantes (1945-1946). Député socialiste du Var (1946-1958). Après avoir présidé la commission d'enquête de l'*affaire* des généraux, présida celle du trafic des piastres. Maurice Bourgès-Maunoury lui confia, dans son gouvernement (1957), un poste de secrétaire d'Etat aux forces armées (Marine). Rallié au gaullisme, est l'un des dirigeant du *Front travailliste.*

ARNAUD (Henri GIRARD, dit).

Ecrivain, né à Montpellier (Hérault), le 16 juillet 1917. Fils de Georges Girard, bibliothécaire du ministère des Affaires étrangères et collaborateur occasionnel du *Crapouillot.* Fut accusé d'avoir assassiné son père, sa tante et leur domestique dans leur château d'Escoire, mais fut acquitté par la Cour d'assises de Périgueux (1er juin 1943). Vécut ensuite en Amérique latine et revint en 1949 à Paris, où il publia « *Le salaire de la peur* », qui fut un succès de librairie. Ouvertement favorable au *F.L.N.,* écrivit avec Me Vergès, un livre : « *Pour Djamila Bouhired* » dénonçant les tortures subies, en Algérie, par certaines accusées ; obtint la grâce de sa protégée, qui avait fait éclater des bombes à Alger, en adressant une « lettre ouverte » aux parlementaires (17 mars 1958). Au cours de la manifestation organisée par la Gauche, le 1er juin 1958, place de la République, eut un bras cassé par le coup de matraque d'un agent de la force publique. La même année, publia « *Maréchal P...* », pièce en trois actes dans laquelle il donnait libre cours à ses sentiments antipétainistes. Arrêté en avril 1960 pour avoir rencontré clandestinement Francis Jeanson, animateur du réseau de soutien au *F.L.N.*, en fuite. De sa prison de Fresnes, écrivit à *France-Observateur* une lettre qui était une profession de foi : « *Mes convictions sont connues. Je crois que la paix est meilleure que la guerre. Le général De Gaulle aussi ; du moins l'a-t-il dit. Je crois que la liberté, la dignité de l'homme sont des biens essentiels. Le général De Gaulle aussi. Je crois que le peuple algérien comme tous les peuples au monde a droit à la libre disposition de soi-même. Le général De Gaulle aussi ; du moins l'a-t-il dit.* » Des pétitions circulèrent dans les salles de rédaction, des réunions furent organisées en sa faveur. Finalement, fut condamné à deux ans de prison avec sursis, mais le jugement fut cassé (1962). Au cours de la même année, passé en Algérie devenue indépendante, devint attaché de cabinet du ministre de l'Information Belahouane. *La Vie Judiciaire* (10-10-1966) a fait mention d'une nouvelle condamnation (un an de prison), cette fois pour un autre motif : non versement de la pension alimentaire à l'épouse qu'il a laissée en France avec ses deux grands enfants.

ARNAUD (Henri, Louis).

Directeur de journal, né à Lyon (Rhône) le 18 juin 1914. Débuta dans la publicité, puis fut l'un des fondateurs de *L'Echo du Sud-Est* et le directeur de *L'Echo-Liberté*. Est également le président des *Messageries Lyonnaises de Presse*.

ARON (Raymond, Claude, Ferdinand).

Journaliste, né à Paris, le 14 mars 1905. Fils d'un professeur de droit, fut avant la guerre : lecteur à l'université de Cologne, à la Maison académique de Berlin, professeur au lycée du Havre, secrétaire du Centre de documentation sociale à l'Ecole normale supérieure et maître de conférences à la Faculté des lettres de Toulouse. Réfugié à Londres en 1940, y dirigea la rédaction de *La France Libre* pendant la guerre. Après la Libération, fut éditorialiste à *Combat*,

puis au *Figaro,* professeur à l'Institut d'études politiques et à l'Ecole nationale d'administration, professeur de sociologie à la Faculté des lettres de Paris, directeur d'études à l'Ecole pratique des hautes études. Appartint au Conseil national du mouvement gaulliste (*R.P.F.*). Auteur de : « *Introduction à la Philosophie de l'Histoire* », « *Les guerres en chaîne* », « *L'opium des intellectuels* », « *La tragédie algérienne* », « *Paix et Guerre entre les nations* » (Prix des Ambassadeurs), « *Dix-huit leçons sur la société industrielle* », « *La Lutte des classes* », etc.

ARON (Robert).

Ecrivain, né au Vésinet (S.-et-O.), le 25 mai 1898. Fils d'un fondé de pouvoir d'agent de Change. Fut, entre les deux guerres l'un des animateurs de la revue *L'Ordre Nouveau* et le secrétaire général des *Nouvelles Equipes* ; collabora également aux éditions de la *N.R.F.* Préfaça l'ouvrage de McNaire Wilson : « *La belle Tallien, ambassadrice de la Finance Internationale* » (Paris 1939), où est soulignée l'influence de la City dans le mouvement révolutionnaire français. Participa à Alger (1943) aux travaux des Comités Giraud et De Gaulle. Après la Libération, effrayé par l'ampleur de l'épuration, fut un des rares israélites à donner son appui au *Comité Français pour la défense des Droits de l'Homme* qui réclamait l'amnistie pour les révolutionnaires nationaux et les pétainistes. Est actuellement le directeur littéraire de la *Librairie académique Perrin* et l'un des animateurs du mouvement *La Fédération* qui prône l'union des Européens. Principales œuvres : « *La Révolution nécessaire* » (en collaboration avec Arnaud Dandieu), « *Le piège où nous a pris l'Histoire* », « *Histoire de Vichy* », « *Histoire de la Libération de la France* » (1959), « *Les grands dossiers de l'Histoire contemporaine* », « *Les origines de la guerre d'Algérie* », « *Histoire de l'Epuration* », etc.

ARRIGHI (Pascal).

Maître des Requêtes au Conseil d'Etat, né à Vico (Corse), le 16 juin 1921. Frère de Mgr J.F. Arrighi. Participa à la Résistance, puis milita sous la IVe République dans les groupes radicaux. Fut le collaborateur de plusieurs ministres radicaux (Maroselli, Edgar Faure, J. Berthoin, V. Badie). Elu député radical-socialiste de la Corse en janvier 1956, réélu sous l'étiquette *U.N.R.* en novembre 1958. Quitta le parti gaulliste lorsque la politique algérienne du gouvernement lui inspira des inquiétudes et s'inscrivit au groupe *Unité de la République*. Entre-temps, avait été successivement : premier secrétaire de la Conférence du stage des avocats au Conseil d'Etat et à la Cour de cassation (1947), auditeur au Conseil d'Etat (1948), professeur à l'Ecole française de droit du Caire (1949), maître des requêtes au Conseil d'Etat (1954), administrateur du *Comptoir National du Logement* (1960), conseiller général du canton de Vico. Non réélu en 1962, rejoignit le *Comité Tixier-Vignancour* dont il fut l'un des dirigeants (1964-1965). Maire de sa ville natale, préside le Syndicat des communes du sud de la Corse depuis 1959.

ARRIVETS (Charles).

Journaliste, né à Agen, le 28 octobre 1920. Fils de journaliste. Directeur de *L'Opinion indépendante,* d'Agen, hebdomadaire d'opposition nationale (depuis 1953). Polémiste fougueux, il fut poursuivi vingt-neuf fois pour diffamation et condamné dix-neuf fois, dont huit fois pour offense au chef de l'Etat. Ouvertement hostile au général De Gaulle et à sa politique, il fut en Lot-et-Garonne l'un des supporters de Tixier-Vignancour à l'élection présidentielle de décembre 1965 et est l'un des membres les plus actifs de l'*Union des Intellectuels Indépendants* dans l'Agenais.

ARTABAN.

Hebdomadaire politique et littéraire fondé et dirigé par Jacques Hébertot, et paraissant entre 1957 et 1959. Hébertot, de son vrai nom André Daviel, poète, dramaturge, directeur de théâtre (Théâtre des Champs-Elysées, Théâtre des Mathurins, puis du Théâtre des Arts), directeur de journaux (*Paris-Journal, La Danse, Comœdia illustré, Artaban*), éditeur de musique et de disques (« *Le Disque du Roi* », 1932) animateur de station thermale (Casino de Forges-les-Eaux), est l'un des rares non-conformistes de Paris. A soixante-et-onze ans (1957), il lança *Artaban*, dont Jean Lousteau et Jean-André Faucher furent les principaux rédacteurs, et Jacques Borie, l'administrateur. De nombreux collaborateurs complétaient la rédaction : Jean de La Varende, le bâtonnier Maurice Ribet, Henri Clouard, Georges Hillaire, ancien préfet, ami et collaborateur de Pierre Laval, Guy Vinatrel, Alfred Mallet, André Rivollet, Stephen Hecquet, André Delacour, Paul Sentenac, etc. *Artaban*

publia également des articles de Henry Bordeaux, Georges Bonnet, Pierre Gaxotte, Thierry-Maulnier (alias Talagran), Henri de Montherlant et Jean-Louis Vaudoyer. Il disparut avant son 100e numéro.

ARTISTOCRATIE.

Système anarchiste défini dans les livres de Gérard de Lacaze-Duthiers, en particulier dans « *Le culte de l'idée ou artistocratie* ». Feu Lacaze-Duthiers, neveu du célèbre naturaliste, appartenait à une vieille famille de l'aristocratie. Son non-conformisme le conduisit de l'anarchie à la collaboration. Il fut, en effet, le rédacteur de journaux libertaires, comme *L'Unique,* d'Emile Armand, et celui de journaux partisans de la collaboration franco-allemande, comme *Germinal,* l'hebdomadaire socialiste fondé au début de 1944. Son œuvre littéraire, abondante et variée, fut couronnée par l'Académie française quelques années avant sa mort.

ASPECTS DE LA FRANCE.

Hebdomadaire monarchiste fondé en 1947 sous le titre d'*Aspects de la France et du monde,* par Georges Calzant et ses amis, anciens cadres dirigeants de *L'Action Française.* Organe officiel du mouvement *La Restauration Nationale,* il fut dirigé par Calzant jusqu'à sa mort, puis par Xavier Vallat et, aujourd'hui, par Pierre Pujo, fils de l'ancien rédacteur en chef de *L'Action Française.* Charles Maurras (sous le pseudonyme d'Octave Martin), Maurice Pujo, Pierre Boutang, l'actuel directeur de *La Nation Française,* Philippe Buren (Meïer), rallié au gaullisme de gauche, Michel Mourre ont appartenu à sa rédaction au cours des années 50. Y ont également collaboré : Firmin Bacconnier, Robert Havard de la Montagne, le dessinateur Ben, disparus, ainsi que Georges Gaudy et Claude Jeantet. L'équipe actuelle du journal comprend, outre Pierre Pujo, directeur : Xavier Vallat, directeur honoraire, Lionnel Moreux, directeur gérant (qui succéda au premier directeur gérant, Pierre Ensch), Henri Massis, Bernard Fay, E.F. Auphan (J. Massannes), Pierre Chaumeil, Pierre Debray, Jacques Ploncard d'Assac, Maurice Jallut, Jean Brune, Jacques Perret, Béatrice Sabran, Louis Truc (Ange Pitou), Paul Serry, César du Bray, René Johannet, Georges Hellio, Patrice Sicard, André Nicolas, etc. *Aspects de la France,* qui est l'un des journaux nationalistes les plus répandus, a un fidèle public d'abonnés appartenant à tous les milieux. (10, rue Croix-des-Petits-Champs, Paris 1er.)

ASSAUT DES JEUNES ET DU PEUPLE (L').

Publication trimestrielle fondée en 1956 et dirigée par Jacques Veicle, secrétaire-adjoint du *Syndicat* (ouvrier) *de l'Industrie du Bijou* (C.G.T.) de Paris. Organe du *Mouvement National-Communautaire*. Collaborateurs : Pierre Alloiseau, Jacques Blouin, Yves Jeanne (alors militant socialiste et européen à Alger).

ASSEMBLEE CONSTITUANTE.

Assemblée élue pour établir une constitution. L'*Assemblée nationale constituante*, née le 9 juillet 1789, est à l'origine de l'ordre social que nous connaissons encore aujourd'hui. Elle adopta le 26 août 1789, la *Déclaration des droits de l'homme et du citoyen*, qui fut une sorte de préface à la Constitution adoptée en 1791, proclamant la souveraineté nationale, la séparation des trois pouvoirs, l'égalité devant la loi. L'*Assemblée constituante* de 1848, élue au suffrage universel le 23 avril de cette année, établit une constitution qui prévoyait l'élection du président de la République au suffrage universel et une *Assemblée législative* unique. Après la Libération, deux *Assemblées constituantes* furent élues successivement les 6 novembre 1945 et 11 juin 1946. Le projet de constitution présenté par la première fut repoussé par voie de référendum ; celui qu'élabora la seconde fut accepté lors du référendum du 13 octobre 1946. La constitution de 1946 fut remplacée par celle que proposa et fit adopter par référendum, en 1958, le général De Gaulle, modifiée en 1962.

ASSEMBLEE CONSULTATIVE.

Le Comité Français de Libération Nationale que présidait à Alger le général De Gaulle, avait créé une *Assemblée consultative*, dont le rôle, strictement limité, se bornait à émettre des vœux. En voici la composition selon le *Journal officiel* (Alger) des 11-13 novembre 1943 (p. 260) :
1er *Bureau*. — Georges Buisson, Hamrion, Jacquinot, Charles Laurent, André Marty, Mayou, Jules Moch, Muselli, Seignon, Sévère.
2e *Bureau*. — Florimond Bonte, René Capitant, Croizat, Giacobbi, Girot, Félix Gouin, Albert Guérin, Guillery, Pierre Bloch, Valentino.

3e *Bureau*. — Paul Antier, Claudius, Clavier, Darnal, André Duval, Ely, Marcel Fall, Gervolino, Giovoni, Grenier, Me Simard.
4e *Bureau*. — Auriol, Cuttoli, Ferrière, Frenay, Froment, Le Troquer, Prigent, Queuille, Souvieille.
5e *Bureau*. — Marcel Astier, Aurange, Azaïs, Marcel Duclos, Just Evrard, Gazier, Pourtalet, Ribière, Serda.
6e *Bureau*. — Bendjelloul, Fr. Billoux, Blanc, Bordier, Rencurel, Marc Rucart, Louis Vallon, Paul-Emile Viard, Zavarattinous.
7e *Bureau*. — Henri d'Astier de la Vigerie, Bissaguet, Albert Bosman, le R.P. Carrière, Dumesnil de Gramont, Médéric, André Mercier, Marcel Poimbœuf, de Villèle.
Membres arrivés après le 4 novembre 1943 :
Costa, Hervé, Fréville, Yvon Morandat, Pierre Cot, Boillot, de Boissoudy, Bourgouin, René Cassin, Paraz, le général Tubert, le général Basse.

ASSEMBLEE INTROUVABLE.

Nom donné, par l'opposition, à l'Assemblée nationale élue en 1958 et composée d'une majorité de gaullistes de diverses tendances (*U.N.R., U.D.T., M.R.P., Républicains Indépendants*, etc.). Titre d'un livre qui lui fut consacré en mai 1963 par *Lectures Françaises* et où étaient reproduits les passages des professions de foi des députés élus en 1962 (« *L'Assemblée Introuvable. Trombinoscope de la* Ve »).

ASSEMBLEE LEGISLATIVE.

Assemblée élue, chargée d'élaborer et de voter les lois. L'*Assemblée législative* de 1791 succéda à la Constituante et fut remplacée par la Convention l'année suivante. L'*Assemblée législative* de la Seconde République remplaça la Constituante le 28 mai 1849 et fut dissoute par le prince Louis-Napoléon Bonaparte, président de la République, lors du coup d'Etat du 2 décembre 1851.

ASSEMBLEE NATIONALE.

Premier nom de l'*Assemblée nationale constituante* de 1789. L'assemblée élue en 1871 et qui siégea jusqu'en 1875 portait également ce nom : elle ratifia le traité de Francfort, vota à une voix de majorité — les rectifications de vote ne pouvant modifier le résultat — la Constitution républicaine du 25 février 1875 et fit place à la Chambre des dé-

Séance de l'Assemblée nationale du 30 mars 1871.

putés. L'*Assemblée nationale*, créée par la constitution de 1946, remplaça la Chambre des députés. Le Constitution de 1958 a conservé ce nom à l'assemblée des députés.

ASSIETTE AU BEURRE (L').

Hebdomadaire satirique illustré paraissant dans les premières années du siècle. Son premier numéro parut le 4 avril 1901. Anticonformiste, *L'Assiette au beurre* eut comme collaborateurs les meilleurs caricaturistes de l'époque, notamment : Willette, Steinlen, Jean Veber, Léandre, Hermann-Paul, Abel Faivre, etc., et de jeunes talents qui devaient devenir célèbres : van Dongen et Marcoussis. De la Joncière en assuma la direction.

ASSIMILATION.

La politique d'*assimilation* consiste à étendre à des populations ethniquement différentes — en France, à celles des départements et territoires d'outre-mer comme, naguère, aux colonies — les règles en vigueur dans la métropole. L'*assimilation* complète exige la fusion des ethnies par mariage ou union, ce que les racistes et les sionistes n'admettent pas.

ASSOCIATION.

Groupement permanent de personnes réunies pour atteindre un objectif déterminé. Les *associations* politiques, comme les autres *associations*, sont régies par la loi de 1901.

ASSOCIATION DES AMITIES FRANCO-CHINOISES.

Organisation favorable au rapprochement avec la Chine communiste. Longtemps animée par les communistes Jean Dresch et Marcel Rosette, maire de Vitry et membre du C.C. du *P.C.F.* Au comité de l'*A.A.F.C.* figurent : Gilbert Mury, ex-membre du *Parti communiste*, secrétaire général du *Centre d'études et de recherches marxistes* ; Bartoli, professeur à la Faculté de droit de Paris ; Maurice Baumont, président de l'Académie des sciences morales et politiques ; René Capitant, président de la commission des lois de l'Assemblée nationale (*U.N.R.-U.D.T.*); Mme Lucie Faure, directrice de *la Nef* et femme du ministre de l'Agriculture ; M. Régis Bergeron, rédacteur en chef de l'*Humanité nouvelle*, organe de la *Fédération des cercles mar-*

xistes-léninistes constituée par des « prochinois » généralement exclus du *P.C.F.* ; J.-L. Berger, metteur en scène ; Charles Bettelheim, directeur d'études à l'Ecole des hautes études ; Brezol, éditeur ; le docteur Jean Choain ; Jacques Charrière, économiste ; Jean Dumont, assistant à la Faculté des lettres de Nanterre ; Robert Escarpit, professeur à la faculté des lettres de Bordeaux, rédacteur au *Monde* ; Jacques Germet, professeur à la Sorbonne ; Le Goff, directeur d'études à l'Ecole des hautes études ; Leibovitz, agrégé de l'Université ; Mme Irène de Lipkovski ; Alexandre Minkovski, pédiatre ; Albert Riera, producteur à l'O.R.T.F. ; Jacques Ruffié, directeur au C.N.R.S. (Toulouse) ; Siné, dessinateur et dirigeant de la revue *Révolution ;* Louis Velay, directeur d'études à l'Ecole des hautes études ; Pierre Vilar, professeur à la Sorbonne, etc.

ASSOCIATION POUR L'APPEL AU GENERAL DE GAULLE DANS LE RESPECT DE LA LEGALITE REPUBLICAINE.

Nom précédent de l'*Association nationale pour le soutien de l'action du général De Gaulle* (voir à ce nom).

ASSOCIATION POUR LA Vᵉ REPUBLIQUE.

Groupement électoral gaulliste créé à la veille des élections de novembre 1962 pour soutenir les candidats U.N.R. et U.D.T., mais aussi d'autres candidats, principalement M.R.P., indépendants et paysans, s'engageant à appuyer l'action du général De Gaulle au parlement. Son investiture équivalait à une investiture officielle de l'Elysée. Un journal, *Pour la Vᵉ République,* diffusé à des millions d'exemplaires (grâce aux subsides que l'on devine), fit connaître aux électeurs les noms des candidats ayant obtenu cette investiture. Pour financer la campagne électorale de 1967, l'*Association* a ouvert, le 1ᵉʳ décembre 1966, une souscription par voie de circulaires envoyées par le *Centre national d'Etudes et de Recherches économiques et sociales* aux personnalités jugées favorables (politiquement ou économiquement) à la Vᵉ République. Fondé par André Malraux, cet organisme a pour dirigeants, outre ce dernier : Jean Runel, secrétaire général, Bernard Duperier, Henry Gorce-Franklin, Louis Terrenoire et Louis Vallon (8, avenue Montaigne, Paris 8ᵉ).

ASSOCIATION POUR DEFENDRE LA MEMOIRE DU MARECHAL PETAIN.

L'*A.D.M.P.* fut créée (*J.O.*, 6-11-1954), trois mois après la mort du vainqueur de Verdun. Ses statuts précisent que « *l'association a pour but de poursuivre, par la recherche et la publication de tous documents, l'étude objective de la vie et de l'œuvre du maréchal Pétain, et, d'exercer toutes activités en vue de défendre sa mémoire. Elle se propose, en outre : 1° obtenir conformément au désir exprimé par le Maréchal, la translation de son corps au cimetière de Douaumont, au milieu des soldats qu'il a commandés et conduits à la victoire ; 2° obtenir la révision du procès de 1945, marqué du double sceau de l'illégalité et de l'iniquité* ». Afin de rallier à ses idées, sinon ses adversaires, du moins la masse indécise, l'*A.D.M.P.* fit paraître, à partir de 1952, une petite revue trimestrielle de seize pages, portant son nom en guise de titre (gérant : Claude Bonnet). Depuis mars 1959, l'Association publie un journal mensuel, *Le Maréchal ;* ce titre était jusque-là celui du bulletin de la section de l'*A.D.M.P.* dans les Bouches-du-Rhône. L'Association est dirigée par un Bureau national auquel appartinrent : le général Pierre Héring, l'ancien ministre Lefebvre du Prey, L.-D. Girard, les amiraux Jean Decoux et Jean Fernet, et qui comprend actuellement : Mᵉ Jean Lemaire, président ; l'amiral Auphan, Jean Borotra, Albert Fougeret, Pierre Henry, Noël Pinelli, vice-présidents ; le colonel Leroy, secrétaire général ; l'industriel Gaston Moyse, trésorier ; les généraux Bourget, Boyer de la Tour, Conquet et Lacaille, le colonel Gasser, Mᵉ Jacques Isorni, Georges Laederich, Maurice Martin du Gard, Mᵉ Meaux et le Dr Thuvien, membres (6, rue de Marengo, Paris 1ᵉʳ).

ASSOCIATION POUR UNE DEMOCRATIE MODERNE.

Groupement national présidé par Raymond Dronne, ancien député. Le groupe des jeunes de l'association est animé par Mᵉ Le Petit, avocat, maître de conférences à l'Ecole des Hautes Etudes Commerciales (15, rue du 4-Septembre, Paris 2ᵉ).

ASSOCIATION POUR L'ETUDE DE LA REFORME DES STRUCTURES DE L'ETAT (A. E. R. S. E.).

Groupement national fondé en novembre 1961 par le colonel Trinquier (voir à ce nom). Publiait un journal mensuel, *L'Etat Nouveau.*

ASSOCIATION D'ETUDES ET D'INFOR-MATIONS POLITIQUES INTERNA-TIONALES.

Fondée le 7 avril 1949, a pour but l'étude du communisme. Publie une revue mensuelle de documentation, d'abord appelée B. E. I. P. I. (*Bulletin d'Etudes et d'Informations Politiques Internationales*), puis *Est et Ouest*, à laquelle collaborent ou ont collaboré des écrivains et des journalistes anticommunistes connus : Georges Albertini, le principal animateur du groupe, qui fut avant la guerre l'un des dirigeants de l'*Institut Supérieur Ouvrier* et du *Comité de Vigilance des Intellectuels Antifascistes*, puis le bras droit de Marcel Déat, au *Rassemblement National Populaire* ; Henri Barbé, ancien membre du secrétariat du *P.C.F.*, puis secrétaire général du *P.P.F.* et du *R.N.P.* (récemment décédé), Lucien Laurat, Claude Harmel, Boris Souvarine, etc. (siège : 86, boulevard Haussmann, Paris 8ᵉ).

ASSOCIATION FRANÇAISE DES AMIS DE L'UNION SOVIETIQUE.

Société créée avant la guerre et dirigée par Aubert, secrétaire général, Paul Perrin, Albert Bayet, lieutenant-colonel Ducas, Gabriel Péri, Racamond, Fernand Grenier, etc. Préconisait en 1938 une alliance franco-anglo-soviétique.

ASSOCIATION DES JEUNES POUR LA CONNAISSANCE DE L'ETAT.

Organisation fondée en octobre 1963 par des lycéens s'intéressant à la vie politique française. Parmi les personnalités ayant pris la parole dans les conférences-débats de l'*A.J.C.E.*, figurent : Pierre Mendès-France, Gaston Monnerville, Gaston Defferre. Publication : *Le Rouge et le Noir*. Comité : Jean-Serge Lorach, président ; Claude Bendel, Philippe Lévy, Didier Maus, vice-présidents ; Georges-André Grosmangin, secrétaire général ; Gérard Mareuil, trésorier (siège : 13, rue Nélaton, Paris, 15ᵉ).

ASSOCIATION POUR LA LIBERTE D'EXPRESSION A LA RADIO ET A LA TELEVISION (A.L.E.R.T.E.).

Organisme de gauche présidé par Michel Soulié, ancien député radical-socialiste et ancien ministre, groupant des auditeurs et des téléspectateurs de l'O.R.T.F.

ASSOCIATION NATIONALE DES AN-CIENS COMBATTANTS DE LA RESiS-TANCE (A.N.A.C.R.).

Organisation groupant d'anciens F.F.L., F.T.P. et F.F.I. Son principal animateur est Pierre Villon, dirigeant communiste, ancien député de l'Allier (1946-1962), entouré de : René Cerf-Ferrière, Jacques Debû-Bridel, Jacques Bounin, Albert Forcinal, l'amiral Moullec, Charles Tillon, l'abbé Glasberg, Charles Fournier-Bocquet, Robert Vollet, Gaston Beau, etc. Publie *France d'abord* (voir à ce nom), journal mensuel (16, rue des Jeûneurs, Paris 2ᵉ).

ASSOCIATION NATIONALE POUR LA DEFENSE DES LIBERTES PUBLIQUES.

Fondée en 1955, par Joseph Denais, ancien député national.

ASSOCIATION NATIONALE DES PRO-PRIETAIRES RURAUX.

Groupement fondé par Joseph Libenzi en 1960, dans le Var ; s'étend aujourd'hui à trente-quatre départements. But : défense de la propriété rurale contre la technocratie et le marxisme. Animée aujourd'hui par Mᵉ Henri Noilhan, de l'Académie d'agriculture, président d'honneur, Joseph Libenzi, président national, et Jaubert de Classun, président du comité de Paris. L'*A.N.P.R.* participa, en octobre 1965, avec la *Défense Paysanne* (de H. Dorgères), à la *Convention Nationale des Paysans de France*, qui donna l'investiture à Mᵉ Tixier-Vignancour pour l'élection présidentielle de décembre 1965.

ASSOCIATION NATIONALE POUR LA SAUVEGARDE DE LA PAIX PAR L'O.T.A.N.

Groupement constitué en 1966 par le colonel Maurice Matignon, animateur des *Croix de France* (siège : 5, rue Las Cases, Paris 7ᵉ).

ASSOCIATION NATIONALE POUR LE SOUTIEN DE L'ACTION DU GENE-RAL DE GAULLE.

Groupement gaulliste qui succéda, en 1958, à l'*Association pour l'appel au général De Gaulle dans le respect de la légalité républicaine*, constitué en vue de provoquer un mouvement favorable au retour de « l'homme du 18 juin » au pouvoir. Il fut, au dire de ses adversaires, le *lobby* gaulliste le plus agissant dans les milieux officiels de la IVe République agonisante. Après juin 1958, son Comité directeur remanié se composait de la manière suivante : président : Bernard Dupérier, vice-président d'*Algin Corp. of America* et de *Marine Research Product Inc.*, administrateur de la *Société des Techniques Industrielles des Algines* et de la *Société Française des Algines* ; de trois vice-présidents : Pierre Bourgoin, vice-président de l'*Association générale des mutilés*, Pierre Ruais, ancien président du Conseil municipal de Paris, Jean Sainteny, ancien délégué général de France au Nord-Vietnam ; du secrétaire général : Roger Morange, président de la *Compagnie d'Equipement International*, assisté de Philippe Neuhaus, industriel (*Ets Jean Neuhaus*), fils du président de la *Société du Sud de Madagascar*, et Jean Runel, directeur de sociétés ; ainsi que de M. Boscher, commissaire-priseur ; Alla Dumesnil, ancien commandant des Forces Féminines de l'Armée de l'Air ; Emile Fauquenot, vice-président de la *Confédération Nationale des Combattants Volontaires de la Résistance* ; Henri Gorce-Franklin, compagnon de la Libération ; Albert Marcenet, chef du personnel des usines *Simca* ; Yvon Morandat, journaliste, etc.

ASSOCIATION PARLEMENTAIRE POUR LA LIBERTE DE L'ENSEIGNEMENT.

Créée pour contre-battre l'influence du *Comité National d'Action Laïque* et de la *Ligue de l'Enseignement* à l'Assemblée nationale et au Sénat, ce groupe compte plusieurs centaines d'adhérents députés et sénateurs. Elle est présidée par Roland Boscary - Monsservin, ancien ministre, député de l'Aveyron.

ASSOCIATION PROFESSIONNELLE DE LA PRESSE MONARCHIQUE ET CATHOLIQUE DES DEPARTEMENTS.

Groupement de journalistes royalistes et chrétiens fondé en 1882. Longtemps présidé par Louis de La Chanonie, l'association a pour président, depuis plusieurs années déjà, Xavier Vallat, ancien député de l'Ardèche. Parmi ses membres fondateurs figuraient le marquis de Baudry d'Asson, sénateur ; Anatole Biré, député ; Dominique Delahaye, sénateur ; le marquis de La Ferronnays et le marquis de Juigné, députés ; l'écrivain Roger Lambelin ; le marquis de Rosambo, député ; le comte Charles de Bourbon-Busset ; Louis Buffet, président du Conseil, etc.

ASSOCIATIONS POUR LA RENOVATION DE NOS INTITUTIONS ET LA DEFENSE DES TRADITIONS REPUBLICAINES.

Groupement fondé par les représentants du peuple de la IIIe République. Fut animé au début par le chanoine Desgranges. Son président actuel est Lucien Lamoureux, ancien ministre de la IIIe République, et son secrétaire général, Alexandre Rauzy, ancien député socialiste de l'Ariège (2, rue Van Loo, Paris 16e).

ASSOCIATION REPUBLICAINE DES ANCIENS COMBATTANTS (A.R.A.C.).

Groupement fondé au lendemain de la 1re Guerre mondiale par Henri Barbusse et P. Vaillant-Couturier, contrôlé par le *Parti communiste français*. A pour principal objet, outre la défense des intérêts matériels et moraux de ses membres, la lutte contre ce qu'il considère comme la résurgence du fascisme. Comprend principalement des anciens combattants des deux guerres et des anciens *F.T.P.* et *F.F.I.* d'extrême-gauche. A son comité figurent des personnalités connues pour leurs liens avec le *P.C.F.* ou dont la notoriété sert les intérêts de cette association para-communiste. A l'issue du congrès de l'*A.R.A.C.* — le 33e depuis sa fondation —, tenu à Levallois-Perret du 4 au 7 novembre 1965, a été désignée la direction nationale de l'association :

Comité d'honneur : Annette Vidal, Germaine Bruyère-Sauvenay, Méla Mutter, Andrée Georges-Fabien, Jacques Beaugé, Fernand Belino, Jacques Duclos, Forcinal Albert, Labeyrie Emile, Guillon Stéphane, Meyer Jacques, Mitterrand François, Amiral Moullec, Paraf Pierre, le général Petit, le général Plagne, Prenant Marcel, le général Tubert, Salendre Georges, le commandant Violante.

Bureau national : Touchard Auguste, président honoraire ; Tourne André, président ; Desson Guy, Laplace Adrien, Fourrier Marcel, Crémieux Suzanne, vice-présidents ; Lucibello Casimir, secrétaire général ; Esnault Paul, Lamothe Guy, Martel Charles, secrétaires nationaux ; Bouillet François, trésorier national ; Barbellion Norbert, Bartoli Louis, Bastie-Sigeac J.-R., Battail Henri, Bernières Louis, Besson Maurice, Bouillanne Marcel, Castan-Dubourg Jean ; Compiègne Roger, Davergne André, Demma Edouard, Drillon Jean, Gabet, Gérard Eugène, Laurent-Chauvet Achille, Mouton Adrien, Nicolas Aristide, Peigne

Robert, Prime René, Senatore Jean, Souesme Gaston, Toulza Georges, membres du bureau.

Comité national : Alary Auguste, Amisse Roger, Andral Paul, Asquin Arthur, Bertrand-Vigne Georges, Bessou Albert, Biencourt Charles, Bize Franck, Bolmont Narcisse, Bonte Florimond, Bosredon Léon ; Bouchetou Edmond, Bouland Raymond, Boulicaud Georges, Buix Aimé, Cambebessouse, Cassou Paul, Chauvin André, Contre Jean, Cuny Camille, Curabet Jean, Dauphin Louis, Davids René, Debordes René, Delalande Paul, Delaye Henri, Depolier Roland, Desoyer Lucien, Desvaux Henri, Diana Michel, Dufour André, Estrayer Ludovic, Fabre Etienne, Fecan Maurice, Forte Emmanuel, Gantner Roger, Gatay Edouard, Greffier Paul, Groizelier Marc, Guilhen Marius, Huet Maxime, Isoard Pierre, Jolis Henri, Kauffmann Adrien, Kerharo Olivier, Larroque Antoine, Lefort Henri, Legal Albert, Leveille Guy, Luce Georges, Mansard Etienne, Menard Abel, Mesnard Camille, Merlen Paul, Millet Clément, Montagu Camille, Morin Denis, Mothes Léon, Moutte, Munier René, Neveu Henri, Pagnon Charles, Planson Henri, Prive Marcel, Renard Pierre, Renaudot Narcisse, Sahuguette Jules, Sandrier Roger, Sarger André, Sarrazin Henri, Saugues François, Schnaebele Antoine, Soulier Eugène, Souyris Roger, Spies John Daniel, Tribot Jacques, Tual Alain, Veisse Alfred.

Représentants des associations affiliées : Blesy Louis, Sansoy Georgette.

Commission nationale de contrôle financier : Alamovitch Simon, Alton Léopold, Blangero Pierre, Bressoles Albert, Lissanski Michel, Morizot Robert, Moullade René, Kolmerschlag Albert, Septier Rémy, Tintier Lucien, Verdier Marcel.

Commission nationale des conflits : Collin Victor, Delloue Henri, Dru René, Favre Jean, Sarrotte Georges.

L'A.R.A.C. publie un journal mensuel, *Le Réveil des Combattants,* fondateurs : H. Barbusse et P. Vaillant-Couturier, dont les bureaux sont au siège de l'association (45, rue du Faubourg Montmartre, Paris 9ᵉ).

ASSOCIATION SAINT-LOUIS.

Groupe monarchiste et catholique auquel s'est intéressé Jean de La Varende. Animé par la marquise de Traynel (secrétariat : Georges Fontenier, Benouville, Calvados).

ASTIER (Placide, Alexandre).

Homme politique (1856-1918). Fils de paysans ardéchois. Pharmacien (*Kola Astier*). Fondateur du *Monde Médical.*

Collaborateur de *L'Indépendance, Le Radical, L'Avenir de l'Ardèche.* Directeur du quotidien *La France de Bordeaux et du Sud-Ouest.* Franc-maçon et radical-socialiste, fut successivement conseiller municipal de Paris et conseiller général de la Seine (1896), vice-président de l'Assemblée parisienne (1898), député de l'Ardèche (1898-1910) et sénateur de ce département (1910-1918). La « loi Astier » est à l'origine de l'organisation de l'enseignement technique.

ASTIER DE LA VIGERIE (baron Emmanuel d').

Journaliste, né à Paris, le 6 janvier 1900. Descendant du comte de Montalivet, ministre de l'Intérieur de Louis-Philippe. Frère du général François d'Astier de La Vigerie, qui fut à Londres l'un des collaborateurs du général De Gaulle et qui publia, après la Libération, une brochure dénonçant les excès de l'épuration, et de Henri d'Astier de La Vigerie, militant royaliste ardent, qui joua un rôle important à Alger en 1942-1943. Emmanuel d'Astier épousa en premières noces l'actrice américaine Grace Temple, et en secondes noces l'ex-Mme Gaston Bergery, née Lubova Krassine, fille de l'ancien ambassadeur soviétique Leonid Krassine (1870-1926). D'abord officier de marine, il fit du journalisme à partir de 1934, collabora à *Life* et à *Time* ainsi qu'à l'hebdomadaire national *1935.* Il était alors fougueusement antisémite, et mettait volontiers en cause, dans ses articles, on ne sait quelle « *bande* » ou « *assemblée de rapaces* », quelle « *juiverie occidentale, assaisonnée du ghetto d'Europe centrale* » (1935, 29-5-1935). Il consacra même à Edouard Drumont, le doctrinaire de l'antisémitisme français, un article où il annonçait que : « *un jour peut-être, dans les temps qui viendront, le nommé Drumont aura sa revanche* » (26-6-1935), car, constatait-il, sous la IIIᵉ République, « *tous les filons vont aux Juifs et aux Russes* » (1-5-1935). Il fut un de ceux qui, dès cette époque, découvrirent Doriot ce « *géant, noir, velu, les yeux vifs derrière ses lunettes* ». « *Parmi toutes les têtes communistes que je verrai plus tard,* écrivait-il, *il possède celle qui respire le plus de franchise et qui inspire le plus de sympathie* » (17-5-1935). C'était le temps où désignant le cortège du Front populaire de la Bastille à la Nation, il parlait de « *farce qui laisse loin derrière la Mi-Carême et le conservatoire* ». Mais le pamphlet nourrit mal son homme, et Emmanuel d'Astier dut bien se résoudre à mettre une sourdine à ses sentiments nationalistes. Il se lança dans les affaires de cinéma et devint administrateur de la *Société française d'Actualités parlantes et de films documentaires* et de *France-Actualités*, en même temps qu'il entrait au Conseil d'administration de la *S.A. Immobilière et Urbaine*. La guerre l'obligea, comme beaucoup, à changer une fois encore d'occupation. L'officier de marine, rompant avec la plupart de ses camarades demeurés fidèles au maréchal Pétain, se fit résistant. Il fonda, avec d'autres clandestins, le *Mouvement Libération-Sud* et fut nommé membre du *Conseil National de la Résistance*. Il passa à Londres en 1942 (où le colonel Passy, chef des services secrets de la France libre, le jugea de l'espèce des « *anarchistes en escarpins* »), puis à Alger, l'année suivante : le général De Gaulle le nomma d'abord commissaire à l'Intérieur de son Comité Français de Libération Nationale (décembre 1943) et ensuite ministre de l'Intérieur du Gouvernement provisoire (septembre 1944). Il fut également membre de l'Assemblée consultative d'Alger et de Paris (1943-1945). Candidat du *M.U.R.F.* en Ille-et-Vilaine il fut élu à l'Assemblée constituante en 1945, puis il s'intégra à une liste communiste et représenta ce département breton comme *progressiste* de 1946 à 1958. Entre-temps, il avait fondé le quotidien *Libération,* succédané du *Parti communiste* (qui devait le saborder en 1964) et organisé avec l'ancien radical Pierre Cot — qu'il qualifiait douze ans plus tôt de « *pitre de la bande* » du *Front populaire* (1935, 23.7. 1935) — l'*Union progressiste* dont il fut le secrétaire général. Il fut et est encore le vice-président du *Conseil Mondial de la Paix,* ce qui lui valut, en 1957, le « *Prix Lénine pour la consolidation de la Paix* ». Rappelant avec jubilation les années qui suivirent la Libération ; Emmanuel d'Astier écrivit un jour : « *C'était le monde des grands sentiments. C'était la poésie, les Soviétiques étaient vainqueurs. J'épousais une femme russe et je sortais de la Chambre des députés à côté de Thorez, en chantant* « *L'Internationale* » (cf. *L'Est républicain,* 9-12-1965). Son admiration pour la Russie soviétique n'est pas étrangère à son attitude présente. Bien qu'ayant rompu avec les dirigeants du *P.C.F.,* il demeure un partisan convaincu de l'alliance avec Moscou. C'est pourquoi, soutenant la politique étrangère du général De Gaulle dans ses articles du *Monde* et dans sa revue *L'Evénement,* il se proclame aujourd'hui *gaulliste d'extrême-gauche.*

ASTIER DE LA VIGERIE (François, Pierre, Raoul d').

Général, né au Mans, le 7 mars 1886, mort à Paris, le 9 octobre 1956. Il participa aux deux guerres dans l'aviation et commanda les forces aériennes dans la bataille de France en 1940. Ayant rallié le Comité du général De Gaulle à Londres, il fut l'adjoint de ce dernier au commandement des *F.F.L.* A la Libération, il alla représenter le Gouvernement provisoire de la République à Rio de Janeiro en qualité d'ambassadeur. Entré dans l'opposition après que le général De Gaulle eut quitté le pouvoir, il publia *Les Cahiers de la France libérée* dont l'un, consacré aux « *naufrageurs de la presse* », eut un certain retentissement dans les milieux intéressés : il s'en prenait particulièrement aux dirigeants de la nouvelle presse qui, disait-il, avaient spolié les propriétaires légitimes de l'ancienne. Il fut l'un des fondateurs de l'*Union gaulliste* (1946) et appartint au *R.P.F.* (1947-1948), ainsi qu'au comité des *Volontaires de l'Union Française.* Il s'intéressa également aux initiatives de Roger Barthe et fit partie du comité de l'*Action latine* fondée par ce dernier.

ASTIER DE LA VIGERIE (Henri d').

Attaché commercial, né à Villedieu (Indre), le 11 septembre 1897, mort à Genève (Suisse), le 10 octobre 1952. Frère d'Emmanuel et du général François d'Astier de La Vigerie. Très jeune, au lycée Condorcet, il milita dans les rangs de l'*Action Française.* Au retour de la guerre, qu'il fit comme officier (engagé volontaire, trois blessures, quatre citations), il fut attaché à la Mission commerciale française aux U.S.A. Rentré en France en 1920, il participa à l'activité nationaliste et monarchiste jusqu'à la guerre. Mobilisé en 1939, il fonda à la fin de l'année suivante le réseau *Orion* et, membre du fameux « comité des cinq », prépara le débarquement des Américains en Afrique du Nord. Nommé commissaire adjoint à l'Intérieur du Comité d'Alger, présidé par Darlan, le 15 novembre 1943, il fut arrêté après l'assassinat de ce dernier et demeura emprisonné durant près de dix mois : il avait été accusé de complicité dans le meurtre de l'amiral. Libéré, il fut nommé membre de l'Assemblée consultative provisoire d'Alger. Il donna sa démission de cette assemblée et prit part aux combats contre la Wehrmacht à la tête d'un « *détachement spécial* » et, ensuite, de « *commandos de France* ». Il débarqua en Provence le 15 août 1944 et participa à la campagne de France et d'Allemagne jusqu'à l'effondrement de la résistance allemande. Après la guerre, il collabora à divers journaux et dirigea *L'Etoile du soir* et *Décollage*. Peu favorable au général De Gaulle — contrairement à ses frères Emmanuel et François —, il combattit, au cours des années 1946-1950, les effets de sa politique, en particulier dans le domaine de la politique intérieure, en prenant la défense de pétainistes traduits devant les tribunaux de l'épuration.

ASTOUX (André-Louis).

Directeur général adjoint de l'O.R.T.F., né à Cannes, le 27 avril 1919. Officier de marine (1939-1956), participa à la résistance (médaille de la résistance). Professeur à l'Ecole navale (1949-1956), entra à SIMCA et occupa successivement les postes de directeur du personnel, de directeur de l'organisation et de directeur commercial pour la France (1956-1964). Appelé à la direction de l'O.R.T.F. en 1964, en est actuellement le directeur général adjoint.

ATELIER (L').

Ce titre fut celui de quatre journaux successifs. Il y eut *L'Atelier*, fondé en 1840 par « des ouvriers pour des ouvriers », dont Agricol Perdiguier était l'un des rédacteurs. Il y eut aussi *L'Atelier*, lancé en 1919 par les socialistes Maurice Harmel, Hyacinthe Dubreuil, A. Merrheim, Georges Dumoulin, R. Manevy, Georges Buisson. Il y eut encore *L'Atelier*, journal maçonnique — atelier est synonyme de loge en langage maçonnique — paru entre les deux guerres. Il y eut enfin *L'Atelier*, fondé en 1940, hebdomadaire (socialiste nuance R.N.P.) dirigé par René Mesnard. Rédacteur en chef : Marcel Lapierre (ancien rédacteur en chef de *L'Ecole Libératrice*); rédacteurs et collaborateurs : Georges Dumoulin, Gabriel Lafaye, Georges Albertini, Marcel Roy, Aimé Rey, Charles Kunstler, E.-G. Fourmy, Waldspurger, Dr Charles E. Boursat, Henri Testard, Eugène Schueller, H.-J. Duteil, Georges Bracke, Georges Vigne, Francis Delaisi, Gaston Guiraud, Félicien Challaye, R. de Marmande, Ludovic Zoretti, Roland Lapeyronnie, etc.

ATELIER REPUBLICAIN (L').

Fondé en 1964, l'*Atelier républicain* est l'un des clubs les plus actifs de la « gauche patriote ». Son principal animateur est Jean-André Faucher, rédacteur en chef adjoint de *Juvenal*. Il est présidé par Jacques Maroselli, fils de l'ancien ministre radical, que secondent André Cellard, vice-président, et Achille Ricker, François Abadie, Martial Attané, anciens du *Club des Montagnards* (comme Faucher), les Drs Pierre Simon et Huet, Gérard Vée, ancien député socialiste, Jean-Paul Brunet, Gilbert Jeandet, Marcel Ruby, etc. A ce groupe de tête s'ajoutent d'autres éléments, et notamment : Gabriel Irondelle (Cantal), Jean-Pierre Faucher (Haute-Vienne), Jean Treussard (Les Yvelines), Ailhaud, avocat (Paris), André Nicolas (Deux-Sèvres), Gilbert Crozier (Paris), Félicien Vogler (Auvergne), Jacques Challaye (Haute-Loire) et Jecq de Micelli (Seine-Saint-Denis). Le club publie *Les Cahiers de l'Atelier* (2, rue de Châteaudun, Paris 9e).

ATGER (Philippe, Louis, Jean).

Journaliste, né à Anduze (Gard), le 29 août 1928, d'un père général. Militant de gauche, il adhéra aux *Jeunesses Radicales-Socialistes*, dont il devint le vice-président, et fut, avec Charles Hernu, l'un des animateurs du *Club des Jacobins*. En octobre 1953, il participa aux *Journées d'Etudes Jacobines* qui aboutirent à la création de la *Commission Nationale de Liaison des Gauches*. Il était alors secrétaire général du journal *Le Jacobin*, ayant quitté la rédaction de *Ce Matin-Le Pays* qui avait disparu quelques mois plus tôt et auquel il collaborait depuis octobre 1949. En novembre 1954, il entra à *La Vie des Métiers*, en qualité d'attaché de direction, puis de chargé des relations publiques. En janvier 1959, il fut secrétaire de rédaction du service politique de la *Société Générale de Presse* (direction : Bérard-Quélin), puis, en octobre 1960, rédacteur à *Entreprise*, en janvier 1961, rédacteur à *La Vie Française* et, depuis août 1965, directeur politique du quotidien *U.N.R. La Nation*. Il est également directeur de l'information et des relations publiques de l'*U.N.R.-U.D.T.*, parti qu'il a rallié au début de la Ve République, et il appartient au *Siècle*, cercle très fermé, animé par Georges Bérard-Quélin. Il a collaboré également à *Radio-Luxembourg* (émissions économiques) et à divers autres journaux, notamment à *Combat* et au *Temps de Paris*. Entre-temps, il appartint à de nombreux cabinets ministériels soit en qualité de chargé de mission ou de chef de cabinet, soit comme attaché de presse (Cabinets Edouard Bonnefous, 1953, 1956, 1957-1958 ; Jean Masson, 1956 ; Maurice

Faure, 1956 ; François Missoffe, 1962, 1964 et 1966 ; Christian Fouchet, 1964).

ATLANTIS.

Revue bimensuelle de l'association du même nom fondée, en 1926, par l'écrivain Paul Le Cour, pour la recherche de la Tradition primitive, par le voies de l'archéologie et du symbolisme, et une rénovation spirituelle et morale de l'Occident basée sur une plus grande connaissance de ses traditions, de ses monuments et de ses mythes. Président actuel de l'association : Dr Robert Hollier. Directeur de la revue : Jacques d'Arès. (30, rue de la Marseillaise, Vincennes.)

ATTEINTE A LA SURETE DE L'ETAT.

Crime politique réprimé par la loi. Vise aussi bien la sûreté intérieure que la sûreté extérieure de l'Etat.

AUBAN (Achille).

Fonctionnaire, né à Eup (Haute-Garonne), le 14 avril 1912. Directeur des services contentieux de la ville de Toulouse. Résistant et militant *S.F.I.O.*, fut élu conseiller général du canton de Saint-Béat en 1945 et constamment réélu depuis. Maire de Saint-Béat (depuis 1947). Député socialiste de la Haute-Garonne (1947 - 1958), sous - secrétaire d'Etat à l'Aviation civile (cabinet Bourgès-Maunoury, 14 juin-5 novembre 1957).

AUBAREDE (Gabriel, Paul, Marie, Joseph d')

Homme de lettres, né à Marseille (B.-du-Rh.) le 28 septembre 1898. Débuta comme secrétaire dans une marbrerie et collabora à la petite presse, notamment aux *Cahiers du Sud* et, en 1941-1942, à *Franc Jeu,* organe du mouvement *Jeunesse de France et d'Outre-Mer.* Cinéaste et directeur des *Cahiers du Film,* rédacteur aux *Nouvelles Littéraires.* Membre du comité de l'*Association des Ecrivains Catholiques,* a publié de nombreux romans et récits qui lui valurent un Grand Prix de l'Académie.

AUBAUD (Raoul, François, Régis).

Homme politique, né au Havre (Seine-Inférieure) le 3 novembre 1881. Secrétaire général du *Parti Républicain Radical et Radical-Socialiste,* membre du conseil de l'ordre du *Grand Orient,* député de l'Oise (1928-1942), sous-secrétaire d'Etat à l'Intérieur (2e cabinet L. Blum, 1938), vota pour le maréchal Pétain en juillet 1940. Journaliste, collabora à de nombreux journaux de gauche et appartint à la direction politique du quotidien *La République de l'Oise,* avant la guerre. Depuis la guerre, a présidé la fédération radicale de l'Oise. Décédé en décembre 1966.

AUBE (Robert).

Ingénieur, né à Paris, le 10 juin 1906. Fils du général Henri Aubé. Directeur en Afrique de la *Compagnie Equatoriale de Mines* (1930-1949). Président de l'Assemblée territoriale de l'Oubangui-Chari (1946), membre de cette assemblée (1946-1956), sénateur (1948-1958), président du groupe sénatorial du *Rassemblement d'Outre-Mer* (1952-1958). Chargé de mission au cabinet de R. Triboulet (ministre des Anciens Combattants et victimes de guerre, puis ministre de la Coopération). Membre du Conseil Economique et Social.

AUBE (L').

Journal quotidien fondé en 1932 pour servir de tribune à l'aile gauche du mouvement démocrate-chrétien. La direction du journal était assurée, avant 1939, par l'éditeur Francisque Gay et le syndicaliste Gaston Tessier. Georges Bidault, Louis Terrenoire, Jean Soulairol, Jean Richard, Urbain Falaize, Pierre-Louis Falaize, Maurice Carité, Jean Dannenmüller, Edouard Trogan, André Cochinal, Georges Hoog, Adeodat Boissard et son fils Henri Boissard, Paul Archambault et Robert Cornilleau en étaient les principaux rédacteurs. En 1944, *L'aube* devint l'organe du *M.R.P.* (voir à ce nom). Son tirage, qui ne dépassait pas 15 000 exemplaires avant la guerre, atteignit 148 000 exemplaires dans les premiers mois de la Libération, mais tomba à 120 000 en 1947 et à 70 000 en 1949. *L'aube* disparut en 1951.

AUBERGER (Auguste, Fernand).

Membre de l'enseignement, né à Rocles (Allier), le 7 mai 1900, mort à Bellerive-sur-Allier, le 6 mars 1962. Ce vieux militant socialiste fut, à la fin de sa vie, en conflit avec la *S.F.I.O.* en raison des accusations d'antisémitisme portées contre lui par la presse juive et antiraciste : il avait, au moment des élections municipales de 1959, attaqué avec vigueur son adversaire, le Dr Benhamou, qui est israélite. La *Fédération socialiste* de l'Allier refusa de patronner sa candidature aux élections sénatoriales et lui préféra Georges Rougeron ; s'étant présenté à titre personnel et soutenu par un grand nombre de maires et de militants socialistes, il fut néanmoins réélu. Il était sénateur depuis 1948 et le resta ainsi jusqu'à sa mort, survenue brusquement à l'âge de soixante-deux ans, à l'issue d'une réunion publique au cours de laquelle ses adversaires l'avaient pris à partie. Maire de Bellerive depuis 1944, conseiller général de l'Allier, vice-président du Conseil général, il présidait l'*Association Amicale des Maires* du département.

AUBERT (Emile, Henri).

Homme politique, né à Romette (Hautes-Alpes), le 23 juillet 1906. Président de la *Société mécanique et industrielle*, gérant des *Ascenseurs Schlieren-Suresne* et directeur général d'*Ascinter Otis*. Participa à la Résistance sous l'occupation et milita au *Parti socialiste S.F.I.O.* sous l'étiquette duquel il fut élu sénateur des Basses-Pyrénées en 1948 ; réélu en 1955, 1959 et 1962. Présida la Commission sénatoriale des Travaux publics (1952-1955). Anc. conseiller général socialiste du canton de Saint-Paul (1958-1964). Anc. président de la Commission de normalisation au Conseil supérieur de la Recherche scientifique (1955-1958). Président de la *Ligue du Combat Républicain* et du *Centre d'Action Institutionnelle*. Membre du Présidium de la *Convention des Institutions Républicaines* ainsi que du Comité exécutif et du secrétariat de la *Fédération de la Gauche Démocrate et Socialiste*. Fondateur et président de la *Fédération Nationale des Gites de France*.

AUBRIOT (Jules, Paul).

Journaliste, né à Paris, le 30 juillet 1873, mort dans cette ville le 16 février 1959. Milita dans le mouvement socialiste au Quartier Latin et fut l'un des membres les plus actifs du *Parti Ouvrier Socialiste Révolutionnaire*. Membre de la Loge *Fédération Maçonnique* et secrétaire général de la *Fédération Nationale des Employés* (C.G.T.), fut élu député socialiste de Paris en 1910. Réélu en 1914. Mobilisé d'août à décembre 1914. Fut exclu de la *S.F.I.O.* à la suite de son refus de figurer sur la liste de Sadoul, qui venait d'être condamné à mort pour trahison, et se fit réélire député, en 1919, sous l'étiquette de socialiste indépendant, puis rejoignit le *Parti Républicain Socialiste,* qui fusionna avec le *Parti Socialiste Français*. Réélu en 1924 sur une liste dite du *Cartel Républicain et Socialiste*, fut battu par Lionel de Tastes en 1928. Dirigea les quotidiens *L'Heure* et *Bonsoir* et l'hebdomadaire *L'Opinion publique*.

AUBRY (Albert, Jules, Marie).

Homme politique (1892-1951). Instituteur, combattant de 1914-1918, blessé de guerre, élu député *S.F.I.O.* de l'Ille-et-Vilaine en 1919. Battu en 1924, appartint au conseil municipal de Rennes. Quitta l'enseignement et se fit nommer percepteur, continuant de militer dans le mouvement socialiste. Mobilisé en 1939 comme capitaine de chars d'assaut. Entra dans la Résistance, fut arrêté par les Allemands et déporté. Membre des deux Assemblées constituantes (1945-1946), nommé juré de la Haute Cour de Justice, préconisa le renforcement de l'épuration des pétainistes et interpella, à ce propos, le gouvernement auquel il reprocha sa mansuétude, notamment à l'endroit des magistrats (juillet-août 1946). Elu aux élections générales de 1946, député de l'Ille-et-Vilaine à l'Assemblée nationale, fut réélu en juin 1951 et mourut peu après.

AUBURTIN (Jean).

Avocat, né à Paris le 26 avril 1904. Résistant et militant gaulliste, fut élu, en 1947, conseiller municipal de Paris et conseiller général de la Seine et devint vice-président (1948 et 1953) puis président (1963-1964) du Conseil municipal de Paris et président du groupe U.N.R. de l'Hôtel de Ville. Auteur d'un livre sur : « *Charles De Gaulle, soldat et politique* ».

AUDIFFRET-PASQUIER (Etienne, Denis, Augustin, Marie, Gaston, duc d').

Homme politique (1882-1957). Petit-fils du duc Edme, Armand, Gaston d'Audiffret-Pasquier (1823-1905), membre de l'Assemblée nationale (1871-1875) et sénateur inamovible (1875-1905). Maire de St-Cristophe-le-Jajolet de 1920 à 1948 — sauf pendant une courte période « épuratrice » en 1940-1945. Conseiller général de l'Orne (1910-1940). Député de l'Orne (1919-1942). Vota en juillet 1940 pour le maréchal Pétain. Président et administrateur de sociétés financières et industrielles (*mines d'Anzin, Fonderies de Brignoles-Golliéra, Cie de Suez, Crédit Algérien,* etc.).

AUDRY (Colette).

Femme de lettres, né à Orange (Vaucluse), le 6 juillet 1906. Fille de préfet. Collaboratrice des *Temps Modernes,* de *France-Observateur* et de *L'Express.* Militante du *P.S.U.*

AUFFRAY (Charles, Adrien).

Homme politique (1887-1957). Fils de Jules, Augustin Auffray (1852-1916), conseiller municipal et député nationaliste de Paris, et d'Antonine Jacquin de Margerie (de la famille des diplomates et des inspecteurs des finances). Violemment opposé aux idées de ses parents, milita dans les milieux socialistes révolutionnaires, rallia en 1920 le *Parti Communiste* et se fit élire député de la Seine (1re circ.) sur la liste de Marcel Cachin, en 1924. Battu aux élections générales suivantes (1928), entra au Conseil général de la Seine (1929-1935) et se fit élire à nouveau, dans la 7e circ. de Saint-Denis, en 1932 (s'inscrivit au groupe de l'*Unité ouvrière*). Le communiste orthodoxe Louis Maurice Honel lui ravit son siège de député en 1936. Dès lors, se consacra à sa commune de Clichy, dont il était le maire.

AUGAGNEUR (Jean, Victor).

Homme politique (1855-1931). Médecin, maire de Lyon, député du Rhône (1904-1905, 1910-1919 et 1928-1931), ministre des Travaux publics et des P.T.T. (cabinet J. Caillaux, 1911-1912), de la Marine, de l'Instruction publique (cabinet Viviani, 1914-1915). Inscrit au groupe des *Républicains-Socialistes*, fut vénérable de la Loge *Les Amis de la Vérité*, de Lyon, et membre du Conseil de l'ordre du *Grand Orient*.

AUGIER (Pierre).

Ingénieur, né à Manosque (Basses-Alpes), le 6 mai 1910. Ingénieur à l'E.D.F. Maire de Pertuis. Député du Vaucluse (Carpentras, 2e circ.).

AUJOULAT (Louis-Paul).

Médecin, né à Saïda (Algérie) le 28 août 1910. Député du Cameroun (1945-décembre 1956), Groupe *M.R.P.* puis des *Indépendants d'Outre-Mer* dont il fut le président. Plusieurs fois secrétaire d'Etat ou ministre (gouvernements Bidault, Queuille, Pleven, Edgar Faure, Pinay et Mendès-France).

AUJOURD'HUI.

En 1933, Paul Lévy, directeur d'*Aux Ecoutes*, avait fondé un quotidien ultranationaliste et belliciste, *Le Rempart*, devenu quelques mois plus tard *Aujourd'hui*. Les fonds ayant manqués, le journal disparut en 1934.

NE MANQUEZ PAS DE NOUS SIGNALER LES ERREURS ET LES OMISSIONS QUE VOUS AUREZ REMARQUÉES DANS CE « DICTIONNAIRE ». NOUS VOUS EN SERONS RECONNAISSANTS.

En 1940, parut un nouveau quotidien dont le titre avait été emprunté à la feuille éphémère de Paul Lévy. L'idée était de Henri Jeanson, qui étouffait à *Paris-Soir* et rêvait de faire un journal parisien. La réalisation fut l'œuvre commune de Capgras, homme d'affaires entreprenant, de Jeanson, l'humoriste féroce du *Canard Enchaîné* et de *La Flèche*, et d'un ancien rédacteur de *L'Auto*, Robert Perrier. « *La défaite*, écrivait Henri Jeanson dans le n° 1 d'*Aujourd'hui*, *a eu ceci de bon qu'elle a libéré la France des trusts, des banques et des radicaux-socialistes.* » Notre pacifiste se faisait alors quelques illusions... pas longtemps, d'ailleurs. Le 23 octobre, il écrivait : « *Le maréchal Pétain veut abattre les trusts. Mais quels sont ses collaborateurs ? Les représentants des trusts !* »

S'en prenant aussi aux responsables de la défaite, il demandait aux lecteurs de désigner, sur un bulletin à découper dans le journal, les plus coupables. « *Il y a crime. Il y a préméditation. On connaît les noms des coupables. Il y a une victime, une victime de qualité : la France. Aujourd'hui,* — poursuivait Jeanson — *a l'extrême audace de consulter ce livre qu'on ne consulte jamais : le peuple français. Et lui demande de dresser la liste de ceux qu'il tient pour responsables de la guerre. Il attend avec sérénité son verdict. L'audience est ouverte.* » (*Aujourd'hui*, 1er octobre 1940.) S'il demandait la tête des coupables, Jeanson voulait aussi l'amnistie pour les pacifistes. Comme Coston à *La France au Travail*, il réclamait leur libération. Ses articles faisaient balles. Mais Jeanson, vieil antifasciste, n'adoptait pas pour autant les idées nouvelles. Il dut bientôt quitter son poste pour rejoindre en prison les antifascistes. L'équipe d'*Aujourd'hui* comptait alors d'autres non-conformistes : Robert Desnos, qui devait mourir en déportation, Jean Galtier-Boissière, le directeur du *Crapouillot*, Henry Poulaille, Félicien Challaye, Achille Dauphin-Meunier, l'auteur d'une remarquable histoire de la Banque, ancien collaborateur du ministre Charles Spinasse et directeur de la *Revue d'Economie Contemporaine* pendant la guerre, Jean Aurenche, auteur avec Jeanson d'une série d'articles sur les Jésuites, Jean-Marc Champagne, Maurice Yvain, Robert Bré, Tony Burnand, O.-P. Gilbert, Jean Lasserre, le fils du maurrassien Pierre Lasserre, Maurice Wanecq, auxquels s'étaient joints la plupart des écrivains et journalistes collaborant aux autres journaux parisiens. Georges Suarez dirigea ensuite *Aujourd'hui* et en fit un journal nettement favorable à la collaboration franco-allemande et à la Révolution nationale : cela lui coûta la vie à la Libération.

AUJOURD'HUI - CROIX DE L'EST.

(Voir : *Aujourd'hui-Croix de Lorraine.*)

AUJOURD'HUI - CROIX DE LORRAINE.

Hebdomadaire catholique et national fondé en 1944 et ayant remplacé *Le Foyer Vosgien* (1915-1944) que dirigeait le chanoine Litaize. C'est sous le titre de *La Croix de Lorraine* qu'il parut tout d'abord ; il modifia son nom il y a quelques années. Sous la direction de l'abbé Georges Leclerc, Pierre Christophe, un journaliste expérimenté appartenant depuis de longues années à la presse spinalienne, anime le journal et en a fait l'un des principaux hebdomadaires du département. Le journal est lié avec *Aujourd'hui-Croix de l'Est* de Nancy et *Aujourd'hui-Le Meusien* de Bar-le-Duc : même rédacteur en chef, même imprimerie. Ensemble, leur diffusion dépasse 30 000 exemplaires. (14, rue Aristide-Briand, Epinal.)

AUMERAN (Adolphe).

Général, né à Philippeville, le 1er novembre 1887. Administrateur de sociétés commerciales et agricoles. Directeur de *L'Africain*, d'Alger (avant l'indépendance) et de la *Revue Agricole hebdomadaire*, de Paris. Député républicain indépendant d'Alger (1946-1956).

AUPHAN (Gabriel, Adrien, Joseph, Paul).

Amiral, né à Alès (Gard), le 4 novembre 1894. Admis à l'Ecole navale en 1911. Première guerre : Dardanelles, services de renseignements dans le Levant et à Fiume, second de sous-marin en Adriatique. Entre les deux guerres : outre dix années de commandement à la mer, cabinet militaire de Georges Leygues, puis de François Pietri, ministres de la Marine. Deuxième guerre : capitaine de vaisseau, puis contre-amiral, sous-chef d'Etat-Major à l'Amirauté française jusqu'à l'armistice de juin 1940. Ensuite : directeur de la Marine marchande et chef d'Etat-Major des Forces maritimes (sous Darlan) jusqu'en avril 1942 ; secrétaire d'Etat à la Marine (marines marchande et militaire unies) du 18 avril au 17 novembre 1942 ; en désaccord avec la politique de Pierre Laval, donna sa démission, dix jours avant le sabordage de l'escadre de Toulon (les télégrammes qu'il envoya à Alger au moment du débarquement américain aidèrent puissamment l'amiral Darlan à remettre l'empire dans la guerre). Consulté à plusieurs reprises par le maréchal Pétain en 1943, reçut le 11 août 1944 un pouvoir écrit du Maréchal pour tenter la réconciliation des Français au moment de la libéraiton du territoire et « *empêcher la guerre civile* ». En vain, le général De Gaulle ayant refusé de le recevoir. Depuis qu'il a quitté le service actif de la Marine, l'amiral Auphan a publié, outre de nombreux articles, huit livres d'histoire ou de doctrine politique : « *La lutte pour la Vie* », « *Mensonges et vérité* », « *Les grimaces de l'Histoire* », « *Les échéances de l'Histoire* », « *Les convulsions de l'Histoire ou le Drame de la désunion européenne* », « *La Marine dans l'Histoire de France* », « *La Marine française pendant la Seconde Guerre mondiale* » (en collaboration avec Jacques Mordal) — « *Histoire de la Méditerranée* » —. Prépare un autre ouvrage : « *Essai sur l'histoire de la décolonisation.* ».

AUPHAN (Louis-François).

Journaliste, né à Alès (Gard), le 28 août 1902. Collabora, entre les deux guerres, à *L'Ami du Peuple du soir*, *L'Ordre*, *L'Action Française*, *Le Jour-Echo de Paris*, et à divers hebdomadaires, dont *Candide*, d'Arthème Fayard, *Le Charivari*. Après l'armistice de 1940, rejoignit à Lyon *L'Action Française* dont il fut rédacteur jusqu'en 1944. Des adversaires déchaînés à la Libération imprimèrent dans leurs journaux que Charles Maurras n'ayant pas été condamné et exécuté, il fallait que son collaborateur le fût à sa place. Est aujourd'hui, sous son nom et sous les pseudonymes de Jacques Massannes, Jacques Ricard et Jacques Grizac, l'un des principaux rédacteurs de l'hebdomadaire royaliste *Aspects de la France* ; en est également le secrétaire général de la rédaction. Appartient à l'*Association de la Presse Monarchique et Catholique* et au *Club Henri Rochefort*. Auteur de : « *La Justice des hommes* » (sous le pseudonyme de Jacques Massannes).

AURAY (Charles, Georges).

Homme politique (1879-1938). Issu d'une famille de la Creuse. Militant socialiste, fut élu en 1911 au Conseil d'arrondissement de Saint-Denis, qu'il présida, puis accéda à la mairie de Pantin qu'il conserva jusqu'à sa mort. Passé au communisme après la scission de Tours, alla créer, avec Frossard et ses amis, l'*Union socialiste-communiste* lorsque Moscou obligea les membres du *P.C.* à choisir entre le parti et la franc-maçonnerie à laquelle il appartenait (Loge *L'Equité*). Elu député de la Seine (4e circ.) en 1924 sur la liste du *Cartel des Gauches* conduite par Pierre Laval. Entra au Sénat en janvier 1927 et fut réélu en 1935.

AURIOL (Jean-Marie, André, Henri).

Homme politique (1880-1959). Gendre d'Honoré Leygue, député, puis sénateur de la Haute-Garonne, et beau-père de Tixier-Vignancour. Collabora à la presse de droite (*L'Express du Midi*, *L'Eclair*, *L'Echo de Paris*, etc.) et siégea à la Chambre des députés, comme représentant de la Haute-Garonne, de 1906 à 1914 et de 1919 à 1936.

AURIOL (Vincent).

Homme politique, né à Revel (Haute-Garonne), le 27 août 1884, d'un père boulanger, « *farouche jacobin* ». Mort à Paris en 1965. Avocat au barreau de Toulouse, militant socialiste, élu pour la première fois député de la Haute-Garonne en 1914 et constamment réélu jusqu'à son élévation à la magistrature suprême. Maire de Muret (1925), secrétaire du groupe socialiste de la Chambre (1919-1939), délégué de la *S.F.I.O.* à l'Internationale socialiste (1924-1939, 1944-1945), ministre des Finances dans le premier cabinet Blum (1936), fut rendu responsable de la dévaluation qui suivit ; puis garde des Sceaux (cabinet Chautemps (1937) et ministre d'Etat (2e cabinet Blum, 1938). Vota, avec 79 autres de ses collègues, contre le maréchal Pétain le 10 juillet 1940. Fut interné à Pellevoisin en septembre 1940 et placé en résidence surveillée en avril 1941. Entré dans la clandestinité en novembre 1942, réfugié à l'Hospice de France dans les montagnes garonnaises, gagna Londres en octobre 1943. Nommé membre de l'Assemblée consultative d'Alger (1943) et président de la Commission des Affaires étrangères. Ministre d'Etat dans le cabinet De Gaulle (1945-1946), présida tour à tour l'Assemblée constituante et l'Assemblée nationale, fut porté à la présidence de la République le 16 janvier 1947. Après le retour au pouvoir du général De Gaulle, démissionna de la *S.F.I.O.* (décembre 1958). Membre de droit du Conseil constitutionnel, cessa

d'y siéger (1962) pour protester contre ce qu'il considérait comme une dictature. Présida la conférence internationale des Nations unies contre la discrimination raciale et fut, jusqu'à sa mort, bien que n'ayant jamais porté les armes, président d'honneur de la *Fédération mondiale des Anciens Combattants*.

AURORE (L').

Quotidien paraissant à Paris depuis la Libération. Reprenant le titre du journal qu'avait illustré Clemenceau et auquel Zola et Urbain Gohier avaient collaboré lors de l'affaire Dreyfus, Paul Bastid, ancien ministre de la IIIe République, fit paraître le 11 septembre 1944 le premier numéro public de *L'Aurore*. Ce numéro était, d'ailleurs, le no 16 de la 3e année ; clandestinement, le journal avait, en effet, paru quinze fois depuis 1942 à la barbe de l'occupant. Dans un éditorial, Paul Bastid fixait les objectifs de *L'Aurore* : « *La France et la République ne font qu'une ; ce sont les adversaires des institutions démocratiques qui ont trahi la Patrie. Ce sont les amis anciens et nouveaux de la liberté qui ont été l'âme de la résistance. (...) Ici, nous sommes républicains comme d'autres sont catholiques, israélites ou protestants.* » L'équipe du journal se composait alors de : Robert Lazurick, Francine Bonitzer, Dominique Pado, Gaston Meyer, Marcel Hansenne, Jean Cordier, Jacques Chapus, Camille Marbo, Georges Boullet, Henri-Jean Clouard, Gustave Joly, René Lalou, Alain Pol, Bertrand Bagge, Pierre Ciais, Marc Soriano, Jacques Pillerault, R. Lamazère, Claude Najean, Pierre Chanlaine, Maurice Nau, Jean-Pierre Dorian, Marcel Riz. André Billy « faisait » la vie littéraire ; il fut remplacé en janvier 1945 par Pierre Loewel. J. Paul-Boncour et Paul Anxionnaz donnèrent des « papiers » politiques, ainsi que le Dr Mazé, secrétaire général du *Parti Radical-Socialiste*, qui signa l'éditorial du 19 décembre, date d'ouverture du 1er Congrès du *Parti Radical-Socialiste* reconstitué. Le député Gabriel Delattre contait, dans une dizaine de numéros, son odyssée à bord du « *Massilia* » avec ceux que la presse de Vichy avait appelés les « *fuyards* ». Louise Weiss, plus féministe que jamais, s'étendait longuement sur l'héroïsme des suffragettes dans une série d'articles publiée sous le titre général : « *Les Française et la vie publique.* » L'actrice Berthe Bovy consacrait plusieurs articles à Sarah Bernhardt. Geneviève Tabouis, réduite à un demi-silence pendant quatre ans, faisait une rentrée remarquée dans la maison de la rue Louis-le-Grand qu'elle connaissait bien et annonçait « *la réélection de Roosevelt à 3 contre 1* ». Avant de se cantonner aux coulisses du théâtre, G. Joly, un ancien du *Nouveau Soir*, « plongeait » dans celles de la « Cinquième colonne » dont les chefs étaient, selon lui, Charles Maurras et Marcel Déat. Francine Bonitzer s'occupait plus spécialement de la « bande à Bony » (rien de commun, bien sûr, avec le distingué éditorialiste de *L'Aurore*) et stigmatisait ses crimes. De temps à autre, Walter Lippmann câblait de New York un tuyau toujours sensationnel — et parfois démenti — qui donnait au journal, sur le plan international, une importance que ses confrères n'avaient pas encore. Clément Vautel, ressuscité, donna par la suite une chronique toujours spirituelle, empreinte d'un libéralisme assez rare pour l'époque, qu'il intitulait : « *Sur mon écran* ». Jusqu'à sa mort, ou presque, Jean Piot conserva la haute main sur la rédaction. Il était « coiffé » par Paul Bastid, directeur politique, Robert Lazurick, directeur général, et Maurice Chatelain, directeur-gérant, et secondé par deux rédacteurs en chef adjoints : Francine Bonitzer et Dominique Pado. André Guérin et Henri Forissier furent ses successeurs. Les cadres du journal ont un peu changé depuis. Le nom de Bastid a disparu de la manchette à la suite d'événements intérieurs difficiles à expliquer, et le titre de directeur politique a été supprimé. Robert Lazurick est toujours directeur général, mais Francine Bonitzer n'est plus rédactrice en chef adjointe : elle est devenue, en épousant Lazurick, directrice du journal ; elle n'est pas complètement étrangère à la rédaction des articles signés Robert Bony, pseudonyme de son mari. Paul Campargue est directeur adjoint, Gilbert Guilleminault, José Van den Esch et Dominique Pado sont rédacteurs en chef. André Guérin, qui avait quitté *L'Aurore* pour devenir rédacteur en chef du *Temps de Paris* en 1956, est revenu : il rédige souvent l'article de tête. André Frossard (*le Rayon Z*), après une longue collaboration au journal du vieil ami de son père, l'a abandonné pour mieux défendre, au *Figaro*, le point de vue gaulliste. Henri Benazet et Roland Faure s'occupent de la politique étrangère. Contraint de quitter *Radio-Luxembourg* à la suite de la perquisition dont il fut l'objet lors des événements d'Algérie, Jean Grandmougin a trouvé refuge à *L'Aurore* : il y publie des « papiers » suivis avec intérêt par un public fidèle. Jean Mistler, ancien ministre et nouvel académicien, a pris la suite d'André Billy et de Pierre Loewel et dirige la page littéraire. Jules Romains, autre académicien, publie assez régulièrement des articles depuis plusieurs lustres. Le ton est naturellement donné par Robert Lazurick, qui fait présentement figure d'opposant : l'ensemble est assez peu favorable à la Vᵉ République (bien que *L'Aurore* ait fait voter *oui* en 1958) et pas du tout au gouvernement que *L'Aurore* accuse d'avoir abandonné les départements français d'Algérie au *F.L.N.* Le journal est devenu le porte-parole des mécontents et, dans une certaine mesure, des opposants. C'est donc parmi les milieux hostiles au Pouvoir autant que parmi les Français moyens, las des abus du dirigisme et de la fiscalité, que se recrutent la majeure partie de ses 344 000 lecteurs, dont 75 % habitent la région parisienne. Depuis 1950, le journal est contrôlé par Marcel Boussac : dans son étude sur *L'Aurore* (publiée par *L'Echo de la Presse et de la Publicité* en 1952), Henry Coston a révélé que le journal était la propriété de trois sociétés à travers lesquelles le « *roi des cotonnades* » exerce son emprise : la *Société L'Aurore,* constituée le 15 septembre 1944, propriétaire et éditrice du journal ; la *Société Franclau*, créée le 15 décembre 1949, et la *J.E.R.O.P.A.R.,* fondée le 17 mars 1951, qui détiennent toutes deux une importante participation dans la première. Cet enchevêtrement de sociétés, dont les intéressés sont les membres de la famille Lazurick et les fidéi-commissaires de Marcel Boussac, semble avoir été imaginé pour dérouter les curieux, à une époque où l'industriel du coton, fort malmené par la presse « issue de la Résistance », ne tenait probablement pas à figurer officiellement (9, rue Louis-le-Grand et 100, rue de Richelieu, Paris, 2ᵉ.)

AURORE DU BOURBONNAIS (L').

Hebdomadaire social et chrétien paraissant le dimanche, fondé en 1944. Tirage : 7 000 exemplaires. (15, rue d'Enghien, Moulins, Allier.)

AUSSET (Denis, Fernand).

Homme de lettres, né à Boisset-et-Gaujac (Gard), le 14 janvier 1920. Officier-mécanicien de l'armée de l'Air, puis officier d'atelier de parc, professeur à l'Ecole militaire de l'Air et chef de la section Algérie du service Cinéma des Armées (producteur de plusieurs films dont « C'était le désert »). Fondateur de la revue *Idées pour tous* (1963) et du

C.E.R.C.L.E. (*Cercle d'Expérimentation et de Regroupement des Comités de Libre Expression*). Co-fondateur du *Comité Montcalm* et membre de l'*Union Rationaliste*.

AUTARCHIE.

Gouvernement par soi-même. Depuis une quarantaine d'années s'applique surtout au gouvernement autoritaire, exerçant son pouvoir sans contrôle.

AUTARCIE.

Régime économique d'un pays qui se suffit à lui-même.

AUTOCRATIE.

Système dans lequel le monarque tire ses pouvoirs de lui seul.

AUTONOMISME.

Depuis la victoire des Jacobins et l'éviction des Girondins (1793), la France est — théoriquement, car il y eut « l'accroc » algérien en 1962 — « *une et indivisible* ». Dès lors, toute l'impulsion vient de Paris, l'Etat ne voulant pas tenir compte des particularismes caractéristiques de certaines régions françaises. Ces particularismes sont généralement fondés sur la langue, l'histoire, la géographie, et, parfois, l'économie, les traditions, la religion, l'ethnie. Devant ce qu'ils considèrent comme de l'incompréhension à leur endroit, certains provinciaux ont assez vigoureusement réagi. Après avoir connu de nombreux avatars (ils souffrirent, en particulier, d'une épuration très rigoureuse en 1944), les autonomistes des diverses régions françaises se font, à nouveau, entendre : « *Vivre dans l'appartement breton* (ou basque, ou alsacien, etc.) *de la maison France du quartier Europe* » est devenu leur slogan.

AUTONOMISME ALSACIEN. — Après la défaite de 1870, Bismarck annexa l'Alsace (sauf Belfort). Les députés alsaciens protestèrent, déclarant « *nul et non avenu un pacte qui dispose de nous sans notre consentement* » (1871). Les parlementaires alsaciens au Reichstag, en 1874, furent encore des « protestataires », mais peu à peu, à mesure qu'arrivaient à l'âge des responsabilités des Alsaciens qui n'avaient pas connu la France, le courant autonomiste se fit plus fort. A. Scheegans, ancien député protestataire, l'animait. Malgré le journal *Dur's Elsass*, les dessins de Hansi et divers incidents (Saverne), l'autonomisme supplanta le courant profrançais, de plus en plus sous l'inspiration de l'abbé Wetterlé, du Dr Ricklin, de Blumenthal ou de Ch. Hauss. La guerre de 1914-1918 accrut les difficultés des Alsaciens : les Allemands internaient les francophiles, mais aussi les autonomistes (par exemple : Preiss mourut en Allemagne). La victoire de 1918 suscita un enthousiasme surprenant en Alsace, mais, très vite, Paris ignorant les problèmes alsaciens — entre 1870 et 1918 s'était créé un nationalisme alsacien-lorrain — un malaise s'établit : les « autonomistes » se regroupèrent autour du journal *Die Zukinft* et au sein de la ligue *Heimatbund*. Ils réclamaient la prédominance de la langue allemande, l'autonomie interne (postes, finances, transports) et aussi des unités militaires distinctes. La France voyait dans ces revendications l'influence de l'Allemagne. Paris fit poursuivre Ricklin, Hauss, Rossé, Roos, Schall et Ernst en particulier, pour « *complot contre la sûreté de l'Etat* » (procès de Colmar, mai 1928). De tout côté, ce procès fut l'objet de critiques sévères ; Philippe Henriot aussi bien que Victor Basch, président de la *Ligue des Droits de l'Homme*, le trouvèrent injuste. Malgré leur condamnation, Ricklin et Rossé furent victorieux aux élections législatives de 1928 ; mais la Chambre les invalida. Devant les réactions alsaciennes — il y eut des attentats — Paris jeta du lest et sembla plus compréhensif. Cette nouvelle attitude autant que la mort de Ricklin affaiblirent l'autonomisme. La position prise par le *P.C.*, dans un pays profondément catholique, gêna beaucoup les autonomistes. Maurice Thorez n'avait-il pas déclaré au congrès du parti, en 1932, qu'il fallait dénoncer « *l'impérialisme* » de la France et soutenir « *le droit à la libre disposition du peuple alsacien-lorrain jusques et y compris la séparation d'avec la France* » ? Après l'arrivée au pouvoir de Hitler et devant l'insuccès de leur tactique, les communistes firent volte-face en 1933 : ils dénoncèrent alors les autonomistes comme des suppôts du nazisme. L'afflux des Juifs allemands, en mécontentant la population alsacienne, fortifia l'autonomisme. Par la répression, Paris tenta de briser le mouvement ; l'un des chefs autonomistes alsaciens, Roos, fut exécuté pour trahison, à Nancy, en février 1940. Lorsqu'ils occupèrent l'Alsace, les Allemands unirent cette province au pays de Bade et libérèrent les prisonniers de guerre alsaciens. Mais la germanisation à outrance heurta les autonomistes en général ; c'est ainsi, par exemple, que Rossé ne cessa d'entretenir des rapports confidentiels avec Vichy. Les « malgré nous » accrurent les sentiments profrançais de la population, d'où attentats, organisation de réseaux d'évasion et désertions nombreuses des enrôlés de force dans la Wehrmacht. Néanmoins, après la Libération, environ 40 000 Alsaciens furent internés, et Rossé, condamné par un tribunal d'exception, mourut à la prison centrale d'Eysses en 1951. Il y eut une poussée de fièvre autonomiste lorsque des « malgré nous » furent poursuivis pour avoir appartenu à la division *Das Reich* présente à Oradour-sur-Glane. Actuellement, le mouvement autonomiste alsacien semble assoupi. *La Voix d'Alsace-Lorraine* (25, rue de la Fidélité, à Mulhouse) paraît être l'expression du fédéralisme alsacien le plus voisin de l'autonomisme de jadis. Dirigée par F. Schmerber, elle recommande le *Mouvement Fédéraliste Européen*.

AUTONOMISME BRETON. — Outre ses aspects historiques, géographiques, linguistiques, ethniques, l'autonomisme breton présente un côté juridique très particulier. La Bretagne, rappelons-le, fut rattachée à la France non par droit de conquête, comme tant d'autres provinces, mais par un acte d'union (1532) qui garantissait l'autonomie interne bretonne. Bien que la Monarchie eût eu tendance à négliger ces garanties, l'acte fut, dans l'ensemble, respecté jusqu'à la Révolution. Avec le triomphe des Jacobins centralisateurs, le traité de 1532 fut ignoré. « *La réaction parle bas-breton* » prétendait l'abbé Grégoire, conventionnel et évêque constitutionnel, partisan de la centralisation politique et administrative de la France. Cette attitude de Paris fut l'une des causes du soulèvement de la Bretagne, qui voulait à la fois défendre sa foi chrétienne et ses libertés provinciales. Après l'échec de la chouannerie, ce fut la conspiration de Cadoudal, qui n'aboutit pas davantage. Les dures conséquences de la Chouannerie contraignirent le mouvement breton à un très long sommeil. Ce n'est qu'en 1843 que fut créée l'*Association bretonne*. Napoléon III l'interdit en 1858. En 1870, une pétition en faveur du breton fut déposée par Gaidoz, fondateur de la *Revue Celtique*, et par Charles De Gaulle, le propre grand-oncle de l'actuel chef de l'Etat. Ce n'est qu'au début du XXᵉ siècle que le mouvement breton prit une certaine ampleur. En 1898, avait été créée l'*Union régionaliste bretonne*, dont Charles Le Goffic, Anatole Le Braz et le marquis de l'Estourbeillon étaient les principaux membres ; en 1905 fut fondée l'association catholique *Bleun Brug* (Fleur de Bruyère), animée par l'abbé Perrot, et en 1911, la *Fédération Régionaliste de*

Bretagne et le *Parti Nationaliste Breton*. Mais ce dernier, contrairement aux trois autres organisations, qui se limitaient au domaine culturel, abordait franchement la politique et son fondateur, Le Mercier d'Erm, directeur de *Brez Dishual* (la Bretagne libre) réclamait l'indépendance totale de la Bretagne. L'activité du parti se réduisit à quelques manifestations de rue ; la guerre de 1914 survint et les militants furent envoyés au front. La fin des hostilités à peine sonnée, le mouvement breton se manifesta avec d'autant plus de vigueur que l'exemple d'un autre pays celte, l'Irlande, le stimulait. En 1919, L'Estourbeillon remit à Wilson, à la Conférence de Versailles, une pétition signée par les évêques bretons, des parlementaires et des journalistes de toutes tendances ; mais le président des Etats-Unis, qui voulait naturellement éviter toutes complications avec la France et, aussi, avec la Grande-Bretagne (à cause de l'Irlande), ne voulut pas intervenir. A la même époque, Marchal et de Roincé, qui avaient été maurrassiens, lancèrent une petite revue : *Breiz Atao* (Bretagne toujours) : leur groupe devint le plus célèbre des groupes autonomistes bretons. A sa création, *Breiz Atao* fut l'organe de la *Jeunesse régionaliste bretonne ;* mais très rapidement son régionalisme fit place à un véritable autonomisme et le journal devint alors le porte-parole du mouvement créé le 1ᵉʳ septembre 1927 par Olier Mordrel et Debauvais : le *Parti Autonomiste Breton*. Le premier, issu d'un milieu républicain, était le théoricien du parti, et le second, son organisateur. A son premier congrès, tenu à Châteaulin en 1928, le *Parti Autonomiste Breton* ne se voulait ni antifrançais, ni séparatiste, mais il s'élevait avec violence contre le centrisme. Il réclamait un système fédéraliste qui donnerait à la Bretagne un parlement et un exécutif responsable devant celui-ci. Dans l'esprit des congressistes, ce statut d'autonomie interne devait permettre à la Bretagne de moderniser son économie et d'orienter son instruction publique : le génie breton, disaient-ils, est nordique et il s'oppose aux « *gravelures latines* » (sic). Paris ayant mal accueilli ces revendications, le parti cessa d'être autonomiste pour devenir, après 1930, nettement séparatiste. Dès lors il s'appela *Parti Nationaliste Breton* (P.N.B.). Des querelles intestines avaient, entre temps, divisé le mouvement : de Roincé avait abandonné la lutte, et Marchal, qui avait quitté le Comité directeur de *Breiz Atao* de 1921 à 1924, démissionna jugeant l'influence ecclésiastique excessive et se prononça pour une formule fédéraliste. Les fédéralistes reprirent en main *Breiz Atao* qui passa sous l'influence des socialistes et des communisants. Dès lors Marchal accepta d'y collaborer et le journal modifia son titre : *Breiz Atao* devint *La Nation Bretonne*, les deux mots celtiques venant en sous-titre. Debauvais, qui avait perdu son influence au sein de l'organisatioin, fit paraître un nouvel organe nationaliste sous l'ancien titre de *Breiz Atao*, et parla haut et ferme au nom du *P.N.B.* Les nationalistes bretons déclaraient alors : « *Si la guerre revient, la Bretagne sera neutre* », et encore : « *La Bretagne souffre de trois maux : la tuberculose, l'alcoolisme et la domination française* ». Les plus extrémistes du *P.N.B.* constituèrent une société secrète *Gwen ha Du* (Blanc et Noir) qui employa les moyens chers aux anarchistes de la Belle Époque : le plus spectaculaire de leurs attentats fut le dynamitage, à Rennes, de la statue symbolisant l'union de la Bretagne et de la France (1932). Cet attentat eut pour conséquence de réduire considérablement l'audience des fédéralistes. Ceux-ci étaient de gauche et le gouvernement français, également de gauche, ne modifia en rien son attitude à l'égard de la Bretagne ; il restait centralisateur. Après le coup de force de la fraction nationaliste du mouvement, les fédéralistes s'étaient regroupés au sein de la *Ligue Fédéraliste de Bretagne*, dont l'organe fut, à partir de 1931, *La Bretagne fédérale*. Cette organisation de gauche se trouvant en porte à faux ne vécut que quelques années : elle disparut en 1935. La dernière manifestation des fédéralistes fut la publication, en 1938, d'un « *manifeste des Bretons fédéralistes* », d'esprit antiraciste et syndicaliste, que Marchal signa avec d'autres militants. Aux élections de 1936, les associations bretonnes, culturelles ou politiques, constituèrent un *Front breton* qui s'engagea à soutenir les candidats acceptant d'appuyer au parlement les principales revendications bretonnes. Mais l'année suivante, les autorités s'émurent du développement du *Front* : la lecture des journaux autonomistes fut interdite dans les casernes, des militants furent emprisonnés pour propagande illégale et un décret-loi Daladier (25 mai 1938) permit de condamner Debauvais, directeur de *Breiz Atao*, à un an de prison ferme, et Mordrel, qui animait la revue celtisante *Stur*, à une peine analogue, avec sursis (plus les frais du procès). Entre-temps les *Messageries Hachette* avaient refusé de diffuser *Breiz Atao* et, peu après, le journal était saisi et le parti interdit (20 octobre 1939). Pour échapper aux conséquences de leur condamnation, Debau-

vais et Mordrel s'enfuirent à l'étranger et gagnèrent l'Allemagne, d'où ils publièrent (25 octobre 1939) un manifeste réclamant l'indépendance de la Bretagne. Un tribunal militaire les condamna à mort par contumace (mai 1940). La police avait perquisitionné chez les militants et l'un d'eux, Célestin Lainé (alias Hénaff), avait été arrêté et condamné à cinq ans de prison pour propagande pacifiste (février 1940). Ayant réussi à intéresser divers milieux allemands à leur cause, Mordrel et Debauvais furent autorisés à rendre visite à certains prisonniers bretons, capturés pendant la « drôle de guerre » ; ils réussirent même à en faire libérer quelques-uns avant de regagner la Bretagne après l'armistice de 1940. A côté de ces intransigeants, se trouvaient d'autres militants qui préféraient remettre à plus tard la solution du problème breton et qui se refusaient à placer le problème sur le plan international. C'était le cas notamment du régionaliste Yann Fouéré. La France ayant exigé, lors de la signature de l'armistice, le respect de l'unité nationale, les Allemands s'y conformèrent, et Debauvais et Mordrel perdirent de ce fait leur audience à Berlin. Ne pouvant agir ouvertement, Mordrel et Debauvais « manœuvrèrent ». Secondés par Lainé, libéré de sa prison, et par Guieysse, ancien sous-préfet, fils d'un ministre des colonies de la IIIᵉ République qui avait lui-même tenté d'introduire la langue bretonne à l'école en 1909, ils fondèrent un *Conseil National Breton* (*C.N.B.*). La nouvelle organisation critiquait la politique « *coloniale* » de la France en Bretagne et prônait la création d'un « *Etat National dans son cadre naturel* », c'est-à-dire un état breton dont Nantes ferait partie. Cette prise de position fut rendue publique malgré les pressions allemandes. Le *C.N.B.*, soucieux de ménager l'occupant et de le mettre malgré tout dans son jeu, dénonçait également « *l'hégémonie* » de l'Anglais, ce « *vieil ennemi des Celtes* ». Un nouvel hebdomadaire, *L'Heure Bretonne*, qui avait su s'attacher un rédacteur de talent, Morvan Lebesque, eut une certaine audience dans la population en s'intéressant au sort des malheureux marins de Mers el-Kébir, parmi lesquels se trouvaient de nombreux Bretons. Cependant, soucieux de respecter l'esprit de Montoire, les Allemands refusèrent leur appui au *C.N.B.* et rappelèrent ceux de leurs compatriotes qui s'étaient compromis avec ses chefs. Sans se décourager, Mordrel et Debauvais poursuivirent leurs activités et reconstituèrent le *P.N.B.*, dénigrant Vichy et attaquant la politique de collaboration. Le gouvernement du maréchal Pétain réagit et Mgr Duparc, évêque de Quimper, menaça d'excommunication les catholiques qui militaient au *P.N.B.* Berlin, toujours pour les mêmes raisons, sacrifia les nationalistes bretons pour ne pas déplaire à Vichy. Sous la pression des autorités civiles (françaises), militaires (allemandes) et mêmes religieuses, Debauvais et Mordrel durent s'exiler. Leur rôle était terminé : Mordrel se contenta d'animer *Stur*. A partir de décembre 1940, le *P.N.B.* eut une attitude plus modérée. Les frères Delaporte en prirent la direction : Raymond fut le chef du parti et Yves le directeur de *L'Heure bretonne*. Dès lors, il n'est plus question d'indépendance totale : le *P.N.B.* admet que la diplomatie et certains aspects financiers restent du ressort de la France. L'audience de *L'Heure bretonne* grandit et le journal tire à plus de 25 000 exemplaires ; néanmoins, la majorité de la population demeure méfiante, d'autant plus que certains chefs bretons, comme Yann Fouéré et le marquis de l'Estourbeillon, réclament uniquement des réformes régionalistes et repoussent le séparatisme. Le régionalisme était d'ailleurs l'une des idées du maréchal et, à partir de 1941, son gouvernement rétablit officiellement l'enseignement de la langue bretonne et l'étude de l'histoire de l'ancien duché d'Anne dans les établissements scolaires. Au printemps 1941, les régionalistes, groupés autour du journal *La Bretagne*, de Fouéré, constituèrent des cellules revendiquant l'unité des cinq départements, la création d'une assemblée provinciale et la nomination d'un gouverneur. Leur organisation prit le nom d'*Amis de la Bretagne*. Leur tendance rencontra quelque sympathie dans les milieux nationaux français : Maurras était, depuis longtemps, acquis à l'idée de la décentralisation, Marcel Déat l'acceptait, Doriot parlait de « *peuple breton* » et Marcel Bucard, du « *caractère national de la Bretagne* ». Un préfet régional, Quénette, fut nommé à Rennes, en juin 1942. Son premier soin fut de constituer un *Comité Consultatif de la Bretagne* (C.C.B.) qui groupa bientôt toutes les associations bretonnes, hormis le *P.N.B.* Ce nouvel organisme présenta un « *projet de statut pour la Bretagne* » qui était une véritable constitution, prévoyant un parlement et un gouvernement bretons, une législation et un budget particuliers, sous l'autorité d'un gouverneur nommé par le gouvernement français. Le *P.N.B.* et le *C.C.B.*, en désaccord sur l'avenir de la Bretagne, s'entendaient sur un point : ils étaient tous deux neutres vis-à-vis de l'Allemagne. Ils se cantonnaient dans le « cadre breton ». En raison de son attitude, le *P.N.B.* ne put, durant toute l'occupation, tenir de réunions publiques. Attaqués par Vichy, brimés par l'occupant — les nationalistes bretons se disaient même « trahis » par l'Allemagne — les militants reprochèrent souvent aux Delaporte leur modération. Il s'ensuivit une scission au *P.N.B.* : les plus intransigeants suivirent Laîné et Guieysse, qui jouaient à fond la carte allemande, non par sympathie particulière pour les Teutons, mais parce qu'ils pensaient ainsi s'attirer les bonnes grâces de Hitler et obtenir de cette manière l'indépendance de la Bretagne. L'intervention de la Résistance contre les militants bretons, aussi bien régionalistes que nationalistes ou autonomistes, fut marquée par le meurtre de plusieurs d'entre eux. Bricler, cousin de Mordrel, fut assassiné par les maquisards ; puis ce fut le tour de l'abbé Perrot, qui n'était pas germanophile, mais animait *Bleun Brug* : on retrouva, un matin, son corps dans un chemin creux. Pour « *répondre au terrorisme par le terrorisme* », Laîné et Guieysse créèrent, au début de 1944, un second *P.N.B.* et firent reparaître *Breiz Atao*, avec l'accord du vieux militant Debauvais, moribond, mais, semble-t-il, contre l'avis de Mordrel. Ces dissidents prônaient la collaboration avec l'Allemagne pour lutter « *contre le gaullisme, le communisme et le terrorisme* ». Ils constituèrent une troupe armée, formée uniquement de Bretons, qui prit le nom de *Bezenn Perrot*, en souvenir du prêtre martyr de la cause bretonne. Elle engagea le combat contre les maquis avant de faire retraite, avec la Wehrmacht, jusqu'en Allemagne, où elle continua la lutte contre « *les ennemis de l'Allemagne et de la Bretagne* » (déclaration de Laîné à Tubingen en mars 1945). Pendant ce temps, l'action des maquisards se poursuivait contre les militants bretons. Après le départ des Allemands, une épuration sévère eut lieu dans toute la Bretagne, sous la direction de Le Gorgeu, commissaire régional de la République, président du conseil d'administration de *La Dépêche de Brest*, qui paraissait pendant l'occupation et qui imprimait le journal de la marine allemande... (en 1942, les Allemands avaient exigé sa démission de la présidence) (1). En 1944-1945, un millier

---

(1) Les magistrats de Rennes condamnèrent le successeur de Le Gorgeu aux travaux forcés à perpétuité mais, par contre, restituèrent au Commissaire régional de la République, les biens qui lui revenaient dans le journal interdit et confisqué à la Libération.

d'exécutions sommaires — selon des estimations officielles, probablement au-dessous de la vérité — eurent lieu dans les cinq départements. Le procès des membres du *P.N.B.* se déroula à Rennes en juin 1946. L'action était éteinte en ce qui concernait Debauvais, mort en 1944 ; l'accusation retint principalement les noms de Mordrel, réfugié en Argentine, des frères Delaporte, de Yann Goulet, chef des formations de jeunesse, réfugié depuis en Irlande, de Bourdon, de Lainé, toujours en exil dans la République irlandaise, et de Guieysse. Seul ce der-nier, un vieillard aveugle, était présent dans le box des accusés. Il revendiqua la responsabilité de ses actes et fut con-damné à cinq ans de prison. Le Tribunal prononça trois condamnations à mort par contumace : contre Mordrel, Lainé et Y. Goulet. Les autres militants bretons poursuivis furent frappés de lourdes peines de prison. Les régionalistes fu-rent également poursuivis, et Fouéré, réfugié en Irlande, fut condamné aux travaux forcés à perpétuité en 1946 (en 1955, il fut acquitté). Ce ne sont pas seu-lement les séparatistes et les germano-philes que l'on épura, mais aussi ceux qui s'étaient cantonnés dans le domaine culturel, même lorsqu'ils étaient notoire-ment antiallemands. Cette situation finit par émouvoir les autres Celtes, surtout les Gallois, qui envoyèrent une délégation en Bretagne au printemps de 1947. A son retour, celle-ci rédigea un rapport acca-blant pour Paris. Le dossier qu'elle réu-nit démontrait que, dans sa grande ma-jorité, le mouvement breton n'avait pas pris partie dans la querelle franco-alle-mande. Ce n'est qu'en 1957 que le mou-vement breton sortit du long sommeil où l'avait plongé l'épuration. Le 11 no-vembre, cette année-là, fut créé à Lorient le *Mouvement pour l'Organisation de la Bretagne* (M.O.B.), dont le secrétariat général s'établit à Rennes (30, place des Lices). *L'Avenir de la Bretagne* est l'or-gane mensuel du groupe ; il se veut « *journal national breton et fédéraliste européen* ». Y. Fouéré en est le principal éditorialiste ; vice-président du *M.O.B.*, il en est l'un des dirigeants les plus connus. A côté de cette organisation, la plus importante semble-t-il, existe un certain nombre de groupes, plus modes-tes mais également très actifs, tels que : l'*Union Démocratique Bretonne* (U.D.B.), née en 1964 d'une dissidence du *M.O.B.* et plus « à gauche » que lui, qui publie un mensuel *Le Peuple Breton*, dirigé par J.-Y. Veillard et Hervé Grall ; un *Comité d'Action Breton* (C.A.B.), fondé à Pon-tivy en 1963, qui groupe principalement des progressistes ; la revue *Ar Stourmer*,

animée par un ancien du *M.O.B.*, G. Pen-naod, et qui se réclame du socialisme national (c/o Mme Ferry, les Sorbiers, Chevilly-Larue) ; le groupe *La Bretagne Réelle*, qui publie un bulletin portant ce titre et que dirige J. Quatrebœufs (Mer-drignac, Côtes-du-Nord), publication large-ment ouverte à toutes les tendances bretonnantes. Créée en 1954, *La Bretagne Réelle*, actuellement bi-mensuelle, est ré-digée par une équipe composée de J. La Bénélais, R. Tugdual, R. Glémarec, Tal-dirt, A. Ar Gow, A. Le Banner, Y. Olier, Alain Guel, Jean Merrien, G. Pennaod, Y. Razavet, André Gallaro. Le bulletin édite des documents spéciaux trimes-triels. Pour être complets, notons que certains activistes, quittant le domaine des idées, sont passés aux actes (plasti-cage de la sous-préfecture de Saint-Na-zaire au printemps 1966). Parallèlement à cette reprise d'activité politique, on remarque un réveil culturel indiscutable. Depuis quelques années nombre de livres paraissent qui en témoignent : ce sont les histoires très « nationalistes » de Yann Poupinot (« *La Bretagne contem-poraine* »), du Père Chardronnet (« *His-toire de Bretagne* ») et de l'abbé Poisson (« *Histoire de Bretagne* ») et « *La Bre-tagne écartelée 1938-1948* », de Yann Fouéré. D'autre part des associations culturelles ont été créées : « *Kendal'ch* » (Je maintiendrai) et son organe *Breiz* (B.P. 78 La Baule) ; *Ar Falz* (La Faucille), d'extrême gauche (c/o Mercier à Le Rus-ked-Lannion) ; *Al Liamm*, animé par Huon (2, venelle Poulbriquen, Brest) et *Ar Vro* (Le Pays) dont la revue est rédi-gée par Denez, Desbordes, Pennek et Étienne (B.P. 48 Brest). L'ancienne *Bleun Brug*, qui avait été créée par l'abbé Per-rot, regroupe les catholiques, sous la di-rection du chanoine Mevellec (La Re-traite, Quimperlé). Ce renouveau culturel se manifeste également sous la forme d'associations plus spécialisées, telles que celles des Bardes (avec leur revue *An Tribann*) ou celle des Scouts Bretons dite *Bleimor*. Signalons enfin, pour ter-miner, une organisation dont les préoc-cupations sont d'ordre économique : le *Comité d'Etudes et de Liaison des Inté-rêts Bretons* (C.E.L.I.B.), dont le siège est à Rennes (1, rue Poullain-Duparc) et qu'animent l'ancien président du Conseil René Pleven, auteur d' « *Avenir de la Bretagne* », J. Martray, secrétaire géné-ral, et Phlipponneau, un socialiste proche du *P.S.U.*, qui participa au colloque de Grenoble. Le *C.E.L.I.B.* qui n'inclut pas la Loire-Atlantique dans la Bretagne, réclame une loi-programme à la fois so-ciale, économique et culturelle. Il s'est déclaré solidaire des paysans bretons lors des incidents de 1961. Mais la plupart des groupements, organismes, publications que nous venons de citer ne sont pas autonomistes, mais seulement régionalistes. Les autonomistes se recrutent dans les cinq départements et non pas uniquement dans la Bretagne bretonnante ; au cours de ces dernières années, ils ont resserré les liens ethniques et culturels qui les rattachent aux autres Celtes : en 1962 un congrès celtique international s'est même tenu à Tréguier.

AUTONOMISME BASQUE. — L'autonomisme des Basques dépasse largement la frontière et déborde en Espagne. C'est même chez nos voisins transpyrénéens qu'il est le plus actif. Une République basque, présidée par Aguirre, exista conformément à la constitution espagnole de 1931 jusqu'à la victoire du général Franco, et un gouvernement basque en exil siège à Paris (50, rue Singer) où il publie un bulletin, *Euzko Deya.* Deux mouvements veulent regrouper les basques espagnols : le *Partido Nacionalista* (replié à Bayonne) et *Euskadi Ta Azkatasuna* (E.T.A.). Lors de la création de la République Basque (d'Espagne), les Basques de France ne manifestèrent pas le désir d'y rattacher leur pays : ils reprochaient à cette république son inféodation aux « rouges ». L'autonomisme basque en France resta « en veilleuse », d'autant plus que ses militants, eux aussi, avaient connu l'épuration, en particulier leur chef Jacques Legasse, directeur de la revue *Aintzima* (En Avant), qui fut tué le 15 juin 1944 (son frère Marc prit la relève et fonda le journal *Hordago*). Un autre Basque, Goyenetche fut également épuré. Depuis quelques années, le mouvement a pris un nouvel essor sous l'influence d'*Enbata* (14, rue des Cordeliers, Bayonne). Tous les ans, depuis le 15 avril 1963, il réunit à Itxasou, le « jour de la Patrie » (Aberri Iguna), son congrès national, auquel assistent des autonomistes bretons, flamands, catalans, wallons, occitans, québecois, bavarrois et même, en 1966, kurdes. L'objectif lointain d'*Enbata* est de former un Etat basque, ayant sa politique et sa culture propre, en réalisant le fameux « 4 + 3 = 1 » — les quatre provinces basques d'Espagne unies aux trois provinces basques de France : le Labourd, la Soule et la Haute Navarre — dans le cadre d'une fédération européenne. Pour l'instant, *Enbata* réclame, en France, la constitution d'un département basque et l'étude sérieuse de la langue du pays dans les écoles. Aux élections prochaines, le mouvement *Enbata* présenterait des candidats : Christine Etchalus, la jeune étudiante

appréhendée le 2 mars 1965 au poste frontière de Dancharinea (Navarre espagnole) et qui demeura emprisonnée dix-huit mois durant à la prison de Pampelune, serait candidate dans la circonscription de Bidache-Mauléon, et Ximun Haran, pharmacien à Hendaye, joueur de pelote basque renommé et principal *leader* du parti, se présenterait dans celle de Bayonne.

AUTONOMISME CATALAN. — Comme le pays basque, la Catalogne est à cheval sur la frontière franco-espagnole (les Catalans revendiquent aussi la Principauté d'Andorre). En Espagne, les Catalans représentent presque le quart de la population et ils y formèrent, au temps de la République espagnole, un Etat indépendant sous la direction de Companys. Les autonomistes catalans sont très actifs dans la péninsule ibérique et leurs revendications ont pris un tour très particulier, sous l'impulsion de l'anarcho-syndicalisme avant 1939 et, depuis le Franquisme, sous l'influence de l'Abbaye de Montserrat. En France, l'autonomisme catalan paraît assoupi. Cependant il existe le *Front National Catalan* et *Estat Catala,* dont le siège est à Paris (120, boulevard Haussmann).

AUTONOMISME CORSE. — Depuis Pascal Paoli (XVIIIᵉ siècle), le mouvement autonomiste corse était en sommeil. Il reprit quelque activité au temps de Mussolini, sous l'influence de l'hebdomadaire *Le Mouflon* (A Muvra), dirigé par Petru Rocca. Ce dernier fut soupçonné d'être en relation avec l'Italie fasciste et il fut radié de la Légion d'honneur, pour ce motif, en 1938. Cela provoqua un tollé général dans l'île de Beauté. *Le Mouflon* subit de nombreuses saisies et ses animateurs furent perquisitionnés. Rocca ayant poursuivi la publication de son journal après juin 1940 connut les rigueurs de l'épuration. Le mouvement corse renaît depuis peu, mais il est surtout culturel, avec la revue *U Muntese* (3, route de Ville di Pietrabugno, Bastia) ou économique, avec le *Mouvement du 29 novembre.*

AUTONOMISME LORRAIN. — Après l'annexion de la Lorraine germanophone par l'Allemagne en 1871, l'autonomisme se développa à la manière du mouvement alsacien. Il disparut pratiquement après la victoire de 1918 — avec cependant une faible résurgence vers 1920 à la suite des maladresses de Paris —. De 1940 à 1944 la Lorraine fut rattachée au Palatinat et à la Sarre pour constituer la *Westmark.* La germanisation de la Lorraine fut combattue par le gouvernement de Vichy (cf. Message du maréchal Pétain du 30 novembre 1940). Sous prétexte que de nombreux Lorrains avaient plus ou moins sympathisé avec l'occupant, le pays connut les rigueurs de l'épuration en 1945. Depuis lors, l'autonomisme semble avoir à peu près disparu. Les tendances régionalistes par contre ont trouvé à s'exprimer dans *La Voix d'Alsace-Lorraine*.

AUTONOMISME OCCITAN. — En théorie, le mouvement occitan englobe tous les pays de langue d'oc, c'est-à-dire la Provence et le Languedoc, mais aussi l'Auvergne, la Gascogne, le Béarn, la Guyenne, le Périgord, le Limousin, le Dauphiné et, selon certaines revendications, le Val d'Aran (Espagne), Monaco et les Alpes Piémontaises (Italie), où le mouvement culturel « *Escolo dou Po* » (11, rue Saint-François-d'Assise, Turin) lui serait favorable. En fait, c'est surtout le régionalisme qui a séduit les intellectuels de la langue d'oc. L'Occitanie est connue grâce à Mistral et au Félibrige, dont Charles Maurras, Jean Jaurès et Edouard Daladier furent membres. Le mouvement régionaliste occitan est représenté aujourd'hui par trois organisations culturelles importantes : *Lou Félibrige* (38, avenue Marceau, Toulon), *Lo Gai Saber* (31, rue de la Fonderie, Toulouse), et *Lo Subiet* (62, rue du Tondu, Bordeaux). Les véritables autonomistes sont principalement groupés au sein du *Parti Nationaliste Occitan* (11, rue Saint-François-de-Paule, Nice) fondé par François Fontan, qui le préside. A défaut, semble-t-il, de beaucoup de militants, ce mouvement a un programme très précis, basé sur l'ethnie et la langue. Outre les habituelles revendications des mouvements autonomistes — étude de la langue et de l'histoire dans les écoles — le *Parti Nationaliste Occitan* exige l'indépendance pure et simple. S'il n'est pas communiste, en raison du reproche qu'il fait au marxisme de broyer les nationalités, on peut cependant le classer à gauche. Il désire que l'Occitanie se retire de l'Alliance atlantique et du Marché commun ; il prêche la coexistence pacifique et le désarmement atomique ; il est favorable à l'indépendance de tous les territoires français d'outre-mer. L'Etat occitan devrait également nationaliser les grandes sociétés et associer les employés aux bénéfices et à la gestion des entreprises. Sur le plan religieux — peut-être en souvenir de la Croisade des Albigeois — il est hostile à l'Eglise catholique, à l' « *impérialisme* » romain et au « *cosmopolitisme* » du Vatican. Son racisme le pousse à restreindre l'immigration allogène. Fontan et ses amis pensent arriver à leurs fins, c'est-à-dire à l'indépendance, par étapes successives dont l'une serait la Fédération.

AUTONOMISME FLAMAND. — Le mouvement autonomiste en Flandre française n'est pas l'œuvre des envahisseurs germaniques au cours des deux dernières guerres mondiales. Dès 1853, un comité flamand de France était créé à Dunkerque par le baron Edmond de Coussemayer ; il avait pour but de défendre le patrimoine historique et linguistique de la Flandre (appelée *Westhoek* par les Flamingants). Lors de l'occupation allemande de 1914-1918, le courant flamingant resta stationnaire ; il ne prit son véritable essor qu'à partir de 1920 lorsque le chanoine Looten le dirigea et surtout après la création, en 1923, de la *Ligue des Flamands de France* (Vlaamsch Verbond van Frankrijk) animée par ledit chanoine, l'abbé Gantois et Blankaert. Le renouveau de la littérature flamande au lendemain de la première guerre mondiale parut inquiéter le gouvernement Herriot en 1924 : le chef du *Cartel des Gauches* le qualifia de « *réactionnaire* » et l'accusa de vouloir « *détruire la République* ». Cette opinion n'était pas partagée par Roger Salengro qui, au contraire, approuvait l'action de la ligue flamande bien qu'un très grand nombre de prêtres fussent parmi ses militants. A vrai dire, le mouvement était apolitique et ses journaux, *De Torrevacher* et *Le Lion de Flandre*, n'abordaient que des questions culturelles et historiques. La *Ligue des Flamands* devait naturellement se garder d'apparaître comme un instrument de l'étranger au moment où certains Néerlandais — notamment Anton Mussert — semblaient avoir des visées annexionnistes et que d'autres, généralement belges, songeaient à un Etat thiois (1). Les risques d'intervention étrangère et le mauvais souvenir laissé dans le pays par l'occupation allemande au cours des années 1914-1918 freinèrent le mouvement autonomiste flamand. Cependant, à partir de janvier 1941, *Le Lion de Flandre* et, surtout, le mensuel des jeunesses du mouvement, *Jeunes de Flandre*, reprirent les thèses séparatistes. Ces journaux s'enorgueillissaient de leur origine ethnique, glorifiaient la race germanique et soulignaient leur attachement au sol de Flandre. Ils repoussaient avec

---

(1) Ce projet aurait retenu, en 1940, l'attention des Allemands lorsqu'ils rattachèrent les départements du Nord et du Pas-de-Calais au commandement militaire de Bruxelles ; il fut abandonné, dès fin 1940, quand s'ébaucha la politique de collaboration franco-allemande.

mépris la culture latine et les latins eux-mêmes, ces « *porteurs de bérets* », ces « *mangeurs d'ail* » ; ils haïssaient les métèques et les « youpins » et condamnaient le centralisme démocratique. Ils approuvaient le nouvel ordre européen. En général, ils ne s'intéressaient qu'à la Flandre française et ne se prononcèrent pas en faveur de l'Etat thiois. Néanmoins, en 1944-1945, l'épuration frappa un certain nombre d'autonomistes flamands. L'anthropologue Quesnoy fut exécuté, et l'un des jeunes chefs flamingants, Viseux, condamné à vingt ans de travaux forcés, mourut dans les geôles marseillaises. Cauvin fut condamné à mort par contumace, comme principal dirigeant de la *Ligue des Flamands,* mais le prêtre autonomiste poursuivi pour les mêmes motifs dont l'accusation avait demandé la tête, fut condamné à cinq ans de prison. Depuis, le mouvement flamand de France est « *en sommeil* » et ses manifestations sont rares ; notons cependant celle qui fut organisée, avec les Flamands de Belgique en l'honneur de l'abbé Gantois, en septembre 1964.

MOUVEMENTS DIVERS. — Le mouvement bourguignon eut son heure de célébrité au cours de la Deuxième Guerre mondiale ; Léon Degrelle et ses amis songèrent, un moment, à reconstituer l'Etat bourguignon de Charles le Téméraire. Il fut alors question de la création d'un grand Etat thiois réunissant la Wallonie aux anciennes terres du Saint Empire Germanique devenues françaises. Cet ensemble aurait pris la forme fédéraliste. L'épuration frappa quelques-uns de ceux qui, en France, furent soupçonnés d'avoir approuvé ces desseins (Johannès Thomasset, Gassert et Normandy). Si le mouvement vendéen n'eut aucune arrière-pensée autonomiste et reste seulement attaché aux traditions de la chouannerie, quelques Normands se sont souvenus de leurs origines ethniques bien que les descendants des soldats de Rollon aient perdu, au cours des siècles, leurs traditions et leur langue d'origine. Seules quelques individualités se réclament des Vikings. Ce fut le cas de Louis de Grosourdy de Saint-Pierre, le père de l'auteur des « *Nouveaux Prêtres* » (mort en juin 1966), qui, sans cesser d'être Français, rêvait volontiers à une « *Normandie normande* ».

AUTORISATION PREALABLE.

Mesure obligeant les quotidiens et les périodiques à demander, avant de paraître, l'autorisation du gouvernement. Le régime de l'*autorisation préalable* fut établi à la Libération par l'ordonnance du 30 septembre 1944 (*J.O.*, 1-10-1944, p. 851). Cette ordonnance du gouvernement provisoire présidé par le général De Gaulle édictait les peines dont il était passible « toute publication d'un journal ou écrit périodique suspendu ou *qui n'aurait pas obtenu du ministre de l'Information l'autorisation de paraître* ». Pierre-Henri Teitgen déclara, le 9 mars 1945, que cette *autorisation préalable* était « *indispensable dans l'intérêt de la presse résistante* ». Cette mesure, considérée comme une atteinte à la liberté de la presse, fut annulée par la loi n° 47-345 du 28 février 1947 (*J.O.*, 1-3-1947, p. 1904).

AUTORITAIRE.

Le régime *autoritaire* est un système politique reposant sur la primauté du pouvoir exécutif et n'étant pas soumis au contrôle d'une représentation parlementaire.

AUTORITE (L').

Quotidien né en 1886 de la brouille survenue entre le prince Jérôme et le prince Victor Bonaparte. Fut, jusqu'à la guerre de 1914, l'organe le plus virulent de la droite plébiscitaire. Fondée par Paul de Cassagnac, fut dirigée à la mort de celui-ci par ses deux fils Paul-Julien et Guy (tué au combat en 1914). Elle reparut chaque semaine quelque temps, en 1928, sous la direction de Paul-Julien de Cassagnac, avec la collaboration de Jean-Renaud, Claude Farrère, Marcel Bucard, Pierre Chanlaine et du colonel Ferrandi qui signèrent le manifeste du n° 1 de la nouvelle série (24-3-1928).

AUTORITES.

Hauts fonctionnaires ou militaires exerçant le pouvoir au nom du gouvernement.

AUX ECOUTES.

Hebdomadaire d'échos fondé en mai 1918 par Paul Lévy (voir à ce nom). Suspendu pendant l'occupation, il reprit sa publication après la Libération sous la direction de son fondateur. Depuis la mort de ce dernier, le journal est dirigé par Mme Paul Lévy, qu'assiste Roger Deleplanque, rédacteur en chef. Dès sa fondation, *Aux Ecoutes* fut une publication résolument anti-allemande. Lors de la guerre d'Algérie, il a défendu avec opiniâtreté la présence française en Afrique du Nord. Bien que

Vingt-huitième Année. — Numéro 166.   PARIS ET DÉPARTEMENTS : 5 CENTIMES   Dimanche 15 Juin 1912.

Fondateur :
PAUL DE CASSAGNAC

L'AUTORITÉ
Pour Dieu, pour la France!

Directeur Politique :
PAUL & GUY DE CASSAGNAC

LE CONGRÈS PLÉBISCITAIRE

UN CONGRÈS NATIONAL

[Colonnes d'articles de journal difficilement lisibles]

Carnet du Jour

L'Aviation tragique

LES DERNIERS COMBATS AU MAROC

HIER ET CETTE NUIT

ÉCHOS ET NOUVELLES

L'Incident Bourscm
EN ALSACE-LORRAINE

La Crise Ministérielle Espagnole

Le Congrès National Plébiscitaire
LA DEUXIÈME JOURNÉE
Les instructions du Prince Napoléon.
Les discours.

---

classé à droite, *Aux Écoutes* n'est pas
nationaliste ; il combat le fascisme et
le racisme, est favorable à Israël et
défend une politique modérée, à la fois
libérale et conservatrice. *Fortune Française* est l'annexe boursière du journal
(Siège : 17, rue d'Anjou, Paris 8e).

AVELINE (André).

Imprimeur, directeur de journal, né à
Sainte-Gauburge (Orne), le 7 octobre
1919. Directeur de l'hebdomadaire modéré *L'Écho de la vallée du Loir*, de La
Chartre-sur-le-Loir.

AVENAS (Elise).

Institutrice (1883-1940). Militante syndicaliste et pacifiste de l'Ardèche, collabora à *L'Ecole émancipée* et dirigea
L'Emancipation de l'Ardèche. Fut arrêtée en 1939 en raison de son hostilité
à la guerre et mourut peu après sa libération.

AVENIR (L').

Hebdomadaire socialiste toulousain.
Fondé en 1950, il a pour directeur Honoré Gazagnes et pour rédacteur en chef

Roger Lagardelle. Tirage : 8 à 10 000 exemplaires (69, rue du Taur, Toulouse).

AVENIR DE L'ILE DE FRANCE (L').

Hebdomadaire centriste d'information, fondé le 2 décembre 1944 et diffusé dans le Val-d'Oise (23 500 exemplaires tirés chaque semaine). Directeur politique : Adolphe Chauvin, sénateur *M.R.P.* et maire de Pontoise, président du conseil général de Seine-et-Oise ; directeur de la publication : Georges Aubry ; directeur de la rédaction : Francis G. Bourgoin, secondé par Jean-Jacques Aupy, rédacteur en chef. Edité par la *Société Générale d'Editions et d'Impressions.* (65, rue Pierre-Butin, Pontoise.)

AVENIR DE LOIR-ET-CHER (L').

Quotidien conservateur publié à Blois de 1860 à 1940. Dirigé avant la guerre par J. de Grandpré et André Joannet. Depuis peu, paraît à La Ville-aux-Clercs un *Avenir de Loir-et-Cher* de nuance centriste, dirigé par Jean Paillardin.

AVENIR DE L'OUEST (L').

Quotidien modéré de Nantes, fondé le 15 mars 1945, mais disparu après quelques années d'une existence difficile.

AVENIR DU PLATEAU CENTRAL (L').

Ancien *Avenir du Puy-de-Dôme et du Centre,* ce quotidien de droite fut créé à Clermont-Ferrand en 1896. Ambroise Dumont, puis Mme A. Dumont en assumaient la direction. Sa rédaction était dirigée avant et pendant la guerre par un journaliste de talent, Maurice Vallet. Ce dernier subit les rigueurs de l'épuration (en même temps que le journal lui-même) et c'est à son vieil adversaire, Alexandre Varenne, directeur de *La Montagne,* qu'il dut de voir ses souffrances abrégées alors que ni un évêque, ni le cardinal Gerlier, n'intervinrent pour celui qu'ils avaient pourtant singulièrement sollicité pour l'enseignement libre entre 1940 et 1944. Vallet fut, pratiquement, le seul poursuivi bien qu'il n'ait été que le collaborateur des véritables propriétaires de *L'Avenir* et de ses dirigeants : Mme A. Dumont, Sainrapt (président-directeur général à partir de 1944), le sénateur de Chambrun, Paul Chambriard, futur sénateur et maire de Brioude, etc. *L'Avenir* fut interdit : on lui reprocha d'avoir poursuivi sa publication de 1940 à 1944. Le socialiste Alexandre Varenne fut l'un des rares qui firent remarquer que jamais la radio de Londres n'avait incité les journaux à se saborder.

AVENIR DE LA VIENNE (L').

Quotidien radical fondé en 1872. Dirigé avant la guerre par Edmond Quintard que secondait, pour la rédaction, Henri Philouze. Sous l'occupation, Henri Tournier en fut de directeur-administrateur. Paraissait à Poitiers le soir et était diffusé dans tout le département. Disparu à la Libération, interdit par les épurateurs.

AXA (Alphonse GALLAUD, dit Zo d').

Journaliste, né à Paris le 24 mai 1864, mort à Marseille, le 30 août 1930. Descendait, a-t-on dit, du navigateur La Pérouse. Appartenait, en tout cas, à une famille catholique fortunée. Entra à Saint-Cyr à dix-sept ans. Cuirassier, puis chasseur d'Afrique, déserta en enlevant la femme de son capitaine. Réfugié à Bruxelles, collabora aux *Nouvelles du Jour* et fit la conquête de la fille d'un pharmacien qu'il emmena en Suisse. Passa ensuite en Italie où il séduisit la fille d'un professeur. Rentré en France après l'amnistie de 1889, milita dans les milieux anarchistes et fonda, en 1891, *L'En-Dehors.* Sa profession de foi est ainsi résumée : « *Il n'y a pas d'Absolu... Ni d'un parti ni d'un groupe. En-dehors. Nous allons, individuels, sans la foi qui sauve et qui aveugle. Nos dégoûts de la société n'engendrent pas en nous d'immuables convictions. Nous nous battons pour la joie des batailles et sans rêve d'avenir meilleur. Que nous importent les lendemains qui seront dans des siècles ! Que nous importent les petits-neveux ! C'est en-dehors de toutes les lois, de toutes les règles, de toutes les théories — même anarchistes — c'est dès l'instant, dès tout de suite, que nous voulons nous laisser aller à nos pitiés, à nos emportements, à nos douceurs, à nos rages, à nos instincts, avec l'orgueil d'être nous-même.* » Poursuivi pour ses articles, arrêté sous l'inculpation d' « association de malfaiteurs » parce qu'il avait ouvert une souscription pour les familles des anarchistes emprisonnés, incarcéré à Mazas, refusa de répondre aux interrogatoires, fut mis au secret absolu et finalement libéré après un mois de ce régime. Ayant repris la plume à *L'En-Dehors,* — « *Mazas ne calme rien du tout,* disait-il, *il faut avoir le genre d'esprit d'un pot-de-vinier malhabile pour croire que la prison est l'argument décisif* » — fut poursuivi à nouveau. Réfugié en Angleterre, puis en Hollande, gagna l'Italie où, un article injurieux pour les magistrats de Milan, lui valut d'être arrêté en pleine nuit. On voulut lui passer les menottes et le conduire, à pied, au commissariat de police : « *En*

ce cas, expliqua-t-il, *vous me porterez
et de force.* » Il dira ensuite : « *Mais
aussi pouvais-je m'afficher en telle compagnie ? Tous ces gens-là sentaient de
loin la préfecture. Et si, sur le chemin,
l'on avait croisé quelque noctambule. je
me serais plutôt mis à crier pour éviter
la pire confusion, pour au moins me
réhabiliter aux yeux du passant.* » : « *Je
ne suis pas un policier, je suis le criminel !* » En suite de quoi Zo d'Axa fut
expulsé d'Italie. Partit alors pour la
Grèce, séjourna en Turquie, atteignit Jaffa
(1.1.1893) où on lui mit la main au collet.

S'évada, se réfugia au consulat anglais,
fut arrêté et rapatrié enchaîné à bord
d'un navire français. Après dix-huit
mois à Sainte-Pélagie, fut libéré le jour
des funérailles nationales du président
Carnot, victime de l'anarchiste Caserio.
Quelques années plus tard, Zo d'Axa
fonda *La Feuille*, qu'illustrèrent Steinlen,
Willette, Hermann-Paul, Léandre, et qui
se rendit célèbre en présentant le candidat idéal aux élections : l'âne nul :
« *Un âne pas trop savant, un sage qui
ne boit que de l'eau et reculerait devant
un pot de vin.* » Promené au Quartier

10 CENTIMES — A toute occasion — **la feuille** — Le Candidat de "la feuille" — RÉDACTION DE 4 A 6 HEURES, 25, RUE DE NAVARIN — Zo d'Axa

Dessin de LÉANDRE

URNE

C. Léandre

Le journal de Zo
d'Axa était un pam-
phlet d'une extrême
violence.

L'ANE NUL

latin, l'âne candidat fut appréhendé par la police et conduit à la fourrière. Repris par la bougeotte, le pamphlétaire parcourut le monde, l'ancien et le nouveau, et finit par échouer à Marseille. Pacifiste, resté fidèle à la cause révolutionnaire, hostile à la dictature bolchevique. A la suite d'une erreur commise à son endroit par *Le Journal du Peuple*, Zo d'Axa fit cette mise au point qui était un programme : « *Les derniers amis de* l'En-dehors *et de* La Feuille *connaissent le sens d'un passé que le présent n'entend pas renier. Pendant un bon bout de chemin contre les laideurs du temps, nous avons réagi ensemble. On nous traitait d'anarchistes, l'étiquette importait peu. En somme il n'y a que deux partis : loups et chiens à jamais hostiles. Et pas seulement deux partis : deux instincts, deux façons de sentir. Oui j'écrivais, pour le plaisir, le plaisir de dire ce que je pensais, au fait ce que je ressens toujours.* »

AYME (Marcel).

Homme de lettres, né à Joigny (Yonne), le 29 mars 1902, d'une famille d'origine jurassienne. Venu à Paris en 1923 dans l'intention d'y faire ses études de médecine et, contraint de gagner sa vie, il fut successivement : employé de banque, démarcheur d'assurances, chef de rayon et rédacteur à *Radio-Journal*. Non conformiste, il prit parti sous l'occupation contre les persécutions des Juifs. Jean Galtier-Boissière l'ayant rappelé dans son *Crapouillot* reçut de Marcel Aymé ces lignes : « *Je regrette que vous ayez fait un sort aux confidences de Jeanson touchant mon* « *extraordinaire courage* » *sous l'occupation. J'ai l'air d'être cité à l'ordre du jour de la Résistance, ce qui ne m'est pas agréable, et à l'ordre d'Israël, ce qui me rend ridicule.* » Après la Libération, il protesta avec courage contre l'épuration et fit connaître son sentiment dans ses écrits (cf. son roman : « *Le Chemin des écoliers* », 1946, et sa pièce de théâtre : « *La tête des autres* », 1952). Ancien collaborateur de *Marianne* et des *Nouveaux Temps*, ayant publié des romans, des nouvelles et des chroniques dans *La Gerbe* et *Je suis partout*, membre de l'*Association des Amis de Robert Brasillach*, Marcel Aymé a été porté vers la droite par les outrances de la gauche ; mais, à vrai dire, il appartient à cette « *droite buissonnière* » décrite par Pol Vandromme, qui n'accepte ni les conceptions réactionnaires de la droite classique, ni ses rancœurs et ses haines. Il est l'un de nos écrivains les plus féconds ; il a fait paraître un grand nombre d'ouvrages, tous fort répandus, et plusieurs œuvres théâtrales très connues, dont : a) romans : « *Brûlebois* », « *La Table aux crevés* » (Prix Théophraste Renaudot, 1929), « *La Jument verte* », « *Le Bœuf clandestin* », « *Travelingue* », « *La Vouivre* » (parue dans *La Gerbe*, en 1943), « *Uranus* », « *Les Tiroirs de l'inconnu* » ; b) essais : *Silhouette du scandale*, « *Le Confort intellectuel* » ; c) théâtre : « *Vogue la galère* », « *Lucienne et le boucher* », « *Clérambard* », « *Les Quatre Vérités* », « *La Mouche bleue* », « *Louisiane et les Maxibules* », « *La Consommation* », « *Le Placard* », « *Le Minotaure* » ; d) nouvelles : « *Le Passe-muraille* », « *Le Vin de Paris* » ; e) contes : « *Les Contes du chat perché* », « *Autres Contes du chat perché* », « *Derniers Contes du chat perché* » ; f) scénarios de films : « *Le Passe-muraille* », « *La Table aux crevés* », « *La Traversée de Paris* », « *Le Voyageur de la Toussaint* », de « *Papa, Maman, la Bonne et moi* », « *Papa, Maman, ma Femme et moi* ».

AYME DE LA CHEVRELIERE (Mme, née Marie-Magdeleine de Montebello).

Propriétaire, née à Paris le 11 mai 1906. Veuve de Jacques AYME, baron de LA CHEVRELIERE (1893-1953), ancien administrateur de sociétés, descendant du maréchal (de la Restauration) CLARKE, duc de FELTRE, et fils de Jean-Marie-Charles AYME DE LA CHEVRELIERE (1858-1930), ancien député républicain progressiste des Deux-Sèvres en 1898-1902, qui fut conseiller général du canton de Chef-Boutonne de 1896 à 1928 ; est elle-même la descendante de Mme de Sévigné (cf. *Journal du Parlement*), l'arrière-arrière-petite-fille du maréchal (de l'Empire) LANNES, duc de MONTEBELLO, descendante du sénateur (de l'Empire) de GOYON, et petite-nièce du duc de LESPARRE, député de la Sarthe (1928-1932). Exploitante agricole. Maire de Gournay. Elue conseiller général du canton de Chef-Boutonne (avril 1958). Elue député *M.R.P.* des Deux-Sèvres (1re circ.), le 30 novembre 1958 ; réélue le 25 novembre 1962. Membre de l'*Alliance France-Israël*. Soutien fidèle du gouvernement, a fait campagne pour le général De Gaulle à l'élection présidentielle de 1965.

B

BABAUD-LACROZE (Léonide).

Homme politique (1876-1949). Fils de Pierre, Alfred, François, dit Antoine Babaud-Lacroze (1846-1930). Député républicain (1890-1919), membre du *Grand Orient*, maire et conseiller général de Confolens, directeur du *Républicain confolentais*. Fut collaborateur de divers ministres avant de devenir sénateur de la Charente (1929-1942). Vota les pouvoirs constituants au maréchal Pétain en 1940.

BABEUF (François-Noël, dit Camille, dit Gracchus).

Militant révolutionnaire, né à Saint-Quentin, le 23 novembre 1760, dans une famille pauvre. Expéditionnaire chez un géomètre à quatorze ans, il appartint au personnel de divers aristocrates et épousa la femme de chambre de l'un d'eux, Victoire Lenglet, qui fut la fidèle compagne de sa vie. Il travailla par la suite chez plusieurs patrons, dont un commissaire à terrier, qui avait pour tâche de surveiller le maintien des droits dépendant des terres : « *Ce fut dans la poussière des archives seigneuriales*, écrivit-il plus tard, *que je découvris les affreux mystères des usurpations de la Caste noble. Je les dévoilai au peuple par des écrits brûlants, publiés dès l'aurore de la Révolution* » (*Le Tribun du Peuple*, n° 29). Dès 1786, ses tendances socialistes apparurent. Trois ans plus tard, il les révéla publiquement dans son « *Cadastre perpé-*

tuel », présenté à l'Assemblée nationale : « *La société*, lisait-on dans le *discours préliminaire, n'est qu'une grande famille dont les divers membres, pourvu qu'ils concourent, chacun suivant ses facultés physiques et intellectuelles, à l'avantage général, doivent avoir des droits égaux. La terre, mère commune, eût pu n'être partagée qu'à vie, et chaque part rendue inaliénable...* » Arrêté à la suite d'une action contre les impôts dans la Somme et emprisonné à Paris, il ne fut remis en liberté qu'après une intervention de Marat dans *l'Ami du Peuple*. Retourné en Picardie, il y fonda un journal, *Le Correspondant Picard*, où il mena campagne contre les droits féodaux, poussant les campagnards à la révolte. Après divers avatars et maints séjours en prison, Babeuf s'affirma le doctrinaire d'un véritable socialisme dans la feuille qu'il publiait sous le titre de *Journal de la Liberté de la Presse* qui devint *Le Tribun du Peuple*. Hostile à la Terreur — il qualifiait Robespierre de « *plus profond des scélérats* » —, applaudissant au 10 thermidor qui, disait-il, « *marque le nouveau terme depuis lequel nous sommes au travail pour renaître à la liberté* », et condamnant la répression aveugle des Bleus en Vendée et les « *crimes de Carrier* », il désignait les instigateurs des massacres et des exécutions sous le nom de « *terroristes* ». Il n'était pas moins l'adversaire des agioteurs : « *Quand, dans un Etat*, écrivait-il, *la minorité des sociétaires est parvenue à accaparer dans ses mains les richesses foncières et industrielles et qu'avec ce moyen elle tient sous sa verge, et use du pouvoir qu'elle a de faire languir dans le besoin la majorité, on doit reconnaître que cet envahissement n'a pu se faire qu'à l'abri des mauvaises institutions du gouvernement.* » Et de conclure : « *Au fond, voilà où se réduit en principe toute la politique, c'est de garantir à tous les gouvernés la suffisance de leurs besoins.* » Affilié à la *Société des Egaux* — dont il devint l'un des chefs avec Buonarroti, Darthé et son ami Pierre-Sylvain Maréchal —, celle-ci fit afficher et distribuer le 9 avril 1796 un texte intitulé : « *Analyse de la doctrine de Babeuf, tribun du peuple, proscrit par le Directoire exécutif pour avoir dit la vérité.* » Ce document est au socialisme français ce que la Déclaration des Droits de l'Homme et du Citoyen est à la démocratie moderne ; en voici les passages essentiels :

« *La nature a donné à chaque homme un droit égal à la jouissance de tous les biens. Le but de la société est de défendre cette égalité souvent attaquée par le fort et le méchant dans l'état de nature, et d'augmenter, par le concours de tous, les jouissances communes. La nature a imposé à chacun l'obligation de travailler. Nul n'a pu sans crime se soustraire au travail.*

Les travaux et les jouissances doivent être communs à tous. Il y a oppression quand l'un s'épuise par le travail et manque de tout, tandis que l'autre nage dans l'abondance sans rien faire. Nul n'a pu sans crime s'approprier exclusivement les biens de la terre ou de l'industrie. Dans une véritable société, il ne doit y avoir ni riches ni pauvres. Les riches qui ne veulent pas renoncer au superflu en faveur des indigents sont les ennemis du peuple. Nul ne peut, par l'accumulation de tous les moyens, priver un autre de l'instruction nécessaire pour son bonheur ; l'instruction doit être commune. Le but de la Révolution est de détruire l'inégalité et de rétablir le bonheur de tous. » (Cf. « *De Babeuf et la Commune* », par A. Chaboseau, Paris, 1911.)

Ce texte, en fait, n'était que la nouvelle mouture d'un autre, connu sous le nom de « *Manifeste des Egaux* », rédigé par Maréchal, mais rejeté par le Comité directeur de la *Société* en raison de certaines outrances. Parallèlement, les *Egaux* complotaient contre le Directoire qu'ils voulaient renverser pour rétablir la Constitution de 1793. Ils poussaient les préparatifs de leur coup de force lorsque, l'un d'eux, Grisel les trahit.

Babeuf et ses amis furent arrêtés et jugés par la Haute Cour de Vendôme, le 26 mai 1797. Condamné à mort avec Darthé — tandis que Buonarroti et quelques autres étaient frappés d'une peine de déportation — il se poignarda avant de monter sur l'échafaud. Par son disciple et compagnon Buonarroti, qui fut le maître de Blanqui, Babeuf se rattache directement au socialisme français de notre époque.

BABIN-CHEVAYE (Jean, Marie, Camille, Emmanuel).

Homme politique (1863-1936). Sénateur de droite de la Loire-Inférieure (1920-1936).

BABIZE (Henry).

Journaliste, né à Paris, le 13 janvier 1901, mort dans cette ville, le 18 mai 1952. Milita dans l'entre-deux-guerres à *L'Action Française* et dirigea les journaux nationalistes *La Droite* et *La France Réelle*. Partisan du maréchal Pétain fut épuré à la Libération. Collabora, au cours des années 1949-1952, à *La Liberté du Peuple* et à *L'Indépendance Française* et seconda l'abbé Lefèvre, de *La Pensée catholique*, dans la direction des *Editions du Cèdre*. Coauteur (avec Claude Wacogne) de « *La fausse Education Nationale* ».

BAC (Henry).

Ecrivain, né à Paris le 17 mars 1900. Descendant de Théodore Bac, député à l'Assemblée constituante de 1848. Membre du comité directeur de la revue *Atlantis*. A publié de nombreuses études en France et à l'étranger sur les questions atlantéennes. A accompli naguère plusieurs missions archéologiques dans les Andes et à l'île de Pâques.

BACCONNIER (Firmin).

Journaliste (1875-1965). Militant monarchiste, fut, pendant cinquante ans, l'apôtre du corporatisme et de l'ordre social chrétien de La Tour du Pin. Appartint à l'*Union des Corporations Françaises* entre les deux guerres. Collabora à *La Gazette de France*, à *L'Accord Social*, à *L'Action Française*, à l'*Action Française Agricole*, à *La Production Française*, à *L'Ouvrier Français*, à *Aspects de la France*, au *Progrès Agricole*, etc. Auteur du « *Manuel du Royaliste* » (1903), de l' « *A.B.C. du Roya-*

lisme social » (1909), de l' « *A.B.C. du Syndicaliste* » (1919), de « *Régime Corporatif* » (1933), du « *Salut par la Corporation* » (1935), etc.

BACHELET (Alexandre).

Homme politique (1866-1945). Issu d'une famille ouvrière du nord de la France venue se fixer à Saint-Ouen, fut d'abord ouvrier agricole, puis ouvrier d'usine. Tout en travaillant, étudia et passa les examens pour devenir instituteur. Fut ensuite inspecteur d'études et surveillant général de collège. Milita très jeune dans le mouvement socialiste, devint conseiller municipal, maire et conseiller général de Saint-Ouen. Rallia le *Parti Communiste* en 1920, puis fonda avec d'autres dissidents l'*Union Socialiste-Communiste* lorsque Moscou mit les francs-maçons en demeure de choisir entre le Parti et la Maçonnerie, dont il était l'adepte depuis le 17 mars 1897. Puis s'affilia au *Parti d'Unité Prolétarienne* et rejoignit la *S.F.I.O.*, en 1936, lorsque ce dernier fusionna avec elle.

BACON (Paul).

Journaliste, né à Paris, le 1er novembre 1907. Fils d'un sellier-carrossier. Etudes : école primaire supérieure, Ecole des arts et métiers. Débuta comme dessinateur d'ameublement (1924). Militant démocrate-chrétien, fonda en 1927 le secrétariat de la *Jeunesse Ouvrière Chrétienne* et fut rédacteur en chef de *Jeunesse Ouvrière*, collaborateur de *Sept*, de *Temps Présent*. Il créa, en 1937, *Monde Ouvrier* et fut, après la Libération, directeur de *l'Institut de culture ouvrière* (1945), rédacteur en chef de *Syndicalisme* (1945), membre de l'Assemblée consultative, vice-président de la 1re Assemblée constituante, député de la Seine (1946-1958) et plusieurs fois secrétaire d'Etat et ministre, presque exclusivement au Travail, au cours des années 1949-1962. Membre du comité directeur du *Mouvement Républicain Populaire*, conseiller économique et social (1962-1963), est considéré comme le spécialiste des questions ouvrières de la Démocratie chrétienne militante. Auteur de : « *Naissance de la classe ouvrière* », « *La réforme de l'entreprise capitaliste* », « *Vers la Démocratie économique et sociale* ».

BACQUET (Paul).

Avocat (1881-1949). Membre de l'*Alliance Démocratique*. Député du Pas-de-Calais (1932-1942). Nommé, le 23 janvier 1941, membre du *Conseil national*.

BADIE (Vincent, Henri).

Avocat à la Cour, né à Béziers (Hérault), le 16 juillet 1902. Ancien bâtonnier de l'ordre des avocats à Montpellier (1962-1963 et 1963-1964), conseiller général de Gignac (1931-1964), vice-président du Conseil général de l'Hérault (1961-1964), député radical du département (1936-1940), fut l'un des quatre-vingt qui refusèrent de voter pour le maréchal Pétain en 1940. Milita dans la Résistance et fut déporté par les Allemands. Appartint, après la guerre, à l'Assemblée consultative et à l'Assemblée nationale, comme député de l'Hérault (1946-1958). Présida le groupe parlementaire radical-socialiste et fut plusieurs fois ministre des anciens combattants. Protesta au parlement contre la spoliation des journaux à la Libération et défendit l'amnistie des pétainistes. Combattit la politique du général De Gaulle (1958-1963), puis se rallia à elle. Dirigea *La Voix de Paris* et *La Démocratie méridionale*. Auteur de : « *Le Procès des " Fleurs du Mal "* » « *Le Socialisme réformiste* », « *La Hausse illicite* » (1942), « *L'Amnistie* » (1948).

BAHON-RAULT.

Président de région économique, nommé le 23 janvier 1941 membre du *Conseil national* (voir à ce nom).

BAIE DE LA SOMME (La).

Hebdomadaire départemental indépendant se réclamant d'un journal fondé en 1884. Tirage : 6 000 à 7 000 exemplaires. Directeur : Etienne d'Anchald (Saint-Valery-sur-Somme).

BAILLY (Jean-Marie).

Homme politique, né à Saint-Germain-le-Châtelet (Territoire de Belfort), le 31 mai 1922. Ancien élève de l'E.N.A. (1953). Secrétaire-rédacteur à l'administration centrale des Finances (15 juillet 1947). Administrateur civil à la Direction générale des Douanes et impôts indirects (1er août 1955). Chargé de mission au secrétariat général de la Communauté (1er mars 1959). Elu conseiller général du canton de Delle, le 9 novembre 1962. Député *U.N.R.* de Belfort (2e circ.), depuis 1962.

BAINVILLE (Jacques).

Homme de lettres, né à Vincennes en 1879, mort à Paris en 1936. Il fut l'un des maîtres du mouvement d'*Action française*. A la fois historien et économiste, il écrivit durant trente ans non seulement dans la presse monarchiste (*L'Action Française, La Revue Universelle, La Nation belge*), mais aussi dans les journaux de grande information (*Le Petit Parisien, La Liberté*) et financiers (*Le Capital*), où il signait les *leaders* politiques ou économiques remarqués. Il venait d'être élu à l'Académie française, au fauteuil de Raymond Poincaré, lorsqu'il mourut. Il n'avait que cinquante-sept ans. Il a laissé des ouvrages historiques de valeur, fortement teintés d'antigermanisme, dont une « *Histoire de deux peuples* » (1915), une « *Histoire de trois générations* » (1916), et une « *Histoire de France* » (1924), devenue un classique de la droite monarchiste. Fondateur de *La Revue Universelle* (1920).

Au cours de ses obsèques, des incidents regrettables se produisirent : passant en voiture tout près du cortège funèbre, Léon Blum fut reconnu par la foule des amis du défunt et très sérieusement malmené par ceux d'entre eux qui avaient cru à une provocation.

BAIXE (Jacques-Henri).

Médecin, né à Paris (6e) le 1er juin 1925. Combattant volontaire de la Résistance, médecin de la Marine (1943-1965), cinéaste (lauréat de l'Education nationale), président fondateur du *Festival International du Film Maritime et d'Exploration* (UNESCO-CICT), ancien médecin des missions australes et antarctiques françaises, membre du *Centre des Médecins catholiques*. Depuis quelques années, Secrétaire général des *Républicains Indépendants* du Var ; ex-suppléant du docteur Puy (ancien député-maire indépendant de Toulon), fut candidat aux élections municipales de 1965 sur la liste de l'amiral Baudouin.

BAJEUX (Octave).

Agriculteur, né à Radinghem (Nord), le 23 avril 1914. Maire de Radinghem (depuis 1945). Membre du comité directeur de l'Association des maires de France, sénateur *M.R.P.* du Nord.

BALESTRA (Clément).

Chef de travaux, né à Arles (Bouches-du-Rhône), le 24 février 1905. Militant socialiste, est le représentant de la *S.F.I.O.* au Conseil général du Var, à la mairie de Soliès-Toucas et au Sénat.

BALLANGER (Robert).

Homme politique, né à Nantes (Loire-Atlantique), le 2 novembre 1912. Employé. Dirigeant de groupe F.T.P. en 1943-1944. Vice-président du Comité départemental de libération de Seine-et-Oise. Ancien conseiller général du Raincy (1945-1951). Membre du Comité central du *Parti Communiste*. Membre des deux Assemblées constituantes (1945-1946). Député communiste de Seine-et-Oise à la 1re Assemblée nationale depuis 1946.

BALLET (André, Etienne).

Journaliste, né à Neufchâteau (Vosges), le 23 mai 1903. Dans le journalisme politique depuis quarante ans, fut successivement : rédacteur parlementaire au *Temps* (1926), secrétaire de la direction de ce journal (1938), chef adjoint du Service politique du *Monde* (1946), correspondant parlementaire du *Télégramme de Brest et de l'Ouest*. A également occupé les fonctions de vice-président de l'Association des journalistes parlementaires.

BALLOTTAGE.

Résultat négatif d'une consultation électorale lorsque aucun candidat n'a obtenu la majorité absolue (ce qui exige un second tour de scrutin appelé *scrutin de ballottage*).

BALLU (Guillaume).

Industriel, né à Gournay-sur-Marne (S.-et-O.), le 27 mai 1885. Député de la Seine-et-Oise (1928-1936), inscrit au groupe d'*Action Démocratique et Sociale* (avec son ami Pierre Cathala).

BALMIGERE (Paul).

Ouvrier agricole, né à Camplong (Aude), le 25 décembre 1908. Secrétaire de la Fédération communiste de l'Hérault. Membre du Comité central du P.C.F. Député de l'Hérault depuis 1962.

BALZAC (Honoré de).

Ecrivain de réputation mondiale, né à Tours, le 20 mai 1799, mort à Paris, le 19 août 1850. Famille d'origine paysanne du Tarn, nommé *Balssa* ; père administrateur de l'hospice de Tours, puis, en

1814, administrateur des vivres de la 1re division militaire à Paris. Etudes chez les Oratoriens de Vendôme, puis à Paris. Etudes de droit en 1816. Successivement clerc d'avoué et de notaire. Après un certain nombre de romans publiés — sans grand succès — sous différents pseudonymes, et d'une pièce de théâtre, « *Cromwell* », plus que médiocre, se fait imprimer, ensuite fondeur de caractères, le tout se terminant par une liquidation et des dettes. Un roman, « *Le dernier Chouan* » (1829), le fait percer. Dès lors, il va écrire une œuvre prodigieuse, sous le titre générique de « *La Comédie humaine* », dont le catalogue, qu'il a dressé lui-même en 1845, comportait ou prévoyait 143 ouvrages qui se répartissaient en « *Etudes de mœurs* » (comprenant « *Scènes de la vie privée* », « *Scènes de la vie de province* », « *Scènes de la vie parisienne* », « *Scènes de la vie politique* », « *Scènes de la vie militaire* », « *Scènes de la vie de campagne* ») ; « *Etudes philosophiques* », « *Etudes analytiques* ». La mort ne lui permit pas d'achever ce programme ambitieux, auquel d'ailleurs il faut ajouter le divertissement des « *Contes drôlatiques* », écrits en vieux français, et des pièces de théâtre comme : « *Vautrin* » et « *Mercadet* ». Pendant longtemps, on n'a voulu voir en Balzac que le romancier puissant des mœurs de son temps, alors que tout le plan de ses œuvres découlait d'un système physiophilosophique. « *L'immensité d'un plan qui embrasse à la fois l'histoire et la critique de la société, l'analyse de ses maux et la discussion de ses principes, m'autorise, je crois, à donner à mon ouvrage le titre sous lequel il paraît aujourd'hui : la Comédie humaine* », écrivait-il lui-même. Et de fait, toute l'œuvre est une violente satire de la société de la Restauration, mais plus encore, de la société tout court. On y relève en particulier une diatribe contre les mœurs de l'édition en général, et du journalisme en particulier. Car s'il connaissait bien les milieux des éditeurs, il avait aussi collaboré à divers journaux : le *Feuilleton des journaux politiques*, le *Feuilleton littéraire*, et plusieurs autres publications. Mais c'est surtout le genre de presse d'Emile de Girardin que vise Balzac dans *Illusions perdues* lorsqu'il écrit : « *Tout journal est une boutique où l'on vend au public des paroles de la couleur dont il les veut. S'il existait un journal des bossus, il prouverait soir et matin la beauté, la bonté, la nécessité des bossus. Un journal n'est plus fait pour éclairer mais pour flatter les opinions. Ainsi, tous les journaux seront,* *dans un temps donné, lâches, hypocrites, infâmes, menteurs, assassins (...). Le mal qu'ils feront sera fait sans que personne en soit coupable (...). Nous pourrons nous laver les mains de toute infamie (...) Les crimes collectifs n'engagent personne.* » Et poussant encore plus loin, Balzac accuse la presse de corrompre et de dégrader la nation, en commençant par l'avilissement des classes dirigeantes prisonnières de l'argent. « *L'argent est le mot de toute l'énigme* », fait-il dire à Lucien de Rubempré. Pour Balzac, la vraie comédie humaine est celle de l'homme, soumis quoi qu'il fasse à une idée fixe : la recherche de l'argent (*La Maison Nucingen* = Rothschild), l'arrivisme forcené (Rastignac = Thiers), l'arrivisme bourgeois (*Les Commis*), l'amour paternel aveugle (*Le père Goriot*), l'avarice (Gobseck), la vanité satisfaite (*César Birotteau*), etc. Pour lui — comme plus tard pour Disraeli —, le monde est gouverné par de tout autres personnages que ne se l'imaginent ceux dont l'œil ne plonge pas dans les coulisses. « *Il y a deux histoires*, écrit-il dans ses « *Illusions perdues* », *l'histoire officielle, menteuse, qu'on enseigne* ad usum Delphini ; *puis l'histoire secrète, où sont les véritables causes des événements, une histoire honteuse.* » Sa philosophie est résumée dans « *La Peau de Chagrin* », où il écrit : « *Je vais vous révéler en peu de mots le grand mystère de la vie humaine. L'homme s'épuise par deux actes instinctivement accomplis qui tarissent les sources de son existence. Deux verbes expriment toutes les formes que prennent ces deux causes de la mort,* vouloir *et* pouvoir... *Vouloir nous brûle et* pouvoir *nous détruit.* »

BANCAL (Léon).

Journaliste (1893-1966). Appartint d'abord au *Petit Marseillais* (modéré) puis, après la Libération, entra au *Provençal* (socialiste), dont il fut le rédacteur en chef.

BANQUE (Haute).

On désigne sous cette expression l'ensemble des banques privées, par opposition aux banques nationalisées et aux autres établissements de crédit ou aux banques d'affaires. Les Rothschild personnifient assez bien, aux yeux du populaire, la *Haute Banque,* mystérieuse et toute-puissante, bien qu'ils n'en soient qu'un des éléments les plus représentatifs (consulter les ouvrages de Henry Coston, en particulier « *Les financiers qui mènent le monde* », Paris 1955, « *La Haute*

Banque et les trusts », Paris 1958, et
« *Le retour des 200 familles* », Paris
1960).

BANQUET HOCHE.

Manifestation annuelle des radicaux
de Seine-et-Oise.

BARANGE (Charles).

Inspecteur central du Trésor, né à
Beaulieu-sur-Layon (Maine-et-Loire), le
21 décembre 1897. Militant démocrate-
chrétien, appartint après la Libération
aux deux Constituantes (1945-1946) et
fut député *M.R.P.* de Maine-et-Loire
(1946-décembre 1955), Rapporteur général de la Commission des Finances de
l'Assemblée nationale (juillet 1946-
décembre 1955). Auteur de la « *Loi
Barangé* » sur l'enseignement libre.

BARANTON (Raymond, Henri).

Journaliste, né à Paris, le 10 novembre
1895. D'abord, tout jeune, militant nationaliste, puis membre actif de la *S.F.I.O.*,
rallié au *Parti Communiste* en 1920. Elu
député de la Seine en 1924, fut exclu
du *P.C.* en février 1927 et réintégra la
S.F.I.O., dont il est toujours membre. Ne
se représenta pas aux élections de 1928.
Trésorier de la *Mutuelle des Ecrivains
Anciens Combattants*, collaborateur du
Dalloz, de *L'Action automobile*, de ¹a
Gazette du Palais, du *Populaire*, de *Combat*, de *La Nation socialiste*, d'*Artaban*,
etc. et rédacteur à *Etudes et Informations syndicales* (*C.G.T.-F.O.*). Est l'auteur de plusieurs ouvrages dont une
« *Anthologie des poètes journalistes et
écrivains* ».

BARBE (Henri).

Homme politique (1902-1966). Militant
du mouvement ouvrier, il fut l'un des
dirigeants communistes après la guerre
de 1914-1918. Il fit partie du Bureau
politique du *P.C.* dès 1927. Chargé par
l'Internationale communiste de réorganiser le parti en 1928, il appartint un
an plus tard au *secrétariat collectif* avec
Maurice Thorez, Benoît Frachon et
Pierre Célor, qui suppléait Pierre
Semard, secrétaire général, alors emprisonné. Accusé par André Marty et Raymond Guyot de « travail fractionnel », il
fut exclu du Bureau politique en juillet
1931, puis du parti en juin 1934. Ayant
rejoint Jacques Doriot, il fut à ses côtés
à la direction du *Parti Populaire Français* dont il assuma le secrétariat général de 1936 à la guerre. Il créa un
Bureau d'Etudes Sociales et, après
l'armistice de 1940, devint l'un des diri-

geants du *Rassemblement National
Populaire*, de Marcel Déat, et le secrétaire général du *Front Révolutionnaire
National*. Epuré à la Libération, emprisonné plusieurs années, Henri Barbé
reprit son action politique anticommuniste au sein de la rédaction d'*Est et
Ouest* et d'*Itinéraires*.

BARBE (Jean-Christian).

Conseiller en relations publiques, né
à Paris, le 25 décembre 1920. Combattant
F.F.L. (1941-1945), fut après la guerre
attaché à la direction de la Presse étrangère (1946-1947), puis chargé de mission
régional au *R.P.F.* (1947-1950). Puis
successivement : officier adjoint des services d'Information au ministère de la
Défense Nationale, directeur-fondateur
du *Centre d'Information des Anciens
Combattants*, chef du service d'Information de *Sud-Aviation*, directeur des
Relations publiques et de l'Information
de l'*Association Nationale pour le soutien de l'action du général De Gaulle*,
délégué général adjoint du *Front
d'Action civique contre l'abstention*
(1958), directeur des Relations publiques et des Etudes générales de l'*Union
pour la Nouvelle République (U.N.R.)*
(1958-1960), chargé des Relations publiques d'*Informations et Publicité*, président du *Centre d'Information Civique*
et de la Commission permanente de la
Doctrine et de l'Information du Conseil
national de l'*U.N.R.* Dirige, en outre,
actuellement la *Radio des Vallées d'Andorre*.

BARBEROT (Paul).

Entrepreneur de maçonnerie, né à
Lyon (Rhône), le 26 octobre 1915. Elu
conseiller municipal de Bourg en 1947,
et adjoint au maire en 1959. Député
M.R.P. de l'Ain depuis 1962.

BARBEROT (Roger).

Officier supérieur, né à Cherbourg
(Manche), le 20 janvier 1915. Combattant F.F.L. (1940-1945). Capitaine de
frégate (1947). Il abandonna la carrière
militaire, fréquenta le groupe du comte
de Vulpian et, obliquant nettement à
gauche, collabora à *L'Express* et affirma
son mendésisme militant. En 1958,
tandis que le président Mendès-France
se montrait hostile au général De Gaulle,
il se présenta aux élections législatives
comme radical-socialiste patronné par
le *Centre de la Réforme Républicaine*
(gaulliste), mais ne fut pas élu. Il créa,

avec d'autres hommes de gauche, l'*Association pour l'autodétermination de l'Algérie* et l'*Union Démocratique du Travail* (aujourd'hui fusionnée avec l'*U.N.R.* L'année suivante, il devint le collaborateur d'André Boulloche, ministre de l'Education nationale et, en 1960, fut nommé ambassadeur en République Centrafricaine.

BARBES (Armand).

Militant politique (1809-1870). Issu d'une riche famille bourgeoise, il rompit dès l'adolescence avec les siens pour militer dans les partis révolutionnaires. « *C'était un des ces hommes chez lequel le démagogue, le fou et le chevalier s'entremêlent si bien qu'on ne saurait dire où finit l'un et où l'autre commence et qui ne peuvent se faire jour que dans une société aussi malade et aussi troublée que la nôtre (...) Sa folie devenait furieuse quand il entendait la voix du peuple. Il était le plus insensé, le plus désintéressé et le plus résolu de nos adversaires.* » (*Souvenirs* d'Alexis de Tocqueville.) Il participa à l'insurrection d'avril 1834, fut arrêté, se trouva compromis dans l'attentat de Fieschi et dirigea le mouvement insurrectionnel du 12 mai 1839. Condamné à mort, il vit sa peine commuée sur l'intervention de Victor Hugo. Libéré en 1848 et nommé représentant du peuple, il tenta avec Blanqui de s'emparer du pouvoir. Il réclama à la tribune le vote immédiat d'un impôt de 1 milliard sur les riches, la dissolution des troupes, l'envoi d'une armée au secours de la Pologne. Condamné et interné à Belle-Ile, il fut gracié par Louis-Napoléon en 1849. S'étant exilé à La Haye, il y mourut quinze jours avant le déclenchement de la guerre franco-allemande.

BARBET (Raymond).

Ouvrier ajusteur, né à Chartres (Eure-et-Loir), le 18 novembre 1902. Membre de la Commission centrale de contrôle financier du *Parti Communiste*. Maire de Nanterre depuis mai 1935. Elu conseiller général du 3e secteur de la Seine (Saint-Denis-Ouest) le 28 février 1937. Réélu en 1945, 1953 et 1959. Vice-président du Conseil général de la Seine. Membre du Conseil d'administration du district de la région parisienne (26 novembre 1961). Député communiste de la Seine (33e circ.) depuis 1962.

BARBIER (André, Marie, Alfred).

Vétérinaire, né à Darnay (Vosges), le 3 mars 1885. Conseiller général, député modéré des Vosges (1926-1932) puis sénateur de ce département (1934-1942). Ne prit pas part au vote du 10 juillet 1940. Membre de la 1re Constituante et député gaulliste des Vosges de 1946 à 1956.

BARBIER (Jean-Baptiste).

Diplomate, né à Senlis, le 29 décembre 1888. Fut notamment ministre plénipotentiaire en Espagne, pendant la guerre civile, au Japon et en Afghanistan. A publié en 1952 un important ouvrage de souvenirs, « *Un frac de Nessus* », où sont retracées vingt-cinq années de politique étrangère de la France. Est également l'auteur d'une étude en trois volumes sur le Second Empire et du « *Pacifisme dans l'histoire de France* », paru récemment.

BARBOUZE.

Agent des services d'espionnage. Par extension, on appelle ainsi le membre d'une police parallèle, travaillant pour le gouvernement, mais n'appartenant pas à un service officiel. La preuve légale de l'existence des *barbouzes* fut apportée par les juges de la 1re Chambre de la cour d'appel de Paris. Page 88, le facsimilé de la première et de la dernière page du jugement rendu par ces magistrats le 20 mai 1964. Les extraits — cités par *Rivarol* — sont significatifs :

« *... Considérant que Pierre Lecerf a trouvé la mort le 30 janvier 1962 dans l'attentat par explosif qui détruisit la villa « Andréa », rue Fabre, à El Biar (Alger)... la compagnie, sollicitant à titre subsidiaire une mesure d'information, soutient que Lecerf était membre d'une police spéciale... Qu'il s'est, en effet, domicilié chez le sieur Goulay, rue du 117e-R.I.-l'Arba... Qu'il était établi par la déposition du sieur Beneby, consignée dans le procès-verbal d'identification dressé le 8 février 1962 par l'officier de police Pinabel, que Lecerf habitait à la villa « Andréa », rue Fabre, à El-Biar... Que « cette villa avait été louée à des partisans de la politique du gouvernement afin d'y installer le siège de leur organisation politique », que des documents régulièrement versés aux débats, il appert que cette villa était « occupée par les services spéciaux chargés de la*

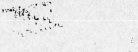

Cour d'Appel de Paris
Première chambre
Audience publique du
mercredi 20 mai 1964

La Cour saisie de l'appel numéro C.8597
d'entre la veuve Lecerf à La Celle Saint Cloud (Seine et
Oise) 28 avenue des Haras, ésqualité appelante ayant maître
Régnier pour avoué

Et la compagnie d'assurances La Métropole à Paris 46
et 48 rue Saint Lazare intimée ayant maître Olivier pour
avoué

Après avoir entendu, à l'audience publique du 6 mai
1964 en la lecture de son rapport écrit monsieur le conseiller Granier chargé de suivre la procédure en leurs conclusions et plaidoiries respectives Lemarchand avocat de la
veuve Lecerf ésqualité assisté de Régnier son avoué, Florie
avocat de la compagnie d'assurances La Métropole assisté de
Olivier son avoué, ensemble en ses conclusions le Ministère
public; La cause mise en délibéré a été renvoyée à l'audien
ce publique de ce jour pour prononcer arrêt et après en
avoir délibéré conformément à la loi;- Statuant sur l'appel
régulièrement interjeté par Jacqueline Baron veuve Lecerf
agissant en qualité de tutrice naturelle et légale de son
fils mineur Franck, d'un jugement du Tribunal de grande
instance de la Seine (cinquième chambre) du 4 novembre
1963;- Considérant que Pierre Lecerf a souscrit le 29 décem
bre 1961, avec effet du 1er décembre 1961, à la compagnie
La Métropole, une police d'assurances contre les accidents
corporels, dans laquelle il déclarait exercer la profession
"d'agent commercial en peinture, avec visite à la clientèle"
et être domicilié domicilié 28 avenue des Haras, à la Celle
Saint Cloud, chez monsieur Geulay rue du 117e R.I. l'Arba
(Alger); Qu'il était stipulé que la garantie s'étendait
...

dépens d'appel distraits à maître Olivier avoué sur son
affirmation de droit;- Fait et prononcé en l'audience publique de la première chambre de la Cour, à la date du
mercredi 20 mai 1964; où étaient présents et siégeaient
monsieur Maître Président, messieurs Granier et Monégier du
Serbier conseillers en présence de monsieur Desangles avocat
général, assistés de maître Lavergne greffier;./.

Fac-similé de pages
du jugement de la
1re Chambre de la
cour d'appel de Pa-
ris (20.5.1964). Cliché
Rivarol.

---

lutte anti-O.A.S. » que le sieur Maugue-
ret, également entendu lors de l'identification du corps de Lecerf, a déclaré que
ce dernier était un camarade de son
frère Michel et se trouvait avec lui à la
villa « Andréa » lorsqu'elle a explosé ;
qu'il est établi par l'intimée et non contesté par l'appelante, que Michel Maugue-
ret appartenait à des services spéciaux
de lutte anti-O.A.S., etc. »

BARBU (Marcel) (voir : **La Commune**).

BARBUSSE (Henri).

Homme de lettres et journaliste, né
à Asnières en 1873, mort à Moscou en
1935. Il fut, de longues années, le collaborateur de l'éditeur Pierre Lafitte, le
fondateur de *Fémina*, de *Je sais tout*
et d'*Excelsior*. Mais ses débuts dans les
lettres datent de 1895, lorsqu'il publia
un recueil de poèmes, « *Les Pleureu-
ses* ». Un roman, « *l'Enfer* », paru quelques années plus tard, révélait par trop
l'influence de Zola. Par contre « *Le
Feu, journal d'une escouade* », lui valut,
dès sa parution, en 1916, la célébrité.
Le Goncourt qu'on lui octroya ne fit
que couronner un succès déjà acquis. Le
prix avait été attribué l'année précédente à un autre livre de guerre : « *Gaspard* », de René Benjamin, d'un esprit

tout différent. « *Le Feu* » avait le mérite
d'évoquer, sans transposition conven-
tionnelle, l'horreur de la guerre et le
calvaire des combattants dans le froid
et la boue des tranchées. Mais si l'œuvre,
dans sa substance, rallia la chaleureuse
adhésion de nombreux poilus de première ligne et celle de leurs familles
déchirées, elle souleva aussi de vives
protestations. L'auteur ne tarda pas à
signifier sa volonté de ne point se cantonner dans le rôle de narrateur objectif ; dès 1918, il publiait avec Romain
Rolland un manifeste retentissant, accusant les écrivains français « *d'avoir avili
la pensée en la mettant au service d'un
nationalisme aveugle* ». Ce n'était qu'un
premier pas. Après la scission du
Congrès socialiste de Tours, Henri Barbusse se rangeait sans plus attendre
aux côtés des internationalistes fanatiques. Il écrivait dans « *Les paroles d'un
combattant* » : « *La seule voix humaine
qui s'harmonise avec la nature elle-
même, la musique, pensante de l'aube
et du soleil, c'est le chant de l'Internationale.* » Il participa, dès lors, à toutes les manifestations spectaculaires
organisées par le *Parti Communiste*,
assista avec Aragon au congrès de
Kharkov (1930) qui se termina sur une
motion comminatoire mettant au pilori
tous les ennemis de l'U.R.S.S. et les
fascistes de tout poil. Il patronna également le fameux Congrès d'Amsterdam
(1932) qui réunissait, dans un même
opprobre, Hitler, Mussolini et les nationaux de tous les pays, qualifiés sans discrimination de « fascistes ». Pour défendre ses idées, il fonda un hebdomadaire,
Monde, et une revue *Paix et Liberté*.
Outre les œuvres citées, il laissa divers
ouvrages : « *Quelques coins du cœur* »,
« *La Lueur dans l'abîme* », « *Le couteau
entre les dents* », « *Les Enchaînements* »,
« *Force* » et « *les Judas de Jésus* ».

BARD (René).

Militant de gauche, leader syndicaliste. Secrétaire général de la Fédération
des mineurs, nommé le 2 novembre 1941
membre du *Conseil national* (voir à ce
nom).

BARDECHE (Maurice).

Né à Dun-le-Roi, près de Bourges, le
1ᵉʳ octobre 1909. Après les études secondaires au lycée de Bourges, puis au
lycée Louis-le-Grand, il entra à l'Ecole
Normale Supérieure de la rue d'Ulm, en
1928, dans une promotion qui comprenait Robert Brasillach, son ami depuis
Louis-le-Grand, et dont il devait épouser
la sœur, Jacques Soustelle, Thierry
Maulnier et, l'année suivante, l'actuel
président du Conseil, Georges Pompidou.
Agrégé des lettres en 1932, Maurice Bardèche se voua à des travaux universitaires et devint un spécialiste de Balzac
auquel il consacra sa thèse en 1940.
Nommé professeur à la Sorbonne à titre
temporaire dans la chaire de littérature
du xixᵉ siècle, puis professeur de littérature française à l'Université de Lille
à titre définitif à partir de 1942, il mena
pendant toute l'occupation une existence
uniquement académique sans s'occuper
de politique. En 1944, son beau-frère
Robert Brasillach fut poursuivi comme
rédacteur en chef de *Je Suis Partout*,
hebdomadaire qui avait paru à Paris
pendant l'Occupation, condamné à mort
et exécuté le 6 février 1945, date anniversaire de l'émeute nationale du 6 février 1934, malgré une pétition presque
unanime des écrivains français adressée
au général De Gaulle. Cet événement a
déterminé la vocation politique de Maurice Bardèche. En 1947, il commença
une nouvelle carrière, ayant quitté l'université, par un livre qui eut aussitôt un
très grand succès : sa « *Lettre à François
Mauriac* » qui, pour la première fois
depuis la Libération, attaquait avec
une extrême violence la législation de
l'épuration au nom du devoir, de la discipline et de l'unité nationale en temps
de guerre. 80 000 exemplaires de l'ouvrage furent vendus en quelques semaines, et ce livre fut le point de départ de
la littérature d'opposition à la Résistance
qui se développa en France à partir de
cette date. L'année suivante, en 1948,
Maurice Bardèche voulut appliquer les
mêmes principes à la juridiction de
Nuremberg dans laquelle il voit une législation de circonstance improvisée par
les vainqueurs et reposant sur des principes qui ruinent l'autorité de l'Etat et
sont contraires aux traditions de l'honneur militaire. Le gouvernement, qui
n'avait pas réagi à temps devant la
« *Lettre à François Mauriac* », fit arrêter
l'auteur de « *Nuremberg ou la terre
promise* » et lui intenta un procès au
nom des lois existantes qui réprimaient
la propagande anarchiste. Maurice Bardèche fut acquitté par un premier tribunal, condamné par un second et, finalement, au bout d'une bataille judiciaire
qui dura six ans, condamné à un an
de prison sans sursis. (Pratiquement
l'auteur ne subit pas cette année de prison, le président Coty ayant fait jouer
à cette occasion son droit de grâce présidentielle). Dans les années suivantes,
Maurice Bardèche développa ses idées
politiques dans une série d'essais qui

s'échelonnèrent sur plusieurs années :
« *L'Œuf de Christophe Colomb* » (lettre
à un sénateur d'Amérique) (1951), où il
posait le principe d'une Europe indépendante entre Washington et Moscou ;
« *Les Temps Modernes* » (1952), et le
dernier en date « *Qu'est-ce que le Fascisme ?* » (1962). Pour appuyer son
action politique, il créa également une
maison d'éditions, *Les Sept Couleurs*
(1948), et une revue, *Défense de l'Occident* (1951). Il participa également à la
fondation du *Mouvement Social Européen* (1951) qui groupait un certain
nombre de mouvements d'opposition
dans les différents pays d'Europe, mais
qui cessa assez vite toute activité lorsqu'on s'aperçut que les circonstances
politiques rendaient impossible la création de mouvements d'opposition radicaux reposant sur des principes différents de ceux qui avaient été instaurés
en 1945 par les vainqueurs et qui avaient
servi de base à la rééducation démocratique entreprise en Europe. Maurice Bardèche a continué parallèlement sa production littéraire. Il a publié : « *Stendhal
romancier* », « *Balzac romancier* »,
« *Une lecture de Balzac* ». Il est également l'auteur, avec Robert Brasillach,
d'une « *Histoire du Cinéma* », dont la
première édition remonte à 1935 et dont
la sixième et dernière édition a été
publiée en *livre de poche* (1965).

BARDET (Maurice).

Directeur de société, né à Paris, le
21 juin 1903. Ancien ouvrier métallurgiste. Président de l'*Association des
Anciens F.F.L.* du Morbihan. Elu conseiller municipal et adjoint au maire de
Lorient le 23 mars 1959. Elu en 1962,
député U.N.R. du Morbihan (5ᵉ circ.).

BARDIN (René).

Président de la Fédération des Syndicats d'élevage de la Nièvre, nommé le
23 janvier 1941 membre du *Conseil national* (voir à ce nom).

BARDOUL (Emerand).

Homme politique, né à Nantes, le
27 décembre 1892. Fils d'un avocat nantais, conseiller général et maire de Mar-
sac-sur-Don, gendre du général Rodes,
ancien commandant militaire de la
Chambre des Députés. Neveu du Dr
Michel Labrousse, sénateur de la Corrèze
en 1883-1910 et cousin du Dr François
Labrousse, sénateur du même département de 1921 à 1945. Fut successivement
maire de Marsac (1934), conseiller géné-

ral de la Loire-Inférieure (1935) et
député de ce département. S'inscrivit
au groupe de la *Fédération Républicaine*
et vota, en juillet 1940, pour le maréchal Pétain. Elu, le 13 mai 1959, à la
présidence de l'*Association des Anciens
Députés de la Troisième République*.

BARDOUX (Achille, Octave, Marie, Jacques).

Administrateur de sociétés (1874-1959).
Fils d'Agénor Bardoux (1829-1897),
député (1871-1881), puis sénateur du
Puy-de-Dôme (1882-1897), sous-secrétaire d'Etat à la Justice (1875) et ministre de l'Instruction publique (1877-1879).
Grand-père maternel de Valéry Giscard
d'Estaing, leader des *Rep. Ind.* Rédacteur de politique étrangère au *Journal
des Débats* et à *L'Opinion*, membre de
l'Institut, sénateur du Puy-de-Dôme, inscrit au groupe de l'*Union Démocratique
et Radicale* de 1938 à la fin de la
IIIᵉ République. Vota les pouvoirs constituants au maréchal Pétain en 1940 et
fut nommé membre du Conseil national
(de Vichy). Elu aux deux Constituantes
(1945-1946), fut député indépendant du
Puy-de-Dôme (1946-1955). Ne se représenta pas aux élections générales de janvier 1956, laissant en quelque sorte son
siège à Valéry Giscard d'Estaing, son
petit-fils. Fut l'administrateur d'une
trentaine de sociétés financières et de
trusts dont il défendit avec habileté les
intérêts.

BAREL (Virgile).

Membre de l'enseignement, né à Drap
(A.-M.), le 17 décembre 1889. Instituteur,
aujourd'hui en retraite. Militant communiste, fut élu député des Alpes-Maritimes en 1936. Après la Libération,
appartint aux deux Constituantes (1945-
1946), puis à l'Assemblée nationale
(1946-1951, 1956-1958). Directeur du
quotidien communiste *Le Patriote de
Nice et du Sud-Est*.

BARETY (Léon).

Homme politique, né à Nice, le 18 octobre 1883. Fils d'un conseiller général des
Alpes-Maritimes. Attaché de cabinet de
ministre, fut élu à vingt-six ans conseiller général et à trente-cinq député des
Alpes-Maritimes (1919) ; le resta jusqu'à
l'effondrement de la IIIᵉ République.
Président de l'*Alliance des Républicains
de Gauche*. Sous-secrétaire d'Etat à l'Instruction publique, puis au Budget (cabinet Tardieu, 1929-1930) et ministre de

l'Industrie et du Commerce (cabinet Paul Reynaud, 1940). Vota le 10 juillet 1940 les pouvoirs constituants au maréchal Pétain et fut nommé par ce dernier membre du Conseil national. Administrateur de nombreuses sociétés industrielles, financières et immobilières (*Cie de Navigation Mixte, Cie de l'Afrique Occidentale, Entrepôts et Magasins Généraux de Paris, Société Immobilière Marseillaise,* etc.). Président du *Comité de l'Afrique Française.*

BARJONET (André).

Syndicaliste, né à Taza (Maroc), le 9 janvier 1921. Appartient à une famille d'officiers supérieurs (depuis Napoléon 1er). Etudiant à Montpellier et à Toulouse, l'action clandestine le détourna de l'agrégation d'histoire qu'il préparait. A la Libération, fut le responsable départemental de l'*Union des Jeunes Patriotes* à Paris et le rédacteur en chef de la *Revue de Presse économique, juridique et sociale ;* puis dirigea le centre d'études économiques de la C.G.T. Membre du Conseil Economique et Social, depuis 1959, vice-président de la section de la Conjoncture et du Revenu national de cette assemblée, est l'auteur de plusieurs rapports adoptés par cette dernière, en particulier sur les comptes de la nation. A publié divers ouvrages : « *L'exploitation capitaliste* », « *Qu'est-ce que le paupérisme ?* » et « *Qu'est-ce que l'économie politique ?* ». Membre du comité de rédaction d'*Economie et Politique.*

BARNIAUDY (Armand).

Agriculteur, né à Lagrand (Hautes-Alpes), le 31 juillet 1926. Ancien responsable « *Eclaireur de France* ». Ancien dirigeant départemental de la *Jeunesse Agricole Chrétienne.* Ancien président du *Cercle des Jeunes agriculteurs* des Hautes-Alpes (1948-1951). Maire de Lagrand (mars 1953). Suppléant de Robert Lecourt, nommé membre du gouvernement Debré, proclamé député des Hautes-Alpes (1re circ.) le 9 février 1959. Réélu député *M.R.P.* le 25 novembre 1962.

BARON (Charles, Victorin, Apollon, Marie, Eugène).

Ingénieur (1876-1960). Fils d'un journaliste condamné aux travaux forcés pour un article paru dans *La République Française* de Gambetta. Militant socialiste (depuis 1902), fut candidat de son parti contre Joseph Reinach à Digne,

en 1910 : sans succès ; mais fut élu en 1919 et resta député jusqu'à la chute de la IIIe République. Vota pour le maréchal Pétain en juillet 1940. Entretemps, fut le premier ingénieur-conseil de l'industrie lourde soviétique.

BARON (Henry).

Universitaire, né à Paris, le 12 mai 1907. Professeur au lycée Pasteur, de Neuilly-sur-Seine. Maire-adjoint de Neuilly depuis 1953. Auteur de livres scolaires, d'un code de l'amour conjugal et d'une « *Bibliothèque de l'homme cultivé* ».

BARRACHIN (Edmond).

Publiciste, né à Paris, le 12 janvier 1900. Militant national, élu député des Ardennes à une élection partielle en 1934 ; non réélu en 1936. Fut l'un des dirigeants du *Front Républicain* avec Franklin-Bouillon (1935), puis dirigea le Bureau politique du *P.S.F.* (1937-1940). Combattant de 1939-1945, appartint, après la Libération, à la 2e Assemblée constituante (1946). Co-fondateur du *Parti Républicain de la Liberté,* puis membre au comité de direction du *R.P.F.,* fut député de la Seine de 1946 à 1958. Entre-temps : fondateur et président du *Groupe indépendant d'action républicaine et sociale,* ministre d'Etat chargé de la Réforme constitutionnelle (cabinet Laniel) (1953-1954), vice-président du *Groupe d'amitié parlementaire France-Etats-Unis,* président du *Comité national d'Etudes* pour la réforme de la *Constitution* et membre du Comité consultatif constitutionnel. En novembre 1958, candidat dans la Seine (35e circ.) sous le patronage du *Centre National des Indépendants et Paysans,* dont il était déjà l'une des personnalités influentes, ne fut pas réélu député ; mais devint sénateur indépendant de la Seine en 1959 et président du groupe des Républicains Indépendants du Sénat en 1964.

BARRAL (Maurice de).

Administrateur de sociétés, né à Paris le 7 août 1887, mort en octobre 1956. Fils d'un des fondateurs de l'Ecole des Sciences Politiques. Chef de cabinet de préfet avant la guerre. Ancien combattant de 1914-1918. Administra diverses sociétés industrielles et compagnies d'assurances. Directeur général de la *France Mutualiste.* Co-fondateur de *La Semaine du Combattant* et des *Légions,* groupement nationaliste d'anciens combattants ;

puis l'un des dirigeants du *Faisceau*, premier parti fasciste français. Secrétaire général adjoint de la *Confédération Nationale des Anciens Combattants*. Son évolution le conduisit vers la gauche puis l'extrême-gauche : en 1950, figura parmi les dirigeants de l'*Union Progressiste* et de *La Démocratie Combattante*. Fut l'un des principaux animateurs de l'*U.F.A.C.*

BARRAT (Robert).

Journaliste, né le 12 mars 1919. Ancien secrétaire général du *Centre Catholique des Intellectuels Français*. Militant de la gauche chrétienne et de *La Jeune République,* s'engagea à fond dans le combat pour l'indépendance de l'Algérie. Collabora à *Témoignage Chrétien, France - Observateur,* et *Vérité - Liberté,* qu'il dirigea, fut plusieurs fois poursuivi. Fut arrêté (dans les bureaux de la revue *Esprit,* le 30 septembre 1960), puis emprisonné quelque temps, à la suite du « *Manifeste des 121* » dans lequel la justice militaire avait vu une provocation à l'insoumission et à la désertion. Fut également l'un des dirigeants de *L'Action Civique non violente,* du *Centre d'Information et de Coordination pour la défense des libertés et de la paix,* et l'adjoint de Jean Farran à l'émission « *Face à face* » de l'*O.R.T.F.*, puis à Radio-Luxembourg.

BARRAULT (Roger).

Ouvrier agricole, nommé le 23 janvier 1941 membre du *Conseil national* (voir à ce nom).

BARRE (Henri).

Correcteur-typographe, né à Jazeneuil (Vienne), le 9 août 1888. Militant socialiste, participa à la Résistance. A la Libération, fut élu député aux deux Constituantes (1945-1946). Elu membre du Conseil de la République, le 8 décembre 1946, et réélu sénateur de la Seine, le 7 novembre 1948 et le 18 mai 1952, fut président de la *Confédération des Internés et Déportés* et vice-président du groupe fédéraliste du parlement français. Partisan de l'amnistie des pétainistes, présida plusieurs années durant le *Comité Français pour la Défense des Droits de l'Homme,* qui combattit les effets de l'épuration.

BARRES (Auguste, Maurice).

Homme de lettres et théoricien politique, né à Charmes (Vosges), le 22 sep-

tembre 1862, d'une famille de la Haute-Loire, fixée depuis deux générations en Lorraine ; mort à Neuilly-sur-Seine, le 4 décembre 1923. Elevé dans un milieu de bourgeoisie provinciale catholique — son père Joseph-Auguste Barrès sortait de l'Ecole Centrale — il fut choyé par sa mère, qui lui lisait « *Les Aventures de Richard Cœur de Lion* » de Walter Scott, lorsqu'il était malade. A huit ans, il voit s'enfuir les troupes françaises et Charmes bientôt occupée par les Prussiens. Jusqu'en 1919, il restera marqué par la défaite de 1870-1871, la perte de l'Alsace-Lorraine et la volonté de la revanche. Après de bonnes études au collège de Malgrange (1873) et au lycée de Nancy (1877), il fait son droit à Paris en 1882, année où Paul Déroulède fonde la *Ligue des Patriotes.* En 1884, il crée la revue *Les Taches d'Encre.* Quatre numéros paraîtront, que l'on semble avoir mal lus. Dans la livraison du 5 novembre 1884 retentit déjà l'*Appel au Soldat :* « ... *Et nous-mêmes, qui revoyons la sombre année au vague brouillard de notre jeunesse, nous sentons, dans le défilé d'un régiment, tenir l'honneur de la patrie ; toutes les fanfares militaires nous entraînent à la terre conquise, le frisson des drapeaux nous semble un lointain signal aux exilés ; nos poings se ferment ; et nous n'avons que faire d'agents provocateurs.* » Car Barrès, dans le même texte, affirme aussi : « *Nous avons des pères intellectuels dans tous les pays :* Kant, Gœthe, Hegel *ont des droits sur les premiers d'entre nous... Nous n'aimons guère les chants guerriers de M. Déroulède...* » O surprise ! Barrès trouve le chauvinisme de Déroulède « *encombrant* », et, tout en rendant hommage à « *sa sincérité* », à « *son désintéresse-ment* », il estime que sa *Ligue des Patriotes* « *est un peu bien bruyante* ». Il changera d'avis. Barrès hésite encore entre libéralisme patriotique et nationalisme intégral. Il fréquente Verlaine qu'il admire et aidera individuellement par la suite, se fait présenter à deux monstres du « *progressisme* » de l'époque, à Renan et à Victor Hugo, dont il suivra le cercueil l'année suivante ! Son premier livre, « *Sous l'œil des barbares* » (1888), exprime la révolte d'un jeune rhétoricien contre l'abrutissement collectif et la dictature des pédants et des médiocres. Dans « *Un homme libre* » (1889), on exalte déjà au plus haut point l'individualité, la personnalité organisées pour la lutte. Barrès est devenu un militant convaincu, admirateur du général Boulanger, nommé ministre de la guerre en 1886 — il se suicidera en septembre 1891 — et qui est élu triomphalement député de Paris en 1889. Barrès est élu lui-même député boulangiste de Nancy et le restera jusqu'en 1893. Il a vingt-sept ans. Désormais sa carrière littéraire et sa carrière politique iront de pair. « *Le Jardin de Bérénice* » (1891) et « *Les Trois Evasions de Psychothérapie* » ont grandement influencé Marcel Proust. Le portrait que fit, de Barrès, Jacques-Emile Blanche à l'époque, est exactement proustien. Un *existentialiste nationaliste*, telle pourrait être la définition de Barrès qui d'esthète — il fut le véritable découvreur du Greco — et de dilettante devint le chef de file du patriotisme intransigeant et militant. Le 23 février 1898, il était avec Déroulède et tentait de convaincre les troupes du général Roget, revenant des obsèques de Félix Faure, de marcher sur l'Elysée. L'influence de Frédéric Nietzsche sur Barrès n'est pas discutable. « *L'homme est quelque chose qui doit être surmonté* » au profit de la nation. « *Le Culte du Moi* » est l'expression d'un nationalisme toujours en éveil, dont l'expression romantique doit frapper la masse. La terre des pères, *la patrie*, le souvenir de ceux qui sont tombés pour elle ne peuvent soulever le peuple sans que l'individu soit intimement préparé aux plus grands devoirs. « *L'âme qui habite aujourd'ui en moi est faite de millions de morts* », écrit-il. L'homme, le Français est un résultat. Nous ne pouvons reproduire ici certains de ses discours : sa profession de foi, faite à Nancy lors de la campagne électorale de 1898, tomberait aujourd'hui sous le coup de la loi de 1939 qui interdit toute attaque contre les Juifs. Barrès se présenta comme nationaliste-socialiste... et fut battu de justesse. Il est cependant permis d'évoquer ce texte célèbre, qui devrait servir de leçon :

« *Jadis, nous vivions sous la direction d'idées communes et avec des instincts (bons ou mauvais) qui étaient universellement acceptés comme bons dans toute l'étendue de notre territoire ; aujourd'hui, parmi nous, se sont glissés un grand nombre de nouveaux colons (de formations variées), que nous n'avons pas la force de nous assimiler, qui ne sont peut-être pas assimilables, auxquels il faudrait du moins fixer un rang, et qui veulent nous imposer leur façon de sentir. Ce faisant, ils croient nous civiliser ; ils contredisent notre civilisation propre. Le triomphe de leur manière de voir coïnciderait avec la ruine réelle de notre patrie. Le nom de France pourrait bien survivre et même garder une importance dans le monde ; le caractère spécial de notre pays serait cependant détruit, et le peuple installé sous notre nom, sur notre territoire, à la suite de notre histoire s'acheminerait vers des destinées contradictoires avec les destinées et les besoins des vieux Français. Or, dans les groupes nationalistes eux-mêmes, nous tendons à supposer les conditions du monde réel tout autre qu'elles ne sont. Nous ne trouvons rien d'extraordinaire à l'idée que des hommes honnêtes et capables vont saisir le pouvoir, recréer l'unité morale dans le pays, faire le bonheur des petites gens et donner de la gloire à la France. Et nous lisons fiévreusement les journaux pour y découvrir des indices favorables. Optimistes insensés ! rien de bon n'apparaîtra si quelques cerveaux n'élaborent des principes qui nous feront une discipline morale et si l'on ne trouve point une force pour tout y soumettre.* » (*Scènes et Doctrines du Nationalisme*, 1902.)

Quels sont ces principes ? Pourquoi la politique française est-elle incohérente, contradictoire ? Barrès le précise, toujours dans les *Scènes* :

« *Notre mal profond, c'est d'être divisés, troublés par mille volontés particulières, par mille imaginations individuelles. Nous sommes émiettés, nous n'avons pas une connaissance commune de notre but, de nos ressources, de notre centre. Heureuses ces nations où tous les mouvements sont liés, où les efforts s'accordent comme si un plan avait été combiné par un cerveau supérieur ! (...) A défaut d'une unité morale, d'une définition commune de la France, nous avons des mots contradictoires, des drapeaux divers sous lesquels des hommes avides d'influence peuvent assembler leur clientèle. Ces divers groupes conçoivent, chacun à sa manière, la loi interne du déve-*

loppement de ce pays. Le nationalisme, c'est de résoudre chaque question par rapport à la France. Mais comment faire, si nous n'avons pas de la France une définition et une idée communes ? (...) Mais quel moyen pour dégager cette conscience qui manque au pays ? Répudions d'abord les systèmes philosophiques et les partis qu'ils engendrent. Rattachons tous nos efforts, non à une vue de notre esprit, mais à une réalité. Nous sommes des hommes de bonne volonté ; quelles que soient les opinions que nous ont faites notre famille, notre éducation, notre milieu et tant de petites circonstances privées, nous sommes décidés à prendre notre point de départ sur ce qui est, et non pas sur notre idéal de tête. » Bien avant les théoriciens du national-socialisme, Barrès (comme Edouard Drumont et Charles Maurras) constate qu'on appartient à un pays par le sang et l'esprit. Sinon, on est « déracinés ». « Nous ne tenons pas nos idées et nos raisonnements de la nationalité que nous adoptons, et quand je me ferais naturaliser chinois en me conformant scrupuleusement aux prescriptions de la légalité chinoise, je ne cesserais pas d'élaborer des idées françaises et de les associer en Français. » (Scènes et Doctrines du Nationalisme, p. 41.) Après « Le Culte du Moi », Barrès publie les trois livres du « Roman de l'Energie Nationale » : « Les Déracinés » (1897), « L'Appel au Soldat » (1900) et « Leurs Figures » (1902). Il faut ajouter « Les Amitiés françaises » (1903). Pour lui, l'ennemi est l'Allemagne, ce qu'il exprime dans « Les Bastions de l'Est » : « Au service de l'Allemagne » (1905), « Colette Baudoche » (1909) et « Le Génie du Rhin » (1921), livre plein d'illusions. L'année 1906 fut doublement triomphale : il fut élu à l'Académie française et député du premier arrondissement de Paris. Son prestige à l'étranger, surtout dans les pays latins, était énorme après « Du Sang, de la Volupté et de la Mort » (1894), « Le Greco ou le secret de Tolède » (1911), etc. Une rue de Tolède porte, depuis quelques années, le nom de Maurice Barrès. En juillet 1914, il succède à Déroulède à la présidence de la Ligue des Patriotes : quelques semaines plus tard, éclate la tragédie mondiale. Barrès ne tombera pas à la tête d'une section d'infanterie comme Péguy en criant : « Mais tirez donc, nom de Dieu ! » ; il continuera sa tâche de propagandiste et donnera à L'Echo de Paris un article quotidien, le plus souvent remarquable. Cependant il ne comprit pas les immenses conséquences de la révolution bolcheviste de 1917. Cette chronique, précieuse pour l'historien, a

été presque intégralement publiée dans les quatorze volumes de la « Chronique de la Grande Guerre ». Un nombre égal de volumes continuant la période de 1896 à 1928 parurent sous le titre de « Mes Cahiers ». Il faut encore citer « Le Voyage à Sparte » (1906), « La Colline inspirée » (1913) et « Le Jardin sur l'Oronte » (1922). Sa plume n'a pas la sèche précision de celle d'un Maurras, il ne possède pas le don de synthèse d'un Abel Bonnard ; il n'a pas compris le drame occidental à la manière d'un Tocqueville, d'un Renan — qu'il admirait — d'un Lyautey. Cependant, au moment où le nationalisme était à bout de souffle, son habileté technique prodigieuse, jointe à la participation directe de sa personne au récit, accomplirent une sorte de révolution. Citons parmi les barrésiens : Drieu, Montherlant, Mauriac, les Tharaud, Robert Brasillach et Ramon Fernandez — auteur d'un des meilleurs livres sur Barrès — ainsi que Gide, Cocteau et même Camus et Aragon, dans ce qu'ils ont de moins artificiel, de moins fabriqué. Le nationalisme à outrance mène au chauvinisme, et le chauvinisme à la guerre folle. Il faut relire Les Taches d'Encre. Souvent Barrès n'a pas été compris. Les communistes, qui ont suivi les hitlériens en 1939 et fraternisé avec eux en 1940, au moment du pacte germano-soviétique, essaient de l'annexer. Les œuvres de celui qui fut élu en tête du Bloc National en 1919 ont été mises en vente en 1966 à Vincennes, lors de la grande braderie des communistes français. (Fête annuelle de l'Humanité, septembre 1966). Barrès et Jaurès, fondateur de l'Humanité, doivent se retourner dans leur tombe. Parlant de Barrès, Drieu la Rochelle affirmait : « Plus je vais, plus j'admire l'écrivain et moins le penseur me satisfait. » Mais que vont penser les camarades communistes en lisant ces lignes : « Vous préféreriez que les faits de l'hérédité n'existassent pas, que le sang des hommes et le sol du pays n'agissent point, que les espèces s'accordassent et que les frontières disparussent. Que valent vos préférences contre des nécessités ? » (Scènes et Doctrines du Nationalisme, p. 446.) Va-t-on faire de Maurice Barrès le doctrinaire d'un communisme-raciste, dernier camouflage de l'impérialisme soviétique ?

BARRES (Philippe).

Journaliste, né à Neuilly-sur-Seine, le 8 juillet 1896. Fils de Maurice Barrès et père du capitaine Claude Barrès, tué en 1959 près d'Ouenza. Au retour de la guerre de 1914-1918, milita dans les organisations nationalistes et fut l'un des dirigeants du *Faisceau,* le premier parti fasciste français. Devint plus tard rédacteur en chef du *Matin* (1935-1938) et de *Paris-Soir* (1938-1939). Après la Libération, fonda *Paris-Presse* dont il fut le directeur de 1945 à 1949. Député *R.P.F.* de Meurthe-et-Moselle (juin 1951-décembre 1955), conseiller municipal *U.N.R.* de Paris et conseiller général de la Seine (mars 1959). A quitté l'*U.N.R.* en avril 1962. Auteur de : « *La Guerre à vingt ans* », « *La Victoire au dernier tournant* », « *Sous la vague hitlérienne* », « *Charles De Gaulle* », etc.

BARRICADE.

Obstacle, retranchement provisoire fait avec des matériaux divers — notamment, jadis, avec des barriques — pour barrer une voie. Très utilisée au cours du siècle dernier par les révolutionnaires, la *barricade* est devenue le symbole de la révolte populaire, de la résistance au pouvoir établi. Dire à quelqu'un que l'on se trouve *de l'autre côté de la barricade* signifie que l'on est en opposition avec lui.

BARRIERE (Robert).

Agriculteur, né à Sauveterre-de-Guyenne (Gironde), le 23 juillet 1909. Maire de Saint-Romain-de-Vignague. Conseiller général du canton de Sauveterre-de-Guyenne (1955). Suppléant de Jean Sourbet, député de la Gironde (8ᵉ circ.), a été proclamé député de la Gironde, au décès de celui-ci. Apparenté au groupe du *Rassemblement Démocratique.*

BARRILLON (Raymond, Pierre, Emile).

Journaliste, né à Paris, le 7 décembre 1921. Débuta dans la banque (à la *B.U.P.*) en 1942, puis fit du journalisme : rédacteur à *Témoignage Chrétien* (sous le pseudonyme de Jérôme Moreuil), et au *Parisien libéré* (1944-1950), puis rédacteur politique au *Monde* (depuis 1950). Auteur de « *Le cas Paris-Soir* », intéressante étude sur un grand journal français.

BARROT (Noël).

Pharmacien (1903-1966). Membre du Conseil National de l'Ordre des Pharmaciens. Maire et conseiller général d'Yssingeaux. Membre des deux Assemblées constituantes (1945-1946). Député *M.R.P.* de la Haute-Loire depuis 1946. Questeur de l'Assemblée nationale (1956-1962). Co-directeur de *La Dépêche.* Membre de l'*Alliance France-Israël.*

BARTOLI (Georges).

Journaliste, né à Marseille, le 23 mai 1926. Rédacteur au *Méridional* (1944-1948). Directeur de société import-export en Arabie (1949-1951), fondateur de *Marseille Magazine* (1952) et des agences de publicité *Régie-Sud* et *G.B.-Publicité.*

BARRUEL (Auguste).

Ecclésiastique, né à Villeneuve-de-Berg (l'actuelle Ardèche), le 2 octobre 1741, mort à Paris, le 5 octobre 1820. Entré dès l'âge de quinze ans au noviciat des jésuites, il suivit ses supérieurs en Allemagne lorsque les membres de la Compagnie de Jésus furent expulsés de France. Il enseigna dans divers établissements de son Ordre installés dans l'empire des Habsbourg. Après la suppression de l'Ordre des jésuites par le pape Clément XIV, en 1773, Barruel rentra en France et y publia une ode écrite à l'occasion de l'avènement de Louis XVI. Il fut, tour à tour, précepteur des enfants du prince Xavier de Saxe, aumônier de la princesse de Conti, député du clergé à l'Assemblée nationale. En septembre 1792, il quitta la France pour ne pas avoir à prêter serment à la constitution civile du clergé. Il se réfugia en Angleterre, où il fréquenta plus volontiers les milieux conservateurs britanniques que les émigrés français. Il y écrivit divers ouvrages, en particulier les cinq tomes de ses « *Mémoires pour servir à l'histoire du jacobinisme* » (1797-1799), qui font de lui le père de l' « anti-maçonnisme » français. Dans cet ouvrage fameux, traduit en plusieurs langues (anglais, italien, allemand, russe, espagnol), Barruel présentait la franc-maçonnerie comme le moteur secret de la Révolution. Rentré en France en 1802, il y fit paraître un nouvel ouvrage en deux gros volumes « *Du Pape et de ses droits* » (Paris, 1803) où il attaquait le vieil esprit gallican et réclamait la soumission des catholiques à Rome. Il dut mettre une sourdine à son ultramontanisme lorsque Napoléon entra en conflit avec Pie VII et il s'abstint de publier un ouvrage qui pouvait provoquer des représailles. Cependant, comme chanoine de Notre-Dame, il manifesta une certaine opposition au nouvel archevêque de Paris, que Napoléon avait nommé et que le Pape ne voulait pas reconnaître. Accusé d'avoir fait circuler un *Bref* pontifical hostile à cette nomination, Barruel fut arrêté par la police de Savary et gardé quelque temps en prison. Sous la Restauration, son état de santé qui donnait des inquiétudes le contraignit à modérer ses activités. Il s'éteignit en 1820, quelques années après avoir réintégré la Compagnie de Jésus reconstituée. Outre les ouvrages cités, il laissait : les quatre volumes des « *Helvétiennes ou Lettres provinciales philosophiques* » (1781-1788), une « *Collection ecclésiastique* », une « *Histoire du clergé pendant la Révolution française* » (1793) *et* « *Du principe et de l'obstination des Jacobins* » (1814). Son œuvre critiquée ouvertement par les tenants de la contre-révolution, en raison des erreurs qu'ils y relevèrent, lui valut de sérieuses inimitiés dans tous les milieux. Rivarol lui-même, qui était pourtant un adversaire de la Révolution, disait de lui : « *La nature en a fait un sot, la vanité en a fait un monstre.* » Ses « *Mémoires pour servir à l'histoire du Jacobinisme* », introuvables aujourd'hui, n'en furent pas moins, pendant plus d'un siècle, la bible des adversaires de la maçonnerie, non seulement en France, mais en Europe.

BARSALOU (Joseph).

Journaliste, né à Carcassonne (Aude), le 16 novembre 1903. Rédacteur à *La Dépêche de Toulouse* (1929-1944), puis directeur des services politiques de *Libération* (1945-1946) et correspondant parisien de *La Dépêche du Midi* ; il en est, depuis 1955, le rédacteur en chef. Collaborateur du *Bulletin de Paris,* dont il fut l'un des fondateurs. Associé des *Editions France-Documents* créées en 1945, vice-président du *Club Henri Rochefort.* Auteur de « *La Mal aimée* » (histoire de la IVᵉ République).

BARTHE (Edouard, Jean).

Homme politique, né à Béziers, le 26 mai 1882, mort à Paris, le 25 juillet 1949. Fondateur de *L'Etudiant* et ancien animateur du groupe des *Etudiants socialistes.* Se fit élire député socialiste de son département en 1910 ; le resta jusqu'en 1940. Questeur de la Chambre (de 1924 à 1940) ; fut au Parlement l'un des défenseurs permanents des viticulteurs du Midi. Organisateur du fameux voyage du « *Massilia* » (voir à ce nom), se prononça le 10 juillet 1940 pour le maréchal Pétain et fut nommé membre du Conseil national. Son attitude à l'égard du gouvernement de Vichy lui valut d'être interné quelque temps à Vals en 1942. Evincé de la *S.F.I.O.* à la Libération, parvint néanmoins à se faire élire au Conseil de la République, comme *R.G.R.* Auteur de : « *Le Comité des Forges contre la Nation* » et « *La ténébreuse affaire du Massilia* ». Principales collaborations : *L'Etudiant, Le Socialiste de l'Hérault* et *Le Devoir socialiste* (avant 1914) ; *Le Petit Méridional, La Dépêche* (Toulouse), *L'Action viticole, Le Journal du Commerce.*

BARTHE (Roger, Gaston).

Homme de lettres, né à Magalas, près de Béziers (Hérault), le 20 mars 1911. Fils d'Emile Barthe (1874-1939), très connu dans le Midi par son théâtre populaire en dialecte languedocien. Après avoir milité, avant la guerre, aux *Jeunesses Radicales* et au *Parti Radical-socialiste* (il fut en 1938-1939, le rédacteur en chef, puis le directeur politique du *Progrès de l'Allier, de la Nièvre et de Saône-et-Loire,* dont le directeur général était Marcel Régnier, ancien ministre des Finances et de l'Intérieur), et s'être rallié en 1940 à la Révolution Nationale, Roger Barthe a, depuis vingt ans, attaché son nom à la renaissance de l'idée latine, considérée par lui comme une idée essentiellement politique. Son essai historique et doctrinal, « *L'idée latine* », publié en deux tomes en 1950-1951, a été réédité en 1962, par l'*Institut d'Etudes Occitanes,* de Toulouse. Un choix de ses articles et de ses discours, destinés à promouvoir un monde latin politiquement uni, a été publié en 1966 sous le titre : « *Une supernation nécessaire* », sous l'égide de *La France Latine.* Sa pensée et son action ont fait l'objet, en 1958, d'un livre de 200 pages de Paul Gache : « *L'idée latine de Roger Barthe* ». La foi de Roger Barthe dans une fédération latine à l'échelle mondiale est fondée sur la conviction que, d'une part, seules sont légitimes les communautés naturelles, les « familles de nations » ; d'autre part, que le potentiel économique d'une fraction importante de la nouvelle Latinité, l'Amérique latine, constituera dans un avenir plus ou moins proche un événement majeur, en dépit des difficultés épisodiques qui font du continent latino-américain, d'une façon tout à fait injuste, un objet de mépris et de dérision. « *Les peuples latins unis* — a déclaré Barthe — *deviendront la première force mondiale.* » Agrégé de l'Université, Roger Barthe occupe un poste de direction dans une compagnie d'assurances ; il est l'auteur d'un *Dictionnaire de l'assurance et de la réassurance* qui fait autorité dans la profession.

BARTHELEMY (Georges, Eugène, Germain).

Employé de banque, né à Béziers, le 5 juin 1897, mort à Paris, le 10 juillet 1944. Fils d'un commerçant de Béziers. Secrétaire d'un sénateur socialiste de la Seine, se fit, en 1929, élire conseiller municipal de Puteaux dont il devint maire l'année suivante. Se présenta contre André Marty en 1932 aux élections législatives et le battit. Réélu en 1936. Très anticommuniste, fut chargé par ses collègues de la Chambre de présenter le rapport sur la déchéance des parlementaires communistes en 1939. Vota pour le maréchal Pétain le 10 juillet 1940 et demeura maire de Puteaux pendant l'occupation. Fut abattu d'une rafale de mitraillette par deux inconnus — probablement communistes — le 10 juillet 1944 alors qu'il arrivait à la mairie.

BARTHELEMY (Joseph).

Juriste (1874-1945). Professeur à la faculté de droit de Paris. Député modéré du Gers (1919-1928), il fut garde des Sceaux, ministre de la Justice du gouvernement du maréchal Pétain (1941-1943). Arrêté en août 1944, il mourut à Toulouse le 14 mai 1945, avant d'avoir comparu devant la Haute Cour. On lui reprochait d'avoir fait activer les poursuites contre les communistes (déclenchées en 1939 par le gouvernement Daladier) et certaines déclarations politiques du genre de celle-ci, parue dans *Les Documents Maçonniques* (février 1942) : « *Avec une persévérance tellement tenace et si méthodique qu'on serait obligé de l'admirer si elle avait eu un plus légitime objet, la Franc-Maçonnerie, au couchant de l'ancien régime* (la IIIᵉ *République), avait réussi à noyauter les pouvoirs publics, les administrations, l'éducation scolaire et postscolaire. Par là, elle tient une place de choix au premier rang des responsables des malheurs de la patrie.* »

BARTHELEMY (Victor).

Militant politique, né à Ajaccio, le 21 juillet 1906. A l'Université d'Aix, milita aux *Jeunesses Communistes*, puis fit partie d'organismes annexes du *P.C.*,

en particulier du *Secours Rouge International,* dans la région méditerranéenne. Adhéra au *Parti Populaire Français* de Jacques Doriot, le 28 juin 1936 et en fut le secrétaire fédéral à Nice à partir d'octobre de la même année. Successivement membre du comité central du *P.P.F.* (novembre 1936), du Bureau Politique (1938) et secrétaire général du parti (décembre 1939). En août 1940, représenta Doriot au *Comité pour le Parti unique,* puis dirigea, de Marseille, le *P.P.F.* pour la zone non occupée et l'Afrique du Nord. Après le congrès de Villeurbanne (juillet 1941) (le *P.P.F.* ayant été autorisé à fonctionner en zone occupée, revint à Paris et fut le secrétaire général du parti pour les deux zones (1941-1944). Entre-temps, collabora à *l'Emancipation Nationale* et au *Cri du Peuple* et fit partie du comité central de la *L.V.F.* A partir de novembre 1944, représenta le *P.P.F.* auprès du gouvernement de la République Sociale Italienne. Après la guerre, participa à la fondation du *Mouvement Social Européen,* avec Maurice Bardèche et J.-L. Tixier-Vignancour (1950), fut l'un des membres du comité directeur du *Front National pour l'Algérie Française* (1960) et du *Comité National Tixier-Vignancour* (1964).

BARTHELEMY DE BARTHELEMY (Louis, dit Ludovic).

Journaliste, né à Besançon, le 2 novembre 1888, d'une famille illustrée par François Barthélemy, ambassadeur de France, président du Sénat et pair de France. Ancien secrétaire général du *Redressement Français* (1925). Ancien directeur-rédacteur en chef du *Journal de la Région Parisienne.* Fondateur des *Amis du Japon.* Ancien directeur de *Paris et la Région capitale,* de l'agence *Atlas,* du *Journal de Saint-Denis* et du *Radical,* de Paris. Collabora au *Temps,* au *Petit Parisien,* au *Petit Marseillais.* Membre du comité de direction du *Cercle Républicain.* Premier président d'honneur du *Club des Montagnards.* Candidat à plusieurs élections à Saint-Denis (1928, 1932), à Brignoles, dans le Var (1936), fut élu conseiller municipal de Saint-Denis (1952), puis de Saint-Gobain dans l'Aisne (1965).

BARTHOU (Jean, Louis).

Homme politique (1862-1934). Fils d'un ancien soldat de Sébastopol, quincaillier à Oloron-Sainte-Marie; petit-fils d'un for-

4

geron. Il fut l'un de ceux qui contribuèrent à implanter le parti républicain dans le Béarn. Ce dernier, sévèrement battu aux élections d'octobre 1885, avait grand besoin de propagandistes et de chefs. Barthou, devenu professeur, fut l'un et l'autre : dans *L'Indépendant*, il signait chaque jour un article contre les monarchistes qui ripostaient dans leur *Mémorial*. Elu conseiller municipal, en mai 1888, il devint député l'année suivante (septembre 1889) et prit la présidence de l'*Union de la Jeunesse Républicaine*. A la Chambre, son talent d'orateur l'imposa à ses « anciens » à la suite de la fougueuse intervention qu'il fit sur le scandale de Panama. Quelques années plus tard, il devint ministre (1893) et le fut, très souvent, jusqu'à sa fin brutale, sous les coups des Oustachis, à Marseille, le 9 octobre 1934, au côté du roi de Yougoslavie. Il avait représenté les Basses-Pyrénées au Palais-Bourbon de 1889 à 1922, et au Luxembourg de 1922 à 1934, et présidé le gouvernement quelques mois en 1913. Depuis 1919, il était académicien. Léon Daudet, qui le cribla de traits acérés, l'appelait « Barthoutou », faisant ainsi allusion à certaines pratiques fort en honneur, disait-il, rue de Furstenberg. Il lui consacra d'ailleurs tout un livre, « *Le bibliophile Barthou* », dans lequel le fameux polémiste prétendait que la bibliothèque de l'homme politique était principalement constituée de volumes empruntés. Ces attaques ne l'empêchèrent naturellement pas d'être présent dans presque tous les ministères, mais elles ne furent pas totalement étrangères à l'échec de sa tentative de constitution de gouvernement en 1930. Il publia quelques ouvrages dont : « *Lamartine orateur* » et « *Les Amours d'un poète* ».

BARTOLINI (Jean-Baptiste).

Ajusteur, né à Toulon, le 10 janvier 1889. Secrétaire général du *Syndicat Unitaire des Travailleurs de la Marine*, militant communiste, fut député de 1935 à 1940. Poursuivi après la dissolution du *P.C.* en septembre 1939, arrêté en octobre, fut condamné à quatre ans de prison. D'abord interné à la maison d'arrêt de Valence (1940-1941), puis à Maison-Carrée (Alger) *où il resta jusqu'en septembre 1944* (bien que ses camarades communistes Grenier et Billoux fussent membres du Comité d'Alger depuis avril 1944). Rentré à Toulon, en devint maire (1945-1947), fut élu député aux deux Constituantes (1945-1946) et à l'Assemblée nationale (1946-1958).

BARUZY (comte Pierre BAROZZI baron de SANTORIN, dit).

Industriel, né à Amiens (Somme), le 19 mai 1897. Président-directeur général, puis président honoraire (juin 1962) de la *Compagnie des Meules Norton*, président-directeur général de la *Société Electro-Vorwerk* et président de la *Société Timken-France* (octobre 1962). Administrateur de la *Banque de l'Union Occidentale*, président de l'*Association française des Conseils de direction*, président-fondateur de l'*Union corporative des Travailleurs-Producteurs de France*. Membre dirigeant du *Centre d'Etudes Politiques et Civiques* (*C.E.P.E.C.*) et de diverses associations libérales.

BAS (Pierre, Jean-Marie, Simon).

Homme politique, né à Besançon (Doubs), le 28 juillet 1925. Fonctionnaire colonial. Ancien administrateur de la F.O.M. en A.E.F. Adjoint au chef de région de Mayo-Kebbi, à Bongar (Tchad) (janvier 1952-avril 1953). Chef de district de Fianga (Mayo-Kebbi, Tchad) (avril 1953-septembre 1954). Attaché parlementaire, chargé des relations avec l'Assemblée nationale au cabinet de Maurice Bayrou (Rép. Soc.), secrétaire d'Etat à la F.O.M. (14 mars-5 octobre 1955). Chargé de mission au Secrétariat général de la Présidence de la République (1er octobre 1959-27 octobre 1962). Conseiller référendaire à la Cour des Comptes (12 avril 1962). Elu député *U.N.R.-U.D.T.* de la Seine (4e circ.) en 1962. Auteur de divers ouvrages dont « *Une littérature populaire d'inspiration religieuse en Franche-Comté au dix-huitième siècle* ».

BASCH (Victor).

Universitaire, né à Budapest, le 18 août 1863, au foyer d'une famille de la classe moyenne israélite, qui émigra par la suite en France. Président de la *Ligue des Droits de l'Homme* (1926-1940) et du *Rassemblement Populaire* dit *Front Populaire* (1935-1938), membre influent du *Comité de Vigilance des Intellectuels Antifascistes*, puis de l'*Union des Intellectuels Français*. Fut accusé de « bellicisme » par la droite en raison de certaines prises de position de la *Ligue* qu'il présidait, en particulier au moment de Munich : « *La Ligue demande à la France de mesurer l'abîme où la mène fatalement une politique d'abandon et d'abdication. Elle demande à l'Angleterre et à la France de se re-*

dresser, de prendre conscience de leur force matérielle et d'un rayonnement intellectuel et moral que leur attitude vient de mettre en péril. » (*Cahiers des Droits de l'Homme*, n° 18, septembre 1938). Tomba sous les balles de ses adversaires en 1944. A laissé plusieurs ouvrages dont : « *Wilhelm Scherer* », « *Essai critique sur l'esthétique de Kant* », « *La Poétique de Schiller* », « *L'Individualisme* », « *L'aube* », « *Titien* », « *Etudes d'esthétique dramatique* », etc.

BASCOU (Olivier).

Préfet (1865-1940). Marié à une Dlle Goudchaux, de la famille des banquiers. Beau-père du comte Pierre de Mouy, directeur du mouvement général des fonds, puis dirigeant de la *Société Générale*. Elu député du Gers en 1893 contre Paul de Cassagnac, qui le battit aux élections suivantes (1898). Devint préfet des Basses-Alpes, de la Charente, du Maine-et-Loire, de Seine-et-Marne, de la Gironde, et se fit élire à nouveau député en 1928, mais ne le resta qu'une seule législature. Etait alors inscrit à la *Gauche radicale*.

BASE.

Dans un parti, la *base* est l'ensemble des militants. Elle remet ses pouvoirs à des représentants, dit *délégués,* qui fixent la ligne politique et nomme les membres des organismes directeurs du parti.

BASLY (Emile, Joseph).

Homme politique (1854-1928). Fils d'un ouvrier cordonnier et d'une herscheuse d'Anzin. Orphelin à dix ans, descendit dans la mine et y travailla dix-huit années. Renvoyé à la suite d'une grève (1880), organisa fortement le Syndicat des mineurs et fut élu conseiller municipal d'Anzin (1883). Présenté par les socialistes à Paris en 1885, fut élu député ; battu en 1889. Réélu député socialiste en 1891, dans le Pas-de-Calais cette fois, le resta jusqu'à sa mort. Fut également conseiller général et maire de Lens et président du Syndicat des mineurs du Pas-de-Calais.

BASSINET (André, Augustin).

Directeur de journal, né à Réalmont (Tarn), le 25 février 1899. Associé de la *Société d'Edition et de Publicité* (*Le Journal des Tirages financiers* et *Dimanche-Financier*) entre les deux guerres. Actuellement, président-directeur général du quotidien économique et financier *La Cote Desfossés*.

BASTID (Paul, Raymond, Marie).

Universitaire, né à Paris, le 17 mai 1892. Fils d'Adrien Bastid, député du Cantal (1880-1898, 1902-1903). Professeur à la faculté de Droit de Paris, député du Cantal (1924-1942), président du Conseil général (1934), ministre du Commerce (cabinet Léon Blum, 1936-1937). Membre du Conseil national de la Résistance (1943-1944), directeur de *L'Aurore*, député de Paris (1946-1951), membre du Comité constitutionnel. Auteur de : « *Doctrines et Institutions de la Seconde République* », « *Les Institutions politiques de la Monarchie Parlementaire française* », « *Le Gouvernement d'Assemblée* », « *Les grands procès politiques de l'Histoire* ».

BASTIEN-THIRY (Jean-Marie).

Ingénieur militaire, né à Lunéville le 10 octobre 1927, mort au fort d'Ivry, le 11 mars 1963. Dès son plus jeune âge, ce patriote se dévoua à son pays. Il fut scout de France pendant les années de guerre et d'occupation, puis fit partie des équipes secouristes de la *Croix-Rouge* : il reçut une médaille pour les services rendus lors de la libération de Lunéville. Après une année d'Hypotaupe à Nancy et deux années de Taupe à Sainte-Geneviève, il fut reçu à l'X en 1947. Mais il fit d'abord son service militaire et ce n'est qu'ensuite qu'il fit deux années à Polytechnique (1948-1950) et deux années à l'Ecole Supérieure de l'Aéronautique. A Colomb-Béchar, où il fut envoyé comme ingénieur militaire, puis à Brétigny, au Centre d'essais en vol et au terrain de l'Ile du Levant, il mit au point les fameux missiles balistiques SS 10 et SS 11 qui sont la fierté de l'aéronautique militaire française. Cependant, ses préoccupations majeures depuis plusieurs années déjà n'étaient plus scientifiques. « *Le feu qui a éclaté au Maroc, qu'il connaît, en Algérie, le brûle. Ce feu le consumera jusqu'à la fin.* » (*L'Esprit Public*, avril 1963.) C'était au Maroc qu'il avait fait la connaissance, chez des parents, de Geneviève Lamirand, fille de l'ancien ministre du maréchal Pétain, devenue sa femme en février 1955. « *Le 8 janvier 1961, jour du référendum d'approbation de la politique gaulliste en Algérie, commence véritablement pour Bastien-Thiry le chemin* qui le conduira un an et demi plus tard sur la route du Petit-Clamart. » (Ibid.) S'estimant trompé, il avait résolu de s'opposer aux entreprises de celui qu'il rendait responsable de « violation grave de la Constitution », des « référendums truqués et illégaux » qui firent « entériner par la majorité du corps électoral l'abandon de l'Algérie » ainsi que « des coups très sérieux » portés « à la solidité de l'Alliance atlantique » (cf. ses déclarations devant les juges, le 2 février 1963). Arrêté le 17 septembre 1962, quatre semaines après l'attentat du Petit-Clamart (voir à ce nom) qu'il avait organisé contre le général De Gaulle, il fut jugé, en même temps que Bougrenet de la Tocnaye, Jacques Prévost et leurs amis, par la Cour Militaire de Justice (le procès dura plus d'un mois, de janvier à mars 1963) et condamné à la peine de mort le 4 mars. Sa grâce ayant été rejetée par le chef de l'Etat, il tomba sous les balles du peloton d'exécution au fort d'Ivry le lundi 11 mars 1963, à 6 h 40 du matin. « Le reporter de Radio-Luxembourg qui décrivait l'atroce mise en scène policière qui fait partie du décor de ces aubes sanglantes, ne put terminer sa relation : sa voix, brusquement se cassa. On arrive difficilement à croire la réalité d'un tel fait. Pendant que la France s'éveillait, un homme, le long d'un mur, était abattu. Au nom de la Société. Au nom de la Civilisation. Au nom de la Raison d'Etat... » (Témoignage Chrétien, 15-3-1963). Jean-Marie Bastien-Thiry repose dans le petit cimetière de Bourg-la-Reine. Sur sa tombe, fleurie par des mains pieuses, viennent s'incliner ceux qui, avec Philippe Tesson, pensent qu' « il est mort de trop de rigueur, de trop de candeur, et d'une fidélité démesurée à soi-même ».

BATAILLE (La).

Hebdomadaire paraissant à Paris au cours des années qui suivirent la Libération. Se réclamait d'un journal fondé à Londres en 1942. Directeur F. Quilici.

BATAILLE (La).

Hebdomadaire bordelais fondé en 1906. Dirigé entre les deux guerres par un polémiste redoutable, de tendance bonapartiste et antisémite : Henri Hillaire - Darrigrand, décédé à Paris, le 25 octobre 1965, et auteur d'un ouvrage consacré à l'abbé Bergey. Urbain Gohier fut, au cours des années 1929-1939, l'un des collaborateurs de ce pamphlet.

BATAILLE SOCIALISTE (La).

D'abord bulletin d'études et d'informations sociales de la S.F.I.O., animé avant la guerre par Paul Colliette. Devint hebdomadaire en 1948, et fut l'organe de la gauche socialiste, bientôt constituée en parti sous le nom de Mouvement Socialiste Unitaire et Démocratique, puis de Parti Socialiste Unitaire. Favorable à l'entente avec les communistes.

BAUCHET (Emile, Alexandre).

Commerçant, né à Roissy-en-France (S.-et-O.), le 23 février 1899, au foyer de modestes travailleurs. Quitta l'école à douze ans, après le certificat d'études, pour aider sa mère (cadet d'une famille de douze enfants, dont deux furent tués en 1914-1918). Ouvrier du bâtiment, il entra en contact avec les Jeunesses Syndicalistes et, durant les années 1917-1918, participa aux efforts faits par le Comité pour la reprise des relations internationales pour arrêter la guerre. Objecteur de conscience, il fut condamné en juillet 1929 à un an de prison, qu'il purgea à la prison du Cherche-Midi. Libéré en 1930, il reprit son activité pacifiste au sein de la Ligue Internationale des Combattants de la Paix, aux côtés de Victor Méric, Marcelle Capy, René Gérin, Victor Margueritte, Félicien Challaye, Georges Pioch et Sébastien Faure ; il en devint l'un des membres directeurs, comme trésorier, propagandiste et secrétaire général, jusqu'en 1936. Sa santé l'obligea à se retirer à la campagne, à Auberville-sur-Mer, où, vingt-cinq ans, il exerça la profession de maraîcher et de commerçant. Mais en 1950, pendant la guerre de Corée, il décida de regrouper les pacifistes et fonda La Voie de la Paix, avec le concours de Félicien Challaye. Depuis, il dirige ce journal mensuel, où sont accueillis les textes de toutes tendances politiques mais résolument hostiles à la guerre. Fondateur du Comité National de Résistance à la Guerre et à l'Oppression, il est également co-secrétaire de l'Union Pacifiste de France dont son journal est l'organe officiel.

BATTESTI (Pierre).

Directeur d'entreprise, né à Pont-de-Duviviers (Algérie), le 2 novembre 1905. Colonel en retraite. Militant gaulliste, fonda Le Courrier de la Colère, dont Michel Debré fut le brillant éditorialiste. Elu député de Seine-et-Marne, en 1958, sous le signe de l'U.N.R., abandonna ce parti lorsqu'il comprit que la politique du général De Gaulle conduisait à l'indépendance algérienne, qu'il avait combattue avec M. Debré dans son journal, au cours des années 1957-1958. Directeur d'entreprise de travaux publics. Fondateur et président de l'*Association des Français d'Afrique du Nord et d'outre-mer*.

BATTINI (Jean-Etienne).

Directeur de journal, né à Sétif (Algérie), le 12 juin 1905. Dirige, depuis sa fondation (1960), l'hebdomadaire confidentiel *Politique-Eclair*, organe d'opposition à la fois antigaulliste et antimarxiste.

BAUDIN (Eugène).

Homme politique (1853-1918). Ouvrier potier, comme son père, dès l'âge de dix ans. Acquis très tôt aux idées de Blanqui, fit partie de la Première Internationale. A seize ans, condamné pour crime de lèse-majesté à deux mois de prison (1869). Participa à la Commune et dut s'exiler pour échapper au peloton d'exécution. A son retour, après l'amnistie, devint l'un des chefs révolutionnaires les plus connus dans le Cher : condamné à deux mois de prison et à cinq ans d'interdiction de séjour pour avoir prôné les grèves de Vierzon (1885), élu peu après conseiller municipal de la ville et conseiller général, et, en 1889, député socialiste du Cher. Réélu en 1893, ne se représenta pas en 1898. Collabora quelque temps à *La Démocratie de l'Ouest*, puis se retira à Monaco où il se remit à fabriquer des poteries, n'ayant plus guère d'activité politique.

BAUDIN DE LA VALETTE (Guy).

Secrétaire de mairie, né à Chastel (Haute-Loire), le 1er juillet 1922. Diplômé de l'Ecole des Sciences Politiques. Secrétaire général de la mairie de Langeac (depuis 1962).

BAUDIS (Pierre).

Homme politique, né à Decazeville (Aveyron), le 11 mai 1916. Rédacteur stagiaire à l'administration centrale des Finances (16 juillet 1943). Rédacteur (16 juillet 1944). Rédacteur principal (19 mars 1946). Intégré en qualité d'administrateur civil (1er janvier 1946). Candidat d'Union Nationale en 1956 (liste commune *A.R.S.-Ind.-Pays.-M.R.P.-R.G.R.*) contre « *la girouette notoire*

qu'est M. Maziol ». Battu. Elu député de Haute-Garonne (2e circ.) le 30 novembre 1958 (contre un socialiste, malgré le maintien du candidat *U.N.R.*). Elu conseiller municipal de Toulouse (8 mars 1959) et adjoint au maire (18 mars 1959). Membre dirigeant du *Centre National des Indépendants*. Secrétaire de l'Assemblée nationale (11 décembre 1958-9 octobre 1962). Conseiller général du canton de Toulouse-Centre. Réélu député le 25 novembre 1962.

BAUDOUIN (Henri).

Homme politique, né à Saint-Georges-de-Gréhaigne (I.-et-V.), le 18 juin 1926. Agréé près le Tribunal de commerce de Granville. Elu conseiller municipal et maire de Granville (1962). Député *U.N.R.* de la Manche (3e circ.) depuis 1962.

BAUDOUIN (Paul).

Banquier (1895-1964). Ministre des Affaires étrangères du gouvernement Pétain (1940-1941). Directeur de la *Banque de l'Indochine* avant la guerre, épuré en 1944, reprit sa place dans les affaires quelques années plus tard (*Huta Bankowa, Union Financière d'Extrême-Orient, Distilleries d'Indochine, Comptoir Lyon-Alemand, Compagnie Générale des Transports en Afrique*), toujours en liaison avec la *Banque de l'Indochine*.

BAUDRILLART (Alfred).

Prélat (1859-1942). Issu d'une famille qui comptait deux académiciens : son père, l'économiste Henri Baudrillart, de l'Académie des Sciences morales et son grand-père Ustazade Silvestre de Sacy, de l'Académie française. Le cardinal Baudrillart entra au Palais Mazarin en 1918, en remplacement d'Albert de Mun. Recteur de l'Institut catholique de longues années, il fonda en 1915 le *Comité catholique de propagande française à l'étranger* et fut chargé de missions dans divers pays de l'ancien et du nouveau monde. Partisan du maréchal Pétain, il manifesta ouvertement sa sympathie au *P.P.F.* de Doriot pendant la guerre et eut une influence considérable sur les catholiques de droite au cours des années 1936-1942. Il publia de nombreux livres d'histoire et une fresque magistrale sur « *La vocation catholique de la France* ». Rendant hommage au disparu devant Georges Duhamel, secrétaire perpétuel de l'Académie française, présent par devoir, de François Mauriac et de trois autres académiciens venus assister aux obsèques, Mgr Grente, évêque du Mans, déclarait : « *Ne croyons pas, dès lors, que quatre-vingts ans de cet ardent patriotisme aient pu fléchir. De l'enfant qui se privait pour la France, du prélat dont Clemenceau disait : « Mgr Baudrillart nous a rendu » service », et du cardinal qui affirmait « vouloir servir encore », l'histoire retiendra le même accent de sincérité. »* (« *Oraison funèbre* », *La Bonne Presse*, Paris 1943.)

BAUDRY (Charles, Georges, Alfred).

Négociant, né à Méréville (S.-et-O.), le 1er novembre 1891. Président du *Syndicat des marchands de volailles du Gâtinais* et président du *Syndicat national des négociants d'œufs*. Maire de Montereau (1935), élu député de Seine-et-Marne (juin 1935) et réélu (républicain indépendant) après une vive campagne contre le *Front Populaire* (5 mai 1936). Vota les pouvoirs constituants au maréchal Pétain (juillet 1940), continua de gérer les affaires de sa commune pendant l'occupation et se retira de la politique active après la Libération.

BAUDRY D'ASSON (Famille de).

Cette famille de nobles vendéens s'est illustrée dans la politique française au cours de ces cent soixante-quinze dernières années. Gabriel de BAUDRY D'ASSON (1755-1793) fut l'un des premiers chefs chouans : il souleva une partie de la Vendée contre la Convention et fut tué au combat à Luçon. Arnaud, Léon, Charles de BAUDRY D'ASSON (1836-1915), l'un des chefs royalistes, représenta la Vendée de 1876 à 1914. Son fils, Armand, Charles, Aimé, Marie (1862-1945), lui succéda et fut député de droite (1914-1927), puis sénateur de la Vendée (1927-1936). Le fils de celui-ci, également prénommé Armand, né à Ixelles (Belgique), le 17 avril 1910, fut à son tour député de la Vendée, d'abord aux deux Constituantes (1945-1946), puis à l'Assemblée nationale (1946-1958) ; était inscrit au groupe des *Indépendants-Paysans*.

BAUER (François-Charles) (voir : François CHALAIS).

BAUMEL (Jacques).

Publiciste, né à Marseille, le 6 mars 1918. Dans la clandestinité, il fut secrétaire général des *Mouvements Unis de la Résistance* (M.U.R.) et, à ce titre, il obtint un siège à l'Assemblée consulta-

tive provisoire en 1944-1945. Pour entrer à l'Assemblée Constituante, il alla se présenter dans la Moselle et fut élu. Pour conserver son siège, à la seconde Constituante, il changea de circonscription et se fit élire dans la Creuse. Devenu l'un des chefs de l'*Union Démocratique et Socialiste de la Résistance* (U.D.S.R.), il fut porté à la présidence du groupe parlementaire de ce parti. Evincé par le suffrage universel du Palais-Bourbon, il se consacra plus particulièrement à l'organisation de l'*U.D.S.R.*, puis du *R.P.F.* auquel il adhéra : la direction de ce dernier lui confia la délégation générale pour la région parisienne (1950). Huit ans plus tard, en 1958, il était nommé secrétaire adjoint du nouveau parti gaulliste, l'*U.N.R.* ; il en devint le secrétaire général en 1962. Entre-temps, le général De Gaulle étant revenu au pouvoir, il avait pu faire son entrée dans l'une des assemblées de la République : le Sénat, où il représente, depuis 1959, le département de la Seine.

BAUMGARTNER (Wilfrid, Siegfried).

Inspecteur des Finances, né à Paris, le 21 mai 1902. Gendre d'Ernest Mercier, l'ex-« *roi de l'électricité* », époux de la nièce du capitaine Dreyfus. Par sa mère, née Clamageran, est apparenté à cette famille d'hommes politiques et d'hommes d'affaires bien connue au XIXe siècle. Son frère, Richard Baumgartner, également gendre de Mercier, fait partie du conseil d'administration de *Lille-Bonnières*, de l'*Alsacienne de Constructions mécaniques*, de la *Cie Française des Pétroles*, de *Forclum*, de *Sudemer*, etc. Nommé inspecteur des Finances, devint le chef de cabinet de Paul Reynaud (1930). Fut ensuite : sous-directeur du Mouvement général des Fonds (1930-1934), directeur adjoint (1934-1935), directeur (1935-1937) puis président-directeur général du *Crédit National* (nommé par le gouvernement de *Front Populaire*, 1937), président de la *Caisse Nationale des Marchés* (1937-1941), membre du Conseil général de la *Banque de France* (1936-1949), gouverneur adjoint du Fonds Monétaire International, gouverneur de la *Banque de France* (1949). Ministre des Finances (cabinet Debré, 1960-1962). Depuis son départ du gouvernement, est président-directeur général de *Rhône-Poulenc* (1963), et président de l'*Association pour le développement des liaisons fluviales mer du Nord-Méditerranée*.

BAVASTRO (Michel).

Journaliste, né à Nice, le 28 décembre

1906. Appartient à la presse depuis 1928. A la Libération, devint le directeur administratif de *Nice-Matin,* dont Paul Draghi était alors le directeur général. Actuellement P.D.G. de *Nice-Matin* et de *L'Espoir de Nice,* vice-président du *Syndicat National de la Presse Quotidienne Régionale.* Membre du *Rotary-Club.*

BAYET (Albert).

Universitaire et journaliste (1880-1961). Gendre du professeur Aulard. Il enseigna à l'Ecole Alsacienne, dans différents lycées parisiens et à la Sorbonne. Farouche anticlérical au début de sa carrière, il collabora au *Quotidien,* qu'il quitta pour fonder *La Lumière* avec Georges Boris, et à *L'Œuvre,* où il stigmatisa (6 décembre 1939) la « *trahison* » des chefs communistes. Ayant participé activement à la lutte contre l'occupant, il fut l'un des organisateurs de la nouvelle presse issue de la Résistance dont il présida, de longues années, la *Fédération* (F.N.P.F.). Il dirigea, en outre, l'éphémère *Voix* (1946) et collabora simultanément aux *Lettres Françaises* et à *Franc-Tireur,* puis à *Juvénal.* A la fin de sa vie, il fut un ardent défenseur de l'Algérie française et un antigaulliste déterminé.

BAYLE (Marcel).

Fonctionnaire municipal, né à Toulon (Var), le 2 avril 1926. Inspecteur des viandes. Secrétaire départemental de l'*U.N.R.* Ancien secrétaire de Laurin, député *U.N.R.* (1958-62). Député du Var (4e circ.) en 1962-1967.

BAYLET (Jean).

Journaliste, né à Valence-d'Agen (Tarn-et-Garonne), le 6 avril 1904. Collaborateur important de *La Dépêche* de Toulouse, qu'il administra pendant la guerre. Appartint au Comité d'Organisation de la Presse, créé par le gouvernement Pétain-Laval, siégeant à Vichy. Arrêté et déporté par les Allemands à Neuengamme en juin 1944. Revenu de déportation en 1945 et mis dans l'impossibilité de faire reparaître *La Dépêche* — frappée d'interdit par les « résistantialistes » et dont les installations étaient placées sous séquestre — lança avec Albert Sarraut, en demeurant dans la coulisse, un nouveau quotidien *La Démocratie.* Lorsque ce journal fut absorbé, un peu plus tard, par *La Dépêche* ressuscitée sous le titre de *La Dépêche du Midi,* en devint le président-direc-

teur général. Entre-temps, s'était fait élire aux deux Constituantes (1945-1946), puis à l'Assemblée nationale (1946), comme député radical de Tarn-et-Garonne. Réélu en 1951 et en 1956, fut battu en 1958 en raison de son hostilité ouverte au gouvernement De Gaulle. Fut également maire et conseiller général de Valence-d'Agen. Mourut en 1959 dans un accident d'automobile. Sa veuve (notice ci-dessous) lui succéda à la mairie de Valence, au Conseil général de Tarn-et-Garonne et à la tête de *La Dépêche du Midi.*

BAYLET (Eveline, Marguerite ISAAC, Veuve Jean).

Directrice de journal, née à Batna (Constantine), le 14 juin 1913. Appartient à une famille républicaine : son arrière-grand-père fut l'un des 360 parlementaires qui dirent « non » à Mac-Mahon, et son grand-père fit élire Thomson — celui que Drumont appelait « Thomson-Crémieux » — député de Constantine. Professeur de latin et de grec au collège de jeunes filles de Bône, est devenue, à la mort de son mari (1959), président-directeur général de la *Société anonyme des journaux La Dépêche* et *Le Petit Toulousain* (éditrice de *La Dépêche du Midi*), conseiller général et maire de Valence-d'Agen. Administre, en outre, les *Entreprises Chaumeil et G. Segrette* à Valence-d'Agen, ville dont J.-B. Chaumette, puis Jean Baylet ont été successivement maires.

BAYLOT (Jean, Félix).

Préfet honoraire, né à Pau (B.-P.), le 27 mars 1897. Fit ses études au collège de l'Immaculée-Conception et à l'Ecole supérieure du Bois à Paris. Avant-guerre, employé, puis inspecteur des P.T.T. Sous l'occupation, participation à la Résistance. A la Libération, fut nommé préfet des Basses-Pyrénées et secrétaire du Conseil de l'Ordre du *Grand Orient* reconstitué (1944). Deux ans plus tard, préfet de la Haute-Garonne (janvier 1946), puis secrétaire général du Ravitaillement général (1947), préfet des Bouches-du-Rhône, Inspecteur général de la IXe région (1948), préfet de police à Paris (1951-1954) ; placé « hors cadre » après « *l'affaire des fuites* », en raison de sa participation à un réseau anticommuniste. Partisan de l'Algérie française, se rallia après quelques semaines d'hésitation au général De Gaulle (1958), et fit campagne pour le *oui.* Elu député de la Seine en novembre 1958, avec l'investiture des *Indépendants* et de la *Démocratie Chrétienne de France* et l'appui du *Club des Montagnards*. Hostile à la politique du général De Gaulle, poursuit depuis 1962 son action hors du parlement. Celle-ci s'exerce principalement au sein des sociétés philosophiques, en particulier à la *Grande Loge Nationale* qu'il a rejoint après avoir quitté le *Grand Orient* trop politisé à son goût.

BAYOU (Raoul).

Homme politique, né à Cessenon (Hérault), le 19 juin 1914. Professeur de cours complémentaire. Propriétaire-viticulteur. Maire de Cessenon. Candidat malheureux aux élections sénatoriales (1955), fut député *S.F.I.O.* de l'Hérault (5e circ.), le 30 novembre 1958 et réélu le 18 septembre 1962.

BAYROU (Maurice).

Docteur vétérinaire, né à Lanta (Hte-Garonne), le 2 mars 1905, d'un père fonctionnaire colonial. Inspecteur du service de l'élevage de l'Oubangui-Chari (1932-1940), puis Inspecteur général du service de l'élevage de l'Afrique équatoriale française, il participa au mouvement qui fit basculer l'Oubangui-Chari dans l'opposition à Vichy, et aux campagnes des Forces Françaises Libres en Afrique, notamment à Bir-Hakeim puis en France. Elu député du Gabon-Moyen-Congo en 1946. Secrétaire d'Etat à la France d'outre-mer (cabinet Edgar Faure) (1er mars-6 octobre 1955). Réélu député en 1956 et 1958, il présida le groupe *U.N.R.* de l'Assemblée nationale, en 1959, puis celui du Sénat, en 1962, après son élection au Sénat (Seine, 1959).

BEAU DE LOMENIE (Emmanuel, Henri).

Homme de lettres, professeur, né à Paris, le 4 février 1896. Marié avec la journaliste Jacqueline Lasne-Desvareilles. Il appartient à une vieille famille française illustrée par son arrière-grande-tante, Juliette Récamier et son grand-père l'académicien Louis de Loménie. Avant la guerre, il fut professeur à la mission universitaire française en Roumanie (1932-1937), puis dans divers lycées français. La publication, pendant la guerre, des deux premiers tomes de ses très remarquables « *Responsabilités des dynasties bourgeoises* » (qui en comptent actuellement quatre) lui valurent une grande notoriété et une réputation exceptionnelle d'historien et de spécialiste des oligarchies financières. Au cours de ces trente dernières années, il publia des centaines d'articles et d'études principalement dans : *La Revue hebdomadaire, La Revue de France, La France Catholique, Carrefour, Ecrits de Paris, Le Miroir de l'Histoire, Hommes et Mondes, Le Journal du Parlement, Fraternité Française*. Il est, en outre, l'auteur de nombreux ouvrages, dont : « *La carrière politique de Chateaubriand* », « *Maurras et son système* », « *La Mort de la IIIe République* », « *Les Chroniques de la Quatrième* ». Dans le domaine politique, il a participé à diverses actions publiques, soit comme indépendant, soit en liaison avec un groupement. Sa candidature contre Paul Reynaud, en novembre 1962, fut l'une de ces manifestations de non-conformisme.

BEAUGUITTE (André).

Homme politique, né à Paris, le 6 juillet 1901. Fils d'un préfet et écrivain meusien. Ancien sous-préfet. Journaliste. Ancien collaborateur des *Nouveaux Temps* (de J. Luchaire) et de *Dimanche-matin* où il a publié (22-12-1957) un article violemment anti-britannique intitulé : « *Orgueilleuse Angleterre !* ». A présidé l'Intergroupe parlementaire de la Presse, de la Radio et du Cinéma, et dirigeait *La Dépêche de Paris, La Dépêche Meusienne* et *La Dépêche Industrielle, Commerciale et Agricole*. Directeur du *Journal des Chambres de Commerce*. Conseiller municipal de Sivry-sur-Meuse. Elu pour la première fois député de la Meuse (arrondissement de Montmédy) le 8 mai 1932. Réélu le 26 avril 1936. Sous-secrétaire d'Etat à l'Intérieur (2e cabinet Sarraut, janvier-juin 1936). A voté le 10 juillet 1940 pour le maréchal Pétain. Inéligible jusqu'en 1953. Conseiller général du canton de Montfaucon depuis 1953. Elu à nouveau député de la Meuse le 2 janvier 1956, s'inscrivit au groupe paysan, mais quitta ce groupe le 24 juillet 1957 pour celui du *R.G.R.* (14 novembre 1957), puis le *Centre Républicain*. Réélu député en 1958, 1962 et 1967. Appartient au groupe des *Républicains Indépendants*.

BEAUJANNOT (Joseph).

Négociant, né à Scorbé-Clairvaux (Vienne), le 27 janvier 1898. Négociant en mercerie. Sénateur républicain indépendant de Loir-et-Cher depuis 1955.

Conseiller général du canton de Blois-ouest.

BEAUMONT (comte Jean de).

Administrateur de sociétés, né à Paris, le 13 janvier 1904. Gendre du banquier de Rivaud. Candidat député en Cochinchine, fut élu en 1936 contre Omer Sarraut, fils d'Albert Sarraut, ancien gouverneur de l'Indochine (on a prétendu que cette compétition électorale était le résultat d'une lutte d'intérêts entre le groupe financier de Rivaud, qui soutenait J. de Beaumont, et la *Banque de l'Indochine*, fort liée avec les Sarraut, qui appuyait son concurrent). Invalidé en janvier 1938, sous prétexte de corruption électorale. A nouveau candidat, fut réélu le 3 avril 1938 et s'inscrivit au groupe de la Gauche démocratique et radicale indépendante. Vota pour le maréchal Pétain en juillet 1940. Retiré de la vie politique, s'est consacré depuis vingt ans aux affaires financières : préside sept sociétés « coloniales », est le vice-président de sept autres (principalement de caoutchouc) et administre une dizaine de banques, de sociétés minières, agricoles et industrielles.

BEAUMONT (Pierre de la Bonninière, comte de).

Economiste, né à Vaubadon (Calvados), le 14 août 1930, d'une famille qui a donné à la France des soldats, des historiens, des pairs de France, des préfets et des hommes politiques. Secrétaire administratif de l'*Organisation Française du Mouvement Européen* (1955-1959), administrateur de la Commission de la *C.E.E.* (1959-1965), directeur du *Syndicat Général de la Construction Electrique* (depuis 1965), président-fondateur du *Syndicat de la Fonction publique européenne* (1963). Fut candidat indépendant d'Action Sociale et Paysanne, avec l'investiture du *Parti Libéral Européen*, aux élections législatives de 1962 en Indre-et-Loire. Auteur de « *Harmonisation des fiscalités européennes* » (1955) et de « *La IVᵉ République. Politique intérieure et extérieure* », préfacé par René Pleven (1960).

BEAUSSART (Mgr).

Coadjuteur du cardinal-archevêque de Paris, nommé le 2 novembre 1941 membre du *Conseil national* (voir à ce nom).

BEAUVAIS (Robert, Henri, Aimé).

Journaliste, né à Paris, le 6 mars 1911. Homme de gauche et résistant, ce journaliste très indépendant et non conformiste, fut ami d'Albert Paraz. Il collabora à *Samedi-Soir, France-Dimanche, Paris-Matin, Ce Matin-Le Pays, Arts*, etc. ainsi qu'à l'O.R.T.F. et aux autres postes, notamment à *Radio-Luxembourg, Radio Monte-Carlo*, auteur de diverses émissions, de scénarios ou dialogues de films, de pièces de théâtre, et d'un livre humoristique : « *Histoire de France et de s'amuser* ».

BEAUVILLAIN (Auguste, Arthur).

Représentant (1878-1957). Hôtelier, puis représentant en vins. Militant socialiste depuis 1894, initié à la Loge *Themis*, de Cambrai, le 3 mai 1924, fut maire de Caudry, conseiller général, puis député du Nord (1924-1928, 1936-1942). Vota les pouvoirs constituants au maréchal Pétain le 10 juillet 1940. Arrêté en 1942, condamné à six mois de prison, fut révoqué de ses fonctions de maire par Vichy. N'en fut pas moins inéligible jusqu'en 1947. Réadmis à la *S.F.I.O.*, appartint au conseil municipal de Caudry de 1947 à 1957.

BEAUVOIR (Simone, Lucie, Ernestine, Marie BERTRAND de).

Femme de lettres, née à Paris, le 9 janvier 1908. Egérie de Jean-Paul Sartre, militante active des mouvements d'extrême-gauche, professeur de philosophie réfugié dans la littérature, Simone de Beauvoir est l'auteur d'un très grand nombre de livres qui, parfois, firent scandale et qui, de toute manière, lui ont valu une célébrité assez particulière. Citons notamment : « *L'invité* » (1943), « *Le Sang des autres* » (1944), « *L'Existentialisme et la sagesse des nations* » (1948), « *Le Deuxième Sexe* » (1949), « *Les Mandarins* » (1954), « *La longue marche* » (1957), « *Mémoires d'une jeune fille rangée* » (1958), « *Djamila Boupacha* » (1962, en collaboration avec G. Halimi). Dans « *Les Mandarins* », qui obtinrent le Prix Goncourt 1954, elle énonça quelques contrevérités qui hérissèrent ceux qui avaient connu certaine période de sa vie. D'où une réplique sous forme de brochure, publiée à Paris (1955) et intitulée « *Simone de Beauvoir et ses « Mandarins* », signée La Voulzie.

BEC ET ONGLES.

Hebdomadaire fondé en 1931 par Pierre Darius, avec l'appui du député radical indépendant G. Boucheron. Disparu au moment de l'affaire Stavisky, le journal reparut en 1935.

BECHARD (Paul, Léon, Albin).

Homme politique, né à Alès (Gard), le 25 décembre 1899. Ancien élève de l'Ecole spéciale militaire de Saint-Cyr. Ingénieur de l'Institut Electro-technique de Grenoble. Colonel de réserve d'Infanterie coloniale. Membre de la 1re Assemblée constituante (1945-46). Député du Gard à la 1re Assemblée nationale (1946-48). Démissionnaire en décembre 1948 pour exercer les fonctions de Gouverneur général de la France d'Outre-Mer (A.O.F.). Elu à nouveau député du Gard le 17 juin 1951. (S'était alors « apparenté » avec une liste comptant deux *R.P.F.* Cf. *Le Patriote*, 9-6-1951.) Conseiller général du canton d'Alès-Est (1945-51), puis du canton de Pont-Saint-Esprit (4 juin 1961). Conseiller municipal et maire d'Alès (du 13 novembre 1947 au 29 décembre 1948 et à nouveau le 25 octobre 1953). Sous-secrétaire d'Etat à l'Armement (cabinet Léon Blum, 1946-1947). Secrétaire d'Etat à la Présidence du Conseil, chargé de la Défense Nationale et de la Radiodiffusion (cabinet Ramadier, 1947). Secrétaire d'Etat à la Présidence du Conseil, chargé de la France d'Outre-Mer (cabinet Ramadier, 1947). Secrétaire d'Etat aux Forces Armées (Guerre) (cabinet Schuman, 1947-1948). Haut-commissaire de la République en A.O.F. (Parlementaire en mission de janvier 1948 à décembre 1948, puis, comme Gouverneur général du 2 décembre 1948 au 24 mai 1951). Sénateur socialiste du Gard (1955-1958). Elu député *S.F.I.O.* du Gard (4e circ.) depuis 1958. Fit l'objet de critiques graves lors de son passage à la France d'Outre-Mer (A.O.F.). On lui reprocha plusieurs « affaires » : celle dite « de la délégation », celle « des abattoirs de Dakar » (*Aspects de la France*, 1, 8 et 15-2-1952), et aussi « l'affaire Voisin » (*L'Echo de la Presse*, 28-2-1951).

BECHE (Emile).

Membre de l'enseignement, né à Saint-Germain-des-Bois (S.-et-M.), le 20 janvier 1898. Instituteur, puis directeur d'école. Militant socialiste, fut élu député des Deux-Sèvres en 1936. Pendant la guerre, participa à la Résistance et fut le responsable de *Libé-Nord* dans le Poitou. Nommé maire de Niort à la Libération, fut député *S.F.I.O.* des Deux-Sèvres de 1945 à 1956. Elu à nouveau maire de Niort en 1957, anime aujourd'hui l'hebdomadaire socialiste *Le Travail des Deux-Sèvres*.

BECKER (Georges).

Homme politique, né à Belfort (Territoire de Belfort), le 7 février 1905. Professeur d'enseignement secondaire. Collaborateur du *Journal du Parlement*. Membre de l'*Alliance France-Israël*. Fut naguère le collaborateur de *La Voie Nouvelle* et de *L'Est Républicain*. Elu député *U.N.R.* du Doubs en 1958 avec l'appui du groupe radical de M. Morice et au cri de « Algérie Française ! ». Réélu député *U.N.R.* en 1962.

BEGUE (Paul, Emile, Jean, Baptiste).

Agriculteur, né à Sebourg (Nord), le 10 décembre 1904. Maire d'Eth. Elu conseiller général du canton ouest du Quesnoy et député *U.N.R.* du Nord (23e circ.) depuis 1958.

BEDOUCE (Albert).

Homme politique (1869-1947). Quitta l'école primaire à douze ans pour entrer dans une banque ; à dix-huit, fut représentant en papeterie, puis employé chez un marchand de vins. Dès 1891, milita au *Parti Ouvrier Français* à Toulouse. Initié à la Loge *L'Harmonie sociale* le 23 juin 1904, entra l'année suivante au conseil municipal de la ville. Fonda l'hebdomadaire *Le Peuple*, puis *La Cité*. Elu député socialiste de Toulouse en 1906, devint le maire de la cité des capitouls et fonda *Le Midi socialiste*. Réélu député en 1910 et 1914, battu en 1919, prit sa revanche en 1924 et fut constamment réélu jusqu'à la fin de la guerre. Appartint en 1936-1937 au gouvernement Blum (Travaux publics). Se retira de la politique après la Libération.

BEGHIN (Ferdinand).

Industriel, né à Thumeries (Nord), le 21 janvier 1902. Président-directeur général de la *Société F. Béghin*, de la *Sucrerie Centrale d'Arras*, des *Cartonneries de Kaysersberg*, est, également, administrateur de la *Sucrerie de Caudry*, des *Sucreries, Raffineries et Distillerie Delloye*, de la *Société calaisienne de pâtes à papier*, de la Société anonyme du *Figaro*, de la *Compagnie française des périodiques*, de la *Société des Mines de Douaria*, de la *Société calaisienne de reboisement*, de la *Société des Sources minérales Oulmès-Etat*. Homme d'affaire entreprenant, à la tête d'un puissant groupe industriel sucrier et papetier, Ferdinand Béghin est aussi un personnage influent de la politique française en raison de sa position à la Société du *Figaro* et à la *Compagnie Française des Périodiques*.

BELIN (René).

Syndicaliste, né à Bourg-en-Bresse, le 14 avril 1898. Quitta l'école primaire à douze ans et demi et travailla dans diverses maisons avant d'entrer dans les postes. Secrétaire du *Syndicat des agents des P.T.T.* de Lyon, devint secrétaire général du dit syndicat à Paris (1930), puis secrétaire de la *C.G.T.* (1933). Rédigea l'éditorial du *Peuple* de 1933 à 1935, collabora à *L'Homme réel*, à *Vendredi*, à la *Revue des Vivants*, puis dirigea l'hebdomadaire *Syndicats*. Vice-président de la *Fédération Nationale des Sous-officiers Républicains* (1938). Fut, avant la guerre, secrétaire du comité national du *Rassemblement Populaire*, formation politique socialiste-radicale-communiste du *Front populaire*. Rallié au maréchal Pétain en 1940, fut ministre du Travail à Vichy. Après la Libération, fut l'un des principaux collaborateurs du *Bulletin de Paris*.

BELLANGER (Claude).

Directeur de journal, né au Mans (Sarthe), le 2 avril 1910. Fils d'un ingénieur en chef des Mines, petit-fils de Gery Legrand, sénateur-maire de Lille, arrière-petit-fils du bâtonnier Pierre Legrand, premier député de l'opposition sous le Second Empire. Fut, avant la guerre, secrétaire général administratif de la *Ligue française de l'enseignement* (1936-1939) et, pendant l'occupation, directeur du *Centre d'entr'aide des Etudiants prisonniers*. Résistant actif, fut l'un des fondateurs du groupe de résistance « *Maintenir* » (1940), membre du Comité Directeur de l'*Organisation Civile et Militaire* (O.C.M.) (1942), du Bureau permanent de la *Fédération Nationale de la Presse clandestine* (1943-1944) et de la Commission de la Presse du *Conseil National de la Résistance*. Devint à la Libération directeur général du *Parisien libéré*, poste qu'il occupe aujourd'hui. Est le président ou le vice-président d'un grand nombre d'organisations professionnelles de presse, de la *Fédération Nationale de la Presse Française*, du *Centre de Formation des Journalistes*. Appartient, en outre, au conseil d'administration de : *L'Alliance Française*, *Le Courrier de l'Ouest*, *Le Maine libre*, *l'Agence France-Presse* et est associé de la S.A.R.L. *Ouest-France*. Auteur de plusieurs ouvrages, dont : « *La Presse des Barbelés* » et « *La Presse clandestine* ».

BELLANGER (Robert).

Homme politique (1884-1966). Elu député indépendant d'Ille-et-Vilaine en 1928, il devint sous-secrétaire d'Etat à la Marine dans le 1er cabinet Chautemps (1930). Battu aux élections législatives de 1932, il devint, la même année, sénateur d'Ille-et-Vilaine et s'inscrivit au groupe de la gauche républicaine. Il avait fondé en 1931, avec Louis Loucheur, le quotidien rennais *Ouest-Journal*. Le 10 juillet 1940, à Vichy, Robert Bellanger avait voté les pleins pouvoirs au maréchal Pétain.

BELLON (Armand LABIN, dit Jacques).

Directeur de journal, né à Bucarest (Roumanie), le 7 janvier 1906, mort en mars 1957. Son père aurait été rédacteur à l'*Adversul*, quotidien de gauche. Immigré en France avant la guerre, il collabora à divers journaux, notamment à *L'Orient* et à l'*Agence économique et financière*. Fin 1941, il s'installa à Lyon, puis à Montpellier. Devenu clandestin, il prit alors le nom du premier mari de son épouse. A la Libération, il s'établit dans les locaux et l'imprimerie de *L'Eclair* de Montpellier et y fit paraître *Midi Libre*, avec la collaboration active de ses amis politiques et en particulier de Nina Morguleff, dite Madeleine Rochette, (voir à ce nom). Le 12 mars 1947, il fut naturalisé français (*Journal officiel*, 16-3-1947, page 2514).

BELTREMIEUX (Gaston, Jean-Baptiste, François, Joseph).

Agriculteur (1876-1947). Militant socialiste, fut élu maire de Fresnicourt-le-Dolmen (P.-de-C.) en 1904 — il n'avait que vingt-huit ans —, puis conseiller général en 1919 et député du Pas-de-Calais en 1931. Réélu en 1932 et 1936. Membre de la Loge *L'Aurore de la Liberté*, de Béthune, avant la guerre. Vota pour le maréchal Pétain, à Vichy, en juillet 1940 et fut déclaré inéligible à la Libération. Appartint en 1946 au *Parti Socialiste Démocratique*, fondé par Paul Faure et ses amis.

BEN (Benjamin GUITTONEAU, dit).

Caricaturiste, né au Vaudelney (M.-et-L.), le 17 janvier 1908. Débuta au *Charivari* et à *L'Ami du Peuple* et

BEN. PAR BEN

donna, par la suite, des dessins à divers journaux de droite, ainsi qu'au *Crapouillot*. Collabora aussi régulièrement à *Rivarol*, à *Aspects de la France* et aux *Nouveaux Jours*. Sous le pseudonyme d'Arouet, a publié un pamphlet semi-clandestin qui eut un très gros tirage après la Libération : « *Voyage en Absurdie* » : « *Dans le plat conformisme de l'après-guerre* », écrivit Jean Galtier-Boissière, « *Voyage en Absurdie* » éclata comme une bombe à retardement. Ce remarquable conte satirique à la manière de Candide fut attribué successivement à Gaxotte, René Benjamin, Sacha Guitry, Maurras et Galtier-Boissière ; son succès fut si éclatant que l'œuvre déborda bientôt le cadre de la clandestinité et devint le « best seller » parisien de l'après-Libération. » Après divers albums sur le « *général de la Perche* » (De Gaulle), « *Jocrisse Morèze* » (Maurice Thorez) et « *Le Laid* » (Mendès-France), il donna une suite à ce pamphlet sous le titre : « *Retour en Absurdie* », publié au début de la Vᵉ République, qui lui valut des poursuites judiciaires pour injures au chef de l'Etat. Mourut en 1966.

BENARD (François).

Minotier, né à Feuquières (Oise), le 28 janvier 1903. Ancien maire de Saint-Omer-en-Chaussée (1928-1944). Conseiller général de Marseille-en-Beauvaisis depuis 1931. Président du Conseil général de l'Oise. Député de l'Oise depuis 1956. Inscrit à *l'U.N.R.-U.D.T.*

BENARD (Jean).

Agriculteur, né au Mans (Sarthe), le 2 août 1913. Elu maire de Buzançais en 1945. Conseiller général du canton de Buzançais. Elu député *indépendant paysan* de l'Indre (3ᵉ circ.) depuis 1958. Défenseur de la paysannerie, fut l'un des 275 députés qui demandèrent — en vain d'ailleurs — la convocation du Parlement pour obtenir l'indexation des prix agricoles.

BENARD (Pierre, Marie, Joseph).

Journaliste (1901-1946), collabora à *Bonsoir* et à *L'Œuvre* après la Première Guerre mondiale, puis entra au *Canard Enchaîné* et en fut le rédacteur en chef de 1936 à 1940. Dans la clandestinité, collabora à *Combat* et à *Défense de la France* et fut, en 1944-1946, à la fois rédacteur en chef du *Canard Enchaîné* et de *France-Soir*. Passionnément attaché à la paix, il écrivit un jour dans *Le Canard Enchaîné :* « *Je suis pacifiste, je ne veux pas faire la guerre et encore moins la faire aux autres. Ni pour la Pologne, ni pour la Russie. Ni même pour l'Espagne.* » (Cf. « *La gauche hebdomadaire* », par Claude Estier, Paris 1962.)

BENAZET (Henry, François, Antoine).

Journaliste, né à La Pacaudière (Loire), le 14 février 1897. Fils d'un juge de paix, fut d'abord avocat à Paris, puis speaker à la radio. Depuis des lustres, collabore chaque jour à *l'Aurore*, où il défend, avec talent et parfois agressivité, un point de vue souvent fort éloigné de l'opinion des lecteurs modérés du journal. Auteur de « *L'Afrique française en danger* » (1947).

BENAZET (Paul, Louis, Théodore).

Avocat (1876-1948). Fils du parlementaire de l'Indre, Paul Benazet (1843-1920). Député de l'Indre (1906-1932), puis sénateur du même département (1933-1941), appartenait au *Parti Républicain socialiste* (de Briand) et à la Franc-Maçonnerie (avait été initié le 14 février 1921). Eut un demi-portefeuille dans les gouvernements Painlevé et Briand (1925-1926). Vota les pouvoirs constituants au maréchal Pétain et se retira de la politique peu après.

BENDA (Julien).

Homme de lettres (1867-1956). Collabora à la *Revue Blanche*, au moment de l'affaire Dreyfus, puis aux *Cahiers de la Quinzaine*. Apparut comme le contempteur du Bergsonisme, à la suite de la publication de deux volumes critiquant avec vigueur l'œuvre du philosophe. Fut, dans l'entre-deux-guerres, le collaborateur du *Figaro*, du *Temps*, des *Nouvelles littéraires*, de *La Dépêche* (de Toulouse), de *La Revue de Paris*, de la *Nouvelle Revue Française*, et même de *L'Humanité*, communiste. Ses idées de gauche sont très nettement exprimées dans « *La trahison des clercs* » (1927), « *Esquisse d'une histoire des Français dans leur volonté d'être une Nation* » et « *Discours à la Nation européenne* » (1933).

BENE (Jean, Louis).

Avocat, né à Pézenas (Hérault), le 12 juillet 1901. Fils d'un viticulteur du midi. Militant socialiste, élu maire de Pézenas en 1932. Conseiller général de l'Hérault et président de l'assemblée départementale en 1945 et sénateur en 1946, est le directeur politique de *Midi Libre*.

BENEDETTI (Jean, Dominique).

Journaliste, né à Sartène (Corse), le 6 octobre 1901. Journaliste depuis 1932, fut successivement rédacteur parlementaire à *La Croix*, avant la guerre, au *Petit Parisien*, pendant la guerre, et à *L'aube* après la guerre. Est actuellement à *Paris-Presse*, au *Républicain Lorrain* et à *Midi Libre*, où il défend avec habileté et talent les thèses du gaullisme. Préside l'*Association des journalistes parlementaires*.

BENEDETTI (Jean de).

Journaliste, né à Boulogne-sur-Seine, le 25 février 1913. Débuta comme préparateur en pharmacie et correspondant de presse à Clermont-Ferrand (1934). Après la Libération, devint rédacteur (1945), puis rédacteur en chef adjoint (1945-1962) du *Provençal* à Marseille, tout en collaborant à l'*O.R.T.F.* (1954-1962), puis directeur de l'*Agence Centrale Parisienne de Presse* (*A.C.P.*) (depuis 1962). Préside la *Fédération nationale des agences de presse* (depuis 1963).

BENENSON (Roger, Henri).

Ouvrier tourneur-ajusteur (1900-1945). Militant communiste, propagandiste de son parti en Seine-et-Marne, fut élu député de ce département en 1936. Arrêté en septembre 1941, en raison de ses opinions politiques, interné à Châteaubriant et à Voves, puis déporté en Allemagne dans un *K.Z.* où il mourut le 5 mars 1945.

BENJAMIN (René).

Homme de lettres (1855-1948). « Prix Goncourt » en 1915 pour son « *Gaspard* », il rejoignit le nationalisme après la guerre, fréquenta Barrès et Maurras, et publia maints ouvrages politiques, où sa nature fougueuse et souvent sarcastique atteignait fréquemment, a dit Noël Sabord, « *un comique salubre et vengeur* ». Son ouvrage « *Aliborons et démagogues* », largement répandu dans les milieux nationaux autour de 1930, contribua à approfondir le fossé existant depuis le Combisme entre le corps de l'enseignement primaire et la droite. Partisan du maréchal Pétain pendant la guerre, il fut exclu, après la Libération, de l'Académie Goncourt dont il était membre depuis près de dix ans.

BENOIST (Charles, Augustin).

Homme de lettres, né à Courseulles-sur-Mer (Calvados) le 31 janvier 1861, mort dans la même localité le 11 août 1936. Il appartenait à une famille de marchands et de marins. Après de brillantes études il entra comme clerc chez un officier ministériel de Caen. Mais, manquant d'enthousiasme pour cette carrière, il gagna Paris et se lança dans le journalisme. Sous le pseudonyme de Sibyl, il écrivit à la *Revue Bleue* des articles très remarqués. Adrien Hébrard, le directeur du *Temps* fut séduit par ses « croquis parlementaires » et l'attira à son journal et en fit son correspondant à Rome. De retour à Paris, Charles Benoist entra à la *Revue des Deux Mondes* dont il devint bientôt le secrétaire général. A cette époque, il publia deux volumes qui lui acquirent aussitôt la noto-

riété dans les milieux politiques : « *La Crise de l'état moderne* » (1896) et « *L'organisation du travail* » (1900). Il posa sa candidature dans le 6e arrondissement de Paris, contre le radical Berthelot, fils du grand savant, fut battu en 1898, mais triompha en 1902 et entra à la Chambre des Députés où il devint l'un des membres les plus actifs de la commission du suffrage universel et de celle du travail. Ayant soumis à la Chambre un projet de code du travail (1905), c'est lui que l'on nomma rapporteur des projets de loi portant codification des lois du travail. Mais il se fit surtout connaître comme partisan irréductible de la représentation proportionnelle. Il fut réélu en 1906, en 1910 et en 1914. Il donna sa démission de député en 1919, lorsque Clemenceau le nomma ministre de France à La Haye, poste qu'il conserva pendant cinq ans. Il ambitionnait d'être ambassadeur de France auprès du Vatican, mais la victoire du *Cartel des Gauches,* en 1924, lui enleva cet espoir. Déçu par dix-sept ans de vie parlementaire au cours desquels il n'était pas parvenu à corriger les « vices » du régime démocratique, il rallia la monarchie et en fit connaître les raisons dans un ouvrage « *Les lois de la politique française* », paru en 1927. Le duc de Guise, prétendant au trône de France, le chargea alors de l'éducation politique de son fils, le comte de Paris. Membre de l'Académie des Sciences Morales et Politiques (1908), il est l'auteur de nombreux ouvrages, en particulier de : « *Sophismes politiques de ce temps* » (1893), « *La Politique* » (1894), « *De l'organisation du suffrage universel* » (1899), « *La Réforme parlementaire* » (1902), « *Les nouvelles frontières d'Allemagne et la nouvelle carte d'Europe* » (1920).

BENOIST (Charles, Claude).

Chaudronnier, né à Paris, le 28 janvier 1901. Militant communiste, adjoint au maire de Villeneuve-Saint-Georges (1935-1939), député de Seine-et-Oise (1936-1940). Emprisonné en 1939, déchu de son mandat le 20 février 1940 comme communiste, libéré en 1943, devint maire de Villeneuve-Saint-Georges en 1945 et redevint député communiste jusqu'en 1958.

BENOIST-MECHIN (Jacques, Michel, Gabriel, Paul).

Homme de lettres, né à Paris, le 1er juillet 1901. Son père était lié avec le prince de Galles, le futur Edouard VII,

ce qui explique qu'il fit ses premières études en Angleterre. Il les poursuivit en Suisse, puis à Paris, d'abord au lycée Louis-le-Grand, puis à la Sorbonne. Appelé sous les drapeaux en 1921, il servit au 167e R.I. à Wiesbaden où il fut interprète à la commission interalliée des Chemins de fer de campagne. Il fut ensuite envoyé en Haute-Silésie, puis à Memel et enfin dans la Ruhr. Il appartint à l'Etat-Major de l'armée du Rhin, que commandait alors le général Degoutte, et participa aux négociations Rathenau-Loucheur à Wiesbaden, où son arrière-grand-père fut, sous l'Empire, gouverneur des pays rhénans. Au moment de sa libération du service militaire, il entra, sur la recommandation de Ferdinand Buisson, à la rédaction du *Quotidien* (1923). En 1924, il passa à l'agence de presse *International News Service,* dont il devint le directeur l'année suivante. Il conserva ce poste jusqu'à son départ aux Etats-Unis, en 1927. A son retour, il entra à *L'Europe Nouvelle,* dont il fut le rédacteur en chef jusqu'en 1930. Il fit alors un assez long séjour à Genève, où siégeait la Société des Nations. Il y rencontrait un certain nombre d'hommes d'Etat avec lesquels il était en rapport (Titulesco, Benès, Stresemann, lord Robert Cecil, Baldwin, Politis, Madariaga, Aristide Briand, Louis Loucheur, etc.). En 1929, il fut chargé d'un important travail consistant à établir un répertoire complet, chronologique et analytique de tous les accords et traités qui avaient été passés dans le monde au cours des dix années précédentes. De 1930 à 1937, il se livra à des travaux personnels : c'est à cette époque qu'il écrivit les deux premiers tomes de son « *Histoire de l'Armée allemande* ». Entre-temps, il collabora à *La Volonté* et fut le secrétaire général de *L'Intransigeant.* Lors de la création du *Comité France-Allemagne,* fondé par diverses personnalités politiques parmi lesquelles Jean Goy et Pichot, représentant les deux plus grandes associations d'anciens combattants, il donna son adhésion — comme il avait adhéré, en 1936, au *Parti Populaire Français,* en même temps que Drieu La Rochelle. Il fut mobilisé en 1939 ; il appartenait alors à la deuxième réserve et il fut affecté à l'Etat-Major de la Ve région à Orléans. Fait prisonnier le lendemain de l'Armistice et interné au camp de Voves, il fut libéré le 15 août 1940. Le gouvernement du maréchal Pétain le nomma peu après chef du service diplomatique des prisonniers de guerre à Berlin. Il fut successivement, au cours des années 1940-1942, secrétaire général adjoint du gouvernement (cabinet Darlan), chargé des Affaires administratives (février-juin 1941), secrétaire d'Etat à la présidence du Conseil (juin 1941), ambassadeur extraordinaire à Ankara (juin-juillet 1941), président de la Commission de négociations franco-italo-allemandes, secrétaire d'Etat auprès du chef du gouvernement (cabinet Laval, avril 1942). Il quitta le gouvernement en septembre 1942. Entre-temps, il fut professeur à l'Ecole des Sciences Politiques et il présida la *Légion tricolore*. Outre de nombreuses traductions d'ouvrages allemands et anglais (« *Destin allemand* » de Kasimir Edschmidt, « *Nietzsche* », de Lou Andréas Salomé, « *Alexandre-le-Grand* », de Gustav Broysen, « *L'Ile au rayon de miel* », de Vincent Cronin, « *Le journal d'Hiroshima* », de Michihiko Hachiya, etc.), Jacques Benoist-Méchin a publié : « *Histoire de l'Armée allemande* » (6 tomes parus), « *Eclaircissements sur Mein Kampf* », « *L'Ukraine* », « *La Moisson de Quarante* », « *Ce qui demeure* », « *Soixante jours qui ébranlèrent l'Occident* », « *Mustapha Kémal* », « *Ibn Séoud* », « *Un printemps arabe* », « *Le roi Saud* », « *Arabie, carrefour des siècles* », « *Alexandre le Grand* », « *Cléopâtre* », « *Bonaparte en Egypte* », « *Lawrence d'Arabie* » qui ont été traduits en anglais, en allemand, en italien, en espagnol, en portugais, en néerlandais, en turc, en arabe, en japonais, etc.

BENOIT (Pierre).

Homme de lettres fécond, né à Albi, le 16 juillet 1886. Fut surtout romancier, mais fréquenta les milieux politiques de droite, donnant même des articles à des publications d'*Action française* ainsi qu'au *Nouveau Siècle* fasciste après la Première Guerre mondiale. Entré à l'Académie française en 1931 (fauteuil de Porto-Riche), il en fut pratiquement évincé à la Libération. Ses adversaires lui reprochaient d'avoir été pétainiste en 1940-1944 et d'être un ancien collaborateur du *Petit Parisien* de l'occupation. Il n'en poursuivit pas moins sa carrière littéraire, publiant un nouveau roman tous les ans chez Albin-Michel, et ne reniant rien ; il s'inscrivit (1956) parmi les membres d'honneur de l'*Association pour défendre la mémoire du maréchal Pétain*. Il mourut le 3 mars 1962.

BENOUVILLE (Pierre BENOUVILLE, dit Guillain de).

Journaliste, né à Amsterdam (Hollan-de), le 8 août 1914. Fils de Jean-Antoine Bénouville, agent commercial. Débuta dans la politique à l'*Action Française* (1930). Publia son premier livre, « *Baudelaire le trop chrétien* » (1936), en ajoutant une particule à son nom patronymique. Se brouilla avec l'*Action Française* à ce propos, et entra au journal antisémite *Le Pays libre*, organe du *Parti Français National - Communiste* (1937-1938). Sous-lieutenant aux armées (1939-1940). Installé en zone Sud après l'armistice de 1940, devint le rédacteur en chef de l'hebdomadaire pétainiste *L'Alerte*, à Nice (1940-1942). Chargé des Affaires extérieures du mouvement clandestin *Combat* (1943), au moment de son absorption par les *M.U.R.*, officier dans l'Armée d'Italie (1944). Général des F.F.I. (à la Libération), homologué dans le grade de général de brigade (*Journal officiel*, 5-6-1953, p. 5 040). Chargé de mission au cabinet de Jacques Soustelle. Elu député *R.P.F.* d'Ille-et-Vilaine en 1951 ; non réélu en 1956 ; était vice-président du *Groupe Parlementaire Résistant*. Candidat de l'*U.N.R.* dans le même département en 1958 : élu, mais exclu de ce parti en juin 1962. Pour le compte de Marcel Dassault (voir à ce nom), dirige *Jours de France* et *L'Oise libérée*, et administre les entreprises suivantes : *Société Intertechnique* (avec Maurice Bourgès-Maunoury, ancien président du Conseil), *Nouvelles Galeries Réunies* (avec J. Meyer, P. Lévy, A. Maus, G. Nordmann, M. Wiriath, etc.), *Minière de l'Oubanghi oriental* (avec Schiff-Giorgini et E. Bollaert), *Financière et Industrielle des Pétroles* (avec le général Kœnig, Schiff-Giorgini, L.-W. Christaens, ancien député, Y. Bréart de Boisanger), *Minière de l'Est-Oubanghi*, *Editions Robert Laffont* et *Télé-Monte-Carlo*. Auteur de : « *Saint-Louis ou le printemps de la France* », « *Le sacrifice du matin* », etc.

BENQUET.

Médecin, nommé le 23 janvier 1941 membre du *Conseil national* (voir à ce nom).

BERACHA (Samuel, dit Sammy).

Journaliste et industriel, né à Belgrade (Yougoslavie), le 15 mars 1905. Avant la guerre : collaborateur du *Droit de vivre*, co-directeur (avec Bertrand de Jouvenel) de *La Lutte des Jeunes*, rédacteur au quotidien *La République* (d'Emile Roche). Après la Libération : au ministère de la Production industrielle (1944), successivement chef du service des Informations, répartiteur du papier et d'autres produits, directeur du Bois et des industries diverses et représentant de la France dans différentes conférences économiques internationales. Actuellement vice-président délégué de l'*Union industrielle des Fabricants de papiers et cartons*, etc. Conseiller du Commerce extérieur de la France. Auteur de : « *Rationalisation et Révolution* », « *A la Recherche d'une patrie* », « *Le Marxisme après Marx* », « *Le Mythe du racisme* ».

BERANGER (Pierre).

Assureur-conseil, né à Paris, le 26 juin 1888. Membre de l'*Alliance Démocratique*, élu député de l'Eure en 1936. Vota pour le maréchal Pétain en juillet 1940. Dirigea en 1941 *La Vie Industrielle*, journal économique, fondé par André Terrasse, ancien secrétaire de *L'Alliance Démocratique*.

BERARD (Jacques).

Avocat, né à Bédarrides (Vaucluse), le 7 juin 1929. Avocat au barreau d'Avignon. Député *U.N.R.* du Vaucluse (3e circ.) de 1958 à 1967.

BERARD (Félix, Joseph, Louis, Léon).

Homme politique (1876-1960). Avocat (collaborateur de Raymond Poincaré), député (1910-1927), puis sénateur des Basses-Pyrénées (1927-1942), plusieurs fois ministres (Beaux-Arts, 1913 ; Instruction Publique, 1919-1920, 1921-1924 ; Justice, 1931-1932, 1935-1936). Fut l'un des animateurs de l'*Alliance Républicaine Démocratique* et du *Parti Républicain Démocratique et Social*. Membre de l'Académie française (1934), ambassadeur de l'Etat français au Vatican (1940-1944). Frappé d'inéligibilité en raison de son vote favorable au maréchal Pétain en 1940, demeura quelques années à Rome, puis rentra en France. Appartint au comité d'honneur de l'*Association pour Défendre la mémoire du maréchal Pétain*, et à l'*Alliance Jeanne d'Arc*.

BERARD-QUELIN (Albert, Georges QUELIN, dit).

Journaliste, né à Villeurbanne (Rhône) le 25 septembre 1917. Fils d'un petit commerçant du Rhône. Collabora, avant la guerre, à diverses publications lyonnaises : *La Flamme, L'Avenir socialiste, Le Démocrate, Ciné-Sud-Est,* ainsi qu'à *La République du Sud-Est*. En 1940, devint secrétaire général de la rédaction du quotidien *La France au Travail*, à Paris, qu'il quitta lorsque Jean Fontenoy

prit le journal en main à la fin de l'année. Créa alors *La Correspondance de Presse* (1941), qui « *fournissait tous éléments rédactionnels spécialement étudiés pour chaque journal* » et « *assurait, en outre, la correspondance des journaux à Paris et à Vichy* » (cf. *Annuaire de la Presse*, 1942-1943, p. 90). L'agence fonctionna (avec ses annexes : *Pressimac* (clichés), *Agence française littéraire et artistique, Agence générale de diffusion et d'information*) jusqu'aux premiers mois de 1944. Bérard-Quélin fut emprisonné à Fresnes. Libéré par les Alliés, fut correspondant de guerre et rédacteur du bulletin d'information de la 1re armée. Puis fonda en mai 1946 trois entreprises de presse : l'*Office Français d'Editions Documentaires*, le *Service de Documentation et d'Information* et l'*Office de Synthèse de Presse* et en avril 1947, la *Société Générale de Presse* (voir à ce nom), importante entreprise publiant bulletins quotidiens de presse, de documentation politique, d'information économique, etc. Sur le plan politique, son évolution le conduisit au *Parti Radical* et dans les milieux favorables à Mendès-France et à François Mitterrand. Dirige le secrétariat du cercle *Le Siècle*. Est aujourd'hui l'une des personnalités marquantes de la Gauche et de la Maçonnerie : ami personnel de François Mitterrand, — au côté duquel il eut, il y a une dizaine d'années, un accident d'avion, — appartient au Bureau National du *Parti Républicain Radical et Radical-Socialiste*, est à la Fédération radicale de la Seine (trésorier) et au comité exécutif de la *Fédération de la Gauche démocrate et socialiste*.

BERAUD (Henri).

Hommes de lettres et journaliste, né à Lyon le 21 septembre 1885, d'une famille de boulangers lyonnais (qu'il évoqua dans « *La Gerbe d'Or* », parue en 1928). Après avoir fait ses études au lycée Ampère, il fut successivement dessinateur pour soieries, clerc d'avoué, représentant en vins, antiquaire et courtier d'assurances. Il publia son premier livre : « *Le second amour du chevalier des Grieux* » à dix-huit ans (1903). A vingt, il rompait des lances avec les partisans du Symbolisme dans *La Houle* et publiait « *L'héritage des Symbolistes* » (1906). Entre-temps, il avait débuté dans la presse (1903) et il devint secrétaire de rédaction à *La Dépêche* de Lyon. Mais ce n'est qu'en 1913, lorsqu'il eut fondé sa propre revue, *L'Ours*, qu'il se révéla un pamphlétaire exceptionnel. A son retour du front (il fut lieutenant d'artillerie), il fonda une association de

combattants, avec Henri Barbusse et
Paul Vaillant-Couturier, et une autre revue : *Les Journées de 1918,* collabora au
Crapouillot, au *Canard enchaîné,* au
Merle Blanc, au *Mercure de France,* fut
l'un des rédacteurs de *L'Œuvre,* de *Bonsoir,* de *L'Eclair,* du *Petit Parisien* et
du *Journal,* où ses reportages l'imposèrent aussitôt. En 1922, il obtint le *Prix
Goncourt* pour ses deux romans « *Le
Martyre de l'Obèse* » et « *Le Vitriol de
lune* ». Plusieurs de ses reportages
furent réunis en volumes : « *Ce que j'ai
vu à Berlin* » (1926), « *Ce que j'ai vu
à Moscou* » (1926), « *Le flâneur salarié* »
(1927) « *Ce que j'ai vu à Rome* » (1929),
« *Emeutes en Espagne* » (1931). Le polémiste politique remplaça le reporter et
le chroniqueur. Ses articles de *Gringoire*
firent sensation et lui valurent de solides
inimitiés. (Ils ont été recueillis dans
« *Pavés rouges* » (1934), « *Trois ans de
colère* » (1935), « *Popu-roi* » (1936),
« *Faut-il réduire l'Angleterre en esclavage ?* » (1936), « *Sans haine et sans
crainte* » (1942), etc.) De 1934 à 1944,
il fut le pamphlétaire le plus redouté de
la presse française. Au printemps 1944,
il se brouilla avec Horace de Carbuccia,
directeur de *Gringoire,* et expliqua pourquoi dans un petit livre édité par *Inter-
France* : « *Les raisons d'un silence* »
(juillet 1944). « *Alors que les habiles
changeaient de camp,* a dit Galtier-Boissière, *il refusa de se déjuger.* » Arrêté
à Paris après la Libération, il fut traduit
en cour de Justice et, sur réquisition
du commissaire du gouvernement Lindon, condamné à mort par un jury dominé par le *Parti communiste* (29 décembre 1944). Ce qui provoqua de violentes protestations dans la salle. (L'un
des manifestants, Francis Boyer, de
Neuilly, fut appréhendé par les gardes.)
La peine de Henri Béraud fut commuée
en vingt ans de travaux forcés, puis en
dix ans de réclusion. Malade, paralysé,
il fut gracié et libéré en avril 1950.
Retiré à St-Clément-des-Baleines, dans
l'île de Ré, il y mourut le 24 octobre
1958. Son œuvre littéraire est importante : elle comprend non seulement les
livres déjà cités, mais une vingtaine
d'autres, dont « *Au Capucin gourmand* »,
« *Le bois du Templier pendu* », « *Les
Lurons de Sabolas* », « *Ciel de suie* ».
Il a conté ses déboires judiciaires dans
« *Quinze jours avec la mort* », publié
par Plon peu après sa libération. Il avait
écrit ce livre dans sa prison, de même
que « *Les derniers beaux jours* », parus
en 1953.

BERAUD (Marcel).

Chirurgien-dentiste, né à L y o n

(Rhône), le 27 octobre 1915. Participa
à la Résistance. Candidat en janvier
1956 sur la liste du *Centre National des
Républicains sociaux* (gaullistes) et du
Parti Républicain Paysan. Battu. Elu
conseiller municipal et adjoint au maire
de Berck le 15 mars 1959. Membre de
l'*Alliance France-Israël.* Député *U.N.R.*
du Pas-de-Calais (4e circ.) depuis 1962.

BERAUDIER (Charles).

Agent commercial, né à Bourg (Ain),
le 18 février 1920. Résistant et militant
gaulliste, adjoint au maire de Lyon, collaborateur et ami de Jacques Soustelle,
fut proclamé député du Rhône en remplacement de ce dernier, devenu ministre
en 1959. D'abord inscrit à l'*U.N.R.,* quitta
le parti gaulliste par opposition à la
politique algérienne du général De
Gaulle. S'inscrivit au groupe *Unité de la
République.* Fut battu en 1962 par le
candidat *U.N.R.*

BERENGER (Henry).

Journaliste (1867-1952). Président de
l'*Association Générale des Etudiants de
Paris,* collaborateur de la revue *L'Art
et la Vie,* conférencier du « néo-chris-
tianisme », anti-dreyfusard agressif, il
changea brusquement de route et se fit
le champion du capitaine israélite
condamné. Affilié entre-temps au *Grand
Orient* et affichant un anticléricalisme
farouche, il collabora à *La Raison* de
l'ex-abbé Charbonnel, puis s'aidant de
ce dernier — qu'il évinça ensuite — il
fonda un quotidien très anti-catholique,
L'Action ; plus tard devint le directeur
du *Siècle* (1908) et de *Paris-Midi* (1911)
et s'intéressa de très près au journal protestant *Le Signal,* avant de devenir le
collaborateur assagi de : *La Revue des
Deux Mondes, La Revue de Paris, Actualités* et *Sémaphore.* Secrétaire général
du Congrès de l'Enseignement, président de la Ligue des Bleus de Normandie, fut élu sénateur de la Guadeloupe
(1912) et devint commissaire aux essen-
ces et combustibles dans le gouvernement Clemenceau (1918-1920). Constamment réélu au Sénat, jusqu'à la chute de
la IIIe République, appartenait au groupe
de la *Gauche Républicaine Démocratique.*

BERENGER (Raymond).

Chef comptable, né à Dreux (E.-et-L.),
le 3 avril 1886. A sa sortie de l'école
primaire, fut employé aux écritures, puis
aide-comptable et devint le chef compta-

ble et fondé de pouvoir d'une graineterie de Nonancourt (Eure). Elu député socialiste de Dreux (1930), en remplacement de Maurice Viollette devenu sénateur, conserva son mandat jusqu'à la chute de la III° République. Rallia entre-temps le néo-socialisme et quitta le groupe *S.F.I.O.* pour s'inscrire à celui de *l'Union Socialiste et Républicaine.* Vota le 10 juillet 1940 les pouvoirs constituants au maréchal Pétain et se retira de la vie politique.

BERGASSE (Henry).

Avocat, né à Marseille (B.-du-R.), le 26 septembre 1894. Fils de Paul Bergasse, avocat marseillais. Fut d'abord officier (sorti de l'Ecole de Saint-Cyr en 1914), puis s'inscrivit au barreau de Marseille. Milita dans la Résistance pendant l'occupation et fut élu membre de la seconde Assemblée constituante en 1946, puis député des Bouches-du-Rhône : le resta de 1946 à 1962. Ministre des Anciens Combattants dans le cabinet René Mayer (janvier-mai 1953), fut le président du Groupe parlementaire de *l'Action républicaine et sociale* (1953-1955). Vice-président (1958) du groupe des *Indépendants et Paysans d'action sociale* de l'Assemblée nationale, puis président (1959-1961), et président de la Commission de la Défense Nationale (1961-1962). Membre influent du *Centre National des Indépendants et Paysans,* faisant partie de son comité directeur, est à Marseille depuis un quart de siècle l'un des chefs du parti modéré. Ses éditoriaux dans *Le Méridional-La France* lui ont attiré de solides haines dans les milieux communistes, mais des amitiés non moins solides dans les milieux nationaux et libéraux.

BERGER (Ernest).

Militant monarchiste, né à Lyon le 6 juillet 1889. Secrétaire administratif et trésorier de la *Ligue d'Action française,* fut abattu le 26 mai 1925, vingt-huit mois après son chef, Marius Plateau. Sa meurtrière, Maria Bonnefoy, affirma qu'en tuant Berger elle s'imaginait atteindre Maurras.

BERGER (Henri).

Médecin, né à Rivières - les - Fosses (Haute-Marne), le 21 avril 1920. Maire et conseiller général de Fontaine-Française. Membre de *l'Alliance France-Israël.* Député *U.N.R.* de la Côte-d'Or (2° circ.) depuis 1962.

BERGERON (André, Louis).

Syndicaliste, né à Suarce (T. de B.), le 1er janvier 1922. Conducteur typographe, fut après la Libération, membre de la section *S.F.I.O.* de Belfort (1945-1946). Quitta le *Parti Socialiste* pour se consacrer au syndicalisme, qu'il veut indépendant de tout mouvement politique. Devint secrétaire général du Syndicat typographique *C.G.T.* de Belfort (1946), puis de l'Union Départementale des syndicats *F.O.* du Territoire de Belfort et de la Fédération *F.O.* du Livre (1948). Depuis 1963, est le secrétaire général de la *Confédération Générale du Travail-Force Ouvrière* et vice-président de la *Confédération Internationale des Syndicats Libres.*

BERGERY (Gaston, Frank).

Avocat et homme politique, né à Paris, le 22 novembre 1892. Marié, en secondes noces, avec Lubova Krassine, la fille de l'ancien ambassadeur soviétique. Après la Première Guerre mondiale, qu'il fit dans l'infanterie (blessé et cité), il fut affecté au secrétariat de la Conférence de la Paix, puis nommé secrétaire général adjoint interallié à la Commission des Réparations (1918-1924). Il devint, le cartel des gauches victorieux aux élections de 1924, le directeur de cabinet d'Edouard Herriot, au ministère des Affaires étrangères. Militant du *Parti Radical et Radical-Socialiste,* il fut élu député de Seine-et-Oise en avril 1928 et nommé vice-président du groupe radical à la Chambre. Réélu en mai 1932 dans le même département contre Sarret, candidat radical indépendant, et Marcel Bucard, candidat national, démissionnaire le 20 février 1934, en signe de protestation contre la constitution du cabinet Doumergue (il déclara ne pouvoir siéger, sans y être formellement autorisé par ses électeurs, dans une assemblée élue sous le signe de l'Union des gauches et qui s'abandonnait à la réaction). A l'élection partielle qui suivit, le 29 avril 1934, il fut battu, cette fois, par le candidat Sarret. Mais il prit sa revanche en mai 1936, lorsque la vague de *Front populaire* porta une majorité d'hommes de gauche à la Chambre des députés. Entre-temps, il avait fondé en 1933, avec Bernard Lecache et d'anciens communistes, le *Front Commun* dont le nom, par un abus de langage fréquent en politique, servit bientôt à désigner les premières tentatives d'unité d'action réalisées à l'instigation des communistes. Puis, ayant quitté avec éclat le *Parti Radical,* il transforma son

Front Commun en *Front Social* (futur *Parti Frontiste*) auquel Georges Izard apporta l'appoint de sa *Troisième Force.* Dans *La Flèche,* l'hebdomadaire de son mouvement, il mena une vigoureuse campagne contre les bellicistes et les oligarchies financières. Ayant accepté Munich, il lutta pour sauver la paix jusqu'à la dernière minute. A la veille du conflit, il faisait cette réponse à Herriot qui tentait de le dissuader de renouveler le geste de Thiers en juillet 1870 : « *Je ne peux tout de même pas consentir à la guerre pour vous être agréable.* » Après l'armistice, il vota les pouvoirs constituants réclamés par le maréchal Pétain et fut nommé par ce dernier au Conseil national. Il passait alors pour appartenir au *brain-trust* de Vichy et pour avoir inspiré l'un des messages sociaux du chef de l'Etat. Mais il fut bientôt écarté de l'entourage du Maréchal et envoyé comme ambassadeur à Moscou (1941), puis à Ankara (1942-1944). Auteur de : « *Notre Plan* », principes d'économie politique (Paris 1938), « *Air-Afrique, voie impériale* », (Paris 1937), et sous le pseudonyme de Gaston François : « *La Vierge et le Sagittaire* » (Paris 1948). En 1957-1958 il rédigea la libre chronique diplomatique à *Paris-Presse-l'Intransigeant.*

BERGEY (Vivien, Daniel, Michel).

Ecclésiastique et homme politique, né à Saint-Trélody (Gironde), le 19 avril 1881, mort à Saint-Emilion (Gironde), le 31 décembre 1950. L'abbé Bergey fut, entre les deux guerres, l'un des orateurs les plus prestigieux de la droite catholique. Ordonné prêtre en 1904, en plein *combisme,* nommé vicaire à Saint-Emilion où sa jeunesse ardente suppléa son vieil oncle curé de la paroisse, il prit part à la lutte contre ceux qu'il considérait comme les ennemis de l'Eglise : les francs-maçons. Il fit, en 1911, une série de conférences dans le Bordelais, qui lui attira de solides haines dans les loges en même temps que l'attention de diverses personnalités politiques de son bord. Après la guerre de 1914-1918, qu'il fit comme aumônier du 18e R.I., il reprit avec une ardeur nouvelle le combat pour l'Eglise. Il créa, avec d'autres ecclésiastiques, la *Ligue des prêtres anciens combattants,* et milita au sein de la *Fédération Nationale Catholique* (que le général de Castelnau venait de fonder) en qualité de vice-président. Il fut également l'un des vice-présidents de l'*Association des Religieux Anciens Combattants.* En 1924, l'abbé Bergey entra au parlement ; il était devenu (1920), curé

de Saint-Emilion. Il se retira de la politique active en 1932, abandonnant son siège à son poulain Philippe Henriot. Mais, après la défaite de 1940, il se rangea résolument au côté de son ancien chef à Verdun. Dans son journal, « *Soutanes de France* », il prit parti, critiquant sévèrement l'attitude de Churchill et faisant allusion au « *scandale des serments reniés (...) plus néfastes à la patrie que la perte d'une bataille ou que l'invasion d'une colonie* ». Cela lui valut d'être arrêté en 1944 et traduit, le 24 juillet 1945, devant un tribunal d'exception bordelais : après treize mois de détention particulièrement pénible à cette époque, le curé de Saint-Emilion fut acquitté. Menacé de mort par l'ancien chef d'un commando F.T.P., un Espagnol connu pour ses violences, l'abbé Bergey ne rentra à Saint-Emilion que quelques mois plus tard. Dès lors, il se consacra à ses ouailles jusqu'à sa disparition en 1950.

BERL (Emmanuel).

Homme de lettres, né au Vésinet, le 2 août 1892. Au retour de la guerre de 1914-1918, il publia plusieurs ouvrages et collabora à *Monde* de Henri Barbusse, et appartint au conseil de rédaction d'*Europe.* En 1925, il fonda, avec Drieu La Rochelle, *Les derniers jours,* puis en 1932, l'hebdomadaire *Marianne* dont il fut le directeur de 1933 à 1937. Ce journaliste de talent, dont l'indépendance d'esprit était citée en exemple à droite comme à gauche, qui avait accueilli Bernanos à *Marianne,* malgré l'ostracisme qui frappait le grand écrivain catholique, publia, à partir de 1937, une petite revue, *Pavés de Paris,* qu'il rédigeait de la première à la dernière ligne. C'est dans cette publication qu'il attira l'attention du public sur l'action occulte d'un véritable syndicat belliciste. On venait de citer des noms ; on avait donné des chiffres. On disait ouvertement que Robert Bollack, directeur de *l'Agence Fournier* et de *l'Agence Economique et Financière,* avait reçu des millions d'Amérique pour « arroser » la presse française. « *L'action de certaines « puissances d'argent » dans les dernières crises diplomatiques,* écrivait-il dans sa revue, *est trop éclatante pour qu'on puisse la dissimuler sous les systèmes de mutations ou de dénégation...* » (*Pavés de Paris,* 3-2-1939). Et prenant personnellement à partie R. Bollack, qui lui avait écrit pour nier sa participation à l'entreprise de corruption de la presse, il ajoutait : « *Que de l'argent, beaucoup d'argent ait été donné à ce qu'on peut appeler justement « le parti* de la guerre », M. Bollack le sait aussi bien que moi. » (Ibid.) Il accusait aussi, formellement, les financiers internationaux de vouloir la guerre et de tout mettre en œuvre pour la rendre inévitable :

« *Une guerre menace plus un Français dont les biens consistent en immeubles situés à Strasbourg ou à Metz qu'un Français dont la fortune consiste en lingots d'or, en Royal Dutch, en emprunt de la Cité de New York déposés dans un coffre de Montréal. Un financier international est moins lié à la nation qu'un capitaliste national.*

« *Je ne dis pas que le financier international soit, par nature, belliciste. Je dis que les financiers internationaux, s'ils tendent pour un motif ou un autre vers le bellicisme, ne sont pas retenus comme les simples citoyens par la crainte d'exposer leur vie, leur famille et leurs biens.*

« *Leur vie ? Je vois très peu de milliardaires parmi les victimes des guerres du dix-neuvième siècle. Aucun Rothschild d'Autriche n'est mort en 1866. Aucun Rothschild français n'est mort en 1870. Aucun Rothschild français, aucun Rothschild anglais, à ma connaissance, mort dans la guerre de 1914. Et il en va, je crois, de même pour les Morgan et pour les Vanderbilt.*

« *Leurs biens ? La guerre, parfois, les diminue, parfois aussi les augmente. Les guerres de Napoléon ont permis l'éclosion des grandes fortunes du dix-neuvième siècle et nous savons trop que tout le monde n'a pas perdu à la guerre de 1914.* » (Pavés de Paris, 17-3-1939). Après la guerre, il reprit la plume, collabora à divers journaux et publia d'autres livres. Il participa également aux émissions radiophoniques d'André Gillois, notamment à « Qui êtes-vous ? ». Œuvres principales : « *Recherches sur la nature de l'amour* » (1923), « *Méditations sur un amour défunt* » (1925), « *Mort de la pensée bourgeoise* » (1929), « *Mort de la morale bourgeoise* » (1930), « *Frère bourgeois, mourez-vous ?* » (1934), « *La politique et les partis* » (1935), « *Le fameux rouleau compresseur* » (1937), « *Histoire de l'Europe* » (1945), « *Sylvie* » (1951), « *Présence des morts* » (1955), « *La France irréelle* » (1957), « *Les Impostures de l'Histoire* » (1958), « *Cent ans d'histoire de France* » (1962).

BERLIA (Emile).

Administrateur de journal, né à Toulouse, le 23 mai 1878, mort dans cette ville le 13 août 1946. Comptable, imprimeur, puis administrateur du quotidien toulousain *Le Midi Socialiste*. Militant socialiste et adepte du *Grand Orient*, fut successivement conseiller général de la Haute-Garonne, conseiller municipal et adjoint au maire de la ville des Capitouls, député de la 2ᵉ circ. de Toulouse. Ne prit pas part au vote du 10 juillet 1940 sur les pouvoirs constituants et se retira de la politique.

BERLIOZ (Joanny).

Professeur, né à Saint-Priest (Isère), le 7 juillet 1892. Militant communiste, fut rédacteur à la presse du parti (*La Vie ouvrière, La Correspondance internationale, L'Humanité*), conseiller général de la Seine (1935-1940), député de Saint-Denis (6ᵉ circ.) de 1939 à sa déchéance en février 1940 (arrêté en 1939, condamné en avril 1940 à cinq ans de prison, déporté en Algérie en 1941, libéré en 1943), membre de l'Assemblée consultative provisoire (1944-1945), des deux Constituantes (1945-1946) pour l'Isère, député de ce département à l'Assemblée nationale (1946) et sénateur de la Seine (1946-1958). Fut, pendant un quart de siècle, l'un des chefs les plus écoutés du P.C.F.

BERLOW (Moïse BERLOFF, dit Maurice).

Journaliste, né à Kovno (Lithuanie, alors province russe), le 19 septembre 1901, d'une modeste famille de savetiers, venue s'établir à Paris en 1905. Fut naturalisé français en 1951, décret nº 83020425. Ancien animateur de l'*Union Universelle de la Jeunesse Juive* et ancien directeur de *L'Opinion juive*. Déporté à Auschwitz en raison de son appartenance au judaïsme et de son hostilité à l'occupant. Fondateur et directeur, jusqu'à sa mort survenue en mai 1961, du *Journal du Parlement*.

BERMOND (Pierre).

Banquier, né à Nice le 31 janvier 1885, beau-père de Jean Faraut, qui fut, avant la guerre, l'animateur des groupes nationalistes et antisémites de la région niçoise (présentement administrateur de la *Banque de la Cité*). Avocat. Directeur du *Petit Niçois* (1919-1934) et de l'*Ami du Peuple* à Paris (1934-1936). Actuellement président de la *Banque de la Cité*, vice-président-directeur général de la *Société financière suisse et française*, administrateur de l'*Omnium nord-africain*, de *La France maritime et continentale*, de la *Compagnie atlantique d'assurances*, du *Bâtiment du Maghreb*. Ancien président de la *Société Royal-Monceau Hôtel*, de la *Société immobilière Berri-Ponthieu*, de la *Société immobilière et hôtelière de Biarritz*.

BERNANOS (Georges).

Ecrivain, né à Paris le 20 février 1888, mort à l'hôpital américain de Neuilly le 5 juillet 1948. Fils d'Emile Bernanos, tapissier-décorateur d'origine lorraine et de Hermance Moreau d'une famille de paysans berrichons. Son nomadisme impénitent commença avec son enfance à Fressin (P.-de-C.) et ses études chez les Jésuites de la rue de Vaugirard, puis au petit séminaire de Notre-Dame-des-Champs, au petit séminaire de Bourges, au collège Sainte-Marie à Aire-sur-la-Lys, en Sorbonne (licences ès lettres et en droit). Dès l'âge de seize ans, il manifesta des opinions royalistes contre les partisans du *Ralliement* et les libres-penseurs Sébastien Faure, Fernand Buisson, ce qui lui valut ses premiers démêlés avec la police. Peu après, il prit part à un complot pour le rétablissement de la monarchie au Portugal. Incarcéré à la Santé pour sa participation aux manifestations contre le professeur Thalamas, que les nationalistes désignaient comme « *insulteur de Jeanne d'Arc* », il y écrivit son premier article de politique qui parut en 1909 dans *Soyons libres*, périodique libéral éphémère. Il se lia avec Drumont, Sorel, Charles Maurras, Léon Daudet, collabora à *L'Action Française* et à divers journaux royalistes. En 1913, il dirigea *L'Avant-garde de Normandie*, hebdomadaire monarchiste de Rouen, où il combattait les opinions politiques d'Alain, collaborateur du *Journal de Rouen*. Mobilisé au 6e dragons, il fit toute la guerre 1914-1918 (plusieurs blessures et diverses citations). Le 11 mai 1917, il avait épousé à Vincennes Jeanne Talbert d'Arc, descendante d'un frère de Jeanne d'Arc, ayant choisi pour témoin Léon Daudet. Après la guerre, délaissant le journalisme et s'écartant de l'*Action Française*, il devint inspecteur d'assurances à Bar-le-Duc et, en 1926, publia son premier grand roman « *Sous le Soleil de Satan* », dont le succès dut beaucoup à un article de Léon Daudet. Dès lors, Bernanos abandonna les assurances pour vivre de sa plume. Son existence erratique le conduisit à Ciboure, puis à Bagnères-de-Bigorre, à Amiens, à Clermont-de-l'Oise, à Toulon, à Hyères. La condamnation de *L'Action Française* par le Vatican en 1926 le rapprocha de ses anciens maîtres, et il recommença à écrire dans le quotidien, royaliste, tout en publiant divers ouvrages : « *L'Imposture* », « *Saint-Dominique* », « *La Joie* » (prix *Fémina* 1928) et « *La Grande Peur des Bien-Pensants* » (1931). En novembre 1931, prenant le parti de François Coty

contre *L'Action Française*, il entama dans *Le Figaro* (alors appartenant au parfumeur) une dure polémique contre Maurras et Daudet. En 1933, grave accident de motocyclette qui le laissera infirme d'une jambe ; il se débattit alors dans d'inextricables difficultés financières, dut abandonner son mobilier, sa bibliothèque et ses manuscrits à son propriétaire et se réfugia avec sa femme et ses six enfants à Majorque. Découragé, profondément déçu par la Droite, il écrivit quelques articles dans *Marianne*, que dirigeait alors Emmanuel Berl. A Henry Coston, qui lui en faisait l'amical reproche, il répondit le 29 avril 1935 par une longue lettre :

« *Vous me parlez avec un peu d'amertume de ma collaboration à* Marianne. *(...) Je pourrais, sans doute, me contenter de répondre que j'ai écrit dans ce journal de gauche ce que j'aurais écrit dans un journal de droite, mais ce ne serait pas exact. Les directeurs de journaux de droite me vomissent, et ils ont bien raison, car si j'avais l'idée saugrenue de les avaler, inutile de vous dire par où je les rendrais... M. Berl est juif, soit. Mais il n'en a pas moins ouvert ses colonnes, sans condition, à l'auteur de* « La Grande Peur des Bien-Pensants », *et il a même poussé la courtoisie jusqu'à exprimer sa sympathie pour un livre consacré tout entier à la mémoire de Drumont. Que voulez-vous, je ne trouve pas ça déjà si mal et je crois avoir là-dessus l'opinion de mon maître. Je tiens le Juif pour l'ennemi de la chrétienté, je ne le méprise pas. Je ne méprise réellement que les esclaves du Juif.* »

Et, après avoir longuement expliqué pourquoi il se refusait désormais à rompre des lances pour « *le bonhomme bedonnant et barbichu dont le patriotisme ne s'entretient que par la terreur, grâce à l'espèce de panique chronique soigneusement dosée par les journaux de l'Etat-Major* », il ajoutait :

« *Chez M. Berl, le seul fait de me définir moi-même anti-démocrate et chrétien prévient, n'est-ce pas ? toute équivoque. Je parle à des adversaires. Au lieu que des gens de droite, sur la foi de certains principes communs, peuvent me prendre pour un de leurs. Mais il n'y a pas que les principes qui comptent, il y a la manière de les servir. La manière des gens de droite m'écœure, comme elle écœurait Drumont. Par leur paresse intellectuelle, leur conservatisme élémentaire, leur jobarderie si curieusement mêlée de ruse, leur égoïsme social, l'étrange confusion qu'ils ont toujours* faite entre l'ordre et le sergent de ville, leur impudente utilisation des mots sacrés, ils ont leur bonne part de responsabilité dans les malheurs de mon pays. Rien ne le sauverait, ce pays, que la vérité, c'est-à-dire une claire, lucide, poignante et pathétique conscience de son abaissement. Ils lui refusent cette vérité. Pour ne pas effaroucher une clientèle bien-pensante dont l'avarice est légendaire, toujours disposée cependant à payer de quelques pièces de cent sous l'illusion de sauver la patrie, chaque matin, en beurrant ses tartines, ils reprennent après tant d'autres, la ridicule distinction du pays réel et du pays légal, obscur bobard qui justifie sournoisement la grandissante médiocrité des élites, leur sottise, leur paresse et cette insupportable jactance qui nous fait passer dans le monde pour une nation de tartarins. Vous me direz que les gens de droite ne sont pas, au fond, plus bêtes ou plus méchants, que les autres ? D'accord. Mais ils encombrent, Avouez que c'est tout de même assommant de ne pas pouvoir prononcer les mots de patrie, d'honneur, de justice sans voir accourir un tas d'imbéciles épanouis qui s'imaginent qu'on les appelle par leur nom, alors qu'on était bien loin de penser à eux... Cette masse braillarde et d'ailleurs impopulaire a toujours inutilement alourdi les organisations de salut public et aucun chef digne de ce nom n'a pu réussir à traîner longtemps derrière lui ce poids mort...

Vous m'avez écrit quelques mots sincères sans croire devoir y joindre les protestations rituelles d'admiration plus ou moins confraternelles. J'aime beaucoup qu'on parle ainsi à ses aînés. C'est même pourquoi je vous ai répondu, moi qui ne réponds plus à personne. Et de cette trop longue lettre, je souhaiterais maintenant que vous ne reteniez que ceci : le premier service à rendre aux Français de 1935, c'est de leur tendre le miroir et de leur faire honte. A ce métier, on ne devient pas riche. Mais on sauve ce qui reste de la Race, et s'il n'en reste rien, on la venge. »

Précisant encore sa pensée, Bernanos écrivait dans une nouvelle lettre à Henry Coston (15 juin 1935) : « Lorsqu'on a décidé d'accrocher une enseigne au-dessus de sa porte, il serait ridicule de ne pas tenir cette dernière ouverte. Entre qui veut, entre qui peut. On a beau prendre toutes les précautions, ceux qui viennent ne sont pas toujours ceux qu'on attendait (...) Il n'en reste pas moins, cher ami, qu'en reprenant le titre illustre choisi jadis par Drumont — le Drumont de l'époque triomphante,

si éclatante et si brève — vous risquez de voir accourir, entre beaucoup de compagnons fidèles, un certain nombre d'exemplaires d'une espèce classée depuis longtemps, celle des nigauds roublards qui, en achetant la Libre Parole, se donnent à eux-mêmes l'illusion d'être libres, et d'avoir une parole. Remarquez qu'il y a toujours chez ces malheureux une part, bien émouvante quand même, de sincérité. Ils paient chez vous leur place, comme pour une course de taureaux, et regardent avec une curiosité non feinte — une délicieuse petite crispation du cœur — la porte du toril derrière laquelle ils essaient d'imaginer le monstre annoncé à l'extérieur. Mais dame, à la première apparition de la Parole Libre ça ne va plus. Ils trouvent que la barrière qui les sépare de l'animal est bien fragile, que la bête sent mauvais, et que ses génitoires ont de quoi faire réfléchir leurs épouses... Alors ils fichent le camp, comme s'ils avaient le feu aux fesses.

« L'image me semble bonne et je ne lâche jamais tout de suite une image qui me semble bonne, c'est-à-dire capable de donner un moment, aux gens qui n'en ont pas l'habitude, l'envie de penser par eux-mêmes. Voilà cent ans et plus qu'on bat le rappel des « bons Français », des fameux « bons Français » qui sont toujours à deux doigts de sauver la France. Attention! Rangez-vous! Gare là-dessous! Les bons Français vont descendre dans l'arène ! Un homme de mon âge a entendu ça toute sa vie. Jadis, à l'époque des inventaires, la « Bonne France » s'appelait la France Chrétienne, la France des Croisés, la Fille aînée de l'Eglise. Chaque semaine, la Fille aînée de l'Eglise, représentée par le Pèlerin sous les traits d'une espèce de Jeanne d'Arc quinquagénaire armée d'une épée flamboyante, allait dire son fait au petit père Combes. Mais il ne l'a seulement crevé dans son lit, bien tranquille. A croire qu'elle avait fait comme Jacob, la jamais vue, le petit père Combes, il a Fille aînée de l'Eglise, qu'elle avait vendu son droit d'aînesse à un Juif, hypothèse d'ailleurs beaucoup plus plausible qu'elle n'en a l'air...

« Hé bien, je vais vous dire, moi, pourquoi les « bons Français » ne sont jamais descendus dans l'arène. C'est qu'ils ont toujours payé pour voir. Rien de moins, rien de plus. On a beau passer sa pauvre vie à ramasser dans le crottin juif, avec les doigts les gros sous de cuivre qu'a dédaigné la tripe aristocratique de Rothschild, il y a tout de même des jours — au printemps particulièrement — où on se sent de l'âme... Alors,

*comme le Théâtre Français coûte cher,
et qu'il joue d'ailleurs rarement Corneille, on aime mieux aller voir comment
le journaliste se tirera d'affaire tout seul
au nom et à la place des bons Français.
Et si le dompteur est mangé, mon Dieu,
ça n'a pas autrement d'importance,
d'abord parce qu'on est sûr de lui trouver un remplaçant, et surtout — surtout
— parce qu'on a payé, justement, pour
le voir mangé.* »

C'est à Majorque qu'il écrivit, entre
autres, son « *Journal d'un curé de campagne* », publié en 1936, qui lui valut
le Grand Prix du Roman de l'Académie
française. D'abord favorable au parti
franquiste, il lui devint hostile à cause
de ses excès et quitta Majorque pour
Paris, puis Nogent (second accident de
motocyclette) et Toulon où il publia
« *Les Grands Cimetières sous la Lune* »
(1938). Le 20 juillet 1938, il entraîna sa
famille au Paraguay (où il ne resta que
onze jours), puis au Brésil, où il tenta
de diriger sans succès une vaste exploitation agricole (Pirapora), à laquelle succéda une petite ferme qu'il exploita pendant quatre ans. Il publia au Brésil
« *Nous autres Français* » (1939), « *Lettre
aux Anglais* » (1942-1948), collabora à
divers journaux de Rio de Janeiro, aux
bulletins de la France Libre, à *La Marseillaise* de Londres et d'Alger, à la
Dublin Review, pour présenter et préciser son visage de la France au travers
de la Résistance qu'il a toujours soutenue. Rappelé en France par le général
De Gaulle en juillet 1945, tout en errant
de Sisteron à Bandol et à La Chapelle
Vendomoise, il collabora à *La Bataille,*
à *Carrefour*, à *Combat*, au *Figaro*, à *L'Intransigeant*, critiquant avec virulence la
IVᵉ République, l'épuration, la technocratie, les diverses atteintes à la liberté
qui se multipliaient en France et dans
le monde. Ecœuré, il se réfugia en Tunisie, à Hammamet d'abord, puis à Gabès,
continuant ses polémiques par des articles et des conférences. Entre-temps, il
écrivit les célèbres « *Dialogues des Car-
mélites* » (1948) qui ne parurent qu'après
sa mort. Terrassé par la maladie, il fut
transporté d'urgence à Paris où il mourut. Si on a pu reprocher à Bernanos
son « inconstance » politique, qu'un de
ses admirateurs, Albert Béguin, explique
par le fait qu' « *on ne répétera jamais
assez qu'il était demeuré un enfant* »,
on doit s'incliner devant son courage à
admettre les conséquences de ses diverses prises de position et à se réclamer
d'une totale liberté de pensée qui lui
a fait refuser par trois fois (1927, 1938
et 1946) la Légion d'honneur.

BERNARD (Jean).

Agriculteur, né à Plan (Isère), le 12 octobre 1912. Maire de Plan. Conseiller
général du canton de Saint-Etienne-de-
Geoirs. Député *M.R.P.* de l'Isère (6ᵉ circ.)
en 1962-1967 : favorable au *oui*, a bénéficié du désistement, au deuxième tour,
du candidat gaulliste Marcel Diamant-
Berger, secrétaire des « services législatifs de l'*U.N.R.* », frère d'André Gillois
(de la radio), et parent de Christian
Fouchet, ministre.

BERNASCONI (Jean).

Employé, né à Noisy-le-Sec (Seine), le
23 mai 1927. Fils de Gaétan Bernasconi
et de Mme, née Andrée Lamarre. Employé aux usines *Simca*. Militant à l'action ouvrière du *R.P.F.* Député *U.N.R.* de
Paris (27ᵉ circ.) 1958-1967. Membre de
l'Assemblée parlementaire européenne.
Membre du groupe de la *LICA*.

BERNET-ROLLANDE (Léon).

Avocat, né à Paris, le 15 mai 1912.
Ancien bâtonnier. Présida naguère la
*Caisse départementale des Prestations
Familiales* et l'*Union Départementale des
Associations Familiales*. Conseiller muni-
cipal (depuis 1947) et adjoint au maire
de Riom (depuis 1965). Fut le rempla-
çant de Pierre Baraduc, candidat du
Centre d'Action Sociale (nuance *M.R.P.*).

BERNIER (Lucien).

Avocat, né à Saint-François (Guadeloupe), le 27 mai 1914. Membre de la
S.F.I.O.. Conseiller général de la Guadeloupe, maire de Saint-François (depuis
1949). Conseiller de l'Union française
(1953-1958), puis sénateur de la Guadeloupe (depuis juin 1958).

BERON (Emile).

Métallurgiste, né à Lalaye (Bas-Rhin)
le 1ᵉʳ juillet 1896. Tourneur sur métaux,
milita dès l'âge de vingt ans dans le mouvement révolutionnaire où l'avait entraîné un socialiste originaire de Berlin.
Secrétaire du *Parti Communiste* pour la
Moselle, fut élu député de son département en 1928 et défendit avec ardeur ses
idées au parlement. En conflit avec le
P.C. en 1932, se présenta sans son investiture et fut réélu, cette année-là, comme
socialiste-communiste, contre le candidat
officiel du parti qui n'obtint que 903 voix.
Réélu en 1936, entra au Conseil général
en 1937. Soutint les cabinets de *Front*

populaire en 1936-1938, mais se sépara de la majorité qu'il considérait comme belliciste, approuva les accords de Munich en 1938, et vota pour le maréchal Pétain en 1940. Retiré de la vie publique depuis 1944.

BERRY REPUBLICAIN (Le).

Quotidien fondé, le 16 septembre 1944, dans les locaux de *La Dépêche du Berry*, à Bourges. A été absorbé par *Centre-Presse*.

BERTAUD (Jean).

Inspecteur de la S.N.C.F., né à Nîmes (Gard), le 9 septembre 1898. Sénateur gaulliste de la Seine (depuis 1948), président du groupe sénatorial de l'*Union pour la Nouvelle République* (1959-1962). Vice-président du Sénat (1958-1959). Maire de Saint-Mandé (depuis 1944).

BERTHE (Etienne, Eugène).

Agriculteur, né à Lizières (Creuse), le 4 décembre 1895. Ancien officier. Directeur de coopératives agricoles, présida la *Mutualité* et la *Caisse régionale de Crédit agricole* de la Creuse (jusqu'en 1944). Membre du Conseil National (23-1-1941). Co-directeur de *L'Unité paysanne*, secrétaire général du *Parti Paysan* (1951-1960), et directeur de *France Rurale*. Appartint à l'Assemblée de l'Union française (1955-1958).

BERTHEZENNE (Charles).

Chapelier (1871-1942). Maire de Valleraugue. Député du Gard (1928-1942) ; inscrit au groupe de l'*Union Socialiste et Républicaine*. Vota les pouvoirs constituants au maréchal Pétain (1940).

BERTHOD (Adrien, Maxime, Aimé).

Universitaire (1878-1944). Militant radical-socialiste, fut député de son département natal, le Jura, de 1911 à 1914 et de 1924 à 1935, puis sénateur de 1935 à 1941. Présida en second l'Entente interparlementaire des partis radicaux et démocratiques et fut plusieurs fois sous-secrétaire d'Etat ou ministre (1925, 1930, 1932, 1934), notamment des Pensions et de l'Education nationale. Bien qu'ayant voté la délégation des pouvoirs constituants au maréchal Pétain en 1940, fut considéré comme un adversaire : arrêté et emprisonné, puis relâché, échappa de justesse à un attentat et mourut dans une clinique du Mans des suites d'une maladie pulmonaire contractée en prison (16 juin 1944).

BERTHOIN (Jean-Marie, Yves, Pierre).

Haut fonctionnaire, né à Enghien-les-Bains (S.-et-O.) le 12 janvier 1895. Chef de cabinet du Résident général en Tunisie (1919), sous-préfet de Nérac, de Marmande, de Narbonne. Etait directeur de la Sûreté Nationale lorsque furent assassinés le roi Alexandre de Yougoslavie et Louis Barthou (1934). Fut, un peu plus tard : préfet de la Marne (1936), de la Seine-Inférieure (1938), secrétaire général du ministère de l'Intérieur (1938-1940), trésorier-payeur général de l'Isère (1940). Participa à la Résistance, fut nommé préfet de la Seine en 1947. Sénateur radical de l'Isère (depuis 1948). Appartint aux gouvernements Mendès-France (juin 1954), Edgar Faure (février 1955), Charles De Gaulle (juin 1958), Michel Debré (1959).

BERTHOMMIER (Jean).

Tapissier, né à Berton (Allier), le 1er octobre 1922. Militant poujadiste, élu député *U.F.F.* en janvier 1956. Poursuivit, plus tard, en dehors du mouvement Poujade, la lutte pour l'Algérie française et contre le Régime.

BERTHON (André).

Avocat, né à Petit-Palais (Gironde), le 21 juillet 1882. Militant socialiste, fut avant 1914 le conseil de la *C.G.T.* Défendit Marcel Cachin devant la Haute Cour, ainsi que Sadoul et Barbusse. Fut l'avocat des députés autonomistes Ricklin et Rossé. Elu député socialiste de la Seine en 1919, suivit la majorité communiste au congrès de Tours en 1920. Réélu député en 1924 et en 1928. Quitta le *P.C.* en 1931 et se présenta dans le Var en 1932 : fut battu. Mais entra au Conseil général de ce département, comme représentant de Saint-Tropez, et fut vice-président de l'assemblée départementale avant la Deuxième Guerre mondiale. Soutint, après la Libération, l'action de Paul Faure à *La République Libre* du *Parti Socialiste Démocratique* et participa à diverses manifestations de l'*Union des Intellectuels Indépendants*.

BERTHOUIN (Fernand).

Homme politique, né à Grand-Pressigny (I.-et-L.), le 10 juin 1917. Propriétaire d'une auto-école. Maire du Grand-Pressigny. Candidat radical-socialiste (tête de liste : Pierre Souquès) en janvier 1956 (battu). Elu conseiller général du canton du Grand-Pressigny le 4 juin 1961, puis député d'Indre-et-Loire

(3ᵉ circ.) le 25 novembre 1962 (contre l'ex-premier ministre Michel Debré). Inscrit au groupe du *Rassemblement Démocratique*.

BERTRAND (Charles).

Industriel, né à Laronxe (M.-et-M.), le 10 décembre 1899. Agriculteur de 1925 à 1962. Actuellement président-directeur général de la *S.A. Conserverie de Betaigne* et de la *Faïencerie d'Art du Poët-Laval*. Maire de Laronxe de 1935 à 1945. Directeur et principal rédacteur politique du *Journal de Lunéville*. Membre du Rotary-Club et vice-président du *Comité Républicain du Commerce, de l'Industrie et de l'Agriculture* de Meurthe-et-Moselle.

BERTRAND (Louis).

Homme de lettres (1866-1941). D'abord professeur au lycée d'Aix, il fut envoyé en disgrâce à Bourg-en-Bresse, à la suite d'un éloge d'Emile Zola jugé excessif fait devant ses élèves. Mais il obtint une chaire à Alger, et ce fut, pour lui, la révélation. Dans ses livres : « *Pepete le bien-aimé* » et « *Sanguis Martyrum* », il évoque cette Afrique du Nord qui n'était, pour lui, « *que l'ancienne province romaine d'Afrique* ». Dans son « *Louis XIV* », très prisé par la droite, il exalte la grandeur française et souligne les qualités du souverain et du système monarchique. Mais son opposition à la guerre, qu'il accusait les communistes et les israélites de vouloir déchaîner contre Hitler, l'amena à publier dans *La Presse*, alors quotidienne (1935), des articles qui firent scandale dans les milieux conservateurs dont il avait été, jusqu'alors, l'une des illustrations. De même, son petit livre « *Hitler* » qui parut peu après, où il tentait de réconcilier la France traditionnelle avec l'Allemagne nationale-socialiste. « *Parmi les précurseurs de la Révolution Nationale, parmi les écrivains qui ont vu et dénoncé, avec le plus lucide courage, les maux dont souffrait la France et leurs remèdes, il faut saluer, au premier rang, le grand romancier qui vient de s'éteindre en sa ville d'Antibes, Louis Bertrand* », écrivait le professeur Emile Ripert, dans *La Légion* de Vichy, en février 1942.

BESNARD (René, Henry).

Avocat (1879-1952). Issu d'une famille établie en Touraine depuis le XVIIᵉ siècle. Elu député radical-socialiste d'Indre-et-Loire en 1906 ; le resta jusqu'en 1919, puis fut sénateur de ce département de 1920 à 1941. Plusieurs fois sous-secrétaire d'Etat ou ministre entre 1911 et 1930. *Leader* radical de la Touraine, membre dirigeant de la *Ligue de la République* et adepte de la Maçonnerie (Chevalier Rose-Croix, membre de la loge *Les Enfants de Rabelais*). Vota la délégation de pouvoirs au maréchal Pétain en 1940, puis se tint à l'écart de la vie publique.

BESNARD-FERRON (Louis-Victor BESNARD, dit).

Viticulteur (1873-1954). Militant socialiste et membre du *Grand Orient* (loge *L'Evolution Sociale*, de Vendôme), fut élu député de Loir-et-Cher en 1928. Quitta la *S.F.I.O.* en 1932 et s'apparenta au groupe des *Socialistes Français* et des *Républicains Socialistes,* puis fit partie de l'*Union Socialiste et Républicaine.* Approuva les accords de Munich et vota pour le maréchal Pétain en 1940. N'en fut pas moins révoqué de ses fonctions de maire de Villiers-sur-Loir en 1942.

BESSET (Lucien).

Industriel, né à Paris, le 4 janvier 1892. Président de la *Chambre syndicale du sciage et du travail mécanique du bois.* Combattant de la guerre de 1914-1918, plusieurs fois blessé, douze fois cité. Député de la Seine de 1928 à 1936 (indépendant de gauche). Battu par le communiste Florimont Bonte en 1936. Appartint pendant la guerre au groupe clandestin *Ceux de la libération.* Vice-président du groupe des anciens députés de la IIIᵉ République et membre du Comité Directeur de l'Association fondée par les représentants du peuple de la IIIᵉ République pour la rénovation de nos institutions et de la défense des traditions républicaines.

BESSON (Philibert, Hippolyte, Marcelin).

Ingénieur (1898-1941). Engagé volontaire à dix-sept ans, plusieurs fois blessé, prisonnier évadé (1915-1918), fut après la guerre officier de marine marchande. Maire de Vorey (Haute-Loire), il se fit élire député du Puy en 1932. A la Chambre, il passait pour un excentrique en raison de ses attaques contre les puissants, en particulier contre « *les vautours du trust de l'électricité* » et les « *complices de Stavisky* » et aussi, ce qui lui fut fatal, contre les autorités constituées, et certains magistrats. Condamné par le tribunal du Puy (1932), et considéré comme déséquilibré par le rapporteur Paul Ramadier, il fut déchu de son mandat parlementaire (1935), bien que divers députés, le communiste Renaud Jean et le nationaliste Xavier Vallat notamment, aient fait remarquer que le « cas Philibert Besson » était infiniment moins grave que celui de certains députés et sénateurs compromis dans l'affaire Stavisky et qui restaient en place. Il fit élire à son siège l'ingénieur François, Joseph Archer (1883-1957), l'inventeur du fameux canon de tranchée (1918) et de la monnaie fédériste *Europa*. Ses idées pacifistes valurent à Philibert Besson de nouveaux démêlés avec les autorités et il mourut, dans des circonstances mal éclaircies (1) à la prison de Riom, le 16 mars 1941.

BESSON (Antonin).

Avocat, né à Billy (Allier) le 22 juin 1895. Inscrit au barreau de Moulins (1922), puis attaché au ministère de la Justice (1925) et substitut, procureur, avocat général, procureur général (1927-1951), occupa les fonctions de procureur général de la Haute Cour de Justice et de la Cour de Cassation (1951-1962), puis celles de procureur général près le Haut Tribunal militaire (avril 1961). Occupant le siège du ministère public au procès Challe-Zeller, avait expliqué dans son réquisitoire qu'il lui était impossible, en conscience, de réclamer la peine de mort pour les accusés. Remplacé par un autre magistrat plus souple (août 1962), et ulcéré par cette mesure, se retira et fut admis, sur sa demande, à faire valoir ses droits à la retraite (1962). Fut candidat socialiste à Vichy, aux élections législatives de novembre 1962, et s'inscrivit, l'année suivante, en mars, au barreau de Paris. Maire de sa ville natale, membre du Comité de patronage de l'*Union Française pour l'Amnistie*, a manifesté, en maintes circonstances au cours de ces dernières années, son opposition à « la Ve République » qui, dit-il, *a institué un régime policier sans précédent* » (cf. *Le Monde*, 24-6-1964).

BESSON (Roger).

Agriculteur, né à Saint-Gérand-le-Puy (Allier), le 2 décembre 1888. Sénateur. Maire de Saint-Gérand-le-Puy (depuis 1919). Conseiller général, vice-président du Conseil général de l'Allier, président de l'Association des maires de l'Allier et sénateur *S.F.I.O.* de l'Allier (depuis septembre 1962).

(1) Victime de brutalités, a-t-on dit.

BETHLEEM (Louis).

Ecclésiastique, né à Steenwerck (Nord), le 7 avril 1869, mort à Perros-Guirec (C.-du-N.), le 18 août 1940. Curé de Sin-le-Noble, dans le Nord, pendant de longues années. Inquiet de l'influence que la presse exerçait sur ses contemporains, l'abbé Bethleem mena, durant un demi-siècle, un combat énergique contre ce qu'il considérait comme une entreprise de corruption. Pour mieux dénoncer la nocivité de certains périodiques et de certains livres, il fonda en 1908 *Romans-Revue* (qui devint *La Revue des Lectures*) où il analysait chaque mois les œuvres littéraires et les autres publications, ainsi que les pièces de théâtre. Payant de sa personne, il inspectait volontiers les étalages des marchands de journaux et lacérait les publications qu'il jugeait offensantes pour la morale chrétienne. Ce traditionaliste, à la fois adversaire de la « judéo-maçonnerie » et du fascisme, fut ainsi le guide de tout un secteur de l'opinion catholique qui suivait ses consignes. Il publia plusieurs ouvrages, fort répandus alors dans les presbytères et les cercles paroissiaux : « *Romans à lire et romans à proscrire* », « *Les pièces de théâtres* », « *Les opéras, les opéras-comiques et les opérettes* » et, surtout, « *La Presse* », qui était, pour les catholiques, un guide sûr en même temps qu'un exposé remarquable. Après sa mort, l'un de ses collaborateurs, le chanoine Amédée Donot, fit reparaître *La Revue des Lectures* (1946-1947), qui fut presque immédiatement absorbée par *Les Cahiers du Livre*, devenus *Livres et Lectures*.

BETHOUARD (Marie, Emile, Antoine).

Général, né à Dôle (Jura), le 17 décembre 1889. Haut-commissaire de la République en Autriche (1945-1950). Sénateur des Français du Maroc, puis de l'étranger (depuis 1955), inscrit au groupe *M.R.P.* Collaborateur du *Figaro*, du *Journal de Genève*, etc.

BETOULLE (Léonard, dit Léon).

Homme politique, né à Limoges, le 25 octobre 1871, d'une humble couturière. Clerc d'officier ministériel venu tôt au socialisme par la lecture de Marx et des grands révolutionnaires français, adhéra au *Centre démocratique des travailleurs*, puis au *Parti Socialiste Français* de J. Jaurès. Débuta dans le journalisme à *La Dépêche* de Toulouse. Participa à la fondation du *Réveil du Centre* et du *Populaire*. Conseiller municipal de Limoges (1900), adjoint au maire (1904), puis maire (1912), fut élu député socialiste de la Haute-Vienne en 1906 et réélu en 1910, 1914, 1919 et 1924. Passa au Sénat en décembre 1924 et y resta jusqu'en 1944. Entre-temps, élu conseiller général de Limoges-Est (1920), présida l'assemblée départementale en 1930. Bien qu'ayant voté pour le maréchal Pétain le 10 juillet 1940, fut révoqué de ses fonctions de maire le 16 novembre de la même année. Entra dans la Résistance un peu plus tard et reprit son écharpe de maire de Limoges en 1947. Réélu en 1953, mourut dans sa ville natale, le 30 novembre 1956. Fut pendant un demi-siècle, l'une des fortes personnalités de la S.F.I.O. dans le centre de la France.

BETTENCOURT (André).

Administrateur de sociétés, né à Saint-Maurice-d'Etelan (S.-M.), le 21 avril 1919. Gendre de feu Eugène Schueller (co-fondateur avec Deloncle du *Mouvement Social-Révolutionnaire* et président du Comité économique du *Rassemblement National Populaire*, de Marcel Déat). Préside le *Centre d'Etudes Economiques* fondé par son beau-père et administre la société *L'Oréal*, que contrôle son épouse en même temps que *Monsavon*, les vernis *Valentine* et la revue *Votre Beauté* (dont François Mitterrand était directeur en 1945-1946). Membre du conseil d'administration du *Journal de la France agricole* à Paris. Directeur de la publication du *Courrier Gauchois* à Yvetot. Conseiller général du canton de Lillebonne (depuis 1946). Conseiller municipal de Saint-Maurice-d'Etelan (depuis 1946). Elu député de la Seine-Maritime (2e circ.) le 17 juin 1951. Secrétaire d'Etat à la présidence du Conseil (cabinet Mendès-France, 19 juin 1954-5 février 1955). Membre de l'Alliance France-Israël. Réélu député le 2 janvier 1956, le 30 novembre 1958 et le 25 novembre 1962. Membre du groupe parlementaire des *Républicains indépendants* et de celui de la *L.I.C.A.* Sous-secrétaire d'Etat aux Transports (cabinet Pompidou, 1966).

BEUGRAS (Albert).

Ingénieur, né au Creusot, le 21 février 1903. Elève de l'Ecole de Chimie de Mulhouse, ingénieur dans un laboratoire du groupe Rhône-Poulenc, il vint assez tard à la politique, s'intéressant surtout aux sports (il fut longtemps le président de l'Association sportive Péage-Roussillon).

Inquiet des progrès du communisme dans les usines de la région lyonnaise, il adhéra en 1936 au *Parti Populaire Français*, que Doriot venait de fonder, et fut chargé de son organisation à Lyon. Par la suite, installé à Paris, il fut l'un des membres du Bureau politique du parti, spécialement chargé des questions syndicales et corporatives. Quand Doriot partit sur le front de l'Est, A. Beugras appartint au Directoire du *P.P.F.* Retiré de la politique, il mourut à Paris, le 30 janvier 1963.

BEUVE-MERY (Hubert).

Directeur de journal, né à Paris, le 5 janvier 1902. Il dirigeait avant la guerre, à Prague, l'Institut Français et était le correspondant du *Temps* dans la capitale de la Tchécoslovaquie (démissionnaire en 1938). Il collaborait, également, à *L'Europe Nouvelle*. Il fut, très peu de temps, au début de la guerre, le collaborateur de Jean Giraudoux au ministère de l'Information. Fort lié avec les animateurs du *Temps présent*, il fit partie, en 1940-1941, de la rédaction de *Temps nouveau*, publié à Lyon par Stanislas Fumet ; il y écrivait sous le pseudonyme de Sirius, qui est demeuré le sien. Il était, alors, directeur des études de l'Ecole des Cadres créée à Uriage par le gouvernement du Maréchal. Il rejoignit par la suite la Résistance et devint officier F.F.I. Après la Libération, il fut porté à la direction du journal *Le Monde*, poste qu'il occupe toujours, collabora à *Esprit* et fit des conférences sous son égide (1952); il participa, avec Mme Sauvageot, au développement de *La Vie Catholique Illustrée*, publiée par la Sté des Editions du Temps Présent, dont il est l'un des actionnaires et dirigeants. Militant démocrate-chrétien de gauche, il n'a jamais caché ses opinions, ce qui lui vaut des inimitiés souvent féroces, non seulement dans les milieux catholiques de droite, mais aussi parmi les anti-communistes, qui lui reprochent sa politique étrangère *neutraliste*, et parmi les défenseurs de l'Algérie française, qui firent éclater une bombe à son domicile en août 1961. Hubert Beuve-Méry est l'auteur de plusieurs ouvrages : « *La Théorie des Pouvoirs publics d'après François de Vittoria et ses Rapports avec le Droit public contemporain* », « *Vers la plus grande Allemagne* », « *Réflexions politiques* (1932-1952) », « *Le Suicide de la IVe République* ».

BEZU (Jean-René).

Inspecteur commercial, né à Tourcoing (Nord), le 27 août 1933. Ancien délégué départemental du *Centre National des Indépendants et Paysans* de la Sarthe, fut l'un des chefs du mouvement de l'Algérie française au Mans. Connut, de ce fait, les rigueurs policières et judiciaires. Candidat en mars 1965 sur la liste du *Rassemblement démocratique* contre le maire sortant (Chapalain, *U.N.R.*), fut élu conseiller municipal. Délégué du *Comité Tixier-Vignancour* pour la Sarthe. Appartient à la fraction anticommuniste et anti-gaulliste des sociétés républicaines.

BIAGGI (Jean-Baptiste).

Avocat, né à Ponce (Porto-Rico), le 27 août 1918 ; issu d'une famille corse émigrée en Amérique centrale. Elevé par les Pères jésuites, fit la guerre dans les Corps Francs. Membre de l'*O.C.M.*, fut arrêté par les Allemands en 1944, et s'évada en sautant du train qui l'emmenait à Compiègne. Principal collaborateur de l'avocat Henry Torrès dont il reprit le cabinet, fut le défenseur, devant le Tribunal Militaire, des agents de la Gestapo de la rue de la Pompe, et celui de Labrusse, dans l'Affaire des Fuites. Milita au *R.P.F.* puis au *Comité des Volontaires de l'Union Française* et à *Présence Française-Algérie*, avant de fonder le *Parti Patriote Révolutionnaire* qu'il présida (novembre 1957-juin 1958). Dirigea l'organe de ce parti, *La France au Pouvoir*, dans lequel il préconisait à la fois la réconciliation des pétainistes et des gaullistes et le retour au pouvoir de « *l'homme du 18 juin* ». Fut élu député *U.N.R.* dans le XIIIᵉ arrondissement de Paris en 1958 (avait été auparavant candidat dans la Drôme et dans la Marne). Participa à la constitution du *Comité du 13 mai* avec le Dr Devraigne, président du Conseil municipal de Paris, Griotteray, Joël Le Tac, tous membres de l'*U.N.R.* Fut membre du Sénat de la communauté (1959). Figure parmi les fondateurs du *Rassemblement pour l'Algérie française* (septembre 1959). En désaccord sur l'Algérie avec la politique du général De Gaulle, quitta l'*U.N.R.* et s'inscrivit au groupe parlementaire de l'*Unité de la République* (16 octobre 1959). Fut arrêté après le « complot des barricades » et libéré dix-huit jours plus tard. Prenant la défense de ses camarades, il déclara à sa sortie de prison : « *Que l'on n'attende pas de moi un seul mot d'opprobre pour les patriotes d'Algérie. A part quelques très rares maniaques d'un fascisme ou d'un racisme que j'ai combattus et que je combattrai encore d'où qu'ils viennent et sous quelques*

oripeaux qu'ils se cachent, je suis persuadé que c'est un nationalisme de bon aloi joint à une profonde et légitime inquiétude qui ont poussé à des gestes extrêmes ces hommes. Le pouvoir, par ses inconstances, ses équivoques et ses incompréhensions, les avait volontairement ou involontairement livrés à leur dernier réflexe : rester Français à tous risques. Si j'avais une part de responsabilité dans le déclenchement et la conduite des événements d'Alger, je la revendiquerais, estimant après d'illustres exemples qu'il est parfois nécessaire de s'affranchir des apparences de la légalité pour obéir à l'honneur. » (*Le Monde*, 23-2-1960). Bénéficia d'un non-lieu en juillet 1960, en même temps que le professeur Jacques Lambert, le député Mourad Kaouah et l'avocat Jean Trape. Se représenta aux élections législatives de 1962 dans la même circonscription parisienne en se réclamant du *Centre National des Indépendants et Paysans*, lequel fit annoncer par la presse qu'il n'avait pas accordé son investiture au candidat Biaggi. Ce dernier confirma que les *Indépendants* de la Seine lui avaient bien donné l'investiture, mais que le comité directeur du *C.N.I.P.* la lui avait ensuite retirée au profit du candidat de Kémoularia. Le *Centre Républicain*, par contre, le soutenait, et les élus indépendants du secteur : Julien Tardieu, député, Alain Griotteray et Auguste Marbœuf, conseillers municipaux, lancèrent un appel en sa faveur (cf. *L'Aurore*, 17-11-1962). Avec 3 747 voix (de Kémoularia en groupa 1 929), Biaggi dut se retirer, et le candidat *U.N.R.* Germain fut élu au second tour. Le *Comité Tixier-Vignancour* le compta, un peu plus tard, parmi ses membres dirigeants (1964-1965).

BIB (Georges de BREITEL, dit).

Artiste peintre, dessinateur, né à Paris le 22 mai 1888. Fut, entre les deux guerres, l'un des caricaturistes les plus caustiques de la presse d'extrême-droite. Collabora longtemps au *Charivari* (avec Jehan Sennep et Augustin Martini). Depuis vingt ans, semble avoir abandonné la satire politique pour l'humour pur. Auteur de nombreux albums de dessins, a également illustré divers ouvrages. Appartient à l'Association des dessinateurs parlementaires.

BIBIE (Maxence).

Universitaire (1891-1950). Professeur de droit, conseiller général de Ribérac, député socialiste indépendant de la Dordogne (1924-1942), sous-secrétaire d'Etat à l'Economie nationale (1933), à la France d'Outre-Mer (1934), au Travail (1936) et au Commerce (1938). Vota les pouvoirs constituants au maréchal Pétain (1940) et reprit sa chaire à la faculté de droit de Bordeaux (1941).

BICAMERISME.

Système politique où le parlement se compose de deux assemblées législatives. En France, l'Assemblée nationale et le Sénat, qui constituent le Parlement, sont élus différemment : la première par les électeurs, le second par les délégués sénatoriaux, émanation des communes.

BICHET (Robert).

Ingénieur, né à Rougemont (Doubs), le 3 octobre 1903. Militant de la Résistance et du mouvement démocrate-chrétien. Conseiller municipal de sa ville natale (1935-1945), député *M.R.P.* de Seine-et-Oise (1945-1958). Secrétaire d'Etat à l'In-formation (cabinet G Bidault, 1946) ; fut tenu pour responsable de plusieurs « mesures de spoliation » qui frappèrent alors des journaux radicaux ou de droite ayant paru sous l'occupation et que les tribunaux avaient acquittés. Fondateur des *Nouvelles Equipes internationales*, vice-président du *Mouvement européen*. Maire d'Ermont (depuis 1959). Directeur de *l'Avenir français*.

BIDAULT (Georges, Augustin).

Universitaire et homme politique, né à Moulins (Allier), le 5 octobre 1899. Il fit ses études au collège des Jésuites de Turin, puis à la Faculté des Lettres de Paris. Agrégé d'histoire, il enseigna à Valenciennes, à Reims et à Louis-le-Grand. Il milita jeune à l'*Association Catholique de la Jeunesse Française* dont il fut, par la suite, le vice-président. Acquis aux idées répandues alors dans les milieux catholiques par Marc Sangnier et ses disciples, il fut l'un des membres de la commission exécutive du *Parti Démocrate Populaire* et l'un des rédacteurs du *Petit Démocrate* et de *L'Europe Nouvelle*. A partir de 1936 et jusqu'à la guerre, il rédigea l'éditorial de *l'aube*. C'est dans ce quotidien démo-crate-chrétien qu'il écrivit quelques-uns des articles qui lui furent tant repro-chés, en particulier celui du 1er octobre 1938 où il affirmait que « *l'accord de Munich a fait échec à la guerre* » et que « *le bon sens commande que la voie en-treprise soit suivie jusqu'à son terme* ». Prisonnier de guerre, libéré l'année sui-vante, il fut nommé professeur au lycée du Parc à Lyon et prit aussitôt une part active à la Résistance. En 1943, il fut nommé président du *C.N.R.* en rem-placement de Jean Moulin, mort en déportation, et, à la Libération, il devint le ministre des Affaires étrangères du général De Gaulle. C'est à ce titre qu'il participa aux négociations qui aboutи-rent à l'alliance avec Moscou. Elu député de la Loire en 1946 et réélu en 1951 et 1958, président, puis président d'hon-neur du *M.R.P.*, il joua un rôle de pre-mier plan sous la IVe République, ainsi qu'en témoigne ce *curriculum vitae* politique : président du Gouvernement provisoire (mai 1946), ministre des Affai-res étrangères (1948), président du Con-seil (octobre 1949-juin 1950), vice-prési-dent du Conseil (cabinets Queuille, juil-let 1950 et mars-juillet 1951), vice-prési-dent du Conseil, ministre de la Défense nationale (cabinets Pleven, août 1951-janvier 1952 ; Edgar Faure, janvier-février 1952), ministre des Affaires étrangères (cabinet René Mayer, janvier-mai 1953), président du Conseil désigné mais non investi par l'Assemblée natio-nale (10 juin 1953), ministre des Affaires étrangères (cabinet Laniel, juin 1953-juin 1954), fondateur du mouvement *Démo-cratie chrétienne de France* (juin 1958), président de l'Association française pour la Communauté atlantique, président du bureau exécutif provisoire du *Rassem-blement pour l'Algérie française* (oct. 1959). Ayant applaudi au retour au pou-voir du général De Gaulle en juin 1958 et fait campagne pour le « *oui* » au référendum qui suivit, il se retourna contre le nouveau chef de l'Etat lorsque celui-ci parut hostile à l'Algérie fran-çaise. Il condamna l'action gouverne-mentale contre les insurgés des barri-cades d'Alger, signa la charte de l'*U.S.R.A.F.* et, finalement, se proclama président du nouveau *C.N.R.* Il se réfu-gia alors dans la clandestinité, tandis que l'Assemblée nationale levait son immunité parlementaire et que le parquet l'inculpait de complot contre la sécurité de l'Etat (juillet 1962). Les pays voisins de la France, ainsi que le Portugal, lui accordèrent quelque temps l'hospitalité, mais en mars 1963, il fut contraint d'al-ler s'installer au Brésil où il est toujours réfugié. Grand-Croix de la Légion d'hon-neur au titre de la Résistance, compa-gnon de la Libération, Georges Bidault est actuellement l'un des *leaders* de l'opposition clandestine.

BIDAULT (Jean).

Directeur de revue, né à Paris, le 2

avril 1920, d'une famille tourangelle illustrée par son grand-père, Charles Bidault, sénateur d'Indre-et-Loire (en 1897-1917), et par son père, ancien avocat, directeur général des Hôpitaux de Paris. Professeur l'histoire et de géographie (1942-1943), puis secrétaire général de l'Eure (1944), inspecteur du Gouvernement général de l'A.-O.F. (1945-1948), chargé de mission au cabinet du Haut-Commissaire de France en Indochine (1948-1950), attaché au Président de la Commission des T.O.M. à l'Assemblée nationale (1951-1952), attaché de presse au cabinet du ministre des Travaux publics et des Transports et du secrétaire d'Etat à l'Aviation civile (1953-1954). Directeur-rédacteur en chef de *Synthèse Information* (depuis le 15 février 1952), ancien rédacteur en chef de *Labari* (Niger) et de *L'Unité* (Tchad). Membre du *Cercle Montaigne*, directeur du *Centre d'Etudes des Problèmes d'Entraide Internationale* et président du *Comité d'Etudes Politiques, Economiques et Institutionnelles*. De tendance centre-droit, fut candidat du *Rassemblement Démocratique* à Vendôme en 1962.

BIEHLER (Paul).

Ecrivain et journaliste (voir à *Mauclair*, Camille).

BIEN PUBLIC (Le).

Quotidien régional modéré dont l'origine remonterait à 1850. Nettement axé à droite, avant la guerre, et dirigé par le baron Thénard et le comte H. d'Armailhé, il était alors l'organe des républicains nationaux de la Bourgogne. S'étant sabordé pendant la guerre, il reparut librement à la Libération. La famille Thénard en est propriétaire. L'Etat-Major du *Bien Public* se compose essentiellement du baron Thénard, directeur, de René Pretet, rédacteur en chef, et de Jean Vallot, secrétaire général. Sa diffusion moyenne est de 42 000 exemplaires (9, place Darcy, Dijon).

BIENAIME (Amédée, Pierre, Léonard).

Amiral (1843-1930). Fils d'un mécanicien. Député conservateur de la Seine (1905-1919). Présenté sur la liste d'*Union Républicaine Nationale et Sociale* conduite par Alexandre Millerand, ne fut pas réélu en 1919 et abandonna la politique.

BIENVENU-MARTIN (Jean-Baptiste).

Homme politique (1847-1943). Haut fonctionnaire de l'administration préfectorale, puis maître des requêtes au conseil d'Etat et directeur au ministère des Colonies. Personnalité marquante du *Parti Radical-Socialiste* et membre influent de la loge *La Clémente Amitié*, représenta l'Yonne à la Chambre des Députés (1897-1905), puis au Sénat (1905-1941) et fut trois fois ministre : de l'Instruction publique (1905-1906), de la Justice (1913-1914) et du Travail (1914). Bien que *de gauche*, combattit le gouvernement Blum soumis, selon lui, à des « influences néfastes ». Ne prit pas part au vote sur les pouvoirs constituants en juillet 1940, et mourut dans son village natal, à Saint-Bris-le-Vineux, dans sa quatre-vingt-dix-septième année.

BIETRIX (Louis, Henri).

Médecin (1880-1952). Ancien combattant, mutilé et prisonnier de guerre, était partisan d'un rapprochement avec l'Italie et d'une détente franco-allemande. Conseiller général de Besançon, fut élu député du Doubs sur un programme nationaliste, anti-*Front populaire* et anti-maçonnique. Prononça à la Chambre, contre Léon Blum, des paroles qui firent taxer d'antisémitisme. Vota le 10 juillet 1940 pour le maréchal Pétain.

BIGNON (Albert-Louis).

Avocat, né à Groix (Morbihan), le 28 février 1910, ancien bâtonnier de l'Ordre des avocats du barreau de La Rochelle. Nommé maire de Rochefort en septembre 1944. Conseiller général de Rochefort. Membre du *Rotary*. Elu député *R.P.F.* le 17 juin 1951. Candidat (avec M. Max Brusset) sur la liste des *Républicains Sociaux* le 2 janvier 1956. Battu. Elu à nouveau député de la Charente-Maritime (2ᵉ circ.) en 1958, en 1962 et en 1967. Fut le fidèle soutien du gouvernement Mendès-France comme il est aujourd'hui celui du général De Gaulle.

BILGER (Camille).

Syndicaliste (1879-1947). Secrétaire, puis président du Syndicat chrétien d'Alsace-Lorraine. Conseiller municipal de Mulhouse (1910-1918), député du Haut-Rhin (1919-1936). Inscrit au groupe des *Démocrates populaires*, puis à celui des *Républicains du Centre*. Dirigea les syndicats chrétiens alsaciens jusqu'en 1946.

BILGER (Joseph).

Journaliste et militant politique, né à Seppois-le-Haut (Haut-Rhin), le 27 septembre 1905. Anima dans l'entre-deux-guerres divers mouvements paysans (*Union Paysanne d'Alsace, Front National du Travail*) et plusieurs journaux

(*Gazette Paysanne d'Alsace - Lorraine, Volk, Peuple libre de France*). Après la guerre participa à l'action de la *Défense* et du *Rassemblement Paysan*, fut rédacteur en chef du *Salut Public*, organe du *M.P. 13* et créa l'*Union des Paysans de France*.

BILLERES (René).

Homme politique, né à Ger (Hautes-Pyrénées). Ancien élève de l'Ecole Normale Supérieure (promotion 1931). Professeur agrégé de Lettres (Lycées de Mont-de-Marsan et de Tarbes). Membre de la deuxième Assemblée constituante (1946). Député radical-socialiste des Hautes-Pyrénées à la première Assemblée nationale (1946-1951). Réélu le 17 juin 1951. Secrétaire d'Etat à la Présidence du Conseil, chargé de la Fonction publique (Cabinet Mendès-France, 1954-1955). Réélu député des Hautes-Pyrénées en 1956, 1958 et 1962. Ministre de l'Education nationale (Cabinets Guy Mollet, 1956-1957 ; Bourgès-Maunoury, 1957 ; Félix Gaillard, 1957. Président du *Parti Radical-Socialiste*, est l'un des dirigeants de la *Fédération de la Gauche*, avec François Mitterrand.

BILLIEMAZ (Auguste, François).

Industriel, né à Brégnier-Cordon (Ain) le 29 août 1903. Fils d'Henri Billiemaz et de Mme, née Borgelde de Peyrieu. Fit ses études au collège de Belley, à Chalon-sur-Saône. Dipl. : ingénieur. Président des confituriers de la région lyonnaise. Conseiller général et sénateur de l'Ain. Membre du groupe sénatorial de la *Gauche démocratique*.

BILLIET (Ernest).

Président d'association, né au Caire (Egypte), le 1er juillet 1873, mort à Asnières (Seine), le 21 mars 1939. Autodidacte en raison d'une infirmité qui le frappa dans son adolescence. Excellent orateur, fut chargé par l'*Union Syndicale des Compagnies d'Assurances* d'organiser les syndicats professionnels d'agents. Anima, dès 1910, l'*Union des Intérêts Economiques* qui fut, dans l'entre-deux-guerres, accusée par la droite et par la gauche de corrompre le corps électoral et de tenir en laisse de très nombreux parlementaires, directeurs de journaux et chefs de partis. (Une commission d'enquête parlementaire fut

constituée le 5 décembre 1924 pour examiner le bien-fondé de ces accusations ; ses travaux n'aboutirent à aucun résultat pratique.) Elu maire d'Asnières en 1919, entra au Sénat l'année suivante, mais n'y resta que sept ans. Par contre, à sa mort, était encore maire d'Asnières et « grand patron » de la fameuse *Union des Intérêts Economiques*.

BILLOTTE (Pierre).

Général, né à Paris, le 8 mars 1906. Fils du général Gaston Billotte et de Mme, née Catherine Nathan. Marié avec Sybil Esmond (fille d'Edward Esmond et de Mme, née Fernande-Amélie-Valentine Deutsch de la Meurthe, de la famille des pétroliers, importante actionnaire de la *Shell française*), fait prisonnier (1940), évadé vers l'U.R.S.S. (1941), nommé par le général De Gaulle délégué militaire de la France libre à Moscou, Chef d'E.-M. du général De Gaulle à Londres, secrétaire du Comité de la Défense Nationale (1942). Commandant de la Brigade blindée de la Division Leclerc (1944), puis commandant de la 10e division d'infanterie, chef d'E.-M. général-adjoint de la Défense nationale (1945-1946), chef de la Délégation française du Comité des chefs d'E.-M. à l'O.N.U. (1946-1950). Elu député R.P.F. de la Côte-d'Or (1951). Quitta le R.P.F. avec Edmond Barrachin et plusieurs autres députés gaullistes en 1953 pour soutenir le gouvernement Pinay combattu par le *R.P.F.* Ministre de la Défense nationale du cabinet E. Faure (1955-1956). Candidat de la « *liste d'Union des Indépendants d'Action Démocratique et Paysanne* » (apparentée à la liste des Indépendants et Paysans du chanoine Kir): battu (2 janvier 1956). Président du Comité directeur du *Mouvement pour l'Union Atlantique* (1956). Candidat dans le XVIIIe arrondissement de Paris (mars 1958) : se maintint au second tour contre le candidat national et bénéficia, de cette façon, du désistement du candidat communiste indépendant (2 023 voix) ; ne fut pas élu, et *Le Figaro* (27 mars 1958) l'accusa d'avoir ainsi « *rendu un immense service au parti communiste* ». Membre du Comité directeur de l'U.D.T. (1959). Candidat U.D.T. avec investiture U.N.R.-U.D.T. dans la 48e circonscription de la Seine : élu le 25 novembre 1962. Vice-président du groupe U.N.R.-U.D.T. de l'Assemblée nationale (déc. 1962). Maire de Créteil (mars 1965). Directeur « délégué » (et associé) de *Notre République*, hebdomadaire de la gauche gaulliste. Actuellement ministre des D.O.M. et des T.O.M. dans le cabinet Pompidou.

BILLOUX (François).

Homme politique, né à Saint-Romain-la-Motte (Loire), le 21 mai 1903. Fils de paysans, il fut quelque temps employé de commerce ; il débuta dans la politique comme membre des *Jeunesses socialistes*, à Roanne, qu'il fit basculer vers le communisme. Militant appointé des *Jeunesses communistes*, dont il devint, en 1928, le secrétaire général, membre du Comité central du P.C. (depuis 1926), du Bureau politique (depuis 1935) et du secrétariat (depuis 1954), François Billoux est le chef du communisme marseillais, qui l'a envoyé siéger à la Chambre des députés en 1936, aux Assemblées constituantes de 1945 et 1946 et à l'Assemblée nationale depuis 1946, sans interruption. Il fut également membre de l'Assemblée consultative (1943-1945), commissaire d'Etat du Comité français d'Alger (1944), ministre de la Santé publique (1944-1945), de l'Economie nationale (1945-1946) (1), de la Reconstruction (1946) et de la Défense nationale (1947), et appartient au Conseil municipal de Marseille depuis 1945 (avec une interruption en 1947-1953). Il est le directeur politique de l'hebdomadaire officiel du P.C.F., *France Nouvelle*. La personnalité de François Billoux a fait l'objet de critiques acerbes, d'abord à propos du groupe Barbé-Célor (1928-1931), où il joua le rôle de théoricien ; ensuite au moment de son procès, en mars 1940, lorsqu'il comparut avec ses camarades communistes devant le 3e Tribunal militaire de Paris ; enfin lorsqu'il écrivit en décembre 1940 au maréchal Pétain. L'affaire Barbé-Célor concernait la bolchevisation du P.C.F. Son attitude devant les magistrats militaires intéresse la politique générale du pays. F. Billoux déclara notamment, le 20 mars 1940 : « *Nous sommes poursuivis parce que nous sommes dressés et que nous nous dresserons avec la dernière énergie CONTRE LA GUERRE IMPERIALISTE qui sévit sur notre pays, parce que nous appelons le peuple à EXIGER QU'IL Y SOIT MIS FIN PAR LA PAIX* » (cf. « *Le Procès des quarante-quatre* », Anvers 1940, pp. 213-214). Condamné à cinq ans de prison par le tribunal militaire, F. Billoux était incarcéré à la prison d'Alger lorsqu'il écrivit à « *M. le maréchal Pétain, chef de l'Etat français* », deux mois après l'entrevue de Montoire, une lettre où il réclamait le châtiment des responsables de la guerre et demandait à venir témoigner contre Edouard

_____
(1) Il avait alors comme conseiller le futur banquier Igoin (voir à ce nom).

Daladier et ses coïnculpés devant la cour suprême de Riom (cf. *J.O.*, débats de l'Assemblée, 18-7-1946 ; « *La Trahison permanente* », par Ceyrat, pp. 105-108).

BINGEN (Jacques).

(Voir : *Comité Financier.*)

BINET (René).

(Voir : *Le Nouveau Prométhée.*)

BIONDI (Jean, Dominique).

Universitaire (1900 - 1950). D'origine corse. Milita au *Parti Socialiste* dès 1925 et s'affilia à la Maçonnerie peu après (Loge *La Liberté*, 18e grade). Conseiller général et maire de Creil, fut élu député de l'Oise en 1936. Vota contre le maréchal Pétain en juillet 1940. Révoqué de ses fonctions de maire et de conseiller général pendant l'occupation. Membre de *Libération-Nord*, fut arrêté, et relâché en 1942. Affilié au groupe clandestin *Liberté*. Chef du réseau *Brutus,* connut à nouveau la prison et fut déporté à Mauthausen puis à Eliensee. Délivré en mai 1945 et rentré à Creil, fut nommé à l'Assemblée consultative provisoire (1945), élu aux deux Constituantes (1945-1946) et envoyé à l'Assemblée nationale comme député de l'Oise, en 1946. Trois fois secrétaire d'Etat, sa carrière fut brutalement interrompue par un accident mortel.

BIPARTISME.

Forme de gouvernement résultant de l'association de deux partis.

BIRE (Anatole).

Avocat (1863-1941). Fils d'Alfred-Augustin Biré, sénateur de la Vendée (1826-1897). Elu député nationaliste de la Vendée en 1924. Ami de l'*Action Française,* intervint lorsque Maurice Pujo, rédacteur en chef du journal royaliste, fut emprisonné (1927). Non réélu en 1928, se retira de la vie publique.

BISSON (Robert).

Pharmacien, né à Paris, le 10 mai 1909. Président du Conseil d'administration de la *Maison des Jeunes et de la Culture* de Lisieux. Membre du *Rotary-Club*. Elu conseiller municipal de Lisieux en 1947, adjoint au maire en 1948, maire en 1953, maire du Grand-Lisieux le 13 mars 1960. Conseiller général du deuxième canton de Lisieux, depuis 1949. Candidat *R.P.F.* aux élections de 1951 (battu). Candidat républicain social aux élections de 1956 (battu). Membre de l'*Alliance France-Israël*. Elu député *U.N.R.* du Calvados (2ᵉ circ.) le 23 novembre 1958, contre le président Laniel. Réélu le 10 novembre 1962.

BIUCCHI (Hubert).

Secrétaire d'entreprise, né à Saint-Ouen (Seine), le 11 mai 1923. Collabore à la presse nationale (*Aspects de la France, Le Soleil, Lectures Françaises*). Fondateur et secrétaire général des *Amis d'Edouard Drumont*.

BIZET (Emile).

Ingénieur agricole, né au Teilleul (Manche), le 17 octobre 1920. Vétérinaire. Président de l'*Union Commerciale*. Ancien vice-président de l'A.C. de Rennes. Ancien membre de l'O.C.M. (1944). Co-fondateur du *Comité d'Action Sociale Rurale* (démocrate-chrétien). Collaborateur de divers journaux et revues professionnels (vétérinaires et agricoles). Membre de l'*Alliance France - Israël*. Maire de Barenton. Candidat du *Parti Paysan d'Union Sociale* (P. Antier) en janvier 1956 (battu). Elu député de la Manche (2ᵉ circ.) le 18 novembre 1962, (contre M. Pierre Hénault, député indépendant-paysan sortant, qui avait voté contre le gouvernement gaulliste), sous l'étiquette d'*Union Républicaine d'action familiale, sociale et rurale*, soutenue par le *M.R.P.* et se recommandant des partisans du « oui à De Gaulle ».

BLACHETTE (Georges).

Administrateur de sociétés, né à Alger le 27 septembre 1900. Membre de l'Assemblée de l'Union française, député républicain indépendant d'Alger (17 juin 1951-décembre 1955). Conseiller du Commerce extérieur de la France. Considéré comme « le roi de l'Alfa ». Présida la *Fédération algérienne des producteurs-exportateurs d'alfa*, la *Société générale des alfas*, la *Société Blachette frères* et administra ou contrôla plusieurs autres grandes affaires : *Société Méridionale d'Exploitation de Carrières, Domaine des Aït Berrecouïnes Ouf, Société Marocaine des Alfas, Société Blachette-bois, Société Algérienne des Eaux, L'Eau en Algérie, Domaine de Ben-Saïd, Société agricole du Djebel Doui,* etc.). Etait, en outre, propriétaire du *Journal d'Alger*.

BLAISOT (Camille).

Homme politique (1881-1945). Avocat, vice-président de la *Fédération Républicaine*, député du Calvados (1914-1942). ministre de la Santé publique (cabinet P. Laval, 1931-1932), et sous-secrétaire d'Etat à la Présidence du Conseil (cabinet Laval, 1935-1936). Ne prit pas part au vote sur la délégation de pouvoirs au maréchal Pétain de juillet 1940. Considéré comme résistant, fut arrêté par les Allemands, le 2 mars 1944, et déporté au camp de concentration de Dachau, où il trouva la mort au printemps de 1945.

BLANC (Albert).

Conseiller général, président du Comité des Céréales de la Corrèze, nommé le 23 janvier 1941 membre du *Conseil national* (voir à ce nom).

BLANC (Alexandre, Marius, Henri).

Instituteur (1874-1924). Militant révolutionnaire, fut l'un des artisans de l'unité socialiste dans le Vaucluse qu'il représenta au Palais-Bourbon en 1906-1910 et en 1914-1924. Prit part à la rencontre de Kienthal avec Pierre Brizon, préconisa le rattachement de la *S.F.I.O.* à la IIIᵉ Internationale au Congrès socialiste de Tours et adhéra au *Parti Communiste*.

BLANC (Louis, Jean, Joseph).

Historien, né à Madrid, le 21 octobre 1811, mort à Cannes, le 6 décembre 1886. Fils d'un inspecteur des Finances et d'une Pozzo di Borgo, de la famille du duc Pozzo di Borgo (voir à ce nom). Ce grand bourgeois se mêla peu à peu du mouvement socialiste. Ses écrits de *La Revue démocratique* et du *Bon Sens* montrent l'évolution de sa pensée, sous l'influence de Fourier, Saint-Simon et Owen, engendrant bientôt un socialisme autoritaire codifié, en quelque sorte, dans son étude sur « *l'Organisation du travail* » (publiée en 1839 dans *La Revue du Progrès social*), puis dans son livre « *Le Droit au travail* » (1848), et concrétisé dans sa formule « *A chacun selon ses besoins, à chacun selon ses facultés* » qui trouva, du jour au lendemain, une grande faveur dans les milieux populaires. Il entendait confier à l'Etat le soin de coordonner le travail et d'écouler la production des *ateliers* qui étaient à la base de son système. Ainsi, pensait-il, serait supprimée la concurrence et remplacé « *le gouvernement du hasard par celui de la science* ». Son expérience des ateliers nationaux de 1848 fut décevante. « *Une fois mis en demeure d'agir*, a dit Renaudin, *il ne put et ne sut rien organiser ; d'où les déceptions, les désordres et les troubles dont on eut peur et qu'il regretta*

5

lui-même et qu'il paya de près de vingt ans d'exil. » De retour en France après la chute de Napoléon III et élu par la Seine à l'assemblée (1876), il siégea à l'extrême-gauche jusqu'à sa mort, mais fut aussi hostile à la Commune qu'à la Constitution de 1875. Son « *Histoire de dix ans* » et son « *Histoire de la Révolution Française* » lui ont valu une grande notoriété.

BLANC DE SAINT-BONNET (Antoine, Joseph, Elisée, Adolphe BLANC, dit).

Philosophe, né à Saint-Bonnet-le-Froid, près de Vaugneray (Rhône), mort le 8 juin 1880. Fils d'un magistrat. Fit ses études sous la direction de l'abbé Noirot et devint l'un des disciples de Ballanche. Signa d'abord *Blanc-Saint-Bonnet*, du nom de la propriété natale et familiale, puis *Blanc de Saint-Bonnet*, pour se différencier de son père aussi bien que du théoricien révolutionnaire Louis Blanc. Publia : « *De l'Union spirituelle* » (3 tomes, 1841), « *De la Douleur* » (1849), « *Restauration française* » (1851), « *De l'Affaiblissement de la Raison et de la Décadence en Europe* » (1854), « *De l'Infaillibilité* » (1861, paru d'abord dans l'*Univers* de Louis Veuillot), « *De la Raison* » (1866, publié d'abord dans *Le Monde*), « *De la Légitimité* » (1873), « *Préliminaires du* « *Livre de la Chute* » *: Le Dix-Huitième Siècle* » (1878 ; l'intégralité de cet ouvrage, sous le titre « *L'Amour et la Chute* », ne fit l'objet d'une publication posthume, qu'en 1899). Doctrinaire politique, philosophique et spiritualiste considéré comme un des précurseurs du renouveau monarchiste de la fin du XIXᵉ et du début du XXᵉ siècle. N'eut qu'une très éphémère défaillance en 1848, lorsqu'il se porta candidat à la députation et crut devoir admettre un instant le système républicain. Un choix de ses textes essentiels a été publié en 1955 sous le titre « *Politique réelle* » et son « *Infaillibilité* » en 1956.

BLANCHARD.

Professeur à la faculté des lettres de Montpellier, membre du Comité directeur de la Légion des Combattants, nommé au *Conseil national* (voir à ce nom) le 23 janvier 1941.

BLANCHET (Henri, Sylvain).

Directeur de coopérative agricole (1892-1947). Milita jeune au *Parti Socialiste*, administra l'*Union des Coopérateurs* et l'*Union Centrale des Coopératives Agricoles*. Conseiller général de la Creuse, adjoint au maire de Guéret, fut élu député de la Creuse en 1936. Vota la délégation des pouvoirs constituants au maréchal Pétain en 1940. Tué à cinquante-cinq ans dans un accident d'automobile.

BLANCHO (François).

Homme politique, né à Saint-Nazaire (Loire-Atlantique), le 20 juin 1893. Apprenti chaudronnier aux chantiers de *Penhoët*, puis aux *Chantiers de la Loire* (1910). Secrétaire des *Jeunesses Socialistes* (1910). Secrétaire du *Syndicat des métallurgistes* (1914). Elu conseiller municipal de Saint-Nazaire (décembre 1919). Maire de Saint-Nazaire depuis le 17 mai 1925 (sauf entre 1941 et 1944). Conseiller général du canton de Saint-Nazaire de 1925 à 1940. Adepte de la Franc-Maçonnerie depuis le 26 juillet 1925 ; fut initié neuf jours après son élection à la mairie, par les frères de la Loge *Le Trait d'Union*, de Saint-Nazaire. Candidat du *Parti Socialiste*, fut élu député de la Loire-Atlantique (1ʳᵉ circ. de Saint-Nazaire) le 29 avril 1928 ; réélu le 1ᵉʳ mai 1932 et le 26 avril 1936. Sous-secrétaire d'Etat à la Marine de guerre (premier cabinet Léon Blum, 1936-1937, et cabinet Chautemps, 1937-1936, et deuxième cabinet Blum, 1938). Sous-secrétaire d'Etat à l'Armement (cabinet Paul Reynaud, 1940). Vota pour le maréchal Pétain le 10 juillet 1940. Arrêté par les Allemands le 21 octobre 1941 et expulsé de Saint-Nazaire en 1942. Réélu maire de Saint-Nazaire après la Libération. Membre d'honneur du *Rotary-Club* de Saint-Nazaire. Elu à nouveau député de la Loire-Atlantique, le 25 novembre 1962.

BLANCHOIN (Albert, Pierre, René).

Journaliste, né à Châteauneuf-sur-Sarthe (M.-et-L.), le 17 août 1902. Militant démocrate-chrétien (tendance Marc Sangnier), fut d'abord fonctionnaire au ministère de l'Agriculture, puis député de Maine-et-Loire (1936-1942), inscrit au groupe de la *Jeune République* (avec Paul Boulet, Philippe Serre et Guy Menant). Directeur du *Courrier de l'Ouest* d'Angers, où il donne sous le pseudonyme de Pierre Langevin un billet quotidien et des chroniques littéraires.

BLANCHONNET (Pierre).

Editeur de journal, né à Domérat (Allier), le 25 décembre 1897. Entré dans la famille Gintzburger en épousant Mlle Albine Soulié, il abandonna la carrière des finances — il était alors inspecteur de l'enregistrement — pour entrer au journal de sa belle-famille, *La Tribune Républicaine,* de Saint-Etienne, dont il dirigea les services parisiens (1929-1939), avant d'en devenir le directeur général (1939-1943). Depuis 1945, il anime l'hebdomadaire *Ici Paris* qu'il a fondé avec René Cassin, du Conseil d'Etat, quelques parents et amis de ce dernier. Il est vice-président de la *Fédération Nationale de la Presse Hebdomadaire et Périodique.*

BLANQUI (Louis, Auguste).

Homme politique, né à Puget-Théniers (Var) en 1805, mort à Paris en 1881. Issu d'une famille bourgeoise, fils de Jean-Dominique, député à la Convention, arrêté comme girondin et sous-préfet de l'Empire ; frère de l'économiste Jérôme-Adolphe. Il se lança très jeune dans la lutte révolutionnaire au sein du carbonarisme. Il fut blessé le 29 avril 1827, rue Saint-Denis, dans un combat qui dressa la Garde nationale, ralliée au peuple, contre les soldats de Charles X. Sa vie, dès lors, fut une lutte à peu près continuelle contre le Pouvoir. Il participa aux *Trois glorieuses*, fut blessé sur une barricade et, après la chute des Bourbons, il poursuivit sans relâche la bataille contre Louis-Philippe d'Orléans. Il prit part à toutes les conspirations et fut arrêté dans l'insurrection qui suivit, en avril 1834, le massacre de la rue Transnonain, conduit par Bugeaud sous le gouvernement de Thiers. A la suite de l'insurrection du 12 mai 1839, il fut condamné à la détention perpétuelle. Libéré par la Révolution de 1848, il retrouva d'anciens compagnons, créa un club, *La Société républicaine centrale,* et entreprit peu après de s'emparer du pouvoir, avec Barbès et les affiliés de la société secrète des *Saisons.* Les émeutiers envahirent et occupèrent le Palais Bourbon. Un gouvernement provisoire fut constitué à l'Hôtel de Ville, mais la Garde nationale intervint et dispersa les conjurés. Incarcéré à nouveau, il fut rendu à la liberté par l'amnistie de 1859. Impliqué dans un complot contre l'Empire, il fut condamné une nouvelle fois, en 1861 (quatre ans de prison). Il s'exila à sa sortie des geôles impériales, rentra en France en août 1870, dirigea l'échauffourée de la Villette et fonda au début de septembre un journal, *La Patrie en danger,* pour prêcher la résistance à l'envahisseur. Le 31 octobre, il déclencha, avec Flourens, une attaque contre l'Hôtel de Ville, qui fut investi au cri de : « *Vive la Commune ! A bas la Capi-*

tulation ! ». Paris venait d'apprendre la défaite de Bazaine. Clemenceau devait proclamer quelques années plus tard à la tribune de l'Assemblée que « *cette réaction spontanée avait été inspirée par le patriotisme le plus pur* ». Mais plusieurs bataillons de l'armée, conduits par Picard et Trochu, encerclèrent les bâtiments et l'éphémère assemblée dut évacuer l'Hôtel de Ville. Ulcéré, Blanqui partit pour la province. Thiers ordonna son arrestation. Traduit en Conseil de guerre après l'écrasement de la Commune, il fut condamné à mort pour sa participation à la tentative avortée du 31 octobre. Mais devant les remous provoqués par ce verdict, on commua la peine en détention perpétuelle. En 1879, à la veille d'une élection législative complémentaire à Bordeaux, un journal socialiste suggéra d'imposer au gouvernement la libération de Blanqui en proposant sa candidature aux électeurs. Garibaldi télégraphia : « *A mes frères de Bordeaux je recommande Blanqui, le martyr héroïque de la liberté.* » Le 30 avril le vétéran révolutionnaire, emprisonné à Clairvaux, était proclamé élu par 6 800 voix contre 5 330 à Labertujon, ex-lieutenant de Gambetta. On le libéra le 11 juin. Il fonda un nouveau journal, *Ni Dieu ni Maître,* dans lequel il exposa ses idées révolutionnaires. Moins de deux ans plus tard il mourait. Le vieux lion avait passé trente-sept années de sa vie dans les prisons de la Royauté, de l'Empire et de la République. Pottier, l'auteur de *l'Internationale,* composa pour lui cette épitaphe :

« *Contre une classe sans entrailles,*
Luttant pour le peuple sans pain,
Il eut, vivant, quatre murailles,
Mort, quatre planches de sapin. »

Le *blanquisme*, doctrine assez confuse à la fois socialiste, athéiste, anti-impérialiste et, par certains côtés, patriotique, survécut au maître. « *Il n'y a pas de transformation subite,* avait-il dit. *Hommes et choses sont les mêmes que la veille. Mais l'espoir et la crainte ont changé de camp, les chaînes sont tombées, l'horizon s'ouvre...* » Ses disciples, parmi lesquels Breuillé, Eudes, Ernest Roche et Édouard Vaillant ont laissé un nom dans l'histoire du mouvement socialiste français, organisèrent un parti, le *Comité révolutionnaire central* (voir à ce nom) et, après de multiples démarches, obtinrent que le nom d'Auguste Blanqui fût donné au boulevard d'Italie où est mort le vieux révolutionnaire.

BLEUSE (Raoul).

Homme politique, né à Ribemont (Aisne), le 9 septembre 1895. Inspecteur de police. Attaché à la préfecture de police (1921-1942). Relevé de ses fonctions en 1942 en raison de son affiliation à la Franc-Maçonnerie ; il assura la direction de la police des *Grands Magasins du Printemps* (1942-45). Réintégré dans les cadres de la préfecture de police (1er février 1945). Chargé de mission au cabinet d'Edouard Depreux, ministre de l'Intérieur (juin 1946-novembre 1947). Proclamé élu conseiller général *S.F.I.O.* de la Seine (1er sect.) comme suivant de liste de M. Vicariot décédé (31 décembre 1953). Quitta le *Parti Socialiste S.F.I.O.* Est l'un des fondateurs du *Parti Socialiste Autonome* (septembre 1958). Réélu conseiller général du 45e secteur (15 mars 1959), fut vice-président du Conseil général de la Seine. Elu député *P.S.U.* de la 49e circ. de la Seine le 25 novembre 1962. A démissionné du *P.S.U.* (avril 1963), dont il allait être exclu, a-t-on dit, et s'est apparenté au groupe socialiste.

BLEUSTEIN-BLANCHET (Marcel).

Publicitaire, né à Enghien-les-Bains, le 21 août 1906. Il n'était pas majeur lorsqu'il décida d'être publicitaire. Le jeune homme avait compris que la publicité, à laquelle la presse devait son formidable développement depuis Girardin, dominerait un jour le marché de l'information, et que le maître de la presse, ce ne serait plus le journaliste, mais l'agent de publicité. Il n'avait pas vingt et un ans lorsqu'il fonda (avec M. Pierre Droin) une petite agence de publicité dans un local fort modeste du faubourg Montmartre. Pour obtenir des annonces, il était souvent son propre représentant. Ses origines le servirent : les premiers budgets qu'il obtint sont ceux des meubles *Lévitan*, que dirigeait son beau-frère, Wolff Lévitan, et de diverses maisons israélites (*Comptoir Cardinet,*

Brunswick, Chaussures André). La radio était à ses débuts. Bleustein pressentait les possibilités publicitaires de ce nouveau mode d'expression encore au stade expérimental. Il acheta un poste privé, le vieux *Radio L.-L.* fondé par Lucien Lévi. Avec l'aide de François Louis-Dreyfus, le fils du fameux banquier armateur, il le transforma en un poste moderne, aussi dynamique que son animateur. *Radio-Cité* — c'est le nom qu'il lui donna — fut bientôt le plus populaire des postes d'émission français. D'autre part, son agence *Publicis* avait obtenu l'exclusivité de la publicité de *Radio 37*, de *Radio-Alger* et de *Radio-Normandie*. M. Bleustein contrôlait donc trois postes importants. Séduit par ce prodigieux animateur, Léon Rénier, président de l'*Agence Havas*, organisa avec lui, en 1938, un réseau de publicité sur écran : *Cinéma et Publicité* (1938). Entre-temps, Bleustein entrait au conseil d'administration de *Lévitan*, de *Gaumont*, de la *Cie Nationale de Radiodiffusion* et de *Wolmar*. Mobilisé dans l'aviation en 1939, il épousa Sophie Vaillant, fille du docteur Jacques Vaillant et petite-fille du député Edouard Vaillant, le fameux socialiste révolutionnaire, membre de la Commune en 1871. Les ministres Charles Pomaret et Georges Mandel furent les témoins des mariés. Désemparé à l'armistice, il s'installa en zone Sud, loin du Paris occupé, et milita, naturellement, dans la Résistance. Mais Londres eut besoin de lui : n'y a-t-il pas d'ailleurs un associé, le banquier Behrens, très proche des Rothschild britanniques ? Laissant la direction de ses affaires de publicité à quelques-uns de ses associés, il passa en Espagne — il y resta interné quelques mois — et finit par atteindre Gibraltar, d'où il gagna la capitale britannique. Sous le nom de *Blanchet,* il prit aussitôt du service dans les Forces aériennes françaises libres. En qualité de lieutenant pilote, il participa à plusieurs bombardements des territoires français occupés avec la 8e *Air Force* américaine, exploits qui lui valurent citations, Légion d'honneur et médaille de la Résistance. Lorsque les Allemands eurent quitté Paris il se fit nommer, par le général Kœnig, chef des services de presse de son gouvernement militaire. Rendu à la vie civile, le « patron » de *Publicis* et de *Régie Presse* regroupa quelques-uns de ses collaborateurs d'avant-guerre et réveilla ses agences *Publicis* et *Régie Presse* (dont *Hachette* est gros actionnaire). Il s'assura également le contrôle, avec *Havas*, de *Métrobus-Publicité* (publicité dans les autobus parisiens et le métro). En 1950, il négo-

1921. Autorisé à changer son nom patronymique de *Bloch* en *Bloch-Morhange* par décret du 9 avril 1960. Milita dans la Résistance. Après la Libération, nommé directeur des transmissions de la XIIᵉ Région Militaire (1944), puis inspecteur général attaché au cabinet de Henri Longchambon,, ministre du Ravitaillement. Entra ensuite dans la presse et fut rédacteur à *Paris-Presse*, rédacteur en chef de *Cavalcade, Don Quichotte* et *Bonjour Dimanche*. Fonda les publications *Informations et Conjoncture* et *Affaires et Bourse* (1951). Appartint au Comité directeur du *Centre d'Action des Gauches Indépendantes*. Fut également président-directeur général de *La Cote Financière* de la *Sté Nouvelle d'Editions Financières*, gérant - associé des *Editions 24 heures du Monde*, dirigeant d'*Intermonde-Presse* et de l'*Institut Français de Documentation Scientifique*. Sa collaboration à *Combat*, alors dirigé par son ami Claude Bourdet, et surtout au *Monde*, furent particulièrement remarquées : c'est dans ce dernier qu'il fit paraître le fameux « *Rapport Fechteler* », (*Le Monde*, 10-5-1952) qui fut déclaré « faux » et dont la publication provoqua la démission de Rémy Roure, l'éditorialiste politique du journal d'Hubert Beuve-Méry. Rallié au gaullisme, est aujourd'hui chroniqueur à l'O.R.T.F. (émission « *Le fond du problème* »). Auteur de divers ouvrages, dont : « *la Stratégie des Fusées* », « *les Politiciens* », « *Fonder l'avenir* », « *Vingt années d'histoire contemporaine* », « *Le Gaullisme* ».

BLOCQ-MASCART (Maxime, Gilbert).

Administrateur de sociétés (1894-1965). Fils adoptif de l'officier de marine Mascart et de Mme, née Germaine Blocq. Fréquentait, avant la guerre, les milieux de droite, et publia, sous le nom de Maxime Blocq, aux éditions nationalistes *Les Œuvres Françaises* (où Jacques Doriot fit paraître certains livres), un ouvrage : « *Illusions capitalistes* », qui était une critique du régime démocratique et libéral. Fut, pendant l'occupation, l'un des fondateurs de l'O.C.M. et, à ce titre, appartint à la direction du C.N.R. et à l'Assemblée Consultative provisoire. Co-fondateur, à la Libération, du *Parisien libéré*, dont il fut le directeur jusqu'en 1947, participa à la création de l'U.D.S.R. en juin 1945. Devint ensuite Conseiller d'Etat en service extraordinaire (1952-1962). Gaulliste ardent, fut l'organisateur de groupes semi-clandestins qui, à la fin de la IVᵉ République, se réunissaient chez lui pour préparer le retour du général De Gaulle et auxquels participaient Michel Debré, J.-B. Biaggi, Griotteray, le général Cogny, etc. Partisan de l'Algérie française, l'attitude du général De Gaulle le rejeta dans l'opposition irréductible au Régime. En tant que membre du Comité constitutionnel (1958), il coopéra à l'élaboration de la Constitution de la Vᵉ République. Président-directeur général de la *Société d'expansion de Rungis* et administrateur de la *Société nouvelle des anciens Etablissements Verdier, Dufour et Cie.* Auteur de : « *Chroniques de la Résistance* » (1945), « *La prochaine République sera-t-elle républicaine ?* » (1957), « *Défendre la République* », etc.

BLOIS (comte Louis de).

Officier de marine (1880-1945). Fils de Georges-Aymar de Blois, sénateur de Maine-et-Loire (1849-1906). Descendant de Charles de Blois, lieutenant du Roi à Laon, et d'Aymar de Blois, membre de l'Assemblée législative de 1849. Fut maire de Bourg-d'Iré et sénateur de Maine-et-Loire (1922-1941). Vota pour le maréchal Pétain en juillet 1940. Publia, sous le pseudonyme d'*Avesnes* des essais, des romans et des nouvelles. A exposé ses idées politiques dans « *Dix ans du Parlement* », paru en 1932. Collabora au *Gaulois*, au *Figaro*, à *l'Eclair* et à diverses revues.

BLONCOURT (Elie, Clainville).

Homme politique, né à Basse-Terre (Guadeloupe). Aveugle de guerre (1918). Militant *S.F.I.O.* et adepte de la Maçonnerie, fut élu député socialiste de l'Aisne en 1936. N'a pas pris part au vote du 10 juillet 1940 sur les pouvoirs constituants. Participa à la constitution du *Parti Socialiste* clandestin et adhéra à *Libération-Nord*. A la Libération, prit possession de la préfecture de Laon avant l'arrivée du préfet nommé par le Gouvernement provisoire et assuma la présidence du Comité départemental de Libération. En opposition avec la direction de la *S.F.I.O.* en 1947, constitua le *Mouvement Socialiste Unitaire et Démocratique* qui devint le *Parti Socialiste Unitaire* (1948). Secrétaire général de ce dernier, directeur politique de *La Bataille syndicaliste*, rallia l'*Union Progressiste*, puis l'*Union de la Gauche Socialiste*, mais ne rejoignit pas ses amis au *Parti Socialiste Unifié*.

BLONDELLE (René, Henri).

Agriculteur, né à Pouilly-sur-Serre (Aisne), le 13 juin 1907. Fils de paysan.

Etudes : Ecole primaire supérieure Franklin, à Lille. Ingénieur des arts et métiers. Nommé membre du Conseil national, le 23 janvier 1941. Ancien président de l'*Union des Syndicats Agricoles* de l'Aisne (1938-1955), et de la *Fédération Nationale des Syndicats d'Exploitants Agricoles* (1950-1954), préside la Chambre d'Agriculture de l'Aisne et l'Assemblée permanente des présidents des Chambres d'Agriculture. Après avoir siégé au Conseil économique (1954-1955), fut élu sénateur de l'Aisne (1955, réélu en 1953 et 1962). Membre du Comité directeur du *Centre National des Indépendants et Paysans*.

BLONDIN (Antoine).

Homme de lettres, né à Paris, le 11 avril 1922. Pamphlétaire de droite quasi-clandestin après la Libération — notamment à *La Dernière Lanterne* — collabora ensuite à la presse de l'opposition nationale, notamment à *Rivarol*, dès le début. Puis devint rédacteur à : *Paris-Presse, Arts, La Parisienne*, etc. Auteur de : « *Les Enfants du Bon Dieu* », « *l'Humeur vagabonde* », « *Un singe en hiver* », etc. Son œuvre a été couronnée par deux Prix littéraires, *Deux Magots* et *Prix Interallié*.

BLOUD (Edmond, Antony, Joseph).

Editeur, né à Paris le 10 décembre 1876, mort à Neuilly le 16 mai 1948. Fils d'un libraire, fut éditeur et associé de Francisque Gay (Editions *Bloud et Gay*). Conseiller municipal, maire de Neuilly (1912-1941), conseiller général de la Seine (1920-1929), fut en 1928 candidat des *Comités républicains nationaux libéraux et anticartellistes* de Neuilly et élu à une grosse majorité. Réélu au 1er tour en 1932, ne se représenta pas en 1936, laissant son siège à Henri de Kérillis. Se consacra dès lors à sa maison d'éditions. En 1941, fut révoqué de ses fonctions de maire de Neuilly.

BLUM (André, Léon).

Homme d'Etat, né à Paris le 9 avril 1872, d'une famille israélite venue d'Alsace et établie à Paris, rue du Sentier, où elle se livrait au commerce des tissus. Une édition du *Petit Larousse illustré* le présenta, en 1959, comme le petit-fils d'un juif bulgare nommé Karfulkelstein (ou Karfunkelstein), ce que les pièces d'état civil produites au procès qui s'ensuivit démentent catégoriquement. L'information se trouvant à l'origine de cette « légende » date de 1936 : elle parut dans un journal de Sofia, intitulé *Zora*, et fut reprise par *Le Charivari* (20-6-1936) et *L'Action Française* (22-6-1936). Le premier de ces journaux avait mis au défi le garde des Sceaux d'alors de le poursuivre et il n'y eut aucune plainte. Deux ans plus tard, *Gringoire* reprit l'accusation à son compte, et l'intéressé se borna, dans *Le Populaire* du 13 novembre 1938, à publier un article intitulé : « *Je suis Français* », où il disait être né à Paris, de parents et grands-parents français. Mais Léon Blum n'ayant pas jugé utile de déranger un tribunal pour le confirmer, l'hebdomadaire d'Horace de Carbuccia, ni ses confrères bulgare et français, ne furent sommés d'apporter la preuve de leurs affirmations. Si bien qu'il est, aujourd'hui, impossible de tirer au clair l'origine de cette curieuse information : le journal bulgare a disparu, ses rédacteurs sont morts ou dispersés, et le rideau de fer nous sépare des sources qui auraient pu être consultées. Quoi qu'il en soit, le patronyme légal de l'ancien président du Conseil est bien Blum et il n'en eut jamais d'autre. D'ailleurs, ainsi que le faisait remarquer le témoin Daniel Mayer à la XVIIe chambre correctionnelle de la Seine (en mars 1960) « *il n'y a rien de déshonorant à s'appeler Karfunkelstein* ».

Après des études secondaires au lycée Charlemagne et au lycée Henri-IV, Léon Blum entra à l'Ecole Normale Supérieure. Mais un incident fâcheux, au cours d'un examen, l'amena à obliquer vers le Conseil d'Etat ; il y fit carrière sans pour autant abandonner la critique littéraire où il avait débuté par des articles au *Banquet*, à *La Conque* et *La Revue Blanche*. Il collabora ensuite au *Gil Blas*, à la *Grande Revue*, au *Matin*, à *Comœdia*, à l'*Humanité*, de Jean Jaurès, et publia « *Nouvelles conversations de Gœthe avec Eckermann* », « *Le livre de mes amis* », « *Eliane* » et un ouvrage fort controversé : « *Du Mariage* ». Ce dernier passa à peu près inaperçu lorsqu'il parut en 1907, mais il connut la célébrité lorsque son auteur se lança dans la politique. Ses adversaires jugèrent avec sévérité plusieurs passages de son œuvre, en particulier ceux-ci : « *Je n'ai jamais discerné ce que l'inceste a de proprement repoussant, et sans rechercher pour quelles raisons l'inceste, toléré ou prescrit dans certaines sociétés, est tenu pour un crime dans la nôtre, je note simplement qu'il est naturel et fréquent d'aimer d'amour son frère ou sa sœur.* » (« *Du Mariage* », Editions Albin Michel, Paris 1937, p. 82), « *Avant le mariage, la femme* (doit dépenser) *tout ce qu'il y a d'ardent dans son instinct, tout ce qu'il y a de mobile dans son caprice ;* (épuiser) *par un nombre indéterminé d'aventures, son inexpérience avide et toujours en quête »* (p. 25). *« Dans ma construction, tout repose sur la satisfaction de l'instinct. »* (p. 307). *« Nulle contrainte sociale... En suivant l'impulsion de leur nature, les filles ne heurteront plus ni l'opinion, ni la tendresse protectrice de ceux qui les aiment, ni les principes artificiellement introduits dans leur conscience... Elles reviendront de chez leur amant avec autant de naturel qu'elles reviennent à présent du cours ou de prendre le thé chez une amie. »* (p. 243.) *« On se fait communément les idées les plus fausses sur l'âge de la nubilité des filles. Non seulement la plupart des filles sont parfaitement aptes dès quinze ans à goûter l'amour, mais il n'y a guère de période où elles soient mieux disposées à en jouir. »* (p. 267.) Bien que son nom figurât parmi les premiers actionnaires de *L'Humanité*, et qu'il eût milité en faveur de Dreyfus, ce n'est qu'après la guerre de 1914-1918 — durant laquelle il demeura au secrétariat de Marcel Sembat et au Conseil d'Etat — qu'il entra dans l'arène politique en se présentant aux élections de novembre 1919 (dans la Seine). Elu, il devint bientôt l'un des chefs du socialisme français. Son influence ne fit que grandir. Il était, pour les nationaux, un adversaire redoutable : *« Je vous hais ! »*, leur lança-t-il un jour à la Chambre. Habile manœuvrier, il fut à l'origine de l'alliance avec les radicaux qui aboutit à la première combinaison ministérielle Herriot en 1924. Battu en 1928 à Paris, il enleva, le 23 décembre 1929, un nouveau siège de député à Narbonne cette fois. Entretemps, il s'était démis de sa fonction de maître des requêtes au Conseil d'Etat et inscrit au barreau de Paris, prenant en main la défense des intérêts de clients particulièrement importants (firmes industrielles, grands magasins, banquiers), ce qui lui valut un jour cette réplique d'Edouard Daladier : *« Sachez que, moi, je n'ai ni capitaux, ni capitalistes à défendre. »* Lors du scandale Oustric, on apprit que, sur son intervention, le fameux banquier, qui contrôlait alors la firme *Peugeot*, avait fait obtenir un traitement de faveur au fils du *leader* socialiste (cf. *« La Haute Finance et les Révolutions »*, par Henry Coston, Paris 1963, pp. 72 et suivantes). Partisan du désarmement, il refusa systématiquement de voter les crédits militaires, même lorsque ses collègues s'effrayaient

de la poussée du nationalisme allemand. *« Relativement à l'Allemagne, nous pouvons, dès maintenant, entamer le désarmement »*, écrivait-il dans *Le Populaire* (15-5-1930). Jouant volontiers les prophètes, il proclamait : *« Quoi qu'il arrive, la route du pouvoir est fermée devant Hitler »* (*Ibid.*, 2-8-1932). *« Hitler est désormais exclu du pouvoir : il est même exclu, si je puis dire, de l'espérance même du pouvoir. »* (*Ibid.*, 8-11-1932.) Et lorsque le Führer eut pris la succession du vieux maréchal Hindenburg, il affirmait *« Les généraux effraient l'opinion en jouant de la menace d'une guerre éventuelle de l'Allemagne. »* (*Le Populaire*, 14-3-1935.) A partir de 1935, il vota, avec ses amis, les crédits militaires et s'associa à la campagne antinazie et antimussolinienne que menaient dans le pays divers groupements de gauche. En 1936, il devint le président du premier gouvernement de *Front populaire*. On lui a beaucoup reproché, à droite, sa politique, et certains de ses adversaires l'ont même accusé de mensonge. Plus tard, il avouera que *« pour attirer à soi les masses, il faut les exalter, il faut les convaincre, il faut au moins se donner la peine de les duper »* (cf. *Paris-soir*, 13-12-1939). Au moment de prendre le pouvoir, il déclarait : *« Nous sommes résolument hostiles à la dévaluation »* (10-5-1936) et il faisait dire à son ministre des Finances, le mois suivant, que *« la dévaluation est une solution désespérée et immorale profitable aux seuls spéculateurs et débiteurs malhonnêtes. »* (cf. *Excelsior*, 20-6-1936). Le 24 septembre suivant, un communiqué gouvernemental annonçait une première dévaluation et, en juin 1937, son gouvernement en avouait une seconde. Blum devait, peu après, quitter le pouvoir, sous la pression, a-t-on dit, du consistoire israélite lui-même, lequel lui aurait reproché d'avoir réveillé l'antisémitisme en France. La presse nationaliste lui faisait grief d'avoir pris dans son ministère une cinquantaine de coreligionnaires, soit comme ministres ou sous-secrétaires d'Etat, soit comme directeurs ou attachés de cabinet. Le pamphlétaire Henri Béraud, reprenant la documentation de *La Libre Parole*, avait même consacré, la veille de Noël 1936, tout un article de *Gringoire*, intitulé : *« Minuit, chrétiens... »* à cette *« invasion juive »* de nos ministères. On devait retrouver trace de cette hostilité des dirigeants du Consistoire à sa politique dans la lettre que René Mayer, personnage influent de la banque *de Rothschild frères*, alors membre du gouvernement De Gaulle à Alger, écrivit le 26 avril

1944 à son collègue Emmanuel d'Astier de la Vigerie, à propos de Georges Boris : « *J'estime n'avoir à recevoir aucune leçon de patriotisme, ni de conduite en tant que Français de confession israélite. Je constate seulement qu'après huit années, M. Boris n'a pas compris le mal que lui et ses pareils, dans leur indiscret envahissement du Pouvoir politique à la suite de Léon Blum, ont fait à leurs coreligionnaires, beaucoup plus que la politique du président du Conseil d'alors, mal qui a ensemencé le germe sans lequel la propagande antisémite d'Hitler n'aurait jamais pu avoir, en France, l'effet qu'elle y a, comme vous le savez, malheureusement produit.* » S'il fut naturellement antimunichois en 1938, Léon Blum parut, un moment, favorable au pacte germano-soviétique : « *J'irai même jusqu'à avancer, m'exposant volontiers à ce qu'on raille une fois de plus ma manie d'optimisme, qu'un espoir nouveau de paix apparaît. Car enfin le pacte germano-soviétique apporte une réponse plausible à la question que se posaient anxieusement les hommes d'Etat : comment Hitler peut-il s'arrêter ? Après l'arrangement avec les Soviets, il peut s'arrêter glorieusement, etc.* » (*Le Populaire*, 23-8-1939.) Ses imprudences de langage autant que sa politique lui attirèrent des inimitiés nombreuses. Aussi ne trouva-t-il pas beaucoup de défenseurs, en dehors de quelques amis courageux, lorsque, pris comme bouc émissaire, il fut déféré devant la cour suprême de Justice instituée par le maréchal Pétain pour rechercher les responsables de la guerre et de la défaite. Le procès de Riom fut interrompu peu après avoir commencé et, lorsque les Allemands occupèrent la zone Sud, Léon Blum et ses coïnculpés, alors détenus au château de Pellevoisin, furent emmenés en Allemagne. Traité plus humainement que la plupart des détenus politiques ou raciaux, il put convoler dans sa prison avec sa troisième femme et échapper au sort horrible que connurent ses coreligionnaires déportés. Délivré par les Américains et rentré en France en mai 1945, indemnisé pour les sévices et les pertes éprouvées, il fut hébergé au palais du Luxembourg et il reprit la direction du *Populaire* après avoir fait expulser de la société éditrice Paul Faure et ses amis, actionnaires majoritaires. Nombre de ses anciens camarades socialistes furent surpris de voir ce juriste, qui s'était élevé avec tant de vigueur au début de sa carrière contre l'injustice et qui avait si souvent invoqué le Droit, accepter avec beaucoup de complaisance les juridictions

d'exception et célébrer les beautés de l'ostracisme. Bien qu'il ne fut pas député — il n'avait pas sollicité de mandat parlementaire — il fut porté à la présidence du Conseil pendant un mois (17.12.1946 - 22.1.1947), durant lequel il tenta d'endiguer l'inflation, par une réduction autoritaire des dépenses, et alla signer en Amérique les fameux accords qui sacrifiaient notre industrie cinématographique aux magnats d'Hollywood. Il écrivait son article du *Populaire* lorsqu'un malaise le terrassa, à l'âge de soixante-dix-huit ans : il mourut le 30 mars 1950, après avoir livré son dernier message d'écrivain et d'homme « *A l'Echelle Humaine* », écrit en captivité. Des obsèques nationales lui furent faites que troublèrent les éléments brusquement déchaînés pendant la cérémonie : une pluie diluvienne noya le cortège tandis que le vent, soufflant en tempête, arrachait le drapeau tricolore qui recouvrait le cercueil. Les discours prononcés sur sa tombe n'empêcheront pas, écrivait à *Carrefour* Emm. Beau de Loménie (4-4-1950), « *que l'Histoire ne garde surtout de lui le souvenir d'un intellectuel malheureusement égaré dans la politique.* » Cet intellectuel n'en eut pas moins sur la politique française une influence qui l'a profondément marquée.

BLUM (Robert, Léon).

Ingénieur, né à Paris le 10 février 1902. Fils de Léon Blum (notice ci-dessus). Ses débuts dans l'industrie eurent lieu sous les auspices du financier Oustric, qui le recommanda à Peugeot. La Commission d'enquête parlementaire (séance du 3 avril 1931) révéla que son traitement fut tout à fait privilégié. (Cf. « *Les Financiers qui mènent le monde* », page 254.) Est aujourd'hui vice-président de la *Société française Hispano-Suiza*, président de la *Société d'exploitation des matériels Hispano-Suiza* et administrateur de la *Société automobile Ettore Bugatti*. Préside en second l'*Union syndicale des industries aéronautiques*. Fidèle aux idées de son père, est également un militant socialiste actif : fut l'un des signataires du manifeste de la *Tribune du Socialisme* qui devait aboutir à la création du *Parti Socialiste Autonome* et du *P.S.U.*

BLUMEL (André, Albert).

Avocat, né à Paris le 18 janvier 1893. Fils de commerçants parisiens. Fut autorisé à changer son nom de Blum en Blumel par décret (paru au *Journal officiel* du 27-9-1936). Etait alors directeur du cabinet du président du Conseil Léon Blum et l'un des militants les plus en vue de la *S.F.I.O.* Après la Libération, devint directeur du cabinet du ministre de l'Intérieur (1944-1945). Son évolution politique le conduisit du socialisme de gauche au progressisme — ses adversaires et ses anciens amis parlèrent de « crypto-communisme » —. Devint alors l'animateur de la dissidence pro-communiste survenue à la *Ligue Internationale contre l'Antisémitisme* et qui aboutit au *Mouvement contre l'Antisémitisme, le Racisme, pour la Paix,* dont il fut le président. Ami de l'Union soviétique, l'a défendue avec opiniâtreté au cours de ces dernières années contre l'accusation d'antisémitisme portée à son endroit. Fut élu en mars 1965 conseiller municipal de Paris, dans le XVIIIᵉ arrondissement, sur la liste socialiste-communiste. Comme avocat a plaidé pour *Les Lettres Françaises* et pour Yves Farge. Auteur de « *Léon Blum et le Sionisme* ».

B'NAI B'RITH.

L'Ordre des *B'nai B'rith* est une organisation maçonnique, fondée en 1843, exclusivement composée d'israélites dont le centre se trouve aux Etats-Unis. La section française de cette internationale d'un genre particulier comprend plusieurs loges, dont la loge-mère *France 1151* créée à Paris en 1932 par un ancien avocat russe, Henri Sliosberg, ex-député à la Douma, réfugié en France après la Révolution d'octobre 1917 (cf. « *La République du Grand-Orient* », Paris 1964). Dans les années qui suivirent la Libération, le président de la loge *France* fut Pierre Jean Bloch (voir : Pierre-Bloch). Au cours de ces dernières années, la direction de la loge était composée de : Gaston Kahn, président d'honneur, Dr Erwin Meu, *mentor,* Jacques Marx, président, Albert Harouche et Dr Jean Cahana, vice-présidents, Lucien Perez, secrétaire général, Maurice Moch et Claude Battegay, secrétaires adjoints, Emile Bliah, trésorier, Paul Wertheimer, trésorier adjoint, Jean-Claude Lévy, gardien du Temple, Michel Attali, Norman Alberman, J. Pierre-Bloch, Emmanuel Bormand, Meir Cohenca, Ignace Fink, Raymond Geissman, Georges Jacob et Wily Ryckner, conseillers.

BOCQUILLON (Emile).

Membre de l'enseignement (1868-1966). Militant national, conférencier et journaliste, ancien directeur de l'*Alliance Universitaire,* et publia « *La Cité moderne* » et « *La rentrée de Dieu dans l'Ecole et dans l'Etat* », où cet ancien directeur d'école publique marquait nettement son hostilité à l'esprit laïque. Il avait, au début du siècle, pris part à de retentissants débats aux congrès d'instituteurs, notamment à ceux de Lille (1905) et de Clermont (1907) où certaines de ses positions sont restées célèbres. Il combattit avec une rare énergie la « décadence morale » des Français, leur matérialisme et ce mal du siècle : le prestige de l'argent. Il a laissé (outre ceux que nous désignons plus haut) plusieurs ouvrages, notamment : « *Pour la patrie* » (préfacé par G. Duruy), « *Le socialisme hiérarchique* », « *La religion civique* », « *Les bases sociales de la morale* », « *Jean-Jacques Rousseau, ce méconnu* » ainsi qu'une étude sur Izoulet dont il avait été le disciple et l'assistant.

BODIN (Paul).

Journaliste, né à Boulogne-sur-Seine (Seine), le 16 avril 1909. D'abord dans l'enseignement puis dans la presse, fut le collaborateur de divers ministres (Ulver, J. Bordeneuve, R. Billières, A. Malraux, L. Terrenoire). Collabora à *Combat,* à *Entreprise* et à diverses agences de presse. Nommé en 1958, secrétaire général à la Direction des informations de la Radiotélévision, est, depuis 1961, inspecteur général de l'O.R.T.F. (1ᵉʳ janvier 1961). Auteur de divers ouvrages dont : « *De notre envoyé spécial* », « *Entretiens avec Jean Rostand* », « *les Aventures extraordinaires de Didier Lambert* », etc.

BŒGNER (Marc, Roger).

Pasteur, né à Epinal, le 21 février 1881. Fils de Paul Bœgner, préfet. Président d'honneur de la Fédération protestante de France. Nommé le 23 janvier 1941 au *Comité national.* Membre de l'Académie française. Auteur de plusieurs ouvrages religieux.

BŒGNER (Henri).

Universitaire (1886-1960). Fils d'un pasteur alsacien ayant opté pour la France en 1870, et neveu de Francis de Pressensé. Rallia le mouvement monarchiste après la Première Guerre mondiale. Se convertit également à la religion catholique. Fondateur du *Cercle Fustel de Coulanges* (1927). Co-directeur d'*Aspects de la France* (1958-1960). Auteur de : « *Le danger moral de la démocratie* » (1935), « *L'Education et l'idée de la Patrie* » (1936), « *Fondements de la société démocratique* » (1948).

BŒGNER (Philippe).

Journaliste, né à Aouste - sur - Sye (Drôme) le 7 janvier 1910. Fils du pasteur Marc Bœgner et beau-frère (par sa femme) du général Massu. Avant la guerre : rédacteur en chef de *Vu* et de *Marie-Claire*, secrétaire général de *Paris-Soir*. Fut, depuis la Libération, l'un des plus entreprenants des animateurs de presse. Successivement à *Paris-Match*, *Science et Vie*, *Paris-Journal* où il occupa des postes de direction. Dirigea également, pendant sa courte vie, le quotidien *Temps de Paris* (800 millions de frais en 66 numéros). Conseiller technique à la *Franpar* (groupe de presse *Hachette*), fut chargé par lui de la direction du *Nouveau Candide* en octobre 1961.

BOISDEFFRE (Pierre, Marie, Raoul NERAUD LE MOUTON de).

Homme de lettres, né à Paris le 11 juillet 1926. Gendre de l'ancien député nationaliste Wiedemann - Goiran. Petit-fils du général de Boisdeffre, chef de l'E.-M. général de l'armée, qui démissionna lors de l'affaire Dreyfus. Ancien de l'*E.N.A.*, fut fonctionnaire dans divers ministères. D'abord homme de droite et barrésien, ami de Pierre Taittinger, a rallié le gaullisme en 1958 et s'est affirmé depuis le fidèle partisan de la politique gouvernementale. Occupe les fonctions de directeur de la radiodiffusion à l'O.R.T.F. (depuis 1964). Auteur de nombreux ouvrages, notamment sur Maurice Barrès et « les écrivains français d'aujourd'hui » où de graves lacunes l'ont fait taxer de conformisme par certains de ses confrères. Sa sévérité de censeur à l'endroit de certains collaborateurs de la radio lui valut ce *mot* du féroce Henri Jeanson : « *Il n'y a que les eunuques pour rêver de châtrer les autres !* » (Cf. *Le Hérisson-La Presse*, 16-1-1964.)

BOINVILLIERS (Jean).

Journaliste, né à Paris, le 16 juillet 1921. Engagé volontaire dans les *Forces Françaises Libres* (juin 1940). Ancien employé de la Société *Caltex* (1946-47). Ancien employé au service des abonnements de la revue *Réalités* (1947), puis chef de service administratif (1948) et secrétaire général du groupe *Réalités* (dépendant du groupe *Hachette*) (1952). Conseiller technique dudit groupe (depuis 1958). Chargé de mission (officieux) au cabinet de M. Jacques Soustelle, ministre de l'Information (1958). Député

U.N.R. du Cher (2e circ.) depuis 1958. Membre du conseil de surveillance de la R.T.F. (5 mars 1962). Ancien directeur du journal *La Nation*, quotidien de *l'U.N.R.* Secrétaire général, trésorier du syndicat des publications d'informations spécialisées. Membre du bureau de la *Fédération nationale de la Presse hebdomadaire et périodique.*

BOISDE (Raymond).

Homme politique, né à Chantonnay (Vendée), le 15 août 1899. Ancien délégué de la *Fédération Nationale des industries de lingerie* (1936). Ancien Président délégué de la *Fédération Nationale de l'habillement « Nouveautés et accessoires »* (1938). Membre du *Conseil National du Patronat français*. Membre du Comité directeur de la *Confédération des Petites et Moyennes Entreprises*. Ancien administrateur de *France-Maroc*, du *Bon Marché*, de la B.N.C.I. Président-fondateur du *Centre d'études des techniciens de l'Organisation professionnelle*. Délégué général des *Syndicats professionnels des Commerces et Industries de confection* (depuis 1936). Membre du Comité directeur du Conseil National du Commerce. Fondateur et ancien président du *Mouvement de défense des contribuables*. Membre des conseils de direction du *Centre international de synthèse*, de la revue *Hommes et Mondes*, de l'*Union française des fédéralistes* et du *Mouvement européen*. Président du *Centre d'études du commerce*. Elu député *R.P.F.* du Cher, le 17 juin 1951. Quitta le parti du général De Gaulle et adhéra à l'*A.R.S.* (juillet 1952), puis rallia le *C.N.I.* Secrétaire d'Etat au Commerce (Cabinet Laniel, 1953-1954). Maire de Bourges (22 mars 1959). Réélu député en 1956. En 1958, se déclara de nouveau favorable au général De Gaulle et se fit élire sur la liste des *Indépendants Paysans* qu'il abandonna ensuite pour le groupe des *Républicains Indépendants*. Administre *La Semaine du Berry.*

BOISSARD (Adéodat, Emmanuel, Joseph, Jacques).

Professeur et homme politique, né à Aix-en-Provence en 1870, mort à Paris en 1938. Issu d'une famille de magistrats — son père s'était rendu célèbre en condamnant le ministre Challemel-Lacour qui avait fait occuper la maison des frères de Caluire —, il fut successivement professeur à la Faculté libre de droit de Lille (1896-1906) puis à l'Institut catholique de Paris (1906-1931). Il fut l'un des animateurs de la section française de l'*Association internationale pour la protection légale des travailleurs,* le fondateur des *Semaines Sociales* (1904) et leur secrétaire général. Démocrate-chrétien militant, il collabora à de nombreux journaux et revues (*La Quinzaine, Politica, Le Petit Démocrate, L'Aube, La Vie Catholique, La Tribune des Fonctionnaires,* etc.). Il fut député de la Côte-d'Or de 1919 à 1924, et publia de nombreux ouvrages de législation ouvrière et de sciences financières.

BOISSARIE (André).

Avocat, né à Périgueux le 26 juin 1903. Inscrit au barreau de Paris en 1926, il fut nommé Procureur général de la Seine en 1944 et se fit remarquer par sa rigueur à l'endroit des anciens partisans du maréchal Pétain. Il est actuellement l'un des dirigeants de la *Ligue des Droits de l'Homme.*

BOISSEL (Jean). (Voir : Front Franc et Le Réveil du Peuple).

BOISSON (Louis).

Fonctionnaire, né à Saint-Laurent (Gard), le 15 janvier 1908. Inspecteur central des P.T.T. Vice-Président du Conseil général de la Seine-Maritime. Maire du Tréport depuis 1944. Elu député S.F.I.O. de la Seine-Maritime (9e circ.), le 25 novembre 1962.

BOISSONNADE (Euloge, Aimé).

Journaliste, né à Lyon (Rhône), le 30 octobre 1917. Ancien membre du cabinet civil du général Juin, résident général de France au Maroc (1949-1951). Rédacteur au Maroc pour l'*Agence France-Presse* (1951-1953), puis de *Paris-presse-l'Intransigeant* (1953-1957) et correspondant de l'*Associated Press* et de *Paris-Match* (toujours au Maroc) (1953-1957), Rédacteur à l'*O.R.T.F.* (1957), puis à *Radio-Luxembourg* (depuis 1958).

BOIVIN-CHAMPEAUX (Jean, Louis, Marie).

Avocat au Conseil d'Etat (1887-1954). Fils du sénateur du Calvados, Paul Boivin-Champeaux (1854-1925). Elu sénateur du Calvados en 1928 et réélu en 1929 et en 1938. Rapporteur du projet de loi qui devait accorder les pouvoirs constituants au maréchal Pétain. Nommé membre du Conseil national (1941). N'en fut pas moins, par la suite, considéré comme hostile au régime de Vichy, ce qui lui valut d'être relevé de l'inéligibilité qui frappait les parlementaires ayant voté pour le maréchal en juillet 1940. Eut donc la possibilité de se présenter aux élections du Conseil de la République de 1946 et de se faire élire. Réélu en 1948. Collabora à *La Vie Française,* à *La Revue des Deux Mondes,* à la *Revue Politique et Parlementaire* et, plus rarement, au *Monde.* Co-fondateur et membre du groupe sénatorial des *Républicains Indépendants.*

BOKANOWSKI (Maurice).

Avocat, né à Toulon, le 31 août 1879, mort près de Toul, le 2 septembre 1928. Fils d'un petit commerçant en nouveautés et tissus, d'origine juive polonaise, établi dans le Var depuis quelques lustres. Après des études à l'Ecole de Commerce de Marseille, fit son droit à Paris et étudia le chinois à l'Ecole des Langues Orientales. S'inscrivit au barreau de Paris tout en demeurant intéressé dans les affaires commerciales de sa famille. Membre du *Parti Radical-Socialiste* et du *Grand Orient* (sera plus tard vénérable de la Loge *Action*), se présenta aux élections de 1910 contre le député sortant de Saint-Denis (3e circ.), mais fut battu. Aux élections suivantes (1914), triompha au second tour. Pendant la guerre, fut affecté à l'Etat-Major du général Sarrailh (armée d'Orient). Réélu député de la Seine en 1919 sur une liste du *Bloc National.* Fut ministre de la Marine quelques mois en 1924 et ministre du Commerce dans le cabinet Poincaré (1926-1928). Trouva la mort dans un accident d'aviation à l'âge de quarante-neuf ans. Son fils, Michel Maurice-Bokanowski (voir à ce nom), ancien député gaulliste, fut ministre dans les cabinets Debré et Pompidou.

BOLCHEVISME.

Nom donné au communisme russe. Les *bolcheviks* étaient les membres de l'aile gauche du parti social-démocrate de Russie, que dirigeait Lénine. Majoritaires au congrès de Londres (1903), ils s'opposaient aux minoritaires, les *mencheviks.* Après la révolution russe d'octobre 1917, le nom de *bolcheviks* fut appliqué aux membres du parti communiste soviétique et, par ext., aux communistes en général.

BOLLACK (André).

Directeur de journal, né à Dannemarie (Haut-Rhin), le 12 août 1899. Associé de son frère Robert à l'*Agence économique et financière,* il a succédé à celui-ci à la

Le discours de Brazzaville

Le 30 janvier 1944 s'ouvrait, à Brazzaville, la Confé-
rence Africaine Française. Le discours d'ouverture,
prononcé par le général De Gaulle, marque le début
d'une évolution qui s'est précipitée après le référen-
dum de septembre 1958. En voici les passages
essentiels :

Ce que nous avons fait pour le développement
des richesses et pour le bien des hommes, il suffit
pour le discerner de parcourir nos territoires et, pour
le reconnaître, d'avoir du cœur. Mais comme le
rocher engagé sur la pente roule plus vite à chaque
instant, ainsi l'œuvre que nous avons entreprise ici
comporte sans cesse des tâches plus larges. Déjà, au
moment où commençait la présente guerre mondiale,
apparaissait la nécessité de placer sur des bases nouvelles les conditions de la mise en valeur de nos
territoires africains, celles du progrès des hommes qui
y vivent, et celles aussi de l'exercice de la souveraineté française.

Est-il besoin de dire que la guerre présente n'a
fait que précipiter l'évolution ? D'abord parce qu'elle
est, qu'elle fut jusqu'à ces derniers jours en grande
partie une guerre africaine, et que l'importance relative et absolue de ses territoires, de ses communications, de ses ressources, de ses contingents militaires,
est apparue dans la lumière crue des théâtres d'opérations : ensuite et surtout parce que l'enjeu de cette
guerre est en réalité la condition de l'homme, et que
sous l'action des puissances physiques qu'elle a partout déclenchée, il n'y a pas une population, il n'y a
pas un homme dans le monde qui aujourd'hui n'y lève
la tête, ne regarde au-delà du joug et n'interroge son
destin.

Parmi les puissances impériales, aucune puissance
impériale plus que la France ne peut sentir cet appel,
aucune ne sent la nécessité de s'inspirer plus profondément des leçons des événements, pour engager sur
les chemins des temps nouveaux, les soixante millions
d'hommes qui sont liés au sort de ses quarante-deux
millions d'enfants, aucune puissance digne, plus que
la France elle-même. En premier lieu et tout simplement parce que telle est la France, c'est-à-dire la
nation dont le génie est comme destiné à élever pas
à pas les hommes vers les sommets de la dignité
et de la fraternité où tous pourront s'unir un jour ;
et aussi, parce que l'extrémité où la France s'est
trouvée refoulée par une défaite du moment dans la
métropole, elle a trouvé dans ses territoires d'outre-

mer le refuge, le recours et, maintenant, la base de
départ de sa libération, et que cela a créé entre elle-
même et son Empire un lien définitif. Et enfin, pour
cette raison, qu'ayant tiré du drame la leçon qu'il
comporte, la France nouvelle a décidé, pour ce qui
la concerne et pour ce qui concerne tous ceux qui
dépendent d'elle, de choisir noblement, largement des
chemins nouveaux en même temps que pratiques, vers
le destin.

(...) Nous croyons que pour ce qui concerne la vie
du monde de demain, l'autarcie ne sera pour personne ni souhaitable, ni même possible. Nous croyons
qu'au point de vue du développement des richesses et
au point de vue des grandes communications, le
continent africain forme dans une large mesure un
tout. Mais nous sommes sûrs qu'aucun progrès n'est,
ni ne sera un progrès, si les hommes qui vivent dans
leur terre natale, à l'ombre de notre drapeau, ne
devaient pas en profiter moralement et matériellement ; si ce développement ne devait pas les conduire
à un niveau tel qu'ils puissent un jour être associés
chez eux à la gestion de leurs propres affaires. Voilà
ce qui est le devoir de la France. Tel est le but
vers lequel nous devons marcher.

Nous ne nous dissimulons pas la longueur des
étapes. Vous avez, Messieurs les gouverneurs généraux, Messieurs les gouverneurs, les pieds assez bien
enfoncés dans le sol d'Afrique pour discerner ce qui
y est réalisable à mesure et par conséquent ce qui
y est pratique. D'autre part, nous savons bien qu'il
n'appartient qu'à la Nation française elle-même de
procéder, le moment venu, aux réformes de structure, impériales ou autres, qu'elle aura décidées dans
sa souveraineté. Mais en attendant, il faut vivre...

Messieurs les gouverneurs généraux, Messieurs les
gouverneurs, vous étudierez ici, pour les soumettre
au Gouvernement, telles conditions morales, sociales,
politiques, économiques, et autres qui doivent être
progressivement appliquées, pour faire en sorte que,
par leur développement même et par le progrès
humain de leur population, chacun de nos territoires
s'intègre dans la communauté française, avec sa personnalité, ses intérêts, ses aspirations et son avenir.

Messieurs, la Conférence Africaine Française de
Brazzaville est ouverte.

(Charles De Gaulle, *Discours*, t. II, Paris, 1945,
pages 194 à 197.)

tête du groupe de presse *Agéfi* et *L'Information*. Il fut également associé gérant de la société de *La Vie Financière* en 1948.

BOLLACK (Robert).

Directeur de journal, né à Belfort, le 27 décembre 1885, mort à Paris en décembre 1956. Débuta dans la presse sous les auspices d'Alexandre Israël, alors chef du service des informations à *l'Agence Fournier*. En 1910, passa à *l'Agence économique et financière* que venait de fonder Henri Coulon, avec l'appui du ministre Yves Guyot. En 1914, Henri Coulon, mobilisé, lui confia la direction de *l'Agéfi* et le prit pour associé. A la veille de la Seconde Guerre mondiale, ses intérêts s'étendirent à *l'Agence Fournier* et à *l'Agence Radio*. La presse d'opposition l'accusa alors d'être le distributeur de fonds d'un groupe financier israélite partisan de la politique de fermeté à l'égard de l'Allemagne. L'écrivain et journaliste Emmanuel Berl en fit publiquement état dans sa revue *Pavés de Paris* (3-2-1939). Revenu en France après une absence de cinq ans (1945), il prit le contrôle du quotidien économique et financier *L'Information* et fit reparaître *l'Agence économique et financière* dont la publication avait été suspendue en juin 1940. Son frère André, qu'il avait associé à ses affaires, lui a succédé en 1956 à la direction de son groupe de presse.

BOLLAERT (Emile, Edouard).

Président de sociétés, né à Dunkerque (Nord) le 13 novembre 1890. Fit une brillante carrière dans l'administration préfectorale à l'ombre du président Herriot. Fut, à la Libération, délégué général du *Comité Français de Libération* et Commissaire du Gouvernement près du *Conseil National de la Résistance*, puis Commissaire de la République en Alsace (1945), Conseiller de la République (1946), haut-commissaire de France en Indochine (1947-1948), Lors du trafic des piastres, fut mis en cause par Jacques Despuech dans un livre resté célèbre dont le *Crapouillot* (n° 28) se fit l'écho. Poursuivit l'écrivain et le fit condamner. Aujourd'hui dans les affaires, préside ou administre une dizaine de puissantes sociétés, dont : la *Compagnie nationale du Rhône*, les *Forges de Strasbourg*, *Rhône-Poulenc*, la *Compagnie industrielle et financière des Chantiers et Ateliers de Saint-Nazaire* (Penhoët), la *Compagnie industrielle et financière de*

Pompey, la *Société générale foncière*, la *Société d'études de réalisations et de documentation immobilières*. Appartint au *Rassemblement des Gauches Républicaines* (R.G.R.) à ses débuts et en fut, quelque temps, le président administratif. Est président de la *Mission laïque française*.

BOLLORE (Gwenn-Aël, Marie, Antoine).

Industriel. Né à Ergué-Gabéric (Finistère), le 4 septembre 1925. Fils d'un fabricant de papier. Milita dans la Résistance et, vingt ans plus tard, dans le mouvement Algérie française. Lors de l'élection présidentielle, prenant position contre le général De Gaulle, préconisa le « *oui à Mitterrand* » : « *Mon but*, écrivit-il dans *Combat* (9-12-1965), *n'est pas d'expliquer pourquoi, ancien Français libre, je suis antigaulliste. D'autres que moi l'ont fait avec talent. Mais bien plutôt pourquoi, de tendance démocrate-chrétien, je voterai sans réserve ni arrière-pensée pour François Mitterrand (...) J'ai, en son temps, c'est-à-dire pendant l'occupation, mêlé ma peine et ma sueur avec la peine et la sueur des communistes. Je ne vois pas aujourd'hui pourquoi, face à un danger certain, je n'aurais pas le droit de mêler mon bulletin aux leurs.* » Vice-président-directeur technique des *Papeteries Bolloré*, président-directeur général des *Editions de la Table Ronde* et de *Finistère-Films*, administrateur des *Papeteries Braunstein Frères*, des *Papeteries de Mauduit*, de la *Société de vente des produits de Mauduit*, de la *Société Zig-Zag-O.C.B.* Auteur de divers ouvrages politiques et de vulgarisation.

BON (Jean, Emile).

Fonctionnaire (1872-1944). Militant socialiste et maçon influent, fut député de la Seine (1914-1919) et membre du Conseil de l'Ordre du *Grand Orient* (nommé en 1919). Ayant quitté la S.F.I.O. (vers 1920) devint l'un des dirigeants du *Parti Socialiste Français*.

BONALD (Louis, Gabriel, Ambroise, vicomte de).

Philosophe (1754 - 1840). Considéré comme un maître par tout un secteur du mouvement monarchiste et conservateur. Emigré au début de la Révolution, il publia à Constance, en 1796, un livre qui fut saisi et détruit d'ordre du Directoire. Cet ouvrage, où il exposait ses idées contre-révolutionnaires, s'intitulait « *Théorie du pouvoir politique et religieux dans la société civile* ». Rentré en France, il fut plus tard nommé, sur les instances de Napoléon, membre du Conseil de l'Université. Demeuré malgré tout fidèle à la monarchie traditionnelle, il fut élu député en 1815, puis nommé pair de France en 1823. Après la révolution de 1830, il abandonna cette dignité, mais resta à l'Académie française où il était entré, en 1816, en vertu d'une ordonnance du roi. Il a laissé d'autres ouvrages tels que son « *Essai analytique sur les lois naturelles de l'ordre social* » et ses « *Recherches philosophiques sur les premiers objets des connaissances morales* » dans lesquels il s'affirmait le défenseur du trône et de l'autel.

Sa philosophie prend pour base la famille, qui constitue le premier fait social, et toute société, politique aussi bien que religieuse, est constituée à l'image de la famille, comportant un pouvoir (père, monarque, Dieu), un intermédiaire (mère, gouvernement, Homme Dieu), des sujets (enfants, peuple, catholicité). Le monarque est le roi, pouvoir unique, indépendant, définitif, actif, et donc absolu. L'union entre la société politique et la société religieuse constitue la seule société véritable sans que l'homme n'y puisse rien changer. L'ensemble de sa philosophie peut se résumer en ces quelques citations : « *Il existe une et une seule constitution de société religieuse ; la réunion de ces deux constitutions et de ces deux sociétés constitue la société civile ; l'une et l'autre constitutions résultent de la nature des êtres qui composent chacune de ces deux sociétés, aussi nécessairement que la pesanteur résulte de la nature des corps. Ces deux constitutions sont nécessaires dans l'acception métaphysique de cette expression, c'est-à-dire qu'elles ne pourraient être autres qu'elles ne sont, sans choquer la nature des êtres qui composent chaque société.* » — « *Les institutions fortes sont les institutions monarchiques ; les institutions démocratiques sont les plus faibles de toutes, et les opinions démocratiques elles-mêmes sont une faiblesse de l'esprit si elles sont sincères, et une faiblesse de caractère si elles ne le sont pas.* » — « *Toute société religieuse ou politique qui n'est pas encore parvenue à sa constitution naturelle tend nécessairement à y parvenir ; toute société religieuse ou politique que les passions de l'homme ont écartée de sa constitution naturelle tend nécessaire-ment à y revenir.* » — « *Le pouvoir absolu est un pouvoir indépendant des hommes sur lesquels ils s'exerce ; le pouvoir arbitraire est un pouvoir indépendant des lois en vertu desquelles il s'exerce. Tout pouvoir est nécessairement indépendant des sujets qui sont soumis à son action ; car s'il était dépendant des sujets, l'ordre des êtres serait renversé : les sujets seraient le pouvoir, et le pouvoir le sujet. Pouvoir et dépendance s'excluent mutuellement comme rond et carré.* » — « *La liberté, l'égalité, la fraternité ou la mort ont eu, dans la Révolution, une grande vogue. La liberté a abouti à couvrir la France de prisons ; l'égalité à multiplier les titres et les décorations ; la fraternité à nous diviser ; la mort seule a réussi.* »

BONAPARTISTE (Parti).

Bien qu'actuellement sans organisation — en dehors du *Comité Central Bonapartiste* d'Ajaccio et du *Comité de la Messe du 5 mai* (anniversaire de la mort de Napoléon) —, les bonapartistes sont encore nombreux aujourd'hui. Sans doute s'agit-il, le plus souvent, de Français demeurés fidèles au souvenir du Grand Empereur et à son neveu, Napoléon III, dont Drumont disait qu'il était « *le seul souverain qui se soit sincèrement préoccupé d'améliorer le sort des classes ouvrières* ». Mais l'héritier des Napoléons, qui n'a renoncé à aucun de ses droits, contrairement à ce que l'on avait cru après la Libération, conserve des partisans dans tous les milieux. Les bonapartistes étaient puissants à la fin du siècle dernier, malgré une querelle entre *Jérômiens* et *Victoriens,* entre partisans du prince républicain et anticlérical et partisans de son fils, le prince impérialiste. A vrai dire, le *républicanisme* du premier était assez particulier. Arthur Meyer rapporte dans ses souvenirs la conversation qu'un de ses amis avait eue avec le Prince. Celui-ci expliquait ainsi sa conception : « *Quand une femme du monde consent à vous aller voir dans votre garçonnière, le plus souvent elle vous fait promettre que vous la respecterez comme une sœur. Vous promettez, vous jurez même, au besoin ; mais si vous étiez assez niais pour vous montrer fidèle à cet engagement, elle ne vous le pardonnerait jamais. Eh bien, j'invite la République à venir dans ma garçonnière. Comprenez-vous ?* » (« *Ce que mes yeux ont vu* », Paris, 1912, p. 243.) Il faudrait un livre pour raconter le duel épique que se livrèrent les deux tendances et qui ne prit fin qu'à la mort de Jérôme Bonaparte. Lorsque Victor Napoléon fut le seul et unique prétendant, la propagande bonapartiste reprit de l'ampleur. Cependant, la vague boulangiste avait également contribué à mettre le bonapartisme officiel en sourdine. Les fidèles des deux princes s'étaient jetés à corps perdu dans l'aventure, derrière « *l'homme à la barbe blonde et au cheval noir* ». Le boulangisme étant — comme le sera trois quarts de siècle plus tard le néo-gaullisme — la conjonction spontanée (ou orchestrée) de tous les mécontentements, il était bien normal qu'il ralliât aussi les bonapartistes. Mais, selon le mot d'Arthur Meyer, « *le boulangisme, c'est du bonapartisme qui ne réussit pas.* » « Jérômiens » et « Victoriens » réconciliés voulurent faire en sorte que le bonapartisme fût un boulangisme qui réussît. Afin de résoudre la question de la forme du gouvernement — République, Royauté, Empire ? — le prince Victor proposait qu'elle fût soumise à un plébiscite dont le résultat s'imposerait à tous. Dès lors, les comités bonapartistes devinrent les *comités plébiscitaires.* Du moins, c'est ce qu'aurait voulu le prince, mais il ne fut pas suivi de tous les bonapartistes : plusieurs comités et personnalités impérialistes n'acceptèrent pas ces dispositions ; « *ils n'admettaient pas que la forme IMPERIALE de gouvernement, instituée d'ailleurs par les plébiscites antérieurs, pût être remise en discussion.* » (Dr. J. Flammarion, « *Le Bonapartisme* », Paris 1950.) Cette dissidence — de principe — ne dura guère, et les organisations bonapartistes prirent, le plus souvent, — mais pas toujours — le titre de *parti, groupe ou comité plébiscitaire* dans leur propagande électorale. Sur le plan électoral, les plébiscitaires obtinrent des succès, principalement en Corse, dans le Gers, en Charente-Inférieure. Des journaux fort répandus comme *L'Autorité,* de Paul de Cassagnac, et *Le Petit Caporal,* de Cunéo d'Ornano et de Lasies, tous deux députés, et de Charles Faure-Biguet, défendaient avec vigueur l'idée napoléonienne. Avant la Première Guerre mondiale, la presse plébiscitaire comptait en outre plusieurs grands journaux : *L'Appel au Peuple,* de Paris (1882) et de la Seine (1888); *La Patrie,* d'Emile Massard, Marcel Habert et Pugliesi-Conti (fondée en 1842); *La Volonté Nationale* (1907) et, en province, plusieurs *Appel au Peuple :* de Bordeaux, de la Charente, des Charentes, de Montpellier, etc. ; *Le Centre,* quotidien de l'Allier, etc. Les *Comités plébiscitaires,* nombreux et actifs, multipliaient les manifestations publiques et privées, soutenaient les candidatures bonapartistes, couvraient la

France d'affiches à la gloire de Napoléon et de ses successeurs. A Paris, les *comités plébiscitaires de la Seine* étaient particulièrement remuants. Ils avaient à leur tête Gaston Le Provost de Launay, qui devint député et qui fut, avant la guerre de 1939-1945, président du Conseil municipal de Paris. Ce dernier avait succédé au duc de Padoue, au général de Barail, ancien ministre de la Guerre, au baron Legoux, qui avaient animé les organisations bonapartistes avant lui. Il était secondé par le comte de Marois, membre du comité de direction, auquel le marquis de Dion, député et co-fondateur des *Automobiles De Dion-Bouton,* apportait le concours de son éloquence, et par un tout jeune homme, alors employé aux *Magasins du Printemps,* qui fit beaucoup parler de lui par la suite, Pierre Taittinger, président de l'*Union de la Jeunesse Bonapartiste de la Seine,* que de Moro-Giafferri, futur député radical, avait animée avant lui. La guerre de 1914-1918 porta un coup fatal au mouvement en provoquant la disparition de leurs grands journaux parisiens et provinciaux, en particulier de *L'Autorité* qui cessa de paraître dès les premiers jours du conflit, sa salle de rédaction ayant été littéralement vidée, en quelques heures, par la mobilisation (voir : *de Cassagnac*). Sur le plan électoral, le mouvement plébiscitaire eut encore des succès locaux. La Chambre *bleu-horizon* eut ses députés plébiscitaires, qui siégeaient non loin des députés royalistes : Gaston Le Provost de Launay, Pierre Taittinger (Charente-Inférieure), Maurice Binder, Paul Chassaigne-Goyon (Seine), le marquis de Dion (Loire-Inférieure), Fernand Engerand, Henry Fougère (Indre), Ernest Flandin (Calvados), Maurice Flayelle (Vosges), Gaston Galpin (Sarthe), Paul de Cassagnac (Gers), Petitfils (Ardennes).

Pendant la Première Guerre mondiale, ralliés à l'*Union Sacrée,* les *Comités Plébiscitaires de France* (auxquels appartenait l'aviateur Guynemer) avaient soutenu la politique de Clemenceau et de Poincaré. Immédiatement après, ils s'étaient regroupés tant bien que mal, au *Comité Politique Plébiscitaire,* dont l'ancien député Rudelle était le secrétaire général, puis, à partir de 1923, au *Parti de l'Appel au Peuple,* dont *La Volonté Nationale* fut l'organe central. Entretemps, les jeunes bonapartistes avaient reconstitué leur organisation. Ils faisaient reparaître la *Revue Plébiscitaire* dont le rédacteur en chef était Charles-Louis Vrignoneaux — qui devait avoir des aventures judiciaires comme « dernier des Stuarts » — et le secrétaire général, Roger Palmieri, l'avocat et militant national bien connu. Les *Etudiants Plébiscitaires,* reconstitués, eurent alors pour dirigeants : Roger Giron (fils d'un vieux militant bonapartiste), futur rédacteur à *France-Soir* et au *Figaro,* R. Palmieri, Charles Giron, frère du premier, futur collaborateur de l'avocat Jean-Charles Legrand, et Pierre Bloch d'Aboucaya, qui fit ensuite une carrière exceptionnelle dans le *Parti Socialiste S.F.I.O.* et à la *S.N.E.P.,* sous le nom de Jean Pierre-Bloch. Le président d'honneur des *Etudiants Plébiscitaires* était le prince Achille Murat, qui devint le beau-père d'Albin Chalandon, dirigeant de l'*U.N.R.* Après les élections de 1924, néfastes à la plupart des parlementaires bonapartistes, — Taittinger avait abandonné la Charente-Inférieure en même temps que l'étiquette encombrante, — les militants les plus actifs se retrouvèrent aux *Jeunesses Patriotes,* dont les chefs ne cachaient pas leurs sentiments plébiscitaires. Le *Comité de l'Appel au Peuple,* qui précéda de peu le *Parti,* avait pour animateurs le prince Achille Murat, Rudelle, l'abbé Henocque, aumônier militaire, Henry Provost, qui sous le nom de Provost de la Fardinière fut le chef des *Jeunesses Patriotes* de la Loire-Inférieure, et l'avocat Roger Guérillon. Les cadres étaient fournis par les anciens combattants qui avaient fondé l'*Association Bonapartiste des Anciens Combattants,* et par des militants éprouvés comme Georges Perrier, président du *Syndicat National des Employés d'Assurances* et Luc de Pierrefeu, candidats du *Parti Républicain Plébiscitaire* — une étiquette électorale plus qu'un véritable parti — dans le 2ᵉ secteur de Paris, aux élections partielles du 14 mars 1926. *La Volonté Nationale, L'Aiglon, Brumaire,* furent les organes de presse du mouvement entre 1928 et 1939. D'abord journal des *Etudiants Bonapartistes, Brumaire,* que René-Louis Jolivet (voir à ce nom) avait fondé en 1931, et auquel collaboraient Maurice Piot, dit Herblay et André Chaumet, devint par la suite le journal du *Parti de l'Appel au Peuple.* Ce dernier était, avant la guerre, dirigé par le colonel Brunet, André Lévylier (trésorier), le baron Sautereau, le commandant Brégeaux, S. de Chocqueuse, Napoléon d'Albufera, le duc de Massa, le prince Murat, le général Kœchlin-Schwartz (Croix de feu), etc. Les dames bonapartistes avaient leur propre association, les *Abeilles,* dont la duchesse de Massa et Mmes Victor Blanchet et E. Lévylier, furent les dirigeantes après la mort de Mme Frédéric Masson, la femme de l'historien. Outre les représentants de la noblesse napoléonienne, qui se croyaient obligées de figurer aux manifestations bonapartistes (principalement aux messes anniversaires), le mouvement comptait des personnalités de la politique comme Charles Trochu et Henri de Bonifacio, ami et partisan de Marcel Bucard, du théâtre comme Colette Mars, de la littérature comme Jean Savant. Les journalistes plébiscitaires réunis en association étaient assez nombreux à la veille de la guerre. Robert Laennec, l'ancien directeur de *L'Echo du Cher,* Pierre Blanchet, administrateur de *La Sarthe* et Pierre Taittinger, député, Julien Coudy, du *Petit Parisien* et de *La Croix* en étaient les animateurs.

Lorsque la guerre éclata, le prince Napoléon ordonna aux organisations bonapartistes et plébiscitaires de se dissoudre. Il participa lui-même aux combats dans la Légion étrangère, fut démobilisé en septembre 1940 et reprit du service dans la Résistance (voir : prince *Napoléon*). Au début de l'occupation, le retour des cendres de l'Aiglon fut l'occasion d'une manifestation officielle franco-allemande aux Invalides. Elle devait, a-t-on dit depuis, marquer le rétablissement de l'Empire en France. L'historien Alain Decaux a raconté dans *Quatre et Trois* (19-9-1946) que pendant l'inhumation, en présence du prince Napoléon, on devait crier « *Vive l'Empereur !* » et l'héritier des Bonaparte serait conduit aux Tuileries et proclamé par le peuple et la municipalité de Paris, empereur des Français. Devant cette explosion populaire, les Allemands auraient fait un geste spectaculaire : ils auraient libéré toute la France à l'exception des ports de la mer du Nord, de la Manche et de l'Atlantique, ce qui devait permettre au nouvel empereur de déclarer la guerre à « l'ennemi héréditaire ». Mais ce « complot » aurait été déjoué par le préfet de police. *Si non e vero...* Ce qui est, en tout cas, établi c'est que le prince Napoléon ne se serait pas prêté à cette manœuvre (cf. Alain Decaux, *op. cit.*). D'ailleurs, bien qu'invité, il n'assistait pas à la cérémonie. Aujourd'hui, le mouvement bonapartiste est essentiellement représenté par le *Souvenir Napoléonien,* l'*Institut Napoléon,* le *Comité Central Bonapartiste,* et son journal *Le Drapeau,* d'Ajaccio, fondé au siècle dernier, disparu en 1935 et ressuscité au lendemain de la Libération sous le double patronage du dit *Comité Bonapartiste* et de l'*Union Nationale Gaulliste.* C'est sous le signe de Napoléon et avec l'appui du bonapartisme ajaccien que se sont présenté la plupart des radicaux aux élections cantonales et législatives : Paul Giacobbi, Adolphe Landré, Jacques Faggianelli, le Dr Jean-Paul de Rocca-Servia

Achille Peretti, le Dr Pompée Quilici, Henri Maillot, etc. Ce qui surprendrait en Normandie et en Alsace, paraît tout naturel en Corse. Tant il est vrai que le véritable caractère du bonapartisme d'aujourd'hui est surtout d'ordre sentimental.

BONARDI (Pierre, Félix, Sanvilli).

Journaliste, né à Ajaccio le 18 septembre 1887, mort à Châtenay-Malabry (Seine), le 25 février 1964. D'abord fonctionnaire colonial, entra dans la presse après la guerre de 1914 (qu'il fit sur le front de Macédoine). Homme de gauche, membre du *Parti Radical-socialiste* (exclu en 1934), son anti-communisme le porta insensiblement vers le nationalisme. Collabora au *Journal*, à *La Revue de France*, à *Gringoire*. Dirigea à La Rochelle l'hebdomadaire *L'Atlantique* et fut l'un des animateurs départementaux du *P.P.F.* de Doriot. Après la guerre, participa à diverses manifestations de *l'Union des Intellectuels Indépendants*. Auteur de plusieurs livres, en particulier sur la Corse, ses traditions et ses mœurs.

BONCHE (Henri, Jean, Marcel).

Journaliste, né à Saint-Etienne (Loire), le 27 novembre 1910. Fils de Jean-Marie Bonche, directeur du quotidien radical disparu *La Loire Républicaine*. Fut, à ses débuts, le collaborateur, puis le secrétaire général de ce journal. Après la Libération, dirigea le quotidien *La Dépêche du Centre et du Sud-Est* et l'hebdomadaire *Centre-Dimanche* de Saint-Etienne. Entre-temps, administra le quotidien *L'Espoir*, également à Saint-Etienne. Administrateur de sociétés de publicité et d'affichage, anime également un important circuit de salles cinématographiques dans le Massif central.

BONCOUR (Joseph, Paul). (Voir : Paul-Boncour).

BONE (Fernand).

Négociant, né à Saint-Ouen-en-Belin (Sarthe), le 6 décembre 1903. Chansonnier et directeur de tournées artistiques avant la guerre et fondateur du Syndicat professionnel français (nuance P.S.F.) du spectacle, il fut fonctionnaire des Finances en 1940-1944, puis il s'établit dans le commerce en 1945, présida l'U.D.C.A. de la Sarthe de 1954 à 1958 et fit partie de la chambre de Commerce du Mans de 1955 à 1960. Militant pouja-

diste, il fut élu député de son département en janvier 1956. D'abord inscrit au groupe *Union et Fraternité Française*, il s'affilia en 1957 au groupe *I.P.A.S.* (Antier). En 1964, il fonda les *Comités de Défense et d'Action pour la Sauvegarde de la Libre Entreprise*, dont il assume la présidence.

BONGRAND (Michel).

Publicitaire, né Colombes, le 30 décembre 1921. Participa à la Résistance sous l'occupation. Chef de publicité et secrétaire général (1945-1960), puis conseiller publicitaire (depuis 1960) des *Editions Jean Darroux*. Directeur (depuis 1964) de la société *Services et Méthodes*, qui fut le conseil publicitaire de Jean Lecanuet pour la campagne de l'élection présidentielle de décembre 1965 et qui anime cette année la campagne de la majorité gaulliste pour les élections de la troisième législature de la Ve République.

BONHOMME LIBRE (Le).

Hebdomadaire du centre-gauche fondé en octobre 1944. Directeur : Olivier Adeline ; rédacteur en chef : Pierre Adeline. Tirage annoncé de 19 000 exemplaires (1, place Malherbe, Caen, Calvados.)

BONMARIAGE (Sylvain).

Journaliste et romancier, né à Bruxelles en 1887, mort à Paris en 1966. Installé en France dès 1910, collabora à de nombreux journaux (en dernier lieu à *Carrefour de l'Histoire*). Son non-conformisme lui permit d'écrire ce qu'il pensait aussi bien dans la presse de gauche que dans celle de droite.

BONNARD (Abel).

Homme de lettres, né à Poitiers, le 19 décembre 1883, d'une famille d'origine corse. Il reçut en 1905 le 1er Prix national de poésie fondé par le ministère de l'Instruction publique, en 1909 le Prix Archon-Desperousses, et en 1925 le Grand Prix de Littérature de l'Académie française. En 1932, il succéda à Charles Le Goffic sous la coupole. Auteur de « La vie amoureuse d'Henry Beyle », de « Saint François d'Assise » et d'un grand nombre de récits de voyages, de notes et de maximes, il écrivit, peu avant la guerre, un ouvrage politique : « Les Modérés » (1936), qui fit impression. Il collaborait alors au *Figaro*, après avoir donné des chroniques au *Gaulois* et à *La Revue de Paris*. Il était considéré comme un « homme de droite », depuis qu'il avait collaboré au quotidien fasciste de Georges Valois : *Le Nouveau Siècle* (1925), et qu'il avait figuré parmi les dirigeants du *Rassemblement National* (1937). Il eût connu de très graves ennuis à la Libération s'il n'avait pas gagné l'étranger en temps opportun. Il fut mis à l'index par la *C.N.E.* et exclu de l'Académie française en raison de sa participation au gouvernement du maréchal Pétain — il fut ministre de l'Education nationale et de la Jeunesse de 1942 à 1944 —, de sa qualité de membre du Conseil national de Vichy, du patronage donné aux conférences de *La Gerbe,* de sa collaboration au *Petit Parisien* et des relations qu'il entretenait avec le *P.P.F.* de Jacques Doriot. Il vit depuis 1945 en Espagne.

BONNAURE (Gaston).

Avocat (1886-1942). Devint le conseil de l'escroc Stavisky en 1929, tant pour la *S.I.M.A.* que pour le journal *La Volonté* et les Bons hongrois. Radical-socialiste et franc-maçon (de la Loge *Le Réveil Ancien*), se fit élire député de la Seine (3e arrondissement de Paris) en 1932. Lorsque le scandale Stavisky éclata, ses amis politiques l'abandonnèrent : le *Grand Orient* et le *Parti Radical-Socialiste* l'expulsèrent et la cour d'assises de la Seine le condamna à un an de prison avec sursis ; payait ainsi pour beaucoup d'autres personnages plus malins ou mieux placés. Retiré de la vie publique, disparut, six ans plus tard, dans sa cinquante-septième année.

BONNE PRESSE (Maison de la).

L'origine de cette maison d'édition catholique remonte à 1873. C'est en effet le 12 juillet que, cette année-là, parut le premier numéro du *Pèlerin,* l'ancêtre des publications de la *Maison de la Bonne Presse.* Simple bulletin à l'origine et servant d'organe aux Augustins de l'Assomption qui organisaient des pèlerinages, *Le Pèlerin* devint, à partir du 1er janvier 1877, un magazine populaire illustré qui connut très vite un gros succès en raison de son agressivité à l'endroit des républicains d'alors « *inféodés à la franc-maçonnerie* ». L'animateur du groupe était le Père Vincent de Paul Bailly, dont le nom restera attaché à la fondation de la *Bonne Presse :* c'est, en effet, sous sa direction que fut lancé en 1883 le journal quotidien à un sou *La Croix* (voir à ce nom). *La Maison de la Bonne Presse,* qui est aujourd'hui l'un

des centres d'édition les plus important, de France, n'avait en 1884 qu'un peti atelier de composition. Elle s'install, bientôt dans l'hôtel du général Foy, pui, loua l'atelier de Gustave Doré. Ce n'es, qu'en 1925 toutefois qu'elle s'install, cours Albert-Ier, dans le groupe d'im, meubles qu'elle occupe aujourd'hui. A, cours de ces quatre-vingt-treize années, *La Bonne Presse* a fait paraître plus d, soixante-quinze périodiques différents e, elle a édité des milliers d'ouvrages, de, puis le roman à bon marché jusqu'au, albums religieux. Elle fut, dès 1889, sou, tenue dans son effort par les *Comités d, la Bonne Presse,* qui groupaient ses pro, pagandistes. Outre *La Croix,* la *Maiso, de la Bonne Presse* édite *La Croix d, Dimanche* qui comprend une édition na, tionale et plusieurs éditions régionale, ou départementales : *Aisne Dimanche, Bretagne Dimanche, Croix Dimanche d, l'Oise, Croix Dimanche de Seine-et, Marne, Croix Dimanche de Seine-Mari, time, Dimanche actualités 78, Dimanch, du Nord, Saône-et-Loire Dimanche,* tota, lisant 86 000 exemplaires ; elle a de, liens étroits avec *La Renaissance d, Loir-et-Cher, La Côte-d'Or Dimanche e, Le Courrier Savoyard. Le Pèlerin d, XXe siècle* — titre du nouveau *Pèlerin* — tire à 560 000 exemplaires. *La Maison d, la Bonne Presse* édite, en associatio, avec *Radio-Luxembourg* et le group, Amaury, le magazine *Formidable* (250 00, exemplaires). Elle publie, en outre, *L, Documentation catholique,* fondée e, 1919 (25 000 exemplaires), *Prêtre e, Apôtre, Bible et Terre Sainte, Catéchiste, d'Aujourd'hui* et une revue fort bie, faite, *Presse-Actualité,* qui s'appela , l'origine *La Croix des Comités* (bulleti, de liaison des diffuseurs de *La Bonn, Presse),* puis *La Croisade de la Presse, publication consacrée à la presse fran, çaise (24 000 exemplaires). Enfin, *L, Maison de la Bonne Presse* est liée à *L, Croix du Nord* (voir à ce nom), en par, ticulier pour les éditions du Pas-de-Ca, lais. Depuis quelques années, elle con, trôle une autre maison d'édition *L, Centurion* ainsi qu'une maison de diffu, sion. Au cours de ces derniers lustres, la société anonyme *Maison de la Bonn, Presse* (siège : 5, rue Bayard) a été admi, nistrée par le comte Pierre de l'Epinois, René Berteaux, Alfred Michelin, Josep, Matheron, vice-président de la *Sociét, Kléber-Colombes,* André Colin, ancie, ministre, Paul Hanhart, Pierre Laporte, Jean Gélamur, président-directeur géné, ral de *La Bonne Presse* et du journal *L, Croix,* ancien directeur des *Glaces d, Boussois,* et dirigée par le R.P. Brun, Linder, Roger Monnin, ancien membr,

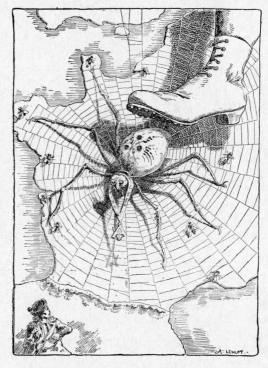

CAUSERIES DU DIMANCHE

LA LUTTE CONTRE LA FRANC-MAÇONNERIE

OPÉRATION INDISPENSABLE : LA FRANC-MAÇONNERIE, VOILA L'ENNEMI!

du Conseil Economique, président de l'*Union Nationale des Caisses d'Allocations Familiales*, assistés de Roger Lavialle, ancien président de l'*Association Catholique de la Jeunesse Française* (17, rue Jean-Goujon, Paris 8e).

BONNEFON (Jean de).

Journaliste et écrivain, Jean de Bonnefon de Puyverdier naquit à Aurillac, en 1866, et mourut à Paris en 1928. Issu d'une des plus anciennes familles de la haute Auvergne, son père fut directeur du Mouvement Général des Fonds. Il débuta à dix-sept ans au *Gaulois,* puis collabora à *L'Eclair, L'Intransigeant, Le Figaro, Le Journal, Le Gil Blas* et *La Revue Blanche.* Il écrivit de virulents pamphlets contre le Vatican « *coupable,* a-t-on écrit, *de n'avoir pas voulu annuler son mariage qu'il jugeait malencontreux* » (cf. Pierre Moussarie : « *Le Cantal* »). Il publia près d'une cinquantaine d'œuvrages.

BONNEFOUS (Edouard).

Universitaire et homme politique, né à Paris, le 24 août 1917. Fils de Georges Bonnefous, ancien ministre. Professeur de géographie économique à l'Institut des Hautes Etudes Internationales. Membre de l'Institut. Résistant, membre du *Comité de Libération* de Seine-et-Oise (1944). Elu député *R.G.R.* du même département en 1946, réélu comme *U.D.S.R.* en 1951 et en 1956, battu en 1958, malgré l'investiture du *C.N.I.* et du *Centre Républicain.* Elu sénateur de Seine-et-Oise en avril 1959 (inscrit au groupe de la *Gauche démocratique*). Entre-temps, ministre du Commerce (cabinet Edgar Faure, 1952), d'Etat (cab. René Mayer, 1953), des P.T.T. (cab. E. Faure, 1955-1956), des Travaux publics, des Transports et du Tourisme (cab. Bourgès-Maunoury, 1957, F. Gaillard, 1957-1958, et Pflimlin, 1958). Président du Groupe parlementaire de l'*U.D.S.R.* (1955-1956) et membre du comité directeur de l'*U.D.S.R.* (1957-1958), puis du *Rassemblement Démocratique* (1964) et président de ce dernier pour la région parisienne (depuis 1964). Membre du comité du *Mouvement contre le Racisme, l'Antisémitisme, pour la Paix* (pro-communiste), du *Conseil National du Mouvement pour l'Union Atlantique.* Président du Groupe parlementaire des *Amitiés atlantiques*, de la section française de la *Ligue européenne de coopération économique*, de l'*Association de la Presse latine d'Europe et d'Amérique*, vice-président du *Comité National du Livre Français à l'Etranger*, membre du Comité directeur de *L'Année Politique*, directeur-propriétaire de *Toutes les nouvelles de Versailles* et de *La Revue Politique et Parlementaire.*

BONNEFOUS (Georges).

Avocat (1867-1956). Collaborateur de *La République Française, La Liberté* et directeur de *L'Année Politique* (de 1900 à 1906). Député de Seine-et-Oise de 1910 à 1936, ministre du Commerce et de l'Industrie (1928-1929). Appartenait à la *Fédération Républicaine.* Auteur d'une importante « *Histoire de la Troisième République* ». Son fils, Edouard Bonnefous, ancien ministre, est sénateur de Seine-et-Oise.

BONNEFOUS (Raymond).

Chirurgien, né à Rodez (Aveyron), le 8 mai 1893. Fils de Louis Bonnefous, ancien député de l'Aveyron. Appartint à la 2ᵉ Assemblée nationale constituante (1946) et fut ensuite élu sénateur républicain indépendant de l'Aveyron et constamment réélu depuis. Est, en outre, conseiller général de Rodez et président du Conseil général de l'Aveyron.

BONNET.

Syndicaliste, dirigeant du Syndicat de l'habillement, nommé le 23 janvier 1941 membre du *Conseil national* (voir à ce nom).

BONNET (Christian).

Industriel, né à Paris, le 14 juin 1921. Président du Conseil d'administration de la Société *Les Grandes marques de la conserve du Maroc.* Président de la *Chambre syndicale des fabricants de conserve* du Morbihan. Elu député *M.R.P.* du Morbihan en 1956. Un des promoteurs du *Mouvement des Nouveaux Elus* à l'Assemblée nationale. Conseiller général du canton du Palais (20 avril 1958). Membre de la *Démocratie Chrétienne* (de M. Georges Bidault) (1959) et de l'*Alliance France-Israël.* Réélu député le 23 novembre 1958 et le 18 novembre 1962. Le 4 octobre 1962, dans une lettre aux maires et aux conseillers de sa circonscription, M. Bonnet a déconseillé de voter *non* au référendum « car il ne veut, à aucun prix, le départ de De Gaulle » (*L'Echo du Pays d'Arvor*, journal *M.R.P.*, nov. 1962). S'est néanmoins prononcé contre la force de frappe (désirée par le général De Gaulle), dont le principal bénéficiaire, écrit M. Bonnet, est « M. Dassault, député *U.N.R.* de l'Oise, pour ses avions ».

BONNET (Georges).

Homme politique, né à Bassillac (Dordogne), le 23 juillet 1889. Neveu par alliance de Camille Pelletan. Fut successivement : auditeur au Conseil d'Etat, chef de cabinet de ministre et avocat parisien. Membre du *Parti Radical et Radical-socialiste*, se présenta sous cette étiquette et sous l'égide du *Cartel des Gauches* à Périgueux aux élections législatives de 1924 et fut élu ; représenta la Dordogne à la Chambre jusqu'à la guerre. Entre-temps, fut sous-secrétaire d'Etat à la présidence du Conseil (cabinet Painlevé, 1925), ministre du Budget (même cabinet, 1925), ministre des Pensions (cabinet Herriot, 1926), du Commerce et de l'Industrie (cabinet Chautemps, 1930), des P.T.T. (cabinet Steeg, 1930), des Travaux publics (cabinet Paul-Boncour, 1932), des Finances (cabinets Daladier, Chautemps, Sarraut, 1933-

1934), du Commerce (cabinets Laval, 1935, et Sarraut, 1936), ambassadeur de France aux Etats-Unis (1936-1937), et, à nouveau, ministre, cette fois, aux Finances et à l'Economie nationale (cabinet Chautemps, 1937), puis ministre d'Etat (1938), ministre des Affaires étrangères (1938-1939), de la Justice (septembre 1939-mars 1940), ayant été, en outre, président du Conseil quelques mois (1938). Vota les pouvoirs constituants demandés par le maréchal Pétain en 1940. Nommé membre du Conseil national de Vichy en 1941. A nouveau député de la Dordogne depuis 1956 (inscrit au groupe du *Rassemblement Démocratique*), est également maire de Brantôme et conseiller général de Périgueux. Auteur de : « *L'Ame du Soldat* », « *Les Finances de la France* », « *Souvenirs d'un ambassadeur et d'un ministre* », « *De Munich à la guerre* », « *Le Quai d'Orsay sous trois Républiques* ».

BONNET (Henri, Jean, René dit SAINT-BONNET).

Universitaire, né à Roanne, le 20 février 1904. Professeur de philosophie. Maire de Châteaudun (1947-1965). Directeur politique du *Franc-Tireur du Centre* (depuis 1944). Vice-président de la *Fédération Radicale et Radicale-Socialiste* d'Eure-et-Loir. Membre du *Mouvement Fédéraliste Européen*. Auteur de : « *Le Progrès spirituel dans l'œuvre de Marcel Proust* », « *Roman et Poésie* » et « *De Malherbe à Sartre* ».

BONNET (Joseph, Louis).

Journaliste (1856-1925). Originaire de l'Auvergne. Secrétaire du *Comité d'Action pour les Réformes Républicaines* (Henri Brisson, Léon Bourgeois, Mesureur), organisa le premier congrès radical en 1901 et fut le secrétaire général du *Parti Radical-Socialiste* constitué à cette époque. Député du *Bloc National* (1921-1925).

BONNET ROUGE (Le).

Journal fondé en 1913 par Miguel Almereyda, socialiste révolutionnaire, transformé en quotidien du soir en 1914. Fut accusé, en 1917, d'avoir reçu de l'argent ennemi pour soutenir une campagne de démoralisation et de défaitisme : Almereyda, emprisonné à Fresnes, fut trouvé étranglé dans sa cellule.

BONSERGENT (Jacques).

Ingénieur, né au sein d'une famille de Malestroit (Morbihan), le 14 septembre 1912. Fils d'un minotier. Bien que n'appartenant pas à un mouvement politique hostile au fascisme, ni à un mouvement de résistance, fut arrêté par les Allemands à la suite d'une bagarre avec des soldats de la Wehrmacht, condamné à mort et fusillé. La veille de Noël 1940, les Parisiens découvrirent sur les murs une affiche annonçant : « *L'ingénieur Jacques Bonsergent de Paris a été condamné à mort par le tribunal militaire allemand pour acte de violence envers un membre de l'armée allemande. Il a été fusillé ce matin. Paris, le 23 décembre 1940. Der Militaerbefehlshaber in Frankreich.* » Il était la victime du premier verdict de mort prononcé par l'occupant dans la capitale.

BONTE (Florimond).

Homme politique, né à Tourcoing (Nord), le 22 janvier 1890, dans une famille de petits bourgeois catholiques. Contrairement à la légende, il ne fut jamais séminariste, mais il fit ses études dans une institution catholique de Tourcoing et milita très jeune dans le *Sillon*, le mouvement démocrate-chrétien de Marc Sangnier. Dès 1926, il fut l'un des rédacteurs les plus marqués du journal communiste *L'Enchaîné du Nord* où il publie une série d'articles contre « *Les chiens sanglants du social-fascisme* », dont les éléments furent repris en 1936 par *Gringoire* contre Roger Salengro. Bonte assura, par intérim, les fonctions de rédacteur en chef de *L'Humanité* en 1929, lorsque Paul Vaillant-Couturier fut emprisonné. Puis il fut l'adjoint de Jacques Duclos à la propagande (1931) et le directeur des *Cahiers du Bolchevisme;* un peu plus tard, il devint, à Moscou, le correspondant permanent de *l'Humanité*. Elu le 3 juin 1936 député communiste de Douai, il fit quelque temps la liaison avec le *Grand Orient* (parlant notamment à la place de Maurice Thorez à la loge *Les Amis de l'Humanité*, le 20 novembre 1936) et entra, deux ans plus tard, au comité central du *P.C.F.* Lorsque le Parti fut dissous par le gouvernement Daladier en septembre 1939, il prit le secrétariat général du *Groupe Ouvrier et Paysan Français* constitué quelques semaines plus tard (*J.O.*, 29-9-1939). Aussitôt, il adressa à Edouard Herriot, président de la chambre des Députés, une lettre que signa également A. Ramette, président du groupe, dans laquelle il était demandé que « *les propositions de paix qui vont être faites à la France soient examinées avec la volonté d'établir au plus vite la paix juste, loyale et durable que, du fond du cœur, souhaitent tous nos concitoyens »* (lettre du 1er octobre 1939). Le 30 novembre suivant, ayant vainement tenté de lire à la Chambre une proclamation communiste, il fut expulsé *manu militari* d'ordre du président Herriot et aussitôt jeté en prison. Jugé avec d'autres députés communistes, en mars 1940, il connut tour à tour les geôles de la IIIe République, en France, et celles de l'Etat français, en Algérie. Délivré par le général De Gaulle en même temps que ses camarades du parti en 1943, il fut aussitôt nommé membre de l'Assemblée consultative du Comité Français de Libération Nationale à Alger, puis à Paris. En 1945, il fit partie des deux Assemblées constituantes, puis il représenta la Seine à l'Assemblée nationale de 1946 à 1958. Il dirigea quelque temps *France Nouvelle* et appartint au comité central du *P.C.F.* Florimond Bonte est l'auteur de divers ouvrages, dont « *Le Chemin de l'honneur* » (Paris 1945), livre de souvenirs sur la période 1939-1945, qui fut sévèrement critiqué par les non-communistes en raison de certaines libertés que l'auteur aurait prises avec la vérité historique.

BONVOISIN (Gustave).

Directeur général du Comité central des allocations familiales et des assurances sociales, nommé le 2 novembre 1941 membre du *Conseil national* (voir à ce nom).

BORD (André).

Libraire et homme politique, né à Strasbourg, le 30 novembre 1922. Président des Associations patriotiques *U.F.A.C.* du Bas-Rhin. Elu député *U.N.R.* du Bas-Rhin (2e circ.) le 30 novembre 1958. Conseiller municipal de Strasbourg (8 mars 1959). Elu conseiller général du canton de Strasbourg-Est, le 11 juin 1961. Membre de l'Assemblée parlementaire européenne (10 décembre 1961). Membre de l'Alliance France-Israël et du groupe parlementaire de la L.I.C.A. Réélu député *U.N.R.-U.D.T.* le 18 novembre 1962. Secrétaire d'Etat à l'Intérieur (cabinet Georges Pompidou, 1966).

BORDAGE (Augustin).

Négociant, né à Vasles (Deux-Sèvres), le 23 novembre 1900. Négociant en grains et engrais. Président départemental des Négociants en grains. Conseiller général des Deux-Sèvres. Maire d'Airvault depuis 1947. Député *U.N.R.* des Deux-Sèvres (3e circ.) depuis 1962.

BORDAGE (Henry).

Journaliste, né à Saintes (Charente-Inférieure), le 1er mars 1922. Dans la Résistance, collabora à *La Voix des Charentes* dont il fut, à la Libération, le rédacteur en chef (jusqu'en 1948). Puis successivement : chef de service à l'agence de presse communiste *U.F.I.*, à Paris, directeur du quotidien *Les Nouvelles de Bordeaux* et rédacteur en chef de *Libération*.

BORDENEUVE (Jacques, Guillaume):

Avocat, né à Sainte-Livrade-sur-Lot (L.-et-G.), le 28 août 1908. Neveu de Georges Bordeneuve, maire de Villeneuve-sur-Lot. Militant radical et résistant. Conseiller général de Penne-d'Agenais et président du Conseil général du Lot-et-Garonne, Sénateur radical-socialiste du Lot-et-Garonne depuis 1948. Secrétaire d'Etat aux arts et aux lettres (Gouvernements Mollet, 1956-1957 et Bourgès-Maunoury, 1957), ministre de l'Education nationale (Gouvernement Pierre Pflimlin, 14-31 mai 1958).

BORDERES.

Président des délégations financières de l'Algérie et de l'Union des Colons, nommé le 23 janvier 1941 membre du *Conseil national* (voir à ce nom).

BOREL (Félix, Edouard, Justin, Emile).

Universitaire (1871-1956). Radical-socialiste, représenta l'Aveyron à la Chambre de 1924 à 1936, et fut ministre de la Marine en 1925.

BORET (Victor).

Négociant (1872-1952). Fils d'un marchand de grains de Saumur, dont il prit la succession. Initié à la Loge *La Persévérance*, de Saumur, en 1894. Député républicain-socialiste de la Vienne (1910-1927), puis sénateur de ce département (1927-1942), fut ministre de l'Agriculture en 1917-1919 et en 1930-1931. Vota pour le maréchal Pétain en juillet 1940 et se retira de la vie politique.

BORGEOT (Charles).

Agriculteur, né à Ceux (S.-et-L.), le 1er février 1876. Elu en Saône-et-Loire sénateur de la *Gauche Démocratique* (1929-1942). Vota la délégation de pouvoirs au maréchal Pétain. Présida la Chambre d'Agriculture de Saône-et-Loire.

BORIE (Etienne, Léon).

Homme politique, né à Dourgne (Tarn) le 21 mars 1843, mort à Saint-Etienne le 10 juillet 1908. Député de la Corrèze de 1885 à 1893 et de 1898 à 1902. Boulangiste et antidreyfusard, il se fit remarquer dans son département et à la Chambre par sa virulence antisémite, proclamant sa volonté d' « *imposer silence à cette bande de juifs cosmopolites qui renient la patrie, calomnient l'armée et troublent le pays* ». Ses propositions de loi en faveur des humbles et des sinistrés (retraites ouvrières étendues au personnel domestique, secours aux victimes des calamités atmosphériques, secours aux anciens militaires, etc.) révèlent un esprit social, très avancé pour son époque.

BORNE (Etienne, Vincent).

Universitaire, né à Manduel (Gard), le 22 janvier 1907. Fils de professeur. Ancien élève de l'Ecole normale supérieure, enseigna au lycée de Nevers, à la faculté des lettres de São Paulo, au lycée de Valenciennes, au lycée de Toulouse, aux lycées Louis-le-Grand et Henri-IV à Paris ; est, depuis 1962, inspecteur de l'Académie de Paris. Militant démocrate-chrétien, appartint aux organismes directeurs du *M.R.P.* et à son Comité national ainsi qu'au secrétariat général du *Centre Catholique des Intellectuels Français*. Se consacre aujourd'hui plus particulièrement à la direction de la revue *France Forum*. Lors de l'élection présidentielle de décembre 1965, prit position pour Jean Lecanuet « *contre le bonapartisme* » (gaulliste). (Cf. *Le Monde*, 2-12-65). Auteur de : « *Le Travail et l'Homme* », « *Dieu n'est pas mort* », « *Passion de la vérité* ».

BOROCCO (Edmond).

Imprimeur, né à Colmar (Haut-Rhin), le 3 août 1911. Adjoint au maire de Colmar. Arrêté par les Allemands, condamné à mort, évadé. Député *U.N.R.* du Haut-Rhin (1re circ.) depuis 1958. Se fit remarquer, le 7 décembre 1960, par le discours qu'il prononça à l'Assemblée nationale : « *Croyez que toute l'Alsace ainsi que toutes nos provinces sentent — et le débat d'aujourd'hui vous en apporte la preuve — que la vocation de l'Algérie nouvelle est une vocation française et elle ne peut être que française grâce au général De Gaulle.* »

BOROTRA (Jean-Robert).

Ingénieur, né à Biarritz, le 13 août 1898. Etudes secondaires au lycée de Bayonne, puis à l'Ecole polytechnique. Interrompit celles-ci pour s'engager

(1916), revint sous-lieutenant avec deux citations, et retourna à l'Ecole polytechnique où il fut reçu en 1920. Acquit, en outre, le titre de licencié en droit. Fut alors ingénieur d'une firme industrielle pour laquelle il accomplit de nombreux voyages. Pratiqua le tennis, et devint l'un de nos très grands champions (surnommé : « *le Basque bondissant* »). Fonda l'International Lawn Tennis Club de France (1929) et anima plusieurs autres sociétés sportives. Membre dirigeant des *Croix de Feu* avant la guerre. En 1940-1942, le maréchal Pétain le nomma secrétaire général à l'Education physique et aux Sports de son gouvernement. Arrêté en raison de son hostilité aux occupants (1942) et déporté en Allemagne, il fut libéré par les Alliés (1945). Aujourd'hui, administrateur de sociétés (*Satam, Union française de crédit, Lit tous soins*), fait partie du comité d'honneur de l'*Association pour la Défense de la mémoire du maréchal Pétain* depuis 1956.

BORREL (Antoine).

Journaliste (1878-1961). Rédacteur à *La Petite République*, au *Gil Blas*, fondateur de *L'Avenir Savoyard*. Radical-socialiste et membre de la loge *La République*, fut présenté par ses amis à l'élection partielle de mars 1909 et fut élu député de la Savoie. Garda le siège jusqu'en 1931, date à laquelle il entra au Sénat. Fut sous-secrétaire d'Etat aux Travaux publics en 1920-1921. Vota pour le maréchal Pétain à Vichy le 10 juillet 1940. Auteur de : « *Le chômage et ses remèdes* », « *Les villages qui meurent* ».

BOSCARY-MONSSERVIN (Roland).

Avocat, né à Rodez (Aveyron), le 12 mai 1904. Ancien bâtonnier de l'Ordre. Maire d'Onet-le-Château (Aveyron). Président du Syndicat agricole de l'Aveyron. Président de la *Société centrale d'agriculture de l'Aveyron* (depuis 1940). Attaché au cabinet d'Ed. Lefebvre du Prey, Garde des Sceaux, ministre de la Justice. Député de l'Aveyron depuis 1951. Avant de passer au groupe des *Républicains Indépendants*, fut le vice-président du groupe des *Indépendants et Paysans d'Action Sociale*. Ministre de l'Agriculture (cab. Félix Gaillard, 1957-1958 et Pflimlin, 1958). Président de l'*Assemblée parlementaire pour la Liberté de l'enseignement*. Membre de l'Assemblée parlementaire européenne (26 janvier 1959).

BOSCHER (Michel).

Commissaire-priseur, né à Evry-Petit-

Bourg (S.-et-O.), le 19 novembre 1922. Déporté en 1943 au camp de Sachsenhausen. Maire d'Evry-Petit-Bourg depuis 1946. Chargé de mission au cabinet de Michel Debré, garde des Sceaux, ministre de la Justice (juin-octobre 1958). Député *U.N.R.* de Seine-et-Oise (14e circ.) depuis 1958.

BOSSON (Charles).

Avocat, né à Genève (Suisse), le 2 août 1908. Maire d'Annecy. Membre du Comité directeur de *l'Association des Maires de France.* Ancien président du groupe *M.R.P.* du Conseil de la République. Député *M.R.P.* de la Haute-Savoie depuis 1958. Conseiller général. Président du groupe des *Républicains populaires* et du *Centre Démocratique* (1958-1960).

BOSSOUTROT (Jean-Baptiste, Lucien).

Aviateur (1890-1958). Fut l'un des pionniers de l'aviation civile. Homme de gauche et maçon actif (Loges *Thélème* et *Paris*), élu député radical-socialiste de la Seine, soutint activement les républicains espagnols lors de la Révolution de 1936-1939. Vota les pouvoirs constituants au maréchal Pétain. Interné quelques années plus tard, s'évada en juin 1944, et participa à la résistance dans le Lot. Mais cessa toute activité politique après la Libération.

BOSSUS (Raymond).

Militant politique, né à Paris le 25 juillet 1903. Ancien secrétaire de la *Fédération des Syndicats du bâtiment* (1930), fut avant la guerre, conseiller municipal de Vitry (Seine) (1929-1934), puis de Paris (quartier de Charonne) (1939-1939) et, à la Libération, nommé maire du XXe arrondissement de Paris. Ensuite : conseiller municipal de Paris, conseiller général de la Seine et sénateur du département. Appartient au Comité central du *P.C.F.*

BOTHEREAU (Robert).

Syndicaliste, né à Baule (Loiret), le 22 février 1901. Mécanicien ajusteur fut, en 1933, secrétaire administratif de la *C.G.T.* Militant d'extrême-gauche et franc-maçon, participa à la Résistance. Après la Libération, occupa les fonctions suivantes : secrétaire général de la *Confédération générale du Travail-Force Ouvrière* (*C.G.T.-F.O.*, avril 1948-novembre 1963), membre du conseil d'administration du *Bureau international du travail,* vice-président de la *Confédération internationale des syndicats libres* (1953-1964), membre du Conseil économique et social et du conseil général de la *Banque de France.* Nommé, en 1964, conseiller d'Etat en service extraordinaire.

BOUALAM SAID (Benaïssa).

Bachaga, né à Souk-Ahras (Algérie), le 2 octobre 1906. Fut officier de l'armée française, à laquelle il appartint pendant plus de vingt ans. Nommé Bachaga des Beni Boudouane, fut élu député d'Orléansville (Algérie) en novembre 1958 et occupa, pendant près de quatre ans, la vice-présidence de l'Assemblée nationale (1958-1962). Co-fondateur du *Rassemblement pour l'Algérie française* (octobre 1959). Auteur de plusieurs livres, dont : « *Mon pays... la France* », « *Les Harkis au service de la France* », « *L'Algérie sans la France* ».

BOUCARD (Robert).

Ecrivain, né à Maison-Laffitte (S.-et-O.), le 12 septembre 1894. Fils d'un conseiller à la cour de cassation. Ancien commissaire de la Marine (nationale). Fut chef des informations du quotidien *La Presse,* rédacteur en chef de *La Revue Parlementaire,* rédacteur à *Excelsior,* à *Gringoire,* etc. Grand spécialiste des coulisses de la politique internationale, a publié une série de livres : « *Les dessous de l'espionnage anglais* », « *Les dessous des archives secrètes* », « *Les dessous de l'expédition de Russie* », « *Les dessous de l'espionnage allemand* », « *Les dessous de l'espionnage français* », « *Les dessous de l'Intelligence Service* », « *Les dessous de l'espionnage 1939-1959* », « *La guerre des renseignements* », « *Les femmes et l'espionnage* », etc. dont un certain nombre ont été traduits en onze langues. Paul Doumer, le président de la République, fut assassiné devant sa table à la vente de livres des Ecrivains Combattants et Gorguloff, le meurtrier, avait dans sa poche, au moment de son arrestation, l'un des volumes de Robert Boucard sur les services secrets.

BOUCHERON (Georges).

Avocat (1880-1946). Député radical modéré de la Seine (1928-1936). Collabora à *L'Illustration.* Eut un rôle important, dans l'entre-deux-guerres, dans la vie politique du XVe arrondissement de Paris.

BOUDE (Antoine).

Président de la Chambre de Commerce de Marseille, nommé le 23 janvier 1941 membre du *Conseil national* (voir à ce nom).

BOUDET (Roland).

Journaliste, né à Bubertré (Orne), le 9 novembre 1913. D'abord instituteur, devint directeur du journal *Le Réveil Normand*, de Laigle en 1945. Elu sous le signe de l'*U.N.R.* député de l'Orne en 1958, abandonna le parti gaulliste en cours de mandat et fut battu de peu par le candidat *U.N.R.* en 1962 en raison du maintien inattendu du candidat *U.D.S.R.* Mermoz. Est entré au Conseil général de l'Orne en 1964.

BOUFFANDEAU (Félix, Louis, Marie, Daniel).

Directeur d'école normale (1855-1926). Fondateur de l'*Action Républicaine de l'Oise*, fut l'un des pionniers du radical-socialisme dans l'Oise qu'il représenta au Palais-Bourbon de 1906 à 1919.

BOUGENOT (André).

Administrateur de sociétés, né à Bourg-en-Bresse, le 10 juillet 1907. Fit ses études secondaires à Alger et son droit à Paris. Débuta dans la banque, à la *National City Bank*, puis entra au conseil d'administration de diverses affaires où sa famille avait des intérêts : *Compagnie française des tramways de Changhaï*, *Banque de l'Union parisienne*, Ets Maurel et Prom, *Compagnie marocaine*. Après la Libération, dirigea quelque temps le quotidien *L'Epoque* qui était alors l'organe de la droite et des pétainistes. Conseiller technique au cabinet de J. Laniel (ministre d'Etat, janvier 1952), chargé de mission au cabinet de R. Pleven (ministre de la Défense nationale, mars 1952). Sous-secrétaire d'Etat à la Présidence du Conseil (cabinet Joseph Laniel, 1953-1954). Appartint également à l'Assemblée de l'Union Française (1952-1958).

BOUGERE (Emile, Vincent).

Journaliste, né à Angers (M.-et-L.), en septembre 1903, mort à Paris en novembre 1964. Militant ouvrier, collabora d'abord à la presse d'extrême-gauche : *Sport ouvrier* (1923), *L'Aube sociale* (1928), *L'Humanité* (1932), puis, au cours de 1932-1935, au *Huron*, au *Populaire*, à *Germinal*, au *Petit Journal*. Rallia le *P.P.F.* de Jacques Doriot en 1936 et devint l'un des principaux collaborateurs (secrétariat de rédaction) de l'*Emancipation Nationale* (1936-1940), *Jeunesse* (1941-1942), *La Femme et la vie* (1942-1944) et l'un des principaux dirigeants du Bureau Central de Presse du *P.P.F.* Epuré à la Libération, collabora à *Vietnam-Presse* et à divers journaux anticommunistes. Après l'indépendance du Congo-Brazzaville, fut pendant plusieurs années attaché de presse de l'abbé Fulbert Youlou, chef du gouvernement.

BOUHEY (Georges, Jean, Baptiste).

Viticulteur, né à Villers-la-Faye (Côte-d'Or), le 23 octobre 1898. Fils du député socialiste Bouhey-Allex (voir ci-dessous). Militant socialiste également, fut député de la Côte-d'Or de 1936 à 1942, puis aux deux Constituantes en 1945 et 1946, et représenta le département de 1946 à 1958 à l'Assemblée nationale. Rentré de captivité en août 1941, a participé à la Résistance à « Libération-Nord ». Fondateur du quotidien régional *La Bourgogne républicaine* (aujourd'hui : *Les Dépêches*, de Dijon). Avait été, en 1938, le seul député socialiste à voter contre les accords de Munich.

BOUHEY-ALLEX (Jean-Baptiste).

Vigneron (1855-1913). Père du précédent. D'abord républicain radical, adhéra au socialisme en 1893 et fonda *Le Réveil des Paysans*. Député socialiste de la Côte-d'Or, de 1902 à 1906 et de 1910 à 1913.

BOUILLOUX-LAFONT (Maurice).

Banquier (1875-1937). Député du Finistère (1914-1932). Vice-président de la Chambre (1924-1930). Inscrit au groupe de la *Gauche Républicaine Démocratique*, puis à celui de la *Gauche Radicale*. Mis en cause dans l'affaire de l'*Aéropostale*, fut battu aux élections de 1932. Perdit également, en 1934, le siège qu'il occupait au Conseil général de son département depuis plusieurs années. Fut ministre d'Etat de la Principauté de Monaco (1934-1937) et maire de Bénodet jusqu'à sa mort.

BOUISSON (Ferdinand, Emile, Honoré).

Homme politique, né à Constantine, le 16 juin 1874, mort à Antibes le 28 décembre 1959. Venu très jeune à Aubagne où ses parents avaient créé une importante tannerie, se lança dans la politique en 1904. Fut maire d'Aubagne et conseiller général des Bouches-du-Rhône, puis député du département : au lendemain de son entrée à la Chambre des Députés, donnait son adhésion au *Parti Socialiste* (1909), auquel il resta fidèle jusqu'en 1934. Réélu constamment, représenta les Bouches-du-Rhône de 1909 à 1942, fut président de la Chambre (1927-1936), commissaire aux transports maritimes et à la marine marchande (1918 et 1919), maire de La Ciotat, pour sept jours seulement, président du Conseil et ministre de l'Intérieur (juin 1935). Vota les pouvoirs constituants au maréchal Pétain en 1941 et se retira bientôt de la politique.

BOUISSOUD (Charles, Paul, Adolphe, Claudius).

Avocat (1880-1942). Député républicain de gauche (1928-1942). Conseiller général de la Saône-et-Loire. Nommé le 23 janvier 1941 membre du *Conseil national* (voir à ce nom).

BOULANGER (Georges, Ernest, Jean-Marie).

Général, né à Rennes le 29 avril 1837, mort à Ixelles le 30 septembre 1891. Pris dans le gouvernement Freycinet comme ministre de la Guerre (1886), Boulanger se rendit populaire par des manières élégantes et des déclarations cocardières. Son influence grandit rapidement. L'agitation « revancharde », entretenue alors par la *Ligue des Patriotes,* le servit. Déroulède, le chef de la ligue, soutenait son action. Le cabinet suivant, présidé par Goblet, conserva Boulanger à la Guerre. Celui-ci prit des mesures, parfois importantes (accroissement du matériel de guerre), parfois insignifiantes (retraites militaires avec fanfares) qui le rendirent plus populaire encore. Des incidents de frontières aggravèrent l'agitation autour de son nom. Les républicains eurent peur et renversèrent le gouvernement Goblet. Le cabinet Rouvier qui suivit ne reprit pas ce ministre de la Guerre inquiétant : le général fut nommé à Clermont-Ferrand. On comptait, en l'exilant, réduire l'ardeur de ses partisans. C'est alors qu'éclata le « *scandale des décorations* » dans lequel le gendre du président Grévy était compromis. Le gouvernement Rouvier voulut étouffer l'affaire, mais la presse boulangiste s'en mêla et exigea la démission de Grévy. Le président se cramponnait à son fauteuil élyséen. « *Ah quel malheur d'avoir un gendre !* » La République tremblait sur ses bases. Ses défenseurs étaient partagés entre le désir de « coiffer » Boulanger, pour l'empêcher d'aller vers les monarchistes, et de le « démolir », pour être à jamais débarrassés de ce péril. Nombreux furent ceux qui, à gauche et même à l'extrême-gauche, prirent le parti de suivre le grand homme, pour le pousser, au bon moment, sur la voie démocratique. Les « *nuits historiques* » du *Grand Orient*, en novembre 1887, au cours desquelles Clemenceau, Rochefort, Laisant, Laguerre et divers autres personnalités républicaines et boulangistes tentèrent de mettre au point un plan d'action furent sans lendemain. Boulanger revint de Clermont pour rencontrer Clemenceau, faire la paix avec lui et conclure une alliance, mais les pourparlers n'aboutirent pas. Lorsque Grévy eut démissionné, les manifestations qui troublaient Paris cessèrent. Les boulangistes n'en poursuivirent pas moins leur propagande, remuant profondément l'opinion. Mais ils eurent beau faire élire leur grand homme à des élections partielles, dans divers départements, avec une majorité énorme, ce plébiscite n'eut pas le résultat escompté. C'est alors que le général fut mis à la retraite (mars 1888). Malgré une nouvelle élection triomphale à Paris, le 27 janvier 1889, à l'issue de laquelle on crut que Boulanger allait « *marcher sur l'Elysée* », le gouvernement tint bon. Craignant d'être arrêté, le général s'enfuit à Bruxelles. Cette absence le desservit : dès lors, la chute apparut comme irrémédiable. Aux élections cantonales de juillet 1889, où la candidature de Boulanger fut présentée dans quatre-vingts circonscriptions, dix-huit seulement l'élirent. Deux mois plus tard, sa candidature fut posée dans le XVIIIᵉ arrondissement de Paris, aux élections législatives générales. Bien qu'il eut refusé de rentrer à Paris, il obtint 8 000 voix contre 5 500 à son adversaire le plus favorisé, le socialiste Jules Joffrin, sur près de 15 000 votant. Ce fut le chant du cygne : frappé d'inéligibilité, il fut évincé au profit de son concurrent que la Chambre proclama élu au cours d'une séance mémorable (9 décembre 1889). Les élections municipales qui suivirent, en 1890, furent défavorables au boulangisme. La fin approchait : les révélations de Mermeix dans ses « *Coulisses du boulangisme* » et celles du journal *Paris* déconsidérèrent le général Boulanger. Son suicide, le 30 septembre 1891, au cimetière d'Ixelles, sur la tombe de sa maîtresse, Mme de Bonnemain, mit un terme à une aventure qui avait bouleversé pendant plusieurs années la vie politique française. L'étude du phénomène boulangiste, auquel se

ont trouvés mêlés des hommes de tous
es milieux et de tous les partis, permet
le mieux comprendre certains événements plus récents, au cours desquels on
vit, comme il y a trois quarts de siècle,
les gens de droite, du centre et de gau-
he, abandonner leurs formations traditionnelles, oublier leurs serments et leurs
promesses, se brouiller avec leurs meil-
eurs amis pour suivre un homme en qui
s'incarnait alors à leurs yeux l'honneur
et l'espérance de la Patrie.

BOULANGER (Georges).

Militant politique, né à Saint-Maur-
les-Fossés (Seine), le 4 juillet 1913.
Ancien directeur de mutualité agricole,
sénateur. Participe depuis de longues
années au *M.R.P.* Fut, après la Libération, adjoint au maire d'Arras (1947-
1959) ; est sénateur *M.R.P.* du Pas-de-
Calais depuis 1952. Elu en 1959 conseil-
er municipal de Calais.

BOULANGISME.

Courant d'idées favorable à l'accession
au pouvoir du général Boulanger (voir
ci-dessus). Principaux chefs du mouvement *boulangiste* : Georges THIEBAUD,
journaliste de tendances bonapartistes,
candidat malheureux dans les Ardennes
en 1885 ; le comte DILLON, homme d'af-
aires entreprenant plus qu'homme poli-
ique ; Paul DEROULEDE, le chef de la
Ligue des Patriotes ; Eugène MAYER,
directeur de *La Lanterne ;* PORTALIS,
directeur du *XIXe siècle,* Georges LA-
GUERRE, ancien secrétaire de Louis
Blanc, avocat des militants d'extrême-
gauche, député du Vaucluse, fondateur de
La Presse (1888), grand orateur du mouvement ; Edmond TURQUET, ancien ministre ; Charles A. LAISANT, député républicain (l'un des 363 signataires de
l'ordre du jour contre Mac-Mahon), directeur du *Petit Parisien,* puis de *La
République radicale ;* Charles LALOU,
« patron » de *La France,* quotidien de
nuance radicale ; l'avocat Gaston LA-
PORTE, député de gauche, directeur du
Patriote du Centre (Nevers), auteur de
« *La féodalité industrielle* » ; Henri MI-
CHELIN, président du Conseil municipal
de Paris, fondateur de *L'Action ;* Alfred
NAQUET, un des rares israélites dirigeants du mouvement avec Eugène Mayer
(déjà cité), député, auteur de la loi sur
le divorce ; Henri ROCHEFORT, le fameux journaliste ; Jean-Placide TURI-
GNY, proscrit du 2 décembre, député de
la Nièvre ; l'ancien procureur général
Maurice VERGOIN, député radical ; le
syndicaliste BOULE, candidat malheu-

reux dans la Haute-Marne en 1889 ; Georges de LABRUYERE, ancien secrétaire du
Cri du Peuple et ami de Séverine, fondateur de *La Cocarde* en 1888 ; Ernest RO-
CHE, rédacteur socialisant de *L'Intransigeant,* et surtout Francis LAUR, député
de la Loire, dont les attaques contre la
Haute Finance sont demeurées célèbres.

BOULAY (Arsène).

Fonctionnaire, né au Crest (P.-de-D.) le
5 septembre 1910. Adjoint technique des
Ponts et Chaussées. Maire de Romagnat.
Conseiller général de Clermont-Sud. Secrétaire de l'Ass. des Maires du Puy-de-
Dôme. Proclamé député à la mort du Dr
Antoine Brugière, dont il était le « remplaçant ». Militant marxiste actif, fut l'un
des fondateurs des *Jeunesses socialistes*
du Puy-de-Dôme (1920), puis le secrétaire
à la propagande de la Fédération *S.F.I.O.*
de l'Auvergne (1932-1933). Délégué régional adjoint du *M.L.N.* pour l'Auvergne
(1944-1945), fut nommé à la Libération
président de la Délégation spéciale de
Romagnat (août 1944). A collaboré au
Drapeau Rouge et à *l'Auvergne socialiste.*

BOULAY (Henri).

Viticulteur (1889-1942). Député socialiste de la Saône-et-Loire (1931-1942).
Membre de la loge *Les Arts Réunis.* Vota
les pouvoirs constituants au maréchal
Pétain (1940). Chargé du ravitaillement
de Lyon et de Saint-Etienne en 1942.

BOULIN (Robert).

Avocat, né à Villandraut (Gironde),
le 20 juillet 1920. Participa à la Résistance dans le réseau Navarre. Rejoignit
le Comité Français de Londres en 1941.
Après la Libération, s'inscrivit au Barreau
de Libourne. Membre dirigeant des
Républicains Sociaux (1947-1953). Elu
député de la Gironde sous l'étiquette
U.N.R. (1958), et maire de Libourne.
Membre du Comité central de *l'U.N.R.*
(novembre 1959). Secrétaire d'Etat aux
Rapatriés (gouvernement Debré, août
1961). Secrétaire d'Etat au Budget (premier cabinet Pompidou, 11 septembre
1962). Réélu député de la 9e circonscription de la Gironde, le 25 novembre 1962.
Secrétaire d'Etat au Bugdet (cabinet
Pompidou depuis le 6 décembre 1962).

BOULLOCHE (André, François, Roger, Jacques).

Conseiller d'Etat, né à Paris, le 7 septembre 1915. Fils d'un inspecteur géné-

ral des Ponts et Chaussées. Ancien polytechnicien, licencié en droit. Prit part à
la Résistance et fut fait Compagnon de
la Libération. Directeur du cabinet de
Paul Ramadier (président du Conseil
1947, ministère de la Défense nationale,
1948-1949). Chef du service de l'Infrastructure du Secrétariat à l'Air. Directeur
des Travaux publics de l'Urbanisme et
de l'Habitat au Maroc (1955). Directeur
du cabinet du président Bourgès-Maunoury (1957). Délégué général adjoint à
l'Organisation Commune des Régions
Sahariennes. Ministre délégué à la présidence du Conseil (gouvernement De
Gaulle, 1958-1959), puis ministre de l'Education nationale (gouvernement Debré,
1959). Conseiller d'Etat en service extraordinaire (1960).

BOULLY (Georges, Edouard).

Professeur (1877-1949). Président de la
section de Tonnerre de la *Ligue des
Droits de l'Homme*, initié le 20 juin 1914
à la loge *Le Réveil de l'Yonne*. Député
(1924-1928, 1932-1936), puis sénateur de
l'Yonne (1936-1942), inscrit au groupe
des *Républicains socialistes et Socialistes
français*, fut pendant un quart de siècle
l'un des chefs de la gauche de son département.

BOUNIN (Jacques, Louis, Charles).

Ingénieur, né à Paris le 26 mars 1908.
Marié avec la petite-fille du banquier
Hugo Finaly. Conseiller municipal de
Nice (1935), puis député des Alpes-Maritimes, élu en 1939 avec l'appui du *Front
populaire*. Vota la délégation des pouvoirs constituants au maréchal Pétain,
mais ne fut pas frappé d'inéligibilité à la
Libération, en raison de sa participation
active à la Résistance. Commissaire de
la République à Montpellier (1944-1946),
dirigea l'épuration dans les six départements de la région. Membre dirigeant de
l'*Union Progressiste* (1950), mendésiste
(1954), et gaulliste de gauche (1958), n'est
pas encore parvenu à se faire élire à
l'Assemblée nationale malgré ses tentatives.

BOUQUEREL (Amédée).

Ingénieur, né à Raimbeaucourt (Nord),
le 1er juillet 1908. Ingénieur des Ponts et
Chaussées, sénateur de l'Oise depuis
1948, occupe la vice-présidence du
groupe sénatorial de l'*Union pour la
Nouvelle République*.

BOURBON, PRINCE DE PARME (prin-
ce François-Xavier de).

Ingénieur agronome, né à Camaiore

(province de Lucques, Italie), le 25 mai
1889. Fils du prince Robert de Bourbon,
duc de Parme, et de la princesse Marie-
Antoinette de Bragance, infante du Portugal. Descendant de Louis XIV et de son
petit-fils Philippe V d'Espagne. Marié
avec Marie-Madeleine de Bourbon-Busset
(12 novembre 1927). Le prince Xavier
de Bourbon-Parme prit part, pendant la
1re Guerre mondiale aux négociations
secrètes que son frère Sixte mena avec
l'empereur Charles de Habsbourg en vue
d'une paix séparée avec l'Autriche-Hongrie. Il était alors officier d'artillerie
dans l'armée belge, et sa sœur, la princesse Zita, était impératrice d'Autriche.
Pendant la Seconde Guerre mondiale, le
prince Xavier organisa un réseau de
résistance dans le Bourbonnais. Arrêté
par les Allemands, il fut déporté à Dachau. Hostile aux mesures d'épuration
qui suivirent la Libération, il témoigna
en faveur de plusieurs de ses amis péta-
nistes, notamment devant le Tribunal
militaire en 1952. A l'occasion du référendum de janvier 1961 sur l'Algérie, le
prince se déclara hostile à la sécession
et fit alors une déclaration dans laquelle,
« *héritier d'une famille qui a donné à
l'Europe et à la France, en particulier, le
témoignage de son attachement à la civilisation chrétienne* », il affirmait : « *La
mission que la France assume* (en Algérie) *pour le compte du monde libre, personne n'a la possibilité de l'en décharger. Une solution me paraît possible :
celle qui, refusant dès aujourd'hui tout
compromis avec nos ennemis extérieurs,
maintiendra l'Algérie à la France* » (cf.
Le Monde, 7-1-1961). Le prince Xavier
est le père du prince Hugues-Charles qui
épousa, en 1964, la princesse Irène de
Hollande et qui est considéré, en Espagne, comme le prétendant traditionaliste
au trône.

BOURBON (Louis-Alphonse, duc de).

Né à Rome, le 20 avril 1936. Fils de
Jacques-Henri, duc d'Anjou et de Ségovie, et de Emanuela de Dampierre ;
petit-fils d'Alphonse XIII d'Espagne (Alphonse Ier pour les légitimistes français),
descendant de Louis XIV et de son petit-
fils Philippe V d'Espagne. Considéré
par les légitimistes de France comme le
véritable prétendant — ceux-ci voudraient l'*associer* à son père, inapte à
régner — *S.A.R. el principe Alfonso de
Borbon y Dampierre* — ainsi qu'il est
porté sur son passeport diplomatique —
est un grand voyageur qui a visité non
seulement l'Europe occidentale, mais
aussi les Etats-Unis et, partiellement,
l'U.R.S.S. Il est attaché au service étran-

ger de la *Banco Exterior de España*, à Madrid. Licencié en droit et diplômé des sciences politiques et économiques, il s'est spécialisé dans les questions syndicales sans négliger cependant la philosophie, puisqu'il a publié un essai sur la doctrine de Jean-Paul Sartre. Son secrétariat politique est installé à Saint-Cloud (1, avenue Alfred-Belmontet).

BOURDAN (Pierre MAILLAUD, dit).

Journaliste, 1909-1948. Rédacteur à l'*Agence Havas*, d'abord à Paris, puis à Londres, il rallia le comité du général De Gaulle en 1940 et devint le commentateur des nouvelles à la B.B.C. pendant l'occupation. Député de la Creuse à la première Constituante (1945), puis de la Seine à la seconde (1946) et à l'Assemblée nationale, il était inscrit à l'*U.D.S.R.* ainsi qu'au *Rassemblement des Gauches Républicaines*, dont il était vice-président. Le président Ramadier lui confia, en 1947, le ministère de la Jeunesse, des Arts et des Lettres qui s'était substitué au ministère de l'Information. Il mourut accidentellement sur la Côte d'Azur l'année suivante.

BOURDELLE (Jacques-Louis).

Avocat, né à Limoges le 25 septembre 1921. Inscrit au barreau de Paris en 1941, ancien bâtonnier du barreau de Tulle. Membre du Comité directeur du *Comité National des Classes Moyennes* (depuis 1948), conseiller municipal de Tulle (1948-1952), secrétaire général des *Indépendants et Paysans* de Corrèze, directeur de l'hebdomadaire *La Voix du Limousin*. Auteur de « *Départs, Souvenirs de 1944* » et de « *Main dans la main* ».

BOURDELLES (Pierre).

Agriculteur, né à Louannec (Côtes-du-Nord) le 23 avril 1908. Vice-président de la Chambre d'Agriculture. Maire de Louannec (depuis 1935). Elu député radical-socialiste le 17 juin 1951. Battu le 2 janvier 1956. Elu à nouveau (dans la 5e circ.) le 30 novembre 1958, avec l'investiture du Centre Républicain. Réélu le 25 novembre 1962. Fut, avec M. Pleven, l'un des fondateurs de l'*Union Démocratique*, scission modérée de l'*U.D.S.R.*

BOURDET (Claude).

Journaliste, né à Paris, le 28 octobre 1909. Fils de l'auteur dramatique Edouard Bourdet et petit-fils du sénateur Jean-Samuel Pozzy (que les *Archives Israélites*, du 27 janvier 1910, ratta-

Pierre Bourdan

chaient abusivement au judaïsme). Ingénieur diplômé à l'Ecole polytechnique de Zurich, et acquis aux idées socialistes, il fut avant la guerre attaché au cabinet du ministre Espinasse. A cette époque, il collaborait à *Marianne*, à *Esprit* ainsi qu'à diverses revues plus sévères et bourgeoises. Fait prisonnier en 1940, il s'évada et gagna la Côte d'Azur où on le chargea de la direction de la Savonnerie-Huilerie *La Manda*. Il participa dès 1942 à la Résistance. Il fut alors membre du Comité de direction du *Mouvement Combat* (1942), directeur du journal clandestin de ce groupe et membre du *Comité national de la Résistance*. Arrêté par les Allemands en 1944, il fut déporté à Oranienburg et Buchenwald. Délivré en 1945 par les troupes alliées et aussitôt nommé membre de l'Assemblée consultative provisoire (au titre du *M.N.L.*), il prit la direction générale de la Radio diffusion française (octobre 1945) et fut nommé co-directeur de *Nice-Matin*. On lui attribue, ainsi qu'à Vincent Auriol, la paternité du fameux projet de référendum (Oui - Non) adopté alors par le Gouvernement Provisoire. En 1947, il reprit la direction de *Combat*, qu'il abandonna en 1950 lorsque le Dr Henry Smadja en devint le véritable « patron ». Il fonda alors *L'Observateur* (futur *France-Observateur*, aujourd'hui *Le Nouvel Observateur*) dont il fut pratiquement évincé en 1964. Entre-temps, il s'employa à unifier les divers mouvements de gauche, socialistes mais non communistes, d'abord au sein du *Centre d'Action des Gauches Indépendantes* et de la *Nouvelle Gauche*, puis sous l'égide de l'*Union de la Gauche socialiste* et du *Parti socialiste unifié*. Il poursuivit, au sein de ces organismes ainsi qu'à *France-Observateur*, à *La Tribune du Peuple* et à *Temps Modernes,* une action énergique en faveur de l'indépendance de l'Algérie, dénonçant avec vigueur la riposte française aux actes du *F.L.N.* : « *Je trouve,* déclarait-il un jour au journal allemand *Stern, que la responsabilité du peuple allemand pour les atrocités du nazisme en Allemagne et en Europe est exactement la même que la responsabilité que mes propres compatriotes (et moi-même) portent pour les atrocités des forces françaises en Algérie — quoique le nombre des morts, des torturés et des enfermés là-bas soit plus petit, puisque le champ d'action est plus petit.* » (Cf. traduction du *Journal du Parlement,* 19-2-1960). Son action lui valut inculpation et arrestation en 1956). Membre du Conseil municipal de Paris et du Conseil général de la Seine, où il fut élu en 1959, il est devenu l'un des principaux membres du Bureau national du *P.S.U.* Après avoir quitté plus ou moins volontairement *France-Observateur* (juin 1963), à la veille de sa métamorphose, il créa un nouveau journal, *L'Action* (mars 1964), qui s'adresse aux éléments durs de l'ancien public de l'hebdomadaire socialiste de gauche. Membre influent de la *Ligue des Droits de l'Homme* et de la *Confédération internationale pour le désarmement et la paix,* il est, malgré ses origines bourgeoises et sa situation de fortune, non seulement l'une des têtes pensantes du socialisme français mais l'un de ses premiers militants.

BOURDIER (Jean).

Journaliste, né à La Frette-sur-Seine (S.-et-O.) le 6 juin 1932. Ancien président des *Jeunes Indépendants de Paris* (1954-1955). Rédacteur de politique étrangère à l'*Associated Press* (1959-1964), chroniqueur littéraire à *Minute* (depuis 1964). Collabora également à *L'Heure Française* (1955), *Fraternité Française* (1960), *L'Esprit Public* (1962-1964). Membre du *Cercle du Panthéon.* Auteur de : « *La dictature qui vient : la Technocratie* » (1959), « *Le comte de Paris : un cas politique* » (1965).

BOURGEOIS (Editions Christian).

Maison d'édition créée en 1966 par Christian Bourgeois, ancien directeur littéraire de *Julliard,* assisté de Dominique de Roux, animateur des *Cahiers de l'Herne,* et Michel Bernard. L'entreprise est placée sous le contrôle de l'éditeur Sven Nielsen, du groupe des *Presses de la Cité,* dont elle utilise les services de diffusion (116, rue du Bac, Paris, 7e).

BOURGEOIS (Georges).

Huissier, né à Mulhouse (Haut-Rhin) le 20 avril 1913. Administrateur suppléant de la Caisse nationale des retraites (20 février 1954). Conseiller général d'Ensisheim. Anc. président du Conseil général du Haut-Rhin. Sénateur *R.P.F.* du Haut-Rhin (1948-1951). Député gaulliste du Haut-Rhin depuis 1951. Maire de Pulversheim. Président de l'*Association alsacienne des déserteurs évadés et incorporés de force.* Président de la Commission chargée de coordonner l'action des ministères en vue de la recherche et du rapatriement des Français en U.R.S.S. (24 juin 1956). Membre de l'*Alliance France-Israël.*

BOURGEOIS (Léon, Victor, Auguste).

Homme politique (1851-1925). Co-fondateur et *leader* du *Parti Républicain Radical et Radical-Socialiste.* Membre influent de la Maçonnerie (Loge *La Sincérité,* de Reims), président de la *Ligue de l'Enseignement,* Léon Bourgeois fut l'un des chefs de la gauche pendant près de quarante ans. Député (1888-1905), puis sénateur de la Marne (1905-1925), plusieurs fois ministre (entre 1888 et 1917), président du Conseil (1895), de la Chambre (1902-1904) et du Sénat (1920-1923), il fut le premier président de la Société des Nations à Genève. Son nom reste attaché à une forme de pacifisme basé sur la démocratie universelle et le contrôle général des armements.

BOURGEOIS (Lucien).

Homme politique, né à Toulon (Var),

le 23 mai 1907. Secrétaire comptable à l'Arsenal maritime. Conseiller général du 4e canton de Toulon, maire de La Valette-du-Var. Député *U.N.R.* du Var (3e circ.) depuis 1962.

BOURGEOIS-VOISIN (André, Raymond, Marie).

Journaliste, né à Neuilly-sur-Seine, le 26 juillet 1912. Rédacteur à l'*Agence Coopérative Interrégionale de Presse*, à la *Revue des Deux Mondes*, au *Progrès-Liberté*, de Lyon, au *Havre* (pseudonyme : André Voisin). Directeur de *L'Elu local*, du *District de Paris* et du *XXe siècle fédéraliste*. Vice-président du *Mouvement européen*, président de l'*Action Européenne Fédéraliste* et du *Mouvement Fédéraliste Français « La Fédération »*, secrétaire général du *Mouvement national des Elus locaux*. Conseiller municipal de Neuilly-sur-Seine. Délégué suppléant à l'Assemblée des pouvoirs locaux (Strasbourg).

BOURGEOISIE.

Catégorie sociale comprenant les personnes appartenant à la classe aisée. Les marxistes désignent comme *bourgeois* quiconque demeure attaché au système capitaliste ou est seulement opposé au système communiste, qu'il soit ou non fortuné. En fait, la *bourgeoisie* qui compte, celle dont Emmanuel Beau de Loménie a dénoncé dans ses livres « *les responsabilités* », se compose essentiellement de familles, de « dynasties » qui, en un siècle et demi, ont conquis politiquement, socialement, économiquement l'Etat français. La victoire de la *bourgeoisie* sur la noblesse ne fut acquise qu'au cours du XIXe siècle. L'abandon des privilèges de la noblesse en 1789 ne fut qu'un premier succès, qui donnait aux *bourgeois* les mêmes droits politiques qu'aux *aristocrates*. Cette égalité, purement politique, favorisa en fin de compte les premiers. En raison du régime censitaire (voir *Cens*), qui écartait automatiquement des élections les classes laborieuses, les assemblées parlementaires se composaient uniquement des représentants de la propriété terrienne et des représentants de la propriété commerciale et industrielle, les premiers appartenant essentiellement à la noblesse, les seconds presque exclusivement à la *bourgeoisie*. Ainsi se trouvaient en présence les tenants de l'économie traditionnelle, dont l'agriculture constitue la base essentielle, et les tenants de l'économie capitaliste, fondée sur le profit. Les premiers restaient tout naturellement fidèles aux principes chrétiens d'ordre et de charité ; les seconds, voltairiens, protestants ou israélites, se posaient en champions du libéralisme et du progrès. Les uns étaient *légitimistes* ; les autres, *orléanistes* ou *républicains* (on trouvait des *bonapartistes* dans les deux camps).

Grâce aux progrès scientifiques et techniques réalisés au cours du XIXe siècle, les tenants de l'économie nouvelle virent leurs richesses s'accroître considérablement. L'appétit venant en mangeant, ils voulurent créer des conditions économiques favorables à leurs intérêts. Cela impliquait une politique plus libérale, donc un changement de régime. Les Bourbons étaient au pouvoir : on les renversa. Leur succéda sur le trône, le fils de Philippe-Egalité, qui symbolisait admirablement les aspirations du capitalisme naissant. C'était l'époque des grands travaux, de la transformation des moyens de transport, des premiers chemins de fer.

La révolution de 1848 jeta un instant la panique. Mais les conséquences furent sans gravité. Le général Cavaignac sut rassurer la bourgeoisie capitaliste : les massacres de juin matèrent l'impatience dangereuse des ouvriers.

Pour plus de sûreté et pour éviter que la république conservatrice ne tombât tout à fait sous la coupe des « terriens », les représentants de l'économie libérale se rallièrent, faute de mieux et très provisoirement, au Prince Napoléon, dont les rêves socialistes les inquiétaient un peu. Ils profitèrent largement du régime. Sous l'Empire, la bourgeoisie industrielle et commerciale augmenta considérablement ses richesses. Les financiers établirent solidement leur puissance.

L'équilibre fut désormais rompu entre les deux groupes qui s'opposaient. Si les « terriens » avaient avec eux l'Eglise et la paysannerie, la finance, l'industrie et le négoce s'appuyaient sur la franc-maçonnerie, qui avait noyauté les administrations et les milieux socialistes, et sur la presse, qu'Emile de Girardin venait de livrer aux intérêts économiques en la rendant tributaire de la publicité. Sedan fut le signal et Thiers l'instrument de la victoire des seconds sur les premiers. L'affaire du « drapeau blanc » permit, en écartant définitivement les Bourbons, de réduire à l'impuissance les tenants de l'économie traditionnelle. Les Orléans eux-mêmes étaient devenus impossibles. Il importait de se concilier les bonnes grâces des classes populaires qui avaient désormais voix au chapitre : on accepta la République et la fit accepter par la fraction la plus proche du groupe adverse, que des alliances de famille

6

avaient, entre-temps, rendus plus attentive aux intérêts de la bourgeoisie. Ce
fut le Ralliement.

L'évolution politique se poursuivit
ainsi d'année en année, de l'orléanisme
au radicalisme. Les tenants du capitalisme soutinrent les plus anticléricaux
des gouvernements, moins par hostilité
réelle à la religion que par souci de se
montrer aussi bons républicains que les
plus farouches radicaux. Cette conversion à la République laïque était-elle
sincère ? Il faut le croire puisque, de
tous les régimes, c'est le plus favorable
au développement de leurs affaires.
« *Tous sont républicains,* écrit le socialiste Hamon, parlant de la bourgeoisie
d'affaires ralliée à la République, *car
tous veulent le maintien de la forme
politique dans laquelle ils détiennent le
pouvoir politique en même temps que
le pouvoir économique.* » Cette fin de
siècle est l'époque bénie des affairistes,
dont parle Maupassant dans « *Bel Ami* ».
La guerre contre les catholiques à l'intérieur se doubla d'une guerre coloniale
en Indochine, en Tunisie, à Madagascar.
Le gouvernement était d'autant plus
généreux en concessions et avantages
de toute nature dans les pays nouvellement conquis, qu'il bénéficiait d'un
appui réel au parlement et dans la
presse.

Mais les empêcheurs de danser en
rond s'en mêlèrent. La droite traditionnelle, régénérée par le grand souffle du
nationalisme, lança de furieux assauts
contre la République. La voix d'Edouard
Drumont excita la vieille France contre
la plus odieuse des dominations, celle
de l'Argent. Elle dénonça le cosmopo-
lisme du banquier et la corruption du
Régime. Le scandale de Panama couvrit
de boue le personnel parlementaire. Ce
n'était plus seulement le petit juif sordide du ghetto que le fondateur de *La
Libre Parole* stigmatisait, mais les
grands bourgeois profiteurs du système.
« *La haute bourgeoisie,* écrivait-il, *gavée,
repue, n'a plus même l'âpreté au gain
d'autrefois, elle s'endort sur son lit de
millions...* (Son) règne est donc bien
près de finir, car elle est coupée maintenant en deux tronçons : l'un qui se
rapproche du prolétariat, l'autre qui se
soude à une aristocratie particulière qui
n'a pas d'analogue dans l'histoire, ploutocratie titrée plus qu'aristocratie dans
le sens ancien (gouvernement des meilleurs), classe hybride, jouisseuse, peu-
reuse, avide encore, mais qui n'ose plus
rien prendre sans la permission des
Rothschild. La dernière forteresse de la
Bourgeoisie reste le gouvernement et les
Chambres. Ils sont tous là en famille,

bourgeois de pied en cap. Les monarchistes se résigneraient volontiers à la
République — à la condition de conserver leurs biens ; les républicains ne
demanderaient que l'avènement des Orléans — à la condition de conserver
leurs places. Ils échangent tous leurs
pensées sur ce point dans les couloirs
en des conversations pleines d'effusion,
et ils rentrent en séance pour avoir l'air
de se combattre afin d'amuser le Peuple
et de lui faire oublier qu'il meurt de
faim. » (Edouard Drumont, « *La fin d'un
monde* ».)

Le socialisme, aussi, inquiétait le
monde des affaires. Celui-ci savait prendre ses précautions de ce côté, comme
il saura le faire plus tard du côté nationaliste. Aux chefs de la Commune, déci-
més par la répression, dispersés dans
les bagnes, revenus dix ans plus tard
vieillis, diminués et sans espoir, avaient
succédé des gaillards pleins d'appétit et
de ruse. Les convaincre ou les corrompre était un jeu. Les bourgeois besoi-
gneux et avides qui dirigeaient le parti
ouvrier ne lancèrent pas les prolétaires
contre la Banque, symbole de l'exploitation bourgeoise, mais contre l'Eglise,
qui prêche depuis dix-neuf siècles
l'amour du prochain et qui s'insurge
contre l'usure. « *Le cléricalisme, voilà
l'ennemi !* » Le mot d'ordre de Gambetta, diffusé par les loges, devint le
slogan de la propagande socialiste. Le
bourgeois n'était à pendre que s'il allait
à la messe. Aux ventres creux des faubourgs, le bourgeois du socialisme fit
« bouffer du curé ». Pendant trente ans,
il trompa ainsi la faim du travailleur
que son frère, le bourgeois de la finance,
faisait trimer dans son atelier ou dans
sa mine.

Toute une littérature, répandue dans
les campagnes par des commerçants
pleins de zèle, semait le doute et la
révolte dans les âmes, dressait les fidèles
contre le pasteur, les fils contre leur
père, la jeunesse contre la Foi. L'Eglise
résista mal aux coups de boutoir du
capital et du prolétariat coalisés. Elle
ne put écarter la contagion de son troupeau. A chaque consultation électorale,
les plus impatients l'abandonnèrent. Ses
candidats perdirent des voix ou mordirent la poussière. Son influence, réduite
au parlement, diminua dans l'administration. Seule l'armée sembla résister à
la « gangrène républicaine ». Car l'armée était traditionaliste. Ses cadres appartenaient à cette aristocratie sèter-
rienne, soutien du trône et de l'autel,
qui résistait depuis un siècle à la bourgeoisie capitaliste. Le souvenir du
18 Brumaire et du 2 décembre **la ren-**

dait redoutable. L'affaire Dreyfus, qui se termina par la défaite des « Jésuitières », fut le signal d'une épuration méthodique qui frappa tout officier soupçonné de tiédeur républicaine. Des dénonciateurs bénévoles préparèrent les listes de proscriptions (voir « *affaires des fiches* »). Sans souci de leur valeur militaire, furent écartés peu à peu ceux dont les opinions politiques ou les convictions religieuses inspiraient des craintes au Régime. Le bourgeois capitaliste se frottait les mains ; il n'aura plus rien à redouter d'un retour offensif du sabre. S'il devait être un jour tiré du fourreau, ce sabre, désormais démocratique, ne menacerait plus l'imposture, ni le profit : ses coups seraient réservés aux viticulteurs du Midi ou aux cheminots de Draveil qui défendaient le pain de leurs enfants, et aux braillards du 6 février qui s'insurgeaient contre les voleurs. Grâce au petit délateur de Pézenas, l'économie capitaliste aura gagné sa dernière bataille contre l'économie traditionnelle.

Mais la montée du socialisme et, malgré une évolution assez marquée du clergé, l'hostilité toujours latente d'une fraction importante du catholicisme obligèrent la bourgeoisie d'argent à agir dans la coulisse. La lumière crue des tréteaux et des tribunes lui avait été nuisible. Elle quitta la scène politique sur la pointe des pieds, ne laissant dans les assemblées parlementaires qu'un très petit nombre de ses représentants officiels. L'argent lui assura longtemps encore la neutralité des chefs bourgeois du prolétariat. Il lui permit aussi, en redorant quelques blasons, de se concilier les bonnes grâces des derniers grands « terriens » guettés par la ruine. En dehors d'une minorité brouillonne et agitée chez les socialistes, orgueilleuse et figée chez les réactionnaires, nul ne s'insurgea plus contre la nouvelle féodalité.

L'épisode du *Front populaire* fut vite oublié, et les fameuses « 200 Familles », omnipotentes sous la IIIᵉ République, ménagées par l'Etat français — malgré certaines attaques du maréchal Pétain — à peine secouées à la Libération, domineront discrètement sous la IVᵉ République et ouvertement sous la Vᵉ. Composant avec l'adversaire, la bourgeoisie abandonnera *tout ce que les autres possèdent* pour tenter de conserver ce qu'elle a. (Ouvrages à consulter : E. Beau de Loménie, « *Les responsabilités des dynasties bourgeoises* », quatre tomes parus ; Augustin Hamon, « *Les Maîtres de la France* », trois tomes, Paris 1936-1938; les ouvrages de Henry Coston.)

BOURGES (Yvon).

Fonctionnaire, né à Pau (B.-P.), le 29 juin 1921. Chef de cabinet du préfet de la Somme en 1944, il devint, l'année suivante, directeur de cabinet du préfet du Bas-Rhin, puis en 1947, sous-préfet d'Erstein. Choisi en 1948 par B. Cornut-Gentille, alors haut-commissaire en A.E.F., puis en A.O.F., il professait alors des idées de gauche et passait pour socialiste. Ses relations politiques lui permirent, en 1956, à 35 ans, d'être nommé gouverneur de la Haute-Volta, puis, en 1958, haut-commissaire en A.E.F., et en 1960-1961, gouverneur général de la France d'outre-mer. Roger Frey, ministre de l'Intérieur en fit son directeur de cabinet en 1961. Hésitant alors entre l'Algérie française et l'indépendance, il rallia l'*U.N.R.* en 1962 et fut son candidat dans la 6ᵉ circ. d'Ille-et-Vilaine. Il réussit et devint l'un des plus fidèles soutiens de Georges Pompidou qui en fit un ministre (Recherche scientifique, puis Information). Entre-temps, il s'était fait élire maire et conseiller général de Dinard.

BOURGES-MAUNOURY (Maurice, Jean-Marie).

Administrateur de sociétés, né à Luisant (E.-et-L.), le 19 août 1914. Milita dans la Résistance sous l'occupation et fut nommé, à la Libération, sous-chef d'Etat-major général de l'armée (octobre 1944-juin 1945), puis commissaire régional de la République à Bordeaux (1945). Elu député radical en 1946, le resta jusqu'en 1958. Entre-temps fut onze fois secrétaire d'Etat ou ministre et président du Conseil (1957). Maire de Bessières (Haute-Garonne) et conseiller général du canton de Montastruc-la-Conseillère (depuis 1949), préside la Fédération radicale de Haute-Garonne et appartient au bureau du Parti de la rue de Valois. Est aussi administrateur de la *Société anonyme des journaux La Dépêche* et *Le Petit Toulousain* (éditrice de *La Dépêche du Midi*). Fidéicommissaire du groupe financier Rivaud, préside ou administre les firmes suivantes : *Société industrielle et financière de l'Artois, Mines de Kali-Sainte-Thérèse, Intertechnique des chantiers navals de la Ciotat, Compagnie industrielle et financière des ateliers et chantiers de la Loire, Société africaine forestière et agricole*.

BOURGINE (Raymond, Raoul, Adolphe, Louis).

Directeur de journaux, né à Diego-

Suarez, le 9 mars 1925. Fils de Raoul-Joseph Bourgine, gouverneur des Colonies. Journaliste depuis 1945, fut rédacteur à *La Vie Française,* puis le collaborateur de Paul Lévy à *Aux Ecoutes de la Finance* (rédacteur en chef) et son associé (co-propriétaire du journal). Economiste libéral, fort lié aux milieux d'affaires, dirige avec compétence *Valeurs actuelles,* hebdomadaire politique et financier, et *Le Spectacle du monde,* luxueux mensuel, où il défend le « capitalisme populaire », système qui permettrait d'intéresser un plus grand nombre d'épargnants aux entreprises, sans gêner les animateurs de ces sociétés. Ancien dirigeant du *Comité Tixier-Vignancour* (1964-1966), et aujourd'hui l'un des animateurs de l'*Alliance Républicaine pour les Libertés et le Progrès.*

BOURGOGNE REPUBLICAINE (La).

(Voir *Les Dépêches.*)

BOURGOIN (Pierre).

Officier, né à Cherchell (Algérie) le 4 décembre 1907. Administrateur colonial au Tchad, en Oubangui, au Moyen-Congo (1928-1940). A pris une part active au ralliement de l'A.E.F. au général De Gaulle (1940). Chef du 1er commando de parachutistes débarqué en Afrique du Nord (1942). Membre du *Comité des volontaires de l'Union Française* (1956). Président d'honneur de la *Fédération Nationale des Parachutistes Français.* Président d'honneur des Parachutistes S.A.S. Elu député *U.N.R.* de Paris (12e circ.) le 30 novembre 1958 au cri de « *Vive l'Algérie française !* » contre le « *Président des Ballets Roses* ». Dans l'édition spéciale de *La Nation* (10e, 11e et 12e circ.), datée du 23 novembre 1958, le colonel Pierre Bourgoin rappelait, sur trois colonnes, qu'il avait, en 1957, « juré que l'Algérie resterait française ». « Deux millions d'anciens combattants de la métropole font par notre voix, en Algérie, terre française, le serment de s'opposer par tous les moyens à toute mesure qui menacerait l'intégrité du territoire et l'unité française. » Président de l'Association générale des mutilés. Réélu député le 25 novembre 1962.

BOURGUIGNON (Le).

Quotidien fondé à Auxerre en 1817 et devenu l'organe du radicalisme dans l'Yonne. Sous l'impulsion de Louis Morin, rédacteur en chef, et de ses seconds Georges Carré et Georges Lemoine, il avait pris, avant la guerre

de 1939, une position enviée dans la presse départementale : son tirage dépassait 43 000 exemplaires et il comptait plus de 31 000 abonnés. A sa disparition, en 1944, *L'Yonne républicaine* reprit la majeure partie de sa clientèle.

BOURGUND (Gabriel).

Officier général, né à Langres (Haute-Marne), le 17 mai 1898. Ancien élève de Saint-Cyr. Officier des troupes coloniales (1931), a fait campagne au Levant, au Maroc, en Afrique du Nord, à Madagascar, en Indochine (1942-1943), est général de Corps d'armée depuis janvier 1956. Commandant supérieur des forces armées de la zone de défense A.O.F.-Togo (juin 1956-mai 1958). Placé dans le cadre de réserve (juin 1958). Membre de l'*Alliance France-Israël*. Député *U.N.R.* de la Haute-Marne (1re circ.) depuis 1958.

BOURRELIER (Editions).

Maison fondée en octobre 1931 par Michel Bourrelier, qui en fut le président-directeur général jusqu'à la fin, et dont le grand-père, Louis Le Corbeiller, fonda avec Armand Colin la librairie qui porte ce nom. C'est d'ailleurs à la *Librairie A. Colin,* puis chez l'éditeur d'art H. Piazza que Michel Bourrelier s'initia au métier d'éditeur. A la veille de la guerre, la s.a.r.l. *Bourrelier et Cie* comptait quinze associés dont Michel et Henri Bourrelier, Lily Jean-Javal, Maurice Feigenheimer, le lieutenant-colonel Pierre Lévy, Georges Condevaux et Charles Ab der Halden, inspecteur général de l'Instruction publique. Les associés israélites se retirèrent de l'affaire en 1941, et l'un d'entre eux, Maurice Feigenheimer, dit Feige, revint après la Libération. Se joignirent à lui, un peu plus tard, d'autres associés ou actionnaires : l'*Imprimerie Aubin,* de Liguré, Thérèse Bloch, les Franck, le professeur Georges Chabot, l'imprimeur Max Crété, le doyen Daniel Faucher, l'imprimeur Durassié, les professeur Jules Marouzeau et Maximilien Sorre, Joseph Cressot, inspecteur général de l'Instruction publique, les imprimeries G. Lang et Kapp, Georges Natanson, le docteur André Bloch, les *Clichés Simplon,* Pierre Mayeur, directeur-adjoint au ministère de l'Education nationale, Michel Lebettre, directeur audit ministère, etc. A la Libération, les *Editions Bourrelier* furent au nombre des fondateurs de l'association « *Pour le livre* » (voir à ce nom) qui réclamait l'épuration de la profession des éléments pétainistes. Spécialisée dans les livres scolaires et les ouvrages pour la jeunesse, la maison acquit une réputation méritée au cours des années 1950-1960. Mais il ne semble pas que les résultats financiers aient été aussi encourageants. Toujours est-il que les *Editions Bourrelier* furent absorbées, il y a un an, par la *Librairie Armand Colin* dont le « patron », Jean-Max Leclerc, était devenu en 1963 l'un de ses gros actionnaires.

BOUSCH (Jean, Eric).

Ingénieur, né à Forbach (Moselle), le 30 septembre 1910. Sénateur gaulliste de la Moselle depuis 1948, est actuellement inscrit au groupe sénatorial de l'*Union pour la Nouvelle République*. Conseiller général du canton de Forbach (depuis 1949) et maire de Forbach (depuis 1953).

BOUSQUET (René).

Administrateur de sociétés, né à Montauban, le 11 mai 1909. Ancien haut fonctionnaire de l'Administration préfectorale, nommé secrétaire général à la police du gouvernement Pétain, pendant la guerre. Après la Libération, est entré à la *Banque de l'Indochine*, dont il est directeur général adjoint. Appartient en outre au Conseil d'administration de diverses sociétés (*Caoutchoucs d'Indochine, Banque Commerciale Africaine, Phosphates de l'Océanie, Sté Financière pour la France et les pays d'outre-mer, Banque Franco-Chinoise, Distillerie de l'Indochine, Cie des Eaux et d'Electricité de l'Indochine*) et préside l'*Indochine-Films et Cinémas*. Depuis 1962, est l'un des administrateurs de la société éditrice du quotidien toulousain radical *La Dépêche du Midi*.

BOUSSEAU (Marcel).

Pharmacien, né à Mortagne-sur-Sèvre (Vendée), le 6 août 1916. Pharmacien à Chantonnay, puis à Luçon. Déporté en Allemagne (1943). Elu député *U.N.R.* de la Vendée (2ᵉ circ.), le 25 novembre 1962.

BOUTANG (Pierre).

Journaliste, né à Saint-Etienne (Loire), le 21 septembre 1916. Etudes au lycée de Saint-Etienne et au lycée du Parc à Lyon, puis à l'Ecole Normale Supérieure. Agrégé de philosophie, professeur au lycée de Clermont-Ferrand, puis au lycée de Rabat. Se proclamait alors « *maréchaliste* » jusqu'au jour où le « *refus de la défaite avec l'Etat de Vichy* (...) *devint impossible* » et que ce refus

lui « *sembla raisonnable avec Giraud et Alger* » ; rejoignit alors Alger, où on le nomma chef de cabinet du ministre de l'Intérieur du Comité Français présidé par le général Giraud. Fut, en 1944, le premier professeur révoqué comme « *nazi français exemplaire* ». Ancien collaborateur de *L'Action Française*, des *Cahiers de la Pléiade*, de *Fédération* et d'*Aspects de la France*, fit paraître en 1946 un pamphlet semi-clandestin : *La Dernière Lanterne*, rédigé avec la collaboration d'Antoine Blondin, et apporta son concours à *Contre-Révolution*, journal des étudiants monarchistes, à *Ici-France* et à *Paroles françaises*. Depuis 1955, dirige *La Nation Française*, hebdomadaire royaliste, qu'il tient résolument à l'écart d'une opposition systématique au général De Gaulle : « *Il n'y a que deux faiblesses dans la politique extérieure de Charles De Gaulle*, écrivait-il dans *La Nation Française* (16-1-1963) : *lui-même et autrui. A cela près, elle est cohérente, et nulle juste colère ne peut nous incliner à en souhaiter l'échec, parce qu'elle est, immédiatement, la politique de la France.* » Auteur de plusieurs romans, essais et pamphlets dont : « *La Politique* » et « *La République de Joanovici* ».

BOUTARD (Jacques).

Médecin, né à Paris le 11 janvier 1906. Maire et conseiller général de Saint-Yrieix-la-Perche. Membre de l'*Alliance France-Israël*. Député *S.F.I.O.* de la Haute-Vienne (2ᵉ circ.) de 1958 à 1967.

BOUTBIEN (Léon, Félix, Benjamin).

Médecin, né à Paris, le 25 février 1915. Marié à Nelly Smadja, principale collaboratrice de J. Pierre-Bloch à la *S.N.E.P.* (1949-1952). Militant socialiste, franc-maçon actif et ancien déporté (membre des réseaux *Musée de l'Homme* et *Action Frédéric*), il appartint au Comité directeur et au bureau de la *S.F.I.O.* (1946-1951), à la direction de l'*Etudiant socialiste* et de *Franc-Tireur*, collabora au journal *Combat*, fut secrétaire général de la Fédération socialiste de l'Indre et membre du *Comité d'Action de Défense Démocratique*. Conseiller de l'Union française en 1950-1951, il fut élu député socialiste de l'Indre en 1951 pour une législature. Candidat gaulliste de gauche aux élections législatives de novembre 1958 et battu, et ne fut pas plus heureux dans le XVIIIᵉ arrondissement de Paris, comme anti-gaulliste, en 1962. Il préside l'*Union des Résistants pour l'Europe unie* et est vice-président du *Comité d'Action de la Résistance.*

BOUTHIERE (Gabriel).

Vétérinaire, né à Igornay (Saône-et-Loire) le 3 septembre 1918. Conseiller général du canton de Saint-Léger-sous-Beuvray et maire de l'Etang. Candidat radical-socialiste en Saône-et-Loire, le 2 janvier 1954 (battu). Elu député radical de Saône-et-Loire (3ᵉ circ.) le 25 novembre 1962.

BOUTHILLIER (Yves, Marie).

Inspecteur des Finances, né à Saint-Martin-de-Ré, le 26 février 1901. Ancien collaborateur de Paul Reynaud. Ministre du maréchal Pétain, aux Finances (1940-1941), puis à l'Economie nationale et aux Finances (1941-1942). Ensuite, procureur général de la cour des comptes (1942-1944). Maire de Saint-Martin-de-Ré. Depuis quelques années, collaborateur de Marcel Dassault à la *Banque Commerciale de Paris,* dont il est administrateur. Egalement membre du C.A. de l'*Union Industrielle et Maritime.*

BOUVARD (Robert).

Industriel, né à Aurec-sur-Loire (Haute-Loire), le 1ᵉʳ septembre 1901. Maire de sa ville natale (depuis 1942). Conseiller général du canton de Saint-Didier-en-Velay (1945-1964), ancien président du Conseil général de la Haute-Loire, sénateur indépendant de la Haute-Loire (depuis 1959).

BOUX DE CASSON (François, Olivier, Marie).

Agriculteur, né à Vannes (Morbihan), le 24 février 1908. Héritier des Boux de Casson qui jouèrent un rôle important dans la politique vendéenne au xixᵉ siècle. Adjoint au maire de Challans (Vendée), fut élu, à vingt-huit ans, député des Sables-d'Olonne (2ᵉ circ.) en 1936. Inscrit à la *Fédération Républicaine.* Vota pour le maréchal Pétain en 1940 et fut nommé, cette même année, délégué départemental à l'Information. Reprit ses activités politiques en 1955, se fit élire conseiller général de la Vendée et conseiller municipal de Challans, suivit quelque temps le *Mouvement Travailliste National,* s'intéressa à l'*Union des Intellectuels Indépendants* et défendit les idées nationales à diverses élections législatives dans son département.

BOUXOM (Fernand).

Militant politique, né à Wambrechies

(Nord), le 9 octobre 1909. Ancien député. Co-fondateur de la *Jeunesse ouvrière chrétienne* dont il fut, en 1937, le secrétaire général. Dirigeant du *Mouvement familial ouvrier* (1938), membre aux deux Constituantes (1945-1946), député *M.R.P.* de la Seine (1946-1958), membre de la Commission exécutive du *Mouvement européen.*

BOUYER (Marcel).

Pâtissier, né à Royan (Ch.-M.), le 1ᵉʳ juillet 1920. Militant poujadiste, député *U.F.F.* (1956-1958). Poursuivit son action politique en dehors du mouvement Poujade et connut les rigueurs de la seconde épuration gaulliste pour sa participation au combat pour l'Algérie française.

BOUYSSOU (Léo).

Homme politique (1872-1935). Militant radical-socialiste et franc-maçon, fut élu pour la première fois député des Landes en 1906 et le resta jusqu'à sa mort, en 1935. Détint le portefeuille des Beaux-Arts en 1930. Domina politiquement le département des Landes pendant près de trente ans.

BOVIER-LAPIERRE (Edouard, Amédée).

Fonctionnaire (1883-1958). Fils d'un député de l'Isère. Député républicain socialiste de l'Isère (1919-1928) et ministre des Pensions (1924-1925).

BOYCOTTAGE (ou boycott).

Cessation volontaire et systématique de toutes relations politiques, sociales ou économiques avec un particulier, une catégorie de personnes, une firme ou un Etat. Peu employée à l'intérieur d'un pays, cette arme redoutable est utilisée fréquemment contre une nation. Les Israélites organisèrent avant la guerre le *boycottage* de l'Allemagne nationale-socialiste. Plus tard, et encore aujourd'hui, la Ligue arabe boycotte les firmes qui commercent avec Israël. Le *boycottage* de l'Afrique du Sud, du Portugal, de la Rhodésie est préconisé par les organisations favorables aux Noirs, et celui de la Chine par les adversaires du communisme.

BOYER (abbé).

(Voir : *Action - Fatima - La Salette.*)

BOYER DE LATOUR DU MOULIN (Pierre, Georges, Jacques, Marie).

Général, né à Maisons-Laffitte (S.-et-

O.), le 18 juin 1896. Engagé volontaire (en août 1914), revint de la guerre sous-lieutenant, participa à la guerre du Rif. Capitaine (1931), chef de bataillon (1939), créa le 2ᵉ groupe de Tabors marocains avec lequel il participa aux campagnes de Tunisie, de Corse, de France et d'Allemagne comme lieutenant-colonel (1943), colonel (1944) ; général de brigade (1946). Fut ensuite : commissaire de la République en Cochinchine, commandant des Forces françaises en Indochine du Sud (1947), général de division (1949), secrétaire général des affaires politiques et militaires du Maroc (1951), commandant supérieur des Forces françaises en Autriche (1951), puis des troupes en Tunisie (1954), membre du Conseil supérieur de la guerre. Nommé résident général de France en Tunisie (1954-1955) puis au Maroc, commandant des troupes du Maroc (1955), enfin général d'armée (janvier 1956), fut en disponibilité (14 novembre 1956) et placé sur sa demande dans la 2ᵉ section de l'E.-M. général (Cadre de réserve), en mai 1957. Au moment de la campagne pour l'élection présidentielle, fit des déclarations qui laissaient croire qu'il serait lui-même candidat. En fait, préconisait une « candidature d'union ». Fit campagne contre le président sortant, notamment par tracts et déclarations. Auteur de : « Vérités sur l'Afrique du Nord », « Le Martyre de l'armée française » (1963), « Le Drame français » (1964). Directeur de la revue La Quinzaine politique.

BOYSSON (Guy de).

Banquier, né à Chindrieux (Savoie), le 5 août 1918. Appartient à une vieille famille traditionaliste du Sud-Ouest. Son père, Louis de Boysson, était directeur de la Cie des chemins de fer d'Orléans. Il est le frère de la comtesse de Kergolay et le beau-frère d'Olivier Chevrillon, maître des requêtes au Conseil d'Etat et ancien secrétaire général du Comité Horizon 80 (de Gaston Defferre), et de Rémi Chevrillon, président-directeur général des Travaux souterrains. Il participa à la Résistance et rallia le communisme après la Libération. Il fut, en 1946, élu député progressiste de l'Aveyron, puis il siégea à l'Assemblée de l'Union Française. Il est, depuis 1965, le successeur de Charles Hilsum à la tête de la Banque Commerciale pour l'Europe du Nord, organisme financier de l'U.R.S.S. en France et intermédiaire officiel des firmes françaises commerçant avec les entreprises soviétiques.

BRACHARD (Emile, Victor, Léon).

Journaliste (1887-1944). Rédacteur en chef du Petit Troyen, fut élu député radical-socialiste de l'Aube en 1932. Réélu en 1936, contre André Mutter, vota pour le maréchal Pétain en 1940 et se retira à Sainte-Savine, où il mourut quatre ans plus tard.

BRACKE (Alexandre-Marie DESROUSSEAUX, dit).

Homme politique (1861-1955). Fils de l'auteur du célèbre « P'tit Quinquin ». Disciple de Jules Guesde, cet helléniste distingué doublé d'un germanisant érudit traduisit les livres des grands doctrinaires socialistes allemands et même certains textes de Nietzsche. Directeur d'études à l'Ecole Pratique des Hautes Etudes, il entra au parlement comme député socialiste de la Seine (1912-1924), puis du Nord (1928-1936). Il fut longtemps l'une des grandes figures du mouvement socialiste en même temps que l'un de ses chefs : successivement membre du comité central des organisations socialistes, secrétaire du Parti Ouvrier Français, puis du Parti Socialiste de France, et secrétaire pour l'extérieur de la S.F.I.O., responsable de la rédaction du Socialiste, collaborateur du Travailleur du Nord, du Petit Sou, de l'Humanité, fondateur du Socialisme, avec Guesde, et directeur par intérim du Populaire.

BRANLEBAS.

Hebdomadaire des Camarades du Feu et de la Légion de France, fondé en 1938. Directeur : Stanislas Sicé, ancien dirigeant Croix-de-Feu. S'adressait principalement aux membres du P.S.F. Réclamait l'expulsion des Juifs du Gouvernement et des mesures contre la franc-maçonnerie et le Parti communiste.

BRASILLACH (Robert).

Ecrivain journaliste, né à Perpignan le 31 mars 1909. Issu d'une famille du Roussillon, son père, officier de l'armée coloniale, fut tué dans les combats de Kenifra, au Maroc, en 1914. Sa mère, remariée quatre ans plus tard, alla s'établir à Sens : c'est là que Robert Brasillach fit ses études secondaires. Puis il fut, au lycée Condorcet à Paris, l'élève d'André Bellessort, et à l'Ecole Normale Supérieure, le condisciple de Jacques Talagran (qui ne s'appelait pas encore Thierry-Maulnier), de Paul Guth et de Maurice Bardèche, son futur beau-frère. Il collabora très tôt à L'Action Française vers laquelle ses convictions nationalistes le portaient, et plus tard, au *Jour* et à *Je Suis Partout*. En 1938, il devint le rédacteur en chef de ce journal fameux dans les annales de la presse fasciste, que dirigeait Pierre Gaxotte et dont Fayard était l'éditeur. Son tempérament inné de polémiste implacable s'y affirma d'emblée dans des pamphlets d'une violence rarement égalée contre la « mainmise judéo-démocratique », les partisans de la guerre. Mobilisé comme lieutenant en 1939, il fut fait prisonnier. L'amiral Darlan, à son accession au ministère de l'Information, sollicita sa libération auprès de la commission de Wiesbaden et l'obtint en 1941. Dès son retour, Robert Brasillach reprit la lutte à la tête de l'équipe de *Je Suis Partout* et entreprit de dénoncer, avec sa fougue habituelle, les responsables du désastre. En 1943, il donnait sa démission, « *refusant,* expliqua-t-il plus tard devant ses juges, *de cacher plus longtemps à ses lecteurs la situation critique des puissances de l'Axe* ». Son procès, après la Libération, fut l'un de ceux qui passionnèrent au plus haut degré l'opinion. L'accusé, pour justifier son attitude, fit valoir en premier lieu la légitimité du gouvernement de Vichy, l'Assemblée nationale ayant délégué librement et régulièrement tous pouvoirs au Maréchal. Cet intellectuel riche de tous les dons, y compris celui de l'art oratoire, se défendit pied à pied, reprenant un à un les chefs de l'accusation : « *Antisémite ? Je l'ai été avant la guerre. J'ai continué après. Anti-américain ? J'ai simplement souligné que l'Amérique n'est entrée en guerre que le jour où le Japon l'a attaquée. Vous me reprochez d'avoir servi les Allemands par mes écrits ? Je n'ai pensé qu'à servir mon pays...* » Le commissaire du gouvernement, Reboul, aborda son réquisitoire en rendant hommage à l'intelligence de l'accusé, à la primauté intellectuelle de « *cet écrivain à la langue riche et colorée* », mais il conclut en réclamant la peine de mort. Le défenseur, Mᵉ Jacques Isorni, évoqua le souvenir d'André Chénier et la saisissante similitude de ces deux destinées : âge, durée, position politique, flamme intérieure... Puis il évoqua d'autres précédents d'accusation en haute trahison (*Malvy, Caillaux qui depuis...*) « *La justice,* énonça-t-il pour conclure, *n'a pas le droit de fusiller des âmes !* » Le jury avait à se prononcer sur ces deux questions : 1° L'accusé est-il coupable d'avoir entretenu des intelligences avec l'Allemagne ? ; 2° *Cette action a-t-elle été commise avec l'intention de favoriser les entreprises ennemies ?* La réponse fut *oui* aux deux

questions. Malgré les pétitions de ses confrères, dont beaucoup étaient ses adversaires politiques, le général De Gaulle rejetait le recours en grâce présenté par Jacques Isorni, et, le 6 février 1945 — date anniversaire de la fusillade de la place de la Concorde — à 9 h 38, le jeune écrivain tombait sous les balles d'un peloton de gardes mobiles au fort de Montrouge. Peu avant son exécution, il montrait dans ce poème son cœur déchiré par la folie ou la méchanceté des hommes :

Mon pays m'a fait mal par tous ses exilés,

Par ses cachots trop pleins, par ses en-
[*fants perdus.*
Ses prisonniers parqués entre les barbe-
[*lés,*
Et tous ceux qui sont loin et qu'on ne
[*connaît plus.*

Mon pays m'a fait mal par ses villes en
[*flammes,*
Mal sous ses ennemis et mal sous ses
[*alliés,*

Mon pays m'a fait mal dans son corps et
[*son âme,*
Sous les carcans de fer dont il était lié.

Mon pays m'a fait mal par toute sa jeu-
[*nesse*
Sous des draps étrangers jetée aux quatre
[*vents,*
Perdant son jeune sang pour tenir les
[*promesses*
Dont ceux qui les faisaient restaient in-
[*souciants.*

Mon pays m'a fait mal par ses fosses
[*creusées*
Par ses fusils levés à l'épaule des frères,
Et par ceux qui comptaient dans leurs
[*mains méprisées*
Le prix des reniements au plus juste
[*salaire.*

Mon pays m'a fait mal par ses fables
[*d'esclave,*
Par ses bourreaux d'hier et par ceux
[*d'aujourd'hui,*
Mon pays m'a fait mal par le sang qui le
[*lave,*
Mon pays me fait mal. Quand sera-t-il
[*guéri ?*

Robert Brasillach a laissé une œuvre abondante et variée, dont la réédition constante depuis sa mort dit à quel point elle est goûtée du public de tous les bords. Outre des essais sur Virgile et Corneille, une « *Histoire du Cinéma* » et une « *Histoire de la guerre d'Espagne* », ont été édités, entre autres : « *Notre Avant-guerre* », « *Poèmes de Fresnes* », « *Lettre à un soldat de la classe*

60 », « *Chénier* », « *La Conquérante* », « *Les Sept Couleurs* », « *Les quatre jeudis* », « *Domrémy* », « *Journal d'un homme occupé* », « *Six heures à perdre* », « *La Reine de Césarée* ».

BRASSEAU (Paul).

Fonctionnaire (1879-1956). Sénateur de Seine-et-Oise (1936-1942). Membre du Conseil national (1941). Fut emprisonné pendant la guerre par les Allemands.

BRAYARD (Joseph).

Agriculteur, né à Vescours (Ain), le 31 mars 1901. Sénateur. Conseiller général du canton de Pont-de-Vaux depuis 1945, maire de Reyssouze et sénateur de l'Ain. Membre du groupe de la *Gauche démocratique*.

BREF.

Hebdomadaire (éphémère) fondé en 1946. De tendance de gauche, avait pour directeur : Pierre Bourdan et pour rédacteur en chef, Maurice Diamant-Berger dit André Gillois. Principaux collaborateurs : Yvon Morandat (gérant), J.-P. Morphe, Anatole Jakowsky, Jacques Duchesne, Louis Martin-Chauffier.

BREGEGERE (Marcel).

Agriculteur, né à Condat-sur-Vezère (Dordogne), le 29 août 1900. Sénateur *S.F.I.O.* de la Dordogne depuis le 19 juin 1955 ; maire de sa ville natale.

BRENIER (Joseph).

Industriel (1876-1943). D'abord employé, puis ouvrier dans une usine de tissage, devint par la suite le patron de la firme drapière *Brenier, Moreynas et Tissandier*. Organisateur du mouvement socialiste à Vienne (Isère), sa ville natale, dont il devint maire (1906) et député (1910-1919). Fut, ensuite, sénateur de l'Isère (1924 1933). Président du Conseil de l'Ordre du *Grand Orient de France* et de la *Ligue de l'Enseignement*, fut à la tête du mouvement laïque pendant quarante ans ; était alors considéré par les catholiques comme l'un de leurs pires adversaires. Mourut à Lyon en 1943, des suites d'un banal accident de la circulation.

BRETAGNE REELLE (La).

Journal combattant pour l'avènement d'une Europe des ethnies, paraissant depuis plusieurs années à Merdrignac (Côtes-du-Nord), sous la direction de J. Quatrebœufs.

BRETEUIL (Charles LE TONNELIER, comte de).

Directeur de journaux, né à Paris, le 26 juin 1905, mort à Rabat, le 20 septembre 1960. Descendant d'Achille-Stanislas fait baron (1810), puis comte de Breteuil (1813), par Napoléon, sénateur et préfet de l'Empire, puis pair de France sous la Restauration, et du banquier Fould, ministre de Napoléon III, créa, avant la guerre, quatre journaux coloniaux : *Paris-Dakar, Paris-Congo, Paris-Tana* et *Paris-Bénin*, qu'il dirigeait en même temps que les *Annales coloniales*. Après la guerre, contrôla *La Dépêche marocaine, La Presse de Guinée, La Presse du Cameroun, Abidjan-Matin, France-Outre-Mer* et *Stocks et Marchés*, tout en administrant diverses grandes entreprises industrielles et commerciales. Fut l'un des grands actionnaires de *L'Express*, dont il approuvait la politique.
Son fils, Michel, né à Nice, le 6 décembre 1926, dirige le groupe de presse créé par son père, administre *Havas-Afrique*, la *Sté d'Edition et de Publicité africaine*, etc.

BRETON (André, Emile, Robert, dit André Jules-Louis-Breton).

Fonctionnaire (1897-1954). Fils de Jules-Louis Breton (voir ci-dessous). Député (1928-1936), puis sénateur du Cher (élu en 1939). Inscrit au groupe des *Républicains Socialistes*. Vota pour le maréchal Pétain en 1940 et fut nommé juge au tribunal civil de la Seine, puis président du tribunal de la Sécurité sociale.

BRETON (André, Robert).

Homme de lettres, né à Tinchebray (Orne), le 19 février 1896. Ascendances bretonnes et lorraines. Fut l'une des personnalités qui exercèrent la plus grande influence sur l'*intelligentsia* des années 1925-1932. Prophète de la révolution surréaliste, ses idées bouleversèrent les conceptions « bourgeoises » des jeunes intellectuels de l'époque. Dirigea *Littérature* avec Louis Aragon et Soupault (1919), puis seul lorsque ce dernier l'eut « trahi » (1921). Participa au mouvement Dada et anima *La Révolution surréaliste* et « *Le surréalisme au service de la révolution* ». Organisa l'Exposition internationale surréaliste à Londres (1936) et à Paris (1938) et fonda, avec Léon Trotsky, la *Fédération Internationale de l'Art révolutionnaire indépendant*. Vécut pendant la guerre aux U.S.A. où il fonda la revue *VVV*. Dirige, depuis 1961, la revue *La Brèche, action surréaliste,* qui a succédé en quelque sorte à son *surréalisme même*. Auteur de : « *Manifeste du surréalisme* » (1924), « *Nadja* » (1928), « *Second manifeste du surréalisme* » (1930), « *Les Vases communicants* » (1932), « *Qu'est-ce que le surréalisme ?* » (1934), « *Anthologie de l'humour noir* » (1940), « *Arcane 17* » (1945), « *La Clé des champs* » (1953), « *L'Art magique* » (1957), « *Constellations* » (1959), « *Poésie et autre* » (1960), etc.

BRETON (Jules-Louis).

Journaliste (1872-1940). A dix-neuf ans, collabora au *Réveil du Nord* et fonda un groupe socialiste d'étudiants ; à vingt, créa *Le Drapeau rouge* et milita au *Comité Révolutionnaire Central*. Se fit remarquer, lors d'une manifestation anticléricale (22 mars 1892) en prenant la place du prédicateur de l'église Saint-Merry et en prononçant un discours du haut de la chaire. Dirigea ensuite *Le Parti Socialiste,* journal du *C.R.C.,* et fonda une imprimerie pour les publications révolutionnaires. Plusieurs fois condamné pour son activité politique, resta emprisonné plus d'un an (1894-1895) à Clairvaux. Collabora, à sa sortie de prison, à *La Petite République* et se fit élire, en 1898, député du Cher. Représenta le département à la Chambre jusqu'en 1921, puis au Sénat de 1921 à 1930. Fut, entre-temps, sous-secrétaire d'Etat aux Inventions (1916-1917) et ministre de l'Hygiène (1920-1921) et créa le Salon des Arts Ménagers. Outre divers ouvrages scientifiques, on lui doit une *Encyclopédie Parlementaire des Sciences Politiques et Sociales*.

BRETTES (Robert).

Horticulteur, né à Paris le 25 juillet 1902. Conseiller général et maire de Mérignac. Vice-président du Conseil général de la Gironde. Elu membre du 1er Conseil de la République le 8 décembre 1946. Réélu sénateur le 7 novembre 1948, le 19 juin 1955 ; non réélu le 26 avril 1959. Elu député *S.F.I.O.* de la 6e circ. de la Gironde le 25 novembre 1962.

BRIAND (Aristide).

Homme d'Etat, né à Nantes (Loire-Inférieure), le 28 mars 1862, mort à Paris le 7 mars 1932. Il était le fils d'un Breton et d'une Vendéenne (Cette dernière ayant été au service d'un châtelain qui, dit-on, établit les époux Briand à Nantes peu de mois avant la naissance d'Aristide, des auteurs ont insinué sans preuves que ce dernier était le fruit des amours coupables du hobereau et de sa servante). Il fit ses études au collège de Saint-Nazaire, puis au lycée de Nantes et les termina à la faculté de droit de Paris. Nanti de sa licence, il s'installa à Saint-Nazaire. Vivant chichement, il s'intitulait lui-même *avocat-manuel* et se proclamait socialiste révolutionnaire. On le voyait dans les meetings ouvriers. Il était l'un des plus ardents propagandistes de la lutte sociale et écrivait dans *La Démocratie de l'Ouest* des articles d'une rare violence. A quelque temps de là, il devint le directeur politique de *L'Ouest républicain* et se fit élire conseiller municipal de Saint-Nazaire. Candidat malheureux aux élections législatives de 1889, il accentua son socialisme, préconisant la grève générale comme « *le seul moyen de conduire le parti ouvrier au triomphe de ses revendications* ». Une aventure sentimentale un peu poussée, suivie d'un procès-verbal, lui valut des poursuites. Radié du barreau et condamné, il fit appel et réussit, non sans peine, à se faire acquitter. Mais le scandale était trop grand pour qu'il pût espérer réussir dans la petite ville : il partit pour Paris, où il s'inscrivit au barreau et continua son travail de militant socialiste révolutionnaire. Son talent d'orateur le plaça bientôt au premier rang du mouvement ouvrier. Il se fit le propagandiste et l'organisateur de la grève générale. Son influence grandit et il se hissa à la tête du *Parti socialiste français* avec Jaurès et Viviani. Il était pauvre et plaidait peu. Brusquement, à la suite de mystérieux accords avec les Pereire qui contrôlaient l'anticléricale *Lanterne,* il devint le directeur de ce quotidien. Après d'infructueuses tentatives — notamment en 1893, à La Villette, et en 1898, à Clichy — il fut élu député socialiste de Saint-Etienne (circonscription qu'il représenta jusqu'en 1919). Ce fut, semble-t-il, le début de son évolution : « *Le Briand militant et révolutionnaire commença à s'effacer. On l'avait entendu, dans l'Yonne, plaider pour Hervé qu'il avait fait acquitter. On l'avait vu, pendant l'affaire, se proclamer l'ami de Sébastien Faure, et collaborer au Journal du Peuple. On prétendit même qu'il avait pris une part active à l'organisation de la fameuse manifestation de la place de la République qui se termina par l'arrestation de Faure, Dhor et quelques autres. Si l'on en croit des mauvaises langues, on l'aurait même vu déposer des fleurs et réciter des vers sur la tombe d'Emile Henry.* » (Les

Hommes du jour, n° 26, 1908.) Désigné comme rapporteur de la loi sur la séparation de l'Eglise et de l'Etat — que rédigea, en fait, le conseiller d'Etat Grunebaum-Ballin — il fut assez habile pour le faire accepter par une majorité qui, pour des raisons diverses, parfois opposés, lui était hostile. C'était l'époque où le farouche Clemenceau fulminait, dans *l'Aurore,* contre les socialistes « *papalins* ». Briand avait le pied à l'étrier : Sarrien le mit en selle, en lui confiant le portefeuille de l'Instruction publique dans son gouvernement (14 mars 1906). Clemenceau, dans le cabinet suivant (25 octobre 1906), lui conserva ce même portefeuille, puis, à la mort de Guyot-Dessaigne, celui de la Justice et des Cultes. En cette qualité, il eut à appliquer la loi sur la séparation qu'il avait fait voter. Si les anticléricaux d'alors lui reprochèrent amèrement ses concessions envers l'Eglise, la droite l'accusa avec violence de déchristianiser le pays. On le disait franc-maçon, et cette allégation expliquait, aux yeux de beaucoup, son attitude jugée éminemment anticléricale. Le « cas Briand » a été examiné dans « *La République du Grand Orient* » (numéro spécial de *Lectures Françaises,* Paris, 1964) : l'homme politique était-il ou n'était-il pas franc-maçon ? En fait, il avait sollicité son admission à la société de propagande maçonnique *Le Trait d'Union*. Le 27 décembre 1886, sur un vote défavorable des *frères,* Briand vit son adhésion ajournée. Mais le 20 janvier suivant, il fut admis et il portait le n° 24 lors de la transformation de la société en loge (du *Grand Orient*). Présenté à la *tenue* (réunion) du 1er juillet 1887, il fut admis aux épreuves par 14 voix sur 14 présents et votants. Avisé par *planche* (lisez : par lettre) spéciale d'avoir à se présenter à la tenue du 8 juillet, le récipiendaire se contenta d'envoyer une lettre de vagues excuses pour ne pas le faire. Outrés, les membres votèrent un blâme sur la proposition d'un des enquêteurs qui déclara : « ... *considérant que le signataire de la proposition considère la conduite de ce prof.·. comme malhonnête et incivile vis-à-vis des membres de la L.·. et de la F.·.M.·. en général, demande que la L.·. décide que ce prof.·. est indigne de faire partie de la grande famille maç.·. et qu'en conséquence et comme preuve de solidarité qui doit unir tous les membres de l'at.·. s'abstiennent à l'avenir de relations avec ce prof.·. pour marquer le mépris — seule arme dont nous disposons — que nous professons à son égard.* » C'est ce que révèle le député

socialiste et maçon Pageot, secrétaire de la Loge *Paix et Union* et *Mars et les Arts réunis,* dans son livre « *Notes sur la Franc-Maçonnerie dans la Loire-Inférieure (1744-1911)* » (Ancenis, 1911). Il ajoute : « *En 1895, nous trouvons Briand affilié à une L.·. parisienne de cette obédience* (Les Chevaliers du Travail) ; *l'avocat républicain de Saint-Nazaire est alors devenu le propagandiste de la grève générale. Les plus graves suspicions pèsent sur lui. X...,* un *des plus hauts fonctionnaires de la police politique dans la Loire-Inférieure, ne craint pas de répandre le bruit que Briand ne lance l'idée de la grève générale que dans le seul but, d'accord avec le gouvernement, d'arrêter l'extension du parti socialiste et de jeter la division dans ses rangs. Aristide Briand est devenu depuis cette époque président du Conseil des ministres. A ce titre il appartient à l'Histoire. C'est pour cette raison que nous nous sommes quelque peu étendu sur les faits le concernant, nous contentant cependant de transcrire avec la plus scrupuleuse exactitude des faits indéniables et des appréciations de maç.·.* » Après la démission de Clemenceau (24 juillet 1909), il devint président du Conseil, avec le portefeuille de l'Intérieur et des Cultes. Son accession au pouvoir fut marquée par de graves incidents provoqués lors des grèves des inscrits maritimes et des cheminots. A la stupéfaction de ses amis socialistes, il fit occuper par la troupe des gares, des centres ferrovières et réquisitionner le personnel. « *Si le gouvernement,* dirat-il, *n'avait pas trouvé dans la loi les moyens de rester maîtres de ses chemins de fer, il serait aller jusqu'à l'illégalité.* » (Cf. *Dictionnaire des Parlementaires Français,* par J. Jolly, t. I, Paris 1960). Jules Guesde et les 74 députés socialistes,

Les signatures du pacte de Locarno (16 octobre 1925)

qui relurent les déclarations de Briand sur la grève générale des années 1893-1902, demandèrent sa mise en accusation : la majorité rejeta cette proposition et approuva l'action énergique du chef du gouvernement. Celui-ci n'en remit pas moins la démission du cabinet, mais il reçut aussitôt mission d'en constituer un nouveau. Il fut, ainsi, au cours des années 1910-1917 quatre fois président du Conseil et une fois vice-président. Mais pendant quatre ans, il demeura en dehors du gouvernement : Clemenceau, qui le détestait, ne voulait de lui à aucun prix. Il revint aux affaires après l'éphémère cabinet Georges Leygues, à la tête d'un gouvernement d'Union nationale dont les socialistes S.F.I.O. ne faisaient pas partie (1921). Il n'était pas encore le fameux « pèlerin de la Paix » qu'admirèrent les assemblées de la S.D.N. : « Il faut mettre, disait-il, la main au collet de l'Allemagne » et l'obliger à payer les réparations réclamées par la France mutilée. Il n'en fut pas moins accusé de faire trop de

concessions aux alliés de la France et il dut s'en aller (1922). Cette fois encore, on le tient à l'écart du pouvoir pendant plusieurs années. Après l'échec du cabinet Herriot, l'ancien socialiste fit partie d'un gouvernement Painlevé et alla au quai d'Orsay : il y demeura, presque sans interruption, jusqu'à sa mort, c'est-à-dire pendant six ans, quelle que fût la nuance du chef du gouvernement. Pendant cette même période, il fut en outre, plusieurs fois président du Conseil. Il était devenu le ministre des Affaires étrangères de la France en même temps que le champion de l'Unité européenne. A ce titre, il doit être considéré comme un précurseur : Jean Monnet et Robert Schuman ne firent que suivre son exemple. Il fut combatu avec vigueur et persévérance par les nationalistes et une partie des modérés qui, redoutant le réarmement allemand, voyaient dans sa politique *pacifiste* — « *la politique de Locarno* » — un danger certain pour la défense de la France. Ceux qui le soutenaient alors appartenaient, à de rares exceptions près, à cette gauche qui fit preuve à l'égard de l'Allemagne d'une grande fermeté, dix ans plus tard, et parfois même d'un esprit belliqueux que dénoncèrent d'anciens antibriandistes. En 1930, dans le « *Memorandum sur l'organisation d'un régime d'union fédérale européenne* » remis aux Gouvernements de 27 Etats européens membres de la *S.D.N.*, Aristide Briand avait appelé les Etats « *à envisager l'intérêt d'une entente entre les Gouvernements intéressés, en vue de l'institution, entre peuples d'Europe, d'une sorte de lien fédéral qui établisse entre eux un régime de constante solidarité et leur permette, dans tous les cas où cela serait nécessaire, d'entrer en contact immédiat pour l'étude, la discussion et le règlement des problèmes susceptibles de les intéresser en commun* ». Le projet de Briand prévoyait « *un pacte général* » affirmant « *le principe de l'union morale européenne* » et consacrant « *le fait de la solidarité instituée entre Etats européens* » ; « *un mécanisme propre à assurer à l'Union européenne les organes indispensables à l'accomplissement de sa tâche* ». Subordonnant les problèmes économiques aux problèmes politiques, le « mémorandum » d'Aristide Briand précisait que « *toute possibilité de progrès dans la voie de l'union économique étant rigoureusement déterminée par la question de sécurité, et cette question elle-même étant intimement liée à celle du progrès réalisable dans la voie de l'union politique, c'est sur le plan politique que devrait être porté tout d'abord l'effort constructeur tendant à donner à l'Europe sa structure organique. C'est sur ce plan encore que devrait ensuite s'élaborer, dans ses grandes lignes, la politique économique de l'Europe, aussi bien que la politique douanière de chaque Etat européen en particulier. »* L'échec d'Aristide Briand à l'élection présidentielle du 13 mai 1931 — Paul Doumer lui fut préféré par la majorité du Congrès réuni à Versailles — lui porta un coup très dur. Dans le second cabinet Pierre Laval (janvier 1932), il n'eut plus aucune responsabilité et, dès lors, vécut surtout à Cocherel, dans l'Eure. Il ne revint à Paris que pour y mourir quelques semaines plus tard. La République lui fit des funérailles nationales. Georges Suarez, qui fut fusillé à la Libération et qui avait été l'un de ses familiers, lui a consacré six tomes d'un ouvrage intitulé : *« Briand, sa vie, son œuvre »*.

BRICOUT (Edmond).

Agriculteur, né à Walincourt (Nord) le 8 octobre 1904. Maire de Gouy. Elu député *R.P.F.* le 17 juin 1951. Elu conseiller général du Catelet (14 octobre 1951). Réélu député républicain-social de l'Aisne le 2 janvier 1956 (apparenté aux radicaux mendésistes). Après le retour au pouvoir du général De Gaulle, s'inscrivit à l'*U.N.R.* Candidat de ce parti aux élections de 1958, affirmait dans sa profession de foi que grâce au général De Gaulle *« Le F.L.N. commence à connaître les difficultés qui annoncent la défaite prochaine... »* Elu, fut réélu en 1962. Appartient au comité central du l'*U.N.R.*

BRIENNE (Maxime).

Journaliste et chansonnier (1886-1926). Débuta au cabaret *« Les Quat' zarts »*, aux côtés de Dominique Bonnaud et Jacques Ferny. Fut amené à l'*Action Française* par Georges Bernanos. Fondateur, peu avant la Première Guerre mondiale, de *Leurs Figures*, journal rappelant (d'assez loin) *Les Hommes du Jour*, où paraissaient chaque semaine des portraits et biographies de contemporains. A son retour du front, en 1918, collabora à l'*Action Française* et présida la section du 14e arrondissement du mouvement monarchiste. Auteur, avec René de Buxeuil, le compositeur aveugle, du chant des militants d'*Action Française* : *« La Royale »*.

BRIENS (Louis).

Directeur commercial, né à Derval (Loire-Atlantique), le 13 mai 1935. Directeur commercial de la *Conserverie V. Audren et Cie*. Membre du comité central de l'*U.N.R.-U.D.T.* (1963), conseiller municipal de Douarnenez (1965) membre de la Chambre de Commerce et d'Industrie de Quimper (1965).

BRIGADES INTERNATIONALES.

Formations de l'Armée républicaine espagnole (pendant la guerre civile de 1936-1939), composées de volontaires étrangers. Le *Komintern* prit l'initiative de la constitution des sept brigades internationales qui combattirent les franquistes et *« imposa aux vingt-cinq bataillons de ces unités les cadres et les commissaires choisis par les partis communistes des cinquante-trois pays représentés »* (cf. Léo Palacio, in *Le Monde*, 8-11-1966). Les Français furent assez nombreux dans ces unités. Parmi eux, on cite : François Billoux, membre du Bureau politique du *P.C.F.* ; le colonel Fabien, qui tua un officier allemand à la station de métro Barbès-Rochechouart pendant l'occupation ; André Marty, ancien membre du Bureau politique du *P.C.F.*, exclu en 1953 et mort en 1956 ; Rol-Tanguy, chef de la Résistance à Paris en 1944, membre du comité central du *P.C.F.* ; Charles Tillon, dirigeant communiste ; Auguste Lecœur, exclu en 1954 du *P.C.F.* ; Jean Chaintron, ancien dirigeant communiste, exclu du *P.C.F.* en 1962 ; Vital Gayman, ancien secrétaire du groupe parlementaire communiste ; Jules Dumont, qui fut arrêté et fusillé par les Allemands en 1943. André Malraux, l'actuel ministre, combattit également en Espagne dans les rangs des « rouges ».

BRIGNEAU (Emmanuel ALLOT, dit François).

Journaliste, né à Concarneau (Finistère) le 30 avril 1919. De son véritable nom : Emmanuel Allot. A usé de divers autres pseudonymes (Julien Guernec, Coco Bel Œil, etc.). Après la Libération collabora à *Paroles Françaises*, à *La Dernière Lanterne*, à *L'Indépendance Française*, à *France-Dimanche*, à l'hebdomadaire *Le Rouge et le Noir*, à *Constellation*, à *La Fronde*, à *Rivarol*, à *Cinémonde*, à *L'Auto-Journal*, puis devint rédacteur en chef de *Semaine du monde* (1957), éditorialiste de *Télé-magazine*, grand reporter à *Paris-Presse-l'Intransigeant* (1958-1962), et à *L'Aurore* (1962), collabore actuellement à *Minute* et fut l'un des *supporters* les plus actifs de Tixier-Vignancour. Auteur de plusieurs livres, sous divers pseudonymes, ainsi que d'un ouvrage sur les vaincus de 1945 : « *L'aventure est finie pour eux* » et un volume de souvenirs : « *Mon après-guerre* » (1966).

BRILLE (Michel).

Ingénieur et avocat, né à Paris le 26 décembre 1895. Elu député de la Somme en 1936, après avoir échoué aux élections législatives en 1930 et 1932. Inscrit au groupe des *Républicains de Gauche et des Radicaux Indépendants*, et membre de l'*Alliance Démocratique*. Vota pour le maréchal Pétain en juillet 1940. Membre de la Commission Permanente du *R.N.P.* A repris ses activités au barreau de Paris en 1950. Enseigne le droit au Centre National d'Enseignement par Correspondance et collabore à divers journaux, dont *L'Aurore*.

BRINON (Fernand de).

Journaliste, né à Libourne (Gironde), le 16 août 1885, mort à Montrouge, le 15 avril 1947. Il était le fils du marquis Robert de Brinon, directeur des Haras, et le petit-fils de Charles de Lacombe, député conservateur du Puy-de-Dôme à l'Assemblée nationale (1871-1876). Après ses études, diplômé des Sciences politiques et licencié en droit, il s'inscrivit au barreau de Paris qu'il abandonna bientôt pour le journalisme. En 1909, il débute au *Journal des Débats*, dont le directeur Etienne de Nalèche était un parent éloigné. Après la guerre de 1914-1918, qu'il fit dans les dragons, puis dans l'infanterie et acheva à la section d'information du G.Q.G. (avec Jean de Pierrefeu, Louis Madelin, Henry Bordeaux, Robert de Jouvenel, François de Tessan, Franc-Nohain) et au service de la presse du ministère de la Guerre, il retourna au *Journal des Débats* dont il devint le rédacteur en chef. Partisan du rapprochement franco-allemand, il était alors en plein accord avec Paul Reynaud, mais s'opposait à la politique de Raymond Poincaré. Ses articles du *Journal des Débats* avaient l'approbation de François de Wendel quand leurs conclusions étaient conformes aux intérêts économiques du maître des forges, mais sa désapprobation en ce qui concerne la partie politique. De cette opposition, toujours courtoise, naîtra le conflit qui provoqua le départ de Fernand de Brinon du *Journal des Débats* (1930). La politique étrangère qu'il soutint lui valure l'amitié d'Edouard Daladier et les compliments d'hommes aussi éloignés de sa tendance que Jacques Kayser, Georges Boris et Louis Lévy. Il rencontra souvent Stresemann et Brüning et

accompagna André Tardieu à diverses conférences internationales. C'est chez Melchior de Polignac, au cours d'une partie de chasse près de Reims où il se rendait avec Guy de Wendel, son camarade de la VIIIᵉ Armée, député de la Moselle, qu'il fit la connaissance de von Ribbentrop. Le futur ministre des Affaires étrangères du IIIᵉ Reich lui parla de ses voyages et de ses relations en Allemagne et lui dit : « *Vous ne voyez qu'une face, vous connaissez trop de juifs de finance. Je vous ferai connaître mes amis nazis. Vous jugerez. Ami de la France et de l'Angleterre où j'ai fait mes études, je souhaite un rapprochement Grande-Bretagne-France-Allemagne.* » En 1933, Fernand de Brinon se retrouva à Berlin, lors de la prise du pouvoir par Hitler. Devant le déchaînement d'enthousiasme et de passion, il s'écria devant témoins, notamment Philippe Barrès et François Le Grix : « *Si nous voulons faire la guerre, c'est tout de suite qu'il faut la faire. Dans quelques semaines, il sera trop tard.* » Il fut, avec Bertrand de Jouvenel, l'un des rares journalistes français autorisés à interviewer le *Führer*. Depuis un an (1932), l'ancien rédacteur en chef du *Journal des Débats* était le chef des services de politique étrangère de *L'Information*. Peu après, il reçut de Daladier la rosette de la Légion d'honneur « *pour services rendus dans ses missions à l'étranger* ». Ces missions, Fernand de Brinon les poursuivit plusieurs années avec l'accord de Daladier, de Barthou, de Laval. Après avoir publié son livre « *France-Allemagne 1918-1934* », il fonda, en 1935, le premier *Comité France-Allemagne* (le second, celui qui existe actuellement, à direction gaulliste, naquit trente ans plus tard), avec Georges Scapini, Jean Gay et Henri Pichot, dirigeants d'associations d'anciens combattants. (En étaient exclus les éléments fascistes de l'époque.) Lorsque Léon Blum fut président du Conseil, il invita officiellement les dirigeants du *Comité France-Allemagne* à ses réceptions et même à un dîner intime au quai d'Orsay. Malgré les difficultés rencontrées à gauche comme à droite, l'action de Brinon se poursuivait avec succès, non seulement en France mais en Allemagne, où le rédacteur de *l'Information* fut reçu par Gœring et von Schirach, chef des Jeunesses hitlériennes. En novembre 1938, à la suite de la non-publication d'un de ses articles contre la grève communiste qui venait d'échouer, la banque *Lazard frères et Cie*, propriétaire du journal, ayant mis son veto, Fernand de Brinon donna sa démission, qui devint effective le

15 mars suivant. Munich, qui fut un succès pour les pacifistes mais aussi pour le *Comité France-Allemagne*, excita les passions. Aux partisans de la paix, — « de la capitulation », comme disaient les communistes — s'opposaient ceux qui redoutaient davantage l'Allemagne que la Russie soviétique. Henri de Kérillis, qui était de ceux-ci, dénonça avec vigueur, dans son journal *L'Époque*, l'action de Fernand de Brinon. Se jugeant offensé, ce dernier demanda au bouillant député de Neuilly une réparation par les armes. Les témoins de Brinon, Pierre Benoit et François de Tessan, ne purent que *carencer* le directeur de *L'Époque* qui refusait de se battre. A la fin du printemps 1939, découragé et amer, convaincu que la guerre était désormais inévitable, l'animateur du *Comité France-Allemagne* se retira dans les Pyrénées pour y écrire un livre, jamais achevé, sur « *le Pacte à Quatre* ». Après l'armistice, Pierre Laval fit appel à sa collaboration et l'envoya chercher par Angelo Chiappe, alors préfet à Pau ; il lui confia la mission de le représenter à Paris auprès d'Abetz, puis le nomma officiellement ambassadeur. Un an plus tard, il était délégué général du gouvernement Pétain dans les territoires occupés et, en 1942, il recevait un secrétariat d'Etat sans portefeuille dans le cabinet que venait de constituer Pierre Laval. L'année suivante, il était nommé par ce dernier, président de la L.V.F. Après la Libération, ayant suivi à Sigmaringen le maréchal Pétain et Pierre Laval, emmenés de force en Allemagne, et les milliers de pétainistes et de révolutionnaires nationaux fuyant la justice expéditive de l'épuration, Fernand de Brinon présida la *Commission gouvernementale française pour la défense des intérêts nationaux*. Il se heurta alors, très violemment, avec les dirigeants des mouvements nationalistes et fascistes exilés, dont les conceptions étaient fort différentes des siennes. Après l'effondrement de l'Allemagne, il fut arrêté (mai 1945). Conduit à Lindau, siège de l'Etat-Major de l'armée Delattre de Tassigny, on l'y emprisonna. Ses papiers furent saisis et certains, au dire de l'intéressé, disparurent avant la mise sous scellés. Transféré à Fresnes, peu après, il subit deux opérations effectuées dans des conditions d'hygiène critiquables. Mal remis, très affaibli, il comparut devant la Haute Cour les 4, 5 et 6 mars 1947 et fut condamné à mort, comme l'avaient été ses supérieurs hiérarchiques. Quarante jours plus tard, le 15 avril, il fut exécuté au fort de Montrouge. Plusieurs années après sa mort, ont été publiées à Paris ses « *Mémoires* » sur lesquels ses proches ont fait des réserves (il ne s'agissait, en fait, que de notes hâtivement dictées et que Brinon n'avait pas relues).

BRIOT (Louis).

Négociant, né à Thury (Yonne) le 15 février 1905. Négociant en grains. Président du Syndicat des Grains. Membre du Comité départemental des céréales. Anc. membre du *Parti agraire* (1927). Participa à la Résistance (1944). Membre du Conseil National du *R.P.F.* (1947). Conseiller municipal d'Essoyes (1947). Elu député le 17 juin 1951. Battu en 1956. Elu à nouveau député *U.N.R.* de l'Aube (1re circ.) en 1958. Membre de l'Assemblée parlementaire européenne (29 janvier 1959). Réélu député *U.N.R.* le 25 novembre 1962.

BRISSON (Henri).

Homme politique (1835-1912). Membre de l'Assemblée nationale (1871-1876), député de la Seine (1876-1885 et 1889-1902), du Cher (1885-1889), des Bouches-du-Rhône (1902-1912), président du Conseil (1885-1886, 1898), deux fois ministre, président de la Chambre (1881-1885, 1894-1898, 1904-1905, 1906-1912), co-fondateur du *Parti Républicain Radical et Radical-Socialiste* (1901), haut dignitaire de la *Grande Loge de France*, fut l'un des chefs du parti républicain les plus influents des quarante premières années de la IIIe République en même temps que l'adversaire le plus résolu des congrégations religieuses.

BRISSON (Jean-François).

Journaliste, né à Agen (L.-et-G.), le 29 juillet 1918. Fils de Pierre Brisson, directeur du *Figaro*, petit-fils d'Adolphe Brisson, directeur des *Annales* et arrière-petit-fils de Francisque Sarcey. Rédacteur au *Figaro* (depuis 1945), puis rédacteur en chef (depuis 1964).

BRISSON (Pierre, Anatole, François).

Journaliste (1896-1964). Débuta dans la presse, au retour de la guerre qu'il fit comme engagé volontaire, au secrétariat de la rédaction de la revue de ses parents, *Les Annales ;* puis devint critique littéraire du *Temps*, où l'avaient précédé son grand-père Francisque Sarcey et son père Adolphe Brisson. Fut directeur des *Annales*, puis du *Figaro*, lorsque François Coty eut abandonné ce dernier à son ex-femme, Mme Cotnareanu. Pendant la guerre et jusqu'en novembre

1942, conserva la direction du *Figaro*, qui soutint la politique du maréchal Pétain. A la Libération, fit reparaître *Le Figaro*, mais eut l'habileté d'exclure de l'entreprise la principale actionnaire, d'ailleurs majoritaire, qui ne pouvait être soupçonnée d'avoir trempé dans la collaboration, et qui dut, cependant, céder sa participation à Jean Prouvost. Avec beaucoup d'opportunité, sut conduire son navire, gardant à la fois la confiance de ses lecteurs bourgeois et celles des gouvernements de gauche ou de droite qui se sont succédé à la tête de la France depuis vingt ans.

BRIZON (Pierre).

Universitaire, né à Franchesse (Allier), le 16 mai 1878, mort à Paris, le 1er août 1923. Appartint au groupe des *Etudiants collectivistes*, puis fonda le premier groupe socialiste d'Alençon, où il était professeur. Collabora à de nombreux journaux socialistes avant de fonder son propre journal, *La Vague*, publié en pleine guerre, où il défendait les idées pacifistes exposées au congrès international socialiste de Kienthal. Député de Moulins depuis 1910, fut battu aux élections de 1919 en raison de ses tendances *défaitistes*, et, la même année, évincé de la municipalité de Franchesse. Après la scission de Tours (1920), fut l'un des membres en vue du *Parti Communiste* pendant deux ans. Exclu en 1922 pour *déviationnisme de droite*, fonda à Dijon, le 24 décembre 1922, avec d'autres communistes en révolte contre Moscou, l'*Union Fédérative Socialiste* dont il devint l'un des chefs. Disparut peu après, à l'âge de quarante-cinq ans. Participa à la rédaction de l'*Encyclopédie socialiste* (12 volumes).

BROCAS (Patrice).

Homme politique, né à Paris, le 28 novembre 1919. Inspecteur au contentieux de la S.N.C.F. (1943), auditeur au Conseil d'Etat (1945), maître des requêtes (1950), maître de conférences à l'Institut d'Etudes Politiques de Paris (1950-1955). Militant radical-socialiste, fut élu conseiller général du Gers en 1951, et réélu en 1958 et 1964. De 1956 à 1962, appartint à l'Assemblée nationale. Maire d'Auch depuis 1959. Membre du *Comité d'Action de Défense Démocratique*, de l'*Alliance France-Israël*, de l'*Entente démocratique*, et collaborateur du *Démocrate*, revue du *Parti Radical et Radical-Socialiste*.

BROGLIE (prince Jean de).

Maître des requêtes au Conseil d'Etat, né à Paris le 21 juin 1921. Fils du prince Amédée de Broglie. Descendant de Mme de Staël, du financier Necker et du financier Ephrussi (dont ont beaucoup parlé Auguste Chirac et Edouard Drumont). Petit-fils du prince Fernand de Faucigny-Lucinge et de la princesse, née May Ephrussi, proche parente de Maurice Ephrussi, administrateur du *Nickel* et gendre du baron Alphonse de Rothschild. Frère du prince Guy de Broglie, dirigeant ou administrateur des *Ets Campenon-Bernard,* du *Crédit d'Escompte* et de la *S.A. Foncière et de Gestion Immobilière.* Cousin du prince Philippe de Broglie, petit-fils de la duchesse de Wagram, née Berthe de Rothschild. Participa à la Résistance. Auditeur au Conseil d'Etat (1946). Elu conseiller général de l'Eure (1951). Conseiller technique d'Edmond Barrachin, ministre d'Etat (1953-1954). Nommé Maître des requêtes au conseil d'Etat (1954). Elu député de l'Eure comme indépendant-paysan (1958). Président de la Haute Cour de Justice (1959). Secrétaire d'Etat chargé du Sahara, des départements et territoires d'Outre-Mer (cabinet Debré, août 1961). Maire de Broglie. Secrétaire d'Etat chargé du Sahara, des départements et territoires d'Outre-Mer (cabinet Debré, 24 août 1961), secrétaire d'Etat auprès du Premier ministre et chargé de la Fonction publique (cabinet Pompidou, 15 avril 1962). Réélu député de la 1re circonscription de l'Eure le 18 novembre 1962. Secrétaire d'Etat auprès du Premier ministre, chargé des Affaires algériennes (cabinet Pompidou, 1962), puis aux Affaires étrangères (cabinet Pompidou). Est, en principe, rattaché au groupe républicain indépendant de Valéry Giscard d'Estaing.

BROGLIE (prince Louis-Victor de).

Membre de l'Académie des Sciences, nommé au *Conseil national* (voir à ce nom), le 23 janvier 1941.

BROSSOLETTE (Gilberte).

Journaliste, née à Paris le 27 décembre 1905. Veuve de Pierre Brossolette et belle-mère de la fille du pétrolier Goldet. Chargée de liaison avec la radio de Londres pendant l'occupation, fut nommée à l'Assemblée consultative provisoire après la Libération. Elue à la 2e Constituante (1946), fut sénateur socialiste de la Seine (1946-1958). Est actuellement journaliste à l'O.R.T.F. depuis 1958.

BROSSOLETTE (Pierre).

Journaliste, né à Paris (16e), le 25 juin 1903. Il débuta dans la presse en 1927, au journal *Le Quotidien*. C'est à cette époque qu'il entra dans la Franc-Maçonnerie : sa demande formulée le 12 mai 1927, fut acceptée, après les enquêtes d'usage, par la loge *Emile Zola*, l'année suivante. Militant socialiste, il collabora de longues années au *Populaire*, puis à l'*Excelsior*. Adversaire farouche de l'Allemagne hitlérienne, il dénonça avec vigueur les accords de Munich et préconisa à l'endroit du nazisme une politique de fermeté : « *La méthode de fermeté commence à payer* », écrivait-il dans *Le Populaire* (16 mai 1939). Il comptait beaucoup sur les démocraties de l'ancien et du nouveau monde pour aider Paris contre Berlin : « *Les pays nordiques ont décliné l'offre de pacte de non-agression faite à chacun d'eux par l'Allemagne. Les Démocraties ne leur marchanderont certainement pas leur reconnaissance.* » (18 mai 1939.) Plein d'illusions sur le comportement des Américains, il écrivait encore, deux mois avant le conflit : « *Si la guerre éclatait en Europe, il ne se passerait pas trois semaines avant qu'une aide matérielle sans limite soit accordée par l'Amérique aux Démocraties. Son appui ne nous ferait donc pas défaut pour défendre notre liberté et notre vie.* » (2 juillet 1939.) La défaite de 1940 ulcéra le militant antifasciste autant que le patriote français. Il entra dans la Résistance, fit partie du réseau *C.N.D.* et de *Libération-Nord*, et la librairie qu'il ouvrit rue de la Pompe devint le centre d'une opposition discrète au gouvernement de Vichy et à l'occupant allemand. En 1942, Brossolette gagna Londres et se mit au service du général De Gaulle, tandis que le gouvernement du maréchal Pétain prononçait sa déchéance de la nationalité française (janvier 1943). Il entra en contact avec les milieux politiques les plus variés et s'efforça d'unifier les mouvements de résistance en zone Nord et en zone Sud. Il fut à l'origine de la création du *C.N.R.* Arrêté au moment de regagner Londres par mer, et craignant de parler sous la torture, il se jeta du cinquième étage de l'immeuble de la Gestapo, avenue Foch, en 1944.

BROUILLET (René).

Haut fonctionnaire et diplomate, né à Cleppé (Loire) le 9 mai 1909. Fils d'un conseiller municipal de Montarcher. Licencié ès lettres. Ancien élève de l'Ecole normale supérieure (1930). Diplômé d'études des supérieures d'histoire et de géographie, et de l'Ecole libre des Sciences politiques. Auditeur (1937) puis conseiller référendaire à la cour des comptes (1943). Assistant à l'Institut scientifique de recherches économiques et sociales (1935). Chef adjoint du cabinet de J. Jeanneney, président du Sénat (14 février 1939-30 septembre 1940). Mobilisé. Chef du service juridique du Secrétariat à la production industrielle (cab. Lehideux 1941-1942). Résistant, directeur du cabinet de G. Bidault, président du *C.N.R.* (1943-1944). Directeur adjoint du cabinet du général De Gaulle, président du Gouvernement provisoire (1944-1946). Conseiller d'ambassade (avril 1945). Secrétaire général du gouvernement tunisien (1946). Premier secrétaire à l'ambassade de France à Berne (1950-1953). Directeur adj. du cabinet Bidault (Affaires étrangères — janvier-avril 1953). Ministre conseiller à l'ambassade auprès du Saint-Siège (1953-1958). Ministre plénipotentiaire (1er août 1958). Secrétaire général à la présidence du Conseil pour les Affaires algériennes (juin 1958-janvier 1959). Directeur du cabinet du président de la République (janvier 1959-juillet 1961). Ambassadeur à Vienne (juillet 1961-décembre 1963). Ambassadeur au Vatican (depuis décembre 1963). Catholique de gauche, c'est lui qui a fait connaître au général De Gaulle son ancien camarade de Normale Supérieure, Georges Pompidou, en 1944.

BROUSSE (Martial).

Agriculteur, né à Seilhac (Corrèze) le 26 septembre 1893. Ancien président de la Confédération générale de l'agriculture (1946-1948), président de la Chambre d'agriculture de la Meuse, et ancien vice-président du Conseil économique, sénateur de la Meuse (depuis 1948) et maire de Braquis (depuis 1936), président d'honneur du Mouvement d'union paysanne et sociale (Parti paysan).

BROUSSE (Paul, Louis, Marie).

Homme politique, né à Montpellier le 23 janvier 1844, mort à Neuilly-sur-Marne (Seine-et-Oise) en avril 1912. Tout en poursuivant ses études à la Faculté de Médecine de Montpellier, Paul Brousse milita dans le mouvement socialiste, ce qui mécontenta fort son père, professeur à la même Faculté. Il n'en poursuivit pas moins son action, et il adhéra, sous l'Empire, à l'*Internationale Ouvrière*. Après la guerre de 1870, à laquelle il participa, il soutint la Commune et fut poursuivi après la victoire des Versaillais. Il se réfugia d'abord à Barcelone, puis à Berne, où il devint assistant au Laboratoire de Chimie, se consacrant plus spécialement aux recherches sur les explosifs. En 1873, il fut délégué au Congrès socialiste international qui se tint à Genève. En raison de son action politique, il fut condamné à 3 mois de prison par les autorités bernoises et expulsé du canton. Il se réfugia à Vevey, dans le canton de Vaud, et fonda, sur les bords du lac Leman, avec Elysée Reclus et Kropotkine le journal *L'Avant-Garde*. C'est dans ce journal qu'il écrivit des articles annonciateurs de « l'ère des attentats » : « *Nous ignorons quels procédés plus certains l'avenir tient en réserve. Mais il pourrait bien se faire que ceux qui croient fermement qu'on peut dans une poitrine royale ouvrir une route à la révolution, fissent bon marché désormais du salut de l'entourage ! Que pour se trouver, enfin, seuls, face à face avec un porte-couronne, ils marchassent à lui, au travers de la tourbe des courtisans, secouée, dispersée, rompue au bruit et à la lueur des bombes.* » (1878). Ces outrances provoquèrent son arrestation. Par décision du 4 mars 1879, il fut mis en état d'accusation et renvoyé devant les Assises fédérales suisses comme s'étant rendu coupable « *d'actes contraires au droit des gens, en publiant, soit comme auteur, soit comme éditeur, un grand nombre d'articles qui ont paru dans le journal* L'Avant-Garde *et qui revêtent un caractère délictueux.* » Brousse préconisait « *la propagande par le fait* » (la formule est de lui) : « *L'expérience a parlé ! Loin de nous la voie pacifique et légale ! A nous la voie violente qui a fait ses preuves ! Laissons les radicaux à leur radotage pacifique, allons aux fusils suspendus aux murs de nos mansardes, mais si nous les épaulons, ne les laissons se refroidir et s'éteindre que lorsque nous pourrons faire résonner leurs crosses, non seulement sur le sol d'une république, mais encore sur un sol qui soit la propriété collective du paysan et de l'ouvrier.* » (*L'Avant-Garde*, n° 3.) Il écrivait à propos du maréchal de Mac-Mahon : « *... se soumettre, se démettre... ou être descendu. En principe, nous sommes contre l'assassinat politique. Mais si, dans un cas spécial, il peut être utile, nous savons regarder en face, et froidement, cette éventualité.* » (*Ibid.*, n° 12.) Dans un manifeste qu'il rédigea au nom de la Fédération française anarchiste et qui fut affiché clandestinement dans plusieurs grandes villes de France, Brousse écrivait : « *A quoi vous servirait, ouvriers, d'abattre le gouvernement des « curés » et des « ducs » si vous installez à sa place le gouvernement des « avocats » et des « bourgeois » ? Songez que parmi ceux que vous porteriez au pouvoir, il est des hommes que vos pères y ont placés en février 1848 ; et ces hommes ont fait fusiller vos pères. N'oubliez pas que parmi ces hommes que vous installeriez au gouvernement, il en est que vos frères y ont envoyés en 1870, et ces hommes ont fait ou laissé massacrer vos frères en mai 1871.* » (*L'Avant-Garde*, n° 11, 1877.) Après l'amnistie il rentra en France, passa sa thèse de docteur en médecine à Montpellier, et s'installa à Paris pour exercer dans le quartier des Epinettes qui était alors l'un des plus pauvres de la capitale. Il continua son action politique, notamment avec Jules Guesde et Jules Joffrin. Très assagi, il définissait lui-même la doctrine de son groupe au cours d'une élection complémentaire qui eut lieu à Montmartre en décembre 1881 : « *Nous préférons,* déclarait-il, *fractionner le but idéal en plusieurs étapes, immédiatiser en quelque sorte quelques-unes de nos revendications, pour les rendre enfin possibles au lieu de nous fatiguer sur place à marquer le pas.* » Son attitude provoqua des remous dans le mouvement socialiste et amena Brousse à créer la *Fédération des Travailleurs Socialistes de France*, bientôt désignée sous le nom de « parti possibiliste ». Une scission intervint quelques années plus tard au sein de ce mouvement : deux fractions rivales s'affrontèrent : les broussistes et les allemanistes. Conseiller municipal des Epinettes depuis 1887, il devint vice-président de cette assemblée en 1888 et président en 1905. Ses adversaires lui reprochèrent alors, lui qui fut « régicide », de recevoir le roi Alphonse XIII et de se déclarer partisan de l'alliance franco-russe. S'étant réconcilié avec les leaders des autres tendances socialistes et ayant adhéré à la S.F.I.O., il fut le candidat de ce parti en 1906 dans la 3ᵉ circonscription du 18ᵉ arrondissement et fut élu contre le socialiste nationaliste et ex-boulangiste Ernest Roche qui l'avait battu en avril 1902 et qui le battit de nouveau aux élections générales de 1910. Pour le consoler de sa défaite, le gouvernement, présidé par son ancien camarade de parti, Aristide Briand, le nomma directeur de l'Asile d'aliénés de Ville-Evrard, dans la banlieue parisienne, où la mort le surprit, deux ans plus tard, dans l'exercice de ses fonctions. Il est l'auteur de plusieurs ouvrages dont « La propriété collective et les services publics », « Le marxisme international », et il rédigea, dans « L'Histoire socialiste » parue en 1906, le chapitre sur le Consulat et l'Empire.

BROUSSET (Amédée).

Homme politique, né à Angers (Maine-et-Loire) le 5 juin 1905. Administrateur de la F.O.M. (5 janvier 1951). Chef d'escadron de réserve. Suppléant de Jean Roger, dit Sainteny, aux élections législatives de novembre 1962. A été proclamé député de la Seine le 7 janvier 1963, R. Sainteny étant devenu membre du gouvernement. Membre de l'Alliance France-Israël.

BRUGEROLLE (André).

Négociant, né à Matha (Charente-Maritime) le 1er décembre 1906. Négociant en eau-de-vie et propriétaire agricole. Conseiller du Commerce extérieur. Membre du Rotary. Maire et conseiller général de Matha. Député de la Charente-Maritime depuis 1958. Inscrit au Centre Démocratique.

BRUGUIER (Victorien, Félix, dit Georges).

Journaliste, né à Nîmes le 16 mars 1884. Fils de l'un des quatre premiers conseillers municipaux socialistes de la cité nîmoise. Rédacteur à La Dépêche de Toulouse, puis sénateur du Gard (1924-1942). Inscrit au groupe socialiste. Fut en juillet 1940 parmi les quatre-vingts parlementaires qui votèrent contre le maréchal Pétain. Membre de l'Assemblée consultative provisoire (1944), des deux Assemblées constituantes (1945-1946). Conseiller municipal de Carcassonne, syndic de la Presse Républicaine Départementale.

BRULEY (Jean).

Journaliste, né à Saint-Mards-en-Othe (Aube), le 13 mars 1905. Fils d'un instituteur. Fut rédacteur et secrétaire de rédaction à L'Express de l'Aube, journal disparu en 1944. Prit part à la Résistance et, après la Libération, entra à L'Est-Eclair, où il fut successivement rédacteur, secrétaire de rédaction et rédacteur en chef ; est aujourd'hui le directeur de ce quotidien de Troyes. Appartient en outre à la direction du Syndicat des quotidiens de province, dont il est trésorier.

BRULOT (Le) (voir Dassonville, G.-A.).

BRUN (Félix).

Militant politique, né à Salindres (Gard), le 18 décembre 1896. Grand mutilé de guerre (1917). Secrétaire de la fédération du Rhône de l'Association Républicaine des Anciens Combattants, fondée par Henri Barbusse, et dirigeant communiste à Lyon. Conseiller général (1934), puis député du Rhône (1936). Déchu de son mandat (1940) après avoir été arrêté en raison de son appartenance au P.C. Libéré en 1941. Président de la Commission départementale d'épuration à Lyon, puis conseiller municipal et conseiller général. Président national de l'A.R.A.C. et vice-président de l'U.F.A.C.

BRUNE (Jean).

Homme de lettres, né à Aïn-Bessem, en Algérie, le 12 mars 1912. Sa famille était installée en Afrique depuis plus d'un siècle. Il vint au journalisme par la peinture, qui le passionne toujours, et collabora à divers journaux, dont Aspects de la France, avant d'être expulsé d'Algérie. Il fut pendant plusieurs années directeur de La Dépêche Quotidienne d'Alger et assura pendant plus d'un an les éditoriaux politiques de Radio-Algérie. Dans la présentation de son livre, « La Révolte », Robert Laffont, son éditeur, souligne qu'il a été « mêlé de près, dans les djebels et sur les chemins d'Europe, à tous les conflits de ces dernières années ». Il a publié en outre : « Cette haine qui ressemble à l'amour » et « Journal d'exil » et est l'auteur de deux pièces de théâtre, encore inédites : « La guerre de Troie commence demain » et « Les Templiers ».

BRUNET (Antoine, Frédéric).

Homme politique (1869-1932). Fils d'un membre de la première Internationale, milita aux côtés de Brousse, avec les possibilistes, et fut élu conseiller municipal S.F.I.O. de Paris (17e) en 1907, puis député de la Seine, en 1914. Battu aux élections législatives de 1919, fut réélu en 1924, avec le Cartel des Gauches, et demeura au Palais-Bourbon jusqu'à sa mort ; fut même, quelque temps, le vice-président de la Chambre. Entre-temps, quitta la *S.F.I.O.* et rejoignit, avec d'autres transfuges du parti, une nouvelle formation politique, le *Parti Socialiste Français*, fondée en 1919, et dirigea *La France Libre*, journal de cette organisation. Présida, par la suite, le Conseil général de la Seine, fut sous-secrétaire d'Etat quarante jours (cabinet Steeg, 1930-1931) et appartint au Conseil de l'Ordre du *Grand Orient de France*.

BRUNET (Jean, Alfred, René).

Professeur de droit (1882-1951). Député socialiste de la Drôme (1928-1942). Sous-secrétaire d'Etat aux Finances (1937-1938). Nommé le 23 janvier 1941 membre du *Conseil national* (voir à ce nom).

BRUNHES (Julien).

Ingénieur, né à Clermont-Ferrand (P.-de-D.), le 25 novembre 1900. Ancien officier de marine, fut successivement : secrétaire général du *Groupement professionnel des industries coloniales* (1940-1944), secrétaire général adjoint des *Etablissements d'aviation Louis-Bréguet* (1945-1946), député de Paris à la 2e Constituante (1946), puis sénateur de la Seine (depuis 1946). Personnalité dirigeante du *Centre National des Indépendants et Paysans*, fut un défenseur actif de l'Algérie française.

BRUNSCHVICG (Cecile KAHN, épouse).

Universitaire (1877-1946). Membre du *Parti Radical-socialiste* (1924), sous-secrétaire d'Etat à l'Education nationale (gouvernement Blum (1936-1937), animatrice de l'*Union Française pour le suffrage des Femmes* et membre de la *Fédération démocratique internationale des femmes*, présidente d'honneur du *Conseil National des femmes radicales-socialistes*.

BRUSSET (Max).

Administrateur de sociétés, né à Neufchâteau (Vosges), le 25 novembre 1909. Gendre de l'écrivain monarchiste Robert Vallery-Radot. Collabora entre les deux guerres à divers journaux et fut l'attaché de cabinet de Georges Mandel (1934-1936, 1938-1940). A la Libération fut conseiller municipal de Paris, conseiller général de la Seine et maire adjoint du 1er arrondissement, puis député de la Charente-Marit. (1946-1958), fit partie du mouvement gaulliste (*R.P.F.*). Ancien maire de Royan.

BRUTELLE (Georges, Albert).

Directeur de service de documentation, né à Paris, le 20 novembre 1922. Militant socialiste très jeune, dans la Somme, puis à Rouen, où il anima les *Etudiants socialistes* de Rouen. Il fut l'un des organisateurs de la Résistance dans la Seine-Inférieure et publia un journal ronéotypé clandestin, *Jaurès*, dont le n° 1 parut en janvier 1941 et qui fut l'organe des socialistes de la région qu'il regroupa secrètement. Il participa à la fondation du premier Comité régional de Libération à Rouen en 1943 et fut chargé de la coordination entre les divers comités départementaux normands. Arrêté le 17 décemb.e 1943 en tentant de réunir l'E.M. de l'Armée secrète, il fut emprisonné à Fresnes, puis déporté à Buchenwald. A son retour du camp de concentration, il collabora au *Progrès social* et à *La Liberté normande* (1945-1946) et dirigea *Cité Nouvelle*, devenu *La République de Normandie*, jusqu'en 1963. Collabora également à l'*Agence de presse de la Liberté*, qu'il dirigea ensuite jusqu'en 1965. Au sein de la *S.F.I.O.*, dont il est un des dirigeants, il a été tour à tour ou simultanément : secrétaire général adjoint du parti (1947-1966), secrétaire politique de la Fédération de la Seine-Maritime (1955-1966), organisateur des « colloques socialistes » (1963-1964), directeur du journal des immigrés socialistes *El Socialista*. Il fut également le secrétaire général de la *Fédération Nationale des Déportés de la Résistance* qu'il contribua à fonder. Il est aujourd'hui membre du comité exécutif de la *Fédération de la Gauche démocrate et socialiste* et membre de son secrétariat national. Enfin, depuis 1966, il appartient aux cadres supérieurs de la *Société générale de Presse* dont il dirige les services de documentation.

BRUYAS (Florian-Charles).

Homme politique, né à Lyon, le 26 juillet 1901. Fils d'un négociant lyonnais, petit-fils du fondateur du *Syndicat National des Négociants en quincaillerie et ferronnerie de France*. Ancien négociant lui-même (1932-1961), administrateur honoraire de la *Chambre Syndicale de la Quincaillerie*. Elu sénateur du Rhône en avril 1953 et réélu depuis, est conseiller général du deuxième canton de Lyon depuis 1955. A succédé à Pierre Montel à la présidence du *Centre (départemental) des Indépendants et Paysans*. Musicien, administrateur du Conservatoire de Lyon, prépare un important ouvrage sur la musique.

BRUYNEEL (Robert, Marcel).

Haut fonctionnaire, né à Lille, le 25 juin 1905. Administrateur civil au ministère de la Marine, appartint entre les deux guerres à plusieurs cabinets ministériels. Nommé membre de l'Assemblée consultative provisoire (1944), fut élu aux deux Assemblées constituantes (1945-1946), puis à l'Assemblée nationale, où il représenta le Loir-et-Cher (1946-1958). Entre-temps fit partie de plusieurs gouvernements et du Comité consultatif constitutionnel. Sénateur de Loir-et-Cher (depuis 1961) et directeur politique de l'*Indépendant du Loir-et-Cher*. Est, depuis une vingtaine d'années, l'un des leaders nationaux du parlement et de son département.

BUCAILLE (Victor).

Journaliste, né au Havre, le 26 juillet 1890. Avocat ; attaché au cabinet de Denys Cochin, chargé des relations avec le Saint-Siège (1915). Journaliste au *Figaro* (1919-1924). Conseiller municipal de Paris et Conseiller général de la Seine (1925-1945 et 1953-1965). Syndic du Conseil municipal de Paris et du Conseil général de la Seine (1929-1941). Vice-président de la Commission du Vieux Paris. Collabore actuellement aux *Nouvelles Littéraires*.

BUCARD (Marcel).

Journaliste et homme politique, né à Saint-Clair-sur-Epte (Seine-et-Oise), le 7 décembre 1895. Se destinant à la prêtrise, il fit ses études au séminaire. Lorsque la guerre survint, il s'engagea (août 1914) — il n'avait pas dix-neuf ans — et fut nommé sous-lieutenant (1915), lieutenant (1916) et capitaine (1917). Il n'avait alors que vingt-deux ans et était le plus jeune capitaine de France. De 1919 à 1923, il appartint à la Commission interalliée à Bonn. Revenu à la vie civile, il milita aussitôt dans les milieux nationaux et fut, en 1924, candidat du Bloc national, sans succès. En 1925-1926, Marcel Bucard est l'un des collaborateurs de Georges Valois au *Nouveau Siècle* et au parti fasciste *Le Faisceau*. Lorsque le parfumeur François Coty lança *L'Ame du Peuple*, en 1928, il fit appel à la collaboration de Bucard et lui confia la direction de la page du combattant. C'est avec son concours que furent fondés les *Croix de Feu* : le dis-

cours de fondation de ce mouvement fut d'ailleurs prononcé par lui dans l'immeuble du *Figaro*. Après sa brouille avec Coty, Marcel Bucard rejoignit Gustave Hervé : il écrivit régulièrement dans *La Victoire* et anima la milice socialiste nationale créée par l'ancien socialiste révolutionnaire. Peu de temps après la fondation des *Francistes* par Coston, Jolivet, Ploncard, Dubernard et quelques jeunes nationalistes, Marcel Bucard créa le *Francisme*, qui se réclamait déjà du fascisme de Mussolini pour lequel il avait une profonde admiration. Le 11 novembre 1933, il lança le journal *Le Francisme* (qui s'appela ensuite *Le Franciste*), organe du parti qu'il venait de fonder. Il s'affirma dès lors opposé au capitalisme et au communisme : « *ces deux internationales, écrivait-il, ne forment, en réalité, qu'un monstre à deux têtes, car l'on voit de gros capitalistes subventionner les troupes socialistes et communistes, et des pontifes du marxisme avoir des budgets de millionnaires* » (2.12.1934). Au congrès des mouvements fascistes mondiaux, réunis à Montreux, en Suisse, les 16 et 17 décembre 1934, il affirmait l'universalité de l'idée fasciste et lançait ce slogan : « *L'Union des fascismes fera la paix du monde.* » Peu après, au cours d'un voyage à Rome, il était reçu par Mussolini (1935). Son action lui attira les foudres de la justice en maintes circonstances : il fut arrêté et maintenu quelque temps en prison à Strasbourg, en décembre 1935, fut condamné à six mois d'emprisonnement avec sursis sous le ministère Blum, et son parti fut dissous. Reconstitué tout d'abord sous le nom d' « *Amis du Franciste* », son mouvement s'appela ensuite : *Parti Unitaire d'Action socialiste et nationale*. L'organe du nouveau parti, *L'Unitaire français*, était dirigé par lui. Opposé à la guerre, Marcel Bucard attaquait alors violemment les Israélites, qu'il accusait de bellicisme, et prônait l'unité européenne par le rapprochement franco-allemand : « *Il n'y aura jamais de paix possible en Europe tant qu'on ne résoudra pas le problème des relations entre la France et l'Allemagne. Ni du point de vue de la saine raison, ni du point de vue de l'intelligence et du simple bon sens, je n'admets la théorie de l'ennemi héréditaire* » (juillet 1939). La guerre déclarée, Marcel Bucard mit son parti en sommeil et endossa l'uniforme. L'ancien poilu, aux nombreuses citations, fut cité à nouveau. Sur le point d'être encerclé avec ses hommes par les Allemands, il fit retraite jusqu'à la Suisse où on l'interna. Au début de 1941, il put rentrer en France et reprendre la tête du *Parti Franciste* réveillé. Peu après, il participa à la fondation de la *L.V.F.* avec Doriot, Déat et Constantini. Partisan de la collaboration, il fit campagne pour « l'Europe nouvelle » et incita ses amis à s'engager dans les troupes combattant le bolchevisme à l'Est. Après le débarquement allié, refoulé vers l'Est, il gagna l'Alsace, puis Baden-Baden, et enfin, après l'effondrement de l'Allemagne hitlérienne, l'Italie d'où il comptait pouvoir « s'évader » vers l'Espagne. En juin 1945, il fut arrêté avec sa famille et le dernier carré de ses partisans, près de Merano, par un ancien auxiliaire français de la Gestapo passé au service de la mission française en Italie. Transféré en France, dans des conditions particulièrement pénibles et après des interrogatoires très poussés, il fut traduit les 17, 18 et 19 février 1946 en la Cour de Justice, à Paris, et condamné à mort. Son exécution eut lieu le 19 mars suivant : il se rendit au Fort de Châtillon, où l'attendait le peloton désigné pour le fusiller, pieds nus et en chantant : « *Je suis chrétien, voilà ma gloire...* » Il a laissé quelques ouvrages : « *Paroles d'un combattant* » (1930), « *Du sang sur leurs mains* » (1936), « *L'Emprise juive* » (1938), etc.

BUCHET-CHASTEL (ex-Editions Correâ)

Maison d'éditions fondée en 1930 par Roberto A. Correa (associé avec Charles du Bos, Yvonne et Marianne Borel), auquel succéda à la tête de l'entreprise, en 1938, Jean Chastel et Edmond Buchet. Le général Michaud et l'écrivain Charles Plisnier furent, de leur vivant, les associés de la maison.

BUFFON (les cinq lycéens du lycée).

Jean Artus, Jacques Baudry, Pierre Benoît, Pierre Grelot et Lucien Legros ayant formé, sous l'occupation, un groupe de résistance, distribuèrent des tracts, organisèrent une manifestation antiallemande au lycée Buffon (Paris) et, même, attaquèrent des officiers allemands. Dénoncés, ils furent arrêtés en 1942 : en juin, pour quatre d'entre eux ; en août pour le 5e (Benoît, chef de groupe *F.T.P.*). Condamnés à mort par le tribunal de la Luftwaffe, ils furent fusillés le 8 février 1943.

BUISSON (Ferdinand, Edouard).

Universitaire (1841-1932). Issu d'une famille protestante. Fils d'un magistrat. Participa en 1867 au premier *Congrès de la paix* (Genève) et collabora au journal *Les Etats-Unis d'Europe*. Co-fondateur de la *Ligue des Droits de l'Homme*, qu'il présida par la suite. Député radical de la Seine (1902-1914, 1919-1924), soutint l'action de Combes et poursuivit jusqu'à sa mort la lutte contre le « cléricalisme » et pour la paix. Fut, en 1922, avec Aulard, l'un des principaux fondateurs du *Progrès Civique* et du *Quotidien*.

BULLETIN D'INFORMATION MARXISTE-LENINISTE.

Organe du *Centre marxiste-léniniste de France*, lié à *La Voix du Peuple* (journal des communistes pro-chinois de Belgique). Approuvant la politique extérieure de la Ve République, a fait voter pour le général De Gaulle et contre Mitterrand à l'élection présidentielle de décembre 1965. Rédacteur en chef : Claude Beaulieu ; directeur-gérant : Jacques Busch (13, rue Saint-Lazare, Paris-9e.)

BULLETIN NUL.

Bulletin de vote qui n'est pas conforme aux prescriptions, qui porte une marque ou une inscription manuscrite et qui, de ce fait, n'est pas considéré comme valable. Les *bulletins nuls*, tout comme les *bulletins blancs*, ne sont pas décomptés, lors du dépouillement, pour le calcul de la majorité.

BULLETIN DE PARIS (Le).

Hebdomadaire publié par la société des *Editions de France-Documents* créées le 26 avril 1945 par Joseph Barsalou et Arnold Bontemps. Dirigé par Jean Letang. Lancé en 1955. Avant de devenir une feuille imprimée sur un seul côté (genre *Capital*), se présentait sous la forme d'un journal et s'enorgueillissait de collaborations brillantes : celles de Jean Rigault (rédacteur en chef), l'ancien ministre de l'Intérieur du gouvernement Giraud à Alger, de l'académicien Pierre Gaxotte, ancien directeur de *Je suis partout*, de Pierre-Etienne Flandin, de l'ancien ministre vichyssois René Belin, et aussi de celles de Jean Maze, André Frossard, Joseph Barsalou et Stéphen Hecquet. Y collaborèrent également : René Saive et F.-F. Legueu.

BULLETIN DE VOTE.

Feuille de papier où est imprimé le nom du candidat (ou des candidats) participant à une consultation électorale. Le *bulletin de vote* porte également, d'ordinaire, les indications suivantes : la date de l'élection, la circonscription ou la ville, l'étiquette politique du candidat, le nom de son remplaçant éventuel (pour les élections législatives ou sénatoriales), la profession, les titres, les fonctions, les décorations du candidat et de son remplaçant, etc.

BUONARROTI (Filippo-Michèle).

Militant révolutionnaire, né à Pise en 1761, mort à Paris en 1837. (Michel-Ange, a-t-on dit, était l'un de ses ancêtres.) Orateur écouté du *Club des Jacobins*, arrêté en raison de ses activités subversives, il fit la connaissance de Babeuf en prison et devint son ami et son disciple. Condamné par la Haute Cour de Vendôme à la déportation (1797), il fut détenu à Cherbourg, puis dans l'île d'Oléron. Ayant refusé le poste que lui offrit Bonaparte, il participa à plusieurs autres conjurations et actions politiques, en France et en Italie, et dut se retirer à Genève, puis à Bruxelles où il écrivit l'histoire de la *Conspiration* de Babeuf. Rentré en France après la révolution de 1830, il vécut à Paris, dans un état voisin de la misère. Son disciple, Blanqui, reçut de lui cette flamme révolutionnaire qui dévora le mouvement socialiste du XIXe siècle.

BUOT (Henri-François).

Médecin, né à Saint-Martin-des-Besaces (Calvados), le 15 juillet 1908. Médecin du Dispensaire de la Miséricorde, médecin de l'*U.N.T.* et membre de la Société Médicale de Basse-Normandie. Ancien conseiller municipal (1947-1959) et adjoint au maire de Caen (1953-1959). Conseiller général du canton Est de Caen. Député *U.N.R.* du Calvados (1re circ.) depuis 1938.

BURE (Emile, Clément, Charles).

Journaliste (1876-1952). Fonctionnaire de l'Inspection des fraudes, il entra dans la presse par la petite porte de la polémique journalistique. Frais émoulu du collège de Dreux et fervent boulangiste, il versa bientôt dans le socialisme extrémiste, dans l'anarchie même, fréquentant Jean Grave et Zo d'Axa. Pendant l'Affaire Dreyfus, il milita aux *Etudiants collectivistes*, avec Zévaès et Anatole de Monzie. Ses premiers articles de quelque importance parurent au *Mouvement socialiste*, d'Hubert Lagardelle, à *La Vie socialiste,* de Francis de Pressensé. Dans les congrès socialistes, il se lia avec Aristide Briand, puis abandonna le futur « Pèlerin de la Paix », il suivit Clemenceau, fut le rédacteur parlementaire de son quotidien *L'Aurore* et le chef de cabinet d'un de ses ministres avant de revenir à Briand et de diriger le cabinet de ce dernier. Entre les deux guerres, il dirigea *L'Eclair,* puis *L'Avenir,* et enfin, *L'Ordre,* quotidien modéré qu'il avait fondé avec l'argent des « marquis de la Chambre ». Anti-allemand farouche, partisan de l'alliance avec les Soviets, il fut maintes fois accusé par ses adversaires d'être un *boutefeu* corrompu. S'il fut hostile à la politique de Georges Bonnet et de Daladier, qui conduisit à Munich, il ne semble pas qu'il l'ait été par esprit de lucre. Sans doute, pour faire vivre son quotidien *L'Ordre* et son hebdomadaire *Vendémiaire* reçut-il des fonds de diverses sources, même impures, mais comme l'a écrit *Le Crapouillot,* il était « *aussi peu homme d'argent que possible* ». Réfugié aux Etats-Unis pendant la guerre, il y fit paraître, avec Henry Torrès, *France-Amérique,* un périodique sans audience, mais où il pouvait répéter ce qu'il avait imprimé dans *L'Ordre* les années précédentes. Il profita de ses loisirs forcés pour écrire « *Renan et l'Allemagne* » qui parut à New York. Rentré en France, il fit reparaître *L'Ordre* qui cessa sa publication au bout de quelques mois. Dès lors il se consacra à la rédaction de ses mémoires. Anatole de Monzie, qui le connaissait bien, et qui lui gardait une affection fraternelle malgré « *les erreurs dont il avait pris sa part* », a dit de lui : « *Ce n'était pas un mufle, ni un esclave. Il s'entêta à se tromper, mais à la française, voire à la bonne franquette* » (« *Ci-devant* », p. 21).

BUREAU (Paul).

Professeur, né à Elbeuf en 1865, mort à Paris en 1920. Son enseignement à l'Institut Catholique fut fortement imprégné des idées de Marc Sangnier dont il était l'ami. Il appartint au *Sillon,* à la *Jeune République,* à l'*Ame française,* aux *Semaines sociales,* à l'*Action sociale de la Femme,* etc. et fonda la Ligue « *Pour la Vie* ». Au moment de l'affaire Dreyfus, il fut l'un des animateurs du *Comité catholique pour la défense du Droit* créé par des « dreyfusards ». Il est considéré comme l'un des maîtres de la démocratie chrétienne, depuis la publication de sa *Crise morale des Temps nouveaux* (1907).

BUREAU DES LIAISONS EUROPEEN-NES.

Fondé à Vichy en 1943. Object. : travailler à l'unification de l'Europe. Directeur : Robert Valléry-Radot ; directeur-adjoint : Régis de Vibraye ; secrétaire général : Maurice Giffard.

BUREAUCRATIE.

Terme péjoratif pour désigner le pouvoir routinier des bureaux, c'est-à-dire de l'appareil administratif de l'Etat. Le mot semble avoir été employé, pour la première fois, en 1745, par Vincent de Gournay, économiste physiocrate, qui manifestait son hostilité de libéral au bureau despote. (Consulter : Alfred Sauvy, « La bureaucratie », Paris, 1956.)

BUREN (Philippe) (voir : Nouveau Régime).

BURON (Robert, Gaston, Albert).

Journaliste, né à Paris, le 27 février 1910. Il milita jeune dans le mouvement démocrate-chrétien, tout en assurant un travail de secrétariat à la Chambre de Commerce de Paris (1934-1937), puis à la Chambre Syndicale des Chocolatiers (1937-1940). Sa carrière politique commença, en fait, sous le Gouvernement de Vichy. On le découvre, en effet, dans un premier temps, au Comité de répartition du cacao, dont les bureaux étaient installés à Royat, où il y travailla sous les ordres d'un autre militant de la Démocratie chrétienne. Après le départ de celui-ci, il prit sa place. Dans un deuxième temps, en 1941, à Paris (c'est-à-dire en zone occupée), il fut secrétaire général du Comité de l'Organisation de l'Industrie Cinématographique. Plusieurs documents de ce temps-là existent encore, qui portent sa signature. La Lettre d'information de Claude Jacquemart et Lectures Françaises (avril 1961) ont reproduit une « note pour M. Coupan », datée du 8 mai 1941, et concernant la « liquidation des affaires israélites en Afrique du Nord », dans laquelle Robert Buron ne se montrait pas tendre pour les entreprises juives. Il occupa son poste au Comité d'Organisation de l'Industrie Cinématographique jusqu'en 1944, époque à laquelle il passa à la « Résistance ». A la Libération, il dirigea Carrefour (1944-1947) et fut nommé administrateur général de la Radiodiffusion (1945). Elu aux deux Constituantes (1945-1946), il appartint à l'Assemblée nationale de 1946 à 1959 où il représenta la Mayenne (inscrit au groupe M.R.P.). Plusieurs fois ministre sous la IVe République, il le fut également sous la Ve (gouvernements Debré et Pompidou). Entre-temps, les électeurs de Villaines-la-Juhel l'envoyèrent au Conseil général de la Mayenne et l'élirent maire. Ayant approuvé la politique algérienne du gouvernement de la Ve République — « Le pays fait confiance au général De Gaulle pour conduire la politique de telle sorte que l'autodétermination puisse intervenir le plus rapidement possible. » (Cf. sa déclaration in Le Figaro, 21-11-1960.) —, il se montra ulcéré des résultats obtenus. Dans ses « Carnets politiques de la guerre d'Algérie » (Paris 1965), lors de la conférence d'Evian, il nota : « Joxe, Jean de Broglie et moi-même, mal à mon aise depuis le premier jour, ne faisions pas trop bonne figure tout à l'heure ; j'ai, pour ma part, conscience d'avoir fait mon devoir au sens plein du mot, mais je n'en éprouve aucune satisfaction véritable. »

BUSTIN (Georges).

Electricien, né à Vieux-Condé (Nord), le 24 octobre 1906. Syndicaliste C.G.T. Elu conseiller général de Condé-sur-Escaut, le 11 juin 1961. Elu conseiller municipal de Vieux-Condé de 1935 à 1940 ; réélu en 1947. Adjoint au maire (1947-1949) et maire (1949). Elu député communiste du Nord (18e circ.), le 25 novembre 1962, au siège de Léon Delbecque, qui ne se représentait pas.

BUXEUIL (Jean-Baptiste CHEVRIER, dit René de).

Compositeur (1881-1959). Auteur de 5.000 chansons populaires, ce musicien aveugle composa le chant des militants d'Action Française : « La Royale » (paroles de Maxime Brienne), toujours chanté aux manifestations royalistes.

BUY (François).

Ecrivain, né à Paris, le 15 novembre 1937. Ancien président de l'Association des Etudiants en lettres de Nice. Collaborateur de diverses publications de droite. Auteur de « La République Algérienne démocratique et populaire » (Paris, 1965).

BUYAT (Louis, Antoine, Marie).

Député de l'Isère (1902-1910, 1928-1932, 1936-1942). Conseiller général. Nommé le 23 janvier 1941 membre du Conseil national.

C

CABANNES (Gaston, Marie, Léon).

Tailleur (1882-1950). Candidat du *Bloc des Gauches* en 1924, élu conseiller municipal de Bordeaux en 1931, fut député socialiste de la Gironde de 1932 à 1942. Vota contre les pouvoirs constituants au maréchal Pétain en 1940. Après la Libération, fut élu membre de l'Assemblée Constituante de 1945.

CABET (Etienne).

Avocat et journaliste (1788-1856). Fils d'un tonnelier dijonnais apprenti jusqu'à douze ans, il fit ses études secondaires, puis de droit. Inscrit au barreau de Dijon, sous la Restauration, et collaborant au *Dalloz*, il milita dans les carbonari et, après la révolution de 1830, fut nommé procureur général en Corse par Louis-Philippe. S'étant proclamé républicain, il fut révoqué quatre ans plus tard. Il se fit élire député en Côte-d'Or, son pays natal, et devint l'un des plus fougueux anti - gouvernementaux, non seulement à la tribune parlementaire, mais dans la presse — notamment dans son *Populaire* — et dans les réunions. Poursuivi par la justice royale, il passa en Belgique, en fut expulsé et se réfugia à Londres. Il n'eut aucun rôle dans la révolution de 1848 et ne parvint pas à se faire élire à la Constituante. Mais il crut trouver un appui auprès du Prince-Président pour la colonie communiste qu'il préparait en Amérique et il se présenta, dans la Côte-d'Or, aux élections générales, avec le soutien officiel de l'administration. On l'a accusé de s'être débarrassé de son concurrent socialiste, proudhonien, Pierre-Claude Chaboseau, en le dénonçant comme comploteur anarchiste. Il ne semble pas que ce soit prouvé. De toute façon, il n'en échoua pas moins dans cette entreprise électorale. Depuis 1847, date de la publication de son « *Voyage en Icarie* » (1842) Cabet combattait avec énergie tout ce qui ne contribuait pas à la réussite de son rêve *icarien*, d'où son hostilité aux socialistes. Mettant ses théories à l'épreuve des faits, il chargea ses disciples d'aller fonder aux Etats-Unis une colonie icarienne, qu'il rejoignit avec d'autres disciples — ils furent plus près d'un millier à quitter la France pour cette Icarie de rêve. Dans cet état, où l'on pratiquait « le nouveau christianisme », le « panchristianisme selon Jésus », les biens étaient mis en commun, le travail était rétribué en nature, et le mariage rendu obligatoire. Le pouvoir législatif appartenait à une assemblée composée des hommes âgés de plus de dix-huit ans. Mais Cabet exerçait, en fait, le pouvoir tout seul, déclarant rebelle ou traître quiconque rejimbait ou même osait fredonner la *Marseillaise* en sa présence. Pour assurer une égalité absolue entre les membres de la communauté, il prétendait que la dictature était nécessaire. Mais cette dictature finit par lasser les *icariens* ; ils renversèrent le « tyran », qui alla mourir à Saint-Louis (Louisiane). Plusieurs colonies *icariennes* furent ainsi établies sur la terre américaine : l'une d'elles, installée d'abord à

Par ce document je complète mon interrogatoire du 17 octobre, rue des Saussaies maintenant, mon intention est de rejoindre immédiatement Laucef et de reprendre ma vie de retraité que fut la mienne en 1939, en 1940 en 1941. Ma santé est de plus en plus précaire et m'impose de ne me livrer à aucun effort d'action.

A Laucef, je poursuis les études scientifiques et philosophiques qui furent celles de ma jeunesse et auxquelles j'ai bien renoncées au cours de toute une vie consacrée à une intense diffusion de mes idées. Aujourd'hui je les reprends dans la mesure de mes forces et je fais le point de mes connaissances.

On m'a demandé de mener une action contre la sureté de l'armée d'occupation allemande en France. J'y souscris. On m'a demandé si j'approuvais les attentats individuels contre la vie des soldats de l'armée allemande. Je réponds que les attentats individuels se retournent contre le but que ils tendent atteindre et leurs auteurs. Je ne les ai jamais ni préconisés ni exécutés. J'ai toujours détourné mes camarades.

Ma vie à Laucef fut modeste. J'y ai recueilli mes petits-enfants dont l'alimentation est difficile à Paris. Je vis avec la pension d'ancien député qui est servie par la questure de l'ancienne chambre. Avant mon existence depuis le début de la présente guerre jusqu'à ce jour fut claire et au grand jour. Je sais que la Sureté allemande comme la police française me surveillent au jour le jour.

Nul n'a pu y retracer un seul acte qui appelle une sanction. A fortiori en sera-t-il de même désormais.

Au cours de mes 73 ans, ai-je le droit d'espérer que sera respectée la stricte retraite qu'exige la santé fort ébranlée d'un vieillard dont la vie fut bien remplie, très épuisante, traversée de nombreuses épreuves, faite de travail, d'honneur et de dignité ?

Paris 21 octobre 1941

Marcel Cachin

CABINET.

Ensemble des ministres, secrétaires d'Etat et sous-secrétaires d'Etat d'un gouvernement. Désigne aussi l'ensemble des collaborateurs immédiats d'un ministre (directeur de cabinet, chef de cabinet, chef de secrétariat particulier, conseillers techniques, chargés de mission) ou d'un préfet.

CABROL (Raoul).

Dessinateur (1895-1956). Fut l'un des meilleurs caricaturistes de la presse de gauche et d'extrême-gauche des années qui précédèrent la guerre. A l'*Humanité*, d'abord, puis après la Libération à *Franc-Tireur* et au *Canard enchaîné*. Ses portraits-charges des hommes politiques contemporains ont été reproduits dans les grands journaux du monde entier.

CACHAT (Armand).

Officier, né à Meillerie (Haute-Savoie), le 15 juillet 1901. Prisonnier de guerre 1939-1945. Maire de Montgeron. Ancien conseiller général *R.P.F.* du canton de Villeneuve-Saint-Georges (27 mars 1949-4 juin 1961). Ancien vice-président du Conseil général de Seine-et-Oise. Député *U.N.R.* de Seine-et-Oise (13e circ.) de 1962-1967.

CACHIN (Gilles, Marcel).

Professeur, journaliste et homme politique, né à Paimpol (Côtes-du-Nord), le 20 septembre 1869, mort à Choisy-le-Roi, le 12 février 1958. Son père était gendarme et sa mère fileuse de lin, comme beaucoup de paysannes de son petit hameau de Pen-an-Noat, commune de Plourivo. Il fit ses études au lycée de Saint-Brieuc, puis à celui de Rennes, et suivit les cours de la faculté des Lettres de Bordeaux. Après avoir obtenu sa licence de philosophie, il enseigna à Bordeaux pendant une quinzaine d'années. Le 15 janvier 1899, il se fit initier à la loge *Concorde Castillonnaise*, du Grand Orient, et s'affirma, dès lors, comme un républicain avancé. Il avait entre-temps rejoint les socialistes guesdistes et, tout en enseignant la philosophie, il militait au sein du *Parti Ouvrier Fran-*

Nauvoo, puis dans l'Iowa, fut presque florissante ; elle prospéra jusque vers la fin du siècle. Mais pour durer, elle avait dû adapter les idées de l'auteur du « *Voyage en Icarie* » aux réalités de ce monde.

çais, dont il fut le candidat à une élection partielle à Libourne. Il collaborait régulièrement à la presse socialiste (*La Question, Le socialiste de la Gironde*) où il se montrait particulièrement agressif à l'égard des gens en place. Elu conseiller municipal de Bordeaux, grâce à une coalition avec les conservateurs et les monarchistes, il remplit ces fonctions jusqu'en 1904. Il assista, à cette époque, au fameux congrès international d'Amsterdam qui se prononça pour l'unification des partis socialistes français et, une fois constituée, la *S.F.I.O.* en fit son délégué à la propagande. Ses dons d'orateur firent merveille et contribuèrent au développement de son parti. Battu aux élections législatives de 1906 (Béziers), et de 1910 (Alais), Marcel Cachin fut élu conseiller municipal socialiste de Paris (Goutte-d'Or) et conseiller général de la Seine en 1912. L'année suivante, malgré une certaine opposition de Jean Jaurès, il entra à *L'Humanité* et devint le président des *Jeunesses Socialistes de France* (1913). Aux élections générales de 1914, battant un radical indépendant il se fit élire député dans le XVIIIᵉ arrondissement. Bien que farouche antimilitariste, il se prononça, dès que la guerre fut déclarée, pour la défense nationale et présida même le Comité patriotique de ravitaillement de Paris. Il fut l'un de ceux qui, en 1915, entrèrent en relation avec Mussolini pour l'inciter à prendre le parti des Alliés et à déclencher une campagne en faveur de l'entrée en guerre de l'Italie, alors liée à l'Allemagne et à l'Autriche, contre les Empires centraux. Il était à Strasbourg, en 1918, aux côtés de Clemenceau et de Poincaré, lorsque les troupes françaises firent leur entrée dans la ville reconquise. Nommé directeur de *L'Humanité* en 1918, il fut l'un de ceux qui firent pencher la majorité du *Parti socialiste* du côté des partisans de l'adhésion à la IIIᵉ Internationale communiste en 1920. Son attitude surprit d'autant plus que dans *L'Humanité* (24-7-1918), il avait accusé les bolcheviks de s'être mis au service de Berlin. Par la suite, Marcel Cachin fut soupçonné d'avoir poussé L.O. Frossard (1922) et Doriot (1934) à résister à Moscou et d'avoir, en même temps, négocié avec le Kremlin. Il était alors considéré comme l'un des pions les plus sûrs de l'Internationale communiste à la direction du *P.C.F.* En 1923, Cachin fut poursuivi pour complot contre la sûreté de l'Etat, mais le Sénat, réuni en Haute Cour de Justice, le relaxa. Réélu député en 1919, en 1924 et en 1928, il fut battu en 1932 par l'un de ses anciens camarades, Louis Sellier, qui avait quitté

le parti quelques années plus tôt. Grâce au *Front Populaire*, il se fit élire sénateur de la Seine à une élection partielle en 1936. Lorsque la guerre survint, en 1939, son attitude fut infiniment plus nuancée que celle des autres parlementaires demeurés fidèles à Moscou. Dans une lettre-circulaire adressée à ses collègues sénateurs, Cachin déclarait : « *Les députés communistes mobilisables, Maurice Thorez en tête, ont rejoint leurs formations. Tous obéissant au double devoir de battre le fascisme et de sauver les libertés de notre pays.* » (6-9-1939.) Il n'en fut pas moins déchu de ses fonctions de sénateur. Réfugié dans sa petite maison de Bretagne, il fut arrêté par les Allemands en 1941 — après l'entrée en guerre du Reich contre l'U.R.S.S. — Il fut incarcéré à la prison de Saint-Brieuc, puis à celle de Rennes et enfin transféré à la Santé. C'est alors qu'il écrivit au chef de la police allemande, le colonel Bœmelburg, une longue lettre manuscrite, où il expliquait qu'il était depuis toujours, un partisan du rapprochement franco-allemand, quel que soit le régime intérieur de l'Allemagne et, désavouant formellement les *attentats individuels* contre l'armée d'occupation, il demandait qu'on le remette en liberté en raison de son grand âge ; il prenait l'engagement absolu de se retirer de la politique et de se réfugier à Paimpol, sa ville natale. Peu après, il fut libéré par les Allemands (octobre 1941), et ses proches ne furent plus inquiétés jusqu'à la fin de l'occupation. Les passages les plus significatifs de cette lettre furent reproduits en fac-similé dans une affiche placardée sur les murs des villes de la France occupée en 1942 (fac-similé page 186). « *Le vieux Cachin qui, pendant des dizaines d'années, fut un militant révolutionnaire conséquent, vient de trahir pour sauver sa peau* », écrivait un collaborateur de Benoît Frachon, dans *La Vie Ouvrière* clandestine de juillet 1942. Plus tard, pour excuser le vieux militant communiste, plusieurs de ses amis, et même certains historiens, ont affirmé que l'*on avait abusé de la signature du prisonnier.* Cependant, personne n'a prétendu que le texte de la lettre reproduit dans l'affiche était faux, ni que l'on avait imité l'écriture de Marcel Cachin. Jacques Duclos, secrétaire du *Parti communiste*, a même flétri l'attitude de son compagnon dans un rapport qu'il fit au Comité central du *P.C.F.* et dont le texte a été publié en brochure sous le titre « *Les communistes dans la bataille pour la libération de la France* » : « *C'est alors (en 1941)* — a-t-il dit — *que dans nos rangs certains éléments* essayèrent de combattre théoriquement notre politique et parlèrent d' « actes » ind'v d'els ». En vérité, par lâcheté. ils reculèrent devant le combat. » Cela n'empêcha pas Cachin de reprendre, à la Libération, toutes ses activités politiques et d'être successivement : membre de l'Assemblée consultative (1944-1945), député aux deux Constituantes (1945-1946) et député à l'Assemblée nationale (1946-1958). Il fut régulièrement, mais sans succès, candidat de son parti à la présidence de l'Assemblée, dont il était le doyen d'âge. Quelques mois avant sa mort, il fut décoré de l'ordre de Lénine. Son éloge funèbre fut prononcé par André Le Troquer : « L'homme était de qualité : sa loyauté, sa probité, sa fidélité avaient fait de lui un symbole respecté. »

CADENAT (Bernard).

Homme politique (1853-1930). Ouvrier cordonnier, fonda à Marseille des groupes du Parti Ouvrier Français. Ancien maire de Marseille. Député socialiste des Bouches-du-Rhône (1898-1919 et 1924-1930).

CADIC (Joseph, Marie, Augustin).

Agriculteur, né à Noyal-Pontivy (Morbihan), le 5 septembre 1886. Député du Morbihan (1924-1932 et 1936-1942). Inscrit à l'U.R.D. Vota les pouvoirs constituants au maréchal Pétain (1940). Bien qu'arrêté par les Allemands et révoqué de ses fonctions de maire de sa ville natale, fut déclaré inéligible en 1944, mais retrouva son siège de député en 1956 (groupe des Indépendants-Paysans). Ne s'est pas représenté en 1958.

CADOT (Henri).

Mineur (1864-1947). Militant socialiste et syndicaliste, membre du Grand Orient, député du Pas-de-Calais (1914-1931, 1936-1942) et sénateur de ce département (1931-1936).

CADRAS (Félix).

Dessinateur industriel (1906-1942). Militant communiste, membre du Comité central du P.C.F. Milita dans la Résistance. Fut arrêté et fusillé par les Allemands au Mont-Valérien.

CADRES.

Les cadres d'un parti sont les militants occupant des fonctions de responsabilités dans l'appareil dudit parti et encadrant l'ensemble de ses adhérents.

CAEN 7 JOURS.

Hebdomadaire d'information fondé en 1963 par Paul Lefauconnier, directeur, et Michel Cotto, rédacteur en chef, qui en sont les propriétaires, dans le but de fournir des nouvelles locales qui ne trouvent que peu d'écho dans les grands quotidiens régionaux. Lors d'événements politiques importants ouvre ses colonnes à tous les partis. Tirage : 4 500 exemplaires (26, rue de l'Engannerie, Caen).

CAGOULARD.

Membre de l'une des organisations désignées sous le nom de Cagoule.

CAGOULE.

Nom donné par la presse à l'ensemble des mouvements et groupes clandestins créés sous le gouvernement Blum pour combattre le Régime accusé par eux de pactiser avec le communisme. La Cagoule — représentée essentiellement par le C.S.A.R. et l'O.S.A.R.N., d'Eugène Deloncle, la Spirale et l'Union Militaire Française de Loustaunau-Lacau, l'Union des Comités d'Action Défensive (U.C.A.D.) du général Duseigneur (1) — fut dénoncée par Marx Dormoy, alors ministre de l'Intérieur de Léon Blum, comme une entreprise de subversion. C'est le 18 novembre 1937 qu'il fit savoir, dans les couloirs du Palais-Bourbon, qu'un vaste complot contre la République venait d'être découvert. A vrai dire, depuis plusieurs mois déjà, tout le monde connaissait l'histoire de cette mystérieuse « Cagoule » qui s'armait clandestinement, organisait des réunions secrètes et faisait prêter de redoutables serments à ses affiliés. Dès 1936, Charles Maurras en avait parlé dans l'Action Française, et c'est à l'un de ses collaborateurs, Maurice Pujo, que ces nouveaux carbonari devaient leur surnom de « cagoulards ». Mais on n'attachait guère d'importance à ces petites conjurations que l'on qualifiait d'agitation stérile et qui, pensait-on, sombrerait dans le ridicule. La police était naturellement au courant. Elle laissait faire, gonflant son dossier de rapports que ses agents et ses indicateurs lui transmettaient et attendant pour intervenir, le moment favo-

---

(1) Il y eut bien d'autres sociétés « cagoulardes » : le Parti Révolutionnaire National et Social, fondé en mars 1936, par d'anciens camelots du roi et ligueurs dissidents ; les Chevaliers du Glaive, dont l'animateur, a-t-on dit, était le gendre d'un conseiller général radical des Alpes-Maritimes, un médecin devenu banquier ; etc.

rable. Pourquoi choisit-elle novembre 1937 pour déclencher son opération anti- « cagoule » ? Les adversaires du gouvernement affirmèrent que c'était pour détourner l'attention des premiers résultats, jugés désastreux, de la politique inaugurée en juin 1936. L'opposition nationaliste prétendit que l'on voulait ainsi achever de la réduire à l'impuissance. Les cercles officiers, de leur côté, déclarèrent que le coup de filet policier était donné à la suite des attentats de l'Etoile. Le fait est que le 17 septembre 1937, quelques jours après que de mystérieux conjurés eurent fait sauter à la bombe le siège de la *Confédération Générale du Patronat Français*, rue de Presbourg, et celui de l'*Union Patronale Interprofessionnelle*, rue Boissière, alors que les recherches paraissaient s'orienter vers les milieux anarchistes italiens, la police avait arrêté trois trafiquants d'armes : Paul Renne, Michel Harispe et Henri Place. Mais l'affaire en était restée là. On avait, certes, fait un rapprochement entre ces arrestations et le meurtre d'un fourreur niçois nommé Juif, soupçonné de trafic d'armes avec l'Italie, et la disparition mystérieuse d'un autre trafiquant, Jean Baptiste. La presse de gauche et d'extrême-gauche avait bien insinué, à cette occasion, que les instigateurs du trafic pouvaient bien être le général Duseigneur et le duc Pozzo di Borgo. Rien ne semblait devoir sortir de cette banale affaire. Et puis, brusquement, le lendemain même des déclarations de Max Dormoy, c'est-à-dire le 19 novembre, la police découvrait trois importants dépôts d'armes : chez Gaston Juchereau, gérant de pension de famille, rue de Ribéra ; chez l'antiquaire Henri Mauler, rue de Rotrou ; et chez un entrepreneur de transports, Antonin Laromiguère-Lafon, rue Jean-Beausire. Des fusils-mitrailleurs, des cartouches, des grenades (1), des postes d'émission radiophoniques clandestins étaient saisis au cours de perquisitions. Quarante-huit heures plus tard, à la suite d'une enquête à Dieppe, sept personnes étaient inculpées d'association de malfaiteurs par le parquet de la Seine ; on précisait, place Beauvau, qu'il s'agissait, en fait, d'inculpations pour complot contre la sûreté de l'Etat et pour détention d'armes de guerre. Dès lors, les arrestations

suivent à un rythme accéléré : le 21 novembre, c'est celle de Moreau de la Meuse ; le 22, celle d'Edmond Volle ; quelques jours plus tard, celle d'Eugène Deloncle, chez lequel on découvre une liste de 4 000 noms, puis celles du général Duseigneur, du journaliste musulman El Maadi, du duc Pozzo di Borgo, de beaucoup d'autres. Les perquisitions se multiplient ; quiconque est soupçonné d'entretenir des relations politiques ou des rapports d'amitié avec un « cagoulard » repéré par la police voit son domicile ou son bureau envahi par des policiers, fouillé, bouleversé de fond en comble. Plusieurs journaux sont ainsi « visités » : *Courrier Royal*, organe du comte de Paris, dont le secrétaire, Longuone, est invité à se tenir à la disposition de la justice ; *La Libre Parole*, dont l'un des rédacteurs, François de Boisjolin, est convaincu de sympathie « cagoularde », etc. Au cours de ces perquisitions, on rafle les agendas, la correspondance, les répertoires d'adresses et, bien entendu, les armes, quand on en trouve. Le 15 décembre, on découvre un véritable arsenal dans un garage, boulevard de Picpus : son propriétaire, Gaston Jeanniot est naturellement arrêté. Le 11 janvier 1938, la justice rend publiques les révélations de Jean-Pierre Locuty que la Sûreté nationale a fait arrêter, la veille, à Clermont-Ferrand. Cet ingénieur des usines Michelin, ancien communiste de tendance trotskyste, reconnaît appartenir au *C.S.A.R.* et avoir participé aux attentats de la rue Boissière et de la rue de Presbourg. Il donne les noms de ceux qu'il désigne comme ses complices : Méténier, Moreau de la Meuse, Macon. Il nomme aussi ceux avec lesquels il milite à Clermont-Ferrand : Henri Vogel et Gustave Vauclard, ingénieurs également chez Michelin. « *Je n'ai été*, conclut-il, *qu'un instrument entre les mains du C.S.A.R.* » Le 13 janvier, nouveau coup de théâtre : la police arrête ceux qu'elle présente comme les meurtriers des frères Rosseli, trouvés assassinés aux environs de Bagnoles-de-l'Orne, le 11 juin 1937. Ce sont des membres du *C.S.A.R.* Dès lors, tous les meurtres demeurés impunis sont mis au compte du *C.S.A.R.*, entre autres ceux de Navachine, l'économiste russe émigré fort lié avec la *Grande Loge de France*, et de Laetitia Toureaux. Le ministre de l'Intérieur va même jusqu'à affirmer que l'émeute de Clichy, un certain soir de 1936, est l'œuvre du *C.S.A.R.* Quelle est donc cette mystérieuse association mise ainsi en accusation ? Le sigle *C.S.A.R.* désigne l'un des groupements secrets, le plus actif semble-t-il, qui pullulaient en

---

(1) La *cagoule* avait exploité des souterrains de Paris rive gauche où elle avait entreposé des armes, en particulier d'origine italienne (Beretta). Les conjurés tenaient des réunions sous le palais du Luxembourg. Une partie des armes récupérées, grâce à Darnand et à Filhol, servit à l'armement de la franc-garde de la *Milice Française*.

Quelques personnalités compromises dans le "Complot de la Cagoule"

ARRETES :

Michel HARISPE, ingénieur ;
Paul RENNE, représentant de commerce ;
Fernand JAKUBIEZ, dessinateur ;
Louis MALICONNE, employé de la Compagnie des Eaux ;
René ANCEAUX, entrepreneur de couverture ;
Robert de LA MOTTE SAINT-PIERRE ;
Gaston JUCHEREAU, gérant de pension de famille ;
Henri MAULER, antiquaire ;
Antonin LAROMIGUERE-LAFON, entrepreneur de transports ;
Jean-Dominique MOREAU DE LA MEUSE, administrateur de sociétés ;
Edmond VOLLE, entrepreneur ;
Henri DELONCLE, dit GROSSET, bijoutier ;
Eugène DELONCLE, ingénieur, administrateur de sociétés ;
Général aviateur en retraite DUSEIGNEUR ;
Mohammed EL MAADI, publiciste ;
Hubert PASTRE ;
Pierre PARENT, architecte ;
Duc POZZO di BORGO ;
Vicomte Guy de DOUVILLE-MAILLEFEU ;
André TENAILLE ;
Charles TENAILLE ;
Rémy DURIEUX, conducteur de travaux ;
Gaston JEANNIOT, garagiste ;
Jean FAUTRE, concierge ;
François METENIER, industriel ;
Pierre PROUST, vice-président du Comité du marché du blé à la Bourse de commerce ;
Jacques PERCHERON, secrétaire ;
Pierre LOCUTY, ingénieur ;
Henri VOGEL, ingénieur ;

Gustave VAUCLARD, ingénieur ;
Andrée BAUGIER, domestique ;
Jacques FAURAN ;
Soldat Jean BOUVYER ;
Robert PUIREUX, de Fieuves, antiquaire ;
Paul BILLECOQ, magasinier ;
Léopold SAUVAGE, mécanicien ;
Armand HASENFUSS, concierge ;
René CREIET, entrepreneur ;
Benoît SAPIN ;
René DALET, agent d'assurances ;
Jean BOIROT, chauffeur ;
Antoine FUSTIER, électricien ;
Jean VEDRINES, entrepreneur ;
Jean MARRON, dessinateur ;
Maurice VALLET, chauffeur ;
Paul DALET, agent d'assurances ;
VAN de KERVOCHE, ingénieur ;
Gilbert DESMOULINS, chapelier ;
Jean ROUEL, caoutchoutier ;
Georges VORNADE, directeur d'usines ;
Victor CHAUCHE, ingénieur ;
Michel VALERY, confiseur ;
Louis MARMINAT, électricien ;
(Ces quatorze derniers à Clermont-Ferrand.)
Jacques de BERNONVILLE ;
Michel BERNOLLIN ;
Jacques-Henri BENOIT, lieutenant-colonel de réserve ;
Georges CACHIER, lieutenant-colonel de réserve ;
Robert de JURQUET DE LA SALLE, administrateur de sociétés à Paris ;
Docteur Jean FARAUT, de Nice ;
Joseph DARNAND, de Nice ;

EN LIBERTE PROVISOIRE :

Henri PLACE, ingénieur ;
Mlle Suzanne MAULER, antiquaire ;
Joseph LEMARESQUIER, administrateur de sociétés ;
Antoine MANEBY, comptable ;
Joseph VASSELIN, ouvrier plombier ;
Amar HAMOUNI, agent commercial ;
Kaddour FACI, cultivateur ;

Raymond CHERON, sergent aviateur ;
Gabriel VOLPI, entrepreneur ;
Roger MANDEREAU, dessinateur ;
Théophile BORLOT ;
Jean THUEL-CHASSAGNE, caoutchoutier ;
HABRIAL ;
Gaston MATHIEU, cantonnier ;
(Ces six derniers à Clermont-Ferrand.)

EN FUITE :

Jacques CORREZE, employé de commerce ;
Gabriel JEANTET, représentant de commerce ;
Aristide CORRE, homme de lettres ;
Jean FILLIOL, représentant ;

Alfred, dit Léon MACON, mécanicien ;
Mme MACON, née Madeleine BELVAL ;
Louis HUGUET, boxeur ;
Henri ROIDOT, ingénieur ;
Docteur Henri MARTIN ;

et quelques autres...

France depuis que Léon Blum avait été porté au pouvoir par la coalition des partis de gauche et du *Parti communiste*. Dans sa déclaration du 23 novembre 1937, Marx Dormoy, ministre de l'Intérieur, en avait révélé l'existence en ces termes : « *La perquisition opérée au siège de la* Caisse hypothécaire maritime et fluviale, 78, rue de Provence, *dont l'administrateur-délégué est M. Deloncle, ingénieur-conseil aux* Chantiers de Penhoët, *a établi qu'on se trouve en face d'une organisation secrète, para-militaire, entièrement calquée sur les services de l'armée. Elle comprend un état-major, un premier, deuxième, troisième et quatrième bureau et un service sanitaire. La répartition des effectifs en divisions, brigades, régiments, bataillons, etc., montre le caractère indiscutable de guerre civile de cette organisation.*

« *Les documents saisis établissent que les coupables s'étaient assigné pour but de substituer à la forme républicaine, que notre pays s'est librement donnée, un régime de dictature devant précéder la restauration de la monarchie.* » Comment les organisations nationales si florissantes au lendemain du 6 février 1934, dont les défilés et les manifestations au grand jour confirmaient la puissance, en étaient-elles arrivées à fomenter de tels « complots » ? Un journaliste de droite, Simon Arbellot, l'expliquait dans *Le Document* du 15 février 1938 :

« *L'épanouissement extraordinaire des ligues, au lendemain du 6 février n'eut d'égal que le désarroi dans lequel les ligueurs se trouvèrent au lendemain de la dissolution (juin 1936). Convaincus qu'une injustice profonde avait été commise à leur endroit, mais peu enclins à résister en face d'un gouvernement unanime, ceux que la presse de front populaire nommait sans nulle distinction les « fascistes » tentèrent de se regrouper dans la légalité. Réunions interdites, poursuites, menaces, perquisitions, rien ne fut épargné à ce que les vainqueurs des élections appellent dédaigneusement, et à tort, la minorité. Les ligues devenues partis, tels les Croix de Feu transformés en Parti social français, n'offrirent plus à une jeunesse ardente et promise à l'action que la perspective de manœuvres électorales. Des discordes survenues dans les états-majors, l'impatience des militants, les inévitables déceptions hâtèrent la scission. Les désordres sociaux, les rodomontades des communistes, la faiblesse des gouvernements firent le reste. On n'a pas oublié l'audace des partis du désordre, les défilés de drapeaux rouges en plein Paris, les occupations d'usines et ces grèves organi-*sées *et multipliées qui marquèrent, en France, l'avènement du Front populaire. La guerre civile en Espagne, avec ses horreurs, acheva de jeter le trouble dans des esprits déjà inquiets et auxquels, des années durant, on n'avait parlé que d' « heure H », de « sport » et de coups de force. Notons, en passant, que le même phénomène se produisit dans les partis de gauche. Et aussi la crainte du fascisme et la crainte du communisme exploitées jusqu'à l'obsession dressèrent entre les Français un mur de haine et de méfiance. Il est indéniable que c'est la crainte de la révolution, de « putsch », a-t-on dit souvent, qui décida les patriotes à s'organiser.* »

La guerre et la défaite mirent fin, pour un temps, aux recherches de la police et aux poursuites judiciaires. Pendant la guerre, les « cagoulards », fort divisés, appartinrent aux divers camps : tandis que Deloncle, Corrèze, Schueller animaient le *M.S.R.*, leurs anciens compagnons de lutte Passy, Corvisart, Bienvenue étaient auprès du général De Gaulle à Londres, Loustaunau-Lacau, le Docteur Henri Martin, le duc Pozzo di Borgo, Marie-Madeleine Fourcade (alors Mme Méric) militaient dans la Résistance, Gabriel Jeantet et Méténier appartenaient au cabinet du maréchal Pétain, et beaucoup d'autres se réfugiaient dans l'attentisme.

(Voir : *Comité Secret d'Action Révolutionnaire, Mouvement Social-Révolutionnaire, Spirale, Union des Comités d'Action Défensive.*)

CAHEN-SALVADOR (Gilbert).

Administrateur de sociétés, né à Paris, le 5 octobre 1911. Vice-président honoraire du Conseil d'Etat. Ancien directeur de *France-Illustration*, administrateur général de *Publicis*, gérant de la société *Drugstore des Champs-Elysées*, administrateur de *Métrobus Publicité*, de la *Pierre synthétique Baïkowski et Cie*.

CAHIERS CHARLES MAURRAS.

Publication trimestrielle, fondée en avril 1960 par Georges Calzant, ayant pour objet de diffuser et de défendre la pensée de Charles Maurras. Les *Cahiers* ne sont pas un organe de polémique et n'ont pas la charge de commenter les événements quotidiens. Œuvre de documentation, ils sont tout d'abord destinés à faire mieux connaître *l'Action Française*, sa doctrine et ses maîtres. Ils publient, en outre, à raison de deux fascicules par an, le supplément au « *Dictionnaire Politique et Critique* » de

Charles Maurras, composé d'extraits de l'œuvre du doctrinaire nationaliste. Georges Le Bourgeois, ancien gérant d'*Ecclesia*, la revue catholique, est le directeur-gérant des *Cahiers Charles Maurras*.

CAHIERS DE LA CITE (Les).

Revue d'opposition dirigée après la Libération par Emmanuel Beau de Loménie.

CAHIERS DU COMMUNISME (Les).

Revue théorique et politique mensuelle du comité central du *Parti Communiste Français*, fondée en 1923 sous le nom de *Cahiers du Bolchevisme*. Directeur, Roger Garaudy ; comité de rédaction, Oswald Calvetti, Henri Chauveau, Henri Claude, Georges Cogniot, Jacques Denis, Léo Figuères, Jean Houdremont, Victor Joannès, Lucien Lanternier, Lucien Mathey, Gilbert Mury, Georges Thévenin, Fernande Valignat, André Vieuguet (44, rue Le Peletier, Paris 9e).

CAHIERS DE LA DEMOCRATIE (Les).

Revue mensuelle publiée par Georges Hoog avant la guerre.

CAHIERS DES DROITS DE L'HOMME (Les).

Revue officielle de la *Ligue des Droits de l'Homme*. Fort répandue avant la guerre, est devenue depuis quelques années un bulletin quasi-confidentiel (27, rue Jean-Dolent, Paris XIVe).

CAHIERS FRANCO-ALLEMANDS.

Revue du *Comité France-Allemagne* d'avant-guerre à laquelle ont collaboré plus ou moins régulièrement : Henri Pichot, président d'association d'anciens combattants, Alphonse de Chateaubriant, François Pietri, Georges Scapini, Henri Malherbe, Georges Blond, H. Lichtenberger, Martial-Piéchaud, André Castelot, Léon Bancal, Drieu La Rochelle, Georges Duhamel, Paul Morand, Fernand de Brinon, Armand Massard, Benoist-Méchin, Léon Baréty, etc.

CAHIERS INTERNATIONAUX.

Revue mensuelle marxiste disparue il y a quelques années, dirigée par Jean Duret, J.-M. Hermann et Robert Fuzier. Son comité de patronage comprend notamment : Alain Le Leap, ex-secrétaire général de la *C.G.T.*, Robert Kiefe et Pierre Stibbe, avocats, Jean Bruhat, professeur, et Jean Zyromski, ancien dirigeant de la *S.F.I.O.*

CAHIERS DE L'ORDRE (Les).

Revue mensuelle (1926-1934) publiée par l'abbé Duperron, avec (au début) le concours de Paul Darcy. Spécialisée dans la lutte contre la Franc-Maçonnerie.

CAHIERS PENSEE ET ACTION.

Revue libertaire, sans périodicité régulière, paraissant sous la direction d'Hem Day (de Bruxelles) et de Bernard Salmon (110, rue Lepic, Paris XVIIIe).

CAHIERS DE LA REPUBLIQUE (Les) (voir : Le Courrier de la République).

CAHIERS UNIVERSITAIRES (voir : Fédération des Etudiants nationalistes).

CAILL (Antoine).

Clerc de notaire, né à Plouzévédé (Finistère), le 7 février 1923. Premier clerc de notaire. Greffier du tribunal d'instance de Brest. Maire de Plouzévédé (23 mars 1959). Député *U.N.R.* du Finistère (5e circ.) depuis 1962.

CAILLAUX (Joseph).

Homme politique, né au Mans en 1863, mort à Paris en 1944. Fils d'un grand bourgeois, ancien ministre de la République conservatrice du temps de MacMahon, Alexandre Caillaux (1822-1896), il fut député progressiste, puis radical de la Sarthe de 1898 à 1919, et sénateur du même département de 1925 à 1944. Il présida quelque temps le *Parti Radical-Socialiste,* fut plusieurs fois ministre et une fois président du Conseil. L'affaire d'Agadir (1911) fit de lui l'ennemi numéro 1 des droites. A tel point que sa réputation de « germanophile », ajoutée à la haine accumulée sur sa tête par l'affaire Calmette — sa femme avait tué le fameux journaliste dans son bureau du *Figaro* — faillit lui être fatale. Ses amis lui évitèrent le pire, mais il n'en fut pas moins condamné pour « *correspondance avec l'ennemi* » par la Haute Cour après la guerre. Il ne revint à la politique qu'une fois votée l'amnistie de 1924. Il fut alors réélu sénateur de la Sarthe (1925), au siège laissé vacant par son ami Gigon, démissionnaire à son profit. Sa réhabilitation fut complète lorsqu'il redevint ministre des Finances (cabinets Painlevé et Briand), puis président de la commission des Finances du Sénat. Après avoir voté à Vichy les pleins pouvoirs au maréchal Pétain, il se retira définitivement à Mamers où il s'éteignit quatre ans plus tard. Cet ancien inspecteur des Finances avait été l'introducteur en France de l'impôt sur le revenu et, bien qu'il l'eût répudiée plus tard, cette innovation demeure attachée à son nom en même temps qu'une certaine forme de rapprochement franco-allemand qu'il n'avait cessé de préconiser pendant trente-cinq ans. Il a laissé des « Mémoires » ainsi que des ouvrages sur les impôts et les finances.

CAILLE (René).

Employé, né à Lyon (Rhône), le 2 novembre 1925. Chef de section (industrie privée). Membre de l'U.D.T. (1960). Elu député du Rhône (1re circ.), le 25 novembre 1962. Secrétaire général adjoint de l'U.N.R.-U.D.T. (janvier 1963).

CAILLEMER (Henri).

Homme de lettres, né à Grenoble (Isère), le 16 novembre 1907. Fils d'un professeur de droit. Rédacteur à Rivarol sous le pseudonyme de Charles Mauban (1951-1957) ; fut également le collaborateur de La Revue des Deux Mondes, La Revue Universelle, la Nouvelle Revue Française, La Nef, etc. Membre du Comité de rédaction de La Revue du Bas-Poitou, maire du Givre (depuis 1953), conseiller général du canton des Moutiers-les-Mauxfaits (1956-1964) et député indépendant de la Vendée (1958-1962). Nommé en 1963, conseiller culturel auprès de l'ambassade de France en Afghanistan. Auteur de : « Les Feux du matin », « Le beau Navire », « Le Chemin du silence », « Condition de la Poésie », « Le Pain des larmes ».

CALMEJANE (Robert).

Militant politique, né à Paris, le 19 mai 1929. Ancien employé aux usines Simca. Conseiller municipal de Romainville. Secrétaire de la fédération du 6e secteur et membre du Comité directeur national des Républicains Sociaux. Secrétaire général adjoint des Comités ouvriers (gaullistes). Député U.N.R. de la Seine (43e circ.) de 1958 à 1967. Fut l'un des animateurs de l'Union Civique pour le Référendum en 1958.

CALMEL (Armand).

Avocat (1871-1959). Haut dignitaire du Grand Orient (33e), où il fut initié le 22 octobre 1901. Président de la Jeunesse Républicaine de la Gironde (1894), de la Fédération Girondine du Parti Républicain Démocratique et Social (1923), sénateur de la Gironde (1924-1941). Vota pour le maréchal Pétain en juillet 1940. Se retira ensuite de la politique.

CALOTTE (La).

Journal anticlérical fondé par André Lorulot en 1929 et publié, depuis sa mort, par la Société des Amis d'André Lorulot, sous la direction de l'ex-abbé H. Perrodo-Le Moyne. (Administration : Mme L. Theynard, 12, rue Taylor, Paris Xe).

CALZANT (Georges).

Avocat et journaliste (1897-1962). Fils d'instituteurs républicains patriotes, engagé volontaire à dix-neuf ans, il fit ses études à la Faculté de Droit de Paris et à l'Ecole des sciences politiques. Il prit part à toutes les bagarres des Etudiants d'Action française, dont il fut l'animateur. Devenu avocat, il poursuivit son action politique auprès de Maurras et de Daudet et dirigea les Camelots du Roi parisiens, jusqu'à la guerre de 1939. Pendant l'occupation, il demeura au côté de Maurras et de Pujo à Lyon et connut quelques difficultés avec les épurateurs à la Libération. Résolu à poursuivre l'œuvre de Maurras emprisonné, il regroupa, après la guerre, les éléments épars du mouvement royaliste, autour d'Aspects de la France et au sein de La Restauration nationale qu'il dirigea jusqu'à sa mort.

CAMARADE.

Terme usuel employé entre membres de certains partis, surtout marxistes, où le tutoiement est aussi de rigueur.

CAMELINAT (Zéphirin).

Ouvrier, né à Mailly-la-Ville (Yonne), le 14 septembre 1840, mort à Paris, le 5 mars 1932. D'abord viticulteur et manœuvre, puis ouvrier monteur sur bronze, prit part à la lutte révolutionnaire sous l'Empire et fut l'un des signataires du manifeste de Proudhon en 1864. Ayant adhéré à la 1re Internationale et poursuivi de ce chef, fut condamné à trois mois de prison. Participa en 1871 à la Commune de Paris et fut chargé alors de la direction de la Monnaie. Condamné à la déportation par contumace, vécut en Angleterre jsqu'en 1880. Revenu en France, reprit aussitôt son action politique, fut élu député socialiste de la Seine (1885-1889) et devint le trésorier de la S.F.I.O. En 1920, rallia la IIIe Internationale et était alors membre du conseil d'administration de *L'Humanité* : son intervention fut décisive et permit aux communistes de s'emparer de *l'Humanité*.

CAMELLE (Calixte, Georges).

Industriel (1863-1923). Fils d'un tailleur de pierre bordelais établi à Bressuire (Deux-Sèvres). Succéda à son oncle à la tête de la firme Camelle (commerce de bières, à La Bastide, près de Bordeaux). D'abord radical (et maçon), rallia le socialisme et devint l'un des chefs de file du *Parti Ouvrier Français* dans le Bordelais. Conseiller d'arrondissement, puis conseiller général de la Gironde, fut l'un des inspirateurs du *pacte de Bordeaux* qui réunissait des radicaux, des socialistes, des libéraux et des royalistes afin d'obtenir une juste répartition des secours scolaires. Député de la Gironde de 1910 à 1919, dirigea jusqu'à sa mort le journal socialiste bordelais *Le Cri populaire*.

CAMELOTS DU ROI (voir Action Française).

CAMP DE CONCENTRATION.

Selon le *Larousse illustré* : « lieu où sont internés, en temps de guerre, les ressortissants civils de pays ennemis ou des détenus politiques. » Depuis le début du siècle, les *camps de concentration* se sont multipliés dans le monde. Les camps britanniques en Afrique du Sud, où l'on parqua jadis les insurgés boers des deux sexes ont laissé un très mauvais souvenir. Le presse française les dénonça avec vigueur il y a soixante-cinq ans. Les camps soviétiques, dont on ne parle plus guère, ont eu une triste célébrité en 1920-1937 ; dans son reportage fameux sur la Russie paru dans la revue *Delo*, de Belgrade, le professeur yougoslave Mihajlov a donné des détails horribles sur ces camps de concentration soviétiques (cf. « *Les camps de la mort dont on ne parle plus* », par Mihajlo Mihajlov, publié dans *Lectures Françaises*, juillet 1965). Les camps hitlériens d'Allemagne, de Pologne, de Tchécoslovaquie et de France sont mieux connus chez nous, en raison de l'abondante littérature qui leur a été consacrée et qui a décrit les cruautés que subirent ceux

et celles qui y furent internés. Il y eu également des camps de concentration en France, au début de la guerre, où furent internés les suspects communistes et pacifistes, puis après la Libération ceux de Mauzac, Saint-Sulpice-la-Pointe Carrère, etc., réservés aux pétainistes e aux collaborationnistes, et enfin, au moment de la guerre d'Algérie, les camps dits « *d'internement administratifs* » d Thol et de Saint-Maurice-l'Ardoise, qu « abritèrent » des militants de l'opposition arbitrairement arrêtés. *L'Univers concentrationnaire* évoquée par David Rousset paraît bien être le mal du siècle.

CAMP SOCIALISTE.

Désigne, dans la terminologie communiste, les Etats se trouvant dans la sphère d'influence soviétique ou chinoise (Républiques populaires).

CAMPAGNE.

La *campagne* électorale est une entreprise politique de durée déterminée, qui précède le tour du scrutin et au cours de laquelle les candidats tentent d'attirer à eux les électeurs en les convainquant de la justesse de leurs arguments, de la valeur de leur programme et de leur compétence. Le meeting, la petite réunion, le journal, l'affiche, le tract sont les moyens utilisés habituellement dans la *campagne* électorale. La *campagne politique*, menée avec des moyens analogues, est une entreprise conduite par un parti, une association ou une personnalité en dehors d'une période électorale et tendant à attirer l'attention du public sur son organisateur. La *campagne de presse* est une offensive déclenchée contre un gouvernement, un parti, un journal, une personnalité ou à propos d'un événement quelconque par un ou plusieurs organes de presse.

CAMPARGUE (Paul, Jean, Louis).

Directeur de journal, né à Marseille, le 21 septembre 1903. Fils d'un percepteur de Marseille. Milita très jeune au sein du mouvement socialiste tout en faisant du journalisme. Animateur du journal *Combat* (S.F.I.O., 1933). Dirigea avant la guerre *La Parole Libre T.S.F.* (1928-1933) et fut rédacteur en chef de *Mon Programme* (1934-1935). Elu député S.F.I.O. de ce département en 1936. S'abstint volontairement de voter le 10 juillet 1940 à Vichy. Dirigea, après la Libération, le quotidien *Le Pays* (1945-1948), puis, après fusion, *Ce Matin-Le Pays* (1948-1953) et lorsque le journal fut absorbé par *L'Aurore* devint directeur adjoint de cette dernière (1953-1960).

Principal animateur du groupe de presse Ventillard, dirigea *La Presse* et préside la *Société des Imprimeries Lamartine* (depuis 1957) ainsi que les messageries de journaux et publications *Transports-Presse.*

CAMPINCHI (César).

Avocat (1882-1941). Gendre du sénateur Landry, ministre de la IIIe République. Au Quartier latin, milita dans les milieux royalistes. « Il aimait à dire : — L'Action Française, il faut l'avoir traversée... » (Cf. *Cahiers Charles Maurras*, n° 7, fév. 1963.) Rédacteur au *Gil Blas*, à l'*Evénement* et au *Temps* avant 1914. Député radical de la Corse (1932-1941), ministre de la Marine (1937-1938), de la Justice (1938), de la Marine militaire (1938-1940). Lorsque les Allemands eurent enfoncé le front et que l'armistice parut inévitable, s'embarqua avec d'autres parlementaires, à bord du *Massilia* (juin 1940) et fut arrêté à son débarquement au Maroc, puis relâché. Mourut dans une clinique de Marseille l'année suivante.

CAMUS (Albert).

Homme de lettres (1913-1960). Né à Mondovi, en Algérie, au sein d'une famille pauvre (père tué à la bataille de la Marne ; mère d'origine espagnole). Prépara sa licence de philosophie en travaillant comme employé chez un courtier maritime, puis à la préfecture. Se maria, une première fois à vingt ans et divorça deux ans plus tard. S'inscrivit au *Parti communiste* en 1935 et démissionna l'année suivante. Lors de la guerre civile espagnole, dirigea une troupe théâtrale, *L'Equipe*, qui présenta sa première pièce, « *Révolte dans les Asturies* » et qui monta, par la suite, « *Le paquebot Tenacity* », de Vildroc, « *Les Frères Karamazov* », où il tenait le rôle d'Ivan, ainsi qu'une pièce d'Eschyle, « *Prométhée* », traduite par lui. En 1938, il fit ses débuts dans la presse à *Alger Républicain,* journal du Front populaire, puis s'installa en France et collabora à *Paris-Soir.* Sous l'occupation allemande, le militant antifasciste qu'il était participa à la création du mouvement clandestin *Combat*, qui se transforma, à la Libération, en journal quotidien. Il rédigea alors les éditoriaux de ce journal et leur donna ce style qui devait attirer un public d'intellectuels de gauche. Son roman « *La Peste* », qui reçut le *Prix des Critiques* en 1947, lui assura une grande notoriété dans le monde littéraire. Ayant abandonné le journalisme quotidien depuis trois ans,

mais soucieux de répandre ses idées, il participa à la fondation d'un *Comité d'aide aux victimes des Etats totalitaires* ainsi que du *Rassemblement Démocratique Révolutionnaire* et collabora à divers journaux de gauche, notamment à *L'Express.* La guerre d'Algérie le sépara de ses amis politiques : pied-noir, il ne pouvait abandonner sa mère, l'Algérie, même, disait-il, si elle à tort. Auteur de : « *L'Envers et l'Endroit* » (1937), « *Noces* » (1938), « *L'Etranger* » (1941), « *Le mythe de Sisyphe* » (1942), « *L'Etat de siège* » (1944), « *Lettres à un ami allemand* » (1945), « *La Peste* » (1947), « *Les Justes* » (1950), « *L'homme révolté* » (1951), « *L'Eté* », « *La Peine capitale* » (en collaboration avec Arthur Kœstler, Paris 1957), « *Actuelles* » (1950-1958), « *Carnets* » (1962-1964). Collaborations principales (outre celles déjà mentionnées) : *Soir - Républicain,* *Les Temps Modernes, La Table Ronde, Les Cahiers de la Pléiade.* Son œuvre littéraire et politique se résume dans cette phrase de son « *Mythe de Sisyphe* » : « *Je tire de l'absurde trois conséquences : une révolte, une liberté et une passion.* »

CAMUS (Paul, Charles, Henri).

Journaliste, né à Batna (Algérie), le 16 mai 1897. Ingénieur de l'Ecole centrale des arts et manufactures. Militant nationaliste, entré dans la presse en 1923, fut journaliste parlementaire de 1929 à 1939, puis secrétaire de rédaction et rédacteur en chef adjoint à la Radio-diffusion-Télévision (1944-1962). Président-fondateur du *Cercle de Presse Richelieu* pour la défense de la langue française dans la presse, assure le secrétariat de l'association *Défense de la langue française.* Est, en outre, membre de l'*Association de la Presse monarchique et catholique,* de l'*Association syndicale des journalistes parlementaires,* et de l'*Association des secrétaires de rédaction.* » Obtint en 1957 le Prix Nobel de Littérature.

CANARD ENCHAINE (Le).

Présentant cet hebdomadaire satirique dans « *La Presse d'opinion* » (N° spécial de *L'Echo de la Presse,* 1958), Alcibiade « *Pour ces gens de droite — et en cela* (Pierre-Antoine Cousteau) écrivait : *ils montrent une « bêtise » qui donne raison à M. Mollet —* Le Canard Enchaîné *n'est qu'une amusette, un divertissement pas toujours très drôle dont les calembours et les rabâchages ne tirent pas à conséquence. En réalité,* Le Canard Enchaîné *est, de très loin le journal*

français qui, depuis l'autre guerre, a exercé sur la politique de ce pays l'influence la plus profonde et la plus durable, qui a fait ou défait le plus de réputations. C'est que la formule du Canard Enchaîné est admirablement adoptée au tempérament français, c'est quelle correspond à un besoin, à une tournure d'esprit, à un état d'âme qui sont sans équivalents au-delà de nos frontières. »
Le Canard Enchaîné fut créé par Maurice Maréchal en 1916. Raymond Manevy a dit que son fondateur n'avait que 10 000 francs-or en caisse pour le lancement du journal. Le succès rapide permit, sans doute, à Maréchal de doubler le cap difficile des premiers mois. Le dessinateur H.-P. Gassier, Georges de La Fouchardière, qui collaborait à *L'Œuvre* — il signait Mowgli dans *L'Œuvre* hebdomadaire, alors farouchement nationaliste et antisémite —, Victor Snell, Rodolphe Bringer composaient l'équipe du début. Plus tard, Pierre Scize, André Guérin, Jean Galtier-Boissière, Henri Jeanson, Pierre Benard, Roger Salardenne, Jules Rivet, Henri Guilac, Jean Effel, Jean Pruvost, Châtelain-Tailhade, Alexandre Breffort, Michel Duran, Henri Monnier, et bien d'autres journalistes et dessinateurs de talent, pas tous marxistes, mais tous de gauche, apportèrent leur collaboration à ce phénomène du non-conformisme. Aujourd'hui, sous la direction de la veuve du fondateur, l'équipe rédactionnelle, guidée par Tréno (Ernest Raynaud), ancien rédacteur en chef de *Franc-Tireur*, comprend : Jean-Paul Grousset, Pol Ferjac, Moisan, Morvan Lebesque, Gabriel Macé, F. Lap, André Ribaud, Jérôme Lefèvre, Pierre Laroche, etc. Dans ses *« Mémoires »* (t. III, p. 114), le général De Gaulle classe *Le Canard Enchaîné* parmi les journaux communistes. Cette erreur fut relevée par la rédaction du journal, qui exigea des éditions Plon *« une prompte rectification »* (4 novembre 1959). Au siège de Plon, R. Tréno, rédacteur en chef prit connaissance d'une lettre du Général à son éditeur, annonçant qu'il rectifierait volontiers son texte lors d'une prochaine édition. Tréno fit remarquer que, dans son gouvernement provisoire, *« De Gaulle avait plus de communistes qu'il n'y en eut jamais au Canard »*. Tirage : 170 000 ex. (2, rue des Petits-Pères, Paris 2e).

CANCE (René).

Membre de l'enseignement, né à Laroquebrou (Cantal), le 29 avril 1895. Instituteur retraité. Ancien conseiller général du 3e canton du Havre (1937-1958). Maire du Havre. Membre des deux assemblées constituantes (1945-1946). Député communiste de la Seine-Maritime (2e circ.) depuis 1946. Membre de la Commission centrale de contrôle financier du *P.C.F.* Fit l'objet de sévères critiques il y a quelques lustres par *L'Au-*

rore, *Ce Matin-Le Pays* et *L'Echo de Normandie.* Ayant reproduit des extraits du livre de M. Jean Vallin : « *Sans patrie ni frontière* », où les époux Cance étaient sérieusement malmenés, ces journaux ont été condamnés par le tribunal correctionnel du Havre à des amendes et à des dommages-intérêts.

CANDACE (Gratien).

Journaliste (1873-1953). Originaire de la Guadeloupe, qu'il représenta à la Chambre des Députés de 1912 à 1942. D'abord membre de l'enseignement. Franc-maçon (initié le 2 juillet 1900 à la loge *Les Elus d'Orient,* de Basse-Terre), et socialiste modéré, collabora à *La Dépêche* de Toulouse, *L'Homme libre,* dirigea *La Justice,* fonda (avec Henry Bérenger) *Colonies et Marine,* fut sous-secrétaire d'Etat aux Colonies (1932-1933) et membre du Conseil National du maréchal Pétain pour lequel il avait voté à Vichy, le 10 juillet 1940. Auteur de : « *La Marine marchande française et son importance dans la vie nationale* » (1910).

CANDIDAT.

Personne qui postule une fonction soumise à l'élection.

CANDIDATURE.

Etat ou action du candidat. La *candidature officielle* est celle qui est patronnée par le gouvernement. Sous le Second Empire, certains candidats bénéficiaient de l'appui officiel du Régime. Sous la Ve République, outre les candidats de l'U.N.R.-U.D.T., le parti officiel du gaullisme, de nombreux candidats ont bénéficié de l'investiture officieuse du général De Gaulle par le truchement de l'*Association pour la Ve République* (élections législatives de novembre 1962). Au début de la IIIe République, les *candidatures multiples* permettaient à un même candidat de se présenter dans plusieurs circonscriptions en même temps, ce qui multipliait ses chances de succès. Le 17 juillet 1889, une loi interdit les *candidatures multiples* pour mettre obstacle aux tentatives plébiscitaires du général Boulanger.

CANDIDE.

Hebdomadaire fondé en 1923 par l'éditeur Fayard. Politique et littéraire de droite, favorable aux idées défendues par les partis nationaux, en particulier par *L'Action Française,* a disparu à la Libération. Un nouveau journal, de tendance gaulliste, paraît aujourd'hui sous le nom de *Nouveau CANDIDE* (le mot « nouveau » étant composé en petits caractères), mais il est loin d'atteindre les centaines de milliers de lecteurs de son aîné, auquel collaboraient les meilleurs écrivains et journalistes nationaux de l'entre-deux-guerres.

CANTAL INDEPENDANT (Le).

Quotidien fondé le 11 août 1944 par le C.D.L. d'Aurillac, sous le nom de *Cantal libre.* Absorbé il y a une dizaine d'années par *Centre-Presse* (groupe Hersant).

CAPELLE (Omer).

Agriculteur, né à Morbecque (Nord), le 25 juillet 1891, mort à Villers-Faucon (Somme), le 26 mai 1966. Sénateur de la Somme, il siégeait au palais du Luxembourg depuis le 7 novembre 1948 et avait été vice-président du *Centre républicain d'action rurale et sociale,* auquel il adhérait toujours.

CAPITAL (Le).

Journal politique, économique et financier fondé en 1913 par Jules Perquel. Eut entre les deux guerres une brillante collaboration : hommes politiques, économistes, journalistes renommés. Depuis la guerre, est édité par une société créée en 1947 par Roland Carrier, Henri Fournet, J.-P. Peyraud et René Paincon. Les deux premiers assurent la direction du journal.

CAPITALISME.

Ce terme, que le *Littré* ignore et que le *Larousse du* xxe *siècle* qualifie de néologisme, mais que l'on trouve au xixe siècle chez Proudhon, chez Marx et chez Drumont, désigne indistinctement la puissance des capitaux, celle de ceux qui les détiennent, ou l'ensemble des capitalistes. Dans ce dernier cas, on dit aussi le *grand capital.* Le professeur Piettre souligne que le capitalisme est d'abord « *un esprit, une mentalité, un ensemble de mœurs, qui accordent délibérément la primauté aux valeurs d'argent* ». (André Piettre, « *Cours d'Economie Politique Générale* », Paris 1966.) Le sociologue allemand Max Weber a montré, écrit André Piettre, l'un des premiers l'influence considérable que la Réforme a exercé sur l'essor du capitalisme : systématisant sa thèse, on a dit que *Puritanisme = Capitalisme.* « *D'une façon générale, le protestantisme réhabilite, contre le mysticisme du Moyen-âge,* la vie matérielle. Dans le même sens, une certaine lecture de la Bible incitait à voir, dans la prospérité matérielle, un signe de bénédiction céleste. Aussi bien, dès cette époque, les pays protestants s'ouvrent-ils largement aux Israélites. » (Ibid.) Ce qui explique que les capitales des pays protestants soient devenues celles du grand capitalisme : Genève, Bâle, Amsterdam, Londres, New York. Au sens politique, le capitalisme est un système, un régime, voire une idéologie. Pour les uns, il représente l'exploitation de l'homme par l'homme (Karl Marx) ; pour les autres, explique le professeur F. Perroux, il signifie progrès et croissance économiques : le progrès économique se manifeste dans et par l'inégalité et le capitalisme conduit à une production de masse, pour les masses, elle-même liée à une politique de hauts salaires. D'abord exclusivement commercial et financier, le capitalisme, dont l'essor se confond avec celui de la bourgeoisie (voir à ce mot), est devenu, au cours du XIXᵉ siècle et surtout du XXᵉ siècle, également industriel. Le prolétariat est né de son développement dû à la fois aux découvertes et aux inventions du siècle dernier ainsi qu'aux facteurs politiques (l'unité nationale et, plus tard, les accords en vue de réaliser l'unité européenne). Sur le plan religieux et moral, l'influence exercée par les Juifs aurait, selon Werner Sombart, (« Der moderne Kapitalismus », Munich 1924, « Les Juifs et la vie économique », Paris 1923), favorisé l'essor du capitalisme. Pour les nationalistes français, le capitalisme ne peut être confondu avec la propriété : celui-là n'est que la caricature de celle-ci :

« Le capitalisme, disait Edouard Drumont, ressemble à la Propriété comme l'œuvre d'un faussaire habile ressemble à une pièce authentique. L'un des parchemins est la vérité, l'autre est le mensonge ; ils sont non seulement différents, mais fondamentalement opposés ; ils sont le contraire et la négation l'un de l'autre.

« Le capitalisme ressemble à la propriété comme le sophisme ressemble au raisonnement, comme Caïn peut-être ressemblait à Abel.

« La Propriété est le droit à la possession d'une chose. La Possession séparée de ce droit a un air de famille avec la Propriété. Parfois on serait tenté de les confondre ; mais la première n'est en réalité qu'un fait matériel qui ne nous oblige aucunement au respect.

« Tout le monde conviendra que je suis propriétaire de ce que mon travail a produit, ou de ce qui m'a été donné en échange et comme équivalent de mon travail, que ce soit une maison, des meubles, de l'argent.

« Mais qu'un vol, une fraude, un dol, ait fait parvenir à mon détriment cette même chose en d'autres mains, cette possession constitue-t-elle pour le ravisseur un droit quelconque, sinon le droit d'être puni ? Peut-il arguer de la possession qui est son crime pour établir à son profit la propriété qui est un droit ? »

La fortune de M. Tout-le-Monde est devenue, grâce au système capitaliste, basé sur la société anonyme, un instrument de domination. Ce qui frappe, à notre époque, ce n'est pas seulement la concentration des richesses, parfois scandaleuses, mais cette « accumulation d'une énorme puissance, d'un pouvoir économique discrétionnaire, aux mains d'un petit nombre d'hommes qui d'ordinaire ne sont pas les propriétaires, mais les simples dépositaires et gérants du capital qu'ils administrent à leur gré » (Encyclique Quadregesimo Anno).

CAPITALISME D'ETAT.

Régime économique dans lequel l'Etat devient le propriétaire des moyens de production, applique des méthodes analogues à celles des entreprises privées pour obtenir le maximum de rendement et considère les bénéfices réalisés comme des recettes fiscales qu'il emploie pour l'accomplissement de ses tâches politiques.

CAPITANT (René).

Universitaire, né à La Tronche (Isère), le 19 août 1901. Professeur de faculté de droit (Strasbourg, 1930, Paris 1951). Fonda et dirigea à Strasbourg le Centre d'Etudes Germaniques, puis présida, toujours en Alsace, le Comité de Vigilance des Intellectuels antifascistes. Mobilisé à l'Etat-Major de la Vᵉ Armée en 1939 ; y fit la connaissance du colonel De Gaulle. Démobilisé et « replié » à Clermont-Ferrand avec l'Université de Strasbourg, anima un groupe clandestin qui se fondra un peu plus tard dans le Mouvement Combat. En 1941, se fit muter par le gouvernement Pétain à l'université d'Alger, mais il fut suspendu en 1942. Le général De Gaulle en fit un commissaire à l'Education nationale du Comité Français d'Alger (10 novembre 1943). Membre de l'Assemblée consultative provisoire à Alger (1943-44). Ministre de l'Education nationale (Gouvernement provisoire De Gaulle, 1944-1945). Elu député U.D.S.R. du Bas-Rhin à la 1ʳᵉ Assemblée constituante (1945-1946). Fondateur de l'Union Gaulliste (1946). Elu député de la Seine (2ᵉ circ.) le 10 novembre 1946. Battu dans l'Isère le 17 juin 1951. Président du Conseil national du *R.P.F.* Participa en 1954, avec les communistes, à la campagne contre la C.E.D. Prit la parole à Saint-Denis (février 1954), avec Jacques Duclos. Directeur de la Maison franco-japonaise à Tokyo (novembre 1957). Conseiller juridique de M. Farès, président de l'exécutif provisoire de l'Algérie (3 mai 1962). Membre de *l'U.D.T.* Elu député *U.N.R.* de la Seine (3ᵉ circ.) le 25 novembre 1962. Est l'un des leaders de la gauche gaulliste dont il défend les points de vue dans *Notre République.* Dirigeant de *l'Association France-U.R.S.S.*

CAPITAUX ETRANGERS.

Ensemble des capitaux investis, directement ou indirectement, dans les affaires françaises par des personnes ou des sociétés étrangères, et dont les profits retournent à l'étranger. Le total des investissements étrangers en France approcherait 3 000 milliards d'anciens francs, soit 30 milliards de francs actuels. Selon le professeur Bertin, la part des capitaux étrangers dans certaines branches de l'industrie française dépasse largement la moitié : 95 % dans le noir de fumée, 90 % dans le caoutchouc synthétique, 90 % dans la margarine, 80 % dans les roulements, 70 % dans le matériel agricole, 65 % dans le matériel de télécommunications, 65 % dans la distribution du pétrole et dérivés, 60 % dans les ascenseurs, etc. Les adversaires de trop grands investissements de capitaux étrangers en France redoutent la *colonisation* économique du pays par le capital cosmopolite (Consulter : J. Gervais, « *La France face aux investissements étrangers* », Paris 1963 ; Henry Coston, « *La France à l'encan* », Paris 1965).

CAPRON (Marcel, Albert).

Militant politique, né à Montereau (S.-et-M.), le 24 mars 1896. Ouvrier métallurgiste, lancé très jeune dans le combat politique, fut élu député communiste de la Seine en 1932. Était déjà maire d'Alfortville, fonctions qu'il conserva jusqu'en 1944. Réélu député en 1936, rompit avec le *P.C.* lors du pacte germano-soviétique et créa le *Parti Ouvrier et Paysan Français,* dont il devint le secrétaire général. Vota en juillet 1940 les pouvoirs constituants au maréchal Pétain.

CARAN D'ACHE (Emmanuel POIRE, dit).

Dessinateur satirique, né à Moscou en

Caran d'Ache, par un humoriste

1858, mort à Paris en 1909. Fut l'un des caricaturistes politiques les plus féroces de l'affaire Dreyfus. Signait, au début : « caporal Poiré », puis adopta le pseudonyme de *Caran d'Ache* (en russe : *Karandache* signifie *crayon*), notamment lorsqu'il dirigea, avec Forain, l'hebdomadaire nationaliste *Psst.* Collabora également à *La Vie Parisienne,* au *Chat noir,* à *La Caricature* et publia divers albums de dessins, dont « *Nos soldats* », « *Les Lundis de Caran d'Ache* » et « *Pages d'Histoire* ».

CARBUCCIA (Horace de).

Editeur, né à Paris, le 1ᵉʳ mars 1891. Issu d'une famille ancienne de Corse, dont plusieurs membres furent des élus départementaux de l'Ile de Beauté. Gendre de Jean Chiappe. Fondateur de la *Revue de France,* des *Editions de France* et de l'hebdomadaire *Gringoire* dont André Tardieu, Philippe Henriot et Henri Béraud furent les principaux collaborateurs. Député de la Corse de 1932 à 1936. Laissa son siège en 1936 à son beau-père, l'ancien préfet de police.

CARDOT (Marie-Hélène).

Industriel, née à Tétaigne (Ardennes), le 14 juillet 1899. Militante de la démocratie chrétienne et de la Résistance, est sénateur M.R.P. des Ardennes et conseiller général du canton de Mouzon depuis 1946. Préside l'*Association des veuves et orphelins de guerre des Ardennes*.

CARITE (Maurice, Edmond, Joseph).

Journaliste, né à Bolleville (Seine-Inférieure), le 2 avril 1906. Utilise souvent le pseudonyme de : André Guillerville. Militant démocrate-chrétien, fut avant la guerre secrétaire de rédaction de *La Vie catholique* (1935-1938) et de *l'aube* (1938-1940). Après la Libération, reprit son poste à *l'aube* (1944-1951), puis fut secrétaire de rédaction de *La Tribune du Monde rural,* puis du *Document agricole.* Entre-temps : directeur littéraire des *Editions familiales de France* (1944-1947), informateur religieux du *Parisien libéré* (1951-1962), chroniqueur à *Paris-Jour* et rédacteur en chef du *Bulletin de la librairie ancienne et moderne.* Est l'un des principaux dirigeants des organisations professionnelles catholiques de presse : président du *Syndicat des journalistes français* (C.F.D.T.), de l'*Association française des journalistes catholiques,* vice-président honoraire de l'*Association des informateurs religieux.* Auteur de : « *Le sort de l'enfance arriérée* », « *Pie XII et la France* », « *Le Père et le Foyer* » et d'une biographie de son ancien « patron », Francisque Gay.

CARLIER (Edouard).

Fonctionnaire, né à Lillers (Pas-de-Calais), le 21 décembre 1905. Retraité de la S.N.C.F. Elu député communiste du Pas-de-Calais (9e circ. Béthune), le 25 novembre 1962.

CARLIER (Jean BASSIN, dit).

Journaliste, né à Pont-du-Château (P.-de-D.), le 24 mai 1922. Caricaturiste et journaliste depuis 1944, appartint d'abord à la rédaction du *Populaire* (1945-1951), puis à celle de *Combat* (1951-1955). Entra ensuite à *Radio-Luxembourg* (1955), en devint rédacteur en chef (1960), puis directeur-adjoint du service des informations de ce poste (1963), dont il présente chaque jour l'éditorial. Auteur de divers ouvrages apolitiques.

CARMAGNOLLE (Hubert).

Militant politique, né à Cotignac

(Var), le 23 avril 1879, mort à Entrecasteaux (Var), le 29 septembre 1944. Membre de la *S.F.I.O.* et de la *Ligue des Droits de l'Homme,* secrétaire de la section socialiste de Cotignac dès avant la 1re Guerre mondiale, fondateur et secrétaire de la coopérative vinicole « La Travailleuse ». Fut député socialiste du Var de 1924 à 1936 et maire de sa ville natale pendant une trentaine d'années. Assassiné à la Libération par des communistes.

CARNET B.

On désignait sous ce nom, avant la guerre de 1914, la liste des suspects qu'il faudrait arrêter en cas de déclaration de guerre parce que dangereux pour la défense nationale. Y figuraient non seulement les chefs des groupes anarchistes, socialistes révolutionnaires, internationalistes et antimilitaristes, mais aussi quantité de militants socialistes, de syndicalistes, d'étudiants un peu excités qu'un policier zélé mais peu psychologue avait *fichés.* Sur l'intervention de Miguel Almereyda (voir à ce nom), Malvy, ministre de l'Intérieur au moment du déclenchement de la Première Guerre mondiale, donna des ordres au chef de la Sûreté générale, Richard, pour que ces suspects ne soient pas inquiétés. La plupart, il faut le reconnaître, firent leur devoir avec une ardeur peu commune, et ceux qui ne coururent pas aux armes adhérèrent avec enthousiasme à « l'Union Sacrée ».

CARNOT (Marie, François, Sadi).

Ingénieur et homme d'Etat français, né à Limoges en 1837. Petit-fils de Lazare Carnot, le conventionnel surnommé l' « Organisateur de la Victoire », et fils d'Hippolyte, ministre de l'Instruction publique dans le gouvernement provisoire de 1848. Elu député en 1871, il fut ministre des Travaux publics dans le cabinet Jules Ferry (1880), ministre des Finances dans le cabinet Brisson (1885). Elu président de la République (1887) comme candidat modéré. Partisan de l'expansion coloniale avec Jules Ferry, il approuva la loi du 30 juillet 1893 créant une armée coloniale de métier et soutint le plan Hanotaux d'occuper le Bahr el-Gazal pour obliger l'Angleterre à discuter le statut égyptien (mission Baratier complétée plus tard par la mission Marchand, suivie de la capitulation de Fachoda). Favorable à la « Revanche », il a soutenu la politique de réarmement et d'alliance avec la Russie chère au cabinet de Freyssinet (mars 1890-

février 1892). Sur le plan intérieur, Carnot assista pendant sa présidence à la phase aiguë du boulangisme et au « Ralliement » prôné par Léon XIII, ainsi qu'au début de l'affaire de Panama. Les troubles sociaux (Fourmies, Carmaux), l'entrée au parlement des socialistes et les menées anarchistes effrayèrent la bourgeoisie : des lois répressives contre les anarchistes votées en 1893 amenèrent Carnot à refuser la grâce de Vaillant, condamné à mort et exécuté pour avoir lancé une bombe (qui ne fit aucune victime) à la Chambre des députés le 9 décembre 1893 (« *La séance continue !* »). Carnot, venu à Lyon pour inaugurer l'exposition, fut frappé mortellement d'un coup de poignard, le 24 juin 1894, par l'anarchiste italien Caserio qui déclara : « *Je devais venger la mort de Vaillant.* » Pour Drumont, cet assassinat était « *un choc en retour de la Justice immanente* » : « *Il y a cent ans, des milliers d'innocents étaient assassinés à Lyon en vertu d'un décret du Comité de Salut Public signé Carnot. Cent ans après, le petit-fils qui, personnellement, est intègre et sans reproche dans sa vie privée, est frappé par un assassin. Le terroriste a enfanté l'anarchiste et l'anarchiste tué celui qui l'a engendré.* »

CARPENTIER (Jean-Jacques).

Economiste, né à Paris, le 29 mai 1934. Président des *Etudiants R.G.R.* (1955), secrétaire général (1958) puis président du *Centre des Jeunes Libéraux* (1961), président des *Jeunesses Européennes Libérales* (1960), membre du *Comité de la Gauche pour le maintien de l'Algérie* (1961), membre du Comité exécutif et secrétaire administratif du *Centre Républicain* (depuis 1963) et membre du Comité directeur du *Mouvement Libéral pour l'Europe Unie* (1965).

CARRE-BONVALET (René, César, Julien CARRE).

Viticulteur (1875-1953). Député (1914-1919), puis sénateur de la Charente-Inférieure (1934-1942). Membre influent du *Parti Radical-Socialiste* et du *Grand Orient* (initié le 11 juillet 1924 à la loge *Accord Parfait*, de Rochefort). Vota pour le maréchal Pétain, le 10 juillet 1940 et se retira de la politique.

CARREFOUR.

Hebdomadaire fondé le 6 août 1944 par un groupe de résistants qui créèrent pour sa publication la *Société d'Etudes et d'Exploitation de Périodiques* constituée le 5 septembre 1944 par : Emilien Amaury, Robert Buron, Félix Garas, Yves Hellen (mort en 1946), Louis Accarias, Gilbert Blocq-Mascart (mort en 1965), Roger Derris, André Fayolle, René Hayaux du Tilly et Laurent, ancien président du Conseil municipal de Paris. Depuis l'augmentation de capital de 1949, Emilien Amaury est l'associé majoritaire de cette S.A.R.L. Gaulliste à l'origine, il soutint le *R.P.F.* et applaudit au retour du général De Gaulle en 1958. Ses tendances Algérie française lui firent prendre, à partir de 1960, une attitude hostile à la politique gaulliste, ce qui lui valut de nombreuses saisies, qu'il rappelait dans son numéro du 14 avril 1965 en protestant contre la saisie par le gouvernement algérien de plusieurs journaux français : « *On se souvient, pourtant, de l'époque, pas si lointaine, où peu avant l'indépendance de l'Algérie, Carrefour était le seul journal saisi en Algérie. Ceux qui s'indignent aujourd'hui trouvaient alors cela naturel et même ironisaient...* » A soutenu Georges Bidault, son collaborateur fidèle. Raymond Magne, décédé en 1965, fut très longtemps le directeur général et rédacteur en chef de *Carrefour* ; il a été remplacé par Jean Dannemüller. André Brissaud en est le rédacteur en chef adjoint et André Stibio le principal rédacteur politique. (114, avenue des Champs-Elysées, Paris-8e).

CARREL (Alexis).

Biologiste, né à Sainte-Foy-lès-Lyon (Rhône), le 28 juin 1873, mort à Paris, le 5 novembre 1944. Issu d'une famille de la bourgeoisie lyonnaise, ancien élève des jésuites, docteur en médecine, prix Nobel de médecine (1912), membre directeur de l'Institut Rockefeller de New York et de nombreuses sociétés savantes, Carrel est considéré comme l'un des plus illustres savants français : le grand physicien J. Perrin, dont les tendances politiques se situaient à l'opposé des siennes, voyait en lui « *les lueurs du génie* ». Son œuvre scientifique est considérable ; son œuvre philosophique et, par certains côtés, politique ne l'est pas moins : elle se compose essentiellement de « *L'Homme, cet inconnu* », paru en 1935, du « *Voyage à Lourdes* », suivi des « *Méditations* » (1949) et « *Réflexions sur la conduite de la vie* » (1950), ces deux derniers volumes publiés après sa mort. Le premier de ces livres, — qui eut un succès immense et qui, d'ailleurs, est toujours très demandé — rencontra à la fois

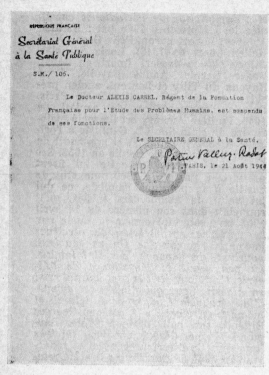

RÉPUBLIQUE FRANÇAISE

Secrétariat Général
à la Santé Publique

S.M./ 106.

Le Docteur ALEXIS CARREL, Régent de la Fondation
Française pour l'Etude des Problèmes Humains, est suspendu
de ses fonctions.

Le SECRÉTAIRE GÉNÉRAL à la Santé.

Pasteur Vallery-Radot

PARIS, le 21 Août 1944

Révocation du docteur Carrel
par Pasteur Vallery-Radot, en 1944

l'hostilité des matérialistes et celle des esprits religieux. Sa thèse de l'inégalité des individus hérissa les démocrates ; son goût pour l'eugénisme dressa contre lui les catholiques. La création, sous l'égide du maréchal Pétain, en novembre 1941, de la *Fondation française pour l'Etude des problèmes humains* dont il fut nommé régent (*J.O.*, 5-12-1941), lui aliéna les gaullistes. A la Libération, il ne résista pas aux assauts de ses adversaires coalisés : quelques mois après que le secrétaire général à la Santé publique du Gouvernement Provisoire l'eût expulsé de la Fondation, on annonça qu'il était « *recherché par la police pour activité collaborationniste* » (Bulletins de 12 h, de 13 h et de 14 h de la Radiodiffusion nationale française, 5-11-1944). En fait, ce jour-là, le savant venait d'échapper à la justice de l'épuration : le matin même, brisé par le chagrin, il avait rendu son âme au Créateur, après avoir reçu de Dom Alexis les derniers sacrements.

CARRETTE (Henri).

Ouvrier tisseur, né et mort à Roubaix (1846-1911). Fut l'un des principaux dirigeants du premier mouvement collectiviste, le *Parti Ouvrier Français*, qu'il implanta dans sa ville. Condamné à la prison comme gérant du journal socialiste *Le Forçat*, fut conseiller municipal, puis maire de Roubaix.

CARRIER (Joseph).

Directeur général honoraire des Eaux et Forêts, nommé le 23 janvier 1941 membre du *Conseil National* (voir à ce nom).

CARTEL DES GAUCHES.

Nom donné à l'entente de divers partis et groupes de gauche réalisée en 1924, à la veille des élections générales, sous la double direction des radicaux socialistes et des socialistes *S.F.I.O.* Le *Grand Orient de France* en fut le promoteur. Au Convent de cette obédience maçonnique tenu à Paris en 1923, les francs-maçons avaient beaucoup insisté pour que cette entente des gauches fût scellée au plus tôt : « *Il est indispensable que nous réalisions, que nous cimentions l'union des véritables républicains, au-dehors, que nous organisions l'armée républicaine. Si nous n'arrivons pas, en des conjonctures prochaines, à ce résultat, c'en sera fait de nos aspirations, de nos désirs et de nos ambitions désintéressées. Nous allons encore — qu'importe le vocable — reculer, rétrograder, régresser. Si la F∴ M∴ n'atteint pas ce premier but, par une action continue et tenace, elle n'aura pas mérité d'elle-même. Dès lors, je suis certain que de quelque étiquette politique que nous relevions, quel que soit le parti de gauche auquel nous appartenions, nous travaillerons avec force, avec opiniâtreté, à la réunion intégrale des républicains afin d'assurer le salut de la République démocratique, laïque et sociale.* » (Compte rendu du Convent du Grand Orient, 1923, p. 18.)

Des consultations collectives de tous les partis de gauche, en vue d'une coalition, furent organisées à Paris et en province par les loges. Le 15 février 1924, socialistes, socialistes indépendants, communistes orthodoxes et dissidents furent convoqués rue Puteaux, dans un temple de la Grande Loge (cf. *Bulletin Hebdomadaire des Loges de la Région Parisienne*, 17-2-1924). La semaine suivante, les partis socialiste et communiste furent priés d'envoyer leurs représentants qualifiés le 21 février au temple de la Loge *L'Union Philanthropique*, 3, place Jean-Jaurès à Saint-Denis. Le 13 mars, nouvelle réunion,

« *en vue de l'union définitive* » au Grand Orient, 16, rue Cadet ; les délégués radicaux y assistèrent (cf. même *Bulletin*, 9-3-1924). Le *Cartel des Gauches* remporta une victoire écrasante sur ses adversaires, aux élections du 11 mai 1924 : 142 radicaux-socialistes, 107 socialistes, 35 républicains-socialistes, 24 communistes entrèrent au parlement. Ils constituèrent à la Chambre une majorité substantielle qui entreprit aussitôt de mettre son programme à exécution. Millerand, maçon infidèle, fut contraint d'abandonner l'Elysée. Gaston Doumergue, vieux radical modéré et maçon lui succéda : il chargea aussitôt Edouard Herriot, leader de la coalition victorieuse, de constituer un gouvernement. Le *Cartel* mourut un peu plus tard, lorsque la crise financière provoqua la chute du 2ᵉ cabinet Herriot, qui vécut deux jours et que remplaça un gouvernement d'Union nationale présidé par Raymond Poincaré.

CARTEL DE LA LIBERTÉ.

Groupement antifasciste fondé en 1933, unissant diverses formations de gauche, dont : les *Anciens Combattants Pacifistes*, la *Ligue Internationale contre l'Antisémitisme* (président : Bernard Lecache), la *Fédération Nationale des Combattants Républicains* (secrétaire général : Jean Sennac), la *Ligue d'Action Universitaire Républicaine et Socialiste*, la *Ligue des Femmes pour la Paix et la Liberté*, la *Jeune République*, le *Cercle International de Jeunesse*, *Notre Temps* (directeur : Jean Luchaire), le *Foyer de la Paix*, le *Foyer de la Nouvelle Europe*, les *Jeunesses Laïques et Républicaines*, etc.

CARTER (Roland, Charles).

Directeur de société, né à Rouen (Seine-Maritime), le 23 mars 1921. Directeur de la société *Promocin*. Engagé volontaire en 1939. Ancien conseiller général de la Seine (1955). Chargé de mission au cabinet de M. Gaston Palewski, ministre délégué à la Présidence du Conseil (5 mars-26 mai (4ᵉ sect.) (*R.P.F.*) (26 mai 1955-8 mars 1959). Membre du Conseil d'administration de la *Régie autonome des Transports parisiens* (14 septembre 1955). Vice-président du Conseil général (26 juin 1957-20 juin 1958). Elu député de la Seine (38ᵉ circ.) le 30 novembre 1958 ; réélu le 25 novembre 1962. Inscrit à l'*U.N.R.*

CARTIER (Raymond, Marcel, Ernest).

Journaliste, né à Niort (D.-S.), le 14 juin 1904. Fut, entre les deux guerres, l'un des principaux collaborateurs de Henri de Kérillis au *Centre de Propagande des Républicains Nationaux*, à l'*Echo de Paris*, puis à l'*Epoque*. Rédacteur à *Sept Jours*, publié à Lyon après l'armistice de 1940. Est directeur de *Paris-Match* depuis 1949. Auteur de : « *L'Europe à la conquête de l'Amérique* », « *Les 48 Amériques* », « *Les Secrets de la Guerre* », « *Les 19 Europes* », « *Hitler et ses généraux* », etc. L'un des éditorialistes de la radio les plus écoutés.

CASANOVA (Danielle).

Chirurgien-dentiste (1909-1943). Militante communiste, membre du comité de l'*Union des Jeunes Filles de France*, prit part à la guerre civile espagnole, puis à la Résistance. Déportée en Allemagne et morte au camp d'Auschwitz.

CASANOVA (Laurent).

Homme politique, né à Souk-Ahras (Algérie), en 1906. Avocat, ancien secrétaire de Maurice Thorez, fut fait prisonnier par les Allemands au cours de la drôle de guerre, mais parvint à s'évader. Dans la clandestinité, mena la lutte contre l'occupant après l'entrée en guerre de l'Allemagne contre l'U.R.S.S. Fut l'un des organisateurs des *F.T.P.* et appartint au *Front National*. Sa sœur, Danielle Casanova, qui participait aussi à l'action clandestine, mourut en déportation. Après la Libération : membre de l'Assemblée consultative et du Comité central du *P.C.F.*, député de Seine-et-Marne, ministre des Anciens combattants dans les gouvernements F. Gouin et G. Bidault.

CASIMIR-PERIER (Jean).

Homme politique (1847-1907). Il fut, tour à tour : député de l'Aube (1876-1894), sous-secrétaire d'Etat (1877-1879, 1883-1885), président de la Chambre (1893, 1894), président du Conseil (1893-1894) et finalement chef de l'Etat (1894-1895). Ce président éphémère de la Troisième République fut, en quelque sorte, l'antithèse de son prédécesseur Sadi Carnot. Celui-ci avait hérité et bénéficié du prestige révolutionnaire de son aïeul, le conventionnel ; le nouvel élu, par contre, déclencha la fureur des partis de gauche par la faute de son ascendant Casimir Pierre Périer, banquier opulent, ministre de l'Intérieur, artisan de la répression des insurrections de Paris et de Lyon. Mais tous les deux appartenaient à ces « dynasties bourgeoises » dont parle Beau de Loménie. Le groupe socialiste publiait, au lendemain de la proclamation des résultats du scrutin, un manifeste indigné. « *Un parlement livré à toutes les influences corruptives du capital vient d'élire à la présidence Casimir-Périer d'Anzin, l'homme de la réaction orléaniste. C'est au cri de « A bas la réaction ! » qu'en votre nom nous avons accueilli ce vote scandaleux.* » Le gouvernement, sous la pression de la grande bourgeoisie, terrorisée par la multiplication des attentats anarchistes, soumit au parlement un décret visant à restreindre la liberté de la presse politique. L'opposition contre-attaqua, qualifia le projet de « loi scélérate » et organisa, dès qu'il fut adopté, des manifestations dans tout le pays. Le ministre de l'Intérieur répliqua en décidant de déférer d'un seul bloc, devant la cour d'assises, « *tous ceux qui à un titre proche ou lointain, se réclamaient de l'anarchie* ». Ce fut ce que l'on appela « *le procès des trente* ». Sébastien Faure et Félix Fénéon figuraient parmi les inculpés. Après de tumultueux débats, le jury prononça un verdict d'acquittement pour tous les accusés, à deux exceptions près. Le journaliste Gérault-Richard, directeur d'un journal au titre éloquent : *Le Chambard,* publia un article percutant intitulé : « *A bas Casimir !* » Il y énonçait, entre autres aménités : « *Les crimes du grand-père profitent au petit-fils puisqu'ils lui assurent la supériorité dans le royaume des exploitants. Ces millions, Casimir en connaît la déshonorante origine,* etc. » Poursuivi pour insulte au chef de l'Etat, Gérault-Richard comparut en cour d'assises, le 5 novembre 1894, défendu par Jaurès. « *Je vous l'avoue,* tonna à l'issue de son réquisitoire le tribun socialiste, *j'aimais mieux pour notre pays les maisons de débauche où agonisait la vieille monarchie de l'Ancien Régime que la maison louche de banque et d'usure où agonise l'honneur de la République bourgeoise.* » Finalement Casimir-Périer démissionna : son « septennat » n'avait duré qu'un peu plus de six mois. Il se retira de la scène.

CASSAGNAC (Famille de).

Les Granier de Cassagnac appartiennent à une très ancienne famille illustrée par Eustache de Granier qui reçut, à la 1re croisade, les titres de prince de Césarée et de Sedon, de connétable de Jérusalem. Saint Louis autorisa les Granier à exercer l'art du verre. Quand Peyre de Granier, maître verrier, mourut en

Paul de Cassagnac fondateur du journal l'Autorité

1549, ses descendants pour se distinguer des autres branches, adjoignirent à leur nom celui de Cassagnac. Une déclaration de maintenue de noblesse leur fut délivrée en 1668 et renouvelée en 1676 et 1710. Au cours de ces cent dernières années, plusieurs Granier de Cassagnac se sont particulièrement distingués dans la politique et la presse :

— Bernard Adolphe (1806-1880), journaliste fougueux, rédacteur en chef du *Globe,* puis de *l'Epoque,* rédacteur au *Constitutionnel,* au *Pays* et à *La Nation,* député du Gers sous le Second Empire, puis sous la IIIe République, auteur de divers ouvrages sur les classes ouvrières, bourgeoises, nobles et anoblies ;

— Jean-Baptiste, Georges (1854-1897), député plébiscitaire du Gers (1880-1881), frère du précédent, père du comédien, chanteur et journaliste Saint-Granier, qui collabora avant la guerre à *Ce Soir,* grand-père du chansonnier Jean Granier ;

— Paul-Adolphe, Marie, Prosper (1842-1904), fils du précédent, journaliste, fondateur et directeur de *L'Autorité* où il défendait les idées plébiscitaires, député du Gers de 1876 à 1893 et de 1893 à 1902 ;

— Paul-Julien (né à Paris, le 12 avril 1880), fils de Paul-Adolphe, journaliste, co-directeur de *L'Autorité,* conseiller général du Gers (1905-1937), député plébiscitaire de ce département (1919-1924), auteur de nombreux ouvrages, dont : « *Contribution à l'étude de la question sociale* » (1909), « *La lanterne magique* » (1925), « *Faites une constitution ou faites un chef* » (1933), « *Napoléon pacifiste* ». Promu colonel en juin 1940, président de la *Légion fran-*

çaise de décorés au péril de leur vie, est depuis 1960 Lieutenant Grand Maître de l'Ordre Souverain de Saint de Jérusalem [1] ;
— Guy (1882-1914), co-directeur de *L'Autorité*, tué en 1914 sur le front de Lorraine.

CASSAGNE (René).

Membre de l'enseignement, né à Salignac (Gironde), le 18 mars 1913. Instituteur successivement à Abzac, Bassens, Bordeaux et Cenon. Administrateur de l'Office départemental des H.L.M. Elu maire de Cenon en 1947. Conseiller général du canton de Carbon-Blanc depuis 1951. Chargé de mission au cabinet de Jean-Raymond Guyon, secrétaire d'Etat au Budget (1957). Membre de l'*Alliance France-Israël*. Député S.F.I.O. de la Gironde (4e circ.) depuis 1958.

CASSIN (René-Samuel).

Juriste, né à Bayonne, le 25 octobre 1887. Agrégé, puis professeur de droit (Lille, Paris), il devint le conseiller juridique du général De Gaulle à Londres. C'est à lui que l'on doit le postulat selon lequel le gouvernement du maréchal Pétain était illégal ; en conséquence la prise de pouvoir du général De Gaulle, proclamée le 16 novembre 1940, à Brazzaville, était devenue légitime et légale, et le gouvernement de Vichy était un gouvernement d'usurpateurs dont les actes, les lois, les décisions n'avaient aucune valeur légale. L'armistice signé par le maréchal Pétain, donc par un usurpateur, était nul et non avenu. La France n'avait jamais cessé d'être en guerre avec l'Allemagne. Les ministres, les fonctionnaires, les diplomates, les cadres de l'armée tombaient sous le coup des articles 75, 81 et suivants du Code pénal, « *puisque les rapports des autorités françaises avec les Allemands n'étaient pas ceux d'un pays occupé avec l'occupant, rapports réglés par les conventions de Genève, mais ceux d'autorités usurpatrices collaborant avec un ennemi toujours en guerre en vue de favoriser ses desseins* » (Professeur Louis Rougier). Bien que le postulat de René Cassin fut battu en brèche par des juristes résistants comme les professeurs de droit constitutionnel Marcel Prelot et Georges Vedel (cf : « *Précis de droit constitutionnel* » et « *Manuel élémentaire de droit constitutionnel* »), il n'en servit pas moins de base à l'épuration

Guy de Cassagnac

qui suivit la Libération. Commissaire à la Justice et à l'Education du Comité Français de Libération Nationale du général De Gaulle, René Cassin fut nommé vice-président du Conseil d'Etat (1944-1960). Sa carrière fut, dès lors, fulgurante : on le retrouve dans tous les grands organismes nationaux ou internationaux — de la Cour Européenne des Droits de l'Homme, au Conseil constitutionnel — tout en étant l'un des propriétaires du journal *Ici Paris* en même temps que le président de l'*Alliance Israélite Universelle* et le président d'honneur de l'*Union Fédérale des Anciens Combattants*.

CASSEZ (Auguste, Emile).

Agriculteur (1871-1948). Radical-socialiste et maçon (initié à la Loge *L'Etoile de la Haute-Marne*, le 4 février 1906). Sénateur de la Haute-Marne (1924-1941), ministre de l'Agriculture (1934-1935). Vota les pouvoirs constituants au maréchal Pétain (1940) et appartint au Conseil national (1941).

CASSOU (Jean).

Homme de lettres, né à Deusto (Espagne), le 9 juillet 1897, de père mexicain et de mère espagnole. Licencié d'espagnol, conservateur adjoint du Musée du Luxembourg, fut révoqué par Vichy en raison de ses opinions et de ses activités politiques, puis condamné à un an de prison par un tribunal militaire pour

_____
(1) Décédé en 1966.

fait de résistance. Nommé pendant la clandestinité commissaire de la République pour Toulouse et sa région, fut blessé lors de la Libération de la cité languedocienne. Ecrivain maçon progressiste, collaborateur de *L'Humanité*, de *Commune*, organe de l'*Association des Ecrivains et Artistes Révolutionnaires*, et d'*Europe*, revue bolchevisante, Cassou cessa d'être considéré comme un ami du *P.C.F.* lorsqu'il se permit de critiquer, au temps de Staline, l'esprit totalitaire du communisme soviétique. Président du *Comité National des Ecrivains* (1956), il est, depuis vingt ans, le conservateur en chef du Musée national d'Art Moderne. Auteur de nombreux ouvrages de critique d'art, de romans et d'essais, dont : « *Eloge de la folie* », « *Pour la poésie* », « *Massacres de Paris* », « *Légion* », « *Le Centre du monde* », « *Vie de Philippe II* », « *Cervantès* », « *Grandeur et infamie de Tolstoï* », « *Parti pris* » et « *Libération de l'Art moderne* ».

CASTAGNEZ (Jean).

Avocat, né à Castillonnès (Lot-et-Garonne), le 29 avril 1902. Fils d'instituteur. Contrôleur des contributions directes. Milita très jeune dans le mouvement socialiste. Elu député *S.F.I.O.* du Cher en 1932 ; réélu en 1936. Vota les pouvoirs constituants au maréchal Pétain en juillet 1940. Après la Libération, s'inscrivit au barreau de Paris, collabora avec Paul Faure à l'organisation du *Parti Socialiste Démocratique* et fut l'un des rédacteurs les plus mordants de *La République Libre*. Auteur de divers ouvrages, dont « *Les profits illicites* » (1946), et préfacier du livre de Paul Faure « *Histoire d'un faux et ses conséquences* ».

CASTANET (Léon).

Directeur d'école (1884-1961). Militant socialiste, député du Gard (1928-1936), membre du Comité de Libération d'Aigremont, puis maire de ce bourg (1945), conseiller général de Lédignan, président du Conseil général (1957).

CASTEL (Léon).

Viticulteur (1871-1955), Militant radical-socialiste. Maire de Lézignan, député de l'Aude (1919-1942), vota pour le maréchal Pétain en 1940.

CASTELLAN (Georges, Gabriel).

Universitaire, né à Cannes (Alpes-Maritimes), le 26 septembre 1920. Professeur d'histoire contemporaine à la faculté des lettres de Poitiers (depuis 1956), maître de conférence à l'Institut d'Etudes Politiques de Paris (depuis 1948), et directeur du groupe d'études de l'Europe de l'Est au Centre d'Etudes des Relations Internationales de la Fondation Nationale des Sciences Politiques. Spécialiste des pays de Démocratie populaire (R.D.A., Yougoslavie, Pologne, Albanie, Bulgarie, Hongrie, Tchécoslovaquie). Ancien rédacteur en chef de la revue *Allemagne d'aujourd'hui* (1956-1957). Membre de la présidence des *Echanges franco-allemands*. Auteur de nombreuses études et de plusieurs livres sur les pays de l'Europe centrale et de l'Est.

CASTELLANE (Famille de).

Les Castellane appartiennent à une vieille famille dont l'origine connue remonte au Xe siècle et qu'ont illustré dans la politique :

— Marie, Eugène, Philippe, Antoine (1844-1917), député du Cantal (1871-1877), auteur de divers romans, pièces de théâtre et études, notamment : « *Les hommes d'Etat français au XIXe siècle* », « *Gentilshommes démocrates* », etc.

— Boniface, Marie, Ernest, Paul (1867-1932), fils du précédent, le plus connu de tous en raison de la vie brillante qu'il mena et de son élégance légendaire — « le beau Boni » —, qui fut (quelques années) le mari d'Anna Gould, fille du « roi » des chemins de fer américains ; conseiller général des Basses-Alpes, député des Basses-Alpes (1898-1910), auteur de « *Comment j'ai découvert l'Amérique* », « *L'art d'être pauvre* », « *Vingt ans de Paris* ».

— Jean (1868). Frère du précédent. Elu député *libéral* aux élections législatives de 1902, dans le Cantal (invalidé), conseiller général de la Seine, conseiller municipal de Paris (1919-1944), vice-président du Conseil municipal (1922, 1928, 1930-1931).

— Stanislas, Claude, Marie, Charles (1875-1959). Frère des deux précédents. Député *républicain national* du Cantal (1902-1906, 1919-1924, 1928-1936), vice-président de la Chambre (1930-1932), puis sénateur du même département (1938-1942), inscrit au groupe de l'*Union démocratique et radicale* du Sénat. Vota les pouvoirs constituants au maréchal Pétain.

CASTELNAU (Noël, Marie, Joseph, Edouard de CURIERES de).

Général (1851-1944). L'un des grands chefs militaires de la guerre de 1914-

1918 (vainqueur du Grand Couronné en 1914, chef d'Etat-Major général, commandant d'un groupe d'armées en Artois, en Champagne et dans l'Est). Ses amis ont ont affirmé qu'il n'avait pas été fait maréchal en raison de ses opinions politiques jugées trop réactionnaires. Elu député du *Bloc National* en 1919 à la place de son cousin, Joseph de Curières de Castelnau (1879-1943), député de 1914 à 1919, qui s'effaça devant lui ; représentait l'Aveyron. Ne fut pas réélu en 1924, ni en 1928. Entre-temps, présida la *Ligue des Patriotes* et la *Fédération Nationale Catholique*. Collabora régulièrement, de longues années durant, à *L'Echo de Paris* et à *La France Catholique*. Outre Joseph, mentionné plus haut, un autre Castelnau représenta l'Aveyron : Marie, Joseph, Léonce (1845-1909), député de 1902 à sa mort.

CATALAN (Camille, Constant).

Contrôleur des contributions directes (1889-1951). Fils d'un limonadier. Député radical-socialiste du Gers (1928-1942). S'embarqua en juin 1940 à bord du *Massilia* et ne put assister à la fameuse séance de l'Assemblée nationale du 10 juillet 1940.

CATALIFAUT (Henri).

Ingénieur, né au Vigen (Haute-Vienne), le 1er avril 1915. Maire de La Fère. Directeur politique de *La Voix de l'Aisne*. Adjoint technique des Ponts et Chaussées (1er juillet 1932). Ingénieur des travaux publics de l'Etat (16 septembre 1940) en résidence à La Fère (Aisne). Directeur adjoint de la Construction à la direction départementale de l'Aisne. Ingénieur-conseil du Comité départemental d'expansion économique. Candidat de l'*U.N.R.* en 1958, écrivait dans son journal *La Voix de l'Aisne* (nov. 1958) : « *Avec De Gaulle, l'Alliance Atlantique a été renforcée* ». Une photographie illustrait cette déclaration : elle représentait les présidents De Gaulle et Kennedy se serrant la main ; fut élu. Représente depuis, la 4e cir. de l'Aisne au Palais-Bourbon.

CATELAS (Jean, Joseph).

Militant politique, né à Puisieux (P.-de-C.), le 6 mai 1894, mort à Paris, le 24 septembre 1941. Ouvrier bonnetier, puis cheminot, fut un syndicaliste ardent. Suivit le *Parti Communiste* en 1920 et siégea à son Comité central (1937). Battu aux élections de 1932 à Amiens, fut élu en 1936. Prit part à la guerre d'Espagne, du côté des républicains et des marxistes, notamment à la brigade *La Marseillaise*. Approuva le pacte germano-soviétique en 1939 et fut déchu de son mandat de député en février 1940. Pendant la « drôle de guerre », fut l'un des organisateurs de l'*Humanité* clandestine, à la fois hostile à la poursuite de la guerre et au gouvernement. Après l'entrée en guerre, des Allemands contre les Soviétiques, participa activement à la lutte contre l'occupant et le gouvernement du maréchal Pétain. Arrêté le 16 mai 1941, condamné à mort par le Tribunal d'Etat du gouvernement français, fut guillotiné quatre mois plus tard.

CATHALA (François).

Avocat, né à Bordeaux, le 11 mars 1915. Fils de Pierre Cathala (voir notice ci-dessous). Inscrit au barreau depuis 1940, fut secrétaire de la Conférence du stage des avocats. Fit la guerre en Tunisie (est capitaine de réserve). Membre de l'*Union des Intellectuels Indépendants* depuis le début, en est aujourd'hui le président, ayant succédé à Jacques Isorni en 1960. A plaidé quelques procès politiques importants, notamment dans l'affaire du Petit Clamart pour Magade et le Hongrois Santi, et le premier procès d'offense au chef de l'Etat, pour René Malliavin : avec son ami Tixier-Vignancour, il fit acquitter le directeur de *Rivarol* par le Tribunal correctionnel. Est considéré comme l'un des chefs de l'opposition nationale la plus irréductible.

CATHALA (Pierre, Adolphe, Juste).

Homme politique, né à Montfort-sur-Meu (I.-et-V.), le 22 septembre 1888, mort à Paris, le 27 juillet 1947. Petit-fils d'un préfet, fils d'un sous-préfet, ses ancêtres siégèrent dans les assemblées sous la Révolution et la Monarchie de Juillet. Pierre Cathala s'inscrivit au barreau de Paris en 1912 et devint secrétaire de la Conférence des avocats. Mobilisé comme sous-lieutenant d'infanterie en 1914, il fut blessé à la bataille de Morhange et fait prisonnier. Rentré en France, il participa d'abord à l'action d'un jeune mouvement *La Quatrième République* qui avait pour objectif la rénovation des institutions. Il devint bientôt le disciple de Franklin-Bouillon, avec lequel il militait au *Parti Radical et Radical-Socialiste*. En même temps que Franklin-Bouillon, il quitta la rue

de Valois en 1927. Candidat malheureux
en 1924, il persévéra en 1928 et fut,
élu député radical indépendant de
Seine-et-Oise (tout comme son ami Franklin-Bouillon). Il fut réélu en 1932
contre le communiste Frachon, mais la
vague du *Front populaire* de 1936 lui
fit perdre son siège. C'est alors qu'il
fonda, reprenant le dessein de son ami
Franklin-Bouillon, le *Parti Radical Indépendant* dont il assuma la présidence.
Entre-temps, il était entré au Conseil
général du département et avait été quatre fois sous-secrétaire d'Etat et deux
fois ministre (cabinets Tardieu, Laval,
Bouisson). Mobilisé en 1939 (justice
militaire, puis infanterie et, enfin, mission militaire franco-polonaise), il fut
nommé secrétaire général des P.T.T. en
juillet 1940 mais abandonna après le
13 décembre, se solidarisant avec Pierre
Laval. Ce dernier lui confia les Finances
dans le cabinet qu'il constitua en avril
1942 et, peu après, le chargea également
de l'Economie et de l'Agriculture. En
août 1944, refusant de quitter la France,
il entra dans la clandestinité et se réfugia chez son frère, professeur à la
Faculté de médecine. Ayant appris, en
mars 1947, que la Haute Cour s'apprêtait
à le juger par contumace, il informa le
président du tribunal de son lieu de résidence et de son intention de se présenter devant cette juridiction. En raison
de son état de santé, il fut autorisé à
rester chez son frère. Il rédigea, pour
sa défense, un mémoire qui a été publié
après sa mort, sous le titre : « *Face aux
réalités — La direction des finances
sous l'occupation* ». Mais il ne put se
présenter devant la Haute Cour : le
27 juillet, il mourut d'une crise cardiaque. Il n'avait que cinquante-neuf ans.
Son nom demeure attaché à cette forme
de radicalisme national qui conserve de
nos jours tant de partisans dans nos
provinces.

CATHRINE (Alexandre).

Directeur de journal, né à Lorient, le
22 mars 1894. Fils d'Alexandre Cathrine
(1860-1920), fondateur du *Nouvelliste du
Morbihan* (1886), journal bi-hebdomadaire, puis tri-hebdomadaire et quotidien. Reporter, typographe, linotypiste,
rotativiste au journal de son père. Mobilisé en 1914, devenu officier d'infanterie,
revint de la guerre en 1919 avec la croix
de guerre, cinq citations et la Légion
d'honneur. Participa à la direction du
Nouvelliste dès 1919, fonda *L'Ouest
Républicain*, puis *L'Eclair du Finistère*,
deux importantes feuilles départementales. Directeur de ce groupe de presse,

qui avait sa propre imprimerie (*Imprimerie de la Presse de Basse-Bretagne*)
de 1920 jusqu'en 1941, date de sa démission pour la durée de l'occupation. Co-
fondateur du *Syndicat des Quotidiens
de Province* (1924) avec l'ancien ministre Emmanuel Brousse, directeur de
l'*Indépendant*, de Perpignan, et fondateur du *Groupement National de la
Presse spoliée injustement condamnée*
(1952). Fonda également avec l'ancien
député Paul de Cassagnac, jadis directeur de *L'Autorité*, la *Légion Française
des décorés au péril de leur vie*, dont il
est le secrétaire général. Membre du
comité directeur de l'*Union des Intellectuels Indépendants* et de divers mouvements d'opposition nationale.

CATRICE (André, Alfred, Victor).

Gérant de sociétés, né à Lys-lez-Lan-
noy (Nord), le 20 février 1902. Industriel
du textile (1925-1945), gérant de sociétés
d'importation et d'entreprise de bâtiment en Afrique occidentale (depuis
1945), administrateur du quotidien *L'Aube* (1945-1951) et co-gérant de la société
du journal *Le Monde* (depuis 1951).

CATROUX (Diomède-Anne).

Homme politique, né à Paris, le 1er mai
1916. Conseiller des Affaires étrangères
(en disponibilité). Chargé de mission au
Centre politique des Affaires étrangères,
section d'Extrême-Orient (1938 - 1939).
Chargé des opérations de noyautage des
Administrations publiques (par la Résistance). Chef de cabinet de son oncle,
le général Catroux, commissaire chargé
de l'Afrique du Nord (1943-1944). « Chef
du cabinet du plan Jean Monnet (1944) »
(selon son journal électoral : *Nice-de-
main*, novembre 1962). Chef de cabinet
de Christian Pineau, ministre *S.F.I.O.* du
Ravitaillement (mai-septembre 1945).
Conseiller technique au cabinet d'André
Malraux, ministre de l'Information (nov.
1945-janvier 1946). Directeur général des
Services de presse et de propagande du
R.P.F. (1947-1951). Elu député *R.P.F.* de
Maine-et-Loire le 17 juin 1951. Secrétaire d'Etat aux Forces Armées (Air)
(Cabinet Mendès-France, 1954). Secrétaire d'Etat à l'Armement (Cabinet Mendès-France remanié, 1955). Battu aux
élections du 2 janvier 1956. Président
de l'*Association France-Israël*. Collaborateur de Marcel Bleustein-Blanchet à
Publicis et à *Régie-Presse*. Président-
directeur général de la *Sté Européenne
de Constructions et de Travaux Publics*.
Administrateur de la *Société Bancaire et
Financière d'Orient*. Membre de l'*U.D.T.*

(gaullistes de gauche), rallia l'*U.N.R.* après la fusion. Elu député *U.N.R.* des Alpes-Maritimes (2ᵉ circ.) le 25 novembre 1962.

CATRY (Benjamin).

Négociant, né à Wambrechies (Nord), le 8 mai 1914. Marchand en vins. Conseiller général du canton de Saint-Omer-Sud. Maire d'Arques. Député *U.N.R.* du Pas-de-Calais de 1962 à 1967.

CAVAILLES (Jean).

Mathématicien et philosophe, né à Saint-Maixent en 1903, mort à Arras en 1944. Agrégé de philosophie en 1927, il soutint en 1938 sa thèse de philosophie des sciences. A Strasbourg, puis en Sorbonne, il mena de front ses cours, ses travaux de logique mathématique et ses activités aux mouvements *Libération-Nord* et *Libération-Sud,* dont il fut membre dirigeant. Arrêté en août 1943, incarcéré à Fresnes, les Allemands l'exécutèrent à Arras. On lui doit principalement : « *Remarques sur la formation de la théorie abstraite des ensembles* » (1938), « *Méthode axiomatique et Formalisme* » (1938) ainsi que deux œuvres posthumes « *Transfini et Continu* » et « *Sur la logique et la théorie de la science* ». publiées en 1947 (Consulter G. Ferrières : « *Jean Cavaillès, philosophe et combattant (1903-1944)* », Paris, 1950).

CAYREL (Antoine, Georges).

Chirurgien-dentiste, né à Sigean (Aude), le 23 avril 1885. Député socialiste de la Gironde (1924-1928, 1932-1942) ; d'abord inscrit à la *S.F.I.O. ;* fonda avec Renaudel, Marquet, Déat le *Parti Socialiste de France.* Vota les pouvoirs constituants au maréchal Pétain (1940). Fut quelques semaines commissaire général au ministère de l'Intérieur (1940) et appartint au Conseil national (1941). Retiré de la politique depuis la Libération.

CAZAUVIEILH (René, André).

Médecin (1859-1941). Fils du docteur Eugène Cazauvieilh, maire de Belin ; cousin d'Octave Cazauvieilh (1834-1892), conseiller général et député de la Gironde (1881-1892). Remplaça ce dernier au Conseil général (1892), puis au Parlement (1898). Radical modéré, représenta la Gironde jusqu'en 1919. Conseiller général jusqu'en 1935 et maire de Belin jusqu'en 1936.

CAZENAVE (Franck).

Industriel, né à Belin (Gironde), le 28 juin 1917. Fabricant de cycles. Colonel d'aviation de réserve. Membre du *Rotary.* Président-directeur général des *Etablissements Cazenave* à Belin. Président de la *Fédération européenne des fabricants de parquets.* Président de la *Chambre syndicale nationale du cycle.* Vice-président de la *Chambre syndicale de la carrosserie.* Elu adjoint au maire de Belin le 21 mars 1958. Elu député de la Gironde (7ᵉ circ.), le 25 novembre 1962. Apparenté au groupe du *Rassemblement Démocratique.*

CAZENOVE DE PRADINES (Edouard, Pierre, Michel de).

Homme politique (1838-1896). Militant légitimiste, rallié après la mort du comte de Chambord au comte de Paris, dont il fut l'un des conseillers. Député royaliste de Lot-et-Garonne à l'Assemblée nationale (1871-1876), puis député à la Chambre pour la Loire-Inférieure (1884-1896).

C. D. L. P. (voir : Centre de Diffusion du Livre et de la Presse).

CE MATIN-LE PAYS.

Journal quotidien disparu en 1953. Il était le produit de la fusion de deux quotidiens : *Le Pays,* qui appartenait au groupe Ventillard, et *Ce Matin* (provenant de la fusion de *Paris-Matin* et de *Résistance,* janvier 1947) que dirigeait Marcel Renet dit Jacques Destrée. Le premier avait été fondé par le comte Pierre de Chevigné, de l'entourage immédiat du général De Gaulle, député républicain populaire des Basses-Pyrénées et futur ministre de la IVᵉ République. Le second était la propriété de la société *Ce Matin,* constituée le 30 décembre 1946 au capital de 100 000 F ainsi réparti : 20 000 F à Roger-Louis Meusnier, 20 000 F à Jeanne-Marie-Amélie Rendu, 5 000 F à Louis Terrenoire, 5 000 F à Pierre Corval, 10 000 F à Félix Garas, 10 000 F au banquier Pierre-Adolphe-Edouard Vernes, 20 000 F à Jean Sangier, 5 000 F à Paul-Georges Verneyras. Une augmentation de capital, en juillet 1947, fit entrer dans la société : Jacques Destrée, Charles Serre, Maurice Lacroix, Daniel Apert, Joseph Bellec, André Bossin, Albert Bourgeon, Paul Colle, Roger Fayard, Henri Féréol, Pierre Frichet, Yves Fournis, Emile

Janvier, André Lafargue, Roger Lardenois, Paul Steiner, Jean Teitgen, André Vellay. Gilbert de Véricourt, gérant statutaire, était secondé par un autre gérant Jacques Destrée, directeur. Le conseil de surveillance comprenait : Roger Fayard, André Lafargue, Jean Sangnier et Félix Garas.

En 1948, *Ce Matin* et *Le Pays* fusionnèrent, et leurs dirigeants constituèrent une société pour l'exploitation de *Ce Matin-Le Pays* : la *Société Nouvelle d'Edition de Journaux*, S.A. au capital de 1 000 000 de frs, chaque groupe en ayant la moitié. En 1951, le groupe Ventillard, que représentait l'ancien député Paul Campargue, cédait ses 500 actions au groupe du sénateur gaulliste Lieutaud. A la suite de cette cession à laquelle s'ajouta la cession de 5 autres actions de l'un des représentants du groupe *Ce Matin*, un différend s'éleva au sein de la société éditrice de *Ce Matin-Le Pays* : ces luttes intestines furent très préjudiciables au journal qui enregistra une baisse de tirage impressionnante au cours des années 1951-1952. Défendant le point de vue gaulliste au moment où le *R.P.F.* subissait lui-même une grave crise, *Ce Matin-Le Pays* fut dans l'obligation d'envisager ou sa disparition, ou sa fusion avec un autre quotidien parisien. Ce fut finalement *L'Aurore* qui l'absorba en mars 1953. Mais un procès s'ensuivit, et le Tribunal de commerce interdit au journal de Robert Lazurick et de Marcel Boussac de faire figurer le titre du journal annexé sous celui de *L'Aurore* (cf. *Le Figaro*, 24-9-1953).

CE SOIR.

Quotidien communiste du soir fondé en 1937. Dirigé et rédigé avant guerre par Aragon, Jean Richard-Bloch, Elie Richard, Gaston Bensan (Ben Soussan), Pierre Abraham, Darius Milhaud, Paul Nizan, etc... Reparu après la Libération, puis suspendu faute de lecteurs.

CELINE (Louis-Ferdinand DESTOUCHES, dit).

Homme de lettres et médecin, né à Asnières le 27 mai 1894, mort à Meudon, le 1er juillet 1961. Il travailla très jeune dans une fabrique de rubans. Parti au front à vingt ans, en 1914, il fut blessé et subit une trépanation. Il passa son baccalauréat pendant sa convalescence et étudia la médecine. Comme médecin de marine, il effectua de nombreux voyages et écrivit des articles dans la *Presse*

Un exploit de L.-F. Destouches en 1914

médicale sous le nom de Destouches. Plus tard, sous le pseudonyme de Céline, il publia « *Voyage au bout de la nuit* » (1932), qui rata de peu le Goncourt, « *Mort à crédit* » (1936), « *Mea culpa* » (1937), « *Bagatelles pour un massacre* » (1938), « *L'Ecole des Cadavres* » (1939), « *Les beaux draps* » (1941), « *Guignol's band* » (1943). Ces quatre derniers livres lui ont été beaucoup reprochés, surtout « *Bagatelles* » et « *L'Ecole* », en raison de leur antisémitisme virulent. On lisait dans celui-ci des passages de ce genre : « *Je trouve l'antisémitisme italien tiède pour mon goût, pâle, insuffisant. Je le trouve périlleux. Distinction entre les bons Juifs et les mauvais Juifs ? Ça ne rime à rien... Si vous voulez dératiser un navire, dépunaiser votre maison, vous n'allez pas dératiser à demi, dépunaiser seulement votre premier étage...* » Et dans celui-là : « *La guerre pour la bourgeoisie, c'était déjà bien fumier, mais la guerre maintenant pour les Juifs ! Je peux pas trouver d'adjectifs qui soient vraiment assez glaireux, as-*

sez myriakilogrammiques en chiasse, en carie de charogne verdoyeuse pour vous représenter ce que cela signifie : une guerre pour la joie des Juifs ! C'est vraiment bouffer leur gangrène, leurs pires bubons. Je ne peux pas imaginer une humiliation qui soye pire que de se faire crever pour les youtres, je ne vois rien de plus ignoble, de plus infamant. » Pour lui comme d'ailleurs pour les autres antisémites, les Israélites poussaient à la guerre contre Hitler qui les haïssait d'Allemagne. Après l'armistice de 1940 et durant l'occupation, il se borna à encourager ses amis, par lettres destinées à la publication. Sans faire de politique active, il fréquentait les milieux antisémites pour lesquels il était un maître. Bien avant l'exode des pétainistes et des collaborationnistes d'août 1944, il quitta la France et alla s'établir en Allemagne (juin 1944). Puis il fut à Sigmaringen avec les autres émigrés, dont il était l'un des médecins. Après l'effondrement du Reich hitlérien, il se retrouva miraculeusement au Danemark, où on l'arrêta quelque temps. Remis en liberté (liberté surveillée), il vécut dans ce pays assez pauvrement avec sa femme, ses chats et sa chienne. Rentré en France, où il fut condamné à un an de prison avec sursis, il reprit ses activités, faisant taire ses ressentiments et mettant brutalement un terme à ses débordements antisémites. Il y gagna des amitiés à *l'Express* et à la radio d'Etat, qui le tirèrent quelque temps de l'oubli. Depuis sa mort, ses œuvres sont régulièrement rééditées par Gallimard (qui a acquis le fond d'édition Denoël), sauf naturellement ses ouvrages politiques, d'ailleurs pratiquement reniés de son vivant par Céline lui-même.

CELLARD (André).

Avocat, né à Rabat (Maroc), le 19 mars 1921. Son opposition au régime du maréchal Pétain lui valut, en décembre 1940, une condamnation par le Tribunal militaire de Casablanca. Réfractaire au S.T.O., il milita activement dans la Résistance et fut, à la Libération, attaché au service juridique du Commissaire de la République à Marseille (août 1944-mars 1945). Inscrit d'abord au barreau d'Aix, il vint s'installer dans la capitale et devint avocat à la Cour de Paris. Radical actif, il présida la Commission de Politique générale du Parti de la rue de Valois ainsi que la Fédération radicale-socialiste de Seine-et-Oise. Il appartient au bureau du *Parti Républicain Radical et Radical-Socialiste*, au comité exécutif de la *Fédération de la Gauche démocrate*

et socialiste et au Comité permanent du *Contre-Gouvernement*. Il est en outre vice-président de *L'Atelier républicain*. Auteur de : « *Atome, vitesse et démocratie* ».

CELOR (Pierre).

Militant politique, né à Tulle (Corrèze), le 19 avril 1902. Employé, puis sous-directeur de la succursale marocaine de *Saint Frères* (1917-1925), il fut l'un des membres les plus actifs des *Jeunesses communistes* et du *P.C.* au Maroc en 1923-1925. Expulsé du Protectorat, il fut chargé de la direction de la section coloniale du parti en 1926 ; deux ans plus tard, après le congrès de Moscou, il entra au Comité central et au Bureau Politique de la *S.F.I.C.* (1928) et représenta le parti au sein du Komintern (1931). Accusé de se livrer à un « *travail fractionnel* » au sein du parti avec Henri Barbé — le groupe fameux Barbé-Célor, dont parlent tous les historiographes du communisme français —, il fut appelé à Moscou, isolé de ses camarades et exclu des organisations communistes. Pendant neuf ans, chef de service aux *Etablissements Cauvin Yvose*, il ne se livra à aucune activité politique. En 1941, il adhéra au *R.N.P.* (de Marcel Déat) et, l'année suivante, rallia le *P.P.F.* (de Jacques Doriot), dont il devint membre du Bureau politique. Arrêté après la Libération et condamné à sept ans de travaux forcés par la Cour de Justice de la Seine (1947), il fut libéré deux ans après (grâces du 14 juillet 1949), dans un état de santé inquiétant pour son entourage. Retiré de la politique, entouré des soins attentifs de sa femme, il ne se remit jamais complètement et mourut à Paris le 6 avril 1957, à l'âge de cinquante-cinq ans.

CENS.

Quantum d'imposition nécessaire jadis pour être électeur. Le *régime censitaire* était en vigueur sous la Restauration et la Monarchie de Juillet.

CENSEUR (Le).

Journal satirique illustré (à périodicité incertaine), paraissant entre les deux guerres sous la direction d'Eugène Saint-Jean, où les as du crayon et de la plume — parmi lesquels un officier de marine, caricaturiste à ses heures sous le pseudonyme de « A. Trapp » — exerçaient leur talent contre les hommes et les groupes au pouvoir. Saint-Jean publia aussi en marge du *Censeur, Portrait parlementaire*, revue luxueusement éditée « à

l'usage de Messieurs les parlementaires »,
fondée en 1922 et disparue quelques
mois plus tard.

CENTRALISME DEMOCRATIQUE.

Expression de la terminologie communiste qui désigne le système par lequel
les décisions des organismes supérieurs
du parti sont tenues pour la manifestation du sentiment et de la volonté de
l'ensemble des militants.

CENTRE.

Ensemble des membres d'une assemblée politique siégeant au centre. En
fait, se subdivise chez nous en *centre
gauche* (radicaux modérés) et en *centre
droit* (démocrates-chrétiens, indépendants).

CENTRE D'ACTION DEMOCRATIQUE.

Groupement politique créé par les
partisans de Pierre Mendès-France après
leur rupture avec le *Parti Radical et
Radical-Socialiste*, à la suite de la position prise par la rue de Valois à l'endroit de l'*Union des Forces Démocratiques* (voir à ce nom). Le 14 janvier 1959,
Félix Gaillard, président du parti, avait
mis en demeure les militants radicaux-
socialistes, les candidats aux dernières
élections et les présidents de fédérations
de se soumettre aux décisions du bureau
et de signaler ceux qui prétendraient
rester au parti tout en demeurant membres de l'*U.F.D.* Vingt-quatre anciens
parlementaires ou présidents de fédérations, suivis ou approuvés par beaucoup
d'autres, avaient alors envoyé à la direction du *Parti Radical-Socialiste*, une
lettre de protestation (26 janvier 1959).
« *Les membres du Parti soussigné*, écri-
vaient-ils, *ne peuvent tenir compte de
cette injonction formulée sans qu'aucune
discussion préalable n'ait eu lieu avec
eux. Cette discussion aurait dû porter
sur les problèmes politiques essentiels
qui se posent aujourd'hui en France. Les
soussignés ont en effet la conviction profonde que leur action répond aux nécessités de la situation présente de notre
Pays, ainsi qu'à la tradition la plus haute
du Parti Radical, bien mieux qu'une attitude d'opportunisme et de complaisance
à l'égard de la réaction passagère triomphale. Ils n'ont jamais souscrit, en ce
qui les concerne, à une politique de
guerre sans issue en Algérie. Ils ont
blâmé ceux des radicaux qui, pour
entrer à tout prix dans n'importe quelle
combinaison ministérielle, n'ont jamais
reculé devant l'alliance des formations.*

*les plus conservatrices, voire ouverte-
ment antidémocratiques. Ils ont désapprouvé les parlementaires qui, tout récemment, ont soutenu de leur vote les
mesures du prétendu redressement économique et financier, lesquelles se gardent de remonter aux causes — c'est-à-
dire aux charges militaires écrasantes
de la guerre d'Algérie et à une conception erronée du progrès économique de
notre pays — réduisant le niveau de vie
des classes moyennes des salariés et du
monde agricole avec une désinvolture
impitoyable. Ce radicalisme-là n'a jamais été le leur, il ne le sera pas plus
demain qu'hier.* »

Avaient signé cette lettre à Félix Gaillard, président du *Parti Radical Socialiste* : Paul Anxionnaz, ancien ministre
ancien secrétaire général du Parti, futur
Grand-Maître du *Grand Orient*, Raoul
Aubaud, ancien ministre, ancien secrétaire général du Parti, Adrien André
ancien député, Maurice Bène, ancien député, Maurice Bertrand, Mme J. Biliau
secrétaire générale de la Fédération de
l'Eure, membre du Bureau du Parti, Edmond Bischoff, président de la Fédération du Bas-Rhin, Roger Charny, secrétaire général de la Fédération de la
Seine, membre du Bureau du Parti, Roger Chatelain, ancien député, membre
du Bureau du Parti, Paul-André Falcoz
ancien membre du Bureau du Parti, Mme
Brigitte Grosz, ancien membre du Bureau du Parti, Charles Hernu, ancien
député, Léon Hovnanian, ancien député
Roger Humbert, ancien président de la
Fédération du Doubs, Jacques Kayser
ancien secrétaire général du Parti, Robert Kuhn, président d'honneur de la
Fédération de la Côte-d'Or, René de
Lacharrière, Pierre Mendès-France, ancien président du Conseil, Claude Panier, ancien député, Albert Secqueville
ancien député, président de la Fédération des Côtes-du-Nord, Pierre Souques
ancien député, Dominique Stefanaggi
membre du Bureau du Parti, Jean Vil-
latte, président de la Fédération de l'Allier. S'associèrent, par la suite, à cette
déclaration : Paul Aubry, ancien député
président de la Fédération de la Haute
Marne, Bernardi, vice-président des Jeu
nesses radicales, Chapuis, secrétaire général de la Fédération de la Côte-d'Or
le Dr Caillet, secrétaire général de la
Fédération des Côtes-du-Nord, le Dr P
Charlin, président d'honneur de la Fédération du Doubs, G. Froment, conseil
ler général de l'Oise, Leroux, président
de la Fédération du Morbihan, A. Labar
rière, ancien secrétaire général de la
Fédération du Loiret, Jean Moune, secré
taire général de la Fédération de la

Nièvre, Nebout, vice-président de la Fédération de la Meurthe-et-Moselle, Pernet, président de la Fédération de la Côte-d'Or, Perrot-Migeon, ancien sénateur de la Haute-Saône, Trioreau, président de la Fédération de la Sarthe, Vienney, adjoint au maire de Lyon, Weisberg, président de la Fédération de la Moselle. Dans la lettre qu'il adressa, le 20 février 1959, aux mendésistes, Paul Anxionnaz, parlant au nom des fondateurs du C.A.D. affirmait que ce dernier n'était pas « un parti politique nouveau ». Car, disait-il, « il y a déjà trop de partis politiques à ce jour, et nous n'avons aucune intention d'en constituer un de plus. Nous espérons même que des partis et des formations de la gauche non communiste, aujourd'hui trop nombreux, fusionneront un jour dans un grand groupement nouveau auquel nous donnerons alors notre appui et notre confiance. Le Centre d'Action Démocratique défendra cet espoir au sein de l'U.F.D. » La circulaire d'Anxionnaz annonçait la création d'un bulletin mensuel, Le Courrier de la République, destiné aux membres et aux sympathisants du C.A.D. La revue doctrinale du groupe était naturellement Les Cahiers de la République que Pierre Mendès-France avait fondée en 1956 et dont Georges Suffert, fin 1959, fut le rédacteur en chef lorsqu'il eut quitté Témoignage Chrétien. Le C.A.D. rejoignit le Parti socialiste autonome après le ralliement de Pierre Mendès-France au socialisme (discours du 20 juin 1959).

CENTRE D'ACTION ET DE DOCUMENTATION.

Groupe d'études et d'édition (sur les sociétés secrètes), créé en 1941 par Henry Coston et Paul Lafitte, sous le contrôle du gouvernement du maréchal Pétain. Publiait un Bulletin d'information hebdomadaire destiné aux journalistes et aux personnalités de l'Administration, de la Presse, de la Politique.

CENTRE D'ACTION DES GAUCHES INDÉPENDANTES.

Groupe socialiste créé en 1954. Secrétaire général : Jacques Nantet. Comité directeur · Charles d'Aragon, André Denis, Jacques Bloch-Morhange, Claude Bourdet, Paul Rivet, Pierre Aron, Paul Granet, Pierrette Brochay, Jean Calmejane, J.-R. Chauvin, Jean Cohen, Prosper Cohen, Yves Dechezelles, Guy Dhellin, Mme Franck Emmanuel, Georges Delange, Claude Gérard, Bernard Gilles, Georges Gousseau, Jean-Marie Krust,

Maurice Lacroix, Guy Lefort, Robert Lucente, Jacques Madaule, Henri Marty, Jean Meuriot, Pfeiffer, Jean Rous, Camille Val. Journal : Le Libérateur, dirigé par René Greusard, assisté de Jean Arthuys.

CENTRE D'ACTION INSTITUTIONNELLE.

Organisation de gauche animée par François Mitterrand, Charles Hernu et Louis Mermaz. Fut à l'origine du « Banquet des mille » tenu le 15 septembre 1963 à Saint-Honoré-les-Bains, dans la Nièvre.

CENTRE DÉMOCRATE.

Cette dénomination fut d'abord celle d'une organisation fondée en juillet 1958 par Robert Fossorier, alors trésorier général du Parti Radical-Socialiste, avec des parlementaires de son parti, de l'U.D.S.R. et du groupe radical dissident (Edouard Bonnefous, Robert Hersant, Emile Hugues, Bernard Lafay, Jacqueline Thome-Patenôtre, etc.). L'actuel Centre démocrate est une organisation centriste, libérale et européenne, issue du Comité d'études et de liaison des Démocrates français, dit Comité des Démocrates, qui créa, en mai 1964, le Courrier des démocrates dont le comité était composé de : Pierre Baudis, Théo Braun, Claude Delorme, Michel Drancourt, Jacques Dubois, Jacques Duhamel, Guy Ebrard, Jean Filippi, Joseph Fontanet, Henri Fréville, Albert Génin, François Japiot, Jean Lecanuet, Jacques Menard, Rémy Montagne, Jean Montalat, René Régaudie. Par la suite, le Comité des Démocrates tint des réunions auxquelles prirent la parole Maurice Faure, alors président du Parti Radical-Socialiste et du Rassemblement démocratique, ainsi que divers élus du Centre démocratique de l'Assemblée nationale et de l'Union des Démocrates du Sénat. Le Centre démocrate fut officiellement créé le 2 février 1966. Sa constitution avait été rendue particulièrement difficile à la suite d'événements qui freinèrent l'élan donné par la campagne électorale présidentielle de Jean Lecanuet, candidat du Comité des démocrates : d'une part, les radicaux avaient mis en minorité Maurice Faure, qui devait être l'un des leaders du nouveau mouvement ; d'autre part, les indépendants-paysans redoutaient trop la concurrence du groupe de Giscard d'Estaing et, pour ce motif, ne voulaient pas se lier organiquement avec le Centre démocrate. Un *modus vivendi* fut trouvé qui permit aux anciens partis de ne pas fusionner au sein du nouvel organisme — donc de ne pas disparaître —, tout en formant son armature. Maurice Faure et Ebrard, qui devaient être respectivement vice-président et membre du Comité directeur du *Centre,* renoncèrent a en faire officiellement partie, pour ne pas rompre avec le *Parti Radical-Socialiste* ; mais ils demeurent membres dirigeants du *Comité des Démocrates.*

Présidé par Jean Lecanuet, le comité directeur du *Centre démocrate* fut ainsi composé : Bertrand Motte (*C.N.I.P.*), vice-président ; Paul Abelin (*M.R.P.*) ; Alduy (socialiste indépendant) qui n'y resta pas ; Edmond Barrachin (*C.N.I.P.*); Pierre Baudis (*C.N.I.P.*) ; Brizet (ancien président des Producteurs de lait) ; Blondelle (*C.N.I.P.*) ; Edouard Bonnefous (*Gauche démocratique*) ; P. Bouju (professeur) ; Henri Catane (étudiant) ; Chaplais (syndicaliste) ; Chelini (professeur d'université) ; André Colin (*M.R.P.*) ; Paul Coste-Floret (*M.R.P.*) ; A. Darteil (cadre) ; A. Delaunoy (agriculteur) ; J. Duhamel (*Rassemblement démocratique*) ; Jacques Dubois (cadre); Jean Dye (agriculteur) ; Michel Elbel (ingénieur) ; Pierre Fauchon (avocat) ; Joseph Fontanet (M.R.P.) ; A. Fosset (M.R.P.) ; Paul Garson (avocat, gendre de Robert Lazurick, directeur de *l'Aurore*) ; A. Genin (agriculteur) ; P.-E. Gilbert (ancien ambassadeur en Israël) ; F. Japiot (*C.N.I.P.*) ; Benoît Jeanneau (professeur de droit) ; F. Leray (étudiant) ; Jacques Menard (*C.N.I.P.*), Rémy Montagne (*Centre démocratique*) ; Nadd (avocat) ; Pateau (agriculteur) ; J. Peneau (syndicaliste) ; P. Pillet (*Centre démocratique*) ; Pierre Pflimlin (*M.R.P.*), qui l'a quitté ; Quéré (cadre) ; R. Rialland (agriculteur) ; Jacques Rastoin (*C.N.I.P.*) ; Paul Ribeyre (modéré) ; Maurice-René Simonet (*M.R.P.*) ; H. Stoven (agriculteur) ; Antoine Veil (cadre) ; Théo Braun (*M.R.P.*), secrétaire général ; Denis Baudouin (*C.N.I.P.*) et Christian Legrez, secrétaires généraux adjoints. Un conseil politique seconde le comité directeur. Siègent dans cet organisme : le sénateur Jung, Jean Golliet, Georges Martin, Jean de la Chauvinière, François Guérard, le sénateur Armengaud, Emmanuel Georges, Roland Boudet, Jean-Marie Pelt, etc. *Les Jeunes démocrates,* section des jeunesses du *Centre,* sont dirigés par Henry Lesguillons, secrétaire exécutif, Dominique Baudis, Henri Dissez, Michel Labarbe, Jacques Chevrot (Côtes-d'Or), Jacques Levassor (Gironde), Jean-Pierre Lloret (Haute-Garonne), Alain Pehichon (Landes), Bernard Robert (Yvelines), José Rossi (Corse), Alain Roux (Rhône), Jean Teitgen (Hauts-de-Seine), Jean-Marie Vanterenberg (Pas-de-Calais). Une charte définit le programme du mouvement. Elle prévoit en particulier, dans les domaines suivants (cf. *Le Monde,* 17-7-1966) :

INSTITUTIONS. — L'évolution de la Constitution de 1958 vers un véritable régime présidentiel ; la création d'une Cour suprême composée de hauts magistrats indépendants du pouvoir ; l'introduction dans la Constitution de l' « habeas corpus », la suppression des juridictions d'exception et l'indépendance de l'O.R.T.F.

POLITIQUE EXTERIEURE. — La construction des Etats-Unis d'Europe en créant un Parlement européen composé de deux Assemblées, l'une représentant les Etats, l'autre élue au suffrage universel direct. La charte déclare que la France doit rester fidèle à l'O.T.A.N. Cependant l'Europe devra être associée à l'élaboration et à la mise en œuvre de la stratégie nucléaire occidentale. Au sujet de l'Allemagne, il est dit que l'Europe unie saura seule négocier les étapes de la réunification.

FORCE DE DISSUASION. — Elle est un instrument inefficace et une charge trop lourde. *Le Centre démocrate* est partisan de rechercher, dans un premier temps, un accord entre la France et la Grande-Bretagne qui permettrait de trouver une solution valable au problème européen.

POLITIQUE ECONOMIQUE ET SOCIALE. — Elle est fondée sur l'initiative privée, le respect contrôlé des règles de la concurrence, les priorités et options du développement étant prévues par le Plan. La charte estime qu'il faut construire six cent mille logements par an et donner aux collectivités locales les moyens de constituer des réserves financières. Elle se prononce pour la parité des revenus dans l'agriculture, pour la participation des syndicats à tous les échelons d'information et de contrôle économiques (et pour la reconnaissance légale des sections d'entreprises) et préconise l'installation d'une infrastructure économique.

ENSEIGNEMENT. — Il est considéré comme une priorité. La charte prône l'égalité des chances et la prolongation de la scolarité obligatoire.

« Les besoins de l'enseignement, déclare-t-elle, sont tels que dans le respect des libertés il faut dégager pour les satisfaire des crédits accrus. Cependant, l'Etat a le devoir de contrôler la qualité de l'enseignement qu'il ne dispense pas lui-même. »

Courrier des Démocrates, fondé, nous avons vu, par le *Comité d'études et de liaison des Démocrates français* (rédacteur en chef : Denis Baudouin, directeur gérant : A. Champenois) est l'organe officiel du *Centre* (207, boulevard Saint-Germain, Paris 7ᵉ).

CENTRE DEMOCRATIQUE.

Groupe parlementaire constitué après les élections de novembre 1962, sous la présidence de P. Pflimlin, par les élus *M.R.P.* auxquels se joignirent divers députés du *Centre gauche* (tels que René Pleven) et du *Centre droit* (Michel Jacquet). Ce groupe de 49 membres (+ 5 apparentés) se composait de : Abelin, Mme Aymé de La Chevrelière, Barrot, Barniaudy, Noël Barrot, Baudis, Jean Benard, Bernard Bizet, Christian Bonnet, Bosson, Bourdelles, Brugerolle, Cerneau, de Chambrun, Chapuis, Charpentier, Chauvet, Chazalon, Paul Coste-Floret, Davoust, Mlle Dienesch, Dubuis, Fontanet, Fourmond, Fréville, Emile-Pierre Halbout, Ihuel, Michel Jacquet, Aillon, Julien, Labeguerie, Le Guen, Le Lann, Maurice Lenormand, Meck, Méhaignerie, Louis Michaud, Rémy Montagne, Jean Moulin, Orvoen, Pflimlin, Philippe, Millet, René Pleven, Sallenave, Schaff, Maurice Schumann, de Tinguy. *Apparentés :* Commenay, Fouchier, Charles Germain, Joseph Rivière, Teariki.

CENTRE DEMOCRATE ET REPUBLICAIN.

Mouvement politique de centre-droit créé en décembre 1966 et qui se proposa, en raison des difficultés rencontrées par les nationaux en général à conclure des accords avec la direction du *Centre Démocrate*, à présenter une centaine de candidats aux élections législatives de 1967. Le mouvement est animé par : Mᵉ Roger Palmiéri, avocat à la Cour d'appel de Paris, militant chevronné des luttes nationales et dirigeant d'organisations paysannes (*Parti agraire*, *Parti paysan*, *Rassemblement paysan*, etc.), qui préside le *Centre ;* Albert Frouard, ancien délégué à la propagande du *Rassemblement national* (Tixier-Vignancour), ancien dirigeant du *Centre Républicain* (André Morice-Dr Lafay), qui assume le secrétariat général, et Roger Bethmont, maire-adjoint de Boulogne-Billancourt, du *Centre Républicain*, trésorier.

CENTRE DE DIFFUSION DU LIVRE ET DE LA PRESSE (C.D.L.P.).

Organisme commercial du *Parti Communiste Français* pour la diffusion et la vente des livres, des publications et des disques. Lié au *Club du Livre Progressiste*. Sa clientèle se recrute presque exclusivement parmi les militants du Parti, les cellules et les sections, ainsi que parmi les municipalités communistes ou à direction communiste. Son importance est exceptionnelle ; non seulement il participe efficacement à la propagande communiste en général, mais il réalise des bénéfices qui sont utilisés par diverses organisations du *P.C.F.* Fondé le 9 décembre 1946 sous la forme de S.A.R.L. par Emile Dutilleul, Auguste Havez, Jean Laffitte, Guy Perilhou et Georges Tessier, le *C.D.L.P.* est, depuis 1956, une société anonyme. Son capital, qui était de 2 500 000 francs (anciens), soit 25 000 francs (nouveaux) à l'origine, a été porté à 1 500 000 francs (nouveaux) en 1964 par l'émission de 1 475 actions de 1 000 francs entièrement souscrites par la *Sté Immobilière de Presse et d'Edition* (voir à ce nom), holding du *P.C.F.* Aux fondateurs se sont joints, par la suite, Raymond Hallery, André Arnault, Henri Begot, Roland Lenoir, Alice Eterstein, André Voguet, André Marx et Joseph Ducroux (des *Editions Sociales*). En dernier lieu, le *C.D.L.P.* était administré par André, Paul, Abel Voguet, André, Daniel Arnault et André Braye. (142, boul. Diderot, Paris 12ᵉ.)

CENTRE DOCTRINAL D'ACTION ROYALISTE (voir : Légitimiste).

CENTRE D'ENTR'AIDE GENEALOGIQUE.

Organisme fondé en 1953 par G. Saclier de la Batie, l'animateur du cercle royaliste *Le Souvenir Sancerrois* (voir à ce nom). Bien que ne faisant aucune politique et n'ayant d'autre but que de grouper des généalogistes, le cercle est essentiellement traditionaliste. Outre le fondateur, président de l'association, appartiennent au comité : le Dr du Chalard. G. de Villeneuve, Xavier d'Albaret et Guesdon de la Roque.

CENTRE D'ETUDE POUR LA DEMOCRATIE.

Groupe de gauche publiant des *Cahiers* rédigés par J.-C. Barbé, J. Bourraux, G. Coq, D. Frachon, Renaud Sainsaulieu,

F. Utgé et dirigés par R. Chapuis, assisté par P. Crémion et J.-C. Delaporte (94, rue Notre-Dame-des-Champs, Paris 6e).

CENTRE D'ETUDE ET DE RECHERCHE MARXISTES.

Groupe d'extrême-gauche dirigé par Roger Garaudy et Pierre Abraham, organisant des débats publics avec le concours de personnalités de divers bords : Gilbert Mury, Antoine Casanova (de *La Nouvelle Critique*), le pasteur André Dumas, le pasteur Jean Bosc, André Wurmser, etc. (salle de la Mutualité, 24, rue Saint-Victor, Paris 5e).

CENTRE D'ETUDES ANTIBOLCHEVIQUES. (Voir : Comité d'Action Antibolchevique).

CENTRE D'ETUDES ET D'EDUCATION SOCIALISTES.

Club animé par Jacques Piette, son secrétaire général, et par d'autres militants socialistes de la région parisienne. A organisé au cours de l'année 1966 divers débats entre les représentants des tendances du mouvement ouvrier, socialiste et communiste (41, boulevard Magenta, Paris 10e).

CENTRE D'ETUDES POLITIQUES ET CIVIQUES (C.E.P.E.C.).

Organisme de tendance nationale fondé en 1954 sous la présidence d'Alfred Pose, membre de l'Institut, ancien conseiller du général Giraud, assisté de Georges-René Laederich, industriel de l'Est, vice-président. Véritable société de pensée moderne ou *club*, si l'on préfère, le *C.E.P.E.C.* s'adresse aux élites de la Nation, sur lesquelles il compte pour restaurer « *l'esprit civique et la culture politique* » : « *Les chefs d'entreprise, les cadres supérieurs et les ingénieurs*, expliquaient ses créateurs, *sont considérés par l'opinion comme responsables des destinées de la nation. Ils en prennent de plus en plus conscience sur le plan social. C'est une bonne chose, car le sens social prépare à l'esprit civique. C'est insuffisant cependant, car l'esprit civique n'est pas social et moral ; il est aussi et surtout politique. Culture politique. Culture politique et esprit civique vont de pair avec le progrès moral et la formation sociale, dans le développement spirituel des dirigeants de l'Eco-*

nomie. » Les moyens du *C.E.P.E.C.*, dont le but, précise-t-il, est « *strictement politique* » — sont la parole e l'écrit. Par les conférences et les dîner politiques qu'il organise, à Paris et e province, par les brochures, les circu laires et les *cahiers* qu'il publie réguliè rement, il veut « *refaire un esprit pu blic* ». Au cours du 36e *dîner d'informa tion*, présidé par le général Maxim Weygand — qui fut le présiden d'honneur de l'organisation —, J.-I Bourdelle, directeur de *La Voix d Limousin*, vice-président du *C.E.P.E.C* profitant de la célébration du Xe anni versaire du *Centre*, insista sur l'aide eff cace apportée par le groupement à l presse modérée de province : « *Le C.I P.E.C.*, dit-il, préoccupé par le problèm de l'information, a guidé les premier pas de l'Agence coopérative interré gionale de Presse (A.C.I.P.), créée e 1960 par une vingtaine de journaux d province. Il lui a donné un appui to plus entier, et l'Agence a grandi jusqu réunir aujourd'hui 300 hebdomadaire dont plus de 100 sont « coopérateurs fondateurs », et les autres abonnés, no coopérateurs ou sympathisants ». Un aide analogue a été apportée par l C.E.P.E.C. à l'Omnium d'Impression de Publicité, société de promotion de hebdomadaires de province, qui form la « Ve chaîne de la presse française » (entente publicitaire de 340 journau locaux et départementaux). Ces deu organismes ont leurs bureaux à la mêm adresse que le *C.E.P.E.C.* Les personna lités composant les organismes dire teurs de l'association appartiennen pour la plupart, aux cadres supérieu de l'économie française. Son présiden fondateur, Alfred Pose, était le « gran patron » de la *B.N.C.I.-Afrique*, son pr sident actuel, Georges-René Laederic est un industriel connu, ancien prés dent de l'*Union des Industries Textile* et son ancien président d'honneur, bie qu'ayant passé la plus grande partie d sa vie sous l'uniforme, au côté du mar chal Foch ou du maréchal Pétain, conn également les réalités économiques financières à la *Compagnie de Suez*, o il était entré en quittant l'Etat-Majo général de l'armée. Les vice-présiden du *C.E.P.E.C.* sont, dans leur majorit des industriels importants ou des hom mes d'affaires éminents : le com Barrozi, dit Pierre Baruzy, préside *Cie des Meules Norton*, l'*Electro-Vo werk*, *Timken-France* et administre *Banque de l'Union Occidentale* ; Yv Chotard, directeur des *Editions Franc Empire* et de la diffusion *Sodaf* conseiller économique et social, préside a *Jeune Chambre économique Française* ; Maurice Firino-Martell, récemment décédé, était l'un des « patrons » du cognac *Martell* ; Georges Lamirand, ancien collaborateur du gouvernement du maréchal Pétain, est le président-directeur du groupe *Sigma* ; François Lehideux (neveu de Louis Renault, l'un des pionniers de l'automobile française mort à sa sortie des geôles de l'épuration) après avoir présidé *Commentry-Oissel* et *Petro Fouga*, administre *Poliet et Chausson*, *A.B.G.* et *T.H.E.G.* ; Pierre Masquelier, président honoraire de *Châtillon-Commentry et Neuves-Maisons*, siège au Conseil d'administration des *Parfums Caron* et des *Aciéries et Tréfileries de Neuves-Maisons*. L'ancien trésorier général, Théodore Boury, aujourd'hui disparu, présidait les *Etablissements Markt et Cie*. Les autres dirigeants sont des professeurs comme Victor Berger-Vachon et Louis Salleron, des officiers, comme le général Touzet du Vigier et le colonel Rémy, des agriculteurs, comme Maurice de Waresquiel, par ailleurs membre du conseil du *Centre des Jeunes Patrons*, des écrivains et des journalistes, comme René Gillouin, ancien vice-président du Conseil municipal de Paris, et Marc Pradelle, qui assume les fonctions de secrétaire général du *C.E.P.E.C.* Aux *diners d'information*, qui réunissent à intervalles irréguliers les membres de l'organisation et leurs invités, ont pris la parole depuis douze ans plusieurs personnalités n'appartenant pas à la direction du *Centre*, mais sont soit membres de l'association, soit sympathisantes ou invitées : Gabriel Dessus, des cadres supérieurs de l'*E.D.F.*, Roger Millot, président du Conseil des Classes Moyennes, Mgr Louis Rodhain, du *Secours Catholique*, Marcel Demonque, président des *Ciments Lafarge*, le professeur Albert Rivaud, de l'Institut, C.-J. Gignoux, Bertrand de Jouvenel, René Thomas, le général Zeller, Léon Emery, le professeur André Piettre, Georges Sauge, directeur du *C.E.S.P.S.*, le général Jouhaud, Gustave Thibon, le sénateur Pierre Marcilhacy, Marcel Prelot, André Mignot, maire de Versailles, Pierre Boutang, directeur de *La Nation française*, Guy Berthault, directeur général adjoint de *Vini-Prix*, Bernard Jousset, Claude Harmel, d'*Est et Ouest*, Philippe Vayron, ancien député, Jean Madiran, directeur d'*Itinéraires*, Bernard Mallet, président de *La Restauration Nationale*, Arnaud de Vogüé, président de *Saint-Gobain*, Gérard de Caffarelli, secrétaire général de la *F.N.S.E.A.*, l'amiral Auphan, ancien ministre, Henri Massis, de l'Académie française, le professeur Daniel Villey, Wilfrid Baumgartner, ancien ministre des Finances, président de l'*Alliance française*, Pierre de Calan, vice-président du *Syndicat général de l'Industrie cotonnière*, Michel de Saint-Pierre, Paul Serant, François de Clermont-Tonnerre, etc. L'importance du *C.E.P.E.C.* dans les milieux modérés, libéraux et conservateurs est d'autant plus grande que ses moyens sont efficaces et que son armature est, politiquement, socialement et économiquement parlant, d'une exceptionnelle solidité (4, rue de la Michodière, Paris 2e).

CENTRE D'ETUDES DES QUESTIONS ACTUELLES) (voir : **Ecrits de Paris**).

CENTRE D'ETUDES SOCIALISTES.

Club créé en 1960 par d'anciens membres du *Parti Communiste* et des militants du *P.S.U.* Organise des soirées-débats sur les problèmes politiques et économiques, auxquelles ont participé Jean Fourastié, Etienne Hirsch, le professeur Louis Thieblot, Marc Paillet, de la *Fédération de la Gauche démocrate et socialiste*, Jacques Chambaz, du comité central du *P.C.F.*, le sénateur Michel Darras, Pierre Naville, etc. (29, rue Descartes, Paris 5e).

CENTRE D'ETUDES SUPERIEURES DE PSYCHOLOGIE SOCIALE (C.E.S.P.S.).

Organisme créé à Paris en 1956 par une équipe de militants catholiques animée par Georges Sauge et Jean Damblans, agrégé de l'université, que secondent André Gautier, Jacques Janguet et René Juge. Ses principaux moyens d'action, qui ne visent pas à atteindre les masses, mais une minorité agissante, sont : les conférences, les sessions d'études, les cours d'orateurs et une *Lettre d'Information*, lancée en 1960 par une équipe animée par Jean Guiton-Leva et Pierre Laprette. La position politique prise par le *Centre* dans le combat pour la défense de l'Algérie française et, un peu plus tard, dans l'opposition au régime gaulliste, devait l'amener à joindre son action à celles de diverses formations politiques nationales. (Siège : 50, rue du Faubourg-Poissonnière, Paris 10e.)

CENTRE FRANÇAIS DE SYNTHESE.

Organisme fonctionnant « *sous la haute protection du maréchal Pétain* ».

à Vichy, chargé de la formation « corporative » des partisans de la Révolution nationale et du recrutement des hommes qualifiés pour assumer des fonctions dans l'Etat français. Il était dirigé par un *Conseil Général* composé de : Max Bonnefous, ministre, Gabriel Boissy, Jean Loisy, Hubert Lagardelle, Alexis Carrel, Paul Estèbe, chef adjoint du cabinet civil du maréchal, Lucien Romier, Jean Bichelonne, ministres, Jean de Fabrègues, directeur de *Demain* et futur directeur de *La France Catholique*, René Gillouin, Paul Rives, Alfred Sauvy, directeur de l'Institut de Conjoncture, Gustave Thibon, etc.

Un *Conseil Corporatif* secondait le Conseil général. En faisaient partie des syndicalistes, des hommes d'affaires, des industriels : Louis Bertin, directeur de *Au Travail*, Henri Bertrand (d'Oran), Louis Bertron (travailleurs du sous-sol), Marcel Bonnet (synd. de l'habillement), Ed. Davy (industrie chimique), Robert Lemaignan (C.O. des Ports et Docks), Roger Vitrac (synd. professionnels français), professeur Achille Mestre, etc.

CENTRE DES INDEPENDANTS ET REPUBLICAINS NATIONAUX.

Organisme parisien du *C.N.I.P.*, animé par Frédéric-Dupont, conseiller municipal de Paris (depuis 1935), ancien député *P.R.L.* (1946), *R.P.F.* (1951), *A.R.S.* (1953) et *C.N.I.P.* (1956), que secondent des parlementaires de la Seine et Maurice Dardelle, ancien conseiller de l'Union Française. Chaque secteur possède son propre bureau, qui constitue en quelque sorte le comité électoral du candidat indépendant.

CENTRE D'INFORMATION CIVIQUE.

Association ayant pour objet « *d'animer une organisation de relations publiques et d'information* » et se proposant « *de mettre le Pays au fait des grands problèmes d'intérêt général par tous moyens appropriés* ». Le *Centre* est animé par Jean-Christian Barbé (voir à ce nom). Le Conseil d'administration, que préside ce dernier, comprend des spécialistes de l'information, des relations publiques, de la presse et de la psychologie sociale connus pour leur fidélité au général De Gaulle : Raymond Labelle, ancien attaché au secrétariat général du *R.P.F.*, ancien attaché au cabinet du général De Gaulle, puis au secrétariat de *l'Association pour la défense de la Vᵉ République ;* Robert Bourillet, conseiller des Affaires étrangères, ancien déporté,

ancien conseiller technique au cabine de Louis Terrenoire, ministre de l'Information ; Marguerite Laurence Chartrett journaliste, naguère à *Paris-Jour*, secre taire générale de l'*Association Franco Allemagne ;* René Tavernier, ancien di recteur de *Confluences*, de *Preuves-In formations* et des services de presse et d relations publiques de l'Union des Cham bres Syndicales de l'industrie du pétrol secrétaire général du *Congrès pour l liberté de la culture*, directeur de l Maison de verre ; Gabriel Bertrand, an cien rédacteur au *Petit Marocain*, *Paris* (de Camille Aymard) et à *Comba* ancien collaborateur de Georges Bérard Quélin, administrateur de *Science et Vi* et de l'*Action Automobile et touristique* Roland Claude, directeur des études d *Comité National de l'Organisation Fran çaise ;* Yves Daudé, chef de service l'*A.F.P. ;* Jean Dibié, ancien rédacteu au *Monde*, ancien chef de cabinet d Maurice Herzog (Sports) et de Gilber Grandval (Travail) ; Louis Bertrand Gè attaché de cabinet de Couve de Murvill (Affaires étrangères) ; Michel de Graill député *U.N.R.* de Paris ; Georges Nicol directeur à l'agence *Synergie-Roc* ; Phi lippe Ragueneau, co-fondateur et ancie directeur de *L'Avenir de l'Ouest*, jadi directeur-adjoint des services de press et d'information du *R.P.F.* et chef de services politiques de *Jours de Franc* et de *L'Oise libérée*, ancien rédacteur e chef de *La Nation* (alors organe de *Républicains Sociaux* gaullistes) et char gé de mission (pour la presse) au cabi net du général De Gaulle, directeur ad joint des programmes télévisés à l'O.R T.F. ; René Sanson, député *U.N.R.* d Paris ; et Gilbert Delcros, secrétaire gé néral du *Bureau International de recher ches et d'étude de l'Opinion*. Un Comit d'honneur patronne l'organisation. E font partie des personnalités ayant, e maintes circonstances, manifesté leu attachement aux idées gaullistes : le bâ tonnier Paul Arrighi, le comte Pierr Baruzy, Henri Bourdeau de Fontenay Jacques Chaban-Delmas, Albin Chalan don, Henri Desbruères, Georges Duha mel, Jean Dutourd, le général Fernan Gambiez, le publicitaire Henri Hénault l'amiral Jozan, Pierre Lazareff, Ren Lucien, François Mauriac, André Mau rois, Maurice Schumann, le général Pau Stehlin, Marcel Wattebled et Louis Weiss. Le *C.I.C.* possède des milliers d correspondants dans les cantons d France. Il a fait de nombreuses émission à la radio et à la télévision, a organis des colloques sur l'information (1961) e sur l'Algérie (1962) et organisé plusieur campagnes contre l'abstention, en parti ulier lors des grandes consultations populaires (référendums et élections). Son organe, *Etudes,* a publié des numéros documentés sur les grands problèmes qui intéressent l'opinion publique. (25, rue Le Pelletier, Paris 9ᵉ.)

CENTRE D'INFORMATION ET DE COORDINATION POUR LA DEFENSE DES LIBERTES ET DE LA PAIX.

Animateurs et principaux membres : Albert Chatelet, Laurent Schwartz, Robert Barrat, Yves Dechezelles, Claude Bourdet, Pasteur Voge, Jean Dresch, Jacques Verges, Mme Henri Alleg, Claude Estier, de *Libération* et de *France-Observateur,* Falcoz, du *Jacobin,* André Philip, Georges Suffert, Manuel Bridier, Claude Roy, Maurice Pagat, Henri Lefebvre, de la *Nouvelle Critique,* Roland Marin, etc. Publiait un bulletin intitulé : *Témoignages et documents sur la guerre en Algérie.*

CENTRE DES JEUNES LIBERAUX.

Fondé en 1958 par des membres des *Jeunesses Radicales,* des Jeunes du R.G.R. et du *Centre Républicain,* ainsi que des *Jeunesses Européennes Libérales.* De 1958 à 1961, le *Centre,* animé par Bernard Martin (*Centre Républicain*) et par Jean-Jacques Carpentier (*R.G.R.*), s'orienta progressivement vers l'opposition au gaullisme. Au début de 1961, à la suite de divergences concernant le problème algérien, le *Centre des Jeunes Libéraux* s'est réorganisé. Il est aujourd'hui présidé par J.-J. Carpentier et le secrétariat général est assuré par Jean Lavergne. La tendance minoritaire favorable à l'indépendance de l'Algérie quitta le *Centre* pour créer le *Cercle d'Etudes Montaigne.* Les majoritaires rejoignent les signataires du *Manifeste de la Gauche pour le maintien de l'Algérie dans la République Française,* s'inspirant de la pensée d'André Morice.

CENTRE DE LIAISON ET D'INFORMATION DE L'OUEST.

Fondé en mars 1966 à Rennes par les principaux responsables des anciens comités départementaux de l'Ouest de l'organisation électorale Tixier-Vignancour : le Dr Bernard Pacreau, le professeur Paul Pedech, de la Faculté des Lettres de Rennes, le Dr Jean Doutrelignes, G. Rondouin, professeur de lettres au lycée de Saint-Brieuc, Charles Raffray, professeur honoraire, anc. président du *Comité T.-V.* des Côtes-du-Nord, le Dr P. Le Floch, anc. président du *Comité T.-V.* du Morbihan, Colace, professeur au lycée de Brest, le Dr S. Ferchaud, etc... Objectif : être le centre de ralliement des éléments nationaux des départements de l'Ouest de toutes tendances. Le *C.L.I.O.* organise des conférences, diffuse les publications et livres des auteurs nationaux et publie un bulletin réservé à ses membres (secrétariat : 31, rue de Kermaria, à Brest).

CENTRE MARXISTE-LENINISTE DE FRANCE.

Groupement des communistes de tendance pro-chinoise. Publie le *Bulletin d'informations marxiste-léniniste.* Au cours de la campagne pour l'élection présidentielle (décembre 1965), le *C.M. L.F.* s'est montré particulièrement agressif à l'endroit de François Mitterrand, présenté par lui comme « *le candidat pro-américain* » et a ouvertement soutenu la candidature du président sortant : « *De Gaulle étant le seul candidat opposé à l'impérialisme américain* (...) *il est nécessaire de voter De Gaulle* ». (*Bulletin d'Information marxiste-léniniste,* n° 16, janvier 1966, p. 5). (Siège : 13, rue Saint-Lazare, Paris 9ᵉ).

CENTRE-MATIN.

Quotidien fondé en août 1944, sous le titre : *Le Centre Républicain,* par le C.D.L. de l'Allier. Directeur : René Ribière ; administrateur : Charles Courtaud. Seul survivant des quotidiens ayant paru dans le département, après la Libération. Tirage moyen : 21 800 ex. Lié par un accord publicitaire avec *La Montagne* et *Le Populaire du Centre* (socialistes). (11-13, avenue Marx-Dormoy, Montluçon.)

CENTRE NATIONAL D'ACTION CIVIQUE.

Groupe d'études politique animé par P. Archambeaud (1960) assisté d'un comité directeur composé de : Arguillère, Aumônier, Glavany, Moreau, Robert, Templier, Turcat, Toulouse et Wilmot-Roussel. Se proposait de faire paraître un ouvrage de documentation sur les parlementaires intitulé : « *Connaissez-vous vos élus ?* ».

CENTRE NATIONAL D'ETUDES ET DE RECHERCHES ECONOMIQUES ET SOCIALES (C.N.E.R.E.S.).

Organisme gaulliste publiant le bulletin *Etudes et recherches économiques et sociales* et lié à l'*Association Pour la*

Ve République, d'André Malraux (voir à ce nom).

CENTRE NATIONAL DES INDEPENDANTS ET DES PAYSANS (C.N.I.P.).

Constitué officiellement le 6 janvier 1949 par le sénateur Roger Duchet, avec l'appui de ses collègues René Coty et Boivin-Champeaux. Un premier pas avait été fait, l'année précédente, lorsque Duchet avait amené le *Parti Républicain de la Liberté* (*P.R.L.*) à s'unir aux *Républicains indépendants.* A la veille des élections législatives de juin 1951, il réussit à regrouper les députés de l'*Union Démocratique des Indépendants* et du *Groupe d'Action Paysanne* et, après une habile campagne électorale dirigée à la fois contre la gauche et contre le *R.P.F.* gaulliste, il fit élire une centaine de ses candidats. Sa position au parlement lui permit d'accéder au gouvernement : son *leader,* Antoine Pinay, devint président du Conseil, et l'un de ses fondateurs, René Coty, président de la République. Dès lors les parlementaires du *C.N.I.P.* furent de presque tous les ministères, y compris celui de P. Mendès-France et du général De Gaulle. Dans le premier entrèrent, malgré l'hostilité du groupe *C.N.I.P. :* Roger Houdet, Guy La Chambre, Emmanuel Temple, de Moustier, J. Chevallier, Bettencourt, Moynet, Monin, Guérin de Beaumont, affiliés au *C.N.I.P.* ou ses sympathisants. Dans le second, Louis Jacquinot, Roger Houdet et Antoine Pinay acceptèrent un portefeuille, avec l'approbation de leur groupe. La majeure partie du *C.N.I.P.* avait d'ailleurs été favorable aux insurgés d'Alger. Cependant, lorsque le général De Gaulle se déclara prêt à assumer la responsabilité du pouvoir il y eut, dans le camp « *Algérie Française* » du *C.N.I.P.,* un certain flottement. Tandis qu'Antoine Pinay était « *le premier à ouvrir les voies de la légalité républicaine au seul homme capable de sauver à la fois l'Algérie et la France* » (*France Indépendante,* 10-11-1958), Roger Duchet se faisait tirer l'oreille. N'avait-il pas créé le *C.N.I.* contre De Gaulle et groupé contre lui une importante fraction du gaullisme politique (l'*A.R.S.*) ? Finalement, le groupe parlementaire du *C.N.I.P.* se rallia entièrement et vota l'investiture au Général — sauf Jacques Isorni qui la refusa catégoriquement. Le *C.N.I.P.* fit également campagne pour le *oui* en septembre 1958. Si la plupart des candidats indépendants-paysans se firent élire, en novembre 1958, au cri de « *Vive De Gaulle !* » (en accord avec le *Centre Républicain et La Démocratie Chrétienne*), la tendance anti-gaulliste se développa rapidement au sein du parti, surtout lorsque Antoine Pinay eut quitté le gouvernement. La fraction hostile à l'Elysée était conduite par Roger Duchet qui ne manquait jamais de rappeler qu'il restait, avec ses amis du *C.N.I.P.,* « *partisan de l'Algérie française* » (*France Indépendante,* 9-11-1959). Dès les premiers jours de l'insurrection de janvier 1960, le *C.N.I.P.* adopta une motion favorable à Pierre Lagaillarde et ses amis, votée par les 300 délégués (députés, sénateurs et représentants des fédérations départementales), ce qui faisait dire au président Paul Reynaud que « *le Centre National des Indépendants était tombé entre les mains des ultras* ». Dans un communiqué qui suivit la reddition des « insurgés », le *C.N.I.P.* modifia quelque peu le sens de la motion précédente. Duchet lui-même accepta que la municipalité de Beaune, qu'il présidait, envoyât au Général, le 3 février, un message l'assurant de sa fidélité et de son soutien. Et lorsque le gouvernement Debré demandera les pleins pouvoirs, pour assurer l'ordre et mater l'opposition violente des défenseurs de l'Algérie française, la majorité du groupe parlementaire votait *pour* tandis que trente députés indépendants seulement votaient *contre* (parmi eux, Caillemer, Devèze, Fraissinet, François Valentin, Frédéric-Dupont, A. Guitton, Jarrosson, de Lacoste-Lareymondie, Legaret, Legendre, Le Pen, Mignot, Motte, Tardieu, Trémolet de Villers, Vayron et Yrissou). Au Sénat, la proportion des *pour* et des *contre* était analogue. Par la suite, l'opposition au régime se durcit : au référendum d'octobre 1962, les indépendants se retrouvèrent auprès des socialistes et des radicaux dans le « cartel des *non* ». On sait ce qu'il advint de cette coalition et on se souvient de la défaite cuisante que subit la droite parlementaire. Malgré ses 1 660 000 suffrages, le *C.N.I.P.* n'eut pas assez d'élus pour constituer un groupe à l'Assemblée. Par contre, ceux qui l'avaient suivi jusqu'en 1962 et qui venaient de rallier le camp gaulliste, avec 705 000 voix, avaient trente-cinq élus. Les députés du *C.N.I.P.* durent s'affilier à l'un des deux groupes centristes de l'Assemblée : le *Centre Démocratique,* à prédominance *M.R.P.,* et le *Rassemblement démocratique,* composé surtout de radicaux. Bientôt, Roger Duchet se trouva hors du parti. Ayant quitté le secrétariat général du *C.N.I.P.* en mai 1961 pour mieux combattre ce que ses amis appelaient la « politique d'abandon », il passa, pour des motifs assez mal définis, de la position d'opposant acharné, à celle de par-

...isan du Général (voir : *Union pour le progrès*). Le journal *France Indépendante*, qu'il dirigeait, ayant cessé d'être l'organe du mouvement, avait été remplacé par le *Journal des Indépendants*, dirigé par Camille Laurens, le nouveau secrétaire général du *C.N.I.P.* A l'élection présidentielle de décembre 1965, le *Centre* combattit à fond la candidature De Gaulle et incita ses « *amis à rejoindre individuellement l'Association Nationale pour la candidature Jean Lecanuet* » (*Journal des Indépendants*, 15-11-1965).

Tout en conservant son existence propre, le *C.N.I.P.* s'est associé au *Mouvement Républicain Populaire* (*M.R.P.*) pour former le *Centre démocrate* (voir à ce nom). Cependant, aux élections générales de 1967, il a présenté ses propres candidats, sans entrer toutefois en concurrence avec le *Centre* de Jean Lecanuet. Son comité directeur a rendu publique la motion qu'il a adoptée le 4 octobre 1966 :

« *Il apparaît qu'à l'occasion de la prochaine consultation électorale, le C.N.I.P. se doit d'affirmer sa présence auprès des électrices et des électeurs qui lui assurent au plan parlementaire, par une confiance maintes fois renouvelée, une audience à l'Assemblée nationale et la représentation politique la plus importante du Sénat. (...) Fermement attachés au cadre constitutionnel, à la stabilité des institutions qui s'y intègrent, les indépendants estiment que l'équilibre des pouvoirs et leur séparation doivent être des éléments autour desquels peuvent seules s'élaborer les véritables garanties offertes dans une démocratie. Par ailleurs, les impératifs d'une économie moderne ne doivent pas conduire essentiellement au renforcement de la technique administrative, mais aux réformes qui permettront la participation, en fonction des responsabilités qu'elles assument, de toutes les collectivités locales, professionnelles ou sociales. (...) A une politique extérieure associant tous les facteurs de paix et de coopération, par l'achèvement d'une Europe communautaire en particulier, doit correspondre, au plan intérieur, une politique de progrès économique et de justice sociale. Voulant également participer à la simplification politique qu'il a préconisée à de nombreuses reprises, le C.N.I.P. entend que la présentation de ses candidats s'effectue dans un esprit de regroupements où se retrouveront nécessairement les authentiques défenseurs des principes pour lesquels il a traditionnellement lutté.* » L'Etat-Major du *C.N.I.P.* se compose essentiellement des membres du Comité directeur : Camille Laurens, ancien ministre, secrétaire général ; Baudis, Fouchier, Sallenave, Charvet, députés ; Motte et Legaret (106, rue de l'Université, Paris 7e).

CENTRE NATIONAL DES JEUNES MEDECINS (C. N. J. M.).

Organisme de gauche qui, selon *La Tribune Socialiste* (7-5-1966), « *entend à sa place mener une lutte multiforme, positive, globale dans le corps médical et chez les usagers pour une politique de santé s'insérant dans la perspective socialiste, en accord et collaboration avec toutes les forces socialistes dont il pourrait être l'institution de rencontre et débat en matière de santé* ». Le *C.N.J.M.* a officiellement participé à la *Rencontre Socialiste* de Grenoble où il était représenté par Guy Caro. (Adresse : 134, rue du Temple, Paris 3e).

CENTRE NATIONAL DES REPUBLICAINS SOCIAUX.

Après la disparition du *R.P.F.* de la scène politique, les députés restés fidèles au général De Gaulle fondèrent (1953) un groupe parlementaire qui prit le nom d'*Union Républicaine d'Action Sociale* (*U.R.A.S.*). Ce sont ces députés — à l'exception de Louis Vallon, d'Irène de Lipkowski et de quelques autres — qui créèrent, l'année suivante le *Centre national des Républicains sociaux*. Ils y furent aidés par leurs amis gaullistes du Conseil de la République et de l'Assemblée de l'Union Française. Après la création d'un *Comité d'initiative et d'organisation*, dont le secrétariat provisoire (J. Chaban-Delmas, député-maire de Bordeaux, Francis Le Basser, sénateur et président du Conseil général de la Mayenne, et Georges Oudard, membre de l'Assemblée de l'Union Française) mit au point l'organisation du mouvement, le *Centre national des Républicains sociaux* fut créé (janvier 1954). Sa direction était assurée par une commission administrative de trente-trois membres (dont 2/3 de parlementaires) qui désigna (24 février) son bureau : président : Chaban-Delmas ; vice-présidents : Fouchet, Debré, Triboulet, Le Basser, Oudard, Laurin ; secrétaire général : Roger Frey. C'est, en fait, le groupe parlementaire qui domine le *Centre*. Dès lors, l'objectif à atteindre, dans l'immédiat, sera une participation ministérielle aussi importante que possible. Trop longtemps tenus éloignés du pouvoir, les dirigeants parlementaires *républicains sociaux* firent tout pour conquérir quelques portefeuilles et investir le gouvernement Mendès-France auquel ils accordèrent ensuite un soutien constant. Leur ralliement au mendésisme leur valut six sièges au Conseil des ministres : Jacques Chaban-Delmas, aujourd'hui président de l'Assemblée nationale, le général Kœnig, Henri Ulver, Christian Fouchet, Diomède Catroux, Maurice Lemaire. Ils avaient été soixante à voter l'investiture du président Mendès-France ; ils furent cinquante-quatre à approuver les accords de Genève consacrant la perte de l'Indochine ; quarante-neuf à voter les pouvoirs spéciaux à son gouvernement ; et quarante-six à approuver sa politique en Afrique du Nord — « *l'indépendance dans l'interdépendance* ». Ils étaient encore quarante-cinq à voter pour le leader radical le 5 février 1955. Les députés Barrès, Barry-Diawadou, Bayrou, Bignon, Bourgeois, Catroux, Chaban-Delmas, Charret, Chatenay, Clostermann, Damette, Deliaune, Desgranges, Durbet, Fouchet, Fouqués-Duparc, Garnier, Gaubert, Pierre De Gaulle, Gaumont, Gilliot, Golvan, Guthmuller, Hettier de Boislambert, Kauffmann, Krieger, Lemaire, Liquard, Magendie, Maurice-Bokanowski, Molinatti, Nisse, Noël, Gaston Palewski, Jean-Paul Palewski, Quinson, Ritzenthaler, Schmittlein, Sérafini, Seynat, Sidi El Mokhtar, Sou, Triboulet, Ulver et Wolff votèrent pour Mendès-France le jour même de sa chute. Les trois quarts du groupe républicain social approuvèrent donc, jusqu'au bout « l'espoir de la gauche », en qui beaucoup d'ailleurs croyaient avoir découvert un instrument de la politique gaulliste.

Le *Centre national des Républicains sociaux* fut sérieusement ébranlé par l'expérience Mendès-France. Plusieurs tendances s'affrontèrent : Guillain de Benouville et quelques députés louchèrent vers la droite, la tendance Schmittlein se rapprocha de l'*A.R.S.*, et celle de Chaban-Delmas, de l'*U.D.S.R.* Le groupe n'avait d'ailleurs été uni que pour voter contre la C.E.D. C'est dans le domaine de la politique extérieure que la doctrine des gaullistes fut la plus nette. Tandis que l'anti-germanisme des démocrates-chrétiens, des socialistes et d'une partie de la droite s'estompait devant le « *péril soviétique* », celui du *R.P.F.*, de l'*U.R.A.S.* ou des *Républicains sociaux* s'exacerbait. A tel point que faire échec à la C.E.D. fut leur souci constant. La campagne menée avec adresse et vigueur par la diplomatie soviétique contre la Communauté Euro-

péenne de Défense trouva chez eux de singuliers échos. Les républicains sociaux, bien qu'ils eussent traité les communistes de « *séparatistes* » au cours des années précédentes, furent qualifiés de « *bons français* » dans *L'Humanité*, qui voyait dans les déclarations du général De Gaulle des manifestations d'indépendance nationale. Au lendemain de la consultation électorale de juin 1951, lorsque la vague gaulliste avait fait entrer 115 députés *R.P.F.* au Palais-Bourbon, la revue doctrinale du *P.C.F.* (réservée aux cadres des cellules) avait imprimé : « *Les élections du 17 juin ont signifié un grave échec pour toutes les factions du parti américain en France.* » (*Cahiers du Communisme*, n° de juillet 1951). Dans les mois qui précédèrent le scrutin parlementaire sur la C.E.D., la lecture du quotidien officiel du *Parti communiste* de l'année 1954 est particulièrement édifiante. Le 7 janvier 1954, *l'Humanité* cite Léon Noël, député, et Walter, conseiller général d'Auxerre, tous deux gaullistes, qui ont adopté le même point de vue que le *P.C.F.* sur la C.E.D. Le 13, elle annonce que le député gaulliste Louis Vallon prend la parole le soir même avec le général communiste Joinville. Le 18, les amis du *Mouvement de la Paix* sont invités à une réunion pour entendre un conseiller national *R.P.F.* parler aux côtés de communistes à Cavaillon. Le 25, le journal communiste rend hommage à Pierre De Gaulle qui partage son hostilité envers la C.E.D. ; il annonce un nouveau meeting, au Moulin de la Galette, où Mme Jeannette Vermeersch, femme de Maurice Thorez, doit parler en compagnie des gaullistes Auburtin, vice-président du Conseil municipal de Paris, et Louis Vallon. Le 27, *L'Humanité* recommande à ses lecteurs d'assister à une réunion aux Sociétés Savantes avec les progressistes Claude Bourdet et J.-P. Sartre, le communiste G. Cogniot et le gaulliste René Capitant. Elle annonce que ce dernier prendra la parole, le lendemain, toujours avec Cogniot, dans le 7e arrondissement, et le surlendemain, à Saint-Denis, avec Jacques Duclos. Le 30, le quotidien du *P.C.F.* convie ses lecteurs de Versailles à une réunion (3 février) dont Florimond Bonte et Capitant seront les vedettes. La présence du fondateur de l'*Union Gaulliste* à ces meetings organisés par les communistes ayant suscité quelques remous, l'intéressé déclare à Saint-Denis : « *J'ai accepté de venir à ce meeting sans me laisser arrêter par la personnalité des orateurs qui parleront avant ou après moi.* » (*L'Huma-*

nité, 4-2-54.) Chaque matin, et ceci jusqu'au scrutin du 30 août, *L'Humanité* était remplie de déclarations et d'appels émanant de personnalités gaullistes importantes et de groupements gaullistes connus, ou d'annonces de réunions communes gaullo-communistes. *L'Humanité* reproduisait même des textes de chefs républicains sociaux. C'est ainsi que le 6 mars 1954, elle imprimait en entier l'article signé Michel Debré paru la veille dans *Le Monde*. La « *Conférence internationale des pays mis en cause par la C.E.D.* », organisée par des groupes para-communistes et patronnée, en quelque sorte par *l'Humanité*, s'ouvrit le 20 mars au Palais d'Orsay. Parmi les « invitants », encadrés par Laurent Casanova, G. Lavergne, G. de Chambrun, Michel Bruguier, communistes ou progressistes, figuraient Michel Debré, Jacques Soustelle, Ph. Barrès, René Capitant, J. Debû-Bridel et Henry Torrès. Cette « collusion », dénoncée par leurs adversaires, de même que leur « compromission » avec le président Mendès-France furent néfastes aux candidats républicains sociaux : ils avaient été élus en 1951 « *contre le Système* » ; en 1956, ils furent battus comme tenants du même Système. Leur groupe parlementaire passa de 57 à 16 députés. Beaucoup de leurs *leaders* furent éliminés : Schmitlein, qui présidait leur groupe, Bloch-Dassault, J.-P. Palewski, le général de Monsabert ne furent pas réélus. Leur entente avec Guy Mollet et Mendès-France au sein du *Front Républicain*, — dont *l'Express*, quelque temps quotidien, fut l'organe officieux — ne leur avait pas fait gagner une voix à gauche ; mais elle acheva de leur faire perdre la confiance des modérés et de la droite. Dès lors, les Républicains sociaux menèrent une existence assez pénible, qu'une participation (réduite) au gouvernement Mollet (deux ministres : Chaban-Delmas et Lemaire) ne parvint pas à rendre plus prestigieuse. Il fallut le coup de tonnerre du 13 mai 1958 et l'habile manœuvre de Léon Delbecque canalisant, comme il le reconnut lui-même, le mouvement d'hostilité au régime vers le général De Gaulle, pour que le brillant état-major républicain social pût enfin conquérir le pouvoir au nom et à la suite de l' « *homme du 18 juin* ». Le *Centre national des Républicains sociaux* était alors dirigé par une commission exécutive composée de : Jacques Chaban-Delmas, député-maire de Bordeaux (président) ; Le Basser, sénateur ; G. Oudard, fondateur de *France-Illustration*, président du groupe des Républicains sociaux de l'Assemblée

de l'Union française ; Michel Debré, sénateur, directeur du *Courrier de la Colère* ; Christian Fouchet, ancien ministre ; R. Laurin, conseiller de l'Union française ; R. Triboulet, ancien député ; Roger Frey, directeur-gérant de *Les Idées... Les Faits,* organe du mouvement (secrétaire général) ; René Fillon, directeur de la banque de *Rothschild frères,* ancien sénateur (trésorier) ; Jacques Soustelle, ancien député, ex-gouverneur général de l'Algérie ; Max Brusset ; Jean-Michel Flandin ; L. de Gracia, R. Malbrant, Gaston Palewski et le professeur Marcel Prelot, anciens députés ; J. Bertaud, Jules Castellani, G. de Montalembert (gendre du maître de forges de Wendel), René Radius et Léon Teisseire, sénateur ; P.-L. Berthaud, ancien journaliste à Vichy (déporté en 1943) et Delmas. En 1958, le *Centre national des Républicains sociaux* se fondit dans la nouvelle formation gaulliste, l'*Union pour la Nouvelle République* (voir à ce nom) dont il fournit la majorité des cadres.

CENTRE-PRESSE.

Journal quotidien régional fondé en 1958 par Robert Hersant (voir à ce nom), député radical de l'Oise et déjà propriétaire de *L'Auto-Journal* et de *L'Oise-Matin. Centre-Presse* réunit bientôt sous son titre les journaux dont le groupe Hersant s'était rendu acquéreur dans le centre de la France (*Le Courrier du Centre,* de Limoges ; *L'Eclair du Berry,* de Châteauroux, ex-*Centre-Eclair* ; *Le Cantal Indépendant,* d'Aurillac ; *Le Rouergue Républicain,* de Rodez) où qu'il acquit par la suite (*La Gazette du Périgord, Libre-Poitou*). D'autre part, le groupe Hersant prit le contrôle de *Brive-Informations* qui fusionna avec *Le Gaillard,* pour devenir une édition départementale de *Centre-Presse,* et acquit *L'Action républicaine,* de Dreux, qui absorba la *Liberté du Perche,* de Nogent-le-Rotrou, et *Le Franc-Tireur du Centre,* de Châteaudun. Il prit également des intérêts dans *La Résistance de l'Ouest,* devenue *Presse-Océan* (lié à *L'Eclair* de Nantes). Tirage : 128 000 exemplaires, diffusés dans l'Aveyron, le Cantal, le Cher, la Corrèze, la Creuse, la Dordogne, l'Indre, le Lot, la Vienne et la Haute-Vienne. (5, rue Victor-Hugo, Poitiers).

CENTRE DE LA REFORME REPUBLICAINE.

Organisation des gaullistes de gauche fondée en 1958. C'est le 1er juillet de cette année-là, au lendemain des événements d'Alger, le général De Gaulle étant revenu au pouvoir, que plusieurs personnalités politiques et syndicales annoncèrent la création d'un nouveau groupement destiné à soutenir l'action du général : le *Centre de la Réforme Républicaine*. Henri Frénay en fut l'animateur. Aux élections générales suivantes (novembre 1958), le *Centre* — grossi d'éléments venus du *Comité Républicain et Démocrate* (voir à ce nom) — accordait l'investiture à quatre-vingts gaullistes de gauche candidats à Paris et en province. *La Réforme Républicaine* (n° 1, novembre 1958), organe du groupement en publiait la liste. Dans la Seine, ces candidats étaient au nombre de vingt-cinq : André Weill-Curiel, avocat ; Jacques Debû-Bridel ; Yvonne Georges-Picot, ancien conseiller municipal *R.P.F.* de Paris, radical-mendésiste ; Jean Sénard, journaliste socialiste ; D. Jacir ; François Delmas, avocat ; J.-B. Babeyrin, secrétaire du *Centre d'études économiques et sociales ;* Jacques Mercier ; le colonel Barberot ; Pierre Clostermann, ancien député ; Jacques Roumeguerre, compagnon de la Libération ; Jean Dutourd, écrivain ; Jacques Larche, maître des Requêtes au Conseil d'Etat ; Ph. Dechartre ; Victor Rochenoir, avocat ; Marcel Paviot, socialiste *S.F.I.O. ;* Lucien Vaillant, dirigeant *S.F.I.O. ;* Pierre Naudet, avocat, député sortant ; Henri Frénay ; Pascal Bompard, avocat ; Paul Bacon, ministre *M.R.P. ;* Louis Lapierre ; Irène de Lipkowski, ancien député *R.P.F. ;* Roger Sauphar, conseiller général de la Seine ; Robert Tenger, avocat, secrétaire général du *Comité d'études économiques agricoles et fiscales*. En Seine-et-Oise, cinq candidats étaient proposés : Georges Guillemin ; Emile Magnon ; Maurice Laban, ancien rédacteur de *L'Œuvre*, rédacteur en chef du *Redressement économique et financier ;* Jean de Lipkowski, député sortant (le premier à avoir demandé à l'Assemblée le retour du général De Gaulle, le 16 mai 1958) ; Robert Aubry. D'autres candidats du *C.R.R.* se présentaient en province : *Ain :* colonel Romans-Petit. — *Aisne :* Max Daujat, avocat. — *Alpes Maritimes :* Jacques Bounin, ancien député, marié à la petite-fille du banquier Hugo Finaly ; commandant Auguste de Poli ; Jean Favre, maire de La Turbie. — *Allier :* Henry Castaing. — *Hautes-Alpes :* Robert Lecourt, ancien ministre *M.R.P.* — *Ardennes :* Jacques Rousseau. — *Ariège :* Maurice Bye, professeur. — *Bas-Rhin :* Lante, Pfrisch et Blessig. — *Bouches-du-Rhône :* Tatilon, Chazeau, Pierre Marquand-Gairard, tous trois adjoints au

maire de Marseille ; J.-F. Filippi ; Max Juvenal. — *Calvados :* Georges Le Peltier. — *Cantal :* Yves Amblard, avocat. — *Corrèze :* général Pouyade, ancien commandant du Groupe Normandie-Niemen. — *Côtes-du-Nord :* Pierre Chaslin et Le Monier. — *Dordogne :* Lavigne. — *Eure :* Louis Maury, professeur. — *Finistère :* Docteur Griffe et Corcuff. — *Indre :* Léon Boutbien, ancien député *S.F.I.O. ;* Jean Annet d'Astier de la Vigerie, ancien membre de l'Assemblée consultative. — *Loire :* Michel Soulié, député ; François-Paul Pillet ; Eugène Claudius-Petit. — *Loiret :* Yves Goeau-Brissonnière ; docteur Questiau. — *Lot :* G. Juskiewenski. — *Mayenne :* Robert Buron, ministre. — *Meurthe-et-Moselle :* Jean Kreher, avocat ; P.O. Lapie, ancien ministre ; Luc, ancien député *S.F.I.O.*, diplomate. — *Nord :* Eugène Thomas, ministre ; André Bouchez ; Forest, maire de Maubeuge ; Dr Jacques Loriau. — *Pas-de-Calais :* Louis Chatillon, conseiller général. — *Pyrénées-Orientales :* Paul Alduy, ancien député *S.F.I.O.* — *Basses-Pyrénées :* Joseph Garat. — *Hautes-Pyrénées :* Cazenave. — *Savoie :* Henri Viaud, professeur. — *Seine-Maritime :* Didier Remon. — *Var :* Gabriel Escudier et Perrimond. — *Vienne :* Fernand Chaussebourg.

Le succès fut très limité. « *Bien sûr, nous avons subi un lourd échec électoral*, déclara Philippe Dechartre (21-4-1959), *mais il ne faut pas oublier non plus que, n'ayant d'autre moyen de combat que notre enthousiasme, les quatre-vingts candidats du C.R.R. ont fixé plus de 500 000 voix* ». Sauf quelques personnalités de premier plan, d'ailleurs soutenues par leur propre parti, le *C.R.R.* n'eut pas d'élus : l'U.N.R., qui se présentait aux électeurs comme le parti officiel du gaullisme — encore que le Général l'eût formellement défendu — capta la quasi-totalité des suffrages strictement gaullistes. Ce fut là, peut-être, ce qui incita quelques mois plus tard les animateurs du *C.R.R.* à constituer, avec (dit-on) l'approbation du Général, l'*Union Démocratique du Travail* (voir à ce nom). L'*U.D.T.* s'employa à rassembler autour du chef de l'Etat les hommes de la gauche qui, quelques années plus tôt, avaient suivi Mendès-France. Si la majeure partie des membres du *Centre de la Réforme républicaine* ont rejoint l'*U.D.T.* en 1958-1959, le noyau demeura en dehors de cette formation gaulliste — ou s'en étant séparé — a constitué, en octobre 1966, sous la direction de Philippe Dechartre, la *Convention de la Gauche V° Républi-*

que (voir à ce nom), dont Gilbert Beaujolin et Tangé, du *Centre,* sont membres fondateurs.

CENTRE ET OUEST.

Quotidien fondé en 1874, sous le titre : *Le Journal de la Vienne.* Etait, avant 1914, officiellement bonapartiste. Prit le titre de *Journal du Centre et de l'Ouest* puis celui de *Centre et Ouest* dans l'entre-deux-guerres. Très influent dans le Poitou et en Touraine avant 1939. Son animateur était alors Marc Texier. Pendant l'occupation, ce dernier poursuivit la publication du journal : il fut arrêté deux fois par les Allemands (juillet et octobre 1940), et son rédacteur en chef, Henri Auroux, fut déporté. Le journal n'en fut pas moins interdit à la Libération et remplacé par *Le Libre Poitou* dont les services s'installèrent dans les locaux. Bien que la cour d'appel de Poitiers eut décidé, le 30 juillet 1946, de restituer à la société éditrice de *Centre et Ouest* les machines n'ayant pas servi à l'impression du journal pendant l'occupation, le secrétaire d'Etat à l'Information, Robert Bichet, réquisitionna ces biens au profit du *Libre Poitou.* Marc Texier mourut de chagrin et son ami Auroux ne rentra de déportation, déclara le sénateur Ernest Pezet, que *« pour rencontrer de durs déboires et mourir »* (Déclarations au Conseil de la République, 8-7-1954. Voir aussi : « *Pour la France. Poitiers, cellule 22, Tours, cellule 5* », par Marc Texier, citée dans l'intervention du sénateur Pezet).

CENTRE DE PROPAGANDE DES REPUBLICAINS NATIONAUX.

Les militants des partis nationaux ont bien souvent reproché à leurs chefs de file de négliger la propagande écrite basée sur une documentation sûre. La Gauche, en particulier le *Parti Communiste Français,* n'a jamais méconnu cet aspect de la propagande. La Droite, par contre, éprise d'éloquence, attache plus de prix à la parole qu'à l'imprimé ; lorsqu'elle consent à reconnaître à la brochure, au livre ou à l'affiche une force de persuasion au moins égale à celle du tribun et du conférencier, c'est au littérateur qu'elle s'en remet du soin de les rédiger. La forme y gagne, mais le fond ? Henri de Kérillis (voir à ce nom), qui fut un prodigieux animateur, avait compris le rôle de la propagande dans la conquête de l'opinion. Directeur des services politiques de *L'Echo de Paris,* en contact permanent avec les parlementaires modérés et les centaines de milliers de lecteurs du quotidien conservateur, il avait été frappé par l'indifférence que les nationaux témoignent à la propagande. Ayant beaucoup voyagé, il avait constaté que, dans tous les autres pays, la vie politique était fondée sur la propagande. En U.R.S.S. comme en Italie, en Allemagne comme en Amérique et en Angleterre, c'était, remarquait-il, sur elle que repose toute la machine électorale. « *Dans le monde nouveau,* disait-il, *où les anciennes élites ont perdu leur influence, où les masses ont prodigieusement évolué grâce à l'instruction publique obligatoire et sous l'influence du journal quotidien, de la radio, d'innombrables moyens de publicité, la propagande est une nécessité absolue. C'est le grand levier moderne de la politique.* » (*Le Document,* n° 6, janvier 1936.) Voilà pourquoi Henri de Kérillis eut l'idée, en 1926, de créer une organisation puissante au service de la Droite conservatrice. Il eut à lutter contre les partis modérés, sceptiques et pleins de préjugés, qui lui mirent des bâtons dans les roues. Mais l'appui de *L'Echo de Paris* et celui des grandes affaires (1) lui permirent de fonder le *Centre de Propagande des Républicains Nationaux,* qui compta bientôt plusieurs centaines de comités locaux et de nombreux cours d'orateurs. Il put se flatter, grâce à cette machine puissante et bien huilée, d'être en mesure d'afficher le même jour dans 17 000 communes et de tenir 500 conférences par mois. Organisation électorale d'abord, elle participa à la préparation des campagnes de 1928, 1932 et 1936. Ouvert à tous les nationaux, le *Centre* de la rue Amelot — il était installé au n° 102 de cette voie du populeux XIe arrondissement de Paris, à deux pas de la place de la République — comportait : une école d'orateurs se ramifiant en province, un service de documentation et d'archives, un service d'édition, un service de presse et un service de contentieux électoral. L'école d'orateurs fonctionnait chaque semaine, dans une grande salle parisienne, sous la direction effective du professeur Emile Bergeron, l'un des dirigeants des *Jeunesses Patriotes,* qui publiait autour de 1928 un journal hebdomadaire anticommuniste et antimaçonnique intitulé *Le Réveil Français.* Le professeur Bergeron était assisté dans sa tâche par Voisenet. Ce dernier était chargé de l'organisation des cours que plusieurs centaines d'élèves suivaient assidûment. C'est parmi ces jeunes

---

(1) Henry Coston a publié dans « *Le Retour des 200 Familles* » la liste des sociétés et des banques qui subventionnaient de Kérillis.

hommes que Kérillis recrutait les conférenciers et les contradicteurs du *Centre*. Parmi les plus connus de ses « ses poulains », Jean Legendre, l'actuel député de l'Oise, Romazotti, ancien conseiller municipal de Paris, Albert Naud, le célèbre avocat, le professeur Goualard, Romé, Ferraud, de Menditte, Poussard, Veysset, Goy, Moncorgé se firent remarquer dans les milieux nationaux par leur talent oratoire et leur habileté politique. En province également, des cours d'orateurs fonctionnaient sous le contrôle de Paris : Lyon, Bordeaux, Dijon, Versailles, Reims, Orléans et soixante-quinze autres villes importantes avaient leur école. La nécessité de documenter les apprentis tribuns, d'une part, et la grande masse des candidats et des militants nationaux, d'autre part, avait naturellement conduit Henri de Kérillis à créer un service d'archives, un service d'édition et un service de presse. Le premier fournissait aux candidats nationaux des précisions sur le comportement politique de leurs adversaires ; il préparait également les dossiers qu'utilisait le service d'édition chargé de la confection des tracts, des brochures et des affiches. Le troisième publiait un bulletin d'information ronéotypé destiné à 420 journaux, principalement aux petits hebdomadaires de provinces privés de « copie » et trop pauvres pour se payer des rédacteurs. Quant au service de contentieux électoral, il était chargé des cas épineux et litigieux assez fréquents au lendemain des élections ; son aide était précieuse aux candidats isolés et mal informés de la procédure à engager. Les efforts de Henri de Kérillis était appréciés par ceux qui profitèrent de son action efficace : Chiappe, Contenot, d'Andigné, de Fontenay, Guillaumin, de Pressac et plusieurs de leurs collègues du Conseil municipal de Paris et du Parlement le félicitèrent des résultats obtenus par le *Centre*.

La direction de l'organisation était exercée directement par Kérillis, qu'assistaient Marcel Delion, pour la propagande dans la région parisienne, le commandant Sayet, pour la propagande en province et des délégués régionaux : Pierre Pitois (Marne), Becquart (Nord), Dupon-Huin (Loiret), Lagandré (Saône-et-Loire), Denis (Alpes-Maritimes), Georges Riond (Hautes et Basses-Alpes), Didier (Rhône). Le *C.P.R.N.* disparut en 1940.

CENTRE REPUBLICAIN.

Titre actuel de l'organisation radicale-socialiste créée par André Morice avec les membres du *Parti Radical et Radical-Socialiste* hostiles à Mendès-France lorsque celui-ci était devenu le *leader* de la rue de Valois (1956). Le groupement s'appela, tout d'abord, *Parti-Radical-Socialiste*. Outre André Morice, le Dr Bernard Lafay, Vincent Delpuech, André Cornu, de Pierrebourg en étaient en 1958, les dirigeants. Un journal, *La République*, servait de tribune. A partir du 17 septembre 1958, en raison des difficultés soulevées à propos du titre, par la rue de Valois, le groupement prit le nom de *Centre Républicain*, que le Dr Bernard Lafay, avait lancé quelques mois plus tôt. Ralliés au général De Gaulle, en 1958, les membres du *Centre Républicain* allèrent à la bataille électorale de novembre 1958 sous le signe de la croix de Lorraine qui était devenue l'emblème du mouvement. Malgré cette référence, les candidats du *Centre* subirent, pour la plupart, une cuisante défaite : les deux *leaders* du parti furent battus. Néanmoins, le 11 décembre, le groupe parlementaire, réuni en présence d'André Morice, constituait son bureau : président : André Marie ; vice-présidents : Jean Médecin (Alpes-Maritimes) et Jean Baylot (Seine) ; secrétaire : Augustin Chauvet (Cantal) ; trésorier : Louis Bruelle (Madagascar). Le Dr Lafay et André Morice sont toujours les animateurs du *Centre Républicain* qui conserve des amitiés dans les milieux radicaux et indépendants. Le Dr Lafay dirige *L'Heure de Paris*, tribune des personnalités de son groupe, qui publie un supplément *Paris-Référendum*. (34, avenue des Champs-Elysées, Paris 8ᵉ).

CENTRE SYNDICAL D'ACTION CONTRE LA GUERRE.

Organisme composé de syndicalistes pacifistes ayant pour principale tribune *La Patrie Humaine* (voir à ce nom). Fort actif en 1938 - 1939, envoya auprès d'Edouard Daladier une délégation pour lui demander de « *solutionner pacifiquement l'affaire tchécoslovaque* ». Daladier ne reçut pas la délégation, conduite par le syndicaliste Giroux, secrétaire général des agents des P.T.T. ; mais, devait révéler *La Patrie Humaine* (23-9-1938), « *une recommandation du député Salomon Grumbach nous valut d'être priés sèchement de nous retirer. Les temps ont bien changé*, ajoutait le secrétariat du *Centre*. *Le député de Carmaux de 1914 — Jean Jaurès — multipliait ses démarches pour faire entendre la voix des pacifistes. Le député de Carmaux de 1938 — Salomon Grumbach — s'emploie à l'étouffer.* »

CENTRE SYNDICALISTE DE PROPA-GANDE.

Organisme issu du journal *L'Atelier* et lié au *Rassemblement National Populaire* (voir à ce nom). Son secrétaire général, Georges Dumoulin, ancien *leader* de la *C.G.T.*, était secondé par G. Lafaye, député de la Gironde, R. Mesnard, Aimé Rey, G. Albertini, Léon Bécat, Fernand Hamard, Auguste Dauthuille, Pierre Vigne, etc. Disparu en 1944.

CENTRE D'UNION REPUBLICAINE.

Groupement limousin créé en novembre 1966 pour soutenir l'action d'Edgar Faure, à la fois radicale et gaulliste. Parmi ses dirigeants citons : Roger Courbatère, ancien maire de Brive, président ; François Monteil, secrétaire ; Claude Queyrol, secrétaire adjoint ; Jean Cassan, trésorier ; tous membres de la nouvelle municipalité de Brive et anciens membres du parti *radical-socialiste*.

C. E. P. E. C. (voir : Centre d'Etudes Politiques et Civiques).

CERCLE ADOLPHE CHERIOUX.

Club de tendance gaulliste ayant pris le nom d'un ancien conseiller municipal du quartier Saint-Lambert, radical francmaçon, puis modéré. Son président d'honneur est Jacques Marette, anc. député de la 17ᵉ circonscription de Paris (1962-1967), et ex-ministre des P. et T.

CERCLE ANARCHISTE D'ETUDES.

Groupe libertaire marseillais, créé en 1966 et organisant des conférences politiques, économiques et sociales à la vieille Bourse du Travail de la cité phocéenne. Animé par Nicole Rousset et Daniel Florac (salle 3 B, 13, rue de l'Académie, Marseille 1ᵉʳ).

CERCLE CAPITAINE MOUREAU.

Groupe nationaliste fondé à Paris en 1966 par Jean-Gilles Malliarakis et de jeunes étudiants. Son titre veut rappeler le martyre d'un officier français disparu au Maroc, « *abandonné par la République, ignoré de la Conscience universelle* », dont les convictions politiques sont mal connues mais qui est, avec Jose-Antonio Primo de Rivera, Codréanu, John Birch, Robert Brasillach et Bastien-Thiry, considéré comme l'un des « *témoins de l'Occident* » (21, rue Mirabeau, Paris 16ᵉ).

CERCLE COMMUNISTE.

Groupe fondé par Boris Souvarine (Lifschitz), qui fusionna avec la *Fédération communiste indépendante* de l'Est (voir *Parti Communiste Indépendant*).

CERCLE D'ETUDES MONTAIGNE.

Fondé en 1961 par la fraction minoritaire dissidente du *Centre des Jeunes Libéraux*, favorable à l'indépendance de l'Algérie, à laquelle se joignirent Etienne Huchet, du *Parti Radical-Socialiste,* et divers militants de gauche.

CERCLE D'INFORMATION CIVIQUE ET SOCIALE.

Groupement de catholiques de droite animé par G. de Couessin. Publie depuis plusieurs années un bulletin bi-mensuel que dirige G. de Couessin et auquel collaborent les dirigeants du groupe, notamment A. Laforge, J.-B. Leroy et M. Messager (51, rue de la Pompe, Paris 16ᵉ).

CERCLE JULES VALLES.

Organisation gaulliste de gauche dirigée par Gabriel Cordouin, membre du Comité central de l'*U.N.R.-U.D.T.* et dirigeant de la *Convention de la Gauche Vᵉ République,* récemment créée.

CERCLE KARL MARX.

Groupe d'extrême-gauche organisant des débats publics avec la participation de Pierre Frank, de la *IVᵉ Internationale*, Ernest Mandel, directeur de *La Gauche*, Jean-Marie Vincent, Manuel Bridier, André Gorz, Michel Lequenne, etc. (Salle des Horticulteurs, 84, rue de Grenelle, Paris 7ᵉ).

CERCLE LEON TROTSKY (voir : Voix Ouvrière).

CERCLE LOUIS XVII (voir : Légitimiste).

CERCLE MARQUIS DE MORES.

Groupe nationaliste et antisémite, créé en 1931 par Roger Boulogne, Y. Marty et Pierre Ensch, collaborateur de *La Libre Parole*, futur directeur-gérant d'*Aspects de la France*.

CERCLE NATIONAL ET SOCIALISTE EUROPEEN.

Tentative de constitution d'un groupe à la fois « européen » et « socialiste national » par une équipe de jeunes. Les statuts de l'association furent déposés en mars 1966. Aussitôt, sur dénonciation de ses adversaires, le préfet de police fit ouvrir une enquête et, le 13 octobre 1966, le Tribunal prononçait sa dissolution.

CERCLE DE L'OPINION.

Centre animé par Gabriel du Chastain, journaliste, ancien speaker à *Radio-Tunis*, et organisant des débats politiques auxquels participent les représentants de toutes les tendances de l'opinion. Sous son égide paraît le bulletin *L'Opinion en 24 heures*. Emile Roche, président du Conseil Economique et Social, et Jean Gandilhon sont, avec Gabriel du Chastain, les dirigeants du Cercle (1, rue Volney, Paris 2ᵉ).

CERCLE DU PANTHEON.

Association de tendances nationalistes, fondée en juin 1959 par Jean-Marie Le Pen, alors député indépendant-paysan de Paris. A repris de l'activité au début de 1966, après la scission intervenue au *Comité Tixier-Vignancour*. J.-M. Le Pen, ancien secrétaire général du *Comité T.-V.*, en assure toujours la présidence. (Siège : 10, rue Quincampoix, Paris.)

CERCLE PROUDHON.

Fondé en 1911 par un groupe de jeunes, le *Cercle Proudhon* fut l'une des premières tentatives d'union des forces révolutionnaires de droite et de gauche en vue d'un syndicalisme à la fois socialiste et nationaliste. Le *Cercle* tint sa première réunion à Paris le 17 décembre 1911. Sa déclaration inaugurale, publiée dans le numéro 1 des *Cahiers du Cercle Proudhon*, portait les signatures de Jean Darville (pseudonyme d'Edouard Berth), un fonctionnaire de l'Assistance publique, disciple et ami de Georges Sorel, Henri Lagrange, le principal animateur du *Cercle* (tué au front en 1915), Gilbert Maire, René de Marans, André Pascalon, Marius Riquier, Albert Vincent et Georges Valois, le futur fondateur du *Faisceau*, premier parti fasciste créé en France. Par la suite, d'autres hommes se joignirent à ces pionniers : Olivier de Barral, Pierre Lecœur, E. du Passage. La déclaration, reprenant les arguments antidémocatiques de Sorel, de Maurras et,

naturellement, de Proudhon, était une véritable profession de foi socialiste et nationale : « *La démocratie vit de l'or et d'une perversion de l'intelligence. Elle mourra du relèvement de l'esprit et de l'établissement des institutions que les Français créent ou recréent pour la défense de leurs libertés et de leurs intérêts spirituels et matériels. C'est à favoriser cette double entreprise que l'on travaillera au Cercle Proudhon. On luttera sans merci contre la fausse science qui a servi à justifier les idées démocratiques et contre les systèmes économiques qui sont destinés, par leurs inventeurs, à abrutir les classes ouvrières, et l'on soutiendra passionnément les mouvements qui restituent aux Français, dans les formes propres au monde moderne, leurs franchises, et qui leur permettent de vivre en travaillant avec la même satisfaction du sentiment de l'honneur que lorsqu'ils meurent en combattant.* » L'expérience prit fin en 1914. Bien qu'ayant réuni des hommes de qualité, elle ne parvint jamais à en grouper suffisamment pour faire un véritable mouvement.

CERCLE RENAISSANCE 2000.

Club de jeunes gaullistes fondé et animé par Robert Grossmann, Jean-Pierre Medioni et Michel Cazenave, dirigeant de l'*Union des jeunes pour le progrès*.

CERCLES D'ETUDE CHATEAUBRIAND-BONALD (voir : Légitimiste).

CERCLES D'ETUDES SOCIALES-SYNDICALES DE L'OUEST.

Groupe de tendance anarchiste publiant *La lettre socialo-syndicaliste de l'Ouest* résumant ainsi son objectif : « *Nous combattrons le réformisme étatique qui plonge l'Ouest dans le chômage, nous lutterons contre la hiérarchie, la bureau-technocratie, la fausseté des syndicats reconnus par le gaullisme.* » Principaux animateurs : A. Senez (Sarthe), R. Alexandre (Anjou), Y.-M. Biget (Bretagne-Vendée). Plusieurs centaines d'adhérents français et étrangers (membres de l'*A.I.T.*, de la *C.N.T.*, de l'*A.O.A.* résidant dans l'Ouest (siège : 44, rue des Garennes, Vertou, Loire-Atlantique).

CERCLES JEANNE-D'ARC D'ETUDES CIVIQUES.

Groupement national dirigé par François Guérard.

CERF (Editions du).

A l'origine de cette maison, qui fut et demeure un exceptionnel centre de propagande démocrate-chrétienne, se trouve un religieux qui n'avait pas attendu le Concile pour soulever quelques-unes des grandes questions qui ont été agitées à Rome au cours de ces dernières années. Ce novateur, dont les initiatives devaient provoquer, par la suite, tant de remous dans l'Eglise de France était un Rouergat, Marie-Vincent Bernadot. En 1919, à peine âgé de trente-six ans, il fonda *La vie spirituelle* et, neuf ans plus tard, *La vie intellectuelle.* Organisateur autant qu'apôtre, il eut l'idée de doter le groupe qu'il animait d'une maison d'édition. Ce furent d'abord les *Editions de la vie spirituelle,* puis, le cercle s'étant considérablement agrandi, les *Editions du Cerf.* Celles-ci furent légalement constituées en société à Juvisy-sur-Orge, en octobre 1929. Le Père Bernadot n'y figurait pas en nom, mais c'est lui qui guidait ceux qui avaient apporté les premiers fonds : 200 000 francs. Ces fondateurs étaient au nombre de neuf : il y avait un ingénieur, André Coyne, un journaliste qui avait été au berceau du premier parti fasciste français, Georges Coquelle (plus connu sous son pseudonyme de Viance), une demoiselle enthousiaste, Rose Rostand, un médecin, le Dr Paul Penon, un entrepreneur, Daniel Babinet, un professeur, Charles Journet, et trois dames de la société, la comtesse Jacques de Guigné (née Antoinette de Charette), Mme Vve Edmond Gallet et Paule de Rocher. Les trois premiers furent désignés comme administrateurs. Par la suite, le capital assez modeste, fut considérablement augmenté : on fit appel aux clients de la maison, c'est-à-dire aux abonnés des revues et du journal *Sept* (voir à ce nom), créé entre temps par les *Editions du Cerf.* Pendant la guerre, les dirigeants de l'entreprise se montrèrent prudents, aussi bien sur le plan politique que dans le domaine commercial. Cela leur permit de durer et de laisser passer l'orage. La Libération allait d'ailleurs permettre aux *Editions du Cerf* de faire un prodigieux pas en avant. Beaucoup de leurs confrères éditeurs — ainsi que le soulignait le manifeste « *Pour le livre* » qu'elles signèrent (cf. *Le Parisien libéré,* 17-12-1944) — « *durant ces cinq années* (avaient) *failli aux devoirs de leur charge* », ce qui n'était pas leur cas puisqu'elles avaient mis leurs revues en veilleuse. L'élimination des brebis galeuses — il y en eut tant dans les milieux catholiques que 80 % des journaux se proclamant tels, pendant la guerre, du-

rent suspendre leur publication — laissa le champ libre aux autres. Les *Editions du Cerf* auraient eu grand tort de n'en point profiter. Elles prirent effectivement de l'ampleur. Leur développement exigeant des fonds, elles augmentèrent leur capital social. En 1951, celui-ci passa de 8 millions à 14. Mais cette fois, les petits porteurs, recrutés parmi les amis de la maison — en tout 175 — ne fournirent que la moitié de la somme nécessaire ; les 3 autres millions furent apportés par deux très gros souscripteurs qui, en fait, n'en formaient qu'un seul : l'*Association pour la diffusion de la culture chrétienne* (1 000 000 de F) et *La Vie Catholique illustrée* (2 000 000 de F) sont, en effet, deux têtes sous le même bonnet : le bonnet Sauvageot. Désormais, le « groupe Sauvageot », — comme on appelait alors le centre de presse et d'édition dont Mme Sauvageot fut, jusqu'à sa mort horrible, l'animatrice — compta des représentants au conseil d'administration des *Editions du Cerf,* en particulier le journaliste Georges Hourdin ; il consolida sa participation en 1959 et sut se rendre indispensable à une maison dont la trésorerie, comme celle de la plupart des éditeurs, a besoin d'argent frais : au cours des années qui précédèrent l'augmentation de capital de 1959, *La Vie Catholique illustrée* fit des avances successives qui atteignirent plus de deux millions. A la même époque, d'autres personnalités et d'autres groupes s'intéressèrent également à l'entreprise : la société *Desclées,* de Tournai, l'*Association de la Pensée Chrétienne,* le journal *Ouest-France,* et, à titre personnel Ella Sauvageot, la « patronne » de *La Vie Catholique illustrée,* auxquels il faut ajouter l'ingénieur François Michel, l'industriel Félix du Puy de Clinchamps, président des *Papeteries Navarre,* administrateur des *Papeteries de la Seine,* de la *Société Calaisienne de pâtes à papier* et de diverses autres grandes sociétés, et l'imprimeur Paul Aubin, de Liguré. Ces trois derniers forment, avec les journalistes Georges Hourdin et Pierre Bernard, Jean Lathuillière, Jean Bommelaer et Jacques Chaumié le conseil d'administration de la société. La production des *Editions du Cerf* est assez considérable. Elles publient huit revues, dont *La vie spirituelle,* déjà citée, et l'hebdomadaire *Télérama,* seul magazine catholique de télévision, de radio et du cinéma, dirigé par Georges Hourdin et J.-P. Dubois-Dumée, les deux animateurs de *La Vie Catholique illustrée.* Elles font également paraître une collection familiale, « *A cœur ouvert* », une série historique « *Mœurs des chrétiens* », la Bible de

Jérusalem (600 000 ex.), une édition populaire « de poche » des quatre évangiles (tirage : 470 000 ex.) et du « *Psautier* » de la Bible de Jérusalem (50 000 exemplaires) et une collection mi-politique, mi-religieuse, « *Rencontres* », dont le premier volume « *France, pays de mission ?* » fut lancé pendant l'occupation (siège : 29, boulevard Latour-Maubourg, Paris 7e).

CERF-LURIE (Cerf LURIE, dit).

Négociant en vins, né à Sète (Hérault), le 31 mars 1897. Militant gaulliste, fut élu député *U.N.R.* de l'Hérault, le 30 novembre 1958, mais fut battu par le socialiste Jules Moch, en 1962. Quitta l'*U.N.R.* en janvier 1964 pour protester contre l'attitude « *antidémocratique* » et « *incohérente* » de la fédération de l'Hérault tout en annonçant son intention de poursuivre son action « *dans le respect de l'esprit gaulliste* ».

CERMOLACCE (Paul).

Marin, né à Marseille (Bouches-du-Rhône), le 2 juillet 1912. Secrétaire du syndicat des Marins *C.G.T.* Conseiller municipal de Marseille. Membre des deux Assemblées constituantes (1945-46). Député communiste des Bouches-du-Rhône à l'Assemblée nationale depuis 1946.

CERNEAU (Marcel).

Homme politique, né à Sainte-Marie de la Réunion (La Réunion), le 2 juillet 1905. Ancien ingénieur principal des Travaux publics faisant fonction d'ingénieur en chef à Saint-Denis de la Réunion (janvier 1952-novembre 1954). Elu sénateur de la Réunion le 19 juin 1955, puis député de la Réunion le 17 novembre 1957, en remplacement de Raphaël Babet, député (l'élection ayant été soumise à enquête, M. Cerneau conserva son mandat de sénateur). Réélu député *R.G.R.* de la 3e circ. de La Réunion le 23 novembre 1958. Membre titulaire du Conseil de l'Europe (30 décembre 1959). Réélu député le 18 novembre 1962. Apparenté au groupe du *Centre Démocratique*.

CESAIRE (Aimé).

Universitaire, né à Basse-Pointe (Martinique), le 25 juin 1913. Professeur, homme de lettres. Conseiller général. Maire de Fort-de-France. Membre des deux Assemblées constituantes (1945-46). Député communiste de la Martinique à la 1re Assemblée nationale (1946-1951) Réélu le 17 juin 1951 et le 2 janvier 1956. Quitte le 23 octobre 1956 le *Parti communiste*. Président du *Parti Progressiste Martiniquais*. Réélu député en 1958 et 1962.

C'EST-A-DIRE.

Magazine de tendance nationaliste lancé en 1956 par Jean Ferré, ancien rédacteur à *Sciences et Vie*, à *Aux Ecoutes* et à *Notre Epoque*. *C'est-à-dire* (installé d'abord à Levallois, puis rue d'Enghien et enfin rue des Jeûneurs) avait alors pour principaux collaborateurs : Charles Fuyet, pour l'administration ; Dauven, Jean Lousteau, P.-A. Cousteau, Jacques Ploncard d'Assac, le chansonnier Olive, Pierre Fontaine, Lucien Rebatet, Stéphen Hecquet, etc., pour la rédaction. Faute de moyens, le magazine parut très irrégulièrement en 1958-1959, et la *Société des Editions de la Vigie Française,* qui le publiait, fut mise en faillite en 1959. Jean Ferré, propriétaire du titre, en reprit quelque temps la publication avec le journaliste François Chiappe (fils du préfet Angelo Chiappe, fusillé à la Libération, et neveu de l'ancien préfet de police tué en 1941), dont l'ironie mordante valut à *C'est-à-dire* les foudres de la justice et la saisie dans les kiosques. Poursuivi par la justice pour son activité jugée subversive, Jean Ferré s'enfuit à l'étranger et sa revue disparut.

CEUX DE LA LIBERATION.

Essentiellement militaire, organisé pour fournir aux alliés des renseignements sur les Allemands et favoriser les évasions vers l'Angleterre, le mouvement *Ceux de la Libération* fut créé sous l'occupation par Ripoche. Il eut pour chefs successifs, après son fondateur : Coquoin, dit Lenormand, Médéric, le colonel Ginas, tout à tour arrêtés. Lié à *Franc-Tireur*, au début, le mouvement absorba ensuite le réseau *Vengeance*. Son action s'exerçait principalement dans la région parisienne.

CEUX DE LA RESISTANCE.

Le mouvement clandestin *Ceux de la Résistance* (C.D.L.R.) ,— dont le gendre du général Mangin, Lecompte-Boinet, a écrit l'histoire dans *Volontés* (29 novembre 1944 et la suite) — fut d'abord le prolongement, en zone Nord, du mouvement *Petites Ailes* (futur *Combat*). Puis, sous la direction de Lecompte-Boinet, d'Ingrand, de Pierre Arrighi et de Jean de Vogüe, il eut son existence propre et organisa des formations paramilitaires clandestines en Normandie et en Champagne. Puis il absorba *Défense de la Patrie*, de Lorraine. *Ceux de la Résistance* étaient assez peu politiques. Sauf peut-être Jean de Vogüe, dont les sympathies soviétiques étaient connues, la plupart des dirigeants de ces deux groupes étaient plutôt hostiles aux hommes et aux institutions de la IIIᵉ République. Ils étaient surtout des patriotes combattant l'Allemand et, accessoirement, les Vichyssois. (Voir : *Union Démocratique et Socialiste de la Résistance*.)

CHABAN-DELMAS (Jacques, Pierre, Michel DELMAS, dit).

Inspecteur des Finances, né à Paris, le 7 mars 1915. Fils d'un administrateur de sociétés et gendre (en premières noces, avant divorce) de l'imprimeur Hamelin, co-fondateur de *La Vie Française*. Major de la promotion Joffre des E.O.R. de Saint-Cyr. Inspecteur des Finances en service détaché. Collaborateur de *L'Information Economique et Financière* (1935-1938). En 1940, sous-lieutenant d'infanterie, fut nommé, dans la Résistance, général de brigade par le général De Gaulle (mai 1944), puis inspecteur général de l'armée (novembre 1944). Secrétaire général au ministère de l'Information (1945-1946). Elu député radical-socialiste de la Gironde à la première Assemblée nationale (1946). Sans quitter le *Parti Radical-Socialiste*, donna en 1947 son adhésion au *R.P.F.*, mais fut contraint d'abandonner alors le parti de la rue de Valois. Maire de Bordeaux (depuis 1947). Réélu député comme *R.P.F.*, le 17 juin 1951, présida à l'Assemblée nationale le groupe parlementaire *R.P.F.*, puis *U.R.A.S.* (7 juillet 1953-19 juin 1954) et fut président d'honneur du groupe des *Rép. soc.* (février 1955-décembre 1955). Au moment où communistes, mendésistes et gaullistes combattaient côte à côte, dans les meetings et au parlement, la *C.E.D.*, devint ministre des Travaux publics, des Transports et du Tourisme (cabinet Mendès-France, 1954-1955). Etait alors l'animateur du mouvement gaulliste en qualité de président du *Centre national des Républicains sociaux*. Renforçant les liens qui unissaient les gaullistes à la gauche, fonda (1955) le *Front Républicain* avec Mendès-France, Mitterrand et Guy Mollet. Réélu député le 2 janvier 1956 avec l'investiture de *L'Express*, devint ministre d'Etat (cabinet Guy Mollet, 1956-1957), ministre de la Défense nationale et des Forces armées (cabinet Félix Gaillard, 1957-1958). Par l'intermédiaire de plusieurs de ses collaborateurs, était en même temps l'un des partici-pants actifs du « complot » qui aboutit, avec le 13 mai 1958, au retour du général De Gaulle au pouvoir. Fonda alors, avec Debré et Soustelle, l'*U.N.R.* dont il est l'un des dirigeants (1958). Président d'honneur du Mouv. Nat. des Elus locaux. Constamment réélu député, préside depuis le 9 décembre 1958, l'Assemblée nationale. Fut également l'un des grands « patrons » (discrets) de *La Vie Française*.

CHABANNES (Jacques, Louis).

Homme de lettres, né à Bordeaux (Gironde), le 13 octobre 1900. Militant de gauche et franc-maçon (loges *Paix*, *Travail et Solidarité* et *Les Amitiés internationales*) dans l'entre-deux-guerres, fut longtemps le collaborateur d'Albert Dubarry (de *La Volonté*) et de Jean Luchaire. Rédacteur en chef de *Notre Temps* que ce dernier dirigeait, fut l'un des *supporters* de la politique de paix et de rapprochement franco-allemand d'Aristide Briand. Pendant l'occupation, rejoignit la Résistance et fut surtout, après la Libération, auteur dramatique, romancier, producteur de radio et de télévision et auteur de films. Président honoraire de la *Société des gens de lettres*, préside la *Fédération internationale des gens de lettres*. A publié, depuis une trentaine d'années deux douzaines de livres divers apolitiques.

CHABERT (Charles-Edme).

Militant socialiste (voir : *Le Prolétaire*).

CHABOT (comte Pierre, Marie de).

Agriculteur, né à Mouchamps (Vendée), le 5 août 1887. Fils du duc de Chabot (Guillaume). Conseiller général (1924-1940), puis député de la Vendée (1938-1942). Vota les pouvoirs constituants au maréchal Pétain en 1940. Inéligible en 1945, c'est sa femme qui lui succéda au Conseil général de Vendée et au Conseil municipal de Mouchamps.

CHABRUN (César).

Universitaire (1880-1934). Professeur de Droit. Député républicain-socialiste de la Mayenne (1919-1932), sous-secrétaire d'Etat à l'Enseignement technique (1930).

CHACK (Louis, Paul, André).

Homme de lettres (1876-1945). Fils d'un noble irlandais et d'une cantatrice. Officier de marine, ayant sillonné les mers de 1896 à 1921, et chargé du Service historique de la Marine, il fit carrière dans les lettres. Après « *Combats et batailles sur mer* », écrit en collaboration avec Claude Farrère, il publia seul un grand nombre de livres (« *On se bat sur mer* », « *Pavillon haut* », « *Branle-bas de combat* », etc.). Donna régulièrement des articles à *La Revue de Paris*, à *La Revue de France*, à *Gringoire*. Il présidait alors l'*Association des Ecrivains Combattants*. Après l'armistice de 1940, ses sentiments anticommunistes le poussèrent dans le mouvement nationaliste. Acceptant la collaboration comme une nécessité, suivant la ligne tracée par le maréchal Pétain, le commandant Chack fonda le *Comité d'Action Antibolchevique* (avec le concours de Louis-Charles Lecoconnier, dit Lecoc, ancien collaborateur du colonel de La Rocque au *P.S.F.*) et participa à la création du *Front Révolutionnaire National*. Désigné à la vindicte de ses adversaires par sa propagande anti-communiste, il fut arrêté après la Libération de Paris, puis traduit, le 18 décembre 1944, devant la cour de justice qui le condamna à mort. Son exécution eut lieu trois semaines plus tard, le 9 janvier 1945.

CHADE (Léon, Edmond).

Journaliste, né à Langatte (Moselle), le 19 avril 1904. Fut, avant la guerre, rédacteur à l'*Agence Havas*. A la Libération, prit la direction de *La Voix du Nord* (1944-1948), puis devint directeur général de *L'Est Républicain,* poste qu'il occupe encore aujourd'hui.

CHAFFARD (Georges).

Journaliste, né à Montréal (Canada), le 10 novembre 1928. Secrétaire du groupe parlementaire des *Indépendants d'Outre-Mer,* puis rédacteur au service outre-mer du *Monde* (1955-1959); rédacteur en chef de *La Vie Africaine* (1960-1962), collaborateur du *Monde diplomatique* (1963-1964) et du *Monde* (1963). Collaborateur de *Combat*, de *Radio-Canada* et de *Radio-Lausanne*.

CHALAIS (François-Charles BAUER, dit François).

Journaliste, né à Strasbourg (Bas-Rhin), le 15 décembre 1919. Fils d'un avocat alsacien. Ancien époux de la journaliste France Roche. Après sa licence de droit, milita dans le mouvement nationaliste, collabora régulièrement à *Je suis partout* pendant l'occupation, fut le collaborateur de la publication de Vichy, *Idées*, « *revue de la Révolution natio-* *nale* », et l'un des principaux rédacteurs de l'hebdomadaire de la Milice française de Darnand, *Combats*. A la Libération, devint correspondant de guerre de *Carrefour* et collabora au *Parisien Libéré*, à *L'Equipe*, à *Cinémonde*, puis à *l'O.R.T.F.* Auteur de : « *Tombeau pour un ennemi public* », « *Hollywood en pantoufles* » (en collaboration avec Jean Roy), « *Avant le Déluge* », « *L'île d'Yeu* », etc.

CHALANDON (Albin, Paul, Henri).

Banquier, né à Reyrieux (Ain), le 11 juin 1920. Appartient du côté parternel à une famille bourgeoise du Lyonnais et du Mâconnais, illustrée par Jean Chalandon, négociant à Lyon, fusillé comme agent royaliste sous la Révolution ; par son fils, Antoine-Elisabeth Chalandon, adjoint au maire de Lyon sous la Révolution ; et par son petit-fils, Mgr Georges-Claude-Louis Pie, évêque de Belley, puis archevêque d'Aix sous le Second Empire. Marié avec la princesse Salomé Murat, fille du prince Achille Murat (administrateur de sociétés), petite-fille du marquis de Chasseloup-Laubat (de la *Banque des Pays du Nord*), arrière-petite-fille du banquier Stern, et sœur de la comtesse Antoine de Boissieu (la belle-fille du comte Albert de Boissieu, du groupe *Schneider*). Inspecteur des Finances. Attaché au cabinet du président Léon Blum (1946-1947). Chargé de mission au cabinet de René Mayer, ministre des Finances (1947-1948). Membre du Comité de Réorganisation de l'Aéronautique (1948). Directeur de la *B.N.C.I.-Afrique* (1949). Puis : administrateur-directeur général de la *Banque Commerciale de Paris* (de Bloch-Dassault), président-directeur général de la *Société des Grandes Entreprises de Distribution Inno-France,* administrateur de *Francarep,* des *Sucreries d'Outre-mer,* du *Bon Marché*. Co-fondateur, trésorier (1958-1959) puis secrétaire général (1959) et théoricien économique de l'*U.N.R.*

CHALLAYE (Félicien, Robert).

Universitaire et philosophe, né à Lyon, le 1er novembre 1875. Après ses études (faculté des lettres de Lyon, Ecole Normale Supérieure, Université de Berlin), fit un voyage autour du monde qui dura près de deux ans (1899-1901) et participa à la mission Savorgnan de Brazza au Congo (1905). Puis, enseigna la philosophie à Laval (1901), à Paris au lycée Charlemagne (1907-1919), au lycée Condorcet (1919-1937). Entre-temps fit avec honneur la guerre de 1914-1918. Militant de la gauche, appartint entre les deux guerres à diverses organisations antifascistes (*Front Commun*, *Front Social*, *Ligue des Droits de l'Homme*, etc.) et collabora à la presse pacifiste. Après la déclaration de guerre, signa l'appel de Louis Lecoin intitulé *Paix immédiate*. Son opposition à la guerre l'amena à écrire, pendant l'occupation, dans la presse de gauche d'alors : *Aujourd'hui*, *La France socialiste*, *L'Atelier*, *Germinal*. Appartient au comité central de la *Ligue des Droits de l'Homme*, préside l'*Union Pacifiste de France* et collabore à *La Voie de la Paix*. Auteur de : « *Au Japon et en Extrême-Orient* », « *Le Japon illustré* », « *Bergson* », « *Nietzsche* », « *Souvenirs sur la colonisation* », « *Jaurès* », « *Petite histoire des grandes religions* », « *Petite histoire des grandes philosophies* », « *Freud* », « *Péguy socialiste* », « *Les Philosophes de l'Inde* », « *Syndicalisme révolutionnaire et syndicalisme réformiste* », « *Le Christianisme et nous* », « *La formation du socialisme, de Platon à Lénine* », « *Histoire de la propriété* », « *Georges Demartial, sa vie, son œuvre* », etc.

CHALLE (Maurice).

Général de l'Air, né le 5 septembre 1905, au Pontet (Vaucluse). Fils du général Challe, tué à l'ennemi le 11 octobre 1917 ; un frère, lieutenant pilote, tué à l'ennemi, le 27 mars 1945. Entra dans l'Aéronautique à sa sortie de Saint-Cyr (1927). Capitaine breveté d'état-major en 1939, affecté au G.Q.G. de l'Air au début de la guerre. Entré dans la Résistance en novembre 1942. Nommé adjoint du général Ely en tant que major général et chef d'Etat-Major des Forces armées (1955-1958), joua un rôle important dans la préparation de « l'équipée de Suez » (1956). L'affaire du 13 mai 1958 en Algérie le fit juger douteux par le gouvernement, et P. de Chevigné, dernier ministre de la Défense de la IVe République, l'envoya en résidence à la préfecture maritime de Brest. Rappelé à son poste par De Gaulle quelques semaines plus tard, fut ensuite nommé adjoint opérationnel du général Salan à Alger, le 18 septembre 1958, et deux mois plus tard, lui succéda comme commandant en chef en Algérie, où il fit appliquer son fameux « plan Challe » qui devait amener une sérieuse amélioration dans la lutte contre le *F.L.N.* En janvier 1960, s'opposa à la politique de De Gaulle en Algérie. Il avait d'ailleurs précisé sa position dans une interview accordée au journal espagnol *La Vanguardia*, de Barcelone : « *La sécurité du monde occidental impose à la France la permanence en Algérie. Ce que représente l'Algérie n'est qu'une bataille dans l'immense conflit où se débat aujourd'hui le monde libre. Abandonner l'Algérie serait perdre un bataille, c'est-à-dire reculer et perdre du terrain à l'Est. L'avenir de toute l'Europe occidentale et de sa civilisation s'y joue.* » (Cf. *Le Monde*, 27-1-1961.) De formation socialiste et démocrate, Challe est le contraire de ce qu'on appelle d'ordinaire un « fasciste ». Respectueux des règles démocratiques, il s'était vanté d' « *apporter l'Algérie sur un plateau d'argent* » à De Gaulle; par la suite, la détermination du président de la République de concéder l'autodétermination à l'Algérie ne pouvait que le hérisser. Ayant quitté Alger au moment des « barricades » en même temps que Delouvrier, il fut nommé deux mois plus tard, avec l'accord de l'*O.T.A.N.*, commandant en chef des forces alliées Centre-Europe. Mais le 25 janvier 1961, il demandait sa mise à la retraite anticipée. *Le Figaro* écrivait le lendemain : « *Lorsqu'il avait quitté l'Algérie, en avril 1960, certains désaccords avec la politique militaire du gouvernement s'étaient faits* (sic) *jour. D'autres difficultés l'attendaient à Fontainebleau, notamment en ce qui concerne l'intégration des forces françaises à l'O.T.A.N. Intégration dont il était partisan.* » Se rendit alors à Alger et prit part au « putsch » du 22 avril. Ses relations anciennes avec les chefs militaires des Etats-Unis firent croire que le putsch avait l'appui des services secrets américains. Mais, après avoir lancé au nom de l'*O.A.S.* un ordre de mobilisation de huit classes en Algérie pour lutter contre les « fellagha », Challe, qui venait d'avoir un entretien avec le colonel de Boissieu, gendre de De Gaulle et son ancien directeur de cabinet, se rendit au procureur général. Il fut condamné à la détention criminelle (1961). Après une détention de plus de cinq années, il a été gracié et libéré (veille de Noël 1966).

CHALOPIN (Jean).

Médecin, né à Saint-Claude (Jura), le 7 août 1920. Maire de Chemillé (Maine-et-Loire). Suppléant de M. Jean Foyer aux élections législatives du 18 novembre 1962. Proclamé député de Maine-et-Loire, le 7 janvier 1963. Inscrit à l'*U.N.R.*

CHAMANT (Jean).

Avocat, né à Chagny (Saône-et-Loire), le 23 novembre 1913. Conseiller municipal de Sens. Député de l'Yonne à la 1re Assemblée nationale (1946-1951). Réélu le 17 juin 1951. Vice-président du groupe des Indépendants à l'Assemblée nationale (1951-1955). Fondateur avec Estèbe, Isorni, Rochereau, Jean Montigny et Tixier-Vignancour du *Centre de liaison pour l'unité française* (février 1952). Membre du Comité de Patronage du *Comité Français pour la Défense des Droits de l'Homme* (amnistie des pétainistes). Dirigeant du *Centre National des Indépendants*. Secrétaire d'Etat aux Affaires étrangères (cabinet Edgar Faure, 20 octobre 1955-24 janvier 1956). Candidat aux élections législatives du 2 janvier 1956. Proclamé élu le 30 mai 1956 par l'Assemblée nationale par suite de l'invalidation de Lamalle, député *U.F.F.* Démissionnaire le 31 mai et réélu (15 juillet). Réélu les 30 novembre 1958 et 18 novembre 1962. Soutient le gouvernement et appartient au groupe des *Républicains Indépendants*.

CHAMBARD SOCIALISTE (Le).

Journal satirique hebdomadaire animé par le polémiste Gérault-Richard (voir à ce nom) qui y mena une campagne violente, teintée d'antisémitisme, contre la République bourgeoise et capitaliste avant de s'y rallier par lassitude ou par intérêt dix ans plus tard.

Le M...onsieur. — Eh ! Eh ! elle se fait gentille votre Cadette ; faudra nous la confier.

Populo. — Jamais ! Pour que vous en fassiez une Garce, comme son aînée !

— Ce bal est fini, les lampions éteints, allons, ouste ! mes petites ordures,
je viens faire les chambres ! (Dessin de Steinlen).

CHAMBRE (voir **Assemblée**).

CHAMBRIARD (Paul, Antoine, Simon, François).

Industriel, né à Brioude (Haute-Loire), le 2 août 1886. Président-directeur général de la *S.A. P. Chambriard* (bois). Membre du Conseil d'administration de *L'Avenir du Plateau Central,* quotidien de droite suspendu en 1944. Fut, sous la IVe République, sénateur et conseiller général modéré de la Haute-Loire, maire de Brioude.

CHAMBRON (Lucien).

Président de la *Caisse de Crédit agricole* de l'Allier, nommé le 23 janvier 1941 membre du *Conseil national* (voir à ce nom).

CHAMBRUN (Famille PINETON de).

Les Pineton de Chambrun ont été illustrés dans la politique par :
— le comte Joseph, Dominique, Aldebert (1821-1899), descendant de La Fayette, député de la Lozère, d'abord à l'Assemblée nationale (1871-1876), puis à la Chambre (1876-1879) ;

— le marquis Pierre (1865-1954), petit-neveu du précédent, député (1898-1933), puis sénateur de la Lozère (1933-1941), qui vota contre les pouvoirs constituants au maréchal Pétain en 1940, membre de l'Assemblée consultative provisoire (1944-1945) ;
— le comte René (né en 1906), gendre et collaborateur de Pierre Laval ;
— le comte Gilbert, député aux deux Constituantes (1945-1946), député progressiste (apparenté communiste) de la Lozère (1946-1955), membre du *Conseil Mondial de la Paix,* maire de Marvejols, ministre plénipotentiaire ;
— le comte Charles (ci-dessous).

CHAMBRUN (comte Charles PINETON de).

Administrateur de sociétés, né à Paris, le 16 juin 1930. Fils du marquis Pineton de Chambrun, artiste peintre. Marié avec Nelly Malard, fille du financier Raoul Malard, grand « patron » des *Monoprix.* Maire de Montrodat. Membre de l'*Alliance France-Israël.* Elu député de la Lozère (2e circonscription) le 25 novembre 1962 (avec l'investiture du *M.R.P.*). Inscrit ensuite au *Centre Démocratique* de l'Assemblée nationale. Secrétaire d'Etat au Commerce extérieur (cabinet

Pompidou, 1966). Appartient à une famille dont les membres ont adopté des positions politiques souvent très opposées : le comte René de Chambrun, ancien collaborateur de son beau-père, Pierre Laval, est le défenseur acharné de la mémoire de l'ancien président du conseil fusillé ; le comte Gilbert de Chambrun fut député progressiste (pro-communiste) de la Lozère ; le marquis de Chambrun fut député et sénateur modéré de la Lozère (il vota le 10 juillet 1940 contre le maréchal Pétain).

CHAMMARD (Jacques, Paul de).

Fonctionnaire, né le 1er juillet 1888. Issu d'une famille de chirurgiens. Maire de Tulle de 1925 à 1943. Candidat sur la liste du *Cartel des Gauches,* conduite par Henri Queuille, fut élu député de la Corrèze en 1924 et le resta jusqu'en 1936. Battu par le socialiste Julien Peschadour, entra au Sénat en 1939 et s'inscrivit au groupe de la *Gauche démocratique.* Vota la délégation de pouvoirs au maréchal Pétain en 1940. Candidat en 1956 sur une *liste républicaine d'action civique pour le redressement national,* ne fut pas élu.

CHAMPEAUX (François, Michel de).

Directeur d'entreprise commerciale, né à Essey (Côtes-d'Or), le 10 août 1903. Maire de sa ville natale de longues années. Reporter au *Journal* (1934). Conseiller général de la Côte-d'Or (1935), puis député (1936) ; inscrit au groupe des *Républicains de gauche* et des *Radicaux indépendants.* Vota pour le maréchal Pétain (10 juillet 1940). Commandant adjoint de maquis, président du Comité de Libération de Pouilly-en-Auxois (abandonna ensuite pour divergences politiques).

CHAMPETIER DE RIBES (Jean, Jules, Marie, Auguste).

Homme politique, né à Antony (Seine) en 1882, mort à Paris en 1947. Issu d'une vieille famille bourgeoise, il fut l'un des chefs du *Parti Démocrate Populaire,* qu'il présida de longues années. Disciple d'Albert de Mun, il suivit avec sympathie le *Sillon* sans y adhérer. En 1908, il fut l'un des promoteurs du *Secrétariat Social de Paris.* Après la guerre, il se présenta sans succès dans les Basses-Pyrénées, aux élections générales de 1919, puis à une élection partielle en 1921, mais fut élu dans ce même département en 1924. Il fut réélu en 1928 et 1932, puis entra au Sénat en 1934. Plusieurs fois ministre (1929, 1930, 1931, 1938, 1939), notamment dans le cabinet qui déclara la guerre à l'Allemagne en 1939, il fut l'un des parlementaires qui votèrent contre le maréchal Pétain le 10 juillet 1940. Interné durant dix-huit mois à Evaux-les-Bains (1942-1944), en raison de son attitude défavorable à Vichy. Fut nommé vice-président du Comité de libération des Basses-Pyrénées (août 1944), puis membre de l'Assemblée consultative provisoire (novembre 1944). En janvier 1946, le Gouvernement Provisoire, présidé par le général De Gaulle, le choisit comme délégué près le Tribunal militaire international de Nuremberg. Il fut chargé de présenter l'accusation au nom de la France, de la Hollande, de la Belgique et du Luxembourg. Dans sa conclusion, incitant les juges à ne pas condamner aveuglément et à doser les peines selon la gravité des infractions relevées, il déclarait : « *Ainsi, messieurs, votre sentence ne sera pas, comme paraissait le craindre le Dr Steinbauer dans sa plaidoirie pour Seiss-Inquart, la conclusion d'un « procès du vainqueur contre le » vaincu », elle sera la manifestation solennelle et sereine de la justice éternelle.* » (Cf. *Dictionnaire des parlementaires français,* t. III.) La sentence contre les inculpés du 1er octobre 1946 bouleversa ce chrétien qui rentra aussitôt à Paris « *singulièrement désabusé sur ce qu'on peut attendre de la justice des hommes* ». Moins de six mois plus tard, peu de temps après avoir été élu sénateur et porté à la présidence du Conseil de la République, il mourait dans d'horribles souffrances qu'il supporta avec un courage exceptionnel.

CHAMPION (Pierre).

Membre de l'Institut, maire de Nogent-sur-Marne, nommé au *Conseil national* (voir à ce nom), le 2 novembre 1941.

CHAMSON (André).

Homme de lettres, né à Nîmes le 6 juin 1900. Fonctionnaire à la Bibliothèque nationale (1924), Conservateur-adjoint du château de Versailles (1930), militant des organisations d'extrême-gauche, collaborateur de *L'Humanité,* fondateur de l'hebdomadaire politico-littéraire de Front populaire *Vendredi,* rédacteur à *Commune* et à *Europe,* fut pendant la guerre l'un des rédacteurs de la presse clandestine sous le pseudonyme de « Lauter », puis officier au maquis et chef de bataillon à la « brigade Malraux ». Membre du *C.N.E.* qui épura le monde des lettres en 1944-1945. Nommé à la Libération conservateur en chef des musées nationaux. Conservateur du Petit Palais (1945). Elu à l'Académie française en 1956 (au fauteuil du baron Seillière), directeur des Archives de France (1959), président international (1956), puis président d'honneur du Pen Club français (1959), membre du Conseil supérieur des Gens de Lettres et du Conseil de l'ordre des Arts et des Lettres, membre du conseil d'administration de l'Office de la Radiodiffusion-Télévision Française (O.R.T.F.) (1964). Auteur de : « *Roux le Bandit* », « *le Crime des Justes* », « *le Chiffre de nos jour* », « *Nos ancêtres les Gaulois* », « *Devenir ce qu'on est* », « *le Rendez-vous des espérances* », « *Comme une pierre qui tombe* », etc.

CHANAL (Jean, Louis, dit Eugène).

Avocat (1868-1951). Député radical (1902-1919), puis sénateur de l'Ain (1920-1942). Vota les pouvoirs constituants au maréchal Pétain (1940). Mis en résidence surveillée à Mâcon après arrestation par les Allemands (1944).

CHANDERNAGOR (André).

Homme politique, né à Civray (Vienne), le 19 septembre 1921. Maire de Mortroux. Fonctionnaire en Indochine au temps de l'amiral Decoux (1943-1945). Administrateur adjoint de la France d'Outre-Mer (1er août 1945). Elève à l'E.N.A. (1950-52). Auditeur au Conseil d'Etat (1er janvier 1952). Conseiller technique au cabinet de Guy Mollet, président du Conseil (1er février 1956-11 juin 1957). Secrétaire général du Conseil supérieur de la Sécurité sociale (15 janvier 1957). Nommé maître des requêtes au Conseil d'Etat (12 octobre 1957). Conseiller technique au cabinet de Gérard Jaquet, ministre de la France d'Outre-Mer (6 novembre 1957-15 avril 1958). Elu député *S.F.I.O.* de la Creuse (2e circ.) le 30 novembre 1958. Défendit la motion de censure (contre le gouvernement Debré) à l'Assemblée nationale en avril 1960. Conseiller général du canton de Bourganeuf (1961). Réélu député socialiste en 1962 et en 1967.

CHANGEMENT DE NOM.

Fréquent dans le monde de la presse, le *changement de nom* l'est beaucoup moins dans celui de la politique. Il est vrai que, dans le premier cas, il s'agit le plus souvent d'un nom de plume, d'un pseudonyme (cf *Dictionnaire des pseudonymes*, par Henry Coston, Paris, 1965), tandis que dans le second, la modification du patronyme — ou sa substitution pure et simple au profit d'un autre nom — est légale. La plupart de ces changements sont effectués en vertu de la loi du 11 Germinal an XI : ils sont alors publiés à l'*Officiel* et divers ouvrages en donnent la liste (le dernier en date est le *Dictionnaire des changements de noms*, par l'archiviste Jérôme, 2 t.). Mais nombreux sont les patronymes modifiés par la voie judiciaire, au moyen de la procédure de rectification d'état-civil (ex. : le futur président du Conseil Félix Gaillard a été autorisé à s'appeler Gaillard d'Aimé par décision du Tribunal civil de la Seine, le 24 juillet 1942). La tendance aux changements légaux s'est considérablement accentuée depuis trente ans. Au cours du XIXe siècle, c'étaient surtout les Durand et les Dupont qui cherchaient à s'anoblir à bon compte en se faisant appeler de la Durandière ou Dupont de Villeneuve. Mais, depuis la guerre de 1914-1918, en raison de l'importante immigration étrangère et des innombrables naturalisations, ce sont principalement les noms difficiles à prononcer ou les patronymes israélites que l'on transforme. Le Sénat, dès le 25 juillet 1936, avait proposé que l'on permît « *aux étrangers naturalisés de donner à leurs noms une consonance française* ». Dans les milieux politiques, outre Félix Gaillard, plusieurs personnalités ont adopté officiellement un nom qui n'est pas celui de leurs parents : l'ancien ministre Sainteny, est né Roger, le *leader* gaulliste Léo Hamon s'appelait Goldenberg et le proche collaborateur de François Mitterrand, Georges Beauchamp, Rosenfeld; le magnat de l'aviation et député Marcel Dassault était connu avant la guerre sous le nom de Bloch, etc. Un grand nombre de résistants ont ajouté leur pseudonyme de clandestinité à leur nom patronymique et ont fait légaliser cette modification (ex. : Servan-Schreiber, Bleustein-Blanchet). Enfin des pseudonymes, illustrés par ceux qui les ont portés, sont parfois devenus par décret des patronymes légaux (ex. : André Maurois).

CHANTERAC (Alain de).

Agriculteur, (1892-1952). Saint-Cyrien combattant de 1914-1918, blessé de guerre. Fut en France l'un des promoteurs du mouvement paysan dans le Sud-Ouest et le Massif central. Fondateur de *L'Effort Paysan* (1937), résumait ainsi ses idées : « *Le paysan ne veut pas que cette terre, objet de tant d'amour, se dissolve au sein d'une communauté que les peuples barbares croient être le dernier stade du progrès humain.* » (Editorial, n° 1, 13-2-1937.) Appartit, comme délégué de la corporation paysanne, au Conseil national du maréchal Pétain. Prit une part active aux transformations du vieux quotidien catholique et monarchiste *L'Express du Midi*, de Toulouse, en journal moderne sous le titre de : *La Garonne*.

CHAPALAIN (Jean-Yves).

Homme politique, né à Quimper (Finistère), le 10 mars 1900. Ancien inspecteur principal des Contributions indirectes (spécialisé dans les « cafés-tabacs »). Maire du Mans. Ancien sénateur de la Sarthe (1948-1958 ; était alors trésorier du groupe sénatorial gaulliste. Membre de la Commission centrale de classement des débits de tabacs. Député *U.N.R.* de la Sarthe (1re circ.) depuis 1958. Membre de *l'Alliance France-Israël*.

CHAPION (Elie).

Président du *Syndicat des maréchaux et charrons* de l'Oise, premier ouvrier de France en 1939, nommé le 23 janvier 1941 membre du *Conseil national* (voir à ce nom).

CHAPPEDELAINE (Louis, Marc, Michel de).

Avocat (1876-1939). Maire de Plénée-Jugon ; conseiller général (1908), député des Côtes-du-Nord (1910-1939), plusieurs fois sous-secrétaire d'Etat ou ministre (entre 1930 et 1939).

CHAPUIS (Noël).

Avocat, né à Vienne (Isère), le 25 décembre 1914 à Vienne (Isère). Inscrit au barreau de Vienne. Membre du Comité de Libération de Vienne (1944). Député de l'Isère (5e circ.) depuis 1962. Membre de Groupe du *Centre Démocratique*.

CHARBIN (P.).

Président de la Chambre de Commerce du Rhône, nommé le 23 janvier 1941 membre du *Conseil national* (voir à ce nom).

CHARBONNEAU (Henry).

Journaliste, né à Saint-Maixent (D.-S.), le 12 décembre 1913. Fils du général Charbonneau, neveu par alliance de Joseph Darnand. Milita très jeune à l'*Action Française*, puis dans les organisations nationalistes d'avant la guerre. Au retour de la guerre, après l'armistice de 1940, appartint au *M.S.R.*, dont il fut l'un des dirigeants, et devint l'un des cadres de la *Milice Française* et le directeur de l'hebdomadaire *Combats*. Collabore depuis une quinzaine d'années à la grande presse, le plus souvent sour le pseudonyme de Henry Charneau.

CHARBONNEL (Jean).

Conseiller référendaire à la Cour des comptes, né à La Fère (Aisne), le 22 avril 1927. Attaché de recherches au Centre National de la Recherche Scientifique (1951). Elève à l'E.N.A. (promotion Guy Desbos 1954-1956). Auditeur de 2e cl. à la Cour des comptes (1er août 1956), de 1re cl. (7 juin 1958). Maître de Conférences à l'Institut d'études politiques de Paris (1957). Conseiller technique au cabinet de Bernard Chenot, ministre de la Santé publique et de la population (1er juillet 1959), puis garde des Sceaux, ministre de la Justice (25 août 1961-14 avril 1962). Nommé conseiller référendaire à la Cour des comptes le 26 juin 1962. Elu député *U.N.R.-U.D.T.* de Corrèze, le 25 novembre 1962. Conseiller général de Brive-Nord (mars 1964). Secrétaire d'Etat aux Affaires étrangères et à la Coopération (cabinet Pompidou, 1966-1967).

CHARBONNIERES (Louis de).

Journaliste, né en 1923. Débuta dans la presse au cours des années 50. Collabora à *L'Epoque*, *Paroles Françaises*, *France Indépendante*, *Les Nouveaux Jours*. Organisa en 1954, sous la présidence d'honneur du général Weygand, les cérémonies officielles de commémoration du centenaire de la victoire de l'Alma et de la mort du maréchal de Saint-Arnaud. Suivant de très près la vie politique, y entra plus directement lorsque se précisèrent les menaces sur l'Algérie française. Au lendemain du 13 mai, fut l'un des premiers à accuser le général De Gaulle de vouloir abandonner l'Algérie. Chargé par le général Chassin, alors président du *M.P. 13*, de la propagande du mouvement, se prononça pour le « *non* » au référendum constitutionnel de septembre 1958. Aux élections législatives de novembre, fut candidat sans étiquette, à la fois contre le gaullisme et contre les partis, dans le 11e secteur de Paris. Devenu le collaborateur, l'éditorialiste, puis le rédacteur en chef du *Charivari*, en fut le directeur en 1962. Au lendemain du référendum d'octobre 1962, convaincu que l'élection du chef de l'Etat au suffrage universel permettait de battre le général De Gaulle en décembre

1965, à condition de jouer le jeu plébiscitaire, s'employa à tenter de rassembler, dans ce but, des personnalités représentatives de tous les horizons de l'opposition dans un *Comité d'action nationale*. Dans *Combat, Le Journal du Parlement, Le Monde, Défense de l'Occident*, expliqua que la victoire sur le président sortant était possible à condition d'opposer à « l'homme du 18 juin » un candidat unique bénéficiant d'un grand prestige. Au côté du général Boyer de Latour, qui partageait cette conviction, multiplia les rencontres en vue de permettre l'entrée en scène de ce qu'il appelait un « *anti-De Gaulle* ». La candidature Lecanuet vint contrarier ses desseins. Prit alors position publiquement en faveur de François Mitterrand, considéré par lui comme celui des adversaires du président sortant qui avait le plus de chances. Pendant la campagne présidentielle, fut le rédacteur en chef de *La Quinzaine politique*, lancée par le général Boyer de Latour. A publié trois ouvrages : « *Il faut choisir : la France ou le régime ?* » (1958), « *Une grande figure : Saint-Arnaud, maréchal de France* » (préface du général Weygand, 1959), « *Battre De Gaulle. Pourquoi faire ? Comment faire ?* » (1965).

CHARENTE (La).
(Voir : *L'Echo*.)

CHARENTE LIBRE (La).
Quotidien fondé le 13 septembre 1944 à Angoulême sur les ruines de l'*Echo*, par une équipe de résistants devenus les actionnaires de la société éditrice : Charles Bernard, entrepreneur, Jean Talbert, Mathilde Mir, René Pomeau, Paul Perucaud, tous quatre membres de l'enseignement, Albert Tournier, fonctionnaire, Henri Rougeon, industriel, Pierre Bodet, comptable et Fernand Poncelet. Contrôlée par le quotidien *Sud-Ouest* depuis 1960 (cf. étude de *Lectures Françaises*, juillet 1961). Le journal est dirigé par Jules-André Catala et Robert Cottereau. Son tirage atteint 33 000 exemplaires (5, rue de Périgueux, Angoulême).

CHARIE (Pierre).
Négociant, né à Egry (Loiret) le 14 janvier 1915, Propriétaire d'un commerce de boissons. Maire d'Egry. Conseiller général du canton de Pithiviers depuis septembre 1945. Député *U.N.R.* du Loiret (3 circ.) depuis 1962.

CHARITOIS (Le).
Hebdomadaire régional né de la Libération (1944). De nuance républicaine, indépendante et pacifiste, il ouvre ses colonnes à tous les partis. Son fondateur-directeur est Albert Delayance, imprimeur-éditeur à La Charité, son éditorialiste : Jean Beaumont, journaliste professionnel. Diffusé à La Charité-sur-Loire et dans les communes voisines (Nièvre et Cher). Tirage : 3 500 exemplaires. (7, Grande-Rue, La Charité-sur-Loire).

CHARIVARI (Le).
Revue d'opposition nationale fondée en 1957 par Noël Jacquemart, le directeur de l'*Echo de la Presse*. Il succède à deux autres *Charivari*, celui de Daumier, au XIXᵉ siècle, et celui lancé, entre les deux guerres, par le dessinateur Jehan Sennep et le chansonnier Augustin Martini, sous l'égide d'un groupe très *Action Française*. Le *Charivari* de Noël Jacquemart, — dont Claude Jacquemart, fils du premier, est le principal rédacteur —, fut pendant près de deux ans rédigé en grande partie par André Cubzac (P.-A. Cousteau). Copieusement illustré de photographies — souvent de photomontages — et de caricatures (Pinatel, Léno, Massias), Le *Charivari*, avec ses 20 000 exemplaires mensuels, a pris une place enviée dans la presse d'opposition, en raison même de son non-conformisme agressif, assez semblable à celui du *Crapouillot* de Galtier-Boissière. Pour Noël et Claude Jacquemart, il existe, au *Charivari*, des sujets-chocs ; il n'y a pas de sujets tabous. Cette attitude a valu aux animateurs de la revue de graves ennuis avec la justice : l'un, alors directeur de la publication, fit un séjour de quinze jours à la Santé, l'autre, partisan résolu de l'Algérie française, est contraint de vivre en exil. Mme Jeanne Jacquemart, collaboratrice de son mari depuis 1944, dirige Le *Charivari*. (Siège : 19, rue des Prêtres-Saint-Germain-l'Auxerrois, Paris-1ᵉʳ.)

CHARLES (Pierre).
Industriel, né à Saint-Mars-la-Jaille (Loire-Inférieure), le 16 juillet 1890, ancien candidat *R.P.F.* aux élections cantonales de 1951. Militant national et dirigeant poujadiste; député *U.F.F.* (1956-1958).

CHARLES-VALLIN (Henriette PUEL, veuve).
Publiciste, née à Oued Djelida (Algérie), le 1ᵉʳ mars 1904. Femme de l'ancien député Charles-Vallin (notice ci-dessus).

Déléguée à l'Assemblée Algérienne (de 1948 à sa dissolution), en fut vice-présidente. Présidente-fondatrice de la Cité Universitaire d'Alger, de la *Ligue algérienne contre le cancer*, etc. Appartint au comité de patronage du *Comité Français pour la défense des Droits de l'Homme* (pour l'amnistie des pétainistes). Vice-présidente de l'*Association des délégués à l'Assemblée Algérienne*. Fondatrice du journal *Enfances*.

CHARLES-VALLIN (Louis, Etienne, Marie).

Publiciste, né à Saint-Mihiel (Meuse), le 7 juillet 1903, mort le 13 avril 1948. Descendant de Tallien et de Mme Tallien (« *N.-D. de Thermidor* »), neveu du Père Theillard de Chardin. Militant *Croix-de-Feu*, appartint avant la guerre au comité directeur du *P.S.F.* (La Rocque) et fut député et conseiller municipal de Paris. Au retour de la guerre, qu'il fit comme volontaire, après l'armistice de 1940, rejoignit le général De Gaulle à Londres avec Pierre Brossolette et fut attaché au cabinet du chef de la France libre. Accomplit ensuite diverses missions en Afrique noire en vue de rallier ces colonies françaises au Comité de Londres. Participa à de nombreuses émissions radiophoniques à Londres, puis à Alger, ainsi qu'aux combats du 3ᵉ zouaves et à la tête de la formation blindée qui entra à Sigmaringen en 1945. Après la guerre, présida l'*Union Patriotique Républicaine* (1945) et fut l'un des fondateurs et dirigeants du *Parti Républicain de la Liberté*. Collabora à de nombreux journaux (*Le Flambeau, La Revue des Deux Mondes, Les Annales*, etc. et dirigea *L'Africain* (1946-1948). Une rue portait son nom à Alger et, à Paris, existe une place Charles-Vallin dans le 15ᵉ arrondissement. Sa femme, Henriette *Charles-Vallin* (notice ci-dessous) continue la tâche politique qu'il avait entreprise. Son fils, Guy *Charles-Vallin*, ardent partisan de l'Algérie française, dirigea les jeunes du *Mouvement National Révolutionnaire* (1960).

CHARPENTIER (René).

Homme politique, né à Paris, le 9 juin 1909. Fils d'un ancien président du Conseil général de la Marne, qui était également administrateur (avant la nationalisation) d'*Air France*, de la *Société Générale*, des assurances *Le Conservateur*, de la *Compagnie générale des Colonies*, de *Batignolles-Châtillon*, de la *Compagnie Electrique du secteur Rive Gauche de Paris*. Appartient d'ailleurs à une famille d'hommes d'affaires ; son frère Jacques était, également, administrateur de cette dernière avant 1940 ; son frère Jean a, tour à tour ou simultanément administré *La Route, Ford S.A.F.*, les *Laminoirs, Tréfileries et Câbleries de Lens* et présidé le *Chemin de fer de Salonique-Constantinople* (son frère Pierre était ambassadeur à Athènes en 1956-1957) et les assurances *Le Conservateur* (actuellement ambassadeur à Varsovie). Par sa mère, est allié aux Dollfus et aux Odier, familles bien connues dans le monde des affaires ; par sa femme, aux sucriers Ternynck et aux industriels du textile Masurel. Ingénieur agricole. Appartint à la Résistance et fut déporté à Buchenwald (1943). Conseiller général du canton de Montmirail (depuis 1945). Conseiller municipal de Thoult-Trosnay (depuis 1945) et maire (depuis 1959). Membre des deux Assemblées constituantes (1945-1946). Député *M.R.P.* de la Marne à l'Assemblée nationale (1946-1967). Vice-président de la Commission de l'Agriculture (1951-1957). Membre dirigeant du *M.R.P.* Vice-président de l'Amicale parlementaire européenne (13 mars 1958). Membre suppléant de l'Assemblée consultative du Conseil de l'Europe.

CHARRET (Edouard).

Industriel, né à Tarare (Rhône), le 12 juillet 1905. Fabricant de produits pharmaceutiques. Ancien adjoint au maire de Villeurbanne. Ancien du réseau « Franc-Tireur. ». Conseiller général du IVᵉ canton de Lyon (1949-1955). Elu député *R.P.F.* le 17 juin 1951. Battu le 2 janvier 1956 (en raison de son « mendésisme »). Présida une société de travaux publics en Algérie. Elu à nouveau député du Rhône (6ᵉ circ. Villeurbanne), comme *U.N.R.*, en novembre 1958. Membre du groupe de la *L.I.C.A.* Réélu député dans la 3ᵉ circonscription du Rhône, en 1962 et 1967.

CHARTE.

Lois constitutionnelles octroyées par le souverain à la nation. La *charte* de 1814 fut accordée par Louis XVIII et celle de 1830, qui modifiait la première, fut établie par la Chambre des députés et signée par Louis-Philippe. L'une et l'autre, calquées sur le système britannique, considéraient le catholicisme comme religion d'Etat et donnaient le pouvoir législatif à deux assemblées et le pouvoir exécutif au gouvernement nommé par le roi.

CHARVET (Joseph).

Homme politique, né à Lyon (Rhône),

le 16 août 1909. Directeur de coopérative agricole. Président de l'*Association des producteurs de lait du bassin lyonnais*. Maire de l'Arbresle. Membre de l'*Alliance France-Israël*. Elu député indépendant paysan du Rhône (8e circ.), le 23 novembre 1958. Réélu le 25 novembre 1962 ; secrétaire général du *Mouvement d'Union Paysanne et Sociale* (*Parti paysan*), en 1960, s'affilia au groupe des *Républicains Indépendants*, puis en démissionna et adhèra au groupe du *Centre Démocratique* (mai 1963).

CHASSAIGNE-GOYON (Paul-Auguste, Pierre, Marie CHASSAIGNE, dit).

Avocat (1855-1936). Conseiller mun. de Paris, conseiller général de la Seine (1896-1919), président du Conseil municipal de Paris (1913), député républicain national de tendance bonapartiste de la Seine (1919-1936). Dirigeant de l'*Action Nationale Républicaine*. Tué dans un accident de la circulation.

CHASSAING (Jacques, Antoine, Eugène).

Médecin, né à Brousse (P.-de-D.), le 7 juillet 1876. Député radical-socialiste du Puy-de-Dôme (1909-1919, 1924-1930), sénateur de ce département (1930-1944). Ne prit pas part au vote du 10 juillet 1940.

CHASSEIGNE (François, Ernest, Edmond).

Attaché de direction, né à Issoudun (Indre), le 23 décembre 1902. Dirigeant des *Jeunesses Communistes* autour de 1930. Rallié au *Parti d'Unité Prolétarienne* (dissidents du *P.C.*), se fit recevoir dans la Franc-Maçonnerie (initié le 12 février 1933, à la loge *La Gauloise*, de Châteauroux). Elu conseiller général, puis député de l'Indre (1932). Inscrit au Groupe d'unité ouvrière. Réélu en 1936, sous le signe du *Front populaire*, vota les pouvoirs constituants au maréchal Pétain. Entra dans le gouvernement Laval (agriculture et ravitaillement) en mars 1944. Attaché à la direction de la société *Ford-France*.

CHASTENET DE CASTAING (Guillaume).

Avocat (1858-1933). Député (1897-1912), puis sénateur de la Gironde (1912-1933).

CHASTENET DE CASTAING (Jacques).

Homme de lettres et journaliste, né à Paris, le 20 avril 1893. Fils du précédent. Secrétaire d'ambassade, banquier, rédacteur à l'*Opinion*, directeur du *Temps* (1931-1942), académicien, conseiller de l'Union française (1953-1958), administrateur d'une demi-douzaine de sociétés (*Electro-Crédit, Lyonnaise des Eaux, Banque Odier, Bungener, Courvoisier*, etc.). Auteur de nombreux ouvrages historiques sur l'Angleterre et la IIIe République.

CHATEAU (René, Eugène, Armand).

Universitaire, né à Mouthiers (Charente), le 27 juin 1906. Elève d'Alain au lycée Henri IV, entra à l'Ecole normale supérieure et en sortit agrégé de philosophie. Professeur au lycée de La Roche-sur-Yon, puis à celui de La Rochelle. Acquis aux idées de gauche, membre actif de la *Ligue des Droits de l'Homme*, dont il devint l'un des dirigeants du comité central, et du *Grand Orient* (initié le 11 mai 1935 à la Loge l'*Union Parfaite*, de La Rochelle), se présenta aux élections législatives de 1936 et fut élu député sous l'égide du *Parti radical-socialiste* Camille Pelletan; collabora à *La Flèche*, de Bergery. Le 10 juillet 1940, vota les pouvoirs constituants au maréchal Pétain ; puis devint l'un des principaux collaborateurs de Marcel Déat à L'*Œuvre*. En 1941, lorsque *La France au Travail* se transforma en *France socialiste*, prit la direction de ce quotidien. Fonda, un peu plus tard, la *Ligue de la Pensée Française* — qui tenait de la *Ligue des Droits de l'Homme* et de la *Ligue de l'Enseignement* — laquelle fut aussitôt l'objet d'un tir de barrage en règle dirigé par les journaux et les groupes de droite. Après la Libération, écrivit les éditoriaux de *Paroles Françaises* et des articles dans *La République du Sud-Ouest* et publia, sous le pseudonyme d'Abel, un livre courageux et précis sur les excès commis à la Libération et dont les pétainistes furent les victimes : « *L'Age de Caïn* » (1948). Auteur de divers autres ouvrages, dont une *Introduction à la Politique*, préfacée par Alain, et une *Introduction à la Littérature*, préfacée par André Maurois. Professeur de philosophie dans un lycée des environs de Paris, assume le secrétariat général du *Parti Républicain Socialiste*.

CHATEAUBRIANT (Alphonse de).

Homme de lettres (1877-1951). Prix Goncourt 1911 pour son livre « *Monsieur des Lourdines* ». Grand Prix de l'Académie française 1923 pour « *La Brière* ». Publia avant la guerre un livre, « *La Gerbe des forces* », très favorable au rapprochement franco-allemand et, sous l'occupation, le journal hebdomadaire politique et littéraire *La Gerbe* (1940-1944) (voir à ce nom), qui préconisait la collaboration. Fut l'un des dirigeants du *Front Révolutionnaire National* constitué en 1943. Mis à l'index par le *C.N.E.*, en 1944 et poursuivi par la justice de l'épuration, ne put être arrêté. Mourut à l'étranger, dans un monastère où il avait trouvé refuge en 1945.

CHATENET (Pierre).

Conseiller d'Etat, né à Paris le 6 mars 1917. Fils d'un secrétaire général de la commission des Finances à la Chambre des députés. Nommé par le gouvernement Pétain auditeur au Conseil d'Etat (1941). A la Libération, chargé de mission à la Délégation de France du Gouvernement Provisoire (1944) et au cabinet du ministre du Travail (1944-1945). Maître des requêtes (1946) puis Conseiller d'Etat (1963). Conseiller de la délégation permanente aux Nations unies à New York (1946-1947). Directeur politique du cabinet du résident général de France à Tunis (1947-1950). Directeur de la fonction publique à la Présidence du Conseil (1954-1959). Membre de la Commission des Droits de l'Homme de l'Organisation des Nations Unies. Délégué du ministre des Armées pour l'administration de l'armée de l'air (septembre 1958-janvier 1959). Entra dans le gouvernement et fut secrétaire d'Etat auprès du premier ministre (cabinet Michel Debré, 8 janvier 1959), puis ministre de l'Intérieur dans ce même cabinet (29 mai 1959); démissionna au bout de deux ans (5 mai 1961). Président de la Commission de la Communauté européenne de l'énergie atomique (Euratom) (janvier 1962).

CHAUDET (Fernand).

Négociant, né le 10 juin 1896, à La Rivière-Drugeon (Doubs). Député républicain national du Doubs (1936-1942). Vota pour le maréchal Pétain en 1940.

CHAUDUC DE CRAZANNES

Président de l'*Association agricole des Charentes et du Poitou,* nommé membre du *Conseil National* (voir à ce nom).

CHAULIN-SERVINIERE (Lucien).

Avocat (1848 - 1898). Député de la Mayenne de 1889 à sa mort. Au dire de certains journaux de l'époque, aurait été victime de la « fatalité dreyfusarde » qui frappa beaucoup de ceux qui avaient été mêlé de près à la fameuse « Affaire » : fut trouvé mort sur la voie ferrée, non loin du Mans, 25 juillet 1898 (aurait, a-t-on dit, reçu du capitaine Lebrun-Renaud, la relation des aveux du capitaine Dreyfus). La version du meurtre ne fut pas admise par la justice qui conclut à un accident.

CHAULIN-SERVINIERE (Pierre, Gaston, Jean, Lucien).

Avocat, né à Mayenne, le 8 décembre 1884. Fils du précédent. Député de la Mayenne (1910-1919, 1928-1942) ; inscrit à l'*Union Républicaine Démocratique,* vota les pouvoirs constituants au maréchal Pétain (1940). Président de concours agricole de la Mayenne.

CHAUMEIL (Pierre, André).

Journaliste, né à Cadours (Haute-Garonne), le 29 mai 1928. Dans la presse depuis 1956. Ecrit souvent sous le pseudonyme de Puybroussie et Branzac. Successivement rédacteur, puis rédacteur en chef de *L'Auvergnat de Paris* et, à partir de 1963, secrétaire de rédaction d'*Aspects de la France*. Militant nationaliste, fit campagne pour l'Algérie Française et connut les rigueurs de la répression.

CHAUMIE (Famille).

La « *tribu* des Chaumié » comme disait Gustave Téry, dans *L'Œuvre,* compte plusieurs célébrités politiques de nuance radicale :

— Joseph (1849-1919), sénateur de Lot-et-Garonne (1897-1919), ministre de l'Instruction publique (1902-1905), puis de la Justice (1905-1906) ;

— Jacques-Henri-Bertrand (1877-1920), fils du précédent, député du même département (1906-1910, 1914-1920) ;

— Emmanuel - Jacques - Marie (1890-1934), frère du précédent, député du même département (1924-1928) ;

— Pierre-Jean-Marie-Bertrand-Camille (voir ci-dessous).

CHAUMIE (Pierre).

Homme politique, né à Agen, le 21 février 1880, mort à Paris, le 13 juin 1966. Sénateur de Lot-et-Garonne de 1935 à 1941, il était inscrit au groupe de la

NE MANQUEZ PAS DE NOUS SIGNALER LES ERREURS ET LES OMISSIONS QUE VOUS AUREZ REMARQUÉES DANS CE « DICTIONNAIRE ». NOUS VOUS EN SERONS RECONNAISSANTS.

Gauche Démocratique. Le 10 juillet 1940, à Vichy, il avait voté contre le maréchal Pétain et de 1941 à 1944, il avait rempli les fonctions de préfet de la Résistance. Il s'était démis de ce poste en avril 1944 pour protester contre les atteintes aux garanties de justice. Il avait ensuite siégé à l'Assemblée consultative provisoire au titre de la Résistance parlementaire. Membre du Conseil supérieur de la magistrature de 1948 à 1959, P. Chaumié avait présidé la Commission des grâces puis celle des Affaires d'outre-mer.

CHAUSSAT (Joseph).

Médecin (1874-1925). Beau-frère de Pierre Laval qui avait épousé une de ses sœurs. A vingt ans, militait déjà dans les rangs socialistes. S'affilia un peu plus tard à la franc-maçonnerie. Fut maire de Châteldon, de 1908 à 1925, et député socialiste du Puy-de-Dôme de 1911 à sa mort, provoquée par une hémorragie cérébrale, survenue au cours d'une partie de chasse en Eure-et-Loir.

CHAUSSY (Arthur).

Agriculteur (1880-1945). Tailleur de pierre, secrétaire de son propre syndicat, puis de l'Union des syndicats *C.G.T.* de Seine-et-Marne, militant *S.F.I.O.*, fut élu député de ce département en 1919. S'inscrivit à la loge *Les Enfants d'Hiram,* de Melun. Réélu député en 1924, battu en 1928, élu de nouveau en 1932 et réélu en 1934. Vota contre les pouvoirs constituants en juillet 1940. Elu en 1945 au conseil général auquel il avait appartenu en 1922-1934. Fut maire de Brie-Comte-Robert et membre du Conseil national économique.

CHAUTEMPS (Famille).

Le berceau de cette grande famille républicaine est situé en Haute-Savoie, dans l'un de ces relais alpestres, hérissés de sapins et couronnés de neige, au creux duquel est tapis Valleiry. Dans ce petit village savoyard vivait, sous le Second Empire, un paysan laborieux et madré nommé Jean-Marie Chautemps. Il était le métayer d'un gentilhomme campagnard, le baron Timoléon de Viry, dont la maison d'habitation attenait à la ferme. Le paysan et le propriétaire partageaient les produits du sol. Ceux-ci étaient maigres. La terre rendait mal, « *d'étranges malheurs désolèrent les étables, gâtèrent les récoltes, ravagèrent les champs* ». Le gentilhomme, à court d'argent, dut emprunter : son prêteur fut le métayer qui, lui, ne semblait pas trop

souffrir de ces calamités. Jean-Marie Chautemps mit une hypothèque sur le domaine ; petite au début, la dette augmentée des intérêts grossit d'autant plus que, par suite d'une inexplicable fatalité, le rendement de la culture et de l'élevage fut de plus en plus médiocre. Au bout de quelques années, le domaine changea de propriétaire : le baron quitta le pays et Jean-Marie Chautemps devint l'un des gros fermiers de la région. D'autres opérations analogues permirent à cet agriculteur avisé d'agrandir encore sa propriété. En même temps que sa fortune, la famille de l'ancien métayer avait grandi : des douze enfants que lui avait donnés sa femme, sept avaient survécu, dont cinq garçons : Louis, François, Léon, Alphonse et Emile. Le premier resta auprès de son père ; le second ne fit rien de bien remarquable ; le troisième, joli garçon, épousa la riche propriétaire de la *Maison Leroux,* « *Expéditions de comestibles* » et « *fournisseur de S.M. Napoléon III* » ; le quatrième devint magistrat et le cinquième médecin. Ces deux derniers furent aussi des personnages politiques importants.

François, Emile CHAUTEMPS (1850-1918) fut le pilote de la famille. Son père le destinait, a-t-on dit, à la prêtrise. Toujours est-il qu'il parvint à le faire entrer, avec une bourse, au petit séminaire de Saint-Mermin qu'animait Mgr Dupanloup, un compatriote des Chautemps. C'est à l'ombre du célèbre évêque d'Orléans que le jeune Emile Chautemps mûrit. Il renonça cependant à la carrière ecclésiastique et étudia la médecine. Au moment où le prélat entrait au parlement et devenait l'un des chefs du parti orléaniste, Emile installait son cabinet médical à Paris, rue Turbigo, et commençait à s'intéresser à la politique. Mais c'est vers la gauche que l'ancien séminariste tourna ses regards : tandis que son ancien maître fulminait contre la maçonnerie, il se fit recevoir dans une loge (il appartiendra, par la suite, aux loges *Isis-Montyon* et *Cosmos*) et élire conseiller municipal de Paris, sous le patronage du *Comité démocratique-socialiste* du 3ᵉ arrondissement (1884). Candidat républicain aux élections législatives de 1889, réclamant la suppression du budget des cultes, l'enseignement laïque, la substitution progressive de milices nationales aux armées permanentes, il fut élu député de la Seine contre le boulangiste Jacquet. Il se représenta aux élections générales de 1893 et fut réélu. Devenu l'un des membres influents du groupe radical-socialiste de la Chambre, il fut chargé, en 1895, du ministère des Colonies dans le cabinet

EXTRAIT

du procès-verbal de la séance du *26 novembre 1910*

Voir aux annexes de la CONSTITUTION et du RÈGLEMENT GÉNÉRAL, page 145)

[texte manuscrit]

L'Orateur.

Le Secrétaire.

OBLIGATION OLOGRAPHE DU PRÉSIDENT

Voir aux annexes de la CONSTITUTION et du RÈGLEMENT GÉNÉRAL, page 145

Je soussigné Camille Chautemps avocat, demeurant à Tours, 50 rue d'Entraigues, membre actif de la Loge La Démophile, Or. de Tours, depuis le 8 Décembre 1905, élevé au grade de M... le 25 Juillet 1908, élu Vén. de cet atelier le 26 Novembre 1910, promets d'observer fidèlement la Constitution et le Règlement général de l'Ordre. Je promets aussi d'accomplir avec zèle et dévouement les devoirs de mon office.

En foi de quoi, etc. etc. etc.

A .. ou Val.. de Tours le 1er Décembre 1910. (E. V..).

Camille Chautemps

Obligation signée
par le
vénérable Chautemp[s]
lors de son électio[n]
(1.12.1910).

Jour des Tenues périodiques : *2e Lundi et 4e Samedi de chaque mois à 8 h 1/2 soir*

Adresse pour la Correspondance : *50 rue d'Entraigues*

Adresse du Local maçonnique : *72 Rue de la Riche à Tours.*

Ribot. Malgré cette ascension vertigineuse, le fils du paysan savoyard éprouva quelques difficultés dans sa circonscription parisienne : un compte rendu de mandat particulièrement houleux lui fit comprendre qu'il ne serait pas réélu en 1898. Sans attendre la fin de son mandat à Paris, il alla se présenter dans son département natal, d'abord aux élections cantonales — le siège de Chamonix avait été libéré tout exprès par un ami démissionnaire (1895) — ensuite aux élections législatives partielles, où il fut élu député de la circonscription de Bonneville (novembre 1897). Il demeura au Palais-Bourbon jusqu'en 1905, puis passa au Luxembourg et fut sénateur de la Haute-Savoie jusqu'à sa mort, ayant été entre temps et durant quatre jours, ministre de la Marine d'un éphémère cabinet Ribot.

Alphonse CHAUTEMPS (1860-1944) lui, fit son droit et entra dans la magistrature. A vingt-cinq ans, il était substitut du procureur de la République à Lar[gentière] ; à trente, procureur au Blan[c] (Indre) ; à trente-neuf, procureur [à] Tours ; à quarante-deux, président hono[ra]raire du tribunal de la capitale touran[gelle] qui venait de l'élire député (avr[il] 1902). Député radical-socialiste et ma[çon jusqu'en 1919, il défendit avec opi[niâtreté, sinon avec éclat, les position[s] de son camp. Ayant renoncé à se repré[senter pour permettre à son neveu Ca[mille de prendre son siège, il se fit élir[e] sénateur aux élections de janvier 1920[, fut réélu en 1924 et en 1932. A quatre[-]vingts ans, il vota les pouvoirs const[i]tuants au maréchal Pétain et se ti[nt] éloigné de la politique jusqu'à sa mor[t] survenue en Touraine quelques semaine[s] avant le débarquement anglo-américain.

Félix CHAUTEMPS (1877-1915), fils d'Emile, avocat, fut élu député radical-socialiste de la Savoie en 1906. Réélu en 1910, il subit un échec aux élections de 1914. Parti comme sergent sur le front en août 1914, nommé lieutenant quelques mois plus tard, il fut tué au combat, en Alsace, le 20 janvier 1915. Son frère Maurice, attaché aux Affaires étrangères, était mort l'année précédente, et son frère Henry, fonctionnaire colonial, fut assassiné en A.O.F.

Gabriel, Camille CHAUTEMPS (1885-1963), également fils d'Emile, est le personnage le plus connu de cette illustre famille. Il débuta dans la politique à dix-sept ans, en servant de secrétaire particulier à son oncle Alphonse lors de sa campagne électorale de 1902. Après le succès de ce dernier, il revint à Paris, fit ses études de droit, obtint sa licence et s'inscrivit au barreau de Paris. En 1906, il seconda à nouveau son oncle en Touraine, puis reprenant le cabinet de René Besnard, qui venait d'être élu député, s'installa à Tours et eut rapidement une clientèle importante. C'est à cette époque, exactement le 8 décembre 1906, qu'il se fit initier à la loge Les Démophiles de Tours. Adjoint au maire de Tours à vingt-sept ans, il présida en fait la municipalité à partir de 1917, et devint maire en 1919. La même année, il entra au parlement et s'inscrivit au groupe radical-socialiste de la Chambre des Députés. Réélu en 1924, et plusieurs fois ministre de l'Intérieur ou de la Justice (1924-1926), il fut battu aux élections générales de 1928. Il changea, dès lors, de département, et se présenta, avec succès en Loir-et-Cher, dans la première circonscription de Blois (juillet 1929). L'année suivante, le président Doumergue le chargea de constituer son premier ministère, qui ne dura que quatre jours (février 1930) ; mais il fut, un peu plus tard, ministre de l'Instruction publique. Après sa réélection à Blois en 1932, il fut ministre de l'Intérieur (1932-1934) et, à nouveau, pour deux mois cette fois, président du conseil (novembre 1933-janvier 1934). L'affaire Stavisky et ses séquelles devait l'éprouver cruellement : la presse d'opposition l'accusa de complicité et le rendit responsable des actes de son beau-frère, le procureur Pressard, qui avait poursuivi (ou aurait dû poursuivre) l'escroc, protégé par de hautes personnalités politiques. Léon Daudet, qui lui attribuait (par personnes interposées) la mort tragique du conseiller Prince, ne l'appelait plus que « l'assassin courtois ». Au cours de l'enquête parlementaire qui suivit l'affaire Stavisky et

le soulèvement populaire de février 1934, un témoin, le duc Pozzo di Borgo, empruntant l'information à La Libre Parole, révéla que Camille Chautemps était un haut maçon, qu'il avait le trente-deuxième grade et la dignité de Sublime Prince du Royal Secret. Pendant plusieurs années, les journalistes et les orateurs de l'opposition ne le désignèrent plus que par ce titre étrange ; ce n'est que beaucoup plus tard, lorsque le gouvernement Pétain fit saisir les archives des loges, que l'on sut que Camille Chautemps n'avait jamais dépassé le trentième grade, celui de Chevalier Kadosch. Il ne redevint ministre (Travaux publics) qu'en 1936, dans le gouvernement Sarraut. Sa position, au sein du Parti Radical-Socialiste et du Rassemblement Populaire en 1935-1936, lui permit de reconquérir sa place au premier rang : ministre d'Etat du gouvernement Blum (1936-1937) et président du Conseil (1937-1938). Dans les gouvernements Daladier et Paul Reynaud qui suivirent, il occupa la vice-présidence (avril 1938-juillet 1940). Il fut l'un des ministres les plus modérés, son attachement à la paix le faisant souvent accuser, par ses amis, de défaitisme. Une loge, L'Unité Maçonnique, demanda même son exclusion après les accords de Munich en raison de sa participation au gouvernement qui les avait signés. Il n'en demeura pas moins membre du gouvernement jusqu'à la chute de la IIIe République, vice-président du Conseil et ministre d'Etat du cabinet Pétain qui demanda l'armistice. Bien qu'ayant voté la délégation des pouvoirs constituants au maréchal Pétain, le 10 juillet 1940, il ne fit pas partie du gouvernement créé le 12 juillet suivant. Mais le maréchal, connaissant ses qualités de diplomate, lui confia une mission secrète auprès du président Roosevelt. Parti en novembre 1940 aux Etats-Unis, il y demeura jusqu'en mars 1944. Il y retourna un peu plus tard, rejoindre sa seconde femme et sa fillette (née en 1940) : c'est sur la terre américaine qu'il s'éteignit, le 1er juillet 1963.

De son premier mariage, il avait eu trois enfants : une fille, veuve du colonel Abrille, résistant torturé par la Gestapo, et deux garçons : Jean (né à Paris, le 5 mars 1917), journaliste, successivement secrétaire de rédaction au Courrier de l'Ouest (1946-1949), secrétaire général du Maine libre (1949-1956) et rédacteur en chef du Midi-Libre (depuis 1956) ; et Claude, qui fut pilote dans les Forces Aériennes libres. Les Chautemps occupent de nos jours, dans la politique française, une place modeste. Mais au cours du demi-siècle qui couvre la plus grande partie de la « *République des républicains* », ils ont eu une influence si considérable qu'elle subsiste encore aujourd'hui dans maints milieux centristes et de gauche, où leurs disciples, leurs amis ou leurs clients sont toujours présents.

CHAUVEAU (Xavier de LIGNAC, dit Jean).

Journaliste, né à Issoudun (Indre), le 19 décembre 1909. Avant la guerre, dirigea le secrétariat de rédaction de la revue *L'Ordre nouveau* (1934-1937), et l'administrateur du *Théâtre des Quatre Saisons* (1938). Pendant la guerre, entra à la Bibliothèque nationale (1941 - 1944). Après la Libération fut rédacteur politique à *Combat*, rédacteur en chef du *Rassemblement* (R.P.F.) et, après un stage dans les cabinets ministériels de la IVe République, fut désigné en 1958 pour diriger le service politique de la Radiodiffusion (1958). Nommé au cabinet du général De Gaulle en 1959, le quitta pour devenir directeur adjoint des programmes de télévision à la R.T.F. (1963) puis secrétaire général de l'O.R.T.F. (1964).

CHAUVEL (Jean-François, Marie, Henri, Georges).

Journaliste, né à Pékin (Chine), le 30 mai 1927. Fils de l'ambassadeur de France. Entré dans le journalisme en 1946, fut successivement : rédacteur au *Monde Illustré* (1946), aux *Nouvelles de France* (1947-1948) ; puis, après un stage à l'ambassade de France à la Nouvelle-Delhi (1948-1949 : reporter et correspondant à Londres de l'*Agence France-Presse* (1950-1957), rédacteur au *Monde* (1957), à *Paris-Match*, au *Figaro* (1958). Utilise le pseudonyme de Jean-François *Kerboris*.

CHAUVET (Augustin).

Fonctionnaire, né à Salers (Cantal), le 28 juin 1900. Sous-directeur au ministère des Finances. Président du conseil d'administration du *Herd-Book Salers* et du *Syndicat de contrôle laitier du Massif central*. Président du *Syndicat des Eaux* de la région de Mauriac. Elu maire d'Anglards en octobre 1947. Est conseiller général du canton de Salers depuis 1949. Elu député *U.D.S.R.* du Cantal, le 2 janvier 1956. Membre de l'*Alliance France-Israël*. Quitta l'*U.D.S.R.* (1958). Réélu député du Cantal sous l'égide du *Centre Républicain* en 1958 et en 1962. En 1967, rallié au régime, eut l'investi-

ture de la Ve République et fut élu comme gaulliste. Est maire de Mauriac.

CHAUVIERE (Emmanuel, Jean, Jules).

Militant politique, né à Gand (Belgique), le 13 août 1850, mort à Paris, le 2 juin 1910. Correcteur d'imprimerie à l'âge de dix-huit ans, blanquiste ardent il participa au coup de main tenté par Blanqui, le 14 août 1870 ; fut le secrétaire du général communard Duval et récolta une condamnation à cinq ans de prison. Réfugié en Belgique, il y publia le journal *Les Droits du Peuple*. Revenu en France après l'amnistie, il entra à l'Imprimerie Nationale et reprit son combat, fondant l'association *Les Chevaliers du Travail* et collaborant au *Cri du Peuple*, à *La Lanterne*, à *L'Homme libre*, à *La Petite République*. Il siégea au Conseil municipal de Paris, de 1888 à 1893 et à la Chambre des députés (Seine), de 1893 à sa mort.

CHAUVIN (Adolphe).

Professeur, né à Cerisy-la-Salle (Manche), le 7 juin 1911. Conseiller municipal (1945), puis maire (1953) de Pontoise. Conseiller général (depuis 1945) et président du Conseil général de Seine-et-Oise (1964), ainsi que sénateur *M.R.P.* de Seine-et-Oise (avril 1959).

CHAUVIN (Georges).

Avocat (1885-1953). Militant radical-socialiste. Député de l'Eure (1924-1928, 1932-1936), sous-secrétaire d'Etat aux Régions libérées (1925-1926). Déporté en Allemagne (1944-1945). Député à la première Constituante (1945-1946), conseiller de la République (1946-1948). Inscrit au *R.G.R.*

CHAUVINISME.

Forme exagérée du patriotisme, fortement teintée d'agressivité à l'égard d'autres nations.

CHAVANON (Christian).

Conseiller d'Etat, né à Pontivy (Morbihan), le 12 août 1913. Avocat à la Cour de Bordeaux. Chargé de mission au cabinet de Gabolde, garde des Sceaux du gouvernement Laval (1942). Auditeur, puis maître des Requêtes au Conseil d'Etat (1946). Directeur du cabinet de Claudius-Petit, ministre de la Reconstruction (1951-1953). Professeur à l'Ecole Nationale d'Administration et à l'Institut d'Etudes Politiques. Président directeur général de la *S.N.E.P.* (1953-

1955). Directeur du cabinet de Jean Meunier, secrétaire d'Etat à la Fonction Publique (1957). Secrétaire général au ministère de l'Information (1958). Directeur général de la R.T.F. (1958-1960), vice-président de l'*Union Européenne de Radiodiffusion*. Président directeur général de l'*Agence Havas* (1960), et administrateur de la *Cie luxembourgeoise de télévision* (*Radio-Luxembourg*).

CHAZALON (André).

Directeur d'entreprise, né à Lorette (Loiret), le 18 mars 1924. Maire de la Grand'Croix. Elu conseiller général du canton de Rive-de-Gier en 1958 et sénateur de la Loire en 1959. Elu député de la 3ᵉ circ. de la Loire en 1962. Inscrit au groupe du *Centre Démocratique*.

CHAZE (Henri).

Membre de l'enseignement, né à Thueyts (Ardèche), le 5 décembre 1913. Instituteur. Conseiller général et ancien vice-président du conseil général de l'Ardèche. Maire de Cruas (1956). Député communiste de l'Ardèche depuis 1962.

CHEF DE L'ETAT.

Celui qui est à la tête de l'Etat. Dans l'ancienne France : le roi ; sous l'Empire : l'empereur ; sous la IIᵉ, IIIᵉ, IVᵉ et Vᵉ République : le président de la République ; entre 1940 et 1944, le maréchal Pétain portait le titre de *chef de l'Etat* (la mention « *Etat français* » avait remplacé, dans les documents officiels, la mention « *République française* »). Sous la IIᵉ République, le chef de l'Etat était élu au suffrage universel. Sous la Vᵉ, il fut d'abord élu par un collège de 80 000 délégués (1958), puis au suffrage universel (1965) après une réforme constitutionnelle adoptée par référendum en 1962.

CHENEBENOIT (André).

Journaliste, né à Soissons (Aisne), le 5 janvier 1895. Fils du sénateur (voir notice suivante). Avocat à la cour d'appel de Paris (1921-1925), attaché au cabinet de Louis Loucheur, ministre des Régions libérées (1921), chef de cabinet de Raymond Poincaré, président du Conseil (1922-1924), puis de Justin de Selves, président du Sénat (1924-1926). Secrétaire général de la rédaction du *Temps* (1928-1939), rédacteur en chef du *Monde* (depuis décembre 1944).

CHENEBENOIT (Léon).

Magistrat (1861-1930). Avocat au barreau de Paris et rédacteur à *La Gazette du Palais* et au *Temps*, puis magistrat à Compiègne, Beauvais, Soissons, Vitry-le-François, Besançon, Reims, Epernay et Paris. Maire de Soissons, candidat malheureux aux élections législatives de 1898 et 1910. Elu sénateur de l'Aisne en 1920 (*Gauche Républicaine*), réélu en 1921 et 1929. Avait repris depuis 1913 sa collaboration au *Temps* dont il était membre du Conseil de surveillance.

CHENOT (Bernard).

Président de société, né à Paris, le 20 mai 1909. Chef de cabinet de divers ministres de la IIIᵉ République, nommé maître des requêtes au Conseil d'Etat par le gouvernement Pétain (1941), et conseiller d'Etat par le gouvernement Mollet (1956), fut ministre du général De Gaulle (1958-1962) à la Santé publique, puis à la Justice et membre du Conseil Constitutionnel (1962-1964). Préside depuis 1964 la *Cie d'Assurances Générales*.

CHER REPUBLICAIN (Le).

Hebdomadaire modéré dirigé par L. Borioli et émanation de *La Voix du Sancerrois* (précédemment édition locale de *L'Avenir Républicain du Berry*, fondé en août 1944). Aujourd'hui, tête de file du groupe comprenant, outre *La Voix du Sancerrois*, *Le Nouvelliste*, de Saint-Amand-Montrond. Tirage global : 10 000 exemplaires (5, rue Mac Donald, Sancerre).

CHERASSE (André).

Général de gendarmerie, né au Moutet (Allier), le 23 janvier 1906. A participé à la Résistance. Ancien professeur à l'Ecole supérieure de guerre. Ancien commandant des forces de gendarmerie d'Algérie. Auteur de « La statistique au service du commandement dans la gendarmerie ». Rédacteur à *La Revue des Forces Armées*. Elu député U.N.R. de la Seine-Maritime (4ᵉ circ.) en 1962 contre l'ancien président André Marie.

CHERBONNEAU (Paul).

Agriculteur, né à Sœurdres (M.-et-L.), le 10 janvier 1907. Exploitant agricole. Maire de Sœurdres. Suppléant de Jacques Millot, élu le 25 novembre 1962 ; a été proclamé député de Maine-et-Loire le 22 mars 1963, à la mort de celui-ci. Inscrit à l'*U.N.R.*

CHERBOURG-ECLAIR.

Quotidien radical fondé en 1898. Seul

quotidien de la Manche. Dirigé avant et pendant la guerre par André Biard, assisté de Maurice Hamel. Disparut en 1944 au profit de *La Presse de la Manche*, dont M. Hamel est le directeur technique et Mme J.-P. Biard, la directrice des services parisiens.

CHERON (Adolphe).

Administrateur de sociétés (1873-1951). Membre du *Grand Orient*. Elu député radical-socialiste de la Seine en 1919, battu en 1924, élu à nouveau en 1928, réélu en 1932, battu en 1936. Entre temps, sous-secrétaire d'Etat à l'Education physique (1933-1934). Participa à la Résistance, dans les F.F.I. pendant la guerre.

CHERON (Henry, Frédéric).

Avocat (1867-1936). Maire de Lisieux à vingt-sept ans. Député du Calvados (1906-1913), puis sénateur de ce département (1913-1936). Plusieurs fois ministre (1906-1934) : Travail, Agriculture, Finances, Justice, etc. Quitta le gouvernement en octobre 1934 en raison des attaques dont il était l'objet à propos de la mort tragique du conseiller Prince.

CHEVAL DE TROIE.

Image empruntée à « *L'Iliade* » d'Homère par laquelle on désigne la manœuvre politique tendant à introduire dans la place un adversaire ayant un aspect anodin ou même sympathique. La manœuvre du *Cheval de Troie* est fréquemment employée par le *Parti communiste* lorsqu'il veut s'introduire subrepticement dans un groupe ou une association que ses tendances inquiètent.

CHEVALIER (Paul).

Négociant, né à Chambéry (Savoie), le 12 décembre 1893. Ancien conseiller général du canton de Chambéry-Sud, ancien maire de Chambéry, sénateur de la Savoie, depuis 1952. Appartient au groupe de la *Gauche démocratique*.

CHEVALIER (Robert, Julien).

Notaire, né à Meudon (S.-et-O.), le 14 octobre 1896. Maire de Mamers (depuis 1946), sénateur de la Sarthe (depuis 1948). Membre de l'*U.N.R.*

CHEVALIERS DU GLAIVE (Les) (voir : Mouvement Social Révolutionnaire).

CHEVALET (Paul) (voir : Chevrotine et Mouvement Poujade).

CHEVIGNY (Pierre, Marie de BOIS-SONNEAUX de).

Agriculteur, né à Colmey (M.-et-M.), le 3 juin 1914. Milita dans la Résistance. Maire de Colmey (depuis 1945), vice-président du Conseil général de Meurthe-et-Moselle (1952-1958), sénateur indépendant de Meurthe-et-Moselle (1952-1956 et depuis avril 1959). Entre-temps, député indépendant de Meurthe-et-Moselle (1956-1958).

CHEVROTINE.

Journal bi-mensuel fondé en 1956 par Léon Dupont, un paysan des Ardennes, qui fut, avec Raoul Lemaire, l'animateur du mouvement paysan poujadiste, l'*Union de Défense des Agriculteurs de France*. Délégué national à la propagande de l'*U.D.A.F.*, prenant la parole à la R.T.F. au meeting du Vel' d'Hiv de janvier 1956 au nom du mouvement, Dupont fut brusquement exclu par Pierre Poujade qui, déjà, ne tolérait guère de personnalités autour de lui. Cette force de la nature ne pouvait rester longtemps inemployée. A soixante ans, Léon Dupont demeurait le grand tribun de la paysannerie consacrant sa vie à la lutte contre tous les groupements agricoles « *vendus*, comme il disait *aux partis politiques et défendant les gouvernements contre les paysans* ». Pour répandre ses idées, il fut candidat à maintes élections politiques et professionnelles, sous des étiquettes de gauche d'abord, puis de droite. Il a tenu plus de mille réunions ou meetings et écrit presque autant d'articles. Cet ancien résistant, qui n'avait de haine que pour l'occupant, tendait la main à ses adversaires pétainistes et les conviait « *comme l'écrivait le grand Sully au roi Henri, à remettre l'ordre dans la maison* ». « *Il est temps*, ajoutait-il, *de faire l'union des cœurs et des esprits et de leur voler dans les plumes.* » (*Chevrotine*, 15 juillet 1956.) Ce « *leur* » visait les « *forces occultes* », les « *communautés religieuses agressives* », la « *bande de ratés, de compromis pourris, de vendus* » et plus particulièrement ces « *grands trusts apatrides* », ces « *monopoles internationaux* », ces « *grands financiers* » qui « *mènent tous les Gouvernements des vainqueurs et des vaincus, ruinent l'économie, imposent la guerre et la paix* », ces « *marxistes et banquiers endurcis, rivaux pour dominer le monde, mais associés pour faire disparaître les classes moyennes* » (*Chevrotine*, 15 juin 1956). Le journal — dont le tirage atteignit 60 000 exemplaires au cours de l'été 1956 — avait pour rédacteurs et collaborateurs : Zazoute, journaliste et caricaturiste, jadis à *La Libre Parole*, à *Aux Ecoutes*, puis au *Hérisson ;* Pierre Fontaine, l'auteur de la « *Guerre Secrète du Pétrole* » et de plusieurs autres livres contre les grands trusts de « l'or noir » ; Raoul Lemaire, alors poujadiste « orthodoxe » et toujours propagandiste infatigable du *bon pain* et du *blé sain*, futur président de *Rassemblement Paysan ;* et Paul Chevalet, ancien directeur-gérant de *Fraternité Française*, exclu (quelques mois après Dupont) du Mouvement Poujade. La venue de Chevallet à *Chevrotine* fut considérée par beaucoup de poujadistes comme une déclaration de guerre officielle à leur chef. Celui-ci l'entendit-il ainsi ? Il faut le croire puisqu'il consacra un article à Chevallet et Dupont, où il malmenait très sérieusement le premier tout en ménageant le second, un « *honnête homme, jusqu'à preuve du contraire* ». Ce fut le début d'une bagarre épique entre les deux groupes. Chaque numéro de *Chevrotine* était plein d'attaques violentes contre Poujade. Les lecteurs poujadistes, qui avaient appuyé Dupont dès le début, se choquèrent de ces diatribes, et les non-poujadistes, qui lisaient le journal parce qu'ils partageaient les idées générales de ses rédacteurs, se lassèrent vite de ces polémiques dont le ton dépassait trop souvent celui de la critique : ils s'étaient abonnés à *Chevrotine* pour lire des articles contre le « *Système* » et contre ses « *profiteurs* », non pour assister à un lavage public de linge plus ou moins propre. *Chevrotine* disparut l'année suivante. Léon Dupont mourut en 1961 dans sa propriété de Bourgogne où il se livrait, avec sa famille, à l'élevage des bêtes à cornes — des « vraies », précisait-il en riant, — « *ce qui me change des taureaux à cornes d'escargot que j'ai connus à la direction des organisations agricoles* ».

CHIAPPE (Angelo, Eugène, Pascal, Aurèle).

Préfet, né à Ajaccio (Corse), le 25 juillet 1889, mort à Nîmes (Gard), le 23 janvier 1945. Frère de Jean Chiappe. Père de Jean-François Chiappe. Servit loyalement le gouvernement du maréchal Pétain. Condamné à mort par la Cour de justice de Nîmes, le 22 décembre 1944, fut exécuté un mois plus tard.

CHIAPPE (Jean).

Fonctionnaire, puis homme politique, né à Ajaccio, le 3 mai 1878, d'une famille corse ayant donné plusieurs administrateurs et hommes politiques à la France, dont Ange Chiappe (1760-1826), l'arrière-grand-père, député de la Corse, membre de la Convention durant laquelle il refusa de voter la mort de Louis XVI. Licencié en droit, successivement rédacteur au ministère de l'Intérieur, secrétaire de l'Administration pénitentiaire, chef de cabinet du secrétaire général du ministère ; gravissant ensuite tous les échelons de la hiérarchie administrative, il devint directeur de la Sûreté générale (1924), secrétaire général du ministère de l'Intérieur (1925), préfet de police (1927). Considéré comme hostile à une répression trop violente des manifestations populaires qui se déroulaient à Paris depuis la mi-janvier 1934 contre les « *Staviskeux* » (complices présumés de l'escroc Stavisky) et contre le parlement, Jean Chiappe, que la gauche qualifiait de *fasciste*, fut relevé de ses fonctions de préfet de police et nommé résident général au Maroc le 3 février de cette année ; mais il refusa ces nouvelles fonctions. Candidat national aux élections municipales de 1935, il fut élu à une écrasante majorité dans le quartier Notre-Dame-des-Champs, puis porté à la présidence du conseil municipal de Paris le 24 juin 1935, par 55 voix sur 90 conseillers. Aux élections législatives de 1936, il fut élu député de la Seine et apparut comme le porte-parole des ligues dissoutes au parlement. Beau-père d'Horace de Carbuccia, le directeur de *Gringoire*, il fut bien souvent accusé d'inspirer les campagnes de celui-ci contre le gouvernement. Demeuré à Paris en juillet 1940, il ne prit pas part au vote accordant les pleins pouvoirs au maréchal Pétain. Désigné par ce dernier, en novembre 1940, comme Haut-Commissaire en Syrie et au Liban, il rejoignait son poste en avion lorsqu'il fut abattu par des avions inconnus, probablement alliés (27 novembre 1940). Son corps ne fut jamais retrouvé. Le maréchal Pétain le cita à l'ordre du jour de la nation. Son frère Angelo Chiappe, préfet de la III° République et de l'Etat français, fut condamné à mort et fusillé après la Libération. Son neveu, Jean-François, Chiappe, journaliste de l'opposition, fut l'un des principaux rédacteur de la revue de droite *C'est-à-dire*.

CHICHERY (Marc, Albert).

Homme politique, né au Blanc (Indre), le 12 octobre 1888. Industriel (cycles *Dilecta*, cycles de *Dion-Bouton*), conseiller d'arrondissement puis conseiller général. De nuance radicale-socialiste, il fut élu député de l'Indre en 1932 et devint secrétaire du groupe radical de la Chambre. Il dirigeait un journal hebdomadaire, fondé en 1919, *La Voix du Centre*, organe de l'entente des gauches de la région. Réélu en 1936, il fut quelques jours ministre du Commerce et de l'Industrie du cabinet Paul Reynaud (juin 1940), puis ministre de l'Agriculture et du Ravitaillement du cabinet Pétain (juin-juillet 1940). Il vota les pleins pouvoirs au maréchal et fit partie du Conseil National de Vichy. A la Libération, il fut enlevé par des maquisards de l'Indre (15 août 1944) et tué d'une balle dans la nuque. Ses assassins ne furent jamais inquiétés.

CHOC.

Hebdomadaire national fondé en 1935. Directeur : colonel Maurice Guillaume. Fut à l'origine de la campagne contre le colonel de La Rocque, accusé d'avoir émargé aux fonds secrets des gouvernements Tardieu et Laval.

CHOCHOY (Bernard).

Membre de l'enseignement, né à Nielles-lès-Bléquin, le 14 août 1908. Elu sénateur *S.F.I.O.* du Pas-de-Calais en 1946, réélu en 1948, 1952, 1958, 1959 et 1965. Secrétaire d'Etat à la Reconstruction et au Logement, à l'Industrie et au Commerce (cab. Guy Mollet, 1956-1957 et M. Bourgès-Maunoury, juin-novembre 1957). Conseiller général et maire de Lumbres. Président du Conseil général du Pas-de-Calais (1966).

CHOISEL (Jean).

Publiciste, né le 15 février 1921. Auteur de « *L'Avenir de notre évolution* », traducteur de « *La danse avec le Diable* ». Directeur de la revue *Prévenir* où il combat pour la liberté de l'Homme et la sauvegarde de la Nature.

CHORUS.

Revue d'extrême-gauche, paraissant irrégulièrement, animée en 1965 par Charles Sylvestre, Maurice Livernault, Pierre-Emile Lambert, Franck Venaille, Michèle Lindenbaum (7, rue Darcet, Paris 17ᵉ).

CHOTARD (Yvon).

Editeur, né à La Madeleine (Nord), le 25 mai 1921. Après ses études au collège des Jésuites de Lille et aux facultés de droit de Paris et de Lyon, fonda les *Editions France-Empire* et, beaucoup plus tard, la *S.O.D.A.F.E.* (diffusion des livres de : *France-Empire, Esprit Public, Europe-Action, Le Fuseau*, etc.). Co-fondateur des *Jeunes Chambres Economiques Françaises*, président du *Conseil Français du Patronat Chrétien*. Participa en juin 1960 au *Colloque de Vincennes*, comme vice-président du *C.E.P.E.C.* Membre du C.A. des *Editions S.P.E.S.* Nommé membre du Conseil économique et social en 1964.

CHOUFFET (Armand, Pierre, Emile).

Avocat (1895-1958). Militant *S.F.I.O.*, affilié à la loge *La Fraternité Progressive*, maire de Villefranche-sur-Saône (1925-1940 et 1947-1958), député du Rhône (1928-1942). Vota pour le maréchal Pétain en 1940. Exclu du *Parti Socialiste* à la Libération, fut réintégré le 15 décembre 1956.

CHRISTIANISME SOCIAL (voir : Cité Nouvelle).

CHRISTIAENS (Louis-W.).

Négociant, né à Boulogne-sur-Mer (P.-de-C.), le 22 décembre 1890. Propriétaire d'un commerce de vins et liqueurs. Président des groupements commerciaux du Nord. Juge au Tribunal de commerce de Lille. Ses adversaires prétendent qu'il fut décoré de la Francisque par le maréchal Pétain en 1942, mais il rallia la Résistance en 1943, et fut déporté à Buchenwald. Membre de la deuxième Assemblée constituante (juin 1946). Elu député du Nord à la première Assemblée nationale (1946-1951). Réélu le 17 juin 1951 sous l'étiquette du *C.N.I.*, dont il était membre du comité directeur. Ancien président de la *Fédération des groupements commerciaux et professionnels du Nord*. Secrétaire d'Etat aux Forces armées (Air) (cabinet Laniel, 1953-1954). Réélu député du Nord le 2 janvier 1956. Ne s'est pas représenté le 23 novembre 1958. Secrétaire d'Etat aux Forces armées (Air) (cabinet Félix Gaillard, 1957-1958). Président du *Rassemblement Républicain et Social de Lille* qu'il a fondé en 1960, après sa rupture avec le *C.N.I.* Membre de l'*Alliance France-Israël*. Administrateur de la *Société financière et industrielle des pétroles*. Elu député *U.N.R.* de la 1ʳᵉ circ. du Nord en 1962 et réélu en 1967.

CINQUIEME COLONNE.

Nom donné, depuis la guerre civile espagnole (1936-1939) aux éléments qui, par idéologie politique, prennent le parti de l'adversaire du pays où ils vivent en qualité de citoyens ou d'hôtes. En 1936, les troupes nationalistes espagnoles étaient réparties en quatre colonnes marchant sur Madrid. Au dire de la propagande franquiste, une autre colonne, la *cinquième*, se trouvait dans la partie de l'Espagne tenue par les républicains : elle se composait de partisans du général Franco qui devaient, le moment venu, aider efficacement les armées nationalistes. Par extension, l'expression *cinquième colonne* est devenue synonyme d'ennemi caché, de traître dans la terminologie marxiste, puis dans le vocabulaire politique courant : à tel point que l'on appelle aussi *cinquième colonne* les éléments communistes soupçonnés de vouloir renverser le régime démocratique, en liaison avec l'U.R.S.S. ou la Chine.

CIPRIANI (Amilcare).

Militant socialiste, né à Rimini (Italie) en 1844. Mêlé à l'action révolutionnaire en France, cet ancien collaborateur de Garibaldi fut officier dans les troupes insurgées de Crète, lieutenant-colonel dans l'armée française (1870-1871) et colonel dans les troupes de la Commune (1871). Condamné à mort par la Cour martiale de Versailles, sa peine fut commuée en déportation perpétuelle : après deux ans passés en Nouvelle-Calédonie, on l'amnistia (1880). Rentré en Italie, il y fit huit nouvelles années de bagne. Durant sa captivité, sa candidature fut posée dans cinquante-sept circonscriptions : il fut élu neuf fois député dans les provinces de Forli et de Ravennes, mais chaque fois invalidé. Amnistié en 1888, il collabora à la presse révolutionnaire française, fonda à Paris l'*Union des peuples latins* et dirigea un hebdomadaire *Guerre à la guerre*. A la fin de sa vie, il collaborait encore à *L'Humanité* et jouissait d'un grand prestige dans les milieux les plus avancés.

CIRCONSCRIPTION.

Subdivision administrative électorale.

CITE FRATERNELLE (La).

Hebdomadaire catholique centriste fondé en novembre 1944 et succédant à *L'Eclair du Dimanche*. Sous l'active impulsion du R.P. Jacques Charrière, orateur très goûté des auditoires chrétiens, puis du chanoine André Galloy, journaliste averti, il prit un essor satisfaisant en Franche-Comté, où ses 15 000 exemplaires sont diffusés (13, rue Ronchaux, Besançon, Doubs).

CITE NOUVELLE.

Journal bi-mensuel du *Mouvement du Christianisme social*, groupe protestant de gauche publiant également la revue *Christianisme social*. *Cité Nouvelle* a été créé en 1945 et la revue *Christianisme social* date de 1892. Directeur de la publication : Robert Joseph. Principaux collaborateurs : Raoul Crespin, Claude Vienney, Etienne Mathiot, Roland Martin, Hélène Blanc, Gilbert Allais, Alfred Allibert. (20, rue de la Michodière, Paris 2ᵉ).

CITERNE (Gabriel).

Ouvrier menuisier, né à Saint-Hilaire-de-Pionsat (Puy-de-Dôme), le 20 août 1901. Militant communiste depuis 1920. Fondateur de la Fédération communiste des Deux-Sèvres, dont il fut le secrétaire général de 1933 à 1935. Prisonnier en 1940, rentré en France à quelque temps de là, fut arrêté en 1944 et délivré par les *F.T.P.* A la Libération, se trouvait à Paris : devint aussitôt maire-adjoint du 20ᵉ arrondissement en qualité de vice-président du Comité de libération de son quartier. Délégué permanent à la propagande du C.C. du *P.C.F.* (1945), se fit élire député communiste à la deuxième Constituante, dans les Deux-Sèvres. Représenta ensuite ce département à l'Assemblée nationale de 1946 à 1951. Dirigea, à la même époque, *Le Semeur*, hebdomadaire communiste qui se présentait alors comme « *Journal des républicains des Deux-Sèvres* ».

CITOYEN.

Membre d'un Etat jouissant de ses droits civiques.

CLARTE.

Titre porté successivement ou simultanément par des journaux de gauche, communistes ou non-communistes. Avant 1939, était l'organe du *Comité Mondial contre la Guerre et le Fascisme ;* comité directeur : Romain Rolland, Norman Angell, Paul Langevin, André Ribard. Pendant l'occupation, deux journaux parurent sous ce nom : l'un, communiste, en 1941 ; l'autre, antiraciste, en 1944, (feuille estudiantine). Après la Libération, Jean Texier et Georges Izard firent paraître, sous ce titre, un « *hebdomadaire de combat pour la résistance et la démocratie* » (il ne vécut que quelques mois). Un peu plus tard, les *Etudiants Communistes* publièrent un journal qui portait ce nom et qui, après déconfiture, est devenu *le nouveau Clarté*.

CLAMAMUS (Jean-Marie).

Homme politique, né à Saint-Léger-des-Vignes, le 27 juillet 1879. Comptable, puis directeur commercial et expert-comptable. Militant socialiste dès 1905, dans la banlieue Est de Paris, élu conseiller municipal socialiste de Bobigny à la veille de la Première Guerre mondiale, réélu en 1919 et porté à la mairie. Après la scission de Tours, adhéra au *Parti communiste* et conserva la mairie de Bobigny (jusqu'en 1944, sans interruption). Élu député de la Seine le 11 mai 1924 ; réélu en 1928 et en 1932. Entra au Sénat en 1936. Quitta le *Parti communiste* en octobre 1939 pour marquer, avec les députés fondateurs de l'*Union populaire française*, son opposition au pacte germano-soviétique et à l'agression de l'U.R.S.S. contre la Pologne. En raison de son vote favorable au maréchal Pétain le 10 juillet 1940 et de son appartenance au *Parti Ouvrier et Paysan* pendant la guerre, il fut déclaré inéligible à la Libération. S'est alors retiré de la vie politique.

CLAMEUR (La).

Mensuel anarchiste-communiste fondé en 1927, et disparu avant la guerre de 1939-1945. Directeur : René de Sanzy.

CLAN (Le) (voir : Le Courrier du Clan).

CLANDESTINITE.

Etat de ceux qui, sous l'occupation (1940-1944), se dissimulaient, soit pour combattre les Allemands et le gouvernement Pétain, soit pour se soustraire aux recherches policières.

CLARTE (Henri BARRELLE, dit Abel).

Universitaire, né à Privas (Ardèche), le 1er avril 1904. Quelques mois employé à la *Banque de France,* étudiant en droit, puis professeur d'histoire. D'abord crypto-monarchiste, il rejoignit le camp de Marc Sangnier et milita à la *Jeune République* et aux *Auberges de la Jeunesse* où l'on favorisait alors la réconciliation franco-allemande. Il défendit son « pacifisme concret » dans *L'Eveil des Peuples,* de Sangnier, *La Flèche,* de Bergery, et *La Terre wallonne.* Ayant appelé de tous ses vœux la Libération, Abel Clarté fut écœuré par les excès de l'épuration. Cependant, reconnaissant envers le général De Gaulle qui, pensait-il, « *avait évité le pire du côté de Staline* » comme le maréchal Pétain « *avait évité le pire du côté de Hitler* », il

adhéra au *R.P.F.* vers 1948. Il quitta le mouvement gaulliste au moment de la *C.E.D.,* lorsqu'il vit des *leaders* de l'ex-*R.P.F.* (républicains sociaux) prendre la parole aux côtés d'orateurs communistes dans des meetings communs. Cet « *homme de droite* », comme il se proclame lui-même, se rapprocha alors des travaillistes nationaux, participa à leur premier congrès (1955) et collabora à leur hebdomadaire *L'Heure Française.* Il donna, par la suite, des articles à la presse anticommuniste (*Contacts, France-Europe, Exil et Liberté*) et participa aux manifestations de l'*Union des Intellectuels Indépendants.* Il publie la revue *Psychée-Soma.* Auteur de deux romans et de plusieurs essais, il a récemment fait paraître à *La Table Ronde* un ouvrage sur l'enseignement intitulé : « *Le vrai drame de l'Ecole de France* » (1965).

CLARUS (Camille BORNERIE, dit).

Journaliste, né à Paris, le 18 mai 1908. Militant d'extrême-gauche, rallia le *P.S.F.* au cours des années qui précédèrent la guerre de 1939. Fondateur du *Mouvement du Manifeste aux Français* (1958). Editorialiste du *Capital* et rédacteur à l'*Unité Paysanne,* fit alors campagne pour le *oui* au premier référendum (septembre 1958).

CLASSE.

Ensemble de personnes qui ont entre elles une certaine conformité d'intérêts, de mœurs et d'habitude (*Littré*). Bien qu'il soit malaisé de délimiter les *classes,* de tracer la frontière qui les sépare entre elles, on peut dire qu'il existe, en France, quatre groupes sociaux répondant à cette définition sommaire : la classe ouvrière, la classe dirigeante (haute bourgeoisie), les classes moyennes (petite bourgeoisie) et la classe rurale.

La *classe ouvrière,* née des transformations économiques du siècle dernier et du développement de l'industrie, se compose d'exécutants, de salariés, travaillant pour autrui et tenus dans une dépendance à la fois technique, juridique et économique. Entre dans cette catégorie la grande masse des ouvriers d'usines et des employés d'entreprises, à l'exception des techniciens et des employés supérieurs — les cadres — qui doivent être rangés (bien arbitrairement dans certains cas) dans les *classes moyennes.* En raison de sa cohésion et de son importance numérique — et, naguère de sa combativité — la *classe ouvrière* joue un rôle très important dans la vie politique du pays.

La *classe dirigeante* ou haute bourgeoisie se compose essentiellement de familles étroitement liées entre elles, qui occupent une position dominante dans les divers secteurs de la société française (voir : BOURGEOISIE).

Les *classes moyennes*, faites de groupes sociaux fort divers (professions libérales, fonctionnaires, cadres, commerçants, etc.), se distinguent de la *classe ouvrière* par la jouissance de biens matériels (valeurs mobilières, propriétés urbaines ou rurales) et immatériels (diplômes, relations) qui leurs permettent de ne jamais être de simples exécutants. Elles se distinguent aussi de la *classe dirigeante* en raison de l'impossibilité pratique, où elles se trouvent, d'accéder aux postes clés, leurs activités politiques, économiques et autres s'exerçant, sans qu'elles en aient toujours conscience, dans un cadre fixé par la *classe dirigeante*. Cependant, leurs membres ont soit une certaine indépendance, soit un poste de responsabilité et, sauf les artisans et les petits commerçants, ils ne se livrent à aucun travail manuel.

Les éléments constitutifs de la *classe rurale* sont les exploitants agricoles et leurs salariés, les artisans et les petits commerçants de village, tous étroitement liés à la vie des campagnes et totalement dominés par l'agriculture. La *classe rurale* tient, à la fois, des *classes moyennes* (biens matériels, indépendance) et de la *classe ouvrière* (gains, conditions d'existence modestes). Ceux de ses membres qui, en abandonnant le milieu rural, cessent de lui appartenir et entrent automatiquement dans celle-ci ou dans celle-là.

Pour les marxistes, il n'existe pratiquement que deux classes : la bourgeoisie et le prolétariat, tous les éléments moyens s'intégrant progressivement dans la classe prolétarienne. Le concept de classe des marxistes est étroitement lié à celui de *lutte des classes*, sur lequel repose leur théorie. Le fait est que le développement du machinisme et la concentration industrielle ont multiplié les conflits entre ceux qui travaillent et ceux qui possèdent les moyens de production. De plus, l'apparition et le renforcement des syndicats ont également favorisé ces affrontements en fournissant à la *classe ouvrière* des moyens d'action qu'elle n'avait pas au début du siècle dernier. Par contre, il est évident que la lutte prendrait un tour moins violent, les conflits tendraient à s'atténuer si les moins favorisés avaient la conviction qu'il existe pour eux des possibilités d'ascension sociale, ce qui n'est que très rarement le cas aujourd'hui.

CLAUDE-MARTIAL (Martial BOURGEON, dit).

Journaliste, né le 24 décembre 1902. Collabora à la presse de gauche et d'extrême-gauche (*Regards, Messidor, Action*, etc...) et fut parmi les fondateurs de la société éditrice du *Canard Enchaîné*. Appartient aujourd'hui à la rédaction du *Progrès* de Lyon.

CLAUWAERT (Jules).

Journaliste, né à Izel (P.-de-C.), le 15 mars 1923. Rédacteur, puis rédacteur en chef de *Nord-Eclair*. Conseiller municipal de Lens et vice-président de l'Association de l'Ecole Supérieure de Journalisme de Lille.

CLAVEL (Maurice, Jean, Marie).

Journaliste. Né à Frontignan (Hérault), le 10 novembre 1920. Normalien et agrégé de philosophie, participa à la Résistance, notamment à Chartres le 15 août 1944, à la tête des *F.F.I.* de la région. Auteur de « *Dernière saison* », consacré à la Résistance, et de plusieurs pièces de théâtre. Prix Ibsen et Prix des Auteurs 1946. Fut éditorialiste de *Combat* après la Libération. Gaulliste de gauche, fit partie du *Centre de la Réforme Républicaine* (1958), puis de l'*U.D.T.* et de l'*Association pour l'autodétermination de l'Algérie*. Collaborateur de l'O.R.T.F.

CLEMENCEAU (Georges, Eugène, Benjamin).

Homme d'Etat, né à Mouilleron-en-Pareds (Vendée), le 28 septembre 1841, mort à Paris, le 24 novembre 1929. La famille Clemenceau tient une place considérable dans la société française contemporaine et dans la vie politique de notre pays. Etablie en Vendée depuis de nombreuses générations, elle se flatte de descendre d'un Jehan Clemenceau qui fut, en 1498, exempté de toutes charges publiques par lettres patentes de Louis XII. Plus tard, précise Georges Gatineau-Clemenceau, « *sur recommandations de Mgr de Sacierges, évêque de Luçon, et sur proposition de Richelieu, lui-même ancien évêque de Luçon, il fut accordé à François Clemenceau, docteur en médecine, des armes qui sont de « deux clés d'argent sur azur ». Le père et l'oncle de ce dernier avaient été respectivement, l'un François, sénéchal de Moustiers-sur-le-Lay, l'autre vicaire général de l'évêque de Luçon.* » (« *Des pattes du Tigre aux griffes du Destin* », Paris 1961.) Le père de Clemenceau, Benjamin, fut arrêté sur l'ordre de Napoléon III et envoyé au bagne de Toulon au début du Second Empire. De son mariage avec Sophie-Emma-Eucharis Gautreau, Benjamin Clemenceau eut trois filles et trois garçons. Georges était le second de leurs enfants. L'aînée des filles, Emma, qui avait comme son frère un faciès de Mongol et qui prétendait que sa famille descendait de quelque tribu asiatique ayant fait souche en Vendée au ve siècle, épousa un ingénieur de la Marine, L. Jacquet, qui fit peu parler de lui : son petit-fils, André Raiga, médecin réputé, épousa la fille du général Mordacq, collaborateur de Georges Clemenceau. Adrienne, la seconde sœur de Georges, née après lui, resta célibataire en raison d'une infirmité, mais la troisième sœur, Sophie, épousa en 1890, un journaliste israélite sujet des Habsbourg, nommé Bryndza, qu'elle tua à coups de revolver lorsqu'elle le surprit dans son lit avec la bonne. Déclarée irresponsable, elle fut internée quelques mois, puis relâchée : elle ne se remaria jamais. Paul, le cinquième enfant de Benjamin, ingénieur de l'Ecole centrale, devint le président de la *Cie Française de Dynamite*, ce qui le fit désigner comme membre des « *200 Familles* » par un journaliste du Front populaire en 1936. Sa femme, Sophie, était la fille d'un israélite autrichien, Moritz Szeps, directeur du journal de gauche *Neues Wiener Tageblatt*, de Vienne, qui passait pour le « *révolutionnaire de Sa Majesté* » : ce bouillant socialisant était, en effet, l'ami intime de la cantatrice Catherine Schratt, maîtresse de François-Joseph, et celui des archiducs Rodolphe, qui mourut à Mayerling, et Jean de Toscane, le fameux Jean Orth, qu'il aurait convertis au libéralisme démocratique. Le salon de Sophie Clemenceau était, avant la guerre de 1914, l'un des plus courus de Paris : on y rencontrait le futur président P.-P. Painlevé, Gabriel Fauré, le général Picquart, l'un des premiers rôles de l'affaire Dreyfus et le comte Harry Kessler, demi-frère naturel de Guillaume II que l'on a présenté tour à tour comme un agent secret de Berlin et un « grand Européen ». Le dernier enfant de Benjamin Clemenceau était Albert, qui avait épousé la fille de Paul Meurice, ami et exécuteur testamentaire de Victor Hugo. Albert Clemenceau était l'un des grands avocats de la fin du XIXe siècle : il plaida pour *L'Aurore* dans le procès Zola, lors de l'affaire Dreyfus, et pour Anna Gould, la richissime américaine, qui épousa successivement Boni de Castellane et le duc de Talleyrand-Périgord. Il fut aussi le défenseur du banquier Rosenthal qui,

ayant joué contre le franc, fut arrêté à la Bourse, quelques jours avant la déclaration de guerre (1914) et, assure Georges Gatineau-Clemenceau, de l'escroc Stavisky à ses débuts. Une fille d'Albert Clemenceau épousa l'écrivain André Lang et l'autre un petit-fils de Marcelin Berthelot, le grand chimiste. Georges Clemenceau, le deuxième enfant de Benjamin, le seul qui laisse un nom dans l'Histoire, partit très jeune aux Etats-Unis, après la guerre de Sécession, comme correspondant du *Temps*. Profondément démocrate, il voulait étudier sur place le fonctionnement des institutions de la grande République américaine. Il avait déjà tâté du journalisme, étant étudiant, en fondant une petite feuille intitulée *Travail*, dont l'agressivité lui valut deux mois de prison à Mazas. Ses ressources étant insuffisantes, il enseigna le français et l'équitation au collège de jeunes filles de Stamford où il s'éprit d'une élève, Mary Plummer, nièce d'un pasteur protestant qui refusa son consentement au mariage, le jeune Clemenceau ne voulant pas entendre parler de cérémonie religieuse : « *Pas de prêtre à la naissance, pas de prêtre au mariage, pas de prêtre à la mort* », a-t-il répété maintes fois. Il rentra en France, mais fut bientôt rappelé par la jeune fille. Il partit (1869) pour les Etats-Unis, enleva Mary et l'épousa civilement à New York. Après la chute de l'Empire, son pays étant en guerre avec la Prusse, il revint en France, avec sa femme. Le ménage, qui aurait pu être heureux, eut trois enfants : Madeleine, Thérèse et Michel. Mais l'inconstance de Georges Clemenceau finit par lasser son épouse. Lui ayant rendu, comme on dit, la monnaie de sa pièce, un divorce s'ensuivit après une condamnation de Mme Clemenceau à quinze jours de prison pour adultère (*cf.* Georges Gatineau-Clemenceau, *op. cit.*, p. 28). Ayant alors perdu la nationalité française, elle fut expulsée comme condamnée de droit commun à la demande du mari. Elle ne revint en France qu'en 1900, sur l'insistance de ses enfants, et y mourut, à soixante-dix ans (1923), dans l'appartement qu'elle habitait seule avec ses chats. Sa fille, Madeleine, épousa civilement un avocat parisien, Numa Jacquemaire, un Meusien, ami de Raymond Poincaré et de l'avocat Maurice Bernard, un grand civiliste. Se croyant trompé par ce dernier, qu'il trouva un soir auprès de sa femme, Jacquemaire se suicida. « *Par un testament, il instituait son fils René Jacquemaire légataire universel et demandait à Poincaré d'être son tuteur*, écrit Georges Gatineau-Cle-

Lorsque « le Tigre » descendait dans l'arène...

menceau. *Ce dernier jugeant la conduite de ma tante plus que sévèrement, Clemenceau prit ouvertement le parti de sa fille, le clan Clemenceau étant tabou. De violentes discussions eurent lieu entre les deux hommes. Elles se terminèrent par une haine tenace qui ne devait pas s'éteindre* » (op. cit., p. 29). La rivalité des deux hommes d'Etat, qui bouleversa la politique française pendant des lustres, aurait-elle pour origine une lamentable histoire d'adultère ? La veuve de Numa Jacquemaire, tout en collaborant à *l'Illustration* et au *Figaro*, tint un salon littéraire que fréquentaient la femme de l'auteur dramatique Arman dit de Caillavet, égérie d'Anatole France, Alice Bizet, fille du compositeur, Fromentin Halévy, Fernand Gregh, Julien Benda, Marcel Proust, Ro-

bert Dreyfus, du *Figaro*. Mais Georges Clemenceau s'abstint d'y paraître. La seconde fille de Mary Plummer et de celui qu'on devait appeler « le Tigre », Thérèse, épousa Louis Saint-André Gatineau, un familier de Georges Hugo, du marquis de Lagrenée, du baron de Dreux, du comte Récopé et de Michel et André Lazard, les célèbres banquiers. Il était le fils de Ferdinand Gatineau, un avocat beauceron, qui fut maire de Dreux, député d'Eure-et-Loir et l'un des hommes politiques de gauche les plus en vue de sa région. Son fils, Georges Gatineau-Clemenceau, mutilé de la guerre 1914-1918, est l'auteur de l'ouvrage cité plus haut. Le troisième enfant de Georges Clemenceau et de son épouse américaine, Michel, fit surtout parler de lui dans les premières années de la IVe

République : il fut l'un des fondateurs et dirigeants du *Parti Républicain de la Liberté* fondé après la Libération et appartint quelques années à l'Assemblée nationale. Avant de faire de la politique, assez tardivement d'ailleurs, il fit des affaires. Ingénieur agronome d'un Institut de Zurich, il s'intéressa à une sucrerie de Hongrie — épousant d'ailleurs une jeune fille connue au pays du beau Danube bleu, Ida Minchin —, fournit du liège à l'Intendance de l'Armée française pendant la guerre, fonda les *Automobiles Pax* et la Société d'aviation *Ariès* (avec le fameux baron Le François), fabriqua de la caséine, et, à son retour de la guerre, fut agent général de Basil Zaharoff à la *Vickers Armstrong*, vendit des armes dans le Moyen-Orient, en Amérique latine et, un peu plus tard, pour son compte en Espagne. Il eut deux fils : Georges, l'aîné, épousa Jean Rosenau, fille d'un diamantaire milliardaire, et sœur de la comtesse de Chavagnac, qui a pris la direction de la firme de son beau-frère ; et Pierre, qui épousa successivement l'arrière-petite-fille de Sarah Bernhardt, puis l'héritière d'un magnat de la Nouvelle-Orléans, Grunewald, et qui vit aux Etats-Unis où il gère les biens de sa belle-famille. Georges Clemenceau, le plus illustre membre de la famille, entra dans la vie publique comme maire de Montmartre et fit partie de l'Assemblée nationale de 1871 à 1876. Il fut élu député de Paris en 1876 et siégea à l'extrême-gauche, devenant bientôt l'un des *leaders* des républicains *radicaux*, renversant plusieurs ministères (Gambetta, J. Ferry, Brisson) et contraignant même le président de la République Grévy à démissionner après le « *scandale des décorations* ». En 1885, il changea de circonscription et se fit élire dans le Var. Réélu dans le même département en 1889, contre un candidat boulangiste, au moment de la grande vague « *révisionniste* », il subit lors de l'affaire de Panama le contrecoup de ses attaques : accusé d'avoir eu des complaisances pour l'escroc israélite Cornélius Herz, qui était le commanditaire de son journal *La Justice*, il fut battu aux élections de 1893. « *C'est la tyrannie des radicaux sur le gouvernement qui s'évanouit* », lisait-on le lendemain dans *Le Temps*. Son éviction de la Chambre fut un coup très dur pour son quotidien. En octobre 1897, Clemenceau devint l'éditorialiste d'un nouveau journal, *L'Aurore*, qui prit d'abord position contre Dreyfus, puis se rallia au capitaine condamné pour trahison. Après la publication dans *L'Aurore* du fameux « *J'accuse* » d'Emile Zola, une polémique

très vive l'opposa à Edouard Drumont qui l'avait traité de « *misérable* » dans un article. Il avait eu, pour une affaire analogue, un duel avec Déroulède, il en eut un autre avec le directeur de *La Libre Parole :* trois balles furent échangées sans résultat. Finalement, les amis de Dreyfus ayant réussi à faire triompher leur cause, Clemenceau, porté par le courant, entra au Sénat (1902). Il était alors considéré comme le chef du « *Bloc des gauches* » qu'il avait réussi à imposer à ses amis. Menant campagne pour la séparation des Eglises et de l'Etat, il prit pour la première fois la parole à la tribune du Luxembourg (17 novembre 1903) pour stigmatiser ceux qui voulaient faire de la France « *une immense congrégation* ». Après avoir soutenu Emile Combes, il s'éloigna de son ministère, prit le portefeuille de l'Intérieur dans le cabinet Sarrien (1906), et devint président du Conseil la même année. Il eut, durant ces trois années de gouvernement (1906-1909), à faire face à de graves difficultés (grèves de Courrières, de Dravail, agitation des départements viticoles) et, dans le domaine extérieur, il prit des positions diplomatiques qui renforcèrent la conviction de ceux qui l'accusaient — « *Aoh yes !* » — d'être trop sensible aux charmes d'Albion. Démissionnaire en juillet 1909, il s'opposa vigoureusement à la convention franco-allemande de 1911 et, sans plus de succès, mit tout en œuvre pour faire échec à l'élection de son vieil ennemi Raymond Poincaré à la présidence de la République (1913). Ce fut néanmoins ce même Poincaré qui, quatre ans plus tard, fera appel à Clemenceau. Dans *L'Homme enchaîné*, celui-ci combattait violemment la mollesse gouvernementale et la « trahison » de quelques grands personnages du régime (affaire du *Bonnet Rouge*). « *Je vois les défauts terribles de Clemenceau*, écrivit plus tard Poincaré dans ses « *Mémoires* » : *son orgueil immense, sa mobilité, sa légèreté ; mais ai-je le droit de l'écarter alors que je ne puis trouver en dehors de lui personne qui réponde aux nécessités de la situation.* » A la tête du gouvernement, le « *Tigre* » lutta avec énergie contre le « *défaitisme* », galvanisa la défense nationale, poursuivit à boulets rouges ceux qui pouvaient gêner son action. Hostile à la censure lorsqu'il était le *leader* de *L'Homme enchaîné* (ex-*Homme libre*), il lui fut résolument favorable lorsqu'il fut au pouvoir, muselant la presse — même la presse nationaliste — avec un aplomb exceptionnel. « *Je fais la guerre !* » disait-il. Son passé fut bien vite oublié de la Droite qui le soutint à fond. Sa popularité — renforcée par l'attentat qui avait failli lui coûter la vie — était d'ailleurs immense dans tous les partis, et pourtant les chefs de groupe, les parlementaires ne lui étaient guère favorables. Sa brutalité, ses sarcasmes, ses bons mots lui avaient aliéné la plus grande partie de ses collègues et même de ses amis politiques. Il le vit bien, en janvier 1920, lorsqu'il sollicita leurs suffrages : sa candidature à l'Elysée fut un échec cuisant. Battu par Paul Deschanel, il remit aussitôt la démission de son cabinet au Président de la République. Dès lors, sa carrière politique était terminée. Affectant de se désintéresser des affaires publiques, il voyagea et écrivit. Il visita les Indes (1920) et retourna aux Etats-Unis (1922), puis publia un essai sur Démosthène (1926) et deux volumes de réflexions intitulées « *Au soir de la pensée* ». Il achevait d'écrire une réponse aux « *Mémoires* » du maréchal Foch, qui devait paraître sous le titre « *Grandeur et misères d'une victoire* », lorsqu'il succomba à une crise cardiaque : il venait d'entrer dans sa quatre-vingt-neuvième année.

CLEMENT (Albert-Désiré).

Journaliste, né à Paris le 17 octobre 1896, mort dans cette ville le 2 juin 1942. Ancien membre du *Parti Communiste* (S.F.I.C.). Fut, de 1929 à 1939, rédacteur en chef de *La Vie Ouvrière*. Quitta le *P.C.F.* après la signature du pacte germano-soviétique et rallia peu après le *P.P.F.* de Jacques Doriot. Rédacteur en chef du *Cri du Peuple* (1941-1942). Fut assassiné dans la rue par un commando communiste.

CLEMENT (Jean-Baptiste).

Chansonnier, né à Boulogne-sur-Seine, le 31 mai 1837, mort à Paris, le 23 juin 1903. Ouvrier monteur en bronze, il militait déjà pour les idées républicaines sous Napoléon III et connut les prisons impériales. Doctrinaire simpliste mais exalté, il résumait ainsi son programme dans une feuille fondée pour la circonstance : *L'Emancipation* : « *A bas les exploiteurs ! A bas les despotes ! A bas les frontières ! A bas les conquérants ! A bas la guerre ! Et vive l'Egalité sociale.* » Ce violent est l'auteur du « *Temps des cerises* », une évocation plus douloureuse que révoltée, qui fit verser bien des larmes à toute une génération traumatisée et que l'on ne peut reprendre, aujourd'hui encore, sans attendrissement : « *C'est de ce temps-là que je garde au cœur une plaie ouverte...* »

Ayant échappé de justesse au massacre qui marqua la victoire des Versaillais, il se réfugia en Angleterre et fut condamné par contumace. Dès son retour en France, il reprit le combat à la *Fédération des Travailleurs Socialistes* puis au *Parti Ouvrier Socialiste Révolutionnaire* et publia « *La Revanche des Communaux* ». A cinquante-quatre ans, il participait encore aux manifestations de rue : lors de celle du 1er mai 1891, il fut arrêté et traduit devant un tribunal qui le condamna à deux ans de prison pour outrage à magistrat. Sur appel, sa peine fut ramenée à deux mois, grâce à l'éloquente plaidoirie d'un jeune avocat socialiste, d'une trentaine d'années, qui devait faire carrière dans la politique : Alexandre Millerand.

CLEMENT (Robert Clément VIALLETEL, dit).

Médecin, né à Gannat (Allier), le 17 février 1920. Médecin militaire (1946), puis médecin du travail (1958). Militant pacifiste et socialiste (*Union de la Gauche socialiste, Parti Socialiste unifié*), objecteur de conscience, il s'est fait le champion de la lutte contre l'emploi de la bombe atomique, notamment dans ses articles de *La Voie de la Paix* et dans son livre « *Jamais plus Hiroshima !* » : « *Nous avons aujourd'hui la certitude*, écrit-il, *que l'offre de reddition japonaise de juin 1945 PRECEDA le double bombardement atomique de ce pays. Les 300 000 vies d'Hiroshima et de Nagasaki auraient pu, auraient dû être épargnées ; les survivants mènent une vie lamentable, la leucémie les guette, ils ne se marient pas, craignant d'engendrer des monstres ! Cela ne doit pas se reproduire ! Notre ignorance, notre silence, notre abstention seraient criminels.* »

CLEMENTEL (Etienne).

Notaire (1864-1936). Député radical modéré (1900-1919). puis sénateur du Puy-de-Dôme (1920-1936). Plusieurs fois ministre (Colonies, 1905-1906 ; Agriculture, 1913 ; Finances, 1914 et 1924-1925 ; Commerce, 1915-1920).

CLEMENTI (Pierre). (Voir : Parti Français National-Collectiviste).

CLERC (Henri).

Auteur dramatique, né à Lyon le 22 décembre 1881. Député radical de la Haute-Savoie (1932-1936). Collabora à de nombreux journaux (*L'Œuvre, Notre Temps, L'Illustration, La Gerbe*, etc.).

Vice-président de la Société des Auteurs dramatiques. Œuvres principales: « *L'autorisation* » (créée par Gémier à l'Odéon), « *L'Epreuve du bonheur* » (créé par Pierre Blanchar, au Théâtre des Arts), « *Le beau métier* », « *La femme de César* », etc.

CLERGET (Alfred).

Industriel, né à Ronchamp (Haute-Saône) le 3 octobre 1910. Fit ses études chez les Jésuites à Dôle, puis à l'Ecole Centrale de Lyon. Industriel (décolletage, robinetterie). Président directeur général de la *Société Madec* et de la *Société Robertshaw-Madec* ; adm. D.G. de la *Société Mater*. Maire de Servance en 1943. Réélu en 1945. Conseiller général du canton de Melisey depuis 1951. Elu président le 30 avril 1958. Membre du *Rotary* et du groupe parlementaire de la *LICA*. Député *U.N.R.* de la Haute-Saône (2e circ.) en 1958-1967.

CLERICALISME.

Ensemble d'opinions favorables à l'ingérence du clergé (catholique) dans les affaires publiques.

CLERMONT-TONNERRE (comte François de).

Agriculteur, né à Paris, le 19 septembre 1906. Syndicaliste agricole, membre de nombreuses associations professionnelles et de défense paysannes. Membre du *Parti agraire*. Député de la Somme (1936-1942). Vota pour le maréchal Pétain en juillet 1940. Participa à la Résistance sous le pseudonyme de Tallard. Maire de Bertangles.

CLOSON (Louis, Francis).

Administrateur de sociétés, né à Marseille, le 18 juin 1910. Fonctionnaire des finances (1932-1940) ; démissionnaire, rejoignit le général De Gaulle à Londres (1940), qui le chargea de la direction des finances (par intérim) de son Comité, puis le nomma directeur au commissariat à l'Intérieur (1942). Effectua diverses missions en France occupée (1943-1944) et commissaire régional de la République à Lille (1944). Directeur général de l'I.N.S.E.E. (1946-1961), président du Conseil Supérieur de la Comptabilité (1949-1951), président-directeur général d'*Informations et Publicité*, de la *Cie des Mines de Bor*, de *France Investissements*. Maire de Châtillon-Coligny.

CLOSTERMANN (Pierre).

Homme politique, né à Curitiba (Brésil), le 28 février 1921. Ingénieur. Secrétaire général d'une entreprise de travaux publics. Pilote de l'escadrille « Normandie-Niemen », constituée et basée en Russie soviétique. Capitaine de réserve de l'armée de l'Air. Membre de la 2e Assemblée constituante (juin 1946). Dirigeant de l'*Union gaulliste* (1946). Député du Bas-Rhin à la 1re Assemblée nationale (1946-1951). Député *R.P.F.* de la Marne à la IIe Législature (17 juin 1951-1er décembre 1955). Quitta le groupe gaulliste (*Républicains sociaux*) le 25 août 1955. Elu député *radical* de la Seine (1re circ.) le 2 janvier 1956 (avec l'appui de *l'Express*). Candidat gaulliste de gauche en 1958 (battu). Elu député de Seine-et-Oise (5e circ.), le 25 novembre 1962. Membre de l'*Alliance France-Israël*. Auteur de « *Le grand cirque* », « *Feux du ciel* », « *Histoire de la guerre aérienne* ».

CLOT (André, Louis, Romain).

Journaliste, ne à Grenoble le 9 novembre 1909. Rédacteur à l'*Agence Havas* (1936-1939), puis directeur du bureau de l'agence à Bucarest (1940-1942). Chargé des émissions étrangères des postes de la France combattante à Damas et Djibouti, puis directeur des émissions étrangères de Radio-Brazzaville (1943-1945). Directeur de l'A.F.P. à Ankara (1945-1953), Rome (1953-1955), Genève (1955-1956), Belgrade (1956-1958) et Athènes (depuis 1958). Président de l'Association de la Presse étrangère en Grèce.

CLUB.

Ce mot anglais, mis à la mode au XVIIIe siècle, désigne un cercle, une réunion politique. Il y eut jadis, sous la Révolution, des clubs célèbres : les *Feuillants*, les *Cordeliers*, les *Jacobins*. Jean-André Faucher, dans son livre « *Les Clubs politiques en France* » (Paris 1965) en cite un grand nombre : le *Club Breton* — fondé à Versailles par Le Chapelier, membre actif d'une loge maçonnique de Rennes, *La Parfaite Union* — qui devint plus tard le *Club des Jacobins* ; le *Club des Amis de la Constitution Monarchique*, auquel appartenait le marquis de Juigné et l'abbé de Montesquiou ; le *Club des Minimes*, du Mans ; la *Société des Amis de la Constitution*, de Limoges ; le *Club Populaire*, de Périgueux ; etc. Sous la Restauration et la Monarchie de Juillet, les clubs révolutionnaires reparurent, telle cette *Société des Amis du Peuple* où Delescluze fit ses premières armes et dont les dirigeants, Blanqui et Barbès, furent traînés en justice et condamnés. Sous la Seconde République, il y eut le *Club des*

Jacobins, le *Club des Sans-Culottes*, le *Club de la Blouse*, le *Club de la Faim* et beaucoup d'autres, dont un féministe, le *Club de l'Emancipation des Femmes*. Avec Napoléon III, ils se firent plus discrets, mais ils se multiplièrent après Sedan et au temps de la Commune. Sous la IVᵉ République, ils refleurirent, et c'est à Charles Hernu, qui débuta dans la politique, très modestement, sous son second prénom, et qui était devenu en 1953 un des leaders des jeunes radicaux, que l'on doit le premier *Club* contemporain : celui des *Jacobins* (voir : *Club des Jacobins*).

A la IIIᵉ Convention des Institutions Républicaines, Charles Josselin, représentant du *Club*, fit un rapport sur l'action régionale. Il avait, le 23 avril 1965, participé à une « table ronde » réunissant diverses organisations régionalistes : *Comité Occitan d'Etudes et d'Action, Tribune Aquitaine, Centre d'Etudes Régionales Corses, Mouvement Ar Falz, Mouvement Fédéraliste Européen de Bretagne, Jeunesse Etudiante bretonne* (dont les activités rappellent certains mouvements régionalistes indiqués à *Autonomisme*).

Depuis quelques années, devenus à la mode, ils se sont multipliés. Sans doute ne faut-il pas leur donner plus d'importance qu'ils n'ont en vérité : leurs effectifs sont généralement modestes et, pour quelques *clubs* réunissant des hommes de valeur, occupant des positions enviées dans l'appareil de l'Etat, dans le monde des affaires ou dans les milieux politiques, combien d'autres *clubs* ne représentent que leurs quatre ou cinq fondateurs. « *Sans soupçonner personne de machiavélisme*, déclarait la direction du *Club Tocqueville*, de Lyon, *on voit bien qu'il y a clubs et clubs, que le même nom est donné à des choses fort différentes par exemple : à des groupements généralement anciens, parfois parallèles aux partis politiques, parfois satellites de certains d'entre eux, parfois regroupant simplement des personnalités du même bord politique.* » (*Le Monde*, 17-3-1966.) Cependant, dans leur ensemble, les *clubs* jouent un rôle non négligeable dans la politique. Ils semblent — du moins pour certains d'entre eux — occuper la place que telle ou telle loge maçonnique avait sous la IIIᵉ République. Il est vrai que, parfois, le *club* n'est que la manifestation extérieure, publique, d'une activité plus discrète à laquelle la Maçonnerie, affaiblie mais toujours vivante, n'est pas tout à fait étrangère. Nous donnons, dans ce volume, un grand nombre de notices sur les *clubs*, des *sociétés*, des *cercles*, des

centres : elles sont classées par lettre alphabétique, donc faciles à retrouver. Nous avons cru bon d'en donner, ci-dessous, une autre liste, bien incomplète certes, mais qui permet de se faire une idée de la variée des *clubs* sinon toujours de leur importance ou de leur efficacité.

CLUB BRETON — LES BONNETS ROUGES. Organisme groupant des militants bretons de gauche. Secrétaire général : Michel Quéré (boîte postale 329-01, Paris-1ᵉʳ).

CLUB CITES ET PROGRES. Groupe centriste de Saint-Etienne, animé par le sénateur Michel Durafour.

CLUB DEMOCRATIE NOUVELLE. Centre d'études et de recherches politiques et économiques, groupant des militants de gauche et des syndicalistes *F.O.* et *C.F.D.T.*, fondé en 1962 et animé par le Dr Jean F. Armogathe (45, rue Breteuil, Marseille-6ᵉ).

CLUB DES GIRONDINS. Association de centre droit animée par Roger Palmieri, avocat, ancien dirigeant d'associations de défense paysanne (35 bis, rue Jouffroy, Paris-17ᵉ).

CLUB JEAN ZAY. Groupe de gauche créé en 1966 à la Résidence universitaire d'Antony et présidé par Bernard Gauthier (siège chez le président, R.U.A., C. 327, Antony).

CLUB DES JEUNES CITOYENNES. Association féminine de gauche, liée à la *Convention des Institutions Républicaines* et animée par Jacqueline Hernu et Danièle Barsilay (25, rue du Louvre, Paris-1ᵉʳ).

CLUB LIBERTE ET PROGRES. Groupe créé par Roger Duchet en 1964.

CLUB LOUISE MICHEL. Club féminin socialiste présidé par Jeanne Brutelle (8, rue Léon-Vaudoyer, Paris-7ᵉ).

CLUBS CONFRONTATIONS. Groupement créé en 1964 par diverses personnalités parmi lesquelles Mme Louise Weiss et André Maurois, Emile Roche, Pierre Billotte, J.-P. Palewski, Maurice Faure, André Philip, Georges Vedel, le colonel Rémy, François Bloch-Lainé, Jacques Floirat et René Dars, professeur à la Sorbonne, qui en assume le secrétariat général (29, rue de la Solidarité, Paris-19ᵉ).

CERCLE EDOUARD HERRIOT. Club de gauche animé par des militants lyonnais du *Parti radical-socialiste* et de la *F.G.D.S.* (46, rue Président Edouard-Herriot, Lyon-2ᵉ).

CERCLE D'ETUDES MONTAIGNE. Groupe de gauche, affilié à la *Convention des Institutions Républicaines* et animé par Etienne P. Huchet (14, rue des Fossés-Saint-Jacques, Paris-5e).

CERCLE EUROPE ET DEMOCRATIE. Club de Paris-Ouest de tendance centriste auquel Joseph Fontanet, secrétaire général du *M.R.P.*, a prêté son concours (6, avenue Dode-de-la-Brunerie, Paris-16e).

CERCLES JEAN JAURES. Association socialiste, liée à la *S.F.I.O.* et animée par Pierre Giraud. Ces cercles sont installés notamment à Paris, Douai, Dunkerque et Maubeuge ; ils font partie de la *Fédération de la Gauche démocrate et socialiste*.

CERCLE DES JEUNES EUROPEENS. Club préconisant le rapprochement des peuple de l'Europe. Ont pris la parole à ses réunions : Joël Le Theule, député *U.N.R.*, le général Stehlin, Pierre Mathias, secrétaire général de l'*Association Française pour l'Alliance Atlantique*, etc. (7, rue de l'Echelle, Paris-1er).

CERCLE JOSEPH CAILLAUX. Groupe d'études de tendance radicale et socialiste animé par Emile Roche, président du Conseil économique et social, assisté de A. Ricker, secrétaire général.

CERCLE ROBESPIERRE. Club parisien auquel Roland Dumas, ancien député de la Haute-Vienne, prêta son concours naguère.

CERCLE TOCQUEVILLE. Groupe lyonnais favorable à la candidature de François Mitterrand et à l'Union des clubs de Gauche.

POUR UNE GAUCHE MODERNE. Club de gauche, lié à la *Convention des Institutions Républicaines* et animé par Robert Beauchamp (25, rue du Louvre, Paris-1er).

CLUB CITOYENS 60.

Emanation du mouvement *Vie Nouvelle,* organisation de catholiques de gauche. Fondé en 1958, compte aujourd'hui plusieurs milliers d'adhérents répartis dans une centaine de clubs locaux et provenant principalement du *M.R.P.*, du *P.S.U.* et de la gauche. De nombreux syndicalistes et des membres du corps enseignant en font partie. Des cours et conférences forment les cadres et les *Cahiers Citoyens 60* informent, documentent, instruisent les adeptes. Le *Club Citoyens 60* est l'un des rares grands clubs de gauche n'ayant pas donné son adhésion à la *Fédération de la Gauche démocrate et socialiste*, tout en laissant ses membres libres d'y adhérer personnellement par le canal de la *Convention des Institutions Républicaines*. Par contre, il participa à l'organisation de la « *rencontre socialiste de Grenoble* »

(1966). Secrétaire général : R. Jacques. (Siège : 73, rue Sainte-Anne, Paris 2e.)

CLUB DE LA CULTURE FRANÇAISE.

Cercle catholique de droite animé par l'écrivain Michel de Saint-Pierre. A organisé des conférences avec le concours de Pierre Debray, Jean Madiran, Jean Ousset, etc. (42, rue d'Ulm, Paris 5e).

CLUB DU FAUBOURG.

Tribune libre fondée au lendemain de la 1re Guerre mondiale par Léopold Szesler, dit Léo Poldès, journaliste de gauche. Depuis sa création — sauf pendant la guerre —, le *Club du Faubourg* a tenu des séances plusieurs fois par semaine sur les sujets les plus divers, avec débats contradictoires opposant des orateurs de tous les partis (155, boulevard Pereire, Paris-17e).

CLUB HENRI ROCHEFORT.

Cercle créé en 1962 pour la défense de la liberté d'expression. Groupe des journalistes de toutes tendances, notamment : André Guérin, de *l'Aurore*, président, Gabriel Perreux, Joseph Barsalou, Marcel Coulaud, Jean-André Faucher, Roland Lapeyronnie (1, rue Lapeyrère, Paris-18e).

CLUB DES JACOBINS.

Sous la Révolution, l'un des plus fameux clubs extrémistes qui soutint Robespierre. Il tire son nom de l'ancien couvent des Jacobins où il tenait ses séances. Ressuscité en 1953 pour faciliter le rapprochement des républicains et préparer une « union des gauches », allant du radicalisme modéré au progressisme le plus extrême. Son président, Charles Hernu, député radical-socialiste de 1956 à 1958, considéré alors comme le chef de file des « Jeunes Turcs » de la Franc-Maçonnerie, bénéficia, au début, de l'appui de plusieurs hauts dignitaires du *Grand Orient de France* et de la *Grande Loge de France* (cf. *Le Jacobin*, 11-2-1955) en même temps que de la sympathie de diverses personnalités politiques telles que Pierre Mendès-France, François Mitterrand, Emile Roche, Pierre Cot, Jean Pierre-Bloch, Daniel Mayer, J.-J. Servan-Schreiber et même Michel Debré. Le club publie un journal : *Le Jacobin*. Ont adhéré ou prêté leur concours au *Club des Jacobins,* participé à ses manifestations ou écrit dans son journal (à différentes époques) : Pierre Barrucand, Georges Maury, Paul-

André Falcoz, Alain Gourdon, Joseph-Pierre Lanet, député, Georges Solpray, Robert Ceugnart, Jean Dumanuel, Jacques Gambier, anc. chef du cabinet de Guy Mollet, Gilbert Nilsen, Antériou, anc. chef de cabinet de ministre, Roger Labrusse (de l'Affaire des Fuites), Gaston Maurice, Robert Le Guyon, sénateur, Henri Ulver, ancien ministre, Robert Buron, député, Jacques Mitterrand, Philippe Atger, V. de Moro-Giafferri, député, Edouard Depreux, anc. ministre, Paul Devinat, ancien ministre, Edgar Faure, anc. président du Conseil, Jean Odin, anc. député, Etienne Weil-Raynal, ancien député, J. Riès, Maurice Béné, député, Henri Henneguelle, député, Jacques Leman, Edouard Daladier, Michel Bernard, député, Jean Saint-Cyr, député, Jean Masson, ancien ministre, Alex Moscovitch, Lucien Degoutte, député, Georges Bérard-Quélin, Jean-Michel Flandin, député, Fernand Perrot, sénateur, Vienney, maire adjoint de Lyon, Jean Nocher, député, Jean Lacaze, sénateur, Georges Molinati, député, Louis Vallon, etc. Le *Club des Jacobins* est le plus anciens des clubs existant actuellement. Il appartient à la *Convention des Institutions Républicaines* et son président, Charles Hernu, est l'un des principaux collaborateurs de François Mitterrand à la *Fédération de la Gauche démocrate et socialiste.* Il fut l'un des principaux artisans de l'accord conclu entre la *Fédération* et le *P.C.F.* Dès 1955, *Le Jacobin* (23-12-1955) prônait d'ailleurs, sur le plan électoral, « *un certain type d'alliance avec les communistes* » (79, avenue de Wagram, Paris 17ᵉ).

CLUB JEAN MOULIN.

Groupement semi-clandestin de gauche, fondé en 1958, animé, à ses débuts, par Georges Suffert et Abel Thomas. A constitué un *Comité National pour le succès des pourparlers,* lors des conversations de Melun avec les envoyés du F.L.N., dont les dirigeants étaient : Mme Germaine Tillon, Eugène Descamps et André Jeanson (C.F.T.C.), P. Le Brun (C.G.T.), Dhombres (Féd. de l'Education nationale), P. Gandez (U.N.E.F.), Georges Suffert, Hessel et P. Flamand. « *Organisme d'études et de recherches politiques, économiques, sociales, culturelles, le Club Jean Moulin s'efforce de contribuer au renouvellement des idées, des institutions et des formes de participation à la vie politique, particulièrement en ce qui concerne la gauche française.* » Grouperait environ 550 membres (fonctionnaires, ingénieurs, journalistes, professeurs, syndicalistes, etc.) « *qui croient à la démocratie et pour des raisons de principe et par simple bon sens historique* ». Président d'honneur : Daniel Cordier, principal collaborateur de Jean Moulin pendant la Résistance ; secrétaire général : Jacques Pomonti, qui succéda en octobre 1964 à Georges Suffert, rédacteur à *L'Express.* Sous l'égide du *Club* ont paru (certains aux *Editions du Seuil* qui a créé une collection pour lui), depuis cinq ans, une douzaine d'ouvrages collectifs ou personnels (signés : Claude Alphandery, Pierre Avril, Claude Bruclain, etc.). Outre un bulletin mensuel du *Club,* le groupe publie un bulletin du *Centre d'Information et de Documentation* et une revue intitulée *Structures et conjoncture économiques,* à tirage limité, paraissant cinq fois par an et d'un prix élevé. (20, rue Geoffroy-Saint-Hilaire, Paris 5ᵉ.)

CLUB DU LIVRE CIVIQUE (Le).

Organisme de diffusion doctrinale et lieu de rencontre à la disposition des particuliers et des groupements soucieux d'acquérir une formation civique approfondie et ordonnée à l'action sociale et politique des chrétiens traditionalistes. Il compte aider ces hommes ou ces groupes, de plus en plus nombreux aujourd'hui, qui refusent de se laisser « *conditionner par la civilisation des masses média et du gadget* ». Il offre un choix d'ouvrages ou de manuels sélectionnés pour leur valeur pédagogique en vue de l'action civique. Le *Club du Livre Civique* est installé dans les locaux de l'*Office international des Œuvres de formation civique et d'action doctrinale selon le droit national et chrétien* (49, rue des Renaudes, Paris-17ᵉ).

CLUB DU LIVRE PROGRESSISTE (voir : Centre de Diffusion du Livre et de la Presse).

CLUB DES MONTAGNARDS.

Un groupe de radicaux patriotes, se réclamant de la *Montagne* qui siégeait sur les bancs les plus élevés de la Convention, fonda ce club en 1956. Ses premiers dirigeants s'appelaient Maxime Pacaud, Jack Domicelli, Jean-André Faucher, Jacques Louis-Antériou, Guy Vinatrel. Par la suite, des éléments modérés participèrent à ses travaux. Favorable au *13 mai* algérois, « *accompli dans l'esprit jacobin de la Grande Ré-*

volution Française », son Directoire National fut divisé lors du référendum de septembre 1958 : la minorité, animée par Jean-André Faucher, était hostile au général De Gaulle et préconisait un « non » formel, tandis que la majorité, poussée par certains éléments gaullistes, était pour le « oui ». Finalement, par discipline, la minorité s'inclina et se rallia à la motion favorable à la Constitution proposée par le Général. Le club se divisait, à l'époque, en trois tendances : celle « de gauche », avec Guillaume Anoteaux, Jacques Antériou, Pierre Barrucand, Paul Biagge, Raymond Fusilier, Michel Lesage, Jacques Mellick, Jeck de Micelli, Achille Ricker, Maurice Satineau, Raymond Bothereau, Claude Blum ; la tendance « centriste », avec François Abadie, Georgette Anys, Martial Attané, J.-J. Baron, Abel Clarté, René Lévêque, Marcel Martin, Alex Moscovitch, Marcel Moulard, Roger Palmieri, Guy Putze, Toulouse, Guy Vinatrel, Michel Lambinet, Pierre Bolomey ; et celle de la « droite sociale », avec Louis Bertin, Gérard Cayre, Claude Charbonniaud, Drouot-L'Hermine, Jean-André Faucher, Denise de Fontfreyde, Raymond Le Bourre, Jean Lorée, André Maître, Maxime Pacaud, le préfet Baylot, A. Hadji-Gavril, André Favaron, Justin Cabot, Philippe Baillod, Albert Frouard, Michel Trécourt, Louis Allione, André Gayrard, Michel Carrière, et le général Renucci. Depuis, le Club, qui a perdu un grand nombre de ses membres, s'est prononcé en maintes circonstances contre la politique du président de la République. Son principal animateur, Guy Vinatrel (Gilbert Pradet), fut l'un des principaux supporters de la candidature André Cornu à l'élection présidentielle de 1965. L'organe du club : Le Montagnard, est publié par Guy Vinatrel, qui édite également le bulletin du Comité d'Etude des questions d'Extrême-Orient et la revue Les Lettres Mensuelles, dont une édition confidentielle est réservée aux seuls maçons actifs (62, rue Nationale, Paris-13e).

CLUB NATIONAL.

Association de droite, créée en 1935 par L. Darquier de Pellepoix, conseiller municipal de Paris et fondateur du Rassemblement antijuif (voir à ce nom).

CLUB PERSPECTIVES ET REALITES.

Fondé en juillet 1965 par des amis de Valéry Giscard d'Estaing à l'intention des cadres, des hauts fonctionnaires, des chefs d'entreprise et des membres des professions libérales de tendance gaulliste de droite. Compte une centaine d'adeptes à Paris et autant en province (Nord et région lyonnaise). Principaux animateurs : J. Dominati, J.-F. Lemaire et X. de la Fournière. (Siège : 6, rue de Tournon, Paris 6e.)

CLUB DES PROUVAIRES.

Groupement républicain de nuance centriste fondé par Jean Legaret, maître des Requêtes au Conseil d'Etat, ancien U.D.S.R., cofondateur de l'U.S.R.A.F. (Soustelle) et de l'Association pour l'Appel au général De Gaulle (1, rue des Prouvaires, Paris 1er).

CLUB DES QUATRE VERITES.

Groupe issu du Mouvement Evolutionniste Français (centriste) dirigé par un comité composé de : Paul Peschard, président ; Marcel Martin, sénateur, Richard Dupuy, Grand Maître de la Grande Loge de France, Claude-Henry Leconte, directeur du Journal du Parlement, vice-présidents ; Gabriel Letellier, secrétaire général. L'une de ses premières manifestations eut lieu à la Mutualité le 5 décembre 1966 avec la participation de Georges Elgozy, président du Comité Européen de coopération Culturelle, le préfet (en congé) Segaud, dit Paul Pasteur et Michel Rocard, dit Georges Servet, rapporteur général au Colloque (socialiste) de Grenoble (52, rue Crozatier, Paris 12e).

CLUB RAYMOND POINCARE.

Fondé en 1966 par Pierre de Léotard, ancien député de la Réconciliation Française (ex-P.S.F.) et du Centre national des Indépendants et Paysans, qui occupait (officieusement) ces dernières années les fonctions de secrétaire général des Républicains Indépendants (de Giscard d'Estaing), groupe dont il a démissionné. (28, rue de la Pompe, Paris-16e.)

CLUBS Ve REPUBLIQUE.

Nom donné à un petit ensemble de clubs gaullistes de gauche, dont Peillet et Odette Goncet sont les animateurs. Les Clubs Ve République se sont associés à d'autres groupes de même tendance pour constituer, en octobre 1966, la Convention de la Gauche Ve République (voir à ce nom).

C.N.I.P. (voir : Centre National des Indépendants et des Paysans).

C. N. R. (voir : **Conseil National de la Résistance** (guerre de 1939-1945), ou **Conseil National de la Résistance (O.A.S.)**, puis **Conseil National de la Révolution**).

COACHE (Emile, Charles, Alfred).

Economiste (1857-1910). Député modéré de la Somme (1895-1910).

COACHE (Jean).

Industriel (1890-1960). Député républicain de gauche de la Somme (1932-1936). Battu par Max Lejeune, qui représente la circonscription d'Abbeville depuis 1936.

COALITION.

Entente de plusieurs partis en vue d'obtenir la majorité au parlement. Un *gouvernement de coalition* est un cabinet constitué à la suite d'une alliance scellée entre plusieurs groupes parlementaires.

COBLENCE (Jean, François, André).

Conseil en publicité, né à Paris, le 23 décembre 1927. Autorisé par décret du 8 août 1956 à modifier son nom de Coblentz en Coblence. Fut, quelques années durant, le mari de Christiane Servan-Schreiber (dite Christiane Collange, aujourd'hui Mme Jean Ferniot). Fut directeur adjoint du service *Eco* (1951-1953), puis administrateur du journal *L'Express* (1953-1958). Actuellement président-directeur général de *Dragon-Publicité*.

COCHERY (Famille).

Les Cochery ont eu deux hommes politiques connus : Louis Adolphe (1829-1900), député sous l'Empire et sous la Troisième République (1869, 1871-1888), sénateur du Loiret (1888-1900), ministre ; et Georges, Charles, Paul (1855-1914), député du Loiret (1885-1914), ministre des Finances (1909-1910).

COCHIN (Famille).

Les Cochin, selon un mot de Georges Goyau, peuvent « *errer à travers Paris comme à travers un musée familial* ». L'abbé Cochin fonda l'hôpital qui porte son nom (1780) et Augustin Cochin fut conseiller municipal de Paris (avant 1914) (voir notice ci-dessous). Denys Cochin (1851-1922) fut vingt-six ans député de la Seine, ministre et académicien; son père, Henry (1854-1926), représenta le Nord au Palais-Bourbon ; Claude Cochin (1883-1918), fils du précédent, fut également député du Nord (1914-1918).

COCHIN (Augustin).

Homme de lettres (1877-1916). Ancien élève de l'Ecole des Chartes, publia d'intéressantes études historiques sur les sociétés de pensée et la Révolution de 1789. Collabora à *L'Action Française*. Deux fois blessé au début de la Première Guerre mondiale, fut tué dans la Somme au cours des combats de l'été 1916. Eut une influence indéniable dans la formation de toute une génération d'hommes de droite. Il fut, quelque temps, maire du Xe arrondissement et conseiller municipal de Paris avant la Première Guerre mondiale.

COEXISTENCE PACIFIQUE.

Existence simultanée de plusieurs systèmes politiques. La *coexistence pacifique* entre les Etats capitalistes et les Etats communistes a été prônée tour à tour par l'économiste soviétique Eugène Varga et par sir Winston Churchill, dès 1954, puis plus récemment, par le gouvernement soviétique et certains dirigeants occidentaux, dont le général De Gaulle. Une importante fraction du monde des affaires est, en France, ainsi que dans divers pays de l'Europe occidentale, très favorable à la *coexistence*, pour des motifs où l'idéologie politique n'a aucune part : elle désire surtout commercer avec l'Est. Par esprit de lucre, disent les adversaires de cette forme de collaboration communiste-capitaliste, les grands de l'industrie renforcent le potentiel des états communistes. Et de citer cette phrase de Lénine : « *Si nous organisons une fois un concours pour la livraison des cordes avec lesquelles nous pendrons la bourgeoisie occidentale, je suis fermement convaincu que nous ne saurons que faire avec les innombrables offres que nous recevrons de l'Occident.* »

Les dirigeants soviétiques, depuis la chute de Staline, sont d'autant plus favorables aux aspects économiques et commerciaux de la *coexistence pacifique* qu'ils sont dans la nécessité absolue de satisfaire la demande sans cesse accrue de la consommation intérieure russe. Depuis quelques lustres, et grâce à l'aide américaine des années sombres, la Russie s'est fortement industrialisée. Toute son économie est orientée, non vers la production de robes, de chaussures, de casseroles, de cuisinières, de machines à laver ou de postes de radio, mais vers la fabrication de machines et de matériel, vers la construction de centrales électriques, de hauts fourneaux et d'usines métallurgiques. Elle ne pourrait augmenter la masse des *biens de consommation* qu'en ralentissant son effort dans la production de *biens d'équipement*, donc en bouleversant ses industries de paix *et de guerre*. Que les industriels occidentaux lui livrent des articles ménagers, des textiles, des produits fabriqués dans les usines d'Europe et d'Amérique, et l'U.R.S.S. n'aura pas besoin de modifier ses plans d'industrialisation et d'équipement.

Pour donner aux citoyens soviétiques les produits manufacturés dont ils sont encore privés vingt ans après la guerre, l'U.R.S.S. doit convertir son industrie pour les fabriquer elle-même *ou* les acheter aux Occidentaux. Les lui fournir, c'est permettre à sa puissance industrielle de se développer encore, d'atteindre et, peut-être, de dépasser la puissance industrielle de l'Europe et de l'Amérique. Il est donc naturel que les dirigeants soviétiques se réjouissent de cet aspect de la *coexistence pacifique :* en livrant à l'U.R.S.S. et aux autres pays de l'Est, ces indispensables *biens de consommation,* les industriels et hommes d'affaires occidentaux apportent une aide directe et efficace au communisme mondial. Tout en préconisant la *coexistence pacifique,* les communistes n'en poursuivent pas moins leurs desseins : les régimes non communistes étant des ennemis, la politique de *coexistence pacifique* n'est pas incompatible avec l'action menée pour provoquer leur chute, ni avec le déclenchement de *guerres de libération,* dites *guerres justes.* Maurice Thorez pouvait donc, avec raison, déclarer au Comité central du *P.C.F.,* le 4 juillet 1960 : *« Ce qui reste vrai, c'est que la coexistence pacifique ne signifie pas l'atténuation de la lutte de classes. Au contraire, l'expérience enseigne que le mouvement populaire grandit dans les conditions de la détente !... »*

COFI. (Voir : **Comité Financier**).

COGNETS (Jean des).

Ecrivain et journaliste démocrate-chrétien, né à Saint-Brieuc en 1883, mort à Paris en 1961. Militant du *Sillon* et ami de Marc Sangnier au début du siècle, il appartient au comité directeur de l'*Ame française,* puis présida le conseil d'administration de l'*Ouest-Eclair* et dirigea le *Petit Echo de la Mode.*

COGNIOT (Georges).

Professeur, né à Montigny-les-Cherlieux (Haute-Saône) le 15 décembre 1901. Ancien élève de l'Ecole Normale Supérieure (promotion 1921), il est professeur agrégé de l'Université (Lettres). Il fut fonctionnaire syndical « permanent » (appointé) de la Fédération Internationale de l'Enseignement, de 1928 à 1931, puis secrétaire général de l'Université ouvrière (1934). C'est à cette époque qu'il prit la parole dans les loges maçonniques de la région parisienne (*Bulletin hebdomadaire des Loges de la R.P.,* n° 864, 1933). En janvier 1936, il entra au Comité central du *P.C.,* et, la même année, fut élu député du XI° arrondissement de Paris. C'est lui qui dirigea la traduction, en 1939, de la « Bible » du communisme qui parut sous le titre d' « *Histoire du Parti communiste (bolchevique) de l'U.R.S.S.* », composée sous la direction personnelle de Staline. Mobilisé comme lieutenant en 1939, Cogniot ne participa pas à l'action communiste et il échappa ainsi aux poursuites du gouvernement Daladier. Il n'en fut pas moins, pendant l'occupation, arrêté par les Allemands et interné d'abord à Royallieu, puis à Compiègne, d'où l'appareil clandestin du *P.C.* le fit évader à quelque temps de là. A la Libération, il reprit officiellement sa place dans le parti et fut nommé rédacteur en chef de *L'Humanité,* fonctions qu'il avait assumées quelques années avant la guerre et qu'il conserva jusqu'en 1949. Nommé membre de l'Assemblée consultative provisoire (1944-1945), il appartient aux deux Assemblées constituantes (1945-1946) et représenta le 3° secteur de la Seine à l'Assemblée nationale (1946-1958). Il est aujourd'hui sénateur de la Seine, membre du comité central du *Parti communiste* et l'un des dirigeants de la revue *La Pensée.* Il a publié plusieurs livres : « *L'Evasion* », « *La question scolaire en 1848 et la loi Falloux* », « *Réalité de la Nation* », « *Connaissance de l'Union soviétique* », « *La religion et la science* », etc.

COINTREAU (André, Pierre).

Fabricant de liqueurs (1888 - 1963). « Patron » de la firme qui porte son nom. Conseiller général de Maine-et-Loire (1925-1944, 1955-1963), député modéré du même département (1932-1942). Vota les pouvoirs constituants au maréchal Pétain en 1940.

COLIN (André, Gabriel).

Professeur, né à Brest (Finistère), le 19 janvier 1910. Militant démocrate-chrétien, ancien président de l'*Association Catholique de la Jeunesse Française* (1936-1938), professeur à la Faculté catholique de droit de Lille, entra dans la Résistance et devint l'un des dirigeants du *C.N.R.* A la Libération, fut nommé membre de l'Assemblée consultative et entra à l'Assemblée nationale où il représenta le Finistère de 1946 à 1958. Fut, entre-temps, secrétaire d'Etat à la Présidence du Conseil, chargé de l'Information (cabinet Georges Bidault, 1946), ministre de la Marine marchande (cabinet Queuille, 1948-1949), secrétaire d'Etat à l'Intérieur (cabinets Bidault, 1950, Pleven, 1951, Edgar Faure, 1952, René Mayer, 1953), ministre de la France d'outre-mer (cabinet Pflimlin, 1958). Elu sénateur du Finistère en 1959 et réélu en 1964, préside le groupe sénatorial du *Centre Démocratique*. Préside également le *M.R.P.* après en avoir été le secrétaire général. Est, aussi, conseiller général d'Ouessant depuis 1951.

COLLABORATION.

Coopération du vaincu (occupé) et du vainqueur (occupant) après la fin des combats. La politique de collaboration franco-allemande fut inaugurée, quelque temps après l'armistice de 1940, par la rencontre du maréchal Pétain et d'Adolf Hitler à Montoire. Les partisans de cette politique s'appelaient les *collaborationnistes ;* leurs adversaires les désignaient sous le terme de *collaborateurs*. Considérée comme un acte manifeste d'intelligence avec l'ennemi — l'armistice n'étant pas la paix —, la *collaboration* de 1940-1944 valut à ceux qui l'avaient prônée, pratiquée, ou seulement approuvée, de sévères condamnations (voir *EPURATION*). Sans lui donner le même nom, les Alliés ont, peu après, inauguré avec l'Allemagne vaincue une politique semblable, le chancelier Adenauer coopérant avec l'occupant américain, anglais ou français, comme l'avait fait le maréchal Pétain avec l'occupant allemand, et sans que la paix, ni même l'armistice — la *capitulation sans condition* n'est pas l'armistice — ait été signé entre les belligérants. La collaboration 1940-1944 a fait l'objet de très nombreuses études, fragmentaires pour la plupart, publiées dans la presse ou dans des ouvrages consacrés à la période de l'occupation. Trois auteurs ont plus particulièrement traité le sujet : Robert Aron, dans son « *Histoire de Vichy* », Saint-Paulien, dans son « *Histoire de la Collaboration* » et André Brissaud dans « *La dernière année de Vichy* » et « *Pétain à Sigmaringen* ».

COLLABORATION.

Sous ce titre parut, en janvier 1944, un bulletin ronéotypé qui s'intitulait « *organe de la Fédération lorraine du P.P.F.*, *rédacteur en chef : R. Huin* » (*sic*) et qui était un périodique apocryphe publié par la *Chaîne d'Union lorraine* et rédigé par Jean Bossu.

COLLABORATION (Groupes).

Association fondée en 1940, se réclamant du *Comité France-Allemagne* d'avant-guerre dont Jules Romains avait été l'un des principaux dirigeants (voir : *Cahiers Franco-Allemands*). Alphonse de Chateaubriant, « Prix Goncourt », directeur de *La Gerbe*, en était le principal animateur. Les jeunes adhérents des *Groupes Collaboration* étaient réunis au sein des *J.E.N.* (*Jeunes de l'Europe Nouvelle*) que dirigeait Jacques Schweizer, ancien président des *Jeunesses nationales et sociales* (groupe Taittinger). L'hebdomadaire *La Gerbe* était la tribune principale des *Groupes Collaboration*.

COLLAVERI (François, Antoine, Louis).

Préfet, né à Marseille, le 24 septembre 1900. Fils d'Ezio Corrado Collaveri, haut dignitaire de la Maçonnerie du Rite Ecossais. Militant socialiste de gauche et franc-maçon, fut secrétaire-dactylo à la *Grande Loge de France* et vénérable de la loge *Jean-Jaurès*. En 1939, était attaché au secrétariat de la *Grande Loge*. A la Libération devint (en fait) le directeur du cabinet du préfet des Bouches-du-Rhône (12-9-44), situation régularisée par sa nomination au poste de chef de cabinet dudit préfet (1-1-1946), puis à celui de secrétaire général de la préfecture (7-3-1946). Fut appelé au cabinet de Jules Moch, ministre de l'Intérieur, où il remplit les fonctions de directeur-adjoint (26-7-1948) ; aussitôt nommé préfet de 3e classe et hors cadre (30-7-1948). Demeura au cabinet de J. Moch lorsque celui-ci devint vice-président du Conseil et ministre de la Défense Nationale (12-7-1950). Ensuite : préfet de l'Ain (31-10-1951), d'Alger (1-7-1955), de la Sarthe (23-11-1956), hors classe (27-1-1958) et de la Loire (25-11-1959). Nommé inspecteur général régional de Constantine (26-7-1961), puis président de la *Société d'économie mixte de l'autoroute Paris-Lyon* (1963).

COLLECTIVISME.

Système politique qui entend résoudre la question sociale par la mise en commun des moyens de production au profit de la collectivité.

COLLETTE (Henri).

Notaire, né à Andres (Pas-de-Calais), le

30 mai 1922. Fils de notaire. Elu conseiller général du canton de Guines, le 27 avril 1958. Député *U.N.R.* du Pas-de-Calais (6ᵉ circ.), depuis 1958.

COLLOMB (Henri).

Avocat, né à Pélussin (Loire), le 16 novembre 1907. Ancien membre du Conseil de l'ordre des avocats lyonnais, conseiller général et vice-président du Conseil général du Rhône, adjoint au maire de Lyon, fut député indépendant du Rhône de 1958 à 1962.

COLLOMP (Joseph).

Négociant (1865-1946). Député socialiste du Var (1936-1942). Fut l'un des quatre-vingts parlementaires qui votèrent contre les pouvoirs constituants au maréchal Pétain en 1940.

COLOMB (Pierre).

Entrepreneur (1928-1942). Député radical-socialiste de la Vienne (1928-1942). Vota en juillet 1940 les pouvoirs constituants au maréchal Pétain.

COLOMBE DE LA PAIX.

Œuvre du peintre communiste Pablo Picasso (1949), prise pour symbole par le *Mouvement de la Paix*.

COLONIALISME.

Nom donné par ses adversaires à l'expansion coloniale des peuples européens, considérée comme un impérialisme avant tout soucieux de tirer profit des pays occupés. Au *colonialisme* classique, avec rattachement des régions colonisées à la métropole, a succédé le *colonialisme* économique et le *colonialisme* idéologique, le premier pratiqué principalement par les anciens *colonisateurs* (Afrique, Asie), par les Israéliens (Afrique noire) et par les Américains (Amérique latine, Extrême-Orient, Afrique et même Europe), le second par les Soviétiques (Europe, Asie) et les Chinois (Asie, Afrique).

Dans le système *colonialiste économique*, le pays *colonisateur* contrôle les ressources naturelles du pays *colonisé*, tient toute l'économie de celui-ci sous la dépendance de sociétés et de banques ayant parfois l'aspect d'entreprises nationales mais étroitement contrôlées par des financiers, des firmes ou des organismes du pays *colonisateur*. Le premier fournit les capitaux et les techniciens ; le second les matières premières et la main-d'œuvre. Bien que discrète, cette forme de *colonialisme* n'est possible qu'avec le consentement des dirigeants du pays ainsi *colonisé*. Le *colonialisme idéologique*, plus souple, permet de faire entrer dans la sphère d'influence du pays *colonisateur* le pays convoité par la conquête idéologique des dirigeants de ce dernier (ex. : les démocraties populaires).

COLRAT DE MONTROZIER (Maurice).

Journaliste (1871-1954). Avocat. Secrétaire de Raymond Poincaré. Vice-président de l'*Union Républicaine Démocratique* (1899). Fondateur de l'*Association des Classes Moyennes*. Directeur de *L'Opinion*, fondée par Paul Doumer (1910). Elu député radicalisant de Seine-et-Oise (liste Tardieu) en 1919. Réélu en 1924. Deux fois sous-secrétaire d'Etat et deux fois ministre. Collabora ensuite au *Journal des Débats*, au *Temps*, au *Jour*, au *Petit Journal* (où il signait « Monsieur de La Palisse »), etc. Après l'effondrement de la IIIᵉ République, soutint le maréchal Pétain et collabora à *La Revue Universelle*, adhérant ainsi, avec des nuances et des réserves, au nationalisme traditionnel.

COLTICE (Gilbert).

Journaliste, né à Montrevel-en-Bresse, le 6 février 1920. Résistant, secrétaire de la fédération de l'Ain du *Parti socialiste S.F.I.O.*, depuis 1948. Directeur-rédacteur en chef de *La République Nouvelle* (1944-1955) et du *Courrier des Pays de l'Ain* (depuis 1955), dont il est le fondateur.

C.O.M.A.C.

Organisme du *Conseil National de la Résistance*, chargé d'unifier et de coordonner l'activité militaire clandestine des résistants. Cette commission était composée de trois membres assistés par des conseillers techniques, dont les généraux Revers, Jussieu-Pontcarral et Malleret-Joinville. En fait, le C.O.M.A.C. était entre les mains des communistes. Aussi s'opposa-t-il souvent violemment au général Koenig, nommé par De Gaulle commandant des *F.F.I.*, en arguant que, lui, C.O.M.A.C., avait le pouvoir de transmettre les « consignes d'action immédiate ».

COMBAT.

Revue mensuelle d'extrême-droite, fondée en 1936 par Jean de Fabrègues et Thierry Maulnier.

COMBAT.

Le premier numéro clandestin de *Combat* parut en décembre 1941. Il était imprimé à Lyon, — sous la responsabilité de Jouffray, auquel succéda André Bollier (juillet 1942), — d'abord par divers imprimeurs, ensuite par Eugène Pons, photograveur, rue Vieille-Monnaie, puis à l'imprimerie fondée par André Bollier lui-même (printemps 1943) et, à la mort de celui-ci, ronéotypé par Jacqueline Bernard et un ancien huissier du Théâtre Français (les derniers numéros furent, à nouveau, imprimés). Son premier rédacteur en chef fut Georges Bidault (début 1942) ; Henri Frènay, puis Claude Bourdet, Pascal Pia et enfin Albert Camus assumèrent la direction de la rédaction de *Combat,* auquel collaboraient Jacqueline Bernard dite Augé, Jean-Guy Bernard, Pierre Scize, Claude Aveline, Marcel Paute dit Gimont, Georges Altschuler, Albert Ollivier, Jean-Paul Sartre et les membres du comité directeur. Celui-ci était, à l'origine, composé de : Georges Bidault, Claude Bourdet, Maurice Chevance, Paul Coste-Floret, Henri Frènay, François de Menthon et Pierre-Henri Teitgen. Le journal naquit de la fusion de deux petites feuilles clandestines *Petites Ailes* et *Vérité,* publiées par le *Mouvement de Libération Française* (plus connu sous le nom de *Combat*) et du bulletin *Liberté,* de Marseille. Le premier numéro public — qui portait d'ailleurs en manchette : « *N° 59 - 4ᵉ année* » — fut tiré à Paris le 21 août 1944, sans aucune signature, sauf celle du gérant : Gaillard (sans prénom). La prudence s'imposait : si le contrôle de la capitale échappait déjà à la Wehrmacht, celle-ci n'en était pas moins présente. Paris ne devait être libéré par les troupes alliées que plusieurs jours après. *Combat* indiqua, le 25 août, qu'il était imprimé sur les presses que venait d'abandonner le *Pariser Zeitung,* dans la belle et bonne imprimerie organisée par Léon Bailby pour *L'Intransigeant.* A partir du 28 août, *Combat* put sans crainte faire connaître son équipe : Albert Camus, Henri Frédéric, Marcel Gimont, Albert Ollivier, Pascal Pia, auxquels se joignirent Jean-Paul Sartre, le dessinateur Maurice Henry, Georges Altschuler, Jean Bloch-Michel, Raymond Aron, Emmanuel Mounier, Jean Schlumberger, Jean Chauveau, Merry Bromberger et même Georges Bernanos, le Bernanos de la « *Grande Peur des Bien-Pensants* » et des « *Cimetières sous la lune* », qui accablait de son mépris le cardinal pétainiste Suhard. Malgré la crise du papier, *Combat* tirait à 185 000

exemplaires en décembre 1944. Ce fut sa période la plus brillante. Pascal Pia en était alors le directeur, et Albert Camus, le rédacteur en chef. Le 3 juin 1947, ce dernier annonça dans un long article le départ de la « direction politique et administrative de *Combat* ». Claude Bourdet, l'un des fondateurs de la feuille clandestine, arrêté et déporté dans l'exercice de ses fonctions, prit la direction du journal, auquel Maurice Nadau, Jules Roy apportèrent également leur collaboration. Au début, c'est-à-dire à la Libération, le journal, qui était la propriété des *Amicales Combat,* fut publié sans grand souci de légalité : après avoir nargué la police du maréchal Pétain, il méprisait quelque peu les lois de la République. Ce n'est qu'en octobre 1945 qu'il prit une forme juridique : une S.A.R.L. *Journal, Publications et Editions Combat,* au capital de 60 000 F, fut constituée, à compter (rétroactivement) du 21 août 1944, date de parution légale et régulière du quotidien. Les *Amicales Combat* faisaient apport du titre et divers associés, de 60 000 frs en espèces. L'acte constitutif de la société précise que ces associés étaient au nombre de six : Pascal Pia, Albert Camus, Marcel Paute, Albert Ollivier, Jean Bloch-Michel et Jacqueline Bernard. Pia et Bloch-Michel assuraient la gérance. Le 3 juin 1947, les statuts de la société furent remaniés : l'article 14 modifié précisa que Claude Bourdet et Henri Smadja devenaient les gérants statutaires. Leur entrée à *Combat* coïncidait avec les premières difficultés du journal. Il est probable que les animateurs de l'entreprise et que les rédacteurs comptaient beaucoup sur la fortune personnelle des deux nouveaux gérants pour combler le déficit qui s'annonçait déjà fort lourd. Claude Bourdet aussi bien que Henri Smadja étaient connus, dans les milieux de gauche, pour posséder quelque richesse (leurs adversaires les appelaient d'ailleurs « *les multimillionnaires de Combat* »). Bourdet prit la direction politique du journal, et Smadja s'occupa de la partie administrative. Les avances d'argent que ce dernier fit au journal atteignirent bientôt une somme très importante. En même temps que des difficultés financières, *Combat* connut une baisse de tirage assez spectaculaire : en 1949, il vendait trois fois moins d'exemplaires qu'en 1944 : on était loin des 185 000 exemplaires du début. Il y eut même, le 8 novembre 1949, un chèque de 140 007 F protesté. Des discussions orageuses éclatèrent alors entre la direction politique et la direction administrative, c'est-à-dire entre Bourdet et Smadja. Au premier, le second reprochait des tendances d'extrême-gauche qui finissaient par détourner la clientèle. A quoi. le second, citant l'éditorial-programme de *Combat*, rappelait que le journal avait été fondé pour secouer la dictature de l'Argent : « *Toute réforme de la presse serait vaine* — avait imprimé *Combat*, le 1ᵉʳ septembre 1944 — *si elle ne s'accompagnait pas de mesures politiques propres à garantir aux journaux une indépendance réelle vis-à-vis du capital.* » La querelle s'envenima, et Bourdet quitta *Combat* pour aller créer, avec ses amis, un hebdomadaire : *L'Observateur*, qui devint par la suite *France-Observateur*, puis *Le Nouvel Observateur* (voir à ce nom). En vérité, Bourdet avait été désavoué par la majorité des associés : Henri Frènay, Henri Smadja, Jacques Dhont, Cerf-Ferrière et Planque malgré les votes favorables de Marcel Gimont, Georges Altschuler, André Haas et de Bourdet lui-même. La brutale éviction de celui qui avait dirigé le quotidien pendant près de trois ans provoqua des protestations parmi les lecteurs et au sein des *Amicales*. A la suite de l'assemblée générale de la *Fédération des Amicales Combat*, nombre de résistants refusèrent de servir de caution à la décision prise sans que les anciens eussent été consultés. Parmi les protestataires figuraient : Charles d'Aragon, Jacqueline Bernard-d'Auriol, Henri Bloch-Michel, Jean Bloch-Michel, Josette Bloch-Michel, Jacques Chalut, Marcel Deghame-Fouché, de Jussieu-Pontcarral, André Denis, Jacques Dennery, Janine Dennery, Evelyne Garnier, Claude Géraud, Jean Gemaehling, Mme Jacques Girard, Jean Gouin, Maurice Guérin, André Hauriou, Andrée Jacob, Edmée Jourda, Jacques Jourda, Gilberte Levy-Lainé, François de Menthon, Edmond Michelet, Emmanuel Mounier, Germaine Poinso-Chapuis, Rémy Roure, Françoise Seligmann-Jullien, Jacqueline Thibaud-Braun. On ne revint cependant pas sur les décisions prises : *Combat* ne pouvait vivre sans l'aide financière d'un mécène et ce mécène était le Dr Henri Smadja. Celui-ci, en qualité d'administrateur, venait d'annoncer à ses associés que l'exploitation du journal faisait ressortir une perte de près de 135 millions. Cette révélation, qui jeta la consternation, permit à Smadja de réaliser l'opération qu'il envisageait depuis longtemps déjà : la création d'une société anonyme dont il serait le principal actionnaire. La S.A. R.L. fut effectivement transformée en S.A. en mai 1951 et le Dr Smadja eut

9 032 000 frs d'actions sur les 10 060 000 frs de capital. Les autres actionnaires se partageaient les 1 027 600 frs de la manière suivante : Collome : 10 000 frs, *La Presse* (le quotidien de Tunis, propriété de Smadja) : 10 000 frs, Altschuler : 190 000 frs, Gimont : 190 000 frs, Cerf-Ferrière : 300 000 frs. Claude Bourdet et ses amis : 160 000 frs. L'Assemblée générale du 26 mai 1951 nomma comme premiers administrateurs : Altschuler, Cerf-Ferrière et Smadja. Claude Bourdet ne fut pas le seul à quitter *Combat ;* de nombreux rédacteurs se solidarisèrent avec lui, en particulier Jacques Armel, Hector de Galard, Michel Hincker, Maurice Laval, Merleau-Ponty, Robert Namia. L'ancien directeur de *Combat* et les rédacteurs qui l'avaient suivi demandèrent et obtinrent une indemnité de la Commission des Litiges de la *Fédération Nationale de la Presse Française*. Mais Smadja fit appel et il s'ensuivit une procédure assez embrouillée, sur laquelle se greffa un procès en diffamation. Pour sa défense, le Dr Smadja expliqua au tribunal, par la voix de son avocat, qu'il avait tout fait pour empêcher Claude Bourdet d'entraîner *Combat* vers l'extrême-gauche, la ligne du journal devant rester libérale. Il estimait que cette déviation avait provoqué une baisse de tirage de 25 % et la désaffection de milliers d'abonnés. Mᵉ André Boissarie, l'ancien procureur général de l'Epuration, redevenu avocat entre-temps, eut beau faire valoir des arguments contraires, son client Claude Bourdet fut débouté le 24 décembre 1950. Depuis, quinze ans ont passé, et *Combat*, très largement déficitaire, est toujours tenu à bout de bras par le Dr Smadja. Ce dernier est d'ailleurs le maître incontesté du journal, ce qui explique l'eclectisme de *Combat* tant par l'origine politique de ses collaborateurs que par les thèses qui sont défendues dans ses colonnes. Il y a quelques années, probablement en raison de l'origine algérienne de son directeur, *Combat* prit une position très nettement favorable à l'Algérie française. Cependant les signatures du progressiste Pierre Paraf, président du *Mouvement contre le Racisme, l'Antisémitisme, pour la Paix* (M.R.A.P.), et du gaulliste Philippe de Saint-Robert indiquent que *Combat* est surtout une tribune où s'expriment des hommes politiques et des journalistes de divers bords. L'Etat-Major du journal comprend : Henri Smadja, président-directeur général, Louis Sanna et Roger Cohen, administrateurs ; Philippe Tesson, rédacteur en chef, Marcel Claverie, secrétaire général, Jean Fabiani, Jean-Claude Vajou, Georges Andersen, Michel

Voirol, Gabriel Matzneff, Alain Bosquet, Henry Chapier, etc. *Combat* se flatte d'être lu par 100 000 lecteurs intelligents (trois lecteurs par exemplaire). Ceux-ci se recrutent principalement à Paris et dans l'enseignement, les professions libérales et les cadres moyens (18, rue du Croissant, Paris 2ᵉ).

COMBAT (Le).

Mensuel socialiste *S.F.I.O.*, paraissant à Paris (18ᵉ), fondé en 1933. Dirigé avant la guerre par Paul Campargue.

COMBAT REPUBLICAIN.

Publication fondée en 1949. Organe de l'*U.D.S.R.*, puis de la *Convention des Institutions Républicaines* (voir à ces noms). Directeur politique : François Mitterrand ; directeur-gérant : Joseph Perrin ; rédacteur en chef : Claude Estier (25, rue du Louvre, Paris-1ᵉʳ).

COMBAT SYNDICALISTE (Le).

Journal anarcho-syndicaliste fondé en 1929. Organe de la *Confédération Nationale du Travail*, section française de l'*Association Internationale des Travailleurs*. Au cours de ces dernières années, eut pour directeurs et animateurs Raymond Fauchois, puis Yves Obœuf et J. Soriano. Publie trois pages en castillan, à l'intention des exilés espagnols (39, rue de la Tour-d'Auvergne, Paris 9ᵉ).

COMBATS.

Hebdomadaire publié en 1943-1944 par la *Milice Française*, d'abord édité à Vichy, puis à Paris. Son directeur-gérant était Henry Charbonneau, un ancien camelot du roi qui avait rallié le groupe d'Eugène Deloncle, d'abord à la Cagoule, ensuite au *M.S.R.* La rédaction de *Combats* faisait appel non seulement à la collaboration des militants, mais aussi à celle de journalistes et d'écrivains amis ou d'opinions voisines. C'est ainsi qu'à côté d'articles des miliciens Claude Martin, Jean Turlais, François Gaucher, Pierre Gallet, Jacques Cartonnet, Charles Bauer (François Chalais), Francis Bout de l'An, Claude Maubourguet, Ch. Roland-Gosselin, Max Knipping, P.-A. Cousteau, Philippe Henriot, Alfred M. Giaume, etc., l'organe de la *Milice* publiait les articles de Pierre Mariel, Jean Savant, Marcel Champagne, Emile Vuillermoz, Jean Lousteau, Jean-André Burnat, Guy Crouzet, Ch-Emm. Dufourcq, François Davignon, Francis Lachaux, Georges Bozonnat, Maurice Laporte, André Lamy, Paul Ascain, Jean Breyer, Amable Pradat, Gilbert Sigaux, Georges Suarez, Pierre

Humbourg, Adolphe de Falgairolle, R. Combemale, Marcel Binet, Jean Fontenoy, Georges Champeaux, Jean Guyon-Cesbron, Jean Lasserre, Charles Lesca, Jacques Roujon, Bernard Gervaise, Jacques Boulenger, René-Paul Guthe, Serge Jeanneret, Pierre Andreu, Pierre Mac-Orlan, Georges Lecomte, Roger Vercel, Claude Orval, Colette, Paul Morand, Maurice Donnay, Pierre Vitoux, Gilbert Pradet (Guy Vinatrel), Gaston Denizot, François Mazeline, Jean Haas, François Hulot, André Beneteau, Victor-Jacques Sirot, Jean-Charles Reynaud, Pierre Villemain, Jacques de Salers, etc. et des dessins de Ralph Soupault et André François.

COMBATTANT.

Selon la convention de La Haye sur la guerre terrestre, adoptée par la totalité des Etats européens et quelques Etats d'Amérique et d'Asie, sont considérés comme *combattants* les membres des forces armées régulières (article 3 des règlements de La Haye du 29 juillet 1899 et 18 octobre 1907). Après la guerre de 1939-1945, la convention de Genève a inclus les groupes de résistance organisés (partisans) parmi les *combattants* à condition que leurs membres soient munis de brassards ou revêtus d'uniforme (1949).

COMBATTANT EUROPEEN (Le) (voir : Le Nouveau Prométhée).

COMBES (Emile, Justin, Louis).

Homme politique (1835-1921). Fils d'un tailleur, Emile Combes fit ses études au petit séminaire de Castres, non loin de son village natal, puis à l'école des Carmes. Après la Sorbonne, où il reçut sa licence de lettres, le grand séminaire d'Albi l'accueillit (1855-1856). Il fut ensuite professeur au collège de l'Assomption de Nîmes (1857-1860). Il fut reçu docteur en droit en 1860 (thèse : *La psychologie de saint Thomas d'Aquin* ») et alla enseigner au collège de Pons, en Charente-Inférieure (1860-1862). La publication de son livre « *De la littérature des Pères et de son rôle dans l'éducation de la jeunesse* » ne l'empêcha pas, un peu plus tard, d'abandonner l'enseignement catholique et de renoncer à l'état ecclésiastique auquel il se vouait. Il fit ses études de médecine à Paris (1864-1868) et ouvrit un cabinet médical à Pons où il exerça pendant dix-sept ans (1868-1885). Attiré par la politique, il devint maire de cette ville en 1874, puis conseiller général en 1879. Son évolution le conduisit vers la gauche la plus anticléricale : c'est probablement à cette

Emile Combes parle...

époque qu'il se fit initier dans la Maçonnerie (il appartint tour à tour à la loge *Les Amis Réunis*, de Barbezieux, et à la loge *La Tolérance et l'Etoile de la Saintonge réunies*, de Pons. Aux élections législatives de 1881, il présenta sa candidature sur un programme très « avancé ». Il ne fut pas élu, mais, quatre ans plus tard, il entrait au Sénat (1885). Il siégeait au groupe de la *Gauche démocratique*, dont il devint le président. Dès lors, il se spécialisa, en quelque sorte, dans la lutte contre l'Eglise catholique. Réélu sénateur de la Charente-Inférieure en 1894, il fut, l'année suivante, nommé ministre de l'Instruction publique, des Beaux-Arts et des Cultes dans le cabinet de son ami Léon Bourgeois (1895-1896). L'affaire Dreyfus lui donna l'occasion de développer sa propagande contre la « réaction cléricale ». Après les élections générales de 1902, qui furent un succès pour la politique de « défense laïque et républicaine » du « *Bloc* » préconisé par Combes, celui-ci fut porté à la présidence du Conseil. Ayant le vent en poupe, il accentua fortement la politique anticléricale de son prédécesseur : il ordonna la fermeture de certains établissements religieux, fit voter une loi (7 juillet 1904) qui interdisait aux congrégations d'enseigner, rompit les rela-

tions diplomatiques avec le Saint-Siège. Il s'apprêtait à provoquer la séparation des Eglises et de l'Etat lorsqu'éclata *l'affaire des fiches* (voir : *affaire des fiches*) qui obligea son ministre de la guerre, le général André, à démissionner (novembre 1904) ; il dut se retirer lui aussi, deux mois après (janvier 1905). Désavoué par la majorité de ses collègues, voire même par beaucoup de ses amis politiques, il n'eut dès lors qu'un rôle secondaire au parlement et se consacra plus particulièrement à Pons, dont il était toujours le maire. Il ne sortit de sa demi-retraite que quatorze mois, pendant la Première Guerre mondiale, lorsque Briand, constituant un ministère de large union, le prit comme ministre d'Etat. Il mourut peu après sa réélection au Sénat, en 1921, bien oublié du grand public. Mais sa mémoire demeura honnie dans les milieux catholiques et nationaux, qui lui attribuent la déchristianisation du pays et la désorganisation de l'armée, tandis que les républicains rendent hommage à celui qui, selon les paroles d'Alexandre Bérard, son ancien collaborateur et vice-président du Sénat, « *fut un grand et bon citoyen, dévoué durant toute sa vie à la France et à la République* ». Lors de l'inauguration de sa statue à Pons (1929), des incidents éclatèrent au cours desquels un jeune militant d'*Action Française*, Jean Guiraud, fut tué d'un coup de fusil par un garde mobile.

COMMISSAIRE.

Le *commissaire du gouvernement* était, dans les *Cours de Justice* de l'épuration, le magistrat chargé de requérir contre les accusés. Le *commissaire de la République* était, à la Libération, le représentant du Gouvernement Provisoire, muni des pleins pouvoirs pour mettre en place et surveiller le bon fonctionnement des institutions républicaines dans le département où il avait été nommé.

COMMISSION.

Groupe de travail choisi parmi les membres d'une assemblée, d'un organisme et chargé de résoudre divers problèmes, de surveiller certains actes. Au parlement, les *commissions* sont chargées de mettre au point et de présenter ensuite en séance plénière les projets de loi. La *commission d'enquête* est une commission nommée tout spécialement par le parlement pour tirer au clair une affaire embrouillée ou pour examiner la valeur d'accusation portée contre quelqu'un.

COMMISSION NATIONALE DE LIAISON DES GAUCHES.

Constituée à l'issue des journées d'études jacobines des 3 et 4 octobre 1953. Réclamait la fin de la guerre d'Indochine, s'affirmait hostile à l'Europe et entendait unir la gauche en un nouveau Cartel ou Front populaire. Participèrent à ces journées, selon *Le Jacobin* d'octobre 1953 : Philippe Atger, vice-président des *Jeunesses Radicales*, Alain Gourdon (rad.), Robert Buron (M.R.P.), André Denis (M.R.P.), Joseph Lanet (U.D.S.R.), Cerf-Ferrière, Thorel, directeur du *Courrier Syndical*, Chatagner, directeur de *La Quinzaine*, le Dr Huet, maire socialiste d'Asnières, Tenger, avocat (radical indépendant), Gaston Maurice (progressiste), Léo Hamon, sénateur (M.R.P.), Jean Lescure, Jean-Jacques Mayoux, professeur à la Sorbonne, Georges Suffert, rédacteur en chef de *Témoignage Chrétien*, Jacques Mitterrand, Troisgros, conseillers de l'Union Française, etc.

COMITE D'ACTION ANTIBOLCHEVIQUE.

Association créée en 1941 pour développer la propagande anticommuniste. Le *C.A.A.* organisa une exposition antibolchevique à Paris et dans diverses grandes villes de province. Il était présidé par le commandant Paul Chack, écrivain fécond et conservateur de la Bibliothèque du ministère de la Marine. Chack était secondé par Louis-Charles Lecoconier, dit Lecoc, ancien collaborateur du colonel de La Rocque au *P.S.F.*, qui dirigeait le *Centre d'Etudes Antibolcheviques* (C.E.A.), chargé de la documentation et de la propagande du *C.A.A.* Le *C.E.A.* avait pour principal animateur André Chaumet, militant des organisations nationalistes d'avant guerre, directeur de la revue *Notre Combat* et du magazine *Revivre*, ex-*Cahier jaune*, organe de l'*Institut des questions juives*.

COMITE D'ACTION POUR LA Vᵉ REPUBLIQUE.

Association d'avocats partisans du général De Gaulle, fondée en 1958 et animée par Mᵉ Marcel Bernfeld. Son manifeste, reproduit par *Le Monde* (17-10-1958) et *La Vie Judiciaire* (20-10-1958) était signé, notamment, par les membres du barreau dont les noms suivent : Victor Bataille, Edmond Bloch, Gaston Briot, Paul Brasier, Paul Champdemerle, Chochon, Carabiber, Joseph Debray, Henri Delmont, Maurice Demolliens, anciens membres du Conseil de l'Ordre, Maurice Denier, Fabien Dreyfus, Jean-Baptiste, Lucile Tinayre-Grenaudier, membre du Conseil de l'Ordre ; Claire Lugagne Delpon, Jacques Marcus, Edmond Marie-Nelly, Jean Moore, Maurice Hersant, Melesse, Michel Bernfeld, Pierre Naudet, député de la Seine; J.-P. Palewski, ancien député ; Gérard Peureun, Charles Jouin, etc., ainsi que par Paul Arnold, vice-président du Tribunal civil, Louis Delmas, magistrat, René Hertzog, conseiller à la Cour d'appel, Mauche, ancien Premier président de Cour d'Appel, R. Morel, vice-président du Tribunal civil de la Seine, M. Mouriaque, avoué, etc.

COMITE D'ACTION POUR LA Vᵉ REPUBLIQUE.

Fondé en mai 1966 par les représentants des différentes tendances de la majorité gaulliste, ce *Comité* a repris le titre de l'association créée en 1958 par Mᵉ Marcel Bernfeld pour grouper des avocats partisans du général De Gaulle. La nouvelle organisation a principalement pour objet de rassembler les mouvements, organisations et personnalités qui soutiennent la politique du Général et de leur apporter son appui. Son rôle fut déterminant dans la désignation des candidats gaullistes de tous bords aux élections législatives de 1967. Participèrent à la réunion du 11 mai 1966, tenue à l'hôtel Matignon sous la présidence de Georges Pompidou, Premier ministre, au cours de laquelle furent jetées les bases de ce comité de liaison et d'organisation, les personnalités suivantes :

Représentant l'*U.N.R.-U.D.T.* : Jacques Baumel, secrétaire général de l'*U.N.R.-U.D.T.* ; Jacques Chaban-Delmas, président de l'Assemblée nationale ; Michel Debré, ministre de l'Economie et des Finances; Roger Frey, ministre de l'Intérieur ; Yvon Bourges, secrétaire d'Etat à l'Information ; Henry Rey, président du groupe parlementaire à l'Assemblée nationale ; Robert Liot, sénateur du Nord ; Pierre Billotte, ministre d'Etat chargé des D.O.M. et des T.O.M. ; René Capitant, président de la commission des lois à l'Assemblée nationale, et Léo Hamon, ancien sénateur.

Représentant les *Républicains Indépendants* : Valéry Giscard d'Estaing, ancien ministre des Finances; Raymond Marcellin, ministre de l'Industrie ; prince Jean de Broglie, secrétaire d'Etat aux Affaires étrangères ; Raymond Mondon, président du groupe parlementaire, et Jean Chamant, vice-président de l'Assemblée nationale.

Représentant les autres tendances : Louis Joxe, ministre d'Etat ; Edgar Pisani, ministre de l'Equipement ; Edgar Faure, ministre de l'Agriculture ; Maurice Schumann, président de la commission des Affaires étrangères à l'Assemblée nationale, ancien président national du *M.R.P.* (qui a approuvé la déclaration ci-contre mais ne figure pas parmi les membres du comité d'action), et David Rousset, écrivain progressiste connu. André Malraux, souffrant, n'assistait pas à la réunion, mais il donna son accord. Jacques Foccard et Olivier Guichard, par contre, y assistaient, au titre de collaborateurs du général De Gaulle. Georges Pompidou est le président effectif de cet organisme (siège à l'hôtel Matignon).

COMITE D'ACTION DE DEFENSE DEMOCRATIQUE.

Organisation anti-raciste, anti-fasciste et pro-sioniste fondée par Jacques Soustelle en 1958. Lors de son Conseil national, tenu le 16 octobre 1960, le *C.A.D.D.* dénonça l'activité des racistes du *F.L.N.* au sein duquel il remarquait des « criminels nazis » (*Le Figaro*, 17-10-1960). Avait, au début, comme principaux dirigeants : Alfred Coste-Floret, Léon Boutbien, ancien député *S.F.I.O.*, Brocas, député radical, Dronne, député, Georges Duhamel, de l'Académie française, Raymond Schmittlein, vice-président de l'association *France-U.R.S.S.*, Lucien Rachet, alias Lazare Rachline, administrateur de *L'Express* et de *Publicis*, Philippe Dechartre, le professeur Grosclaude, Mme Marie-Madeleine Fourcade, ex-Méric, de l'*U.N.R.*, et le général Kœnig, qui en a pris ensuite la présidence lorsque Soustelle se réfugia à l'étranger (6 ter, rue Gabriel-Laumain, Paris 10ᵉ).

COMITE D'ACTION MILITAIRE (voir : COMAC).

COMITE D'ACTION PAYSANNE (voir : Henri Dorgères).

COMITE D'ACTION DE LA RESISTANCE.

Association groupant d'anciens résistants demeurés attachés, vingt ans après, à l'esprit qui les animait sous l'occupation. Opposés à tout rapprochement avec les anciens pétainistes, ces « résistantialistes » — comme les appelait le chanoine Desgranges, ancien député démocrate-chrétien de la IIIᵉ République — publient chaque mois *La Voix de la Résistance*. L'animatrice du *C.A.R.*,

d'abord secrétaire générale, puis présidente de l'organisation, est Mme Marie-Madeleine Fourcade, ex-Mme Méric, ancienne secrétaire de la *Spirale* (mouvement secret d'extrême-droite dirigé par le commandant Loustaunau-Lacau dit Navarre. Candidate *U.N.R.-U.D.T.* dans le Vaucluse en novembre 1962 (10, rue de Charenton, Paris 12ᵉ).

COMITE D'AIDE AUX VICTIMES DE LA REPRESSION.

Fondé en 1960 par le professeur Marcel Prenant et l'ancien député socialiste Elie Bloncourt. Objet : soutenir les militants inquiétés sous une forme quelconque pour une prise de position contre la guerre d'Algérie.

COMITE CENTRAL.

Dans la structure de certains partis (par ex. : le *Parti communiste français*), le *comité central* est l'organisme représentant les militants et nommant les membres de l'exécutif et de l'appareil de contrôle. Se réunissant à des dates plus ou moins rapprochées, il fixe la ligne générale du parti et tranche les différends qui surgissent entre les dirigeants.

COMITE CHARLES X (voir : Légitimiste).

COMITE DE COHESION ET DE DEFENSE DES OBJECTEURS DE CONSCIENCE.

Groupement pacifiste de l'entre-deux-guerres prônant l'objection de conscience. En 1933, organisait des meetings contre le fascisme dans la salle du Grand Orient, avec le concours de F. Challaye, Victor Méric, Han Ryner, G. Leretour, Jospin, R. Monclin, etc.

COMITE DE COORDINATION DES MOUVEMENTS ANTIMARXISTES.

Fondé peu avant la guerre par Jean Ebstein, de l'*Alliance Royaliste d'Alsace*, président des *Jeunesses Étudiantes royalistes d'Alsace*, avec la collaboration de Pierre Pflimlin (représentant le *Parti Républicain National et Social*, ex-*Jeunesses Patriotes*), futur président du Conseil, Gillmann, délégué de l'*U.P.R.*, Joseph Bilger, dirigeant des chemises vertes d'Alsace, etc.

COMITE POUR LA DEFENSE DE LA LIBERTE ET DU DROIT.

Créé en 1966, cette association, dont

le but est clairement défini dans son titre, « *interviendra toutes les fois qu'à sa connaissance le droit sera bafoué et la liberté compromise à l'encontre d'une collectivité ou d'une personne* ». Son secrétariat est installé à Auvers-sur-Oise (Val-d'Oise). Parmi les personnalités qui ont participé à sa formation, citons : Jacqueline Thome-Patenôtre, vice-présidente de l'Assemblée nationale (Rass. dém.); Louis Bazerque, maire de Toulouse (S.F.I.O.); Hervé Bazin et Jean Giono, de l'académie Goncourt ; Antonin Besson, ancien procureur général près la cour de cassation ; Jean-Louis Bory, Georges Conchon et Roger Ikor, Prix Goncourt ; Jean-Maurice Bugat, président des clubs « Confrontation » ; Jean Cassou, directeur à l'Ecole des hautes études de la Sorbonne ; André Cayatte, cinéaste; Jacques Dauer, directeur du *Télégramme de Paris* ; Robert Delavignette, ancien gouverneur général de la France d'outremer ; Pierre Emmanuel, Jean Follain et Jacques Madaule, écrivains ; Maurice Faure, député (Rass. dém.), ancien ministre, président international du *Mouvement européen* ; l'abbé Gau, ancien député (M.R.P.) ; Jean Grandmougin, journaliste ; Charles-André Julien, professeur à la Sorbonne ; Bernard Lecache, président de la L.I.C.A. ; l'abbé Pierre, ancien député (gauche ind.) ; Jean Reynouard, avoué, maire honoraire de Riom, président de l'*Union des sociétés mutualistes*.

COMITE DIRECTEUR.

Conseil d'administration d'un organisme politique.

COMITE D'ENTENTE.

Comité constitué le 4 décembre 1944 par une délégation du *Parti Communiste* et une délégation du *Parti Socialiste* en vue de coordonner les efforts des deux mouvements.

COMITE D'ETUDE DES QUESTIONS D'EXTREME-ORIENT.

Organisme créé par des membres du *Club des Montagnards*. Domicilié 62, rue Nationale, Paris XIIIe, au siège des Montagnards, le *Comité* a pour animateur Guy Vinatrel, secrétaire général du *Club*. Son objet principal est d'étudier les événements contemporains et de diffuser les informations et nouvelles de nature à aider les peuples de l'Extrême-Orient, principalement la Chine nationaliste, dans leur lutte pour la liberté et l'indépendance. Le Comité de Parrainage comprend : Robert Bruyneel, député, vice-président de l'Assemblée nationale de la IVe République, Ernest Pezet, sénateur, vice-président du Conseil de la République, Jean-Louis Vigier, ancien député de Paris, ancien président du Conseil municipal de Paris, élu sénateur en avril 1959, et Jean Baylot, ancien Préfet de Police, député du XVe arrondissement de Paris.

COMITE D'ETUDES POLITIQUES, ECONOMIQUES ET INSTITUTIONNELLES.

Fondé en 1956, devenue association de droit commun (loi de 1901) en 1964, le *C.E.P.E.I.* est composé essentiellement de hauts fonctionnaires, de diplomates, de professeurs, d'officiers supérieurs et généraux, de médecins, d'avocats et de journalistes. De tendance centriste, le *Comité* est, avant tout, un cercle d'études, une société de pensée. Il est dirigé par un conseil qui désigne pour sept ans un bureau. La composition actuelle du bureau du *C.E.P.E.I.* est la suivante : président : Jean Bidault, directeur de *Synthèse-Information*, organe de l'association ; vice-président : Dr Jacques Fessard ; secrétaire : Pierre Guillaume avocat ; trésorier : Maurice Vallas, expert-comptable (38, rue Tiquetonne, Paris 2e).

COMITE D'ETUDES POUR LA REPUBLIQUE.

Groupe d'études des grands problèmes politiques, économiques et sociaux, de tendance « européenne » de gauche. Fondateurs : Christian Pineau, ancien ministre *S.F.I.O.* ; Maurice Faure, ancien président du *Parti Radical-Socialiste* ; Eugène Forget, président de la Commission de l'Agriculture du Conseil national Economique ; Alain Poher, ancien sénateur ; Robert Marjolin, ancien directeur de l'*O.E.C.E.* ; Gérard Jaquet, ancien député *S.F.I.O.*, Paul Parisot, journaliste ; Gabriel Ventejol, secrétaire de la *C.G.T.-F.O.* ; Georges Gallienne, président de l'*Union Routière de France*, etc.

COMITE POUR L'EXERCICE DE LA SOUVERAINETE POPULAIRE PAR LE SUFFRAGE UNIVERSEL.

Organisme gaulliste lié à *Réalisations de la Direction des Relations Publiques et de l'Information*. A manifesté publiquement son existence en diffusant, lors de la campagne pour l'élection présidentielle de 1965, un tract contre François Mitterrand et retraçant « *la carrière de ce vieux politicien* » (5, rue de Solferino, Paris 7e).

COMITE FINANCIER (COFI).

Pour financer la presse de la Résistance et assurer la vie matérielle de l'ensemble des organisations clandestines, le *C.N.R.* créa le *COFI* en 1944, sur la proposition de Jacques Bingen. André Debray, frère de l'évêque de Meaux, en prit la présidence. Directeur de la *Banque de Paris et des Pays-Bas*, informateur des services secrets alliés auxquels il fournissait des renseignements de premier ordre sur la situation économique de l'Europe occupée et les travaux effectués par les Allemands en France et en Belgique occupées, André Debray eut pour principaux collaborateurs des personnalités fort connues dans le monde des affaires : F. Bloch-Lainé, fils d'un des associés de la banque *Lazard frères et Cie* (représentant à Paris le groupe pétrolier *Royal-Dutch-Shell*); Michel Debré, futur premier ministre de la V⁰ République ; Félix Gaillard d'Aimé, inspecteur des Finances, futur président du Conseil de la IV⁰ ; le professeur Nicole, de l'*Union des Cadres et Industriels français* ; Lorain Cruse, fils du financier Philippe Cruse, frère de l'un des associés de la banque *de Neuflize, Schlumberger et Cie ;* Jacques Meynot et Jacques Soulas, venu d'Alger. Bloch-Lainé a expliqué dans la *Revue d'histoire de la Deuxième Guerre mondiale* comment le *COFI* collectait les fonds. Tout d'abord, il y eut les tirages de chèques et de virements sur la *Banque de l'Algérie,* que contrôlait le gouvernement d'Alger : Bossuet (alias Debray) remettait aux prêteurs, en échange des fonds versés, soit un reçu et le double d'un ordre de virement transmis à Alger, soit un chèque tiré sur un compte ouvert à sa demande par la *Banque de l'Algérie*. Par mesure de précaution, les comptes étaient désignés par les prénoms et dates de naissance de leurs titulaires. Il y eut aussi les Bons du Trésor que des professionnels négociaient au marché noir, et des chèques certifiés par la *Banque de l'Algérie* elle-même que ces mêmes intermédiaires écoulaient moyennant une honnête commission. Le financement de divers autres organismes de résistance était assuré directement par les parachutages anglais de la R.A.F. ou les attaques des succursales de la *Banque de France*. Les fonds ainsi recueillis n'allèrent pas toujours aux organisations de la Résistance (l'affaire des « réquisitions » de la *Banque de France* à Abbeville le prouve). De toute façon, cela n'était pas du ressort du *COFI*, lequel, rappelons-le, ne s'occupait que du financement des organisations du *C.N.R.*

COMITE FRANÇAIS POUR LA DEFENSE DES DROITS DE L'HOMME.

C'est en 1947 que le *Comité Français pour la Défense des Droits de l'Homme* fut fondé par Jean Ebstein. Vice-président de l'*Association des Résistants du 11 novembre 1940*, membre de l'*Organisation de Résistance de l'Armée* et des *Premiers de la Résistance*, cet ancien militant de l'*Alliance Royaliste d'Alsace* avait été ulcéré par les mesures prises à l'égard des partisans du Maréchal. Lui qui connaissait bien les hommes de la Droite, qui savait leur patriotisme et leur désintéressement, il ne pouvait admettre de les voir fusillés ou jetés en prison à la suite de procès conduits, le plus souvent, par les communistes, et presque toujours par des adversaires politiques des prévenus. « *On ne peut être juge et partie.* » Les verdicts rendus étaient donc, à ses yeux, entachés de nullité. Il fallait, au plus tôt, provoquer la disparition des cours de justice et faire libérer « leurs victimes ». Il sut faire partager son sentiment par un groupe d'hommes et de femmes, résistants comme lui-même. L'objet du *Comité* était donc de défendre dans tous les domaines où ils sont menacés les droits de l'homme ; de provoquer la suppression des juridictions d'exception (épuration) ; d'intervenir en faveur des pétainistes condamnés injustement ; d'étudier les moyens propres à amener le parlement à voter une amnistie générale pour les condamnés politiques. Le premier comité directeur de l'association se composait du sénateur socialiste Henri Barré et de Mme Hélène de Suzannet, ancien député de droite, tous deux présidents ; des vice-présidents Edmond Michelet, André Mutter, Henry Torrès et Anne-Marie Trinquier ; de Jean Ebstein, secrétaire général ; R.-L. Prudhomme, directeur administratif, et André J.-H. Schneider, trésorier. Un comité de patronage et un comité parlementaire appuyaient l'action du Groupe. Au premier, appartenaient : Robert Aron, Georgette Barbizet, M⁰ Michel Boitard, le prince Jacques de Broglie, le R.P. Chaillet, Roger Domec, Paul Faure, l'ambassadeur André François-Poncet, Jean Fribourg, le Dr Jean Huet, le Dr Georges d'Heucqueville, Claude-Marcel Hytte, M⁰ Jacques Isorni, M⁰ Marcelle Kraemer-Bach, Paul Mathot, le Dr Paul Milliez, M⁰ Odette Moreau, le médecin général Paloque, le président Péan, Suzanne Pelletan, le colonel Dominique Ponchardier, le colonel Rémy, le professeur Charles Richet, Jean Sennac, Geneviève Tabouis, M⁰ André Toulemon, Marcel

Ventenat. Marianne Verger, Henri Vergnolles et André Voisin. Faisaient partie du second : Antoine-Louis Avinin, Jacques Bardoux, Henri Barré, Charles Brune, Julien Bruhnes, Jean Chamant, le Dr Pierre Chevalier, Antoine Colonna, Gabriel Cudenet, J.-P. David, Joseph Denais, Jacques Destrée, Georges Laffargue, le pasteur La Gravière, Meck, Edmond Michelet, le colonel Henri Monnet, André Mutter, Eugène Claudius-Petit, Louis Rollin, Maurice Schumann, Anne-Marie Trinquier, Mme Charles Vallin, Maurice Viollette. D'autres personnalités pressenties s'étaient récusées : Edgar Faure, qui avait tout d'abord accepté de faire partie du comité, refusa invoquant « un manque de temps pour en suivre les travaux » ; le professeur René Courtin n'aurait accepté d'y entrer que s'il n'était pas question d'amnistie et si Me Isorni n'en était pas; le R.P. Riquet préférait ne pas entrer dans le Comité pour ne pas avoir à en démissionner ensuite ; l'abbé Pierre trouvait l'amnistie dangereuse et équivoque ; Henri Frénay estimait qu'il serait désagréable d'avoir à examiner à nouveau certains dossiers. L'activité du Comité fut très importante en 1947-1949 : 10 000 cas furent étudiés, plusieurs condamnés à mort obtinrent leur grâce à la suite des interventions de l'association, des milliers de détenus politiques furent libérés grâce à ses démarches, puis reclassés par ses soins, des milliers de colis furent envoyés à ceux qui demeuraient dans les prisons, les bagnes et les camps de concentration. En 1948, Jean Ebstein, épuisé, donna sa démission de secrétaire général. Ses fonctions furent, quelque temps, remplies par le président Barré. Lorsque celui-ci abandonna, à son tour, le secrétariat sous la pression des éléments « résistantialistes » de la *S.F.I.O.* (à laquelle il appartenait), c'est R.L. Prudhomme, puis son adjoint Moisan qui prirent la succession, Mme Hélène de Suzannet, demeurant présidente. Elle était secondée par Philippe Saint-Germain, l'auteur des « *Gaîtés de l'Officiel* », qui fut, autour de 1951, l'un des dirigeants actifs de l'association. Le *Comité* fut mis en sommeil à partir de 1953.

COMITÉ FRANÇAIS POUR L'EUROPE LIBRE.

Organisme créé en avril 1952. Devant le « *sort cruel imposé contre leur gré* » aux peuples séparés de nous par le rideau de fer, ce comité se proposait de « *leur manifester dans leurs malheurs actuels sa solidarité et sa sympathie agissante.* » Fondateurs : Paul Reynaud, président ; Paul Devinat, Robert Lecourt, François Mitterrand, Naegelen, anciens ministres ; Léon Noël, ambassadeur de France ; le général Béthouart, vice-présidents ; Blocq-Mascart, secrétaire général ; Henri Frénay, ancien ministre, délégué général.

COMITÉ FRANÇAIS DE LIBERATION NATIONALE.

Organisme gouvernemental né, le 3 juin 1943, de la fusion du *Comité National Français,* présidé par le général De Gaulle, et du *Conseil Impérial Français,* fondé par l'amiral Darlan et présidé, depuis le meurtre de celui-ci, par le général Giraud. Au début, était présidé conjointement par les généraux De Gaulle et Giraud. Mais à la suite de manœuvres et de pressions politiques, tant communistes que gaullistes, et mal soutenu par les Américains qui l'avaient naguère appuyé fermement, le général Giraud abandonna le *Comité* pour devenir commandant en chef des Forces Françaises d'Afrique (novembre 1943), puis simple inspecteur général (avril 1944) et démissionner de l'Armée quelques jours plus tard. Le *C.F.L.N.* fut aussitôt reconnu par les puissances en guerre avec l'Allemagne et ses alliés. Il était ainsi composé : *Président* : général De Gaulle; *commissaires d'Etat :* général Catroux, André Philip, Henri Queuille ; *commissaires :* aux Affaires étrangères, R. Massigli ; à l'Intérieur, Emm. d'Astier de la Vigerie ; à la Justice, Fr. de Menthon ; à la Guerre, A. Le Troquer ; à la Marine, L. Jacquinot ; aux Colonies, R. Pleven ; aux Finances, Mendès-France ; à l'Information, Henri Bonnet ; aux Communications et à la Marine marchande, René Mayer ; aux Prisonniers et Déportés, Henri Frénay; au Travail, Adrien Tixier; à la Production et au Commerce, A. Diethelm ; à l'Instruction publique, R. Capitant. Le 4 avril 1944 deux nouveaux commissaires furent nommés : les communistes Grenier et Billoux. Le *C.F.L.N.* créa une *Assemblée consultative,* dont le rôle, strictement limité, se bornait à émettre des vœux (voir *Assemblée consultative).* Celle-ci, sur la proposition d'Albert Gazier, socialiste, parlant au nom de la *C.G.T.* et du *Conseil National de la Résistance,* souhaita que le *Comité Français de Libération Nationale* prît le nom de *Gouvernement Provisoire de la République Française,* ce qui fut fait le 2 juin 1944 (devenu effectif lorsque les troupes alliées libérèrent Paris). Le *G.P.R.F.* fut immédiatement reconnu par la majorité des gouvernements en exil, ainsi que par la Chine et divers gouvernements sud-américains. Lorsque la plus grande partie de notre pays fut évacuée par les troupes allemandes et que le pouvoir légal, représenté par le maréchal Pétain, ne s'exerça plus sur aucune portion du territoire français, le *G.P.R.F.* fut reconnu par les gouvernements soviétique, américain, britannique et canadien. Le Gouvernement Provisoire fut présidé par le général De Gaulle de 1944 à janvier 1945, puis par Félix Gouin, de janvier 1945 à juin 1946, par Georges Bidault, de juin à novembre 1946, et enfin par Léon Blum, de décembre 1946 à janvier 1947. Le gouvernement Ramadier qui suivit fut le premier gouvernement de la IVe République.

COMITE FRANÇAIS POUR L'UNION PANEUROPEENNE.

Association préconisant l'union politique des Six : « *La création d'une union politique européenne est d'autant plus urgente que le problème de l'adhésion de la Grande-Bretagne au sein des Six se reposera bientôt. Il faut qu'alors les Six présentent un front uni.* » (Bulletin du Comité, avril 1963.) Principaux dirigeants : Louis Terrenoire, président ; général Billotte, de Coudenhove-Kalergi, Chatenet, Baumel, Pellenc, A. Peyrefitte, Maurice Schumann, J. de Lipkowski.

COMITE FRANCO-HONGROIS POUR LA CELEBRATION DU SOULEVEMENT DE 1956.

Organisation présidée par Joseph Ladanyi. A organisé en 1966 une campagne de signatures d'un « *manifeste pour la liberté de la Hongrie* », avec meeting salle de la Mutualité, sous la présidence de Jules Romains. Comité de patronage : Claude Adam, secrétaire général de l'Union des Intellectuels Indépendants ; Maurice Allais ; Jean Baylot, ancien préfet de Police ; Jean Bourdier, journaliste ; Me François Cathala, président de l'Union des Intellectuels Indépendants ; Professeur Charbonnel, conseiller économique ; Général Chassin ; Marcel Deviq, ancien député ; Georges Drieu la Rochelle ; Richard Dupuy, grand maître de la *Grande Loge* ; Robert Farré ; André François-Poncet, du *Figaro* ; Suzanne et Edouard Labin ; André Lafond, syndicaliste ; Georges-René Laederich, président du C.E.P.E.C. ; Jacques Perret ; colonel Rémy ; Georges Rivollet, ancien ministre ; Jules Romains, de *l'Aurore* ; Louis Rougier ; Rémy Roure ; Dominique de Roux, etc. (58, rue de Caulaincourt, Paris 18e).

COMITE DE LA GAUCHE POUR LE MAINTIEN DE L'ALGERIE DANS LA REPUBLIQUE FRANÇAISE.

Association créée par des personnalités de gauche pour la défense de l'Algérie française. Max Lejeune, Robert Lacoste, André Morice, Bourgès-Maunoury, André Malterre et Jules Romains en furent les personnalités marquantes.

COMITE DE LIAISON CONTRE L'APARTHEID.

Organisme dirigé contre le gouvernement sud-africain. Lié au *P.S.U.* et animé par Jean-Jacques de Félice (secrétariat : Mme Mathiot, 63, rue du Colonel-Fabien, Paris).

COMITE DE LIAISON DE LA RESISTANCE.

Organisme regroupant une cinquantaine d'associations de résistants et de déportés (18, rue Favart, Paris 2e).

COMITE NATIONAL D'ACTION ET DE DEFENSE REPUBLICAINE.

Fondé le 23 mai 1958 pour faire face aux « émeutiers du 13 mai » et apporter un « *soutien loyal et résolu au gouvernement légal de la République dans son action pour la sauvegarde de l'unité nationale, la défense des institutions républicaines, des libertés démocratiques et de l'ordre public* ». Y avaient adhéré : le *Parti socialiste S.F.I.O.*, le *M.R.P.*, le *Parti Républicain Radical et Radical-Socialiste*, l'*U.D.S.R.*, le *Rassemblement Démocratique Africain* et le *Parti du Regroupement Africain*. Direction : Commin, Deixonne et Courrière (*S.F.I.O.*) ; P.-H. Teitgen, Moisan et F. de Menthon (*M.R.P.*) ; F. Mitterrand, J. Perrin et Duveau (*U.D.S.R.*), etc. Le comité prévoyait la création de comités départementaux, mais sa seule manifestation fut celle du 28 mai 1958, de la Nation à la République, à laquelle participèrent environ 70 000 républicains, socialistes et communistes (bien que n'adhérant pas, le *P.C.F.* avait appelé ses militants à manifester).

COMITE NATIONAL D'ACTION LAIQUE.

Créé par la *Fédération de l'Education nationale*, le *Syndicat national des Instituteurs*, la *Fédération des Conseils de Parents d'élèves des écoles publiques*, a *Ligue française de l'Enseignement* et la *Fédération nationale des délégués cantonaux*. Y ont adhéré ensuite divers groupements politiques de gauche et le *Grand Orient*. Aux manifestations organisées en 1959-1960 pour réclamer l'abrogation des lois d'aide à l'enseignement catholique, l'*Union nationale des Etudiants de France*, les *Auberges laïques de la Jeunesse*, le *Parti Communiste*, le *Parti Socialiste S.F.I.O.*, le *Parti Communiste Internationaliste*, le *Parti Socialiste Unifié*, la *C.G.T.*, la *C.G.T.-F.O.*, etc., ont apporté leur concours.

COMITE NATIONAL FRANÇAIS.

Organisme constitué à Londres, le 25 septembre 1941, par le général De Gaulle, avec l'accord du gouvernement britannique. L'U.R.S.S. reconnu et organisme le 26 septembre 1941. Après sa fusion avec le *Conseil Impérial Français* (général Giraud), devint le *Comité Français de Libération Nationale* (voir à ce nom).

COMITE NATIONAL POUR LA PAIX FRANÇAISE.

Fondé en 1959 par le colonel Maurice Matignon.

COMITE NATIONAL POUR LE RASSEMBLEMENT DES FORCES DEMOCRATIQUES.

Groupement fondé en janvier 1959 par les militants catholiques de gauche. La première équipe comprenait : Roger Lavialle et Rémy Montagne, anciens dirigeants de l'*Association Catholique de la Jeunesse Française* ; Michel Debatisse et Bernard Lambert, anciens responsables de la *Jeunesse Agricole Catholique* et les cercles de jeunes ruraux ; Théo Braun, Nestor Rombeaut, responsables syndicaux de la *C.F.T.C.* ; Guy Raclet, ancien président des *Jeunes Patrons*.

COMITE NATIONAL POUR L'UNION SACREE.

Association fondée sous l'égide du *Club des Montagnards*, au lendemain du retour au pouvoir du général De Gaulle, qui marqua sa sympathie en se faisant représenter à la fondation du Comité,

en septembre 1958, par son conseiller Jean Mamert, futur chef de cabinet de Michel Debré. Fondateurs : Jacques-Louis Antériou, Jean-Jacques Baron, Anoteaux, Jean Baylot, ancien préfet de police, Claude Blum, neveu de l'ancien président du Conseil, Camille Cabat, Pierre Clostermann, député, Louis Dumat, ancien député, Jean-André Faucher, André Gayrard, député poujadiste de Paris, André Maroselli, député radical de la Haute-Saône, Jacques Périer, conseiller de l'Union française, Marcel Ribéra, conseiller municipal de Paris, Guy Vinatrel, secrétaire général du *Club des Montagnards*.

COMITE POUR LE PARTI UNIQUE.

Organisme créé à Vichy en 1940, pour tenter de fondre en un seul parti les groupements politiques. Présidé par Marcel Déat. Membres : Victor Barthélemy, représentant le *P.P.F.*, Chichery, Deschizeaux, X. Vallat, Ch. Vallin, Gatuing, etc.

COMITE PERMANENT DE VIGILANCE.

Organisme fondé en 1898 après le ralliement presque total des socialistes de toutes tendances au camp *dreyfusiste* dit *révisionniste* pour résister à « *l'état de siège auquel Paris est arbitrairement soumis* ». En firent partie les organisations socialistes suivantes : *Parti Socialiste Révolutionnaire*, *Parti Ouvrier Français*, *Fédération des Travailleurs Socialistes de France*, *Parti Ouvrier Socialiste Révolutionnaire*, *Alliance Communiste*, *Fédération Républicaine Socialiste de la Seine*, *Fédération des Cercles Départementaux Socialistes Révolutionnaires*, *Ligue du Gouvernement Direct du Peuple*, *Ligue pour la Défense de la République*, *Coalition Révolutionnaire*, *Parti d'Action Révolutionnaire Communiste*, et, naturellement, les groupes socialistes de la Chambre et du Conseil municipal de Paris, ainsi que les journaux socialistes : *La Petite République*, *La Lanterne*, *Le Réveil du Nord*, *Le Peuple de Lyon*, *Le Socialiste*, *Le Parti Socialiste*, *Le Parti Ouvrier*.

COMITE DE RENOVATION NATIONALE ET SOCIALE DE LA FRANCE ET DE L'EMPIRE.

Groupement fondé en 1951 pour « *rassembler les Français qui réprouvent la politique des gouvernements au pouvoir depuis la Libération* » et « *défendre la civilisation française et chré-*

tienne ». Le comité de fondation était composé du colonel Josse, ancien député et ancien sénateur, président honoraire de *l'Association des membres de la Légion d'Honneur décorés au péril de leur vie*, président ; de Charles Ruellan, ancien député monarchiste, et Emile Grandjean, ancien gouverneur des colonies, rédacteur à *Rivarol* (Jean Pleyber), vice-présidents ; et de Robert Dupont, président de *l'Union des Français d'Outre-Mer*.

COMITE REPUBLICAIN D'APPEL AU GENERAL DE GAULLE.

Groupe de « gaullistes de gauche », créé avant le 13 mai et qui a disparu, un peu plus tard, au profit du *Centre de la Réforme Républicaine* (voir à ce nom).

COMITE REPUBLICAIN ET DEMOCRATIQUE.

Au lendemain du retour au pouvoir du général De Gaulle, les « gaullistes de gauche » qui, pour la plupart, avaient soutenu Pierre Mendès-France au cours des années précédentes, publiaient un manifeste intitulé : « *Des hommes de gauche parlent aux hommes de gauche* » : « *Si l'on veut*, disaient-ils, *un gouvernement capable de prendre les initiatives nécessaires pour ramener la paix en Algérie, d'ouvrir des négocations, de rétablir les libertés, il faut donner au général De Gaulle le maximum d'autorité par un vote favorable massif et non l'affaiblir par une majorité étroite qui le laisserait impuissant devant les ultras d'Alger.* » Les signataires étaient au nombre de vingt : Paul Alduy, député *S.F.I.O.* ; Georges Altmann, ancien directeur littéraire de *La Lumière*, ancien rédacteur à *Monde* (de Henri Barbusse), ancien rédacteur en chef de *Franc-Tireur*, second secrétaire général de rédaction du *Figaro Littéraire* ; Paul Aujoulat, ancien ministre ; le colonel Roger Barberot, collaborateur de *L'Express* ; Jean Pierre-Bloch, ancien député *S.F.I.O.* ; J. Paul-Boncour, ancien président du Conseil ; Maurice Clavel, journaliste ; René Cerf-Ferrière, ancien membre de l'Assemblée consultative ; Jacques Debû-Bridel, ancien sénateur ; Philippe Dechartre (Jean Duprat-Géneau), naguère mendésiste aux élections partielles du 2ᵉ secteur de la Seine, membre du bureau fédéral de la Seine du *Parti radical-socialiste* ; Stanislas Fumet, dirigeant du *Centre catholique des intellectuels français* ; Goéau-Brissonneau ; Léo Hamon, ancien sénateur *M.R.P.* ; Jean de Lipkowski, député ;

Jacques Mercier, avocat ; Roger Mistral Yvon Morandat ; Pierre Naudet, député radical et mendésiste ; Henri Seignon Louis Vallon, ancien député *R.P.F.* Ce vingt « gaullistes de gauche » fondèrer le *Comité républicain et démocrate* qui n'eut qu'une existence éphémère e se borna à faire de la propagande pou le « oui » au référendum. Bien qu grossi, entre temps, d'adhésions nor velles (Charles d'Aragon, Joseph Kesse Lucien Rachet, administrateur de *Publi cis*, Jean Annet d'Astier de La Vigerie le *C.R.D.* se confondit bientôt avec l *Centre de la réforme républicaine* (voi à ce nom), dont Henri Frénay, ancie ministre, avait pris la présidence, e que rejoignirent Pierre Emmanue Edouard Sablier et diverses personnal tés de gauche soucieuses d'arracher l général à l'influence des « fascistes d l'*U.N.R.* ». Aux élections de novembr 1958, les membres du *C.R.D.* qui s présentèrent aux élections le firent sou l'égide du *Centre de la réforme républ caine* (voir à ce nom).

COMITE REVOLUTIONNAIRE CENTRA (voir : **Parti Socialiste Révolution naire**).

COMITE SECRET D'ACTION REVOLU TIONNAIRE (C.S.A.R.).

Principale organisation de ce que l'o appela la *Cagoule*. Animé par Eugèn Deloncle, assisté de Méténier, Tenaill Fauran, Corrèze, Filliol et Henri Delo cle. Tenaille était un cousin d'Eugèn Deloncle. François Méténier — qui, troi ans plus tard, le 13 décembre 1940, arrê tera Pierre Laval sur l'ordre du Maré chal — était un ancien lieutenant d'a tillerie, co-propriétaire d'une petit usine de caoutchouc manufacturé à Ch malières, dans la banlieue de Clermon Ferrand. Il avait installé au même er droit un petit atelier de montage d postes de radio pour le compte de d verses firmes. Délaissant un peu la cor duite de ses affaires industrielles, s'était établi depuis peu à Paris pou y mieux participer aux entreprises pol tiques du *C.S.A.R.* Jacques Fauran, avait fait ses études au lycée d'Anger était le fils d'un industriel parisien. fut accusé, par un membre du *M.S.* nommé Bouvier, d'avoir participé à l'a tentat contre les frères Roselli. Homm de confiance de Deloncle, Jacques Co rèze était employé de commerce. Lorsqu les policiers voulurent l'arrêter, il s'er fuit et resta longtemps dans la clande

nité. Retiré aujourd'hui de la vie polique, il vit en Espagne — avec la veuve
e Deloncle qu'il a épousée — et y repré-
nte la firme de l'un des bienfaiteurs
i C.S.A.R., feu Eugène Schueller. Jean
lliol, le « dur » du C.S.A.R., était ca-
elot du roi ; il avait dirigé l'équipe du
5ᵉ arrondissement. Lorsque se produi-
t l'incident Léon Blum, boulevard
int-Germain en 1936, il était à la tête
un groupe d'assaillants de la voiture
i leader de la S.F.I.O. Un peu après, il
t expulsé de l'Action Française pour
es motifs assez obscurs. Une partie de
s cagoulards militèrent pendant la
ierre au M.S.R. ou furent attachés au
ibinet du maréchal Pétain ; d'autres
itrèrent dans la Résistance (voir :
igoule).

OMITE TIXIER-VIGNANCOUR.

Le Comité T.-V. date de 1964. Jean-
arie Le Pen et les amis qui l'aidèrent
constituer la S.E.R.P. au lendemain
es élections législatives de 1962 avaient
éé au début de 1964 un Comité pour
lection à la présidence de la Répu-
ique d'un candidat d'opposition natio-
ile. Il commença par désigner Alain
 Lacoste-Lareymondie, ancien député
dépendant de la Charente-Maritime.
iis, sur la proposition de Jean-Marie
 Pen, ce fut l'avocat du général Salan
i l'emporta. Le 20 avril 1964, lors
une conférence de presse tenue au
alais d'Orsay, Tixier-Vignancour an-
nça officiellement sa candidature et
posa les grandes lignes de son pro-
amme. La campagne, à partir de l'au-
mne 1964, fut menée rondement :
ners, réunions, meetings, disques, affi-
age massif, tout fut mis en œuvre
ur faire connaître aux Français le
ndidat de l'opposition nationale. Le
imité T.-V. eut rapidement des sections
Paris et en province groupant environ
.000 cotisants (de 20 à 1.000 F). Un
irnal mensuel, T.-V. Demain, tiré à
isieurs dizaines de milliers d'exem-
aires, servait de tribune à l'illustre
ocat et à son état-major. Au cours de
campagne électorale, Tixier-Vignan-
ur, qui avait loué un cirque pour
iuvoir se passer des grandes salles
cales que l'on lui refusait, tint
usieurs centaines de réunions sous le
apiteau. Au comité directeur du
mité T.-V., légèrement modifié à plu-
eurs reprises, ont figuré en 1964-1965 :
Arrighi, maître des requêtes au conseil
Etat, ancien député, Jean-Baptiste
aggi, avocat, ancien député, François
igneau, journaliste, éditorialiste de

Minute, Raymond Bourgine, journaliste,
directeur du Spectacle du Monde et de
Finance, Alban Cavalade, industriel, président-directeur général de Stecmetal et
administrateur de diverses sociétés, Jean-
Maurice Demarquet, médecin, ancien
député U.F.F., ancien dirigeant du Front
National Combattant, le Dr René Dubois,
ancien sénateur-maire de La Baule,
Pierre Durand, directeur des services
commerciaux de la S.E.R.P., Léon Gaul-
tier, publicitaire, Robert Giacommetti,
directeur de sociétés, administrateur de
l'Omnium d'Impression et de Publicité,
André Guibert, avocat, Roger Holeindre,
restaurateur, Serge Jeanneret, ancien
animateur des Instituteurs royalistes, naguère rédacteur en chef de Fraternité
Française, puis attaché au Centre Républicain de Bernard Lafay, aujourd'hui
directeur des Editions du Clan, Claude
Joubert, journaliste, Marcel Tanguy Ke-
nec'hdu, ancien chef de cabinet du commissaire de la République à Châlons-sur-
Marne, puis chef de cabinet du ministre
Henri Rochereau, Alain de Lacoste-
Lareymondie, maître des Requêtes au
conseil d'Etat, ancien député, Marc de
Lacoste-Lareymondie, cadre de l'industrie, Bernard Le Corroller, avocat, Jean-
Marie Le Pen, ancien député (secrétaire
général du Comité), Jean Loyrette, avocat, Philippe Marçais, professeur, ancien
député (trésorier du Comité), commandant Michel March (secrétaire administratif du Comité), Pierre Perès, publicitaire,
taire, Jean Raffit, industriel (trésorier-
adjoint du Comité), Jean-Pierre Reveau,
Michel Roullet, attaché à la direction
Delmas-Vieljeux, Michel de Saint-Marc,
Robert Tardif, avocat, Jean-Louis Tixier-
Vignancour, avocat, ancien député, colonel Jean-Robert Thomazo, ancien député,
Paul Troisgros, cadre de l'industrie,
Jean-Claude Varanne, cadre de l'industrie, Christian-Georges Vieljeux, armateur, Jacques Vieljeux, armateur. La propagande Comité T.-V. en faveur de la
candidature de Mᵉ Tixier-Vignancour à
la présidence de la République fut épaulée par divers groupements et par des
personnalités politiques. Se sont, en effet, prononcés publiquement pour le
candidat libéral et national : Les Amis
d'Antoine Argoud, les Amitiés Françaises Universitaires, les Amitiés Nationales
(Robert Michaut), l'Association Nationale des Propriétaires Ruraux, Europe-
Action, la Fédération des Etudiants Nationalistes (F.E.N.), la Fédération des
Français d'Algérie, le Rassemblement
National Républicain, la Restauration
Nationale, l'Union des Intellectuels Indépendants, et l'Union Royaliste Provençale (Marseille), ainsi que Claude

Adam, François Cathala, avocat, Henri Dorgères, ancien député, Jean Haupt, directeur de *Découvertes*, Blanche Maurel, professeur, l'abbé de Nantes, Michel de Saint-Pierre, écrivain, Trémolet de Villers, ancien député, René Rieunier, écrivain, etc. Au fur et à mesure que l'échéance se rapprochait, que les auditoires devenaient plus denses, les discours, les idées exprimées étaient moins agressifs. Du nationalisme populaire du début, on en était venu insensiblement à un libéralisme européen. Pour ne pas effrayer les masses que les coups de boutoir contre le régime auraient pu inquiéter, on avait progressivement édulcoré le programme originel, sans pour autant avoir fait de concessions au gaullisme. Le candidat de l'opposition nationale était devenu le candidat national et libéral. L'opération pouvait donner d'assez bons résultats si, face au général De Gaulle et au candidat de la Gauche, il n'y avait eu que Tixier-Vignancour : dans ce cas, nationalistes d'extrême-droite, nationaux de droite, indépendants et centristes libéraux auraient, naturellement, voté pour le candidat T.-V. Mais c'était oublier qui, depuis vingt ans, ont joué dans notre vie politique un rôle de premier plan sous le gouvernement provisoire aussi bien que sous la IVᵉ République et au début de la Vᵉ : le *M.R.P.* La candidature de Jean Lecanuet modifia les données du problème : la sienne ou une autre, il était impensable que les démocrates-chrétiens ne songeassent pas à en susciter une. Désormais, à côté du candidat national européen et libéral, il y eut un candidat centriste européen et libéral — en plus du candidat également européen et libéral Marcilhacy —. Dès lors, étant donné les moyens considérables dont disposait Jean Lecanuet, la partie était perdue d'avance. Entre les deux (ou trois) candidats libéraux, les électeurs nationaux choisirent celui qui, pensaient-ils, avaient le plus de chance. On sait la suite : sur les 1 750 000 électeurs nationaux, près de 500 000 « votèrent utile », c'est-à-dire votèrent pour Jean Lecanuet. Cette « désertion », chez les nationaux de Paris, s'explique d'autant mieux que la présentation des candidats T.-V. aux élections municipales de mars 1965 (90 000 voix) avaient profondément blessé les cadres indépendants de Paris dont plusieurs attribuaient leur échec à cette « *initiative malheureuse* », Parmi les principaux *supporters* du *Comité T.-V.*, les dirigeants d'*Europe-Action* et de la *Fédération des Etudiants Nationalistes* ont eu un rôle important, particulièrement à la commission de la presse.

Aux réunions publiques, tenues sous le chapiteau du cirque, leurs publication étaient largement diffusées dans l'assitance. A tel point que l'on crut, che l'adversaire, à une fusion de ces éléments nationalistes avec l'organisatio de Tixier-Vignancour. Il n'en était rien après l'échec de la candidature, les membres du *Comité T.-V.* qui appartenaient cette tendance démissionnèrent collectivement et créèrent le *Mouvement Nationaliste du Progrès* (voir à ce nom). D'autre part, à l'issue d'un congrès ten à Paris au début de 1966, le *Comité T.-V.* fut dissous malgré l'opposition de Jean Marie Le Pen et de ses amis qui quittèrent la séance en accusant l'assemblé d'irrégularités. Peu après, Jean-Lou Tixier-Vignancour et ceux qui avaient pris son parti fondèrent l'*Alliance Répu blicaine pour les Libertés et le Progrè* (voir à ce nom). Juridiquement la dissolution du *Comité T.-V.* demeure contesté mais en fait l'organisation a cess d'exister.

COMITE DE VIGILANCE POUR L'IN DEPENDANCE NATIONALE.

Groupement dont les dirigeants étaient principalement des Marseillais, ou de habitants de la cité phocéenne. *Vigilance*, son journal, a été fondé en 195 par le docteur Henri Moreau, conseiller municipal. Lorsque le group qui soutenait le journal quitta *Le Rassemblement National* (1955) pour adhérer au *Mouvement Travailliste Nationa* de Michel Trécourt et Jean-André Facher, *Vigilance* devint l'organe de cette formation politique, et publia des article de ses *leaders*. Il reprit sa liberté lorsque le *M.T.N.* se mit en sommeil et il s transforma en *Comité de Vigilance pou l'Indépendance Nationale*. A la fois social et national, le *Comité de Vigilance pour l'Indépendance Nationale* se signala dès le printemps 1958 comme le parti san résolu de la politique du 13 mai et de l'Algérie française. Convaincu que politique du général De Gaulle sera néfaste au pays — et principalement l'Algérie —, le Comité fit ouvertement campagne pour le *non* au printemps 1958 : « *Nous refusons de céder à l'épou vantail communiste*, titrait *Vigilance* su toute la largeur de sa première page *Voter le référendum, c'est renforcer Système !* Voter la Constitution, c'e liquider l'Empire. Pour la défense d patrimoine national, pour la défense nos métiers et de nos libertés, pour paix en Algérie française et contre u Munich africain, NON au référendum d l'équivoque » Aux élections de novem

re 1958, le Dr Henri Moreau, principal
animateur du *Comité*, se présenta dans
la 8ᵉ circonscription des Bouches-du-
Rhône, et y combattit avec vigueur le
socialiste Defferre. Les deux adversaires
urent battus au profit d'un troisième
candidat.

La direction du *Comité* était assurée
par le colonel Alfred de Beauvais, président, le Dr Moreau, secrétaire général et
le général Rime-Bruneau, ancien chef
l'Etat-Major du général De Gaulle, an-
ien chef de la mission militaire fran-
aise au G.Q.G. interallié, le président
l'honneur, assistés de : Max Beurard,
délégué régional du *M.T.N.*, Paul Caire,
syndicaliste paysan de Provence, l'abbé
Paul Plasse, le Dr Causse, animateur de
Présence Française-Maroc, A. de Mont-
peyroux, ancien officier S.A.S., conseiller
général de l'Indre, Francis Pasquet, J.
Fiori, J.-M. Brun, etc. A la rédaction du
journal *Vigilance* appartenaient divers
militants nationaux, dont Paul Chevallet,
ancien collaborateur de Poujade ; le
commandant Paul Ottaviani, de Nice ;
Hubert Saint-Julien, Michel Valdour et
René Tinnac.

COMITE DE VIGILANCE DES INTELLEC-TUELS ANTI-FASCISTES.

Fondé en 1934 par Alain, P. Langevin
et le professeur Rivet. Principaux mem-
bres : les professeurs Jean Perrin, Jac-
ques Hadamard, L. Lévy-Bruhl, Georges
Urbain, Marcel Prenant, E. Bataillon,
Marc Bloch, P. Fauconnet, Gougenheim,
H. Meyer, H. Sée, Edmond Vermeil,
H. Wallon, Emm. Lévy, H. Lévy-Bruhl,
Robert Mossé, André Philip, M. Cohen,
J. Bloch, J.-M. Lahy, J. Meyerson, F. Do-
menois, Roussy, les écrivains et journa-
listes Léon-Paul Fargue, Jean Guehenno,
J.-R. Bloch, R. Martin du Gard, André
Gide, Jean Giono, Romain Rolland, Jean
Rostand, Marcel Abraham, Pierre Abra-
ham, J.-J. Bernard, Eugène Dabit, Elie
Faure, Pierre Gérôme, Paul Gsell, Joseph
Jolinon, Ludovic Massé, Magdeleine Paz,
Georges Pioch, Henri Poulaille, André
Spire, André Wurmser, Jules Rivet,
Georges Albertini, Georges Boris, Simone
Téry, Jean Sennac, Georges Lapierre,
Victor Basch, A. Bayet, Em. Kahn, An-
drée Viollis, René Gerin, Demartial,
Camille Drevet, Jacques Soustelle, etc.
Au moment de Munich, l'association se
scinda en deux : d'un côté, les anti-
fascistes qui faisaient passer leur désir
de paix avant leur haine du fascisme ; de
l'autre, les antifascistes qui acceptaient
le risque de provoquer la guerre pour
détruire le fascisme.

COMITES DE REGROUPEMENT REPU-BLICAIN.

Organismes constitués, sur le plan
départemental, par les anciens adhérents
du *P.S.F.* du colonel de La Rocque, qui
se réunirent à Paris le 11 février 1945
et formèrent un Bureau provisoire comprenant : Edmond Barrachin, Pierre Hénault, Maurice Lancrenon, Georges Mer-
gonnet, Jacques Périer, Fernand Robbe.

COMMENAY (Jean-Marie).

Avocat, né à Saint-Sever-sur-l'Adour
(Landes), le 18 juin 1924. Instituteur en
1943. Attaché au parquet de Mont-de-
Marsan (1950-1953). Avocat (depuis
1954). Elu député de la 3ᵉ circ. des
Landes le 30 novembre 1958 comme
« candidat indépendant d'action rurale
et sociale ». Membre du *Rotary*.

COMMUNARD.

Nom donné à l'insurgé de la *Commune*
de Paris (voir à ce nom).

COMMUNAUTE ATLANTIQUE (Association française pour la).

Groupement favorable au Pacte Atlantique. Principaux membres : Georges Bidault, Antoine Pinay, René Pleven, A. Coste-Floret, René Courtin, maréchal Juin, René Mayer, Guy Mollet, etc.

COMMUNAUTE EUROPEENNE DE DEFENSE (C. E. D.).

Projet d'une armée européenne, supra-nationale et intégrée, sous commandement unique, adopté le 27 mai 1952 par les ministres des Affaires étrangères d'Allemagne fédérale, de Belgique, de France, d'Italie, du Luxembourg et des Pays-Bas, mais rejeté par l'Assemblée nationale française (30-31 août 1954), grâce à une éphémère coalition, principalement composée de communistes, de socialistes de gauche (nuance Jules Moch), de radicaux (nuance Mendès-France) et de gaullistes.

COMMUNAUTE FRANÇAISE.

Ensemble politique et économique créé après la proclamation de l'indépendance des anciennes colonies d'Afrique comprend certaines de celles-ci groupées autour de la France et sous l'égide du président de la République française (n'existe guère que sur le papier).

COMMUNAUTE FRANÇAISE (La).

Cahiers d'études communautaires paraissant à Paris en 1941-1942 sous la direction de François Perroux et Jacques Madaule. Comité de rédaction : Lucien Féraud, Robert Delavignette, Marc Jacquet, Jean-Louis Sylvain, Henri Féraud. Principaux collaborateurs : Rémy Prieur, A.-J. Festugière, André Fontaine, Emile Coornaert, Jean Domarchi, André Déléage, Pierre-Aimé Touchard. Le but de la revue était précisé dans l'éditorial du n° 1 : « *Révolution Nationale, a dit le Maréchal. Notre communauté y aidera... C'est veulerie que refuser au Maréchal le concours qu'il exige de tout Français... La première prise de conscience du groupe fondé par François Perroux et qui lance ce premier cahier, ç'a été de mesurer la grandeur de notre désastre, de répudier toute facilité et de décider que nous contribuerions à la Révolution Nationale en faisant œuvre de communauté.* »

COMMUNAUTE SOCIALE EUROPEENNE.

Cercle de tendance gaulliste présidé par Me P. Billiet (132, rue de Longcham Paris 16e).

COMMUNE.

La *commune* est une communauté base territoriale, au sein de laquelle de familles vivent en commun et défende leurs intérêts communs. C'est la cellu de base de l'organisation administrativ du pays ; son origine remonte à l'a cienne Gaule. Dès le Moyen Age, l communes cherchèrent à s'affranchir la tutelle féodale : certaines et parvi rent, le plus souvent grâce à l'appui roi qui luttait alors contre les granc féodaux. Les *communes* affranchies o *franches* nommaient elles-mêmes leu administrateurs : bourgmestres (maire et échevins (conseillers municipaux) créaient des milices pour défendre leu libertés. A Bouvines (1214), les milice communales apportèrent leur concou à Philippe-Auguste. La Constituante d visa le territoire en 44 000 *commune* lesquelles correspondaient, à peu prè aux paroisses de l'époque. Par la suit l'organisation des *communes* fut révisé (1884) et leur nombre fut réduit. L France compte, aujourd'hui, 38 00 *communes* environ. Chaque *commun* est administrée par un conseil municip élu au suffrage universel, dont le nombr des membres varie selon l'importanc numérique des électeurs : au-dessous d 500 habitants, 11 conseillers ; au-dessu de 60 000, 37 ; à Paris, 90 ; à Lyon, 58 et à Marseille, 63. Le conseil municip choisit dans son sein le maire et le adjoints, sauf à Paris où il n'y a qu des maires et des adjoints d'arrondisse ment, nommés par le Pouvoir (à la têt du conseil municipal de la capitale s trouve un Président, dont les pouvoir sont des plus réduits).

COMMUNE.

La *Commune de Paris*, qui fut le plu ferme soutien de la Terreur, était u organe révolutionnaire qui fonctionn du 10 août 1792 au 27 juillet 1794 (Ther midor). La *Commune* de 1871, née d l'insurrection populaire du 18 mars était également un organe révolution naire parisien qui disparut le 28 ma suivant après une répression sanglant ordonnée par le gouvernement Thiers siégeant alors à Versailles. Les membre les plus connus de la Commune étaient Camélinat, J.-B. Clément, Cluseret, Cour bet, Delescluze, Gustave Flourens, Pas chal Grousset, Jourde, Ch. Longuet J. Méline, Pothier, Félix Pyat, Ranc Rastoul, Raoul Rigault, Ed. Vaillant

La cour Louis XIV à l'Hôtel de ville où siégeait la Commune (avril 1871).

ules Vallès. On a beaucoup reproché ux *communards* les incendies qui rava-èrent les Tuileries, la Cour des Comptes, · Palais Royal, l'Hôtel de Ville, les ocks de la Villette et d'autres monu-ents et surtout le massacre de géné-aux, de prêtres (dont l'archevêque de aris), de magistrats, de gendarmes et e divers autres otages. L'incompréhen-ion de Thiers tout autant que l'exas-ération des insurgés sont responsables e ces excès. Les *communards,* qui ne urent pas tués au cours des combats ou xécutés sommairement, furent traduits evant des conseils de guerre. Près de 1 000 furent ainsi jugés : certains ont té condamnés à mort et fusillés, d'au-res condamnés à la déportation et nvoyés à la Nouvelle-Calédonie. Deux mnisties (17 janvier 1879 et 14 juillet 880) libérèrent les captifs et permirent ceux qui avaient réussi à se réfugier l'étranger de rentrer en France.

COMMUNE.

Revue « *pour la défense de la cul-ure* » ; organe de l'*Association des Ecri-vains et Artistes Révolutionnaires* (A.E. A.R.). Fondée en 1933. Comité directeur : André Gide, Romain Rolland, Paul Vaillant-Couturier ; secrétaire de rédac-tion : L. Aragon ; principaux collabora-teurs : Henri de Montherlant, Victor Marguerite, Jean-Richard Bloch, André Malraux, Paul Nizan, Louis Guilloux, Elie Faure, Jules Romains, Jean Giono, André Chamson, Jean Cassou, Léon Moussinac, Charles Vildrac, René Lalou, Georges Sadoul, Tristan Rémy, Georges Friedmann, Lucien Henry, Jean Fréville, Claude Aveline, Monnerot, etc. (disparue avant la guerre).

COMMUNE (La).

Journal de la Réforme Communale, dirigé par Marcel Barbu, ancien député, qui fut candidat à l'élection présiden-tielle de décembre 1965 et obtint 277 000 voix en France métropolitaine. Lors d'une réunion qu'il tint à Paris en mars 1966 en vue d'un « congrès pour une Démocratie communautaire », Marcel Barbu a défini comme suit son pro-gramme : « *Accès aux moyens publics*

*d'expression (radio, télévision) de tous
les représentants des différents courants
d'opinion, création d'un ministère des
Droits de l'Homme et instauration du
référendum d'initiative populaire. »* (44,
rue du Maréchal-Foch, Sannois, Val-
d'Oise.)

COMMUNISME.

Doctrine tendant à établir un ordre
social ignorant la propriété, plaçant les
moyens de production entre les mains
de la collectivité et répartissant les biens
de consommation selon les **besoins de**
chacun. Le mot semble avoir été employé pour la première fois sous la
Monarchie de Juillet par certains dirigeants de sociétés secrètes. Après l'échec
de l'insurrection de mai 1839, des réfugiés français à Londres participèrent au
« *premier banquet communiste* » qui eut
lieu le 1er juillet 1840. Le sociologue
A. Fouillec établit une distinction très
nette entre socialisme, collectivisme et
communisme sur le plan économique :
« *A chacun selon ses capacités, telle est
la loi de la production selon le socialisme ; à chacun selon ses œuvres, telle
est la loi de la distribution selon le collectivisme ; à chacun selon ses besoins,
telle est la loi de la consommation selon
le communisme* (« *Le socialisme et la
sociologie réformiste* »). Karl Marx distingue le communisme du socialisme,
stade intermédiaire entre le capitalisme
et le *communisme*. Lénine transforme le
communisme en idéologie révolutionnaire et substitue à l'ordre social et économique existant, l'ordre communiste
établi et maintenu par la dictature du
prolétariat (voir : *Parti communiste*).

COMMUNISTE (Le).

Journal se présentant comme l' « *organe de la tendance révolutionnaire du
P.C.F.* » Ses deux animateurs, au dire de
France-Observateur (dont l'administrateur, Maurice Laval, est un ancien trotskyste), viendraient de la IVe Internationale et n'auraient jamais pu se faire
admettre au sein du *Parti communiste*.
Paraît depuis juillet 1954 ; fut d'abord
tiré au duplicateur, puis imprimé. Principaux collaborateurs, outre Michèle
Mestra, directrice de la publication :
Mathias Corvin, Pierre Gravert, Paul
Courbet, Henri Pezerat, Marcel Debelley,
Christian Garcia, Jacques Artaud, Michel Audoux, etc. Le journal est, à la
fois, opposé aux dirigeants actuels du
P.C.F. et au *Mouvement communiste français* pro-chinois, mais favorable à Fidel
Castro. (42, rue René-Boulanger, Paris
10e.)

COMMUNISTES (d'obédience chi-
noise).

Depuis quelques années, c'est-à-dire
depuis la querelle Moscou-Pékin, le mouvement communiste international, déjà
divisé en *stalinistes* et *trostkystes* (voir
à ce nom) — connut de nouvelles épreuves. Après les *Cahiers franco-chinois*,
publiés par les *Amitiés franco-chinoises*
(devenues *France-Chine*), *Révolution* fut
la première publication de quelque importance éditée en France par les pro-
Chinois. Il y eut, ensuite, le *Bulletin
d'information marxiste-léniniste*, organe
du *Centre marxiste-léniniste*, et l'*Humanité nouvelle*, journal du *Mouvement
communiste français* (voir à ces noms).
La création de ces organes de presse et
de ces groupements répond au vœu de
Pékin secrètement exprimé tout d'abord,
puis ouvertement dans *Le Quotidien du
Peuple* et *Le Drapeau rouge* chinois :
« *Les marxistes-léninistes, solides dans
ces partis* (les partis communistes d'obédience soviétique), *n'ont pas d'autre solution que de rompre avec les groupes
dirigeants révisionnistes. La fondation et
la croissance d'authentiques partis et
organisations marxistes-léninistes révolutionnaires devient inévitable.* » Ces partis auront pour tâche essentielle « *de tirer clairement la ligne de démarcation
à la fois politique et organisationnelle
entre eux et les révisionnistes servant
l'impérialisme américain et de liquider
le révisionnisme khrouchtchévien.* » (Cf.
Le Monde, 23-11-1965.) Le *P.C.F.* parut,
tout d'abord, négliger l'agitation pro-
chinoise au sein du communisme français. Mais les progrès réalisés, au cours
de ces derniers mois, par les « pékinois »
— comme les appellent les communistes
restés fidèles à Moscou — ont incité récemment l'*Humanité* à dénoncer « *les
agissements des dirigeants chinois et de
leurs agents en France.* » En première
page de son numéro du 14 décembre
1966, le quotidien du *P.C.F.* accusa « *les
membres des prétendus cercles « marxistes-léninistes »* (d'être) *des agents
manipulés et financés par les dirigeants
chinois actuels.* » A l'appui de ses accusations, l'*Humanité* publiait la lettre
d'un de ses militants, Louis Faradoux,
(de la cellule Pierre-Courtade, carte du
parti n° 186 455) dans laquelle il était
fait état de l'action menée aux usines
Berliet à Vénissieux par une délégation
chinoise, conduite par le colonel Cheng-
Cheng-Lu. « *Depuis de longs mois ces
« techniciens » chinois développent auprès de ceux qu'ils côtoient, une intense
campagne de propagande, basée essentiellement sur la diffusion et le culte de*

a pensée de Mao et la calomnie visant à
discréditer notre Parti et le Parti Communiste de l'Union Soviétique. Ils ont
ainsi pris contact avec moi par l'intermédiaire notamment du responsable politique de leur délégation Chou-Hsiang-
Chi, membre de la direction du Parti
Communiste Chinois de Pékin, qui est
en relation étroite avec l'ambassade chinoise à Paris. Dès le début, je me suis
insurgé contre leurs théories, contre leur
politique scissionniste du Mouvement
communiste international. La tournure
prise alors par leurs propositions m'a
paru tellement sérieuse et grave que j'en
ai entretenu la direction de ma section.
En accord avec elle et avec ma fédération, j'ai voulu voir jusqu'où pouvait
aller leur sale travail désagrégateur. Ils
m'invitaient de plus en plus à des réceptions et à des repas au cours desquels, là
encore, la pensée suprême de Mao et la
calomnie contre mon Parti et contre
l'Union Soviétique étaient le pain courant. Des toasts étaient portés contre les
dirigeants de notre Parti, en les insul-
tant. Ils disposent d'ailleurs d'une grande
salle pour se réunir, mise à leur disposition par Berliet, dans laquelle domine
un immense portrait de Mao. » (On sait
que la firme Berliet, dont certains dirigeants étaient actionnaires de l'Express
lorsque ce journal préconisait la reconnaissance de la Chine communiste, est
un important fournisseur de Pékin.)

COMMUNISTES CHRETIENS.

Groupe animé par Henri Tricot, Henri
Grosjean et Eliézer Fournier, qui s'inté-
gra aux Socialistes Chrétiens en 1934.
(Voir Le Socialiste Chrétien et Terre
Nouvelle.)

COMMUNISTES INDEPENDANTS

(groupes) (voir : Le Communiste,
Le Débat communiste, Correspondance internationale, La Voie communiste, La Voie).

COMPAGNONS.

Journal paraissant, dès 1940, en zone
Sud. Son programme, simple et très
« révolution nationale », se résumait en
quelques lignes : « Sur ce grand chantier
qui a nom France, il y a de bons ouvriers. Il y a un bon chef de chantier
(c'est-à-dire le maréchal Pétain. N.D.
L.R.) Sur les bords, une masse de garçons et d'hommes qui attendent qu'on
leur fase signe, ne demandant au fond,
qu'à s'y mettre. » (19-10-1940.) « La
Révolution Nationale trouvera toujours
des suiveurs dociles. Elle réclame des
combattants. » (17-5-1941.) Lorsque l'Empire sembla en péril, que la Syrie fut
occupée par les troupes britanniques,
Compagnons confirmait son attachement
au nouveau régime : « Tous unis autour
du Maréchal pour défendre l'Union
Française ! » (14-6-1941). L'équipe de
Compagnons se composait de journalistes, d'écrivains, d'hommes politiques et
de militants connus, pour la plupart :
Philippe Gaussot, rédacteur en chef, Armand Petitjean, Jean Maze, Kléber Haedens, André Boll, Jean Oudinot, Henri
Dhavernas, Robert Beauvais, Henri Pourrat, Louis F. Galey, Serge Bromberger,
Gérard Duprat, Dominique Soro, Roger
Massip, Robert Delattre, Paul Vincent,
G. Verpraet, Claude Roy, l'amiral Platon,
Pellos, Bertrand Flornoy, Guy Thorel,
Georges Lamirand, Paul Montech, Henri
de Montherlant, Emmanuel Mounier,
Louis Terrenoire, et même Pierre Corval, qui écrivait parfois les éditoriaux et
affirmait que « le Maréchal a suscité de
magnifiques élans d'union qui tiennent
du miracle » (22-3-1941).

COMPAGNONS DE LA FIDELITE.

Annexe de l'U.N.R.-U.D.T. groupant les
anciens républicains-sociaux.

COMPAGNONS DE LA VICTOIRE.

Association d'anciens résistants bretons, se réclamant de la chouannerie et
plus proches du pétainisme que du gaullisme. Fondée quelques années après la
guerre par Edme de Vulpian, qui la
présidait. Secrétaire général : Robert, ex-
militant d'Action Française, agent d'assurances en Bretagne et membre du C.D.
des A.P.E.L. (Association des Parents
d'Elèves des Ecoles Libres). Le service
d'information et de renseignements des
Compagnons était dirigé par un ancien
policier, Soutif, qui se faisait appeler
Cuvillier (recherché par la police, il fut
acquitté peu après). Fusionna ensuite
avec l'Action Républicaine des Combattants et forma la Confédération Générale
des Combattants.

COMPERE-MOREL (Adéodat, Constant, Adolphe).

Homme politique, né à Breteuil-sur-
Noye (Oise), le 5 octobre 1872, mort à
Sernhac (Gard) le 3 août 1941. Horti-
culteur-pépiniériste, adhéra au Parti
Ouvrier Français en 1890, fonda le groupe de Breteuil et une coopérative de
consommation, La Prolétarienne. Sa po-

pularité lui permit de devenir conseiller municipal de la ville en 1903 et maire l'année suivante. Contribua puissamment à l'implantation du socialisme dans l'Oise, où il créa un journal, *Le Travailleur de l'Oise* (1903) qu'il anima pendant dix ans. Devenu l'un des dirigeants de son parti, entreprit à travers la France des tournées de conférences qui le placèrent parmi les meilleurs orateurs socialistes de son époque. Battu dans l'Oise aux élections législatives de 1898, 1902 et 1906, se présenta en avril 1909 à une élection partielle dans le Gard et fut élu ; représenta le département sans interruption jusqu'en 1936. Journaliste et écrivain, collabora avant 1914 au *Combat social* (Gard), au *Socialiste*, à *La Revue socialiste*, à *l'Humanité*, dirigea, pendant la Première Guerre mondiale, le quotidien *La France libre* et, après la paix, *La Voix paysanne*, fut administrateur délégué du *Populaire* — c'est lui qui lança autour de 1930 l'apéritif socialiste « *Le Popu* » pour alimenter la caisse du journal de la *S.F.I.O.* — et collaborateur de Raymond Patenôtre au *Petit Journal* après qu'il eut quitté la *S.F.I.O.*, en 1933, pour créer avec Marquet et Déat le mouvement néo-socialiste. Collabora également au *Journal*, au *Petit Provençal* et au *Petit Journal*. Auteur de nombreux ouvrages et brochures de propagande, en particulier sur la question agraire et la paysannerie, assura la direction technique de l'*Encyclopédie socialiste* en douze volumes et publia le *Grand Dictionnaire Socialiste*. A la fin de sa vie, ce vieux militant socialiste considérait « *que ce n'est pas par la violence et la brutalité que les démocraties forgeront leur destin, mais par l'éducation* » et il affirmait que le socialisme « *ne pourra vaincre que s'il tient compte des contingences nationales et s'il reste attaché aux grands souvenirs et aux vieilles traditions de notre histoire* » (in sa *lettre d'adieu* à ses électeurs, 1936).

COMPLOT.

Résolution secrète de plusieurs personnes contre quelqu'un, contre l'Etat ou contre la forme du gouvernement.

COMPTE RENDU DE MANDAT.

Rapport fait par un élu à ses électeurs au cours d'une réunion périodique.

CONTE (Arthur).

Journaliste, né à Salses (P.-O.), le 31 mars 1920. Editorialiste de politique étrangère de *L'Indépendant* de Perpignan. Secrétaire fédéral de la *S.F.I.O.* dans les Pyrénées-Orientales (1946). Maire de Salses (1947), président de l'Union des maires des Pyrénées-Orientales (1947), député socialiste des Pyrénées-Orientales (1951-1962), conseiller général du département (1951-1964). Président de l'Assemblée de l'Union de l'Europe occidentale (1960-1962). Secrétaire d'Etat à l'Industrie et au Commerce (cabinet Bourgès-Maunoury, 1957). A quitté le *Parti Socialiste* sans abandonner ses idées. Président-directeur général de la *Société de transports Henri Tracassagne*. Auteur de : « *La Légende de Pablo Casals* », « *Les oiseaux n'y savent pas chanter* » (préfacé par Vincent Auriol), « *Les Etonnements de Mister Newborn* », « *Les promenades de M. Tripoire* » (prix Georges-Courteline, 1955), « *Les hommes ne sont pas des héros* », « *La Vigne sous le rempart* » (prix Sully-Olivier de Serre, 1957), « *La Succession* » (1963), « *Yalta ou le Partage du monde* » (prix Historia, 1964), « *Bandoung ou un tournant de l'Histoire* » (1965).

COMTE (Isidore, Auguste, François, Marie).

Mathématicien et philosophe, né à Montpellier, le 19 janvier 1798, mort à Paris, le 5 septembre 1857. Professeur à l'Ecole polytechnique. Créateur du *positivisme*, doctrine philosophique, d'après laquelle les fondements des sciences et de l'organisation des sociétés ne peuvent reposer sur des principes *a priori*, mais sur les seuls résultats de l'expérience déduits par un esprit scientifique — thèse qui donnera naissance au pragmatisme historique de Charles Maurras. Les diverses sciences se classent dans un ordre de complexité croissante et de généralité décroissante en : mathématique, astronomie, physique, biologie et celle qu'il appelle sociologie, laquelle se divise en statique sociale (étude de l'individu, de la famille, de la société) et dynamique sociale (loi du développement des sociétés ou « loi des trois états »). La loi des trois états spécifie que toutes les sciences ont passé par trois états : théologique ou fictif, métaphysique ou abstrait, scientifique ou « positif ». Toutes les sciences convergent progressivement vers la sociologie, la plus complexe parce qu'elle ne présente aucune vérité évidente et que ses lois ne peuvent être découvertes que par la recherche historique, l'observation des actions et des réactions des peuples et le développement des institutions : elle ne s'applique pas à une matière inerte soumise aux déterminisme de ses lois, mais à un ensemble d'êtres libres de leurs choix, tout en demeurant sujets à un déterminisme dépendant de l'état général des mœurs, de l'intelligence et des idées. L'ordre moral a pour base l'instinct de sympathie (origine de la société), développé en altruisme. Il s'ensuit que les lois sociologiques déduites de l'expérience doivent donc être constamment confrontées avec les faits, replacés dans leur contexte. Le positivisme s'oppose ainsi au rationalisme. Mais Comte alla plus loin. Ayant prédit que sa méthode, rigoureusement appliquée dans tous les domaines, parviendrait à créer « *l'état pleinement positif* » et résoudrait la crise qui tourmente l'humanité depuis l'ère matérialiste ouverte avec les « philosophes » du XVIIIᵉ siècle et la Révolution, le savant positiviste deviendra le grand-prêtre de l'humanité, la moralité augmentera et les problèmes sociaux disparaîtront. De là à faire du positivisme une religion, il n'y avait qu'un pas, bientôt franchi par Comte — peut-être sous l'influence de son amour insatisfait pour Clotilde de Vaux —, qui en définit les dogmes, le culte et les rites : ceci, en opposition flagrante avec le processus de la loi des trois états, la science positiviste retournant à l'état théologique — d'où une scission parmi ses partisans.

Principaux écrits : « *Cours de philosophie positiviste* » (en six volumes, 1839-1842), « *Système de politique positiviste* » (1851-1854), « *Synthèse subjective* », « *Catéchisme positiviste* » (1852).

COMTE-OFFENBACH (Pierre).

Administrateur de société, né à Paris le 23 septembre 1910. Descend (par les femmes) du fameux musicien judéo-allemand Jacob Offenbach (né à Cologne en 1819 et naturalisé français sous Napoléon III). Son grand-père Comte fut autorisé par décret (10-12-1894) à ajouter le nom d'Offenbach à son patronyme légal. Ancien secrétaire général de l'Action politique et ancien conseiller national du *R.P.F.* Elu député *U.N.R.* de Loir-et-Cher (2ᵉ circ.) en 1958. Membre de l'*Alliance France-Israël*. Réélu député, dans la Seine (54ᵉ circ.) cette fois, en 1962, mais battu en 1967.

CONCORDAT.

Traité signé entre le Saint-Siège et un gouvernement réglant les rapports entre l'Eglise et l'Etat.

CONCORDE (La).

Quotidien du Front Républicain (radical-socialiste), fondé en 1930, Dirigé par Louis Damblanc.

CONCORDE (La).

Journal radical fondé en 1904 par Honoré Canon sous le titre *La Fraternité*, qui le dirigeait encore, à la veille de la Seconde Guerre mondiale avec Georges Cadier, rédacteur en chef. Animé aujourd'hui par H. Mounier, libraire. Principaux collaborateurs : Raoul Aubaud et Michel Soulié, ancien ministre. (Publié à Lezay, Deux-Sèvres.)

CONFEDERATION GENERALE DES COMBATTANTS (dite A.R.C.).

Née en 1946 de la fusion de l'*Action Républicaine des Combattants* (A.R.C.) et des *Compagnons de la Victoire*. Groupement de droite présidé par E. de Vulpian, assisté de P. Mairesse-Lebrun, T. Diffre (secrétaire général), Luc Robet (propagande), Paul Musquin (trésorier), Jean Ebstein (presse), Cuvillier, alias Soutif (renseignements), Christian de Vauzelles (relations publiques), Duchier, de Coudray, Philippeau, etc. Comité de patronage : général Masnou, Chalvet de Récy, Clostermann, Bourgès-Maunoury, Bétolaud, de Boissoudy, de Rodellec du Porzic, Marcel Bochet, André de Fougerolles, industriel, Koli Yorgui, Debaumarché, chef national de la Résistance P.T.T., Barberot, compagnon de la Libération, etc. Journal (officieux) : *France Vivante*. Le mouvement disparut en 1947. Son président de Vulpian fut arrêté pour participation au « complot du plan bleu » et Thadée Diffre s'engagea, dit-on, dans l'armée israélienne luttant contre la Ligue arabe.

CONFEDERATION INTERNATIONALE DES SYNDICATS LIBRES.

Association créée à Londres en 1949, groupant les centrales syndicales non communistes de divers pays et pratiquement dominée par la plus importante d'entre elles, l'*A.F.L.-C.I.O.* (U.S.A.).

CONFEDERATION DES SOCIALISTES INDEPENDANTS.

Organisme réunissant la *Fédération des Socialistes Révolutionnaires indépendants* et la *Fédération des Socialistes Indépendants*, créé en 1899 pour représenter au *Comité d'Entente* les militants et les élus se réclamant du socialisme sans adhérer à l'un des partis révolutionnaires existant. Parmi les personnalités déléguées par la *Confédération* à ce

Comité d'Entente socialiste figuraient : le député Eugène Fournière, Labusquière et Jean Jaurès, ce dernier représentant les « fédérations départementales » qui gardaient leur autonomie pour ne point avoir à choisir entre les diverses tendances socialistes (guesdistes, possibilistes, allemanistes, etc.).

CONFERENCE INTERNATIONALE SUR LA GUERRE POLITIQUE DES SOVIETS.

Congrès anticommuniste tenu à Paris, en décembre 1960, et à Rome, en 1961, avec la participation de personnalités appartenant à une trentaine, puis à une cinquantaine de pays. Animée par Suzanne Labin (voir à ce nom), la *Conférence « rassemble pour la défense de la Liberté, par-dessus les barrières doctrinales et nationales, d'éminentes personnalités de la politique, de l'université, de la diplomatie, du syndicalisme, de la presse »*. Dans son comité de patronage figurent notamment : les sénateurs Dodd, Keating, Mundt, l'amiral Burke, les présidents Paul-Henri Spaak, Paul von Zeeland, Antoine Pinay, René Pleven, Maurice Schumann, Heinrich von Brentano, Fulbert Youlou, Nibosuke Kishi, Ivan Matteo Lombardo, Pacciardi, Carlos Lacerda, Salvador de Madariaga, Jules Romains et Gabriel Marcel. (Secrétariat : Mme Labin, 3, rue Thiers, Paris 16e).

CONFERENCE AU SOMMET.

Réunion des chefs de gouvernement des quatre grands. Par extension : toute conférence de chefs d'Etat ou de gouvernement.

CONFISCATION DES BIENS.

Transfert à l'Etat de tout ou partie des biens d'une personne physique ou morale, par mesure gouvernementale ou en vertu d'un jugement. Les biens des particuliers déchus de la nationalité française par le gouvernement du maréchal Pétain en 1940-1944 furent presque automatiquement confisqués. Les personnes condamnées par les tribunaux de l'Epuration, après la Libération, furent bien souvent frappées de la même peine, ainsi que la plupart des propriétaires des journaux (particuliers ou sociétés) publiés en France pendant l'occupation — à l'exception toutefois de ceux qui avaient suspendu leur publication quinze jours après l'armistice (en zone Nord) ou avant le 26 novembre 1942 (en zone Sud).

CONGRES.

Dans un parti, réunion des délégués délibérant sur les questions à l'ordre du jour. Sous la IIIe et la IVe République, le *Congrès* était l'ensemble des députés et des sénateurs ou conseillers de la République réunis à Versailles pour élire le président de la République.

CONSEIL.

Nom donné à une assemblée, à un organisme délibérant de certaines affaires. Le *Conseil des ministres,* qui se réunit sous la présidence du chef de l'Etat, est investi du pouvoir exécutif ; hors de la présence du président de la République, cette assemblée devient *Conseil de cabinet.* Le *Conseil municipal* administre les affaires de la commune. Le *Conseil général* celles du département. Le *Conseil d'Etat* est le conseil administratif du gouvernement en même temps que le tribunal administratif suprême. Sous la IVe République, le Sénat s'appelait *Conseil de la République,* et l'actuel *Conseil économique et social,* organisme consultatif composé de représentants d'organisations professionnelles (en principe) nommé ou agréé par le gouvernement, s'appelait *Conseil économique.* L'assemblée consultative de l'Etat français (1940-1944) s'appelait *Conseil national* ; ses membres étaient choisis et nommés par le maréchal Pétain qu'ils informaient et conseillaient lorsque le chef de l'Etat demandait leur avis (ce qui arriva rarement).

CONSEIL DE DEFENSE DE L'EMPIRE.

Organisme dont la création fut annoncée, d'Afrique noire, le 27 octobre 1940, par le général De Gaulle qui s'était proclamé *chef des Français Libres* le 12 août précédent, au micro de la B.B.C. de Londres.

CONSEIL IMPERIAL FRANÇAIS.

Organisme gouvernemental créé par l'amiral Darlan à Alger en novembre 1942, après le débarquement anglo-américain en Afrique du Nord. Le général Giraud succéda à Darlan lorsque celui-ci fut assassiné le 24 décembre 1942, et en fut le président, reconnu par les Américains. La dualité Giraud-De Gaulle prit fin sous la pression des Alliés et le *Conseil Impérial Français* fusionna avec le *Comité National Français* le 3 juin 1943 pour former le *Comité Français de Libération Nationale* (voir à ce nom).

CONSEIL DU MOUVEMENT DE LA JEUNESSE COMMUNISTE.

Comité créé à l'issue de la réunion tenue le 3 avril 1966, à Saint-Denis, par les délégués des mouvements communistes de jeunes (*Union de la Jeunesse Communiste, Union des Etudiants Communistes, Jeunes Filles de France, Jeunesses Agricoles de France*), composé de membres des bureaux de ces quatre groupements. M. François Hilsum, proche parent de l'ancien président de la *Banque Commerciale pour l'Europe du Nord* (établissement bancaire franco-soviétique), permanent du *P.C.F.*, a été nommé secrétaire général de ce Conseil. Celui-ci renforce le contrôle du parti sur les organisations de jeunesse et plus particulièrement sur *l'Union des Etudiants Communistes* (U.E.C.), qui depuis quelques années avait adopté à plusieurs reprises des positions différentes de celles du *P.C.* Ce contrôle est également renforcé par l'adoption, au congrès de *l'U.E.C.* d'avril 1966, de nouveaux statuts acceptés à une très forte majorité (près que les vingt derniers délégués de l'opposition — d'autres avaient été exclus avant le congrès — eurent quitté la salle. Ces nouveaux statuts stipulent notamment : « *L'organisation et l'activité de tendances ou fractions sont contraires aux principes d'organisation car incompatibles avec la discussion démocratique...* » La seule opposition restant à l'*U.E.C.* est celle des élèves de l'Ecole Normale Supérieure de la rue d'Ulm.

CONSEIL NATIONAL.

Assemblée instituée par le maréchal Pétain à Vichy le 24 janvier 1941, en vertu des pouvoirs constituants que lui avait délégués l'Assemblée nationale le 10 juillet 1940. L'annonce de sa création fut bien accueillie par la presse d'alors, du conservateur *Figaro* au gauchiste *Mot d'ordre*. « *C'est, de toute évidence*, écrivait dans ce quotidien René Naegelen, *un utile instrument de travail qui vient d'être forgé. La Nation saura s'en servir* » (*Le Mot d'ordre*, Marseille, 27-1-1941). Les membres de ce *Conseil National* étaient choisis et nommés par le maréchal Pétain et conseillaient le chef de l'Etat lorsque celui-ci demandait leur avis sur un problème de leur compétence. Le *Conseil national* fut recruté parmi les personnalités et les notables qui avaient fait montre, au lendemain de la défaite, d'une sympathie marquée pour le Régime instauré sur les ruines de la IIIe République. Si l'enthousiasme des *Conseillers nationaux* s'est progressive-ment refroidi après le débarquement des Anglo-Américains en Afrique du Nord, s'ils répudièrent pour la plupart la politique de collaboration franco-allemande inaugurée à Montoire (octobre 1940) par le maréchal Pétain — pour qui « *cette collaboration devait être sincère, exclusive de toute pensée d'agression* » (Message du 31 octobre 1940) —, ils n'en constituaient pas moins, au moment de leur nomination, les cadres politiques sur lesquels l'Etat Français s'appuyait moralement. Selon les vœux du Maréchal, ils organisaient, en quelque sorte, le « *circuit continu entre l'autorité de l'Etat et la confiance du peuple* », car, a-t-il écrit à son Garde des Sceaux — les assemblées ne devraient plus être « *ces arènes où l'on se battait pour conquérir le pouvoir, où se nouaient des intrigues et des combinaisons d'intérêts* ». Elles seraient, affirmait-il, « *dans l'Etat autoritaire et hiérarchique où chacun se trouve mis à sa place, les conseils éclairés du chef qui, seul, est responsable et commande.* » (Télégramme à J. Barthélemy, ministre de la Justice, 14 octobre 1941). A vrai dire, ces conseillers nationaux ne furent pas tous consultés, et ceux qui eurent à donner leur avis le firent rarement (voir ci-contre le tableau des membres du *Conseil National*).

CONSEIL NATIONAL DES ECRIVAINS.

Organisme né de la Résistance, qui s'employa, à la Libération, à épurer les lettres françaises des romanciers, historiens, auteurs dramatiques et journalistes considérés par ses dirigeants comme ayant collaboré avec les Allemands ou avec le gouvernement de Vichy. A la tête du *C.N.E.* figuraient alors : Georges Duhamel, François Mauriac, Alexandre Arnoux, Louis Aragon, Gabriel Audisio, Pierre Bénard, Jean-Jacques Bernard, Jean Blanzat, René Blech, Julien Benda, Simone de Beauvoir, Pierre Bost, Janine Bouissounouse, le R.P. Bruckberger, Albert Camus, Jean Cassou, André Chamson, Gabriel Chevalier, Jacques Debû-Bridel, Paul Eluard, Roger Giron, René Groos, Jean Guéhenno, Hélène Grosset, Pierre de Lescure, René Maran, Gabriel Marcel, Henri Malherbe, André Malraux, Raymond Millet, Henri Mondor, Claude Morgan, Roger Martin du Gard, Georges Oudard, Louis Parrot, Raymond Queneau, Léon Moussinac, Claude Roy, André Rousseaux, Georges Sadoul, Jean-Paul Sartre, Jean Schlumberger, Pierre Seghers, Vercors, Charles Vildrac, Andrée Viollis, etc. Dans la « *liste noire* » que le *C.N.E* établit en 1944

10

Le Conseil national
de Vichy

LISTE DES MEMBRES

A

Amiaud (André) [Seine]. Professeur à la Faculté de droit de Paris.

B

Bacquet (Paul) [Pas-de-Calais]. Député.

Bahon-Rault [Ille-et-Vilaine]. Président de région économique.

Bard (René). Secrétaire général de la Fédération des mineurs.

Bardin (René [Nièvre]. Président de la Fédération des Syndicats d'élevage de la Nièvre.

Bardoux (Jacques) [Puy-de-Dôme]. Sénateur, membre de l'Institut.

Baréty (Léon) [Alpes-Maritimes]. Député, conseiller général.

Barrault (Roger) [Eure-et-Loir]. Ouvrier agricole.

Barthe (Edouard) [Hérault]. Député, président de l'Office international du vin.

Beaussart (S. G. Mgr) [Seine]. Coadjuteur du cardinal archevêque de Paris.

Benquet [Lot-et-Garonne]. Médecin.

Bergery (Gaston) [Seine-et-Oise]. Ambassadeur de France, député.

Berthé (Etienne) [Creuse], Directeur de la Coopérative agricole de la Creuse.

Blanc (Albert) [Corrèze]. Conseiller général, président du Comité des Céréales de la Corrèze.

Blanchard [Isère]. Professeur à la Faculté des Lettres de Montpellier, membre du Comité directeur de la Légion des Combattants.

Blondelle (René) [Aisne]. Président de l'Union des Syndicats agricoles de l'Aisne.

Boegner [Seine]. Pasteur, président de la Fédération protestante de France.

Boivin-Champeaux (Jean) [Calvados]. Sénateur.

Bonnard (Abel) [Seine]. Membre de l'Académie française.

Bonnet (Georges) [Dordogne]. Ambassadeur de France, député, maître des requêtes au Conseil d'Etat.

Bonnet [Syndicaliste] du Syndicat de l'habillement.

Bonvoisin (Gustave) [Seine]. Directeur général du Comité central des allocations familiales et des assurances sociales.

Bordères [Alger]. Président des délégations financières de l'Algérie et de l'Union des Colons.

Boude (Antoine) [Bouches-du-Rhône]. Président de la Chambre de Commerce de Marseille.

Bouissoud (Charles) [Saône-et-Loire]. Sénateur et conseiller général.

Brasseau (Paul) [Seine-et-Oise]. Sénateur.

Broglie (Prince Louis-Victor de) [Seine]. Membre de l'Académie des Sciences.

Brunet (René) [Drôme]. Député.

Buyat (Louis) [Isère]. Député, conseiller général.

C

Candace (Gratien) [Colonies]. Député, conseiller général.

Carrier (Joseph) [Bouches-du-Rhône]. Directeur général honoraire des Eaux et Forêts.

Cassez (Emile) [Haute-Marne]. Sénateur.

Cayrel (Antoine-Georges) [Gironde]. Député, conseiller général.

Chambron (Lucien) [Allier]. Président de la Caisse de Crédit agricole de l'Allier.

Champion (Pierre) [Seine]. Membre de l'Institut, maire de Nogent-sur-Marne.

Chanterac (Alain de) [Tarn]. Président de l'Union nationale des Syndicats agricoles du Tarn.

Chapion (Elie) [Oise]. Président du Syndicat des maréchaux et charrons de l'Oise, premier ouvrier de France en 1939.

Charbin (P.) [Rhône]. Président de la Chambre de Commerce du Rhône.

Chichery (Albert) [Indre]. Député, conseiller général (assassiné à la Libération).

Claude (Georges) [Seine]. Membre de l'Académie des Sciences.

Cognacq (Gabriel) [Seine]. Négociant, président du Comité de l'entraide d'hiver de la région parisienne.

Constant (Victor) [Seine]. Sénateur, conseiller général.

Corbière (Henri) [Orne]. Agriculteur.

Cornillac (Louis) [Vaucluse]. Conseiller général.

Cortot (Alfred) [Seine]. Compositeur, pianiste.

Costa de Beauregard (Léon) [Savoie]. Président de la Légion des Combattants de la Savoie.

Cournault (Charles) [Meurthe-et-Moselle]. Sénateur.

Courtier (René) [Seine-et-Marne]. Sénateur.

Courtois (Pierre de) [Basses-Alpes]. Sénateur.

Coustenoble [Nord]. Président de la Chambre des Métiers de Lille.

Crazannes (Chauduc de) [Deux-Sèvres]. Président de l'Association agricole des Charentes et du Poitou.

Crouan (Jean) [Finistère]. Député.

D

Darnand [Alpes-Maritimes]. Président de la Légion des Combattants de Nice.

Daum (Paul) [Seine]. Industriel.

Decault (Henri) [Loir-et-Cher]. Président de la Fédération des Syndicats horticoles de France.

Demaison (André) [Colonies]. Homme de lettres.

Devaud (Stanislas) [Constantine]. Député.

Diesbach de Belleroche (Louis de) [Pas-de-Calais]. Député, conseiller général.

Dignac (Pierre) [Gironde]. Député, conseiller général.

Docteur [Seine]. Amiral.

Dorgères (Henri) [Seine]. Délégué à la propagande du Comité central d'action et de défense paysanne.

Doriot (Jacques) [Seine]. Directeur du Cri du Peuple.

Drouot (Maurice) [Haute-Saône]. Député.

Duault (Alfred) [Côtes-du-Nord]. Industriel.

Dubosc (Albert) [Seine-Maritime]. Député.

E

Escallier [Basses-Alpes]. Président de la Fédération des familles nombreuses des Alpes.

Esquirol (Joseph) [Haute-Garonne]. Président de la Commission départementale de la Haute-Garonne.

F

Fabry (Jean) [Doubs]. Sénateur, homme de lettres, ancien officier.

Faure (Paul) [Saône-et-Loire]. Député, publiciste.

Féga (Joseph). Député, industriel.

Ferré (Marc) [Vienne]. Vice-Président du Syndicat des agriculteurs de la Vienne.

(suite page 292)

figuraient, outre des pétainistes, des fascistes et des nationalistes notoires, plus ou moins partisans de la collaboration franco-allemande, des écrivains, des poètes, des auteurs de pièces de théâtre, des chroniqueurs de presse apolitiques, ou même nettement de gauche et anti-fascistes, comme Jean Ajalbert, Paul Allard, Barjavel, Léon Emery, Félicien Challaye, Francis Delaisi, Paul Fort, Jean Giono, Sacha Guitry, Georges de La Fouchardière, Jean-Michel Renaitour, Jules Rivet et quelques autres. Les influences communistes, qui ne firent que grandir par la suite, n'étaient probablement pas étrangères à cette mise à l'index.

CONSEIL NATIONAL DES FEMMES FRANÇAISES.

Formation centriste animée par un état-major féminin auquel appartiennent ou ont appartenu Mmes M.-H. Lefaucheux, la comtesse Jean de Pange, S.J. Majorelle, la générale Requin, Devaud, Poinso-Chapuis, ancien ministre, etc.

CONSEIL NATIONAL DE LA RESISTANCE (C.N.R.).

Organisme groupant les représentants des divers mouvements de résistance et ceux des partis politiques et des centrales syndicales ouvrières reconstitués dans la clandestinité sous l'occupation. Le *C.N.R.* comprenait à l'origine seize membres représentant les trois mouvements de zone Sud : *Libération* (Pascal Copeau), *Combat* (Aubin), *Franc-Tireur* (Claudius Petit) ; les cinq mouvements de zone Nord : *O.C.M.* (colonel Touny), *Libération Nord* (Ch. Laurent), *Front National* (P. Villon), *C.D.L.L.* (Lenormand), *C.D.L.R.* (Lecompte-Boinet) ; les partis et tendances politiques : *P.C.* (Mercier) ; *S.F.I.O.* (Le Troquer), *Radicaux-Socialistes* (Marc Rucart), *Démocrates Chrétiens* (G. Bidault), *Alliance Démocratique* (Laniel), *Fédération Républicaine* (Debû-Bridel) ; et les deux centrales syndicales : *C.G.T.* (Louis Saillant) et *C.F.T.C.* (Gaston Tessier). Le président du *C.N.R.* était l'ancien préfet Jean Moulin, l'unificateur, premier délégué du général De Gaulle en France. Son successeur sera Georges Bidault, puis Louis Saillant, lorsque l'ancien rédacteur en chef de *L'aube* deviendra ministre. L'objectif du *C.N.R.* était non seulement de lutter contre l'ennemi qui occupait le sol de la patrie, mais aussi de jeter bas le gouvernement du maréchal Pétain et de combattre la Révolution nationale.

(Son histoire a été écrite par un député gaulliste, René Hostache, sous le titre : « *Le Conseil National de la Résistance. Les institutions de la clandestinité* ».)

CONSEIL NATIONAL DE LA RESISTANCE (voir : **Organisation Armée Secrète**).

CONSEIL NATIONAL DE LA REVOLUTION.

Organisme clandestin ayant succédé, en 1963, au *Conseil National de la Résistance*, fondé par Georges Bidault en 1962. Animé par le capitaine Sergent qui annonça cette transformation en ces termes dans *Jeune Révolution*, journal clandestin (14 avril 1963) : « *Ceux qui mènent le pays à sa perte*, conclut-il, *et en particulier le chef de l'Etat de fait, sont dorénavant responsables devant moi, comme ils le seront demain devant le peuple et devant l'histoire. J'ai décidé de prendre la tête de l'armée secrète et de transformer le « Conseil national de la résistance » en « Conseil national de la révolution.* »

CONSEILLER ECONOMIQUE ET SOCIAL.

Membre du Conseil économique et social, organisme consultatif composé de personnalités nommées par le gouvernement.

CONSEILLER GENERAL.

Membre de l'assemblée d'un département. Le *conseil général* est élu pour six ans au suffrage universel et renouvelable par moitié tous les trois ans. Chaque canton — il y en a 3 028 — élit son *conseiller général* qui est, de droit, électeur sénatorial. Les *conseillers généraux* représentent les habitants du département, votent le budget proposé par le préfet après approbation du ministre de l'Intérieur et peuvent émettre des vœux à l'adresse du préfet et du gouvernement.

CONSEILLER MUNICIPAL.

Membre du conseil d'une commune, élu au suffrage universel (voir : *commune*).

CONSERVATEUR.

Partisan d'un système défendant l'ordre traditionnel politique, économique et social. Le *conservateur* s'oppose à

(suite de la page 290)

Fillon [Seine]. Maire de Bois-Colombes.

Fleury (Joseph) [Territoire de Belfort]. Ouvrier fraiseur.

Fonck (René) [Seine]. Colonel.

Fourcade (Manuel) [Hautes-Pyrénées]. Sénateur, ancien bâtonnier de l'Ordre des avocats de Paris.

Fraissinet (Jean) [Bouches-du-Rhône]. Armateur.

Framont (Ernest de) [Lozère]. Député.

François (Oran). Général, président de la Légion des combattants d'Afrique du Nord.

François-Poncet (André) [Seine]. Ambassadeur.

G

Garcin (Félix) [Saône]. Président de l'Union des syndicats agricoles du Sud-Est.

Germain-Martin [Seine]. Ancien ministre des Finances, membre de l'Institut.

Gidel (Gilbert) [Seine]. Vice-doyen de la Faculté de droit de Paris.

Gignoux (Claude-Joseph). Journaliste. Prisonnier de guerre libéré.

Gindre (Henri) [Cher]. Président du Syndicat des agriculteurs du Cher.

Gounin (René) [Charente]. Sénateur.

Goussault (Rémy) [Seine]. Secrétaire général de l'Union nationale des Syndicats agricoles.

Grand (Roger) [Morbihan]. Membre de l'Académie d'agriculture.

Grandière (Jacques de la) [Maine-et-Loire]. Conseiller général.

Guébriant (Hervé de) [Finistère]. Président de l'Union des Syndicats agricoles du Finistère et des Côtes-du-Nord.

Guillon (Louis) [Vosges] Administrateur d'Union de Coopératives agricoles, agriculteur.

Guiraud [Gironde]. Syndicat des électriciens.

H

Hannotin (Edmond) [Ardennes]. Sénateur, conseiller général.

Hersent (Georges) [Seine]. Industriel.

Heurteaux [Seine]. Colonel. Membre du Comité directeur de la Légion des Combattants.

Hovaere (Marcel). Industriel, prisonnier de guerre libéré.

J

Jacquy (Jean) [Marne]. Sénateur, agriculteur, conseiller général.

Janod (Privat) [Jura]. Membre de la Chambre d'agriculture du Jura.

L

Labeyrie [Seine]. Maire de Pantin.

Lacoin (Gaston) [Seine]. Président de la Plus Grande Famille.

Laederich (Georges) [Vosges]. Industriel, président du Syndicat cotonier.

Lamoureux (Lucien) [Allier]. Député (ancien ministre).

La Rocque (de) [Seine]. Lieutenant-colonel. Chef du P.S.F.

Lassalle (Lucien) [Seine]. Président de la Chambre de Commerce de Paris.

Le Bigot (René) [Côtes-du-Nord]. Commerçant, exportateur.

Le Cour-Grandmaison (Jean) [Loire-Inférieure]. Député. Président de la Fédération Nationale Catholique.

Lefort-Lavauzelle [Haute-Vienne]. Editeur, président de la Chambre de Commerce de Limoges.

Le Gouvello [Loire-Inférieure]. Président de l'Union des Syndicats agricoles de la Loire-Inférieure.

Leriche (René) [Seine]. Professeur, président du Conseil de l'Ordre des médecins.

L'Hévéder (Louis) [Morbihan]. Député.

Linyer (Louis) [Loire-Inférieure]. Sénateur.

Liochon [Syndicaliste], du Syndicat du Livre.

Lumière (Louis) [Seine]. Membre de l'Académie des Sciences, industriel.

M

Magnan (André) [Loire]. Député.

Mallarmé (André) [Alger]. Sénateur.

Martin (François) [Aveyron]. Député.

Masbatin [Syndicaliste], du Syndicat de la chaussure.

Massis (Henri) [Seine]. Homme de lettres.

Mathé (Pierre) [Côte-d'Or]. Député, agriculteur.

Maulion (Paul) [Morbihan]. Sénateur, conseiller général.

Mayoud [Syndicaliste], du Syndicat des textiles.

Mennelet [Syndicaliste], du Syndicat des employés.

Mercerone-Vicat [Isère]. Industriel.

Michel (Augustin) [Haute-Loire]. Député.

Mignon [Syndicaliste], du Syndicat des agents de fabrique.

Mireaux (Emile) [Hautes-Pyrénées]. Sénateur.

Mistler (Jean) [Aude]. Député.

Monicault (Pierre de) [Ain]. Ancien président de l'Académie d'agriculture de France.

Monti de Rézé (Henri de) [Mayenne]. Ancien officier de cavalerie.

Montigny (Jean) [Sarthe]. député, conseiller général.

Motet [Var]. Contre-amiral.

Moysset (Henri). Ministre d'Etat à la présidence du Conseil, directeur honoraire au ministère de la Marine.

O

Oury [Aube]. Président de la Coopérative laitière de Troyes.

P

Paouillac [Gers]. Président de la Fédération des vignerons du Gers et de l'Armagnac.

Pasquier [Syndicaliste], du Syndicat du rail.

Paulin (Albert) [Puy-de-Dôme]. Député.

Pavin de Lafarge (Henri) [Ardèche]. Sénateur, industriel.

Peissel (François) [Rhône]. Député.

Pérès [Syndicaliste], du Syndicat des métaux.

Pernot (Georges) [Doubs]. Sénateur.

Perreau-Pradier (Pierre) [Yonne]. Député.

Pesquidoux (Joseph de) [Gers]. Membre de l'Académie française.

Pétavy (Jean) [Seine]. Industriel.

Peuch (Louis) [Seine]. Président du Conseil municipal de Paris.

Pinay (Antoine) [Loire]. Sénateur, industriel.

Pinelli (Noël) [Seine]. Député.

Pitti-Ferrandi [Corse]. Docteur. Sénateur.

Pointier [Somme]. Président de l'Association des producteurs de blé.

Polimann (Lucien) [Meuse]. Député, vicaire général.

Ponsard (Henri) [Bouches-du-Rhône]. Député.

Porreye (Maurice), de l'Union des syndicats du Nord.

Prache (Gaston) [Syndicaliste]. Secrétaire général de la Fédération des coopératives de consommation.

Prat (Charles) [Landes]. Ouvrier gemmeur.

Prost (Henri) [Seine]. Architecte.

Puel [Syndicaliste], du Syndicat de l'imprimerie.

R

Riban (Pierre) [Cantal]. Directeur de mines, président de la 17e région économique.

Ripert (Georges) [Seine]. Membre de l'Institut, doyen de la Faculté de droit de Paris.

Robin. Gouverneur général des colonies.

Robert (Léopold) [Vendée]. Sénateur.

Roger [Syndicaliste], du Syndicat du textile.

Romier (Lucien) [Savoie]. Journaliste. Président du Conseil national.

Rostand (André) [Manche]. Président de la Chambre d'Agriculture de Saint-Lô.

Roumegous [Landes]. Conseiller général.

Rous (Marcel) [Tarn-et-Garonne]. Artisan ferronnier, meilleur ouvrier de France en 1937.

(suite page 294)

l'homme de progrès. Sous la III° République, les monarchistes élus au parlement se présentaient comme des *conservateurs*, mais des républicains et des bonapartistes se classaient également sous cette étiquette ; de moins en moins nombreux à la Chambre des députés, ils passèrent de 78 en 1906 à 11 en 1936. Dès les élections de 1902, les statistiques électorales distinguaient les *conservateurs* des nationalistes avec lesquels on les avait confondu tout d'abord. Le mépris ou la méfiance des nationalistes à l'égard des *conservateurs* est exprimé sous la plume d'Edouard Drumont et de Charles Maurras. « *Mon erreur fondamentale — écrivait le premier — a été de croire qu'il existait encore une vieille France, un ensemble de braves gens, gentilshommes, bourgeois, petits propriétaires, fidèles aux sentiments d'honneur, aux traditions de leur race et qui égarés, affolés par des turlutaines qu'on leur débite depuis cent ans, reprendraient conscience d'eux-mêmes si on leur montrait la situation telle qu'elle est et se réuniraient pour essayer de sauver leur pays... Cette erreur m'a fait passer pour un rétrograde, elle m'a enlevé toute action sur la masse. La masse, en effet, plus sûrement guidée par son instinct que nous ne le sommes par nos connaissances, a horreur du parti conservateur ; elle s'éloigne de lui comme les chevaux d'un endroit où il y a un mort...* » (« *Le Testament d'un antisémite* », Paris, 1891.) Quant au doctrinaire du nationalisme intégral, il déclarait : « *Je n'ai pas d'illusions sur les conservateurs. Ce n'est pas la conscience qui les étouffe. Leurs scrupules politiques et moraux sont pétris de peur. Leur sens de la responsabilité est surtout fait de timidité intellectuelle. Qu'on leur propose une infamie, mais à voix basse et dans le secret suffisant, sans leur demander d'y souscrire ou de la permettre, dans la simple pensée de s'assurer la complicité de leur inertie, on peut être certain qu'ils ne bougeront pas.* » (*L'Action Française*, 25 juillet 1911.)

CONSTANS (Ernest, Jean, Antoine).

Universitaire (1833-1913). Professeur de droit, militant républicain à Toulouse, haut dignitaire du *Grand Orient*, fut député (1876-1889) et sénateur de la Haute-Garonne (1889-1906), sous-secrétaire d'Etat (1879-1880), puis ministre de l'Intérieur (1880-1881, 1889-1890, 1890-1892). Rochefort, qui l'attaqua souvent dans son *Intransigeant*, ayant découvert qu'il s'était, dans sa jeunesse, intéressé à une entreprise de vidange, ne l'appelait

que « *le vidangeur* ». Son nom demeure surtout attaché à l'aventure boulangiste : c'est, en effet, lui qui, comme ministre de l'Intérieur, liquida le parti du général Boulanger et organisa sa défaite électorale. Mais son énergie lui valut beaucoup d'inimitiés. Il ne put jamais être président du Sénat, malgré son désir, et on l'envoya (1898) à Constantinople représenter cette République qu'il avait probablement sauvée quelques années plus tôt. Rentré en France (1908), il dut abandonner la vie politique après un cuisant échec (1912) et il mourut l'année suivante.

CONSTANT (Victor, Henri).

Négociant, né et mort au Puy (1869-1953). Député de la Haute-Loire (1919-1924). Administrateur délégué de *L'Avenir de la Haute-Loire*, puis sénateur (1938-1942) et conseiller général de la Seine, nommé le 23 janvier 1941 membre du *Conseil national* (voir à ce nom).

CONSTELLATION.

Revue mensuelle de vulgarisation fondée en 1948 par André Labarthe, ancien directeur de *La France Libre*, à Alger (1940), associé avec Marthe Lecoutre. Yves Bayet, ancien sous-préfet, fils d'Albert Bayet, en fut longtemps l'administrateur. Pierre Laffont, frère de l'éditeur et ancien député gaulliste d'Oran, qui animait *L'Echo d'Oran*, en a pris le contrôle et la direction il y a un an. Sa diffusion moyenne en 1964, selon un contrôle *O.J.D.*, était de 352 345 exemplaires (10, rue de la Grange-Batelière, Paris 9°).

CONSTITUTION.

Ensemble des règles qui déterminent la forme de l'Etat, qui régissent les rapports entre les trois pouvoirs (législatif, exécutif, judiciaire) et qui fixent les limites des droits de l'Etat à l'égard des droits individuels des citoyens. Le professeur Maurice Duverger dénombre, entre 1789 et 1875, « *près de quinze constitutions* (qui) *se succèdent à cadence plus ou moins accélérée ; où rois, dictateurs, empereurs, présidents de la République, comités révolutionnaires, incarnent les uns après les autres le pouvoir politique* » (« *Institutions politiques et droit constitutionnel*, Paris 1965). Les constitutions les plus importantes dans l'histoire de France sont : celle du 3 septembre 1791 qui limita les droits du souverain ; celle du 24 juin 1793 qui

(suite de la page 292)

Roussel (Edouard) [Nord]. Sénateur, industriel.
Rouvière [Gard]. Président de la Chambre d'agriculture du Gard.
Roy [Syndicaliste], du Syndicat des métaux.

S

Salleron (Louis) [Seine]. Délégué de l'Union nationale des syndicats agricoles.
Sarraz-Bournet (Ferdinand) [Pas-de-Calais]. Armateur, prisonnier de guerre libéré.
Saurin (Paul) [Oran]. Député.
Savoie [Syndicaliste], du Syndicat de l'Alimentation.
Sérot (Robert). Député, ingénieur agronome.
Sorel [Haute-Garonne], curé de Lagrâce-Dieu.

T

Taudière (Emile) [Deux-Sèvres]. Député, conseiller général.
Temple (Emmanuel) [Aveyron]. Député.
Thiriez [Nord]. Président de la Chambre de commerce du Nord.
Thivrier (Isidore) [Allier]. Député, conseiller général.
Touchon [Isère]. Général d'armée.
Tranchand (Aimé) [Vienne]. Député, conseiller général.

V

Valadier (Jean) [Eure-et-Loir]. Sénateur.
Vandendriesche (Robert) [Aisne]. Filateur.
Vavasseur (Charles) [Indre-et-Loire]. Président de la Société d'agriculture d'Indre-et-Loire.
Vergain [Haute-Savoie]. Président de la Légion des Combattants de Haute-Savoie.
Verger (Jules) [Seine]. Président de la Fédération des installateurs électriciens.
Verdenal [Basses-Pyrénées]. Avocat, maire de Pau.

Veyssière (Gaston) [Seine-Inférieure]. Sénateur.
Vidal (Henri) [Pyrénées-Orientales]. Président de la Confédération des producteurs de vins doux naturels.
Vieljeux (Léonce) [Charente-Inférieure]. Armateur à La Rochelle.
Vignaud (Jean) [Seine]. Président de la Société des gens de lettres.
Vigne (Pierre) [Seine]. Secrétaire général de la Fédération du sous-sol.
Vincent (Emile) [Côte-d'Or]. Sénateur, professeur à l'Ecole de médecine de Dijon.
Vitrac (Roger). Secrétaire du Comité de liaison des syndicats professionnels français.

N. B. — Le Journal Officiel du 4 novembre 1941 indiquait que les personnalités suivantes, qui avaient été précédemment nommées au Conseil National, n'en faisaient plus partie :

Cardinal Suhard, archevêque de Paris.
Frot (Eugène), député.
Siegfried (André), membre de l'Institut.
Ehlers (Henri), du Syndicat des gens de mer.
Gasnier-Duparc (Alphonse), sénateur.
Fornel de La Laurencie, général.
Barthelemy (Georges), député.
Beltremieux (Gaston), député.
Béranger (Pierre), député.
Boussac (Marcel), industriel.
Cresp (Emile), conseiller général de la Seine.
Dumoulin (Georges), de l'Union des syndicats du Nord.
Fenasson (Louis), anc. président de chambre de Commerce.
Frossard (L.-O.), député.
Morin (Ferdinand), député.
Rauzy (Alexandre), député.
Dr Rougier, chirurgien (Lot).

établit le suffrage universel direct et concentra tous les pouvoirs dans les mains d'une assemblée unique (jamais appliquée) ; celle du 6 fructidor an III (22 août 1795), qui rétablit le suffrage indirect, ne considérant comme électeurs que les contribuables, instituant deux assemblées, le Conseil des Anciens et le Conseil des Cinq-Cents et confiant le pouvoir exécutif à cinq *directeurs* (d'où le nom de *Directoire* donné au régime) ; celle du 22 frimaire an VIII (15 décembre 1799) qui conserva l'apparence d'une République tout en établissant une dictature de fait, en attendant le sénatus-consulte de l'an X (1802) qui nomma Bonaparte consul à vie, et celui de l'an XII (1804) qui transforma le Consulat à vie en Empire héréditaire ; celle du 4 novembre 1848, qui proclama la souveraineté nationale, confia le pouvoir législatif à une assemblée unique et le pouvoir exécutif à un président de la République élu au suffrage universel ; celle du 14 janvier 1852, inspirée des institutions du Premier Empire, qui sera modifiée le 7 décembre 1852 par un sénatus-consulte donnant au président de la République (le prince Louis-Napoléon) le titre d'empereur des Français (Napoléon III) ; celle de 1875, qui est en fait un ensemble de trois *lois constitutionnelles* (les lois des 24 février, 25 février et 16 juillet 1875) qui donnait le pouvoir législatif à deux assemblées, la Chambre des députés et le Sénat, et le pouvoir exécutif au conseil des ministres ; celle du 27 octobre 1946, qui reprend les grandes lignes de lois constitutionnelles de 1875, en réduisant toutefois les pouvoirs du Conseil de la République (nom du nouveau Sénat) ; et, enfin, celle du 4 octobre 1958, présentée par le général De Gaulle et adoptée par référendum le 28 septembre précédent (révisée trois fois : en 1960, 1962 et 1963) qui abaisse le parlement et augmente les pouvoirs du président de la République, lequel est élu au suffrage universel (révision de 1962) après l'avoir été par un collège de 80 000 notables.

CONTINENT.

Hebdomadaire européen d'information fondé en mars 1961 par un groupe financier composé essentiellement du baron Edmond de Rothschild et du baron Thyssen - Bornemisza. L'édition française s'appelait : *Continent*, et l'édition allemande : *Kontinent*. L'équipe rédactionnelle était dirigée par Alfred Klein, ancien correspondant de *Time*, à Bonn, secondé par Alain de Lyrot, ancien rédacteur au *New York Herald Tribune*,

Eric Ollivier, ancien rédacteur au *Figaro*, tous deux rédacteurs en chef, et Nicole Foix, ancienne rédactrice à *Elle* secrétaire de rédaction. L'Etat-Major de la revue comprenait également: Georges Revay, ancien collaborateur du *Reader's Digest*, Jean Detienne, gérant de l'édition française, et Laurent Rombaldi, l'éditeur parisien, conseiller de la publication. La revue se proposait de faire paraître également une édition italienne et une édition suédoise. Après une vingtaine de numéros elle suspendit sa publication (27 juillet), son tirage étant nettement insuffisant, ainsi d'ailleurs que sa publicité. Son commanditaire, le baron Edmond de Rothschild, qui se passionne pour les entreprises de presse, dit-on, tourna ses regards vers d'autres horizons.

CONTRAT SOCIAL (Le).

Revue historique et critique principalement animée par Boris Souvarine (pseudonyme littéraire de Lifschitz), ancien dirigeant communiste, connu depuis de longues années comme anticommuniste. Cette publication, fondée en 1957, est principalement consacrée à l'étude de l'action communiste dans le monde. Principaux collaborateurs : Manès Sperber, Yves Levy, Alexandre Kerensky, Branko Lazitch, Léon Emery, G. Aronson, Lucien Laurat, etc. (199, boulevard Saint-Germain, Paris 7e).

CONTRE.

Journal (voir : Roger de Saivre).

CONTRE-COURANT.

Revue libertaire animée par Louis Louvet. Fondée en 1952. A publié des numéros spéciaux remarqués, tel que « *Le parlement aux mains des banques* » et « *Les preuves* », de Paul Rassinier (ce second volume avec une préface de Henri Jeanson). A commencé la publication d'un « *Dictionnaire biographique des pionniers et militants d'avant-garde et de progrès social* » (Direction : L. Louvet, 24, rue Pierre-Leroux, Paris 7e).

CONTRE-GOUVERNEMENT.

« *Gouvernement fantôme* » assez semblable à l'organisme que l'opposition britannique (tantôt conservatrice, tantôt travailliste) institue sous le nom de *Shadow cabinet* pour doubler, en quelque sorte, le gouvernement officiel formé par la majorité. Lors de la IVe *Convention* des *Institutions Républicaines* tenue à Lyon, le 13 mars 1966, François Mitterrand préconisa, pour la gauche rassemblée au sein de la *Fédération* (voir : *Fédération de la gauche démocrate et socialiste*), la création d'un *contre-gouvernement* avant le 1er mai. L'*équipe formatrice du contre-gouvernement* fut constituée le 5 mai suivant, et complétée le 12 du même mois. Elle comprend, sous la présidence de François Mitterrand :

Six responsables de grands secteurs : Guy Mollet, ancien président du Conseil, secrétaire général de la *S.F.I.O.* (Affaires extérieures et Défense) ; René Billères, président du *Parti Radical-Socialiste* (Education nationale et Culture) ; Gaston Defferre, député-maire *S.F.I.O.* de Marseille, directeur du *Provençal* (Affaires sociales et administratives) ; Etienne Hirsch, ancien commissaire général du Plan, président du *Mouvement Fédéraliste Européen* (Plan) ; Ludovic Tron, sénateur (Affaires économiques et financières) ; Michel Soulié, ancien député radical (Droits de l'Homme et du Citoyen).

Cinq assistants de ces responsables : Pierre Mauroy, professeur (Jeunesse) ; Christian Labrousse, ancien secrétaire des *Etudiants radicaux* (Recherche scientifique), assistant René Billères ; Marie-Thérèse Eyquem, présidente du *Mouvement Démocratique Féminin* (Promotion de la Femme) ; Georges Guille (Collectivités locales), assistant Gaston Defferre ; Robert Fabre, député radical (Aménagement du Territoire et Economie régionale), assistant François Mitterrand.

Six rapporteurs permanents : Gabriel Bergougnoux, du club *Citoyens 60* ; François Giacobbi, sénateur radical ; Jacques Maroselli, fils du sénateur radical ; Roger Quilliot, professeur ; André Raust, député *S.F.I.O.* ; Pierre Uri, ancien directeur à la *C.E.C.A.*, directeur, puis conseiller pour l'Europe de la banque *Lehmann Brothers*, de New York, membre du club *Jean-Moulin*.

Deux assistants de François Mitterrand : Jean Baboulène, ancien directeur de *Témoignage Chrétien* ; Roland Dumas, ancien député, membre du comité directeur de la *Ligue pour le Combat républicain*.

Quatre rapporteurs provisoires chargés d'étudier des problèmes particuliers : Henri Duffaut, député-maire d'Avignon (Financement des collectivités locales) ; Claude Fuzier, rédacteur en chef du *Populaire* (Statut de l'O.R.T.F.) ; Edmond Desouches, député radical (Construction) ; Auguste Pinton, sénateur radical (Modernisation des communications).

Comité permanent comprenant : R.-W. Thorp, président ; Jules Moch, André Cellard, Robert Badinter et André Chandernagor.

Enfin, tandis que le sénateur socialiste Emile Aubert représente François Mitterrand dans les assemblées parlementaires françaises et européennes, Charles Hernu, Pierre Brousse et Ernest Cazelles assurent le secrétariat général de cet organisme.

Annonçant la création du *contre-gouvernement*, François Mitterrand écrivait dans *Combat républicain* (mai 1966) : « *La naissance de la Fédération à laquelle nous avons consacré tant d'efforts a clairement exprimé notre volonté de réconcilier ce qu'on appelle, un peu abusivement dans les deux cas la « vieille » gauche et la « nouvelle », dans une synthèse qui ne peut qu'être fructueuse pour tous. La composition de l'équipe formatrice répond à la même préoccupation. Si l'on y trouve, comme il est normal — n'est-ce pas précisément leur absence qui eût pu être jugée à bon droit surprenante ? — les responsables authentiques des formations politiques traditionnelles membres de la Fédération, nul ne peut soutenir que des forces plus jeunes, celles réunies dans la* Convention des Institutions républicaines *ou venues d'autres clubs proches de nous, n'y ont pas trouvé une place à la mesure du rôle qu'ils entendent jouer dans la vie de la nation. (...) Les journalistes ont vite compris qu'ils étaient en présence d'une institution nouvelle, dont le premier mérite était d'exister et dont le second était de représenter, en face de décisions gouvernementales prises souvent dans le secret et, la plupart du temps, sans que le Parlement ait réellement à en délibérer, un organe permanent de proposition et de contestation. Les premiers textes adoptés ont montré aussi la volonté de l'équipe formatrice de situer cette proposition et cette contestation sur un plan concret, sans démagogie, mais sans complaisance. (...) Le contre-gouvernement joue ainsi, d'ores et déjà, son double rôle qui est de tenir le régime en haleine et de préparer des hommes aux responsabilités du pouvoir. Certes, en cas de victoire de la gauche, ces hommes ne seraient pas forcément ceux-là mêmes qui seraient appelés à constituer le gouvernement de la République. La Fédération sait qu'elle n'est ni toute la gauche ni toute l'opposition. Le contre-gouvernement qui, pour l'instant, n'engage qu'une partie de la gauche, devra obligatoirement s'élargir un jour. Tel qu'il est aujourd'hui, il ne constitue pas une équipe de succession mais une équipe de combat contre le pouvoir actuel. Il est*

*aussi l'une des structures nécessaires
pour l'établissement d'un programme auquel il entend apporter une contribution
décisive.* » (Siège : 86, rue de Lille, Paris 7e.)

CONTRE-REVOLUTION.

Terme employé pour désigner l'ensemble des hommes politiques, des doctrinaires et des groupements ou partis
opposés aux idées de 1789. Bonald,
Joseph de Maistre, Le Play sont considérés comme les maîtres les plus connus
de la *Contre-Révolution*. On peut y ajouter Balzac et Fustel de Coulange et,
dans une certaine mesure, Taine et
Renan. Les communistes désignent sous
le terme de *contre-révolutionnaires* ceux
qui s'opposent à leur idéologie ou à leur
action.

CONTRE-REVOLUTION.

Titre d'une revue anti-maçonnique
fondée en 1938 par Léon de Poncins.
Disparue en 1939. Après la Libération,
Contre-Révolution fut l'organe des étudiants patriotes, dont le gérant était
Pierre Roos, et auquel collaboraient outre B. Lahure, Michel Vivier (que nous
retrouverons rédacteur en chef de *La
Nation Française*) et Thomas Perroux.
Cette feuille avait succédé à *Etudiants*,
journal fondé par Philippe Wolf (le fils
du mécène de la presse nationaliste des
années 1947-1954) qui signait Philippe
Leloup des chroniques particulièrement
agressives.

CONVENT.

Assemblée générale d'une obédience
maçonnique.

CONVENTION.

Congrès d'un parti ou d'une organisation politique réuni en vue de désigner
un candidat à la présidence.

CONVENTION DE LA GAUCHE Ve RE-
PUBLIQUE.

Groupement né de l'association de divers organismes gaullistes de gauche,
dont : *Le Front du Progrès*, le *Centre
de la Réforme Républicaine*, *Le Nouveau
Régime* et les *Clubs Ve République*, auxquels s'étaient jointes diverses personnalités se réclamant d'un « *gaullisme social et populaire* ». Jean Duprat-Géneau,
dit Philippe Dechartre, ancien candidat
mendésiste aux élections législatives, co-
fondateur du *Centre de la Réforme Répu-*

blicaine, en assume le secrétariat et, très
officieusement, le ministre Louis Joxe
en est le véritable animateur. A l'assemblée constitutive, qui se tint à Paris, le
8 octobre 1966, sous la présidence de
Philippe Dechartre, assistaient notamment Roland Sadoun, directeur de l'*I.F.
O.P.*, Gilbert Grandval, ancien ministre,
Jérôme Duhamel, fils du député Jacques
Duhamel, Tangé, du *Centre de la Réforme Républicaine*, Peillet, des *Clubs Ve
République*, Dauer, du *Front du Progrès*,
etc. A l'issue de l'assemblée, un bureau
exécutif a été désigné, en attendant le
congrès chargé de nommer les membres
des organismes directeurs permanents
de la *Convention*. Il comprend : Philippe
Dechartre, secrétaire général ; Etienne
Bidon, du *Front du Progrès* ; Gilbert
Beaujolin, du *Centre de la Réforme Républicaine* ; René Cerf-Ferrière, ancien
membre de l'Assemblée consultative ;
Gabriel Cordouin, du *Cercle Jules Vallès* ; Odette Goncet, des *Clubs Ve République*, Jacques Meïer dit Buren, ancien
journaliste royaliste, du *Nouveau Régime*, et Didier Maus, représentant les
jeunes. Dans une déclaration publique,
la *Convention* affirme qu'elle « *veut aider
au regroupement des Français convaincus que seules les institutions de la Ve
République permettent la réalisation des
objectifs de la gauche. Dans le cadre du
contrat de majorité et avec les obligations qui en découlent, en particulier le
respect de l'unité de candidature, la
Convention entend ainsi former le troisième volet d'un triptyque avec les républicains indépendants et l'U.N.R.-U.D.T.* »
Elle « *accorde une adhésion sans réserve à la politique extérieure* » du général
De Gaulle et préconise « *la création de
structures nouvelles permettant la participation active des citoyens à la vie de
la France moderne* ». Réunie le 17 décembre 1966, la *Convention* a accepté le
« contrat de majorité » avec l'*U.N.R.-
U.D.T.* et les *Républicains indépendants*
en vue des élections, après qu'Edgard
Pisani, Gilbert Grandval et Jacques
Dauer l'eurent exhortée à l'union. Elle
obtiendra ainsi une dizaine de places
dans le groupe des candidats investis
par le *Comité d'action pour la Ve République*. Ce ralliement à la majorité eut
lieu malgré l'opposition de l'ancien député gaulliste Camille Bégué et des *Clubs
Ve République* qui quittèrent la séance.
Résumant la position des gaullistes de
gauche, Philippe Dechartre, principal
leader de la *Convention*, a écrit dans *Le
Télégramme de Paris* (septembre 1966),
tribune du mouvement : « *Le fait que
De Gaulle fasse exécuter par des conser-*

vateurs une politique de gauche, l'opinion de gauche, turbulente mais sérieuse, ne doit pas s'en offusquer, seule compte l'efficacité ; et puis cela ne manque pas de piquant. » (Secrétariat : Ph. Dechartre, 29, rue d'Artois, Paris 8ᵉ.)

CONVENTION DES INSTITUTIONS RE-PUBLICAINES.

Organisation politique regroupant des *clubs* de gauche et des adhérents ayant donné individuellement leur adhésion. En 1963, la *Ligue pour le Combat républicain*, dirigée par François Mitterrand, Tron, Aubert, Barsalou, etc. et le *Club des Jacobins*, de Charles Hernu, avaient créé un comité de coordination sous le nom de *Centre d'Action Institutionnel*. Les 6 et 7 juin 1964, sur l'initiative de ce groupe, divers clubs participèrent à un colloque au Palais d'Orsay, qui se termina par la signature d'une *Charte de la Convention des Institutions républicaines*. Dans ce document, la *Convention* dénonçait le « *caractère autoritaire du régime* », ses tendances réactionnaires et son « *nationalisme* » étroit, et annonçait son intention de modifier la Constitution sur divers points tout en conservant l'ensemble. Favorable à l'Europe fédérale, ouverte à l'Angleterre et aux autres états démocratiques, elle préconisait la création d'un pouvoir fédéral et d'une assemblée parlementaire européenne élue. L'Europe telle que la concevait la *Convention* serait à la fois tournée vers les pays de l'Est et fidèle à la solidarité avec les Etats-Unis. S'affirmant *planiste*, elle se déclarait en faveur d'une orientation et d'un contrôle des investissements privés, d'une réforme fiscale profonde et de l'accroissement des pouvoirs et des moyens des administrations communales et des organismes régionaux. Une cinquantaine de clubs et d'associations adoptèrent cette charte et constituèrent la *Convention des Institutions républicaines*, notamment le *Club des Jacobins* et la *Ligue pour le Combat républicain*, déjà nommés, la *Ligue des Droits de l'Homme*, le *Mouvement Démocratique Féminin*, *L'Allier républicain*, *Citoyens 60*, *Technique et Démocratie*, *Christianisme social*, etc. A l'assemblée des 24 et 25 avril 1965, au Palais d'Orsay, participèrent les groupements et organisations suivants en qualité de membres ou d'observateurs : *Centre d'Action institutionnel ; Ligue pour le Combat républicain ; Club Pierre Bourdan ; Club des Jacobins* (de Paris) ; *Club Robespierre ; Club des Jeunes Citoyennes ; Cercle ouvert ; Parti de la Jeune République ;*

Club des Jacobins (Isère, Morbihan, Aisne, Rhône, Bas-Rhin, Bouches-du-Rhône, Meurthe-et-Moselle, Allier, Hérault) ; *Club des démocrates chartrains ; Club breton « Les bonnets rouges » ; Club des démocrates dyonisiens ; Cercle démocratique Vaugirard-Necker ; Centre d'Etudes régionales corses ; Comité occitant d'Etudes et d'Action ; Techniques et Démocratie ; Centre européen d'Action économique ; C.F.D.T.-S.G.E.N. ; Jeunesse étudiante catholique ; Amis de Témoignage chrétien ; Cercle pour une république moderne ; Cercle Saint-Just ; Union fédéraliste mondiale ; Gauche européenne ; Jeunes de la Gauche européenne ; Mouvement travailliste français ; Cercle de la libre expression ; Revue politique et parlementaire ; Cercle de la Rénovation démocratique ; Ligue des Droits de l'Homme* (Fédération de la Seine) ; *Mouvement fédéraliste européen* (Rhône, Alpes) ; *Atelier républicain ; Grand Orient de France ; Centre de liaison et d'information* (C.L.I.-Marseille) ; *Club Aristide Briand* (Bordeaux) ; *Cercle Montaigne ; U.N.E.F. ; Groupe interprofessionnel parisien pour l'économie distributive ; Mouvement « christianisme social » ; Cercles d'Etudes Lamennais ; Association des jeunes pour la connaissance de l'Etat ; Front social européen ; « Citoyen 60 » ; Union Nationale des Etudiants Juifs ; Cercle Carnot* (Colloques juridiques internationaux) ; *Tribune aquitaine ; Club « Positions ».*

A la tête de la *Convention* se trouve un *presidium* composé de : François Mitterrand, Emile Aubert, Georges Rosenfeld, dit Beauchamp, Charles Hernu, Louis Mermaz, Pierre Lavau, Jacques Maroselli, Marc Paillet, Louis Perillier, Ludovic Tron et le bâtonnier R.-W. Thorp. Ce *presidium* est assisté par un *groupe permanent* comprenant les représentants des divers clubs et associations ayant donné leur adhésion à la *Convention :* François Abadie, Jean Baboulène, Joseph Barsalou, Georges Bérard-Quélin, Pierre Bordier, André Cellard, Roger Charny, Roger Chipot, Georges Dayan, Marcel Delport, Daniel Dollfus, Roger Duveau, Paul Escande, Claude Estier, Marie-Thérèse Eyquem, Jean-André Faucher, Georges Fillioud, Alain Gourdon, Jean-Pierre Gouzy, Christian Gras, André Hauriou, Gérard Jaquet, Charles Josselin, Roger Lecerf, Paul Legatte, Georges Leygnac, Raymond Marion, Robert Mitterrand, Guy Penne, ancien président de l'U.N.E.F., Joseph Perrin, J. Pierre-Bloch, J.-P. Prévost, André Roussel, André Rousselet, Pierre Saury, Pierre Soudet, Hubert Thierry, Paul Vignaux.

Simple *colloque* au début, puis *fédéra-*

tion, la *Convention des Institutions républicaines* est devenue aujourd'hui un véritable mouvement politique. C'est à elle que la gauche doit la fondation de la *F.G.D.S.* et que François Mitterrand est redevable du succès relatif obtenu à l'élection présidentielle de décembre 1965. *Combat républicain* est l'organe officiel de la *Convention*. (25, rue du Louvre, Paris-1er.)

CONVENTION NATIONALE.

Assemblée parlementaire, qui siégea du 20 septembre 1792 au 26 octobre 1795, abolit la royauté et proclama la république.

CONVENTION NATIONALE.

Groupe fondé en 1957 et animé par Philippe-Antoine (Baillod) et André Vaillant.

CONVENTION NATIONALE LIBERALE.

Assemblée tenue les 24 et 25 avril 1965 à Issy-les-Moulineaux, sur l'initiative de Jean-Paul David, ancien député radical-socialiste, secrétaire général du *Parti Libéral Européen*, pour désigner un candidat libéral à l'élection présidentielle de décembre 1965. Participèrent à ces assises l'ancien président du Conseil municipal de Paris Legaret, les anciens députés Jacques Isorni, Roucayrol et Demarquet, le sénateur Dubois, Paul Estèbe, nouvel élu municipal de Bordeaux, Guy Vinatrel, secrétaire général du *Club des Montagnards*, et Pierre Poujade. A la tribune, aux côtés de J.-P. David, qui prononça le discours d'ouverture, siégeaient ou prirent la parole : Claude-Henry Leconte, directeur du *Journal du Parlement* ; Paul Peschard, rapporteur général ; Paul Peschard, président du *Mouvement Evolutionniste Français*, Richard Dupuy, Grand-Maître de la *Grande Loge de France* et vice-président du même mouvement, le colonel Trinquier, le docteur Azoulay, l'ancien député Eugène Rigal. J. Gugenheim, secrétaire général du *Mouvement Evolutionniste Français*, et Antonin Moulin, conseiller municipal de Lyon, qui lança la candidature de Pierre Marcilhacy. Après un débat parfois passionné, entre partisans de Poujade, de Tixier-Vignancour et d'André Cornu, au cours duquel Me Dupuy posa, puis retira sa candidature, tandis qu'Hippolite Martel, président des « Braves gens de France », renonçait à se présenter, le sénateur de la Charente l'emporta par 310 suffrages contre 167 à Me Tixier-Vignancour qui n'avait pas sollicité les suffrages de l'Assemblée. (Il y eut 63 bulletins nuls et un certain nombre d'abstentions.) Le lendemain, P. Marcilhacy déclarait à *Europe Nº 1* (émission de 12 h 30, 26 avril 1965) qu'il acceptait : « *Si un candidat est plus connu ou a plus de chances que moi de gagner*, ajoutait-il, *cela ne fait pas de problème, je lui céderai la place. Je ne veux en aucun cas être un candidat de division.* » Et, en ce qui concerne son programme, il précisait, faisant allusion à la « plate-forme » établie par C.-L. Leconte et acceptée par la Convention : « *Je ne me sens pas lié par ce programme, car je n'étais pas à la Convention Libérale. S'il s'agit de défendre la liberté et de restaurer la démocratie, c'est aussi, bien sûr, mon programme. Mais je suis partisan d'une certaine planification, mais certaines socialisations s'imposent, et si l'on avait pris la peine de consulter le* Journal officiel, *on aurait vu comment je vote au Sénat. Pour le budget notamment, lorsque je suis absent, je délègue mon vote à des amis socialistes.* »

CONVENTION NATIONALE DES PAYSANS DE FRANCE.

Assemblée réunie sur l'initiative de Henri Dorgères à Paris, les 9 et 10 octobre 1965, en vue de l'élection présidentielle. Elle donna son investiture à Me Tixier-Vignancour (253 voix pour le célèbre avocat, 7 voix à Paul Antier, 2 voix au sénateur Marcilhacy et 16 bulletins blancs ou nuls). La *Convention* était principalement composée de membres du *Syndicat Agricole de Défense Paysanne* et de l'*Assemblée Nationale des Propriétaires Ruraux*.

CONVENTION REPUBLICAINE.

Groupement gaulliste fondé en 1958 par Léon Delbecque. Se sépara du gaullisme en 1960 lorsque ses dirigeants comprirent qu'il n'était pas dans les intentions du général De Gaulle de conserver « l'Algérie dans la République française ».

CONVERSION.

Changement d'opinion, de parti.

COOPTATION.

Mode de recrutement consistant, pour les membres d'une assemblée, à élire eux-mêmes les nouveaux membres.

COORDINATION NATIONALE (La).

Rassemblement de divers partis et groupements nationaux opéré en 1958 sous la présidence du général Lionel Chassin, assisté de Justin-Jean Cabot, vice-président du *Centre Social Chrétien*. Principaux dirigeants : Jean Ebstein, général Renucci, Bourquin, Louis Mauger, Pierre Desprez, Hadji-Gavril, etc. Soutint en 1958 des candidats : Cabot (47e circonscription de la Seine), Carré, président du *Centre Social Chrétien* (14e circ.), Philippe-Antoine (Baillod) (12e circ.), Berthelin (20e circ.), Lavigne (4e circ.), Mazaleyrat (48e circ.), Prévot (21e circ.).

COPPEAUX (Manassé, Ephrem).

Militant politique (1870-1931). Membre du *Parti Socialiste*, fut élu maire de Fourmies (1908), conseiller général (1919) et député du Nord (1924). Battu par Louis Loucheur (1928), se consacra à l'administration de sa ville.

CORAL (Pierre, Bernard de).

Avocat, né à Limoges, le 23 juin 1900. Arrière-petit-fils d'un conseiller général de Saint-Jean-de-Luz, petit-fils de Joseph Labat, député-maire de Bayonne, fut élu député modéré des Basses-Pyrénées en 1935 et réélu en 1936. Inscrit à la *Fédération Républicaine*. Ne prit pas part au vote du 10 juillet 1940. Conseiller général du canton de Saint-Jean-de-Luz.

CORBIERE (Henri).

Agriculteur, nommé le 23 janvier 1941 membre du *Conseil National* (voir à ce nom).

CORDESSE (André, Louis).

Homme d'affaires, né à Marseille, le 19 novembre 1898. Beau-frère et collaborateur de Gaston Defferre (il est marié, depuis le 20 février 1930, avec Marie-Louise, dite Marise Defferre, sœur du député-maire socialiste de Marseille). Socialiste également, il administre *Le Provençal*, *Le Soir* et *La République du Var*, les trois quotidiens du groupe Defferre. Hier président de la Chambre de Commerce de Marseille et du Syndicat des Fabricants d'Huile de la cité phocéenne, vice-président du Syndicat des Fabricants d'Huile de France, on le trouve aujourd'hui au conseil d'administration de plusieurs importantes sociétés industrielles et financières, notamment de : 1° la *Société A. et J. Cordesse, H. Chausse et Cie*, qu'il dirige avec son frère Jean et M. Henri Chausse ; 2° les *Huileries Réunies*, dont il est le président-directeur général ; 3° la *Société Financière Industrielle et Commerciale Audemard (SFICA)* qu'il préside ; 4° la *Cie Générale Transatlantique* ; 5° l'*Entreprise provençale d'épépinage* ; 6° la *Société des Huileries Algériennes* (El Ksour) ; 7° les *Nouvelles Savonneries de l'Ouest Africain*, qu'il administre avec son frère ; 8° l'*Aéroport de Paris* ; 9° la *Sté Laitière des Alpes-Maritimes* ; 10° la *Cie Air-Algérie* ; 11° la banque *Martin-Maurel* (ex-*Maurel frères et Cie*, ex-*Banque Mobilière Marseillaise*) (au conseil d'administration de laquelle siègent deux représentants des Rothschild) ; 12° la *Ste V.Q. Petersen et Cie*, de Dakar (où il côtoie Mme Beytout, principale actionnaire des *Echos*) ; etc. Il est, en outre, membre du Conseil Economique et Social, du Conseil Supérieur de la Marine Marchande, du Conseil Supérieur de l'Aviation Civile, président honoraire de l'Institut Colonial de Marseille et président actif de l'Union des Chambres de Commerce aéronautiques. Enfin — et c'est, sur le plan politique, son principal atout — il est, depuis trois ans, le président de l'*Agence Centrale Parisienne de Presse* (voir à ce nom).

CORDIER (Marcel, André, Jules.)

Ecclésiastique, né à Bourville (Seine-Inférieure), le 9 octobre 1902, mort à Lévignac-de-Guyenne (Lot-et-Garonne), le 12 février 1944. Lieutenant au 6e Dragons, il arriva avec son unité à Levignac, en juin 1940. Le curé de la paroisse étant prisonnier, il obtint de l'évêque de Rouen, dont il dépendait, l'autorisation de demeurer dans la paroisse « d'accueil ». Ses ouailles avaient pour lui une très vive estime et un grand respect. Fidèle au maréchal Pétain, il ne faisait pas mystère de ses sentiments. Ses propos anti-marxistes lui valurent quelques solides inimitiés. Ouvertement menacé par le maquis proche, composé en majeure partie d'anciens miliciens républicains espagnols et de communistes, il écrivait quelques jours avant d'être assassiné : « *La mort approche ; il faut être prêt... Je dois semer le bon grain à pleines mains.* » L'un de ses confrères, devenu prélat, a fait de lui ce portrait : « *C'était une âme de feu ; le zèle apostolique lui brûlait le cœur. Prêtre de grande valeur, merveilleux éducateur des jeunes, il leur était totalement dévoué, et il en était à son tour très aimé... Certes je savais sa fidélité au maréchal Pétain, et il a eu sans doute le tort de le montrer trop ouvertement. Cepen-*

dant je ne me souviens pas l'avoir jamais entendu faire la moindre allusion politique dans ses prédications : il ne prêchait que l'Evangile de Jésus-Christ. » Son assassinat contribua à entretenir ce climat de haine qui fit tant de victimes, des deux côtés de la barricade, au cours des années 1943-1945.

CORIOLAN.

Journal de droite (éphémère), fondé en 1934 par Pierre Germont et André Chaumet.

CORNAT (Henri, Michel).

Ingénieur électricien, né à Lunéville (M.-et-M.), le 14 février 1903. Sénateur de la Manche (depuis 1952). Appartient au groupe sénatorial des *Républicains Indépendants*. Président du Conseil général de la Manche (depuis 1946), conseiller général et maire de Valognes (1941-1944 et à nouveau depuis 1953).

CORNAVIN (Gaston, Louis, Paul).

Ouvrier ajusteur (1894-1945). Milita très tôt dans le mouvement socialiste et fut membre du comité central du *Parti Communiste*. Elu député communiste du Cher en 1924, non réélu en 1928 et en 1932, prit sa revanche en 1936. Entretemps, élu au conseil général de la Seine (1935). Déchu de son mandat de député en février 1940, en raison de son attachement au *Parti Communiste* qui approuvait le pacte germano-soviétique, fut emprisonné plusieurs années, notamment en Algérie. Mourut peu après son retour en France.

CORNEAU (Emile, Joseph).

Journaliste (1826-1906). Natif de Charleville. Représenta à la Chambre la circonscription de Mézières de 1880 à 1893. Ardent républicain, d'idées fort avancées pour son époque, est considéré à juste titre comme l'un de ceux qui implantèrent les idées démocratiques dans les Ardennes, tant par son action personnelle que par celle du quotidien qu'il avait créé, *Le Petit Ardennais*, que son fils Georges, ancien président du Conseil de l'Ordre du *Grand Orient*, dirigea après lui.

CORNETTE (Arthur).

Membre de l'enseignement, né à Quarouble (Nord), le 15 août 1903. Directeur de collège d'enseignement technique en retraite. Conseiller général du canton de Lille-Est depuis 1952. Elu maire d'Hellemmes en 1947 et constamment réélu. Ancien secrétaire général de la section du Nord du *Syndicat National des Instituteurs*. Ancien membre du Conseil supérieur de l'Education nationale. Elu député S.F.I.O. du Nord (4e circ.), le 25 novembre 1962. Le *Journal officiel* a publié son nom pendant la guerre parmi les dignitaires de la *Grande Loge de France*, comme membre de la Loge *Les Parfaits Egaux*.

CORNILLAC (Louis).

Conseiller général du Vaucluse, nommé le 23 janvier 1941 membre du *Conseil National* (voir à ce nom).

CORNILLEAU (Robert).

Journaliste et écrivain, né au Mans en 1888, mort à Alger, en 1942. D'abord médecin, il milita très tôt dans les milieux démocrates-chrétiens. Son talent oratoire et sa plume incisive le firent remarquer par ses amis politiques qui lui confièrent la rédaction en chef du *Petit démocrate* et l'un des premiers postes du *Parti Démocrate Populaire*. Il a laissé de nombreux ouvrages politiques et historiques, ainsi que des romans sociaux de qualité, où sont défendues, souvent avec âpreté, les idées de son groupe.

CORNU (André).

Administrateur de sociétés, né à Gap (Hautes-Alpes), le 27 juin 1892. Beaupère de l'éditeur Claude Gallimard. Licencié en droit et ancien combattant (trois citations), fit carrière dans l'administration préfectorale. Après avoir débuté dans l'Aude, sous la bienveillante autorité des Sarraut, fut attaché de cabinet de ministres, puis préfet, directeur au ministère de l'Intérieur et secrétaire général. En 1932, candidat heureux dans les Côtes-du-Nord, entra au Palais-Bourbon et s'inscrivit au groupe radical-socialiste. Non réélu en 1936, fut successivement ou simultanément (1936-1940) : avocat, président-directeur général de *L'Auto*, directeur de *Marianne*, administrateur de *Lyon-Républicain* (ces deux journaux étant sous le contrôle de Raymond Patenôtre) et du *Poste Parisien*, président de *Radio-Méditerranée* et du *Syndicat des Grands Hebdomadaires*. Démissionna de ces diverses fonctions en 1940, et se retira en Eure-et-Loir, où il possède un domaine agricole. Conseiller général (1947), puis sénateur des Côtes-du-Nord (depuis 1948). Inscrit au groupe de la Gauche Démocratique.

Maire d'Erquy (depuis 1953). Secrétaire d'Etat aux Beaux-Arts (cabinets Pleven, 1951, E. Faure, 1952, Pinay, 1952, R. Mayer, 1953, Laniel, 1953-1954). Membre de l'Institut (1962). Est, d'autre part, ancien président et vice-président du Conseil général des Côtes-du-Nord et ancien président de la Fédération radicale-socialiste du département. Appartient aux conseils d'administration de diverses sociétés : *Société d'Investissement de Paris et des Pays-Bas*, des *Mines de Zellidja*, de la *Cie française des câbles télégraphiques*, de la *Sté des Accumulateurs Fulmen*, de la *Cie Sucrière*, etc.

CORNUDET DES CHAUMETTES (Famille).

Les Cornudet des Chaumettes ont donné plusieurs hommes politiques au pays :

— Joseph CORNUDET fut député en 1792, membre du Conseil des Anciens en 1795, sénateur en 1799, comte d'Empire et pair de France ;

— Etienne-Emile CORNUDET, fils du précédent, député conservateur d'Aubusson en 1831, pair de France en 1846 ;

— Joseph, Alfred CORNUDET, fils d'Etienne, député et conseiller général de la Creuse ;

— Louis, Joseph, Emile CORNUDET DES CHAUMETTES (1855-1921), fils du précédent, député de la Creuse (1882-1902) ;

— Honoré, François, Joseph CORNUDET DES CHAUMETTES (1861-1938), frère du précédent, député (1898-1924), puis sénateur de Seine-et-Oise (1924-1927, 1927-1936).

CORNUT-GENTILLE (Bernard).

Homme politique, né à Brest (Finistère), le 26 juillet 1909. Préfet hors cadre. Administrateur de la *Cie Marseillaise de Madagascar* et du *Pastis Ricard*. Chef adjoint (24 mars 1935) puis chef de cabinet du préfet de Loir-et-Cher (30 janvier 1936). Chef du secrétariat particulier de Camille Chautemps, vice-président du Conseil (9 août 1938). Sous-préfet de 3e cl. hors cadre (5 janvier 1939). Sous les drapeaux (2 janvier 1939-25 juillet 1940). Sous-préfet de Vouziers (3e cl.) (16 novembre 1940). Directeur du cabinet du préfet du Nord (1er mars 1941). Sous-préfet de Saint-Dié (2e cl.), maintenu dans ses précédentes fonctions (5 janvier 1942). Sous-préfet de 2e cl. hors cadre, mis à la disposition du préfet délégué du ministère de l'Intérieur à Paris (1er juin 1942). Sous-préfet de Reims (11 janvier 1943). Dans sa déclaration à la Fondation Hoover, M. Georges Hillaire, ancien préfet de l'Etat Français, précisait : « *Très recommandé à M. Pierre Laval, notamment par M. Outhenin-Chalandre, industriel, acquis aux mouvements de Résistance, M. Cornut-Gentille fut nommé sous-préfet de Reims, soit dans une des sous-préfectures les plus importantes de France...* » Démissionnaire pour convenances personnelles (16 mai 1943). Entra dans la Résistance et devint le collaborateur d'Emile Bollaert, délégué de la France libre (1943-1944). Préfet de 2e cl. délégué dans les fonctions de préfet d'Ille-et-Vilaine (1re cl.) (4 août 1944). Préfet de la Somme (1944), du Bas-Rhin (1945). Directeur des affaires départementales et communales à l'administration centrale de l'Intérieur (1er septembre 1947). Haut-commissaire de la République, Gouverneur général de l'A.E.F. (1948), puis de l'A.O.F. (1951). Ministre plénipotentiaire. Ambassadeur de la République française auprès des Nations Unies, et représentant permanent de la France au Conseil de Sécurité (13 juin-30 décembre 1956). Ambassadeur extraordinaire et plénipotentiaire en Argentine (25 janvier 1957). Collaborait alors à la radio de Buenos Ayres en qualité de « critique » de sports (football). Ministre de la France d'Outre-Mer (cab. De Gaulle, 1958-1959). Membre du C.C. de l'*U.N.R.* Elu député *U.N.R.* des Alpes-Maritimes (5e circ.) le 30 novembre 1958. Ministre des P.T.T. (cab. Debré, 8 janvier 1959-5 février 1960). Partisan de l'*Algérie française*. Quitta l'*U.N.R.* et participa au colloque de Vincennes. Elu maire de Cannes (mars 1959). Invalidé et réélu le 8 mars 1961. Réélu député des Alpes-Maritimes en 1962 et en 1967.

CORPORATION.

Dans l'ancienne France, association d'individus de même profession jouissant des droits et des privilèges consacrés par la coutume et reconnus par l'autorité. Chaque corps de métier possédait sa *corporation*, ayant ses règles propres, son administration particulière. La *corporation* se composant de maîtres, de compagnons et d'apprentis. On ne devenait maître qu'après avoir produit un *chef-d'œuvre* et payé des droits, jugés parfois très élevés. Les corporations des boulangers et des bouchers étaient les plus anciennes, mais elles ne furent, semble-t-il, jamais reconnues par l'autorité royale. L'édit de 1776 établit à Paris six corporations de marchands, qui avaient seules le droit de recevoir les princes et de porter le dais sur leur tête. Les corporations furent abolies par la loi des 2-17 mars 1791.

CORPORATION NATIONALE DE LA PRESSE FRANÇAISE.

Organisme syndical créé en 1941 pour rassembler les divers journaux paraissant en zone Nord. Dirigeants : Jean Luchaire, président ; Richard Chapon, Charles Heudelot, Philippe Pietri, Marc Texier, Jean Gérard, René Gast. En zone Sud, existait un groupement analogue, la *Fédération Nationale des Journaux Français* (voir à ce nom). Un comité de coordination fonctionna, à partir du 6 juillet 1942, entre les deux zones.

CORPORATISME.

Doctrine favorable à l'organisation professionnelle par la corporation, inspirée des écrits de La Tour du Pin, en particulier de son livre « *Vers un ordre social chrétien* », paru en 1907. Plusieurs mouvements de droite ont mis le *corporatisme* à leur programme, de l'*Action Française*, qui avait fondé l'*Union des Corporations Françaises*, présidée par Chaboche (le « patron » de la *Salamandre*), jusqu'à *Syndicom France*, animé par Henri Le Rouxel et inspiré par le docteur Bernard Lefèvre, en passant par la *Solidarité Française* et le *Francisme* (voir à ces noms). Pendant la guerre, divers organismes fonctionnant en zone Sud sous le contrôle du gouvernement de Vichy, travaillèrent à l'élaboration d'une doctrine corporative adaptée aux impératifs de la politique française de l'époque. L'*Institut d'Etudes Corporatives et Sociales*, patronné par le maréchal Pétain et dirigé par Maurice Bouvier-Ajam, le *Collège d'Etudes Syndicales et Corporatives*, le *Centre Français de Synthèse*, étaient les plus importants de ces organismes officieux.

CORRE (Max).

Journaliste, né à Cusset (Allier), le 25 février 1912. Avant la guerre : chef des jeunes frontistes de Gaston Bergery et collaborateur de *La Flèche* ; rédacteur à *Paris-Soir* et à *Match*. Après la Libération : rédacteur en chef de *Samedi-Soir*, directeur d'*Opéra*, rédacteur en chef, secrétaire général, puis directeur général de *Paris-Presse*, directeur général de *France-Dimanche*. A quitté en 1966 le groupe *Franpar* et annonça son intention de faire paraître son propre journal.

CORREA (Editions) (voir : Buchet-Chastel).

CORRESPONDANCE INTERNATIONALE.

Ce titre, qui date de 1921, a été repris depuis environ un an par un groupe de marxistes. Bi-mensuelle, la revue *Correspondance internationale* publie des nouvelles et de courtes études. « *Le mouvement communiste mondial n'a pas vraiment surmonté le stalinisme. Il est donc incapable de donner aux masses coloniales, à la classe ouvrière l'organisation internationale que la situation exige plus que jamais. Cependant, au travers de voies complexes, naît un nouveau mouvement révolutionnaire mondial de masse. C'est à la connaissance de ces voies des faits révolutionnaires que se consacre ce bulletin. Avec la méthode de Marx, de Lénine, Rosa Luxembourg, Trotsky, nous tentons de dégager, de faits parfois déroutants et contradictoires, la vérité.* » Directeur : Michel Fiant (27, rue du Fg Montmartre, Paris 9e).

CORRESPONDANCE DE PRESSE.

Agence de presse fonctionnant à Paris de 1941 à 1944, sous la direction de son fondateur, Georges Bérard-Quélin, et fournissant aux journaux de la zone Nord des informations, des revues de presse, des échos, des reportages, des chroniques, des caricatures, des bandes dessinées, etc.

CORRESPONDANCE DE LA PRESSE.

Bulletin quotidien. A repris après la Libération, en le modifiant légèrement, le titre de l'agence que son fondateur-directeur, Georges Bérard-Quelin, dirigeait pendant la guerre (voir ci-dessus). Donne chaque jour des informations et de la documentation sur la presse. Est édité par la *Société générale de Presse* (13, avenue de l'Opéra, Paris 1er).

CORRESPONDANT (Le).

Revue catholique et traditionaliste fondée en 1829. Ressuscitée en 1935 par le chanoine Joseph Reymond (directeur) et Maurice Brillant et Jean Morienval (rédacteurs en chef). Disparue en 1939.

CORREZE (Jacques). (Voir : Comité Secret d'Action Révolutionnaire et Mouvement Social Révolutionnaire).

CORREZE REPUBLICAINE ET SOCIALISTE (La).

Hebdomadaire des *Gauches Républi-*

caines et socialistes fondée à Brive-la-Gaillarde en 1925, par Henri Fabre, ancien directeur des *Hommes du Jour*. Après une assez longue interruption, reparut dans les années qui suivirent la Libération, sous le titre de *Corrèze Républicaine-Corrézien de Paris*, puis reprit son titre ancien (50, avenue Jean-Jaurès, Brive, Corrèze).

CORSE NOUVELLE.

Quotidien républicain indépendant fondé en 1948, et animé par P. Costa. A l'origine, avait pour directeur politique Jean Pieraggi. Lié au groupe Fieschi. Tirage : 8 000 exemplaires (voir : *Le Journal de la Corse*).

CORTOT (Alfred).

Compositeur, pianiste, nommé le 23 janvier 1941 membre du *Conseil National* (voir à ce nom).

COSMOPOLITISME.

Etat d'esprit et manière de vivre de personnes considérant le monde comme leur patrie et n'en acceptant pas d'autre. La terminologie communiste emploie le terme de *cosmopolites* pour désigner le plus souvent des Juifs non-communistes.

COSTA DE BEAUREGARD (Léon).

Président de la *Légion des Combattants de Savoie*, nommé le 23 janvier 1941 membre du *Conseil National* (voir à ce nom).

COSTANTINI (Dominique, dit Pierre).

Officier, né à Sartène (Corse), le 16 février 1889. Combattant de 1914-1918, évadé du Fort IX (mai 1918), invalide à 100 %. Après avoir quitté l'armée, entra comme ouvrier dans une usine d'automobiles et prit part à la « croisière jaune » (Beyrouth-Pékin). Au lendemain

de Mers el-Kébir, créa *La Ligue Française* (*Mouvement Social Européen*), lança l'hebdomadaire *L'Appel* et contribua à la fondation de la *Légion des Volontaires Français contre le Bolchevisme*. Auteur de : « *La grande pensée de Bonaparte* », « *L'Ode à la Corse* » et « *La voix des morts* ».

COSTE-FLORET (Alfred).

Universitaire, né à Montpellier, le 9 avril 1911. Chargé de cours à la Faculté de droit de Strasbourg (1938-1944). Militant démocrate-chrétien et antifasciste, participa activement à la Résistance en aidant à la création et au développement du réseau *Liberté*, de *Combat* et du *M.U.R.* Nommé maître des Requêtes au Conseil d'Etat à la Libération, fut quelque temps directeur du cabinet du commissaire de la République à Strasbourg, puis celui du secrétaire d'Etat à la Présidence du Conseil (1946). Nommé procureur au Tribunal International de Nuremberg en 1946, entra la même année à l'Assemblée nationale comme député *M.R.P.* De 1955 à 1960, fut le secrétaire général de l'*Union Internationale des Démocrates-Chrétiens*, puis celui de l'*Internationale antifasciste* (1960). Actuellement : conseiller d'Etat, maire de Luchon et conseiller général de la Haute-Garonne. Auteur de divers livres dont « *Le Complot contre la République* », publié en 1946.

COSTE-FLORET (Paul).

Homme politique, né à Montpellier (Hérault), le 9 avril 1911. (Les *Coste* ont été autorisés à s'appeler Coste-Floret par décret du 25-11-1899). Professeur de droit civil à la Faculté de Montpellier. Maire de Lodève. Membre fondateur et directeur de *Combat Outre-Mer*. Directeur du cabinet du comte Fr. de Menthon. Commissaire à la justice ; puis conseiller technique au cabinet de M. André Philip, commissaire à l'Intérieur du Comité d'Alger (1943-45). Secrétaire général de la Commission de réforme du Code civil et Procureur général adjoint au Tribunal de Nuremberg (1945). Membre des deux Assemblées Constituantes (1945-1946) ; rapporteur général de la Constitution de 1946. Député de l'Hérault *M.R.P.* à la première Assemblée nationale (1946-1951). Ministre de la Guerre (cab. Ramadier, 1947). Ministre de la France d'Outre-Mer (cab. Schuman, 1947-1948 ; 2e Schuman, 1948 ; Queuille, 1950). Réélu député le 17 juin 1951. Ministre de l'Information (cab. Edgar Faure, 1952). Ministre d'Etat (cab. René

Mayer, 1953). Ministre de la Santé publique de la Population (cab. Laniel, 1953-1954). Elu maire de Lamalou-les-Bains, le 26 avril 1953. Membre du *Rotary*. Réélu député *M.R.P.* de l'Hérault les 2 janvier 1956, 30 novembre 1958 et 18 novembre 1962. Elu maire de Lodève (octobre 1959).

COSTES (Alfred, Marie, Irénée).

Ouvrier ajusteur (1888-1959). Militant syndicaliste aux usines Renault, socialiste puis communiste, secrétaire général de la Fédération des Métaux (C.G.T.U.), emprisonné en 1925, puis en 1927 et en 1929-1930 pour son activité politique, fut élu député de la Seine en 1936. Ayant approuvé le pacte germano-soviétique, la police l'arrêta en octobre 1939, le parlement prononça sa déchéance en février 1940 et le tribunal le condamna à cinq ans de travaux forcés. Transféré en Algérie, en 1941, libéré en 1943, reprit aussitôt ses activités au sein du *P.C.F.*, fit partie du comité central du parti, et prit la tête de la Fédération cégétiste de la Métallurgie. Fut ensuite conseiller municipal de Boulogne-Billancourt (1945), membre des deux Constituantes (1945-1946) et député de la Seine (1946-1956).

COSTON (Henry, Georges).

Homme de lettres, né à Paris, le 20 décembre 1910, d'une famille auvergnate. Etudes au collège de Villeneuve-sur-Lot où il fut le condisciple du futur sénateur Georges Bordeneuve et de Paul Guth, qui s'est distingué dans la littérature depuis la Libération. Milita dans les mouvements nationalistes créés avant la guerre — à seize ans, il était secrétaire de la section d'*Action française* de Villeneuve-sur-Lot — et collabora, dès 1927, à la presse nationale, en particulier à *L'Express du Midi*, quotidien toulousain (1927-1931), au *Paysan du Sud-Ouest* (1927-1930), au *Petit Oranais*, quotidien algérien (1930-1931), au *Porc Epic* (1934-1935), au *Siècle Nouveau* (1937-1938), à *Paris-Soir* (1940), à *La France au Travail* (1941), au *Bulletin d'Information* (1941-1944), à *L'Echo de la Presse* (1951-1952). Directeur de *La Libre Parole* (1930-1939), puis de *Lectures Françaises* (depuis 1957). Co-fondateur du *Club National des Lecteurs* (1954). Auteur de divers ouvrages de documentation, notamment de : « *Les Financiers qui mènent le monde* » (1955), « *La Haute Banque et les Trusts* » (1958), « *Le retour des 200 familles* » (1960), « *L'Europe des banquiers* » (1963), et, en collaboration (avec l'équipe de sa revue) : « *Partis, journaux et hommes politiques d'hier et d'aujourd'hui* » (1961), « *La République du Grand Orient* » (1964), « *La France à l'encan* » (1965) et (avec sa femme, Gilberte Coston) « *Le Journalisme en 30 leçons* » (paru en 1951 sous le titre : « *L'A.B.C. du Journalisme* », réédité successivement en 1952, 1960 et 1962).

COT (Pierre).

Professeur de droit, né à Grenoble, le 20 novembre 1895. Débuta très jeune dans la politique. Milita d'abord dans les milieux catholiques de droite, anima avec le comte André de Fels la *Jeune France Républicaine* (1924), puis rallia le *Parti Radical-Socialiste* et fut élu, sous ses couleurs, député de la Savoie (1928). Réélu en 1932 contre un candidat de droite, Debû-Bridel, et en 1936 contre un autre candidat de droite, Georges Riond. Entre-temps, avait été sous-secrétaire d'Etat aux Affaires étrangères (1932-1933) et ministre de l'Air (1933-1934) ; redevint ministre de l'Air (1936-1938) et fut ministre du Commerce quelques mois (1938). Ses adversaires lui ont beaucoup reproché ses sympathies agissantes pour les républicains espagnols en 1936-1939 et son attitude, qu'ils qualifiaient de *belliciste*, en 1938 et 1939. Ne prit pas part au vote du 10 juillet 1940 à Vichy et s'embarqua pour les U.S.A. (où il vécut plusieurs années). Le gouvernement du maréchal Pétain prononça alors sa déchéance de la nationalité française et confisqua ses biens (septembre 1940). Aux Etats-Unis, fut souvent reçu par le président Roosevelt et ses proches collaborateurs (passait alors pour être le conseiller de Washington pour les affaires françaises). Devint membre de l'Assemblée consultative d'Alger en novembre 1943 et de celle de Paris en novembre 1944, comme représentant du *Parti Radical-Socialiste*. Elu député de la Savoie aux deux Constituantes (1945-1946), puis à l'Assemblée nationale (1946). Exclu du *Parti Radical-Socialiste* en raison de ses idées jugées communisantes, fonda avec d'autres radicaux le *Regroupement des Radicaux et Résistants de Gauche* (1946), puis avec des sympathisants communistes, l'*Union Progressiste* (1950). En 1951, abandonnant la Savoie, se fit réélire député du Rhône sur une liste composée de communistes et de résistants ; réélu de la même manière en 1956, fut battu en 1958 par Pierre Dumas. Candidat soutenu par le *P.C.F.* à Paris en 1962, fut encore battu (de justesse, cette fois). Maire de Coise-Saint-Jean-Pied-Gauthier, conseiller général de la Savoie, directeur de la revue *Horizons*, membre dirigeant du *Conseil Mondial de la Paix* (pro-communiste) et de la *Ligue des Droits de l'Homme*, ardent défenseur de l'alliance franco-soviétique, est depuis 1960, directeur d'études à l'Ecole pratique des hautes études (6e section), poste créé par la loi de finances de 1960. Leader de l'*Union Progressiste*, élu député de Paris en 1967.

COTE BASQUE-SOIR.

Quotidien indépendant, fondé le 24 août 1944 sous le titre de *L'Eclaireur du Sud-Ouest* (10, avenue Louis-Darracq, Bayonne).

COTY (François SPOTURNO dit).

Industriel et directeur de journaux (1869-1934). Le futur « Napoléon de la presse et de la parfumerie » début dans la vie comme saute-ruisseau chez un notaire. Dans le sillage d'Emmanuel Arène, député de l'île de beauté, le jeune Corse, déjà attiré par le journalisme, collabora quelque temps à un journal marseillais où il « faisait les chiens écrasés » tout en étudiant les parfums dont son odorat exceptionnel décelait la composition. « Monté à Paris » dix ans avant la Première Guerre mondiale, il était à la tête d'une maison florissante lorsqu'éclata le conflit. Les « *parfums Coty* » étaient connus dans le monde entier. La paix revenue, François Coty consolida son empire, s'implantant solidement en Amérique. C'est alors que le parfumeur, qui n'avait jamais cessé d'être attiré par la presse — ses premières amours — acheta un gros paquet d'actions du *Gaulois* et du *Figaro*. Maître de ces deux quotidiens, il les réunit en un seul sous le titre *Figaro* — sans l'article *Le* ainsi que le lui avait conseillé son collaborateur (et porte-plume) Urbain Gohier. Mais ce journal n'atteignit qu'une élite, et c'est au peuple que cet homme du peuple voulait s'adresser. Entouré d'une équipe de journalistes chevronnés, il prépara en 1927 la publication d'un grand quotidien populaire à deux sous (au lieu de cinq, prix des autres journaux), le 2 mai 1928, parut le n° 1 de *L'Ami du Peuple* contre lequel s'étaient ligués les cinq grands quotidiens parisiens, les messageries Hachette et plusieurs organes de publicité. Cot

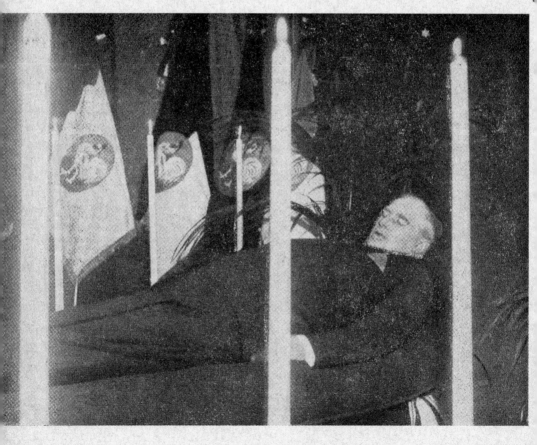

triompha de cette coalition : il gagna le procès qu'il engagea contre eux et, après l'arbitrage d'André Tardieu, reçut de ses adversaires une indemnité de dix millions de francs Poincaré. Cette guerre — tout autant que ses conseillers Gohier et Brenier de Saint-Christo — lui révéla la puissance des forces financières. Son tempérament de lutteur lui interdisait de composer avec elles : il les attaqua de front. Sous sa signature parurent une série d'articles, écrits par Urbain Gohier et Flavien Brenier de Saint-Christo (avec la documentation fournie par l'*Institut antimarxiste de Paris* et par un jeune journaliste, fort lié avec Brenier, Henry Coston) dénonçant les *financiers qui mènent le monde*. Il créa une *Maison de l'Epargne* qui guidait les petits épargnants, fonda un quotidien vespéral, *L'Ami du Peuple du soir*, commandita de nouveaux journaux : *Le Salut public, L'Autorité, Le coup de patte, L'Ami des sports, La nouvelle Aurore* ; subventionna les *Croix de Feu*, lança même un parti, *La Solidarité française*, dont *L'Ami du Peuple* devint l'organe quotidien. Mais Coty s'était attaqué à plus fort que lui. La riposte des banquiers et des hommes d'affaires qu'il avait stigmatisés fut aussi habile qu'efficace. Un jeune israélite roumain fit la conquête de Mme Coty, que son mari délaissait. Le divorce qui s'ensuivit mit le parfumeur dans la gêne ; marié sous le régime de la communauté, la liquidation des biens du ménage le défavorisa d'autant plus qu'il voulait garder ses affaires industrielles et ses journaux. Il dut céder les actions du *Figaro* à sa femme en même temps que plusieurs centaines de millions d'argent liquide. Il conservait l'*Ami du Peuple*, déficitaire, et une partie des actions de la firme qui porte son nom. Mais peu après, il fut contraint de vendre le journal à un groupe contrôlé par l'*Agence Havas* et d'abandonner la direction de ses propres usines. Désespéré, abandonné par la plupart de ceux qui avaient pourtant largement profité de lui, François Coty mourut à Louveciennes, au cours de l'été 1934.

COTY (René).

Homme politique, né au Havre, le 20 mars 1882, mort le 27 novembre 1962. Issu d'une famille d'instituteurs le village. Avocat à vingt ans, conseiller d'arrondissement à vingt-cinq, conseiller municipal du Havre, sa ville natale, à vingt-six. Battu aux élections municipales de 1919 par la liste Léon Meyer,

réussit à celles du Conseil général la même année. « Poulain », depuis 1904, de Jules Siegfried, fut élu à son siège de député de la Seine-Inférieure en 1923 et constamment réélu depuis, jusqu'en 1936, année de son entrée au Sénat. Vota le 10 juillet 1940 la délégation des pouvoirs constituants au maréchal Pétain et fut nommé, par le gouvernement, maire du Havre en 1941. Bien qu'ayant refusé cette nomination, fut appréhendé par les F.F.I. à la Libération, mais ne connut aucun autre désagrément, ayant été relevé de l'inéligibilité par un jury d'honneur. Fut membre des deux Constituantes (1945-1946), député à l'Assemblée Nationale (1946-1948), puis sénateur, toujours de la Seine-Inférieure (1948-1953). Avait été sous-secrétaire d'Etat à l'Intérieur pendant dix jours avant la guerre (1930) ; fut ministre de la Reconstruction pendant dix mois sous la IVe République (1947-1948). Après douze tours de scrutin, fut élu (par surprise) président de la République, le 23 décembre 1953. Co-fondateur du *Centre National des Indépendants*, donc l'un des chefs de la droite libérale, joua le jeu constitutionnel et fit appel, pour constituer le gouvernement, à des hommes qu'il n'aimait guère : par exemple, Pierre Mendès-France en 1954 et le général De Gaulle en 1958. Démissionna après le vote de la nouvelle Constitution et devint membre de droit et à vie du Conseil Constitutionnel, où il manifesta, a-t-on dit, son hostilité à certaines décisions présidentielles ou gouvernementales que le vieux libéral qu'il était jugeait abusives, voire illégales. Son gendre, le Docteur Georges, est député gaulliste de la Seine-Maritime.

COUDERC (Pierre).

Médecin, né à Sainte-Enimie (Lozère), le 2 août 1919. Conseiller général du canton de Mende (1955), maire de Saint-Etienne-du-Valdonnez (1959). Elu député de la Lozère (1re circ.) le 25 novembre 1962, remplaçant l'abbé Viallet (U.N.R.) qui ne se représentait pas. Apparenté au groupe des *Républicains Indépendants*.

COUDERT (Lucien).

Avocat, né à Castres (Tarn), le 28 juillet 1887. Bâtonnier en 1925, 1932, 1937 et 1948. Candidat du Cartel des Gauches, élu député du Tarn en 1927, contre le baron Reille-Soult. Ne se représenta pas en 1928, mais fut élu à nouveau en 1932. Entre-temps, collabora à *La Dépêche* de Toulouse. Battu en 1936, son siège fut conquis par Salomon Grumbach (*S.F.*

I.O.). Résistant, emprisonné plusieurs mois à Toulouse en 1944, fut élu député radical-socialiste du Tarn en 1951 et battu en 1956.

COUILLET (Michel).

Cheminot, né à Cailleux-sur-Mer (Somme), le 28 novembre 1913. Conseiller général de la Somme (Amiens-Sud-Est) depuis le 11 juin 1962. Membre suppléant du C.C. du *P.C.F.* Député communiste depuis 1962.

COUINAUD (Pierre).

Chirurgien, né à Nevers, le 28 octobre 1891, d'un père magistrat. Etudes : lycée de Nice, lycée Louis-le-Grand, faculté de médecine de Paris. Chirurgien à l'hôpital d'Argentan (Orne). Déporté de la Résistance. Sénateur *R.P.F.* de l'Orne (1946-1951), puis député de l'Orne (1951-1958), d'abord inscrit au *R.P.F.*, puis au groupe *I.P.A.S.* (Indépendants-Paysans). Ancien secrétaire d'Etat à la Santé Publique, à la Famille et à la Population, dans le cabinet René Mayer (1953). Ancien maire d'Argentan (1953-1961). Propriétaire du *Journal de l'Orne*.

COULAUDON (Aimé).

Avocat, né à Pontgibaud (Puy-de-Dôme), le 8 février 1906. Secrétaire d'Alexandre Zévaès, fut l'un des fondateurs des *Jeunesses socialistes du Puy-de-Dôme* et des *Etudiants socialistes,* ainsi que du *Drapeau rouge* et de *L'Auvergne Socialiste*. Après deux tentatives infructueuses, entra au Palais-Bourbon en qualité de représentant socialiste du Puy-de-Dôme. Vota le 10 juillet 1940 pour le maréchal Pétain, puis écrivit quelques livres (« *Sourires d'Auvergne* », 1942 ; « *De la Sioule à la Tirelaine* », 1943 ; « *Simon ou les ombres du plaisir* », 1943) et se lança un peu plus tard dans la Résistance, sous les ordres de son frère, chef de maquis sous le nom de colonel Gaspard. À la Libération, devint le rédacteur en chef du *Mur d'Auvergne* (1944-1952). Membre de plusieurs sociétés savantes régionales, est l'auteur de divers ouvrages sur l'histoire de l'Auvergne et d'une intéressante étude sur les « *Journaux du Puy-de-Dôme en 1848* ».

COULET (René, Marcel).

Gérant d'entreprise de presse, né à Montpellier (Hérault), le 14 juillet 1904. Collabora à *L'Intransigeant* et au *Temps* (1925), et fut le directeur technique du *Petit Marseillais* (1928). Après la Libéra-

tion : chargé de mission par le ministère de l'Information (1944), conseiller technique de l'administration des domaines (jusqu'en 1947). Entra dans le groupe *Hachette* et devint, pour le compte de celui-ci : administrateur, puis président de la *Société de journaux et publications périodiques* (propriétaire de *Samedi-Soir*), gérant de la société *Lectures et Actualités* (éditrice du *Nouveau Candide*), administrateur-directeur général de la S.A. *La Vie française,* gérant de la *Société d'Edition et Journaux et Publications Périodiques* (depuis 1953). Est également secrétaire général du Syndicat des publications d'information générale.

COUMAROS (Jean).

Médecin, né à Micra-Valitsa (Grèce), le 1er juin 1907. *France-Soir* (20-1-1959) a précisé que le député Coumaros est « un des neuf enfants d'un pope orthodoxe, d'origine grecque ». Maire de Puttelange. Conseiller général du canton de Sarralbe depuis le 27 avril 1958. Député *U.N.R.* de la Moselle (6e circ.) depuis 1958.

COUP D'ETAT.

Action déclenchée par une autorité qui viole la Constitution pour s'emparer, par la force, du pouvoir politique sans la participation active de la population. La modification ou l'interprétation abusive de la Constitution, par le détenteur du pouvoir exécutif imposant son point de vue par la force, peut être considérée comme un *coup d'Etat.*

COUR DE JUSTICE.

Tribunal d'exception créé après la Libération pour juger les partisans du maréchal Pétain, les collaborationnistes et les personnes accusées d'avoir aidé les Allemands (voir : *Epuration*).

COURANT (Pierre).

Avocat, né au Havre, le 12 décembre 1897, mort dans cette ville le 22 mars 1955. Inscrit au barreau du Havre (1919-1965), ancien bâtonnier, conseiller général du 5e canton du Havre (réélu en 1955 et 1961) et président du Conseil général de la Seine-Maritime (1958-1964), maire du Havre (1941-1944 et 1947-1953) puis conseiller municipal. Député indépendant de la Seine-Maritime (1945-1962), ministre du Budget (cabinet Pleven, 1951), de la Reconstruction et de l'Urbanisme (cabinet René Mayer, 1953). Auteur du « *Plan Cou-*

ant » pour un système de constructions
tandardisées.

COURCEL (Alphonse CHODRON DE).

Diplomate (1835-1919). Issu d'une famille Chodron autorisée le 7 août 1852 à
s'appeler Chodron-Courcel et qui prit
l'habitude de signer Chodron de Courcel. Fils d'un maître de forges, petit-fils
par sa mère de Boulay de la Meurthe,
ministre de Napoléon, entra au ministère
des Affaires étrangères en 1859 et devint
ambassadeur, en dernier lieu à Berlin.
Fut sénateur de Seine-et-Oise de 1892 à
1919. Présida très longtemps la *Cie du
Chemin de fer d'Orléans* et administra
également la *Cie de Suez*. L'un de ses
parents, Geoffroy Chaudron de Courcel,
également diplomate, fut le secrétaire
général de l'Elysée en 1959-1962.

COURNAULT (Charles-Henry).

Agriculteur (1876-1963). Sénateur modéré de la Meurthe-et-Moselle (1937-
1942), nommé le 23 janvier 1941 membre du *Conseil National* (voir à ce nom).

COURRIER (Le).

Hebdomadaire paraissant avant la
guerre sous le nom de *L'Echo de la
Montagne*, dont l'origine remonte à 1827.
Dirigé depuis 1931 par Jean-Pierre Sal-
vat (né à St-Claude, le 29 juin 1911).
Indépendant, publie une tribune libre
ouverte à toutes les opinions. (17, rue de
la Poyat, Saint-Claude, Jura.)

COURRIER (Le).

Hebdomadaire départemental paraissant à Le Neubourg (Eure). Directeur :
Ch. Aymé. Tirage : 8 à 10 000 exemplaires.

COURRIER DE BAYONNE (Le).

Quotidien fondé à une date fort
controversée (1). Le *Courrier* qui paraissait à Bayonne en 1940, sous la direction de Jean de l'Espée, se saborda le
1er juillet 1940. Le *Courrier* qui paraît
depuis plus de vingt ans est « couplé
avec le *Journal de Biarritz* » et paraît
à Biarritz (1, avenue Foch).

(1) Selon *L'Annuaire de la Presse* 1965 : en
1946 ; selon l'édition de 1948 : en 1829 ; selon
l'édition de 1914 : en 1853 ; et d'après *L'Argus*
annuaire 1937) : en 1841 ; et en 1863, si l'on
en croit l'ouvrage de H.F. Raux, conservateur
à la Bibliothèque Nationale.

COURRIER DE BELFORT (Le).

Hebdomadaire gaulliste fondé le 24
avril 1954 et dirigé par Raymond
Schmittlein, député *U.N.R.* S'est signalé,
sous la IVe République, par ses violentes campagnes contre les hommes politiques (en particulier Edgar Faure) accusés d'abandonner l'Afrique française
(6, rue du Docteur Fréry, Belfort).

COURRIER DE BOURG-EN-BRESSE ET DES PAYS DE L'AIN (Le).

Quotidien se réclamant du *Courrier
de l'Ain* publié en 1820-1944. Fondé en
1955 par Gilbert Coltice, directeur de
La République Nouvelle de Bourg (disparue), organe du Comité départemental
de la Libération. Son tirage moyen est
de 15 000 exemplaires (18, rue Lalande,
Bourg, Ain).

COURRIER DU CENTRE (Le)

Quotidien modéré du Limousin, fondé
en 1851, rayonnant sur neuf départements de la Marche, du Bourbonnais, du
Périgord, du Quercy, du Rouergue et
des Charentes. Son tirage dépassait, en
1939, 100 000 exemplaires. Ayant paru
pendant l'occupation, il fut interdit en
1944, et *La Liberté du Centre*, dirigée
par le député démocrate-chrétien R.
Schmidt, prit sa place. Ses biens furent
transférés à la *S.N.E.P.*

COURRIER DU CLAN (Le).

Bulletin mensuel fondé en juillet 1966
pour servir de lien au *Clan,* à la fois
maison d'édition et cercle politique.
Directeur-gérant : François Brigneau.
Lié au *Cercle du Panthéon* et à la
S.E.R.P. dont l'animateur est Jean-Marie
Le Pen, ancien député national de Paris.
Le *Clan* se propose de publier, deux ou
trois fois par an, un ouvrage de caractère non-conformiste ou d'opposition.
Les premiers volumes annoncés sont
ceux de François Brigneau : « *Mon
après-guerre* », et de Henri Charbonneau : « *Les mémoires de Porthos* »
(10, rue Quincampoix, Paris 2e).

COURRIER DE LA COLERE (Le).

Hebdomadaire gaulliste fondé en novembre 1957 sous l'égide de Michel
Debré. Sous une forme agressive, le
journal défendait l'Algérie française et
préconisait la création d'un « *gouvernement de salut public* », dont le général
De Gaulle devait être le président. Le
journal s'appela par la suite *Le Courrier*

de la Nation. Il disparut lorsque la majorité de ses animateurs et rédacteurs se rendirent compte que la politique algérienne du général De Gaulle n'était pas celle qu'ils préconisaient et qu'avait soutenue avec eux Michel Debré avant de devenir Premier ministre. *Le Courrier de la Colère* était édité par la *Société des Éditions de la Nation,* S.A.R.L. au capital d'un million de frs dont les parts étaient ainsi réparties : colonel Pierre Battesti, directeur de la publication, futur député *U.N.R.* de Seine-et-Marne, 51 % ; Michel Debré, sénateur d'Indre-et-Loire, 25 % ; Jean Mauricheau-Beaupré, directeur de société, 24 %. Y collaborèrent au début : Michel Debré, qui rédigeait l'éditorial, Pierre Battesti, Georges Bousquet, ancien rédacteur à *Comœdia* et aux *Débats de ce temps,* Raymond Dronne, député de la Sarthe, et Charles Trochu (pseudonyme : *Pactus*), ancien président du Conseil municipal de Paris en 1941-1942.

COURRIER DE LA CORSE (Le).

Quotidien fondé en 1952. Dirigé par Joseph Santi. Son tirage moyen est de 12 000 exemplaires (18, boulevard Paoli, Bastia).

COURRIER DES DÉMOCRATES (voir : Centre Démocrate).

COURRIER FRANÇAIS (Le).

Hebdomadaire démocrate-chrétien fondé à Bordeaux le 2 septembre 1944 dans les locaux de *La Liberté du Sud-Ouest* frappée d'interdit. D'abord quotidien, ne conserva plus après quelques années que son édition du dimanche, largement diffusée dans dix-sept département du Sud-Ouest, du Centre-Ouest et de l'Ouest. Dirigé par A. Garrigues, que secondent M. Vauguion, administrateur. et G. Ganachaud, secrétaire général de rédaction (64, rue du Palais-Gallien, Bordeaux).

COURRIER-LIBERTÉ (Le).

Quotidien démocrate-chrétien fondé à la Libération dans l'immeuble du *Courrier du Centre* interdit, sous le titre : *La Liberté du Centre.* Il fit paraître une édition pour la Corrèze intitulée *Le Courrier corrézien.* Cette résurgence du *Courrier* abhorré ayant déchaîné la colère du chef maquisard communiste Guingouin et les protestations des propriétaires légitimes du *Courrier du Centre,* la direction du nou-

veau journal transforma celui-ci en *Courrier-Liberté.* L'état-major du quotidien était principalement composé de militants *M.R.P.,* dont le député R Schmidt, Jean Botrot, ancien directeur de l'agence de presse *Télé-France* de Vichy, et Edmond Michelet, futur ministre du général De Gaulle, respectivement directeur, rédacteur en chef et président. Malgré une collaboration brillant (Thierry-Maulnier, André Stibio, Pau Reynaud, Jacques Soustelle, etc.), l situation de ce quotidien tiraillé entre démocrates-chrétiens et gaullistes devin si déplorable qu'il fallut envisager sa disparition. Le groupe Hersant vint à point nommé pour racheter le journa moribond et l'englober dans un *Centre Presse* réunissant sous un seul titre plu sieurs journaux du Centre et du Centre Ouest de la France.

COURRIER DE LA LIBERTÉ (Le).

Bulletin de liaison des *Amis de l Justice et de la Liberté* fondés en 196 et présidés par le sénateur Pierre Mar cilhacy, candidat à l'élection présiden tielle de décembre 1965. Directeur de l publication : Jean Quiminal ; collabora teurs : Pierre Marcilhacy, le pasteur Edouard Œchsner de Coninck, Roger Carcassonne, sénateur socialiste de Bouches-du-Rhône, Lucienne Scheid avocat, Jean Grandmougin, Gasto Monnerville, etc. (286, boulevard Saint Germain, Paris 7ᵉ).

COURRIER DU LOIRET (Le).

Hebdomadaire indépendant fondé e 1944 et répandu dans la Beauce et l Gâtinais. Dirigé par René Mameaux Tirage : 10 000 exemplaires enviro (7, rue Amiral-Gourdon, Pithiviers).

COURRIER DU MAINE (Le).

Hebdomadaire conservateur fondé e 1885 à Laval et largement diffusé dan le département de la Mayenne avant e pendant la guerre. Avait pour directeur Alfred Pottier. Suspendu à la Libéra tion, fut autorisé à reparaître par le préfet (cf. *l'aube,* 7-10-1944), mais u contre-ordre vint aussitôt annuler cett décision et finalement parut *Le Courrie de la Mayenne* (voir à ce nom) don Alfred Pottier fut le directeur.

COURRIER DE LA MAYENNE (Le).

Hebdomadaire modéré fondé à Lava le 23 novembre 1944 pour remplacer *Le Courrier du Maine.* Alfred Pottier, qu dirigeait ce dernier, devint directeur du

uveau *Courrier*. Il était secondé, pour
rédaction, par René Bignon, qui lui
ccéda un peu plus tard. Aujourd'hui,
journal, dont les 11 000 exemplaires
nt lus dans toute la Mayenne — et
i compte même 1 200 abonnés hors du
partement — est dirigé par le comte
de Guébriant (16, rue Daniel-Œlhe,
aval).

OURRIER DE LA NATION (Le) (voir : Le Courrier de la Colère).

OURRIER DE LA NOUVELLE REPU-BLIQUE.

Organe intérieur de l'*U.N.R.* fondé en
60. Parut d'abord chaque semaine, puis
ensuellement lorsque fut lancée *La
ation* quotidienne.

OURRIER DE L'OUEST (Le).

Quotidien d'Angers, fondé en 1944 et
ant repris la clientèle du *Petit Cour-
er* interdit à la Libération. Sous la
rection d'Albert Blanchoin (P. Lanve-
n), ancien député démocrate-popu-
ire, a considérablement étendu sa
hère d'influence depuis vingt ans,
n seulement en Maine-et-Loire, mais
ssi dans les Deux-Sèvres : son tirage
passe 100 000 exemplaires. La rédac-
n, animée par Robert Guillier, com-
end notattement : G. Clavreuil, Ch.
teyeulle, L. Lelong, R. Moisdon (12,
ace Louis-Imbach, Angers).

OURRIER DU PAS-DE-CALAIS (Le).

Quotidien du soir fondé à Arras en
03. De nuance républicaine nationale,
yonnait sur tout le département et
bliait un hebdomadaire départemen-
, *Le Pas-de-Calais* (fondé en 1865).
sparu en 1944. Ses locaux et son
primerie ont été occupés par le quo-
ien socialiste *Libre Artois* (fondé en
44).

OURRIER PICARD (Le).

Quotidien de centre gauche fondé le
octobre 1944 à Amiens, dans les
caux du *Progrès de la Somme* inter-
t. Sous la direction de Maurice Cate-
s, le nouveau journal prit assez rapi-
ment la place qu'occupait dans la
esse son devancier. Ses trois édi-
ns : Amiens, Abbeville-Doullens et
ronne-Montdidier-Ham, ont un tirage
76 000 exemplaires. Son Conseil
administration est composé des repré-

sentants de l'ancien *Comité de Libération* de la Somme et de délégués du personnel de l'entreprise (14, rue Alphonse-
Paillet, Amiens).

COURRIER 48.

Publication monarchiste fondée en
1948 et publiée, semble-t-il, en liaison
avec Delongray-Montier, ancien collaborateur du pamphlet antisémite *Le Porc
Epic,* et secrétaire du bureau politique
du comte de Paris.

COURRIER DE LA IVᵉ REPUBLIQUE (Le).

Hebdomadaire fondé en 1920 et dirigé
avant la guerre par Jean de Granvilliers.
Après l'armistice, ce dernier fit paraître,
avec Pierre Krauss, *Le Courrier de
Seine-et-Oise* (Saint-Germain-en-Laye),
auquel collaboraient Jacques Péricard,
Georges Lecomte, Louis Hippeau. Disparu en 1944.

COURRIER DE LA REPUBLIQUE (Le).

Publication mensuelle ayant succédé,
en quelque sorte aux *Cahiers de la République,* dont elle était au début le supplément. Fondés en 1956 par Pierre Mendès-France et ses amis, *Les Cahiers de
la République* avaient pour rédacteur en
chef Georges Suffert, assisté de Pierre
Avril, rédacteur en chef adjoint, et Raymond Barrillon, rédacteur politique. Y
collaboraient : Julien Cheverny, Jean-
Louis Crémieux-Brilhac, Bernard Cazes,
Paul-André Falcoz, Stéphane Hessel,
Jacques Kayser (décédé), Georges Mamy,
Marcel Roncayolo, Maurice Sorre, Pierre
Rouanet, François Mitterrand, André
Schmidt (gérant de la société éditrice),
Paul Blick, Paul Martinet, René de La-
charrière et Claude Nicolet, ces cinq
derniers, associés-fondateurs de la
S.A.R.L. Les Cahiers de la République.
Les collaborateurs du *Courrier de la
République* ne signent pas leurs articles.
Mme L. Carvallo est directrice-gérante
du *Courrier* (25, rue du Louvre, Paris
1ᵉʳ).

COURRIER DE SAONE-ET-LOIRE (Le).

Quotidien modéré de Chalon-sur-
Saône. Peut se dire, à juste titre, « *le
doyen des quotidiens français* » : fut, en
effet, fondé en 1826 et paraît depuis,
sauf pendant les années 1940-1944. Son
tirage, qui était de 15 000 exemplaires
environ avant 1939, atteint 30 000 exemplaires en 1966. Sous l'impulsion de
René Préfet, son directeur-rédacteur en

chef, un net progrès a donc été enregistré. Ce quotidien est édité par la *S.A. Journal et Imprimerie du Courrier de Saône-et-Loire,* fondée le 13 mars 1905. René-Jean Pretet préside le conseil d'administration qui comprend également : Pierre-Auguste-Marie-Hippolyte Foret, Joseph-Armand-Gustave Pinette, Max-Marie-Roger du Bessey de Contenson, André-Pierre Goyon, et Marie-André-François Bacot. (7, rue des Tonneliers, Chalon-sur-Saône.)

COURRIER DU VALENCIENNOIS (Le).

Hebdomadaire modéré fondé après la Libération et dirigé par Jean Jenny (83, rue Saint-Géry, Valenciennes, Nord).

COURRIERE (Antoine).

Notaire, né à Cuxac-Cabardès (Aude), le 23 janvier 1909. Sénateur *S.F.I.O.* de l'Aude depuis 1946, président du groupe socialiste du Sénat, conseiller général du canton de Mas-Cabardès, maire de sa ville natale (depuis 1953).

COURROY (Louis, Philippe).

Directeur commercial, né à Rupt-sur-Moselle (Vosges), le 4 mars 1915. Sénateur des Vosges (depuis 1952), inscrit au groupe des *Républicains indépendants,* conseiller général, vice-président du Conseil général des Vosges, maire de Rupt-sur-Moselle.

COURSON (Léon).

Viticulteur (1883-1950). Militant radical, initié à la Loge *Les Démophiles,* de Tours, le 9 juillet 1906. Maire de Chinon, conseiller général, puis député d'Indre-et-Loire (1932-1942). Vota pour le maréchal Pétain le 10 juillet 1940, et se retira de la politique.

COURTADE (Pierre).

Journaliste et homme de lettres, né à Bagnères-de-Bigorre (Htes-Pyrénées), le 3 janvier 1915, mort à Paris, le 14 mai 1963. Fils d'un postier. Condisciple de Pierre Hervé au lycée Lakanal. Professeur d'anglais à Nantua, puis rédacteur au *Progrès de Lyon.* Pendant l'occupation, milita dans la Résistance et rédigea le *Bulletin d'Information* du C.N.R. Publia, dans *Confluences* (novembre 1943), « *La Salamandre* ». Devint rédacteur en chef adjoint de l'*Agence France-Presse* à la Libération, puis entra à *Action* et enfin à l'*Humanité.*

Entre temps, avait rejoint le *P.C.F.* do il devint, en 1954, membre du Comi central. Fit pour le quotidien comm niste de nombreux reportages à trave le monde. Un infarctus du myocare l'obligea, à partir d'octobre 1955, réduire ses activités. Correspondant l'*Humanité* à Moscou, subit dans la cap tale soviétique une première interve tion chirurgicale en novembre 1962, après la mort de son père et de son fi Rentré à Paris six mois plus tard, mourut moins de quinze jours aprè L'œuvre de ce militant, de « *stric orthodoxie* », comme disait *Le Mond* est toute imprégnée des idées politiqu de son auteur : « *Pour connaître la pe sée de Darwin* », « *Essai sur l'ant soviétisme* », « *Elseneur* », « *Jimmy* « *La rivière noire* », « *Les anima supérieurs* », « *Place Rouge* », « *Meu tre à Athènes* » (en collaboration av Claude Roy). Le *P.C.F.* n'avait pas to de déclarer, au lendemain de sa mor qu'il perdait « *un dirigeant éprouvé ardent* » et « *l'Humanité, un journalis de talent* ».

COURTIER (Marie, Joseph, Auguste

Avocat (1874-1940). Deux fois bâto nier. Codirecteur de *La Haute-Mar nouvelle,* collaborateur de *La Fran active* et de la revue *Le Parlement l'Opinion.* Conseiller municipal de Cha mont, conseiller général de la Haut Marne, député républicain de gauche ce département de 1919 à 1924 et 1934 à 1936, et sénateur de 1924 à 193 Président du Groupe de défense des a tisans de la Chambre, fut également l' des dirigeants du *Parti Républicain Social.*

COURTIER (René).

Agriculteur (1878-1949). Sénateur i dépendant de Seine-et-Marne (193 1942). Nommé le 23 janvier 1941 me bre du *Conseil national* (voir à ce nom

COURTOIS (Antoine, Pierre de).

Avocat (1878-1946). Conseiller gé ral, puis sénateur des Basses-Alp (1930-1942). Nommé le 23 janvier 19 membre du *Conseil national* (voir à nom).

COURTOT (Raymond).

Avocat, né à Joigny (Yonne), le 19 ju 1907. Inscrit au barreau de Belfort ava la guerre, fut, après la Libération, secr

ire général et directeur financier, puis
nseil d'entreprises. Dirigeait, avant la
erre, *Belfort National*, qu'il avait
ndé. Candidat national aux élections
gislatives de 1936 à Belfort. Conseiller
unicipal d'Argenteuil en 1957-1958.
ctuellement : président du *Centre Libé-
l Européen* de la Seine (depuis 1962).

OUSIN (Georges, Lucien, Paul, Constant).

Médecin (1886-1942). Fut élu député
e Paris, après l'affaire Stavisky, sur un
rogramme antimaçonnique. Créa, peu
rès, l'*Union Anti-Maçonnnique de
rance*. Inscrit à la *Fédération Républi-
aine*, prit la parole à des réunions du
arti *Républicain National et Social*
aittinger) et appartint au *Comité de
éfense des Libertés Républicaines et
e Sympathie pour le P.S.F.* Vota pour
maréchal Pétain le 10 juillet 1940.
uteur de nombreux ouvrages médicaux.

OUSTEAU (Pierre-Antoine).

Journaliste, né à Saint-André-de-Cub-
ac (Gironde), le 18 mars 1906, mort à
aris, le 17 décembre 1958. Frère du
ommandant J.-Y. Cousteau. C'est en
930 — « *par hasard* », disait-il — qu'il
ntra au *Journal*. Ce fut pour lui la
évélation d'une véritable vocation. Il
t, tour à tour ou simultanément, secré-
ire de rédaction, grand reporter, chro-
iqueur, rédacteur politique. Son sens
e l'humour, peu commun chez les jour-
alistes de son bord, devait le pousser
ers la politique. Il avait collaboré dans
a jeunesse à *Monde*. En 1933, il devint
un des collaborateurs de *Je suis par-
out*, que la maison Arthème Fayard
enait de fonder et que Pierre Gaxotte
irigeait. Il collaborait aussi à *Can-
ide*. Prisonnier de guerre en 1940,
béré un an et demi après, il reprit sa
lace à *Je suis partout* et en devint le
édacteur en chef (1942), puis le direc-
ur politique (1943) après le départ de
obert Brasillach. A la même époque,
entra à *Paris-Soir* comme rédacteur
n chef. Arrêté en 1945, condamné à
ort l'année suivante et gracié à Pâques
947, il passa huit années à la centrale
e Clairvaux et à celle d'Eysses. Libéré
n 1954 par une mesure de grâce, il
eprit sa place dans la presse de l'oppo-
ition nationale et collabora à *Rivarol*
t, sous divers pseudonymes, à *Diman-
he Matin*, à *C'est-à-dire*, au *Charivari*
t à quelques revues politiques et pro-
essionnelles ; il rédigea, pendant près

de deux ans (1957-1958), l'éditorial de
Lectures Françaises qu'il avait contribué à lancer. Il écrivit plusieurs ouvrages : « *L'Amérique juive* », tableau de
la vie américaine, paru pendant la
guerre ; « *Mines de rien* », où il contait
quelques-unes des grandes mystifications
auxquelles il fut jadis mêlé ; « *Hugo-
thérapie* », charge féroce contre le
poète dont il stigmatisait les palinodies
politiques ; « *Après le déluge* », « *peinture cruelle de la pandémocratie* »,
disait J. Ploncard d'Assac ; « *Les lois de
l'hospitalité* », où sont relatées avec une
souriante ironie ses pérignations dans
divers camps de « personnes dépla-
cées » ou de prisonniers ; et le dernier
en date, paru après sa mort et publié
par ses amis Henry et Gilberte Coston,
« *En ce temps-là* », qui contient, outre
des souvenirs, son « *journal* de condamné à mort ». Ce militant à l'esprit
caustique et à la plume acérée avait un
cœur d'or. On lui connaissait des adversaires : on ne lui connaissait pas d'ennemis. Même ceux qui ne partageaient
pas ses idées, même ceux qui combattaient sa politique lui témoignaient leur
estime. Témoin cette phrase du *Monde*
paru au lendemain de sa mort (19-12-
1958) : « *Fidèle à ses idées, à ses amitiés, à son passé, il avait conservé tout
son talent de polémiste.* »

Pierre-Antoine Cousteau

COUSTENOBLE.

Président de la Chambre des Métiers de Lille, nommé le 23 janvier 1941 membre du *Conseil National* (voir à ce nom).

COUTANT D'IVRY (Jules COUTANT, dit).

Syndicaliste (1854-1913). Ouvrier mécanicien à Ivry (Seine), fut l'un des pionniers du syndicalisme dans la région parisienne. Elu député socialiste révolutionnaire de la Seine en 1893, constamment réélu ensuite jusqu'à sa mort, milita avec ardeur au *Parti Socialiste S.F.I.O.* après l'unification, puis rallia le *Parti Républicain Socialiste*.

COUTEAUX (Ernest, Clément, Désiré).

Géomètre (1881-1947). Militant socialiste depuis l'âge de dix-huit ans, fut élu à vingt-trois conseiller d'arrondissement et à trente-deux conseiller général de Saint-Amand-les-Eaux. Après la guerre, devint maire de cette ville et député du Nord (1919). Demeura à la Chambre jusqu'en 1928 et y siégea à nouveau de 1932 à 1936. Battu aux élections générales de 1945 et de 1946, entra au Conseil de la République en 1946.

COUTEL (Charles, Louis).

Employé de commerce (1871-1948). Syndicaliste national, président du Conseil des Prud'hommes de Lille, conseiller municipal de la ville depuis 1908, fut élu député du Nord en décembre 1926, et siégea sur les bancs de la droite parlementaire jusqu'en 1936. Battu cette année-là par le candidat *S.F.I.O.* Louis Masson, se consacra aux associations de familles nombreuses et de secours mutuels qu'il animait.

COUTROT (Jean).

Ingénieur, né à Paris, le 27 mars 1895. Polytechnicien, grand mutilé de guerre (1915), il s'occupa, dès 1917, des affaires familiales (industrie du papier). Autour de 1934, il présidait la *Chambre Syndicale des transformateurs de papier* et gérait, avec son beau-frère M. Gaut, les *Papeteries Gaut et Blancan*. En juillet 1935, il était nommé membre du Comité des Economies au Ministère des Affaires étrangères, par décret du 15 juillet (*J.O.*, 24-7-1935), Pierre Laval étant président du Conseil et ministre des Affaires étrangères. L'année suivante, il entrait au Ministère de l'économie nationale où il fut l'un des collaborateurs de Charles Spinasse, ministre socialiste du gouvernement Blum. Entre-temps, cet homm débordant d'activité, fut à l'origine d divers groupements, ou participa à le direction. En 1931, il fonda, avec so ami Bardet, le groupe « X-Crise » q deviendra, en 1933, le *Centre polytech nicien d'Etudes économiques*. En 193 il participa au développement du *Comi National de l'Organisation français* dont il sera nommé administrateur p l'Assemblée générale du 21 février 193. La même année, il se trouvait parmi le fondateurs et animateurs de *l'Eco d'Organisation Scientifique du Travai* créée sous les auspices du *Comité préc dent*. Lorsque le gouvernement fond par décret du 25 novembre 1936, *Centre d'Organisation Scientifique d Travail*, Coutrot présida son *bure technique permanent*. L'année suivant on le retrouva parmi les dirigeants *Centre d'Etudes des Problèmes Humain* qui venait d'être créé. Il était parmi le organisateurs des *Journées de Pontign* qui réunissaient, une ou deux fois pa an, pendant quelques jours, des perso nalités amies du C.E.P.H. En 1938, dirigea, avec divers animateurs du C.I P.H., *l'Institut de Psychologie Appliqué* Enfin, au début des hostilités, il figur parmi les participants d'un groupemer dit « *non-conformiste* » qui réunissa ses membres chaque semaine au resta rant Alexandre. Conférencier disert, Jea Coutrot était aussi un écrivain fécon Il collabora à *L'Humanisme Economiqu* et à *La Semaine Cephéenne*, deux péri diques qu'il contrôlait, et publia troi ouvrages : « *L'Humanisme économique* » « *De quoi vivre* » et « *Les entretien de Pontigny* ». Il entretint, en outre, un correspondance abondante et suivie ave les personnalités les plus diverses — industriels, hommes d'affaires, profes seurs, chefs syndicalistes, politicien etc. — tant en France qu'à l'étranger.

Dans le rapport que l'inspecteur gén ral de la Sûreté nationale Chavin établ en 1940 sur les activités de la Synarchi (voir à ce nom), Jean Coutrot était dés gné comme l'animateur, sinon le vérita ble chef du *Mouvement Synarchiqu d'Empire*. Il n'est pas sûr qu'il ait jou dans la société synarchiste, un rôle auss important qu'on l'a dit ; mais il y eu incontestablement, un poste de comman dement, même s'il ne fut, comme l'écrit Roger Mennevée « *qu'un simpl chef d'Etat-Major soumis à un génér plus effacé* » (*Les Documents*, avri 1948). D'autre part, s'il est vrai que cer tains « *cagoulards* » ont eu des liens étroits avec la Synarchie, il ne sembl pas exact, comme le rapport Chavin l laisse entendre, que Coutrot ait été mem

re du *Comité Secret d'Action Révolu-
'onnaire* (C.S.A.R.). Mennevée affirme
ue l'on n'a jamais trouvé le nom de
,outrot « *dans les listes de* « *cagou-
irds* » *tombées entre les mains de la
olice — ou publiées depuis* », ce qui
onfirme nos informations personnelles.
,a mort subite et mystérieuse de Courot eut lieu le 19 mai 1941. Selon les
ns, il aurait été trouvé mort dans son
t, le matin ; selon les autres, il aurait
té découvert mourant sur le trottoir,
iste sous l'un des fenêtres de son appar-
ement. Suicide ? Exécution ? C'est dif-
cile à dire. Dans une note reproduite
titre documentaire par *Les Documents*
e R. Mennevée (avril 1948), il est ques-
ion d'une déclaration que le malheu-
eux aurait faite quelques jours avant sa
tort :

« *En raison de mon activité révolu-
'onnaire, je me sens écrasé par la res-
onsabilité que j'ai dans les malheurs de
ta patrie... Dans certaines circonstan-
es, le suicide est la seule solution com-
atible avec l'honneur.* »

Que Coutrot ait été exécuté ou qu'il se
oit suicidé, sa fin demeure mystérieuse ;
n ne peut s'empêcher de faire un rap-
rochement entre cette mort inexpliquée
t celle, non moins étrange, de trois de
es proches : Franck Théallet, décédé
ubitement en avril 1940, et dont les
apiers furent volés ; Yves Moreau, qui
vait « expurgé » les papiers du défunt,
t qui mourut en octobre 1941 ; et Alex
rulé, beau-frère de Coutrot, qui s'effon-
ra sur le trottoir en sortant de chez
n banquier qui passe pour avoir été un
hef de la Synarchie. (Consulter, pour
e qui touche à ces affaires synarchi-
ues, le livre publié sous la direction de
Ienry Coston : « *Les technocrates et la
ynarchie* », Paris, 1962.)

OUTROT (Maurice, Henri).

Employé de commerce, né à Paris, le
décembre 1907. Conseiller général de
a Seine (canton de Bondy-Pavillons-
ous-Bois), président du Conseil général
e la Seine (1953-1954), maire de Bondy,
énateur *S.F.I.O.* de la Seine.

OUVE DE MURVILLE (Jacques, Mau-
rice).

Inspecteur des Finances, né à Reims,
e 24 janvier 1907. Issu d'une famille
rotestante. Arrière-petit-fils de Jean-
Baptiste Couve, courtier d'assurances ;
etit-fils de Jean, David, Laurent, Henri
Couve, avocat ; fils de Jean-Baptiste,
Edouard Couve, magistrat, originaire de

Bordeaux, qui obtint du tribunal civil de
Marseille, le 23 septembre 1925, le droit
de substituer le nom de *Couve de Murville*
à celui de *Couve*. Marié avec Jacqueline
Schweisguth, fille de Pierre Schweisguth
(banquier : *Crédit National, Banque de
l'Union Parisienne,* assurances, chemins
de fer, compagnies d'électricité, avant la
guerre) et de Mme, née Cambefort (nièce
du banquier Gustave Mirabaud). Inspecteur des Finances (1932). Attaché financier près l'ambassade de France à
Bruxelles (1936). Sous-directeur, puis
directeur adjoint du Mouvement général
des Fonds (1937). Directeur des finances extérieures et des changes (1940 :
nommé par Yves Bouthillier, ministre
des Finances du cabinet Pétain-Laval).
Rejoignit le général Giraud à Alger ;
secrétaire général du Comité de guerre
d'Alger (mars 1943), puis commissaire
aux Finances du Comité Français de
Libération Nationale (général De Gaulle,
juin 1943). Chargé de mission auprès du
gouvernement italien (1944-1945). Directeur des affaires politiques aux Affaires
étrangères (1945). Membre de la délégation française à la Conférence de la
Paix (27 juillet 1946) et à la Conférence
des Quatre à Moscou (7 mars 1947).
Ambassadeur au Caire (1950) ; représentant de la France à l'O.T.A.N. (1954) ;
ambassadeur à Washington (1954), puis
à Bonn (1956). Ministre des Affaires
étrangères (cabinets De Gaulle, 1958 ;
Debré, 1959 ; Pompidou, depuis 1962).
Candidat malheureux aux élections de
1967.

COUYBA (Charles, Maurice).

Universitaire (1866-1931). Poète et
chansonnier sous le pseudonyme de
Maurice Boukay, auteur de plusieurs
poésies mises en musique par Paul Del-
met et de recueils de chansons (« *Chansons d'amour* » préfacées par Verlaine,
« *Chansons rouges* », « *Chanson du
peuple* »), fut également rédacteur au
Gil Blas, à *L'Evénement,* à *La Revue
Bleue.* Battit le duc de Marmier aux élections cantonales de 1895 à Dampierre-
sur-Salon, fut élu député (1897-1907),
puis sénateur de la Haute-Saône (1907-
1920) et ministre deux fois (1911-1912,
1914).

COUZINET (Fernand).

Membre de l'enseignement, né à Toulouse (Haute-Garonne), le 1er octobre
1911. Professeur de collège d'enseignement général. Adjoint au maire de Montesquieu - Volvestre. Vice - président du
Syndicat des Eaux de l'Arize et de la

Lèze. Conseiller général du canton de Montesquieu-Volvestre depuis 1945. Elu député *S.F.I.O.* de la Haute-Garonne (5ᵉ circ.) en 1962 contre le député sortant, Jacques Douzans, qui appartenait au *Centre Républicain*, mais avait sollicité et obtenu l'investiture de l'*Association pour la Vᵉ République* (le *Rassemblement démocratique* de Maurice Faure avait d'ailleurs retiré son investiture à J. Douzans). Battu par ce dernier en 1967.

CRAPOUILLOT.

Revue mensuelle fondée en 1915, au front, par Jean Galtier-Boissière. L'un des rares périodiques non-conformistes de ces quarante dernières années. A publié de nombreux numéros spéciaux sur les questions d'actualité : « *Les mystères de la guerre* », « *Les marchands de canons* », « *Les Anglais* », « *Les Allemands* », « *Les Juifs* », « *Les 200 Familles* », « *La Franc-Maçonnerie* », « *Les gros* », « *Histoire de la guerre 39-45* », « *Pétain-De Gaulle* », etc. La collection de ces fascicules fournit une foule de renseignements inédits et de documents (souvent photographiques) rares et peu connus. Jean Galtier-Boissière, qui se tint en dehors des partis, exerça une influence considérable sur les Français « engagés » de son époque. Peu avant la disparition de son fondateur, le *Crapouillot* fut cédé à l'éditeur Pauvert. Celui-ci en confia la direction à Roland Bacri, puis à Ph. Grumbach, qui lui donnèrent une autre orientation.

CREMIEUX (Fernand, Josué).

Homme politique (1857-1928). Député (1885-1889, 1893-1898), puis sénateur du Gard (1903-1928). Franc-maçon et membre influent du *Parti Radical-Socialiste*. Sa fille, Suzanne Crémieux, ex-femme de Robert Servan-Schreiber, sénateur du Gard, est la mère de Jean-Claude Servan-Schreiber, ex-député gaulliste de la Seine.

CREMIEUX (Gaston).

Militant politique (1836-1871). Originaire de Nîmes (comme son illustre homonyme Adolphe Crémieux), participa à diverses actions révolutionnaires qui le conduisirent en prison sous l'Empire, et au poteau d'exécution après l'écrasement du mouvement « communard » qu'il avait fomenté à Marseille en mars 1871.

CREMIEUX (Isaac-Moïse, dit Adolphe).

Avocat et homme politique, né à Nîmes en 1796, mort à Paris en 1880.

La famille de Crémieux était originaire du Comtat-Venaissin ; elle avait eu pour berceau la ville de Crémieu, dans l'Isère. Le père d'Adolphe, David Crémieux, qui faisait avec son frère Elie le commerce des soieries, avait commencé à s'intéresser à la politique en 1789. Il avait fait partie de la *Société populaire de Amis de la Liberté et de l'Egalité*. Ayant subi l'attrait de la gauche, de Girondin il était devenu Jacobin. Lors des élections de 1792, il avait été scrutateur d'un bureau électoral ; puis il avait obtenu un poste d'officier municipal. La réaction thermidorienne l'avait conduit tout droit en prison où il était resté un certain temps. Bonapartiste sous la Restauration, Adolphe Crémieux devint républicain sous l'Empire. Depuis 1818, il était franc-maçon : il avait été initié à la Loge *Le Bienfait anonyme*, de Nîmes à vingt-deux ans.

Parlant de sa carrière maçonnique, son admirateur et biographe, Posener, a écrit : « *Il adhérait à la Maçonnerie parce que, dans la doctrine de cette dernière, il trouvait le culte de la dignité humaine, la large tolérance, la recherche sincère de la vérité et le respect des grands principes de la Révolution de 1789. De nature essentiellement religieuse, il devait se plaire au rituel maçonnique, au symbolisme de la doctrine.* » (S. Posener, *Adolphe Crémieux*, t. II, p. 169.)

Adolphe Crémieux résumait ainsi la nature religieuse de son esprit : « *Au Dieu d'Abraham, d'Isaac et de Jacob, au Dieu de David et de Salomon, notre adoration de croyants ; à notre France de 1789, notre culte filial ; à la République de 1870, notre dévouement absolu. C'est là notre grande Trinité.* » (*Op. cit.*, t. II, p. 149.)

Vers 1860, il quitta le *Grand Orient* et passa au Rite Ecossais, dont le développement international est grand et qu'avaient fondé des Juifs à Charleston (U.S.A.). Crémieux devait y trouver plus que dans n'importe quel autre, les appuis dont il avait besoin pour sa politique : l'*Alliance Israélite Universelle*, dont il fut aussi le principal animateur. Il ne tarda pas à devenir l'un des chefs du Rite Ecossais en France : le 8 mars 1869 il était élu Souverain Grand Commandeur du *Suprême Conseil de France*. Inscrit de bonne heure au barreau de Nîmes, Crémieux refusa de prêter le serment établi exclusivement pour les Juifs : le serment *more judaïco*, et obtint de suivre la procédure courante. Ses historiens relatent le fait comme une première victoire des Israélites sur les traditions hostiles à leur communauté. En quelques années, son talent, sa violence, avaient fait de lui le champion de la cause israélite en France. L'*affaire de Damas* (l'assassinat d'un religieux français, perpétré disait l'accusation par des israélites) le porta sur le plan international. Avec patience et adresse, il fit les démarches dans les salles de rédaction des grands journaux, réussit à faire passer des communiqués dans des feuilles très diverses et à jeter le doute sur l'accusation et celui qui la soulevait, le consul de France à Damas. Finalement, il partit en Orient avec sir Moses Montefiore et obtint de Mehemet-Ali la libération des accusés. Ce premier succès fit de lui le chef politique des Israélites de France. Il était devenu, en même temps, l'un des *leaders* du parti républicain : élu député à Chinon en 1842 et réélu en 1846, il contribua à la chute de Guizot et sut se glisser dans le Gouvernement provisoire né de la Révolution de 1848. Après avoir soutenu la candidature du prince Louis-Napoléon à la présidence de la République, il rejoignit l'opposition et fut incarcéré quelque temps après le coup d'Etat du 2 décembre 1851. Tout en s'occupant activement des intérêts de ses coreligionnaires, il participa discrètement au mouvement républicain et profita de la libéralisation du Régime pour se faire élire député de Paris en 1869. Il siégea à l'extrême-gauche du Corps législatif et fut, à la proclamation de la République, le 4 septembre 1870, l'un des parlementaires qui composèrent le Gouvernement de la Défense nationale sous la présidence du général Trochu. N'oubliant pas qu'il était le président de l'*Alliance Israélite Universelle*, le nouveau ministre de la Justice — c'était le poste qu'il occupait dans le gouvernement qui succéda à l'Empire — fit adopter, le 24 octobre 1870, un décret qui accordait automatiquement la nationalité française aux Juifs d'Algérie :

Les Israélites indigènes des départements de l'Algérie sont déclarés citoyens français ; en conséquence, leur statut réel et leur statut personnel seront, à compter de la promulgation du présent décret, réglés par la loi française ; tous droits acquis jusqu'à ce jour restent inviolables. Toute disposition législative, décret, règlement ou ordonnance contraires sont abolis.

Fait à Tours le 24 octobre 1870.

Ad. Crémieux, L. Gambetta, A. Glais-Bizoin, L. Fourichon.

Les musulmans d'Algérie accueillirent ce décret comme un camouflet : pour devenir citoyens, ne devaient-ils pas, eux, remplir d'interminables formalités ?

La révolte, qui grondait depuis que ces mesures étaient connues des musulmans, éclata soudain en Kabylie. Mokhrani, un chef indigène, en prit la tête. La guerre sainte contre le décret fut prêchée par un chef de confrérie religieuse, Cheik Haddad. Le commissaire civil extraordinaire Lambert, dans un télégramme adressé au ministre de l'Intérieur de Thiers, traduisait ainsi le sentiment des autorités locales : « *Mes rapports ont indiqué comme causes graves de trouble en Algérie, le décret du 24 octobre du gouvernement de Tours accordant naturalisation collective des Israélites. Dans le conflit entre Israélites et Musulmans survenu aujourd'hui à Alger, le sang a coulé ; partout en Algérie les Juifs sont attaqués et dépouillés sur les marchés, notamment depuis qu'ils ont exercé leurs droits d'électeurs. La France a voulu les élever au rang de citoyens français en bloc sans se rendre compte qu'elle nous enlevait l'affection et l'estime des Musulmans qui seuls, entre les indigènes, ont versé pour nous leur sang.*

Le décret du 24 octobre est inconstitutionnel ; il confère à des populations entières la qualité de citoyens français qui n'a pas été donnée aux Arabes. »

Le gouverneur général de l'Algérie nommé par la République, l'amiral de Gueydon, demanda de son côté au ministre de l'Intérieur, le 1er mai 1871, qu'on mit fin à la confusion entre les Français et les « *Arabes de religion juive* », puis demanda, le 4 juillet 1871, l' « *abrogation pure et simple, mais complète du décret du 24 octobre* ». Cette requête fut accueillie par le gouvernement de Thiers, et Lambrecht, ministre de l'Intérieur, déposa, le 21 juillet 1871, un projet de loi abrogeant le décret. Mais Crémieux était un homme habile et il avait pour lui l'appui de tous ses coreligionnaires. Comment aurait-on pu mécontenter aussi gravement les Rothschild, par exemple, qui venaient de prêter de si grosses sommes au gouvernement Thiers ? Le projet fut retiré, avec l'accord du gouverneur général de l'Algérie : les difficultés juridiques qu'entraînerait le vote tardif de la loi d'abrogation seraient insurmontables, affirma-t-on. (Cf. *L'Alliance Israélite Universelle*, Georges Ollivier, Paris 1959.) Le court intermède de 1940-1943 mis à part, le décret Crémieux demeura donc en vigueur jusqu'à l'indépendance de l'Algérie. Grâce à lui, 170 000 israélites français d'Algérie, descendants des indigènes naturalisés en bloc en 1870 et se réclamant de la métropole en 1962, vinrent grossir la communauté israélite française lorsque nos concitoyens d'outre-

Méditerranée durent quitter la terre algérienne. Le 20 octobre 1871, Adolphe Crémieux rentra à l'Assemblée comme député d'Alger ; quatre ans plus tard, il était élu sénateur inamovible. Il siégea, jusqu'à sa mort, sur les travées de l'extrême-gauche.

CREMIEUX (Suzanne).

Sénateur, née à Paris, le 29 juin 1895. Fille du sénateur Fernand Crémieux. Ex-épouse de Robert Servan-Schreiber (voir à ce nom), mère du député U.N.R. Jean-Claude Servan-Schreiber. Militante radicale-socialiste depuis près d'un demi-siècle. Depuis la Libération : sénateur radical du Gard (1948-1955), conseiller de l'Union Française (1955-1958), inscrite au R.G.R., à nouveau sénateur du Gard (depuis 1959). Partisan de Pierre Mendès-France, appartient à l'aile gauche du radicalisme. Est, en outre, vice-présidente de l'Association Républicaine des Anciens Combattants (A.R.A.C.), d'obédience communiste.

CRENESSE (Pierre, Simon).

Journaliste, né à Paris, le 26 octobre 1919. Fils d'un diamantaire parisien. Autorisé par décret du 9 janvier 1957 à changer son nom patronymique Kreines en Crenesse. Collabora, avant la guerre, à Marianne, Messidor, etc. Depuis la Libération, est attaché à la R.T.F. Actuellement éditorialiste de politique étrangère aux journaux télévisé et parlé de l'O.R.T.F. Auteur de : « La Libération des ondes », « Le Procès de Wagner, bourreau de l'Alsace ».

CREUZET (Michel).

Membre de l'enseignement, né à Saint-Etienne, le 22 mars 1923. Rédacteur en chef de Permanences, la revue catholique traditionaliste. Auteur de « L'Enseignement » (sur le problème scolaire français) et de « Les Corps Intermédiaires » (sur le rôle des corps sociaux, leur hiérarchie et le rôle de l'Etat). A également publié, en collaboration avec Jean Ousset, dont il est le collaborateur, « Le Travail » (étude des corps professionnels de base).

CREYSSEL (Paul).

Avocat, né à Marseille le 15 juin 1895. Inscrit au barreau de Lyon. Candidat du Bloc républicain socialiste, fut élu député en 1932 et fit partie du groupe radical et radical-socialiste de la Chambre. Réélu en 1936, s'inscrivit au groupe de l'Alliance des Républicains de gauche et

des Radicaux indépendants de l'Assemblée et constitua, avec les autres élus du P.S.F. de La Rocque, un groupe à part. Ne prit pas part au vote du 10 juillet 1940. Fut nommé par le maréchal Pétain secrétaire général à la propagande du gouvernement. Se retira au Maroc après la Libération.

CRI DE LA FRANCE (Le).

Journal satirique fondé par Pierre Darius, ancien directeur de Bec et Ongles (avant la guerre), ancien résistant et candidat du Cartel Socialiste Unifié dans l'Allier, en juin 1951. Cette publication bi-mensuelle remplaça Le Cri de Paris (nouvelle manière) que Darius avait fait paraître après la Libération jusqu'à la décision judiciaire qui le lui interdit (juillet 1952). Outre le directeur, y collaborèrent régulièrement : Sylvain Bonmariage, Jeanne Darles, R. des Essards (musique), etc. (37, rue du Louvre, Paris 2e).

CRI DU JOUR (Le).

Journal satirique et d'échos fondé entre les deux guerres par Albert Lévy dit Livet, qui le dirigea pendant une dizaine d'années. Son dernier directeur, à la vieille de la guerre, était Louis Thomas, directeur des Editions C.-L. en 1943.

CRI DE PARIS (Le).

Hebdomadaire satirique fondé à la fin du XIXe siècle. Dirigé au cours des années 30 par Paul Dollfus, il devint la propriété de E. Worms qui en suspendit la publication pendant la guerre. Après la Libération, Pierre Darius, ancien directeur de Bec et Ongles, fit paraître, dans les locaux de l'ancien, un nouveau Cri de Paris, publication qui lui valut les foudres de la justice. Le Cri de la France lui succéda.

CRI DU PEUPLE (Le).

Journal fondé par Jules Vallès, retour d'exil, en 1883. Y collaborèrent, avec son fondateur : Jules Guesde, Gabriel Deville, Emile Massard, le blanquiste Albert Goullé, Lucien-Victor Meunier, Georges de Labruyère, etc. Après la mort de Jules Vallès, en 1887, les différentes tendances socialistes se disputèrent le journal.

CRI DU PEUPLE (Le).

Hebdomadaire socialiste publié dans la Somme depuis 1900. Dirigé par Roger Fouquet. Lu par les militants S.F.I.O. mais également par des non-socialistes en raison des articles qu'y publie, sous un pseudonyme, l'ancien ministre Max Lejeune, député, maire d'Abbeville (79, boulevard Bapaume, Amiens).

CRI DU SOL (Le) (voir : **Henri Dorgères**).

CRIMES DE GUERRE.

Sont considérés comme *crimes de guerre* tous les crimes individuels ou collectifs en rapport avec les actions militaires au cours d'une guerre. Les alliés signèrent à Londres, le 8 août 1945, un accord instituant un Tribunal militaire international chargé de juger les principaux *criminels de guerre* accusés de : *crimes de guerre* proprement dits (mauvais traitements, exécution de personnes ou d'otages, dévastations inutiles du point de vue militaire), de *crimes contre l'humanité* (extermination, esclavage, déportation ayant pour motif la haine raciale, politique ou religieuse), de *crimes contre la paix* (préparation d'une guerre d'agression). Le Tribunal

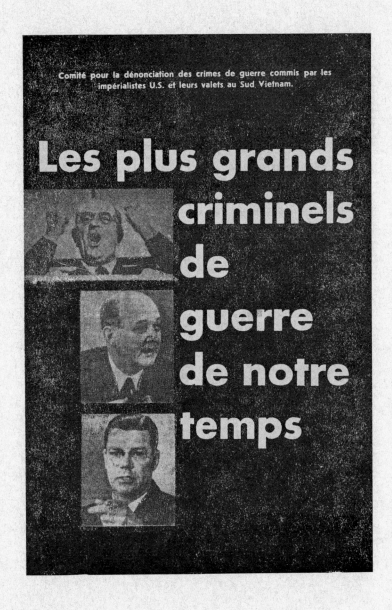

Comité pour la dénonciation des crimes de guerre commis par les impérialistes U.S. et leurs valets au Sud Vietnam.

Les plus grands criminels de guerre de notre temps

militaire international siégea à Nuremberg du 20 novembre 1945 au 1er octobre 1946, et aboutit à la condamnation à mort de douze anciens dirigeants du régime hitlérien et à la condamnation à diverses peines de prison de sept autres. L'équité du Tribunal fut mise en doute par divers écrivains et hommes politiques (en France, en Angleterre et en Amérique notamment). On a remarqué, d'autre part, que le docteur Schacht et von Papen, fort liés avec les milieux d'affaires internationaux, n'avaient pas été frappés à Nuremberg, tandis que Rudolf Hess et Julius Streicher étaient condamnés l'un à la détention à vie, l'autre à la peine capitale. Or, si le premier fut le grand argentier de Hitler, si le second déploya toute sa diplomatie en faveur de l'Allemagne hitlérienne pendant la guerre, l'ancien adjoint du Führer s'était enfui en Angleterre en mai 1941 dans l'espoir d'y faire triompher l'idée d'une paix de compromis, et le bouillant antisémite du *Stürmer* avait été limogé, dès 1939, de tous les postes officiels qu'il occupait, en raison de son opposition à la guerre. On peut également s'étonner que, vingt ans après, aucun Tribunal militaire international, qu'aucun de ces nombreux tribunaux civils fonctionnant dans divers pays, notamment en Allemagne, en Pologne et au Japon, n'ait jugé les responsables des *crimes de guerre* perpétrés à Katyn (exécution de prisonniers) et à Dresde (dévastations inutiles du point de vue militaire). A Tokyo, siégea du 13 juin 1946 au 12 novembre 1948 un autre Tribunal militaire qui condamna à mort sept *criminels de guerre* et dix-huit autres à des peines d'emprisonnement. Mais il ne s'agissait pas des auteurs des *crimes de guerre* (exterminations, dévastations inutiles du point de vue militaire) commis à Hiroshima et à Nagasaki. Les Nord-Vietnamiens, appliquant les méthodes de Nuremberg, font passer en jugement des aviateurs américains faits prisonniers lors des bombardements de leurs villes. D'autre part, lord Bertrand Russel a créé un « *tribunal pour juger les crimes de guerre* » chargé de déterminer si l'action des Etats-Unis au Vietnam peut être considérée comme un crime commis contre l'humanité. Le représentant de lord Russel, Russel Stetler, a qualifié le président Johnson, Dean Rusk, secrétaire d'Etat américain, et Robert Mc Namara, secrétaire à la Défense, de « *criminels de guerre* » qui doivent être « *jugés* » (cf. *Le Monde*, 4.8.1966). Lord Russel se réfère au procureur américain Jackson qui a déclaré, à Nuremberg : « *Nous*

sommes sûrs désormais que lorsque dans l'avenir un homme de loi ou une nation prendra l'initiative d'une poursuite pour crime contre la paix mondiale, ils n'auront plus à s'entendre opposer l'argument selon lequel une telle action est irrecevable pour ne pas avoir de précédent. » (Cf. *Le Monde*, 15.10.1966.)

CRISTOFOL (Jean).

Fonctionnaire (1901-1957). Syndicaliste, sympathisant communiste, adhéra au *P.C.F.* en 1932 et fut élu député des Bouches-du-Rhône en 1936. Ayant approuvé le pacte germano-soviétique, fut arrêté en octobre 1939 pour reconstitution du parti dissous, emprisonné à la Santé et condamné à cinq ans de prison, tandis que ses collègues de la Chambre prononçaient sa déchéance. Transféré en Algérie le 31 mars 1941, fut libéré le 5 février 1943 par le Comité d'Alger. Co-fondateur du journal *Liberté* d'Alger, fut correspondant de guerre, président du Comité régional de Libération (Sud-Est), et délégué au *C.N.R.* Réinstallé à Marseille, prit la direction du quotidien *Rouge-Midi*, puis de *La Marseillaise*, devint maire de la cité phocéenne et appartint aux deux Constituantes (1945-1946). Elu député des Bouches-du-Rhône en 1946, fut réélu en 1951 et en 1956.

CRITIQUE SOCIALE.

Revue publiée, entre les deux guerres, par Boris Souvarine, avec la collaboration de : Lucien Laurat, Pierre Pascal, Georges Bataille, Jean Bernier, Pierre Kaan, etc.

CROISADE DES DEMOCRATIES.

Nom donné par les adversaires de la démocratie, à la guerre de 1939-1945 considérée par eux comme la conséquence d'une véritable conjuration des antifascistes contre l'Allemagne hitlérienne et l'Italie mussolinienne (cf. « *La Croisade des Démocraties* », par Georges Champeaux, 2 tomes parus, Paris 1941 et 1943 — « *Le complot contre la Paix* », par Jean Montigny, Paris 1965 — « *Histoire de l'Armée allemande* », par J. Benoist-Méchin).

CROISADE FRANÇAISE DU NATIO-NAL-SOCIALISME.

Parti créé en 1940 à Paris (dans les locaux du *Cercle des Nations*, groupement disparu en juin 1940), dont le secrétaire général était Maurice-Bernard de la Gâtinais, futur délégué régional à la jeunesse, puis chargé de mission à la Présidence du Conseil et enfin à la Franc-Garde milicienne. Les autres dirigeants de la *Croisade* étaient Mutzer, président du Centre d'Etudes, Poincignon, secrétaire-adjoint du mouvement, Chevalier et Deseutre-Poussin, chargé des équipes sportives. Marc Augier, chef du *Front de la Jeunesse*, prit la parole à certaines réunions de la *Croisade*.

CROISSANCE DES JEUNES NATIONS.

Revue mensuelle de tendance démocrate-chrétienne de gauche, principalement consacrée à l'étude des pays du Tiers-monde et des peuples sous-développés. Dirigée par Georges Hourdin, assisté de Gilbert Blardone et éditée par le groupe de presse de *La Vie Catholique Illustrée* (163, boulevard Malesherbes, Paris 17e).

CROIX (La).

Journal catholique fondé en 1880. Organe officiel de l'Episcopat français. Ce quotidien avait été créé pour défendre l'Eglise contre les attaques, alors virulentes, de l'anticléricalisme. Jusqu'en 1924, *La Croix* fut un journal « engagé », soutenant des polémiques assez vives avec ses adversaires de gauche. Antisémite, antidreyfusarde et antimaçonnique, *La Croix* était alors nettement anti-gouvernementale. Elle avait conquis très vite un vaste public, non seulement en raison des idées qu'elle défendait, mais aussi parce que son prix de vente était nettement inférieur à celui de ses concurrents : « quotidien, un sou » lisait-on sur sa manchette ; les autres journaux « d'idées » étaient alors vendus 10 ou 15 centimes. *La Croix* fut en butte aux tracasseries administratives. Les autorités exhumèrent une loi de la Révolution française interdisant l'utilisation d'autres mesures que celles du système décimal pour l'obliger à substituer « cinq centimes » à « un sou » dans son titre. Ses adversaires prétendaient que le journal catholique avait un milliard en caisse, ce qui lui permettait de vendre au rabais. Plus tard, en novembre 1899, la police, ayant découvert un « complot contre la sûreté de l'Etat », perquisitionna au siège de *La Croix*. On traduisit douze religieux assomptionnistes, dirigeants et rédacteurs du journal pour infraction à l'article 291 du Code pénal interdisant les réunions de plus de vingt personnes et on les condamna à 16 francs d'amende avec sursis. Le journal tirait à la « belle époque » à près de 300 000 exemplaires ; il n'en tire que 110 000 aujourd'hui. Il est vrai que *La Croix* a beaucoup changé : « *plus encore qu'un journal d'opinion*, La Croix *a évolué dans le sens d'un journal d'orientation pour les catholiques français* », a expliqué le Père Gabel, alors directeur, à *L'Echo de la Presse* venu l'interviewer (30-5-1953). Les articles contre les francs-maçons et même contre les israélites étaient encore fréquents au lendemain de la 1re Guerre mondiale. Témoin, celui-ci, paru le 7 octobre 1920 :

« LE PÉRIL JUIF.

« *On en reparle. La part considérable prise par les Juifs à la révolution bolcheviste, dont ils sont les chefs avérés ; la place qu'ils occupent dans les congrès politiques et financiers ; les attaches qu'ils ont un peu partout avec les personnages officiels ; les faveurs exceptionnelles dont ils sont comblés en Palestine par le gouvernement anglais, attirent de nouveau l'attention sur le péril juif qu'on semblait avoir oublié sous l'angoisse du péril germanique. Avant d'en parler ici, nous croyons qu'il importe bien de distinguer entre juifs et juifs, tout comme, en renversant les rôles, il conviendrait de distinguer entre chrétiens et chrétiens. On est parfois trop enclin à généraliser et à représenter toute la race juive comme essentiellement immorale et incapable de tout bien... C'est une exagération et une injustice... Pour rester dans le vrai, il faut loyalement reconnaître qu'il y a encore, par le monde, des individualités, des familles juives, qui vivent de bonne foi dans les erreurs séculaires et adressent au vrai Dieu l'hommage d'un cœur sincère. Dans son immense majorité, le peuple israélite est passé de l'adoration du vrai Dieu à l'adoration de Satan ; et cela n'a rien de surprenant lorsqu'on voit dans la Bible avec quelle facilité ses ancêtres abandonnaient en masse les autels de Iahveh pour ceux de Baal.* »

Bien avant le récent concile, *La Croix* ne se livrait plus à de semblables agressions. En raison même de l'évolution du catholicisme en France, *La Croix* a cessé d'être ce qu'on peut appeler un journal populaire pour devenir le journal des catholiques qui ont — ou qui veulent exercer — une responsabilité dans la cité. En 1940, *La Croix* s'exila à Limoges. Bien que ralliée au maréchal Pétain, et recevant, de Vichy, une subvention assez importante, elle connut les rigueurs de la censure vichyssoise : en juillet 1943, le journal fut suspendu en principe pour deux semaines. Malgré ces difficultés, aggravées par la présence

11

des Allemands, *La Croix* n'en continua pas moins jusqu'au 21 juin 1944, sa publication à Limoges. Elle devait se survivre avec *La Croix du Dimanche* que ses abonnés reçurent durant quelques semaines. Il semble que ce « sabordage » ait eu pour principale cause les difficultés de communications qui entravaient alors l'acheminement vers Limoges du papier nécessaire à l'impression du journal. C'est du moins ce qu'aurait expliqué Marcel Gabilly, son représentant accrédité auprès du ministère de l'Information de Vichy. Paul Marion se serait rendu à ces raisons et aurait ainsi continué à faire verser, jusqu'à la fin, la subvention de 160 000 francs par mois que le gouvernement accordait alors à ce journal (les autres quotidiens parisiens repliés recevaient une subvention analogue, à l'exception de *L'Action Française* et du *Jour-Echo de Paris* qui la refusèrent). *La Croix* fut (avec *Le Figaro*) l'un des rares journaux autorisés à reparaître après la Libération. Dans le premier numéro publié à la reprise (15 octobre 1944) figurait un article de Gaston Tessier, secrétaire général de la *C.F.T.C.*, membre du *Conseil National de la Résistance*, qui expliquait la position du journal catholique pendant l'occupation :

« *Le sabordage, pour de multiples raisons, était difficile à pratiquer. Au surplus, il aurait abandonné la place. A l'égard des responsables qui, de bonne foi, en tranquillité de conscience, alors que leur patriotisme n'est pas contesté, ont fait de leur mieux, nous estimons qu'il est impossible d'élever un reproche déshonorant. Le crime d'intelligences avec l'ennemi suppose, exige l'intention de favoriser les entreprises de celui-ci. En une telle matière, la preuve à établir est à la fois grave et délicate. Prononcer à tout prix des condamnations pénales, des dissolutions de sociétés, c'est courir le risque d'erreurs cruelles qu'il faudra rectifier et réparer.* »

En remettant la croix de chevalier de la légion d'honneur au R.P. Merklen, directeur du quotidien catholique, Robert Schuman, ministre des Affaires étrangères, déclarait : « *Je le dis bien haut aujourd'hui, il fallait un journal pour entretenir dans toute la mesure où il pouvait le dire hautement, cet espoir dans les destinées de la France. Et quelle chance que ce fut le journal catholique français !* » Le Père Merklen avait été obligé d'abandonner ses fonctions et de se réfugier en Lozère pour échapper à la Gestapo. Depuis la Libération, *La Croix* a évité toute opposition au gouvernement. Elle n'en eut pas moins, en certaines circonstances, une attitude qui déplut en haut lieu. C'est ainsi qu'ayant publié une enquête fort critique sur la conduite de la guerre d'Algérie, à la fin de la IVᵉ République, elle fut l'objet d'une saisie à Alger. En 1958, favorable au retour du général De Gaulle, elle a recommandé le « *Oui* » au référendum de septembre. Depuis, sa position a été un peu modifiée. La direction du journal est assumée par Jean Gelamur. Antoine Wenger, Lucien Guissard et Pierre Limagne, respectivement rédacteur en chef et rédacteurs en chef adjoints, Louis Le Bartz, André Géraud, François Roussel (politique étrangère), Pierre Rondot, Roland Itey, Jean Boissonnat (économie), Jean Pelissier, Jacques Buisson, etc., forment l'équipe rédactionnelle. Y ont collaboré également au cours de ces dernières années : Daniel-Rops, Jacques de Bourbon-Busset, Joseph Folliet, Wladimir d'Ormesson, André D. Tolédano, Michel Capillon, Noël Copin, etc. Depuis plusieurs années *La Croix du Nord* est l'annexe de *La Croix*. Elles sont toutes deux publiées par la *Maison de la Bonne Presse* (voir à ce nom), propriétaire d'une imprimerie bien équipée où sont également tirées les autres publications du groupe (22, cours Albert-Iᵉʳ, Paris 8ᵉ).

CROIX D'ARRAS (La).

Quotidien catholique et modéré fondé en 1896 à Arras. Disparu pendant la dernière guerre.

CROIX DE FEU.

De tous les groupements nationaux d'avant-guerre, les *Croix de Feu* ont été, à n'en pas douter, le mouvement le plus envié et le plus honni. C'est qu'ils occupèrent — et, avec eux, leur successeur le *P.S.F.* — une place importante sur l'échiquier politique des années 30-39. A l'origine, fin 1927, ils n'étaient qu'une association d'anciens combattants triés sur le volet, choisis parmi ceux dont les services de guerre étaient indéniables. Ce n'est qu'un peu plus tard, lorsqu'ils se furent répandus en province et qu'ils eurent créé leurs filiales, les *Fils des Croix de Feu* et les *Volontaires Nationaux*, que leur mouvement devint très nettement politique. « *En dehors et au-dessus des partis* », disaient les chefs, mais axé à droite malgré tout en raison de son recrutement et peut-être aussi des attaques dont il était l'objet de la part de la gauche. Jusque-là les *Croix de Feu* avaient vécu à l'ombre de François Coty qui les avait très largement aidés. Le parfumeur, qui possédait alors *Le Figaro* et *L'Ami du Peuple,* avait non seulement mis ses journaux à la disposition des fondateurs de l'association, le capitaine Genay et ses amis, mais il leur avait versé d'importants subsides. En mai 1933, lorsque le mouvement devint plus nettement politique, les liens avec Coty étaient rompus depuis longtemps. Ce dernier avait alors son propre mouvement, *La Solidarité Française.* Les *Croix de Feu* acceptèrent des hommes qui n'avaient pas combattu en 14-18, mais qui désiraient apporter aux anciens combattants dirigés par le colonel de La Rocque, successeur du capitaine Genay, leur aide effective en vue du redressement national nécessaire. Ce fut le début du *Regroupement national autour des Croix de Feu.* Le 6 février 1934 fut le point de départ de l'ascension vertigineuse d'un groupement qui n'était guère connu, jusque-là, que dans les milieux nationaux et d'anciens combattants. Comme les autres groupements de droite, et comme un certain nombre d'associations d'anciens combattants, les *Croix de Feu* prirent une part active aux manifestations qui se déroulèrent ce jour-là place de la Concorde et devant la Chambre des Députés. Mais elle ne fut ni plus importante, ni plus décisive que celle des *Jeunesses Patriotes,* de l'*U.N.C.,* de l'*Action Française* ou de la *Solidarité Française.* Les *Croix de Feu* n'eurent pas plus de blessés que leurs camarades de combat et, sauf erreur, les tués du côté national appartenaient précisément à ces autres groupements.

Néanmoins, pour des raisons inexpliquées, la grande presse leur attribua le bénéfice de l'opération et les désigna comme les grands vainqueurs du gouvernement Daladier-Frot contraint de démissionner. Les déclarations du chef des *Croix de Feu* ne pouvaient qu'affermir les lecteurs de la grande presse dans leur conviction :

« *Le Mouvement Croix de Feu,* déclarait-il à Georges Suarez peu après, *n'est pas intervenu le 5 et le 6 février, à la suite d'un sursaut individuel et spontané de tous ses membres. Ces derniers étaient entièrement d'accord, et depuis longtemps pour agir si une circonstance utile au but général se produisait au-dessus des questions de personnes et de partis.* QUANT A L'EXECUTION ELLE A ETE ENTIEREMENT PREMEDITEE, PREVUE DES LE 3, PREPAREE LE 4. » (Georges Suarez : « *Que veulent, que peuvent les Croix de Feu* », p. 8.) Ces paroles, d'ailleurs identiques à celles que La Rocque prononça devant

la commission parlementaire d'enquête sur le 6 février 1934, ne pouvaient qu'effrayer la Gauche, et l'attitude du colonel lui donna, en effet, l'impression que la Droite, dont les *Croix de Feu* formaient le groupe essentiel, avait fomenté un véritable complot contre la République. La peur du « fascisme » — pour les militants radicaux, socialistes et communistes, la Droite est toujours *fasciste* — fut aussi à l'origine du grand rassemblement des partis de gauche. Ainsi, l'action des *Croix de Feu* le 6 février, les manifestations et défilés qu'ils organisèrent par la suite et les déclarations de leur chef devaient conduire au raz de marée socialo-communiste de 1936.

Le programme des *Croix de Feu* se résumait en quelques points essentiels.

Sur le *plan économique et social* :

Le salaire minimum garanti, la durée du travail limitée, les congés payés, la refonte des Assurances sociales, à appliquer également aux campagnes, le refoulement des travailleurs étrangers sans travail, un statut des fonctionnaires, une simplification du système fiscal, la réforme de la société anonyme et la lutte contre la tendance monopolisatrice des grandes sociétés, le contrôle de la *Banque de France,* l'organisation de la profession, le respect de la laïcité, la sauvegarde de l'enseignement libre ;

Sur le *plan politique* :

Un président de la République pourvu de droits étendus, nommant le président du Conseil, le rétablissement de la proportionnelle aux élections, la limitation de l'âge des parlementaires, la réduction de leur nombre et de leur pouvoir, interdiction leur étant faite d'exercer la profession d'avocat, d'appartenir à des conseils d'administration ou de bénéficier d'un traitement ou d'appointements dans une entreprise privée ou d'Etat, un conseil national économique, le vote obligatoire et familial, le contrôle des ressources de la presse en général et des partis poursuivant des campagnes contre le devoir militaire, le devoir civique, le loyalisme à l'égard du pays ou des institutions, le contrôle des entreprises présentant un intérêt essentiel pour l'économie et la sécurité nationales (armes, constructions navales et aéronautiques, énergie, chemins de fer, assurances, produits chimiques, etc.) ;

Sur le *plan international* :

La rupture avec la S.D.N., sauf meilleur fonctionnement de celle-ci, une défense nationale modernisée et efficace, la recherche des moyens propres à acheminer le monde vers une conception pratique de sécurité collective. (Cf.

Manifeste Croix de Feu. Pour le peuple, par le peuple, mars 1936.)

Les moyens d'action des *Croix de Feu* allaient de la simple réunion de section au meeting de masse, de la vente à la criée de leur journal *Le Flambeau*, hebdomadaire, jusqu'à la distribution de tracts sur la voie publique, devant les églises et à la sortie des usines et des bureaux, en passant par l'affichage, la manifestation chez l'adversaire et même l'organisation de soupes populaires. Le mouvement se divisait en sections territoriales, chaque arrondissement de Paris constituant une section. Chacune d'elle était dirigée par un homme choisi par le président lui-même. Ces chefs étaient, pour l'immense majorité, non pas des anciens officiers, ainsi qu'on a pu le croire, mais des caporaux ou de simples soldats.

Aux élections de 1936, les *Croix de Feu* eurent près d'une vingtaine d'élus qui constituèrent un groupe à la Chambre des Députés : Ybarnegaray, Creyssel, Pebellier, Devaud, Peter, Robbe, de Polignac, Foucauld de Pavant, etc. En outre, plusieurs députés non *P.S.F.* — du moins officiellement — appartenaient au *Comité de Défense des Libertés républicaines et de sympathie pour le P.S.F.* : le chanoine Polimann (Meuse), Ponsard (B.-du-Rh.), Doussain (Seine), Fernand Laurent (Seine), d'Aillières, B. d'Aramon, Becquart, Blanc (Prosper), Burgeot, Chiappe, Claudet, de Clermont-Tonnerre, Crouan, Docteur Cousin (président de l'Union anti-maçonnique de France), Daher, R. Dommange, Frédéric-Dupont, Alexandre Duval, de Framont, Gaillemin, Gaston-Gérard, Gerente, Guérin, Marcel Heraud, des Isnards, H. de Kérillis, marquis de La Ferronnays, Lardier, Lecacheux, François Martin, Mathé, Augustin Michel, Nader, Peissel, Pinelli, Plichon, J. Poitou-Duplessy, J. Quenette, Roulleau-Dugage, Sablès, Scapini, de Saint-Just, Robert Serot, Edouard Soulier, Taudière, E. Temple, de Tinguy du Pouët, Tixier-Vignancour, Tristan Wiedemann-Goiran.

D'autres, comme les sénateurs Gautherot et de Juigné, et le député Boux de Casson, assistaient aux banquets des congrès *P.S.F.* (*Le Flambeau*, 9-1-1937).

L'un des premiers actes du gouvernement de Front Populaire issu de ces élections fut de dissoudre les ligues. Un décret visait les *Croix de Feu*. Il était signé par : Albert Lebrun, Léon Blum, Roger Salengro et Marc Rucart. Cette décision se référait à la loi du 10 janvier 1936, dont le vote avait été facilité par une manœuvre qui se voulait habile

du porte-parole des *Croix de Feu* au parlement, Ybarnégaray.

Protestant contre la dissolution, le lieutenant-colonel de La Rocque déclarait le lendemain :

« *Les membres du mouvement Croix de Feu voulaient la rénovation. Ils appelaient la réconciliation : ils l'avaient, les premiers, annoncée. Les puissances destructrices ont exigé qu'ils soient proscrits. La mesure prise contre nous est illégale. Porte-parole de plus d'un million de citoyens et de citoyennes, je ne saurais l'accepter.* » Peu après, en effet, le *Parti Social Français* se constituait. Ses fondateurs en déposaient les statuts à la Préfecture de Police le 11 juillet 1936.

Au moment de la dissolution, le mouvement était dirigé par La Rocque qu'entouraient des anciens combattants comme le maréchal Franchet d'Espérey, président d'honneur des sections du Morbihan, le duc Pozzo di Borgo, Léonardi (Nord), Blouin, le professeur Sergent, Jacques Arnoult, G. Riché, Lerambert-Potin, Paul Rouillon, Stanislas Sicé, Louis Gas, Gabriel Olivier, les professeurs Cunéo et Sorrel, et des jeunes, responsables des *Volontaires Nationaux*, Jean Mermoz, le célèbre aviateur, Bigonnet (Marseille), Jean Borotra, Bertrand de Maud'huy, Claude Popelin, Paringaux, Hugues de Barbuat, Paul Faust, Marcel Germain (Alger), Antoine Kergall, chargé des camps de vacances des jeunes, René Gatumel, Philippe Verdier, Chaboureau, chef de groupe universitaire, Jacquelin, délégué général des V.N. à la faculté de médecine, Suire, interne des hôpitaux, etc. Sauf Pozzo di Borgo, Sicé, de Maud'huy, Claude Popelin et Parengaux, les cadres des *Croix de Feu* suivirent La Rocque au *Parti Social Français* (voir à ce nom).

CROIX DE FRANCE.

Mouvement fondé et animé par le colonel Matignon (1957). Son programme comporte quatre points essentiels, quatre « *combats* » : *Combat n° 1* : contre le progressisme et la destruction de l'Eglise Catholique Romaine ; *Combat n° 2* : contre la désagrégation de l'Armée et de la Défense nationale française ; *Combat n° 3* : contre l'urbanisme, destructeur de toute société organisée ; *Combat n° 4* : contre le communisme et le gaullisme. Dans sa revue mensuelle, *Croix de France*, le colonel Matignon a publié des extraits des « *Protocoles des Sages de Sion* » (janvier 1965) qui donnent une note antisémite très accentuée à son action politique. L'admission aux

Croix de France est régie par les règles suivantes : *a)* le *Postulant* est reçu, au cours de la cérémonie d'accueil, dans la section où il est affecté ; *b)* après un stage de trois mois au moins, au cours duquel seront passées diverses épreuves, il devient *Novice*, au cours de la *Cérémonie d'admission du Novice ; c)* après un nouveau délai d'épreuve de trois mois au moins, le *Novice* est admis définitivement *Croix de France*, avec le grade de *Croisé*, au cours de la *Cérémonie de l'Adoubement*.

Les *Croix de France* se distinguent entre eux : 1° par la fonction ; 2° par le grade (Croisé, Bachelier, Chevalier, Mestre, Maréchal) ; 3° par les distinctions honorifiques (Croix d'Argent, Croix de Vermeil, Croix d'Or). Les sections du mouvement se réunissent une fois par semaine. La tenue de cette réunion hebdomadaire obéit à des règles et des rites rigoureux, comportant en particulier la récitation des prières *Croix de France* et la bénédiction du travail, et une brève lecture spirituelle, suivie d'un commentaire. Les *EQUES* (Equipes d'entr'aide sociale) groupent les membres des *Croix de France* qui, n'adhérant pas à l'Ordre lui-même et à la *Règle*, s'engagent cependant dans la même action de « *régénération sociale par l'exercice de la Charité* ». *Le Village de France* groupe, en une organisation spécialisée, rattachée aux *Croix de France*, mais exclusive de la *Règle*, ceux « *qui acceptent de consacrer leurs efforts à l'organisation d'une société « ruraliste », qui remettra l'agriculture en honneur et fera échec au développement de la monstrueuse et dévorante société « urbaine » dont on nous menace.* » (Siège : 12, rue d'Isly, Paris-8°.)

CROIX DE LORRAINE (La) (voir : Aujourd'hui - Croix de Lorraine).

CROIX DU NORD (La).

Journal catholique et démocrate, fondé à Lille en 1889. Comme en 1914-1918, *La Croix du Nord* s'est sabordée en 1940-1944 ; elle reprit sa publication après la Libération. Naguère complètement indépendante, administrativement et commercialement parlant, elle est aujourd'hui éditée par la *Maison de la Bonne Presse*, à Paris, sa publicité est couplée avec *Nord-Eclair* et son tirage atteint 14 000 exemplaires (rédaction : 15, rue d'Angleterre, Lille).

CROSET (Antoine-Louis).

Directeur de journal, né à Villaz (Haute-Savoie), le 11 mai 1903. A consacré près d'un demi-siècle à l'étude des problèmes politiques, économiques et sociaux. Dans son livre : « *La France, pilote de l'Europe* », où sont exposées ses idées, s'affirme foncièrement hostile au marxisme et explique que l'ère qui s'ouvre de la dissémination de l'énergie, dans les pays à vocation industrielle, avec le moteur « *léger* », marque la fin de l'époque socialiste du moteur « *lourd* ». Cet ardent polémiste, courageux et lucide, anime et conduit, avec les *Cercles de la Liberté*, qu'il a fondés, et le journal agricole : « *La Semaine du Lait — Libertés paysannes* », la résistance paysanne contre ceux qui, explique-t-il, menacent l'indépendance de la paysannerie française. A été aux prises avec tous les régimes autoritaires, présidentiels et parlementaires successifs, qui l'ont assigné devant les tribunaux et les juridictions d'exception, cependant contraints de le relaxer et de l'acquitter.

CROUAN (Jean, Adolphe, Marie).

Notaire, né à Quéménéven (Finistère) le 18 décembre 1906. Maire de sa ville natale (1935), député modéré du Finistère (1936-1942), vota les pouvoirs constituants au maréchal Pétain (1940), nommé membre du Conseil National (1941) ; rallia plus tard la Résistance et fut arrêté et déporté par les Allemands (1943). Membre de l'Assemblée consultative provisoire (1945), et de la 1re Assemblée constituante (1945-1946). Député indépendant et paysan du Finistère (1956-1962). Ne s'est pas représenté en 1962.

CRUTEL (Octave, Louis, Charles, Célestin).

Médecin (1879-1961). Conseiller général, puis député radical-socialiste de la Seine-Inférieure (1932-1942). Fut l'un des 80 qui refusèrent les droits constituants au maréchal Pétain. Entra dans la Résistance et fut déporté à Buchenwald. A son retour, fit partie de l'Assemblée Consultative provisoire (1945), fut vice-président du Comité exécutif du *Parti Républicain Radical et Radical-Socialiste*, mais ne parvint pas à retourner au Palais-Bourbon bien qu'il eût tenté de se faire élire en 1951 à la tête d'une *liste de républicains neutralistes et patriotes*.

C.S.A.R. (Voir : COMITE SECRET D'ACTION REVOLUTIONNAIRE).

CULPABILITE COLLECTIVE.

Etat d'un groupe, d'un peuple, d'une race, considéré comme coupable dans son ensemble, même si tous ses membres ne sont pas individuellement coupables. La *culpabilité collective* a longtemps frappé le peuple juif en raison de la participation de dirigeants et de membres de la communauté d'Israël à la crucifixion de Jésus. La *culpabilité collective* a été imposée à certaines formations ou organisations allemandes pour des forfaits reprochés à certains dirigeants ou à certains services du IIIᵉ Reich.

CULTE DE LA PERSONNALITE.

Glorification d'un chef de parti, d'un chef d'Etat vénéré à l'égard d'un dieu. (Par ex. en Italie, en Allemagne, en Russie, au Japon, en France.)

CUMINAL (Isidore, Paul, Marius).

Homme politique, né et mort à Serrières (Ardèche) (1863-1938). Fut tour à tour ou simultanément : président du Conseil général de l'Ardèche, sénateur radical de ce département (1920-1938), vice-président du Sénat (1932-1936), président du *Cercle Républicain des Ardéchois de Paris,* directeur de l'hebdomadaire *La Démocratie parisienne,* administrateur délégué du quotidien *La France de Bordeaux et du Sud-Ouest,* vice-président du *Parti Radical-Socialiste* et membre influent de la Maçonnerie.

CUPFER (Guy).

Avocat à la Cour, né à Paris, le 9 avril 1908. Fils d'un diamantaire venu s'installer à Paris à la fin du XIXᵉ siècle.

Bâtonnier de l'ordre des avocats du barreau de Chartres, député radical-socialiste d'Eure-et-Loir (en 1956-1958) et conseiller municipal de Chartres.

CUTTOLI (Jules).

Avocat (1871-1942). Conseiller général de Batna, puis député de Constantine (1928-1936). Inscrit au groupe radical-socialiste.

CUTTOLI (Paul).

Avocat (1864-1949). Frère du précédent. Radical-socialiste et maçon. Conseiller général de Biskra (1899), puis de Bordj-Bou-Arréridj (1904), vice-président du Conseil général de Constantine. Egalement conseiller municipal de Constantine (1892), puis maire de Philippeville (1929-1949). Elu député de Constantine en 1906, sans concurrent. Devint un peu plus tard vénérable de la loge *Cirta,* de Constantine. Resté à la Chambre jusqu'en 1919, passa au Sénat en 1920 et fut réélu constamment jusqu'à la guerre. Ne prit pas part au vote du 10 juillet 1940 et fut désigné, en 1943, par le conseil général de Constantine comme délégué à l'Assemblée consultative provisoire. Député aux deux Constituantes (1945-1946), se retira de la politique ensuite, recommandant à ses électeurs le candidat René Mayer, proche parent des Rothschild, qui fit carrière sous la IVᵉ République.

CYRANO.

Hebdomadaire satirique, de tendance modérée, publié dans l'entre-deux-guerres. Clement Vautel en fut le rédacteur le plus connu.

D

DABRY (Pierre).

Ecclésiastique, né à Avignon en 1862, mort à Marseille en 1917. Promoteur du Congrès ecclésiastique de Reims, rédacteur en chef du *Peuple Français* (directeur : l'abbé Garnier), il créa en 1898 *La Vie Catholique*, pour la formation de la jeunesse, puis *La Voix du Siècle* (1901) et *L'Observateur Français* (1903). Démocrate-chrétien très gauchisant, il fut en butte à l'hostilité agissante de ses adversaires, prêtres et laïcs, et son journal *La Vie Catholique* fut condamné par le Saint Office en 1908. La Hiérarchie lui interdit toute activité journalistique. Il se soumit d'abord à ses supérieurs, puis regimba et quitta l'Eglise en 1910. Ce « Lamennais du xxᵉ siècle », après une conduite héroïque à Verdun, comme infirmier militaire, fut réformé et mourut dans un état voisin de la misère, abandonné de tous. Il laissa un livre de souvenirs : « *Les Catholiques républicains* », qui embrasse la période 1890-1902.

DAILLY (Etienne).

Administrateur de sociétés, né à Paris, le 4 janvier 1918. Fils de Pierre Dailly, vice-président modéré du Conseil municipal de Paris. Maire de Montcourt-Fromonville, sénateur de Seine-et-Marne, membre du groupe de la *Gauche démocratique* du Sénat, conseiller général du canton de Nemours, administrateur du district de la région de Paris.

DAIX (André DELACHENAL, dit).

Caricaturiste et militant politique dis-paru à la Libération (voir : *Opera Mundi*).

DALADIER (Edouard).

Homme d'Etat, né à Carpentras (Vaucluse), le 18 juin 1884. Fils d'un boulanger. Agrégé d'histoire, enseigna aux lycées de Grenoble, de Nîmes et de Marseille, puis au lycée Condorcet à Paris. Milita au *Parti Radical et Radical-Socialiste* avant la guerre de 1914, qu'il fit dans l'infanterie (partit sergent, revint capitaine avec la croix de guerre et trois citations). Elu député radical du Vaucluse en 1919, fut réélu jusqu'à la guerre de 1939. Entre temps, ministre des Colonies (cabinet Herriot, 1924-1925), des Travaux publics (cabinets Chautemps, 1930 et Steeg, 1930-1931), de la Guerre (cabinet Paul-Boncour, 1932), président du Conseil et ministre de la Guerre (1933), ministre de la Guerre (cabinets Chautemps, Albert Sarraut et Chautemps, 1933), à nouveau président du Conseil et ministre des Affaires étrangères (1934). Démissionna après le 6 février, ayant été rendu responsable de la fusillade de la place de la Concorde. Au congrès radical de Nantes (1934), lança le fameux slogan des « 200 Familles » qui devint celui du Front populaire créé l'année suivante : « *Deux cents familles, dit-il, sont maîtresses de l'économie française et, en fait, de la politique française. Ce sont des forces qu'un Etat démocratique ne devrait pas tolérer, que Richelieu n'eût pas tolérées dans le royaume de France. L'influence des deux cents familles pèse sur le système fiscal,*

*sur les transports, sur le crédit. Les deux
cents familles placent au pouvoir leurs
délégués. Elles interviennent sur l'opinion publique, car elles contrôlent la
presse.* » (Cf. sténographie du congrès,
28 octobre 1934.) Fut l'un des fondateurs
du *Rassemblement Populaire* et présida,
en 1936, le *Parti Radical et Radical-
Socialiste.* Entré dans le gouvernement
Blum (1936-1937), en fut le vice-président et le ministre de la Défense nationale ; conserva ce portefeuille dans le
cabinet Chautemps qui suivit. Puis fut
président du Conseil et ministre de la
Défense nationale (1938-1940), signa les
accords de Munich en 1938 et fut, à ce
titre, considéré comme le sauveur de
la paix par les uns et le fossoyeur de
la Tchécoslovaquie par les autres. Ayant
été président du Conseil en septembre
1939, fut considéré, lors de l'effondrement de la IIIᵉ République, comme l'un
des responsables de la guerre et de la
défaite et fut arrêté par la police du
maréchal Pétain en 1940. Emprisonné
à la maison d'arrêt de Bourassol (septembre 1940), au fort du Portalet (octobre 1941), à la prison de Riom, et, de
nouveau à Bourassol, fut ensuite déporté
en Allemagne (1943). Libéré par les
Alliés (1945), devint membre de la deuxième Assemblée constituante (1946), et
fut élu député du Vaucluse (1946). Présida le *Rassemblement des gauches républicaines* (1947-1954). Maire d'Avignon
(1953-1958) et conseiller général du canton d'Avignon-Nord (1955-1961), président du Groupe républicain radical et
radical-socialiste de l'Assemblée nationale (1956-1958), président du Parti
Radical (novembre 1957-septembre 1958).
Depuis 1958, n'appartient plus au Parlement et paraît retiré de la politique.

DALAINZY (Pierre).

Pharmacien, né à Lunéville (Meurthe-
et-Moselle), le 13 août 1904. Conseiller
général, puis député de Meurthe-et-
Moselle. Elu de la droite et des gaullistes,
s'est inscrit au groupe des *Républicains
Indépendants* (1958-1967).

DALBIN (Julien) (voir : Rassemble-
ment Travailliste Français).

DALBOS (Jean-Claude).

Médecin, né à Bordeaux (Gironde) le
24 septembre 1928. Animateur du groupe
girondin des jeunes du *Rassemblement
du Peuple Français* (*R.P.F.*), membre du
Comité directeur des *Républicains sociaux* de Gironde, fut élu député *U.N.R.*
de la Gironde (6ᵉ circonscription) en

1958, et battu par le candidat socialiste
en 1962. Nommé Conseiller économique
et social en 1965. Maire de Pessac et
conseiller général du canton.

DALMAS (Louis de POLIGNAC, dit).

Journaliste, né à Paris le 1ᵉʳ juin
1920. Fils du marquis de Polignac (des
champagnes *Pommery et Greno*). Cousin
issu de germain de S.A. le prince Rai-
nier III de Monaco. Fut successivement :
rédacteur à l'*Agence France-Presse,* chef
des informations de *France-Dimanche,*
rédacteur en chef de *Science et Vie,* directeur de l'*Agence Dalmas* et gérant
des sociétés *Bakou-Films, Europrom* et
Photodal. Auteur de divers ouvrages
dont l'un sur le « *Communisme yougoslave* ».

DAMETTE (Auguste).

Artisan, né à Hazebrouck (Nord), le
8 septembre 1903. Ferronnier d'art. Dans
la Résistance, responsable du secteur
Voix du Nord et *O.C.M.* Ancien maire
d'Hazebrouck (1947-1953). Conseiller général du canton Nord d'Hazebrouck. Elu
député *R.P.F.* du Nord (1ʳᵉ circ.) le 17
juin 1951. Battu le 2 janvier 1956 (en
raison de son appui au gouvernement
Mendès-France en 1954). Elu à nouveau
dans la 13ᵉ circ. et réélu en 1962. Inscrit
à l'*U.N.R.*

DANEL (Liévin).

Imprimeur, né à Lille (Nord), le 26
novembre 1903. Par sa femme, née Anne-
Marie Thiriez, est apparenté aux grands
industriels Thiriez, Mathon, Motte, Wallaert. Le père (décédé) de Mme Danel
était administrateur du Crédit Commercial de France ; son oncle, M. Pierre Thiriez, est administrateur de nombreuses
sociétés (Forges et Aciéries du Nord et
de l'Est, Sté Belge des Mines, Minerais
et Métaux, Entrepôts et Magasins Généraux de Paris, etc.). Adm. de *Sofinord* et
de la *Sté Industrielle et Financière de
Lens.* Elu député *U.N.R.-U.D.T.* du Nord
(3ᵉ circ.) le 25 novembre 1962.

DANGON (Georges).

Imprimeur (1884-1956). Fils de Joseph
Dangon (1853-1913), typographe à l'imprimerie de *La République Française,*
de Gambetta, puis imprimeur du *Soleil,*
d'Edouard Hervé, et directeur-imprimeur
du *Savoyard à Paris,* qu'il fonda en 1896.
Après son apprentissage dans l'imprimerie paternelle et un séjour en Angleterre et en Amérique, il prit la direction
de l'imprimerie à la mort de son père
(1913). Après la guerre, qu'il fit de 1914
à 1918, il réorganisa son entreprise,
l'une des plus importantes imprimeries

de journaux, et tira *L'Humanité* aussi bien que *l'Ami du Peuple*. Homme de gauche d'un grand libéralisme, esprit généreux et technicien remarquable, il comptait des amis dans tous les milieux. En 1940, après avoir participé comme volontaire dans un état-major aux opérations, il reprit la direction de l'*Imprimerie Dangon*, où avait failli reparaître *L'Humanité* après l'armistice et où s'installèrent *La France au Travail* (1940-1941) et *La France Socialiste* (1941-1944). Patriote et républicain, maçon actif (Loge *Thélème*), opposé au principe même de la Révolution nationale, et s'insurgeant contre l'occupation allemande, il milita dans la Résistance et fut l'un des organisateurs de la nouvelle presse. C'est chez lui, rue de Tournon, que fut décidée en août 1944 la confiscation et la répartition des imprimeries de journaux de la région parisienne. Il fut, ensuite, l'un des directeurs de la *S.N.E.P.* et le conseiller technique de la *Société d'Edition du Petit Parisien*. Résistant, mais non résistantialiste, il intervint dans les dernières années de sa vie, en faveur des journalistes qu'il avait connus à son imprimerie et que les Tribunaux de l'épuration avaient sévèrement condamnés.

DANIEL (Jean, Daniel BENSAID, dit).

Né à Blida (Algérie), le 21 juillet 1920. Fils d'un minotier israélite d'Afrique du Nord. Marié avec Michèle Bancilhon, ex-femme de Claude Perdriel. Débuta à Paris comme attaché de cabinet à la présidence de la République (1946), puis entra à la S.N.E.P. que dirigeait alors Pierre-Bloch. De 1947 à 1951, fut directeur de la revue *Caliban*, qui disparut. Devint alors le collaborateur de Georges Bérard-Quelin, à la *Société générale de Presse* (1952-1954), rédacteur au journal *Action*, de Tunis (1955), rédacteur en chef adjoint (1955), puis rédacteur en chef (1955-1964) de *L'Express*, tout en assumant la correspondance parisienne de *New Republic Action* (Tunisie), de la *Revue Générale* (U.S.A.), d'*Il Punto* (Italie), d'*Afrique-Belge* et en collaborant à la revue *Preuves* et à la revue *Esprit*. Depuis 1964, est le bras droit de Claude Perdriel, l'ancien mari de sa femme, au *Nouvel Observateur*, dont il est le rédacteur en chef.

DANILO (Philippe, Joseph).

Représentant, né à Fougerets (Morbihan), le 12 avril 1898. Maire de la Mulatière. Conseiller général de Saint-Genis-Laval depuis le 14 octobre 1951. Député *U.N.R.* du Rhône (7e circ.) depuis 1958.

DANSETTE (Adrien, Marie, Pierre, Jules).

Homme de lettres, né à Armentières (Nord), le 16 avril 1901. Fils de Jules Dansette, député du Nord (1895-1919). Militant royaliste dans l'entre - deux - guerres, fut l'un des principaux membres de l'*Association de la Presse Monarchique et Catholique*, collabora, depuis la Libération, à divers journaux et revues de tendances diverses. Auteur de nombreux livres d'Histoire, en particulier de « *La Libération de Paris* », « *Histoire religieuse de la France contemporaine* », « *Destin du catholicisme français* » et « *Histoire des présidents de la République* ». Membre de l'Institut, vice-président de la Cie d'Assurances *La Mondiale* et administrateur d'*Interpriv*.

DARCHICOURT (Fernand).

Militant politique, né à Saint-Etienne (Loire), le 26 septembre 1917. Ancien ouvrier mineur. Contrôleur de chantiers. Secrétaire général adjoint (1946) puis vice-président (1953-54) de la *Fédération nationale des prisonniers de guerre*. Conseiller technique au cabinet de Tanguy-Prigent, ministre des Anciens Combattants (février 1956-juin 1957). Elu conseiller municipal d'Hénin-Liétard en 1944, puis maire en mai 1953. Conseiller général du canton de Carvin (1955-1961), puis du canton d'Hénin-Liétard (1962). Député *S.F.I.O.* du Pas-de-Calais (14e circ.) depuis 1958. Membre du groupe parlement. de la *L.I.C.A.* Membre du conseil supérieur de la Sécurité sociale.

DARDEL (Georges).

Cheminot, né à Valletot (Eure), le 13 avril 1919. Maire socialiste de Puteaux et sénateur et conseiller général de la Seine, président du Conseil général de la Seine. Est, en outre, président de l'*Union des villes et communes de France* et de la commission des affaires européennes du Conseil des communes d'Europe.

DARDELLE (Maurice).

Publiciste, né à Paris, le 19 janvier 1899. Secrétaire général du *Centre des indépendants et républicains nationaux* de Paris et de la Seine. Conseiller honoraire de l'Union française.

DARLAN (François).

Amiral (1881-1942). Fils de Jean-Baptiste Darlan (1848-1912), conseiller général, député de Lot-et-Garonne (1890-

1898), et ministre de la Justice, vice-président de *L'Union Progressiste* et membre du *Grand Orient*. Sorti de l'Ecole navale en 1901, il participa à la campagne de Chine (1907), à la guerre de 1914-1918 (en Lorraine, à Salonique, à Verdun, en Champagne et dans l'Argonne). Ami de Georges Leygues, ministre de la Marine (et, comme son père, député de Lot-et-Garonne), il fut attaché quelque temps à son cabinet militaire dans l'entre-deux-guerres. Nommé contre-amiral en 1929, puis vice-amiral en 1932. Il fut chef du cabinet militaire du ministre de la Marine, en particulier de Gasnier-Duparc dans le premier cabinet Léon Blum, et devint chef d'E.-M. général de la Marine (1er janvier 1937). Promu au rang d'amiral de la Flotte (6 juin 1939), il fut appelé au commandement en chef de nos forces maritimes qu'il avait sensiblement développées. Le ministre de la Marine du gouvernement Pétain (depuis le 16 juin 1940) fut profondément ulcéré par l'agression britannique à Mers-el-Kébir (voir *Mers-el-Kébir*). De là daterait son anglophobie et sa tendance à un rapprochement avec les Allemands. Après avoir rencontré l'ambassadeur du Reich, Otto Abetz (15-12-1940), il fut reçu par Hitler, près de Beauvais (25-12-1940). Nommé vice-président du Conseil et ministre des Affaires Etrangères (février 1941), tout en gardant la Marine, il fut désigné officiellement par le maréchal Pétain comme son successeur et eut de nouveaux entretiens avec Abetz (3-5-1941) et avec Hitler (11-12-1941) : les pourparlers aboutirent à un accord (diminution des frais d'occupation, rapatriement des prisonniers anciens combattants de 1914-1918, facilités de passage de la ligne de démarcation, d'une part, facilités de ravitaillement et d'escales pour les Allemands outre-mer, d'autre part). Combattu par Weygand, qui rejetait l'accord, il fut nommé ministre de la Défense nationale (12-8-1941). Mais l'année suivante, il quitta le gouvernement et fut remplacé par Pierre Laval. Il prit alors le commandement en chef des forces de terre, de mer et de l'air (avril 1942). Appelé le 5 novembre 1942 au chevet de son fils Alain, hospitalisé à Alger, le débarquement allié le surprit dans cette ville. Fait prisonnier et libéré presque aussitôt, il prit la direction des affaires civiles et militaires d'Afrique du Nord française, proclamant à la radio (10-11-1942) : « *Je prends autorité sur l'Afrique du Nord au nom du Maréchal. La lutte est sans issue et le sang coule inutilement. En conséquence, j'ordonne la suspension des hostilités en Afrique du Nord.* » Au cours d'une conférence de presse (16-11-1942), il affirmait que la collaboration lui avait été imposée par les Allemands. « *Mon seul but*, déclarat-il, *est de sauver l'Afrique française, d'aider à la libération de la France et de me retirer dans la vie privée.* » Le jeune Olivier Bonnier de la Chappelle, dont le bras avait été armé par un groupe d'activistes partisans du comte de Paris, ne le lui permit pas : il le tua à coups de revolver, le 24 décembre 1942, au Palais d'Eté, résidence de l'amiral. La mort de Darlan ne facilita pas l'opération politique projetée par les conjurés, mais elle aida à l'accession du général De Gaulle au commandement unique de la Résistance après l'éviction, relativement aisée, du général Giraud.

DARNAND (Aimé, Joseph, Auguste).

Homme politique, né à Coligny (Ain), le 19 mars 1897, au sein d'une famille de sept enfants. Il fit ses études au collège diocésain de Belley jusqu'à la classe de seconde. Il apprit ensuite le métier d'ébéniste d'art. Engagé volontaire, en 1915, à dix-huit ans, dans les Chasseurs à pied, il termina la guerre adjudant avec sept citations et la médaille militaire, qui lui fut remise par le maréchal Pétain : le président Poincaré salue en lui « *l'un des principaux artisans de la victoire* » (appellation qui sera réservée à Clemenceau, à Foch et à Darnand). Il fut quelque temps en Allemagne, dans les troupes d'occupation, puis il participa à la campagne de Cilicie contre les Kémalistes. Rapatrié en 1921, il quitta l'armée avec le grade de sous-lieutenant, et se maria quelques années plus tard avec Antoinette Foucachon, dont il eut un fils, Jean-Philippe (né en 1926). Il fonda bientôt une entreprise de transports à Nice, qu'il dirigea jusqu'en 1942, date à laquelle il la cédera pour occuper des fonctions gouvernementales. Inscrit à l'*Action Française* dès son installation à Nice, il présida les Anciens Combattants de ce mouvement en 1928. Il quitta l'*A.F.* en 1930, après s'être brouillé avec ses dirigeants. Il adhéra en 1936 au *Parti Populaire Français* de Jacques Doriot et y demeura jusqu'en 1942. Militant de la « Cagoule », il fut arrêté et incarcéré en 1938 à la Santé. Défendu par Me Xavier Vallat, qui se lia d'amitié avec lui, il fut relâché au bout de six mois, bénéficiant d'un non-lieu. Mobilisé avec le grade de lieutenant de réserve en 1939, il se fit muter dans le Corps Franc du 24e Bataillon de Chasseurs de la 29e D.I. avec son ami le lieutenant Agnely, tué le 7 février 1940 à Forbach, dont il ramènera le corps à travers les lignes allemandes aidé par deux chasseurs. En lui remettant la rosette de la Légion d'Honneur, le général Georges qualifia cet acte de bravoure de « *plus bel exploit de la guerre* ». Il fut fait prisonnier au cours des combats et interné au camp de Pithiviers, d'où il s'échappa. Il rejoignit Vichy et se mit aussitôt à la disposition du maréchal Pétain. Celui-ci lui confia la charge de constituer la *Légion Française des Combattants* dans les Alpes-Maritimes, et le nomma, le 23 janvier

1941, membre du *Conseil National* (voir à ce nom). Après avoir organisé cette formation, il créa, à Nice, le *S.O.L.* (Service d'ordre légionnaire) qui fut ensuite étendu à toute la zone libre, et dont il devint le secrétaire général. C'est cet organisme qui fut transformé en *Milice Française* par la loi du 31 janvier 1943 : Pierre Laval, chef du Gouvernement, fut le chef de la *Milice*, et Darnand son secrétaire général. Le 31 décembre 1943, il fut nommé secrétaire général au Maintien de l'Ordre et l'année suivante, ministre de l'Intérieur. Lorsque le maréchal et Laval furent emmenés à Belfort par les Allemands, Darnand suivit les autres membres du gouvernement dans l'Est et enjoignit à la Milice et aux familles miliciennes de le suivre. L'épuration battait alors son plein et ses militants étaient directement menacés. (Des exécutions sommaires décimèrent les partisans du maréchal Pétain qui n'avaient pu ou pas voulu s'enfuir.) Il leur ordonna de se replier vers les départements français de l'Est, puis de passer en Allemagne. Installé à Ulm et à Sigmaringen, Darnand participa au Comité de Défense des Intérêts Français, en compagnie de Fernand de Brinon, Jean Luchaire et Marcel Déat. Lors de l'avance de la 1re Armée du général de Lattre, les miliciens restés à Sigmaringen passèrent en bon ordre en Italie avec lui et participèrent à quelques combats contre les partisans communistes. Finalement arrêté par des agents de la Sécurité militaire française, Dar-

nand fut ramené en France et emprisonné à Fresnes. Traduit devant la Haute Cour, il fut condamné à mort le 3 octobre 1945 et fusillé au Fort de Châtillon le 10 octobre 1945. Inhumé sommairement au carré des suppliciés, sa dépouille fut exhumée en 1950 pour être enfouie dans une sépulture provisoire. Exhumé à nouveau le 7 avril 1959, il repose maintenant au cimetière des Batignolles, dans une sépulture érigée par souscription auprès de fidèles et d'anciens adversaires.

DARNAR (Pierre) (voir : **Laurent-Darnar**).

DAROLLE (Raymond, Robert).

Journaliste, né à Agen (L.-et-G.), le 7 février 1919. Rédacteur à *La Dépêche de Toulouse* (1940-1944), à *Libération-Soir* (1946-1947), à *Ce Matin - Le Pays* (1947-1948). Chef du service de presse du haut-commissariat de la République française à Madagascar (1948-1949). Fit ensuite du grand reportage, puis participa à la création d'*Europe n° 1* (1956), dont il devint le secrétaire général de la rédaction au cours de 1957. Fonda en 1956 et anime depuis l'agence *Europress*.

DAROU (Marcel).

Directeur d'Ecole, né à Hazebrouck (Nord), le 3 août 1896. Militant socialiste. Ancien député aux deux Constituantes, puis à l'Assemblée nationale pour le Nord (1945-1958), a été proclamé sénateur du Nord, en septembre 1961. Vice-président de la Fédération du Nord des *Combattants républicains*.

DARQUIER DE PELLEPOIX (Louis).

Conseiller municipal de Paris, conseiller général de la Seine (avant la guerre), fondateur du *Rassemblement Antijuif* (voir à ce nom).

DARRAS (Henri).

Membre de l'enseignement, né à Ronchamps (Haute-Saône) le 13 mars 1919. Professeur de cours complémentaire. Conseiller général du canton de Liévin depuis le 30 septembre 1945. Maire de Liévin (depuis 1952). Candidat *S.F.I.O.* aux élections générales de janvier 1956 (battu). Attaché, chargé des relations avec l'Assemblée nationale, au cabinet de M. Bernard Chochoy, secrétaire d'Etat à la Reconstruction et au Logement (1956-1957). Député *S.F.I.O.* du Pas-de-Calais

(12e circ.) depuis 1958. Membre de l'Assemblée parlementaire européenne (29 janvier 1959).

DASSAUD (Francis).

Mécanicien, né à Châteldon (P.-de-D.), le 11 juillet 1895. Ancien membre de la première Assemblée constituante (1945), sénateur du Puy-de-Dôme (depuis 1946), inscrit au groupe socialiste, conseiller général et vice-président du Conseil général du Puy-de-Dôme, maire de Puy-Guillaume.

DASSAULT (Marcel, Ferdinand).

Industriel, né à Paris le 22 février 1892. Fut successivement autorisé à s'appeler Bloch-Dassault, puis Dassault (décrets des 27-11-1946 et 12-2-1949). Ingénieur de l'Ecole nationale supérieure de l'Aéronautique (promotion 1913). Président directeur général de la *Société des Avions Marcel Dassault* (fondée en 1930), vice-président de l'Union syndicale des industries aéronautiques, administrateur de la *Société des Moteurs et Automobiles Lorraine*, des *Usines Monobloc*, et de diverses autres sociétés. Principal actionnaire de la *Banque Commerciale de Paris*, directeur-fondateur de l'hebdomadaire *Semaine de France* (1952), puis de *Jours de France* (1955), ancien actionnaire du journal *Paris-Presse-l'Intransigeant*. Elu député *R.P.F.* des Alpes-Maritimes le 17 juin 1951. Non réélu le 2 janvier 1956. Elu sénateur de l'Oise à une élection partielle le 7 avril 1957, grâce au retrait du sénateur précédent démissionnaire. Réélu le 8 juin 1958. Elu député *U.N.R.* de l'Oise (1re circ.) le 30 novembre 1958. Réélu le 18 novembre 1962. Directeur-fondateur du quotidien *vingt-quatre heures*, disparu (1965-1966).

DASSIE (Albert).

Président de société, né à Pau (Basses-Pyrénées) le 8 février 1913. Président D.G. des Ets *Tiriau* (Nantes), vice-président de la Chambre synd. du Commerce et de la Réparation automobiles. Adjoint au maire de Nantes. Elu conseiller général (1961) puis député *U.N.R.* de la Loire-Atlantique (2e circ.) (1962).

DASSONVILLE (Gustave-Arthur).

Libraire et journaliste, né à Hasnas (Nord), le 14 novembre 1913. Non-conformiste résolu, publie et rédige seul un pamphlet *Le Brûlot*, (25, rue de Civry, Paris 16e), le plus petit périodique (par le format) paraissant actuellement, à la fois littéraire, artistique et politique, consacré à la défense des droits de l'esprit et de l'individu.

DAUDE-BANCEL (A. DAUDE, dit).

Homme de lettres, sociologue, né au hameau de Bancel, commune de Carnas, près de Nîmes (Gard) le 15 décembre 1870, mort à Rouen, le 3 avril 1963. Son père était cordonnier. Il fit ses études de pharmacie à Montpellier et milita très tôt dans les milieux libertaires. « *Pour mieux réaliser l'anarchisme, en dehors des partis* », il milita pour la coopération. Il prétendait que « *la conquête des débouchés par l'organisation des coopératives de consommation* » devait précéder l'organisation de la production. Disciple de Charles Gide, il exposa ses conceptions dans « *Le Coopératisme devant les Ecoles sociales* » (Paris 1897) et dans le journal *Terre et Liberté* (qui paraît toujours). Pendant la 1re Guerre mondiale, il administrait *L'Humanité* et appartenait au *Parti socialiste*. Il a dirigé pendant de longues années la *Ligue pour la réforme foncière*.

DAUDET (François, Marie).

Médecin, né à Paris, le 13 mars 1915. Fils de Léon Daudet (voir ci-dessous) et de la charmante *Pampille* de l'Action Française. Petit-fils d'Alphonse Daudet et petit-neveu d'Ernest Daudet. Collabora de temps en temps à *L'Action Française* et fonda, en 1956, la revue *Les Libertés Françaises,* qui disparut en raison de son ralliement, jugé excessif par ses lecteurs, à la personne du général De Gaulle. Préside les *Amis de Charles Maurras* et écrit dans *La Nation française.*

DAUDET (Léon).

Ecrivain, né à Paris le 16 novembre 1867, mort à Saint-Rémy-de-Provence le 1er juillet 1942. Fils d'Alphonse Daudet, le célèbre écrivain, qui marqua fortement sa formation. Etudes à Louis-le-Grand, où il eut pour condisciples Marcel Schwob, Paul Claudel et Gabriel Syveton — le futur député de la Patrie Française.

Son père, ancien secrétaire du duc de Morny, demi-frère de Napoléon III, sa mère et Mme Adam dont les salons étaient très fréquentés, le mirent en rapport avec les plus importantes personnalités de l'époque : Gambetta, Flaubert, Edmond de Goncourt, Tourgueniev, Paul Arène, Jean Aicard, Edouard Drumont, Zola, Lorrain, Mirbeau, Descaves, Ajalbert, Clemenceau et le vieux Victor Hugo — dont il devait épouser civilement la petite-fille Jeanne. Dans leur testament, les frères Goncourt le désignèrent comme un des premiers membres de leur Académie.

Sa découverte des philosophes allemands : Schopenhauer, Kant, Fichte, Nietzsche, et ses relations amicales avec Georges Hugo, Philippe Berthelot — le futur secrétaire général du quai d'Orsay —, Jean Charcot, le rendirent « hugolâtre », démocrate, radical et antireligieux.

Il fit des études de médecine, fut interne provisoire et eut pour maîtres Charcot, Potain et le chirurgien Péan. En 1893, il abandonna la médecine — dont il restera marqué toute sa vie — et devint collaborateur au *Figaro* (alors sous la direction de Francis Magnard), puis s'essaya dans le roman avec « *L'Astre noir* » paru à la *Revue des Deux Mondes*, et fit ses débuts de polémiste avec « *Les Morticoles* », satire violente contre les milieux médicaux et leurs mœurs. Il publia ensuite un maître livre, « *Le Voyage de Shakespeare* » qui annonce ses dons de visionnaire.

Influencé par Edouard Drumont, il collabora à *La Libre Parole,* fréquenta Barrès et Maurras. Le 19 janvier 1899, il participa à la fondation de la *Ligue de la Patrie Française,* avec François Coppée, Jules Lemaître, Brunetière, Bourget, Rochefort, Maurras, Henri Vaugeois, Gabriel Syveton.

Vers cette époque, Daudet amorça sa conversion religieuse et politique. Divorcé de Jeanne Hugo, il épousa religieusement sa cousine Marthe Allard en 1903. Les scandales — affaires Dreyfus, général Boulanger, Panama, « fiches », meurtre de Syveton — l'incapacité de la *Ligue de la Patrie Française* à élaborer une doctrine politique, la fréquentation de Maurras, de Vaugeois et du milieu de la fameuse « revue grise », *L'Action française,* rallièrent Daudet au « nationalisme intégral » et, le 21 mars 1908, il figurait parmi les douze signataires de la déclaration qui inaugura *L'Action Française* quotidienne.

Dès lors, son activité devint débordante. A ses articles quotidiens de polémique, il ajouta de nombreux écrits politiques, comme « *L'Avant-Guerre* », et littéraires, participa à de nombreuses bagarres (en particulier en 1909 pour protester contre l'attitude du professeur Thalamas à l'égard de Jeanne d'Arc) et eut de nombreux duels.

Au cours de la guerre 1914-1918, il dirigea ses attaques contre les partisans de la « paix blanche » (Caillaux, Malvy), attaqua Clemenceau pour son attitude antimilitariste — jusqu'à son discours du 17 juillet 1917 au Sénat contre « *Le Bonnet Rouge* » d'Almereyda avec documents fournis en partie par Daudet lui-même —, mena une campagne inlassable contre les « traîtres » — Almereyda, Bolo-Pacha, Malvy, Caillaux — jusqu'à leur condamnation. Ceci, tout en publiant des ouvrages politiques : *L'Hécatombe* », « *Devant la douleur* », « *L'Entre-deux-guerres* », un roman « *Le Cœur et l'Absence* », des études psycho-philosophiques « *Le Monde des Images* » et « *L'Hérédo* ».

Elu député de Paris à la Chambre « bleu horizon » (1919-1924), il la domina par la puissance de sa personnalité et de son rire homérique. C'est l'époque où il publia, entre autres, une de ses œuvres capitales « *Le stupide XIXᵉ siècle* », suivi d'une satire « *Les Dicts et Pronostiquations d'Alcofribas deuxième* ».

En 1923, le fils de Daudet, Philippe, fut découvert dans le taxi du chauffeur Bajot. Léon Daudet ne crut pas au suicide et l'écrivit. Condamné à six mois de prison sur plainte en diffamation de Bajot, Daudet s'enferma avec les dirigeants de *L'Action Française* et de nombreux fidèles dans les bureaux du journal, rue de Rome, et ne se rendit qu'au préfet de police Chiappe pour éviter de faire couler le sang. Evadé de la Santé dans des conditions rocambolesques, il se réfugia en Belgique où, pendant un exil de vingt-neuf mois, il enverra son article quotidien à *L'Action Française* et il écrira quinze ouvrages dont, en particulier *Ecrivains et artistes* et surtout son chef-d'œuvre « *Courrier des Pays-Bas* », en quatre tomes.

Malgré la condamnation de *L'Action Française* par l'archevêque de Bordeaux confirmée par Pie XI, il demeura fidèle au journal.

En janvier 1934 éclata l'affaire Stavisky qui éclaboussa le régime, survenant après les scandales Hanau et Oustric. D'où les journées de février (6-9), qui entraînèrent la dissolution des ligues, dont celle de l'*Action Française*. C'est à cette époque qu'il publia « *La police politique* » et « *Panorama de la IIIᵉ République* ».

Daudet approuva l'accord de Munich (1938) et mena la vie dure aux « bellicistes » qui poussaient à la guerre alors que nous étions en état d'infériorité manifeste devant la puissance hitlérienne. Il prophétisa l'entente germano-soviétique et l'invasion de la France et écrivit « *Le drame franco-allemand* »

(mars 1940). Replié à Lyon avec *L'Action Française,* il reprit sa plume de polémiste pour soutenir le gouvernement du maréchal Pétain, publia « *Sauveteurs et incendiaires* » (1941) et mourut le 1ᵉʳ juillet 1942.

Ecrivain fécond au style direct, il a laissé deux remarquables œuvres de mémorialiste : « *Paris vécu* » (2 tomes) et « *Souvenirs* », et un grand nombre d'autres livres où sont évoquées les figures des personnages politiques ou littéraires qu'il a connus.

DAUM (Paul).

Maître verrier, né à Nancy, le 28 octobre 1888. Associé de la célèbre verrerie *Daum frères* fondée en 1875 par un Alsacien qui avait opté pour la France et que les fils, Jean-Louis-Auguste et Jean-Antonin Daum développèrent. Volontaire pour l'aviation en 1914 (six citations et Légion d'honneur à titre militaire), colonel de réserve, se rallia au maréchal Pétain en 1940 et fut nommé, par ce dernier, membre du *Conseil national* (23 janvier 1941).

DAUMIER (Honoré).

Caricaturiste (1808-1879). Il fit paraître son premier dessin à vingt-quatre ans, dans *Le Charivari*. Il y représentait les ministres de Louis-Philippe, affublés en marmitons, empressés à étaler devant lui des sacs d'or et de la chair humaine. Cette charge lui valut la notoriété et trois mois de prison. Sa verve, dès lors, s'exerça sans merci contre les politiciens éhontés, les magistrats aux ordres, les affairistes avides. L'une de ses plus fameuses lithographies montre un cercueil vermoulu dans lequel achève de pourrir une charogne. Légende : *la Monarchie*. Son talent s'est exprimé avec la même veine dans la peinture et la sculpture. Il a modelé un inoubliable *Ratapoil*, corseté, la moustache agressive, appuyé sur une énorme matraque de policier. Daumier, dont le moindre dessin vaut de nos jours une fortune, mourut pauvre dans une petite maison offerte par son ami Corot : « *Ce n'est pas pour toi que je fais ça, lui avait écrit le grand paysagiste, c'est pour embêter ton propriétaire.* » L'influence du célèbre caricaturiste fut considérable à son époque. Combien de personnalités politiques, ridiculisées par ses dessins, ont été amenées à abandonner leurs projets !... On a pu dire de Daumier que son crayon valait une épée.

DAUPHIN-MEUNIER (Achille).

Economiste, né à Bourg - la - Reine

(Seine), le 28 juillet 1906. Militant de gauche dans sa jeunesse, appartint au bureau d'études de la *C.G.T.* en 1938-1939. Chargé de cours à l'Université de Toulouse (1936), maître de conférences à l'Ecole libre des sciences politiques (1940). Co-fondateur, avec Bertrand de Jouvenel et Georges Roux, de l'hebdomadaire *Le Fait* (octobre 1940) et collaborateur d'*Aujourd'hui*. Directeur de l'Ecole supérieure d'organisation professionnelle et professeur à la Faculté libre de droit de Paris (1941). Après la Libération, fut l'un des dirigeants du *Centre d'Etudes techniques et sociales* (1945). Directeur du *Centre des hautes études américaines*, vice-président de la Société française de géographie économique, membre correspondant de l'Académie d'agriculture de France. Collabora à de nombreux journaux économiques et a publié plusieurs ouvrages importants et renommés, tels que : « *La Banque à travers les âges* », « *La Cité de Londres* » (couronné par l'Académie française), « *Produire pour l'homme* », « *La Doctrine économique de l'Eglise* » (couronné par l'Académie française et l'Académie des sciences morales et politiques), « *Principes de science économique* » (1957), etc.

DAUPHINE LIBERE (Le).

Quotidien de nuance centre gauche né le 7 septembre 1945 d'une scission provoquée par les éléments non communisants du quotidien *Les Allobroges*, de Grenoble, fondé en 1944 sous le signe de la Résistance et du *Front National*. Son état-major comprend principalement : le président-directeur général, Louis Richerot, ancien hôtelier, venu s'installer à Grenoble en 1938 pour tenter d'y rétablir sa situation, aujourd'hui secrétaire général de l'*Association Amicale de la Presse Démocratique*, qui milita dans la Résistance ; Jean Gallois, directeur général, expert-comptable, ancien directeur de société à Alger ; et Pierre Laurent-Darnar, chargé de la direction politique et des éditoriaux, ancien rédacteur à l'*Humanité*. Avec ses annexes (*La Dernière Heure Lyonnaise*, *L'Echo-Liberté* et *La Dépêche de Saint-Etienne*) et ses éditions dominicales (*Dauphiné Libéré-Dimanche*, *Echo-Liberté Dimanche*), son aire d'influence comprend : l'Isère, les Basses et Hautes-Alpes, le Rhône, la Loire, la Haute-Loire, l'Ardèche, la Drôme, la Saône-et-Loire, la Savoie, la Haute-Savoie et le Vaucluse. Environ 460 000 exemplaires quotidiens vendus. Un accord avec *Le Progrès* de Lyon, qui peut conduire à la fusion des deux groupes, a été conclu en 1966 (29, avenue Félix-Viallet, Grenoble).

DAUSSET (Louis).

Universitaire (1866-1940). D'abord conférencier de la *Ligue de l'Enseignement*, devint farouche antidreyfusard et collabora à *L'Eclair*, *La Liberté*, *L'Echo de Paris*. Fondateur, avec Jules Lemaître, de la *Ligue de la Patrie Française*. Révoqué de ses fonctions de professeur (1900), se présenta le mois suivant aux élections municipales et fut élu dans le quartier des Enfants-Rouges contre l'un des hauts dignitaires du *Grand Orient de France*, Louis Lucipia, et devint président de l'assemblée parisienne. Président du Conseil général (1919), sénateur de la Seine (1920-1927). Ce nationaliste assagi s'inscrivit à l'*Union Démocratique et Radicale* du Sénat. A partir de 1930, ne joua aucun rôle dans la vie politique parisienne qu'il avait si profondément marquée.

DAVIAUD (Daniel, Antoine).

Notaire, né à Saint-Jean-Aigulin (Charente-Maritime) le 5 février 1904. Maire de Saint-Aigulin. Conseiller général du canton de Montguyon depuis 1947, et député de la Charente-Maritime (4e circ.) depuis 1962 : élu contre le député sortant Bégouin (indépend.), grâce aux désistements communistes et *P.S.U.* Inscrit au groupe du *Rassemblement Démocratique*.

DAVID (Jean-Paul).

Homme politique, né à Miélan (Gers), le 14 décembre 1912. Fils d'Ernest David, anc. président du Conseil général de la Seine. Licencié ès lettres, diplômé de l'Ecole Libre des Sciences politiques. Anc. secrétaire du sénateur Paul Bénazet (1935). Entrepreneur de transports (pendant la guerre). Ancien gérant des *Ets laitiers Préval*, des *Messageries légères* et de la *Société Nantaise et Amiénoise d'Exploitations commerciales*. Participa à l'action de l'*O.C.M.* et de l'*A.S.* (1943-1944). Anc. député de Seine-et-Oise (1946-1962). Maire de Mantes-la-Jolie (depuis 1947). Membre du Comité directeur de l'Association des Maires de France. Anc. secrétaire général de *Paix et Liberté* (groupement de propagande anti-communiste). Anc. membre du Comité Exécutif du *Parti Radical et Radical-Socialiste*. Fondateur et ancien secrétaire général du *Rassemblement des Gauches Républicaines*. Anc. sénateur de la communauté. Anc. membre du groupe parlementaire de l'*Entente démocratique*. Anc. membre du comité parlementaire du *Comité Français pour la défense des Droits de l'Homme* (pour l'amnistie des condamnés de Cours de Justice). Anc. membre du Comité consultatif constitutionnel. Partisan du OUI en septembre 1958. Participa au *Colloque de Vincennes* (juin 1960) organisé par Jacques Soustelle sur l'Algérie française. Se prononce pour le NON en 1962. Anc. directeur de l'Agence de Presse *R.G.R.* et des publications *Défendre la Vérité, Relais, Démocratie Française, Femme magazine, Le Réveil de Mantes, Le Réveil de Poissy*, etc... Directeur du *Libéral de France*. Secrétaire général-fondateur du *Parti Libéral Européen*. Principal organisateur de la *Convention Nationale Libérale*.

DAVID (Léon).

Artisan forgeron, né à Roquevaire (B.-du-Rh.), le 19 juin 1901. Elu sénateur communiste des Bouches-du-Rhône en 1946.

DAVOUST (André).

Homme politique, né à Averton (Mayenne), le 7 avril 1922. Secrétaire particulier (23 octobre 1949), attaché de cabinet (23 octobre 1950), chef du secrétariat particulier (11 août 1951), chef adjoint du cabinet (8 janvier 1953) du ministre Robert Buron. Suppléant de Robert Buron, est proclamé député de la Mayenne (1re circ.) le 9 février 1959. Elu conseiller général du canton Est de Laval le 8 novembre 1959. Réélu député *M.R.P.* de la Mayenne en 1962 (avec 71,11 % des voix exprimées) et battu en 1967.

DE GAULLE (Charles, André, Joseph, Marie) (voir : Gaulle).

DEAT (Marcel).

Homme politique, né à Guérigny (Nièvre), le 7 mars 1894, au foyer d'un employé de l'Administration de la Marine, de souche auvergnate, et d'une Bretonne. Il fit ses études au lycée de Nevers, puis à Henri-IV et fut reçu en juillet 1914 à l'Ecole Normale Supérieure. Un mois plus tard, il était mobilisé comme simple soldat ; revint de la guerre après avoir combattu quatre années dans l'infanterie, avec trois galons, cinq citations et la Légion d'honneur. En 1919, il retourna rue d'Ulm et en sortit, l'année suivante, agrégé de philosophie. Socialiste de formation, il milita d'abord au *Parti Socialiste*. Professeur au lycée de Reims, il anima la section *S.F.I.O.* de la ville et fut élu au conseil municipal sur une liste du Bloc des Gauches en 1925 ; l'année suivante, une élection partielle en fit un député de la Marne. Battu en 1928, il fut quelques années secrétaire administratif du groupe socialiste au Palais-Bourbon et se fit élire, en 1932, dans le quartier de Charonne, à Paris, contre le communiste Jacques Duclos. Ayant abandonné la direction du *Travail de la Marne*, hebdomadaire *S.F.I.O.* de Reims, il prit celle de *Paris-Demain*, tribune dominicale des socialistes de sa nouvelle circonscription (XXe arrondissement). Il militait alors aux *Compagnons de l'Université Nouvelle* et présidait la *Fédération des Etudiants Socialistes*. Mais sa doctrine n'était déjà plus celle de la majorité des membres de la *S.F.I.O.* ; dans ses « *Perspectives socialistes* » (Paris, 1931), il l'avait bien montré. Aussi fut-il de ceux qui, en 1933, provoquèrent au congrès de la Mutualité une scission. Avec Adrien Marquet, député-maire de Bordeaux, Eugène Frot, futur ministre de l'Intérieur, Barthélemy Montagnon, Renaudel et quelques autres dissidents, il constitua le *Parti Socialiste de France*, lequel s'associa, deux ans plus tard, avec le *Parti Socialiste Français* et le *Parti Républicain Socialiste* au sein d'une *Union Socialiste et Républicaine*, présidée par J. Paul-Boncour. Déat prit aussitôt la direction du journal de l'*U.S.R.*, le *Front Socialiste Républicain Français*. Bien qu'ouvertement pacifiste et hostile à toute croisade antihitlérienne dès 1935, il adhéra au *Comité de Vigilance des Intellectuels antifascistes* dont les dirigeants étaient accusés de bellicisme par la droite. Son opposition discrète au Front populaire lui valut la sympathie d'Albert Sarraut qui le prit dans son cabinet, en janvier 1936, et lui confia le portefeuille de l'Air. Battu aux élections de 1936 par le communiste Langumier, Déat se fit élire à une élection partielle, à Angoulême, trois ans plus tard, contre le communiste Gagnaire. Entre-temps, pourvu d'une chaire de philosophie à l'Ecole Normale Supérieure de Saint-Cloud et professeur au lycée Louis-le-Grand, il collaborait à *La République*, d'Emile Roche, à *La Flèche*, de Gaston Bergery, à *Notre Temps*, de Jean Luchaire, ainsi qu'à *La France* à Bordeaux, au *Petit Provençal*, à Marseille, et surtout à *L'Œuvre*, le quotidien parisien de gauche le plus répandu et le plus influent. C'est dans ce journal qu'il publia le fameux article « *Mourir pour Dantzig* » qui eut un retentissement considérable : « *Il ne s'agit pas du tout*, écrivait-il, *de fléchir devant M. Hitler, mais je le dis tout net, flanquer la guerre en Europe à cause de Dantzig, c'est y aller un peu trop fort (...) Combattre aux côtés de nos amis Polonais pour la défense commune de nos territoires, de nos biens, de nos libertés, c'est une perspective qu'on peut courageusement envisager si elle doit contribuer au maintien de la paix. Mais mourir pour Dantzig. non !* » (*L'Œuvre,* 4 mai 1939). Il n'est donc pas surprenant que ce pacifiste ait été amené à approuver le tract « *Paix immédiate* » que Louis Lecoin lança à la fin de 1939 et que tous les autres signataires (Giono, G. Pioch, V. Margueritte, Alain, etc.), sauf le militant anarchiste, répudièrent ensuite devant le juge d'instruction militaire. Début juillet 1940, il devint le directeur politique de *L'Œuvre* repliée à Clermont-Ferrand : il devait le rester plus de quatre années, y écrivant chaque matin le *leader* le plus mordant de la presse d'alors. Bien qu'ayant voté pour Philippe Pétain le 10 juillet 1940, il ne cachait pas son « *anti-Vichysme* » : il rendait l'entourage du vieux maréchal responsable de l'échec du *parti unique* et des attaques dont il était l'objet, tant à Paris qu'à Vichy, de la part des pétainistes de droite. Dans ses articles de *L'Œuvre,* revenue à Paris en septembre 1940, et dans les écrits publiés par son parti, il rendait coup pour coup : « *Vichy contre le Maréchal* », « *L'Angleterre nous vole notre empire ; Vichy ne le défend pas !* », tels étaient les titres des brochures et tracts édités par le *Rassemblement National-Populaire* qu'il venait de fonder avec Jean Goy, président général de l'*U.N.C.,* et Eugène Deloncle, ancien chef de la Cagoule. Anti-vichyssois, Déat le resta jusqu'au jour où Pierre Laval lui fit (17 mars 1944) une place au gouvernement — place assez modeste, somme toute pour un homme qui escomptait la succession de Laval lui-même — qu'il faillit bien ne pas obtenir ainsi qu'en témoigne sa colère dans trois articles de *L'Œuvre,* en février 1944, contre « *le plus costaud des sous-maurrassiens* » (ce mauvais jeu de mot visait Henry Coston, dont les critiques avaient, pensait-il alors, fait échouer les tractations avec le cabinet du maréchal). Même ministre, il tint tête à Vichy, notamment après le débarquement allié du 6 juin 1944, lorsque le président du Conseil, Pierre Laval, proclama la neutralité de la France : « *Je ne suis pas neutre* », répondit-il dans *L'Œuvre.* Peu après (17 août 1944), il quitta, sa femme, Paris pour Nancy, où il comptait constituer un nouveau gouvernement avec l'approbation du maréchal Pétain

(cf. « *Le Destin de Marcel Déat* », par Claude Varennes — pseudonyme de Georges Albertini —, Paris 1948), puis gagna le château de Maxéville où se trouvaient quelques-uns de ses partisans. Il fut reçu par Hitler le 29 août 1944, et jeta les bases d'une sorte de « gouvernement en exil » avec de Brinon et Darnand, auxquels Jean Luchaire fut adjoint tandis que Doriot était écarté. Cette « *Commission gouvernementale française* », que l'ambassadeur de Brinon présidait, siégeait à Sigmaringen, où se trouvait retenu le maréchal Pétain. A la *commission,* qui disparut au début de 1945, succéda un « *Comité Français de Libération* », présidé par Doriot, dont Déat fit partie. C'était la fin : Doriot fut tué sur la route par un avion inconnu, et les autres membres du *Comité,* dont Déat, se dispersèrent, tentant d'échapper aux soldats alliés et aux policiers du gouvernement provisoire du général De Gaulle. L'ancien ministre de Sarraut et du maréchal Pétain, toujours accompagné de sa femme, parvint à gagner l'Italie où. aidé par des prêtres, il vécut dans la clandestinité, sous le nom de Leroux, pendant douze ans. Il y mourut, rongé par la tuberculose, le 5 janvier 1955, muni des sacrements de l'Eglise avec laquelle il s'était réconcilié. Depuis plusieurs années, ce philosophe avait beaucoup réfléchi : hier encore anticlérical farouche et conférencier en loge (mais non maçon), il était revenu à la religion de ses ancêtres et, le 11 juin 1947, avait épousé chrétiennement Hélène Déat, qui était civilement sa femme depuis vingt-trois ans ; son union religieuse avait été célébrée dans le secret par le Père Alfonso Astengo, carme déchaux, avec l'autorisation du Saint-Siège et la bénédiction spéciale de Pie XII. Marcel Déat a laissé plusieurs ouvrages inédits, rédigés dans sa retraite italienne, notamment des essais, de délicieuses « *Lettres à Hélène sur l'expérience religieuse* », et deux tomes de mémoires : « *Le massacre des possibles 14-18* » et « *Combat pour l'impossible 39-45* ».

DEBAT COMMUNISTE (Le).

Revue fondée en 1962, dirigée et rédigée par des militants que le *P.C.F.* venait d'exclure ou qui, n'étant plus d'accord avec la ligne générale du parti, l'avaient quitté. *Le Débat communiste* est dirigé par le professeur Marcel Prenant, ancien chef d'E.-M. national des *F.T.P.* et ancien membre du C.C. du *P.C.F.,* que secondent : Pierre Bainley, secrétaire, et un comité composé de : Henri Amiot, Henri Aymé, vétéran de l'adhésion à la IIIe Internationale, Ginette Borel, Jean Chaintron, ancien commissaire des Brigades internationales, ancien préfet de la Libération, ancien sénateur, ancien membre du C.C. du *P.C.F.*, Etienne Charpier, autre vétéran de l'adhésion à la III° Internationale. François Comte, Jacques Courtois, Louis Coustal, Gisèle Deshayes, Pierre Folgalvez, René Garguilo, Maurice Gleize, imprimeur de *l'Humanité* clandestine, Georgette Lafagne, Pierre Lagarenne, Pierre Lareppe, Abel Lasla, Pierre Mania, un des trois cadres du *P.C.F.* au camp de Buchenwald, Pierre de Massot, ex-membre du *Comité National des Ecrivains*, Jean Noaro, Paul Rudel, André Salomon, Jean Surbout, Jean Zoppe. Le groupe est étroitement lié à *Unir*, qui publie un « *bulletin intérieur pour la rénovation démocratique du P.C.F.* », et a édité une « *Histoire du Parti communiste français* », fort mal vue de la direction du *P.C.F.*, mais qui ne manque pas d'intérêt. (27, rue du Faubourg-Montmartre, Paris-9°.)

DEBATS DE CE TEMPS (Les).

Quotidien national du soir fondé en avril 1957 et disparu le mois suivant. Son animateur était Jacques Marteaux, fils d'un ancien directeur général des *Chemins de fer de Damas-Hamah,* fort lié avec les magnats de la grande industrie et condisciple, à Stanislas, de Bernard Jousset, président du Patronat Chrétien. Les promesses que lui avaient faites de grands industriels et d'importants hommes d'affaires n'ayant pas été tenues, Marteaux tenta de se suicider le 11 mai 1957 : il se manqua, mais le journal était frappé à mort. (Un chapitre de « *La Haute Banque et les trusts* », par Henry Coston, relate longuement cette équipée journalistique et donne la liste des personnages intéressés à l'entreprise.)

DEBRAY (André). (Voir : Comité Financier).

DEBRAY (Pierre).

Homme de lettres et journaliste, né à Paris (14°), le 2 juillet 1922. Licencié ès lettres, D.E.S. d'histoire, membre du bureau de la *Fédération Française des Etudiants Catholiques,* en 1943-1944, puis du comité directeur des *Jeunes Chrétiens Combattants,* il dirigea en 1944-1945 l'organe de ce groupement : *Nouvelle Jeunesse,* à laquelle collaboraient Jacques Duhamel, Michel Habib-Deloncle et René Saurin et qui fut supprimée par « *diminution du contingent de papier* »

pour avoir pris position contre l'épuration des écrivains. Pierre Debray fut ensuite critique littéraire de *La France Catholique* (1945-1948) et de *Témoignage Chrétien* (1948-1949). Il fut également l'éditorialiste d'*Action,* qui disparut en 1952, où il publia un article qu'*Aspects de la France* reproduisit en le qualifiant de « *nationaliste et réactionnaire* ». A partir de 1952, P. Debray collabora régulièrement à *Aspects de la France* et a donné des éditoriaux à *L'Ordre Français.* Animateur du club *Réalités Nouvelles,* avec Jean-Marc Varaut, il dirige également le *Centre Culturel Sainte-Geneviève,* qui groupe des catholiques traditionalistes de diverses tendances politiques. Principales œuvres : « *Le dieu des violents* » (1945), « *Un catholique retour de l'U.R.S.S.* » (1950), « *La Troisième Guerre mondiale est commencée* » (1956), « *Le Portugal entre deux révolutions* » (1964), « *Dossier des nouveaux prêtres* » (1965), « *Schisme dans l'Eglise* » (1966).

DEBRE (Michel, Jean-Pierre).

Homme politique, né à Paris, le 15 janvier 1912. Fils du professeur Robert Debré (remarié en 1956 avec Mlle Anne-Marie-Marguerite-Amélie-Elisabeth de La Panouse, ex-comtesse Alphonse de La Bourdonnaye, apparentée aux Wendel, les magnats de la sidérurgie). Petit-fils du rabbin Simon Debré, membre du Conseil des Rabbins de France. Marié avec Anne-Marie Lemaresquier, dont il a quatre enfants : Vincent, François, Bernard, Jean-Louis. Etudes au lycée Louis-le-Grand, à la Faculté de droit, à l'école libre des sciences politiques. Auditeur au Conseil d'Etat (1935), chargé de missions au cabinet de ministre Paul Reynaud (1938-1939), puis à la Résidence générale de France au Maroc (1941). Maître des requêtes au Conseil d'Etat (décret du gouvernement Pétain du 4 août 1942). Membre du Comité directeur de *Ceux de la Résistance* (1942) et adjoint au délégué en France du *Comité Français de Libération Nationale,* de Londres, puis d'Alger (1943-1944). Chargé de l'épuration préfectorale et de la nomination des nouveaux préfets (1944). Commissaire de la République à Angers (août 1944). Chargé de la réforme administrative au cabinet du général De Gaulle (1945), puis chargé de mission au Commissariat des Affaires allemandes et autrichiennes pour le rattachement économique de la Sarre (1946). Secrétaire général des Affaires allemandes et autrichiennes (1947). Candidat radical-socialiste (malheureux), élu sénateur d'Indre-et-Loire en 1948 ; vice-président

u groupe *R.P.F.* du Sénat (1948-1954),
uis président du groupe des Républiains sociaux (1954-1958), vice-président
e la Commission des Affaires étran-
ères du Sénat (à la tête de l'opposition
ux traités européens). Conseiller géné-
l d'Amboise depuis 1951. Membre de
Commission des comptes de la Nation,
u Conseil Supérieur de la Recherche
cientifique et des progrès techniques,
e l'Assemblée de la *C.E.C.A.*, puis de
Assemblée parlementaire européenne.
irecteur du *Courrier de la Colère,*
evenu le *Courrier de la Nation,* où il
ublia des articles véhéments en faveur
e l'Algérie française, dont il se faisait
champion au Parlement. Dans *Carre-*
ur, il écrivit également de vigoureux
papiers » pour dénoncer ceux qui
oulaient lâcher l'Algérie : « *Si Bizerte,*
lger, Mers-el-Kébir cessaient d'être fran-
ais, la France, dans vingt ans, aurait
ne frontière méditerranéenne à défen-
re comme aux temps anciens et plus
ifficilement. » (*Carrefour,* 9.10.1957.)
ut l'un des fondateurs de l'*Union pour*
Nouvelle République (U.N.R.) et de
Alliance France-Israël. Garde des
ceaux, ministre de la Justice dans le
abinet De Gaulle (1.6.1958-7.1.1959).
remier ministre (8.1.1959-14.4.1962).
andidat *U.N.R.* en Indre-et-Loire (nombre 1962) : battu ; se présenta à une
ection partielle à La Réunion et fut
u député de l'ancienne île Bourbon. En-
e-temps, fut administrateur de la *C*ⁱᵉ
dustrielle pour *l'Afrique centrale* et
s *Immeubles de la Pépinière.* Est au-
urd'hui ministre de l'Economie et des
inances. Auteur de « *Demain la paix* »,
Refaire la France » (sous le pseudo-
yme de *Jacquier,* en collaboration avec
futur président de la *Banque de Paris*
des Pays-Bas, Emmanuel Monick, qui
gnait *Bruere),* « *La mort de l'Etat répu-*
icain», « *La République et son pou-*
ir », « *La République et ses problè-*
es », « *Les princes qui nous gou-*
rnent », « *Refaire une Démocratie, un*
tat, un Pouvoir », etc.

EBREGEAS (Gabriel, Cyprien).

Agriculteur, né à Saint-Yrieix (Haute-
ienne), le 23 février 1882. L'un des
incipaux *leaders* paysans du Limou-
n. Député républicain-socialiste de la
aute-Vienne (1928-1942). Vota les pou-
irs constituants au maréchal Pétain
940). Conseiller général du départe-
ent (depuis 1919) et maire de La Meyze
epuis 1920).

EBU-BRIDEL (Jacques-Ernest-Othon).

Homme de lettres, né à Mézières-en-
Drouais (E.-et-L.), le 22 août 1902. Issu
d'une famille protestante. Appartint
d'abord à *l'Action Française,* puis passa
au premier parti fasciste français, *Le*
Faisceau, et revint au mouvement royaliste après la déconfiture des « *chemises*
bleues » de Valois. Fermement attaché
aux idées nationalistes, milita ensuite
dans divers mouvements se réclamant à
la fois des traditions françaises et de la
justice sociale, tout en collaborant à
L'Ordre, d'Emile Buré. Avec Pierre Mouton, futur directeur du *Paris-S ir* de
l'occupation, dirigea le *Mouvement Na-*
tional Populaire et anima *L'Action Nou-*
velle. A propos du Congrès organisé par
son groupe (voir : *L'Action Nouvelle),*
affirmait dans un éditorial son attachement à Barrès et rappelait que le terme
de *national-socialisme* avait été employé
par son maître. En 1939, collaborait à
La Justice, quotidien néo-socialiste de
L.-O. Frossard. Pendant l'occupation,
rejoignit la Résistance et représenta la
tendance *Fédération Républicaine* (Louis
Marin) au sein du *C.N.R.* Appartint aux
Lettres Françaises (1942). Fit partie du
groupe *Libération* et diri*g*ea, en 1944-
1945, le quotidien progressiste qui portait ce nom. (Voir : *Libération.*) Fut
entre 1944 et 1958 : membre de l'Assemblée Consultative (1944-1945), conseiller
municipal de Paris et conseiller général
de la Seine (1947-1955) et sénateur de la
Seine (1948-1958). S'étant éloigné des
communistes de *Libération* et après
avoir assumé les fonctions de vice-président du Comité directeur du *R.P.F.* de
la Seine, participa cependant à la campagne menée en commun, par le *P.C.F.*
et le mouvement gaulliste, contre la
C.E.D. (1954). Se classant parmi les
« gaullistes de gauche », fut l'un des
animateurs du *Centre de la Réforme*
Républicaine, créé après le retour au
pouvoir du général De Gaulle, et de
l'Union Démocratique du Travail (*U.*
D.T.), qui fusionna avec l'*U.N.R.* Est
également l'un des principaux rédacteurs de *Notre République.* Dirige les
services parisiens de *Radio Monte-Carlo*
et appartient au Comité des programmes de la Télévision (O.R.T.F.) A écrit
divers ouvrages d'histoire, dont l'un sur
La Fayette.

DECARTELLISATION.

Dissolution d'une concentration industrielle, commerciale ou financière mettant obstacle à la libre concurrence
économique.

DECAULT (Henri).

Président de la *Fédération des Syndi-*

cats horticoles de France, nommé le 23 janvier 1941 membre du *Conseil National* (voir à ce nom).

DECENTRALISATION.

Action de donner une certaine autonomie à divers organismes ou administrations formant une collectivité.

DECHARTRE (Jean, Léon, Emile, Valentin DUPRAT-GENEAU, dit Philippe).

Militant politique, né à Truong-Thi (Annam), le 14 février 1919. Fils d'une inspecteur général des Chemins de fer d'Indochine. Militant de gauche de la Résistance, fut nommé en 1944 délégué général des prisonniers de guerre, déportés de la Résistance et déportés du travail auprès du Comité français de Libération nationale, à Alger et membre de l'Assemblée consultative et en 1945, président de la Commission des prisonniers de guerre, déportés et des pensions à l'Assemblée consultative provisoire et secrétaire général de l'entraide pour les prisonniers de guerre et déportés rapatriés. Est producteur à la Radio-Télévision depuis 1946. Radical et mendésiste en 1954-1958, gaulliste de gauche depuis 1958, fut l'un des fondateurs et animateurs du *Centre de la Réforme Républicaine* et de l'*U.D.T.* Appartient à la direction de l'*Alliance France-Israël,* fondée par Jacques Soustelle. Est, depuis octobre 1966, l'animateur de la *Convention de la Gauche Vᵉ République* (voir à ce nom).

DECOUR (Daniel DECOURDEMANCHE, dit Jacques).

Universitaire, né à Paris en 1910, mort au Mont-Valérien en 1942. Professeur agrégé d'allemand. Romancier, auteur en particulier de « *Philisterburg* » et « *Le sage et le caporal* ». Directeur de la revue *Commune,* il créa *Les Lettres françaises* en 1941 (dans la clandestinité) avant d'être arrêté en 1942, condamné à mort et fusillé la même année par les Allemands.

DECOUVERTES.

Revue mensuelle internationale, publiée en langue française, à Lisbonne, par Jean Haupt, son directeur, et consacrée à la défense des traditions et de la culture occidentale et à la lutte contre le marxisme, ses alliés et la ploutocratie. Principaux collaborateurs : Jacques Ploncard d'Assac, éditorialiste de *La Voix de l'Occident,* Saint-Paulien, Pierr Hofstetter, etc. (Administration et ré daction : rua Artilharia Um, 48-1º Dt Lisbonne).

DECRAENE (Philippe, Michel, René).

Journaliste, né à Paris, le 5 octobr 1930. Entra dans la presse au sortir d l'Université et devint rédacteur à *Com bat* (1955), puis reporter du *Bled,* et nouveau à *Combat,* pour les question diplomatiques (1957). Ensuite, rédacteu politique (1958), puis reporter au se vice d'outre-mer du *Monde,* collabora teur de l'O.R.T.F., attaché de recherche au *Centre d'études des relations interna tionales* de la *Fondation nationale de sciences politiques* (section Afrique). Es en outre, vice-président de l'*Associatio des journalistes d'outre-mer.* Auteur de « *Le Panafricanisme* », « *Partis polit ques africains* ».

DEFENDRE LA FRANCE.

Groupement fondé en 1956 avec l'ap pui et la collaboration de plusieurs per sonnalités de droite, dont le généra Barré, secrétaire général de « *Présenc Française-Tunisie* », Pierre Baruzy, d *Centre d'Etudes Politiques et Civique* M. Daber, conseiller de l'Union Fran çaise, secrétaire général du *Comité d'Ac tion contre la désagrégation de l'Unio Française,* Jean Ebstein, président d l'*Union Nationale et Sociale de Salu Public,* Jacquier, secrétaire général d *Présence Française-Algérie,* Juhel, secr taire général de la *Restauration Natio nale,* Matignon, président du Comit A.P.S., Montigny, président de l'*U.I.I.* de *Vigilance Française,* Nabonne, secr taire général de *Présence Française Maroc,* et le général Touzet du Vigier.

DEFENSE DE L'HOMME.

Revue mensuelle pacifiste et libertair fondée en 1947 par Louis Lecoin dirigée aujourd'hui par Louis Dorle Son public fidèle est principaleme composé de membres de l'enseignemen de fonctionnaires, de cadres du com merce et de l'industrie. Outre Loui Lecoin, y ont collaboré : Paul Rassinie Henri Perruchot, et Armand, le fond teur de *L'Unique.* Sa rédaction compren actuellement : Henri Rougemont, sp cialisé dans les questions économiqu et collaborateur régulier de la revu depuis plusieurs lustres ; P.-V. Berthie S. Vergine, le Dr H. Herscovici, dont le signatures figurent depuis de longu années dans les pages de *Défense d*

'Homme et plusieurs écrivains et militants anarchistes ou anarchisants (B.P. 3, Golfe-Juan, Alpes-Maritimes).

DEFENSE DES LIBERTES.

Etiquette utilisée par les candidats du *Mouvement Poujade* aux élections de 1958.

DEFENSE DE L'OCCIDENT.

Revue mensuelle dirigée par Maurice Bardèche, beau-frère de Robert Brasillach. Bardèche n'avait pas fait de politique avant la Libération. Professeur, il n'avait publié que des études littéraires. La condamnation et l'exécution du poète nationaliste transforma ce paisible écrivain en un pamphlétaire férocement non-conformiste. Coup sur coup, Maurice Bardèche publia : « *Lettre à François Mauriac* », critique acerbe de l'épuration, et « *Nuremberg ou la Terre Promise* », violent réquisitoire contre la Haute Cour Internationale de Justice. Ce dernier fut saisi par la police. Poursuivant son action politique, Bardèche lança, en 1952, *Défense de l'Occident*, à laquelle Jacques Isorni et Tixier-Vignancour accordèrent leur patronage. Résolument hostile à la démocratie, la revue est lue par les nationalistes « européens » et « néo-fascistes ». Y collaborent : Pierre Fontaine, P. Hofstetter, Jacques Ploncard d'Assac, Paul Sérant, Claude Elsen, J.-M. Aimot, R. Poulet, etc. Dépôt : 27, rue de l'Abbé-Grégoire, Paris-6e.)

DEFFERRE (Gaston, Paul, Charles).

Homme politique, né à Marsillargues (Hérault), le 14 septembre 1910, au sein d'une famille de protestants cévenols qui s'honorait d'avoir résisté avec courage aux *dragonnades*. Par son père, Paul-Aimé Defferre, et par sa mère, née Eugénie Suzanne Causse, il appartenait donc à cette petite bourgeoisie industrieuse et austère qui tentait, à la fin du siècle dernier, de se soustraire à l'hostilité des « orthodoxies officielles » autant qu'à l'inclémence de la nature. Le jeune homme fit ses études à Marseille et à Aix. Il acquit successivement un diplôme d'études supérieures d'économie politique et une licence en droit, et s'inscrivit au barreau du grand port méditerranéen. Il s'inscrivit aussi au *Parti Socialiste* (1933) et milita dans les milieux *Front populaire*. Socialistes et communistes fraternisaient alors : la haine des « *fascistes* » du 6 février 1934 avait rapproché les frères ennemis

qui tenaient ensemble des meetings et faisaient le coup de poing côte à côte. Il lia connaissance avec une jeune marxiste, Mme Ch. F.-H. Baron, dont le tempérament ardent et combatif le séduisit. Fille du Dr Albert-Natan Aboulker, la jeune femme, qui n'avait alors que vingt-trois ans, militait au *Parti Communiste* et ne désespérait pas d'y attirer Gaston Defferre. Après le divorce de la jeune algéroise, l'avocat socialiste épousa la militante communiste Aboulker en présence d'André Cordesse, homme d'affaires encore discret, et de Jacques Defferre, étudiant, tous deux témoins (13 septembre 1935). Cette union scellée sous le signe du Front populaire n'eut aucune influence sur le comportement politique de Gaston Defferre, qui resta fidèle à la S.F.I.O., laquelle le chargea bientôt (1936) du secrétariat de la 10e section de la Fédération des Bouches-du-Rhône. Pendant la guerre, Mme Gaston Defferre rompit, du moins officiellement, avec le *P.C.* : ses ascendances israélites la désignaient déjà suffisamment à la vigilance hostile des autorités. Son mari, lui, continuait de militer discrètement dans les milieux socialistes marseillais. En raison de la situation particulière du grand port, c'est à Marseille que s'était réorganisée la *S.F.I.O.*, sous la direction de Félix Gouin, Daniel Mayer et Haas-Picard (mars 1941). Defferre entra bientôt dans la clandestinité et devint l'un des agents les plus actifs du réseau de résistance du commandant Fourcaud. Il s'agissait surtout de résister à Vichy — les Allemands n'occupaient pas Marseille — et de recruter, parmi les opposants au maréchal Pétain, des *activistes* particulièrement décidés. Pour le compte du *Comité d'Action Socialiste* clandestin, M. Defferre gagna Londres en septembre 1943 et, de là, Alger, où il resta quelque temps. Dès son retour, il prit nettement le parti du groupe Gouin-Mayer favorable à la reconstitution pure et simple du *Parti Socialiste* contre le groupe Ribière-Brossolette-Robert Lacoste qui souhaitaient la création d'un mouvement travailliste plus largement ouvert aux diverses tendances de la gauche. A la Libération, les *F.F.I.* ouvrirent à Gaston Defferre les portes de la mairie de Marseille et celles de l'immeuble et de l'imprimerie du *Petit Provençal*, donnant ainsi à cet inconnu une situation politique de premier plan dans la cité phocéenne. A la même époque, le ménage Defferre se brisa. Le divorce prononcé (8 mars 1945), l'ex-Mme Gaston Defferre épousa son cousin, José Aboulker, tandis que Defferre se mariait avec Marie-Antoinette dite « Paly » Swaters qui venait de rompre ses liens conjugaux avec Landry de Barbarin (l'actuel gendre des Paquet). La nouvelle Mme Defferre (née à Bruxelles, le 24 octobre 1906) appartient à une famille alliée à de grands noms de l'aristocratie et de la bourgeoisie européenne. Du second mariage de son père (qui divorça en 1920) avec Anne-Marie Brouwers, est né en 1926 un fils, Jacques Swaters, qui épousa la jeune comtesse Monique de Bousies, ex-princesse de Ligne, ex-belle-sœur d'Antoine de Ligne (gendre de la Grande Duchesse de Luxembourg) et de l'archiduchesse Charles d'Autriche, et sœur de la comtesse Jean des Enffants d'Avernos, apparentés aux ducs d'Ursel (voir détails généalogiques dans *Lectures Françaises*, mai 1964). Ces parentés flatteuses, loin de nuire à la carrière du socialiste Gaston Defferre, semblent l'avoir servi. Mais il se garde bien d'en faire étalage. De même qu'il a le tact de ne point parler du yacht de luxe qui porte le nom de « Palynodie » et qui fut construit d'après les plans du grand architecte naval américain Olen Stephens. L'origine de sa fortune personnelle n'a, du reste, rien à voir avec son mariage : c'est comme avocat d'affaires et comme actionnaire du *Provençal* qu'il a gagné, le plus normalement du monde, les biens qu'il possède. A la Libération, en même temps qu'il s'installait dans l'immeuble du *Petit Provençal* confisqué à ses légitimes propriétaires, Gaston Defferre occupait l'hôtel de ville de Marseille. Félix Gouin était alors le grand homme de Marseille et du *Parti Socialiste* tout entier. Après le départ du général De Gaulle, il occupa même le premier poste de l'Etat : la présidence du Gouvernement Provisoire. C'est dans son sillage que Defferre fit sa carrière politique. Le président Gouin, qui l'avait fait désigner comme membre de l'Assemblée consultative provisoire, lui fit donner par la fédération S.F.I.O. des Bouches-du-Rhône, en 1945-1946, une place de choix sur la liste socialiste de la 1re circonscription. Il fut élu député, et lorsque Gouin fut porté à la présidence du Gouvernement Provisoire, il devint ministre de l'Information. Ce portefeuille était d'autant plus important, à l'époque, que le ministre qui le détenait avait la haute main sur l'épuration dans la presse, c'est-à-dire sur les centaines d'imprimeries et d'installations, sur les avoirs de toute sorte, qui avaient appartenu aux spoliés de 1944. Il était, en outre, le dispensateur du papier, alors si rare, et dont la distribution conditionnait l'existence normale ou non des

journaux de la *presse issue*. Le « scar dale du vin », où l'imprudent Féli Gouin faillit se noyer, secoua si forte ment la fédération *S.F.I.O.* des Bouche du-Rhône et ses dirigeants que Defferr ne put conserver la mairie : il du l'abandonner en 1947 à un gaulliste bo teint sous la pression des électeurs indi gnés. Mais sa réputation étant resté intacte, six années plus tard, il repre nait son fauteuil à l'hôtel de ville d Marseille. Cette « remontée » avait ét facilitée par la possession d'un puissan instrument de propagande, *Le Proven çal*, quotidien régional épaulé par un édition vespérale, *Le Soir*, et par u succédané toulonnais, *La République* lancés à la Libération grâce aux facilité accordées par le ministre Teitgen et l'occupation par les amis *F.F.I.* de Gasto Defferre, en août 1944, de l'immeuble e des installations du *Petit Provençal* (le machines et les stocks de papier avaien permis le tirage, dès le 22 août, du *Pro vençal*, et le 2 septembre, du *Soir*) (voi notre article sur *Le Provençal*). La situa tion de Gaston Defferre fut ainsi conso lidée à Marseille, mais aussi à Pari Il fut plusieurs fois ministre : dans l cabinet Gouin, nous l'avons dit, en 194 mais aussi dans les cabinets Pleven (195 1951), Queuille (1951) et Guy Molle (1956), et il fut député sans interruptio de 1944 à 1958. Personnage influent d *Parti Socialiste*, il est l'un de ceux qu firent basculer la gauche dans le cam des *oui* en septembre 1958, assuran ainsi une victoire écrasante au futu président de la Ve République. Connais sant, comme beaucoup d'autres observa teurs de gauche, les véritables inten tions du Général, il se félicitait de résultats du référendum dans *L'Express* qui parut quelques jours plus tard « *La signification que nous avon donnée à notre vote, les réactions de ultras d'Algérie et de France et l'éclatan succès qui a été remporté, permetten au général De Gaulle de tenir tête au excités de la droite et aux militaire politiciens.* » (1er octobre 1958.) Bie que battu aux élections législatives qu suivirent (novembre 1958), il n'en con serva pas moins sa confiance au généra De Gaulle. Dans une conférence à Mar seille, rappelant ses entretiens avec c dernier en septembre 1958, il déclarait « *Je me suis rendu compte que le che du gouvernement avait le désir de l paix en Algérie... Nous avons dit « OUI à la paix en Algérie et à la dissolutio des comités de salut public.* » Et redou tant qu'une opposition systématique pro voquât le départ prématuré du général il adjurait ses amis de ne pas fair

obstruction « *sinon*, disait-il, *il est à
craindre que le général De Gaulle se
asse, qu'il retourne dans son village et
qu'il laisse les Français se débattre* ».
(f *Le Monde,* 17 novembre 1958). Qua-
ante mois plus tard, il faisait encore
oter « *OUI* » à De Gaulle, malgré les
ticences de ses amis à l'endroit des
ouvoirs jugés excessifs que celui-ci
emandait au référendum d'avril 1962.
e n'est que plus tard qu'il s'écarta du
néral De Gaulle, sans pour autant
sser d'être bien considéré par certains
aders gaullistes. « *Gaston Defferre n'est
as éloigné du style qu'a voulu donner
 chef de l'Etat à la V* République* »,
vait affirmer Albin Chalandon, le grand
poir financier de l'*U.N.R.-U.D.T.*, dans
 Bulletin d'information du *Comité
ational pour la préparation de l'Elec-
on présidentielle* (Cf *France-Soir,* 29.1.
64). De son côté, René Capitant, autre
ader du parti gaulliste, déclarait dans
otre *République,* l'hebdomadaire officiel
 l'*U.N.R.-U.D.T.,* que *ses amis vote-
ient probablement pour M. Defferre si
 général De Gaulle n'était pas candidat.*
ans le même journal, le général Billote,
rivait que le maire de Marseille est
*de loin le meilleur candidat que pou-
ait présenter le socialisme français* »
otre République, 26 décembre 1963).
est ce qui faisait dire à ses adversaires,
rsqu'on annonça sa candidature à la
ésidence de la République qu'il était
*le candidat de l'opposition de Sa Ma-
sté* ». Il devait d'ailleurs renoncer, un
u plus tard, à se présenter en raison de
rieuses difficultés rencontrées jusque
ns son propre parti. Entre-temps, il
tait fait élire sénateur des Bouches-du-
ône (1959), puis, à nouveau, député
ns la 3e circonscription du départe-
ent (novembre 1962). A l'Assemblée na-
onale, ses amis le placèrent à la tête du
oupe parlementaire socialiste (décem-
e 1962). Pour couper court aux atta-
ues dont il était l'objet non seulement à
arseille, dans les milieux de gauche,
ais à Paris où un grand quotidien
Aurore) alla même jusqu'à mettre en
use sa situation de fortune, Gaston
efferre déposa le 21 février 1963 un
ojet de loi demandant la nationalisa-
on des banques d'affaires. Depuis, on
en entendit plus parler. Mais cet acte
olitique fit taire quelque temps ceux
e surprenaient le lien l'unissant à
Express et la présence, auprès de lui,
André Cordesse, de Francis Leenhardt
de quelques autres hommes d'affaires
oir à ces noms). Bien qu'ayant sou-
nu très officiellement François Mitter-
nd, le candidat de la Gauche, à l'élec-
on présidentielle de décembre 1965,

Gaston Defferre passe pour réticent
sinon hostile à la tentative d'union faite
par le député de la Nièvre. Il est évident que l'homme politique socialiste
vise haut et qu'il compte employer
d'autres cartes pour parvenir à ses fins.
S'il est un piètre orateur, Gaston Defferre
est un habile manœuvrier. Dans la
bataille politique qui s'annonce, c'est
une qualité qui peut assurer sa victoire.

DEFFERRE (Jacques).

Directeur de journal, né à Nîmes
(Gard), le 24 mars 1914. Frère de Gaston
Defferre. Administrateur de la France
d'outre-mer (1938-1954), puis directeur
du journal quotidien *République*, de
Toulon (depuis 1955).

DEFI (Le).

Hebdomadaire national et antisémite,
fondé par l'avocat Jean-Charles Legrand
en 1937. Organe du *Front de la Jeunesse*, dirigé par Me Legrand. Rédacteurs : Mme Rospars-Legrand, Maryse
Choisy, André Falco, Noël Félici, Jean-
Clerc.

DEGRADATION NATIONALE.

Peine qui prive le citoyen français
de tous ses droits. L'ordonnance du 26
août 1944, signée par le général De
Gaulle, instituait rétroactivement un
crime jusque-là inédit, l'indignité nationale, et une sanction nouvelle : la *dégradation nationale* : « *Tout Français qui,
même sans enfreindre une loi pénale
existante, s'est rendu coupable d'une activité antinationale caractérisée, s'est
déclassé ; il est un citoyen indigne dont
les droits doivent être restreints dans la
mesure où il a méconnu ses devoirs.* »
Ainsi s'exprimait l'auteur, François de
Menthon, qui contresigna l'ordonnance
avec Queuille, Emmanuel d'Astier de la
Vigerie, Giaccobi, Tixier, Pleven, Grenier, Jacquinot, Bonnet, Frenay. Grâce
à ce texte devint légitime la répression
d'actes parfaitement légaux au moment
où ils étaient commis. Purent ainsi être
frappés des dizaines de milliers de
Français, qui n'avaient commis aucun
acte de trahison mais s'étaient livré à
la propagande maréchaliste ou anti-
gaulliste, avaient adhéré à des groupes
ou partis sensés être favorables à la
Collaboration, même s'ils existaient
avant-guerre comme le *P.P.F.*, qui avaient
participé à des manifestations artistiques, économiques, politiques « ou autres » en faveur de la collaboration,

publié des écrits en faveur de la collaboration ou contre les juifs, les francs-
maçons, les communistes, ou prônant
des doctrines fascistes. La dégradation
nationale entraînait la *mort civile* : le
condamné était privé des droits civils
et politiques, exclu des fonctions publiques ou semi-publiques ; il ne pouvait
être administrateur ou gérant de société,
ni directeur d'école, d'entreprise de
radio ou de cinéma, ni journaliste professionnel ; il était exclu des professions
d'avocat, de notaire, d'avoué et généralement de tous les offices ministériels,
ainsi que de tous les organismes et syndicats professionnels.

DEGRAEVE (Jean).

Négociant, né à Chalons-sur-Marne
(Marne), le 26 juin 1910. Marchand de
machines agricoles. Conseiller général
du canton de Givry-en-Argonne depuis
le 14 octobre 1951. Membre du *Rotary*.
Député *U.N.R.* de la Marne (3e circ.)
depuis 1958.

DEGUISE (Jean).

Agriculteur, né à Douchy (Aisne), le
10 juin 1910. Maire de Douchy, conseiller général du canton de Vermand et,
depuis 1949, sénateur *M.R.P.* de l'Aisne.

DEHE (Alfred).

Entrepreneur de travaux publics, né à
Busigny (Nord) le 21 février 1899.
Conseiller général modéré du Nord,
maire de Busigny, sénateur *républicain
indépendant* du Nord. Partisan de l'Algérie française, il fit preuve d'hostilité à
l'endroit du référendum d'avril 1962.

DEHEME (Paul). (Voir P. de Méri-
tens.)

DEIXONNE (Maurice).

Universitaire, né à Curepipe (île Maurice), le 8 juin 1904. De 1930 à 1944,
professeur de philosophie aux lycées de
Valenciennes, Aurillac, Gap et Auch.
Nommé, à la Libération, inspecteur
d'académie à Auch, puis proviseur au
lycée d'Albi (1945). Conseiller municipal
d'Albi, membre de la 2e Constituante et
député socialiste du Tarn (1946-1958) et
président du groupe parlementaire socialiste. Actuellement proviseur au lycée
Rodin. Ancien membre du Comité directeur de la *S.F.I.O.*, ancien secrétaire de
la *Fédération socialiste du Tarn*, fit partie en 1958 du *Comité National d'Action*

et de *Défense Républicaine*. Préside
de la *Fédération nationale des clubs (
loisirs Léo-Lagrange*, secrétaire géné
du Mouvement français pour le plannii
familial.

DEJEAN (René).

Avoué, né à Saint-Girons (Ariège),
4 février 1915. Conseiller général du ca
ton de Saint-Girons (depuis 1945). Co
seiller municipal et 1er adjoint a
maire de Saint-Girons (1944-1953), pu
maire du Mas d'Azil. Député *S.F.I.O.*
l'Ariège depuis 1951. Vice-président (
Comité Consultatif Constitutionnel (
juillet-15 août 1958). Signataire du *Mar
feste de la Gauche* pour le maintien (
l'Algérie dans la République françai
(nov. 1960).

DEJEANTE (Victor-Léon).

Homme politique (1850-1927). Ouvri
chapelier, délégué au Congrès ouvri
de 1873 à Paris, militant du *Parti Ouvri
Socialiste Révolutionnaire*, puis (
l'*Alliance Communiste*, membre de
Loge *La Jérusalem écossaise*, député s
cialiste de la Seine (1893-1919 et 192
1927).

DEL DUCA (Cino).

Editeur, directeur de journal, né (
Montedinove (Italie), le 25 mars 189
C'est en 1932 que Del Duca débarq
en France, la bourse vide et la tê
pleine de projets. Journaliste, son fla
indiscutable le guida vers les journa
d'enfants. En 1937, le 24 mai exact
ment, il fonda avec Denise Crété, Mart
Bohner, journaliste, Pasquale Miloco
représentant de commerce, et Achil
Ghioldi, une S.A.R.L. au capital (
100 000 fr. L'apport principal, four
par Del Duca, se composait du pe
fonds de commerce qu'il exploitait (
rue des Bluets, à Paris. Il fut mention
dans les statuts, que Bohner sera
co-gérant avec Del Duca, mais que
dernier conserverait « *la direction et (
volonté prépondérante* ». Cette socié
Les Editions Mondiales, éditait de
journaux d'enfants : *Hurrah !* et *L'Ave
tureux*. Lorsque la guerre éclata, I
Duca s'engagea dans la Légion garib
dienne. Après l'armistice, il installa
siège des *Editions Mondiales* à Vich
(58, rue de Paris), puis démission
laissant à Simone Bassuet et Mart
Bohner la direction de l'entreprise. L
éditions furent alors transférées à Ni
Le 20 avril 1945, Cino del Duca fit
rentrée dans sa propre maison en f
sant nommer gérant son ami Ignace
Blasi. Le 2 janvier 1947, les *Editio*

ondiales regagnèrent Paris. Leur déveppement fut alors prodigieux. Autour elles se créèrent un grand nombre de ciétés pour la publication de magaes féminins et d'enfants ainsi que des ciétés d'imprimeries. Une société de lms Del Duca produisit le fameux Touchez pas au grisbi », d'Albert monin. Des accords d'association rent Del Duca aux Editions Laffont et l'agent de publicité Bleustein-Blanchet. vant fait des avances d'argent au jour-al socialiste Franc-Tireur, il en devint entôt le principal actionnaire et le ansforma en Paris-Journal, puis en ris-Jour (voir à ce nom). Bien que embre de l'Association de la Presse émocratique groupant des journalistes directeurs de journaux socialistes et dicaux, Cino Del Duca a mis (officieu-ment) son journal au service du mou-ment gaulliste.

ELACHENAL (Jean).

Avocat, né à Saint-Pierre-d'Albigny avoie). Membre du barreau de Cham-ry. Conseiller général et maire de int-Pierre-d'Albigny. Elu député de la avoie (1re circ.) en 1958 ; réélu en 1962. scrit aux Républicains Indépendants. bénéficié de la renommée en Savoie M. Joseph Delachenal, député modé-, qui fut longtemps la personnalité la us marquante de la circonscription.

ELAGNES (Roger).

Membre de l'enseignement, né à Mont-ellier (Hérault), le 11 mai 1902. Mili-nt socialiste, conseiller général et maire es Saintes-Maries-de-la-Mer, proclamé nateur socialiste des Bouches - du -hône, en remplacement de G. Defferre décembre 1962).

ELAISI (François, Almire, dit Francis).

Economiste et écrivain, né à Bazou-ers (Mayenne) le 19 novembre 1873, ort à Paris le 22 juillet 1947. Fils d'un harron. Père de l'avocat P. Delaisi. Très t attiré par les idées de l'extrême-auche, il milita avec Gustave Hervé au uartier Latin. Professeur, puis journa-ste, il collabora aux Pages libres, à a Grande Revue (qui avait absorbé la remière), devint le rédacteur en chef u quotidien Les Nouvelles (1908), puis secrétaire général de l'Agence Radio. mi de Pierre Monatte et d'Alphonse errheim, dont il soutint l'action révo-tionnaire, il fut l'un des collaborateurs e La Vie Ouvrière, fondée par le pre-ier, et de La Guerre Sociale, de son

ancien condisciple Gustave Hervé. (C'est dans ce journal qu'il révéla l'origine capitaliste des fonds qui permirent la publication de L'Humanité. Cf. La Guerre Sociale, 16 et 29 novembre 1910.) Il col-labora également à La Bataille syndica-liste. Dans son livre « La Guerre qui vient » (1911) il montrait que l'anta-gonisme anglo-allemand conduirait au conflit ; il ne fut donc pas surpris lors-que celle-ci éclata trois ans plus tard. Après l'armistice, il publia plusieurs livres exposant ses thèses économiques et sociales, tout en demeurant à l'écart du mouvement socialiste. Il fit partie, alors, du comité de la Confédération des Travailleurs Intellectuels, de la Fédé-ration Internationale des Journalistes et du Syndicat National des Journalistes. Pacifiste et européen, il milita active-ment au sein des associations qui sou-tenaient à l'époque la politique d'Aris-tide Briand (Ligue de la République, Ligue des Droits de l'Homme, mouve-ment Pan-Europa), fit des conférences sous leur égide et participa à diverses rencontres internationales. Au moment du Front populaire, il fut l'un de ceux qui dénoncèrent avec le plus de vigueur les fameuses « 200 Familles » et publia un petit livre sur elles qu'édita le Comité de Vigilance des Intellectuels anti-fascistes. A la rédaction de L'Œuvre, de même qu'au sein des mouvements dont il était adhérent, il fut des hommes de gauche qui, en 1938-1939, s'opposèrent fermement au « camp belliciste ». Tout naturellement, il se retrouva parmi eux après l'armistice de 1940 : à L'Œuvre, avec Marcel Déat, à L'Atelier, avec Geor-ges Albertini, à La France socialiste, avec René Château, à Germinal avec Marcelle Capy. Il fit des conférences pour le R.N.P. et adhéra à la Ligue de la Pensée Française. Frappé d'interdit, après la Libération, par le Conseil Natio-nal des Ecrivains qui avait inscrit son nom sur leur « liste noire », il n'eut plus aucune activité et mourut, presque ou-blié, à Paris, trois ans plus tard. Son influence fut grande dans les milieux de gauche des quarante premières années de ce siècle. Il est l'un de ceux qui, avec des écrivains aussi différents qu'Edouard Drumont, Augustin Hamon, Auguste Chirac, Roger Mennevée, Beau de Loménie, Jacques Duboin, Henry Coston, ont su démontrer la machine qui menace d'écraser à la fois les classes laborieuses et les classes moyennes. Par-mi ses principaux ouvrages, citons, no-tamment ceux qui ont fortement marqué ses contemporains de tous bords, « La Démocratie et les Financiers » (Editions de La Guerre sociale, 1910), « La guerre

qui vient » (Editions de *La Guerre sociale*, 1911), « Le Pétrole » (1921), « Les
contradictions du monde moderne »
(Payot, 1925), « Les bases économiques
des Etats-Unis d'Europe » (1926), « Les
deux Europes » (Payot 1929), « La Bataille de l'Or » (Payot 1933), « La Banque de France aux mains des 200 Familles » (Comité de Vigilance des Intellectuels antifascistes, 1936), « La Révolution Européenne » (Edition de la
Toison d'or, Bruxelles, 1942). « L'ouvrier
européen » (préface de Georges Albertini, Edition de l'Atelier, 1942), « Para-
doxes économiques » (préf. de G. Albertini, Editions du Rassemblement National
Populaire, 1943), etc.*

DELANNOY (Aristide).

Peintre et caricaturiste (1874-1911).
Fils de petits commerçants horlogers de
Béthune, il devint sourd à quinze ans.
Son enfance fut marquée par cette infirmité qui lui donnait un air bizarre. *« Un
beau jour, Delannoy se plaignit qu'on
lui cassât les oreilles et fila sur la
capitale. A Paris, il lâcha la surdité —
preuve que ces gens du Nord sont capables de résolutions viriles — et se fit
inscrire aux Beaux-Arts... Mais, à cette
époque-là, comme de nos jours, la peinture ne nourrissait pas son homme. En-*

*tre temps, il s'était marié ; un enfant l[
était né... Primum vivere. Delannoy ra[
crocha sa palette, prit un crayon et co[
rut les journaux illustrés.* » (Les Hon[
mes du Jour, 3-10-1908.) C'est ainsi q[
Delannoy devint l'un des dessinateurs l[
plus goûtés de la presse d'extrême-ga[
che du début du siècle. Il collabora [
un très grand nombre de publication[
illustrées, mais c'est probablement dan[
*Les Hommes du Jour, L'Assiette a[
beurre* et *La Guerre sociale* que ce r[
volté a donné ses meilleures caricature[

DELARUE (Maurice, Abel, Elie).

Journaliste, né à Antrain (I.-et-V.), l[
26 juillet 1919. Membre du mouveme[
Défense de la France dont *France-So[
fut l'organe après la Libération. Appa[
tient à la rédaction de ce journal de[
puis le début. Actuellement est chef d[
son service étranger (depuis 1962).

DELATRE (Georges).

Chirurgien, né à Fry (Seine-Maritim[
le 11 septembre 1917. Maire de Gournay[
en-Bray. Elu député *U.N.R.* de la Sein[
Maritime (10e circ.) le 25 novembre 196[

DELBECQUE (Léon).

Directeur commercial, né à Tourcoin[

Le dessinateur de la gauche socialiste d'avant la Première
Guerre mondiale : Aristide Delannoy (par lui-même).

Nord), le 25 août 1919. Successivement ontremaître, sous-directeur, puis directeur dans une usine textile. Résistant et militant gaulliste, fut élu conseiller municipal *R.P.F.* de Tourcoing et assura le secrétariat. Secrétaire général du *Centre des Républicains Sociaux* du Nord. En 1956, se présenta sous l'égide des Républicains-Sociaux aux élections législatives dans le Nord. Collaborait alors au *Rassemblemnt du Nord* et à *La Croix de Lorraine*. Etait chargé de mission au cabinet de J. Chaban-Delmas, ministre de la Défense nationale, quand apparurent les signes avant-coureurs du mouvement qui explosa à Alger le 13 mai 1958. Ayant gagné l'Algérie en temps opportun, se trouvait sur place lorsque se produisirent les manifestations populaires à Alger. Nommé vice-président du *Comité de Salut Public d'Algérie*, fit à ses amis lillois cette déclaration qui explique les événements de mai 1958 : « *Il est exact que j'ai été l'organisateur du mouvement du 13 mai. Aux fonctions que j'occupais, je me suis occupé d'être au bon endroit au bon moment, pour détourner vers le général De Gaulle le soulèvement qui devait se produire.* » (7 juillet 1958.) Rentré définitivement en France, fut le commissaire national de la *Convention Républicaine*, mouvement qui fusionna avec d'autres groupes gaullistes pour former l'*U.N.R.* Membre du C.C. de l'*U.N.R.* (1958-1959). Elu député sous l'égide de ce parti en novembre 1958, en démissionna l'année suivante lorsque l'attitude du général De Gaulle à propos de l'Algérie le déçut et l'inquiéta. S'affilia au groupe *Unité de la République*. Son opposition au Régime fut, dès lors, constante. Est actuellement le directeur d'une entreprise parisienne.

DELBOS (Yvon).

Journaliste (1885-1956). Rédacteur en chef du *Radical* (1911), co-fondateur de *L'Ere Nouvelle* (1919), éditorialiste de *La Dépêche* de Toulouse. Elu, en 1924, député radical-socialiste de la Dordogne, fut ministre de la IVe République. Ne prit pas part au vote du 10 juillet 1940 : passager du fameux *Massilia,* les autorités le retenaient en Afrique du Nord. Milita dans la Résistance et fut déporté en Allemagne. Rentré en France, reprit sa place à la direction du *Parti Radical-Socialiste,* fut élu membre à la première Constituante par les électeurs périgourdins et redevint député de la Dordogne (1946-1956) et ministre (cabinet Ramadier, Marie, Queuille, Bidault). Présidait, à sa mort, le groupe radical-socialiste de l'Assemblée nationale.

DELCOS (François).

Notaire, né à Perpignan le 25 mars 1881. Député radical-socialiste des Pyrénées-Orientales (1936-1942), vota la délégation des pouvoirs constituants au maréchal Pétain (1940). Membre des deux Constituantes (1945-1946), à nouveau député des Pyrénées-Orientales (1946-1955), secrétaire d'Etat (ministères Queuille, 1950, et Pleven, 1951-1952).

DELIAUNE (Gérard).

Viticulteur, né à Caudéran (Gironde) le 13 août 1906. Propriétaire-viticulteur. Maire de Saint-Giers-de-Canesse depuis 1947. Elu député *R.P.F.* de la Gironde (2e circ.) le 17 juin 1951. Ayant soutenu trop ouvertement le gouvernement Mendès-France, fut battu le 2 janvier 1956. Elu conseiller général du canton de Blaye le 27 avril 1958. Elu à nouveau député de la Gironde (10e circ.) en novembre 1958. Réélu en 1962. Inscrit à l'*U.N.R.* Battu en 1967.

DELMAS (Louis).

Membre de l'enseignement, né à Montaigu-de-Quercy (T.-et-G.) le 3 septembre 1906. Directeur d'école honoraire. Membre de l'*Alliance France-Israël*. Elu député *S.F.I.O.* de Tarn-et-Garonne (1re circ.) en 1962. Réélu en 1967.

DELONCLE (Eugène).

Ingénieur, né à Brest en 1890, mort à Paris en 1942. Proche parent de l'ancien parlementaire Charles Deloncle. Ce fils de Celte et de Corse était un « bottier » de Polytechnique, un major du Génie maritime. Il appartenait alors au comité central des *Armateurs de France* et au conseil d'administration des *Chantiers de Penhoët ;* il était, en outre, à l'époque, membre du Comité technique du *Bureau Veritas* et président de la *Caisse hypothécaire maritime et fluviale.* Rien ne semblait donc le destiner à une carrière dans les sociétés secrètes nationalistes, ni à une participation active aux complots de la *Cagoule.* C'est en 1934 qu'il s'était lancé dans la politique. Il avait suivi, jusque-là et d'assez loin *L'Action Française.* Il décida d'y adhérer et entra d'abord comme simple militant dans l'équipe de camelots du roi du XVIe commandée par Jean Filliol. Parallèlement, on lui confia l'organisation des ingénieurs et il devint vice-président de la section d'*A.F.* du quartier de La Muette. Mais il se brouilla bientôt avec les chefs du mouvement royaliste et décida de créer un groupement clandestin.

« *Je me demandais*, a-t-il dit un jour à un rédacteur de *La Gerbe*, *s'il fallait comme d'autres nationaux, fonder des partis ; mais il me semblait que les forces techniques de l'adversaire empêchaient le développement d'un parti normal. Par conséquent, une seule solution : l'action souterraine et comme une franc-maçonnerie retournée au bénéfice de la nation. Il fallait accumuler une force explosive, et qui pourrait exploser, et bien exploser, le jour du péril. Des sociétés secrètes convenablement morcelées, séparées les unes des autres et s'ignorant les unes des autres (le point était capital). L'expérience a prouvé que le calcul était juste :* dix mille *commissions rogatoires ont été lancées contre nous, et cent vingt hommes seulement furent arrêtés.* »

Deloncle fut donc le véritable chef du *Comité Secret d'Action Révolutionnaire* et de l'*Organisation Secrète d'Action Révolutionnaire Nationale* avant la guerre et fut, à ce titre, l'objet de poursuites judiciaires qui lui valurent un séjour prolongé à la Santé. Après l'armistice de 1940, il fonda le *Mouvement Social Révolutionnaire* (M.S.R.) et participa à la création du *Rassemblement National Populaire* (R.N.P.) (voir à ces noms). Considéré par les Allemands comme un adversaire camouflé de la Collaboration franco-allemande, il fut tué, en 1942, à côté de son jeune fils qui fut blessé, par des agents du *S.D.* qui avaient ordre de l'arrêter et que le chef du *M.S.R.* avait accueillis à coups de revolver. Sa veuve a épousé l'un de ses anciens adjoints au *M.S.R.*, Jacques Corrèze, aujourd'hui agent général du groupe de *L'Oréal-Monsavon* en Espagne.

DELONG (Jacques-Marcel).

Pharmacien, né à Bourbonne-les-Bains (Haute-Marne) le 14 août 1921. Conseiller municipal de Doulaincourt (1951), puis maire (1959). Elu député *U.N.R.* de la Haute-Marne (20ᵉ circ.) en 1962. Réélu en 1967. A publié « *L'Histoire des apothicaires de Verdun* ». « *La fabrication actuelle de la dragée et son évolution* ».

DELORME (Claude).

Avocat, né à Marseille (Bouches-du-Rhône) le 9 mai 1912. Conseiller municipal et maire d'Oraison (B.-A.) depuis 1945. Conseiller général du canton de Forcalquier (1949). Elu président du conseil général en 1959. Membre du Haut Comité des Sports. Président de l'Association sportive scolaire et universitaire. Elu député *S.F.I.O.* des Basses-Alpes (2ᵉ circ.) le 25 novembre 1962. Réélu en 1967.

DELORME (Claudius).

Agriculteur, né à Mornant (Rhône), le 21 janvier 1908. Animateur de nombreuses organisations agricoles. Député paysan aux deux Constituantes (1945-1946), conseiller de l'Union française (1946-1948), sénateur du Rhône (depuis 1948). Secrétaire général du groupe du *Centre républicain d'action rurale et sociale* du Sénat. Ancien président de l'*Union des syndicats agricoles du Rhône*. (Pseudonyme : Jean Goiffeux.)

DELORY (Gustave, Emile).

Homme politique (1857-1925). Successivement apprenti peigneran, ouvrier fillier, cantonnier de la ville dont il sera plus tard le maire, manœuvre aux chemins de fer du Nord, aide boulanger savetier, crieur de journaux, débitant compositeur typographe, clicheur, journaliste et député socialiste (guesdiste) du Nord (1902-1925).

DELORY (Maurice).

Négociant, né à Maizières (Pas-de-Calais), le 1ᵉʳ décembre 1895. Marchand de grains. Propriétaire agricole. Maire de Tincques. Conseiller général du canton d'Antigny en Artois depuis 1947. Elu député *U.N.R.* du Pas-de-Calais (3ᵉ circ.) le 25 novembre 1962. Battu en 1967.

DELPUECH (Vincent).

Administrateur de sociétés (1888-1966). Militant de la gauche républicaine, débuta au journal *Le Radical*, de Marseille, qu'il dirigea ensuite jusqu'en 1933. Deux ans plus tard, fut placé à la tête du *Petit Provençal*. Elu sénateur radical indépendant des Bouches-du-Rhône en 1938, vota les pleins pouvoirs constituants au maréchal Pétain, en 1940, et fut nommé, par Vichy, au Comité d'organisation de la Presse. Arrêté à la Libération, puis déclaré inéligible (*J.O.* 10-1-1946), fut acquitté par le tribunal de l'épuration et, plus tard (1951), relevé de son inéligibilité. Devint alors conseiller de l'Union Française (1951-1955), puis sénateur des Bouches-du-Rhône (1955), siège qu'il conserva jusqu'à sa mort. Etait affilié au groupe de la Gauche démocratique. Présidait la *Fédération nationale de la presse heb-*

omadaire *et périodique* et administrait
a *Société d'éditions et d'informations
ériodiques.* Après un *modus vivendi*
vec la direction du *Provençal,* qui avait
ccupé les locaux de son quotidien en
944, se montra très compréhensif à
égard de Gaston Defferre et adhéra
nême à son comité *Horizon 80* (septem-
re 1964).

DELZANGLES (René).

Avocat, né à Villefranche, le 3 juillet
899. Député radical modéré des Basses-
Pyrénées (1936-1942). Vota les pouvoirs
onstituants au maréchal Pétain (1940).

DEMAIN.

Hebdomadaire catholique et nationa-
iste, paraissant à Lyon pendant la
guerre. Créé par Jean de Fabrègues, un
nonarchiste d'*A.F.,* qui dirigea quelque
emps avec Thierry-Maulnier une revue
loctrinale intitulée *Combat.* Ses collaboateurs appartenaient à la droite tradi-
ionnelle : Jean Le Cour Grandmaison,
ncien député conservateur, président
le la *Fédération Nationale Catholique,*
Gustave Thibon, Jean Guiraud, de *La
Croix* (père du rédacteur en chef du
Franciste), Saint-Brice, Henri Pour-
at, etc.

DEMAIN (Paris).

Hebdomadaire (socialiste) de la Gauche européenne, ayant paru de 1955 à
957, sous la direction de Jacques Robin, secondé par Charles Ronsac.

DEMANGE (Victor).

Directeur de journal, né à Lelling
(Moselle), le 23 octobre 1888. Fondateur
et directeur du *Républicain lorrain,* à
Metz. Créa à Bordeaux, au début de la
guerre, un journal destiné aux repliés
le la ligne Maginot dans le Sud-Ouest.
Saborda le *Républicain lorrain* en 1940.
Président-directeur général du *Républicain lorrain,* à Metz (depuis 1945, date
le la reprise de la publication). Vice-
président du *Comité pour la Société des
Nations,* à Metz (jusqu'en 1939).

DEMARQUET (Jean-Maurice).

Militant politique, né à Martigues (Bouches-du-Rhône), le 20 août 1923. Militant
de droite, fut candidat du *Rassemblement National* en Bretagne et, à nouveau,
quelque temps plus tard, celui du Mouvement Poujade. Elu député en 1956, il
le demeura jusqu'en 1958. Participa activement à la lutte pour l'Algérie fran-

çaise et appartint à la direction du *Comité Tixier-Vignancour* (1964-1965).

DEMENTI.

Dénégation des affirmations d'un
autre. Dans la politique, le *démenti*
n'est, le plus souvent, qu'une simple
affirmation contredisant une autre affirmation et rendue publique pour des raisons d'opportunité.

DEMEY (Jacques, Philippe, Charles).

Journaliste, né à Paris, le 23 février
1909. Rédacteur en chef, puis directeur
du *Journal de Roubaix,* gérant-direc-
teur général du quotidien *Nord-Eclair.*

DEMISSION.

Abandon d'une position dirigeante
dans la vie publique, soit volontaire,
soit forcé.

DEMOCRATE DU PERIGORD (Le).

Hebdomadaire de nuance *R.G.R.,*
fondé en 1946, et tirant à 7 000 exemplaires environ (93, rue Neuve, Bergerac, Dordogne).

DEMOCRATE DU TARN-ET-GARONNE (Le).

Hebdomadaire radical ayant succédé
à l'*Indépendant de Tarn-et-Garonne,*
fondé en 1891 (5, boulevard Blaise-Dou-
merc, Montauban).

DEMOCRATIE.

En théorie : gouvernement du peuple
par le peuple et pour le peuple. Dans
la pratique, système gouvernemental
exercé au nom du peuple par une oligarchie qui a su utiliser les moyens
démocratiques (liberté de la presse,
liberté de parole, élections, etc.) pour
s'emparer du pouvoir et agir au nom
du peuple.

DEMOCRATIE (La).

Quotidien toulousain de gauche, fondé
en 1945 pour reprendre la clientèle de
La Dépêche, alors disparue. Fut absorbée par *La Dépêche du Midi* (voir à ce
nom).

DEMOCRATIE CHRETIENNE DE FRANCE (La).

Mouvement fondé par Georges Bidault
et son ami R. Bichet en juin 1958,
la *D.C.F.* donna son investiture aux élec-

tions de 1958 à divers candidats du centre droit et de droite (Jean Baylot, ancien préfet de police, Tixier-Vignancour, Jean Dides, etc.). Son programme était alors : « construire une nouvelle République sous l'autorité du général De Gaulle et, naturellement, défendre « l'Algérie fraternelle, à jamais française ». Plusieurs parlementaires lui apportèrent leur appui : J.-L. Chazelles, Christian Bonnet, l'abbé Laudrin, O. d'Ormesson, Devèze, Lacombe, etc. Depuis l'exil de son président, la *D.C.F.* n'a plus d'activité.

DEMOCRATIE COMBATTANTE.

Revue mensuelle disparue, favorable à la coexistence pacifique dirigée par Henri Laugier et Louis Dolivet. Comité : Mmes Marie Cuttoli et Marie-Hélène Lefaucheux, et E. Herriot, René Cassin, Maurice de Barral, André Boissarie, Albert Gazier, P. Grunebaum-Ballin, Léo Hamon, Gérard Jouve, Bernard Lecache, Jérôme Lévy, R. Manevy, Daniel Mayer, Pierre Paraf, J. Paul-Boncour, André Philip, J. Pierre-Bloch, Paul Ramadier, Marc Rucart, Maurice Schumann, Ludovic Tron, etc.

DEMOCRATIE COMBATTANTE.

Bulletin du *Mouvement pour la Communauté*, devenu en 1964 le *Front du progrès* (voir à ce nom).

DEMOCRATIE DIRECTE.

Club créé en 1966 par des partisans de V. Giscard d'Estaing. A l'une de ses réunions, Jacques Dominati, conseiller général de la Seine et membre du Comité directeur des *Républicains indépendants*, déclara : « *Pour nous, centristes, libéraux et européens, « le gaullisme réfléchi » c'est la préparation de l'avenir...* » (16, rue Escudier, Boulogne-sur-Seine).

DEMOCRATIE FRANÇAISE.

Revue mensuelle anti-communiste publiée par l'*Office National d'Information pour la Démocratie Française* et sous l'égide du groupe *Paix et Liberté*, dirigé par le député radical Jean-Paul David, l'animateur actuel du *Parti Libéral Européen*. Fondée en 1956, elle disparut quelques années plus tard.

DEMOCRATIE NOUVELLE (La).

Parti fondé en 1918 par le journaliste Lysis, alias Eugène Letailleur, ancien collaborateur de *L'Humanité* et de *La Victoire*. Publiait le journal du mêm nom.

DEMOCRATIE NOUVELLE.

Revue mensuelle du Parti communist français consacrée à la politique étran gère. Fondée en 1947. Jacques Duclo sénateur, en est le directeur, Pierre Vi lon, le rédacteur en chef ; Jean-Pierr Lecointre (maquettiste) et Janine Olcin (administrateur). La rédaction se con pose principalement de : Paul Noire (adjoint de Villon), Jean Millié (secré taire de rédaction), Henri Alleg, naguèr à *Alger Républicain*, Gilbert Badia, Jac ques Berque, professeur au Collège d France, Ch. Bettelheim, directeur l'Ecole des Hautes Etudes, Georges C gniot, Jacques Couland, Paul Delanou Georges Fournial, Jean Gacon, Jean-Ma rice Hermann, Albert-Paul Lentin, J.-I Meynard, Elie Mignot, ancien conseille de l'Union Française, Vladimir Pozne Paul Rozenberg, Laurent Salini, Emi Tersen, Pierre Vilar, professeur à la So bonne, André Wurmser (8, cité d'Haute ville, Paris 10e).

DEMOCRATIE NOUVELLE.

Club marseillais faisant partie d l'*Union des Clubs pour le Regroupemen de la Gauche* et n'ayant pas adhéré à l *Convention des Institutions Républicai nes*. Son président, le Dr Armogathe, fu l'un des organisateurs de la *Rencontr socialiste* de Grenoble, des 30 avril e 1er mai 1966. Son adhésion à la *Fédé ration de la Gauche démocrate et socia liste* fut rejetée en septembre 1966.

DEMOCRATIE PLEBISCITAIRE.

Système de gouvernement reposan sur le plébiscite et le référendum.

DEMOCRATIE POPULAIRE.

Locution employée par les commu nistes pour désigner les Etats satellite de Moscou ou de Pékin.

DEMOCRATIE 66.

Hebdomadaire socialiste fondé en no vembre 1959 sous la direction de Léo Rollin (décédé en novembre 1962) et d Jacques Piette. Rédacteur en chef Claude Fuzier. Disparu en 1966, absorbé par *Le Populaire*.

DENAIS (Joseph, Paul, Emile, Marie).

Journaliste et homme d'affaires (1877 1960). Etait le lieutenant de Jacques

Piou à l'*Action Libérale Populaire* lorsqu'il devint le directeur de *La Libre Parole* en 1911, succédant à Drumont qui venait de céder son journal. Collabora plus tard au *Capital,* à *L'Information* et dirigea *L'Echo de Paris-Ouest.* Elu conseiller municipal de Paris en 1908, entra à la Chambre en octobre 1911. Réélu en 1914, battu en 1919 et en 1924, revint au Palais-Bourbon en 1928 et fut réélu, toujours à Paris, en 1932 et en 1936. Ne prit pas part au vote du 10 juillet 1940. Fut interné quelque temps à Evaux (1942-1943) en raison de son opposition au maréchal Pétain. Fit partie de l'Assemblée consultative provisoire (1944-1945), des deux Constituantes (1945-1946), fut réélu conseiller municipal et député de Paris en 1946. Appartint tour à tour à l'*U.R.D.* (de Louis Marin, avant la guerre), au *Parti Républicain de la Liberté* (1945), et au *Centre National des Indépendants.* Réélu député en 1951. Battu en 1956, se consacra aux affaires : président-directeur général des *Entrepôts Frigorifiques des Halles de Paris,* administrateur de la *Société Foncière du Levant,* etc.

DENAZIFICATION.

Action de dénazifier, c'est-à-dire de « *libérer le peuple allemand du national-socialisme et du militarisme* » et, par ext., de convertir aux idées démocratiques (en Occident) ou communistes (à l'Est) les individus de toutes nationalités soupçonnés d'avoir été attirés et corrompus par le nazisme.

DENIAU (Xavier).

Haut fonctionnaire, né à Paris, le 24 septembre 1923. Administrateur en chef de la France d'Outre-Mer (1952). Conseiller technique au cabinet de Pierre Messmer, ministre des Armées (6 février 1960-1er octobre 1962). Maître des requêtes au Conseil d'Etat (depuis le 1er octobre 1962). Elu député du Loiret (4e circ.) le 25 novembre 1962. S'est apparenté au groupe *U.N.R.-U.D.T.* : n'appartient à aucun parti, mais fut investi par l'*U.N.R., l'U.D.T., l'Association pour la V*e (de A. Malraux) et le groupe des *républicains indépendants* rallié au gouvernement. Réélu en 1967.

DENIS (Bertrand).

Industriel, né à Saint-Georges-Buttavent (Mayenne), le 1er septembre 1902. Petit-fils et neveu de parlementaires : Gustave Denis, sénateur (1892-1925), Georges Denis, député de l'Alliance Démocratique (groupe P.-E. Flandin, 1932-1942). Co-directeur de l'usine de textiles de Fontaine-Daniel. Conseiller général de la Mayenne depuis septembre 1945. Elu maire de Contest en 1953. Candidat du *Centre National des Indépendants et Paysans* aux élections législatives de janvier 1956 (sur un programme Algérie française et pro-Atlantique) : battu. Elu député républicain-indépendant de la Mayenne (3e circ.) le 23 novembre 1958 ; réélu en 1962 et en 1967.

DENOEL (Robert).

Editeur, né à Bruxelles, le 9 novembre 1902, mort à Paris en 1944. Débuta en 1926 en publiant des plaquettes de luxe. Puis sa maison — qui s'appelait au début *Denoël et Steel* — connut un succès foudroyant avec le livre de Dabit : « *Hôtel du Nord* » (1928) et ceux d'Aragon et surtout de Louis-Ferdinand Céline. Pendant la guerre, fit paraître divers petits volumes sur les Juifs, deux livres de Céline et les fameux « *Décombres* » de Lucien Rebatet. Fut mystérieusement assassiné à la Libération par des membres de la Résistance.

DENOEL (Editions).

Maison fondée le 11 avril 1930 par Robert Denoël et Bernard Steele, auxquels se joignit, comme associée, Mme Hirshon, née Lesem. A la veille de la guerre, les associés de la S.A.R.L. *Editions Denoël et Steele* étaient au nombre de trois : Robert Denoël, Pierre Denoël et Bernard Doreau, dit Max Dorian. En 1941, l'allemand Wilhem Andermann, de Berlin, entra dans la maison et versa 2 millions de francs. Après la Libération, les parts sociales de Robert Denoël, assassiné dans des circonstances étranges en 1944, furent acquises par les *Editions Domat-Montchrestien* tandis que les parts Andermann étaient mises sous séquestre. Peu après (1951), la *Société des Publications Zed* (représentée par Michel Gallimard, fils du grand éditeur), prenait le contrôle de l'affaire après avoir racheté la quasi-totalité des parts ; elle en détient aujourd'hui plus de 91 %. Très attiré par la politique, Robert Denoël avait donné une tendance assez marquée à sa maison, surtout à la veille de la guerre et pendant l'occupation. Louis-Ferdinand Céline et Lucien Rebatet, pour ne parler que des plus notoires, eurent chez lui des tirages impressionnants. Aujourd'hui, sous le contrôle des Gallimard, les *Editions Denoël* se sont assagies : en dehors de quelques ouvrages comme ceux, très remarquables, d'Emmanuel Beau de Loménie sur les « *Dynasties bourgeoises* », dont les premiers tomes parurent au temps de Robert Denoël, la production actuelle de la maison est surtout littéraire.

DENVERS (Albert).

Membre de l'enseignement, né à Oost-Cappel (Nord), le 21 février 1905. Directeur d'école publique. Conseiller général du Nord. Maire de Gravelines (Nord). Elu membre du premier Conseil de la République, le 8 décembre 1946 ; réélu le 7 novembre 1948 et le 18 mai 1952. Président de la *Fédération des Amicales Laïques* de l'arrondisement de Dunkerque (dépendant de la *Ligue de l'Enseignement*). Elu député du Nord (1re circ.) le 2 janvier 1956, avec l'investiture de *L'Express*. Député *S.F.I.O.* du Nord (11e circ.) depuis 1958.

DEPARTEMENT.

Partie de l'administration d'un ministère. Division territoriale de la France, administrée par un préfet, secondé par des sous-préfets et assisté d'un conseil général (voir : *Conseiller général*). Créés par la Constituante en 1790, les *départements*, de superficie à peu près équivalente, mais très différents quant au chiffre de leur population, sont au nombre de 96 pour la métropole et de 4 pour les départements d'Outre-mer (les 15 départements algériens créés sous la IVe République en janvier 1958 qui subdivisa les trois départements d'Alger, de Constantine et d'Oran, ont été abandonnés par la Ve République en 1962).

DEPARTEMENT (Le).

Quotidien républicain modéré du Berry fondé en 1885 sous le titre de : *Journal du Département de l'Indre*, par A. Aupetit, et disparu en 1944. Son directeur fut, de longues années, Ernest Gaubert, qui rédigeait l'éditorial. Y collaboraient, avant la guerre : Guy Vahnor, J. Portier, Jacques des Gachons, etc.

DEPECHE DE L'AISNE (La)

Bihebdomadaire départemental fondé au lendemain de la Première Guerre mondiale pour soutenir l'action des républicains de gauche (nuance A. Tardieu). René Bruneteaux en fut le rédacteur en chef de 1920 à 1965. Directeur : Jean Bruneteaux. Ses 15 000 exemplaires sont diffusés dans la région de Château-Thierry, Chauny, Hirson, Saint-Quentin, Soissons et Laon. (10, rue Saint-Martin, Laon.)

DEPECHE DE L'AUBE (La)

Quotidien disparu, fondé en 1921 et animé alors par René Plard, maire de Troyes, militant communiste passé à la dissidence, d'abord au *Parti Communiste Indépendant*, puis à la direction de la *Fédération Communiste Indépendante de l'Aube* (avec Henri Jacob, ancien délégué de la IIIe Internationale, et futur rédacteur du *Cri du Peuple* (*P.P.F.*) sous le pseudonyme de Henri Renaut). Reparut pendant quelques années, après la Libération, comme quotidien communiste.

DEPECHE D'AUNIS ET DE SAINTONGE (La).

Hebdomadaire radical-socialiste de la Charente-Maritime, fondé en 1948 (8, rue Chef-de-Ville, La Rochelle).

DEPECHE D'AUVERGNE (La).

Bi-hebdomadaire modéré fondé en 1947. Tirage : 5 000 exemplaires (5, place d'Armes, Saint-Flour, Cantal).

DEPECHE DE BREST (La).

Quotidien radical fondé en 1886. Dirigé avant la guerre par Marcel Coudurier. Tirait alors à 60 000 exemplaires. Disparue après la Libération bien que le président de son conseil d'administration, le sénateur-maire Le Gorgeu, fût devenu commissaire de la République à Brest.

DEPECHE DU CENTRE ET DE L'OUEST (La).

Quotidien régional de Tours fondé en 1902 sous le signe du radicalisme, propriété des imprimeurs Arrault, qui furent dépossédés de leurs installations à la Libération au profit de *La Nouvelle République du Centre-Ouest* (voir à ce nom). La société éditrice, poursuivie parce qu'elle avait publié le journal en 1940-1944, fut acquittée le 6 juin 1946 : elle avait rappelé que la publication de *La Dépêche* n'avait eu lieu, pendant l'occupation, que sur l'ordre exprès des autorités allemandes. Son immeuble de Tours ainsi que le matériel n'en furent pas moins *dévolus* à son successeur.

DEPECHE DU CENTRE ET DU SUD-EST (La).

Quotidien stéphanois fondé à la Libération sous le titre : *La Dépêche Démocratique*. Soutenait Georges Bidault, député de la Loire. Malgré les efforts de son directeur, Henri Bonche, et les subsides de certaines personnalités (l'industriel Mathieu Charbonnier, le député Noël Barrot, le fabricant de chapeaux Max Fléchet, René Virjoleux, de la *Loire Républicaine*, etc.), la *Dépêche* est passée sous le contrôle du *Dauphiné Libéré*, dont elle est l'édition pour la Loire (10, place Jean-Jaurès, Saint-Etienne).

DEPECHE DAUPHINOISE (La).

Quotidien radical et front populaire de Grenoble publié sous la IIIe République, disparu à la Libération.

DEPECHE D'EURE-ET-LOIR (La).

Quotidien modéré fondé à Chartres en 1899. Dirigé, à la veille de la guerre, par Adrien Bertholon et Alphonse Soufflet. Disparu pendant la guerre : remplacé, à la Libération, par *L'Echo Républicain* qui s'installa dans ses locaux.

DEPECHE D'EVREUX (La).

Journal hebdomadaire fondé en 1898 sous le titre de *Dépêche Normande*. Dirigé avant la Première Guerre mondiale par Gustave Tual. Etait alors l'organe bi-hebdomadaire du radicalisme dans le département de l'Eure. Armand Mandle en est le directeur depuis 1928. Personnalité radicale-socialiste, conseiller municipal, puis maire d'Evreux (1953), candidat radical aux élections législatives, Mandle est le président-directeur général de la *S.A. des Editions de la Dépêche*, dont Jean-Baptiste Mandle, professeur, et Mme Claude Nespoulous, née Geneviève Mandle, sont administrateurs. Avec son édition *Le Gaillonnais*, *La Dépêche d'Evreux* a un tirage de 30 000 exemplaires (*O.J.D.*, octobre 1965) principalement diffusés dans le sud-est du département (32, rue Docteur Oursel, Evreux).

DEPECHE DE LILLE (La).

Quotidien républicain national fondé à Lille en 1883. Etait doublé, avant la guerre de 1914, par *Le Nouvelliste du Nord et du Pas-de-Calais*, fondé la même année, et paraissant le soir. Ce dernier provenait de la fusion du *Mémorial de Lille* et du *Propagateur*. Disparu pendant la guerre.

DEPECHE DU MIDI (La).

Quotidien se réclamant de *La Dépêche de Toulouse*, fondée en 1870. L'histoire de ce journal a été longuement contée dans *Lectures Françaises* (n° 31, octobre 1959). Au lendemain de Sedan, les ouvriers de l'Imprimerie Sirven à Toulouse eurent l'idée d'imprimer les communiqués du Gouvernement de la Défense nationale à l'intention de la population. Leur patron approuva le projet et, le 2 octobre 1870, parut le premier numéro d'un journal dont l'existence s'identifiera, soixante-dix années durant, à la vie même de la République. Ce n° 1, tiré « à plat » sur un format réduit se vendait un sou. La manchette portait outre le titre : « *La Dépêche* », un sous-titre : « *Journal quotidien* », une adresse : « *33, rue Riquet, Toulouse* », et le nom du rédacteur en chef, celui d'un certain Bonau, qui devait disparaître, un peu plus tard, sans laisser de traces. Jusqu'en 1881, *La Dépêche* ne fut qu'un bien modeste journal d'information. Son tirage, 87 000 exemplaires (cf. *L'Annuaire de la Presse*, 1881, p. 371), ne lui permettait guère de franchir les limites de la Haute-Garonne, du Tarn et de l'Aude, malgré les efforts de ses administrateurs, René Sans et Rémy Couzinet, qui s'étaient associés à un journaliste parisien, Ravaud, et que soutenait déjà Omer Sarraut. Son essor date de l'entrée à la rédaction d'Arthur Huc, journaliste radical, qui publia, sous le pseudonyme de « Pierre et Paul », des articles dont le sérieux apporta à la feuille toulousaine une large audience chez les républicains. Huc dirigea, avec son jeune beau-frère Albert Sarraut, le bureau parisien de *La Dépêche*, jusqu'en 1909. Cette année-là, ils devinrent tous les deux directeurs du quotidien toulousain. *La Dépêche*, journal de la gauche militante dans le Sud-Ouest, était la tribune des leaders radicaux et socialistes : Camille Pelletan, Jean Jaurès, Painlevé, Léon Bourgeois, Clemenceau, René Goblet, Allain-Targé, Henry Maret. La prise de possession du journal par Huc et Maurice Sarraut ne se fit pas sans histoires : la disparition brusque et presque simultanée de ses dirigeants avait livré *La Dépêche* à Augustin Couzinet, frère de Rémy, qui entendait organiser la maison selon sa fantaisie. Sans l'aide de Pams, homme politique radical influent dans le midi, les deux nouveaux directeurs auraient eu beaucoup de mal à triompher de l'opposition de Couzinet. A partir de 1918, Huc et Maurice Sarraut furent les maîtres du journal qui rayonnait sur toute la région du Limousin aux Pyrénées. Mais sans l'opiniâtreté de ses dirigeants, animés d'une ardente foi républicaine, sans l'appui des bourgeois libéraux empressés à renverser le vieil

12

ordre social qui fait barrière à leurs appétits d'hommes d'affaires, sans l'aide constante que la Franc-Maçonnerie apporte au seul grand journal anticlérical de la région, *La Dépêche* serait-elle jamais parvenue à établir son hégémonie sur une vingtaine de nos départements méridionaux ? Peu après la 1re Guerre mondiale, le baron Maurice de Rothschild, qui s'était fait élire dans les Hautes-Pyrénées, convoita ce grand journal dont la possession lui aurait assuré une position dominante dans le Sud-Ouest. Craignant pour leur avenir, Arthur Huc et Maurice Sarraut firent appel à un riche entrepreneur de travaux publics, Jean-Baptiste Chaumeil, qui racheta à divers porteurs les actions que le baron s'apprêtait à acquérir et même, finalement, celle que ce dernier possédait. C'est du moins la version officielle qui fut donnée à l'époque. L'entrée de Chaumeil au sein de la Société de *La Dépêche* fut marquée par la nomination de son neveu, Jean Baylet, au poste d'administrateur. Celui qui sera le « *directeur de conscience* » du radicalisme sous la IVe République n'avait alors que vingt-six ans. Il deviendra peu à peu la cheville ouvrière du grand quotidien toulousain. La *S.A. La Dépêche et le Petit Toulousain*, dont Huc, Sarraut et Chaumeil avaient désormais la majorité, date de décembre 1879. Son capital, initialement de 1 million de francs, passa successivement à 2 millions le 26 mai 1924, 7 millions le 26 avril 1926, 14 millions le 27 mai 1940, 14 255 000 le 28 décembre 1948, 25 659 000 le 17 décembre 1949 et 30 087 000 le 16 juillet 1953. Aussitôt après ce que les vieux de *La Dépêche* appellent encore « *l'affaire Rothschild* », une augmentation de capital eut lieu, en effet. Décidée le 26 avril 1926, elle fut couverte par 27 souscripteurs, dont Louis Chiffre, directeur d'assurances (46 500 F), Arthur Huc (198 000 F), Maurice Sarraut (271 500 F), Mlle Angèle Camou (187 500 F), Jean Baylet (750 000 F), Mme Thérèse Huc (90 000 F), Mme Maurice Sarraut (90 000 F), Henri Ramet, magistrat (46 500 F), Georges Gompertz, homme d'affaires (36 000 F) et J.-B. Chaumeil, tant en son nom personnel (636 000 F), qu' « *à la place de M. de Rothschild* » (492 000 F) (La déclaration de souscription établie par Me Nouque, notaire à Toulouse, le 7-5-1926, mentionnait que Chaumeil ne possédait alors que 20 actions, tandis que le baron de Rothschild en détenait 657 ; l'entrepreneur ne put souscrire à 424 actions qu'en vertu d'une autorisation spéciale du Conseil d'administration en

date du 6-5-1926). Si *La Dépêche* fut modérément « frontpopu » en 1936, en raison de certaines rivalités au sein du Parti Radical et du manque d'égards des grévistes de juin envers le président Albert Sarraut, frère de Maurice et représentant du groupe dans divers gouvernements de la IIIe République, elle se rallia avec beaucoup d'empressement au maréchal Pétain et à son gouvernement en 1940. Son éditorialiste écrivait le 27 juin 1940 :

« *Pétain a parlé... Pour tous les Français, ses consignes seront des ordres... La franchise totale du maréchal Pétain donne, désormais, le ton et la consigne aux gouvernants comme aux gouvernés. Ordre, silence et discipline sont fonction de ces vérités directrices que l'on doit à un peuple qui a tout perdu, sauf l'espoir de son relèvement.* »

Par contre, le général De Gaulle, que *La Dépêche* rendait responsable de « *l'agression sans excuse* » de Dakar, était fustigé sans ménagement : « *On n'a jamais raison contre sa patrie* », lisait-on dans le numéro du 23 septembre 1940. Les discours du chef de l'Etat étaient qualifiés de « *Paroles de Sagesse* » (12-10-1940). « *Faisons, comme nous n'avons cessé de le faire, confiance au maréchal Pétain* » (28-10-1940). « *Ne marchandons pas cette confiance raisonnée* » (1-11-1940). « *Notre devoir est de lui faire confiance* » (4-11-1940). Son administrateur, Jean Baylet, est alors fréquemment à Vichy. N'est-il pas un membre influent du *Comité d'organisation de la Presse,* siégeant dans la capitale provisoire de la France ? (cf. *Annuaire de la Presse*, 1944).

Mais l'âme de *La Dépêche*, c'était toujours Maurice Sarraut. Depuis la mort d'Arthur Huc, il était le seul maître du journal. Aussi le rendit-on responsable de la ligne politique du journal. Le 2 décembre 1943, tandis que Jean Baylet remplissait les devoirs de sa charge à l'Hôtel de la Paix de Vichy, lieu de rendez-vous des correspondants de presse, le directeur de *La Dépêche* tombait, dans le Midi, sous les balles des assassins. « *Qui a fait le coup ?* se demande Alfred Fabre-Luce, Le maquis blanc, le maquis rouge, la milice, les Allemands ? Toute la nation se pose la question en apprenant le meurtre de Maurice Sarraut, grand maître du parti radical. Les deux camps en revendiquent l'honneur. Radio-Brazzaville qualifie le défunt de «collaborateur», tandis que Je suis partout le qualifie de gaulliste. En fait, ce sont les «collabos» qui ont fait le coup. Mais peut-être ont-ils simplement devancé leurs adversaires.*

Nous allions le faire », semblent dire
eux qui ne peuvent plus prétendre :
Nous l'avons fait » (Journal de la
France).

Le fait est qu'un article, paru dans
le n° 4 des Cahiers politiques (novembre 1943), publication clandestine du
Comité général d'Etudes (membres :
P.-H. Teitgen, Bastid, Lacoste, de Menthon, Courtin, Michel Debré, etc.) ne
faisait pas mystère des sentiments que
la Résistance nourrissait à l'endroit du
journal toulousain : « La Dépêche a
encensé le maréchal de Montoire, écrivait le rédacteur de l'article, et bavé
sur la République abattue. Naturellement cette trahison a suscité dans les
départements républicains du Midi un
profond ressentiment. Le nom de La
Dépêche est devenu synonyme de vilenie... » Après l'assassinat de Maurice
Sarraut et lorsque l'avance des Alliés
eut donné l'impression que les jours du
gouvernement de Vichy étaient comptés,
les animateurs de La Dépêche se sou-
vinrent de leurs origines et commencèrent à manifester une certaine opposition au régime. Les services du ministère de l'Information s'en aperçurent.
Il y eut même un petit incident au sujet
d'un discours du président Laval, dont
plusieurs passages avaient été coupés
par la rédaction de La Dépêche. Au
cabinet de Philippe Henriot, qui s'en
plaignait, Pierre Laval fit cette réponse :
« ...La Dépêche de Toulouse : Même
nombre d'éditos. Effort au contraire, et
je lui en sais gré. Il y a des choses que je
suis obligé de dire en certains endroits
et j'aimerais bien ne pouvoir les dire
que dans ces endroits-là. » (Cf. « La
Presse française sous la Francisque »,
par Simon Arbellot, Paris 1952, p. 22.)
Tenue à l'œil par le ministère de l'Information, La Dépêche faisait l'objet de
notes dans le genre de celle-ci : « Observations sur les journaux du 6 au
11 mars 1944.
... La Dépêche de Toulouse : Même
nombre d'éditos. Effort soutenu. Cependant, ignore presque systématiquement
les O. sur la répression du banditisme et
du terrorisme. De nombreux titres sont
minimisés, mais la tenue générale paraît
en progrès. »

Quelques semaines avant la Libération, Jean Baylet, qui avait pris la direction effective du journal, fut arrêté avec
le président Albert Sarraut. Déportés par
les Allemands, ils furent dépossédés de
leur journal par les Résistants, qui leur
reprochaient leur collaboration avec le
gouvernement du maréchal. Lorsqu'ils
rentrèrent à Toulouse, au printemps
1945, ils trouvèrent leur imprimerie

occupée par d'autres journaux : sur les
dépouilles de La Dépêche — et aussi
sur celles de La Garonne (droite), du
Grand Echo du Midi (modéré) et du
Midi Socialiste —, trois quotidiens
s'étaient établis : La Victoire, démocrate-chrétienne, La République, socialiste et Le Patriote, communiste. Sur la
plainte du directeur régional de l'Information du gouvernement De Gaulle, le
démocrate-chrétien Etienne Borne (Cassou étant commissaire de la République
à Toulouse), le journal avait été placé
sous séquestre. Le 27 février 1946, l'information ouverte contre ses dirigeants
se termina par une ordonnance de non-
lieu sans, pour autant, permettre à Baylet et Sarraut de reprendre la publication de leur quotidien. Ils lancèrent
alors, en attendant de recouvrer leurs
biens, un autre journal, La Démocratie,
dont le n° 1 parut le lundi 8 octobre
1945. L'éditorial était signé par Edouard
Herriot et l'adresse aux lecteurs, par
Yvon Delbos, tous deux anciens collaborateurs de La Dépêche. Un article précisait que : « Les capitaux engagés dans
la Démocratie (ont été) fournis par des
militants radicaux-socialistes éprouvés,
dont la vie privée, toute de labeur et
d'honneur, dont la vie publique, toute
de dévouement à la République, sont
absolument indiscutables. » Le capital
de la société créée pour l'exploitation
de La Démocratie provenait de souscripteurs radicaux ou maçons bien
connus dans le Midi. Fondée en septembre 1945, la Société anonyme du journal
« La Démocratie », au capital de
1 000 000 de francs, comptait 425 actionnaires. Parmi ceux-ci, ni Jean Baylet ni
Albert Sarraut — qui restaient dans la
coulisse — ne figuraient. Par contre, on
relevait les noms de : Marius Bouscayrol,
industriel à Villefranche-de-Rouergue,
vieux militant radical, membre du
M.N.L. local, qui présidait le Conseil
d'administration ; Roger Delnomdedieu,
ancien correspondant de La Dépêche à
Montauban, déporté avec Sarraut et Baylet à Neuengamme ; Faustin Bésiers,
industriel, président du Comité local de
Libération ; Firmin Gamel, commissaire
divisionnaire révoqué par Vichy ; Germain Carrière, vice-président du C.D.L. ;
Jean Taillefer, président du Comité
Radical de Toulouse centre ; Elie Rouby,
industriel, président de la Société Ba-
gnac-Larive et de la Société Française
d'Electro-Chimie, vice-président, puis
président du Conseil général de la
Corrèze, etc.

La direction générale du journal était
confiée à Roger Delnomdedieu et la direction politique à Yvon Delbos, flanqué

d'un « *comité de direction politique* », composé de Bouscayrol, Delnomdedieu et Queuille. La rédaction comprenait : Joseph Barsalou, rédacteur en chef ; Jean Massip, chef des services de politique extérieure ; Raymond Thévenin, chef des services de politique intérieure; Marcel Marc, chef des services rédactionnels, et une pléiade de rédacteurs et de collaborateurs parmi lesquels : Henri Laugier, professeur à la Sorbonne, Raymond Las Vergnas, Emile Borel, Albert Milhaud, Walter Lipmann, Paul Anxionnaz, Paul Bastid, Jacques Kayser, Marc Rucart, Gabriel Cudenet, Edouard Barthe et Jean Gascuel. Le tirage de *La Démocratie* était si faible, son audience si réduite, son déficit si élevé qu'une augmentation de capital était nécessaire. Elle intervint le 31 décembre 1945, c'est-à-dire moins de quatre mois après la création de la société. De 1 000 000 de francs, le capital fut porté à 12 millions. Les principaux souscripteurs avaient été recrutés parmi les notables radicaux-socialistes ; ils appartenaient aux classes aisées de la région. Les difficultés de *La Démocratie* étaient, en partie, provoquées par les autres journaux toulousains qui entendaient bien conserver la place qu'ils avaient conquise en 1944. Dès son n° 4, *La Démocratie* se plaignit des « *entraves à la liberté de la presse* » dont elle rendait responsables les gens du *Patriote* communiste et de *La République* socialiste. Un chantage, disait-elle, s'exerce sur les vendeurs et dépositaires des journaux à Toulouse, à Tarbes, à Montauban... Dans les numéros suivants, elle s'élevait contre le vol de paquets d'exemplaires et soulignait les pressions dont étaient l'objet les commerçants faisant de la publicité dans le journal.

Pendant que *La Démocratie* poursuivait, tant bien que mal, son bonhomme de chemin, Jean Baylet s'obstinait à se faire rendre justice. A l'Assemblée constituante, le 13 mars 1946, et à l'Assemblée nationale, les 30 mai et 20 juin 1947, le cas de *La Dépêche* fut évoqué. Malgré l'acharnement de leurs adversaires des trois grands partis au pouvoir, Jean Baylet et Albert Sarraut marquèrent des points. Déjà, le 8 mars 1947, le président du Tribunal civil de première instance de Toulouse avait ordonné la main-levée totale et définitive des mesures de séquestre prises à l'encontre de la *Société anonyme La Dépêche et le Petit Toulousain*, décision confirmée par la Cour le 31 du même mois. Sur appel de la S.N.E.P., dont Pierre-Bloch était le directeur général, la Cour de Toulouse confirmait le jugement et,

deux mois plus tard, le 19 octobre 1947, l'expulsion des journaux occupant les locaux de *La Dépêche* fut ordonnée. Le *Patriote* communiste survécut, mais l'organe socialiste s'effondra et *La République* du Sud-Ouest déposa son bilan. Le lendemain, *La Dépêche* reparut, à peine modifiée : pour avoir l'air de se conformer à la loi, elle s'appelait *La Dépêche* (en gros) *du Midi* (en petits caractères) et sa manchette portait « *1re année. — N° 1* ». Il était temps : *La Démocratie,* malgré les avances d'argent de Jean Baylet et la souscription ouverte parmi les lecteurs du journal radical, entrait en agonie. *La Dépêche du Midi* prit la relève. Elle le fit brusquement, sans que les lecteurs de *La Démocratie* en eussent été avertis. Dans la nuit du 21 au 22 novembre, à l'imprimerie, on changea simplement le titre du journal en cours de fabrication. Deux jours plus tard, un simple fascicule, distribué aux lecteurs habituels de *La Démocratie* et contenant la fin du feuilleton — « *La Jeunesse et les amours du roi Henri* », par Ponson du Terrail — annonça la disparition de leur journal favori et les invita à reporter leur affection sur *La Dépêche* : « *Amis lecteurs de* La Démocratie, *vous retrouverez dans* La Dépêche, *dès que les quatre pages le permettront, les articles des rédacteurs que vous aviez coutume de lire dans* La Démocratie *et à qui vous avez donné votre sympathie.* » Et d'annoncer la brillante collaboration de *La Dépêche du Midi :* Edouard Herriot, Albert Sarraut, Henri Queuille, Yvon Delbos, Maurice Bourgès-Maunoury, Edouard Barthe, Gaston Jèze, André Siegfried, Summer Welles, Louis Piérard, Francisco Nitti, Liddel Hart, Walter Lipman, J. Barsalou, Marcel Marc, Emile Debard, Jacques Gascuel, Jeanne Antonelli, etc. Les communistes qui avaient mobilisé les ouvriers toulousains quelques semaines plus tôt pour protester contre la réapparition possible de *La Dépêche,* qui ne parlaient de rien moins que d'interdire l'accès de l'immeuble et de l'imprimerie du vieux journal à Jean Baylet, voire même de briser les machines pour empêcher l'impression de « l'organe de la trahison », restèrent cois.

Ce premier numéro, daté des 22-23 novembre 1947, publiait un article de tête signé par Joseph Barsalou, l'ancien correspondant de *La Dépêche* à Vichy, en 1940-1944, qui était, la veille, le rédacteur en chef de *La Démocratie* et qui dirigeait, dès lors, les services politiques du journal. Les suivants contenaient des articles et des chroniques de personnalités dont la collaboration avait été annoncée et auxquelles s'ajoutèrent des « papiers » de Paul Giacobbi, René Pleven, Albert Bouzanquet (de la G.G.T.), K. Zilliacus, A. François-Poncet, J.-J. Brousson et même du général Gamelin, etc. Après un bon départ à 100 000 exemplaires, le journal dépassa bientôt les 200 000 pour plafonner aujourd'hui à 318 000 exemplaires diffusés dans quatorze départements : Ariège, Aude, Aveyron, Corrèze, Haute-Garonne, Gers, Hérault, Lot, Lot-et-Garonne, Basses-Pyrénées, Pyrénées-Orientales, Tarn et Tarn-et-Garonne. Les moyens financiers, qui semblent avoir fait constamment défaut à *La Démocratie*, n'ont pas manqué à *La Dépêche du Midi*. En récupérant ses locaux et son imprimerie, la *Société Anonyme La Dépêche et le Petit Toulousain* était, certes, mieux placée que la *Société La Démocratie*, contrainte d'aller loger « chez les autres » et de se faire imprimer au prix fort. Mais l'examen de la situation de la nouvelle *Dépêche* nous montre que Jean Baylet sut intéresser au vieux journal républicain des pontes infiniment plus fortunés que les braves militants radicaux du Midi et du Sud-Ouest, actionnaires de *La Démocratie*. Car — et cela, le conseil d'administration de la *S.A. La Dépêche et le Petit Toulousain* l'a formellement reconnu — la « *trésorerie de départ* (était) *insuffisante* » et il avait fallu quêter — a-t-il avoué — « *auprès de certaines banques parisiennes et toulousaines, l'aide immédiate nécessitée par la remise en marche de l'activité principale de notre société.* » (Acte du 9-1-1948, Etude de Me Pierre Nouque, notaire à Toulouse.) Outre les « banques parisiennes et toulousaines », quelques grandes sociétés industrielles ont apporté leur appui financier à *La Dépêche du Midi*, ainsi que le révèle l'augmentation de capital décidée le 9 janvier 1948 à l'Assemblée générale, par 9 567 voix sur 9 900 (Paul Huc s'abstenant). La liste des souscripteurs (publiée par *Lectures Françaises*, octobre 1959) indique que la *Cie Thomson-Houston* versa 1 017 849 F, la *Cie Gle de Radiologie*, 482 139 F, la *Cie des Lampes*, 535 710 F, les *Mines et Usines d'Algérie-Tunisie-Maroc*, 267 855 F, la *Sté Algérienne de Navigation pour l'Afrique du Nord*, la *Sté Auxiliaire de l'Agriculture et de l'Industrie* et la *Sté Auxiliaire d'Etudes et d'Entreprises*, la même somme, les *Etablissements Philippe Rives*, 321 426 F, la *Sté Gérindo*, 535 710 F, les *Grands hôtels associés*, les *Minerais et Engrais*, la *Sté Minière du Haut-Guir* et le *Palais de la Nouveauté*, 267 855 F chacun, les *Transports Internationaux E. Arnaud*,

107 142 F, les *Usines du Pied Selle*, 482 139 F, les *Tréfileries, Laminoirs et Fonderies de Chauny*, 535 710 F, etc. Ces entreprises sont notoirement liées, pour la plupart, à ce que Henry Coston appelle dans ses livres la « Haute Banque ». Par la suite, la *S.A. La Dépêche* reconnut officiellement (acte du 23-6-1953) que ses dirigeants Jean Baylet et Lucien Caujolle avaient fait des avances d'argent au journal *La Démocratie*, « *pour sauvegarder les intérêts du journal* La Dépêche ». Ces créances s'élevaient à 41 872 242 F pour Jean Baylet et à 1 027 452 F pour Lucien Caujolle. Le premier reçut en échange 2 400 actions de la société *La Dépêche* et le second 60 actions. Jusqu'à sa disparition le 29 mai 1959, Jean Baylet fut, à la fois, le directeur de *La Dépêche du Midi* et le président de la société qui l'édite. Il est, aujourd'hui, remplacé par sa veuve, Mme Jean Baylet, née Eveline-Marguerite Isaac, originaire de Batna (Algérie). Après la mort de son mari, le conseil d'administration de la société comprit, outre Mme Baylet, Lucien Caujolle, administrateur du journal, Albert Sarraut (décédé), Charles Gault, administrateur de diverses grandes affaires (*Grands Moulins de Paris, Tricotages de l'Ariège et Bonneterie de la Garonne Réunis*), Maurice Bourgès-Maunoury, ancien président du Conseil de la IVe République, administrateur de nombreuses sociétés (dépendant du groupe financier *Rivaud*), Jean Lacaze, ancien sénateur, André Paul Elie Pons, notaire à Mazamet et René Bousquet, ancien secrétaire général à la Police, directeur général adjoint de la *Banque de l'Indochine*. Auprès de Mme Baylet, qui a la haute main sur le journal, se tiennent : Lucien Caujolle, co-directeur, chargé des questions administratives ; Joseph Barsalou, rédacteur en chef ; Vital Gayman, ancien secrétaire du groupe parlementaire du P.C. et ancien conseiller municipal communiste, secrétaire général; André Mazières, rédacteur diplomatique. Les bureaux parisiens sont dirigés par H. Huc et J. Stern. L'influence de *La Dépêche* sur les gouvernements de la IVe République fut considérable. Les services qu'elle rendait aux parlementaires du Sud-Ouest lui permit de disposer de deux douzaines de voix à l'Assemblée, c'est-à-dire assez pour renverser un cabinet ne s'appuyant pas, comme c'était le cas entre 1948 et et 1958, sur une majorité confortable. Dreyfusarde et anticléricale sous la IIIe République, *La Dépêche* fut farouchement hostile à la loi Barangé et au mouvement Poujade sous la IVe. Elle

soutint Mendès-France, — avec des nuances — d'abord lorsqu'il fut au pouvoir et liquida « le contentieux tunisien » et la C.E.D. ; ensuite quand il brigua la direction du *Parti Radical-Socialiste* et évinça Martinaud-Deplat et son équipe de maçons modérés et anticommunistes ; enfin lorsqu'il prit la tête de l'opposition (de gauche) au général De Gaulle. Au lendemain du 13 mai, le journal réclama des sanctions contre « *les généraux félons* » d'Alger. *La Dépêche du Midi,* qui n'a cessé depuis huit ans de combattre le général De Gaulle, sinon tous les aspects de sa politique, a soutenu la candidature de François Mitterrand à l'élection présidentielle de 1965 et se montre favorable à la *Fédération de la Gauche,* dont son rédacteur en chef, J. Barsalou, est l'un des dirigeants. (57, rue Bayard, Toulouse.)

DEPECHE DE PARIS (La).

Quotidien radical disparu, fondé le 28 février 1945 et se réclamant de la feuille clandestine *Patrie et Liberté.* Parut d'abord le matin, puis, à partir du 15 juillet 1945, le soir. Pierre Mazé en était le directeur gérant. Un comité de direction fixait la politique du journal ; il se composait de : Théodore Steeg, ancien président du Conseil, Camille Rolland, Gaston Manent, Hippolyte Ducos, ancien ministre, Martineau-Deplat, Paul Anxionnaz, futur Grand-Maître du *Grand Orient,* et Pierre Mazé, qui en était le principal actionnaire (60 % du capital), les autres actionnaires étant : Frontier (10 %), Loiselet (10 %) et Lohner (20 %) ; ce dernier, après avoir appartenu à l'administration du *Temps,* puis à la direction de l'hebdomadaire *Vendredi,* avait été nommé par le président Daladier, en juillet 1939, directeur du Centre de contrôle des émissions radiophoniques, c'est-à-dire en fait, censeur de la radio. Avant la guerre, un journal intitulé *La Dépêche de Paris* avait pour animateur André Beauguitte, député de la Meuse ; cette feuille était l'édition parisienne de *La Dépêche meusienne,* organe local de ce parlementaire, ex-indépendant devenu le fidèle soutien du gouvernement du général De Gaulle.

DEPECHE REPUBLICAINE (La).

Quotidien modéré de Besançon fondé en 1896. Après la Première Guerre mondiale, propriété du marquis de Moustier et animé par Léon Colomès, rédacteur en chef, il fusionna avec *L'Alsace,* quotidien modéré de Belfort (1933).

DEPECHE DE ROUEN (La).

Quotidien radical fondé en 1903 et disparu au début de la Seconde Guerre mondiale.

DEPECHE VENDEENNE (La).

Journal national fondé en 1918 et lié, avant la dernière guerre, avec trois journaux du département, devenus ses annexes : *Le Petit Vendéen,* fondé en 1936, *Le Nouveau Publicateur,* créé en 1830, et *La Dépêche Sablaise,* paraissant depuis 1937. Avec un tirage de 12 000 exemplaires et près de 5 000 abonnés, il fut jusqu'à sa disparition, en 1944, le grand hebdomadaire modéré de La Roche-sur-Yon.

DEPECHES (Les).

Quotidien dijonnais de gauche, issu de *La Bourgogne Républicaine,* fondée en 1936 par Jean Bouney, militant socialiste, fils d'un ancien député et député lui-même, commissaire de la République pour la Bourgogne et la Franche-Comté en 1944. Après la Libération, *La Bourgogne Républicaine,* organe de la gauche républicaine et socialiste, reparut sous la direction de Jean Bouhey, auquel succéda quinze ans plus tard Pierre Brantus, le directeur général actuel du quotidien. La société éditrice du journal absorba en 1957 *La République de Franche-Comté* (du marquis de Moustier) et *Le Comtois,* de Besançon, puis *Les Nouvelles,* quotidien catholique fondé en 1958 pour remplacer *La République,* de Besançon, passée sous le contrôle de *La Bourgogne Républicaine.* La *Société des Presses nouvelles de l'Est,* qui édite *Les Dépêches,* est présidée par Pierre Brantus (né à Dijon, le 27 octobre 1921) et administrée par Raymonde Mauchaussée, Georges Bouhey, Jean Bouhey, Jean Canesse, Ferdinand Deschamps, Claude Guyot, maire d'Arnac-le-Duc, Raoul Marcel Lessiau, Maurice Pavelot et Charles Veque. Georges Lustac, ancien attaché de cabinet de Gaston Defferre, puis directeur-administrateur du *Provençal* (décédé en 1961), et Paul Braustein en furent, au début de la Ve République, également administrateur, avec Gaston Schwab, et Pierre Marius Benezet. Lors de l'importante augmentation de capital qui eut lieu au cours de l'hiver 1958-1959 et à laquelle participèrent près de 500 abonnés, lecteurs et amis du journal, Houriez, de *Régie Nord* (La Voix du Nord), a souscrit 5 000 actions (20 millions d'A.F.), les Roth, de Paris, 500 actions (2 millions), Henri Leroy, d'Auxey-

Meursault, 500 actions (2 millions) et l'*Agence Havas*, 2 260 actions (9 040 000 A.F.). Un pool publicitaire lie *La Haute-Marne libérée* au quotidien dijonnais et un accord d'association a été signé en octobre 1966 entre *Les Dépêches* et *L'Est Républicain*, de Nancy. Les éditions du journal rayonnent sur la Côte-d'Or, le Jura, le Doubs, le Territoire de Belfort, la Haute-Saône et la Haute-Marne. Le groupe des *Dépêches* a un tirage total de 100 000 exemplaires environ (12, avenue du Maréchal-Foch, Dijon).

DÉPORTATION.

« Exil dans un lieu déterminé, infligé pour des raisons politiques », dit le « *Dictionnaire Quillet-Flammarion* ». La *déportation* fut introduite par la Convention qui frappa de cette peine ses adversaires considérés comme *traîtres ou ennemis de la patrie*. Après Thermidor, sous le Directoire et sous le Consulat, d'autres proscrits furent envoyés en Guyanne qui fut le théâtre de scènes affreuses. Aucune loi ne réglementait alors la *déportation*. La révolution de 1848 ayant aboli la peine de mort en matière politique et l'ayant remplacée par la *déportation*, la loi du 8 janvier 1850 réglementa celle-ci. Il y eut dès lors deux sortes de *déportations* : la *déportation* dans une enceinte fortifiée et la *déportation* simple, toutes les deux sanctionnant les crimes politiques. Les îles Marquises furent alors désignées comme lieu de *déportation*. Un décret du 8 décembre 1851 y ajouta Cayenne (Guyanne) et Lambessa (Constantinois). Les républicains condamnés après le coup d'Etat du 2 décembre subirent la *déportation*, principalement à Lambessa, où beaucoup firent souche. (Sous la IV° République, des détenus politiques [pétainistes] trop indisciplinés allèrent aussi à Lambessa.) Les contemporains de la Révolution Française et ceux du Second Empire ont décrit les horreurs de Cayenne et de Lambessa. Après les événements sanglants de la Commune, les personnes accusées d'avoir pris part à l'insurrection du 18 mars 1871 furent, en grande partie, condamnées à la déportation. Elles furent dirigées sur la Nouvelle Calédonie. Pendant la dernière guerre, les Allemands déportèrent nombre de Français en Allemagne. Selon Henri Michel, auteur de plusieurs ouvrages sur la Résistance et secrétaire général de la commission d'histoire de la déportation, le chiffre exact des déportés français n'a pu être encore établi. Mais les statistiques pour

les départements du Pas-de-Calais, de l'Indre-et-Loire et du Tarn font ressortir les chiffres respectifs suivants : 1678 (dont 893 résistants), 1207 (601) et 256 (100). Si les résistants furent les plus nombreux avec les Israélites, il y eut cependant des otages et des « raflés », des « droit-commun » et des « collaborationnistes ». Parmi les déportés recensés, précise Henri Michel, on compte six cents officiers de carrière et huit cent quarante sous-officiers. Les déportés étaient internés dans des *camps de concentration* (voir à ce nom).

DEPREUX (Edouard, Gustave).

Homme politique, né à Viesly (Nord), le 31 octobre 1898. Avocat, militant socialiste, fut nommé chef de cabinet du ministre des Finances (Vincent Auriol), dans le 2° ministère Léon Blum (1937-1938). Elu conseiller général socialiste de la Seine en 1938, passait alors pour appartenir à la fraction pacifiste et « anti-blumiste » du parti. Ce qui explique sa nomination, le 17 décembre 1941, à la présidence du Conseil départemental de la Seine (par le Gouvernement du maréchal Pétain). mais il refusa aussitôt cette charge. Le journal antisémite *Au Pilori*, en le félicitant de son geste — celui d'un « *socialiste honnête* » — reproduisait sa lettre de démission et son commentaire : « *J'estime que ma position politique passée n'est pas, en effet, assez dans l'axe de la politique actuelle, puisque j'appartenais au* Parti Socialiste, *bien qu'étant, il est vrai, de la tendance Paul Faure, anti-bolchevik et anti-belliciste.* » A la même époque, son nom parut au bas d'une affiche réprouvant le terrorisme ; a désavoué depuis ce qu'il qualifie de *faux caractérisé*. Peu après, fut arrêté, interné à Compiègne, puis relâché. Participa alors à la Résistance, milita à *Libération-Nord* et collabora au *Populaire* clandestin. Fut arrêté en 1944 par la Milice, avec l'un de ses compagnons nommé Grosset : ce dernier fut tué, mais lui put échapper à ses gardiens. Membre de l'Assemblée consultative provisoire (1944-1945) et des deux Assemblées constituantes (1945-1946), fut élu député socialiste de la Seine en 1946 et réélu en 1951 et 1956. Entre-temps, ministre de l'Intérieur du gouvernement Ramadier (1946-1947) et de l'Education nationale (1947). Maire (1944-1959), puis conseiller municipal de Sceaux. Ancien président de la Haute Cour de Justice, quitta la *S.F.I.O.* en 1958 et fonda, avec ses amis, le *Parti Socialiste Autonome*, dont il devint le secrétaire national. Depuis la fusion des divers groupes socialistes (non *S.F.I.O.*), est secrétaire national du *Parti Socialiste Unifié* (P.S.U.).

DEPUTE.

Membre d'un parlement. En France, membre de l'Assemblée nationale, élu au suffrage universel pour cinq ans, jouissant de l'immunité pendant les sessions et recevant une indemnité mensuelle (Sur l'élection d'un député voir « *Comment on devient député et comment on le reste* », chapitre xx de « *Les financiers qui mènent le monde* », par Henry Coston).

DERANCY (Raymond).

Fonctionnaire, né à Hersin-Coupigny (P.-de-C.), le 8 avril 1906. Contrôleur au service commercial des Houillères nationales. Vice-président de la Commission spéciale de la promotion sociale. Maire de Barlin (depuis 1947). Proclamé député du Pas-de-Calais le 20 mai 1959 en remplacement du député Caudron, décédé ; réélu le 25 novembre 1962. Inscrit au groupe *S.F.I.O.* Battu en 1967.

DEREURE (Simon).

Militant socialiste (1838-1900). Fut l'un des plus actifs dirigeants du guesdisme.

DERNIERE COLONNE (La).

Groupe de résistance fondé à Cannes par Emmanuel d'Astier de La Vigerie et le commandant d'aviation Corniglion-Molinier, fils d'un ancien conseiller général des Alpes-Maritimes. Après l'arrestation de Corniglion-Molinier, d'Astier s'installa à Clermont-Ferrand où, à l'ombre d'Alexandre Varenne, ancien gouverneur de l'Indochine et vieux militant *S.F.I.O.*, qui dirigeait *La Montagne* officiellement pétainiste et clandestinement gaulliste, il put mettre sur pied un nouveau groupe, qui devint le mouvement *Libération*, animé par Georges Buisson, R. Lacoste, André Philip, Vienot, Augustin Laurent et Poimbœuf.

DERNIERE LANTERNE (La).

Pamphlet semi-clandestin, de petit format, publié quelques années après la Libération par Pierre Boutang et Antoine Blondin. Parut irrégulièrement pendant quelques mois et disparut faute de fonds.

DERNIERES DEPECHES (Les).

Journal créé dans la clandestinité sous le nom de *France* et paru au grand jour après la Libération dans les locaux du *Progrès de la Côte-d'Or* interdit. Avait alors pour animateur, René Simonin. Aujourd'hui disparu.

DERNIERES NOUVELLES D'ALSACE (Les).

Quotidien alsacien fondé sous l'annexion allemande, le 1er décembre 1877, dans l'imprimerie de H.L. Kayser. Après l'armistice de 1918, l'éditeur Aristide Quillet (voir à ce nom), avec l'appui de Léon Ungemach, maire de Strasbourg et président de la Chambre de Commerce du Bas-Rhin, acquit la majorité des actions de la *Société d'Imprimerie et d'Edition des Dernières Nouvelles de Strasbourg*, fondée en 1889. L'opération fut facilitée par Eugène Meyer et Alfred Stephan, directeurs de banque à Strasbourg, qui approuvaient le projet. L'entreprise était cependant aléatoire, car l'éditeur Quillet, homme de gauche et franc-maçon, ne cachait guère ses tendances anti-cléricales à un moment où l'application des lois laïques aux provinces recouvrées suscitait une très vive opposition. Nul ne pouvait ignorer ses opinions qui étaient exposées chaque semaine dans l'hebdomadaire *Floréal* qu'il avait créé à la même époque et dont il avait confié la direction à Joseph Paul-Boncour et auquel collaboraient Léon Jouhaux, Victor Margueritte, Charles Vildrac, Séverine et André Lebey, haut dignitaire du *Grand Orient de France*. A la veille de la guerre, la *Société d'Imprimerie et d'Edition des Dernières Nouvelles de Strasbourg*, contrôlée par Aristide Quillet publiait outre *Les Dernières Nouvelles de Strasbourg*, journal quotidien ayant deux éditions l'une en français l'autre en allemand : *Les Dernières de Colmar, Le Journal de Selestat, Le Journal de Thann, Les Dernières Nouvelles de la Moselle, Le Journal de Barr*, auxquels s'ajoutaient les diverses grandes publications illustrées, hebdomadaires ou mensuelles. Son tirage atteignait 155 000 ex. Au début de la guerre, *Les Dernières Nouvelles de Strasbourg* se replièrent à Sélestat, puis à Colmar et enfin à Bordeaux. Après l'armistice, Aristide Quillet en suspendit la publication et gagna la zone non-occupée, où il publia *L'Echo des Réfugiés* à Montpellier puis, après l'interdiction de ce dernier par le gouvernement de Vichy, *L'Entr'aide* à Clermont-Ferrand. L'assemblée générale de la société éditrice des *Dernières Nouvelles de Strasbourg* du 18 janvier 1943 eut lieu à Montpellier sous la présidence de

Robert Hoepffner, assisté d'Aristide Quillet et Jean Rocaut, scrutateurs. La feuille de présence mentionnait que 3 887 actions étaient représentées par : la *Librairie A. Quillet* et son animateur (3 745 actions), Jean Rocaut (38), Jean Hoepffner (38), Robert Hoepffner (28), Albert Hauauer (2), René Royer (26) et Armand Lederlin (10). Pendant ce temps, en Alsace, les Allemands avaient autorisé *Les Dernières Nouvelles :* sous le titre allemand de *Strassburger Neueste Nachrichten,* elles furent pendant quatre ans le seul quotidien de la région. Après la Libération, *Les Dernières Nouvelles d'Alsace* parurent sous la direction du groupe Quillet. Elles reconquirent assez rapidement le public de l'ancien journal. Aujourd'hui, avec 187 000 exemplaires, *Les Dernières Nouvelles d'Alsace* et *Les Dernières Nouvelles du Haut-Rhin* occupent la première place dans la presse alsacienne. (Le groupe contrôle également l'hebdomadaire *Bonjour,* depuis 1964). Le journal est animé par Jean-Jacques Kielholz et administré par un conseil que préside Jean Rocaut (17-21, rue de la Nuée-Bleue, Strasbourg).

DERNIERES NOUVELLES DE PARIS (Les).

Quotidien lancé en juin 1940 par des employés de l'*Agence Economique et Financière,* de Robert Bollack, réduits au chômage. Son directeur, Louis Burelle, aurait été un ancien des orphelins-apprentis d'Auteuil, devenu prote d'imprimerie. (C'est du moins ce qu'on a dit à l'époque.) On n'est pas mieux renseigné sur les deux rédacteurs en chef, L. Delalande et Georges Lanusse. Les collaborateurs du journal sont, eux, mieux connus : Maurice Ajam, ancien rédacteur en chef de l'*Exportateur Français,* fut ministre sous la IIIe ; Gaston Riou, ancien député, était un partisan résolu de l'union européenne ; Jean-Marquès-Rivière, ancien franc-maçon revenu au catholicisme, collaborait avant la guerre à *La France Catholique,* du général de Castelnau ; J.-J. Almira était le secrétaire général de la *Phalange des Combattants Français* ; Jean Portail avait appartenu à la rédaction de *L'Intransigeant* ; Fernand Demeure militait depuis quelques années en faveur d'un rapprochement franco-allemand ; André Chaumet était très répandu dans les milieux nationalistes et fascistes des années 1930-1939. *Les Dernières nouvelles* disparurent à la mi-septembre, torpillées par on ne sait trop quels « combinards masqués qui, revenus un par un, se sont infiltrés sans bruit au milieu de nous, et ont repris leur poste de commande ». (*Les Dernières Nouvelles* avaient annoncé, dès le 8 août, que l'on complotait leur perte.)

DEROULEDE (Paul).

Homme politique (1846-1914). Son père était avoué et sa famille de souche parisienne et charentaise. Jeune, les lettres l'attiraient : la guerre de 1870-1871 le jeta dans la politique. Son nom était déjà connu des milieux politiques lorsqu'il prit, en 1887, la tête de la *Ligue des Patriotes* fondée cinq ans plus tôt. Car, boulangiste de la première heure, il avait fondé, en 1885, un Comité national de soutien. Aux élections de 1889 qui, après la fuite du général, marquèrent le commencement de la déroute boulangiste, Déroulède se fit élire dans la Charente. Il se rendit aussitôt à Jersey pour tenter de ramener à Paris son grand homme, mais il revint bredouille. En 1892, il démissionna de la Chambre et y retourna, en 1898, comme partisan de la république plébiscitaire. Ayant tenté d'entraîner à l'Elysée le général Roget, il fut accusé d'avoir voulu renverser la République et arrêté (1899). Acquitté peu après, le gouvernement Waldeck-Rousseau le fit poursuivre, à nouveau, en l'impliquant dans un complot contre la sûreté de l'Etat. Cette fois, il fut condamné à dix ans de bannissement (1900). Etabli à Saint-Sébastien, en Espagne, il y poursuivit son action politique, dirigeant de là-bas la *Ligue des Patriotes.* L'amnistie du 2 novembre 1905 lui permit de rentrer. L'auteur des « Chants du Soldat » ne fut pas que le velléitaire revanchard et chauvin qu'on a trop souvent dépeint : il fut aussi un militant et un meneur d'hommes, dont l'action, même brouillonne, inquiéta le gouvernement. Il ne manquait pas de courage : lors de l'affaire Corne-

Déroulède, vu par Léandre

lius Herz, il fut le seul à attaquer, de front Clemenceau : « *Son nom,* s'écriat-il, *est sur toutes les lèvres, mais pas un de vous pourtant ne le nommerait, car vous redoutez son épée, son pistolet, sa langue. Moi, je brave les trois et je le nomme. C'est M. Clemenceau.* » Il s'ensuivit un duel sans résultat. Outre ses « *Chants du Soldat* », il publia : « *Chants du paysan* », « *La mort de Hoche* », « *Messire Du Guesclin* », etc., édités par Calmann-Lévy. L'œuvre de Déroulède témoigne de plus de ferveur patriotique que de dons littéraires. Ce qui faisait dire à Maurice Barrès : « *J'ai bien envie d'ouvrir une souscription pour lui offrir une grammaire.* »

DERVAUX (Renée).

Comptable, née à Meung-sur-Loire (Loiret), le 9 mars 1908. Militante communiste, sénateur de la Seine depuis 1956. Ancienne conseillère municipale d'Asnières. Siégea, en 1948-1956, au Conseil général de la Seine.

DESACHE (Marc)

Agent de change honoraire, né à Joué-

les-Tours (I.-et-L.), le 15 octobre 1892. Sénateur. Marié le 25 avril 1923, avec Mlle Simone Rouy (2 enfants : Roger, Jean-Paul). Ancien syndic de la Compagnie des agents de change à Paris. Maire et conseiller général de Sainte-Maure-de-Touraine, président du Conseil général d'Indre-et-Loire, sénateur *U.N.R.* du département.

DESBONS (Jean).

Avocat, né à Lalliole, le 1er juin 1891. Président de la *Fédération Interalliée des Anc. Combattants,* député radical indépendant des Hautes-Pyrénées (1928-1932, 1936-1942). Vota pour le maréchal Pétain le 10 juillet 1940.

DESBUCQUOIS (Gustave).

Ecclésiastique, né à Roubaix en 1869, mort à Paris en 1959. Quatrième des six enfants d'une famille ouvrière, il entra au noviciat de la Compagnie de Jésus en 1889 et fut ordonné prêtre en 1903. Avec le R.P. Leroy, il fonda *L'Action catholique* qu'il dirigea pendant près de quarante ans. Il fut, avec Mgr Baudrillart — dont il ne partageait pas les tendances, étant, lui, démocrate-chrétien — l'un des créateurs de l'Institut d'Etudes sociales dépendant de la Faculté de Théologie de l'Institut catholique de Paris, Il joua un rôle important dans la fondation de la *Fédération Nationale Catholique* et dans le développement des secrétariats sociaux, des syndicats chrétiens, des *Semaines Sociales* et de *l'Union Féminine Civique et Sociale.* Il prit une grande part à la préparation des encycliques *Quadragesimo Anno* et *Divini Redemptoris.*

DESCHIZEAUX (Louis, Georges).

Homme politique, né à Alexandrie (Egypte), le 15 décembre 1897. Agent de publicité. Militant socialiste, initié le 2 mai 1923 à la loge *La Clémente Amitié.* Elu député de Châteauroux pour la première fois le 8 mai 1932, comme *S.F.I.O.;* réélu le 3 mai 1936 (inscrit au groupe de l'*Union Socialiste et Républicaine,* de Marcel Déat, Viollette et Paul-Boncour). Collaborateur de *Notre Temps* (de Jean Luchaire). Elu maire de Châteauroux en 1935, maintenu en fonctions (1940-1942). Lors du scrutin sur la résolution donnant tous les pouvoirs au gouvernement de la République, sous la signature et l'autorité du maréchal Pétain, à l'effet de promulguer la nouvelle Constitution de l'Etat français, fut parmi les 569 parlementaires qui votèrent ladite résolution. Etait, avec Gaston Bergery, René Chateau, Marcel Déat, René Dommange, Jean Montigny, Alexandre Rauzy, Paul Rives, Robbe, Saurin, Scapini, Xavier Vallat et quelques autres, co-auteur de la déclaration favorable aux pleins pouvoirs donnés au maréchal Pétain. Cette prise de position lui valut d'être déclaré inéligible en 1944. Après l'amnistie, élu à nouveau conseiller municipal et, pour quelques années, maire de Châteauroux, le 15 mars 1959. Elu député de l'Indre (1re circ.) le 30 novembre 1958 contre le ministre Ramonet ; réélu le 25 novembre 1962. S'inscrivit, comme apparenté, au groupe S.F.I.O. et, comme membre, au groupe parlementaire de la L.I.C.A. En 1958, il s'était déclaré favorable au général De Gaulle et lui avait envoyé un télégramme de « *fidèle attachement* » (cf. *Paris-Presse*, 2.12.1958). Depuis 1964, conseiller général de Levroux, et depuis 1965, à nouveau maire de Châteauroux.

DESCHANEL (Paul, Eugène, Louis).

Homme politique (1855-1922). Fils de l'écrivain Emile Deschanel, emprisonné sous le Second Empire, rédacteur au *Journal des Débats* et au *National*, député, puis sénateur inamovible. D'abord sous-préfet, il se fit élire député républicain d'Eure-et-Loir en 1885, et prit la direction de ce que l'on appelait alors le « parti progressiste ». Vice-président de la Chambre de 1896 à 1898, il en fut le président de 1898 à 1902 et de 1912 à 1920. Entre temps, il était entré à l'Académie française et écrivit un certain nombre de livres, notamment « *Orateurs et hommes d'Etat* », « *L'organisation de la démocratie* » et une étude sur « *La Décentralisation* » fort remarqués. Mais son plus beau titre de gloire est la défaite qu'il infligea au « père La Victoire », dans le scrutin préalable qui, selon le rite, préludait au Congrès de Versailles, la veille de l'élection officielle. Clemenceau, sur les instances de Georges Mandel, avait accepté de laisser poser sa candidature. Il obtint 389 voix contre 408 à Deschanel. Le maréchal Foch, non partant, avait obtenu une voix (celle de Léon Daudet). Aussitôt après la proclamation des résultats, le *Tigre* adressait une lettre au président de l'Assemblée, Stephen Pichon : « *Je prends la liberté de vous informer que je retire à mes amis l'autorisation de poser ma candidature à la présidence de la République...* » Le lendemain, à Versailles, Paul Deschanel était élu par 734 voix (sur 888). C'était le 17 janvier 1920. Le 24 mai suivant, un cheminot de Montargis fut

hélé le long de la voie par un homme en pyjama, démuni de chaussures et de chaussettes, qui lui déclara tout de go : « *Je suis le président de la République.* » Le fonctionnaire, d'abord sidéré, puis sceptique, finit par se laisser ébranler : « *Après tout, c'est bien possible*, observat-il, *vous avez les pieds propres...* » Les officiels accoururent, achevèrent de le convaincre. Il s'agissait bien du Chef suprême de l'Etat français qui, parti de Paris pour inaugurer une statue à Montbrison, était tombé par la fenêtre de son wagon particulier. L'assemblée ne se résigna pas pour autant à « démissionner » sur-le-champ son président extravagant. Il est, en effet, fort difficile de déterminer si tel ou tel homme d'Etat est aliéné et ce n'est, généralement, qu'après coup que l'on veut bien admettre ce qui, pour beaucoup, est une évidence. Il y eut des précédents dans l'Histoire de l'Europe, et le cas peut se reproduire en France même. Donc, Paul Deschanel continua à présider aux destinées de la France, pendant quatre mois encore, non sans susciter parfois de fâcheux incidents. On raconte que les bizarreries du président faillirent provoquer un jour une rupture diplomatique avec l'Angleterre. Recevant Lloyd George, Deschanel l'avait pris à partie, avec véhémence, exigeant que l'homme d'Etat britannique expliquât « *pourquoi son pays avait eu seulement 900 000 hommes de tués durant la guerre* ». Lloyd George prit congé, sans insister, et se précipita chez le *Tigre* pour lui rapporter cette mémorable entrevue. Clemenceau, pour toute réponse, se tapota la tempe de l'index. On annonça, enfin, en septembre, que « *des raisons de santé* » avaient amené Deschanel à offrir sa démission. Il quitta l'Elysée pour « *aller se détendre* » à Rueil Malmaison, dans un château que la République, prévoyante, avait aménagé en asile psychiatrique de luxe à l'usage de ses serviteurs surmenés. La petite histoire ajoute que, par un étrange caprice du destin, Paul Deschanel devait y retrouver Stephen Pichon, celui-là même qui avait présidé le Congrès de Versailles, et enregistré le retrait de la candidature du *Tigre*.

DESCOURS DESACRES (Jacques).

Agriculteur, né à Paris, le 21 janvier 1914. Maire d'Ouilly-le-Vicomte (depuis 1947). Sénateur du Calvados depuis 1955. Inscrit au groupe des *Républicains indépendants*.

DESGRANGES (Jean).

Ecclésiastique et homme politique, né

à Limoges, en 1874, mort à Rodez, en 1958. Jeune prêtre limousin et rédacteur à *La Croix* de Limoges, il se passionna pour la politique et fonda les premiers cercles d'études répondant aux directives sociales de Léon XIII. Il adhéra très tôt au *Sillon* et devint l'un de ses meilleurs propagandistes. Mais il se brouilla avec Marc Sangnier et quitta le mouvement dont le « centralisme autoritaire » lui déplaisait. Orateur de premier ordre, il fit plus de 3 000 conférences contradictoires. Aumônier militaire en 1914-1918, il participa après la guerre à l'activité du *Parti Démocrate Populaire* qu'il représenta à la Chambre de 1928 à 1940. Bien qu'ayant participé à la Résistance sous l'occupation et n'ayant échappé que par miracle à la police allemande qui le pourchassait, il fut tenu à l'écart par le *M.R.P.* qui lui reprochait sa prise de position résolue contre l'épuration conduite par les ministres François de Menthon et P.-H. Teitgen. Bouleversé par les « *crimes masqués du Résistantialisme* » (c'est le titre d'un de ses livres paru quelques années après la guerre), ce cœur généreux se mit au service des épurés et des emprisonnés et créa, à leur intention, la Fraternité *Notre-Dame de la Merci*, qui organisa des pèlerinages à Lourdes en faveur de l'amnistie. Il présida plusieurs années l'*Association des Anciens Représentants du Peuple de la IIIᵉ République*, dont il était l'un des fondateurs. Épuisé par un travail démesuré et des démarches incessantes en faveur des *épurés*, il mourut entouré du respect de ses adversaires et de l'admirative ferveur de ses amis. Il fut inhumé à Limoges en présence des autorités municipales socialistes qui lui rendirent hommage et ont fait apposer une plaque commémorative à l'hôtel de ville où son père avait été secrétaire de mairie.

DESGREES DU LOU (Emmanuel).

Journaliste, né à Vannes, le 28 février 1867, mort à Rennes, le 17 février 1933. Commissaire de la Marine, puis avocat à Brest, il soutint les idées sociales d'Albert de Mun et défendit la politique du Ralliement. Il représentait le Centre et l'Ouest au fameux Congrès de la *Démocratie Chrétienne* de Lyon. Il fut l'un des fondateurs de *l'Ouest-Eclair,* avec l'abbé Trochu, et assuma la direction politique du journal jusqu'à sa mort. Son fils, François Desgrées du Lou dirigeait, jusqu'à ces derniers temps, *Ouest-France,* le grand quotidien de Rennes qui s'installa dans les locaux de *l'Ouest-Eclair* en 1944 (Voir : *Trochu* et *Ouest-Eclair*).

DESOUCHES (Edmond).

Homme politique, né à Berchères-les-Pierres (E.-et-L.). Monteur électricien. Chef d'exploitation de secteur électrique (1928). Adhère au *Parti Républicain Radical et Radical-Socialiste* en 1930. Secrétaire de la *Fédération Radicale-Socialiste* d'Eure-et-Loir (1938). Fondateur de *La Vie Républicaine*, journal des Comités Républicains d'E.-et-L. Vice-président de la *Fédération des Amicales Laïques* d'Eure-et-Loir (dépendant de la *Ligue de l'Enseignement*). Président de l'*Amicale des Anc. Elèves de l'Ecole laïque* de Lucé. Conseiller général du canton Nord de Chartres depuis le 14 octobre 1951. Député radical-socialiste d'Eure-et-Loir depuis 1956. Membre de l'*Alliance France-Israël*.

DESPOTISME.

Pouvoir absolu et arbitraire exercé par un seul ou par plusieurs.

DESSELAS (Jean-Marie).

Journaliste, né à Saint-Junien (Haute-Vienne), le 3 juillet 1929. Fondateur (1957) et directeur de *L'Observateur du Centre-Ouest,* publication anti-communiste répandue dans les milieux limousins hostiles à l'extrême-gauche. Anime à Limoges un groupe d'études européennes. Rédacteur aux revues anti-communistes *Est et Ouest* et *Exil et Liberté,* fut chargé des services de presse des *Conférences internationales sur la guerre politique des Soviets* tenues à Paris en 1960 et à Rome en 1961.

DESSON (Guy).

Journaliste, né à Chelles (S.-et-M.), le 7 avril 1909. Ancien député. Ancien chef de cabinet de ministres, militant socialiste et maçon actif, fut député des Ardennes (1947-1958) et secrétaire général du *Populaire*, Maire et conseiller général de Grandpré, quitta en 1958 la *S.F.I.O.* pour adhérer au *Parti Socialiste autonome,* puis devint dirigeant national du *Parti socialiste unifié*, et vice-président de l'*Association Républicaine des Anciens Combattants* (*A.R.A.C.*), d'obédience communiste.

DESTALINISATION.

Nom donné, après la mort de Staline et la condamnation de ses méthodes, à l'ensemble des mesures prises dans les pays du Bloc oriental pour faire disparaître les effets de la dictature stalilienne : retour à la direction collective, refus du culte de la personnalité, révision de l'histoire du parti soviétique, réhabilitation des condamnés, etc. En outre, la ville de Stalingrad, débaptisée, a été appelée Volgograd, le « *Prix Staline de la Paix* » est devenu le « *Prix Lénine* », et les monuments élevés à la gloire de Staline ont été détruits. La *déstalinisation* a provoqué des remous dans les partis communistes de divers pays, de très nombreux leaders et militants considérant que l'on devait être reconnaissant à Staline d'avoir sauvé l'U.R.S.S., donc le communisme, au moment le plus critique de son histoire (1941-1943).

DETERMINISME.

Doctrine philosophique qui explique les phénomènes par le principe de causalité. Le *déterminisme historique* est basé sur la conviction que l'histoire se déroulera inéluctablement dans le sens communiste.

DEVALDES (Ernest LOHY, dit Manuel).

Militant politique, né à Evreux le 5 février 1875, mort à Paris le 22 décembre 1956. Anarchiste, pacifiste, ardent défenseur des théories de Malthus. Collabora à : *La Grande Réforme, L'Idée libre, L'Internationale, Le Libertaire* et *L'Unique*. Auteur de : « *La chair à canon* », « *Réflexions sur l'Individualisme* », « *La brute prolifique* », « *Croître et multiplier, c'est la guerre !* », « *La guerre de surpopulation* », « *Contes d'un Rebelle* », « *Chez les Cruels* », etc.

DEVALUATION.

Dépréciation légale et technique d'une monnaie, destinée à régulariser une situation de fait découlant de l'inflation. La monnaie française a connu une dépréciation presque ininterrompue depuis 1937. La dernière en date des dévaluations fut opérée en 1958 par le gouvernement De Gaulle.

DEVAUD (Marcelle GOUGENHEIM, veuve Stanislas).

Conseiller économique, née à Constantine, le 7 janvier 1908. Veuve de Stanislas Devaud, universitaire, député *P.S.F.* de Constantine en 1936-1942, qui vota pour le maréchal Pétain le 10 juillet 1940, et appartint au Conseil national (1941). Sénateur gaulliste de la Seine (1946-1958). Député *U.N.R.* de la Seine (36e circ.) (1958-1962). Maire de Colombes (1959). Membre du Conseil économique et social (depuis janvier 1963).

DEVAY (Jean-François).

Journaliste, né à Lyon, le 15 octobre 1925. Etudes : lycée Ampère de Lyon, collège Sainte-Marie de Saint-Chamond, Ecole libre des Sciences Politiques, faculté de droit de Paris. Milita dans la Résistance (Croix de guerre, médaille de la Résistance, médaille militaire — celle-ci lui fut retirée par décret du 2 août 1965 pour délit de presse). Dirigea sous l'occupation, *Nouvelle Jeunesse*, organe du mouvement de résistance *Jeunes Chrétiens Combattants* (animé par René Laurin, l'actuel député *U.N.R.*). A la Libération, fut quelque temps (fin 1944) aux *Jeunes de la Libération Nationale* (dépendant du *Mouvement de la Libération Nationale*). Collabora à *Essor*, hebdomadaire de l'*O.C.M.*, à *Afrique Magazine*, etc., fut secrétaire de rédaction de l'*Agence France-Presse* (1947-1951), chef de la rubrique universitaire, puis chef de la rubrique des spectacles de *Combat* (1948-1950), chef de la rubrique des spectacles à *Paris-Presse*, puis directeur des informations et enfin « columnist » à ce même quotidien (1951-1959), rédacteur en chef de *Jours de France* (1958), puis de *7 jours* (1958-1959), directeur des services d'informations de *France-Soir* (1960), adjoint du directeur, puis « columnist » de *Paris-Presse* (1960-1962). Fondateur de l'hebdomadaire *Minute* (avril 1962), dont il est le directeur. Président-directeur général de la *Société d'Editions Parisiennes Associées*, qui publie ce journal.

DEVENIR.

« *Journal de combat de la Communauté européenne* », paraissant mensuellement en 1944 à Paris. Jean Balestre en était l'animateur (voir cliché page 366).

DEVIATIONNISME.

Attitude d'un dirigeant ou d'un militant dont les propos ou la conduite ne sont plus en conformité avec la doctrine du parti ou le programme fixé par son dernier congrès (emprunté au vocabulaire communiste).

DEVOIR ELECTORAL.

Obligation morale pour les citoyens de participer aux élections. Dans certains pays étrangers, l'obligation est formelle, et tout citoyen qui s'y soustrait est puni par la loi.

DEWEZ (Sulpice).

Syndicaliste, né à Villers-Outreaux

Devenir

JOURNAL DE COMBAT DE LA COMMUNAUTÉ EUROPÉENNE

1ʳᵉ Année — N° 2 **Édition de Mars 1944**

MANIFESTATION SPONTANÉE DES FRANÇAIS ENVERS LE FUEHRER

Le dimanche 5 mars 1944 s'est déroulée à Paris une des plus belles manifestations qu'on ait connues depuis 1940. Ce fut une démonstration de la Waffen-⚡⚡ et des nouveaux mouvements français — Milice française, L.V.F., P.P.F. — réunis dans un même élan de foi et d'enthousiasme pour combattre le bolchevisme, le terrorisme à l'intérieur du pays, les juifs, les franc-maçons, la bourgeoisie blasée. Le ⚡⚡-Gruppenführer Oberg, chef de la police et des ⚡⚡ en France, l'ambassadeur M. Abetz, l'ambassadeur M. de Brinon, M. Darnand, chef de la Milice française, Jacques Doriot, chef du P.P.F. et de nombreuses personnalités françaises et allemandes, se tenaient au premier rang de l'assistance, qui était venue écouter le Chevalier de la Croix de Fer ⚡⚡ Hauptsturmführer Léon Degrelle.

Le chef de la brigade « Wallonie » et du parti rexiste a prouvé que, s'il est le chef d'un parti révolutionnaire et un soldat dont la conduite au combat impose l'admiration, il est aussi un orateur de talent, au style sobre et direct, humain et profond.

Après avoir évoqué tous les sacrifices consentis par les hommes ayant lutté pour sauver leur race, il a terminé par un magnifique récit de son exhortation avec les troupes combattant par ces mots : « Sans Hitler, tout serait perdu. Cet homme bon et sincère a donné à chaque peuple l'occasion de se sauver. Sans lui nos vies, nos peuples étaient perdus. Dressons-nous vers le Führer pour lui dire que toute la jeunesse de l'Europe est à ses côtés, Français, disons-le ! » C'est Hitler !

À ces mots, qu'on n'avait encore jamais vus à Paris, toute l'assistance des révolutionnaires français s'est dressée spontanément et a salué, le Führer, le bras tendu, tandis qu'une musique militaire jouait la « Marche du Führer ».

Les soldats du Führer

Il y a déjà quelques mois que les premiers Français se sont engagés dans la Waffen-⚡⚡. Père aimant, parmi ceux qui entraient le tourbillon d'une révolution dont l'efficacité se révèle péniblement, ils ont aujourd'hui choisi le combat véritable. Pour reprendre un mot de Goethe : « Celui-là seul mérite sa liberté et à droit à la vie qui, chaque jour, doit lutter pour la conquérir. »

Certains ont rompu avec leur famille que le blâmait ; d'autres l'ont laissée au pays où elle reste une proie facile pour leurs ennemis. La plupart de leurs compatriotes, effrayés et dépassés par la grandeur de ce combat, les honissent au même titre que ceux « à parias ». Ils savent qu'ils se battront seuls, et ne comptent pas présentement sur la gratitude ni sur la compréhension de leurs concitoyens, puisant leur réconfort au cœur même de leur fière et ardente cohorte de camarades. Ils ont quitté tous les êtres, les choses les plus aimées et leurs habitudes les plus chères en choisissant de se battre loin de leur sol où ils sentent cependant leur présence nécessaire. Surmontant tous les préjugés, ils accèdent bientôt à un niveau d'homme supérieur. Ils ont endossé l'uniforme de la Waffen-⚡⚡. Ils défendent son drapeau et sa prestige; ils ont embrassé un idéal intransigeant et ils appartiennent maintenant à un ordre que l'on ne quitte que par la mort.

Ces hommes qui se donnent tout entiers, sans spéculation, ni marquage naïve, ni marchandage, ni compromission, pour servir la race aryenne et leur peuple, pour le triomphe de l'homme aryen font preuve des énergies de l'homme du Nord qu'ont le culte de l'honneur, du courage héroïque et de la fidélité.

La sélection ⚡⚡ à laquelle ils sont soumis opère par un examen racial et physique ; elle offre plus d'épreuves qu'il n'en faut pour que se révèle la valeur intrinsèque de son soldat. Les Français de la Waffen-⚡⚡ savent qu'on n'en fait jamais assez pour sa patrie et ils veulent, en créant une nouvelle légende de héros, réveiller la jeunesse française de sa léthargie, l'attacher à sa seuleté, lui rappeler par des actes qu'il y a encore en France des hommes qui sont dignes de Poitiers, de Valmy, d'Eylau ou de Verdun. Il ne s'agit plus mainte-nant de compter sur le rayonnement intellectuel et artistique de la France, son histoire, ses traditions, la pérennité de ses vertus nationales ou l'habileté de ses politiciens pour lui tailler une place dans l'Europe mais uniquement sur la valeur et le courage de ses soldats, leur fidélité et le poids du sang qu'ils auront versé dans le sacrifice commun. La grandeur de ce sacrifice atteint aujourd'hui la dimension effrayante : la jeunesse d'Europe s'y est offerte unanimement sur les traces de la jeunesse allemande et puise dans une foi qui étonneront longtemps le monde. L'avant de ces Légions de jeunes Nordiques qui sont tombées au combat avec une bravoure naturelle, le regard plein de clarté, en paix avec leur Dieu, lance un appel qui résonne en écho profond à travers les pays que nourrit un sang pur. Les hommes aryens de Normandie, de Bretagne, de Bourgogne et autres provinces de France l'ont entendu et se conduisent en frères de race de la grande communauté ⚡⚡. Ils veulent et mourront avec eux.

Sans trop préjuger de l'avenir, on peut faire confiance à la brigade française pour mener à bien leur mission. On s'en persuade vite lorsqu'on voit un peu à leur contact ; leur enthousiasme à fleur de peur, leur foi inébranlable, leur confiance tranquille sont des symptômes qui ne trompent pas. On a passé à contenir leur impatience. La période d'instruction ⚡⚡ rigoureuse et méticuleuse, est pour eux un long calvaire. Ils vous durent simplement et calmement qu'ils veulent mourir ou devenir des héros. Pour l'idéal national-socialiste, un sacrifice cette noblesse suprême, car servir une Idée vaut dire : être prêt à tous les instants, à tous les sacrifices. C'est cet esprit de sacrifice qui animait les hommes de Dunkerque et de Stalingrad, les seize héros de Munich.

C'est ce même esprit de sacrifice qui fera triompher l'Europe aryenne du juif assez, qui vaudra à la France d'être débarrassée de ses tracts, des influences négroïdes qui la rongent encore, de sa politique boiteuse et restrictive, et l'un donnera, non pas la « liberté », mais le droit de vivre.

La ⚡⚡ française ne servira de base à aucune opération politique, ceux qui nourrissent cet espoir l'auront tôt perdu ; elle étouffe tous les intérêts individuels, elle façonne les êtres et en fait des hommes nouveaux dont la force se révèlera un jour au pays de façon foudroyante et redoutable. LES VOLONTAIRES FRANÇAIS DE LA ⚡⚡ LUTTENT POUR LEUR PATRIE ET, EN ATTENDANT D'AIDER DEMAIN LE CHEF DE LA FRANCE A FAIRE LA RÉVOLUTION, ILS SONT LES SOLDATS DU FUEHRER, ILS SONT LES SOLDATS FANATIQUES ET FIDÈLES D'ADOLPHE HITLER, QUI LEUR A ACCORDÉ PAR DEUX FOIS LE PLUS GRAND DES HONNEURS.

Plus que jamais, au milieu de la tourmente, ils ont confiance en cet homme, au regard clair et tranquille de ces yeux bleus qui semblent poursuivre dans l'espace un rêve intérieur. Ils savent que ce Chef, simple et humain, qui supporte les plus lourdes responsabilités qu'un homme ait jamais assumées, les conduit au triomphe total et ils savent aussi que, grâce à eux, la France y aura participé.

Jean BALESTRE
⚡⚡-Schütze

Symbole pour l'Europe

« Les chances d'une libération des troupes encerclées, soit par une sortie, soit par l'arrivée d'un secours extérieur, semble, vues d'ici, très minces », écrivait « Legatus » dans l'éditorial du Basler Nachrichten du 7 février, sous le titre « La tragédie de Kaniow ». Sans doute les hommes encerclés, qui entendaient de tous côtés les fracas de la bataille et voyaient le feu de l'artillerie de l'assaillant, pilonner l'espace qu'ils défendent encore, ne concevaient-ils qu'un faible espoir de sortir vivants de leurs trous, sachant que prisonnier. S'il a continueraient à se battre — et s'il le firent avec une bravoure croissant sans reproche — il y avait à cela deux raisons : la première était le but indiqué, mais il n'avait pas l'importance ses « Legatus » semblait-il attribuer, en celui-ci apparaît son raisonnement, concernant la situation, se veut déconcertation, venant de Moscou, la déségrégation, et par un les troupes combattent toujours pour l'honneur militaire » ceci « ne manque pas de signification au point de vue moral et doit servir d'exemple, à tous leurs camarades engagés sur les fronts de bataille.

En effet, avec ces quelques milliers d'hommes enfermés dans le cercle de feu de Tscherkassy, qui fournit un exemple incomparable de bravoure. Alors qu'un public avide de sensations attendait, avec une impatience fiévrile, leur fin en leur environnement, nous avions vu les saluer, au même temps que leurs libérateurs, avec fierté et enthousiasme : ils ont donné un exemple, qui transporte de joie les cœurs de tous ceux qui combattent pour l'Europe.

L'action de ces héros est véritablement connue au lever du soleil à l'Est, brillant et plein de chaleur, un triomphe militaire européen, un triomphe de l'homme de la matériel et la masse grégaire.

À vrai que « Legatus » accorda à la conduite des soldats encerclés une grande influence morale, combien celle-ci influence une peu grandie, en symbolisant le succès qui a finalement couronné la résistance de ces braves !

Ne nous égarons pas, en suivant ce « Legatus » et en parlant du moral des combattants, car il est absolument inéprochable sur tous les fronts, comme l'a dit la conduite des troupes encerclées. Car ce n'est pas seulement une fois par hasard, ou seulement pendant quelques semaines, qu'ils ont été soumis à cette épreuve d'endurance, mais sous quels mois, années après années. Cette victoire a été acquise au prix d'efforts innombrables, qui n'ont peut-être même pas été connus ni remarqués et qui ont été accomplis, parfois par un seul homme, au détriment par quelques soldats et dans la morale, entre la nouvelle de cette victoire de Tscherkassy, s'est répandue, provoquant l'étonnement et l'admiration : éblouissante comme un faisceau formé de milliers de rayons brûlants.

(Nord) le 30 septembre 1904. Fils de cantonnier. Menuisier à ses débuts, milita très jeune au *Parti Communiste* et fut élu député du Nord en 1932, et réélu en 1936. Hostile au pacte germano-soviétique, rompit avec le communisme (1939) et vota les pouvoirs constituants au maréchal Pétain (1940). Résistant et déporté pendant la guerre. Secrétaire général de la *Confédération générale des syndicats indépendants*. Conseiller économique (1951-1959).

DIALECTIQUE.

Art du raisonnement. Pour les communistes, la *dialectique* doit permettre de comprendre les causes réelles des événements et de prévoir leurs développements ultérieurs.

DIASPORA.

Mot grec désignant la dispersion des Juifs dans les pays méditerranéens. La *diaspora* est, aujourd'hui, l'ensemble des communautés israélites du monde entier, hors d'Israël.

DICTATURE.

Pouvoir investi d'attributions extraordinaires, prévues ou non par la constitution. En France, l'application de l'article 16 de la Constitution permet au président de la République d'exercer, en fait, une véritable *dictature « lorsque les institutions de la République, l'indépendance de la nation, l'intégrité de son territoire ou l'exécution de ses engagements internationaux sont menacés d'une manière grave et immédiate et que le fonctionnement régulier des pouvoirs publics constitutionnels est interrompu ».* Le général De Gaulle appliqua l'article 16 au cours de son premier septennat pour venir à bout de l'opposition « Algérie française ».

DICTATURE DU PROLETARIAT.

Système politique reposant sur le pouvoir du seul parti communiste parlant au nom des prolétaires et permettant l'éviction radicale des autres partis considérés comme l'émanation de la bourgeoisie.

DIDES (Jean).

Ancien commissaire de police, né à Paris, le 5 août 1915. Organisateur d'un réseau anticommuniste à la préfecture de police au temps du préfet Baylot. Elu député en 1956, s'apparenta au groupe poujadiste qu'il quitta un an plus tard. Ne fut pas réélu député en 1958. Mais devint, entre temps, conseiller municipal indépendant de Paris, et conseiller général de la Seine. Participa à l'action pour l'Algérie française et fut candidat contre le ministre de l'Intérieur, Roger Frey. Appartint, au début, à la direction du *Comité Tixier-Vignancour.*

DIDIER (Pierre).

Agent d'assurances, né à Romans (Drôme), le 12 janvier 1920. Maire de Romans (depuis 1956). Membre de l'*Alliance France-Israël*. Député *U.N.R.* de la Drôme (3ᵉ circ.) depuis 1962.

DIENESCH (Marie-Madeleine).

Universitaire, née au Caire (Egypte), le 3 avril 1914. Professeur agrégée de l'Université. Membre du Comité directeur du *M.R.P.* Membre des deux Assemblées Constituantes (1945-1946). Député *M.R.P.* à la 1ʳᵉ Assemblée nationale et constamment réélue depuis. Ancienne vice-présidente de l'Assemblée nationale (1958-1959). Ralliée au gaullisme.

DIESBACH (Louis de).

Agriculteur, né à Hendecourt (P.-de-C.), le 31 août 1893. Maire de sa ville natale depuis 1919, conseiller général du Pas-de-Calais de 1928 à 1940, et député de l'*Alliance Démocratique* (même département) de 1932 à 1942. Nommé membre du *Conseil National* le 23 janvier 1941.

DILIGENT (André).

Avocat et homme politique, né à Roubaix, le 10 mai 1919. Fils de Victor Diligent (voir ci-dessous). Membre de la Résistance, fut nommé commissaire adjoint à l'Information pour la région du Nord en 1944, puis membre du Conseil de surveillance de la R.T.F. (auteur d'une proposition de loi sur le statut de la R.T.F.). Conseiller municipal de Roubaix, ancien adjoint au maire, fut élu député *M.R.P.* du Nord (8ᵉ circonscription) le 30 novembre 1958. Devint peu après membre du Sénat de la Communauté. Battu aux élections législatives de 1962, entra au Sénat en 1965. Défenseur de la liberté d'expression, se fit remarquer par ses interventions à l'Assemblée nationale où il dénonça notamment les mesures prises depuis plusieurs années par le gouvernement de la Vᵉ République pour « *museler la presse* ». Plaidant pour l'ancien réseau *Voix du Nord* contre la direction

ANNEXE AU PROCÈS-VERBAL

de la séance du Mercredi 10 Juillet 1940.

SCRUTIN (N° 1)

(après pointage).

Sur l'article unique du projet de loi constitutionnelle.

Nombre des votants............	**649**
Majorité absolue	**325**
Pour l'adoption	**569**
Contre	**80**

L'Assemblée nationale a adopté.

Ont voté pour :

MM.
D'Aillières.
André Albert.
Fabien Albertin (Bouches-du-Rhône).
Albertini (Hérault).
Allemane.
Jean Amat.
Comte H. d'Andlau.
Andraud.
Adrien André.
Joseph Antier (Haute-Loire).
Paul Antier (Haute-Loire).
Bertrand d'Aramon.
Arbeltier.
Léon Archimbaud.
Armbruster.
Arnol.
Aubaud.
Aubert.
Duc d'Audiffret-Pasquier.
Auffray.
Babaud-Lacroze.
Paul Bachelet (Pas-de-Calais).
Emerand Bardoul.
Jacques Bardoux.
Léon Baréty.
Charles Baron (Basses-Alpes).
Etienne Baron (Tarn-et-Garonne).
Edouard Barthe.
Barthélemy.
Basquin.
Bataille.
Baugouin-Bugnet.

Charles Baudry.
Maurice -Bauffe.
Gaston Bazile.
Bazin.
Beaugrand.
André Beauguitte.
Beaumont (Allier).
De Beaumont (Cochinchine).
Beauvillain.
Becquart.
Bedouce.
Robert Bellanger.
Robert Belmont.
Bels.
Beltrémieux.
Réluel.
Paul Bénazet.
Pierre Béranger (Eure).
Léon Bérard.
Raymond Béranger (Eure-et-Loir).
Bergery.
Bernex.
Paul Bernier.
De Berny.
Béron.
Berthézenne.
Aimé Berthod.
William Bertrand.
René Besnard.
Besnard-Ferron.
René Besse.
Betoulle.
Bezos.
Maxence Bibié
Biétrix.
Joseph Blanc (Haute-Savoie).

Prosper Blanc (Ain).
Blanchet.
Blancho (Loire-Inférieure).
Comte de Blois.
Jean Boivin-Champeaux.
Léon Bon.
Georges Bonnet.
Victor Boret.
Borgeot.
Antoine Borrel.
Bossoutrot.
Boucher.
Boudet.
Yves Bouguen.
Fernand Bouisson. (Bouches-du-Rhône).
Charles Bouissoud (Saône-et-Loire).
Henry Boulay. (Saône-et-Loire).
Boully.
Jacques Bounin.
Henry Bourdeaux.
Bousgarbiès.
Bousquet.
Boux de Casson.
Brachard.
Braise.
Raoul Brandon.
Alfred Brard.
Georges Bret.
André J.-L. Breton.
Michel Brille.
Bringer.
Briquet.
Joseph Brom.
Auguste Brunet (la Réunion).
René Brunet (Drôme).
Albert Buisson.
Burgeot.
Burrus.
Burtin.
Louis Buyat.
Cadic.
Joseph Caillaux.
Caillier.
Armand Calmel.
De Camas.
Camboulives.
Candace.
Capron (Seine).
Joseph Capus.
Carré-Bonvalet.
Bertrand Carrère.

Carron (Savoie).
Cassez.
Castagnez (Cher).
Castel.
Stanislas de Castellane.
Cautru.
Cayrel.
De Chabot.
Auguste Chambonnet.
Jacques de Chambard.
De Champeaux.
Eugène Chanal.
Chasseigne (Indre).
Chaulin-Servinière.
Alphonse Chautemps (Indre-et-Loire).
Camille Chautemps (Loir-et-Cher).
Chichery.
Chouffet.
Clamamus.
Claudet.
De Clermont-Tonnerre.
André Cointreau.
Colomb (Pierre) (Vienne).
Compayré.
Victor Constant.
René Converset.
René Coty.
Coucoureux.
Coulaudon.
Louis Courot.
Courrent.
Courson.
Courtehoux.
Pierre de Courtois.
Cousin.
Crouan.
Dahlet (Bas-Rhin).
Daille.
Daniel-Vincent.
Adrien Dariac.
Dauzier.
David (Haute-Garonne).
Marcel Déat.
Debrégéas.
Declercq.
Amédée Delaunay (Charente-Inférieure).
Maurice Delaunay (Calvados).

François Delcos (Pyrénées-Orientales).
Delesalle.
Vincent Delpuech.
Delthil.
Delzangles.
Denis.
Dereuse.
Desbons (Hautes-Pyrénées).
Deschanel.
Deschaseaux.
Deschizeaux.
Desgranges.
Desjardins.
Desprès.
Maurice Deudon.
Devaud.
Dewez.
De Diesbach.
Pierre Dignac.
Dommange.
Marcel Donon.
Maurice Dormann.
Gustave Doussain (Seine).
Drouot (Haute-Saône).
Dreuilt (Côtes-du-Nord).
Dubon (Landes).
Albert Dubosc (Seine-Inférieure).
Louis Dubosc (Gers).
Duboys Fresney.
Duchesne-Fournet.
Hippolyte Ducos (Haute-Garonne).
J.-L. Dumesnil.
Alphonse Dupont (Ain).
Frédéric Dupont (Seine).
Pierre Dupuy (Inde française).
Dutertre de La Coudre.
Henri Elby.
Elsaesser.
Escande.
Escartefigue.
Ernest Esparbès.
Even.
Laurent Eynac.
François Eynard.
Ulysse Fabre.
Jean Fabry.
André Fallières.

Roger Farjon.
Fauchon (Manche).
Fega.
Raymond Férin.
Fernand-Laurent.
Camille Ferrand.
Février.
Fiancette.
Fieu (Tarn).
Fiori.
Pierre - Etienne Flandin.
Fontanille.
Albert Fouilloux.
Fould.
Manuel Fourcade.
Fourcault de Pavant.
Fourment. .
Fourrier.
De Framond.
Toussaint Franchi.
François du Fretay.
Froget.
Frossard.
Eugène Frot.
Fuchs.
Gadaud.
Gaillemin.
Marius Gallet.
Jean Gapiand.
Garchery.
Abel Gardey.
Gardiol.
Garrigou.
Gasnier-Duparc.
Gasparin.
Gaston-Gérard.
Gaurand.
Gautherot.
Gautier.
Gellie.
Gentin.
Genty (Seine-Inférieure).
Gerente.
Paul Germain.
Gernez.
Pierre Gillet (Morbihan).
Jean Ginet (Isère).
Girault.
Goirand.
René Gounin.
Goussu.
Jean Goy.

actuelle du quotidien *La Voix du Nord* qui tient à l'écart de sa société un certain nombre de membres dudit réseau), it condamner les animateurs du journal lillois. A publié en 1965 un ouvrage sur la télévision.

DILIGENT (Victor).

Avocat, né à Roubaix, le 2 septembre 1881, d'un père lorrain qui avait opté pour la France en 1871, et mort dans cette même ville le 10 juillet 1931. Il fit ses études au collège de Roubaix, puis à l'université catholique de Lille, où il était l'élève et le disciple d'Eugène Duthoit, président des *Semaines Sociales de France*. Militant catholique social, il devint dans le Nord l'animateur du *Sillon* de Marc Sangnier, dont il fonda l'organisation départementale avant la Ire Guerre mondiale. Il était le familier de l'abbé Lemire, de Marc Sangnier et des principaux dirigeants démocrates-chrétiens de l'époque. Mobilisé en 1914, il fut blessé sur la Marne en septembre de la même année (une balle lui brisa le fémur). Candidat aux élections législatives en 1924, il fut battu bien qu'ayant recueilli plus de 100 000 suffrages. Au lendemain de la guerre, il avait été l'un des artisans de l'essai de collaboration entre la *Jeune République* et les *Républicains démocrates* au sein de la Ligue *Nationale de la Démocratie*. Lorsque le *Parti Démocrate Populaire* se constitua, il en devint le chef pour la fédération du Nord. Orateur éloquent — il reçut deux fois le Grand Prix d'Eloquence de l'Académie française —, il sillonna la Flandre française, portant la parole démocrate-chrétienne dans les milieux les plus divers. Il collabora pendant une trentaine d'années aux journaux et revues de la démocratie-chrétienne, depuis la revue du *Sillon* jusqu'au *Petit Démocrate*, en passant par *La Démocratie*, *L'Eveil* et l'*Ame Française*, d'Ernest Pezet.

DIRECTEUR.

Traduction libre du terme *manager*, employé par l'Américain James Burnham pour désigner l'un des membres de cette nouvelle classe sociale qui contrôle (ou contrôlera) les rouages essentiels de l'économie et de l'administration d'un Etat. (Voir *Technocratie*.)

DIRECTION COLLECTIVE.

Selon la terminologie communiste, direction du gouvernement ou du parti par un groupe d'hommes. (En Russie soviétique, la *direction collective* remplaça le pouvoir personnel de Staline.)

DIRECTION DES RELATIONS PUBLIQUES ET DE L'INFORMATION.

Organisme gaulliste participant à la propagande lors de l'élection présidentielle de décembre 1965. Des parlementaires s'étant étonnés publiquement qu'un groupe privé puisse utiliser un titre laissant supposer qu'il s'agissait « *d'une direction ministérielle ou d'un organisme d'Etat* », le gouvernement fit répondre, par la voie du *Journal officiel*, qu'il s'agissait là d' « *une association ou institution privée* ». (Adresse : 5, rue de Solférino, Paris 7e, au siège de l'*Association pour la Ve République*.)

DIRIGISME.

Système dans lequel l'Etat assume la responsabilité de la vie économique et exerce un pouvoir d'orientation et de décision en matière économique.

DISCRIMINATION.

Action de distinguer entre les habitants d'un pays, pour limiter les droits d'une catégorie d'entre eux, pour des motifs raciaux, politiques ou religieux. La *discrimination raciale*, appelée aussi *apartheid*, est la plus courante aujourd'hui : elle frappe surtout les noirs (Afrique du Sud, Rhodésie, U.S.A., etc.); elle visait les Juifs dans les pays occupés par les Allemands pendant la dernière guerre ; elle frappe des demi-juifs en Israël. La *discrimination politique* s'est exercée sous la Révolution française contre les nobles (en général) ; elle frappe, depuis la guerre, les personnes convaincues d'avoir appartenu à un parti condamné (voir : *inciviques*, *indignes nationaux*, *inéligibles*), auxquelles certains droits sont refusés.

DISSOLUTION DU PARLEMENT.

Action de mettre fin, par anticipation, au pouvoir d'une assemblée législative. La *dissolution* peut être prononcée par l'exécutif, ou décidée par le parlement lui-même, soit par référendum, soit par un acte dictatorial ou révolutionnaire. L'article 12 de la constitution française donne le droit de *dissolution du parlement* au président de la République, qui ne peut toutefois user à nouveau de cette prérogative dans l'année qui suit l'élection de la nouvelle assemblée.

DIX JUILLET (Séance du).

Séance historique de l'Assemblée nationale, réunissant à Vichy, le 10 juillet 1940, les parlementaires qui avaient assisté, la veille, soit à la séance du

SEANCE DU 10 JUILLET 1940

Georges de Grand-
maison (Maine-et-
Loire).
Robert de Grandmai-
son (Maine-et-Loire).
Arsène Gros (Jura).
Guernier.
Guerret.
Guichard.
Guidet.
Guilhem.
Gullung.
Guyonnet.
Edmond Hannotin.
Comte d'Harcourt
(Calvados).
Harent.
Harier.
Hartmann.
Jean Hay.
Heid.
Henriot.
Henry-Haye.
Marcel Héraud.
Hervé.
Hymans.
Des Isnards.
Paul Jacquier.
Jean Jacquy.
Jardillier.
Join-Lambert.
Joly.
Josse.
Paul Jourdain.
Marquis de Juigné.
De Kergariou.
Ernest Labbé.
Lachal.
La Chambre.
Lafaye.
Marquis de La Fer-
ronnays.
Paul Laffont.
Lambin.
Lamoureux.
Lancien.
Laroche.
Henri Laudier
(Cher).
Raymond Laurent
(Loire).
Pierre Lautier (Ar-
dèche).
Pierre Laval.
Lavergne.
Lavoinne.
André Lebert.
Leblanc.
Lebœuf.
Lebret.
Jean Le Cour Grand-
maison.
Léculier.
Ledoux.
Lefas.
Lefebvre du Prey.
Roger Lefèvre.
Firmin Leguet.
Olivier Le Jeune
(Finistère).
Jean Lemaistre.
Le Maux.
Henry Lémery.
Le Moignic.
Le Poullen.
Le Roux.
De Lestapis.
Comte de Leusse.
Levesque.
Moïse Lévy.
L'Hévéder.
Liautey.
Louis Linyer.
Lissar.
Lohéac.
Louhat.
J. Loubet.
Louis Louis-Dreyfus.
Victor Lourties.
Lucas.
Lucchini.
Macouin.
Maffray.
Albert Mahieu.
Majurel.
André Mallarmé.
Malon.
Malric.

Malvy.
Anatole Manceau.
Marchandeau.
Marescaux.
Jean Maroger.
Maroselli.
Marquet.
Louis Martel.
François Martin
(Aveyron).
Henri Martin
(Marne).
Raymond Martin
(Haute-Marne).
Pierre Masse (Hé-
rault).
Emile Massé (Puy-
de-Dôme).
Joseph Massé (Cher).
Marcel Massot (Bas-
ses-Alpes).
Masteau (Vienne).
Mathé.
Mauguière.
Maulion.
Henri Maupoil.
Georges Maurice.
Meck.
Jean Médecin.
Mellenne.
Georges Menier (Cha-
rente).
Mennecier.
Henri Merlin.
Léon Meyer.
Michard-Pellissier.
Augustin Michel
(Haute-Loire).
Pierre Michel
(Côtes-du-Nord).
François Milan.
Eugène Milliès-La-
croix.
Mireaux.
Jean Mistler.
Mitton.
Mollard.
Moncelle.
Monfort.
Fernand Monsacré.
Monsservin.
De Montaigu.
De Montalembert.
Jean Montigny.
De Monzie.
Morane.
Moreau.
Ferdinand Morin.
Louis Mourier.
Eugène Muller.
Muret.
Nachon.
Nader.
Naphle.
Achille Naudin
(Nièvre).
Raoul Naudin
(Nièvre).
Edouard Néron.
Neyret.
Niel.
Nouelle.
Oberkirch.
Albert Ouvré.
Pageot.
Maurice Palmade.
Pascaud.
Patizel.
Albert Paulin.
Pavin de Lafarge.
Pébellier.
Pécherot.
Peissel.
Pellé.
Pelletier.
Perdrix.
Emile Périn (Niè-
vre).
Georges Pernot.
Pierre Perreau-Pra-
dier.
Emile Perrein.
(Maine-et-Loire).
Peschadour.
Maurice Petsche.
François Peugeot.
Ibert Peyronnet.
Pezet.
Pichery.

Piétri.
Pillot.
Pinault.
Pinay.
Pinelli.
François Pitti - Fer-
randi.
Camille Planche (Al-
lier).
Plichon.
Pointaire.
Poitou-Duplessy.
Polimann.
Pomaret.
Ponsard.
Georges Portmann.
Georges Potut.
Presseq.
Pringolliet.
Provost-Dumarchais.
Queinnec.
Quenette.
Quinson.
Radulph.
Louis Rambaud (Ven-
dée).
Ranquet.
Raux.
Rauzy.
Ravanat.
Ray (Isère).
Clément Raynaud.
Régis.
Charles Reibel.
Reille-Soult.
Paul (Richard)
(Rhône).
Riffaterre.
Rillart de Verneuil.
Rio (Morbihan).
Gaston Riou (Ardè-
che).
Rives.
Rivière.
Robbe.
Léopold Robert (Ven-
dée).
Maurice Robert
(Aube).
De Rocca-Serra.
Rochereau.
Rogé.
Maxence Roldes.
Louis Rollin (Seine).
René Rollin (Haute-
Marne).
Rotinat.
Des Rotours.
Roucayrol.
Hubert Rouger.
Roulleaux Dugage.
Roumajon.
Edouard Roussel
(Nord).
Emile Roussel (Aisne).
Mario Roustan.
François Roux (Saône-
et-Loire).
Henri Roy (Loiret).
Félix Rozier.
François de Saint-
Just.

Ont voté contre:

MM.
Marcel Astier.
Audeguil.
Vincent Auriol.
Alexandre Bachelet
(Seine).
Vincent Badie.
Bedin.
Emile Bender.
Biondi.
Léon Blum.
Bonnevay.
Paul Boulet (Hérault).
Bruguier.
Buisset.
Cabannes.
Camel.
Marquis de Cham-
brun.
Champetier de Ribes.
Pierre Chaumié.

Chaussy.
Joseph Collomp (Var).
Crutel.
Daroux.
Delom-Sorbé.
Dépierre.
Marx Dormoy.
Elmiger.
Paul Fleurot.
Fouchard.
Froment.
Paul Giacobbi.
Justin Godart.
Félix Gouin.
Gout.
Louis Gros (Vaucluse).
Amédée Guy.
Jean Hennessy (Alpes-
Maritimes).
Isoré (Pas-de-Calais).

De Saint-Pern.
Saint-Venant.
Henri Salengro.
Albert Sarraut.
Satineau.
Saudubray.
Saurin.
Scapini.
Schrameck.
Robert Schuman.
Sclafer.
Louis Sellier (Seine).
Thomas Seltz.
Serandour.
Serlin.
Robert Sérot (Moselle).
Sibue.
Silvestre.
Sireyjol.
Soula.
Spinasse.
Raymond Susset.
Taittinger.
Talandier.
Henri Tasso.
Taudière.
Jean Taurines.
Temple.
De Tessan.
Tessier.
Paul Thellier (Pas-de-
Calais).
Thibon.
Thiéfaine.
Thiolas.
Thonon.
René Thorp.
Robert Thoumyre.
Thureau-Dangin.
De Tinguy du Pouët.
Tixier-Vignancour.
Toy-Riont.
Trinchand.
Tristan.
Turlier.
Georges Ulmo.
Vaillandet.
Jean Valadier.
Fernand Valat (Gard).
François Valentin.
Valière.
Xavier Vallat (Ardè-
dèche).
Vallette-Viallard.
Vallin (Seine).
Vantielcke.
Vardelle.
Vaur.
Veyssière.
Viellard.
Villault-Duchesnois.
Villerieu.
Adolphe Vincent (Pas-
de-Calais).
Emile Vincent (Côte-
d'Or).
Voirin.
Michel Walter.
Warusfel.
Guy de Wendel (Mo-
selle).
Ybarnégaray.

Jardon.
Jaubert.
Jordery.
François Labrousse.
Albert Le Bail.
Lecacheux.
Le Gorgeu.
Luquot.
Malroux.
Gaston Manent.
Margaine.
Léon Martin (Isère).
Mauger.
Mendiondou.
Jules Moch.
Montel.
Marquis de Moustier.
Marius Moutet.
Nicod.
Noguères.
Jean Odin.
Paul-Boncour.
Perrot.

N'ont pas pris part au vote:

MM.
Aguillon.
Henri Alhéritière.
Aveline.
Bacquet.
Barbier.
Joseph - Etienne Bas-
tide (Aveyron).
Baud.
Beaudoin.
Bèche.
Léonus Bénard (la
Réunion).
Berlia.
Paul Bersez.
Betfert.
Bienvenu-Martin.
Blaisot.
Blanchoin (Maine-et-
Loire).
Bloch.
Bloncourt.
Bondoux.
Jean Bouhey.
Brasseau.
Brogly.
Bugain.
Paul Cabanis.
Cabart-Danneville.
Cadot.
Camus.
Chiappe.
De Coral.
Corbedaine.
Pierre Cot.
Cournault.
René Courtier.
Creyssel.
Cuttoli.
Daher (Bouches-du-
Rhône).
Daladier.
Damecour.
Daraignez.
Decréuzy.
Maurice Delabie.
Demellier.
Dentu.
Dezarnaulds.
Marquis de Dion.
Dubois (Oran).
Armand Dupuis
(Oise).
Enjalbert.
Paul Faure (Saône-et-
Loire).
Fié (Nièvre).
De Fontaines.
Forcinal.
François-Saint-Maur.
Fully.
Gautron.
Gelstdoerfer.
Raymond Gilbert.
Goré.
Guastavino.
Guérin.
René Hachette.

Pézières.
André Philip (Rhône).
Marcel Plaisant.
Tanguy Prigent.
Ramadier.
J.-P. Rambaud
(Ariège).
René Renoult.
Léon Roche.
Camille Rolland.
Jean - Louis Rolland
(Finistère).
Joseph Rous (Pyré-
nées-Orientales).
Emmanuel Roy
(Gironde).
Sénès.
Serre.
Paul Simon.
Gaston Thiébaut.
Thivrier.
Trémintin.
Zunino.

Duc d'Harcourt (Cal-
vados).
Hauet.
James Hennessy
(Charente).
René Héry.
Hueber.
Ihuel.
Inizan.
Izard (Meurthe-et-
Moselle).
Jonas.
Jossot.
Jovelet.
De Kérillis.
De La Grandière.
A. de La Grange
(Nord).
Léo Lagrange (Nord).
Lagrosillière.
De La Myre-Mory.
Landry.
Lapie.
Emile Lardier (Bel-
fort).
Lassalle.
Augustin Laurent
(Nord).
Léon Lauvray.
Lebas.
Lecourtier.
Lederlin.
Max Lejeune (Somme).
Le Pévedic.
Leroy.
Théophile Longuet.
Loubradou.
Du Luart.
De Ludre.
De Lyrot.
Mabrut.
Maës.
Magnan.
André Marie.
Louis Marin.
Louis Masson (Nord).
Mazerand.
Pierre Mendès-France.
Métayer.
Jean Meunier (Indre-
et-Loire).
Alexandre Millerand.
Mirouel.
Monnerville.
De Monti de Rezé.
Morinaud.
André Morizet.
Eugène Nicolas.
Ostermann.
Parmentier.
Raymond Patenôtre.
Pefer.
Pitois.
Gabriel Plancke
(Nord).
Plard.
De Polignac.
Renaitour.
Réthoré.

Sénat, présidée par Jules Jeanneney (voir à ce nom), soit à celle de la Chambre, présidée par Edouard Herriot (voir à ce nom), au cours desquelles avaient été prises des décisions qui allaient être entérinées : au Sénat, par 229 voix contre 1 (celle du sénateur de Chambrun), et à la Chambre, par 395 voix contre 3 (celles de Roche, Biondi et Margaine). La quasi-totalité des parlementaires présents estimaient que la constitution devait être modifiée. La convocation de cette Assemblée nationale avait été faite en vertu de l'article 8 de la loi constitutionnelle du 25 février 1875 qui précisait que : « *Les Chambres auront le droit, par délibérations séparées, prises chacune à la majorité absolue des voix, soit spontanément, soit à la demande du Président de la République, de déclarer qu'il y a lieu de réviser les lois constitutionnelles. Après que chacune des deux Chambres aura pris cette résolution, elles se réuniront en Assemblée nationale pour procéder à la révision...* » En application de ce texte constitutionnel, le président de la République, Albert Lebrun, demanda aux deux Chambres de décider s'il y avait lieu de « *réviser les lois constitutionnelles* ». Le projet de résolution soumis à la Chambre des Députés le 9 juillet (celui qui fut soumis au Sénat avait à peu près le même texte) était ainsi conçu :

Le Président de la République Française, sur rapport du Maréchal de France, Président du Conseil,

Vu l'article 8 de la loi constitutionnelle du 25 février 1875,

Décrète :

Article unique. — Le projet de résolution dont la teneur suit sera présenté à la Chambre des Députés par le Maréchal de France, président du Conseil, qui est chargé d'en soutenir la discussion :

« *La Chambre des Députés déclare qu'il y a lieu de réviser les lois constitutionnelles.* »

Fait à Vichy, le 8 juillet 1940,
Albert LEBRUN.
Par le Président de la République
Le Maréchal de France,
Président du Conseil,
Philippe PETAIN.

L'exposé des motifs, qui précédait ce projet de résolution, indiquait que : « *... le gouvernement demande donc au Parlement, réuni en assemblée nationale, de faire confiance au Maréchal Pétain, président du Conseil, pour promulguer, sous sa signature et sa responsabilité, les lois fondamentales de l'Etat français* ».

Entre-temps, une délégation du Groupe sénatorial des anciens combattants, qui avait été reçue par le maréchal Pétain le 6 juillet (voir à *Taurines*), avait établi le contre-projet suivant :

SENAT

Année 1940
Session extraordinaire

PROJET DE RESOLUTION TENDANT A REVISER LES LOIS CONSTITUTIONNELLES

CONTRE-PROJET
présenté par :

MM. Jean Taurines, Maurice Dormann, Robert Thoumyre, Gaston Roge, Paul-Boncour, Marcel Astier, Robert Belmont, Gaston Bazile, Bels, Léon Bon, Bruguier, Collier, Pierre Chaumié, Auguste Chambonnet, Depierre, Vincent Delpuech, Ulysse Fabre, Paul Fleurot, Jean Jacquy, Lancien, Le Gorgeu, Lefas, François Labrousse, Victor Lourties, Maroselli, Fernand Monsacre, Marcel Michel, Pézières, Pierre Robert, Senès, Vieillard, *sénateurs.*

Article unique. — L'Assemblée nationale décide :

1° *L'application des lois constitutionnelles des 24, 25 février et 16 juillet 1875 est suspendue jusqu'à la conclusion de la Paix ;*

2° *M. le Maréchal Pétain a tous pouvoirs pour prendre par décrets ayant force de loi, les mesures nécessaires au maintien de l'ordre, à la vie et au relèvement du pays et à la libération du territoire ;*

3° *L'Assemblée nationale confie à M. le Maréchal Pétain la mission de préparer, en collaboration avec les commissions compétentes, les constitutions nouvelles qui seront soumises à l'acceptation de la Nation, dès que les circonstances permettront une libre consultation.*

Lorsque les sénateurs et les députés se réunirent le 10 juillet, ils se trouvèrent en présence de deux textes : le projet gouvernemental et le contre-projet des « anciens combattants du Sénat ». Ce dernier n'ayant pas été retenu, c'est le projet gouvernemental qui fut adopté :

PROJET DE LOI CONSTITUTIONNELLE

Le Président de la République Française,

Vu l'article 8 de la loi constitutionnelle du 25 février 1875 ;

Vu les résolutions adoptées par le Sénat et la Chambre des Députés,

Décrète :

Adrien Richard
(Vosges).
René Richard (Deux-Sèvres).
Romastin.
Maurice de Roth-schild.
Roux-Freissineng.
Rucart.
Antoine Sallès.
Saussot.
Henri Sellier (Seine).
Serda.
Sévère.
Sigrist.
Sion.

Sourioux.
Alphonse Tellier,
(Pas-de-Calais).
Thibault (Sarthe).
Eugène Thomas
(Nord).
Triballet.
Turbat.
Urban.
Vassal.
Vasseux.
Viénot.
Wiedemann-Goiran.
Wiltzer.
Jules Wolff.
Jean Zay.

Se sont volontairement abstenus :

MM.
Georges Bureau.
Campargue.
Chassaing (Puy-de-Dôme).
Drivet.
Petrus Faure
(Loire).

Herriot.
André Honnorat.
Jules Julien.
Charles Lussy.
Marcel Michel (Dordogne).
Monnet.
Léon Perrier.

Pierre-Robert.
Henri Queuille.
Albert Sérol (Loire).

T. Steeg.
Raymond Vidal.

Ne peuvent prendre part au vote :

MM.
Mourer.

Rossé.
Stürmel.

N'ont pas pris part au vote

comme s'étant excusés de ne pouvoir assister à la séance :

MM.
Paul Bastid (Cantal).
Henry Bérenger
(Guadeloupe).
Brout.
Campinchi.
Catalan (Gers).
Delattre.
Yvon Delbos (Dordogne).
Joseph Denais.
André Dupont
(Eure).
Dupré.

Alexandre Duval.
Galandou-Diouf.
Grumbach.
Général Hirschauer.
Jacquinot.
De La Groudière.
Lazurick.
André Le Troquer.
Lévy-Alphandéry.
Georges Mandel.
Auguste Mounié.
Parayre.
Perfetti.
Jean Philip (Gers).

Tony Révillon.
Paul Reynaud
(Seine).
Jammy Schmidt.
Général Stuhl.

J.-M. Thomas (Saône-et-Loire).
François de Wendel
(Meurthe-et-Moselle).

N'a pas pris part au vote :

M. Hamelin, questeur du Sénat, retenu à Paris par le devoir de sa fonction.

N'a pas pris part au vote :

M. Jules Jeanneney, qui présidait la séance.

Rectifications.

Dans le scrutin ci-dessus, MM. Joseph-Etienne Bastide (Aveyron), Baud et Landry ont été portés comme « n'ayant pas pris part au vote ».

MM. Joseph-Etienne Bastide (Aveyron), Baud et Landry déclarent que leurs noms doivent figurer sur la liste des membres de l'Assemblée nationale qui se sont « volontairement abstenus ».

Le projet de loi constitutionnelle dont la teneur suit sera présenté à l'Assemblée nationale par le Maréchal de France, Président du Conseil, qui est chargé d'en soutenir la discussion.

Article unique. — L'Assemblée Nationale donne tous pouvoirs au Gouvernement de la République, sous l'autorité et le signature du Maréchal Pétain, à l'effet de promulguer par un ou plusieurs actes une nouvelle constitution de l'Etat français. Cette constitution devra garantir les droits du travail, de la famille et de la Patrie.

Elle sera ratifiée par la Nation et appliquée par les assemblées qu'elle aura créées.

Fait à Vichy, le 10 juillet 1940.
Albert LEBRUN.

Par le Président de la République
le Maréchal de France,
Président du Conseil,
Philippe PETAIN.

L'ancien député du Cher, Jean Castagnez, qui a rappelé ces faits dans une brochure devenue rarissime (« *Précisions oubliées...! Vichy 9 et 10 juillet 1940* ») note : « *Le texte primitif présenté par le Gouvernement ne prévoyait pas la ratification par la Nation. Cette adjonction a été faite au dernier moment par le Gouvernement qui en a pris le principe dans le contre-projet présenté par les anciens combattants du Sénat.* » Il donne également le texte du « *manifeste des 27* », auquel Louis Noguères fit allusion à l'Assemblée consultative provisoire (*J.O.,* 28 décembre 1944, pp. 607 et 608) et qui donne tout son sens à l'attitude de certains députés républicains la veille du vote du 10 juillet 1940 :

Les parlementaires soussignés, après avoir entendu la lecture de l'exposé des motifs du projet concernant les pleins pouvoirs à accorder au Maréchal Pétain,

Tiennent à affirmer solennellement qu'ils n'ignorent rien de tout ce qui est condamnable dans l'état actuel des choses et des raisons qui ont entraîné la défaite de nos armées,

Qu'ils savent la nécessité impérieuse d'opérer d'urgence le redressement moral et économique de notre malheureux pays et de poursuivre les négociations en vue d'une paix durable dans l'honneur.

A cet effet, estiment qu'il est indispensable d'accorder au Maréchal Pétain, qui en ces heures graves incarne si parfaitement les vertus traditionnelles françaises, tous les pouvoirs pour mener à bien cette œuvre de salut public et de paix.

Mais, se refusant à voter un projet qui aboutirait inéluctablement à la disparition du régime républicain,

Les soussignés proclament qu'ils restent plus que jamais attachés aux libertés démocratiques pour la défense desquelles sont tombés les meilleurs des fils de notre Patrie.

Vincent Badie, Menant, Emmanuel Roy, Mendiondou, Philippe Serre, Gout, Isoré, Crutel, Gaston Thiébaut, Paul Boulay, Biondi, Le Bail, Philip, Noguères, Delom-Sorbé, André Albert.

Ont donné leur adhésion :

Marcel Plaisant, Labrousse, Michel, Bruguier, Perrot, Jean Odin, Rous, Jaubert, Ramadier, Audeguil, Astier.

Après la Libération, déposant devant la Haute Cour de Justice (cf. compte rendu, troisième audience, page 49), Jules Jeanneney, qui présida la séance de l'Assemblée nationale du 10 juillet 1940, fit cette déclaration (quatrième audience, page 62) :

« *Et puis, à vrai dire, avait-on le choix ? Il est incontestable qu'à ce moment, tous les yeux étaient tournés vers le Maréchal Pétain. Il était même une sorte de bouée de sauvetage vers laquelle toutes les mains se tendaient. Il était certainement le seul nom autour duquel on pouvait faire l'union et la concorde dans notre pays.* »

(...) « *Nous étions à un moment de désarroi complet où chacun cherchait un guide et où tout le monde se montrait heureux d'en avoir un qui fut mauvais, mais qui était le seul qui existât à ce moment-là.* »

(...) « *L'on comprenait fort bien que, pendant les premiers jours, les premières semaines, les premiers mois, ou si vous préférez les derniers mois de 1940, un gouvernement semi-autoritaire, je ne dis pas était nécessaire mais s'imposait par la force même des circonstances...* »

Le détail du scrutin, par lequel 569 parlementaires sur 649 votants déléguèrent les pouvoirs constitutionnels au maréchal Pétain, est publié pages 368, 370 et 372.

DOCTRINE.

Ensemble des opinions présentées comme règles politiques, économiques, sociales, etc., en vue d'une action ou d'une entreprise future.

DOCUMENTATION CATHOLIQUE (La).

Revue de documentation religieuse et politique fondée en 1919 par la *Maison de la Bonne Presse.* Dirigée par Jean Gélamur et l'abbé Odil (5, rue Bayard, Paris 8e).

DOCUMENTS NATIONAUX.

Revue monarchiste paraissant avant la guerre et publiée, sous une forme semi-clandestine, au cours des années 1945-1946.

DOCUMENTS NOUVEAUX (Les).

Revue bi-mensuelle anti-maçonnique fondée en 1933, par Jean Marquès-Rivière, un ancien franc-maçon qui collaborait régulièrement à *La France Catholique,* sous le pseudonyme de Verax. Disparue au bout de quelques années.

DOCUMENTS POLITIQUES ET FINANCIERS (Les).

Revue mensuelle publiée depuis 1920 par Roger Mennevée. Tendance de gauche. Spécialisée dans l'étude des influences économiques, financières et religieuses dans la politique internationale. A publié des numéros spéciaux très importants sur Bazil Zaharoff, Jean Monnet, l'espionnage international, etc. L'une des revues les plus intéressantes sur les dessous de la politique et de la finance. (Siège : 16, boulevard Montmartre, Paris-9e.)

DOIZE (Pierre).

Militant politique, né à Marseille (B.-du-Rh.) le 6 novembre 1907. Ouvrier maçon. Conseiller municipal de Marseille. Elu député communiste le 16 février 1958, en remplacement de Cristofol, décédé ; non réélu le 30 novembre 1958. Elu à nouveau de la 5e circ. en 1962 et 1967. Préside le Comité de Direction du quotidien communiste *La Marseillaise.*

DOMENACH (Jean-Marie).

Journaliste, né à Lyon, le 13 février 1922. Militant démocrate-chrétien de gauche, participa activement à la Résistance. Fut, après la Libération, secrétaire de rédaction (1946), puis directeur (depuis 1956) de la revue *Esprit.* Appartient ou a appartenu au *Parti de la Jeune République,* à l'*Action Civique non violente,* au groupe *Vérité-Liberté.* Auteur de : « *Celui qui croyait au ciel* », « *La Propagande politique* », « *Maurice Barrès* », « *Yougoslavie* ».

DOMENECH (Gabriel).

Journaliste, né à Reynes (P.-O.), le

4 septembre 1920. Rédacteur au *Méridional* de Marseille, y publia une enquête retentissante sur les excès commis dans les Alpes au moment de la Libération. Fut conseiller général du canton de Peyrius et député des Basses-Alpes (première législature de la V° République). Etait apparenté au groupe *M.R.P.*

DOMINATI (Jacques).

Journaliste, né à Ajaccio, le 11 mars 1927. Militant gaulliste, anima le groupe estudiantin du *R.P.F.* à Paris (1950) et devint le secrétaire national des *Etudiants R.P.F.* (1951) avant d'entrer au Conseil National du mouvement (1952). Fut, ensuite, rédacteur au *Parisien libéré*, à *Voici pourquoi*. Après le retour au pouvoir du général De Gaulle, fut chargé du secrétariat général de l'*U.N.R.* pour la région parisienne (1958) et fut élu conseiller municipal de Paris et conseiller général de la Seine (1959). Ayant démissionné de l'*U.N.R.* (1960), participa à la création du *Groupe d'Action municipal* à l'hôtel de ville qui se fondit dans le groupe *C.N.I.* Candidat indépendant aux élections législatives de 1962 : non élu. Quitta le groupe *C.N.I.* en février 1965, et se fit élire sous l'étiquette *U.R.P.* aux élections municipales de mars. Appartient présentement au Comité directeur des *Républicains Indépendants* et au club *Perspectives et Réalités* (dont il est co-fondateur), ainsi qu'au groupe *France-Israël* du Conseil municipal de Paris et au conseil d'administration de la société *Publi-Télé-Edition*.

DOMINIQUE (Pierre-Dominique LUCCHINI, dit Pierre).

Homme de lettres et journaliste, né à Courtenay (Loiret), le 8 avril 1891. Ascendances corses et bretonnes. Docteur en médecine, entra dans la presse après la guerre de 1914-1918 (dont il revint avec cinq citations et la Légion d'honneur). Collabora à divers journaux centristes, en particulier à *La République* (1930-1939), où il mena une vigoureuse campagne contre le bellicisme des communistes. Fut nommé directeur de l'*Office Français d'Information* (O.F.I.) à Vichy. Depuis sa fondation, collabore à *Rivarol*. A également collaboré au *Crapouillot* de Galtier-Boissière. Auteur de nombreux ouvrages historiques sur la Commune, Mirabeau, le Second Empire, les grands polémistes, Léon Daudet, etc. A obtenu le Prix Balzac 1924 et le Prix de la Société des Gens de Lettres 1930.

DOMMANGE (René).

Editeur et homme politique, né à Paris, le 18 décembre 1888. Avocat, pui éditeur de musique et vice-président du Cercle de la Librairie. Fondateur de l'*Association des Compositeurs et des Editeurs de Musique* et de la *Fédération française de Musique*. Député national de Paris (1932-1942), prit part à la campagne antimaçonnique lors de l'affaire Stavisky. Ayant manifesté sa sympathie active au gouvernement du maréchal Pétain, fut déclaré inéligible en 1944 et se retira de la politique.

DONNEDIEU DE VABRES (Henry).

Professeur de droit et juge au *Tribunal Militaire International* (voir à ce nom). Son fils, Jean *Donnedieu de Vabres* (né à Paris, le 9 mars 1918), conseiller d'Etat, ancien collaborateur de ministre de la IV° République, ancien directeur du cabinet de Georges Pompidou, est le secrétaire général du Gouvernement Pompidou (depuis 1964).

DORDOGNE LIBRE (La).

Quotidien périgourdin du soir, fondé en 1944. Fut l'un des soutiens du *Rassemblement des Gauches Républicaines*. Se réclame de *L'Avenir de la Dordogne* dans les anciens locaux duquel elle est installée. Est dirigée par J.-V. Bousquet que seconde Jean Babayon. Tirage moyen : 7 000 exemplaires principalement vendus à Périgueux (19, rue Lafayette, Périgueux).

DORDOGNE REPUBLICAINE (La).

Hebdomadaire *R.G.R.* périgourdin se réclamant de *La Dordogne républicaine* fondée en 1921. Tirage : 5 000 exemplaires. (19, rue La Fayette, Périgueux, Dordogne.)

DORGELES (Roland LECAVELE, dit).

Homme de lettres, né à Amiens, le 15 juin 1886. Auteur des inoubliables « *Croix de bois* ». Bien que marié à la chanteuse israélite d'origine russe Hania Routchnine, il collaborait régulièrement à *Gringoire*. C'est dans cet hebdomadaire qu'il écrivit une page d'anthologie sur les « déserteurs » de juin 1940 ces hommes politiques qui prétendaient emporter la patrie à la semelle de leurs souliers : « *S'ils supposent que, la tempête passée, ils pourront revenir chez nous reprendre leurs plaisirs et leurs gains, avec les mêmes airs arrogants, ils commettent une erreur qu'il convient de corriger. Le chemin qu'ils ont pris est* un chemin sans retour... *Si le Parlement est enfin capable d'autre chose que de chamailleries, son devoir est d'exiger sans retard le bannissement de ces gras déserteurs...* » (*Gringoire*, 27-6-1940.) Deux mois après Montoire, il écrivait : « *Dans l'actuelle croisade, le Maréchal a donné une parole de Franc : « Je vous » ai tenu jusqu'ici le langage d'un père, » nous a-t-il dit, je vous tiens aujour- » d'hui le langage d'un chef. Suivez- » moi. » « A vos ordres, Monsieur le » Maréchal ! »* (9.1.1941). Par la suite, Roland Dorgelès tint un autre langage, notamment dans *Les Lettres Françaises* communistes qui lui ouvrirent leurs colonnes.

DORGÈRES (Henri D'HALLUIN, dit).

Agriculteur, né à Wasquehal (Nord), le 6 février 1897. Fils d'un boucher, il n'appartient pas, comme l'affirmèrent certains de ses adversaires, à une famille noble. « *Outre que ces titres n'ont jamais diminué un homme digne de ce nom, je ne suis ni vicomte, ni comte, ni marquis,* répondit Dorgères à ceux qui l'attaquaient. *Mon père était boucher, je l'ai été aussi avant de devenir journaliste et de choisir mon pseudonyme. Pour m'abattre il faudra trouver autre chose que de m'ennoblir ! Ceux qui m'accablent de ces sottises ignorent sans doute la différence qui existe entre le DE majuscule et la particule « de » qui accompagne — et pas toujours — un titre nobiliaire* » (cf. « *Dorgères et le Front Paysan* », par L. Gabriel-Robinet, Paris 1937). Peu après la première guerre mondiale — au cours de laquelle il fut interné à Bruges par les Allemands —, le jeune D'Halluin entra à *L'Echo des Syndicats agricoles du Nord,* puis, s'étant marié (1921), il partit pour la Bretagne et devint le rédacteur du conservateur *Nouvelliste* de Rennes, rival du journal démocrate-chrétien de l'abbé Trochu, l'*Ouest-Eclair* (1922). Il y resta plus de quatre ans, avant de prendre la direction de l'hebdomadaire *Le Progrès Agricole de l'Ouest,* propriété d'une grande société dont le duc d'Harcourt était le principal actionnaire. De cette modeste feuille, il fit un grand hebdomadaire régional autour duquel s'organisèrent des *Comités de défense paysanne.* Ayant pris part à une manifestation en faveur d'un fermier de la Somme, Valentin Salvaudon, en vue d'empêcher la saisie de ses biens, Dorgères fut arrêté et condamné à trois mois de prison par le Tribunal correctionnel de Péronne. « *J'ai fait vingt-sept jours de droit commun et j'en suis*

plus fier que si j'étais resté pendant vingt-sept ans député !* écrivit-il plus tard dans « *Haut les fourches* ».

Le gouvernement venait de faire de lui « le héros de la paysannerie ». Son mouvement était lancé. La crise qui réduisit constamment, de 1931 à 1940, le revenu agricole et le pouvoir d'achat du paysan (baisse de 25 % par rapport au niveau général des prix), lui permit de développer le thème de la misère paysanne provoquée par l'incurie administrative et la trahison du Parlement qui sacrifia les intérêts de la paysannerie à ceux des trusts et de la haute banque. Il préconisait la constitution d'un véritable Front des organisations agricoles qui obligerait l'Etat à adopter une attitude plus compréhensive à l'égard des agriculteurs. Le *Front paysan,* dont le signe symbolique de ralliement était une gerbe sur laquelle se croisent une fourche et une faux, fut créé en 1934. Il était le faisceau de trois importants mouvements :

Le BLOC PROFESSIONNEL dit *Comité d'Action paysanne* (groupant l'*Union nationale des Syndicats agricoles* et les dirigeants des principales associations agricoles centrales et spécialisées) ;

Le BLOC AGRAIRE (c'est-à-dire le *Parti agraire et paysan français*) ;

Le BLOC DE DÉFENSE PAYSANNE (unissant les *Comités de Défense paysanne* de Dorgères).

Chacun des blocs gardait son autonomie, menait la bataille à sa guise, mais déléguait à la direction du *Front* quelques-uns de ses membres, chargés de coordonner l'action commune. Les trois têtes marquantes de la coalition étaient : Dorgères, Fleurant-Agricola et Jacques Le Roy-Ladurie, secrétaire général de l'*Union nationale des Syndicats agricoles.* En 1934 et 1935, le *Front* tint de nombreuses réunions dans toute la France ; elles se terminaient souvent par des échauffourées avec les adversaires de gauche ou la police. C'est à l'une d'elles que Dorgères préconisa la grève de l'impôt et le retrait des fonds. Inculpé d'atteinte au crédit de l'Etat, il répondit en posant sa candidature à une élection partielle à Blois : malgré les pressions gouvernementales — Camille Chautemps défendait son fief —, il obtint 6 760 voix au premier tour contre 4 800 à son suivant immédiat ; mais il fut battu au second, ses adversaires du centre et de gauche s'étant coalisés contre lui. Une nouvelle condamnation à huit mois de prison ferme par le tribunal de Rouen, valut au leader paysan la vedette. Cependant, en 1936, la mort de Fleurant-Agricola ayant entraîné la division du

Parti agraire en deux groupes rivaux, amena aussi la fin de la coalition paysanne. Réduit à ses seules troupes, Dorgères tenta de rallier toute la paysannerie à son drapeau. Il y parvint en partie : à la veille de la guerre ses *Comités de Défense paysanne* comptaient soixante fédérations dont une dizaine groupaient dix mille adhérents au moins, certaines, comme celles du Pas-de-Calais et du Nord, dépassant très largement ce chiffre. Sa propagande s'appuyait principalement sur ses journaux : *Le Progrès Agricole de l'Ouest*, le *Cri du Sol*, le *Cri du Paysan*, *Le Paysan du Centre-Ouest* et *La Provence paysanne*.

Après la chute de la IIIᵉ République, Dorgères devint tout naturellement l'un des artisans de la Révolution nationale au sein de la paysannerie. Nommé membre du *Conseil National* (23 janvier 1941) et délégué à la Propagande de la Corporation paysanne, créée à Vichy par celui qu'il appelait « *le Maréchal paysan* », il reprit la publication de son *Cri du Sol*, replié à Lyon, et publia un livre, « *Révolution paysanne* » (1943), où il exposa la politique paysanne maréchaliste. Hostile à la politique de collaboration, rejetant le fascisme, il ne s'était rallié qu'au Maréchal. Il ne reprit son combat qu'en 1949, lorsqu'il eut racheté *La Gazette agricole*, l'un des plus vieux journaux français (fondé en 1840). Il avait fait alliance, avant la guerre, avec la *Ligue des Contribuables* de Lemaigre-Dubreuil. En 1957, il s'allia avec Paul Antier et Pierre Poujade ; cet accord prit fin très rapidement. Dorgères était alors député. Il avait été élu en Ille-et-Vilaine en janvier 1956 sur un programme sans équivoque. Après avoir fait voter OUI au référendum de septembre 1958, il se reprit et manifesta ouvertement son opposition au général De Gaulle. En 1965, la *Convention Nationale des Paysans de France* convoquée par lui donna son investiture à Tixier-Vignancour pour l'élection présidentielle. Il rédige toujours les éditoriaux de la *Défense Paysanne*. Emprisonné cinq fois et inculpé près de soixante, retiré sous sa tente, déçu, mais non découragé, il attend, à soixante-neuf ans, au milieu de ses fidèles, le moment où il pourra reprendre, avec de nouvelles armes, le même combat contre le même ennemi...

DORIOT (Jacques).

Homme politique, né à Bresles (Oise), le 26 septembre 1898. Il était le fils d'un ouvrier forgeron, dont le père, paysan du Morvan, appartenant à une famille d'origine italienne établie depuis le XVIᵉ siècle dans la région de Fourchambault (Nivernais). Sa grand-mère paternelle était une ouvrière dont les parents venaient d'Italie. Du côté maternel, son grand-père était Flamand et sa grand-mère Bretonne. Bien que son père fût membre de la *Ligue des Droits de l'Homme* et affichât un anticléricalisme bon teint, Jacques Doriot fréquenta le catéchisme et fit sa première communion. Ainsi l'avait voulu sa mère, dont la famille était croyante. Nanti du certificat d'études primaires à douze ans, il entra à l'école professionnelle de Creil, puis fut employé — à deux francs par jour — dans une laiterie de l'endroit. A dix-neuf ans, il vint à Paris et se fit embaucher à la Courneuve. Il habita d'abord chez un oncle, puis seul à l'hôtel, « en garni » à Saint-Denis. C'était en 1915. Il quitta *Sohier*, pour *Aster*, puis entre à *La Fournaise*, où il obtint un salaire plus important. Le jeune ajusteur dyonisien, qui se passionnait déjà pour la lutte syndicale, milita bientôt aux *Jeunesses socialistes* (1916). Mobilisé en avril 1917, Doriot était au Chemin des Dames au printemps 1918 : son régiment, le 264ᵉ d'infanterie, y fut presque anéanti. Sur le front de Lorraine, il reçut une citation, à la suite d'un coup de main pour avoir ramené un camarade blessé : « *le grand Jacques* », comme on l'appelait déjà, l'avait porté sur son dos pendant près de deux kilomètres. Envoyé à l'armée d'Orient après la victoire, il faisait parti d'un régiment de coloniale cantonné en Hongrie lorsque la révolution éclata à Budapest. Sa compagnie fut, quelques jours, prisonnière des rouges. Il se retrouva à Fiume, lors du coup de force de d'Annunzio, puis en Albanie. Démobilisé en 1920, il reprit son travail à *La Fournaise*, puis entra à la *S.O.M.U.A.* Il reprit aussi son action politique aux *Jeunesses socialistes*. Après la scission de Tours, il milita au *Parti communiste*. Jacques Doriot était déjà un orateur écouté de ses camarades. Il faisait figure de chef et savait s'imposer : on l'envoya à Moscou, au IIIᵉ congrès de l'Internationale communiste, représenter les *Jeunesses communistes*. Il y fut à bonne école : les leçons de Lénine et de Trotsky, maîtres ès révolution mais aussi vieux renards de la politique, formèrent le jeune homme. Rentré en France en 1922, il fut bientôt nommé secrétaire général des *Jeunesses communistes*, sous le pseudonyme de Guyot (1923). Dès lors, sa vie se confondit avec celle du *Parti communiste*. Elu député en 1924, il fut longtemps le porte-parole le plus écouté du *P.C.*, non

Dessin de Ralph Soupault

seulement dans les meetings, mais aussi au parlement. De son séjour en Chine (1926), Doriot rapporta un enseignement : le soviétisme était partout vomi ; on l'avait chassé de Pologne et de Finlande ; on l'avait écrasé en Hongrie, en Allemagne et en Italie ; on venait de le battre en Chine, où Tchang Kaï-Chek rompait avec lui et poursuivait ses agents. Le communisme, qui rencontrait si souvent la sympathie des masses, leur devenait-il odieux lorsqu'il prenait la forme russe et leur apparaissait comme un instrument de domination de Moscou sur les autres peuples ? Faut-il voir là l'origine d'une évolution qui se dessinait déjà dans le comportement de Doriot ? Toujours est-il que ses prises de positions furent bien souvent critiquées en haut lieu. Le trio Suzanne Giraud-Treint-Sémard s'était déjà opposé à lui ; Thorez se heurta avec force à cet homme qui lui disputait la direction du parti et que la majeure partie des militants, surtout les jeunes, considéraient comme leur chef. Cette lutte sourde, dont les gens du dehors n'ont guère eu conscience, se termina par l'exclusion de Jacques Doriot, quelques mois après les journées de février 1934, au cours desquelles il fut le seul chef communiste à recevoir des coups. Bien qu'exclu du *P.C.* (juin 1934), Jacques Doriot n'en conserva pas moins une grande influence chez les communistes de Saint-Denis. Maire de la cité royale depuis trois ans, il jouissait d'une réputation d'administrateur qui lui valait la sympathie de la grande majorité de ses administrés. Aussi, lorsqu'il fonda *L'Emancipation*, destinée à devenir sa principale tribune, eut-il l'appui de la majeure partie du rayon communiste de Saint-Denis, qui, deux années plus tard, assura son succès aux élections législatives contre le candidat officiel du *P.C.* Ce sont les cadres dudit « rayon majoritaire » qui fournirent ceux du jeune *Parti Populaire Français* qu'il fonda le 28 juin 1936, à Saint-Denis. Dès lors, sa vie politique se confondit avec celle de son parti. (Voir : *Parti Populaire Français*.)

Lorsque la guerre éclata, Doriot partit aux armées, laissant la direction effective du *P.P.F.* à Henri Barbé, puis à Victor Barthélemy. Après l'armistice, il fut nommé au *Conseil National* (1941), reprit la tête de son mouvement et fut l'un des animateurs de l'anticommunisme actif. Fondateur de la *Légion des Volontaires Français contre le Bolchevisme* avec les dirigeants des autres partis collaborationnistes, il donna l'exemple en s'engageant lui-même : en août 1941, il partit sur le front de l'Est et n'en revint qu'au début de 1942 pour repartir un peu plus tard. Après le débarquement allié, il gagna la Lorraine avec de nombreux militants du *P.P.F.*, puis l'Allemagne, où il constitua, au début de 1945, un « Comité Français de Libération », avec Marcel Déat et quelques autres personnalités de la Collaboration. Le 23 février 1945, il fut tué par une rafale de mitrailleuse tirée d'un avion non identifié. Jacques Doriot avait publié un certain nombre d'ouvrages de propagande anticommuniste, tels que : « *La France ne sera pas un pays d'esclaves* » (1936), « *C'est Moscou qui paie* » (1937), et un livre pétainiste : « *Je suis un homme du Maréchal* » (1941).

DORMOY (Marx).

Homme politique, né à Montluçon, le 1er août 1888. Il débuta comme employé.

Très jeune, attiré par la politique, il milita dans le mouvement socialiste auquel appartenait son frère. La *S.F.I.O.*, dont il devint l'un des *leaders* dans l'Allier, en fit un député (1931-1940), un conseiller général, un maire de Montluçon et un ministre. Après la victoire de la coalition radicale-socialiste-communiste, il fut en effet sous-secrétaire d'Etat à la Présidence du Conseil (premier cabinet Blum, 1936-1937), puis ministre de l'Intérieur (cabinet Chautemps, 1937-1938, deuxième cabinet Blum, 1938). A ce poste, alors que le conflit armé entre la gauche et la droite faisait rage de l'autre côté des Pyrénées, il eut à faire face à la menace que représentaient, pour un gouvernement de Front populaire accusé de pactiser avec le communisme, les activités plus ou moins clandestines des groupes d'opposition, principalement de la « cagoule ». « *Homme à poigne* » de l'équipe ministérielle, n'hésitant pas à frapper fort pour défendre le régime contre ceux qui voulaient le renverser, arrêtant ceux-ci (général Duseigneur, le duc J. Pozzo di Borgo, Joseph Darnand, etc.), révoquant ceux-là (J. Doriot, maire de Saint-Denis), il accumula sur sa tête des ressentiments nombreux. La presse nationale se déchaîna, avant la guerre, contre lui, et l'un des journalistes les plus acharnés était un rédacteur de *La Liberté* et de *L'Emancipation nationale*, Armand Lanoux. Son vote contre le maréchal Pétain le 10 juillet 1940 confirma son attachement aux idées qu'il défendait depuis trente-cinq ans, en même temps que son hostilité à cette « *révolution nationale* » dont se réclamaient, déjà, ceux qu'il avait pourchassés quand il était place Beauvau. L'année suivante, le ministre de l'Intérieur Pucheu le plaça en résidence surveillée dans un hôtel de Montélimar. C'est là qu'il trouva la mort, le 26 juillet 1941, déchiqueté par la bombe à retardement que des hommes animés par l'esprit de vengeance avaient placée sous son lit. Une plaque apposée place Beauvau, après la Libération, commémore le meurtre de l'ancien ministre de l'Intérieur.

DOUBLE-JEU.

De ceux qui, en politique, misent sur deux tableaux, entretiennent des relations étroites avec deux camps opposés, — soit pour se trouver avec les vainqueurs quelle que soit l'issue de la compétition ou de la lutte, soit pour favoriser une partie au détriment de l'autre, — on dit qu'ils jouent *double-jeu*. Le double-jeu se pratique beaucoup de nos ours ; on en a surtout usé il y a vingt-cinq ans, ce qui explique l'étonnant réta-lissement d'un très grand nombre l'hommes politiques, fortement compro-nis avec Vichy ou avec l'occupant, et ependant pourvus de postes importants près la Libération, malgré une sévère puration. Les moralistes considèrent le *double-jeu* comme indigne d'un honnête nomme, mais les politiques y voient une imple habileté. On doit cependant re-retter que, pour ne parler que des évé-ements de 1940-1944, des centaines de milliers de Français aient été victimes le ce *double-jeu* qui, pour certains hommes politiques, a consisté à se pro-noncer pour la Révolution nationale ou pour la collaboration, *donc à y pousser eurs concitoyens, par la parole, par 'écrit ou simplement par l'attitude,* tout en aidant en secret les Alliés ou la Résistance.

DOUMER (Paul).

Homme politique (1857-1932). Il était entré jeune dans la Franc-Maçonnerie. Le 1er décembre 1879, la loge *L'Union Fraternelle* de Paris l'accueillait dans son sein ; il était élevé aux grades de *compagnon* et de *maître* le même jour, le 5 novembre 1880. Par la suite, il fit partie des loges *Patrie et Humanité,* de Soissons, *Les Frères du Mont Laonnois,* de Laon, *Le Réveil de l'Yonne,* d'Au-xerre, et *Alsace-Lorrain,* de Paris. Il par-ticipa même à la fondation de la loge *Voltaire.* En 1887 et 1888, il siégea au Convent du *Grand Orient.* Puis il fut élu au Conseil de l'Ordre. Réélu en 1892, il devint secrétaire dudit Conseil de l'Ordre. Entre temps, il était entré à la Chambre comme député de l'Aisne (1888), puis de l'Yonne (1890) et il entra dans le gouvernement Léon Bourgeois comme ministre des Finances (1895). Le cabinet suivant l'envoya en Indochine en qualité de Gouverneur général, où il fit valoir de réelles qualités d'administra-teur. Entre 1896 et 1902, il ne siégea pas au parlement. Elu à nouveau député de l'Aisne (1902), il fut l'un de ceux qui prirent parti contre le ministère Combes lorsque fut dénoncé, à la Tribune de la Chambre, la fameuse « *affaire des fiches* ». Cette attitude lui valut d'être mis en accusation devant les *frères* de sa loge *La Libre Pensée,* le 26 janvier 1905 qui l'exclurent. Le résultat de cette brouille fut son éviction du parlement pendant quelques années. En 1912, il parvint, non sans peine, à entrer au Sénat, mais il dut aller chercher ses élec-teurs en Corse. De 1912 à 1931, il repré-senta l'île de Beauté au Palais du Luxem-

bourg. Pendant neuf années, aucun pré-sident du Conseil n'offrit à cet homme, qui avait donné plusieurs fils à la Patrie en 1914-1918, un portefeuille de ministre ou un poste de sous-secrétaire d'Etat. Enfin, Aristide-Briand lui confia les Fi-nances en 1921 et en 1925 puis, en 1927, il était élu, sans concurrent, président du Sénat. Entre temps, il avait fait sa paix avec ses anciens amis. En 1931, lorsque Doumergue annonça qu'il ne sol-liciterait pas le renouvellement de son septennat, il se présenta contre Aristide Briand, qui briguait l'Elysée, et il l'em-porta sur le « *pèlerin de la Paix* » (13 mai 1931). On a dit qu'il avait été « *le candidat de la Grande Loge* » contre « *le candidat du Grand Orient* ». On ne comprend pas très bien pourquoi. Que-relle de boutique ? Opposition de prin-cipe ? Crainte de la bourgeoisie du rite écossais pour une évolution *gauchiste* qu'aurait pu provoquer l'entrée de Briand à l'Elysée ? Nous l'ignorons. Lorsque, l'année suivante, Gorguloff assassina le président Doumer, plusieurs loges annon-cèrent dans leur *Bulletin hebdomadaire* (15 et 22 mai et 5 juin 1932) des « *batte-ries de deuil* » à la mémoire du prési-dent disparu. L'une d'entre elles, la Loge *La Justice,* dépendant de la *Grande Loge de France,* publia l'avis suivant :

R∴ L∴ La Justice (G∴ L∴)
Vendredi 27 mai 1932
Batt∴ de deuil à la mém∴ de
Paul DOUMER
président de la République, père de notre
T∴ C∴ F∴ Fernand Doumer.

Paul Doumer était le treizième président de la République.

DOUMERGUE (Gaston).

Homme politique (1863-1937). Issu d'une famille de petits propriétaires ter-riens du Gard, fermement attachés aux traditions huguenotes. D'abord avocat à Nîmes (1885), il fut nommé, grâce à son ami Emile Jamais (député radical du Gard en 1885-1893), juge de paix en Indochine (1890-1892), puis en Algérie (1893). A la mort de son protecteur, il brigua sa succession et entra à la Cham-bre sous l'étiquette radicale-socialiste. A la même époque, il se fit franc-maçon. Ce Cévenol râblé et jovial sut s'assurer rapidement de grandes sympathies. En 1902, Combes lui confia le portefeuille du Commerce. Il figura, ensuite, dans plusieurs ministères (Sarrien, Clemen-ceau, Briand). En 1910, il entrait au Sénat. En 1913, il devenait président du Conseil. En mars 1917, après l'abdication de Nicolas II, on se souvint qu'il s'était prononcé naguère contre l'alliance avec le Tsar : on le chargea de mission auprès du gouvernement Kérensky. L'avènement de Lénine mit fin à sa carrière diplomatique. Les sénateurs, en 1923, l'élevaient à la présidence de la Haute Assemblée. Sa bonne étoile le servit encore sous la forme du départ forcé et prématuré de Millerand. Gaston Doumergue fut élu président de la République par 515 voix contre 309 à Paul Painlevé. Instruit par les déboires de son prédécesseur, il s'empressa d'assurer le parlement de ses bonnes intentions : « *Respectueux de la Constitution dont je dois être le gardien, je resterai toujours dans le rôle qu'elle m'assigne* ». Ainsi fit-il, ce qui lui permit d'arriver au bout de son mandat sans accident, sinon sans histoires. Des conjonctures aiguës jalonnèrent son septennat : chute du franc (résultat de l'expérience cartelliste), reconnaissance de l'Union Soviétique, évacuation de la Ruhr, accords Briand-Stressmann, avènement de Staline, krack de Wall Street, élection au Reischtag des 107 premiers députés nazis, proclamation de la République en Espagne, etc.). Au terme de son septennat (1931), il trouva une situation à la *Compagnie de Suez*, en devint le président, se maria et se retira dans son domaine de Tournefeuille. Mais, au lendemain des sanglantes manifestations du 6 février 1934, provoquées par le scandale Stavisky (voir à ce nom), on fit appel à lui. Il constitua un cabinet d'Union Nationale, dont le maréchal Pétain fit partie, et réclama d'importantes réformes constitutionnelles (droit de dissolution, contrôle des dépenses budgétaires). Les radicaux-socialistes protestèrent et mirent leurs ministres en demeure de se retirer du gouvernement. Ils s'exécutèrent et le cabinet d'Union Nationale s'effondra. Doumergue retourna à Tournefeuille persuadé qu'il avait fait de son mieux pour sauver la République.

DRAPEAU (Le).

Hebdomadaire du *Comité Central Bonapartiste*, animé par A. Chiaroni, publié à Ajaccio (Corse). Fondé à la fin du siècle dernier, ce journal avait cessé de paraître vers 1935. Il ressuscita au lendemain de la guerre, sous le double patronage du *Comité Central Bonapartiste* et d'une *Union Nationale Gaulliste* et sous la direction de Jean Colombani. « *Aujourd'hui,* — proclamait dans le n° 1 de la nouvelle série (22-9-1945) le Comité directeur du *Parti Bonapartiste Ajaccien — comme il y a soixante ans avec ses fondateurs, les Thomas Santa-*

maria, le docteur Lalance et tant d'autres Ajacciens dont il nous plaît de saluer la mémoire, il luttera pour que se maintienne vivace dans les cœurs, le culte de l'Enfant d'Ajaccio qui conduisi[t] la France aux extrêmes limites de la gloire... Vive Napoléon ! Vive le Généra[l] De Gaulle ! Vive la République nouvelle ! Vive Ajaccio !* » Dans ce même numéro le journal du parti bonapartiste ajaccie[n] faisait appel aux Corses « *pour une seule France, pour un seul chef : De Gaulle* » et les invitait à soutenir les candidats radicaux : « *Demain, vous voterez pour la liste de l'Union Radicale et Socialiste* ».

DRAPEAU BLANC (Le) (voir : Légitimiste).

DRAPEAU NOIR (Le).

Publication éphémère et semi-clandestine paraissant à Paris en 1946, œuvre de mystérieux « *anciens combattants de l'Europe* » hostiles au gouvernement et à l'épuration.

DRAPEAU ROUGE (Le).

Journal hebdomadaire des *Jeunesses Socialistes*, fondé en 1944 (disparu).

DRAULT (Alfred, Achille, Olivier GENDROT, dit Jean).

Journaliste et homme de lettres, né à Tremblay-le-Vicomte (Eure-et-Loir), le 4 janvier 1866, mort à Paris, le 11 septembre 1951. Fils d'un bourgeois moyen de province lecteur du *Figaro*, du *Pays* et de *L'Autorité*, il accomplissait son année de volontariat à Blois, au 31e de ligne, lorsque la lecture de « *La France juive* », qui venait de paraître, le convertit à l'antisémitisme. Son volontariat terminé, il fit son droit à Paris, tout en se livrant à des essais de littérature qui devinrent, en 1889, son premier livre : « *Le Soldat Chapuzot* ». Le jeune écrivain y parlait de *La France Juive* : ce fut le prétexte de la visite du débutant à l'écrivain illustre. Cette rencontre avec Edouard Drumont, qui eut lieu en avril 1889, décida de la carrière politique et journalistique du jeune Jean Drault : peu après, il donna son adhésion à la *Ligue antisémitique nationale de France* — présidée par Edouard Drumont, qu'assistait le bourgeois libéral Jacques de Biez et l'ouvrier radical-socialiste Maillard — et il fit partie, quelques années plus tard, de la rédaction de *La Libre Parole*, le quotidien de Drumont, dans laquelle il écrivit du premier numéro jusqu'au dernier. Il avait bien publié quelques articles dans un

petit journal satirique, *Le Pilori*, mais
la grande collaboration de la vie fut
La Libre Parole. Lorsque Drumont céda,
en 1916, son fauteuil directorial à Joseph
Denais, le futur député de Paris, Jean
Drault, qui était devenu l'ami d'Urbain
Gohier, collabora également à *L'Œuvre*,
le pamphlet hebdomadaire de Gustave
Téry, puis à *L'Œuvre française* (devenue un peu plus tard *La Vieille
France*) que Gohier créa en 1917. Quand
La Vieille France disparut en 1924, presque en même temps que *La Libre Parole*,
Jean Drault, consacra à ses livres presque tout son temps. A la série des
« *Chapuzot* », il avait ajouté celle des
« *Galupin* », qu'éditait *La Bonne Presse*
et qui connut les grands tirages (l'un
de ses romans « *600 000 francs par
mois* » fut même porté à l'écran). Il
avait également publié un curieux roman
politique et historique « *Le secret du
Juif errant*, édité par *L'Œuvre*, où
apparaissait nettement l'influence de
Drumont. A partir de 1928, il collabora
à *La Libre Parole* ressuscitée et à divers
journaux nationaux, tout en publiant des
romans humoristiques ou historiques
(« *Les exploits de Jean Chouan* »,
« *Fra-Diavolo* ») et un livre de souvenirs : « *Drumont, La France Juive et
La Libre Parole* » (1935). Pendant la
guerre, il fut le directeur politique de
La France au Travail, puis celui d'*Au
Pilori*. Poursuivi et condamné à la Libération, le vieux journaliste demeura
plusieurs années en prison. Il en sortit,
plus qu'octogénaire, pour aller mourir
dans son petit appartement de la rue
Albert-Samain que sa femme, collection-
neuse avertie, avait transformé en véritable musée. Outre ses romans et son
livre sur Drumont, il laisse une *Histoire
de l'Antisémitisme* écrite pendant
la guerre. Complètement oublié aujour-
d'hui, Jean Drault fut cependant l'un
de ceux qui ont exercé l'influence la
plus durable sur les jeunes nationalistes
de l'entre-deux-guerres.

DREYFOUS-DUCAS (Daniel DREYFOUS, dit).

Ingénieur en chef des Ponts et Chaussées, né à Paris le 11 juin 1914. Ancien
chargé de mission au cabinet d'Edouard
Bonnefous, ministre des Travaux publics
(1957-1958). Député *U.N.R.* de la Seine
(1958-1962), directeur à la direction générale au *Gaz de France*.

DREYFUS (affaire).

Affaire judiciaire ayant eu des répercussions politiques si considérables à la
fin du XIXe siècle et au début du XXe
qu'elle divisa la France en deux camps.
La capitaine Alfred Dreyfus (1859-1935),
d'origine israélite alsacienne, accusé
d'avoir fourni des documents militaires
aux Allemands, fut arrêté et condamné à
la déportation à vie (1894). Son frère,
Mathieu Dreyfus, et ses amis entamèrent
une campagne en faveur de la révision
du procès qui, après maints incidents
et rebondissements judiciaires aboutit à
la cassation en 1906. Tous les partis
furent profondément divisés par cette
lamentable affaire : c'est ainsi que
l'israélite Arthur Meyer, du *Gaulois*,
était *antidreyfusard*, tandis que l'antisémite Urbain Gohier, de *l'Aurore*, était
dreyfusiste. La gauche n'a pas échappé
à la règle. Quelques jours après la
publication du « *J'accuse* » de Zola,
dans *l'Aurore* (13.1.1938), le groupe
socialiste de la Chambre publiait un
manifeste où l'on lisait : « *Prolétaires,
ne vous enrôlez dans aucun des clans
de cette guerre civile bourgeoise ? Ne
vous livrez pas à des possédants, rivaux
d'un jour, commensaux du même privilège... Entre Reinach et de Mun, gardez
votre liberté entière... Sus à vos ennemis, à tous vos ennemis ! ne vous laissez
pas diviser par des mots d'ordre in-
complets et contradictoires. Poussez
votre triple cri de guerre : guerre au*

L'AFFAIRE DREYFUS EN FAMILLE, PAR CARAN D'ACHE

On n'en parle pas !

On en a parlé !

capital juif ou chrétien ; guerre au cléricalisme ; guerre à l'oligarchie militaire. » Par la suite, sous l'impulsion de Jean Jaurès, le mouvement socialiste rallia dans sa majorité le camp *dreyfusiste :* cet apport de troupes populaires fit pencher la balance en faveur de ce dernier ; en retour, des israélites fortunés permirent à Jaurès de fonder, en 1904, le grand quotidien des socialistes enfin unifiés, *L'Humanité.* Les grands noms de la presse, de la littérature, de la politique ont été mêlés, des années durant, à cette bagarre. Zola, Clemenceau, Jaurès, Anatole France, Octave Mirbeau, Laurent Tailhade, Péguy, le dessinateur Hermann Paul, étaient du côté de Dreyfus ; Henri Rochefort, Paul de Cassagnac, Maurice Barrès, Charles Maurras, Jules Lemaître, Paul Bourget, Frédéric Mistral, Drumont, Albert Sorel, François Coppée, les caricaturistes Forain et Caran d'Ache s'opposaient à eux. Lorsque le lieutenant-colonel Henry, accusé par Joseph Reinach, dans *Le Siècle* (7.11.1898) d'être l'auteur d'un faux, se suicida, une souscription fut ouverte par *La Libre Parole* en faveur de sa veuve. Parmi les souscripteurs, on remarquait Willy — le premier mari de Colette — Jean Lorrain, Pierre Louÿs, Paul Valéry et le futur général Weygand. Les salons de Mme Arman (dite de Caillavet), amie d'Anatole France, ceux de Mmes Ménard-Dorian, Emile Strauss et Dreyfus-Gonzalez étaient des centres actifs de propagande dreyfusiste. De nouveaux journaux virent le jour pour réclamer la révision du procès : *Les Droits de l'Homme, La Volonté, Le Petit Bleu.* On fonda même (20 février 1898) une association qui eut comme premier objectif la défense du capitaine Dreyfus, la *Ligue des Droits de l'Homme.* Soixante ans après l'arrêt de la cour de cassation, « *l'affaire* » n'en continue pas moins à opposer les historiens scrupuleux et indépendants, troublés par l'exploitation politique que l'on en fit, dans les deux camps.

DREYFUS-SCHMIDT (Michel).

Avocat, né à Belfort, le 17 juin 1932. Fils de Pierre Dreyfus-Schmidt (voir notice suivante). Adjoint au maire de Belfort (depuis 1964). Candidat de la *Fédération de la Gauche démocrate et socialiste,* élu conseiller général de Belfort en 1966, puis député en 1967.

DREYFUS-SCHMIDT (Pierre).

Avocat (1902-1964). Maire de Belfort.

En marge de l'affaire Dreyfus, le procès Zola

Délégué à l'Assemblée consultative provisoire (1944-1945), député à la 1re Assemblée constituante (1945), député de Belfort à l'Assemblée nationale (1946-1951 et 1956-1958). Membre de l'*Union Progressiste.* Président de la section française du *Congrès Juif Mondial.*

DRIANT (Paul, Emile).

Agriculteur, né à Gravelotte (Moselle), le 24 septembre 1909. Président d'associations agricoles. Maire de Gravelotte (depuis 1953), président du Conseil général et sénateur de la Moselle. Appartient au groupe des *Républicains Indépendants* du Sénat.

DRIEU LA ROCHELLE (Pierre).

Homme de lettres, né à Paris, en 1893, mort à Paris, en 1945. Sa famille, de souche normande et de tradition monarchiste, avait été fortement éprouvée par le krach de l'*Union Générale* dont les Rothschild ont été rendus responsables. A l'âge de seize ans, il lisait avec avidité Péguy, Barrès et Maurras, qu'il considéra comme ses premiers maîtres, puis des auteurs étrangers qui lui apportaient « *une violence enivrante* » : Nietzsche, Dostoïevsky, d'Annunzio. Entré en 1910 à l'Ecole des Sciences Politiques, il y prépara les consulats. Il échoua à son examen et, ne demandant pas de sursis, il partit en 1913 au service militaire. L'année suivante, c'était la guerre, il la fit dans l'infanterie : la Belgique, Charleroi, la Champagne, les Dardanelles, Verdun, trois blessures, dont une à la tête... Pendant ses convalescences, il lisait l'*Homme enchaîné* de Clemenceau, mais, c'est à l'*Action française* qu'allaient ses préférences. La paix revenue, profondément marqué par ces quatre ans et demi de combats, Drieu était attiré par le nationalisme intégral de Maurras. Mais ses amis ne partageaient pas son penchant pour l'*Action française* : ni le futur député radical Gaston Bergery, ni André Breton, ni Paul Eluard. Seul, peut-être, Louis Aragon, qui alors admirait Barrès aurait pu le comprendre. Garçon fortuné — il venait d'épouser une femme riche, et sa mère morte deux ans plus tard lui laissera un héritage confortable — Drieu La Rochelle n'avait pas à gagner sa vie. Aussi ne collaborait-il qu'aux feuilles qui lui plaisaient : au *Coq*, par exemple, que dirigent Jean Cocteau et Radiguet. Il s'intéressait à la politique en dilettante. Par opposition à ses amis Eluard, Breton et Aragon — lequel reniait Barrès — il se situait « *à égale distance entre M. Bainville et M. François-Poncet* ». « *Je m'intitule*, disait-il, *républicain national, impressionné d'A.F., comme dit l'autre, avec des regards en coulisses vers les souples et élégantes possibilités d'un capitalisme moderne comme celui de M. Caillaux.* » Mais il dira plus tard : « *Je me fous du capitalisme comme du communisme...* ». En 1927, son premier mariage dissous, il convola une seconde fois. Ce fut un autre échec : après deux ans de vie commune, les époux divorcèrent. Entre-temps, Drieu s'était associé avec Emmanuel Berl pour faire paraître un petit pamphlet, *Les Derniers Jours* (1927), entièrement rédigé par les deux écrivains. Expérience sans lendemain; Drieu était d'abord et surtout un écrivain : c'est dans ses livres qu'il devait exprimer toute sa pensée. Il publia un court essai, « *L'Europe contre les patries* », dédié à son ami Bergery, où il prônait le rapprochement franco-allemand et cédait à l'engouement pour le « briandisme ». Sans cesser d'être pour l'Europe, il devint fasciste le 6 février 1934, quand il vit les prétoriens de la République tirer sur la foule. Dans *La Lutte des Jeunes*, que publiait son ami Bertrand de Jouvenel, puis dans son livre

« *Socialisme fasciste* », il donna les raisons de sa nouvelle orientation. Au fond, il venait de loin : n'avait-il pas été, quelque temps, membre du *Redressement Français*, d'Ernest Mercier, ce capitaliste qu'il avait pris pour un révolutionnaire ? N'avait-il pas écrit que le capitalisme, cette « *grande force qui règne actuellement dans le monde* » devait faire l'Europe ? Ne s'était-il pas, ensuite, au retour d'un voyage en Argentine, rapproché de la gauche et n'avait-il pas donné son adhésion au *Front commun* de G. Bergery ? Il souhaitait alors la conjonction des *Croix de feu* et des néo-socialistes : « *Je nourris ouvertement* — écrivait-il dans *La Lutte des Jeunes* — *le rêve de voir se rapprocher ces deux mouvements inégaux. Les Croix de feu ont des hommes, les néo ont des idées. Les Croix de feu peuvent rallier toute la bourgeoisie saine qui ne veut pas être dupe du Grand capitalisme, sous prétexte de nationalisme. Les néos peuvent rallier tous les gens de gauche qui ne croient plus ni dans la deuxième ou la troisième Internationale, ni dans la primauté du prolétariat, ni dans la franc-maçonnerie.* » Mais comme ce rêve irréalisable ne se réalisa pas, il se rapprocha de Doriot que le *P.C.F.* venait d'exclure et qui allait fonder le *Parti Populaire Français*. De juillet 1936 à octobre 1938, il fut l'un des plus brillants collaborateurs de *L'Emancipation nationale*, le journal de Jacques Doriot. Quelques-uns de ses articles ont été réunis dans un livre intitulé « *Avec Doriot* (1937). Fixant la ligne générale de son socialisme fasciste, il écrivait : « *Nous sommes à fond contre Moscou et, s'il y avait ici un parti de Berlin ou de Rome, nous serions aussi à fond contre lui.* » Revenant, un plus plus tard, sur cette idée, il ajoutait : « *Staline nous trompe avec l'antifascisme, Londres nous leurre avec la défense de la démocratie, Hitler et Mussolini voudraient bien nous tromper avec l'anticommunisme.* » Dès novembre 1937, il prévoyait ce que Hitler allait faire : « *Hitler veut l'Autriche et la Bohême, il veut les englober dans l'Etat allemand. C'est dire qu'il renonce à la possibilité délicate et vivante de l'unité européenne, où l'élément germanique si considérable serait le libre liant, pour lui substituer la notion sommaire et brutale de l'hégémonie de Berlin...* » L'année suivante, il rompait avec le *P.P.F.*, en même temps que les anti-Munichois Pucheu et Bertrand de Jouvenel. Pendant la « drôle de guerre », il donna deux articles à la *Nouvelle Revue Française*, deux autres à *Je suis partout*, une demi-douzaine au

Figaro et un à *Esprit,* mais se tint à l'écart de la politique. Après l'armistice, il collabora à *La Gerbe,* de Chateaubriant, et prit la direction de la *Nouvelle Revue Française.* Il renoua avec Doriot en 1942. Très favorable à l'Allemagne, il croyait qu'elle avait renoncé à toute hégémonie : « *L'Allemagne,* écrivait-il, *est en train de se faire européenne, de prendre conscience de toutes les étendues et de toutes les limites de l'Europe par une double expérience extérieure et intérieure dont nous ne soupçonnons pas l'ampleur.* » Mais il changea bien vite d'avis et, dès janvier 1943, il confiait à un ami : « *Je me suis complètement trompé sur l'hitlérisme... L'Allemagne participe aussi profondément que les autres nations à la décadence européenne.* » (cf. Pierre Andrieu, in « *Drieu, témoin et visionnaire* », Paris 1952.) C'est à cette époque qu'il quitta la direction de la *Nouvelle Revue Française,* que l'éditeur Gallimard lui avait confiée deux années plus tôt, par prudence et par calcul plus que par goût. Dans son article d'adieu, défiant encore l'adversaire, il écrivait : « *Je suis fasciste parce que j'ai mesuré les progrès de la décadence en Europe. J'ai vu dans le fascisme le seul moyen de contenir et de réduire la décadence.* » (*N.R.F.,* janvier 1943.) Dès lors, il n'écrivit guère que dans *Révolution Nationale* où un autre désabusé, Robert Brasillach, se réfugia également après avoir quitté *Je suis partout.* Et lorsque ses dernières illusions s'effondrèrent, il se blottit, nous dit Daniel Halévy, « *dans une cachette que lui avait ménagée une des délaissées* » et se tua, « *par le véronal et le gaz ensemble, évitant ainsi que la mort lui soit portée par des hommes de police* ». Après deux tentatives en 1944, il réussit à se suicider le 15 mars 1945, dans la maison que sa première femme avait mise à sa disposition dans le quartier des Ternes : il venait de lire dans les journaux que la justice de l'épuration venait de lancer un mandat d'amener contre lui (cf. Maurice Martin du Gard, in *Les Ecrits de Paris,* décembre 1951). Il fut enterré au cimetière de Neuilly en présence de quelques amis, dont Jean Paulhan, qu'il avait remplacé à la direction de la *N.R.F.,* Gaston Gallimard, son éditeur, Léautaud, Audiberti et Jean Bernier. Son œuvre littéraire est importante : après : *Mesure de la France* (1922), « *Plainte contre inconnu* » (1925), « *L'Homme couvert de femmes* » (1926), « *Genève ou Moscou* » (1928), « *L'Europe contre les patries* » (1931), « *Socialisme fasciste* » (1934), « *Avec Doriot* » (1937),

« *Gilles* » (1939), parus entre les deux guerres, il publia ensuite : « *Ecrits de jeunesse* », « *Notes pour comprendre le siècle* », « *Charlotte Corday* », « *Chronique politique* », « *L'Homme à cheval* », « *Récit secret* », etc.

DROIT (Michel).

Journaliste, né à Vincennes, le 23 janvier 1923, de Jean Droit, peintre illustrateur (1884-1961). Correspondant de guerre (1944-1945). Actuellement rédacteur en chef du *Figaro littéraire* (depuis 1961) après avoir été celui de l'Actualité télévisée de l'O.R.T.F. (1960-1961). Participa, entre-temps, à diverses manifestations de gauche, en particulier du *M.R.A.P.* Auteur de divers ouvrages dont l'un « *Le Retour* », a été couronné par l'Académie française (Grand Prix du Roman). A été choisi pour interviewer le général De Gaulle à la T.V. (3 émissions) entre les deux tours de la campagne pour l'élection présidentielle de 1965.

DROIT D'ASILE.

Droit pour un Etat d'accepter sur son territoire des personnes persécutées pour des motifs religieux, ethniques ou politiques dans un autre Etat. Général avant la guerre de 1914-1918, ce droit est aujourd'hui limité à certains pays. Les israélites allemands ainsi que les résistants recherchés par la Gestapo bénéficièrent assez largement du *droit d'asile,* dans de nombreux Etats, au cours des années 1933-1945, comme en avaient bénéficié les républicains espagnols (1939), les révolutionnaires russes (XIXe siècle et début du XXe) et les Russes blancs (1919-1925). Rares furent les pays qui accordèrent le *droit d'asile* aux Européens de diverses nationalités qui avaient, par idéologie, par haine du communisme ou pour tout autre motif, pris le parti des puissances de l'Axe : le Vatican (qui avait hébergé des années durant, certains chefs socialistes et démocrates-chrétiens), l'Espagne, le Portugal, l'Argentine et, par la suite, quelques états du nouveau monde, furent les seuls à accueillir ces « *Vaincus de la Libération* » (comme dit Paul Sérant). La Suisse elle-même, connue pour son hospitalité, livra au Gouvernement provisoire présidé par le général De Gaulle, les partisans du maréchal Pétain qui s'étaient réfugiés sur son sol. Elle fut plus compréhensive à l'endroit des chefs de la « rébellion algérienne » en 1954-1962. L'Allemagne, l'Italie, le Portugal, l'Espagne, la Belgique ont accordé le *droit d'asile* aux nouveaux *résistants* de l'*O.A.S.* et du *C.N.R.* (Bidault-Soustelle), t les révoltés hongrois de 1956 l'ont btenu aisément dans tous les pays non ommunistes.

DROIT HUMAIN (Le).

L'*Ordre Maçonnique mixte international le Droit Humain* (voir : *Franc-Maçonnerie*) a été fondé en 1892 par la éministe Maria Deraismes et le Dr Georges Martin, ancien président du Conseil municipal de Paris et sénateur de la Seine. Groupe des maçons des deux sexes, appartenant aux partis de gauche et d'extrême gauche (5, rue ules-Breton, Paris).

DROIT ET LIBERTÉ.

Organe mensuel du *Mouvement contre le Racisme et l'Antisémitisme, pour la Paix* (voir à ce nom), créé en 1949 par es communistes et les progressistes israélites qui venaient de quitter *Le Droit de Vivre* et la *Ligue Internationale contre l'Antisémitisme* (30, rue des Jeûneurs, Paris-2e).

DROIT DU PEUPLE (Le).

Journal socialiste fondé à Grenoble en 1897. D'abord mensuel, puis hebdomadaire, devint quotidien en 1900. Eut successivement pour collaborateurs : Alexandre Zévaès, Paul Mistral, futur maire de Grenoble, le Dr Greffier, etc.

DROIT DE VIVRE (Le).

Journal de défense juive fondé en 1932 par Bernard Lecache, ancien rédacteur à *l'Humanité*, futur directeur du *Journal du Dimanche*. Organe de la *Ligue Internationale contre l'Antisémitisme* (*L.I.C.A.*). Etait hebdomadaire avant la guerre ; est aujourd'hui mensuel. Publie les articles des dirigeants et des membres d'honneur de ce mouvement (voir : *Ligue Internationale contre le Racisme et l'Antisémitisme*) et de diverses personnalités, dont Georges Conchon, Pierre Dac, Marie-Madeleine Fourcade, Georges Gombault, Roger Ikor, Daniel Mayer, Jacques Nantet, André Weil-Curiel, Jean-Louis Vigier, Charles Vildrac. Son Etat-Major comprend : Bernard Lecache, directeur ; Lazare Pappo, dit François Mussard ; Fernand Pouey, rédacteur en chef ; Roland Jauzan, directeur technique ; Maurice Aïdenbaum et Maurice Weinberg, administrateurs. *Le Droit de vivre* est la propriété de la *Société d'Editions et Publications du Droit de vivre*, fondée par Bernard Lecache, Georges Zerapha, Lazare Rachline, dit Lucien Rachet (administrateur de *Publicis* et de *L'Express*), Pierre Paraf, Giacomo A.

Tedesco, etc. (40, rue de Paradis, Paris-10e).

DROITE (La).

Journal royaliste spécialisé dans l'action contre les démocrates-chrétiens. Dirigeants : Henri Babize, Xavier de Toytot, Léon Gédéon, le *balzacien* bien connu. Fut remplacée par *La France réelle*.

DROITS DE L'HOMME.

Droits proclamés dans la fameuse *déclaration des droits de l'Homme et du Citoyen* et acceptés par l'Organisation des Nations Unies (1948).

DRONNE (Raymond, Eugène).

Administrateur de la France d'Outre-Mer, né à Mayet (Sarthe), le 8 mars 1908. Débuta dans l'administration coloniale en 1934 et devint administrateur des colonies en 1937. Rallié au général De Gaulle en 1940, participa aux combats des F.F.L. et fut le premier officier de cette armée qui pénétra à Paris en août 1944. Militant du *R.P.F.*, fut sénateur (1948-1951), puis député de la Sarthe (1951-1956, 1956-1958, 1958-1962). Appartint au groupe des *Républicains Sociaux*, puis à celui de l'*U.N.R.*, qu'il quitta (1961) lorsqu'il s'aperçut que la politique du général De Gaulle conduisait à l'abandon de l'Algérie. Créa (1961) et présida le mouvement *Unité et sauvegarde de la République*. Maire d'Ecommoy (depuis 1947) et conseiller général du canton d'Ecommoy (depuis 1951). Auteur de « *La Révolution d'Alger* ».

DROUOT (Edmond, Maurice).

Avocat, né à Velesmes (Hte-Saône), le 10 février 1876, mort à Gray (même département), le 10 juin 1959. Bâtonnier. Député de la Haute-Saône (1928-1932, 1936-1942). Inscrit au groupe des *Républicains de gauche* et à l'*Alliance Démocratique*, vota les pleins pouvoirs constituants au maréchal Pétain en juillet 1940. Nommé membre du *Conseil National* le 23 janvier 1941. Son fils Edmond, engagé volontaire, tomba en avril 1945, lors de la campagne d'Allemagne.

DROUOT-L'HERMINE (Jean).

Homme politique, né à Luxeuil (Haute-Saône) le 15 septembre 1907. Autorisé par décret du 14-6-1950 à s'appeler Drouot-L'Hermine (au lieu de Drouot). Ingénieur. Directeur de sociétés d'études et de recherches. Conseiller municipal de Paris (5e sect.) et conseiller général de la Seine (1951-1953). Membre du *R.G.R.* et du *Club des Montagnards* (1956-1958). Elu député *U.N.R.* de Seine-

et-Oise (7ᵉ circ.) le 30 novembre 1958
(avec le soutien de J.-P. David). Réélu
député en 1962. Membre de l'Assemblée
parlementaire européenne (janvier 1959).
Selon *La Dépêche de la Vallée de la
Seine* (édition Poissy-Meulan, suppl. au
nº 3, 14-11-1962) : affilié à la Franc-
Maçonnerie, aurait été exclu du *Grand
Orient* en raison de son vote sur l'enseignement. Il se serait aussitôt affilié à la
Grand Loge Nationale Française.

DRUMONT (Edouard, Adolphe).

Homme de lettres et journaliste, né à
Paris, le 3 mai 1844, mort dans cette
ville le 5 février 1917. Neveu, par sa
mère, de l'historien Alexandre Buchon.
Le père du *socialisme national* français,
— le mot est de lui — fut d'abord employé à l'Hôtel de Ville de Paris, sous le
Second Empire. Tout en remplissant des
formulaires administratifs, il rédigeait la
chronique des arts à *La Liberté* de Girardin. Ses premiers livres furent des
ouvrages historiques (« *Le Testament de
Louis XIV* », « *Mon vieux Paris* », couronné par l'Académie française). Ce
n'est qu'en 1886, au mois d'avril, qu'il

RÉUTLINGER
PARIS

publia les deux gros tomes de sa fameus
« *France Juive* », où il dénonça ave
vigueur les oligarchies financières israe
lites, comme l'avait fait quarante an
plus tôt le socialiste Toussenel. Le reten
tissement de cet ouvrage fut énorme e
rendit célèbre son auteur. Malgré l'oppo
sition de la maison *Hachette,* qui refus
de mettre le livre en vente, le volum
se vendit par dizaines de milliers d'exem
plaires. Un duel vint donner quelqu
publicité à l'ouvrage : traité de faquin
Arthur Meyer, directeur israélite du mo
narchiste *Gaulois,* alla sur le pré ave
son insulteur (24 avril 1886); au cour
du combat, Meyer saisit la lame de so
adversaire avec la main gauche et plant
la sienne dans la cuisse gauche de Dru
mont. Albert Duruy, fils de l'historien
et l'écrivain Alphonse Daudet avaien
été les témoins du blessé. La presse fi
grand tapage autour de l'affaire. Désor
mais l'auteur de « *La France Juive* »
était célèbre. Mais en fait, ce n'est pa
cette histoire des « manieurs d'argent »
et des « agioteurs » juifs qui reste son
œuvre maîtresse, même augmentée du
commentaire paru sous le titre : « *L
France Juive devant l'opinion* », mai
bien le livre qui suivit, « *La Fin d'u
Monde* », où il fait le procès de la grand
bourgeoisie et du système né en 178
et construit sur la grande spoliation des
biens nationaux. Dans ces 550 pages
Drumont apparaît comme un socialiste
chrétien, et, à ce titre, il a sa place
parmi les sociologues, les philosophes e
les hommes politiques qui tentent, depuis
un siècle et demi, de donner au peuple
un peu de ce bonheur matériel auque
il a droit, lui aussi. En 1890, il fit pa
raître « *La Dernière Bataille* », où il
évoquait quelques souvenirs tout en dé
nonçant les profiteurs de Panama. Son
« *Testament d'un antisémite* », consacre,
un peu plus tard, sa rupture avec le
monde conservateur, qui refusait ses
idées sociales et qu'il rendait responsable
de son échec aux élections municipales
de 1890. Deux ans plus tard, en avril
1892, Drumont lança *La Libre Parole,*
dont les lecteurs se recrutèrent essentiel
lement parmi les curés de campagne et
les anciens communards (un insurgé de
1871, Millot, fut même gérant respon
sable du journal). C'est dans ce quoti
dien, où il avait les coudées franches,
qu'il préconisa ce *socialisme national,*
que d'autres ont repris bien après lui,
qui se réclame de Toussenel et de Prou
dhon, avec, en plus, cette touche chré
tienne qui l'apparente à la doctrine des
chrétiens sociaux et des démocrates-
chrétiens des dernières années du XIXᵉ
siècle et du début de celui-ci. Polémiste

fougueux, le directeur de *La Libre Parole* ne se contentait pas de proposer une réforme profonde du Système. A une époque où l'on faisait infiniment moins de procès de presse qu'aujourd'hui, les journalistes de l'opposition connaissaient néanmoins les rigueurs de la Justice républicaine. Poursuivi par le ministre Burdeau, Drumont fut condamné à trois mois de prison qu'il purgea à Sainte-Pélagie. Il occupa ses loisirs forcés à écrire les meilleures pages d'un livre implacable, « *De l'or, de la boue, du sang* », où il explique l'Anarchie militante — c'était la période des attentats terroristes — par l'exemple des « *Jacobins nantis* ». Estimant que ses livres n'étaient lus que par une trop faible minorité, que son journal, malgré un tirage important, n'atteignait qu'un nombre restreint de Français, qu'en un mot il ne prêchait que dans une chapelle trop petite pour accueillir tous ceux qu'il voulait convaincre, il rêva d'un endroit qui aurait la résonance d'une cathédrale et où sa voix parviendrait enfin à l'oreille des foules. C'est ce qui l'incita, malgré une certaine répugnance due à son précédent échec, à entrer au Palais-Bourbon. En 1898, il fut élu député d'Alger après une campagne dont toute la presse parla : le décret Crémieux, qui avait échauffé les esprits, et les scandaleux profits des « *phosphatiers* » lui valurent les voix par milliers. Entre temps, l'affaire Dreyfus avait éclaté. Elle divisa les antisémites comme tous les autres groupes : Urbain Gohier, par exemple, défendit le capitaine juif que Drumont accusait. Il est certain que cette sombre histoire, où l'injustice le disputa souvent à l'ignominie, marqua l'apogée du mouvement déclenché par Drumont. Rejeté par la force des choses du côté des conservateurs, qu'il abhorrait et qui le détestaient, abandonné par les esprits généreux et les petites gens qui avaient suivi l'auteur de « *La Fin d'un Monde* », mais qui ne comprenaient plus cet allié de fait de ses anciens adversaires, Drumont piétina désormais. Même son élection triomphale à Alger, même le tirage parfois considérable de sa *Libre Parole* ne lui permirent de conserver la place enviée qu'il avait acquise au-dessus de la mêlée, et qui lui permettait d'être, entre la gauche socialiste et la droite nationaliste, le conciliateur apportant une synthèse capable de rallier les esprits généreux et positifs des deux bords. Jeté à corps perdu dans cette bataille où les combinards de Panama avaient une revanche à prendre, Drumont sabra comme un hussard, ne reculant devant aucun obstacle, s'attaquant indistinctement à tout ce qui se trouvait de l'autre côté de la barricade. Un duel l'opposa à Clemenceau (24 février 1898), champion du dreyfusisme à *l'Aurore* : le fin tireur qu'était « le Tigre » manqua son adversaire pourtant myope comme une taupe. Les adversaires ne firent pas la paix après ce match nul, et ils reprirent de plus belle leurs attaques contre l'autre camp. Au début du siècle, Drumont publia deux volumes de portraits : « *Les héros et les pitres* » et « *Statues de neige et figures de bronze* » (1900): piètre orateur, c'est toujours par la plume qu'il diffusait ses idées. Au parlement pendant quatre ans, ses interventions furent à peu près nulles, et c'est avec un certain soulagement qu'il accueillit, au fond, sa non-réélection à Alger, en 1902. Par contre, son échec à l'Académie française, en 1909, où le lauréat de « *Mon vieux Paris* » se vit préférer l'auteur des « *Demi-Vierges* » Marcel Prévost, lui fut plus douloureux. Désabusé, vieilli, presque aveugle, il n'était plus le rude jouteur naguère encore redouté ou admiré. En 1910, il céda son journal à Bazire et à Denais, faute d'avoir pu le vendre à *l'Action Française*. A la veille de la guerre, il fit paraître « *Sur le chemin de la vie* », un recueil d'articles et de pensées. Ce fut le dernier de ses livres. Pendant plusieurs années, son nom parut au bas d'articles publiés dans *La Libre Parole*, mais il n'étaient plus confectionnés qu'à coups de ciseaux dans une œuvre immense. Et le 5 février 1917, en pleine tourmente, il s'éteignit, presque oublié, même par ceux qui, selon le mot de Léon Daudet, avaient appris à lire notre temps dans ses livres. « *Nous avons tous commencé à travailler dans sa lumière* », devait dire Maurras. Jules Lemaître, qui partageait ce sentiment, voyait en lui le plus grand historien du XIXe siècle avec Fustel de Coulanges. Il est certain que son goût pour le côté caché des choses, pour ces fameuses coulisses de l'Histoire chères à Disraëli, a guidé la plupart de ses ouvrages. Mais il semble bien que Drumont ait été avant tout un moraliste, possédant un don de prophétie qui illumine son œuvre et éblouit parfois ceux qui la lisent aujourd'hui. Il est probablement à la politique ce que Jules Verne est à la science : un visionnaire. Pour nombre de ses disciples, il demeure un prophète, et un prophète assuré d'être entendu des générations futures : « *Quand je mesure du regard,* écrivait-il un jour (1902), *la route parcourue, toutes les fatigues, toutes les aventures et tous les déboires de la lutte disparaissent devant cette pensée consolante qui est aujourd'hui une certitude :*

« *Tu peux disparaître demain, tes amis,
tes collaborateurs de la première heure
peuvent disparaître en même temps que
toi, cela n'empêcherait pas notre cause
d'être victorieuse un jour. Rien ne peut
faire désormais que les cosmopolites
n'expient pas un jour d'une manière
terrible tout le mal qu'ils ont fait à la
France.* » Dans sa « *Grande peur des
bien-pensants* » consacrée à Drumont
(1931), Georges Bernanos a raconté plus
qu'il n'a vraiment expliqué l'auteur de
« *La Fin d'un Monde* ». Jean Drault, qui
fut son collaborateur pendant un quart
de siècle, nous l'a montré, dans la biographie qu'il lui a consacrée (1935), tel
qu'il était sans toujours saisir le cheminement de sa pensée. C'est, peut-être, à
travers l'anthologie publiée par J.-M.
Rouault pendant la guerre et mise au
pilon par des éditeurs timorés, que l'on
peut comprendre le message que ce
visionnaire a laissé aux hommes de notre
temps. Les *Amis d'Edouard Drumont*,
créés en 1963, se sont justement donné
pour tâche d'expliquer son œuvre et de
défendre sa mémoire. Car, cinquante ans
après sa mort, les haines qui s'étaient
déchaînées contre l'écrivain et le journaliste ne sont pas éteintes. On ne voit
souvent en Drumont que le polémiste,
contempteur de la « finance juive » : on
oublie le moraliste et le sociologue. A
une époque où son influence était encore
grande dans certains milieux populaires,
malgré l'affaire Dreyfus, un dictionnaire
socialiste, publié sous l'égide de *l'Humanité*, avait tenté de le déconsidérer en
imprimant, avec beaucoup de légèreté,
que l'auteur de « *La France Juive* »
était... d'origine israélite. Répondant
avec humour à cette contre-vérité, Drumont publia dans *La Libre Parole* (18-12-
1908) la généalogie de la famille de sa
mère depuis le début du XVIIe siècle. La
voici :

Louis MOYEUX (1605-1694)
propriétaire à Saint-Sauveur-en-Puysaye,
dans le Berri
Marié à Edmée JOURNIER (1612-1704).
17 enfants, dont
Edmée MOYEUX (1631-1677),
Mariée à Pierre PAULTRE (1610-1676).
14 enfants, dont
Jean-Joseph PAULTRE (1677-1733)
Marié à Marie ROBINEAU (-1669),
6 enfants, dont
Vincent PAULTRE (1699-1745),
Marié à Catherine-Elisabeth CHRETIEN.
12 enfants, dont
Etienne-Vincent PAULTRE (1725-1802)
Marié à Anne CHAUCHARD (1739-1796).
4 enfants, dont
Cyr-Pierre-Vincent PAULTRE (1779-1853)
Marié à Anne CLAVEAU (1778-1857).

9 enfants, dont
Anne-Louis PAULTRE (1805-1863),
Mariée à François LEVEILLE (1793-1857)
7 enfants, dont
Antoine-Elie LEVEILLE (1847-   ),
Marié à Berthe ROSSIGNOL (1849-   )
2 enfants, dont
Paul-Louis LEVEILLE (1878-   )
Jean-Louis MOYEUX (1642-1704),
Marié à Marie DUMANT.
2 enfants, dont
Eutrope-Alexandre MOYEUX (1884-1749)
Marié à Marie-Madeleine BIZOTON.
8 enfants, dont
Marie-Madeleine MOYEUX (1717-1788),
Mariée à François DESPLAT.
4 enfants, dont
Eutrope-Alexandre MOYEUX (1684-1749),
Marié à Jeanne EULON.
6 enfants, dont
Jeanne DESPLATS (1772-1850),
Mariée à Jean-Louis BUCHON.
15 enfants, dont
Honorine BUCHON (1807-1877),
Mariée à DRUMONT (Adolphe).
2 enfants, dont
Edouard DRUMONT (1844-   ).
Dans un autre article, paru un an au-
paravant (*La Libre Parole,* 18 janvier
1908), il avait fourni ces précisions sur
son ascendance paternelle :
Claude DRUMONT,
Garde des bois du roi de la paroisse
d'Escaupont,
né à Séméries (Nord) (1686-1742).
Estienne DRUMONT,
Garde des bois de Sa Majesté,
vivant à Escaupont,
Marié à Anne-Marie ROUSSEAU.
Jacques-Joseph DRUMONT,
Né à Escaupont, mort à Lille (1745-1820),
Marié à Charlotte-Josèphe HERENGUET
en deuxièmes noces, étant veuf de
Thérèse PIQUE, fileuse.
Maximilien-Joseph-Albin DRUMONT
(1786-1865, né et mort à Lille),
Marié à Angélique-Louise IVOY.
Adolphe-Amand-Joseph DRUMONT,
Né à Lille le 17 octobre 1811,
Mort à Saint-Maurice (Seine)
le 19 novembre 1870.
Marié à Marie-Françoise SENECHAL.
Marié à Anne-Honorine BUCHON.
2 enfants, dont
Edouard-Adolphe DRUMONT,
Né à Paris le 2 mai 1844.
La publication de ces indications mit
un terme à ces accusations fantaisistes
qui avaient eu pour origine un pamphlet
paru en 1896 sous le titre « *L'Israélite
Edouard Drumont et les sociétés secrè-
tes* » et dont l'auteur, un disciple de Léo
Taxil, signait « *abbé Renaut* ». Le nom
de l'auteur de « *Mon vieux Paris* » n'a
jamais été donné à une voie de la capi-

tale. Même sous l'Etat français, alors que Pierre Taittinger, — qui s'était dit, dans sa jeunesse, le disciple de Drumont, — présidait le Conseil municipal de Paris, et que le gouvernement Pétain légiférait à Vichy contre les Israélites, les démarches faites auprès des autorités n'aboutirent pas. Les amis du révolutionnaire Auguste Blanqui avaient été, une quarantaine d'années auparavant, plus heureux auprès d'un gouvernement bourgeois.

DU PATY DE CLAM (voir : Paty de Clam).

DUAULT (Alfred).

Industriel, nommé le 2 novembre 1941 membre du *Conseil National* (voir à ce nom).

DUBARRY (Albert) (voir : La Volonté).

DUBOIN (Jacques, J.F.).

Economiste, né à Saint-Julien-en-Genevois (Haute-Savoie), le 17 septembre 1878. Homme de gauche, ancien banquier, ancien député de la Haute-Savoie (1921-1928), ancien sous-secrétaire d'Etat au Trésor (gouvernement Briand, 1926), ancien collaborateur régulier de *l'Œuvre*, avant la guerre, et de divers autres journaux, est le théoricien français de l'Abondance. Il a développé ses idées dans plusieurs livres : « *Réflexions d'un Français moyen* », préfacé par Henry de Jouvenel, « *Nous faisons fausse route* », présenté par Joseph Caillaux, « *Les yeux ouverts* ». Il est le fondateur du *Mouvement Français pour l'Abondance* et le directeur de la *Grande Relève des Hommes par la Science*.

DUBOIS (André-Louis).

Administrateur de Société, né à Bône (Algérie), le 8 mars 1903. Marié avec Carmen Tessier, la *commère de France-Soir*. Ancien collaborateur d'Emile Morinaud et d'Albert Sarraut, fit carrière dans l'administration préfectorale (Seine-et-Marne, 1947 ; Moselle, 1950 ; Préfet de police, 1954) et devint ambassadeur à Rabat (1955). Quitta l'Administration en 1956 et entra au groupe de presse Prouvost (*Paris-Match, Marie-Claire, Le Figaro*). Est, en outre, administrateur des *Anciens Etablissements Braunstein* (papiers *Zig-Zag*).

DUBOIS (Emile).

Homme politique, né à Lille, le 9 août 1913. Militant socialiste, secrétaire de mairie, puis maire de Salomé (Nord) depuis 1947. Président de l'*Association des maires du Nord* et du comité de l'*Association des maires de France*. Conseiller général du Nord (1945-1958, et depuis 1964). Député (1951-1955). Sénateur du Nord (depuis 1958).

DUBOIS (Hector).

Agriculteur, né à Courcelles (Belgique), le 30 novembre 1908. Président de la Chambre d'agriculture de l'Oise. Conseiller général et sénateur de l'Oise, membre du groupe du *Centre républicain d'action rurale et sociale*.

DUBOIS (Marius).

Membre de l'Enseignement, né à Aubenas, le 10 octobre 1890. Militant *S.F.I.O.* et membre de la *Grande Loge de France*, député d'Oran (1936-1942). Ne prit pas part au vote du 10 juillet 1940. Vénérable de la loge *L'Espérance des Amis Réunis d'Aubenas,* fut l'un des fondateurs de la revue *Les Lettres Mensuelles* (1953).

DUBOIS (René).

Chirurgien, né à Paris, le 12 juillet 1893. Chirurgien-chef de l'hôpital de Saint-Nazaire. Membre de la deuxième Assemblée constituante (1946), député de l'Assemblée nationale (1947), sénateur indépendant de la Loire-Atlantique (1948-1965), quitta le groupe des Indépendants en 1961 et demeura non inscrit. Conseiller général du canton de Guérande, maire de La Baule, président des maires de la Loire-Atlantique. Soutint la candidature Tixier-Vignancour à l'élection présidentielle de décembre 1965.

DUBOIS-DUMEE (Jean-Pierre).

Journaliste, né à Amiens, le 12 février 1918. Militant démocrate-chrétien, dirige actuellement, en second, la rédaction de *La Vie Catholique Illustrée* et des *Informations Catholiques Internationales*. Est également le directeur de la rédaction de *Télérama*. De 1946 à 1951, fut le rédacteur en chef de *Témoignage Chrétien*. Est l'un des journalistes de sa tendance les plus influents ainsi que l'indiquent les fonctions officielles occupées : secrétaire général de l'*Union Internationale de la Presse Catholique* (1952-1957), président de la *Conférence des Organisations Internationales Catholiques* (1957-1959), du *Centre National de Presse Catholique* (1964-1966) et de l'*Office Catholique Français de Radio-Télévision*, consulteur de la *Commission Pontificale pour les moyens de communication sociale*, membre du Comité des Programmes de l'*O.R.T.F.*, auteur de divers ouvrages dont : « *Solitude de Péguy* ».

DUBOSC (Albert).

Industriel, né à Graville-Sainte-Honorine (Seine-Inf.), le 7 mars 1874, mort à Nice, le 22 novembre 1956. Conseiller municipal de Sainte-Adresse, puis Conseiller général de la Seine-Inférieure. Se présenta en 1936 sous le patronage discret de René Coty et fut élu député de son département. Inscrit au Groupe de la *Gauche démocratique radicale et indépendante*. Le 10 juillet 1940, vota les pouvoirs constituants au maréchal Pétain. Nommé le 2 novembre 1941, membre du *Conseil National*.

DUBUIS (Emile-Frédéric).

Avocat, né à Roanne (Loire), le 20 mars 1911. Maire de Trévoux. Conseiller général du canton de Trévoux (depuis septembre 1945). Membre de l'*Alliance France-Israël*. Député *M.R.P.* de l'Ain (3e circ.) de 1958 à 1967.

DUCAP (Armand).

Homme politique, né à Toulouse (Hte-Garonne) le 16 novembre 1918. Chargé de cours à l'E.N.S.A.T. Adjoint au maire de Toulouse (mars 1959). Suppléant de Jacques Maziol, élu député le 30 novembre 1958, et nommé membre du gouvernement, a été proclamé député de la Haute-Garonne, le 17 mai 1962. A nouveau, suppléant du même aux élections législatives de 1962. A été proclamé député le 7 janvier 1963, J. Maziol étant à nouveau devenu membre du gouvernement.

DUCAROUGE (François).

Agriculteur (1859-1913). Fils d'ouvrier de l'Allier, fut domestique de ferme, ouvrier potier et retourna à la terre. Maire de Digoin et député socialiste de Saône-et-Loire (1908-1913).

DUCAUD-BOURGET (François, Germain).

Ecclésiastique, né à Bordeaux (Gironde), le 24 novembre 1897. Vicaire dans la banlieue parisienne, puis à Saint-Germain-l'Auxerrois, aumônier de l'hôpital Laënnec. Fonda l'*Union universelle des poètes et écrivains catholiques* et la revue *Matines*. Chapelain conventuel de l'ordre de Malte. Auteur de nombreux livres, dont : « *Vie humiliée de Jehanne de France* », « *Louis Dauphin de France* », « *Claudel, Mauriac et Cie* », « *Faux Témoignage chrétien* ».

DUCHESNE (Edmond-Henri).

Industriel, né à Evreux (Eure), le 23 décembre 1893. Président-directeur général des *Ets Duchesne*, à Honfleur. Président de la Chambre de Commerce de Honfleur et Lisieux. Président d'honneur du *Syndicat des Importateurs normands des bois du Nord*. Ancien maire de Honfleur, de 1933 à la Libération. Membre du *Rotary*. Elu député « indépendant libéral » du Calvados (3e circ.) le 30 novembre 1958. Réélu le 25 novembre 1962 avec l'investiture de l'*Union pour la Ve République*. Inscrit au groupe des *Républicains Indépendants*.

DUCHET (Roger, Benoît).

Homme politique, né à Lyon, le 4 juillet 1906. Marié en 1res noces avec Simone Serre (1 enfant : Michel) et en secondes noces avec l'actrice Andrée Debar. Vétérinaire, propriétaire-viticulteur et, actuellement, directeur de la *Sté Euro-France Films*. Fondateur du journal *La Vie Rurale* (1930) ; maire de Beaune et conseiller général de la Côte-d'Or (1934); candidat radical-socialiste (*Front populaire*) aux élections législatives de 1936 ; mobilisé, prisonnier et libéré, reprit ses fonctions de maire de Beaune (1940), qu'il conserva de 1945 à 1965 ; conseiller général du canton de Beaune-Sud (1945-1964); sénateur de la Côte-d'Or (depuis 1946). Fondateur du *Centre National des Indépendants* (6 janvier 1949) et du journal *France Indépendante* (1950), fut jusqu'en 1961 le secrétaire général du premier et demeure le directeur-propriétaire du second. Membre des gouvernements Pleven (1951), Edgar Faure (1952 et 1955), d'abord aux Travaux publics, puis aux P.T.T. et à la Reconstruction. Co-fondateur du *Mouvement National des Elus locaux* et des *Jeunesses Indépendantes et Paysannes* (1953). Membre fondateur du « *Comité de Vincennes* » (1961). En quittant le secrétariat général du *C.N.I.* en mai 1961, se fit mettre en « *congé de parti* », puis démissionna du Centre (1965) et rallia progressivement le gaullisme faisant campagne pour des candidats *U.N.R.-U.D.T.* aux élections municipales de 1965, pour le général De Gaulle à l'élection présidentielle de décembre 1965 et créant une organisation gaulliste à l'intention des libéraux du *centre droit* : *L'Union pour le Progrès* (1966). Préside l'*Association des Nouvellistes Parisiens* et administre l'*Association France-Etats-Unis*. Auteur de « *Pour le salut public* ».

DUCHEZ (Robert).

Directeur de journal, né à Arcachon le 13 avril 1909. Colonel d'infanterie de marine (en retraite). Premier adjoint au maire d'Arcachon. Membre du comité national du *Syndicat de la Presse Périodique de Province et d'Outre-mer* et du comité directeur de l'*Association Française des journalistes et écrivains de Tourisme*. Directeur-propriétaire du *Journal d'Arcachon*.

DUCLOS (Jacques).

Homme politique, né à Louey (Hautes-Pyrénées), le 2 octobre 1896, au foyer d'un très modeste artisan charpentier. D'abord ouvrier pâtissier à Tarbes (pâtisserie Juntet), à Bagnères, puis à Paris où il vint seul à 16 ans. En 1924, alors qu'il faisait une saison comme chef pâtissier à l'hôtel Eskualduna, à Hendaye, il prit la parole au cours d'une réunion organisée avec des amis pour y défendre des thèses marxistes. A la fin de la réunion, un dignitaire de la loge maçonnique vint lui proposer de se faire initier : il refusa. C'est le communisme qui l'attirait. En 1926, il fut d'ailleurs élu député communiste de Paris (2ᵉ secteur) et, dès lors, représenta le département de la Seine au Parlement, d'abord comme député (1926-1928, 1928-1932, 1936-1940, 1944-1945, 1945-1946, 1946-1951, 1951-1956), puis comme sénateur (depuis 1959). Il fut également vice-président de la Chambre des députés (1936), vice-président de l'Assemblée nationale (1946-1948), président du groupe communiste à l'Assemblée (1951-1958) et président du groupe communiste au Sénat (depuis 1959). Mais Jacques Duclos eut, au sein du parti, un rôle plus discret et non moins actif. En 1931, il était, en effet, chargé par le *P.C.* de contrôler et de diriger le travail des « correspondants ouvriers d'usine » — les rabcors — qui fournissaient des renseignements au *Parti communiste*. Cette organisation fut découverte par la police en 1932, et l'instruction révéla qu'une partie de ces informations était transmise à l'attaché militaire soviétique à Paris par l'intermédiaire d'un de ses agents, un Israélite polonais nommé Izaja Bir et surnommé Fantômas, qui fut d'ailleurs condamné à 3 ans de prison en même temps qu'un de ses complices (5 décembre 1932). Duclos s'exila alors pendant trois ans en Allemagne. Après la mise hors la loi du *Parti communiste* par le gouvernement Daladier (1939), c'est lui qui organisa la « *chasse aux traîtres* » au sein du Parti (Parmi ces « renégats », quelques-uns s'étaient ralliés au maréchal Pétain et d'autres avaient rejoint la Résistance ; ils furent indistinctement frappés). En 1952, Jacques Duclos fut emprisonné quelques semaines : il était inculpé d'atteinte à la sûreté intérieure de l'Etat. Mais l'affaire judiciaire, mal engagée, n'eut pas de suite. Le *leader* communiste est membre du bureau politique du *P.C.F.*

DUCOS (Hippolyte).

Homme politique, né à Saint-André (Haute-Garonne), le 3 octobre 1881. Professeur agrégé de lettres. Conseiller général de Barbazan (1919), puis de l'Isle-en-Dodon (depuis 1948). Maire de Lilhac (depuis 1947). Député de la Haute-Garonne (circ. de Saint-Gaudens) (1919-1940). Anc. Président du *Groupe d'Education Nationale et d'Action Laïque* de la Chambre. Anc. membre du Conseil général de la *Ligue de l'Enseignement*. Vice-président de la Chambre des Députés (1936-1939). Sous-secrétaire d'Etat à l'Enseignement technique (cab. Herriot, 1932 ; cab. Paul Boncour, 1932-1933 ; Daladier, 1933). Ministre des Pensions (cab. Sarraut, 1933 ; Chautemps, 1933-1934 ; Daladier, 1934). Sous-secrétaire d'Etat à la Guerre (cab. Daladier, 1939-1940) ; Paul Reynaud, 1940). Vota la délégation de pouvoirs au maréchal Pétain en juillet 1940. Elu député de la Haute-Garonne à l'Assemblée nationale le 17 juin 1951, réélu le 2 janvier 1956 avec l'investiture de *L'Express*. Vice-président du groupe parlementaire d'amitié France-Etats-Unis. Membre de l'*Alliance France-Israël*. Après le retour au pouvoir du général De Gaulle : « *Son radicalisme opportuniste*, écrivait *Le Charivari* (mars 1959), *s'oppose dans la région toulousaine à celui, plus agressif, de Bourgès-Maunoury: rallié à De Gaulle, a fait voter OUI tandis que son frère ennemi faisait voter NON.* » Réélu député en 1958, 1962 et 1967. Protagoniste de « l'Ecole unique », a publié un livre où il expose ses idées et qui eut, à l'époque, un gros succès dans les milieux de gauche et dans les loges maçonniques : « *Pourquoi l'Ecole unique* » (édité par Fernand Nathan).

DUCREUX (Jacques TACNET, dit).

Journaliste s'étant fait élire sous la fausse identité de *Ducreux*, né le 20 septembre 1912 à Paris, comme député radical-socialiste des Vosges en 1951. Il avait débuté dans la politique, sous son nom patronymique Tacnet, au cours des années 30, au Quartier latin, et avait fondé un parti néo-mérovingien ! Fait prisonnier en 1940, il était parvenu à s'évader et, ayant gagné Vichy, à devenir le correspondant de divers journaux, notamment d'*Aujourd'hui* et de *La France Socialiste*, et le collaborateur de *Mon Pays*, de Bordeaux. Expulsé de Vichy en 1943, il passa en Espagne et se proclama gaulliste et résistant. Après la Libération, il fut l'agent électoral de Paul Anxionnaz, à Reims et, semble-t-il, le collaborateur du journal rémois *Est-France*, dont Henri Ribière fut quelque temps le directeur politique. Militant actif du *Parti Radical-Socialiste*, Tacnet dit Ducreux fit une intervention remarquée, sur la presse, au Congrès radical de Deauville en 1952. Il se tua dans un accident de voiture en février 1952 et le président Herriot prononça son éloge funèbre. Sa véritable identité fut découverte lorsque les employés de l'état civil voulurent transcrire l'acte de décès : c'est en vain qu'ils cherchèrent l'acte de naissance de « Jacques Ducreux ». Ce fut un beau scandale. Mais on ne sut jamais comment ce « collabo » devenu « résistant » avait pu se faire élire député radical-socialiste.

DUFEU (Jean-Baptiste, Marius).

Né à Péage-de-Roussillon (Isère), le 5 août 1898. Conseiller général du canton de Roussillon. Maire de Péage-de-Roussillon, sénateur de l'Isère, membre du groupe de la *Gauche démocratique*.

DUFFAUT (Henri).

Fonctionnaire, né à Béziers (Hérault), le 7 juin 1907. Directeur adjoint des contributions directes. Conseiller général de Vaucluse (Avignon-Nord) depuis le 11 juin 1961. Elu maire d'Avignon en décembre 1958. Elu député socialiste de Vaucluse (1re circ.) en 1962. Réélu en 1967.

DUFLOT (Henri).

Médecin, né à Lens (Pas-de-Calais), le 27 novembre 1907. Elu conseiller général du canton d'Arras-Sud en 1949, réélu en 1955, battu en 1961. Ancien vice-président du conseil général. Elu député *U.N.R.* du Pas-de-Calais (2e circ.) le 30 novembre 1958 (avec les voix des électeurs de l'ancien ministre *M.R.P.* Catoire) : réélu en 1962. Battu en 1967.

DUFOUR (Jacques).

Commerçant (1849-1913). Ouvrier tapissier, puis marchand de chaussures. Conseiller municipal d'Issoudun (1880), puis maire (1899) et conseiller général (1889) puis député de l'Indre (1898-1913). Fut l'un des chefs du *Parti Ouvrier Français* dans l'Indre, en même temps qu'un maçon actif et convaincu. Considéré comme le principal introducteur du socialisme moderne à Issoudun.

DUHAMEL (Jacques).

Haut fonctionnaire, né à Paris le 24 septembre 1924. Fils de Jean Duhamel, délégué général du Comité (patronal) des Houillères. Marié avec Mlle Colette Rousselot (fille du président de la *Cie Générale Rousselot*, adm. des *Tanneries Françaises*, des *Engrais de Roubaix*, des *Colles du Nord*, du *Crédit Général d'Escompte et de Dépôts*, de la *Polysar*, etc.), actionnaire (avec son mari) des *Editions de la Table Ronde*. Ancien de l'E.N.A. Participa à la Résistance. Auditeur au Conseil d'Etat (1947). Conseiller technique d'Edgar Faure, secret. d'Etat aux Finances (1949), ministre du Budget (1950), président du Conseil (1955-1956). Conseiller technique de René Mayer, garde des Sceaux (1950). Maître des Requêtes au Conseil d'Etat (1954). Commissaire Général adj. à la Productivité (1958). Délégué général, puis directeur général du Centre National du Commerce extérieur. Entre-temps : chroniqueur politique de la revue (mendésiste) *La Nef*.

DUMAS (Pierre-Albert).

Directeur commercial, né à Chambéry, le 15 novembre 1924. Fils de François Dumas, ancien sénateur. Premier prix du concours d'éloquence de l'Université de Grenoble. Directeur commercial des *Cartonneries de La Rochette*. Conseiller général du canton de Beaufort et maire de Chambéry. Député *U.N.R.* de la Savoie (1958). Secrétaire d'Etat aux Travaux publics, puis secrétaire d'Etat auprès du Premier ministre, chargé des relations avec le Parlement (cabinet Pompidou, 1962). Réélu député de la 3e circonscription de la Savoie (1962), abandonna son siège pour demeurer secrétaire d'Etat auprès du Premier ministre, chargé des relations avec le Parlement.

DUMAS (Roland).

Avocat, né à Limoges le 23 août 1922. Fils d'un fonctionnaire des Finances, appartenant à l'*Armée Secrète*, que les Allemands fusillèrent à Brantôme en 1944. Par sa mère, née Lecanuet, est cousin du leader du *Centre démocrate*. Appartint au *M.L.N.* et fut arrêté en

1942 par la police du gouvernement de Vichy et interné au camp de Fort-Barreaux, d'où il parvint à s'évader. Inscrit au barreau de Paris, Membre du *Club des Jacobins* (1956). Directeur politique du *Socialiste Limousin*. Député *U.D.S.R.* de la Haute-Vienne (1956-1958). Appartient au comité directeur de la *Ligue pour le Combat Républicain*. Auteur de : « *J'ai vu vivre la Chine* ».

DUMAT (Louis).

Economiste-conseil, né à Nantes le 24 décembre 1901. Fils d'un agent de change. Travailla dans l'exportation-importation (1924-1926), en publicité (1927-1939), dirigea le *Moniteur officiel du Commerce et de l'Industrie* (1933-1934), les informations du poste *Radio-Colonial* (1935-1936), la publicité de *Marie-Claire* (1936-1937), et de *l'Epoque* (1937-1939), le quotidien *La Presse Marocaine* (1945-1947). Entre-temps, fut l'un des dirigeants des *Jeunesses Patriotes*, représenta la Seine à la Chambre (1928-1932), les Français du Maroc à la 1re Constituante (1945) et fut Conseiller du Gouvernement du Maroc en même temps que conseiller municipal de Casablanca (1947-1956).

DUMAYET (Pierre, Antoine).

Journaliste, né à Paris, le 24 février 1923. Fils d'Henri Dumayet, employé à la Banque de France, et de Mme, née Madeleine Guevel. Marié le 6 juin 1946, avec Mlle Françoise Caron, productrice d'émissions télévisées (3 enfants : Antoine, Nicolas, Corrine). Etudes : Lycée Buffon et Faculté des lettres de Paris. Débuta à la Radiodiffusion française (1947). Producteur d'émissions de la *R.T.F.* Producteur des émissions « *Lectures pour tous* » et « *Cinq colonnes à la une* ». Rédacteur en chef adjoint du *Nouveau Candide* (1961-1964).

DUMORTIER (Jeannil).

Universitaire, né à Attichy (Oise), le 28 juin 1911. Professeur. Maire de Saint-Martin-Boulogne. Membre de l'*Alliance France-Israël*. Conseiller général du canton Sud de Boulogne depuis 1949. Elu député *S.F.I.O.* du Pas-de-Calais (1re circ.), le 2 janvier 1956, avec l'investiture de *L'Express*. Réélu dans la 5e circ. le 30 novembre 1958 et le 25 novembre 1962 (avec les voix communistes au 2e tour). Réélu en 1967.

DUMOULIN (Georges).

Ancien secrétaire de la *C.G.T.* et, pendant la guerre, dirigeant du *R.N.P.* de Déat (voir : *Itinéraires*).

DUPERIER (Bernard, Léon, Maurice).

Homme politique, né à Paris le 13 juin 1907. Fils de Clemens Stirnberg de Armella (anobli, dit-on, par l'Empereur d'une nation voisine), et de Mlle Yvonne Dupérier. Ingénieur de l'Ecole technique aéronautique et de construction automobile. Colonel de l'armée de l'air (C.R.). Pilote (1927-30), pilote d'essai (1930-32), constructeur d'avions (1934-37). Fut, sous son patronyme de Stirnberg de Armella, l'un des chefs du *P.S.F.* avant la guerre et l'un des principaux actionnaires de la *Sté Indépendante de Presse* qui éditait alors *Le Petit Journal*. Dans les forces aériennes françaises de la R.A.F. en 1943-1944. Adjoint au Gal Cdt la 2e Région aérienne (1946-47). Vice-président de *Marine Colloïds Inc* de New York. Adm. d'*Air-France* et de la *Sté des Produits Chimiques et d'Engrais d'Auby*. Conseiller pour la France de la *Boeing Airplane Co*. Fondateur et président de l'*Association nationale pour le soutien du Général De Gaulle*. Membre de l'*Alliance France-Israël*. Président d'honneur de l'*Amicale des forces aériennes de la France libre*. Membre du *Comité des Volontaires de l'Union Française*, Député *U.N.R.* de la 6e circ. de Paris (1962-1967). Auteur de : « *La vieille équipe* », « *L'Etoile, les Ailes et la Couronne* ».

DUPONT (Léon) (Voir : Chevrotine).

DUPRAZ (Joannès).

Homme politique, né à Bois-d'Oingt (Rhône), le 3 juillet 1907. D'abord journaliste, il appartint à la rédaction de *La Journée industrielle*, du *Salut public* (Lyon) et du *Bulletin quotidien* (du Comité des Forges). Ne cachant pas ses tendances conservatrices et bien que répudiant les idées fascistes qui effrayaient la bourgeoisie française, il écrivait alors son livre « *Regards sur le fascisme* » (Paris 1935) : « *Mussolini a donné des vertus à l'Italie : il n'a pas lutté pour son profit (...) Il a tenté, il tente de discipliner sa nation autant que le peut le génie humain. Il ne s'apparente pas aux usurpateurs de l'histoire.* » (page 124). Il avait, entre-temps, dirigé le poste *Radio-Lyon* », collaboré à la presse locale *Croix de feu*. En 1939, le ministre du Commerce de l'époque en fit un chef de cabinet. Pendant la guerre, il fut attaché au cabinet du secrétaire d'Etat au ravitaillement (1941), mais ce n'est pas à ce titre qu'il assista aux journées de l'*Agence Inter-France* en novembre 1942. À la Libération, il fut appelé par Teitgen au ministère de l'Information, en qualité de secrétaire général (1944-1945). Il fut, à la même époque, l'un des fondateurs du *Monde,* en même temps que l'associé de la société éditrice du grand journal dont il devait présider quelque temps le comité de direction. Sa carrière, dès lors, fut prodigieuse : administrateur de l'*Agence Havas* (1945), membre des deux Assemblées constituantes (1945-1946), député *M.R.P.* d'Indre-et-Loire (1946, 1951-1956, 1956-1958), sous-secrétaire d'Etat à l'Armement (cabinet Ramadier 1947), secrétaire d'Etat à la marine (cabinets R. Schuman, 1948 ; André Marie, 1948 ; H. Queuille, 1949) ; vice-président de la Commission de contrôle des crédits militaires (1950-1953), secrétaire d'Etat à la présidence du conseil (cabinet R. Mayer, janvier-mai 1953), conseiller général du canton nord de Tours (1955-1961), président de la Délégation française à la Commission économique pour l'Europe des Nations unies (1955), délégué de la France à l'Assemblée générale des Nations unies (1956-1957-1962), président de la Commission de contrôle de la défense nationale (1958), président de la Délégation française à la Commission économique pour l'Europe (1958-1962), président de la Délégation française à la Commission économique pour l'Afrique (1961-1962). Il fut, en outre, administrateur de la *Compagnie nationale Air France* (1961), de la *Compagnie multinationale Air Afrique* (1961), de la *Verrerie Souchon-Neuvesel,* des *Tissages de soieries réunis,* de la société *Descours et Cabaud,* etc.

DUPUY (Fernand).

Membre de l'Ensignement, né à Jumilhac-le-Grand (Dordogne), le 2 mars 1917. Instituteur. Maire de Choisy-le-Roi. Membre du C.C. du *Parti Communiste.* Elu conseiller général du 1er secteur de la Seine, le 17 mai 1953. Réélu dans le 46e secteur le 15 mars 1959. Député communiste de la 51e circ. de la Seine depuis novembre 1962.

DUPUY (Jean).

Directeur de journal, né à Saint-Palais (Gironde), le 1er octobre 1844, mort à Paris le 31 décembre 1919. Fils d'un « sergier » — épicier-mercier. Vagues études primaires qu'il compléta seul jusqu'au certificat d'études. Saute-ruisseau d'huissier à Saint-Ciers-Lalande, clerc d'avoué à Blaye, clerc stagiaire puis maître-clerc de l'avoué Sébileau à Paris, devint maître-clerc de l'avoué-conseil François Marraud. Déjà, Jean Dupuy avait fait la connaissance de Maurice Rouvier et de Waldeck-Rousseau, futurs présidents du Conseil, et sa situation de maître-clerc l'avait mis en rapport avec d'importants personnages de la banque, de l'industrie et du journalisme. Il se lia avec le banquier Claude-Lafontaine, chez qui il rencontra Louis-Paul Piégu, futur directeur-gérant du *Petit Parisien,* et Adrien Hébrard, directeur du *Temps.* Mobilisé comme garde national après Sedan, il évita de se compromettre avec la Commune bien que fréquentant plusieurs communards tels que Raoul Rigault et Théophile Ferré. Il acheta une étude d'huissier, puis ouvrit un cabinet d'affaires et s'intéressa au *Petit Parisien* auquel il avança de l'argent. En 1883, il acheta l'immeuble du journal et, l'année suivante, devint président du Conseil de surveillance du quotidien, dont Piégu resta directeur-gérant. A la mort de Piégu, le 25 juillet 1888, il racheta les actions du journal détenues par sa veuve et, le 18 août, il devint officiellement propriétaire-gérant-directeur du *Petit Parisien.* Sénateur des Hautes-Pyrénées en 1891, inscrit au groupe de la *gauche républicaine,* il fut constamment réélu jusqu'à sa mort. Ministre de l'Agriculture (cabinet Waldeck-Rousseau, 1889-1902), ministre du Commerce et de l'Industrie (cabinets Briand, 1909-1910), ministre des Travaux publics (cabinet Poincaré, 1912-1913 ; cabinet Briand, 1913), vice-président du Sénat (1913), ministre des Travaux publics (cabinet Ribot de 2 jours en 1914), ministre d'Etat, membre du Comité de guerre (cabinet Painlevé 1917). Pour la fabrication du papier nécessaire à son journal, il créa en 1905 la Société des *Papeteries de la Seine.* Président du Syndicat de la Presse, Jean Dupuy, en dehors du *Petit Parisien* et de ses annexes *La Vie populaire* et le *Supplément illustré du Petit Parisien,* était propriétaire — entre autres — de *Nos Loisirs,* recueil de nouvelles, de contes, de mots croisés, de *L'Agriculture nouvelle, Les Pyrénées* (de Tarbes), *L'Avenir* (de Blaye) ; il fonda *La Science et la Vie,* mensuel de vulgarisation scientifique, et *Le Miroir,* hebdomadaire de quatorze pages de photographies qui prit un grand essor au cours

---

de la guerre 1914-18, dirigés tous les deux par son fils Paul ; il possédait des intérêts dans *Le Temps* et contrôlait *La France de Bordeaux* ; il a été quelques mois propriétaire du *Siècle*. Habile, très opportuniste, Dupuy a toujours su prendre une position assez discrète pour lui permettre de tirer son épingle du jeu en toutes circonstances ; en particulier au moment de l'Affaire Dreyfus : anti-dreyfusard en 1894, révisionniste en 1897 *« dans la mesure où son journal ne sera pas en cause »* (« *Un homme, un journal : Jean Dupuy* », par Micheline Dupuy, Paris 1959), plus franchement en 1899, enfin promoteur de la grâce en 1899. Il a pris une part importante dans les relations entre la France et l'Allemagne, notamment à l'occasion des affaires du Maroc (discours de Guillaume II à Tanger le 31 mars 1905, conférence d'Algésiras, affaire de la *Panther* du 1er juillet 1911). Son influence sur la politique de son époque lui a valu d'être surnommé l' « éminence grise » de la IIIe République. (Voir : *Le Petit Parisien.*)

DUPUY (Pierre).

Administrateur de sociétés, né à Paris le 21 juin 1876. Fils de Jean Dupuy, ministre de la IIIe République. Directeur, avec son père et son frère, du groupe de presse du *Petit Parisien*, fut député indépendant de la Seine (1902-1924), puis de l'Inde française (1924-1928) et enfin de la Gironde (1932-1942). Vota pour le maréchal Pétain le 10 juillet 1940. Fut, entre temps, sous-secrétaire d'Etat de Clemenceau (1919). « Patron » des *Editions Pierre Dupuy*, administrateur des *Papeteries de la Seine* et propriétaire des vignobles de Ségonzac.

DUPUY (Richard).

Avocat, né à Alger le 20 décembre 1914. Inscrit au barreau d'Alger, puis à celui de Paris. Haut dignitaire de la maçonnerie du Rite Ecossais, plusieurs fois Grand Maître de la *Grande Loge de France*. Fut sous-directeur du contentieux et de la justice militaire du Comité Français de Libération Nationale et du G.P.R.A. à Alger (1943), puis directeur de la justice de l'Air à Paris à la Libération (1944). Membre dirigeant du *Mouvement Evolutionniste Français* (1965), participa à la *Convention Libérale Nationale* d'Issy-les-Moulineaux (1965) et y fut candidat à l'investiture des libéraux pour l'élection présidentielle. Partisan de l'Algérie française, fut l'un des défenseurs de Bastien-Thiry devant le tribunal qui le condamna à mort.

DURAFFOUR (Paul).

Homme politique, né à Anzy-le-Duc (S.-et-L.) le 10 septembre 1905. Maître des requêtes du Conseil d'Etat (depuis 1954). Ancien fonctionnaire de l'Administration centrale du ministère de l'Intérieur (1930-1940). A appartenu aux cabinets ministériels de Camille Chautemps, de Maurice Petsche, de Martinaud-Deplat. Préfet de 3e classe (1er janvier 1944). Conseiller de préfecture de la Seine (16 juin 1944). Conseiller au Tribunal administratif de Paris (1er janvier 1954). Candidat radical-socialiste en janvier 1956 en Saône-et-Loire (battu). Elu député radical de Saône-et-Loire (2e circ.), le 25 novembre 1962. Réélu en 1967.

DURAND (Charles).

Agriculteur, né à Bazoches (Nièvre), le 15 avril 1901. Elu sénateur du Cher en 1952. Membre du groupe sénatorial du *Centre républicain d'Action rurale et sociale*. Maire de Neuvy-le-Barrois.

DURAND (Pierre).

Secrétaire général de société, né à Anduze (Gard), le 26 juillet 1933. D'abord attaché de laboratoire en Afrique Noire (1959-1961), est depuis secrétaire général de la *S.E.R.P.*, firme qui a édité, au cours des années 1963-1966, les disques des procès politiques, du maréchal Pétain, de Philippe Henriot et de Tixier-Vignancour. Militant nationaliste, appartint aux étudiants de la *Restauration Nationale* (*Action Française*) en 1949-1951, puis aux *Jeunes Indépendants de Paris* (membre du bureau, 1955-1956), à l'*U.D.C.A.* de P. Poujade (secrétaire administratif, 1956-1957), au *Comité Tixier-Vignancour* (chargé de l'organisation de la propagande, 1963-1966). Actuellement, trésorier du *Cercle du Panthéon*, fondé par J.M. Le Pen en 1961.

DURAND-AUZIAS (voir : Librairie générale de Droit et de Jurisprudence).

DURIEUX (Emile, Jean, Charles).

Agriculteur, né à Bertincourt (P.-de-C.) le 13 mai 1905. Sénateur du Pas-de-Calais (apparenté socialiste). Président du Conseil général du Pas-de-Calais. Maire de Bertincourt.

DURLOT (Jean-Maximilien).

Courtier, né à Troyes (Aube), le 30 avril 1907. Courtier en vins et spiritueux.

Conseiller général de l'Aube (depuis 1951). Ancien secrétaire départemental du *R.P.F.* de l'Aube (1957). Membre du comité directeur de l'*U.N.R.* Elu député de l'Aube (3e circ.), le 25 novembre 1962.

DUSSARTHOU (Camille).

Médecin, né à Bayonne (B.-P.) le 4 décembre 1907. Docteur en médecine. Médecin-chef de la station thermale militaire de Dax. Elu conseiller général du canton de Dax, au décès de Milliès-Lacroix ; réélu le 4 juin 1961. Vice-président du conseil général. Maire de Saint-Paul-lès-Dax. Candidat *S.F.I.O.* aux élections législatives de janvier 1956, avec l'appui de *L'Express* (battu). Elu député *S.F.I.O.* des Landes (2e circ.), le 27 novembre 1962.

DUSSEAULX (Roger).

Homme politique, né à Paris le 18 juillet 1913. Ingénieur agricole. Militant socialiste *S.F.I.O.*, puis *démocrate-chrétien*. Candidat aux élections municipales d'avril 1945 sur la liste de l'Union des Résistants (gauche). Député *M.R.P.* de la Seine-Inférieure aux deux Assemblées nationales constituantes (1945 - 1946). Conseiller municipal de Paris et conseiller général de la Seine (1945-1949). Député républicain populaire indépendant de la Seine-Inférieure (1re circ.) à l'Assemblée nationale (1946-1951). Réélu le 17 juin 1951, mais invalidé. Nommé alors conseiller de l'Union française (1958). Adjoint de M. Cadot, trésorier du C.N.P.F. (patronat). Elu député *U.N.R.* de la Seine-Maritime (1re circ.) le 30 novembre 1958. Elu conseiller municipal et adjoint au maire de Rouen (mars 1959). Secrétaire général de l'*U.N.R.* (28 mars 1961). Elu conseiller général du 4e canton de Rouen le 11 juin 1961. Ministre délégué auprès du Premier ministre pour les relations avec le Parlement (cab. Pompidou, 1962). Ministre des Travaux Publics et des Transports (cab. Pompidou, 1962). Réélu député de la Seine-Maritime (1re circ.) le 25 novembre 1962 et aussitôt nommé président du groupe *U.N.R.-U.D.T.* à l'Assemblée Nationale. Poste qu'il a abandonné un peu plus tard. Réélu député en 1967.

DUTERNE (Henri).

Médecin, né à Lille (Nord), le 27 septembre 1896. Anc. chef de clinique à la Faculté de médecine de Lille. Candidat républicain social du Nord (2e circ.) (2 janvier 1956 ; battu). Ancien adjoint au maire de Lille. Député *U.N.R.* du Nord (2e circ.) depuis 1958.

DUVEAU (Roger).

Avocat, né à Hortes (Haute-Marne), le 5 août 1907. Avocat à la cour d'appel de Madagascar, puis de Paris, bâtonnier du barreau de Madagascar (1945-1947), député de Madagascar (1946-1959), juge à la Haute Cour de Justice (1947-1954), secrétaire d'Etat à la France d'outre-mer (cabinet Mendès-France, juin 1954-février 1955), sous-secrétaire d'Etat à la Marine marchande (cabinet Guy Mollet, février 1956-juin 1957). Rapporteur de la loi d'amnistie qui mit fin (pour une partie des condamnés politiques pétainistes) aux conséquences de l'épuration de 1944.

DUVERGER (Maurice).

Universitaire, né à Angoulême (Charente), le 5 juin 1917. A l'Ecole de Sainte-Marie-Grand-Lebrun, puis à la Faculté de droit de Bordeaux, sa maturité précoce, son goût du travail et son application le faisaient considérer comme l'un des meilleurs élèves. A l'âge où les enfants pensent au jeu, il se penchait déjà sur les problèmes politiques. A quinze ans, il était l'un des militants les plus fougueux des groupes bordelais d'extrême-droite. A vingt — mais il en paraissait bien vingt-cinq et il en avait le sérieux et la réflexion —, il était un entraîneur d'hommes, un véritable chef, mieux : un maître à penser. Combien de jeunes hommes, ses camarades d'alors, beaucoup plus âgés que lui, ont rallié le drapeau du nationalisme sous son influence? Il était, au cours des années 1937-1938, en même temps que le rédacteur en chef adjoint du *Libérateur du Sud-Ouest,* le principal dirigeant de l'*Union Populaire de la Jeunesse Française* à Bordeaux, et au congrès de ces jeunes doriotistes un discours fit sensation : « *Si tant de jeunes ouvriers, s'écriait-il, se sont détournés de la Patrie, c'est parce qu'ils n'ont vu d'elle que ce masque posé sur son visage et qui la défigure : le régime capitaliste ! Mais ce masque, nous l'arracherons.* » Et il concluait : « *Voilà l'idéal que t'apporte le Parti Populaire Français, voilà l'œuvre immense qu'avec toi et pour toi, il a juré d'accomplir jusqu'au bout !... Autour de Jacques Doriot, nous réaliserons l'unité de la jeunesse française.* » (*Jeunesse de France,* organe de l'*U.J.F.P.,* 30 mai 1937.) A ce jeune homme, qui entraînait dans son sillage des militants bordelais de trente ans, l'Etat Français parut convenir, et c'est avec enthousiasme qu'il accepta d'enseigner à l'*Institut d'Etudes Corporatives et Sociales,* fondé sous l'égide du maréchal Pétain, pour y former les cadres de la

Révolution nationale. C'est à cette époque que ce professeur de vingt-trois ans publia un livre fort remarqué ayant pour titre : « *La situation des fonctionnaires depuis la révolution de 1940* », paru à la *Librairie de Droit et de Jurisprudence,* où il exposait avec une grande fermeté ses convictions : « *Ce nouveau régime,* écrivait-il en parlant de celui du maréchal Pétain, *est profondément national : il inaugure une réaction très nette contre le cosmopolitanisme inspiré par la philosophie du dix-huitième siècle. Ce caractère national explique notamment les dispositions prises pour interdire l'accès des fonctions publiques aux naturalisés et aux juifs.* » Puis, abordant le délicat problème de la définition du « juif », il ajoutait : « *Deux systèmes sont possibles à cet égard : la définition par la race et la définition par la religion. Si l'on adopte le critère religieux, il est à craindre que la plupart des juifs ne feignent une conversion apparente et ne parviennent ainsi à éluder l'application de la loi. Si l'on adopte le critère racial (...) on en sera réduit au système de la déclaration qui ouvre la porte à toutes les contestations.* » *Et, plus loin :* « *L'accès de toutes les assemblées issues de l'élection est également fermé aux juifs (...) ici encore le caractère nettement politique de la fonction justifie le caractère particulièrement rigoureux de l'interdiction. (...) La loi du 3 octobre 1940 ne prévoyait aucune sanction à l'égard des juifs qui avaient contrevenu à ces dispositions. La loi du 2 juin 1941 a comblé cette lacune et édicté des sanctions sévères. Les lois du 3 octobre 1940 et du 2 juin 1941 n'ont donc pas le caractère de mesures de représailles mais de mesures d'intérêt public.* » Après la Libération, le jeune professeur poursuivit son enseignement, cette fois à la Faculté de droit de Paris. Parfaitement conscient de la faiblesse des positions adoptées par ses amis doriotistes, d'ailleurs traqués par des épurateurs implacables, et soucieux de ne pas mettre ses paroles et ses écrits en contradiction avec les paroles et les écrits de ceux qui avaient eu raison et qui avaient triomphé, Maurice Duverger suivit une évolution progressive qui l'a conduit, en vingt ans, du nationalisme populaire au socialisme des clubs, en passant par un centrisme évolué et un mendésisme de bon aloi (rédaction des *Cahiers de la République*). Ses livres et ses articles témoignent d'une logique qu'aucun homme de gauche ne peut rejeter. Son cours de sociologie politique à la Faculté de droit de Paris est l'un des plus suivis : même les étudiants qui s'insurgent contre ses idées progressistes rendent hommage à sa maîtrise et prennent plaisir à l'écouter. Il en va de même pour les lecteurs de ses ouvrages et, surtout, les lecteurs du *Nouvel Observateur* ou du *Monde,* — l'un des rares quotidiens que lisent aussi bien les gens de gauche que les gens de droite (1). Ses interventions dans les congrès et les réunions du *Club Jean Moulin* et des groupements politiques auxquels il adhère ne sont pas moins suivies avec attention : au colloque socialiste de Grenoble, c'est à lui que fut confié l'un des rapports importants. Il appartient d'ailleurs à la fraction la plus *maximaliste* des clubs et, depuis quelques années, il milite avec ardeur pour un rapprochement de la gauche avec le *Parti communiste.* Tout récemment encore, il reprochait à la *Fédération de la Gauche démocrate et socialiste,* qui venait pourtant de conclure un cartel électoral avec le P.C.F., sa prudence et sa modération : « *C'est au nom des idées les plus rétrogrades que certains boudent les négociations avec les communistes* », écrivait-il dans *Le Nouvel Observateur* (21-12-1966). *La Fédération tombe sous la coupe des vieux appareils politiques. (...) Elle reste trop atlantique et trop occidentale en politique extérieure (...) Il n'y aura pas de possibilité de constituer une majorité de gauche, soutenant un gouvernement de gauche appliquant une politique de gauche, sans une alliance des sociaux-démocrates et du parti communiste.* » Lorsque nous aurons dit que Maurice Duverger est directeur d'études et de recherches à la Fondation Nationale des Sciences Politiques, séminaire des cadres de la France de demain, on comprendra pourquoi les milieux informés considèrent ce professeur, écrivain, journaliste et militant comme l'un des hommes ayant la plus grande influence sur le devenir politique de notre pays. Pour terminer, mentionnons que Maurice Duverger est également l'auteur de : « *Les Constitutions de la France* », « *Les Régimes politiques* », « *Les Partis politiques* », « *Droit constitutionnel et institutions politiques* », « *Institutions financières* », « *Demain, la République...* », « *Méthodes de la Science politique* », « *La VIe République et le régime présidentiel* », « *Les institutions françaises* », etc.

---

(1) Mais cela, naturellement, n'empêcha pas des activistes de faire voler en éclats la porte de son appartement, au plus fort de la lutte de l'*O.A.S.* (janvier 1962), tant était grand le ressentiment que provoquaient certains de ses articles, chez les partisans les plus ardents de l'Algérie française.

DUVILLARD (Henri).

Homme politique, né à Luxeuil-les-Bains (Haute-Saône), le 3 novembre 1910. Ancien garçon d'hôtel, il accéda « *par son travail à un poste important dans un grand hôtel de Paris* » (*République du Centre,* 17-11-58). Blessé à la guerre (1940), organisa le *Centre de Formation professionnelle* d'Arnouville (sous le contrôle des autorités) et s'affilia à l'un des réseaux du B.C.R.A. de Londres (1941); plus tard rattaché au groupe « Vengeance » d'Orléans. Ensuite, membre du Comité de Libération d'Eure-et-Loir, conseiller municipal d'Orléans (1944), directeur de la *Dépêche du Loiret,* commerçant et directeur de papeteries. Candidat *R.P.F.* aux élections législatives de juin 1951 (battu). Sous le gouvernement Mendès-France, attaché au cabinet du général Kœnig, ministre de la Défense nationale et des Forces armées (1954), puis au cabinet de Henri Ulver, ministre de l'Industrie et du Commerce (1954-1955) et, à nouveau, chargé des relations avec le Conseil de la République au cabinet du général Kœnig (4 mars-6 octobre 1955). Candidat républicain social (Loiret) en janvier 1956 (battu). Chef adjoint du cabinet de Maurice Lemaire, secrétaire d'Etat à l'Industrie et au Commerce (1956-1957). Député *U.N.R.* du Loiret (1re circ.) depuis 1958.

DYNASTIE.

Suite de souverains appartenant à la même famille et qui se transmettent la couronne dans un ordre déterminé. Par ext., nom donné à des familles bourgeoises dont les membres exercent un grand pouvoir politique ou économique depuis plusieurs générations (lire : « *Les responsabilités des Dynasties bourgeoises* », par Emm. Beau de Loménie).

E

EBRARD (Guy).

Médecin, né à Assat (Basses-Pyrénées), e 13 juillet 1926. Marié avec Mlle Si-none-Jeanne Rozan de Mazilly. Membre de la Société Dermatologique. Médecin de la clinique dermatologique de l'Hôpital Saint-Louis. Secrétaire du *Parti Radical-Socialiste*. Membre du *Rotary* et du groupe de la *LICA*. Elu député radical-socialiste des Basses-Pyrénées (2ᵉ circ.) le 30 novembre 1958 (contre Mᵉ Tixier-Vignancour, député sortant). Réélu en 1962 et 1967. Elu conseiller général d'Arudit le 24 février 1963.

EBSTEIN (Jean).

Né à Strasbourg (Bas-Rhin), le 1ᵉʳ avril 1921. Issu d'une famille de notables des deux départements alsaciens: arrière-grand-père paternel, maire-adjoint de Wintzenheim (Haut-Rhin) ; grand-mère maternelle, présidente de l'Association des Dames Françaises (Croix-Rouge) du Bas-Rhin. Très jeune, milita dans les organisations nationalistes, notamment à l'*Alliance Royaliste d'Alsace* et au *Comité de coordination des mouvements anti-marxistes* (avec Pierre Pflimlin). Engagé volontaire à dix-huit ans (27-9-1939), blessé de guerre, fut démobilisé en juillet 1940. Rentré à Paris, commença, dès août 1940, la résistance à l'occupant. Participa à la fameuse manifestation des lycéens et étudiants (11.11. 1940). (Est aujourd'hui membre du Conseil d'administration des *Premiers de la Résistance* et vice-président de l'*Association des Résistants du 11 no-*

vembre 1940.) Ayant gagné la zone Sud en 1941, son action ne tarda pas à attirer l'attention de la police sur lui. Après avoir organisé et convoyé le départ de France de divers opposants (Jean Mercure, Bernard Berl, Albert Blin, André Bernheim, Pierre Haas, etc.), passa lui-même les Pyrénées et gagna l'Afrique du Nord (1943), après un séjour de huit mois dans des camps d'internement espagnols. Fit un stage au *B.C.R.A.*, puis au 2ᵉ Bureau des *F.F.L.* avant de rejoindre la 1ʳᵉ Armée comme sous-lieutenant. Rentré dans la vie civile en 1945, collabora à divers journaux (*Le Monde, les Cahiers du Monde Nouveau, l'Essor, Diogène, Minerve, Juin, Samedi-Soir, La Seine, Paroles Françaises*), milita dans les organisations favorables à la Fédération européenne, et, ulcéré par l'épuration aveugle pratiquée après la Libération, créa en 1947, le *Comité Français pour la Défense des Droits de l'Homme, la Réparation et l'Amnistie* (dont firent partie des hommes de tendances diverses d'Edmond Michelet au colonel Rémy). Favorable à l'Algérie Française, fait campagne pour l'amnistie des condamnés de la seconde épuration et appartient au *C.E.P.E.C.* et au mouvement *La Fédération*. Fit partie, également, de l'*Action Républicaine des Combattants* (A.R.C.), *du Rassemblement National* et de l'*Union Nationale et Sociale de Salut Public.*

ECHO (L').

Quotidien résultant de la fusion, en septembre 1941, de trois journaux radicaux d'Angoulême : *La Charente*, fondée en 1872, *La Petite Charente*, créée en 1886, et *L'Echo de la Charente*, né en 1873 ; les deux premiers : quotidiens et le troisième : bi-hebdomadaire. Directeur : Robert Cottereau.

ECHO DU CENTRE (L').

Quotidien limousin né de la Résistance, se réclamant du clandestin *Valmy !* et contrôlé par le *Parti Communiste*. Son directeur général fut, quelques années durant, Jean Tricart, et son directeur politique, F. Fontvieille-Alquier. Aujourd'hui, son Etat-Major se compose principalement de Marcel Rigout, directeur politique, René Dumont, directeur, et Camille Rivet, directeur de la publication. Ses 40 000 exemplaires sont principalement diffusés dans la Haute-Vienne, la Creuse, la Corrèze, la Dordogne et l'Allier (18, rue Turgot, Limoges).

ECHO CHARENTAIS (L').

Hebdomadaire indépendant fondé en octobre 1956, dirigé par Henri Thébault, maire d'Angoulême. Son directeur a souligné l'efficacité de son action, à la conférence d'information de l'*Omnium d'Impression et de Publicité* tenue chez Georges-René Laederich, président du *C.E. P.E.C.* (14-6-1962), en citant des cas de 33 modérés ou centristes soutenus par son journal et élus (sur 33 candidats). (B.P. 72, Angoulême, Charente.)

ECHO DE LA CHARENTE (L') (voir : L'ECHO).

ECHO DE LA CORREZE (L').

Quotidien créé à Tulle, en septembre 1944, dans les locaux de *La Voix Corrézienne*, que dirigeait Charles Spinasse, ancien ministre de Léon Blum et ancien directeur de l'hebdomadaire socialiste *Le Rouge et le Bleu* (pendant l'occupation). Dirigé par Mme Vedrenne, également rédactrice en chef, et Paul Maugein, adm. Diffuse chaque soir 5 000 à 6 000 exemplaires (4, rue Anne-Vialle, Tulle).

ECHO DU COTENTIN (L').

Hebdomadaire indépendant fondé en 1951 et succédant, en quelque sorte, au journal *Le Cotentin* paraissant avant la guerre. Tirage : 5 400 exempl. (12, rue Sébline, Carentan, Manche.)

ECHO DES ETUDIANTS (L').

« Hebdomadaire de la Jeunesse intellectuelle et du corps enseignant », fondé en 1910 et paraissant à Montpellier d'abord comme organe des étudiants de l'Université de cette ville. Transformé à dater du 25 janvier 1941 en journa[l] très *Révolution Nationale*. Edité par la *S.A.P.P.* (Président : Eugène Causse) et dirigé par René Barjavel, le futur romancier et cinéaste, et Jean Renon, un militant d'*A.F.* connu, qui avaient rallié avec enthousiasme l'*Etat nouveau*. Outre de nombreux professeurs et étudiants collaboraient au journal : Robert Barrat commissaire des Chantiers de la Jeunesse, René Gillouin, André Demaison François-Ch. Bauer (François Challais) Claude Roy (tous deux anciens rédacteurs à *Je Suis Partout*), Michel Mohrt Henri Pourrat, Marcel Aymé, Pierre Andreu, Pierre Ordioni, Jean Rivain, Armand Petitjean, Maurice Bouvier-Ajam chargé de mission à la Jeunesse par le gouvernement Pétain, Jean Malosse, Hoang Van Co, Olivier Jasserron, Jacques Baulmier, le professeur Barbillon, Raymond Geouffre de la Pradelle, François Perroux, Raymond Castans, Jacques Bostan, Henri Sabatier, Yvan Christ, J. Onimus, Henri-François Petitjean, François Secrétain, Henri Buet, L. de Gérin-Ricard, etc.

ECHO DE LA FRANCE. (L').

Dernier né de la presse parisienne quotidienne de l'occupation, *L'Echo de la France*, parut quelques mois avant la Libération. Il était dirigé par un ancien de Tunisie, Georges Guilbaud, qu'assistaient divers collaborateurs : Emile Vuillermoz, Henriette Blond, France Roche, François Delprat, René Lasne, etc.

ECHO LIBERTE (L').

Quotidien modéré né de la fusion de *L'Echo du Sud-Est,* fondé en 1945, et de *La Liberté*, créée en 1944 par un groupe de démocrates-chrétiens qui s'étaient installés, à la Libération, dans les locaux du quotidien de droite *Le Nouvelliste* interdit. Cette union avait été rendue inévitable à la suite de la déconfiture de *La Liberté* (octobre 1948), que ses fondateurs et animateurs n'avaient pu éviter en dépit des facilités qui leur avaient été accordées au départ. Malgré une clientèle fidèle, *L'Echo-Liberté* dut passer sous le contrôle du *Dauphiné libéré*, dont il n'est plus que l'édition du Rhône (14, rue de la Charité, Lyon).

ECHO DE LA LOIRE (L').

Quotidien catholique et national fondé à Nantes en 1920 dont le rayonnement s'étendait à cinq départements. Son édition quotidienne ne parut pas pendant l'occupation, mais seulement son annexe *L'Express du Dimanche*, disparue en 1944.

ECHO DU MIDI (L').

Hebdomadaire fondé en novembre 1946. Son caractère non-conformiste et le style polémique de ses collaborateurs sont connus dans le département du Gard. (Square Antonin, Nîmes.)

ECHO DE NANCY (L').

Quotidien paraissant dans la cité lorraine pendant l'occupation pour remplacer *L'Est républicain* et *L'Eclair de l'Est* sabordés en 1940. Parut quelques mois en Allemagne, à l'intention des travailleurs du S.T.O. L'un de ses rédacteurs, Martin de Briey, fut condamné à mort.

ECHO NATIONAL (L').

Fondé au lendemain de la Première Guerre mondiale par André Tardieu et Georges Mandel, fut un quotidien centriste.

ECHO DE NORMANDIE (L').

Journal modéré de Rouen paraissant après la Libération sous la direction de R.-G. Nobécourt, ancien secrétaire général de la rédaction du *Journal de Rouen*. D'abord quotidien, il devint bi-hebdomadaire, puis il disparut.

ECHO DE PARIS (L').

Quotidien conservateur fondé en 1884 par Valentin Simon. Considéré comme le porte-parole officieux du grand Etat-Major. Disparu peu avant la guerre, absorbé par *Le Jour*, de Léon Bailby. Principaux collaborateurs (période 1930-1936) : Henri de Kerillis, H. Simond, André Pironneau, L. Piechaud, Jean Hutin (Hirsch), Raymond Cartier, Pertinax (Géraud), Gérard Bauer, Henri Bordeaux, Louis Madelin, général de Castelnau, Jérôme et Jean Tharaud, H. de Montherlant, Robert Kemp, Jean Delage, Jaboune, Marcel Hutin (Hirsch), etc. (voir cliché page 402).

ECHO DU POITOU (L').

Hebdomadaire gaulliste fondé en 1961 et dirigé par André Maisonnier, Claude Peyret et Paul Guillon (décédé), députés *U.N.R.-U.D.T.* de la Vienne. (19, rue de la Marne, Montmorillon, Vienne.)

ECHO DE LA PRESSE ET DE LA PUBLICITE (L').

L'E.P.P., comme on l'appelle dans la profession, est la plus ancienne publication réservée à la presse. Il a été fondé en 1945 par Noël Jacquemart, qui le dirige toujours avec sa femme Jeanne Jacquemart. Bien qu'apolitique, cette revue a pris, à maintes reprises, des positions sans équivoque : elle a fait campagne en 1946-1952 contre la « spoliation de la presse » pétainiste, elle a défendu les journaux « Algérie française » poursuivis par le gouvernement et elle relève toujours avec mordant les atteintes à la liberté de la presse. Journal professionnel s'adressant à des professionnels (directeurs de journaux et journalistes, dirigeants de sociétés de publicité et publicitaires, etc.), l'*E.P.P.* publie des informations, des études, des documents sur la presse française et étrangère et sur la publicité et les relations publiques. Il paraît actuellement chaque semaine et fait paraître, quotidiennement, un bulletin : *Service de Nouvelles Rapides*. Le *Répertoire Pratique de la Publicité*, *L'Echo des Dépositaires* et *L'Echo de l'Imprimerie* sont des annexes de l'*E.P.P.* qui a publié, en outre, des numéros spéciaux : « *Quatre ans d'histoire de la Presse Française* », par Noël Jacquemart, « *La Presse sous la Francisque* », par Simon Arbellot, « *La presse d'opinion* », par Alcibiade (P.-A. Cousteau), « *Le Quatrième Pouvoir* », par Jean-André Faucher, etc. (19, rue des Prêtres - Saint - Germain-l'Auxerrois, Paris 1er.)

ECHO REGIONAL (L').

Journal du groupe animé par Joseph Codet, originaire de la Mayenne, gérant de l'*Imprimerie de Persan-Beaumont*, qui édite en outre *L'Echo d'Enghien-Montmorency*, *Le Régional du Nord de l'Ile-de-France*, *L'Echo de Meru* (voir ci-dessous).

ECHO REGIONAL DU NORD DE L'ILLE-DE-FRANCE.

Journal possédant huit éditions, les unes hebdomadaires (*L'Echo d'Enghien-Montmorency*, *L'Echo de Méru*, etc.), les autres bi-hebdomadaires ou tri-hebdomadaires (*Le Régional*), répandues dans le nord de la Seine-et-Oise et dans l'Oise. Son tirage global varierait entre 22 000 et 35 000 exemplaires. Entreprise strictement commerciale, sans but politique et soutenant discrètement tous les gouvernements, dirigée par l'imprimeur Joseph Codet (né à Bierne, dans la Mayenne, le 18 septembre 1900, ce groupe de presse est la propriété de l'*Imprimerie de Persan-Beaumont,* fondée le 1er juillet 1934 (80, avenue Gaston-Vermerie, Persan, Val-d'Oise).

ECHO REPUBLICAIN (L').

Journal chartrain de tendance modérée, issu de l'hebdomadaire du même nom publié à La Loupe de 1929 à la guerre. Devint quotidien après la Libération et s'imprima sur les presses de *La Dépêche d'Eure-et-Loir,* interdite en 1944. Pendant de longues années, Pierre July, député du département, en fut le directeur politique, Paul-André Benoît, le directeur général et rédacteur en chef, et Fred Guézé, l'administrateur délégué (voir à ce nom). Contrairement à ce qui se passa pour la plupart des autres journaux, un accord fut assez rapidement conclu entre la direction du nouveau quotidien et les actionnaires de *La Dépêche d'Eure-et-Loir* : l'accord prévoyait que l'imprimerie resterait la propriété de la société de l'ancien quo-

idien chartrain, tandis que 60 % des
actions de la nouvelle société étaient
octroyées à Fred Guézé et ses amis.
L'état-major du journal est ainsi composé : président-directeur général : Jean
Gilbert ; vice-président-directeur adjoint : René Marange ; rédacteur en
chef : René Rouillé ; secrétaires de
rédaction : Pierre Gérard et Henri Peigné ; rédacteurs : Roger Guillois, Pierre
Guérin, Hubert Bellanger, Charles Boulanger, Michel Troufléau, Gabriel Lair
(Dreux), Gaston Brillant (Châteaudun),
Claude Guillon (Nogent-le-Rotrou). Ses
25 000 exemplaires quotidiens sont diffusés dans tout le département d'Eure-
et-Loir (19, rue du Bois-Merrain, Chartres).

ECHO DE TOURAINE (L').

Hebdomadaire fondé en 1949 par Michel Debré. Tirage moyen : 10 000 exemplaires (21, rue George-Sand, Tours,
Indre-et-Loire).

ECHO DE LA VALLEE DU LOIR (L')

(voir : **André Aveline**).

ECHOS (Les).

Quotidien économique issu du journal
Les Echos de l'Exportation, fondé en
1908, par Robert Schreiber, alors commerçant rue Ambroise-Thomas, et son
ami Albert Aronson, auxquels s'étaient
joints Hazo et Robert Cohen, de Paris,
et quatre sujets de Guillaume II, Léopold
Schottlander, éditeur, Siegfried Karo,
journaliste, Erich Greifferbager, éditeur,
et Georg Goldenbaum, commerçant, tous
quatre à Berlin. (Il se pourrait que ces
quatre fondateurs allemands fussent des
parents des Servan-Schreiber, le père de
Robert et Emile Servan-Schreiber et
grand-père de Jean-Jacques et Jean-
Claude Servan-Schreiber, étant d'origine
allemande.) Après la Première Guerre
mondiale, la famille Schreiber (aujour-
d'hui Servan-Schreiber) fit paraître le
journal et en demeura, pratiquement,
seule propriétaire. La situation fut modifiée fin 1963 par suite d'une brouille
entre les deux branches Servan-Schreiber. Emile et Jean-Jacques Servan-
Schreiber cédèrent (pour 360 millions
d'anciens francs, a-t-on dit) leur participation dans l'entreprise à Mme Pierre
Beytout, veuve du richissime Vigo Qvi-
gaard Petersen, du groupe *Petersen*
(oléagineux). Depuis, la direction du
journal est assurée par Pierre Beytout,
directeur des *Laboratoires Roussel*, secondé par J. Rozner, qui rédige l'éditorial. (37, Champs-Elysées, Paris-8e.)

ECLAIR (L').

Quotidien fondé en 1887, à Paris, par
Cazet. D'abord journal d'information,
devint sous la direction d'Ernest Judet,
une feuille agressive et dont la politique étrangère était dictée, disait-on, par
le Vatican. Il fusionna ensuite avec
L'Avenir, créé en 1918.

ECLAIR (L').

Quotidien de droite de Montpellier,
fondé en 1881, rayonnant sur onze
départements du Midi, avec douze éditions totalisant 60 000 exemplaires. Animé, avant la guerre, par Roger Homo,
directeur ; Julien Marius, rédacteur en
chef, secondés par E. Rudery. A la Libération, ses locaux et son imprimerie
furent occupés par une équipe, conduite
par le Roumain Labin dit Bellon, et la
Russe Morguleff, dite Madeleine Rochette qui y fit paraître *Midi Libre* (voir
à ce nom).

ECLAIR (L').

Quotidien nantais de centre-gauche
ayant succédé au *Populaire de l'Ouest,*
quotidien radical-socialiste qui avait
lui-même remplacé *Le Populaire de Nantes,* de même nuance politique. Gaston
Veil fut, avant la guerre et après la
Libération, le directeur du journal. Un
pool le lie avec *Presse-Océan* (ex *Résistance de l'Ouest*). Tirage : 33 000 exemplaires, dont 28 800 vendus. (5, rue San-
teuil, Nantes.)

ECLAIR COMTOIS (L').

Quotidien modéré fondé en 1903 et
animé, à la veille de la guerre, par Joseph Grave et L. Kayser. Disparu en
1940.

ECLAIR DE L'EST (L').

Quotidien modéré fondé à Nancy en
1905. Ayant cessé sa publication le
16 juin 1940, ne parut pas pendant
l'occupation. Pierre André, député modéré de Meurthe-et-Moselle, en prit la
direction après la Libération. Mais faute
de moyens, le journal ne parut plus
qu'une fois par semaine, sous le titre
Dimanche-Eclair « quotidien du septième jour », avant de cesser sa publication.

ECLAIR DE L'OUEST (L').

Hebdomadaire départemental des
Deux-Sèvres, fondé le 20 novembre 1909
et paraissant à Niort bien qu'imprimé
à Saint-Maixent. Avant la guerre, le
bâtonnier J. de Lacoste-Lareymondie,

père du futur député, en assumait la direction. Au moment de sa disparition, en août 1944, Mme A. Portejoie était l'animatrice et la gérante de ce journal qui eut, entre les deux guerres, une influence non négligeable dans les milieux nationaux.

ECLAIR- PYRENEES.

Quotidien démocrate-chrétien fondé en octobre 1944, dans les locaux du *Patriote* disparu. Dirigé par G. Lanusse-Cazalé, que seconde, pour l'administration, Henri Loustalan, ancien administrateur du *Patriote*, et pour la rédaction : Y. Colin. Sa diffusion moyenne approche de 18 000 exemplaires dont plus de 10 000 abonnés répartis dans le Béarn, le Pays Basque et la Bigorre (11, rue du Maréchal-Joffre, Pau).

ECLAIREUR DE L'EST (L').

Quotidien radical paraissant à Reims de 1886 à 1944. Entre les deux guerres et pendant l'occupation, *L'Eclaireur* était animé par Paul Marchandeau, ancien ministre radical et franc-maçon, que secondait René Génin. Son fort tirage (plus de 100 000 ex.) lui permettait d'atteindre un vaste public dans une demi-douzaine de départements. Son influence, sous la IIIe République, permit au *Parti Radical-Socialiste* de s'établir solidement dans une région où la droite et les modérés avaient été puissants. Frappé d'interdiction à la Libération, il dut abandonner ses locaux et son imprimerie à *L'Union*.

ECLAIREUR DU GATINAIS ET DU CENTRE (L').

Hebdomadaire centre-gauche fondé en 1944. Dirigé par Pierre Carré, qu'assistent M. Roger, secrétaire général et J. Denis le Sève, rédacteur en chef. Ses 26 000 exemplaires sont diffusés dans la plus grande partie du Loiret (place de la République, Montargis).

ECLAIREUR MERIDIONAL (L').

Journal ayant paru quelque temps sous la IVe République, à Montpellier, et cherchant à rallier les lecteurs des anciens quotidiens interdits à la Libération : *L'Eclair* (de droite) et *Le Petit Méridional* (de gauche). Le député radical Vincent Badie y publia des articles courageux contre la spoliation dont plusieurs journaux montpelliérains furent les victimes en 1944.

ECLAIREUR DU SUD-OUEST (L').

Quotidien éphémère publiée à Bayonne sous l'égide du *M.R.P.* après la Libération.

ECOLE EMANCIPEE (L').

Revue des professeurs et instituteurs révolutionnaires paraissant deux fois par mois. Fondée en 1910, est dirigée par Henri Sarda et Roger Jarnaud (siège : à La Lauze, Uzès, Gard).

ECOLE LIBERATRICE (L').

Hebdomadaire du Syndicat National des Instituteurs, fondé en 1929. Eut longtemps pour directeur Georges Lapierre. Actuellement dirigée par Pierre Chevalier (94, rue de l'Université, Paris, VIIe).

ECONOMIE ET POLITIQUE.

Revue théorique mensuelle du *P.C.F.* pour les questions économiques, fondée en 1954 et dirigée par H. Jourdain, assisté de J. Fabre, rédacteur en chef, F. Thoraval et Francette Lazard, rédacteurs en chef adjoints. Membres du comité de rédaction : André Barjonet, Henri Claude, M. Hincker, J. Kahn, J.P. Meynard, etc. (126, rue Lafayette, Paris 10e).

ECRITS DE PARIS (Les).

Revue mensuelle dont le premier numéro parut en janvier 1947. Considérée à juste titre comme la doyenne des publications d'opposition anti-marxiste, elle faisait suite à *Perspectives*, brochure rédigée par René Malliavin et Pierre Morel, et à *Questions Actuelles*, bulletin semi-confidentiel créé le 6 décembre 1944 par le *Centre d'Etudes des Questions Actuelles*. Les *Ecrits de Paris* sont nés de l'association, au sein de la *Société Parisienne d'Editions et de Publication*, de René Malliavin, l'un des animateurs du *Centre*, Gustave Delavenne, Mme Georges Delavenne, Mme Madeleine Malliavin, Paul Malliavin, avec l'éditeur Charles Orengo, de Monaco, et Jean Colonna, qui apportaient l'autorisation de paraître (la presse était alors soumise à l'*autorisation préalable*) et la *Société d'Etudes Economiques et Sociales*. Le capital était, à l'origine, de 400 000 frs ; il fut porté à 1 200 000 frs peu après, avec le concours financier de trente-deux associés, dont Cheneau de Léritz et Paul Marchandeau. La publication discrète du début céda ainsi la place à une grande revue dont le tirage dépassa bientôt 30 000 exemplaires, principalement lus dans les milieux hostiles au nouveau régime. Les plus grands noms de la politique y côtoyaient ceux le militants et de journalistes obscurs. Combien de pseudonymes furent utilisés, en la circonstance, par d'éminentes personnalités épurées, inéligibles ou exilées ! L'éditorial lui-même était signé d'un pseudonyme : « Michel Dacier », nom d'emprunt — et de guerre ! — de René Malliavin. Ce dernier, qui fut, dès le début, le véritable directeur de la revue, était secondé par Mme Madeleine Malliavin et par son fils, Paul Malliavin, tous deux gérants statutaires de la société éditrice. Collaboraient alors aux *Ecrits de Paris* : le R.P. Bullier, le chanoine Desgranges, ancien député du Morbihan, le colonel Fabry, ancien ministre, le professeur Louis Rougier, Jacques Chastenet, ancien directeur du *Temps*, Henry Bordeaux et Claude Farrère, de l'Académie française, Paul Faure, ancien ministre, Gustave Gautherot, ancien sénateur, qui dirigeait en 1926-1932 *La Vague Rouge*, revue de documentation anticommuniste, Pierre Taittinger, ancien président du Conseil municipal de Paris, E. Beau de Loménie, François Le Grix, ancien directeur de la *Revue Hebdomadaire*, Jacques Isorni, André Thérive, Bernard de Vaulx et Pierre Virion, anciens rédacteurs à l'*Action Française*, Bertrand de Jouvenel, L. Mabille de Poncheville, Jean Arfel, dit Jean-Louis Lagor (Jean Madiran), François de Romainville, Hugues Saint-Canaat (Maurice Gaït). Vinrent ensuite Xavier Vallat, ancien Commissaire général aux questions juives, Guy Vinatrel, animateur du *Club des Montagnards,* Paul C. Berger, Simon Arbellot, Louis Guitard, Jacques Delebecque, André Joussain, Georges de Plinval, Claude Harmel, Hubert Lagardelle, C.J. Gignoux, Alfred Fabre-Luce, Charles Mauban (pseudonyme du futur député Caillemer), Georges Roux, François Cathala, Jacques Mordal, Paul de Cassagnac, Pierre de Luz, Louis Salleron, François Daudet, fils de l'écrivain monarchiste, Paul Morand, Benoist-Méchin, Henri Lebre, Jacques Ploncard d'Assac, etc. Le succès obtenu par les *Ecrits de Paris*, succès dû en grande partie à la sage administration de ses animateurs, permit à ceux-ci de lancer, en 1951, un hebdomadaire destiné à un public plus vaste : ce fut *Rivarol*, qui paraît depuis quinze ans sous la même direction (354, rue Saint-Honoré, Paris 1er).

EDITION (voir : Pour le livre).

EDITION DIFFUSION PRESSE (E.D.P.).

Société coiffant l'ensemble du groupe de presse *Hersant* (voir à ce nom).

EDITIONS MARECHAL - LE CANARD ENCHAINE (Les).

Société éditrice du *Canard Enchaîné,* fondée sous forme de société anonyme par Jeanne Maréchal, veuve du fondateur de la feuille satirique (54,1 % du capital social) et les collaborateurs du journal : François Lejeune, dit Effel (1 %), Pierre Bénard (25 %), Martial Bougeon, dit Claude Martial (0,9 %), Geneviève Bourderioux (0,6 %), Alexandre Breffort (0,9 %), René Buzelin (0,9 %), Marie-Louise Chevreux, née d'Heurla (3 %), Maurice Félut (1 %), Julie Foltzer (0,3 %), Paul Ferjac (0,9 %), Andrée Bœuf (1 %), E. Gragnet (1 %), Yves Grosrichard (1 %), René Grove (0,9 %), Geneviève Guerrier (0,3 %), H. Guillaume (1 %), R. Hérard (0,6 %), Charlotte Hoffmann (0,6 %), Jean Jacquemot (0,3 %), Henri Jeanson (0,9 %), Pierre Laroche (0,9 %), André Maréchal (1 %), Henri Monier (0,9 %), Pierre Pépin (0,3 %), André Prunier (1 %), Ernest Raynaud, dit Tréno (1 %), Henri Rochon (0,3 %), Roger Salardenne (0,9 %), André Sauger (0,9 %) et Juliette Snell, née Scholtz (1 %). A l'origine, le capital social était fixé à 1 000 000 d'A.F. ; il fut porté à 10 millions d'A.F. par décision de l'assemblée générale du 28 mai 1958, puis à 25 millions d'A.F. sans versements nouveaux, par prélèvement sur les réserves. Au conseil d'administration figuraient en 1965 : Jeanne Maréchal, présidente, Tréno, rédacteur en chef du *Canard Enchaîné,* René Buzelin, Ernest Gragnet et André Sauger.

EDITIONS OUVRIERES (Les).

Cette maison d'édition est née, en 1929, rue Saint-Vicent, à Montmartre. Elle s'appelait alors la *Librairie de la Jeunesse Ouvrière.* Elle quitta quelques années avant la guerre ce pittoresque quartier pour s'installer tout près de la non moins pittoresque rue Mouffetard. C'est le 6 avril 1939 qu'elle prit cette dénomination commerciale, mais ce n'est qu'après la Libération, lorsque ses amis politiques furent au pouvoir, qu'elle connut un essor exceptionnel. Au moment de la guerre, ses principaux actionnaires étaient : Jean Quercy, Marcel Montcel, Maxime Hua, Ch. Bonnot, Joseph Bricks, Marcel Müller, Paul Bacon, le futur ministre M.R.P. et trois associations démocrates-chrétiennes : la *Jeunesse Ouvrière Chrétienne,* la *Ligue Ouvrière Chrétienne* et les *Amis des Œuvres Sociales Ouvrières* siégeant dans le même immeuble. Un peu plus tard s'intéressèrent à l'entreprise, le *Mouve-*

ment Populaire des Familles (qui prit la suite de la *Ligue Ouvrière Chrétienne*), la *Jeunesse Ouvrière Chrétienne Féminine,* la maison Leclerc Dupiré et Cie de Roubaix, Roger Cartayrade, Yvonne Tap, André Thiollent, André Villette et Dominique Alunni, président de la *J.O.C.* En 1949, les *Editions Ouvrières* absorbèrent *Le Liseron,* maison d'édition animée par divers amis : Paul Bacon, Marcel Müller, déjà nommés, Marc Deleau et Georges Quiniou. Les augmentations de capital effectuées au cours des années 1947 et 1957 ont renforcé le contrôle de la *J.O.C.,* de la *J.O.C. féminine* et des *Amis des Œuvres Sociales Ouvrières,* de tendance démocrate-chrétienne, sur cette maison d'édition qui publie un grand nombre d'ouvrages. Ceux-ci, destinés aux militants syndicalistes aussi bien qu'aux professeurs et aux prêtres, sont presques tous orientés. Mais ils sont, dans l'ensemble, d'un grand intérêt et répondent à un besoin du public, que l'on veut impressionner, convaincre ou éduquer (Siège : 12, rue Sœur Rosalie, Paris, XIII°).

EDITIONS SAINT-JUST (Société de Presse et d'Edition Saint-Just)

(voir : **Europe-Action** et **Librairie de l'Amitié**).

EDITIONS SOCIALES.

Firme communiste fondée le 26 décembre 1929 sous le nom d'*Editions Sociales Internationales,* dont Wladimir Pozner, Léon Moussinac, René Blech, André Debille, Maurice Plais, Joseph Ducroux, Waldeck L'Huillier et Joseph Troillet furent les dirigeants et actionnaires avant la guerre. Elle éditait alors les livres de : Maurice Thorez, André Ribard, Augustin Hamon, Renaud de Jouvenel, Jean-Richard Bloch, etc. Après la Libération, la maison modifia sa raison sociale jugée trop cosmopolite et reprit ses activités, interrompues par les mesures anticommunistes du gouvernement Daladier en 1939. De nouveaux venus : Roger Ginsburger, dit Pierre Villon, le journaliste Marcel Hamon, de Saint-Brieuc, Léon Feix, dirigeant du *P.C.F.,* Pierre Maucrerat, André Mercier et Roger Houet devinrent actionnaires, tandis que Ducroux prenait la présidence et que René Hilsum — proche parent du financier communiste Charles Hilsum de la *Banque Commerciale pour l'Europe du Nord* — était nommé commissaire aux comptes. La direction de l'entreprise est confiée à un conseil d'administration politiquement très sûr, comprenant : Joseph Pintus, Francis Cohen et Waldeck Lhuillier. Depuis l'augmentation de capital du 24 mars 1961, les *Editions sociales* sont sous le contrôle du *Centre de Diffusion du Livre et de la Presse,* organisme communiste, qui détient 750 actions sur 1 200.

EDITIONS DE TREVISE.

Entreprise créée sous le nom de *Club des Auberges de France,* le 1er janvier 1953, par Paul Winkler, Liliane Smith, née Winkler, et l'agence *Opera-Mundi* (voir à ce nom). Les *Editons de Trévise* publient des romans et ont fait paraître, récemment, une « *Encyclopédie des citations* » et un important ouvrage d'Alain Decaux, « *Les Grands Mystères du Passé* », où, naturellement, les opinions de l'auteur transpercent çà et là.

EFFEL (François LEJEUNE, dit Jean).

Caricaturiste, né le 6 août 1908. Son talent lui permit, longtemps, de collaborer à des journaux conservateurs tout en étant communiste. Mais sa collaboration au *Figaro* cessa, en novembre 1949, lorsqu'il eut publié, en compagnie de Claude Morgan, un récit (jugé trop enthousiaste) sur la vie du pays des Soviets. Dessine dans *France-soir, L'Express* et divers journaux de gauche. Auteur de nombreux albums humoristiques ou de propagande.

EFFORTS VERS L'ORDRE CORPORATIF.

Groupe de nationaux niçois animé par Henri Le Rouxel et P. Bodard et ayant pour objet de faire mieux connaître le corporatisme, dont le Dr Bernard Lefèvre est aujourd'hui le théoricien connu. (47 *bis,* avenue de la Californie, Nice.)

EGALITE (L').

Edition roubaisienne du *Reveil du Nord* socialiste, avant la guerre.

EHM (Albert).

Universitaire, né à Sélestat (B.-R.) le 12 août 1912. Professeur de lycée. Maire de Sélestat. Député à la 2° Assemblée constituante (juin-novembre 1946). Membre *M.R.P.* du premier Conseil de la République (7 novembre 1948); démissionnaire le 21 janvier 1950. Conseiller général du canton de Sélestat depuis 1949. Candidat indépendant en janvier 1956 (battu). Député apparenté à l'*U.N.R.* du Bas-Rhin (4° circ.) depuis 1958.

LAN (Editions de l').

Maison d'édition fondée le 1er septem-
re 1946, sous forme de *S.A.R.L.*, par
dmond Mary, administrateur de socié-
s, Roger Deleplanque, journaliste, et
eorgette Dosne qui apportèrent respec-
vement 150 000, 150 000 et 200 000 F.
ous la direction d'Edmond Mary, géant statutaire, la firme a publié des
vres de souvenirs de Sacha Guitry,
*Les crimes marqués du Résistantia-
sme* », du chanoine Desgranges, « *Fifi
oi* », de Claude Jamet, « *De Munich à
l Cinquième République* », de Paul
aure, etc.

LAN NATIONAL.

Journal du *Mouvement Révolution-
aire National* d'Edith Pigache (1950).

LECTEUR.

Citoyen qui est autorisé à participer
une élection. Est électeur tout Fran-
ais ou Française, âgé de 21 ans, jouis-
ant de ses droits civiques, et inscrit sur
ne liste électorale (l'homme doit, en
utre, avoir satisfait aux obligations mi-
taires, au moins administratives) (Voir :
crutin.)

LIGIBILITE.

Aptitude à être élu. L'éligibilité fut
efusée, après la Libération, aux députés
ui avaient voté en 1940 les pleins pou-
oirs au maréchal Pétain, président du
Conseil du dernier gouvernement de la
IIIe République (voir : *inéligibles*).

ELSASSER (Der).

Quotidien catholique et démocrate (en
francais : *L'Alsacien*), imprimé en langue allemande ayant paru à Strasbourg
entre 1885 et la Seconde Guerre mondiale. Remplacé en 1944 par *Le Nouvel
Alsacien*.

ELYSEE (Palais de l').

Résidence historique parisienne. Cons-
truite en 1718 pour Henri de La Tour
d'Auvergne, comte d'Evreux, et occupée,
notamment, par le frère de la marquise
de Pompadour, divers ambassadeurs, le
financier Nicolas Beaujon, Caroline Murat, Joséphine et Napoléon, Alexandre
de Russie, Wellington, le duc de Berry,
Louis-Napoléon Bonaparte, et enfin les
présidents des IIIe, IVe et Ve Républiques.

EMAILLE (Jules).

Industriel, né à Landas (Nord), le
27 septembre 1880. Maire de Saméon,
conseiller général du canton d'Orchies
(1945-1964), sénateur *M.R.P.* du Nord.

EMANCIPATION SOCIALISTE (L').

Hebdomadaire fondé en 1939. Dirigé
par André Morizet, sénateur, et Louis
Lagorgette.

EMDEPE (voir : **Société Immobilière de
Presse d'Edition).**

Palais de l'Elysée

EMIGRE.

Personne qui a quitté son pays pour des raisons politiques, ethniques ou religieuses. Au XVIIᵉ siècle, des *émigrés* huguenots se fixèrent en Hollande, en Allemagne et dans divers autres pays à majorité protestante et y firent souche. Après la Révolution française, des nobles émigrèrent en Allemagne ou en Angleterre pour se soustraire aux révolutionnaires et y organiser la résistance armée à la Iᵣₑ République. Ils rentrèrent en France de longues années plus tard, les uns au temps de Napoléon, les autres sous la Restauration. Les révolutionnaires avaient établi des « listes d'émigrés » : quiconque y avait son nom inscrit était considéré comme traître et ses biens étaient saisis et confisqués. A la Restauration, pour indemniser les *émigrés,* on leur attribua une somme considérable pour l'époque : le fameux *milliard des émigrés* (l'indemnité, d'ailleurs, n'atteignit jamais ce montant). La Russie eut aussi ses *émigrés* après la révolution bolchevique, tout comme l'Italie après la « marche sur Rome » mussolinienne, l'Espagne après la victoire du général Franco, l'Allemagne après la venue de Hitler au pouvoir, ainsi que les pays européens occupés par l'Allemagne nazie ou la Russie soviétique. Ces derniers constituèrent en exil des gouvernements ou des comités : le *Comité Français de Libération Nationale* (du général De Gaulle), le gouvernement Pierlot (belge), et le gouvernement polonais, par exemple, siégeaient à Londres.

EN DEHORS (L').

Journal anarchiste fondé en mai 1891 par Zo d'Axa (voir à ce nom). Principaux collaborateurs : Charles Malato, Georges Darien, Félix Fénéon, Sébastien Faure, Arthur Byl (qui finit dans la brocante au marché aux puces, de Saint-Ouen) et Emile Henry (qui lança des bombes et finit sur l'échafaud), ainsi que plusieurs académiciens et grands écrivains : Georges Lecomte et Henri de Régnier, Lucien Descaves, Ajalbert, Octave Mirbeau, Camille Mauclair, Pierre Veber, Tristan Bernard et Emile Verhaeren, entre autres.

ENSCH (Pierre, Jacques).

Journaliste, né à Pomponne (S.-et-M.), le 16 juin 1911. Adhéra en 1928 à *L'Action Française ;* conférencier de la *Ligue Franc-Catholique* (1930); collaborateur de *La Libre Parole* (1930-1933), fondateur du cercle « *Marquis de Morès* » (1931), rédacteur au *Petit Oranais,* à

l'Union Latine (1931-1933); collabor teur de *l'Agence Havas* devenue l'*A.F.* (depuis 1936), rédacteur aux *Documen Nationaux* (1945), directeur-gérant d'*A pects de la France et du monde* (194 1947), président du *Club National d Lecteurs* depuis 1954.

ENTENTE DEMOCRATIQUE.

Groupe parlementaire fondé en 19 par les députés « non inscrits » so la présidence de Jean Médecin, avec participation de Patrice Brocas, Robe Szigeti, Guy Ebrard, Jacqueline Thom Pâtenôtre, René Pleven, J.-P. Davi Claudius-Petit, Georges Bonnet, Hen Longuet, de Montesquiou, Rémy Mont gne, Juskiewenski, etc.

EPOQUE (L').

Quotidien fondé en 1937, par Henr Simond et Henri de Kérillis qui venaie d'être évincés de *L'Echo de Paris* abso bé par *Le Jour* (de Léon Bailby). Tand que la droite, en général, se montra hostile à la guerre, *L'Epoque* fit figu de belliciste. H. de Kérillis réclama d'autre part, une alliance avec les S viets. Les commanditaires du journ appartenaient au monde des affaires parmi eux, le banquier Louis Loui Dreyfus se distingua en envoyant u circulaire à ses pairs pour leur dema der de subventionner l'entreprise (c document reproduit par H. Coston da « *Les Financiers qui mènent le monde* Paris 1955). Le journal avait un secon directeur, André Pironneau, ami fidè de Kérillis. Raymond Cartier en était chef de la rédaction composée de Gu Mounereau, Charles Pichon, Robe d'Harcourt, Henriette Chandet, et *L'Epoque* reparut durant quelques a nées, après la Libération, sous la dire tion de Jean-Louis Vigier, puis sous cel d'André Bougenot. Elle était alors édit par la Sté *L'Impartial* dont Jean Lela dy, Jean Massonnaud, industriels, étaie actionnaires, et Biset, secrétaire génér adjoint de la *F.N.S.E.A.*, président-dire teur général. *L'Epoque* disparut en 195 la société éditrice, déclarée en faillit avait un passif de 72 millions.

EPURATION.

Expression empruntée à la terminol gie communiste pour désigner l'exclu sion des personnes jugées indignes d'a partenir à un groupe, un parti, u assemblée, un corps, une communaut Dans le système communiste, *l'épuratio* est le seul moyen de supprimer l'opp sition à l'intérieur. En 1944, après Libération, un ensemble de mesur *épuratives* écartèrent de la vie politiqu dministrative, syndicale, etc., ceux qui taient considérés comme « collabora-urs », soit parce qu'ils avaient effecti-ement collaboré avec l'occupant, soit ncore parce qu'ils étaient partisans de a collaboration franco-allemande ou vaient été favorables au maréchal Pé-ain, soit enfin parce qu'ils avaient obéi ux ordres du Gouvernement que prési-ait ce dernier.

Opérée au fur et à mesure que les épartements étaient libérés de l'occu-ation allemande par les troupes alliées, 'épuration fut particulièrement cruelle ans les derniers mois de l'année 1944 t les débuts de 1945. Sous la pression 'éléments communistes, les organisa-ions de résistance procédèrent elles-nêmes, dans certaines régions, au châ-iment des épurés. Selon le colonel Passy, hef de la D.G.E.R. (police politique du général De Gaulle), le ministre de l'Inté-ieur Adrien Texier évaluait les exécu-ions sommaires de l'épuration (entre uin 1944 et février 1945) à 105.000 ; il e basait sur les rapports de ses préfets. Lettre de Passy, in Écrits de Paris, oût 1960.) En 1951, le ministre de l'In-érieur déclara que « le nombre des exé-utions sommaires s'est élevé à près de lix mille ». L'historien Robert Aron ffectua une enquête. Il nota des diffé-ences importantes entre les chiffres éels et les chiffres officiels. Par exem-le, pour ces départements : Bouches-lu-Rhône : chiffres de l'Intérieur, 310 ; hiffres R. Aron, 800 ; Dordogne : 528 t 1.000 ; Haute-Vienne : 260 et 1.000.

Il ne put obtenir de réponses précises lu ministère de l'Intérieur malgré l'ac-:ord du garde des Sceaux de l'époque : « En général, écrit-il, les préfets ne sem-lent pas très désireux d'effectuer une nquête susceptible de corriger les chif-res de l'autorité dont ils dépendent. » Et il concluait, désabusé : « On ne saura lonc jamais la vérité sur ce point. » .« Histoire de la Libération de la Fran-e », par Robert Aron, Paris 1959.) Une tatistique semble confirmer le chiffre le l'ancien ministre de l'Intérieur Tixier: :'est celle que François Mitterrand, alors ministre des Anciens Combattants, publia au Journal officiel du 26 mai 1948 (page 2938). Dans le tableau des victimes de la guerre qu'il produisit, à côté des 9.086 civils, 10.500 internés et 5.381 F.F.I. et F.T.P. fusillés par les Allemands, des morts en déportation, des victimes des bombardements alliés, figuraient « 97 000 personnes décédées pour causes diver-ses ». L'année suivante, le député M.R.P. Fonlupt-Esperaber, ayant déposé une question écrite au garde des Sceaux pour avoir des lumières officielles sur le nom-bre des exécutions sommaires, le Journal officiel du 25 février 1949 (page 2020, question 9313) inséra cette note du ministre de la Justice : « Il est répondu directement à M. Fonlupt-Esperaber », ce qui était contraire au règlement de l'Assemblée nationale, lequel prescrit que la réponse du ministre interrogé par un député doit paraître au Journal offi-ciel dans les quinze jours. S'il est diffi-cile, donc, de fixer le nombre exact des victimes des massacres épurateurs de 1944-1945, pour Robert Aron, il doit être voisin de 40.000. 100.000 ou 40.000 sont des chiffres énormes, compte tenu du nombre de personnes arrêtées à la Libé-ration, que Le Figaro évaluait à un million.

L'épuration légale, officielle, à la fois judiciaire et administrative, qui accom-pagna cette épuration sommaire et offi-cieuse, fut conduite par des tribunaux spéciaux (cours de justice, chambres civiques, etc.). Elle avait été décidée par l'Assemblée consultative provisoire d'Alger qui approuva les mesures pré-parées par François de Menthon, com-missaire à la Justice du Comité Français de Libération Nationale (séances des 11 et 12 janvier et 10 juillet 1944). Des ordonnances du général De Gaulle confir-mèrent ces résolutions. L'ordonnance du 26 juin 1944 relative à la répression ins-tituait au chef-lieu de chaque ressort de cour d'appel, des Cours de Justice ayant pour objet de juger les faits postérieurs au 16 juin 1940 et antérieurs à la Libé-ration « qui révèlent l'intention de favo-riser les entreprises de toute nature de l'ennemi, et cela, nonobstant toute légis-lation en vigueur ». Il pouvait donc s'agir d'actes qui, en droit commun, ne constituent ni crimes, ni délits. L'épura-tion administrative était réglée par l'or-donnance du 27 juin 1944 qui créait des commissions d'épuration chargées de prendre des mesures disciplinaires con-tre les fonctionnaires et les militaires et assimilés, allant jusqu'à la révocation. Cette ordonnance fut complétée le 28 novembre 1944 par une seconde « figno-lant » l'épuration administrative. Enfin, une autre ordonnance, signée par le général De Gaulle le 26 août 1944, insti-tuait rétroactivement un crime inédit, l'indignité nationale, et une sanction nouvelle, la dégradation nationale. « Tout Français qui, même sans enfreindre une loi pénale existante, s'est rendu coupa-ble d'une activité antinationale caracté-risée, s'est déclassé ; il est un citoyen indigne dont les droits doivent être restreints dans la mesure où il a mé-connu ses devoirs. » Cette loi rendait légitime la répression d'actes qui avaient été légaux au moment où ils avaient été commis. C'est ainsi qu'étaient passibles de la « dégradation nationale » ceux qui s'étaient livrés à la propagande anti-gaulliste, qui avaient adhéré à des groupes ou partis sensés être favorables à la collaboration (même s'ils existaient avant-guerre comme le *P.P.F.*), qui avaient participé à des manifestations artistiques, économiques, politiques « ou autres » en faveur de la collaboration, ou contre les juifs, ou prônant des doctrines totalitaires. L'indignité nationale entraînait la dégradation nationale, c'est-à-dire la mort civile : le condamné était privé des droits civils et politiques, exclu des fonctions publiques ou semi-publiques ; il ne pouvait être administrateur ou gérant de société, ni directeur d'école, d'entreprise de radio ou de cinéma ; ni journaliste professionnel ; il était exclu des professions d'avocat, de notaire, d'avoué et généralement de tous les offices ministériels, ainsi que de tous les organismes et syndicats professionnels. La peine de « dégradation nationale » était prononcée par des *Chambres civiques* composées d'un magistrat et de quatre jurés. Comme ceux des *Cours de Justice*, ces jurés étaient tirés au sort sur *les listes des résistants prévues par l'ordonnance du 26 juin*. Ce qui fit dire aux justiciables de ces tribunaux d'épuration qu' « *on faisait donc juger les prévenus par leurs adversaires, la plupart du temps des communistes* ».

Ces ordonnances furent complétées en novembre 1944 par une autre, relative à la Haute Cour de Justice, appelée à juger les personnes ayant participé directement à ce qui fut appelé les *pseudo-gouvernements de Vichy*. La légalité des-dits gouvernements étant contestée par les adversaires du maréchal Pétain, les actes, les lois et les décisions prises en 1940-1944 n'avaient donc aucune valeur légale. En conséquence, l'armistice signé en 1940 par le maréchal Pétain était nul et non avenu, et la France n'avait jamais cessé d'être en guerre avec l'Allemagne. Les ministres, les fonctionnaires, les diplomates, les cadres de l'armée tombaient sous le coup des articles 75, 81 et suivants du Code pénal, puisque les rapports des autorités françaises avec le Reich n'étaient pas ceux d'un pays occupé avec l'occupant (rapports réglés par les conventions de Genève), mais ceux d'autorités usurpatrices collaborant avec un ennemi toujours en guerre en vue de favoriser ses desseins. Bien que les professeurs de droit Marcel Prelot et Georges Vedel, tous deux résistants authentiques, reconnaissent comme parfaitement valable la loi constitutionnelle

du 10 juillet 1940, ce postulat, dont Ren Cassin, futur vice-président du Conse d'Etat, est l'inventeur, permit de frappe lourdement des dizaines de millier d'adversaires politiques, de fonctior naires obéissants et de soldats fidèles.

Témoignage chrétien, journal cré dans la clandestinité par des catholique de gauche, devait justifier l'*épuratio* en ces termes, dans son numéro de Noë 1944 : « *L'épuration n'est pas la Justice parce que l'Epuration est d'aujourd'hu alors que la Justice est seulement pou demain (à condition encore que l'Epur tion implacable et rapide se fasse tou entière). L'Epuration est à elle-même s fin, elle se justifie d'abord par sa propr nécessité actuelle et non par les exi gences d'une Justice positive éternelle L'Epuration est une mesure de défens républicaine.* »

Les conséquences de l'*épuration* fu rent principalement la désunion de Français, le désordre dans les esprits e dans les cœurs. « *On n'arrête pas*, a di l'académicien Pierre Gaxotte, *au sorti d'une prison allemande, un général e qui le pays s'est habitué à voir l'incar nation du dévouement à la patrie, san jeter le doute dans bien des âmes. On n chasse pas de l'armée des milliers d'off ciers parce qu'ils ont obéi à leurs chefs sans ébranler l'esprit militaire. On n chasse pas de la police, de la diplomatie des dizaines de milliers de fonction naires intègres et disciplinés sans livre l'administration aux partis. On ne mêl pas tant d'honnêtes gens aux canailles sans atteindre le sens moral et le sen civique.* » Aucune amnistie générale n'a effacé, jusqu'ici, les traces de l'épuratio de 1944.

ERE NOUVELLE (L').

Quotidien de l'*Union des Gauches Radicale*. Fondée en 1917. Dirigée avan la guerre par Léo-Abel Gaboriaud e rédigée par Ed. Herriot, Paul Bastid Albert Le Bail, etc.

ERRECART (Jean).

Agriculteur, né à Orègue (B.-P.), le 12 juillet 1909. Maire d'Orègue, conseiller général du canton de Saint-Palais, ancien député à la 2e Assemblée constituante (1946), élu député *M.R.P.* des Basses-Pyrénées en 1946, élu à nouveau en 1955. Sénateur des Basses-Pyrénées (Centre démocratique).

ESCALLIER.

Avocat, président de la *Fédération des familles nombreuses* des Alpes, nommé le 23 janvier 1941 membre du *Conseil National* (voir à ce nom).

ESCANDE (Louis-Luc-Marie).

Ingénieur, né à Massat (Ariège) le 25 septembre 1913. Ingénieur des travaux publics (1935-1945). Elu adjoint au maire (1944-1953), puis maire de Mâcon (1953). Député de Saône-et-Loire (1945). Ingénieur de l'équipement scolaire, universitaire et sportif de l'académie de Lyon. Membre fondateur du Mouvement de Résistance en Saône-et-Loire. Membre du Comité national de l'*Association des Maires de France*. Président de la Commission de la Jeunesse de l'*Union internationale des maires*. Elu à nouveau député socialiste de Saône-et-Loire (1re circ.), le 25 novembre 1962.

ESPOIR (L').

Quotidien stéphanois fondé à la Libération et se réclamant du clandestin *Espoir !*, créé en 1942 par l'ancien rédacteur de *L'Œuvre*, Jean Nocher, qui fut pendant plusieurs années, sous la IVe République, le rédacteur en chef du quotidien. Sa rédaction est aujourd'hui une annexe du *Progrès de Lyon* (10, place Jean-Jaurès, Saint-Etienne).

ESPOIR FRANÇAIS (L').

Hebdomadaire créé en 1934 pour remplacer *L'Animateur des Temps nouveaux* disparu à la suite de pressions gouvernementales exercées sur son principal commanditaire, fournisseur de l'Etat. L'équipe d'avant-guerre se composait de Georges Servoingt, le directeur, de René d'Argile, Pierre Fontaine, Dr Javal, des dessinateurs A.R. Charlet et Mosdyc et de collaborateurs occasionnels. Le journal continua sa publication à Vichy pendant l'occupation, sous la direction de Servoingt. Ses fascicules, toujours très documentés, apportèrent une aide efficace à la propagande pétainiste.

ESPOIR DE NICE ET DU SUD-EST (L').

Quotidien du soir fondé à la Libération dans les locaux du *Petit Niçois* interdit. Edition vespérale de *Nice-Matin*, dirigée (comme ce dernier) par Michel Bavastro. Moyenne de diffusion : 36 000 ex. (27, avenue de la Victoire, Nice).

ESPOIR SOCIALISTE (L').

Hebdomadaire fondé en 1949. Soutient l'action du *P.S.U.* (11, rue du Lieutenant-Chanaron, Grenoble).

ESPRIT.

Revue fondée en 1932 par Emmanuel Mounier qui poursuit, avec des moyens différents et des nuances, une action assez semblable à celle de *La Vie Catholique Illustrée* et de *Témoignage Chrétien*. Suspendit sa publication pendant la guerre et la reprit aussitôt après. Lorsque son fondateur disparut, cette publication a été reprise par Albert Béghin et J.-M. Domenach. Le premier, exécuteur testamentaire (ou tout comme) de Bernanos et auteur d'ouvrages pertinents sur Péguy, semble avoir joué un rôle modérateur. Peu suspect aux yeux des catholiques, il a facilité l'action du second, accusé par de nombreux catholiques de poursuivre — en l'accentuant — la tâche de Mounier, qui recommandait de ne « *rien faire en France contre ou sans les communistes* » (*Esprit*, juin 1945, p. 10) et qui affirmait (p. 75) que « *l'anticommunisme, c'est la trahison déclarée ou virtuelle* ». La société *Eprit* a été créée, le 21 octobre 1932. Après la guerre, le conseil d'administration se composait d'Emmanuel Mounier, président, Gilbert de Véricourt et Angèle Touchard. En 1952, Gilbert de Véricourt, de la direction du *Parisien libéré* et directeur en titre du *Maine libre*, abandonna la société et céda ses 200 parts à Albert Béghin. Dès lors, les associés étaient : Mme Vve Mounier (née Leclerc), L. Dulong, P.-A. Touchard (de la Comédie française), Jean Bardet, Paul Fraisse, Henri Marrou, Jean Lacroix (de Lyon), Jean Soutou, Paul Flamand, Angèle Touchard, née Piquereau, Jacques Penet, Jean-Marie Domenach, Albert Béguin, Paul Ricœur (de Strasbourg), Henri Bartoli (de Grenoble), François Gogel et Bertrand d'Astorg. Son tirage est d'environ 8 000 exemplaires, principalement lus par des étudiants et des ecclesiastiques (Siège : naguère aux *Editions du Seuil*, aujourd'hui : 19, rue Jacob, Paris, VIe).

ESPRIT NOUVEAU (EDITIONS DE L')
(voir **L'Esprit public**).

ESPRIT PUBLIC (L').

Journal fondé en décembre 1960 et disparu en mars 1966. D'abord hebdomadaire, puis mensuel, *L'Esprit Public* eut une équipe brillante sinon très homogène ; elle se composait de partisans de l'Algérie française, qu'une commune hostilité à l'égard du général De Gaulle avait réunis : Philippe Marçais, Raoul Girardet, Jules Monnerot, Leblanc-Penaud, Francine Dessaigne, Jean Brune, Philippe Brissaud, Serge Groussard, Serge Jeanneret, Roland Laudenbach, Jacques Laurent, Jean Mabire,

Jacques Perret, Philippe Héduy, Hubert Bassot, etc. De 1962 à 1965, *L'Esprit Public* perdit la plupart de ses collaborateurs, sauf les deux derniers nommés qui animèrent le journal jusqu'à la fin. En marge de *L'Esprit Public* et créées en même temps que lui, les *Editions de l'Esprit Nouveau* ont eu un rôle non négligeable dans la propagande du groupe. Elles ont publié des livres signés : Georges Bidault, Roger Trinquier, Raoul Girardet, Louis Rougier, Michel de Saint-Pierre, René Courtin, Francine Dessaigne, Saint-Paulien, etc. que diffuse la *SODAFE*. Pour aider les familles de prisonniers politiques, *L'Esprit Public* créa en 1964 un *service d'entraide,* et pour mener le combat politique, un mouvement, le *Rassemblement de l'Esprit public,* dont Hubert Bassot et Philippe Héduy étaient les animateurs. Le groupe, d'abord favorable à Tixier-Vignancour, puis à Lecanuet, s'est sabordé en février 1966 : ses dirigeants ont annoncé qu'ils ralliaient le *Centre* de Jean Lecanuet.

ESQUIROL (Joseph).

Notaire, président de la Commission départementale de la Haute-Garonne, nommé le 23 janvier 1941 membre du *Conseil National* (voir à ce nom).

ESSARDS (Raymond des).

Directeur de *La Nation Réveillée* (voir à ce nom).

ESSOR (L').

Hebdomadaire régional catholique et démocrate fondé en 1946 et rayonnant sur la Loire et les départements voisins. Son tirage dépasse 40 000 exemplaires (4, rue Mi-carême, Saint-Etienne).

EST-ECLAIR (L').

Quotidien modéré de l'Aube fondé en 1945, pour remplacer le quotidien *La Tribune de l'Aube,* également modéré, créé en 1886. Dirigé par Jean Bruley, André Mutter, ancien ministre, et Roger Paupe. Charles Oulmont est, à Paris, son correspondant politique. Son influence sur les lecteurs nationaux est toujours grande, malgré la défaite électorale d'André Mutter après le retour au pouvoir du général De Gaulle, en 1958. Tirage moyen : 24 000 ex. (34, rue de la Monnaie, Troyes).

EST ET OUEST (ex-B.E.I.P.I.).

(Voir : *Association d'Etudes et d'Informations Politiques Internationales.*)

EST-REPUBLICAIN (L').

Quotidien régional de Nancy, fondé l jour du centenaire des Etats-Généraux de 1789. Il était alors nettement d gauche et, au moment de la séparation de l'Eglise et de l'Etat, il soutint le gouvernement d'Emile Combes. Il passai pour être l'organe du radicalisme et de loges maçonniques. René Mercier, u ancien de *La Dépêche de Toulouse,* es à l'origine de son développement au début du siècle. Sous la IIIe République il avait déjà une diffusion important dans plusieurs départements : Meurthe et-Moselle, Moselle, Vosges, Meuse, Terri toire de Belfort, Haute-Saône et Côte d'Or. Ayant interrompu sa publicatio le 14 juin 1940, il fut remplacé, pendan toute l'occupation, par *L'Echo de Nancy* bien connu des prisonniers de guerr puisqu'il était pratiquement le seul jour nal autorisé dans les stalags et le oflags. Il reprit sa place de grand quo tidien régional le 8 octobre 1944. De tendance centriste, l'*Est Républicain* es dirigé par un ancien de *La Voix du Nord,* Léon-Edmond Chadé. Au cour de ces dernières années, la société du journal l'*Est Républicain* a été adminis trée par : André-Yves Barraud (décéd en 1964), président-directeur général de *Socosel,* directeur des *Salines de Rosiè res* et vice-président de l'*Union de Chambres syndicales et patronales de l'Est,* président-directeur général de la société ; Pierre-Marie Frisson, présiden des *Usines de chaux hydrauliques et de ciment Portland de Xeuilley,* vice-prési dent des *Tréfileries et Ateliers de Com mercy,* administrateur des *Grands Mou lins Vilgrain,* qui succéda à André Bar raud à la présidence de la société du journal ; Michel Daum, maître-verrier des *Papeteries de Clairefontaine,* prési dent-directeur général des *Cristallerie Daum* ; Pol Grosdidier, maître de forges administrateur des *Tréfileries et Atelier de Commercy* ; Aimé Julien Hamant professeur à la Faculté de Médecine de Nancy, père de l'agent de change ; Jean Charles Krug, président de la *Conf. de Industries du Bois,* président-directeu général de la société *Krug et Ballis,* gé rant de la *Société Agricole de Putteville* administrateur de *Mielle-Cailloux* et de *Nordon - Fruhinholz - Diebold* ; docteu Pierre Raymond-Gabriel Lignac, admi nistrateur de la *S.A. du Rotin,* des *Cons tructions Electriques de Nancy,* de *Chaux et ciment de Xeuilley* ; Raymond Eugène-Marie Pinchard, sénateur-mair de Nancy, directeur des *Chaudronnerie Lorraines,* administrateur des *Papeterie de Clairefontaine* et de *Nordon-Fruhin holz-Diebold* (décédé) ; Robert-Jacques Vilgrain, fils d'Ernest Vilgrain, sous-secrétaire d'Etat au Ravitaillement sous la III° République et inventeur des baraques qui portèrent son nom, administrateur des *Grands Moulins Vilgrain,* des *Moulins de Hatrize et La Caulre,* des *Moulins Bessereau* (démissionnaire) ; Dr Charles - Constant Boileau, président - directeur général de la *Grande Chaudronnerie Lorraine,* gérant des *Fonderies de Tréveray,* administrateur des *Papeteries de Clairefontaine,* président honoraire des *Grands Moulins Vilgrain,* président du *Syndicat professionnel de la Meunerie de l'Est* et de l'*Union des Chambres Syndicales de l'Est,* ancien président du Tribunal de Commerce de Briey, administrateur de la *Mécanique Moderne, des Magasins Généraux et Docks réunis,* président-directeur général des *Moulins de Hatrize et La Caulre.* Le tirage de *L'Est Républicain,* qui était de 140 000 exemplaires avant 1939, atteignait 192 000 exemplaires en 1952, 230 000 en 1962 et 256 000 en 1965 (contrôle O.J.D. du 5-5-1965). Le journal, qui a absorbé *Le Lorrain,* de Metz, en 1949, vient de conclure avec *Les Dépêches* de Dijon et son annexe *Le Comtois* de Besançon, des accords qui ressemblent fort à une absorption des seconds par le premier (5 bis, avenue Foch, Nancy).

ESTEBE (Paul).

Universitaire, né à Saigon (Cochinchine), le 2 août 1904. Fils de professeur, petit-neveu d'un gouverneur général de Madagascar. Professeur de lettres au lycée de Saigon, chargé de mission au Conseil national économique, sous-préfet hors classe, directeur-adjoint du cabinet civil du maréchal Pétain (1941-1943), membre du Conseil général du *Centre Française de Synthèse* (Vichy), déporté politique en Allemagne (1943-1945), conseiller de l'Union française (1947-1951), directeur de *Paroles Françaises* et de *France Réelle,* et fondateur de *L'Opinion girondine.* Député de la Gironde (1951-1955), conseiller municipal de Bordeaux (1953, réélu en 1959), se portant sur la liste gaulliste Chaban-Delmas, a été réélu (mars 1965). Candidat du *Centre Républicain* (Lafay-Morice), aux élections législatives de 1958 (non élu). Président du *Syndicat national de l'industrie et du commerce des lubrifiants* et de l'*Union européenne des indépendants en lubrifiants.* Président de *France-Sud Asie.* Auteur de : « *Le Problème du riz en Indochine* », « *Paroles françaises* » (préfacé par Antoine Pinay).

ESTEVE (Yves).

Notaire honoraire, né à Saint-Georges-sur-Loire (M.-et-L.), le 14 février 1899. Sénateur *U.N.R.* d'Ille-et-Vilaine, conseiller général et maire de Dol-de-Bretagne.

ESTIENNE D'ORVES (comte Henri, Louis, Honoré d').

Officier de marine, né à Verrières-le-Buisson (S.-et-O.), le 5 juin 1901, fusillé au Mont Valérien, le 29 août 1941. Il appartint dans sa jeunesse aux *Lycéens et collégiens d'Action Française.* A sa sortie de l'Ecole Polytechnique (1923), il choisit la marine, et parcourut l'Afrique, l'Asie et l'Amérique. Lieutenant de vaisseau en 1940, il était attaché à l'état-Major de l'amiral Godfroy, commandant la flotte d'Alexandrie, lorsque survint l'armistice de juin 1940. Il se rallia aussitôt au général De Gaulle qui l'affecta au 2° Bureau des Forces Navales Françaises Libres. Chargé de l'organisation d'un réseau de renseignements en France, il fut débarqué sur la côte en décembre 1940. La trahison d'un de ses collaborateurs permit à la police allemande de l'arrêter moins d'un mois après son arrivée. Emprisonné au Cherche-Midi, à Paris, il fut condamné à mort pour espionnage par le Tribunal militaire allemand le 25 mai 1941 et fusillé un mois plus tard. Guillain de Benouville lui consacra un livre émouvant : « *Vie exemplaire du commandant d'Estienne d'Orves* » (Paris, 1950). Deux ouvrages posthumes d'Estienne d'Orves ont été publiés une dizaine d'années après la mort tragique de l'officier de marine : « *Journal de bord* » et « *Journal de famille* » où apparaissent la pureté de son patriotisme et la profondeur de sa foi chrétienne.

ESTIER (Claude EZRATTY, dit).

Journaliste, né le 8 juin 1925. Militant de la gauche socialiste et progressiste, collabora de longues années à *Libération* et à *France-Observateur,* appartint à la direction du *Centre d'Information et de Coordination pour la défense des Libertés et de la Paix* et du *Club des Jacobins.* Membre de la Commission permanente de la *Convention des Institutions Républicaines,* dont il anime le journal *Combat Républicain.* Auteur d'un ouvrage documenté et précis sur la presse républicaine et socialiste : « *La Gauche hebdomadaire 1914-1962* ». Elu député de Paris en 1967.

ETAT.

Communauté politique soumise à un

gouvernement et à des lois communes sur un territoire déterminé.

ETAT FRANÇAIS.

Nom donné par le maréchal Pétain à l'Etat dont il était le chef en 1940-1944 (capitale : Vichy).

ETAT-MAJOR.

Ensemble des officiers assistant un chef militaire dans l'exercice de son commandement. Par ext. : les dirigeants d'un parti, d'un journal.

ETAT NOUVEAU (L').

Organe de l'*Association pour l'Etude de la Réforme des Structures de l'Etat* (*A.E.R.S.E.*), fondé en 1961, par le colonel Trinquier (voir à ce nom). Principaux collaborateurs : A. de Saint-Salvy, Jean Hanault, Pierre Lasserre, Mᵉ Cazenave, etc.

ETATS GENERAUX.

Dans l'ancienne France, les *Etats Généraux* étaient des assemblées qui se tenaient pour délibérer sur les grands problèmes. Elles se composaient des délégués des trois Etats (ou ordres) : noblesse, clergé, tiers état (bourgeoisie). Il semble bien que les premiers *Etats Généraux* se soient réunis en 1302, sur la convocation de Philippe le Bel, pour faire approuver son attitude à l'égard du pape Boniface VIII. Les *Etats Généraux* furent ensuite convoqués aux dates suivantes : 1308, 1312, 1317, 1321, 1346, 1351, 1355, 1356 (deux fois), 1357 (deux fois), 1358 (deux fois), 1359, 1363, 1369, 1382, 1413, 1420, 1423, 1428, 1434, 1435, 1439, 1440, 1468, 1484, 1501, 1506, 1558, 1560, 1561 (deux fois), 1576, 1588, 1593, 1614 et 1789. La réunion des *Etats Généraux* en 1789, qui devait apporter des réformes, fut le début de la grande Révolution.

Après la Libération, le *Front national* (voir à ce nom) organisa à Paris, le 14 juillet 1945, une assemblée des *Etats Généraux* dits de la Renaissance, au cours de laquelle furent présentés des Cahiers rédigés par les comités de Libération où étaient consignées les traditionnelles doléances, mais aussi des propositions concrètes pour résoudre les problèmes de l'heure. Sous la IVᵉ République, alors que son mouvement était en plein essor, Pierre Poujade préconisa la convocation des Etats Généraux. Mais l'affaiblissement rapide de l'*U.D.C.A.*, après la flambée de 1956, ne permit pas la réalisation de ce projet.

ETATS-GENERAUX (Comité National pour la convocation des).

Organisation créée en 1922, sous l'égide de l'*Action Française* et dont Georges Valois était l'animateur. Auprès de ce dernier se trouvaient l'industriel Eugène Mathon, le journaliste Et. Bernard-Précy (l'un des fondateurs du *Club National* avec Darquier de Pellepoix), Max Leclerc, le colonel Bernard de Vesins, Paul Robin, Auguste Cazeneuve, Martin-Mamy (futur directeur de *L'Ami du Peuple du soir*), Georges Coquelle (dit Viance, plus tard spécialiste des questions sociales à la *Fédération Nationale Catholique*) et Ambroise Rendu conseiller municipal royaliste de Paris. Cette campagne eut un tel succès, non seulement dans les milieux nationaux, mais aussi dans les milieux professionnels, que les adversaires réagirent. Ils firent intervenir *Le Temps*, journal du Comité des Forges, qui dressa une partie des organisations patronales contre l'initiative et brisa net son élan. La doctrine du mouvement avait été fixée par Georges Valois dans son livre « *L'Economie Nouvelle* ». Elle s'opposait à l'économie libérale, dont elle condamnait le parti-pris individualiste et la fausse conception de la liberté, et à l'économie socialiste, à laquelle Valois reprochait sa doctrine de la lutte des classes et sa méconnaissance du rôle de l'intelligence dans la production : « *Le principe de l'organisation, désormais, commande la réunion des producteurs, selon les caractères professionnels, qu'ils soient patrons, techniciens ou ouvriers, chaque catégorie constituant son syndicat, la réunion des syndicats constituant le groupe économique (livre, vêtement, chaussure, etc.) ou le groupe provincial. Cette organisation aura pour aboutissement un Conseil Economique National.* » Cela suppose, disait encore Valois, un Etat libre et fort : « *Or, il n'y a d'Etat libre et fort que la Monarchie.* » Cette conclusion n'était cependant pas exposée aussi nettement aux auditoires du *Comité pour la convocation des Etats Généraux ;* elle était réservée à l'usage interne, aux adhérents de la *Confédération de l'Intelligence et de la Production française*, dont la *Production française* était l'organe hebdomadaire. Ce *Comité* donna naissance, trois ans plus tard, au premier parti fasciste français : *Le Faisceau* (voir à ce nom).

ETENDARD (L').

Organe semi-clandestin de l'*Association Royaliste Catholique* (A.R.C.) fondée par Mᵉ Pierre d'André.

ETHNIE.

Groupement naturel établi par ses membres et ses voisins, pour la détermination duquel entrent en ligne de compte les caractères somatiques, linguistiques, culturels, et même religieux. Le professeur George Montandon, qui enseignait l'ethnologie à l'Ecole d'anthropologie avant la guerre, faisait une distinction très nette entre la *race*, l'*ethnie*, la *nation* et le *peuple*. « *La nation*, écrivait-il, *est un groupement politique, créé par l'histoire et contenu dans l'armature de l'Etat. La nation, généralement, ne correspond pas plus à une race qu'à une ethnie ; de façon habituelle, la nation comprendra plusieurs éléments raciaux et chevauchera plusieurs ethnies. Ainsi la « race » est une conception savante, l'« ethnie » une conception naturelle. Quant au terme de peuple, et plus vaguement encore de population, on les conservera comme expressions populaires, indéterminées, pour les cas, souvent nécessaires, où l'on désire ou bien où l'on doit, faute de connaissances suffisantes, rester dans le vague.* » Le professeur Montandon délimitait ainsi l'*ethnie* française et en indiquait les principaux domaines :

FACTEURS D'AGRÉGATION A L'ETHNIE
(*trois facteurs ethnologiques, un facteur politique*)   DOMAINE

1) race, langue, culture, Etat..................

2) race, langue, culture......................   Suisse romande.
                                                    Belgique wallonne.

3) race, culture, Etat........................   Armorique.
                                                    Flandre française.
                                                    Alsace.
                                                    Corse.
                                                    Roussillon.
                                                    Euscuarie française.

4) race, langue (culture partiellement).........   Canada français.

(« *L'ethnie française* », par George Montandon, Paris 1935.)

ETUDES ET DOCUMENTATION INTERNATIONALES.

Cahiers du *Centre d'Etudes Socialistes*. Principales collaborations : Roland Filiâtre, Serge Mallet, Laurent Schwartz, A. Hauriou, P. Naville, Alfred Sauvy, Jean Poperen, Maurice Duverger, M. Bridier (29, rue Descartes, Paris 5ᵉ).

ETUDIANT SOCIALISTE (L').

Organe mensuel de l'*Internationale des Etudiants socialistes*. Fondé en 1925 et animé par Léon Boutbien et Roger Pagosse.

EURE-ECLAIR (L').

Hebdomadaire normand modéré, à la fois opposé au gaullisme et au marxisme. Fondé en 1955. Son édition d'Evreux et ses éditions locales (*Louviers-Eclair, Le Vermolien, Vernon-Eclair, Le Journal de la Risle*) ont un tirage global de 17 000 exemplaires. Rémy Montagne, ancien député de l'Eure, en est le directeur politique, G. Bernard, le directeur, et Henri Fabre, le directeur-gérant (place Clemenceau, Evreux).

EUROPE.

Revue de culture internationale. Rédigée avant guerre par Romain Rolland, Pierre Abraham, Aragon, René Arcos, J.-R. Bloch, Dominique Braga, Jean Cassou, André Chamson, Luc Durtain, Georges Friedmann, René Lalou, René Maublanc.

EUROPE-ACTION.

Revue nationaliste mensuelle fondée en 1963 par Dominique Venner. Son public était, au début, recruté principalement parmi les anciens de *Jeune Nation*, dont le leader, Pierre Sidos, était alors en prison pour reconstitution de ligue dissoute (voir : *Jeune Nation*). Depuis la campagne de l'élection présidentielle, de nouveaux lecteurs ont été recrutés parmi les partisans de Mᵉ Tixier-Vignancour, dont *Europe-Action* fut l'un des principaux *supporters*. L'équipe d'*Europe-Action* est dirigée par : Dominique Venner (directeur politique), Jean

Mabire (rédacteur en chef) et Christian Poinsignon (directeur de la publication). Les principaux articles sont signés : François d'Orcival, Fabrice Laroche, Pierre Marcenet, Guy Persac, etc. Autour de la revue — dont certaines tendances, exprimées notamment dans le n° 5, ont éloigné les nationalistes chrétiens — se sont groupés des centaines de volontaires, d'abord réunis dans les *Comités de soutien d'Europe-Action*, ensuite inscrits au *Mouvement Nationaliste du Progrès* (voir à ce nom). La revue est publiée par les *Editions Saint-Just*, créées le 6 novembre 1962 sous la forme d'une S.A.R.L. au capital de 10 000 F, par Suzanne Gingembre, épouse de Maurice Gingembre (34 % des parts sociales), Jacques de Larocque-Latour (le dessinateur Coral : 33 %) et Dominique - Charles Venner (33 %). Une augmentation de capital (150 000 F), en 1964, a permis l'entrée dans la société, transformée en société anonyme, de nouveaux militants nationalistes dont Luis Daney et Pierre Bousquet, lequel a remplacé Coral, avec J.F. Despont à la direction. Les *Editions Saint-Just* ont publié, depuis 1963, des ouvrages de Fabrice Laroche, F. d'Orcival, Coral, R. Holleindre, P. Hofstetter, des traductions d'ouvrages étrangers, dont le livre de Skorzeny. Les livres des *Editions Saint-Just* et de la *collection Action* sont diffusés par la *S.O.D.A.F.E.*, d'Yvon Chotard, distributrice de diverses maisons d'édition connues pour leur tendance nationale. Le *Club du Souvenir*, animé par Jean-François Despont, est une filiale des *Editions* comme l'était, à ses débuts, la *Librairie de l'Amitié* (voir à ce nom). Le *Centre d'Etudes pour une Economie Organique*, fondé le 13 février 1964 par les dirigeants d'*Europe-Action*, est étroitement associé à ce groupe, tout comme le *Groupement d'Etudes des Rapatriés et Sympathisants* (G.E.R.S.), fondé en 1963 par Mme Gingembre, Luis Daney, D. Venner, Ferdinand Ferrand, Charles Couturier et Joseph Pizzaferri, qui le préside (*Europe-Action*, 9, rue aux Ours, Paris 3e).

EUROPE N° 1.

Poste radiophonique privé créé en 1955, dont l'émetteur fut installé en Sarre, d'où il peut rayonner sur une grande partie du territoire français. Le financier israélite Charles Michelson en fut le créateur, et Louis Merlin, qui l'a quitté en 1966, l'animateur. Depuis 1961, ce dernier avait été remplacé, comme directeur général, par Maurice Siegel, le journaliste israélite bien connu, qui venait de *France-Soir* après avoir été le secrétaire général du *Populaire*. L'équipe d'*Europe N°1* comprend notamment : Lucien Morisse, Jean Gorini, Georges Altschuler, Georges Leroy, Jacques Paoli, André Arnaud, Julien Besançon, Jacques Forestier, Daniel Filipacchi, etc. Depuis quelques années, le poste a perdu beaucoup de son objectivité, tant en ce qui concerne la politique intérieure que la politique extérieure. Le fait que Siegel, homme de gauche et signataire de la pétition pro-Vietcong (« *Un milliard pour le Vietnam* »), et qu'Altschuler, militant gaulliste de gauche, soient à la tête de l'Etat-Major rédactionnel d'*Europe N° 1* ne suffit pas à expliquer certaines prises de position qui choquent une grande partie des auditeurs. La présence de Sylvain Floirat, à la tête de la société qui contrôle le poste, n'est certainement pas étrangère à cette rupture d'une neutralité politique de bon aloi. Floirat, homme d'affaires connu, est à la fois le fournisseur de l'Etat en tant que « patron » des *Avions Bréguet*, et l'ami de certains milieux vietnamiens, en raison d'intérêts importants qu'il eut — et a peut-être encore — en Indochine. L'influence qu'*Europe N° 1* a, incontestablement, sur une importante fraction de l'opinion publique vient du dynamisme de ses animateurs. Des reportages, des commentaires habiles qui donnent une impression de détente et de spontanéité, l'usage du « direct » — avec Julien Besançon, notamment, qui décrivit sur place les événements d'Alger (fusillades de la rue d'Isly en 1960), les émissions « yéyés » de Filipacchi dont certaines déclenchèrent des manifestations monstres, amenèrent une audience énorme au dernier-né des postes d'émissions périphériques. En même temps que son audience grandissait, que la mise en condition de ses auditeurs se précisait, le chiffre d'affaires de la société *Europe N° 1* — *Images et Son* augmentait considérablement : de 33 700 000 F en 1958-1959, il passa à 48 070 000 F en 1959-1960, à 56 654 000 F en 1960-1961, à 79 897 000 F en 1961-1962 et à 96 602 000 francs en 1962-1963 (derniers chiffres connus de nous). Si bien que de 1961-1962 à 1963-1964, les bénéfices ont doublé : ils sont passés de 6 070 553 à 12 518 196. Il est vrai qu'il s'agit là des chiffres du groupe qui comprend outre le poste *Europe N° 1*, d'importantes participations dans la *C.E.R.T.*, qui exploite un poste d'émission au Felsberg (Sarre) ; *Régie N° 1* (avec *Publicis*, de Marcel Bleustein-Blanchet) ; *Télé - Monte-Carlo* et des sociétés immobilières. La

Société *Europe N° 1 - Images et Son,* — dont le groupe Floirat possède, à lui seul, 40,44 % du capital et la *Sofirad,* société mixte, 35 25 % — est administrée par un conseil comprenant : S. Floirat, président, Henri de France, administrateur des *Avions Bréguet,* L. Baer, P. Lefranc, Roger Créange, gendre de Floirat, administrateur ou gérant de quatorze sociétés, J. Cruchon, H. Dalbois, R. Gautier, L. Haneuse, R. Marchisio, J. Trebert, J.-J. de Bresson, C. Lebel, la *Société Financière Aigle-Azur* (affaire Floirat) et la *Cie Française Thomson-Houston,* grosse actionnaire de la société (siège : 4, boulevard des Moulins, Monte-Carlo ; services : 28, rue François-Ier, Paris 8e).

EUROPE NOUVELLE (L').

Hebdomadaire « briandiste » et antifasciste, fondé en 1918, et longtemps dirigé par Louise Weiss. A la veille de la guerre, avait pour dirigeants Madeleine Le Verrier et Pertinax et pour rédacteurs : Hubert Beuve-Méry, Georges Bidault, Henri Bidou, Pierre Brossolette, Robert Marjolin, Edmond Vermeil, etc.

EUROPE REELLE (L').

Journal de langue française, fondé en 1958 par le Suisse G.-A. Amaudruz, auteur d'un vigoureux pamphlet contre l'épuration et les procès de Nuremberg, le Belge Jean-Robert Debaudt et le Français Yves Jeanne, alors Algérois. Y collaborèrent au cours de ces huit dernières années : Georges Oltramare, ancien député de Genève ; Mikaël Josseaume, régionaliste breton ; Horia Sima, successeur de Codreanu à la tête de la *Garde de fer* roumaine ; Henri Roques ; Jean Marot, auteur de « *Face au soleil* » (biographie de José-Antonio Primo de Rivera). Le groupe de *l'Europe réelle* prône la suprématie de l'homme blanc, la justice sociale, l'unité européenne ; il est hostile à la Franc-Maçonnerie, à Israël, au capitalisme. Ses relations internationales sont étendues. Aussi est-il souvent représenté par ses adversaires comme l'organe d'une « internationale blanche » (secrétariat : Amaudruz, case ville 728, Lausanne).

EUROPE UNIE.

Bulletin de doctrine et d'information des travailleurs socialistes européens. Anti-marxiste, partisan d'une République fédérale française premier pas vers l'Europe des ethnies. Directeur de la publication : Roger Lamarche (104, rue Regnault, Paris 13e).

EUROPEEN

Partisan de l'Europe unie (terminologie politique). Sauf les nationalistes intransigeants, les communistes et leurs sympathisants, la plupart des partis français sont pour l'Europe : « *L'Europe doit s'unir,* disent-ils, *afin de constituer une puissance forte à l'échelle des blocs américain et soviétique.* » Mais les *européens* sont divisés en partisans de *l'Europe supra-nationale* et en partisans de « *l'Europe des patries* ». Le général De Gaulle, qui a fait sienne cette dernière formule, préconise une simple coopération entre les gouvernements de l'Europe des Six (excluant ainsi la Grande-Bretagne). Les modérés (*indépendants-paysans, républicains indépendants, centristes*), les *radicaux,* la majeure partie des *socialistes* et des membres de la *F.G.D.S.* sont, au contraire, pour une fusion, en tout cas, pour une véritable fédération, avec parlement européen élu au suffrage universel.

EVEIL DE BERNAY (L').

Hebdomadaire indépendant fondé en 1944 et animé par Maurice Méaulle, directeur, et Bernard Méaulle, rédacteur en chef. A succédé à *L'Avenir de Bernay,* dirigé par H. Méaulle, journal centenaire disparu pendant la guerre. Tirage : 10 000 exemplaires (31, rue Thiers, Bernay, Eure).

EVEIL DE LA HAUTE-LOIRE (L').

Quotidien républicain indépendant fondé le 20 octobre 1944 par un groupe réunissant des démocrates-chrétiens, des libéraux, des indépendants et des militants de l'action paysanne. Ses 11 000 exemplaires sont lus dans le département de la Haute-Loire et dans les cantons limitrophes de la Lozère et de l'Ardèche. Son état-major comprend essentiellement : André Alalain, président du conseil d'administration, Louis Rabasté, directeur-rédacteur en chef, Daniel Berger, secrétaire général. Les deux premiers appartiennent au journal depuis sa fondation (13, place Michelet, Le Puy).

EVENEMENT (L').

Ce vieux journal, fondé par Victor Hugo, en 1847, était publié avant la guerre, sous la forme d'une feuille hebdomadaire, par Edouard Engel, dit Plantagenet, et Géo Meyer, deux maçons actifs fort répandus au temps d'Aristide Briand dans les milieux pacifistes et *européens. L'Evénement* a reparu, il y a quelques années, mais très irrégulièrement, comme organe de liaison des *Indépendants* de Paris, avec la collaboration de Janine Alexandre-Debray, Marcel Ribera, Roger Pinoteau, Pierre Ferri, Guy Vachetti, Jacques Isorni, Michel Junot, Jean de Chamberlé. Son directeur était Roger North, directeur-propriétaire de la maison *Arthur Maury* (vente de timbres de collection), fondateur et animateur de l'*Union des Républicains Indépendants d'Action Sociale* (U.R.I.A.S.) et secrétaire général de la *Fédération des Indépendants de Paris* créée par Pierre Taittinger. Le titre tomba probablement, une nouvelle fois, dans le domaine public ; il fut repris au début de 1966 par Emmanuel d'Astier de la Vigerie pour sa revue gaulliste d'extrême-gauche à laquelle collaborent M.-A. Burnier, Jean-Pierre Cornet, Pierre-Charles Pathé, Serge Thion, Patrice Cournot, Jean Carlier et Francis le Goulven, et dont Jean V. Manevy est devenu le rédacteur en chef (5, rue Lamartine, Paris 9e).

EVRARD (Roger-Ernest).

Technicien, né à Marissel (Oise), le 5 avril 1925. Ancien conseiller municipal de Kerfeunteun (Finistère) (1952). Membre de l'*Alliance France-Israël*. Elu député du Finistère (1re circ.) le 25 novembre 1962. Battu en 1967.

EXIL ET LIBERTE.

Mensuel anti-communiste fondé en 1954 par A. de Romainville (voir à ce nom) (7, av. Léon-Heuzey, Paris 16e).

EXISTENTIALISME.

Cette doctrine de Jean-Paul Sartre est, semble-t-il, l'adaptation française des idées de l'allemand Heidegger, dont il est le disciple. Elle est exposée dans les deux ouvrages que le philosophe fit paraître, le premier sous l'occupation, le second après la Libération : « *L'Etre et le Néant* » (1943) et « *L'Existentialisme est un Humanisme* » (1946). Selon Heidegger : « *L'essence de l'homme est dans son existence* » et Sartre dit : « *L'existence précède l'essence* ». L'existentialisme de Sartre prétend remplacer l'ordre traditionnel du monde par le libre choix, la liberté absolue de l'être vivant. Le philosophe Gabriel Marcel a exposé dans « *Existence et objectivité* » (1925), « *Etre et avoir* » (1935) et « *Homo Viator* » (1945) l'existentialisme chrétien.

EXPRESS (L').

Fondé en mai 1953 par la famille Servan-Schreiber (Jean-Claude, Jean-Jacques, Brigitte Grosz, Christiane Coblenz, Bernadette Gradis, Marie-Geneviève, Marie-Claire de Fleurieu). Devenu très vite l'organe de la bourgeoisie de gauche et celui du mendésisme militant. Tenta de devenir le quotidien du *Front Républicain* (Guy Mollet, Mendès-France, Fr. Mitterrand, Chaban-Delmas) en 1955, mais échoua faute de lecteurs. Avait alors été aidé financièrement par le groupe industriel et bancaire *Schneider* (Le Creusot) et diverses personnalités du monde des affaires (cf. *La Haute Banque et les Trusts*, par H. Coston, chapitre sur *L'Express* — Documents photographiques dans *Lectures Françaises*, mai 1959). L'un des journaux les mieux faits (pour le public un peu superficiel auquel il s'adresse) et les plus répandus. Collaborent ou ont collaboré à *L'Express*, outre les Servan-Schreiber déjà nommés : Françoise Giroud (alias Gourdji-Eliacheff), Pierre Viansson-Ponté, Jean Daniel (alias Bensaïd). Philippe Grumbach, Léone Georges-Picot (Mme Simon Nora), Pierre Mendès-France, Albert Camus, Jacques Soustelle, François Mauriac, François Mitterrand, Alfred Sauvy, Evelyne Reyre (épouse du directeur général de la *Banque de Paris et des Pays-Bas*), Patrick Kessel, Jean Cau, Jacques Huteau, les dessinateurs Tim (alias Mittelberg), Jean Effel (tous deux collaborateurs des publications communistes), Siné et Maurice Henry, Jules Roy, Anne Guérin, Bernard Frank, Maurice Nadeau, Jean Duvignaud, Pierre Billard, Bruno Gay-Lussac, Christine de Rivoyre, Robert Kanters, Pierre Schneider, Claude Samuel, J.-M. Domenach, Michel Bosquet, André Chavanne, Henriette Nizan, M.-C. de Brunhoff, René Dumont, Jean-Louis Bory, Alfred Sauvy, Jean Meunier, Yves Berger, Françoise Sagan, Daniel Filipacchi, Georges Franson, Gaston Defferre, Michel Zeraffa, P.-M. de la Gorce, Albert Ducrocq, Henri Guillemin, Edith Thomas, F. Reichenbach, Thomas Lenoir, Joseph Alsop, Robert Paris, Jean Benoit, Bertrand Cazes, Thibor Mende, Daniel Mayer, Jean-François Chabrun, Anne-Marie de Vilaine, Dominique Fernandez, Jacques Charpier, Colette Audry, etc. *L'Express* est édité par la société *Presse-Union*, qui s'appela successivement : *Société du journal L'Express-Les Echos du Samedi* (jusqu'au 19 octobre 1955), *Société du Journal L'Express* (jusqu'au 24 juillet 1958), *La Nouvelle Vague* (jusqu'au 1er septembre 1960) et *Presse-Union*. Au capital de 1 980 000 F, la société *Presse-Union* est administrée par : Jean-Jacques Servan-Schreiber, président-directeur général, Emeric Grosz dit Gros, président-directeur général du groupe *Dofan* (dont la production représente plus des 3/4 des sacs de dames en matière plastique fabriqués en France), marié avec Brigitte Servan-Schreiber, sœur du précédent ; Lazare Rachline, dit Lucien Rachet, « patron » des usines métalliques de literie (Matelas Rachet), administrateur de *Publicis* et de *Régie-Presse* (les deux entreprises de Marcel Bleustein-Blanchet) ; Louis Becq de Fouquières, colonel, éditeur de revues aéronautiques et spatiales, dirigeant de *l'Union de la Presse européenne,* de *Publicair* (agence de publicité), de *l'Aérospace International,* de la *Société Gastronomique de France* et de *l'Union Immobilière de Paris,* beau-père de Jean-Jacques Servan-Schreiber ; Jean-Louis Servan-Schreiber, administrateur de la *Société française d'éditions économiques SOFECO,* frère de J.-J. Servan-Schreiber. Lors de l'augmentation de capital du 19 juin 1964, outre les administrateurs désignés ci-dessus, ont également souscrit : Mme Emile Servan-Schreiber, Brigitte Grosz, née Servan-Schreiber, Mme Henri Gradis, née Bernardette Servan-Schreiber, Mme Jean Ferniot, née Christiane Servan-Schreiber, René Seydoux Fornier de Clausonne, président-directeur général de la société de *Prospection électrique Schlumberger,* Jean Riboud, administrateur directeur général de la même société, Simon Aron, dit Nora, inspecteur des finances, ancien conseiller du président Mendès-France, Mme Simon Nora, née Léone Georges-Picot (attachée de presse aux *Editions Gallimard*), les *Editions Style* et l'*Immobilière-Constructions de Paris.* L'état-major du journal est composé de : J.-J. Servan-Schreiber, Françoise Giroud, directeurs, Jean Ferniot, René Guyonnet et Mme Jean Ferniot, dite Christiane Collange, rédacteurs en chef ; Georges Suffert, Marc Ullmann, Maurice Roy, Gérard Bonnot, François Erval, Nicole Hirsch, Danièle Heymann (Mme Express), chefs de service. (25, rue de Berri, Paris-8e.)

EXPRESS DE L'EST (L').

Quotidien spinalien fondé en 1921 et disparu à la Libération, ayant repris en partie la clientèle des journaux républicains d'avant 1914, *Mémorial des Vosges,* datant de 1870, et *L'Union Républicaine des Vosges.* Le groupe Raymond Patenô-

tre l'avait racheté quelques années avant la guerre, et Albert Lejeune, son homme de confiance fusillé à la Libération, en était le « patron ». Avec un tirage moyen de 20 000 exemplaires, il était le principal journal des Vosges.

EXPROPRIATION.

Dépossession d'un propriétaire — personne physique ou morale — pour cause d'utilité publique. Dans les Etats occidentaux, l'*expropriation* s'effectue suivant des formes légales et avec indemnité (parfois insuffisante d'ailleurs). Par contre, elle ne donne lieu à aucun dédommagement dans les pays communistes et dans divers nouveaux Etats asiatiques ou africains lorsqu'elle frappe des adversaires de classe ou politiques (voir aussi : *confiscation des biens*).

EXPULSION.

Action de chasser hors d'un territoire une personne étrangère jugée indésirable par les autorités.

EXTREME-DROITE.

Dans le langage courant, on désigne sous ce terme l'opposition nationale la plus active, se situant à droite des conservateurs et des libéraux qui se veulent du centre. Avant la guerre, l'*Action française* personnifiait l'*extrême-droite*. De nos jours, après l'écrasement des partis non-liés à la Résistance en 1944, l'*extrême-droite* est représentée par la *Restauration Nationale,* héritière directe de l'*Action française,* et par les groupes nationalistes issus de *Jeune Nation,* mouvement dissous à la fin de la IVe République (voir : à ces noms). Les *fascistes* sont communément classés à l'*extrême-droite,* bien qu'ils s'en défendent et que leurs idées sociales soient nettement de gauche (voir : *fascisme*).

EXTREME-GAUCHE.

Ensemble des partis se réclamant du marxisme ou de l'anarchie et dont les représentants au parlement siègent sur les travées de gauche.

EXTREMISTE.

Personne favorable aux idées, aux mesures extrêmes.

F

FABER (Paul).

Directeur de société, né à Trafaria (Portugal), le 28 août 1896, de parents originaires des départements de l'Est, eux-mêmes issus de familles ayant fui l'Alsace-Lorraine après 1871. Farouche anti-allemand, Paul Faber prit part à la Résistance et fut nommé à la Libération membre du *Comité de Libération* du 17e arrondissement de Paris et désigné au Conseil municipal de Paris (février 1945) par le *C.P.L.* Elu conseiller municipal en 1947, il a été constamment réélu depuis, aux dernières élections sur la liste centriste du Dr Lafay. Il occupe la présidence du Conseil municipal de Paris depuis le 20 juin 1966.

FABEROT (Pascal).

Militant socialiste, né à Bordeaux le 17 mai 1834, mort à Saint-Cyr-l'Ecole, le 26 août 1903. Fut l'un des dirigeants du *Parti Ouvrier Socialiste Révolutionnaire*. Vainqueur du ministre Charles Floquet aux élections législatives, représenta les électeurs socialistes de la Seine au Palais-Bourbon de 1893 à 1898.

FABIEN (Georges PIERRE, dit le colonel).

Militant communiste, né à Paris en 1919, mort à Calsheim (Haut-Rhin) en 1944. Animateur des « *Bataillons armés de la Jeunesse* » dans la clandestinité, abattit l'aspirant de la Kriegsmarine Mozer à la station de métro Barbès-Rochechouart le 21 août 1941 : c'était le premier attentat de ce genre (il marqua le début des représailles allemandes et de l'action terroriste). Commanda plus tard un groupe *F.T.P.* A la Libération, devint chef de la brigade *F.F.I.* de l'Ille-de-France. A la tête de celle-ci, fut intégré dans la 1re Armée Française, et trouva la mort au cours de la campagne d'Alsace.

FABRE (Henri) (pseudonyme : Henri d'AYEN).

Journaliste, né à Ayen (Corrèze), le 15 juillet 1876. Comme beaucoup de Corréziens de son époque, il quitta très jeune le pays natal — il n'avait que treize ans — et vint à Paris, où il fut successivement garçon de laboratoire, employé d'hôtel, commis de magasin. A quinze ans, sa collaboration à *L'Union des Employés* le fait mettre à l'index par les employeurs. Il alla à Lyon, y fonda un journal d'extrême-gauche et collabora au *Libertaire* qui venait d'être fondé à Paris. En 1908, il créa *Les Hommes du Jour* avec Victor Méric et publia une cinquantaine de *Portraits d'Hier* consacrés aux célébrités de la politique, de la presse et des lettres. En même temps, il collabora à *La guerre sociale* qu'il aida Gustave Hervé à fonder. Puis, en 1916, il lança un quotidien, *Le Journal du Peuple*, qui disparut en 1922 lorsque certains de ses collaborateurs entrèrent à *L'Humanité*, devenue communiste, et y attirèrent une partie des lecteurs. Entre temps, Henri Fabre avait opté pour la IIIe Internationale. Mais s'étant élevé avec force contre ce qu'il appelait « *le coup de pistolet de Zinoviev* », il en fut xclu. Tout en poursuivant la publication des *Hommes du Jour* — assez irrégulièrement d'ailleurs — jusqu'en 1940, Henri Fabre fit paraître *Le Chat Noir* et continua à manifester son non-conformisme politique. Replié à Brive-la-Gaillarde, il y poursuivit la publication de la *Corrèze républicaine et socialiste* fondée en 1925. Il ne le fit pas sans difficultés et eut maints accrochages avec la censure vichyssoise, notamment à propos de la Légion des Combattants dont il désapprouvait la création. Interdit à la Libération, son journal finit par reparaître après divers avatars. Son franc-parler lui valut de très nombreuses condamnations. Les plus récentes lui furent infligées parce qu'il avait écrit que « les actes de franc-tireur » « autorient » l'ennemi à avoir recours à des représailles » et parce qu'il s'était montré insuffisamment respectueux à l'endroit du général De Gaulle. Il avait quatre-vingt-huit ans lorsque le parquet le poursuivit pour « outrages au Président de la République ». Il n'est pas impossible que le vieux lutteur ait encore maille à partir avec la justice : le doyen de la presse politique française ne désarme pas...

FABRE (Robert).

Pharmacien, né à Villefranche-de-Rouergue (Aveyron), le 21 décembre 1915. Fils d'un pharmacien. Conseiller général de l'Aveyron (depuis 1955). Maire de Villefranche-de-Rouergue (depuis 1955). Secrétaire général de la Fédération des villes jumelées. Président de la Fédération radicale de l'Aveyron. Député radical-socialiste de l'Aveyron (2e circ.) depuis 1962. Membre du Contre - gouvernement Mitterrand (mai 1966).

FABRE-LUCE (André, Edmond, Alfred).

Homme de lettres, né à Paris, le 16 mai 1899. Petit-fils de Henri Germain, fondateur du *Crédit Lyonnais.* Fut, à ses débuts, attaché d'ambassade. Ecrivain politique coté, a été tour à tour radicalisant et doriotiste, partisan du « Plan du 9 juillet » et conservateur, anti-mendésiste et pro-mendésiste, favorable à De Gaulle et hostile. Connut les rigueurs de l'occupation, de la Libération et de la Ve République. Fonda *Le Pamphlet* en 1933 et dirigea la rédaction de *L'Europe Nouvelle* de 1934 à 1936. Fut également rédacteur en chef de *Rivarol,* vingt ans plus tard (1954-1955). Très éclectique, sinon absolument nonconformiste, a donné depuis six ou sept lustres des articles un peu partout. Auteur de nombreux ouvrages, de « *La Vic*-

toire », paru en 1924, à « *Vingt-cinq années de liberté* », dont le tome III date de 1964. Ne pas confondre avec FABRE-LUCE (Robert), son cousin, lui aussi petit-fils du fondateur du *Crédit Lyonnais,* qui fut national-socialiste en 1933-1934, anti-hitlérien en 1938 et que les épurateurs tracassèrent en 1947.

FABREGUES (Jean, Guillaume, Robert d'AZEMAR de).

Journaliste, né à Paris, le 8 janvier 1906. Milita très jeune dans le mouvement monarchiste et dirigea, avec Thierry-Maulnier, la revue *Combat* (1936), organe de propagande nationaliste. Entre temps, fut professeur de l'Université (1930-1937), puis directeur de la revue *Civilisation* et des collections scolaires classiques aux *Editions Masson* (1937-1939). Après l'armistice de 1940 : membre du Conseil général du *Centre Français de Synthèse* (du maréchal Pétain) et directeur de l'hebdomadaire *Demain,* à Lyon (1942-1944). Rédacteur en chef (1945-1955), puis directeur (depuis 1955) de *La France catholique.* Auteur de : « *La Tyrannie de la paix* », « *Le Problème du mal dans la littérature contemporaine* », « *L'Apôtre du siècle désespéré : le Curé d'Ars* », « *La Révolution ou la foi* », « *Mon ami Georges Bernanos* », etc.

FAGOT (Alban, Henri).

Teinturier-dégraisseur, né au Fontanil (Isère) le 1er janvier 1916. Conseiller municipal de Voiron (depuis 1947). Elu député de l'Isère (4e circ.) le 25 novembre 1962. Signa sa profession de foi 1962 : « Alban Fagot, ex-Marguerite, délégué départemental du *S.A.C.* et de l'*U.D.T.* » Appartient, en effet, à l'aile gauche du gaullisme. Non réélu en 1967.

FAISCEAU (Le).

Premier parti fasciste français fondé au lendemain du triomphe du *Cartel des Gauches.* Le 11 novembre 1925, septième anniversaire de la victoire, plusieurs milliers de combattants et de producteurs, convoqués à la salle Wagram par Georges Valois et Jacques Arthuys, constituaient Le *Faisceau.* L'année précédente, le 11 novembre également, les bases d'un fascisme français, inspiré de l'exemple romain, avaient été jetées au cours d'une assemblée analogue. Le 21 février 1925, un hebdomadaire était venu étayer cette initiative : *Le Nouveau Siècle,* lancé par Valois avec l'appui de *L'Action Française.* La présence de l'*A.F.* au berceau du fascisme surprendra ceux qui ignorent le rôle que joua, dix-huit années durant, le premier chef fasciste, dans le mouvement monarchiste. C'est en 1907 que Georges Gressent, dit Valois, entra à l'*Action Française*. Né le 7 octobre 1878, il n'avait pas vingt-neuf ans. Fils de petite gens, il avait dû abandonner ses études à l'âge de quinze ans. Très jeune, il avait milité dans les milieux de gauche et appartenu au groupe libertaire *L'Art Social*, de Charles Louis-Philippe, l'auteur de « *Bubu de Montparnasse* », Augustin Hamon, le traducteur de Bernard Shaw, qui devait publier les remarquables « *Maîtres de la France* », Fernand Pelloutier, fondateur de la *Fédération des Bourses du Travail*, A. Delessalle, qui fut libraire rue Monsieur-le-Prince, etc. Il avait fréquenté les groupes des *Temps Nouveaux* (Jean Grave) et de *L'Humanité Nouvelle* (Charles Albert et A. Hamon). Ce jeune syndicaliste révolutionnaire avait été envoyé à Maurras par Paul Bourget, auquel il avait soumis le manuscrit d'un ouvrage intitulé « *L'Homme qui vient. Philosophie de l'autorité* ». Dans ce livre, inspiré des œuvres de Proudhon, de Georges Sorel et de Nietzsche, « *la monarchie y était conçue comme un pouvoir réalisant ce que la démocratie n'avait pu faire contre la ploutocratie* » (Valois dixit). L'ouvrage et son auteur avaient plu au doctrinaire du nationalisme intégral qui sentait que son mouvement manquait de bases populaires. Sans doute, Maurras avait-il trouvé un peu excessives certaines thèses du néophyte — les deux hommes s'étaient même un peu heurtés sur le problème économique et social —, mais l'*Action Française* était alors un mouvement en pleine expansion qu'agitaient bien d'autres tendances. Il est même probable que son chef comptait sur le bouillant Valois pour contre-balancer l'esprit conservateur de certains vieux monarchistes ralliés au nationalisme intégral. Le fait est, en tout cas, que G. Valois se fit applaudir au congrès de l'*A.F.* de 1909, par de vieux chouans auxquels il venait de faire un rapport sur le syndicalisme et le nationalisme ; mais il n'exposa que très rarement dans l'*Action Française*, devenue quotidienne, ses thèses sur l'organisation professionnelle et économique. Les articles sur ces problèmes étaient rédigés par Maurice Pujo, Emile Para (un journaliste qui finit au *Bonnet Rouge*), Pierre Gilbert et Firmin Bacconnier. L'ancien socialiste-anarchiste devint l'un des principaux collaborateurs de la *Revue Critique des Idées et des Livres* (une publication monarchiste fondée par Jean Rivain), avec René de Marans, Pierre Gilbert, Henri

Rouzaud et Eugène Marsan. Il y défendi son programme social avec beaucoup d'application, mais se sentant gêné par le milieu, très littéraire et quelque peu guindé, il reporta bientôt tous ses efforts sur *Les Cahiers du Cercle Proudhon* qu'il fonda avec quelques amis nationalistes et syndicalistes. « *Ce fut*, a-t-il écrit, *la première tentative fasciste en France.* » Ces *Cercles Proudhon* fonctionnaient en marge de l'*Action Française*, mais avec son appui, un peu comme aujourd'hui la *C.G.T.* agit en liaison avec le *Parti Communiste*.

Valois, qui avait été tour à tour employé à *L'Observateur Français* et à *La France Nouvelle*, précepteur des enfants du gouverneur de Kovno, en Russie, et secrétaire de la *Librairie Armand Colin*, venait de prendre la direction de la *Nouvelle Librairie Nationale* (fondée par Antoine-Eugène Marsan et commandité par Jean Rivain), dont les affaires périclitaient. Excellent technicien et prodigieux animateur, Valois devait bientôt faire de cette entreprise la grande maison d'édition nationaliste. C'est la *N.L.N.* qui édita les ouvrages des doctrinaires de la monarchie, jusque là publiés chez divers éditeurs. Après la guerre, qu'il fit dans l'infanterie, — du moins jusqu'à sa mise *hors cadres* — Georges Valois reprit son action économique et sociale au sein de l'*Action Française*. Il avait publié, en 1918, *Le Cheval de Troie* qui exposait le plan d'une nouvelle organisation économique de la France basée sur les leçons de la guerre. Quelques mois plus tard, il commença à mettre en pratique quelques-unes de ses théories. Il fonda une société corporative du livre, la *Société mutuelle des Editeurs Français* qui devint, en 1921, la *Maison du Livre Français*, dont il fut l'administrateur-délégué. En même temps, il organisa, avec quelques confrères, *La Semaine du Livre* où se réunissaient les syndicats du livre et qui, en quelques jours, fit un travail que l'on attendait depuis dix ans. Le 18 décembre 1922, sous l'égide de l'*Action Française*, il lançait une campagne pour la convocation des Etats Généraux, idée que reprendra, trente-trois ans plus tard, le fils d'un nationaliste intégral de son époque, Pierre Poujade. Un *Comité National pour la convocation des Etats Généraux* — qui eut pour organe une revue mensuelle : *Les Cahiers des Etats Généraux* — fut constitué (voir : *Etats Généraux*). Conscient de la puissance des idées qu'il représentait, mais aussi des difficultés que l'on éprouverait à les faire pénétrer dans les milieux républi-

cains et socialistes qu'il cherchait à
atteindre dès lors que l'action était
menée au nom de la Monarchie, Georges
Valois s'orienta vers l'organisation d'un
mouvement non royaliste.

Tout d'abord, les chefs de l'*Action
Française* approuvèrent. Lorsque Valois
convoqua ses amis le 11 novembre 1924,
pour jeter les bases d'un mouvement
politique de combattants, les militants
d'A.F. répondirent nombreux à son appel. Lorsqu'il fonda le *Nouveau Siècle*,
en février 1925, il fut aidé par la rue de
Rome, et ses *Légions*, constituées à
Pâques 1925, recrutèrent passablement
chez les maurrassiens. « *L'appel aux
combattants* », lancé par *Le Nouveau
Siècle* (16-4-1925) pour la création des
Légions soulignait la décrépitude de
l'Etat : « *Tout ce que nous aimons est
menacé... Les portes du pays sont ouver-
tes à ceux qui nous ont poignardés dans
le dos ; la France subit l'insulte du bolchevisme ; l'étranger nous prend en
pitié ; l'armature du pays, l'Etat se dé-
compose et craque. De notre victoire, il
ne reste presque rien.* » Cet appel était
signé par les fondateurs des « *Légions* » : Jacques Arthuys, Serge André,
Maurice de Barral, Philippe Barrès, Marcel Bucard, Maurice de Dartein, Dela-
commune, Emile Fels, Louis Galtier,
André d'Humières, Jean d'Indy, Pierre
de Laurens, Philippe Ledoux, J. du
Plessis de Grenedan, Paul Tezenas de
Montcel, Georges Valois (tous titulaires
de la croix de guerre, presque tous décorés de la Légion d'honneur à titre militaire). Le bâtonnier Marie de Roux, de
l'*A.F.*, appartint également, au début, à
ce mouvement et en fut même l'un des
dirigeants. Le règlement intérieur des
Légions précisait que seuls les combattants pouvaient en faire partie et que les
parlementaires en étaient exclus. L'appui de *L'Action Française* fut retiré à
Valois lorsque ce dernier annonça, avec
Arthuys, la création d'un nouveau parti,
Le Faisceau, et invitèrent le monarchistes à les suivre. Maurras et Daudet inter-
dirent à leurs amis d'assister à la réunion constitutive du 11 novembre 1925.
Puis ce fut la rupture et la bagarre. Les
camelots du roi sabotèrent la réunion
que *Le Faisceau universitaire* donnait à
la salle d'Horticulture le 13 décembre
suivant. Dans *L'Action Française,* chaque matin, on déballa le « dossier Valois », on agrémenta les faits de commentaires et d'injures — « *la bourrique
Valois* », « *l'escroc Valois* », « *Valois,
l'indicateur de police* » — qui faisaient
la joie des fidèles de Maurras pour qui
le fondateur du *Faisceau* était brusquement devenu l'ennemi n° 1. La riposte

vint plus tard, un an après : le 14 novembre 1926, une équipe du *Faisceau*
envahit les bureaux de l'*A.F.* pour les
mettre à sac ; les fascistes furent reçus
à coups de revolver. Après ces violences,
tout de même excessives, la polémique
continua quelque temps, mais se cantonna au domaine du papier imprimé.
Chargé de l'organisation du *Faisceau*
dans la région parisienne — principalement en banlieue —, Philippe Lamour
présentait en ces termes la doctrine du
parti :

« *Que voulons-nous ?* écrivait le jeune
avocat fasciste. *Substituer certains politiciens à d'autres politiciens ? Préparer
les « bonnes élections » ? Non. Nous
voulons créer une atmosphère, des institutions, un régime où puissent respirer
ceux qui sont nés vers 1900, la France
qui vient.*

« *C'est ce qu'ont rêvé les générations
de la Victoire. C'est ce qu'elles doivent
réaliser. Nous sommes les fils du vingtième siècle. Nous réclamons notre cube
d'air. Pas autre chose.*

« *Nous cherchons l'Etat qui nous donnera les institutions adaptées à notre
façon de voir, de penser et d'agir, à nos
goûts, à nos besoins. Qui pensera jeune,
clair, neuf. Et qui réalisera.*

*... Nous croyons que c'est l'Etat fas-
ciste, qui apportera la foi, l'organisation
et la discipline, qui permettront :*

« *1° Une vie sociale organisée, enca-
drée par les institutions solides, fécon-
des, propres à assurer la grandeur et la
prospérité de la Nation.*

« *2° La libération de l'individu pour
le développement de la plénitude de ses
initiatives et de ses talents, et le reclassement des valeurs pour l'utilisation rationnelle des mérites.*

« *3° La réalisation d'une civilisation
jeune, adaptée à la transformation du
monde, comportant une nouvelle prospérité et une nouvelle beauté.*

« NOUS SOMMES FASCISTES. » (« *La
République des Producteurs.* »)

Le ton de ce jeune propagandiste du
fascisme français montre quel enthousiasme la fondation du *Faisceau* avait
suscité dans la jeunesse comme chez les
anciens combattants et les syndicalistes
que Georges Valois « travaillait » depuis la guerre. Les premiers éléments
du *Faisceau* furent naturellement ceux
qui, en avril 1925, avaient constitué les
Légions, « *formation de combattants
pour la politique de la Victoire* ». A
côté de Valois, qui présidait, une équipe
de jeunes hommes résolus et enthousiastes s'associèrent à la première entreprise fasciste française : Jacques Arthuys, un ancien officier de la guerre 14-

18, licencié en droit et attaché de direction dans un puissant syndicat industriel, père d'un futur co-fondateur du *P.S.U.* ; Philippe Barrès, fils du doctrinaire du nationalisme, futur rédacteur en chef du *Matin* et fondateur, à la Libération, de *Paris-Presse* ; Serge André, l'un des « patrons » de la *Spidoléïne*, frère du futur président de l'*Union des Chambres Syndicales de l'industrie du pétrole* ; Hubert Bourgin, ancien socialiste S.F.I.O., qui avait tenté de constituer quelques années auparavant un parti socialiste national (avec Frédéric Brunet et Georges Renard) et qui fut, beaucoup plus tard, l'un des dirigeants de la *Spirale* (Cagoule) avec Loustaunau-Lacau et Mme Marie-Madeleine Fourcade (alors Mme Méric) ; René de La Porte (qui signait Lusignac), arrière-petit-fils de Villemain, ministre, pair de France, secrétaire perpétuel de l'Académie Française, petit-fils d'Allain-Targé, ministre des Finances, fils d'Amédée de La Porte, ministre des colonies ; Pierre Dumas, ancien vice-président de l'*Union des Corporations Françaises,* venu de l'*Action Française* ; Philippe Lamour, avocat, futur gendre de Jean Walter, le magnat des *Mines de Zélidja,* futur secrétaire général de la C.G.A. A ces premiers cadres se joignirent bientôt :

André d'Humières ; Maurice de Barral, futur dirigeant d'associations d'Anciens Combattants ; Etienne d'Eaubonne, un ancien du *Sillon,* fondé de pouvoir de banque ; Marcel Delagrange, ancien maire communiste de Périgueux ; l'avocat Jacques Marx, fils d'un brillant journaliste du Second Empire ; Raymond Batardy, qui venait de l'*Action Française* ; Jean Brière, écrivain et industriel de la Meuse ; Pierre Daucourt, aviateur pendant la guerre, industriel en Seine-et-Marne ; Georges Lecointre, chimiste et propriétaire terrien à Loches ; Jean de Rocquevigny, industriel ; Yves Nicolaï, avocat, ancien secrétaire général de l'*U.N.C.* à Bordeaux ; Marcel Dumoulin, journaliste, ancien démocrate-chrétien ; Pierre Bézard ; Emile Fels, fondateur du *Syndicat des Journaux de Combattants* ; Henri Ponsot, architecte, un ancien de la *Patrie Française* ; René Pinset, vice-président de la *Corporation de la Banque et de la Bourse* ; Henri Lauridan, ancien secrétaire général de l'Union départementale des Syndicats du Nord (C.G.T.U.) ; Sauvage, directeur de *Construire* ; Emile Gourdin, un ancien *J.P.,* président de la *Fédération Nationale des Transports Urbains* ; René Poulain, secrétaire général du *Club Sportif Français* ; René Venot, vice-président du *Syndicat des Cuisiniers;* Louis

Doré, un ancien cégétiste, président de la *Corporation du Bijou* ; le capitaine Creveau ; le Dr Julien Beaugendre, ancien socialiste S.F.I.O. ; Gabriel Bonnet, ingénieur ; Jean Mayer, qui représentait le *Faisceau* dans les cérémonies israélites ; Ed. de Turckheim, industriel ; les Drs Leprince et P. Winter ; l'aviateur François Coli, compagnon de Nungesser ; le Dr Philippe Ledoux ; le commandant Gueguen ; Georges Johnston, chef des Fascistes d'Aquitaine ; Marcel Bucard, futur chef du *Parti Franciste* ; le pasteur Morin et son confrère Albert Finet, futur directeur de l'hebdomadaire protestant *Réforme* ; Jacques Debû-Bridel, secrétaire délégué à la propagande financière du *Faisceau,* qui venait de l'*Action Française* et qui est aujourd'hui l'une des personnalités marquantes des cercles gaullistes de gauche, etc. L'organe principal du *Faisceau* était *Le Nouveau Siècle,* qui fut d'abord hebdomadaire (1925), puis quotidien (1925-1926), avant de redevenir hebdomadaire (1927) et quotidien. Ce journal avait suscité un tel engouement, qu'il groupa, en 1925-1926, l'une des meilleures équipes rédactionnelles de Paris. Outre Valois et quelques-uns des dirigeants fascistes que nous venons de nommer, avaient accepté d'y collaborer : René Benjamin, futur académicien Goncourt, président du *Comité Dupleix,* F. Van den Brock d'Obrenan, Henri Ghéon, Roger Giron, Léon de Laperouse, L. Marcellin, Eugène Marsan, Martin-Mamy, Henri Massis, Ambroise Rendu, Jacques Roujon, André Rousseaux, Thierry Sandre, Edouard Soulier, Georges Suarez, Jérôme et Jean Tharaud, auteurs connus, qui avaient signé la déclaration-programme, en tête du n° 1 (26-2-1925) du *Nouveau Siècle,* à côté d'un immense dessin de Forain tenant presque toute la première page. Par la suite, *Le Nouveau Siècle* compta parmi ses collaborateurs : Pierre Benoît, le futur académicien, Jean Oberlé, Jean-Loup Forain, fils du grand Forain, Xavier Vallat, Jacques Boulenger, Lucien Coquet, Robert de Boyer-Montaigu, Eugène Thébault, Henri Dutheil, les dessinateurs Hermann-Paul, R. Chancel, Plus, Ben et E. Tap, le professeur J. du Plessis, Gustave Gautherot, futur sénateur, Umberto Ferrini, un Italien qui signait tantôt Fernand Rigny, tantôt René Lafoy, ancien éditorialiste du *Figaro,* et rédacteur au *Gaulois,* à l'*Avenir* et à *La Liberté* ; etc. Lorsqu'il devint quotidien le 7 décembre 1925, on annonça la collaboration régulière de : Georges Oudard, Jean Drault (qui donna un feuilleton), Louis Altmayer, Simon Arbellot, Pierre Arthuys, Binet - Valmer, Gabriel Boissy, Abel Bonnard, Robert Bourget-Pailleron, Jean Bucy, James de Coquet, Pierre Dominique, Pierre Dufrenne, Claude Farrère, René Groos, Paul Haurigot, Paul Le Faivre, André Maurois, Yvan Noë, Louis-Piéchaud, Martial Piéchaud, René Richard, qui passa ensuite aux *Jeunesses Patriotes* et qui est, aujourd'hui, l'un des leaders de la *C.G.T.-F.O.*, Jean Suberville, André Thérive, Xavier Vallat, futur ministre, le Dr Vaudremer et quelques autres, qui d'ailleurs, ne donnèrent pas tous des articles signés de leur nom (ou qui, par amitié pour l'*Action Française,* renoncèrent à cette collaboration). Par la suite (1927-1928), René Johannet, Henriette Charasson, Gaëtan Bernoville, André Fourgeaud, avocat et économiste, Jean Manès, Guy Souville, C.-E. Duguet, futur rédacteur au *Matin,* alors chef du *Faisceau* dans l'Indre, Daniel Didier ont collaboré au *Nouveau Siècle,* ainsi que, mais seulement en « *Tribune libre* » : Jean Luchaire (alors rédacteur en chef de *La Volonté,* d'Albert Dubarry), Angel Sabourdin, Maurice Lacroix, Pierre Dominique, Pierre Descaves, André Boll, Henri Clerc et Maurice Allard. Le financement du *Nouveau Siècle* et du *Faisceau* était assuré par un groupe d'amis fortunés, industriels et hommes d'affaires, parmi lesquels le banquier Jean Beurrier, l'industriel Serge André — qui se ruina dans cette entreprise — et les industriels Hennessy, l'ambassadeur du *Cartel des Gauches,* et François Coty, le parfumeur. Le colonel Larpent a fait état dans *L'Action Française* d'un autre concours : celui de Bertrand d'Aramon, gendre d'Edgar Stern, administrateur de la *Banque de Paris et des Pays-Bas.* Enfin, on relevait fréquemment dans le journal de grands placards publicitaires de *Peugeot.* Faut-il en déduire que Georges Valois avait aliéné sa liberté ? Nous ne le croyons pas. Le cas, d'ailleurs, devait montrer que l'anticapitaliste de *l'Art social,* de *L'Action Française* et du *Nouveau Siècle,* — qui retourna, comme dit Maurras, « à son vomissement », c'est-à-dire, à la gauche — ne ménagea pas davantage les puissances d'argent à *Nouvel Age,* qu'il dirigea dans les années 30 avec Gustave Rodrigues. A partir de 1927, le mouvement fasciste déclina rapidement. Les coups que lui avait portés l'*Action Française* tarissaient son recrutement chez les nationaux. Après une nouvelle tentative de rapprochement avec la Droite, Valois se tourna résolument vers la Gauche. A la « *République autoritaire* », préconisée au début par le *Faisceau,* était substituée la « *République*

syndicale ». Ce « virage » provoqua une importante scission au sein du parti. Dans les derniers jours de mars 1928, Philippe Lamour, qui venait d'être exclu, entraîna une partie des éléments de de Paris et de banlieue sur lesquels son talent oratoire lui donnait une grande influence. Avec Valois, ne demeurèrent au *Faisceau* que quelques milliers de fascistes, qui finirent d'ailleurs par l'exclure. Le *Nouveau Siècle* disparut en avril 1928. Son ultime numéro publiait une déclaration des derniers fidèles : Hubert Bourgin, Arthuys, René de La Porte-Lusignac, Ed. de Turkheim, C.-E. Duguet, André Jamme, Jean de Rocquigny, etc. Après l'exclusion de Valois, le dernier carré, constitué en *Parti Fasciste Révolutionnaire,* publia : *La Révolution Fasciste* (1928-1930), qui avait son siège rue de Maubeuge et qu'animait le Dr P. Winter. Ce dernier était entouré d'une équipe composée d'Etienne d'Eaubonne, père de Françoise d'Eaubonne, Camille Voinot, Maurice de Barral, Marcel Dumoulin, Jacques Bernhard, R. Kettner (Alsace), P. Longueval, Xavier Adde (Normandie), Henri Baumgarten, Régis Lambert, Louis Casali (Provence), Maurice Valmier (Bordeaux), A. Fautoullier (Nord), Pierre Bézard, industriel (Meuse), qui se recommandaient de Philippe Lamour, dont ils prônaient les « *Entretiens sous la Tour Eiffel* ». Le Dr Winter, regroupant des anciens du *Faisceau,* créa quelques années plus tard, *Prélude,* revue du *Comité Central d'Action Régionaliste et Syndicaliste,* dont les principaux rédacteurs étaient Le Corbusier, F. de Pierrefeu et H. Lagardelle. Mais, en fait, la première expérience fasciste française était terminée.

FAISCEAUX.

Revue mensuelle des *Jeunes Nationaux Européens,* dirigée par Paul Savary. La plupart des jeunes rédacteurs de *La Victoire* y collaboraient, notamment : H. Saint-Julien, C. Henry, G. Le Prieur, Henri Bonifacio, etc. Les bureaux étaient d'ailleurs installés boulevard Poissonnière, au siège de *La Victoire* (1952).

LE FAIT.

Hebdomadaire (économique et social). Fondé le 12 octobre 1940 par Georges Roux, Bertrand de Jouvenel, Jacques Saint-Germain, Drieu La Rochelle et Achille Dauphin-Meunier. Rédacteur en chef : Georges Roux, puis Camille Fégy. Collaborateurs : Pierre Daye, Pierre Auclair (Lucius), Ramon Fernandez, J.-P. Bernard, Victor E. Bollart, Raymond

Froideval, Lucienne Delforge, etc. (Disparu en 1941).

FAJON (Etienne).

Directeur de journal et homme politique, né à Jonquières (Hérault), le 11 septembre 1906. Ancien instituteur. Brillant élève de l'école supérieure marxiste-léniniste de Moscou. Poursuivi pour défaitisme et infraction au décret de dissolution du *P.C.F.* du 26 septembre 1939, il comparut en prévenu libre devant le 3ᵉ Tribunal militaire de Paris qui le condamna à cinq ans de prison et le fit arrêter aussitôt. Il avait déclaré devant ses juges qu'il combattait la guerre parce qu'il la considérait comme « *une guerre impérialiste* ». Chef du bureau de presse du *Parti communiste,* membre du bureau politique du *Parti communiste* (depuis 1945) et secrétaire du parti (1954-1956). Directeur du journal *L'Humanité,* de *L'Humanité-Dimanche* et de *L'Ecole et la Nation.* Député de la Seine (Courbevoie) (1936-1940). Commissaire à l'hygiène du Comité d'Alger (1943-1944). Membre de l'Assemblée consultative provisoire (1944-1945). Membre des deux Assemblées constituantes (1945-1946) où il fut vice-président de la commission de la Constitution. Elu député de la Seine (5ᵉ secteur) à la 1ʳᵉ Assemblée nationale (1946-51). Réélu le 17 juin 1951 et le 2 janvier 1956. Battu le 30 novembre 1958. Elu à nouveau dans la 39ᵉ circ. le 18 novembre 1962. Convaincu que l'intérêt des communistes est dans une soumission totale à Moscou, il écrivait dans l'organe officiel du Kominform : « *Il faut enlever les hésitations à ceux qui reculent devant l'affirmation de notre solidarité INCONDITIONNELLE avec l'U.R.S.S. et du ROLE DIRIGEANT assuré par elle dans tous les domaines.* » Cf. « *Pour une paix durable, pour une démocratie populaire* » (6.1.1950).

FALCO (Robert).

Magistrat, juge au *Tribunal militaire International* (voir à ce nom).

FALLIERES (André).

Avocat honoraire, né à Villeneuve-de-Mézin (L.-et-G.), le 30 septembre 1875. Fils d'Armand Fallières, ancien Président de la République (1841-1931). Député de Lot-et-Garonne (1919 - 1928), maire de Villeneuve-de-Mézin (1931-1945), sénateur du Lot-et-Garonne (1932-1942). Sous-secrétaire d'Etat aux Finances (1926), ministre du Travail (1926-1928).

FALLIERES (Armand).

Homme politique, né et mort à Mézin (Lot-et-Gne) (1841-1931). Sénateur radical, fut président du Conseil (janvier-février 1883), ministre de l'Intérieur dans le cabinet Rouvier qui, en 1887, avait « limogé » le général Boulanger, ministre de la Justice (cab. Freycinet 1890). Président du Sénat (1899). Succéda à Loubet comme président de la République (1906-1913). Son septennat vit l'apparition sur la scène politique de Briand et de Clemenceau. Pendant la présidence de Fallières eurent lieu de nombreux troubles sociaux, en particulier dans les mines et dans le Midi viticole, ainsi que de graves incidents diplomatiques (« coup d'Agadir », traité de 1912 abandonnant à l'Allemagne une partie du Congo français, etc.). En janvier 1912, sous la pression de l'opinion publique alertée par le réarmement allemand et les rodomontades de Guillaume II, formation du cabinet Poincaré, dont l'une des premières décisions fut le rétablissement du service militaire de trois ans.

FANTON (André).

Avocat, né à Gentilly (Seine), le 31 mars 1928. Inscrit au barreau de Paris. Chargé de mission au cabinet de Michel Debré, garde des Sceaux, ministre de la Justice (1958). Elu député *U.N.R.* de Paris (9ᵉ circ.) le 30 novembre 1958. Dans ses déclarations de candidat, s'indignait alors des abandons (Indochine, Inde, Maroc, Tunisie, Fezzan) et comptait sur « un pacte algérien entre tous les Français, sur les bases indiquées par le général » pour y mettre fin (profession de foi, nov. 1958).

FARGE (Yves).

Journaliste (1899-1953). Rédacteur à diverses feuilles coloniales, puis au *Progrès* de Lyon. Selon *Aspects de la France* (9.10.1949), fut en 1940 un partisan du maréchal Pétain dont il célébrait les vertus et les idées. A partir de 1942, devint l'un des plus actifs militants de la Résistance lyonnaise et collabora à la presse clandestine (*Libération, Franc-Tireur, Père-Duchesne*). Participa à l'action terroriste et organisa les maquis. Fut membre du *Front National* et du *Comité d'Action contre la Déportation.* Dirigea l'épuration à Lyon. Appartint au gouvernement Bidault en qualité de ministre du Ravitaillement (1946), ce qui lui permit de découvrir le fameux « scandale des vins » où Félix Gouin fut compromis (voir son livre : « *Le Pain*

de la corruption »). Il déclarait alors :
« Je suis indépendant, seul et pauvre,
et je commence à croire que c'est une
force. » Mais il fonda peu après les
Combattants de la Paix et de la Liberté
(1948), coiffés par les communistes, et
écrit, l'année suivante (1949), la direction
de l'hebdomadaire Action, contrôlé par
le P.C.F. Reçu le « Prix Staline de la
Paix ». Mourut dans un accident d'automobile en Géorgie ; selon Pierre Hervé
(in « Dieu et César sont-ils communistes ? », Paris 1956), aurait été victime
du N.K.V.D. de Beria.

FARGER (Marcel).

Ingénieur des Ponts et Chaussées, né
à Rodez (Aveyron), le 5 février 1900,
mort à Montpellier (Hérault), le 29 décembre 1944. Maire pétainiste d'Alès
(Gard). Exécuté à la Libération.

FARRAN (Jean).

Journaliste, né à Paris, le 9 septembre 1920. Avocat stagiaire au barreau de
Paris, puis rédacteur au Parisien libéré
(1944-1950). Il entra ensuite à Paris-
Match où Jean Prouvost le remarqua et
l'appela, récemment à Radio Luxembourg. Entre temps, Jean Farran dirigea
les émissions « Face à face » de l'O.R.
T.F. où il fit preuve, au dire de nombre
de ses confrères, d'un parti pris peu
commun : il ne cache d'ailleurs pas ses
opinions favorables au mouvement gaulliste.

FASCISME.

Doctrine du parti fondé, en 1919, par
Benito Mussolini. Ce dernier définissait
ainsi le fascisme : c'est, disait-il, « une
conception historique, dans laquelle
l'homme n'est ce qu'il est, qu'en fonction du processus spirituel auquel il
concourt, dans le groupe familial et
social, dans la nation, et dans l'histoire
à laquelle toutes les nations collaborent.
D'où la haute valeur de la tradition
dans les mémoires, dans la langue, dans
les mœurs, dans les lois de la vie sociale.
En dehors de l'histoire, l'homme n'est
rien. C'est pourquoi le fascisme est contraire à toutes les abstractions individualistes, à base matérialiste, genre
XIXᵉ siècle ; c'est pourquoi aussi il
est contraire à toutes les utopies et les
innovations jacobines. Il ne croit pas à
la possibilité du « bonheur » sur la
terre, comme le voulait la littérature du
XVIIIᵉ siècle ; aussi repousse-t-il toutes
les conceptions téléologiques d'après
lesquelles, à un certain moment de l'his-

toire, le genre humain parviendrait à un
stade d'organisation définitive. Une telle
doctrine est contraire à l'histoire et à la
vie, qui est mouvement incessant et perpétuel devenir. » (« Le fascisme, Paris
1933). Dans ses « Doctrines du nationalisme » (Paris 1958), Jacques Ploncard
d'Assac a montré que le fascisme mussolinien, si proche du fascisme hitlérien,
ne s'identifiait pas à lui, et que le « pha-
langisme » de José Antonio Primo de
Rivera était trop espagnol pour se confondre avec eux. De même, le fascisme
français.

Depuis une quarantaine d'années, le
mot fascisme est employé couramment
dans le langage politique. « L'a-t-on
assez entendu, ou lu, ce mot, à tort et à
travers, depuis les événements de
1958 ! » écrit un auteur démocrate-
chrétien dans le livre qu'il consacre aux
fascismes. « C'est l'occasion d'observer
sans peine que l'explosion de ce vocabulaire coïncide avec les moments de
déchaînement passionnel ; car enfin on
se traite réciproquement de fasciste lorsque, de part et d'autre, on est incapable
de penser correctement une situation
politique révolutionnaire et que l'on
préfère s'abandonner à la passion polémique la moins contrôlée... » (« Les fascismes dans l'Histoire », par Henri Lemaître, Paris 1959). Il s'ensuit que le
terme possède aux yeux des masses, un
« pouvoir de détestation magique » que
l'homme de gauche, surtout le communiste, emploie volontiers pour désigner
celui qui refuse sa définition du socialisme et de la démocratie : « (Il) est
ainsi devenu, écrit Paul Sérant, dans la
sensibilité populaire, synonyme de massacres et de charniers. Les étrangers
s'étonnent de rencontrer en Allemagne
et en Italie tant de gens affirmant qu'ils
n'ont jamais été nazis ni fascistes, alors
qu'ils ont tout de même dû l'être pendant un certain temps. C'est que ces
Allemands, ces Italiens ont le sentiment
que, pour celui qui les interroge, une
réponse affirmative serait interprétée
comme une complicité avec des crimes
dans lesquels ils n'ont eu aucune part.
Et beaucoup songent sans doute à l'époque où on leur disait : « Vous ne pou-
viez pas ne pas savoir » alors qu'ils
étaient stupéfaits de ce qu'ils venaient
d'apprendre. De plus, à cette époque,
tout aveu de sympathie pour Hitler ou
pour Mussolini entraînait un risque de
prison, ou au moins de privation des
droits civiques. Même lorsque l'on
n'adhérait pas aux idées du vainqueur,
il fallait feindre de les accepter si l'on
voulait continuer à vivre... » (« Le Romantisme fasciste, Paris, 1960).

Pour l'homme de la rue, le fascisme, c'est l'extrême-droite. Mais les lecteurs d'*Aspects de la France* et les militants de *La Restauration Nationale* rejettent avec horreur une étiquette que leur accolent volontiers les *anti-fascistes*. L'extrême-droite n'est pas forcément fasciste. Le mouvement fasciste — qui compte d'ailleurs dans ses rangs des hommes venus du socialisme et des militants issus des partis traditionalistes — possède une gauche et une droite, comme tous les autres mouvements. Il y a des fascistes de droite et des fascistes de gauche.

« *Si les fascistes sont hostiles au bolchevisme,* comme le fait remarquer Paul Sérant, *ils ne veulent pas, ou ne veulent plus être des « réactionnaires » ou des « hommes de droite ». S'ils refusent le communisme parce qu'ils sont nationaux, ils refusent le capitalisme parce qu'ils sont socialistes. De quel socialisme s'agit-il ? Ce n'est évidemment pas celui du Parti socialiste S.F.I.O. allié au communisme dans la coalition du Front populaire. Et précisément, le Parti socialiste dénoncera toujours avec énergie le prétendu « socialisme fasciste » dans lequel il ne verra qu'un artifice démagogique, ingénieuse parade d'un capitalisme aux abois contre le socialisme orthodoxe. Mais les « fascistes » retournent l'accusation et affirment que le Parti socialiste, prisonnier du régime parlementaire, est incapable d'opérer une véritable révolution sociale.* »

Robert Brasillach, qui s'est cru fasciste et qui, par certains côtés — mais seulement par certains — le fut incontestablement, écrivait dans « *Notre avant-guerre* » : « *Nous ne voulions pas être les gladiateurs de la bourgeoisie et du conservatisme, nous aimions la liberté de notre vie.* » Et il ajoutait, un peu plus tard, dans son « *Journal d'un homme occupé* » (publié après sa mort, par son beau-frère Maurice Bardèche) : « *Le fascisme n'est pas le marxisme, mais les injustices contre lesquelles il propose ses mauvais remèdes, le fascisme les combat, lui aussi, et les exècre. Fils de dictateur, héritier d'un grand nom, élevé dans une tradition seigneuriale et monarchiste, José-Antonio déclarait que le socialisme était juste dans ses aspirations. C'est l'esprit de José-Antonio que nous avons toujours salué ici, et que nous voulons maintenir, à notre mode, pour nous.* »

Le « socialisme fasciste », auquel rêvait il y a trente ans Drieu La Rochelle, était fort éloigné de la droite bourgeoise : il refusait de composer avec les puissances d'argent et comptait bien les briser en même temps que toutes les autres féodalités. Ce fascisme-là réaliserait enfin un « ordre reposant », loin de la course folle à la production de l'état capitaliste ou soviétique : « *L'homme,* disait-il, *a besoin d'autre chose aujourd'hui que d'inventer des machines. Il a besoin de se recueillir, de chanter et de danser. Une grande danse méditée une descente dans la profondeur.* » (« *Socialisme fasciste* », Paris 1934).

Fort éloigné également du marxisme, le fascisme apparaissait à Drieu comme un socialisme réformiste, « *mais un socialisme réformiste qui a, semble-t-il, plus de cœur au ventre que celui des vieux partis classiques* ». Le « socialisme fasciste » était, pensait-il, dans la ligne du vrai socialisme français, du socialisme de Saint-Simon, de Fourier, de Cabet, de Toussenel, de Proudhon, qui avait revécu dans le socialisme révolutionnaire de Georges Sorel et de Pelloutier. Ce socialisme français, « *qui fut calomnié et étouffé par Marx et les marxistes, n'était nullement matérialiste, il était humain* » (*Le Fait*, 21 décembre 1940).

Le fascisme français doit autant au socialisme français qu'au nationalisme populaire. Et c'est pourquoi les rares théoriciens fascistes français, en dehors de l'écrivain Maurice Bardèche, qui a défini avec beaucoup de clarté ses idées politiques dans un ouvrage récent (« *Qu'est-ce que le fascisme ?* » Paris 1961), étaient des hommes de gauche ralliés au nationalisme (Georges Valois, Jacques Doriot, Marcel Déat). Le chef du premier parti fasciste français, *Le Faisceau* (voir à ce nom), définissait le fascisme par une équation : « *nationalisme + socialisme = fascisme* », écrivait-il en 1927 (« *Le fascisme* », par Georges Valois). Précisant sa pensée, il ajoutait : « *Le nationalisme et le socialisme ont été jusqu'ici deux mouvements presque toujours complètement opposés, bien que les socialistes aient souvent marqué qu'ils se rendaient compte de la nécessité où ils étaient d'être NATIONAUX ; bien que les nationalistes aient souvent exprimé leurs préoccupations SOCIALES. Mais la dominante du nationalisme était nécessairement le salut de cette société fondamentale qui est la nation, et il y subordonnait, jusqu'à les méconnaître parfois, certaines obligations sociales. Et la dominante du socialisme était la préoccupation de justice sociale, à quoi les socialistes ont souvent subordonné jusqu'à les méconnaître parfois, les nécessités nationales. L'opposition du nationalisme et du socialisme a paru irréductible dans le régime parlementaire. Avec l'absurde disposition des*

*partis, le nationalisme était « la droite »,
le socialisme, « la gauche », et ne pouvaient échanger qu'injures et menaces d'un côté à l'autre des salles d'assemblées. L'opération salvatrice du fascisme est d'annuler le caractère irréductible de cette opposition : le fascisme incorpore, dans un seul mouvement national et social, sur le plan de la vie sociale et nationale, le nationalisme et le socialisme. »*

A l'adversaire qui lui reproche, non sans raison d'ailleurs, d'imposer son socialisme par la force, de substituer à la démocratie parlementaire un régime policier, d'éliminer sans merci les opposants, le fasciste répondra que les Républicains français de 1792, de 1848, de 1870 et de 1944 ont aussi usé de la force pour établir le régime de leur choix et que le *« système policier*, comme l'écrit Henri Lemaître, *n'est pas le monopole des seuls régimes fascistes »*.

On accuse également le fascisme de n'être que *« le produit spécifique du capitalisme dépérissant, de la crise du système capitaliste devenue permanent ».* *(« Fascisme et grand capital »*, par Daniel Guérin, Paris 1945.)

Daniel Guérin explique que la « marche sur Rome » et la révolution nationale-socialiste furent subventionnées par le grand capital. Il en conclut que, nécessairement, le fascisme est l'ultime ressource du capitalisme aux abois. Doit-on aussi considérer que le bolchevisme est l'instrument du capitalisme parce que des banquiers américains ont commandité la révolution de Lénine et de Trotsky en 1917 ? (cf. *« Les financiers qui mènent le monde »* et *« La haute finance et les révolutions »*, par Henry Coston, Paris 1955 et 1964.) Ne faut-il pas voir, dans cette *« cynique alliance »*, une manœuvre politique, du reste profitable aux deux parties au moment où elle s'effectue ? Mais l'histoire nous apprend que l'on demeure parfois prisonnier des forces avec lesquelles on compose.

FASTINGER (Pierre).

Employé de bureau, né à Fontoy (Moselle), le 7 novembre 1916. Maire et conseiller général de Fontoy, sénateur républicain indépendant de la Moselle.

FAUCHER (Jean-André).

Journaliste, né à Clichy (Seine), le 19 octobre 1921. A seize ans, militant déjà pour la cause ouvrière et nationale, il tenait la rubrique syndicale de *Jeunesse de France* et celle des jeunes au *Combat social*. Puis il collabora au *National*, à *L'Emancipation Nationale*, à *Franc-Jeu*, à *L'Union Française* et à divers autres journaux d'opinion de même tendance. Après la Libération, il dirigea la rédaction de *La Seine*, puis l'agence *Vietnam-Presse* et, dès 1952, il donna sa collaboration à *L'Echo de la Presse* tout en assurant la direction des services parisiens de l'agence espagnole *Fiel*. Animateur du *Mouvement Travailliste National*, il fut le rédacteur en chef de son organe, *L'Heure Française*, et devint, au cours des années suivantes, l'un des principaux rédacteurs de *Dimanche-Matin*, d'*Artaban*, de *C'est-à-dire*, etc. Au moment du 13 mai, il était l'un des orateurs les plus écoutés du *Club des Montagnards :* il ne parvint pas, cependant, à faire triompher son point de vue, nettement anti-gaulliste, et dut se rallier, en septembre 1958, à la ligne adoptée par la grande majorité des Montagnards. Dans *Juvenal*, dont il est depuis huit ans le rédacteur en chef adjoint, il n'a cessé de s'élever contre *« le pouvoir personnel »* et de dénoncer la politique gaulliste. Il le fait avec non moins de vigueur dans ses *lettres confidentielles*, sous les signatures du *cousin Jean* et de l'*oncle Pierre*. Il est aujourd'hui l'un des militants radicaux les plus actifs, non seulement au sein du club *L'Atelier Républicain* dont il est le secrétaire général, mais aussi à la *Fédération de la Gauche démocrate et socialiste*, et à la *Convention des Institutions Républicaines* aux cadres desquelles il appartient. Auteur de divers ouvrages, dont une *Histoire de la Commune* en trois tomes, une *Histoire de la Presse* (*« Le quatrième pouvoir »*) et une *Histoire des Clubs* (*« Les clubs politiques en France »*).

FAURE (Edgar, Jean).

Homme politique, né à Béziers (Hérault), le 18 août 1908. Fils de Jean-Baptiste Faure, médecin militaire, et de Mme, née Claire Lavit. Marié avec Lucie Meyer (la nièce de Julien Cain, naguère administrateur de la Bibliothèque Nationale, directrice de la revue de gauche *La Nef*). A fait ses études à la Faculté de droit de Paris, où il avait comme camarades de cours Pierre Mendès-France et Tixier-Vignancour. Avait suivi, étant lycéen, *L'Action Française*, puis la *Ligue Républicaine Nationale*, d'Alexandre Millerand, agrégé de droit romain et d'histoire du droit, diplômé de l'Ecole nationale des Langues orientales vivantes, fut successivement : avocat à la cour d'appel de Paris, secrétaire général adjoint chargé des services législatifs de la Présidence du *Comité Français de Libération* à Alger (1944), collaborateur de

Mendès-France au ministère de l'Economie nationale (1944-1945) et procureur général adjoint (français) au Tribunal de Nuremberg (1945-1946). Posa sa candidature à la 1re Assemblée constituante, dans le 2e secteur de Paris, sur une liste dont le leader était le Dr Bernard Lafay. Echoua, mais fut élu, le 10 novembre 1946, député du Jura, sous l'étiquette radicale-socialiste (avait hésité entre cette étiquette et celle du M.R.P.) Maire de Port-Lesney (depuis 1947). Conseiller général de Villers-Farlay et président du conseil général du Jura (depuis 1949). Secrétaire d'Etat aux Finances (gouv. Queuille, 1949) — gouv. Bidault, 1949-1950), ministre du Budget (gouv. Queuille, 1950 — gouv. Pleven, 1950 — gouv. Queuille 1951), ministre de la Justice (gouv. Pleven, 1951), président du Conseil et ministre des Finances (18 janvier-29 février 1952), président de la Commission des Affaires Etrangères de l'Assemblée nationale (1952-1953). ministre des Finances (gouv. J. Laniel, 1953-1954), ministre des Finances, des Affaires Economiques et du Plan (gouv. Mendès-France, 1954-1955), ministre des Affaires étrangères (gouv. Mendès-France, 1955), président du Conseil (1955-1956). Dissout l'Assemblée nationale fin 1955. Président du *Rassemblement des Gauches Républicaines* (1956-1957). Ministre des Finances (gouv. Pflimlin, 14-31 mai 1958). Bien que faisant état de ses bonnes relations avec le général De Gaulle, battu aux élections de novembre 1958, la Fédération départementale *U.N.R.* ayant officiellement pris parti contre lui (dans un communiqué de son délégué départemental l'*U.N.R.* annonçant « *son intention formelle de continuer le combat d'assainissement du Jura en luttant contre Edgar Faure* » (cf. *Les Nouvelles de Franche-Comté*, 29, 30-11-58. — *Les Dépêches*, même date). Se fait élire, en avril 1959, sénateur du Jura. Fut en même temps ou successivement : président du Comité d'Expansion Economique de Franche-Comté et du Territoire de Belfort (1961), professeur à la Faculté de droit de Dijon (1962) et président de la Commission de Développement Economique de Franche-Comté (1965). Entre temps, a créé des comités d'étude disposant d'un organe mensuel : *L'économie sociale* (1957). Présidait alors l'*Amicale Parlementaire Agricole* (120 députés de divers groupes) et faisait des conférences sur des thèmes économiques et financiers, sous l'égide de groupes industriels dont on le disait l'avocat. Son voyage en Chine de 1957 aurait été effectué pour le compte d'intérêts industriels puissants, lainiers et autres, soucieux de conquérir de nouveaux marchés dans l'Est asiatique.) Favorable au général De Gaulle en 1958, vota cependant NON au référendum d'octobre 1962 : considérait alors que « *le régime présidentiel laisse de mauvais souvenirs en France* » ; mais approuvait la politique algérienne du général en raison du « *caractère inéluctable de l'indépendance algérienne* ». Le président de la République le chargea, à plusieurs reprises, de missions diplomatiques et secrètes à l'étranger : en Chine communiste (1963), en U.R.S.S. (1964), en Egypte et en Tunisie (1965). Ministre de l'Agriculture dans le cabinet Pompidou (depuis janvier 1966). Membre du *Parti radical* depuis 1946, fut l'un de ses *leaders* à plusieurs reprises (néanmoins exclu au temps de Mendès-France, puis réintégré en 1961, pour être « placé en dehors du parti » tout récemment). Ami de la Russie communiste, où il fut reçu avec tous les honneurs plusieurs fois (notamment en 1956 et 1964); fréquente l'ambassade de l'U.R.S.S. à Paris ; a reçu chez lui, dans le Jura, M. et Mme Vinogradov, et a publiquement encouragé l'*Association France-U.R.S.S.* Avocat d'affaires renommé, fut notamment le conseiller juridique et le défenseur de Jean Walter, le « patron » des *Mines de Zellidja* au Maroc et probablement aussi celui du Sultan Mohammed Ben Youssef, ce qui lui valut de très graves accusations (portées par le député Raymond Schmittlein qui fut condamné pour diffamation).

Auteur d'un livre « *La politique française du pétrole* », paru en 1939, où il affirmait que l'*or noir* avait un « *rôle pacificateur* » et que la guerre était devenue impossible puisque « *les grands gisements de pétrole sont localisés dans les pays réputés pacifiques, Etats-Unis et U.R.S.S... Cette constatation prosaïque est, pour nos cœurs troublés, plus bienfaisante que tous les rêves* ». Sous le pseudonyme d'Edgar Sanday, il écrivit trois romans policiers qui eurent un certain succès : « *L'installation du président Fitz-Molé* », « *Pour rencontrer M. Marsh* », « *M. Langlois n'est pas toujours égal à lui-même* ». A son retour de Chine, en 1957, publia « *Le Serpent et la Tortue* », très favorable au Céleste Empire communiste. (En fut félicité personnellement par le général De Gaulle.) A également publié une « *Etude sur la capitation de Dioclétien d'après le panégyrique VIII* » ainsi que des articles dans *France-Jura, Le Journal de Dole* et *Notre République*. Détail particulier : passe pour être le ministre le plus fortuné du cabinet Pompidou (avec le général Billotte).

FAURE (François, Félix).

Homme politique, né et mort à Paris (1841-1899). Fils d'un ébéniste du faubourg Saint-Antoine, apprenti tanneur, qu'un mariage heureux mit à la tête d'une importante usine de cuirs et peaux au Havre. Franc-maçon (loge *L'Aménité* du Havre), secrétaire d'Etat dans les cabinets Gambetta et Jules Ferry, puis ministre de la Marine, dans le gouvernement Charles Dupuy. Elu président de la République le 17 janvier 1895 comme candidat de la droite républicaine, contre Waldeck-Rousseau, candidat du centre, et Henri Brisson, candidat de la gauche. Pendant sa présidence, ère des conquêtes coloniales : conquête de Madagascar, du Congo (Savorgnan de Brazza), affaire de Fachoda (capitaine Marchand) ; révision de l'affaire Dreyfus malgré l'opposition de Félix Faure (le 13 janvier 1898, publication du célèbre « *J'Accuse* » de Zola, dans *L'Aurore,* puis procès et condamnation de l'auteur à un an de prison) et fondation de la *Ligue des Droits de l'Homme* (20 février 1898) pour la défense spéciale de Dreyfus, et ultérieurement de divers autres inculpés politiques ; signature de l'Alliance franco-russe et ébauche de l'Entente cordiale (Delcassé). Félix Faure décéda subitement à l'Elysée le 16 février 1899, dans les bras, a-t-on dit, de Mme Steinheil. Le jour de ses funérailles nationales, Paul Déroulède tenta puérilement d'entraîner le commandant des troupes, le général Roget, à marcher sur l'Elysée pour s'emparer du pouvoir; Déroulède était arrêté quelques heures plus tard. Le 17 février, Clemenceau écrivait dans *L'Aurore* : « Félix Faure vient de mourir. Cela ne fait pas un homme de moins en France ! » Revenant à la charge le 20 février contre le Président défunt il ajoutait férocement : « *L'Elysée était devenu le point d'appui légal de la conspiration clérico-militaire. L'imbécile monarque d'un jour croyait que tous ces gens n'avaient en vue que sa grandeur. C'était la farce du Mamamouchi jouée sérieusement dans les décors de la République...* »

FAURE (Gilbert).

Universitaire, né à Carjac (Lot), le 3 octobre 1913. Professeur de collège. Maire de Mirepoix. Elu député socialiste de l'Ariège (1re circ.) le 25 novembre 1962. A remplacé M. Durroux (*S.F.I.O.*) qui ne se représentait pas. Réélu en 1967.

FAURE (Maurice).

Homme politique, né à Azerat (Dordogne), le 2 janvier 1922. Arrière-petit-fils d'un maire républicain révoqué par Napoléon III. Professeur au Lycée et à l'Institut d'études politiques de Toulouse. Pendant l'occupation, volontaire au corps franc « Pommiès ». Maire de Preyssac. Président des maires du Lot. Conseiller général du Lot depuis 1957. Ancien secrétaire général, ancien président du *Parti Radical-Socialiste* (7 octobre 1961). Attaché au cabinet de Yvon Delbos, ministre d'Etat. Chargé de mission au cabinet de Bourgès-Maunoury (1947-1948) ; puis chef de cabinet du même (1950-1951). Elu député radical du Lot le 17 juin 1951 ; réélu le 2 janvier 1956 avec l'investiture de *L'Express.* Membre de l'Assemblée de la Communauté Européenne du Charbon et de l'Acier. Secrétaire d'Etat aux Affaires étrangères (cabinet Guy Mollet, 1956) chargé en outre des Affaires marocaines et tunisiennes (1956-1957). Secrétaire d'Etat aux Affaires étrangères (cabinet Félix Gaillard, 1957-1958). Ministre de l'Intérieur (cabinet Pflimlin, mai 1958). Ministre des Institutions européennes (cabinet Pflimlin, mai 1958). Réélu député le 30 novembre 1958. Fit campagne pour le OUI au général De Gaulle. Membre de l'Assemblée parlementaire européenne (29 janvier 1959). Membre de l'*Alliance France-Israël.* Membre du *Rassemblement des Forces Démocratiques.* Président du Groupe de l'*Entente Démocratique* à l'Assemblée nationale (1961-1962), puis du *Rassemblement Démocratique.* En 1962, constitua avec G. Mollet (*S.F.I.O.*), Bertrand Motte, Paul Reynaud (*C.N.I.*), Maurice-René Simonnet (*M.R.P.*) et J.-P. David (*Parti Libéral Européen*) un comité des « NON », qui ménagea la personne du président De Gaulle tout en combattant ses initiatives « illégales ». Réélu en 1962 et 1967.

FAURE (Paul).

Journaliste, né à Périgueux, le 3 février 1878, mort à Paris en novembre 1960. Il appartenait à une vieille famille républicaine de la Dordogne dont son père, avocat, avait été l'un des premiers conseillers généraux républicains. Il milita très jeune dans le mouvement socialiste et, à vingt-trois ans, adhéra au *Parti Ouvrier Français* de Jules Guesde. A vingt-cinq ans (1904), il fut élu conseiller municipal de Grignols et devint le maire du bourg. Il fonda, deux ans plus tard, à Périgueux, *Le Travailleur du Périgord,* dont il fit l'organe des Fédérations socialistes de la Corrèze, de la Creuse, de la Dordogne et du Lot sous le titre de *Travailleur du Centre.* Polémiste de classe, orateur éloquent et militant convaincu et dynamique, il devint bientôt l'un des principaux chefs socialistes de la région. En 1914, il prit la rédaction en chef du *Populaire du Centre*, quotidien socialiste limousin. Durant la guerre, il fut l'un des membres de la minorité pacifiste de la *S.F.I.O.*, et, venu à Paris, il eut la charge de diriger la rédaction du *Populaire* de Paris, que les minoritaires avaient fondé sous la direction de Jean Longuet. Celui-ci était, en effet, le *leader* de la fraction socialiste qui approuvait les efforts de Pierre Brizon et des congressistes de Kienthal et dont faisaient partie Adrien Pressemane, J. Parvy et S. Valière, députés de la Haute-Vienne et amis de Paul Faure. Opposé aux méthodes et aux hommes de la III⁰ Internationale, il prit violemment partie contre les communistes au Congrès de Tours (1920) et devint le secrétaire général de la *S.F.I.O.* après la scission, en même temps que rédacteur en chef du *Populaire*, promu organe central du *Parti Socialiste*. Candidat *S.F.I.O.* en Saône-et-Loire, au Creusot, dans le fief des Schneider, il fut élu député après une vigoureuse campagne contre ces « *marchands de canons* », en 1924 et réélu en 1928. Mais les Schneider prirent leur revanche aux élections de 1932 et Paul Faure demeura six ans hors du parlement puisqu'il ne fut, à nouveau, député de Saône-et-Loire qu'en 1938. Entre temps, comme secrétaire général du *Parti Socialiste,* principal vainqueur de la coalition électorale du Front Populaire qui avait triomphé en 1936, il fut ministre d'Etat (sans portefeuille) des gouvernements Blum et Chautemps. Opposé à la guerre, s'élevant au sein de son propre parti contre cet esprit belliciste que le monarchiste Maurras, l'israélite Emmanuel Berl, la radicale *République* dénonçaient de leur côté, il créa, en 1938 un hebdomadaire, *Le Pays socialiste,* où s'exprimait librement la tendance pacifique de la *S.F.I.O.* Il ne prit pas part au vote sur les pouvoirs constituants, le 10 juillet 1940, mais n'en fut pas moins désigné par le maréchal pour faire partie de son Conseil National, en même temps que d'autres personnalités appartenant à la même famille politique (Frossard, Gounin, L'Hercder, Liochon, Roy, Vigne, René Brunet, etc.). A la Libération, évincé par Daniel Mayer de la *S.F.I.O. rénovée,* avec la majeure partie des parlementaires socialistes et des responsables des fédérations d'avant-guerre, il fonda le *Parti Socialiste Démocratique* (qui adhéra au *R.G.R.*) et fit paraître, de 1949 à 1960, un hebdomadaire modeste mais courageux, *La République Libre,* où il dénonçait « *l'imposture des épurateurs* » et « *les fondateurs et les exploiteurs du Système* ». Paul Faure a laissé plusieurs brochures et volumes : « *Le Bolchevisme* », « *La question agraire* », « *La question du désarmement et de la paix* », « *Les marchands de canons* », « *Schneider : un patron de droit divin* », « *Au seuil d'une révolution* », « *Si tu veux la Paix...* », etc. et, un dossier fort instructif, paru un an avant sa mort : « *Histoire d'un faux et ses conséquences* », où il explique comment se sont déroulés les événements de juillet 1940 à Vichy.

FAURE (Pétrus).

Homme politique, né à La Ricamarie (Loire) le 11 octobre 1891. Militant d'extrême-gauche, il fut élu conseiller municipal et conseiller d'arrondissement en 1919, maire du Chambon-Feugerolles en 1925, conseiller général en 1929 et député en 1932. Il est toujours maire de sa commune et conseiller général de son département. Il dirigea, de 1932 à 1940, l'hebdomadaire *Le Courrier de l'Ondaine.* Aux élections législatives du 2 janvier 1956, il fut, sans succès, candidat avec Alex de Fraissinette, sur la liste des Indépendants de gauche. Il est l'auteur de plusieurs ouvrages dont l' « *Histoire de la Métallurgie dans la Loire* » (1931), et l' « *Histoire du Mouvement Ouvrier dans le département de la Loire* » (1948).

FAURE (Sébastien).

Homme politique, né à Saint-Etienne, le 5 janvier 1858, mort à Royan en juillet 1942. Fils d'un commerçant considérable, vice-consul d'Espagne, président du Conseil des Prud'hommes, bonapartiste convaincu et catholique pratiquant. Il fut élevé chez les jésuites à Clermont-Ferrand. Son père ayant été ruiné peu avant de mourir, par une crise économique, le jeune homme interrompit ses études pour subvenir aux besoins de sa mère et de ses sœurs : il devint agent d'assurances et refit son éducation. Ses lectures le transformèrent : il perdit la foi et devint socialiste. Il fut une recrue enthousiaste du parti de Jules Guesde qu'il représenta dans une élection en Gironde (1885). Mais trois ans plus tard (1888), il se sépara du *Parti Ouvrier Français* et rallia l'anarchie. Dès lors, il devint l'apôtre libertaire qu'il fut jusqu'à sa mort, parcourant la France en tous sens et attirant, grâce à un exceptionnel talent d'orateur, des auditoires souvent très importants. Arrêté à plusieurs reprises (à Paris, à Bordeaux, à Toulouse, à Lyon, à Marseille, à Aix, à

Nîmes, etc.), condamné à des années et des mois de prison, il n'en poursuivit pas moins son inlassable propagande. A l'intention des militants — des *compagnons*, comme ils s'appelaient alors — il écrivit « *La Douleur universelle* » (Paris 1895) où sont exposées ses conceptions anarchistes. Au « Procès des Trente », qui dura quinze jours (1894) aux assises de la Seine, S. Faure, inculpé avec Jean Grave et vingt-huit autres *compagnons*, eut un succès sans précédent : la harangue qu'il prononça en réponse au réquisitoire de l'avocat général Bulot arracha des larmes aux jurés en même temps qu'un verdict d'acquittement général. Pour établir un lien permanent entre ses amis et lui, S. Faure fonda, en 1895, *Le Libertaire* et, en 1899, un quotidien, *Le Journal du Peuple*, lequel ne vécut que dix mois à peine bien que de généreux israélites (voir : *Le Journal du Peuple*) lui eussent fourni des subsides pour appuyer son action en faveur de Dreyfus dans les milieux anarchistes. Il lança des brochures de propagande : « *Les anarchistes et l'affaire Dreyfus* » (Paris 1898), « *Les crimes de Dieu* » (Oyonnax, 1903), « *La faillite du christianisme* » (Lausanne 1907) et fonda un établissement d'éducation, *La Ruche*, où il entendait instruire et éduquer selon ses idées de jeunes enfants des deux sexes. Dernier représentant de la période anarchiste romantique, Sébastien Faure fut pacifiste avec la gauche, en 1914, et contre la gauche, en 1939. « *Au moment de Munich*, écrivait l'un de ses vieux amis, Georges Dumoulin, dans *L'Atelier* au lendemain de sa mort, *il était encore avec nous contre le bellicisme envahissant et il était contre l'équipe Daladier, Reynaud, Mandel, contre les bolcheviks bicolores* » (25-7-1942).

FAUVET (Jacques, Jules, Pierre, Constant).

Journaliste, né à Paris, le 9 juin 1914. A vingt-trois ans, appartenait à la rédaction du quotidien lorrain *L'Est Républicain*. Après la Libération fut successivement rédacteur (1945), chef du service politique (1948), rédacteur en chef adjoint (1958), puis rédacteur en chef (1963) du quotidien *Le Monde*. Collabora également très irrégulièrement d'ailleurs, à diverses revues dont *Après-demain*, organe de la *Ligue des Droits de l'Homme*. Auteur de : « *Les Partis dans la France actuelle* », « *Les Forces politiques de la France* », « *La France déchirée* », « *La IV⁰ République* », « *Les Paysans et la Politique* » (publié avec

Les Hommes du jour

Dessin de A. Delannoy

Sébastien Faure

la collaboration de Henri Mendras, 1958), « *La Fronde des Généraux* » (en collaboration avec Jean Planchais), « *Histoire du Parti Communiste Français* ».

FAVRE (Paul).

Notaire, né à Evian (Haute-Savoie), le 31 mai 1921. Suppléant de Jean Clerc, sénateur *M.R.P.* de la Haute-Savoie de 1948 à 1966, fut proclamé sénateur à la mort de ce dernier., Militant démocrate-chrétien, est inscrit au groupe sénatorial des *Républicains Populaires*.

FAY (Bernard).

Universitaire, né à Paris le 3 avril 1893. Atteint de coxalgie de cinq à treize ans, fit ses études au lycée Condorcet et à la Sorbonne (1907-1914). Bien que réformé, fut engagé volontaire en 1914 dans les formations aux Armées de la Croix-Rouge. Reprit ses études en 1919. Docteur ès lettres et diplômé de *Master of arts* de l'Université Harvard. Professeur à l'université de Clermond-Ferrand (1923-1933), puis au Collège de France (1933-1945). Fit dix voyages d'enseignement aux Etats-Unis entre 1919 et 1939. Administrateur de la Bibliothèque Nationale (1940-1944). Collaboration à de nom-

Bernard Fay

des romans populaires à deux sous, une collection de beaux livres à bon marché : « *Le livre de demain* », une revue historique renommée, la revue mensuelle *Les Œuvres libres*, et trois grands hebdomadaires : *Candide, Ric et Rac* et *Je suis partout*.

FEDERALISME EUROPEEN.

Revue mensuelle fondée en 1959. Est l'organe de langue française du *Mouvement fédéraliste européen* qui a tenu son dernier congrès à Turin, en Italie (30-31 octobre et 1er novembre 1966), et dont Etienne Hirsch, membre du *Contre-Gouvernement* (Mitterrand), est le président, tandis que René Mayer, ancien président du Conseil, dirige l'organisation française (6, rue de Trévise, Paris 9e).

FEDERATION.

Association de plusieurs Etats sous un même gouvernement. Dans un parti, la *fédération* est généralement l'unité groupant à l'échelon départemental les sections locales. C'est aussi la réunion de plusieurs tendances ou groupes au sein d'une même organisation.

FEDERATION (La).

Organisation qui joue un rôle important dans la propagande en faveur de l'unification de l'Europe. Fondée au lendemain de la Libération (13 octobre 1944). Elle fut d'abord un *Centre d'études des institutionnelles pour l'organisation de la Société française* ». Ses fondateurs venaient principalement de la gauche proudhonienne et de la droite « corporatiste ». Une *Circulaire intérieure* leur servait d'organe de liaison. Paul Chanson, Jean Bareth y publiaient leurs articles. Peu à peu le centre d'études se transforma en mouvement. De l'étude des problèmes locaux, communaux, municipaux, *la Fédération* passa à l'Union Française, qui venait de naître, puis à l'Europe, qui allait naître. Le fédéralisme gagnait en profondeur, en étendue. Il a aujourd'hui des adeptes dans tous les milieux, dans tous les partis, dans tous les pays. Sur le plan français, *La Fédération*, devenue *Mouvement Fédéraliste Français*, se donne pour tâche de « *fortifier l'autonomie régionale et obtenir une représentation exacte de l'entité régionale dans le corps national* ». Elle estime que « *travailler pour la commune ou pour la région, c'est travailler aussi pour l'Europe* ». Mais l'unification de l'Europe exige « *le maintien des libertés fondamentales, c'est-à-dire l'autonomie des communautés au sein des-*

breuses publications françaises et étrangères : *Le Correspondant, Candide, Le Figaro, La Revue de Paris, La Revue Hebdomadaire, Saturday Review* et *Litterature*. Auteur d'une vingtaine d'ouvrages : « *Benjamin Franklin* » (1931), « *Washington* » (1932), « *Roosevelt et son Amérique* » (1933), « *La Grande Révolution* » (1959), « *L'Aventure coloniale* » (1962), « *Naissance d'un monstre : l'opinion publique* » (1964) etc. Fut l'un des dirigeants du *Rassemblement National* (1937). Spécialiste de l'histoire de la franc-maçonnerie, a publié en 1935, réédité en 1961 : « *La Franc-Maçonnerie et la Révolution intellectuelle du XVIIIe siècle* » et a dirigé, de 1941 à 1944 la revue mensuelle *Les Documents maçonniques*. Est considéré comme l'un des grands historiens de la Droite française ; ses chroniques d'*Aspects de la France* font autorité dans les milieux nationalistes et ses œuvres débordent très largement le public traditionaliste.

FAYARD (Arthème).

Editeur (1866-1936). Développa considérablement la maison d'éditions que son père avait fondée en 1855, et lança, outre quelles *l'homme exerce ses activités essentielles* ». Le mouvement publie *Le 20e Siècle fédéraliste* qui a succédé, en janvier 1954 au *Bulletin fédéraliste*, né en octobre 1948, et a repris la clientèle de la revue *Fédération*, ex-*Circulaire intérieure* de la Fédération. Le mouvement a fondé la *Jeune Chambre Economique*, l'*Intergroupe Fédéraliste parlementaire*, les *J.E.F.-France*, l'*Association des Jeunes Européens Fédéralistes* et a participé à la création de l'*Union Européenne des Fédéralistes*, du *Conseil Européen de Vigilance*, du *Bureau International d'Etudes Fédéralistes*, du *Centre International d'Action Européenne Fédéraliste*, du *Bureau de Liaison Franco-Allemand*, (devenu « *Union des Centres d'Echanges Internationaux*), du *Comité France-Europe de l'Est* et du *Comité international pour promouvoir le dialogue polono-allemand*. Parmi les premiers collaborateurs de la presse du mouvement (dont beaucoup le sont encore) figuraient : Robert Aron, Paul Chanson, Marcel de Corte, Daniel-Rops, Jean Daujat, Lucien Laurat, Alexandre Marc, Thierry Maulnier, Louis Salleron, le général Béthouart, Bertrand de Jouvenel, Paul Sérant, Jean Maze, etc. André Bourgeois-Voisin est l'animateur du mouvement à la direction duquel participent (ou ont participé) : Jacques Bassot, Max Richard, Jean-Maurice Martin, Roger Duchet (38, avenue Hoche, Paris 8e).

FEDERATION D'ACTION NATIONALE ET EUROPEENNE.

Regroupement de trois organisations de tendance fasciste : *Action Occident, Cercles Charlemagne* et *Comité de soutien à l'Europe réelle* opéré le 4 avril 1966, sous le signe d'une « Europe indépendante et unitaire ». Secrétaire : Marc Frederiksen ; trésorier : Didier Renaud (1, rue Jean-Veber, Paris 20e).

FEDERATION DES CERCLES MARXISTES-LENINISTES.

Organisation communiste pro-chinoise. Réunis à Paris sous la présidence de François Marty, les délégués des cercles refusèrent « *de se rallier à la candidature du politicien Mitterrand* » (cf. *Le Monde*, 3-11-1965). Est devenue le *Mouvement Communiste français*.

FEDERATION DES ETUDIANTS NATIONALISTES.

Fondée au printemps 1960 par un groupe d'étudiants et de lycéens sympathisants ou adhérents de *Jeune Nation* et lecteurs amis de la presse d'opposition nationale, la *Fédération* a pour objet essentiel de lutter contre « *la marxisation de l'Union Nationale des Etudiants de France (U.N.E.F.)* » et de soutenir l'action des défenseurs de l' « Algérie française ». Elle publiait alors une revue mensuelle, *Cahiers nationalistes*, dirigée par Georges Schmeltz, puis par J. Vernin. Les principaux articles, rédigés par les animateurs de la *F.E.N.*, étaient signés : François d'Orcival et Fabrice Laroche, pseudonymes de deux étudiants parisiens collaborateurs d'*Europe-Action*. Depuis mars 1966, la *F.E.N.* est devenue le groupe estudiantin du *Mouvement Nationaliste du Progrès* (voir l'article consacré à ce mouvement).

FEDERATION DE LA GAUCHE DEMO-CRATE ET SOCIALISTE.

Après le retrait (juin 1965) de la candidature de Gaston Defferre à l'élection présidentielle et l'échec de sa tentative de créer une fédération démocrate englobant socialistes, radicaux et *M.R.P.*, les clubs de gauche, réunis au sein de la *Convention des Institutions républicaines* (voir à ce nom), reprirent à leur compte, en quelque sorte, le projet de fédération. Des conversations eurent alors lieu, sur l'initiative de la dite *Convention*, entre les représentants des clubs et ceux de la *S.F.I.O.*, du *Parti Radical-Socialiste* et de l'*U.D.S.R.* Au cours de l'été 1965, les pourparlers aboutirent et le lendemain même de l'annonce de la candidature de François Mitterrand à l'élection présidentielle, la *Fédération de la Gauche démocrate et socialiste* était fondée. Le document constitutif de la *Fédération* paraphé le 10 septembre 1965 débutait par ce préambule : « *Le bon fonctionnement et la sauvegarde de la démocratie impliquent l'existence de puissantes formations politiques, disposant de moyens modernes d'étude, d'éducation et d'information, susceptibles d'atteindre tous les individus d'une même nation afin de les aider à jouer pleinement leur rôle de citoyennes et de citoyens. L'expérience a démontré que la dispersion des formations politiques constituait un danger pour le fonctionnement normal des institutions et, en définitive, pour la Démocratie elle-même. Aucun remède ne peut être apporté à cette situation que connaît encore notre pays, en dehors de la libre réalisation d'un regroupement des formations existantes, qu'il s'agisse de formations politiques déjà anciennes ou de sociétés de pensée à vocation politique plus ré-*

centes. Un tel regroupement, pour être durable et efficace, doit reposer sur une large base commune de principes fondamentaux. Il doit assurer le respect de l'originalité des différentes écoles de pensée qui l'ont formé ou y adhèrent. Il doit, pour la définition de ses objectifs à moyen et à court terme, la mise au point de ses méthodes et le choix de ses responsables, disposer de structures démocratiques. Le regroupement sous une telle forme de tous les hommes de gauche est souhaitable. Mais cet objectif suppose une profonde évolution de la nature, des objectifs et des méthodes du Parti Communiste Français et ne peut être rapidement atteint. Néanmoins un pas important dans cette direction peut être accompli par la création d'une formation puissante et dynamique des démocrates à vocation socialiste. Cette formation faciliterait la réintégration dans la vie politique française des forces sous l'influence du Parti Communiste qui sont actuellement stérilisées et elle pourrait contribuer à l'évolution démocratique de ce Parti. Par ailleurs, chacun reconnaît que les habitudes acquises ne facilitent pas le regroupement des citoyens en fonction des grands courants de la pensée politique contemporaine et que vouloir réaliser dans l'immédiat la fusion de toutes les organisations de la gauche démocratique dans un seul parti ne serait pas réaliste. Dans ces conditions, les formations de la gauche démocratique et socialiste soussignées, désireuses de contribuer à la simplification et à la clarification de la vie politique dans notre Pays, après avoir constaté qu'un large accord existe entre elles sur l'appréciation de la situation en France et dans le monde et sur l'ensemble des principes généraux qui guident leur action, ont décidé de se fédérer. Cette Fédération est considérée par elles comme une étape vers la constitution souhaitée d'une Formation Démocrate-Socialiste d'un type nouveau répondant aux exigences de notre temps. » Un comité exécutif fut aussitôt constitué. Il comprenait cinquante et un membres : 17 socialistes *S.F.I.O.*, 17 radicaux et membres de l'*U.D.S.R.*, 7 représentants de la *Convention des Institutions républicaines*, 3 adhérents du *Cercle Jean-Jaurès* et 7 délégués de divers clubs et associations. Par la suite, quelques modifications intervinrent dans la composition dudit comité dont les décisions sont prises à la majorité des deux tiers. Au lendemain de l'élection présidentielle, sa composition était la suivante :

Parti Socialiste S.F.I.O. : Guy Mollet, René Schmitt, Georges Brutelle, Marcel Champeix, Jean Courtois, Claude Fuzier, Georges Guille, Gérard Jaquet, Pierre Métayer, Jules Moch, Arthur Notebart, Jacques Piette, Christian Pineau, Robert Pontillon.

Centre National d'Etudes et de Promotion : Pierre Mauroy, Guy Marty, Jacques Mellick. Suppléant : Michel Popiol.

Parti Républicain Radical et Radical-Socialiste : René Billères, Auguste Pinton, Michel Soulié, Pierre Brousse, Roland Fabre, François Giacobbi, Guy Pascaud, Edouard Schloesing, Joseph Barsalou, Georges Bérard-Quelin, André Cellard, Claude Leclerc, Jacques Maroselli, Marcel Perrin. Suppléants : André Billemaz, Roger Mazaudet.

U.D.S.R. : François Mitterrand, Georges Dayan, Louis Mermaz. Suppléant : Guy Leygnac.

Convention des Institutions Républicaines : Emile Aubert, Georges Beauchamp, Roland Dumas, Marie-Thérèse Eyquem, Charles Hernu, Marc Paillet, Ludovic Tron. Suppléants : Claude Estier, Guy Penne.

Cercle Jean-Jaurès : Pierre Giraud.

Clubs divers : Alain Savary (*Socialisme et démocratie*) et les représentants des socialistes indépendants, du groupe *Reconstruction*, de *Citoyens 60*, etc. (1).

François Mitterrand préside le secrétariat entouré de Charles Hernu, délégué général, et de huit secrétaires pris parmi les membres du Comité exécutif. Créée pour provoquer un regroupement général de la Gauche, la *Fédération* annonça, par la voix de son président (conférence de presse du 10 février 1966), qu'elle ne donnerait son investiture qu'à un seul candidat par circonscription. Le *P.C.F.*, dont les exigences sont grandes, annonça aussitôt qu'il présenterait, lui, un candidat dans chaque circonscription au premier tour des élections législatives de 1967. Désireux de ne pas s'embourber dans les querelles intestines qui divisent ses amis et allant de l'avant, il préconisa la constitution d'un contre-gouvernement et obtint effectivement sa création (5 mai 1966). Selon sa formule, ce *contre-gouvernement* (voir à ce nom) est une « *équipe de contestation et de proposition* ». Le mois suivant, à la *Convention des Institutions Républicaines* réunie les 11 et 12 juin, les Clubs marquèrent leur hostilité à une entente, au second tour de scrutin, avec « *les républicains de progrès* » dont François Mitterrand avait parlé ; ils obtinrent que ce dernier prît une attitude plus amicale vis-à-vis du *P.C.F.* La plupart des *clubistes* étaient

---

(1) Cette composition variera légèrement par la suite.

convaincus qu'avec l'appui des voix communistes au second tour, leurs chefs de file pouvaient être élus. Malgré l'opposition de Gaston Defferre et de ses amis, le point de vue des clubs, qui était entre temps devenu celui de Guy Mollet, *leader* de la *S.F.I.O.*, l'emporta et, après de longues tractations avec le *P.C.F.*, un accord finit par être conclu en décembre 1966. En vertu de ce nouveau (ou pseudo) *Front populaire*, les candidats de la *Fédération* bénéficieront, au second tour, du désistement des candidats communistes et vice versa. Il n'est pas sûr que cette entente obtienne partout les résultats attendus. D'autant plus que, chez les socialistes, comme chez les radicaux, les réticences à l'égard de l'alliance avec les communistes sont nombreuses, surtout dans le Sud-Ouest et dans le Centre. La plupart des candidats de la *Fédération* ont été désignés pour les élections de mars 1967 : ils appartiennent aux formations ayant adhéré à cette union des gauches. (86, rue de Lille, Paris 7e.)

FEDERATION NATIONALE DES ETUDIANTS DE FRANCE.

Association syndicale fondée en 1961, pour représenter et défendre les intérêts des étudiants. Ses fondateurs entendaient combattre, disaient-ils, « *l'immobilisme* » et « *le conservatisme stérile de l'unique syndicat étudiant : l'U.N.E.F.* ». Ainsi que l'a précisé *Poitiers-Université*, l'un des organes de la *F.N.E.F.*, le groupement « n'avait que la volonté ferme de défendre un idéal commun et les principes mêmes de notre civilisation occidentale chrétienne, face à l'implantation toujours grandissante du matérialisme dialectique. Au congrès de la *F.N.E.F.* tenu à Nice en 1965, Jacques Meunier, président de l'association, déclarait : « *L'idée sur laquelle est conçu le syndicalisme étudiant est dépassée... Depuis 1956, le syndicalisme, dans son actuelle forme conservatrice, n'a rien obtenu. Il faut faire une révision profonde, admettre les fautes afin de définir les lignes générales qui doivent donner la forme du syndicat étudiant de demain.* » Commentant ces paroles, *Poitiers-Université* publiait (octobre 1966) : « *C'est dans cette perspective que la F.N.E.F. se veut corporative et apolitique. Nous sommes apolitiques, c'est-à-dire que nous refusons de prendre position en tant que mouvement d'étudiants sur les problèmes politiques de l'heure. Cela ne signifie pas que la F.N.E.F. interdit à ses membres de faire de la politique. Elle leur conseille même d'être des militants ; mais, comme syndicat, elle veut rester*

dans le cadre de son action : la défense des intérêts de ses membres. Toutes les tendances sincères peuvent donc se regrouper chez nous, toutes les tendances si toutefois elles respectent l'idéal de liberté qu'est le nôtre. D'ailleurs, c'est cet idéal de liberté qui nous conduit à un rejet systématique du marxisme. » La structure de la *F.N.E.F.* est essentiellement *fédérative*, les *fédérations générales d'étudiants* groupant les *corpos*, elles-mêmes autonomes (25, rue Leverrier, Paris 6e et 12, place du Panthéon, Paris 5e).

FEDERATION NATIONALE DE FEMMES.

Groupement féminin se donnant pour tâche essentielle l'information des femmes françaises sur les grands problèmes politiques et s'inspirant des principes fédéralistes et chrétiens. Organe : *Le Devoir National*, créé en mai 1928 (23, rue de la Sourdière, Paris 1er).

FEDERATION NATIONALE DES JOURNAUX FRANÇAIS.

Groupement de la presse française de zone Sud fonctionnant en 1941-1944, sous la présidence de Georges Soustelle. Un comité de coordination, créé par Vichy assurait la liaison de la *F.N.J.F.* avec la *Corporation Nationale de la Presse Française* de zone Nord (voir à ce nom).

FEDERATION NATIONALE DES LIBRES-PENSEURS DE FRANCE ET DE L'UNION FRANÇAISE.

Groupement nationaliste et anticlérical qui fut longtemps présidé par André Lorulot, directeur de *La Calotte*, de *l'Idée libre* et de *La Raison*. Cette dernière est demeurée l'organe officiel de l'association. Le Bureau National de la *Fédération* est ainsi composé : président national : Jean Cotereau ; secrétaire général : René Labrégère ; secrétaire général adjoint : Roger Gaudin ; secrétaire administratif : Maurice Azoulay ; trésorier national : Fernand Tomasi ; trésorier adjoint : Charles Lods ; secrétaire à la propagande : Maurice Primault (secrétariat : R. Gaudin, 34, rue du Cornet, Angers, M.-et-L.).

FEDERATION NATIONALE DES REPUBLICAINS INDEPENDANTS.

Parti des conservateurs libéraux de tendance gaulliste, fondé en 1966, par Valéry Giscard d'Estaing et divers parlementaires. L'origine du mouvement remonte au lendemain des élections législatives de novembre 1962, lorsque fut créé, à l'Assemblée nationale, le *Groupe des Républicains indépendants,* sous la présidence de Raymond Mondon. Les indépendants non-*C.N.I.P.* avaient recueilli 798 000 suffrages. Le groupe se composait de députés ex-*C.N.I.P.* soucieux de soutenir la politique du général De Gaulle sans toutefois faire serment d'allégeance à l'*U.N.R.-U.D.T.* Plusieurs de ses membres avaient été élus avec l'investiture de l'*Association pour la V° République* (d'André Malraux). Les 35 députés suivants lui ont donné leur adhésion ou s'y sont apparentés : MM. d'Ailllières, Anthonioz, André Beauguitte, Bettencourt, Raymond Boisdé, Boscary-Monsservin, Chamant, Charvet, Couderc, Dalainzy, Delachenal, Bertrand Denis, Duchesne, Feuillard, Grimaud, du Halgouët, Loste, Martin, Mondon, Moynet, Paquet, François Perrin, Pianta, Picquot, Roche-Defrance, Schnebelen, de Sesmaisons, Terré, Van Haecke, Pierre Vitter, Voilquin, Weber ; *apparentés* (Art. 19 du règlement): Jean Laine, Lalle, Renouard. Au moment des élections, faisant cause commune avec les gaullistes orthodoxes, les *Républicains Indépendants* avaient publié un « *Appel* » (reproduit dans *Pour la V° République* de M. Malraux, N° 4, nov. 1962, p. 4), invitant les électeurs indépendants et paysans à « *contribuer personnellement à cet effort de rénovation et de progrès* (du général De Gaulle) *en votant dimanche prochain pour les candidats qui s'engagent à appartenir à cette majorité* (gaulliste) *et à soutenir son action.* » L'appel était signé par Louis Jacquinot, Valéry Giscard d'Estaing, Raymond Marcellin, Raymond Mondon, Jean de Broglie, Georges Pianta. Ce groupe parlementaire prit officiellement position en faveur de la candidature du général De Gaulle à l'élection présidentielle de décembre 1965. Son journal *France moderne* (30-11-1965), largement diffusé dans les milieux conservateurs et modérés, invitait les Français à réélire le président sortant : « *Nous pouvons faire confiance à l'intelligence et à la sagacité de nos compatriotes en leur demandant de voter pour le général De Gaulle.* » Après l'élection, il marquait sa satisfaction : « *Les Français ont décidé que le général De Gaulle présiderait pendant sept nouvelles années à nos destinées. C'est une décision alliant le bon sens, la sagesse à la gratitude.* » (27-12-1965.) Cependant, les difficultés rencontrées par le Général, élu au second tour avec 45 % des électeurs inscrits et qui, au premier, n'avait recueilli que 10 828 000 suffrages contre 13 426 000 à ses adversaires, incitaient ses partisans à réagir avec vigueur pour éviter de trop graves mécomptes après la disparition de leur chef. Il fallait, à tout prix, « récupérer » les électeurs modérés et de droite — à défaut des électeurs démocrates-chrétiens et de gauche — qui avaient voté pour Jean Lecanuet et Tixier-Vignancour. Les calculs opérés par des spécialistes révélaient que 2 360 000 voix indépendantes et 1 870 000 voix poujadistes, nationalistes et de droite s'étaient portées sur les deux adversaires du président sortant. La constitution d'un parti capable de regrouper ces quatre millions d'électeurs — en laissant de côté les irréductibles de l'extrême-droite ou du néo-fascisme — s'imposait. C'est à cette tâche que s'employèrent Valéry Giscard d'Estaing et ses amis. On commença par la région parisienne. Le 7 mars 1966, l'ancien ministre des Finances présidait à la constitution officielle de la fédération de Paris et sa banlieue des *Républicains indépendants et de progrès.* Dans un communiqué qu'elle remettait à la presse, la nouvelle organisation précisait qu'elle « *s'efforcera de réaliser l'union avec les diverses tendances qui ont constitué la majorité électorale du président de la République et développera un programme de progrès, libéral et européen.* » L'Etat-Major de la fédération se composait des anciens députés Pierre Ferri, ancien ministre, et Jacques Féron, ancien président du Conseil municipal de Paris, respectivement président et secrétaire général, d'Antoine Quinson, ancien député, ancien ministre, maire de Vincennes, et de Jean-François Lemaire, vice-présidents, ainsi que de Roger Chinaud, secrétaire général adjoint, assistés de : Jacques Dominati et André Watelet, conseillers municipaux de Paris, Etienne Deruf, Xavier de La Fournière, Alain Griotteray, ancien rapporteur général du budget de la Ville de Paris, Jean Meersch, ancien membre du Conseil économique, Jean Pascal et de Prat de Thomassin. Ce n'est que trois mois plus tard que fut constituée la *Fédération nationale des républicains indépendants.* Une réception fut organisée le 2 juin 1966 au siège de l'organisation pour fêter le dépôt des statuts. Elle se donnait pour objet de « *réunir les républicains libéraux centristes et européens, et de promouvoir, dans le cadre des institutions, le progrès social dans un climat de justice et de liberté.* » Voulant assurer son implantation dans le cadre de chacune des vingt et une régions économiques, elle regroupait les organisations départementales existantes. Le même mois, les sénateurs adhérents à cette formation créaient au Sénat une amicale, l'*Union parlementaire républicaine et rurale* — qu'il ne faut pas confondre avec le groupe sénatorial des *Républicains indépendants* réunissant des indépendants de divers bords (*C.N.I.P.*, « giscardiens », etc.) —. Le bureau provisoire de cette amicale compte quatre sénateurs : Louis Courroy (Vosges), Lucien Gautier (Maine-et-Loire), Michel Yver (Manche), et Robert Schmitt (Moselle), ce dernier « *apparenté U.N.R.* ». Quant à l'Etat-Major de la *Fédération nationale des républicains indépendants*, il est ainsi constitué : Président : Valéry Giscard d'Estaing ; président délégué : Raymond Mondon, député, maire de Metz ; vice-présidents régionaux : Marcel Anthonioz, député, maire de Divonne-les-Bains ; André Bettencourt, secrétaire d'Etat aux transports ; Raymond Boisdé, député, maire de Bourges ; Roland Boscary-Monsservin, député, maire de Rodez ; Jean Chamant, vice-président de l'Assemblée nationale, député de l'Yonne ; Alain Griotteray, ancien rapporteur général du budget de la Ville de Paris ; Albert Lallé, député de la Côte-d'Or ; Raymond Marcellin, ministre de l'Industrie, maire de Vannes ; Aimé Paquet, député de l'Isère ; secrétaire général, chargé des affaires politiques : Jean de Broglie, secrétaire d'Etat aux Aff. étrang. ; secrétaire général chargé des aff. admin. : Charles Bignon; secrétaires généraux adjoints : Roger Chinaud et Bernard Jarrier; membres : Albert Voilquin, député des Vosges ; Jean Benais, adjoint au maire de Bordeaux; Anne Delattre ; Jacques Dominati, conseiller municipal de Paris; Jacques Féron, ancien député ; Xavier de La Fournière et Jean-François Lemaire. Etienne-Eugène Barche et René Rousselot assument la direction de *France Moderne*, le journal officiel du mouvement. Résumant les idées générales de la *Fédération*, formation « libérale », « centriste » et « européenne », Valéry Giscard d'Estaing déclarait, le 24 juin 1966, devant les membres du club lyonnais *Perspectives et Réalités*, sa filiale : « *Pour certains, le centrisme n'a aucun contenu intellectuel. C'est un marais, un point de convergence des opportunistes, un point central permettant tous les jeux de bascule. Nous pensons au contraire que le centrisme exprime une certaine manière d'appréhender les problèmes, caractérisée par le refus des extrêmes et le choix délibéré de l'action. Consolidation de la paix, progrès social, tout le monde est aujourd'hui d'accord sur les objectifs, mais de plus en plus l'opinion publique juge moins d'après les intentions que d'après les méthodes proposées pour atteindre les buts. Ni mythe ni étiquette, nous voulons devenir les rouages* précis d'une politique au service d'une orientation claire. »* (195, boulevard Saint-Germain, Paris 7e.)

FEDERATION DES PERIODIQUES REPU-BLICAINS NATIONAUX.

Créée le 26 novembre 1933 à Chambéry en liaison avec le *Centre de Propagande des Républicains Nationaux* (voir à ce nom), cette fédération devint plus tard le *Syndicat des Journaux et Périodiques nationaux*. Cet organisme, animé par Georges Riond, délégué du *Centre de Propagande des Républicains Nationaux* dans les Alpes, avait pour dirigeants : Pierre de Monicault, ancien député, administrateur de la *Presse Régionale de l'Ain ;* Louis Marret, directeur de l'*Eveil Provençal ;* Laurent Marfoure, secrétaire général de la Fédération Nationale des Correspondants : Chaleroux (Arcachon) ; E. de Champeaux (Morvan) ; Colle (Haute-Saône) ; Denis (Sud-Est) ; Barabez (Nord) ; Fautrat (Est) ; Laigroz (banlieue Sud); Leroux (Rouen); Leroy (Châteaudun) ; etc.

FEDERATION REPUBLICAINE.

Groupement né en 1903 de la fusion de l'*Union Libérale républicaine*, présidée par le bâtonnier Barboux, du *Groupe des progressistes*, dirigé par l'ancien président du conseil Méline, et de l'*Association Nationale Républicaine*, du sénateur Audiffred. Son principal objectif était de combattre l'action du *Parti Radical* au sein de la petite bourgeoisie. Grossi, après 1914-1918, des éléments de l'*Union républicaine lorraine*, présidée par Guy de Wendel. Pendant l'entre-deux-guerres, elle fut le parti le plus représentatif des modérés dans les assemblées. Ses parlementaires étaient groupés à l'*Union Républicaine Démocratique*. Illustrée par Charles Benoist, de l'Institut (rallié plus tard à la monarchie), Auguste Isaac et Louis Marin, anciens ministres. Ce dernier la présida à partir de 1925. Rallié au général De Gaulle pendant l'occupation, Marin et son collaborateur Jacques Debû-Bridel entraînèrent la Fédération au *Front National*, contrôlé par les communistes. La quasi-totalité des élus et militants de la Fédération rejoignit en 1945 le *Parti Républicain de la Liberté* (sauf Louis Marin et Joseph Bastide, députés, et Jacques Debû-Bridel).

FEDERATION REVOLUTIONNAIRE.

Association anarcho-syndicaliste fondée en avril 1907 au cours d'un congrès tenu à la Maison de la Grange-aux-Belles. Comité directeur : R. de Marmande,

Miguel Almereyda, G. Durrupt, J. Goldsky et Tony-Gall.

FEDERATION DES SOCIALISTES INDEPENDANTS.

Organisation groupant, à la fin du xixᵉ siècle, des élus et des militants socialistes n'appartenant pas à l'un des grands partis socialistes d'alors : Viviani, Orry, Piperaud, André Lefèvre, Fleurot, Grousset, Gérault-Richard, G. Rouanet, Le Grandais, Devèze, Palix, etc.

FEDERATION DES SOCIALISTES REVOLUTIONNAIRES INDEPENDANTS.

Groupement de militants et d'élus socialistes non affiliés à l'un des grands partis révolutionnaires de la fin du xixᵉ siècle. En firent partie en 1899, le journaliste Emile Buré, le futur sénateur Lagrosillière, Jules Uhry, qui fut député de l'Oise, Charles Rappoport, H. de La Porte, etc.

FEDERATION SYNDICALE MONDIALE.

Association internationale fondée en 1945 et groupant les centrales syndicales de différents pays, à l'exclusion des centrales chrétiennes. Depuis la création de la *Confédération Internationale des Syndicats libres* (C.I.S.L.), la *F.S.M.* est pratiquement une organisation communiste.

FEDERATION DES TRAVAILLEURS SOCIALISTES.

Née de la scission intervenue au congrès ouvrier de Saint-Etienne (1882) entre Guesde et Brousse. Ce dernier, chef de file des « possibilistes », reprochait au premier son intransigeance et son sectarisme. Le nom de « *possibilisme* » était emprunté au *Prolétaire* : « *Il faut fractionner*, avait imprimé le journal de Paul Brousse en 1881, *le but idéal en plusieurs étapes sérieuses, immédiatiser en quelque sorte quelques-unes de nos revendications pour les rendre enfin possibles.* » Le groupe *possibiliste* avait à sa tête, outre Paul Brousse, Jean-Baptiste Clément, l'auteur du « *Temps des Cerises* », Jules Joffrin, Jean Allemane, Chabert, auxquels se joignirent, par la suite, Arthur Rozier, Victor Dalle, Pierre Morel, Heppenheimer, etc. Une scission, provoquée en 1890 à Châtellerault par la tendance *modérantiste*, l'amputa d'une partie de ses éléments qui constituèrent un *Parti Ouvrier Socialiste Révolutionnaire*. La *Fédération des Travailleurs Socialistes* revendiquait l'autonomie absolue de la commune et était hostile à la grève générale. Ses principaux bastions se trouvaient à Paris, à Tours et à Châtellerault. Outre son organe officiel, *Le Prolétariat*, le quotidien *Le Parti Ouvrier* défendait sa politique à Paris. En province, elle avait plusieurs journaux : *L'Emancipation*, de Charleville (J.-B. Clement, principal rédacteur), *L'Eclaireur*, de Tours, *L'Eclaireur de la Vienne*, hebdomadaire publié à Châtellerault. Sa revue doctrinale, *La France Socialiste*, était rédigée par une équipe animée par Paul Brousse, André Gély et Henri Galiment. Ce dernier fut le véritable innovateur en France des Universités Populaires.

FEGA (Joseph).

Député, industriel, nommé le 23 janvier 1941 membre du *Conseil National* (voir à ce nom).

FEIX (Léon).

Journaliste, né à Forgès (Corrèze), le 10 janvier 1908. Instituteur. Membre du Comité central (1950), puis membre du bureau politique (1954) du *P.C.F.* Ancien responsable de la section coloniale du parti, chargée de la lutte contre le colonialisme français. Administrateur du journal *L'Algérien en France*. (Léon Feix est l'auteur — en tout cas le signataire — d'un tract publié le 12 mai 1945 où l'on affirmait que « les instruments criminels de la grosse colonisation sont le M.T.L.D. et le P.P.A. et ses chefs tels Messali et les mouchards à sa solde qui, lorsque la France était sous la domination nazie, n'ont rien dit, rien fait, et qui maintenant réclament l'indépendance. Ce qu'il faut, *concluait-il*, c'est châtier impitoyablement les organisateurs de troubles. ») Directeur de la revue *La Pensée*. Membre du C.A. des *Editions Sociales*. Conseiller de l'Union française (1950-1958). Elu député communiste de Seine-et-Oise (Argenteuil-Bezons) en 1962. Réélu en 1967.

FEMME DU 20ᵉ SIECLE (La).

Revue du *Mouvement Démocratique Féminin* (voir à ce nom), fondée en 1965. Y collaborent les dirigeantes du *Mouvement* auxquelles se joignent des militantes de gauche comme Gisèle Halimi et Yvette Roudy (2, rue Leneveux, Paris 14ᵉ).

FEODALITE.

Ordre politique et social fondé sur le lien *féodal* unissant le vassal et son suzerain. La *féodalité* a disparu en France à la fin du xvᵉ siècle, lorsque la Royauté eut établie définitivement son pouvoir sur l'ensemble du pays. Des socialistes et des nationalistes (Toussenel, Chirac, A. Hamon, Francis Delaisi, E. Drumont, Beau de Loménie, Coston) ont dénoncé la renaissance de *la féodalité*, sous la forme capitaliste, affirmant dans leurs livres que l'Etat était le prisonnier des *féodaux* de la finance et de la grande industrie et que les partis et la presse étaient à leur dévotion.

FERDONNET (Paul, Joseph).

Journaliste, né à Niort (Deux-Sèvres), le 28 avril 1901, fils d'instituteurs. Après avoir collaboré à divers journaux modérés de province, il fut le correspondant à Berlin (1927) du journal *La Liberté*, puis l'année suivante (1928) celui du groupe de *La Presse régionale*, consortium représentant une douzaine de grands journaux catholiques et modérés de province. Ses sentiments anti-hitlériens ne faisaient alors aucun doute et il publia dans divers journaux, sous le pseudonyme de Paul du Dresner, des articles contre le mouvement national-socialiste. En 1934, il fonda à Paris l'agence *Prima Presse*, dont il confia la direction à Lucien Pemjean, ancien directeur littéraire des *Editions Baudinière* et directeur du *Grand Occident*. Ce dernier fut remplacé en 1935 par Pierre Mouton, ancien directeur du journal *L'Action Nouvelle* (avec Jacques Debû-Bridel). Il publia alors plusieurs ouvrages aux *Editions Baudinière* notamment : « *Face à Hitler* », « *La Crise Tchèque* » et « *La Guerre Juive* » où ses sentiments anti-communistes et antisémites apparaissaient clairement. Demeuré en Allemagne à la déclaration de la guerre, il y fut quelque temps sous la surveillance de la police, puis il entra au service d'information et de traductions de la *Reichsrundfunk* (radio allemande). Contrairement à ce qui a été maintes fois imprimé, jamais Ferdonnet n'a parlé à *Radio-Stuttgart*. Mais il y travailla comme traducteur. Il corrigeait les éditoriaux de Dignovity, Dambmann et Schneider que lisaient ensuite au micro Obrecht et André. Après l'armistice de 1940, Ferdonnet demeura en Allemagne où il travailla à la confection quotidienne de bulletins d'information diffusés par *Radio-Stuttgart*. Condamné par contumace le 6 mars 1940, par le 3ᵉ tribunal militaire permanent de Paris, à la peine capitale pour intelligences avec l'ennemi, Ferdonnet fut traduit à nouveau devant la justice française après la Libération ; il comparut devant la Cour de Justice de la Seine, présidée par le magistrat Ledoux (l'un des rares magistrats qui avaient refusé de prêter serment au maréchal Pétain en 1940) et fut condamné à la peine de mort. Son exécution eut lieu le 4 août 1945.

FERNIOT (Jean).

Journaliste, né à Paris, le 10 octobre 1918. Mari de Christiane Servan-Schreiber, dite Collange, de *L'Express*. Fut successivement : rédacteur à l'*Agence France-Presse* (1944-1945), chef du service politique du quotidien *Franc-Tireur* (1945-1957), chroniqueur politique à *L'Express* (1957-1958), chef du service politique de *France-Soir* (1959-1963) et, à nouveau, à *L'Express* comme co-rédacteur en chef (février 1963). A obtenu le *Prix interallié 1961* pour l'un de ses livres, « *L'Ombre portée* ».

FERRI (Pierre, Louis, Paul).

Agent de change, né à Paris, le 3 septembre 1904. Fils d'un courtier en valeurs parisien, fut lui-même courtier en valeurs auprès de la Bourse de Paris, à partir de 1942 et jusqu'au jour où la loi n° 61-825 du 29 juillet 1961 créa une charge d'agent de change qui lui fut octroyée. Homme politique du centre-droit, fut successivement ou simultanément : conseiller municipal de Paris et conseiller général de la Seine (1947-1953), député de la Seine (1951-1956 et 1958-1962), ministre des P.T.T. (cabinet Laniel, 1953-juin 1954). Naguère membre du *Centre National des Indépendants*, est aujourd'hui rallié au groupe Giscard d'Estaing.

FEU (Le).

Mouvement éphémère fondé, au début de l'occupation par Maurice Delaunay, élu député en mai 1936 dans une circonscription normande (Calvados). *Le Feu* couvrit les murs de Paris d'affiches annonçant le sauvetage de la patrie par François-Henry Prométhée, « Le Maître du Feu ». Son journal, *La Tempête*, diffusait un programme dont le lyrisme faisait douter du sérieux de l'entreprise:

Je veux l'ordre nouveau orienté vers le
                              [beau
Je le veux développant le cœur et le
                            [cerveau,
Je veux la Société prodigue et généreuse,
Pour que l'Humanité vive confiante et
                            [heureuse.
Equilibrer les forces, organiser le Bien,
Bien orienter la vie, c'est le but de
                            [demain,
Supprimer les abus, c'est cela faire du
                            [bien.

etc. (*La Tempête*, 28 février 1941).

FEUILLARD (Gaston, Emmanuel, Victor).

Homme politique, né à Hombo (Anjouan, îles des Comores) le 14 avril 1903. Fils d'un fonctionnaire. Avocat. Conseiller général de Basse-Terre (depuis 1949). Ancien vice-président du Conseil général de la Guadeloupe (1951-1952). Ancien avoué plaidant près la cour d'appel de la Guadeloupe. Vice-président de l'Association familiale de Basse-Terre. Elu conseiller municipal de Basse-Terre en 1953, puis maire en mars 1959. Membre de la délégation française à la Commission des Caraïbes (1952 à 1956). Délégué de la Guadeloupe à la Conférence des Indes Occidentales (1955). Député de la Guadeloupe (3e circ.) (1958-1967). Inscrit au groupe des *Républicains Indépendants*.

FEUILLE DE CHOU.

Expression péjorative pour désigner un journal, généralement politique et d'opinion contraire à celle que l'on professe.

FIESCHI (Paul) (voir : Le Journal de La Corse).

FIEU (Louis).

Fonctionnaire municipal, ancien maire, né à Albi, le 7 novembre 1879. Député *S.F.I.O.* du Tarn (1932-1942). vota pour le maréchal Pétain le 10 juillet 1940.

FIEVEZ (Henri).

Technicien, né à Lourches (Nord). Cadre de la métallurgie. Conseiller général du Nord (depuis 1945). Maire de Denain. Membre du Conseil fédéral du Nord du *Parti communiste*. Elu député du Nord (3e circ.) le 10 novembre 1946 ; battu en 1951. A nouveau candidat en 1956 ; encore battu mais élu à nouveau dans la 20e circ. en 1962 et 1967.

FIGARO (Le).

Journal fondé le 2 avril 1854 (1), par Jean-Hippolyte Cartier-Briard, dit de Villemessant. Ce dernier était un ancien commerçant qui avait eu de graves

---

(1) C'est l'année de fondation enregistrée par l'*Annuaire de la Presse* de 1912 et par les historiens des journaux français. Mais, dans l'entredeux-guerres, *Le Figaro*, voulant paraître plus ancien encore, se réclama d'une petite feuille satirique et légère qui portait ce titre sous la Restauration et qui avait été fondée en 1826.

déboires dans ses précédentes entreprises : le 25 juin 1831, il avait fait faillite à Blois et le 27 mai 1844 à Paris. Villemessant avait déjà tâté du journalisme au *Lampion*, qu'il avait fondé en 1848 et qui était alors légitimiste. « *Paillard, conservateur, religieux*, devait écrire plus tard Lissagaray, l'historien de la Commune, *Le Figaro était l'organe et l'exploiteur de cette truanderie de dignitaires, de boursiers et de filles qui levaient si galamment les écus et la jambe. Les gens de lettres l'avaient adopté, y trouvant pâture et tréteau...* » La sévérité de Lissagaray est la conséquence de l'attitude féroce du *Figaro* à l'égard des Communards vaincus. Légitimiste à ses débuts, *Le Figaro* avait d'ailleurs composé avec le régime impérial et mené pour son compte, semble-t-il, en 1869 et 1870, une campagne assez perfide contre Thiers jugé trop faible à l'égard de la Prusse. Les papiers trouvés aux Tuileries, après la chute du Second Empire, ne laissent guère de doute sur la vénalité de Villemessant. Le double jeu, qui était déjà en honneur dans certains milieux politiques il y a un siècle, l'incitait d'ailleurs à soutenir également l'opposition à l'Empire, et c'est ainsi qu'il avait fourni à Rochefort les premiers fonds de sa *Lanterne*. Après s'être fait, dit le *Grand Larousse du* XIX*e siècle*, « *dénonciateur après la Commune* », *Le Figaro* se rallia au drapeau blanc, soutint « l'ordre moral », défendit l'Etat-Major de l'Armée contre les dreyfusistes, puis brusquement prit position pour Dreyfus, ce qui lui valut la perte de nombreux lecteurs. Plusieurs collaborateurs le quittèrent également, en particulier Charles Maurras qui retourna à son administration l'argent qu'on lui avait versé d'avance pour un article. *Le Figaro* n'était pas encore le journal de la bourgeoisie conservatrice et le ton de ses polémiques était souvent violent. Les attaques de Gaston Calmette contre Caillaux devaient avoir des suites tragiques : à la veille de la guerre de 1914, Mme Caillaux tua à coups de revolver le rédacteur en chef du journal. Après la Première Guerre mondiale, *Le Figaro* fut racheté par François Coty, qui en fit un journal national. *La Gaulois*, également racheté par Coty, fusionna avec le quotidien de Villemessant. Sous l'impulsion du fameux parfumeur, *Le Figaro* prit une certaine extension. Mais les sommes considérables englouties dans *L'Ami du Peuple* devaient amener le parfumeur à abandonner, après son divorce, le quotidien du rond-point des Champs-Elysées à son ex-femme, Mme Le Baron, devenue Mme Léon Cotnareanu. En raison de l'origine israélite de ce dernier, la propriétaire du *Figaro* quitta la France dès 1940 et se réfugia avec son mari aux Etats-Unis. Pendant ce temps, Pierre Brisson, directeur du journal, poursuivit la publication du quotidien en zone Sud. Dès 1940, François Mauriac publiait un article consacrant le ralliement du *Figaro* au maréchal Pétain, dont les paroles, écrivait-il, « *rendaient un son intemporel* » (*Le Figaro*, 3-7-1940). Un autre rédacteur expliquait que : « *l'ex-général De Gaulle conduit des forces étrangères contre ses compatriotes. Ceux des Français qui hésitaient encore à le considérer comme un traître, ont désormais les yeux ouverts* » (25-9-1940). Pierre Brisson (19 décembre 1940) expliquait de son côté que le Maréchal « *s'était voué sans faiblir au sauvetage du pays* » et que « *lui rendre hommage serait superflu* » ; il se réjouissait des « *réformes accomplies depuis six mois sous son inspiration* » lesquelles attestaient « *une volonté d'assainissement et de relèvement moral dont la vigueur reste digne des épreuves les plus décisives de notre Histoire* ». Le gouvernement Pétain fut naturellement reconnaissant au journal pour l'aide que lui apportait celui-ci et, jusqu'à sa disparition, il fit au *Figaro* des versements substantiels : 1 169 504,50 F en 1941, 2 300 000 en 1942 (cf. Compte rendu de l'assemblée générale de la *Société du Figaro* du 9 décembre 1942). Après le débarquement des Anglo-Américains en Afrique du Nord, *Le Figaro* cessa de paraître : « *Par télégramme du Secrétaire d'Etat à l'Information du 10 novembre 1942, Le Figaro a été suspendu sine die une première fois. Quelques jours plus tard, la suspension ayant été levée, Le Figaro a décidé, d'accord avec les pouvoirs publics, de cesser de paraître comme quotidien et de maintenir deux fois par semaine comme auparavant Le Figaro littéraire...* » (Déclaration du président du Conseil d'administration à l'assemblée générale, *op. cit.*). *Le Figaro littéraire,* maintenu comme bi-hebdomadaire, fut ensuite suspendu par télégramme du secrétaire d'Etat à l'Information (26-11-1942). A la Libération, le quotidien reprit sa publication. Mais bien que Mme Cotnareanu ne puisse être accusée de « *collaboration avec l'ennemi* », elle fut tenue à l'écart : en dépit de ses 57 148 actions sur 60 000, le Tribunal de Commerce estima qu'elle n'était pas maîtresse des destinées du *Figaro*. Les démêlés entre Pierre Brisson et les époux Cotnareanu ne prirent fin qu'en 1950, lorsque Mme Cotnareanu se décida à vendre la majeure partie de ses actions à Jean Prou-

vost, qui devint ainsi majoritaire dans la *Société du Figaro*. A la suite d'un arbitrage de Marcel Bleustein-Blanchet, un *modus vivendi* fut trouvé : le journal, propriété de la *Société du Figaro*, serait édité pendant une période donnée par une société fermière dont Pierre Brisson et ses amis resteraient les maîtres, tandis que Jean Prouvost demeurerait le « patron » légal de la société propriétaire du journal. Aujourd'hui, le groupe de presse du *Figaro* comprend plusieurs sociétés : la *Société fermière d'édition du Figaro et du Figaro littéraire,* la *Société du Figaro,* la *Société Moderne d'Information,* l'*Union de Publications et d'Editions Modernes,* la S.A.R.L. *Marie-Claire Album,* la *Compagnie Française des Périodiques.* La société fermière, constituée le 13 mai 1950, gère et administre le quotidien *Le Figaro* et l'hebdomadaire *Le Figaro littéraire.* Jusqu'à sa mort, en 1965, Pierre Brisson en était le président-directeur général ; il est aujourd'hui remplacé par Jacques de Lacretelle, de l'Académie française, qu'entourent les membres du Conseil d'administration : Maurice Noël, Louis Gabriel-Robinet, Henri Masson-Forestier, André François-Poncet, René Cartier (directeur-gérant de *Paris-Match*) et Marcel Dodeman, imprimeur. La *Société du Figaro,* propriétaire du journal, dont Brisson était également président bien que Prouvost en fût le principal actionnaire, est aujourd'hui présidée par Jean Hamelin, fidéi-commissaire des intérêts Prouvost ; les autres actionnaires sont : Ferdinand Beghin, magnat du sucre et du papier, Arnold de Contades (époux d'une Dlle *Prouvost*), Claude Descamps (du groupe *Beghin*), Marcel Dodeman, Louis Gabriel-Robinet, Jacques de Lacretelle, Yann de Lesguern, Bernard Pernod du Breuil, Albert Prouvost, Jean Prouvost et Jacques Segard (du groupe *Prouvost*). Sous la direction de Pierre Brisson, *Le Figaro* avait donc reparu dès le 25 août 1944, et se présentait, lui aussi, comme un journal « *issu de la résistance* ». François Mauriac y publiait un article qui ne laissait aucun doute sur les sentiments de la rédaction du *Figaro* à l'endroit du général De Gaulle : « *Il m'est livré. Je puis le dévorer des yeux à loisir. Je le tiens sous mon regard, comme une de ces images de l'histoire de France (...) Ce chef (...) ramasse dans le sang et dans la boue cette couronne qui y gisait depuis bientôt cinq ans, et il la dépose avec un profond et tendre respect sur le front si longtemps humilié de notre peuple...* » (*Le Figaro*, 14-9-1944). Le 22 novembre 1945, Louis Gabriel-Robinet saluait « *le ministère d'una-*

FIG 444

nimité nationale enfin constitué » auquel appartenaient des représentants du *M. R.P.*, de la *S.F.I.O.* et du *Parti Communiste*, représenté par Thorez, ministre d'Etat, Billoux, ministre de l'Economie nationale, Marcel Paul, ministre de la Production Industrielle, Croizat, ministre du Travail et Tillon, ministre de l'Armement. François Mauriac, qui approuvait l'entrée des communistes dans le gouvernement, expliquait à ses lecteurs bourgeois (22-11-1945) que, puisque les communistes furent dans la résistance, un gouvernement formé en dehors d'eux n'était *« même pas imaginable »*. Après le départ du général De Gaulle, Léon Blum fut loué de *« donner au mot République et au mot démocratie le sens que nous lui donnons nous aussi »*. Robert Schumann fut également soutenu par *Le Figaro* qui, sous la plume de Gabriel-Robinet, invitait ses lecteurs à se serrer autour de lui (23-11-1947). Il louait un peu plus tard les *« qualités de caractère de M. Jules Moch (...) un homme de devoir qui a souvent fait preuve de courage »* et qui sait être, au surplus, *« un conciliateur »* (10-10-1949). Antoine Pinay fut salué comme un homme *« mesuré et raisonnable »* qui résoud la crise *« bien plus par devoir que par ambition »* (6-3-1952). Ses successeurs ne furent pas moins bien accueillis. L'éditorialiste du *Figaro* loua Pierre Mendès-France d'avoir pris une *« position claire et vigoureuse »* : *« La pierre de touche de sa politique,* écrivit-il, *c'est la solidarité maintenue du front occidental, c'est la solidarité atlantique et l'union européenne, c'est l'alliance américaine sans laquelle nos libertés auraient déjà sombré. »* Le chef du gouvernement fut également félicité d'avoir été à Genève *« un bon ouvrier du pays »* et d'avoir conduit les négociations *« avec autorité, avec clarté, avec cette bonne foi sans ombre ni détour qui, chez M. Mendès-France, est une force »* (22-7-1954). Lorsque le président du Conseil s'en alla à Tunis négocier l'indépendance de la Régence, Pierre Brisson déclara que *« M. Mendès-France a tenu hier un langage auquel tout Français doublé d'un républicain acquiescera... La modération du ton, la vigueur de l'offre, la fermeté de la menace, tout était fait pour produire impression. C'est le style d'un chef de gouvernement »* (2-8-1954). Au lendemain du 13 mai 1958, Pierre Brisson, qui était favorable au président Pflimlin, écrivait : *« Le seul devoir aujourd'hui est de rétablir l'autorité légale. »* Quelques jours plus tard, l'arrivée au pouvoir du général De Gaulle étant imminente, il déclarait : *« La patrie réclame l'appui*

du général De Gaulle » (27-5-1958). Après avoir incité ses lecteurs à voter OUI en septembre 1958, *Le Figaro* ne cessa de soutenir le général De Gaulle dont il approuva la politique algérienne et la politique européenne : *« L'Europe est en marche, l'Europe se fait »*, écrivait-il (3-6-1960). Pour Pierre Brisson, *« L'Algérie française du slogan est un mensonge »*, car *« il est inconcevable qu'elle* (l'armée) *puisse admettre que le chef actuel du pays, l'homme du 18 juin, élu, confirmé par trois libres scrutins, soit un liquidateur »* (24-4-1961). L'indépendance de l'Algérie fut acceptée avec soulagement et le renforcement de la position personnelle du président de la République, accueilli avec satisfaction. *Le Figaro*, selon ses traditions, ménage cependant l'avenir. Au moment de l'élection présidentielle, tout en soutenant le président en place, il songe déjà à son successeur. *« Est-il vraiment déraisonnable de souhaiter, dans l'immédiat, voir renouveler le mandat du général De Gaulle en espérant l'accession un jour à la magistrature suprême de M. Lecanuet ? »* (5/6-12-1965). Gabriel-Lucien Robinet, dit Louis Gabriel-Robinet, est le directeur du journal depuis la disparition de Pierre Brisson, et Henri Masson-Forestier, son administrateur général. La rédaction est animée et dirigée par le fils du défunt, Jean-François Brisson et Marcel Gabilly, assistés de Jean Griot, chef du service politique, Raymond Petit, secrétaire général de la rédaction, Georges Delpeuch, secrétaire général adjoint. L'équipe rédactionnelle du *Figaro* comprend plusieurs centaines de journalistes, de valeur pour la plupart, qui semblent suivre, avec difficulté parfois, la ligne sinueuse de la politique : Roger Massip, Jacques J.M. Ogliastro (politique étrangère), Robert Bruyez (informations générales), Jean-Marie Garraud, Serge Bromberger, Dominique Auclères, J.-F. Chauvel, Max Clos, Max Olivier-Lacamp (grand reportage), Michel P. Hamelet, Jean Lecerf (économie), Philippe Bouvard (chronique parisienne), François Giron (défense nationale), James de Coquet, Pierre Macaigne (chronique judiciaire), etc. et quelques douzaines d'éditorialistes et de collaborateurs : Raymond Aron, Thierry Maulnier, André Frossard, Jacques Chastenet, Pierre Gaxotte, Jean Guehenno, Jean Guitton, A. François-Poncet, Roger Ikor, Louis Martin-Chauffier, le Père Riquet, le dessinateur Jehan Sennep et quelques autres chroniqueurs non moins cotés. Ajoutons que depuis le service qu'il a rendu à Jean Prouvost, en 1950, Marcel Bleustein-Blanchet est l'un des conseillers du

Figaro et que sa collaboration, bien que discrète, n'en est pas moins importante. Journal de la bourgeoisie conservatrice et libérale, le quotidien du rond-point des Champs-Elysées est lu dans toute la France : 65 % des 398 000 exemplaires diffusés (abonnements et vente au numéro) le sont dans la région parisienne, mais en province *Le Figaro* est très répandu : 2,61 % dans le Nord, 2,74 % dans le Nord-Est, 2,34 % dans l'Est, 1,89 % dans le Centre-Est, 4,84 % dans le Sud-Est, 4,11 % dans le Midi et le Sud-Ouest, 3,96 % dans le Centre et le Centre-Ouest, 5,21 % dans l'Ouest. Le reste est diffusé à l'étranger où le journal est très répandu (14, rond-point des Champs-Elysées, Paris 8e).

FIGUERAS (André, Juan, Jacques).

Homme de lettres et journaliste, né à Paris le 8 janvier 1924. Entra dans la Résistance en février 1941, s'évada de la France occupée et fut parachuté en Algérie. Reprit ses études de droit après la guerre et obtint sa licence. Epousa en 1948 la fille de Pierre Brossolette (divorcé en 1956). Fit d'abord de la poésie (Bourse nationale littéraire en 1948), et écrivit des ouvrages de littérature. Puis entra dans la politique active (1954) et collabora à *Combat* et au *Journal du Parlement*, tout en écrivant l'éditorial du *Courrier d'Information* du mouvement gaulliste. Publia, en 1956, sa « *Zoologie du Palais-Bourbon* ». Ne participa pas à l'entreprise gaulliste de 1958, s'abstint lors du premier référendum, et publia coup sur coup « *Nous sommes Frey* » et « *Algérie Française* ». De 1960 à 1962, « replié » à Lorient, fut l'éditorialiste de *La Liberté du Morbihan*. Perquisitionné en raison de son opposition au gouvernement, retourna au général De Gaulle les exemplaires dédicacés de ses « *Mémoires* », puis publia « *Les origines étranges de la Ve République* », « *Les Pieds noirs dans le plat* », « *Charles le Dérisoire* », « *Salan* », etc., qui lui valurent, ainsi que ses articles dans *La Nation Française, Le Charivari, Fraternité Française* et quelques autres journaux, de très nombreuses poursuites. Ses deux derniers livres, « *Le Général mourra* » et « *Figueras contre De Gaulle* », ont été saisis dès leur sortie des presses. Orateur brillant, ce pamphlétaire fait des tournées de conférences en province, tantôt seul, tantôt avec Jacques Isorni ou le général Boyer de Latour, au cours desquelles il attaque avec vigueur tout ce qu'il considère comme des abus du Pouvoir et stigmatise la « trahison communiste ».

FILIPPI (Jean).

Banquier, né à Genève (Suisse), le 19 octobre 1905. Fils d'un ministre plénipotentiaire. Inspecteur des Finances (1930), secrétaire général de la S.N.C.F. (septembre 1937), directeur du cabinet de différents ministres (Albert Sarraut, A. Laurent-Eynac, Henri Queuille, Lucien Lamoureux, Yves Bouthillier), secrétaire général pour les Affaires économiques à Vichy (juillet 1941-août 1942). Fut réintégré dans les cadres de l'Inspection des Finances après la Libération (mars 1945), et nommé directeur général de l'Economie et des Finances du Gouvernement militaire français à Baden-Baden (1945), puis directeur au ministère des Finances (1948). Ensuite, successivement : conseiller technique au cabinet de Henri Queuille (président du Conseil, 1949), directeur du cabinet de Maurice Petsche (ministre des Finances et des Affaires économiques, cabinets G. Bidault, 1949-1950). Membre du *Parti Radical-Socialiste*, se fit élire conseiller général de Vescovato (Corse) en 1956 (constamment réélu depuis), siégea au Conseil de la République (juin 1955-avril 1959 et à nouveau du 23 septembre 1962), secrétaire d'Etat au budget (cabinet Guy Mollet, 1956-1957). Fideï-commissaire de la banque *Louis-Dreyfus et Cie*, dont il devint le directeur général et le président, fut appelé aux fonctions et postes suivants : censeur de la *Banque de France* et du *Crédit National*, administrateur de la *Société de l'Ouenza*, de la *Compagnie Générale Transatlantique*, de *France-Investissement*, de la *Compagnie française des mines de Bor*, de la *Société des Entreprises de Travaux Publics André Borie*, d'*Imminvest*.

FILLON (René)

Administrateur de sociétés, né à Alès (Gard), le 15 novembre 1904. Longtemps l'un des principaux collaborateurs de la banque *de Rothschild*, il cessa de diriger (officiellement) cet établissement lorsqu'il devint sénateur du Soudan. Partisan du général De Gaulle et ancien dirigeant du *R.P.F.*, René Fillon fut, il y a une dizaine d'années, le trésorier général des organisations gaullistes. Après son élection en Afrique noire, il fut accusé au Conseil de la République (le 3 août 1955, 2e séance) d'avoir offert en juin 1955 un million de francs C.F.A. à cinq conseillers territoriaux et électeurs du premier collège pour qu'ils votent en sa faveur. Il aurait même promis deux millions à Amadou Ba, conseiller de l'Union Française, assemblée dont il avait été lui-même membre en 1952-1955. Il quitta le Sénat en 1959 et entra au Conseil économique et social, auquel il appartient depuis. Pour le compte des Rothschild il préside la *Compagnie française des minerais d'uranium* et la société *Minerais et Métaux*, et administre les sociétés suivantes : *Peñarroya, Grands Travaux de Marseille, Kuhlman, Société d'Investissement du Nord, Peñarroya-Maroc, Compagnie électromécanique, Compagnie minière de Conakry, Mines d'Aouli*.

FILS DES CROIX DE FEU (voir : **Croix de Feu**).

FINANCE (voir : **Valeurs actuelles**).

FINET (Albert).

Pasteur, né à Marsauceux, îlot protestant de la commune de Mézières-en-Drouais (E.-et-L.), le 1er mars 1899. Débuta dans la politique à l'extrême-droite et fut l'un des compagnons de Jacques Debû-Bridel au *Faisceau*, le premier parti fasciste français. Pasteur de l'Eglise réformée à Evreux et à Montrouge, aumônier de la marine militaire en 1939-1940. Fondateur et directeur de l'hebdomadaire protestant *Réforme* (1945). Auteur d'une demi-douzaine d'ouvrages dont « *Histoires de mon village* » où sont retracées les luttes religieuses dans le Drouais au XVIe siècle.

FINKELSTEIN (René, Paul).

Directeur de revue, né à Paris, le 16 février 1922. Fils d'un homme d'affaires entreprenant, dont il a hérité les qualités commerciales. Devenu catholique militant, fut le directeur de *Panorama Chrétien* ainsi que de *Cœurs Vaillants, Ames Vaillantes, Fripounet et Marisette, Perlin et Pinpin, Kisito*, etc. A la même époque, dirigeait les *Editions de Fleurus*, présidait le *Centre National de la Presse Catholique* et assumait le secrétariat général du *Syndicat National des Publications destinées à la Jeunesse*. Les graves difficultés que rencontra le groupe des *Editions de Fleurus* en 1961 le contraignirent à démissionner de toutes ces fonctions et à se replier sur *L'Avenir, La Vie Nouvelle, La Revue Internationale des Tabacs, La Revue Internationale des Produits tropicaux* et *Le Rond Point* devenu, en quelque sorte, l'un des organes du *Diner's Club*.

FLAMBEAU (Le).

Journal officiel des *Croix de Feu* et des *Volontaires Nationaux*, puis du *Parti Social Français* (voir à ces noms).

FLANDIN (Pierre-Etienne).

Homme d'Etat (1889-1958). Il appartenait à une famille qui, depuis 1833 (création des conseils généraux) représente l● canton de Vézelay. L'arrière-grand-pèr● était procureur-syndic de la ville de Véze●lay en 1789. A Jean-Louis Flandin, grand oncle de Pierre-Etienne, succéda so● grand-père, le Dr Charles Flandin, mair● de Domecy ; à Charles succéda Etienn● Flandin, son fils, qui fut député d● l'Yonne (1893-1909), et résident généra● en Tunisie, que Pierre-Etienne Flandi● « releva » en 1919. Ce dernier était, éga●lement, le petit-fils d'Hippolyte Ribière●, un préfet du gouvernement de Défens● nationale, et le petit-neveu du généra● de Sonis. Il appartenait à une grand● famille de la bourgeoisie qui laissa u● nom dans nos annales politiques et es● actuellement représentée par Paul Flan●din, fils de Charles Flandin, ancie● conseiller et maire de Domecy. Jeun● avocat parisien, il fut élu à vingt-cin● ans député de l'Yonne (1914) et fut réél● constamment jusqu'à la Seconde Guerr● mondiale. Breveté pilote dès 1912, il pri● part à la bataille de l'Yser en tant qu'a● viateur, puis fut chargé de diverse● missions et de la direction de plusieur● services français ou alliés. Elu conseille● général de l'Yonne en 1919, il accéd● pour la première fois au gouvernemen● en 1920 : il fut sous-secrétaire d'Etat ● l'Aéronautique dans les cabinets Mille●rand et Leygues (1920-1921), puis mi●nistre du Commerce et de l'Industri● dans le gouvernement François-Marsa● (1924). Il devint, un peu plus tard, vice●président de la Chambre (1928-1929)● puis de nouveau ministre du Commerce● (cabinets Tardieu, 1929-1930), des Fi●nances (cabinet Laval, 3e cabinet Tar●dieu, 1931-1932), des Travaux publics● (cabinet Doumergue, 1934) et, enfin, pré●sident du Conseil (1934-1935). Dans le● cabinet Sarraut — qui succéda au gou●vernement Laval (1935-1936), dans le●quel il était ministre d'Etat — il eut la● responsabilité de la politique étrangère ●: lors de la crise provoquée par la réoccu●pation militaire allemande de la Rhéna●nie, il fit tout pour éviter le conflit, esti●mant que la France n'était pas prête à● faire la guerre. Lors de la crise de● Munich, il n'avait pas changé d'avis, d'où● les télégrammes envoyés aux signataires● de l'accord de 1938 qui lui furent tant● reprochés. Favorable au maréchal Pé●tain, il fut quelque temps son collabo●rateur, notamment après le 13 décembre● 1940, lorsque Pierre Laval fut écarté du● pouvoir : le vieux soldat lui confia les● Affaires étrangères. Mais il démissionna●

bientôt de son poste, sous la pression des Allemands, et gagna l'Afrique du Nord en 1942. Il y fut arrêté sous la prévention d'intelligence avec l'ennemi (20 décembre 1943) et attendit deux ans et demi en prison que justice lui fût rendue. En 1944, il faillit être fusillé : à la demande des communistes, Emmanuel l'Astier de la Vigerie l'avait inscrit sur une liste de personnes à exécuter. Une intervention de Churchill le sauva. Traduit en Haute Cour, il fut lavé de cette accusation, mais en raison de sa collaboration avec le maréchal, dont il avait été le ministre, il fut frappé de la dégradation nationale (juillet 1946). Bien qu'il eût été aussitôt relevé de cette condamnation, pour services rendus aux alliés, il fut déclaré inéligible en vertu d'une loi proposée par André Le Troquer qui prescrivait que les personnes frappées de la dégradation nationale seraient désormais inéligibles « même si elles avaient été relevées » de cette dégradation... Pierre-Etienne Flandin n'en poursuivit pas moins son action politique, réanimant la vieille *Alliance démocratique*, prenant le bâton de pèlerin pour soutenir de son éloquence l'inexpérience de son ami Antoine Pinay. Il fut même candidat, toujours dans son département de l'Yonne. Quelques semaines après le retour au pouvoir de celui qui l'avait fait jeter en prison quelques années auparavant, une poignée d'amis politiques restés fidèles et la grande majorité des habitants de son village de Domecy-sur-Cure l'accompagnaient à sa dernière demeure.

FLAUD (Jacques, Etienne).

Directeur à la Radio-Télévision, né à Rennes (I.-et-V.), le 20 mars 1914. Arrière-petit-fils d'un membre de l'Assemblée Nationale de 1871. Secrétaire de divers groupes parlementaires et attaché ou chef de cabinets ministériels. Président-directeur général de la *Sofirad* (1960-1962), directeur des relations extérieures de l'*O.R.T.F.* (février 1962).

FLEURY (Joseph).

Ouvrier fraiseur, nommé le 23 janvier 1941 membre du *Conseil National* (voir à ce nom).

FLOIRAT (Sylvain, Aubin).

Homme d'affaires, né à Nailhac, dans la Dordogne, le 28 septembre 1899. Il débuta comme charron et réparateur de bicyclettes à Saint-Denis. Puis il fonda une petite entreprise de carrosserie pour automobile qu'il transféra, en 1928, rue du Fort de l'Est, à La Plaine-Saint-Denis.

En décembre 1939, il fit apport de son fonds à la S.A. *Etablissements Floirat*, installée à Paris, rue des Petits-Champs (aujourd'hui rue Danielle-Casanova). Il fut, en même temps, gérant du *Matériel automobile* et président de la *Société de Crédit automobile pour véhicules industriels et autocars* (CAVIS). Pendant la guerre, il dirigea la *Société d'Automobile et Carrosseries d'Annonay*, la *S.A. des Cars Floirat* à Annonay, et les *Transports Eclairs*. Il est (ou a été) gérant ou président de : *Cie Aigle-Azur International*, *Cie Aigle-Azur Extrême-Orient*, *Sté Méridionale de transports automobiles*, *Aigle-Azur Maroc*, *Transports Bordeaux Pyrénées* (B.P.P.), *Engins Matra*, *Godde Bedin* (tissus), *Société Nouvelle d'Electronique et de la Radio Industrie*, *Société spéciale d'entreprise Télé-Monte-Carlo*, *Société Laotienne de transports aériens*, *Pullmann Cars Zolus*, *Trafic Transport*, *Négoce Rapide*, *S.E.V.I.A.*, *Société d'Exploitation de Construction d'outillage et d'électronique*, *Transports et Assainissement* (Saint-Denis), *Société Sarroise de Télévision*, etc. Mais ses principales activités sont, aujourd'hui, axées sur les *Ateliers d'Aviation L. Bréguet* et le poste *Europe N° 1* (*Société Télécompagnie N° 1* et *Image et son*). Sur la recommandation d'Edgar Faure, qui aurait été son avocat-conseil, Sylvain Floirat racheta en 1955 — on parla de 1 300 millions de francs — les actions de la *Société Image et Son* que la *Société Monégasque de Banque* (alias *Banque des Métaux Précieux*), alors en mauvaise posture, détenait comme co-fondatrice (avec le fameux Michelson). Il avait mis comme condition de payer cette somme en quinze ans. Grâce à *Image et Son*, dont il possède 42 % des actions, S. Floirat contrôle le poste *Europe N° 1*. Comme administrateur délégué de la *Société Spéciale d'Entreprise*, il domine également *Télé-Monte-Carlo*. Il a signé avec Marcel Bleustein-Blanchet, le « *roi de la publicité* », un accord concernant la publicité sur les ondes d'*Europe N° 1* et de *Radio Monte-Carlo*. (Rappelons que M. Bleustein-Blanchet contrôle déjà la publicité de *France-Soir*, de *Paris-Presse*, de plusieurs grands quotidiens régionaux et de grandes revues.) Cette activité dans le domaine de la radio a son prolongement dans celui de la presse. En liaison avec Daniel Filipari, dit Filipacchi, collaborateur d'*Europe N° 1*, Sylvain Floirat contrôle *Salut les Copains* et *Paris-Jazz magazine*, dont l'influence est grande sur la jeunesse, et la revue masculine *Lui*, qui provoqua quelque scandale lors de sa publication. *Lui* est édité par la société *Presse Office* dont les actionnai-

CHAPITRE 20

SUBVENTIONS A DIVERS ORGANISMES

CREDITS........................ 50.000.000

ORGANISMES BENEFICIAIRES	Sommes versées au 31 Mai 1941	Sommes à verser du 1°Juin au 31 Décembre 1941	TOTAL
Agence Fournier............................	250.000	350.000	600.000
Journal Au Travail........................	100.000	140.000	240.000
La Croix............................	800.000	1.120.000	1.920.000
Le Cri du Sol........................	100.000	140.000	240.000
Le Journal des Débats.............	990.000	1.470.000	2.460.000
Demain..............................	470.000	700.000	1.170.000
L'Effort...........................	1.100.000	1.540.000	2.640.000
Franc Jeu..........................	200.000	280.000	480.000
Idées..............................	43.000	56.000	99.000
L'Indépendant du Gers.............	15.000	21.000	36.000
Le Journal........................	1.475.000	2.065.000	3.540.000
La Légion étrangère...............	9.500	14.000	23.500
Le mot d'Ordre....................	575.000	805.000	1.380.000
Le Petit Journal..................	1.000.000	1.400.000	2.400.000
Le Progrès de l'Allier...........	50.000	70.000	120.000
Le Rail...........................	48.000	70.000	118.000
Vaillance.........................	80.000	105.000	185.000
Les Amitiés.......................	25.000	35.000	60.000
Revue des Maires..................	50.000	70.000	120.000
Courrier de la Corse.............	300.000	420.000	720.000
Maison de la Presse Parisienne...........	50.000	70.000	120.000
Association des Journalistes.............	30.000	42.000	72.000
Journal L'Echo de l'Ile de France......	50.000	70.000	120.000
Sully..............................	20.000	28.000	48.000
La France Municipale.............	75.000	105.000	180.000
La Bretagne.......................	200.000	280.000	480.000
Revue de l'Economie Contemporaine.......	150.000	210.000	360.000
Société Inter France Informations.......	1.750.000	2.450.000	4.200.000
Agence Nationale d'Information.........	500.000	700.000	1.200.000
Journal La Gerbe....................	100.000	140.000	240.000
Comité des Maires du Nord et de l'Est...	1.100.000	1.540.000	2.640.000
Comité d'Action antibolchevique.......	1.750.000	350.000	2.100.000
Institut d'Etudes Politiques............	500.000	700.000	1.200.000
Bureau National de Presse...............	901.000	1.197.000	2.098.000
Agence Presse Information...............	50.000	70.000	120.000
Journal Réagir....................	25.000	35.000	50.000
La Politique Française..................	1.040.000	1.040.000	2.080.000
Secrétariat d'Etudes Universitaires.....	130.000	/	130.000
Association de Propagande Chantiers de J.	460.000	/	460.000
Bureau des liaisons européennes........	50.000	70.000	120.000
Les Amitiés d'Outre Mer..:...........	68.000	175.000	243.000
Centres d'Information et de renseignements	2.430.000	2.450.000	4.880.000
Ecole du Mayet de Montagne..............	591.000	1.773.000	2.364.000
Chaseron..............................	/	1.000.000	1.000.000
Secrétariat d'Etudes pour les problèmes sociaux................................	/	880.000	880.000
Subvention à M.Héricourt.............	/	144.000	144.000
Centre des moins de 15 ans...........	30.000	//	30.000
Journal Atlantique..................		240.000	240.000
TOTAUX........	19.730.500	25.630.000	46.360.500

CREDITS DISPONIBLES.................... 3.639.500

Pièce comptable du ministère de l'Information du gouvernement du maréchal Pétain (cliché « La Presse d'Opinion », par Alcibiade (P.-A. Cousteau), n° spécial de L'Echo de la Presse, Paris 1958).

es sont : la *Société Financière de presse
t d'information* (1 640 actions), la *So-
iété Financière Aigle-Azur*, de S. Floirat
846 actions) et divers autres petits por-
eurs dont Roger Créange, administra-
eur de la société, gendre de Sylvain
loirat. On a prêté à l'homme d'affaires
es visées électorales. Il se pourrait que,
our s'amuser, cette importante person-
alité sollicite un jour les suffrages de
es concitoyens. Mais la puissance que
ui donne sa position suffit, en fait, à ses
mbitions politiques.

LORNOY (Bertrand, Joseph, Marie).

Explorateur-ethnologue, né à Paris, le
7 mars 1910. Marié avec Mlle Geneviève
.hemla. Chargé de mission par le Mu-
eum d'histoire naturelle (1936). Appar-
enait, pendant la guerre, à l'équipe
lu journal pétainiste *Compagnons*, très
« révolution nationale » qui paraissait
n zone Sud. Mission d'études en Ama-
.onie et dans les Andes (1942). Président
le la *Société des explorateurs français*.
)élégué national à la Jeunesse de
'U.N.R. (janvier 1959). Elu député de la
,e circ. de Seine-et-Marne (Meaux-Cou-
omniers) en 1962. Auteur de « *Haut-
\.mazone* », « *l'Aventure Inca* », « *Dé-
ouverte des sources* », etc.

**FOCCART (Jacques, Guillaume, Louis,
  Marie).**

Haut fonctionnaire, né Ambrières
Mayenne), le 31 août 1913. Autorisé par
lécret du 17 juin 1952 à changer son
tom : *Koch-Foccart* en Foccart. Sa fa-
nille avait reçu une autorisation analogue du gouvernement impérial : par
lécret du 8 février 1868, l'aïeul Guil-
aume-Louis *Koch* obtint le droit de
'appeler *Koch-Foccart*. (cf. « *Diction-
1aire des changements de noms 1803-
1957* »). Diplômé des hautes études com-
nerciales. Jacques Foccart fut démobi-
isé comme sergent et se livra à la fabri-
:ation et au commerce du charbon de
>ois pour gazogène. Il rejoignit la Résis-
:ance, appartint au mouvement *Action* et
se trouva à la tête d'une cohorte de
F.F.I. en 1944, avec le grade de colonel.
Après un stage en Angleterre, il fut
:nvoyé par le *B.C.R.A.* en Hollande puis
:n Allemagne pour surveiller le triage
les prisonniers rapatriés, parmi lesquels
se trouvaient un très grand nombre de
pétainistes. Homologué capitaine de réserve et ayant acquis le brevet de para-
:hutiste (1945), il obtint les quatre
galons de chef de bataillon, puis les cinq
le lieutenant-colonel. Après avoir quitté
'armée, il anima la société *Safiex* (fondée en 1945), boulevard des Italiens, puis

rue Scribe, maison d'*import-export* spécialisée dans le commerce des bananes
et des fruits exotiques provenant des
Antilles, de la Réunion et de Madagascar.
Tout en se livrant à ces activités commerciales, Jacques Foccart militait au
sein du mouvement gaulliste. Spécialisé
dans les questions coloniales, il reçut la
charge d'organiser le *R.P.F.* dans les
départements et territoires d'outre-mer,
et présida la Commission de la France
d'outre-mer du Conseil national du parti.
Secrétaire général adjoint du *R.P.F.* à
partir du 2 décembre 1953, il accéda au
poste de secrétaire général le 10 décembre de l'année suivante lorsqu'il s'agit
de liquider l'entreprise que le général
De Gaulle, sans la désavouer explicite-
ment, n'approuvait plus. Entre temps, les
membres *R.P.F.* du Conseil de la République l'avaient fait nommer conseiller
de l'Union Française (10 juillet 1952) ;
il fut, par la suite, président de la Commission de politique générale de cette
assemblée (1954). Après le retour au
pouvoir du général De Gaulle, dont il
fut, dans la coulisse, l'un des artisans,
il devint conseiller technique du cabinet
du nouveau président (1958). Il n'abandonna ces fonctions que pour celles, plus
importantes, de secrétaire général de la
Communauté (21 mars 1960), puis de
secrétaire général à la Présidence de la
République pour la Communauté et les
Affaires africaines et malgaches (1961).
La disparition de la Communauté et des
possessions africaines françaises n'ont
en rien diminué l'importance de la personnalité chargée d'en prendre soin.
Jacques Foccart, dont le nom fut incon-
sidérément cité à propos de l'affaire Ben
Barka, est au contraire, depuis quelques
années, l'un des piliers sur lequel repose
l'édifice construit sous la V⁰ République
par son président.

FOLLIET (Joseph, Louis, Henri).

Professeur et journaliste, né à Lyon
(Rhône), le 27 novembre 1903. Professeur de sociologie à la Faculté catholique de Paris. Fondateur et directeur de
l'agence de presse *Univers* (1932-1934),
secrétaire de rédaction de l'hebdomadaire *Sept* (1934-1937), rédacteur en
chef de *Temps présent* (1937-1938),
directeur de *La Chronique sociale de
France* (1938-1964), vice-président des
Semaines sociales de France, co-directeur de *La Vie catholique illustrée* (depuis 1945), rédacteur à *La Croix* et
associé de la Sté éditrice de *Témoignage
chrétien* (pseudonyme : Frère Genièvre).
Auteur de : « *Présence de l'église* »,
« *Morale sociale* », « *Guerre et Paix en
Algérie* », « *Tu seras journaliste* »,

Parties prenantes	Janvier	Février	Mars	Avril	Mai	Juin	Juillet	Août	Septembre	Octobre	Novembre	Décembre	Totaux
Agence JOURNIM													
JOURNAL AU TRAVAIL													
JOURNAL LA CROIX													
JOURNAL LE CRI DU SOL													
LE JOURNAL DES DEBATS													
JOURNAL DEMAIN													
JOURNAL L'EFFORT													
JOURNAL FRANC JEU													
REVUE IDEES													
L'INDEPENDANT DU GERS													
JOURNAL LA JEUNESSE													
LA LEGION FRANCAISE													
JOURNAL LE ACT D CADRE													
JOURNAL LE PETIT JOURB													
LE PROGRES DE L'ALLIER													
JOURNAL LE RAIL													
JOURNAL L'ALMANACH													
REVUE DES AMITIES													
REVUE DES AMIES													
COURRIER DE LA CORSE													
ECOLE DE LA PRESSE FRANC													
ASSOC DES JOURNALISTES													
L'ECHO DE LA FRANCK													
JOURNAL SULIT													
LA FRANCE SOCIALE													
JOURNAL LA BRETAGNE													
REVUE ECONOMIE COMPAR													
SEM INTER PARIS JOURN													
AGENCE B-F D'INFORMAT													
JOURNAL LA GERBE													
COMITE DES AMIES NORD													
COMITE AFFRLOCHEVIQUE													
INSTITUT D'ETUDES POLI													
BUREAU B-F D PRESSE													
LA DEPECHE CORSE													
L'ECHO DES ETUDIANTS													
AGENCE PRESSE IMP GRAT													
JOURN EMAGIX													
LA POLITIQUE FRANCAISE													
EDITION BULLETIN FRANC													
RECEVEUR MUNIC DU LAUR													
ASSOC CLE PROPAGANDE													

23 NOV 1943

Pièce de comptabilité du ministère de l'Information du gouvernement du maréchal Pétain : subvention pour l'année 1943. (Photo Echo de la Presse.)

« *L'Homme social* », « *Tu seras orateur* », « *Bourrage et débourrage de crânes* », « *Initiation économique et sociale* », « *Initiation civique* » (en collaboration), « *La maladie infantile des catholiques français* », etc.

FONDS SECRETS.

Fonds spéciaux échappant au contrôle de l'administration et mis à la disposition du chef de gouvernement ou d'un ministre pour lui permettre de rétribuer certains concours. Sous la IIIᵉ République, certains journaux bénéficiaient assez largement de ces subventions secrètes. A la veille de la guerre, un procès retentissant révéla que le président André Tardieu avait fait accorder à un groupement ami des sommes importantes prélevées en 1932 sur les fonds secrets de la présidence du Conseil. Simon Arbelot, ancien chef des services de presse de Vichy, a confirmé que des journaux furent, pendant la guerre, subventionnés par le gouvernement Pétain (« *La presse sous la Francisque* », Paris 1951). Les documents photographiques reproduits dans un ouvrage édité par *L'Echo de la Presse* (« *La presse d'opinion* », par Alcibiade, Paris 1958), ne laissent aucun doute sur la générosité de l'Etat français à l'endroit de journaux qui passaient alors pour les soutiens fidèles du vieux maréchal. (Parmi ces journaux, deux au moins surent faire oublier, à la Libération, les largesses dont il avaient bénéficié en 1940-1942.) Sous la IVᵉ République, ces pratiques furent courantes et les ayants droit nombreux et variés. Avec la Vᵉ République, la vue de certaines feuilles sans lecteurs mais dévouées au pouvoir, suffit à convaincre de la pérennité de cet usage. A l'étranger, les gouvernements utilisent aussi très largement les *fonds secrets* pour réchauffer le zèle de leurs thuriféraires. On a beaucoup parlé, il y a quelques années, des dollars déversés dans certaines caisses de propagande anti-communiste ou proatlantique. On a, de même, fait allusion à l'aide dispensée par la Russie soviétique à ceux qui se montrent compréhensifs à l'égard de sa politique étrangère sans pour autant partager les convictions communistes de ses dirigeants. Sans remonter à la « Belle époque », évoquée dans un ouvrage aujourd'hui fort rare, intitulé « *L'abominable vénalité de la presse* », — où se trouvait reproduite la correspondance du corrupteur en chef du gouvernement tsariste avec de grands journaux français, — on trouve maints exemples de l'emploi des *fonds secrets étrangers* pour intéresser diverses personnalités politiques de la IIIᵉ République à la cause de l'un ou l'autre des Etats nés, en 1919, du dépeçage de l'Empire des Habsbourg. A cet égard, la lecture d'un ouvrage comme celui du Dr Urban est des plus instructives (*Demokratenpresse im Lichte Prager Gemeimakten,* éditions Orbis, Prague 1943).

FONDS SPECIAUX.

Subventions accordées par le gouvernement de Vichy aux groupements, aux journaux, aux organismes soutenant la politique du maréchal Pétain. Ces fonds étaient prélevés sur divers budgets (cabinet du maréchal, présidence du Conseil, Intérieur, Information, etc.). (Voir nos documents photographiques reproduits pages 448 et 450.)

FONTAINE (André, Lucien, Georges).

Journaliste, né à Paris, le 30 mars 1921. Secrétaire de rédaction de *Temps Présent* (1946-1947), puis du *Monde* dont il est actuellement chef du service étranger (depuis 1951). Auteur de : « *L'Alliance atlantique à l'heure du dégel* ».

FONTAINE (Pierre).

Journaliste, né à Colombes (Seine), le 18 mai 1903. Débuta au *Gaulois,* et fut rédacteur en chef de l'*Animateur des Temps Nouveaux.* On trouve ensuite sa signature dans *L'Œuvre, Le Petit Parisien, L'Auto, Paris-Soir,* et une quarantaine d'autres journaux de province et d'outre-mer. Abandonna quelque temps la presse et devint directeur-gérant d'hôtels en Algérie ; puis, ayant repris la plume, publia de nombreux ouvrages, sans toutefois cesser d'écrire pour les journaux et les revues (*Le Charivari, La Nation Française, Rivarol, Défense de l'Occident, La Voie de la Paix, Lectures Françaises,* etc.). Sa tendance se résume en quelques mots : anti-trust et anti-capitaliste de toujours, lutte contre les puissances d'argent fauteurs de guerres et d'injustices sociales, défense de l'Europe blanche, recherche de la vérité dans tous les domaines sans sectarisme, mais sans égard pour les personnes. Ses livres, surtout ceux qu'il a publiés au cours de ces derniers lustres, sont autant de manifestations de ce non-conformisme politique, philosophique, social et économique. Parmi les plus connus citons : « *La guerre froide du pétrole* », « *La nouvelle course au pétrole* », « *La mort étrange de Conrad Kilian* », « *Les secrets du pétrole* », « *Alerte au pétrole franco-saharien* », « *Abd el Krim* »,

PSST...!

Images par **FORAIN CARAN D'ACHE**

PARAISSANT LE SAMEDI

N° 6
12 Mars 1898.

Le NUMÉRO : 10 centimes.
Abonnements : France, 6 fr.; Étranger, 8 fr.

BUREAUX
10, rue Garancière, Paris.

Le Coffre-fort

— Patience!.... Avec ça, on a le dernier mot!

« *Dossier secret de l'Afrique du Nord* », « *U.R.S.S.-U.S.A.* », « *L'heure des paysans* », etc. (Des confusions se produisent parfois entre les Fontaine journalistes : Pierre Fontaine n'a de commun que le nom avec le rédacteur du *Monde*, le présentateur de l'*O.R.T.F.* et le collaborateur d'*Europe magazine*.)

FONTANET (Joseph).

Industriel, né à Frontenex (Savoie), le 9 février 1921. Résistant : rejoignit l'organisation gaulliste en Afrique du Nord après être resté interné en Espagne quatre mois. Conseiller général du canton de Moutiers-Tarentaise (Savoie), depuis le 14 octobre 1951. Secrétaire général adjoint du *Mouvement Républicain Populaire*. Membre du Comité de direction de *Forces Nouvelles*. Ancien directeur du cabinet de Jules Catoire, secrétaire d'Etat à la Santé publique et à la population (1950-1951). Conseiller de l'Union française (1952). Secrétaire de cette assemblée (décembre 1953-janvier 1956). Elu député de la Savoie le 2 janvier 1956, réélu le 30 novembre 1958. Démissionnaire en 1959 pour devenir secrétaire d'Etat à l'Industrie et au Commerce (cab. Debré, 1959). Secrétaire d'Etat au commerce intérieur (cab. Debré, 1959). Ministre de la Santé publique et de la Population (cab. Debré, 1961; cab. Pompidou, 1962). Réélu député de la Savoie en 1962 et en 1967. Les entreprises familiales lui reprochent d'avoir, comme ministre du commerce intérieur, signé, en 1960, la circulaire qui frappait les vieilles marques françaises et favorisait les magasins à prix unique.

FORAIN (Jean-Louis).

Dessinateur (1852-1931). Ce polémiste du crayon fut, avec Caran d'Ache, l'un des grands caricaturistes de l'époque boulangiste et de l'affaire Dreyfus. Léon Daudet, dans ses souvenirs, l'assimile à Maurice Barrès. Il eut, probablement, une influence presque aussi grande sur les nationalistes de son temps. Son trait sobre, souple et vigoureux évoque, dans une même synthèse, la mémère de Daumier et celle de Degas. Ses premiers dessins avaient paru dans *Le Rire*. Il y mettait en scène, avec une verve mordante, les familles Cardinal, les Bouboroche, les femmes du monde et du demi-monde d'une société corrompue, à l'image des institutions. Il fonda, avec Caran d'Ache, un hebdomadaire, *Psst...!*, entièrement dessiné, qui connut un succès inouï. L'un et l'autre y exerçaient leur virtuosité et leurs sarcasmes à l'emporte-pièce contre les partisans de Dreyfus : Salomon Reinach, Zola, le colonel Picquart, le président Loubet... Forain, dont l'esprit féroce s'exprimait aussi bien dans les salons que dans la presse, observait, à propos de la baronne Mulhfeld, israélite récemment convertie : « *Voilà huit jours qu'elle connaît la Vierge et déjà elle l'appelle Marie.* » Attablé au Café de Paris, alors que le directeur du *Matin*, Edwards, dont la maîtresse s'était noyée sous ses yeux dans des conditions mystérieuses, faisait irruption en compagnie d'une nouvelle conquête, il s'enquit de : « *Sait-elle nager, au moins ?* » Pendant la grande guerre, il avait campé deux poilus, enfoncés dans la boue d'une tranchée. « *Pourvu qu'ils tiennent !* » s'inquiétait l'un des soldats. « *Qui ça ?* » questionnait un autre. Réponse : « *Les civils...* ». En 1925, après la victoire du Cartel des Gauches, Forain, âgé de soixante-douze ans, collabora d'un crayon toujours aussi vigoureux, au journal fasciste (hebdomadaire puis quotidien) *Le nouveau siècle*. A la veille de sa mort, alors que son médecin s'évertuait à le persuader que tout espoir n'était pas perdu, il eut ce dernier mot : « *C'est entendu, toubib, je mourrai guéri.* »

FORCE (La) (voir : Hippolyte Martel).

FORCES FRANÇAISES COMBATTANTES (F. F. C.).

Par décision du 25 juillet 1942 prise à Londres par le général De Gaulle, les agents des réseaux de la France Libre opérant en métropole prirent ce nom. Les agents, après avoir souscrit un engagement, bénéficiaient du statut militaire pour les récompenses ou les pensions en particulier. Ils étaient classés en deux catégories selon qu'ils avaient ou non des occupations professionnelles, la discipline étant plus rigoureuse pour les agents sans activités professionnelles.

FORCES FRANÇAISES DE L'INTERIEUR (F. F. I.).

Le *Comité Français de Libération Nationale* dénomma ainsi, en février 1944, l'ensemble des résistants armés qui combattaient en métropole. Les *F.F.I.* devaient regrouper les unités des diverses organisations : l'*Armée Secrète* (A.S.), les *F.T.P.* (qui renâclèrent pour se soumettre), l'*Organisation de Résistance de l'Armée* (O.R.A.). Le général Kœnig prit leur tête (mars 1944) : il devait coordonner leur action et les faire agir en fonction de la tactique

choisie par le commandement allié, à
Londres, Ainsi, pour préparer le débarquement du 6 juin 1944, les *F.F.I.* orga-
nisèrent-elles des sabotages en fonction
de divers plans : le *plan bleu*, pour détruire les réseaux électriques ; le *plan
vert,* pour paralyser les voies ferrées.
Elles prirent part également à divers
combats : en Bretagne (juillet et août
1944, à Paris (18 au 25 août 1944), dans
le Sud-Ouest et le Centre et, enfin, dans
le Sud-Est, après le débarquement de
Provence. Ils furent, ensuite, versés dans
la 1ʳᵉ Armée (De Lattre de Tassigny) et
plus particulièrement affectés à la surveillance des frontières des Pyrénées et
des Alpes et à l'encerclement des poches
de l'Atlantique. Les combattants *F.F.I.*
participèrent ainsi à la recherche des
pétainistes et à leur arrestation. Les
excès commis en 1944-1945 ont fait
l'objet de critiques nombreuses dans la
presse et dans plusieurs livres (« *L'Age
de Caïn* », par Abel ; « *Fifi-Roi* », par
Claude Jamet ; « *Le livre noir de l'Epuration* », etc.)

FORCES FRANÇAISES LIBRES (F.F.L.).

Unités militaires de la Résistance
extérieure, constituées sur les ordres du
général De Gaulle par ceux qui l'avaient
rejoint à Londres après l'armistice de
1940 par lequel l'Angleterre permettait
à *l'homme du 18 juin* de recruter et
d'armer des troupes. Formées à l'origine
par quelques rescapés de Dunkerque et,
surtout, par les légionnaires et les chasseurs alpins revenant de Narwik, leurs
effectifs s'augmentèrent des volontaires
des Antilles et du Pacifique et de deux
régiments d'Afrique Noire. Elles combattirent en Egypte, en Erythrée (Keren),
en Lybie (Koufra et Bir-Hakeim) et,
aussi, en Syrie (contre d'autres Français) sous les ordres des généraux Bros-
set, Legentilhomme, Leclerc, Kœnig et
Larminat. En 1943-1944, les *F.F.L.* furent
amalgamées en Afrique du Nord (ex. à
Témara pour la 2ᵉ D.B.), à l'Armée
d'Afrique (reconstituée par le général
Juin sur l'initiative du général Weygand) : elles formèrent 2 divisions : la
2ᵉ D.B. et la 1ʳᵉ D.F.L. Les *F.F.L.* comprenaient un corps d'*assimilés spéciaux*
(décret du 11 avril 1942) qui exécutaient
des missions spéciales. Les *F.F.L.* comprenaient également des unités navales
(les *F.N.F.L.*) organisées par l'amiral
Muselier (l'« inventeur » de la croix de
Lorraine) avant sa disgrâce, puis par
l'amiral Auboyneau. Il y avait aussi des
unités aériennes (les *F.A.F.L.*) formées
soit par les Britanniques (commandants

Mouchotte et Closterman), soit par les
Soviétiques (Normandie-Niemen, de 1942
à 1945).

FORCES NOUVELLES.

Hebdomadaire démocrate - chrétien,
fondé en octobre 1950. Directeur : Jean
Fonteneau, secondé par Jean-Pierre Pre-
vost, rédacteur en chef, et René Plan-
tade, administrateur. Diffusé auprès des
cadres et des militants du *M.R.P.* (7, rue
de Poissy, Paris 5ᵉ).

FORCES NOUVELLES FRANÇAISES.

Organisation clandestine nationale-
syndicaliste animée par le Dr Bernard
Lefevre en 1962 (voir : *Lefevre*).

FOREST (Pierre).

Médecin, né à Vieux-Mesnil (Nord), le
18 décembre 1899. Membre de la *S.F.I.O.*
Maire de Maubeuge. Conseiller général
du canton Nord de Maubeuge (depuis
septembre 1945). Candidat socialiste aux
élections générales du 2 janvier 1956
(3ᵉ circ. du Nord), bénéficiant de l'investiture de *L'Express*. Battu. Elu député
du Nord (22ᵉ circ.) le 30 novembre 1958
(sous le patronage des gaullistes de gauche). Réélu en 1962 et 1967.

FORT CHABROL.

Nom donné à la résistance qu'opposent à la police des militants politiques
(ou des criminels de droit commun),
barricadés dans un immeuble. Ceci en
souvenir du premier *Fort Chabrol,* organisé par l'antisémite Jules Guérin, en
1899 : retranché avec quelques ligueurs
de son *Grand Occident de France,* dans
l'immeuble occupé par cette ligue anti-
juive, rue Chabrol, à Paris, Guérin tint
tête à la police et à la troupe. Le siège
dura plus d'un mois (du 13 août au 20
septembre). La capitulation du *fort Chabrol* fut suivie d'un procès en Haute
Cour, à l'issue duquel Jules Guérin fut
condamné à dix ans de détention pour
complot.

FOSSE (Roger, Jules).

Agent d'assurances, né à Pavilly (S.-
M.) le 23 septembre 1920. Administrateur de biens et directeur local. Agent
d'assurances. Arrêté et déporté à Buchenwald (1944). Elu député *U.N.R.* de
la Seine-Maritime (8ᵉ circ.) le 25 novembre 1962.

FOSSET (André).

Gérant de sociétés, né à Paris, le

13 novembre 1918. Conseiller municipal (1945-1959), président de la Fédération *M.R.P.* de la Seine (novembre 1957), sénateur de la Seine (depuis 1958).

FOUCHET (Christian).

Diplomate, né à Saint-Germain-en-Laye (S.-et-O.), le 17 novembre 1911. Opta pour le général De Gaulle dès juin 1940 et le rejoignit à Londres aussitôt. Fut successivement, après la Libération : secrétaire d'ambassade à Moscou (1944), puis délégué du gouvernement à Lublin et à Varsovie (1944-1945), envoyé de la France aux Indes et consul général à Calcutta (1945-1947). Gaulliste fidèle, adhéra au *R.P.F.* dès sa fondation, fut membre du Comité directeur et son délégué pour la région parisienne (1947-1951). Elu député *R.P.F.* du 3ᵉ secteur de Paris (1951) et président du groupe *R.P.F.* de l'Assemblée (1953). A l'époque ou gaullistes et mendésistes collaboraient intimement, entra dans le gouvernement Mendès-France et fut ministre des Affaires marocaines et tunisiennes (1954-1955). Lors des élections législatives de janvier 1956, fut officiellement soutenu par *L'Express* (30-12-1955) ; sa profession de foi précisait alors : « *Christian Fouchet soutiendra Pierre Mendès-France, le seul Président du Conseil au patriotisme et à l'ardeur duquel le général De Gaulle ait rendu hommage.* » Ne fut pas réélu et dut attendre le retour au pouvoir du général pour obtenir un poste : en août 1958, fut nommé ambassadeur au Danemark, puis, comme dirent ses adversaires, « *proconsul* » à Rocher-Noir (mars 1962) et, après l'indépendance algérienne, ministre chargé de l'Information du cabinet Pompidou (septembre 1962). Lors de la constitution du 2ᵉ gouvernement Pompidou, l'Education nationale lui fut confiée (décembre 1962). Détient encore ce portefeuille aujourd'hui, malgré les violentes critiques de la presse d'opposition, ou peut-être à cause d'elles.

FOUCHIER (Jacques, André).

Docteur-vétérinaire, né à Mauzé (Deux-Sèvres), le 10 juin 1913. Elu conseiller général en 1951 (réélu en 1958 et 1964). Conseiller municipal, puis maire de Saint-Maixent-l'Ecole. Candidat des Indépendants et Paysans aux élections législatives de novembre 1958, fut élu et s'inscrivit au groupe *I.P.A.S.* de l'Assemblée *nationale*. Réélu contre le candidat *U.N.R.* en novembre 1962 ; inscrit comme *apparenté* au groupe du *Centre démocratique* de l'Assemblée. Réélu en 1967.

FOUET (Paul-Albert).

Avocat né à Savigny-sur-Faye (Vienne), le 20 février 1915. Maire de Roëzé-sur-Sarthe. Sous l'Etat français : chef de cabinet des préfets des Ardennes (1ᵉʳ sep. 1941) et du Pas-de-Calais (6 juillet 1942) ; puis directeur du cabinet dudit préfet du Pas-de-Calais (1ᵉʳ février 1943) et sous-préfet de Segré (17 mai 1943). Le gouvernement provisoire le nomma sous-préfet de La Flèche (19 octobre 1946). Affecté à l'administration centrale du ministère de l'Intérieur (10 janvier 1950). Proche collaborateur du président H. Queuille (1951), du ministre R. Duchet (1951), du ministre Gilbert Jules (1956-1957). Candidat radical-socialiste aux élections du 2 janvier 1956, avec l'investiture de *L'Express*. Battu. Conseiller général de La Suze depuis le 16 mars 1952. Elu député de la Sarthe (3ᵉ circ.), en 1962 (groupe de l'*Entente Démocratique*). Réélu en 1967.

FOUGERE (Henry).

Magistrat, né à Tours (I.-et-L.), le 4 juin 1882. Fils d'un sous-préfet, petit-fils d'un magistrat, père d'un conseiller d'Etat. Avocat à la cour d'appel de Paris (1903-1936), conseiller à la cour d'appel de Douai, de Nancy et de Lyon (1936-1945). Député de l'Indre de 1910 à 1936. Parlementaire républicain indépendant, appartint à l'*Union Républicaine Démocratique*, puis à la *Fédération Républicaine*. Fut au Parlement le défenseur des contribuables et celui des libertés religieuses. Auteur de « *Les délégations ouvrières aux expositions Universelles sous le Second Empire* » et « *Un martyr de la Révolution* ».

FOURCADE (Marie-Madeleine).

Née à Marseille, le 8 novembre 1909, d'un agent des *Messageries Maritimes*, Lucien-Paul Bridou. Mariée en premières noces avec le futur général Edouard Jean-Méric, qui fut candidat *U.N.R.* il y a quelques années et dont elle a cinq enfants. Après divorce (1947), remariée avec Hubert Fourcade, fils du banquier Albert Fourcade. Prit goût au « renseignement » auprès de son mari, au Maroc, où le colonel Méric était officier au S.R. En 1938, fut ensuite employée au service de publicité de *Radio-37* (direction : Marcel Bleustein). Puis devint l'adjointe du commandant Loustaunau-Lacau qui, sous le nom de Navarre, dirigeait une « cagoule » militaire, *L'Union Militaire Française*, et une « cagoule » civile, *La Spirale* (1938-1940) ; elle était, en même temps, la secrétaire générale de la revue du groupe, *L'Ordre National,* dont les articles sur la question juive firent sensation. Après l'armistice de 1940, anima avec Loustaunau-Lacau, puis (après l'arrestation de celui-ci) avec le commandant Faye, le réseau de renseignements « *Alliance* », qui fonctionna en dehors du *B.C.R.A.* gaulliste, directement relié à l'*Intelligence Service* britannique. Arrêtée deux fois, réussit chaque fois à s'évader de prison où la Gestapo l'enfermait. Sous un pseudonyme (« Le Hérisson ») ou sous ses prénoms (Marie-Madeleine), devint l'agent féminin de l'*Intelligence Service* le plus célèbre en France. (*France-Dimanche,* du 30 mars 1947, la qualifie de « *reine des agents secrets* ».) Après la guerre, eut avec le général Alamichel, lui aussi agent secret, une violente altercation au cours de laquelle les deux antagonistes portèrent l'un sur l'autre les plus graves accusations (dénonciation, trahison, etc. (Cf. la presse du 24 mars 1949.) En mars 1945, fonda le *Comité Franco-Britannique Alliance,* qu'elle présida, *et* l'*Amicale du Réseau Alliance* (groupements dissous respectivement en avril 1947 et en septembre 1946, et remplacés par l'*Association Amicale Alliance,* qui groupe les agents de l'*I.S.* de l'ex-réseau *Alliance*). Accusée, par erreur semble-t-il, par *Ce Soir* (3-7-1947) d'avoir appartenu à l'*A.R.C.* (*Action Républicaine des Combattants*) dont le président, de Vulpian, fut arrêté dans l'affaire du « *Plan Bleu* ». Fit partie, en 1957-1958, du groupe qui préparait dans l'ombre le retour du général De Gaulle, et devint l'un des principaux membres de l'*U.N.R.* Participa à la création du *Comité d'Action de Défense Démocratique ;* dirige le *Comité d'Action de la Résistance* et préside (en second) la *Fédération des Réseaux des Forces Françaises Combattantes.*

FOURIER (François, Marie, Charles).

Sociologue, né à Besançon, le 7 avril 1772, mort à Paris, le 9 novembre 1835 [1]. Fils d'un drapier, il fut successivement employé de commerce à Lyon et à nouveau, employé de commerce, cette fois à Marseille. Les vicissitudes connues dans ses affaires lui firent découvrir les tares de la Société : anar-

chie dans l'exploitation des richesses naturelles et la répartition des biens, la division de cette société en classes se livrant un combat incessant. Il définissait le commerce : « *L'art d'acheter trois francs ce qui en vaut six et revendre six francs ce qui en vaut trois.* » Un de ses articles, « *Du Triumvirat continental* », paru dans *Le Bulletin de Lyon,* attira l'attention du pouvoir. Sa « *Théorie des quatre mouvements et des destinées générales* », parue en 1808, préconisait la transformation totale du monde et esquissait l'organisation *phalanstérienne* qui devait assurer le bonheur de l'humanité. En 1822, il publia son « *Traité de l'Association domestique et agricole* », puis en 1829, le « *Nouveau Monde industriel* ». Les dernières années de sa vie sont principalement employées à diffuser ses idées, c'est-à-dire à former son école, et à polémiquer avec Owen et les Saint-Simoniens — notamment dans son livre « *Pièges et Charlatanisme des deux sectes de Saint-Simon et d'Owen* » (1831). Selon Fourier, les passions n'ont d'effets « subversifs » dans notre société que parce que celle-ci est mal organisée. C'est à la société à s'adapter aux passions de l'homme ; tout va de travers parce que c'est le contraire que l'on a fait. Les passions de l'homme étant au nombre de douze essentielles, et pouvant se grouper en huit cent dix caractères différents, en doublant ce nombre on obtient tous les spécimens possibles de caractères. Ces 1 600 personnes environ formeront la *phalange,* unité de base de la société prônée par Fourier. Convaincu de la puissance de l'association, il proposait que chacune de ces *phalanges* s'installât dans un *phalanstère,* au milieu d'« une lieue carrée de terrain » qui lui serait réservée, où selon leurs goûts, les 1 600 membres actifs dudit *phalanstère* s'enrôleraient dans des *séries* de travailleurs diverses. On travaillerait ainsi pour son plaisir et sans effort, et le rendement serait meilleur. Chaque *phalanstérien* aurait droit au minimum vital et le surplus de la production serait divisé en trois parts : l'une (5/12ᵉ), irait au capital, l'autre (4/12ᵉ), rétribuerait le travail et la troisième (3/12ᵉ), rémunérerait le talent. Ce système, étendu au monde entier, donnerait naissance à un unique *Empire universel.* Un essai de phalanstère à Condé-sur-Vesgre ne donna pas les résultats escomptés par son promoteur. Cet échec ne découragea pas ses disciples : Just Muiron, ancien polytechnicien, Pecqueur, Jules Lechevalier et Abel Transon, trois transfuges du saint-simonisme, et Prosper-Victor Considérant poursui-

---

(1) Selon *L'Histoire des Fastes socialistes en France* d'Alexandre Zévaès, T. 1 (Paris 1911) — Le *Larousse du XXᵉ siècle* (Paris 1930) indique : 1837 — Le *Dictionnaire usuel* « *Quillet-Flammarion* » (Paris 1956) porte : 1838 — et le *Dictionnaire des Sciences économiques* (Paris 1956) précise : 10 octobre 1837.

virent son œuvre après sa mort. C'est aux fouriéristes — en particulier aux amis de Considérant — que l'on dût, au lendemain de la Révolution de 1848, la majorité des associations ouvrières qui surgirent à cette époque : les coopératives qu'ils fondèrent alors sont les ancêtres de celles d'aujourd'hui.

FOURMOND (Louis).

Agriculteur-éleveur, né à Saint-Denis-d'Anjou (Mayenne), le 30 octobre 1912. Militant de la *J.A.C.* Président local de la *C.G.A.* Maire de Saint-Fort (depuis la Libération). Candidat *M.R.P.* aux élections de 1951 et de 1956 (Battu). Membre de l'*Alliance France-Israël.* Député *M.R.P.* de la Mayenne (2ᵉ circ.) depuis 1958.

FOURRIER (Marcel).

Journaliste, né à Batna (Algérie), le 11 août 1895, mort dans un accident de la route, près de Saint-Michel-les-Portes (Isère), le 22 avril 1966. D'abord avocat. Co-fondateur de la revue *Clarté,* en 1919, participa par la suite au Mouvement surréaliste avec Aragon et André Breton. Milita dans la Résistance et publia le journal clandestin *Liberté.* A la Libération, le mouvement *Franc-Tireur,* auquel il avait appartenu, lui confia le poste de rédacteur en chef du quotidien qui porta ce nom. Fut l'un des associés-fondateurs de la *Société du journal Franc-Tireur* (1945). Quatre ans plus tard, en octobre 1948, quitta *Franc-Tireur* pour *Libération,* où il exerça les mêmes fonctions jusqu'à la disparition du journal progressiste. Licencié en droit, avait été avocat à la cour d'appel de Paris avant la guerre. Au cours des années 1948-1949, le *Parti Socialiste Unitaire,* petite formation d'extrême-gauche, l'avait compté parmi ses dirigeants.

FOYER (Jean).

Universitaire, avocat, né à Contigné (M.-et-L.), le 27 avril 1921. Conseiller technique des Ministres René Capitant (1944-1945), Paul Giacobbi (1945-1946) et de Henri Longchambon (1946). Inscrit au barreau de Paris (1951), nommé chargé de cours à la Faculté de droit de Poitiers (1961) et professeur à la Faculté de droit de Lille (1955). Participa à la rédaction de la Constitution de 1958. Conseiller technique de Félix Houphouët-Boigny, ministre d'Etat (1958-1959). Proclamé député du Maine-et-Loire en mars 1959. La même année, nommé membre du Sénat de la Communauté et juge à la Haute cour de Justice.

Membre du gouvernement Debré comme secrétaire d'Etat aux Relations avec la Communauté, puis ministre de la Coopération. Garde des Sceaux, ministre de la Justice (cabinets Pompidou). Réélu, entre temps, député du Maine-et-Loire (2ᵉ circ.), en 1962. Réélu en 1967.

FOYER VOSGIEN (Le).

Hebdomadaire modéré d'Epinal (1915-1944), dirigé avant la guerre par le chanoine Litaize que secondait Pierre Christophe. *La Croix de Lorraine* a repris, en 1944, la majeure partie de sa clientèle.

FRACHON (Benoît).

Syndicaliste, né au Chambon-Feugerolles (Loire), le 13 mai 1893. Ouvrier métallurgiste et militant syndicaliste, il adhéra au *Parti Socialiste,* à Marseille, en 1919 et rallia la fraction qui préconisait l'adhésion à l'Internationale communiste. Secrétaire du Syndicat des métaux du Chambon-Feugerolles (1922-1924) secrétaire de l'Union départementale des syndicats de la Loire (1924-1926), secrétaire d'organisation régionale du *Parti communiste* (1926-1928), et membre du Comité central (depuis 1926), secrétaire du parti de 1929 à 1932, il appartint au comité exécutif du Komintern. Secrétaire de la *Confédération Générale du Travail Unitaire* (1933-1936), secrétaire de la *Confédération Générale du Travail* (*C.G.T.*) (1936-1939). Après la dissolution du *P.C.F.,* Benoît Frachon fut le chef du parti clandestin. Il était en même temps le chef de l'appareil syndical, depuis le jour où il avait proposé à la commission administrative de la *C.G.T.* d'approuver « *l'initiative de l'U.R.S.S.* », alors que par 18 voix contre 8 et 2 abstentions, les dirigeants cégétistes condamnaient le pacte germano-soviétique (24.8.1939). Pendant toute la guerre, d'abord favorable à la collaboration germano-soviétique, ensuite résolument opposé à l'hitlérisme, il tenta de *liquider* les syndicats non inféodés au *P.C.F.* dans la résistance. On mit au compte de son groupe la disparition de divers éléments syndicalistes pendant et après l'occupation et l'exclusion de la *C.G.T.* de militants syndicalistes connus pour leur méfiance ou leur hostilité à l'égard du communisme. Grâce à cette épuration, qui priva la *C.G.T.* de cadres de valeur mais non communistes, Benoît Frachon put occuper avec ses amis les leviers de commande de la Centrale syndicale la plus importante de France. L'omnipotence de Frachon y était telle que Léon Jouhaux fut contraint de la quitter. Depuis 1945,

Benoît Frachon est le secrétaire général de la *C.G.T.* et l'un des dirigeants du *Parti communiste français*.

FRACTIONNEL.

Dans la terminologie communiste, le travail *fractionnel* consiste à organiser, au sein même du parti, des groupes d'opposition. Toute critique pouvant nuire à la direction du parti et trouvant des approbations parmi les militants est considérée comme une manifestation de ce travail *fractionnel*.

FRAISSINET (Jean).

Armateur, né à Marseille (B.-du-Rh.), le 22 juin 1894. Fils d'armateur et gendre de l'armateur Cyprien-Fabre, fut président de la *Compagnie Fraissinet* (1927) et gérant de la *Compagnie Cyprien-Fabre* (1941). Nommé par le maréchal Pétain membre du *Conseil National* (23 janvier 1941). Pendant de longues années dirigea le quotidien *Le Méridional-La France* de Marseille qu'il a cédé, récemment, au groupe du *Progrès*, de Lyon. En 1958-1962, fut député des Bouches-du-Rhône, appartenant à la nuance libérale nationale et combattit avec vigueur pour l'Algérie française. Depuis 1963, président d'honneur de la *Compagnie de Navigation Paquet*. Est, en outre : président du Conseil de surveillance de la *Compagnie Chambon*, président d'honneur des *Chantiers et Ateliers de Provence* et de la *Société marseillaise de trafic maritime*, vice-président de la *Brasserie et Malterie Le Phénix*, administrateur de la *Compagnie Delmas-Vieljeux*, des *Raffineries de sucre de Saint-Louis*.

FRAISSINETTE (baron Alexandre de BRUGEROLLE de).

Avocat, né à Palladuc (Puy-de-Dôme), le 28 février 1902. Maire de Saint-Etienne. Conseiller général de la Loire. Pendant l'occupation, arrêté et déporté à Buchenwald, à Mathausen et à Gusen. Collabore à *La Tribune de Saint-Etienne* et à *La Montagne* de Clermond-Ferrand. Elu sénateur *R.P.F.* de la Loire le 7 novembre 1948 et battu le 19 juin 1955. Conseiller général du canton Nord-Est de Saint-Etienne. Député de la 1re circ. de la Loire (1962-1967). Inscrit au groupe du *Centre Démocratique*.

FRAMOND DE LA FRAMONDIE (Marie, Armand, Ernest de).

Docteur en médecine, né à Castillonnès (Lot-et-Garonne), le 5 juin 1886.

Député de la Lozère (1933-1942). Inscrit à la *Fédération Républicaine*. Nommé le 23 janvier 1941 membre du *Conseil National*.

FRANC-JEU. (Voir : Jeunesse de France et d'Outre-Mer).

FRANC-MAÇONNERIE.

Organisation philosophique, hiérarchisée et à caractère secret, dont les membres, qui s'appellent *frères* entre eux, se doivent aide et assistance. Son origine est bien controversée. Charles Bernardin, membre dirigeant du *Grand Orient*, après avoir consulté 206 ouvrages d'auteurs maçons des XVIIIᵉ et XIXᵉ siècles, écrit dans son « *Précis historique du Grand Orient de France* » (Paris, 1909), que 39 origines différentes sont attribuées à la franc-maçonnerie. L'écrivain israélite Bernard Lazare affirme qu' « *il y eut des Juifs au berceau même de la franc-maçonnerie* » (« *L'Antisémitisme* », Paris 1894). Le Dr Isaac Wise prétend que « *la Maçonnerie est une institution juive* » (in *The Israelit*, 3 août 1866) et le *Jewish World* souligne « *tout ce que la franc-maçonnerie doit à ce qui est essentiellement juif* » (22 mai 1924). C'était aussi l'avis de Copin-Albancelli, — du moins avant la guerre de 1914-1918, car ensuite il découvrit que la franc-maçonnerie était d'origine allemande (« *La conjuration juive contre le monde chrétien* », Paris 1909 — *La guerre occulte*, Paris 1925). D'autres auteurs, tel Max Doumic, le frère de l'académicien, lui attribuaient une origine anglaise. Selon les données historiques non contestées, c'est à Londres, en 1717, qu'apparurent les premières loges maçonniques *modernes*. En 1721, on en comptait vingt-quatre, groupées sous l'obédience de la Grande Loge de Londres. Deux ans plus tard, les « *Constitutions des francs-maçons* » étaient établies : elles devaient devenir la « *pierre d'angle* » de l'édifice maçonnique moderne. D'Angleterre, la franc-maçonnerie se répandit en Belgique (1721), en Irlande (1731), en Italie (1733), en Amérique (1733), en Suède (1735), au Portugal (1735), en Ecosse (1736), en Suisse (1736), en Allemagne (1737), en Autriche (1742), au Danemark (1743), en Norvège (1745). Elle s'établit en France en 1721, selon Clavel, et 1725, selon Lalande, ou en 1736 selon Quartier-la-Tente. Quoi qu'il en soit, le duc d'Antin fut nommé « *Grand Maître des Francs-Maçons pour le royaume de France* » en 1738. Mais l'unité maçonnique fut

Intérieur de loge maçonnique

mise à rude épreuve, jusqu'à ce que le duc de Chartres ait été porté à la grande maîtrise du Grand Orient qui s'installa à Paris, rue du Pot de Fer, en 1774. L'année suivante, l'obédience française comptait 257 loges (voir : *Grand Orient*). Beaucoup plus tard furent créées les obédiences concurrentes : *Droit Humain* (1892), *Grande Loge de France* (1894), *Grande Loge Nationale* (1913), Loges françaises des *B'nai B'rith* (1932), *Union Maçonnique Féminine de France* (1945), *Union des Ordres Martinistes* (1958). Dès le 28 avril 1738, le Saint-Siège condamna la franc-maçonnerie. Après l'encyclique, de Clément XII, se succédèrent celles de Benoît XIV (1751), Pie VII (1821), Léon XII (1826), Pie VIII (1829), Léon XIII (1884). Le Saint Office rappela ces condamnations le 20 avril 1949. L'opposition entre l'Eglise et la Franc-Maçonnerie eut, sur le plan politique, des conséquences très graves. Soit parce que cela correspondait à leur idéal, soit parce qu'ils espéraient ainsi réduire à l'im-puissance le catholicisme, leur principal adversaire, les maçons jouèrent un rôle très important dans la préparation de la Révolution, en 1789, dans les insurrections de 1830 et 1848 et dans le mouvement anticlérical de la première moitié de la IIIᵉ République. Depuis quelques lustres, des catholiques libéraux et des maçons chrétiens tentent de rapprocher les deux forces antagonistes. Au récent concile, quelques prélats auraient proposé la levée de la condamnation papale, mais il semble que leur vœu n'ait pas recueilli beaucoup de sympathies à Rome. De même, en dehors de quelques *frères* spiritualistes de la *Grande Loge Nationale,* les maçons français ne paraissent pas avoir abandonné l'anticléricalisme qui fleurissait au temps de Combes. (Bibliographie très abondante ; citons notamment : « *La Franc-Maçonnerie dans l'Etat* » et « *La Franc-Maçonnerie chez elle* », par Albert Lantoine, Paris 1935. — « *Manuel d'histoire de la Franc-Maçonnerie Française* » et « *La Franc-*

Maçonnerie Française et la préparation de la Révolution », par Gaston Martin, Paris 1929. — « *La Franc-Maçonnerie et la Révolution intellectuelle du XVIIIᵉ siècle* », par Bernard Fay, Paris 1961. — « *Les Sociétés de pensée et la démocratie* », par Augustin Cochin, Paris 1924. — « *La République du Grand Orient* », par Henry Coston, Paris 1964.

Voir : *Droit Humain, Grande Loge Nationale, Grande Loge de France, Grand Orient de France.*

FRANC-TIREUR (voir : **Paris-Jour**).

FRANCE.

S'intitulant « *revue de l'Etat nouveau* », cette publication fut créée, à Vichy, pour fixer la doctrine de la Révolution nationale. Elle fut l'une des plus importantes du pétainisme militant. Adressée aux cadres politiques et administratifs de l'Etat Français, elle était suivie avec attention. Le n° 1 de *France* parut en juin 1942. Dirigée par Gabriel Jeantet, ancien chef des *Etudiants d'A.F.* et ancien « cagoulard », et Adrien Bagarry, cette publication s'honorait de la collaboration — plus ou moins régulière — de : André Demaison, Jean de Fabrègues, André de la Far, prof. Louis

INSIGNES ET DECORS MAÇONNIQUES

1. **Tablier de Maître** (3ᵉ degré, Rite Français).

2. **Sautoir du Souverain Grand Inspecteur Général** (33ᵉ degré, Membre du Suprême Conseil du Rite Ecossais).

3. **Sautoir de Chevalier Rose-Croix** (18ᵉ degré) et bijou du même grade placé en pendentif.

4. **Breloque pour Maître** (3ᵉ degré, Rite Ecossais) « **Les Philanthropes réunis** », Loge 66, Grande Loge, Paris.

5. **Cordon du Grand'Elu Chevalier Kadosch** (30ᵉ degré, Rite Français).

6. **Cordon de Souverain Grand Inspecteur Général** (33ᵉ degré, Rite Ecossais).

7. **Breloque pour Maître** (3ᵉ degré, Rite Ecossais).

8. **Tablier de Chevalier Rose-Croix** (18ᵉ degré du Rite Ecossais) XVIIIᵉ siècle.

9. **Bijou de grade capitulaire** (14ᵉ à 18ᵉ degré).

10. **Bijou porté par un haut dignitaire** (33ᵉ). Conseil fédéral de la Grande Loge (Rite Ecossais).

11. **Tablier de Maître** (3ᵉ degré du Rite Ecossais maçonnerie symbolique).

12. **Sautoir de Vénérable de la Loge** « **N° 376, Nouvelle Jérusalem** » — Orient de Paris — Grande Loge de France — Le bijou fixé en pendentif à ce sautoir indique que le titulaire était membre du conseil fédéral de la Grande Loge (Rite Ecossais).

13. **Tablier de Chevalier Rose-Croix** (18ᵉ degré, Rite Ecossais).

Bounoure, Noël de Tissot, secrétaire général du S.O.L., Adolphe de Falgairolle, Paul Rives, Jacques Laurent-Cély (Cécil Saint-Laurent), Pierre Ordioni, Michel Morht, Paul Creyssel, François Mitterrand, Yves Florence (pour la musique), R. Vallery-Radot, Paul Lombard, Georges Riond, Paul Berger, Gilbert Pradet, Jean Vitiano, Pierre Humbourg, Maurice Bouvier-Ajam, président de l'*Institut d'Etudes corporatives et sociales*, Philippe d'Elbée, directeur du *Bulletin des Jeunes* (révolutionnaires nationaux), Armand Lanoux, Jean Savant, etc.

FRANCE (La).

Quotidien de gauche fondé à Bordeaux en 1887. Publia avant la guerre des *leaders* de Vincent Auriol, Edouard Daladier, Marcel Déat, Jacques Kayser, Albert Milhaud, etc. Disparut à la Libération et fut remplacé par la *Nouvelle République de Bordeaux et du Sud-Ouest* (août 1944) qui reprit l'ancien titre, un peu plus tard, tout en conservant le nouveau. Le journal s'appela donc successivement : *La Nouvelle République de Bordeaux et du Sud-Ouest, La Nouvelle République-La France, La France-La Nouvelle République.* Ce quotidien était, avant la guerre, diffusé non seulement dans la Gironde, mais également dans les départements du Sud-Ouest, « *de la Loire aux Pyrénées* ». Actuellement, il publie cinq éditions pour Bordeaux, la Gironde et la Charente-Maritime dont le tirage total atteignait, selon l'O.J.D. (20-5-1964) 98 000 ex. Au conseil d'administration de la *S.A. La Nouvelle République* (capital : 100 000 F) figurent André-Louis Beyler, animateur des *Editions Nuit et Jour* (*Radar, Détective, Rêves, Horoscope,* etc.), président-directeur général, Charles Defreyn, d'origine hollandaise, naturalisé français (12-6-1928), Georges-Eugène-Marie Antoine, Jean Beaulieux et Pierre-Jean Vincent. Malgré les liens très étroits qui unissaient alors les *Editions Nuit et Jour* et André Beyler à la banque de *Saint Phalle,* il ne semble pas que l'entreprise ait été particulièrement florissante. L'assemblée générale extraordinaire du 15 décembre 1958 constatait la perte des trois-quarts du capital. Celles des 21 juillet 1960, 29 juin 1961 et 28 juin 1962 confirmèrent cette perte et décidèrent néanmoins de poursuivre l'exploitation. Depuis le couplage obligatoire de sa publicité avec *Sud-Ouest,* il est probable que ce dernier ait pris une participation importante, voire majoritaire dans la société de *La France* (10, rue Porte Dijeaux, Bordeaux).

FRANCE (La).

Quotidien fondé à Sigmaringen le 26 octobre 1944 par Jean Luchaire, à l'intention des prisonniers de guerre, des travailleurs français du S.T.O. et des militants pétainistes et collaborationnistes réfugiés en Allemagne. Luchaire en assuma la direction secondé par Jacques Ménard, ancien rédacteur en chef du *Matin* et Henri Mercadier, qui en était officiellement le responsable. Y collaboraient Jacques Bouly de Lesdain, de l'*Illustration,* et Eugène Bestaux.

FRANCE (Anatole, François THIBAUT, dit).

Ecrivain, né à Paris en 1844, mort à Saint-Cyr-sur-Loire en 1924. Fit profession de scepticisme et d'ironie, ce qui peut expliquer que, fils de bourgeois (son père était libraire), il fit montre en tout temps d'opinions de gauche, allant jusqu'à s'inscrire au *Parti communiste* — où il ne resta que peu de temps —, alors qu'un de ses meilleurs ouvrages, « *Les dieux ont soif* », est une critique assez virulente des « Grands Ancêtres » de 1793. Dreyfusard, il renvoya au gouvernement sa rosette de la Légion d'honneur pour protester contre la radiation de Zola (l'auteur de « *J'Accuse* »). Malgré quoi, Charles Maurras ne cacha jamais son admiration : « *Tout ce que l'on voudra ! mais d'abord Anatole France a maintenu la langue française et le style, et le goût de l'esprit français.* » On peut retrouver les grandes lignes de son portrait moral dans son héros, l'abbé Jérôme Coignard, candide et retors, jouisseur épicurien avec modération, humaniste et moqueur, sceptique et serein. Ecrivain au style clair et souple, il a écrit de nombreux romans : « *La Rôtisserie de la Reine Pédauque* », « *Les Opinions de Jérôme Coignard* », « *Thais* », « *Le Lys rouge* », et quatre volumes de critique, sous le titre de « *La Vie littéraire* ». Elu à l'Académie française en 1896.

FRANCE-ALLEMAGNE.

Association dirigée par : Jacques Vendroux, député *U.N.R.,* beau-frère du général De Gaulle, président ; André Bussinger, le général Noiret, Marguerite Chartrette, Robert Aeschelmann, Louise de Béa (de l'*O.R.T.F.*), Marcel Colin-Reval (de l'*Union Française du Film*), Armand Kientzi (avocat strasbourgeois), Christian de La Malène, Raymond Mondon, René Radius, Maurice Schumann, Louis Terrenoire, etc.. Créée à l'instigation de l'Elysée lorsque le général

De Gaulle ébaucha sa politique de rapprochement avec le chancelier Adenauer (secrétariat général : 168, rue de Javel, Paris, 15ᵉ). Avant la guerre, existait le comité *France-Allemagne* (Voir : *Cahiers Franco-Allemands*).

FRANCE CATHOLIQUE (La).

Hebdomadaire fondé en 1925 pour servir de bulletin de liaison aux membres et aux sections de la *Fédération Nationale Catholique* du général de Castelnau. Fut, avant la guerre, à la pointe du combat contre la Franc-Maçonnerie (cf. articles signés Verax, pseudonyme de Jean Marquès-Rivière). Est actuellement le grand hebdomadaire des catholiques traditionalistes. Dirigée par Jean de Fabrègues, successeur de Jean Le Cour Grandmaison, son équipe rédactionnelle comprend : Luc Baresta, ancien collaborateur de Jean Madiran, Michel Denis, Georges Daix, Guy Lambert, Alain Palante, L.-H. Parias, G.M. Tracy, R.G. Nobécourt, Camille Rougeron, Jacques Boudet, etc. (12, rue Edmond-Valentin, Paris 7ᵉ).

FRANCE DU CENTRE (La).

Quotidien d'union des gauches fondé à Orléans en 1894. Dirigé avant 1939 par Léon Zay, le père du ministre de la IIIᵉ République assassiné pendant l'occupation. Disparu en 1940.

FRANCE D'ABORD.

« Journal de la Résistance » fondé en 1945. Parut chaque semaine sous la direction du député communiste Roucaute. Aujourd'hui mensuel, est l'organe de l'*Association Nationale des Anciens Combattants de la Résistance* (voir à ce nom), dont l'ancien député communiste Pierre Villon est président. (Administration : 5, rue du Faubourg Poissonnière, Paris 9ᵉ).

FRANCE D'ABORD.

Revue fondée en 1934 (disparue en 1936), pour lutter contre le marxisme et la Franc-Maçonnerie. Directeur : André Lavedan. Principal collaborateur : Philippe Henriot.

FRANCE-DEMAIN.

Magazine de tendance gaulliste, fondé en décembre 1966 sous la direction de Jean Darroux, éditeur, décédé quelques jours après le lancement de cet hebdomadaire. Devait s'appeler *Allez France* : son titre fut changé au dernier moment. (Publications Périodiques Darroux, 8, rue d'Aboukir, Paris 2ᵉ.)

FRANCE ENCHAINEE (La).

Journal antisémite bi-mensuel, dirigé par Louis Darquier de Pellepoix en 1938-1939.

FRANCE DE L'EST (La).

Edition en langue française du *Journal de Mulhouse* (Mülhauser Tagblatt), quotidien modéré fondé en 1884 et dirigé avant 1939 par Charles Morice. Disparu pendant la guerre.

FRANCE EUROPEENNE (La).

Revue bi-mensuelle paraissant à Paris en 1941-1944 sous la direction de Jacques de Lesdain assisté de Robert de Beauplan, rédacteur en chef, et Gérard Boy, chef de publicité.

FRANCE-FORUM.

Revue fondée en 1957 et paraissant huit fois par an. De tendance démocrate-chrétienne, elle est dirigée par Etienne Borne et Henri Bourbon (42, boulevard Latour-Maubourg, Paris 7ᵉ).

FRANCE INDEPENDANTE.

Fondé en 1950, ce journal fut jusqu'en 1961 l'organe officiel du *C.N.I.P.* Son directeur-gérant était alors Roger Duchet, secrétaire général du *Centre*. En 1962, il fut remplacé, comme hebdomadaire des *Indépendants et Paysans*, par le *Journal des Indépendants* et Roger Duchet en fit sa tribune personnelle pendant quelques années.

FRANCE INDEPENDANTE DU SUD-OUEST (La).

Bi-mensuel modéré fondé en mai 1954 et dirigé par Roger Poussin. Jacques Chaban-Delmas, député-maire *U.N.R.* de Bordeaux, en est l'un de collaborateurs. (6, cours Georges - Clemenceau, Bordeaux).

FRANCE INFORMATION.

Bulletin clandestin de l'*Agence Centrale de presse et d'informations françaises,* organisation traditionaliste liée à l'*O.A.S.*

FRANCE-JURA.

Hebdomadaire centre-gauche fondé en 1956. Porte-parole habituel d'Edgar Faure, ministre de l'Agriculture (1, place de la Chevalerie, Lons-le-Saunier).

FRANCE LATINE (La).

Revue trimestrielle animée par Jean Sastre, son directeur - administrateur, qu'assistent Marcel Decremps, rédacteur en chef, et Suzette Vincent, secrétaire générale. Préconise l'union des peuples latins de l'ancien monde et du nouveau. Est l'organe de l'*Union des Ecrivains et Artistes Latins*. Principaux collaborateurs : Louis Amargier, Roger Barthe, Mgr François Ducaud-Bourget, Paul Gache, Berthe Gavalda, Roger Joseph, Jean Lesaffre, Frédéric Mistral neveu, Gustave Thibon, Xavier Vallat, etc. (8, impasse Truillot, Paris 11ᵉ).

FRANCE DE MARSEILLE ET DU SUD-EST (La).

Quotidien fondé le 10 octobre 1944 et absorbé par *Le Méridional*.

FRANCE MODERNE.

Organe officiel de la *Fédération nationale des Républicains indépendants* (voir à ce nom). Paraît chaque mois. (130, rue de Rivoli, Paris 1ᵉʳ.)

FRANCE DU NORD (La).

Quotidien fondé en 1869. Fut sous la IIIᵉ République l'un des piliers du radicalisme à Boulogne-sur-Mer.

FRANCE NOUVELLE.

Hebdomadaire central du *Parti Communiste Français*, fondé en novembre 1945. Directeur politique, François Billoux (qui a succédé à Florimond Bonte, co-fondateur du journal et associé de la S.A.R.L. *France Nouvelle*) ; rédacteur en chef : Jean Coin ; administrateur : André Renard. Son tirage moyen déclaré serait de 74 000 exemplaires (6, boulevard Poissonnière, Paris 9ᵉ).

FRANCE - OBSERVATEUR (voir : Le Nouvel Observateur).

FRANCE PAYSANNE (La).

Journal fondé en 1957 et édité par la *Société d'Edition de la France Rurale*, dont les fondateurs et associés étaient des chefs paysans : Etienne Berthé, conseiller de l'Union Française ; René Blondelle, président de Chambre d'Agriculture, Martial Brousse, ancien président de la C.G.A., président d'honneur de la *Section Nationale des Fermiers et Métayers* (avec André Gauthier, associé de la Société éditrice de l'*Information Agricole*), Omer Capelle, tous trois sénateurs ; Henri Crépin, dit Claude Darcey, journaliste ; Jean Laborde, ancien secrétaire général de la *F.N.S.E.A.*, et Aimé Paquet, ex-*P.S.F.*, députés ; Jean Raffa-

rin, ancien secrétaire d'Etat du Gouvernement Mendès-France ; Marius Gautheron, président de la Mutualité Sociale de Saône-et-Loire ; René Robineau, vétérinaire ; le baron Jacques Roulleaux-Dugage, fils de l'ancien député de l'Orne, avocat, conseiller de l'Union Française ; et Raoul Viaud, vice-président de la *Fédération Nationale des Experts Agricoles*. (Actuellement en sommeil.)

FRANCE PRESSE-ACTION.

Bulletin clandestin publié en 1962 par l'*O.A.S.-Metro*, délégation du *C.N.R.* en métropole.

FRANCE REELLE.

Hebdomadaire fondé en novembre 1951 sous la direction politique du député Paul Estèbe. Jean-Marc Poullain, en assurait la direction effective en étroite collaboration avec son père, l'ancien directeur de la *Vigie de Dieppe*, qui avait présidé, sous le gouvernement du maréchal Pétain, la commission des hebdomadaires de la Corporation de la Presse. La rédaction comprenait : Stéphane Lauzanne, ancien rédacteur en chef du *Matin*, Le Marin (Poullain), Claude Bienne (Claude Jeantet), Jean Maze et la majeure partie des anciens collaborateurs de *Paroles Françaises*. Christian Wolf finançait l'entreprise. Mais en juin 1953, il cessa de la subventionner pour se consacrer au *Centre des Indépendants*. Ce fut la liquidation. Paul Estèbe, qui avait constitué une nouvelle société de gestion, prit la responsabilité politique de l'hebdomadaire qu'il fit dès lors imprimer à Libourne. Michel Trécourt, le marquis de Bourmont et Jean-André Faucher animaient la rédaction. Un désaccord ayant surgi entre le marquis de Bourmont et M. Trécourt, le journal disparut fin 1954. Il fut remplacé par l'*Heure Française*.

FRANCE REELLE (La).

Hebdomadaire royaliste qui s'appela successivement La *Conquête* (Versailles), *Le Militant* et *La Droite*, avant de prendre ce titre. Directeur : Yves des Essarts; Rédacteur en chef : Jean Bertrand (Henry Babize); Administrateur : Léon Gédéon. Collaborateurs : Gabriel Guilbert, René Bailly, Paul Nahon, A. de Goulevitch, Joseph Delest, etc.

FRANCE QUO VADIS.

Magazine illustré qu'animaient Auguste Féval, fils et petit-fils des célèbres romanciers populaires, ancien rédacteur du *Réveil du Peuple* et Jacques Sidos, frère du *leader* de *Jeune Nation*. Collaborateurs : P. Josse, ancien sénateur, Jean Marot, Albert Heuclin, Guy Le Prieur, Pierre Savary, etc. (1952).

FRANCE-REFERENDUM.

Journal gaulliste de propagande paraissant au moment de grandes consultations populaires. En 1958, un numéro spécial de cette feuille fut envoyé aux abonnés de divers grands journaux pour les inciter à voter *Oui*. Les administrations de ces journaux avaient vendu la liste des abonnés au mouvement gaulliste, ou même, dans certains cas, avaient tiré un jeu de bandes à l'adressograph en utilisant les plaques de leurs abonnés.

FRANCE SOCIALISTE (La) (ex-FRANCE AU TRAVAIL).

Quotidien publié à Paris après l'armistice de 1940, qui tenait, à la fois, de *L'Action Française* et de *L'Humanité :* le ton était révolutionnaire et prolétarien, les rédacteurs étaient de droite. Bien que fort mal fait à ses débuts, il obtint très rapidement un gros succès, surtout dans les quartiers populaires et les faubourgs. En août 1940, il dépassait 180 000 exemplaires. Son créateur, Picard, était un avocat qui militait, avant la guerre, à *La Solidarité Française*. Pacifiste, il avait défendu maints militants communistes ou anarchistes poursuivis par le gouvernement en raison de leur hostilité au conflit. Il avait fondé le journal avec l'appui moral de Juliette Gouflet, également avocat, qui avait dans sa clientèle beaucoup de communistes traduits devant les tribunaux militaires pendant « la drôle de guerre ». Charles Dieudonné (Georges Oltramare), ancien député de Genève, en fut le rédacteur en chef, et Jean Drault, compagnon d'Edouard Drumont, le directeur politique. Henry Coston assura, quelques mois, le secrétariat de rédaction (avec Paul Albert, un ancien journaliste de Nancy, et Henri Philippon). Georges Bérard-Quélin le remplaça. La première équipe du journal comprenait Jacques Dyssord (baron de Bellaing), auteur connu. Titayna, grand reporter de la presse à sensation, Sylvain Bonmariage, Saint-Serge, Robert J. Courtine, introduit au journal par Coston, Paul Bénédix, Jacques Ditte, ancien rédacteur en chef de *L'Ami du Peuple*, beau-frère de Paul Reynaud, Robert Meunier (Dumoulin). On y stigmatisait les « *bellicistes de 39* » et les « *responsables de la défaite* ». Coston y menait campagne pour l'amnistie des prisonniers politiques de Daladier et de Paul Reynaud, maintenus en prison

sous Pétain : « *Libérez-les !* » était devenu le leit-motiv de ses articles. La venue de Jean Fontenoy, recommandé — imposé, disait-on — par Pierre Laval amena une transformation complète du journal. Pour les lecteurs de *La France au Travail*, la publication du portrait de Laval sur trois colonnes en première page fit l'effet d'une douche. En deux mois, l'expérience Fontenoy ramena le tirage du journal de 180 00 à 60 000 exemplaires. La plupart des collaborateurs du début disparurent : G. Bérard-Quélin alla créer *Correspondance de Presse*, une excellente agence qui fournit de la copie aux journaux de province de 1941 à 1944 ; Jean Drault devint le principal collaborateur du *Pilori*, puis son directeur ; Henri Philippon entra à l'*Agence Française d'Information de Presse* (A.F.I.P.). Fontenoy quitta au début de l'année 1941 ; Coston, quelques mois plus tard, pour fonder le *Bulletin d'Information*. Jacques Duboin, le théoricien de l'abondance, Eugène Schueller, l'industriel de *Mon Savon* et de *L'Oréal* l'éditeur Bernard Grasset, Urbain Gohier, Lucien Pemjean, le professeur Montandon, Pierre Vigne, secrétaire de la Fédération française des mineurs (C.G.T.), Lucienne Delforge, pianiste réputée, collaboraient alors, par intermittence à *La France au Travail*. Le départ de Fontenoy coïncida avec l'arrivée de deux journalistes qui eurent une influence considérable sur les destinées du journal : Georges Daudet et René Saive. Le premier n'était pas un professionnel, mais le second n'avait rien d'un amateur. Ancien collaborateur d'Emile Buré à l'*Ordre*, connaissait à fond le métier, René Saive fut le conseiller de Daudet, promu au poste de directeur. L'ancienne rédaction fut progressivement éliminée : une nouvelle, composée de journalistes chevronnés, la remplaça en février 1941. Paul Achard devint rédacteur en chef et Elie Richard, chef des informations ; le premier venait de *L'Ordre* et de *Vu*, le second de *Ce Soir*, le quotidien communiste interdit par Daladier en 1939. Le socialisme fasciste de la première équipe céda peu à peu au socialisme démocratique. A tel point que *La France au Travail* se mua, un beau jour (novembre 1941) en *France Socialiste*, sous la direction politique du député René Château. Georges Daudet et René Saive conservèrent leur poste de direction. La rédaction remaniée et dirigée par Robert Bobin se composa presque exclusivement d'hommes de gauche : Eugène Frot, ancien ministre, Paul Rives, député, qui dirigeait à Lyon, *L'Effort*, quotidien socialiste administré par Eugène Gaillard, un ancien du *Populaire*, Gabriel Lafaye, député néo-socialiste, Francis Desphelippon, Camille Planche, Francis Delaisi, Pierre Hamp, R. de Marmande, Félicien Challaye, Claude Jamet, Hubert Lagardelle, Aimé Rey, Marcel Bonnet, Marcel Roy, J. Arnol, etc. *La France socialiste* disparut en 1944.

FRANCE-SOIR.

Quotidien du soir issu du journal clandestin *Défense de la France*, qui parut sous l'occupation à partir de 1941, et dont Philippe Vianney, Daniel Jurgensen, Robert Salmon et Aristide Blank (de la famille des banquiers Marmorosch-Blank, de Bucarest) en étaient les principaux rédacteurs. A la Libération, *Défense de la France* parut en Bretagne sous la responsabilité de l'un des membres du groupe clandestin, Maurice Félut. Puis le journal fut transféré à Paris où il changea bientôt de titre, adoptant celui « plus commercial » de *France-Soir*. Félut devint rédacteur en chef et ses quatre autres amis assumèrent les fonctions de direction et d'administration. Pierre Lazareff, qui revenait des Etats-Unis où il avait passé plus de quatre ans, a raconté comment il fut désagréablement surpris par « *les petits jeunes gens* » qui, ignorant tout du métier, s'étaient emparé de la presse. De cette feuille insignifiante qu'était *Défense de la France*, il fit le plus grand journal français. Il est vrai qu'il avait un modèle, *Paris-soir*, auquel il avait appartenu avant la guerre, et qu'il fut puissamment aidé par la *Librairie Hachette*. Mais avant que celle-ci devienne maîtresse du journal, il y eut des luttes épiques entre les « *petits jeunes gens* » de la clandestinité, propriétaires du titre, et les grands éditeurs du boulevard Saint-Germain et de la rue Réaumur. *France-Soir*, ex-*Défense de la France*, était édité, à l'époque, par la S.A.R.L. dite *Société France Editions et Publications*, fondée le 18 juillet 1945 (par M. Aristide Blank et les 31 autres propriétaires légaux du titre). Au capital de 4 millions de francs, la société avait alors comme administrateurs : Mme Georges Drin, née Joba, Mlles Charlotte Nadel et Jacqueline Pardon (future Mme Jacques Lusseyran), Jean Daniel Jurgensen, Victor Vianney, Robert Salmon et le fondateur, A. Blank. En 1946, la société fusionna avec *Publi-France* (filiale de *Hachette*) laquelle reçut 9 720 actions de la société éditant *France-Soir*. (Jacques Schoeller, fils de l'ancien « patron » des messageries *Hachette* avant guerre, et Pierre Lazareff en étaient les

principaux animateurs.) Pierre Lazareff, engagé entre-temps pour assurer le secrétariat en chef de rédaction, était devenu associé en rachetant, dit-on, les parts de plusieurs fondateurs. Le krach des *Messageries de la Presse Française*, qui se produisit peu après la grande grève de la presse, aurait coûté quelque cinquante millions à *France-Soir*. Pris à la gorge, les animateurs du journal cherchèrent un commanditaire. Ils crurent le trouver en la personne de Marcel Bleustein-Blanchet, qui leur inspirait d'autant plus confiance qu'il était un ancien de la France Libre. En fait, le patron de *Publicis* était le prête-nom ou l'allié du groupe *Hachette*. Bleustein-Blanchet et Schoeller reçurent en compensation certains avantages leur permettant de contrôler non seulement les finances du journal, mais aussi sa direction. Un conflit éclata bientôt entre Blank et les nouveaux arrivants. Un conseil d'administration, réuni le 15 février 1949, décida la révocation de M. Blank, directeur général de *France-Soir*. Ce dernier réagit violemment et ameuta ses amis de la Résistance. Il parla de « *contact impur avec le capita-*

lisme » et fit intervenir la Fédération de la Presse. Dans une motion datée du 17 février 1949, celle-ci constatait les « *modifications consécutives à la pénétration de la Maison Hachette dans la société de ce journal* » qui portaient « *atteinte aux droits collectifs de l'équipe qui a obtenu à la Libération l'autorisation de paraître* ». Fort de cet appui, Vianney et ses amis déposaient une plainte pour « *délit de prête nom* » contre Schoeller, Corniglion-Molinier, Bleustein-Blanchet, Lavalette et la *Librairie Hachette*, ainsi que contre Lazareff et Felut, administrateurs ayant ratifié la cession de parts (jugée illégale) aux dirigeants de la société *Publi-France* (donc à *Hachette*). Au procès qui s'ensuivit l'avocat de la partie adverse révéla que le conseil d'administration de la société (désormais sous le contrôle d'*Hachette*) accusait formellement Blank de malversations. Une commission d'enquête, composée des députés Bichet, Brusset, Thuillier, Verneyras et Guy Desson, reconnaissait dans son rapport que « *l'intrusion du trust Hachette dans une société née de la Résistance est maintenant un fait accompli* » ajoutant que si la firme *Hachette* est devenue majoritaire au sein de la société éditrice de *France-Soir*, « *elle n'a eu qu'à répondre à une invitation* ». On apprit bientôt que les fonds nécessaires à la poursuite du procès contre Bleustein et ses amis et contre *Hachette* avaient été avancés à Blank et Vianney par Chatelain, administrateur (à l'époque) du quotidien *L'Aurore* : en échange des 5 000 000 de francs versés par celui-ci, les plaignants s'étaient engagés à lui céder « *40 % des revenus nets, dividendes, prélèvements, avantages ou intérêts quelconques à percevoir effectivement par eux* » et provenant des parts sociales de la société éditrice de *France-Soir*. Des fonds avaient été fournis également à Blank par le financier Michelson (dont on parla plus tard à propos des postes de radio périphériques) : ce dernier fit même saisir la *Delahaye* de son débiteur pour se rembourser. Le conflit dura des mois. Tout à coup, on apprit par une note publiée dans *L'Echo de la Presse* (30-9-1950) que toutes les instances en cours étaient arrêtées et que les plaignants démissionnaient de la société *France Edition et Publications* et vendaient leurs parts à la société *Holpa*, autre filiale de *Hachette*. L'affaire était terminée. Il fallait maintenant redresser la situation. Pour ce faire, on réunit dans une seule société, la *Franpar*, les deux quotidiens que contrôlait *Hachette* : *France-Soir* et *Paris-Presse*. Le rapport rédigé au mo-

ment de cette union et qui fut présenté à l'assemblée générale extraordinaire du 8 mars 1951 fit apparaître la mauvaise situation financière de *France-Soir* : malgré 700 000 exemplaires quotidiens, l'exploitation avait englouti les trois-quarts du capital de la société éditrice. En publiant le bilan de la société *France Edition et Publications* dans « *Les Financiers qui mènent le mande* », Henry Coston constatait, que l'entreprise était virtuellement en faillite depuis que ce bilan avait été établi. La nouvelle société qui coiffait les deux journaux du soir, la *Franpar*, avait pour fondateurs et actionnaires : la *Société France Edition et Publications*, la *Société Paris-Presse*, la société *Holpa*, Robert Salmon, Henri Massot, P. Lazareff, R. Meunier du Houssoy et Clément Gueymard. *Hachette* détenait aussi 55 % (au moins) de l'entreprise. Le groupe publie — outre *France-Soir* qui tire aujourd'hui à 1 200 000 exemplaires, — *France-Dimanche* (un million 400 000 exemplaires), *Le Journal du Dimanche* (680 000 exemplaires), et *Elle*, la revue féminine (733 000 exemplaires). Le groupe qu'*Hachette* domine (voir : *Librairie Hachette*) est lié à *Régie-Presse*, de Bleustein-Blanchet, qui a la régie exclusive de sa publicité. La direction générale de *France-Soir* est assurée par Robert Salmon et Pierre Lazareff, secondés par Charles Weisskopf, dit Gombault, et Sam Cohen, respectivement directeur et directeur adjoint, qu'entourent : Robert Villers, Louis Chardigny, Serge Maffert, Maurice Delarue, Michel Rapaport, dit Gordey, et Georges Mamy. Jusqu'en 1965, Bernard Lecache dirigeait *Le Journal du Dimanche* avec René Maine. Quant à *Elle*, l'épouse de Pierre Lazareff, Hélène Gordon-Lazareff, en assume la direction. Longtemps considéré comme un journal d'inspiration socialiste, *France-Soir* est aujourd'hui le supporter fidèle — « *inconditionnel* » disent ses adversaires — du général De Gaulle, ce qui provoqua, au cours de ces dernières années, le départ de plusieurs de ses collaborateurs, en particulier de Jean Ferniot. Malgré les tours de force des metteurs en pages et les indiscrétions de Mme Carmen Tessier, il semble que la proportion des invendus ait fâcheusement augmenté depuis quelques années. Selon l'*O.J.D.*, la vente, qui était de 1 119 000 exemplaires en 1957, a fléchi à 1 070 000 en 1960 et à 995 000 en 1965 pour remonter légèrement ensuite (100, rue Réaumur, Paris 2e).

FRANCE-U.R.S.S.

Association favorable au rapprohement franco-soviétique, présidée par le général Petit, sénateur (apparenté communiste) de la Seine, assisté de André Blumel, avocat, ancien collaborateur de Léon Blum, conseiller municipal (apparenté communiste) de Paris, ancien président du *Mouvement contre le Racisme, l'Antisémitisme, pour la Paix M.R.A.P.* Membres du bureau : René Capitant, député *U.N.R.*, président de la Commission des lois à l'Assemblée nationale ; Eugénie Cotton, présidente de l'*Union des femmes françaises ;* Guy Desson, ancien député socialiste, membre du bureau national du *P.S.U. ;* Léo Hamon, *U.N.R.*, ancien sénateur de la Seine ; André Jeanson, vice-président de la *C.F.D.T.* ; le professeur Lacassagne ; l'écrivain Armand Lanoux ; Roland Leroy, membre du secrétariat du *P.C.F. ;* Monique Paris ; André Pierrard, ancien député communiste ; le professeur Roger Portal ; Raymond Schmittlein, député *U.N.R.* de Belfort ; Marcel Champeix, sénateur *S.F.I.O.* de la Corrèze ; et Claude Fuzier, rédacteur en chef du *Populaire,* secrétaire de la Fédération socialiste de la Seine et membre du bureau de la *S.F.I.O.* Plusieurs membres de la *S.F.I.O.* appartiennent au comité national : Debesson, Deixonne, Delabre, Thierry, Fuzier, Gautier, Gazagnes, Girondeau, Klopfstein, Le Savouroux et Pot. Publie une revue, *France-U.R.S.S. magazine,* sous la direction d'André Pierrard (8, rue de la Vrillière, Paris 1er).

FRANCISQUE.

Insigne que portaient les *Francistes* les années 1933-1936. Cet emblème, modifié, devint en 1940 celui de la fidélité au maréchal Pétain. Le *Journal officiel* du 20 décembre 1941 publia un arrêté de Pierre Pucheu, daté du 15 novembre, concernant le « *port de l'insigne constituant un témoignage de fidélité au Maréchal de France, chef de l'Etat* ». Il précisait les caractéristiques de cet insigne : « *Ecusson ayant 16 millimètres de largeur sur 20 millimètres de hauteur et comportant la francisque dessinée sur fond blanc.* » Il ajoutait : « *Le port de cet Insigne (...) est autorisé en tous lieux, notamment dans les établissements et administrations de l'Etat pour tous les fonctionnaires, employés, ouvriers stagiaires et pour les élèves des différentes écoles.* » (Art. 1er). L'art. 3 en réglementait la fabrication et l'art. 4 interdisait tout insigne similaire qui ne répondrait pas aux caractéristiques officiellement fixées. Cet insigne, qui était librement vendu

dans le commerce, pouvait donc être porté par tout le monde. Il ne doit pas être confondu avec la *Francisque,* décoration créée par l'arrêté du 26 mai 1941 (*J.O.* 27-5-1941, p. 2207) et la loi du 16 octobre 1941 (*J.O.* du 21-10-1941, p. 4549), pour récompenser les services rendu à l'Etat français ou à son chef. Cette décoration était accordée par un *Conseil de la Francisque,* présidé par le Grand Chancelier de la Légion d'honneur (décret du 1-8-1942) et composé de douze membres désignés par le chef de l'Etat (art. 3 des statuts, *J.O.,* 24 et 25-8-1942). Le titulaire de cette décoration prêtait le serment suivant : « *Je fais don de ma personne au maréchal Pétain comme il a fait don de la sienne à la France. Je m'engage à servir ses disciplines et à rester fidèle à sa personne et à son œuvre.* » (Art. 2, *ibid.*) Il devait « *présenter des garanties morales incontestées et remplir deux des conditions ci-après* : a) *Avant la guerre, avoir pratiqué une action nationale et sociale et conforme aux principes de la Révolution nationale ;* b) *Manifester depuis la guerre un attachement actif à l'œuvre et à la personne du Maréchal ;* c) *Avoir de*

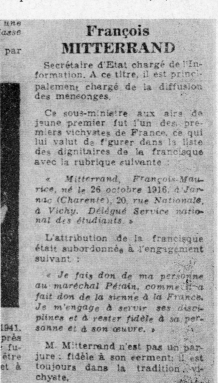

une lasse par

François MITTERRAND

Secrétaire d'Etat chargé de l'Information. A ce titre, il est principalement chargé de la diffusion des mensonges.

Ce sous-ministre aux airs de jeune premier fut l'un des premiers vichystes de France, ce qui lui valut de figurer dans la liste des dignitaires de la francisque avec la rubrique suivante :

« *Mitterrand, François-Maurice, né le 26 octobre 1916, à Jarnac (Charente), 20, rue Nationale, à Vichy. Délégué Service national des étudiants.* »

L'attribution de la francisque était subordonnée à l'engagement suivant :

« *Je fais don de ma personne au maréchal Pétain, comme il a fait don de la sienne à la France. Je m'engage à servir ses disciplines et à rester fidèle à sa personne et à son œuvre.* »

M. Mitterrand n'est pas un parjure : fidèle à son serment, il est toujours dans la tradition vichyste.

Extrait de l'Humanité-Dimanche (14-11-1948)

brillants états de services militaires ou civiques. » (Art. 5, *ibid.*) Enfin, l'article suivant spécifiait que la demande d'attribution devait être « *signée par le candidat et présentée par deux parrains* », qu'un membre du conseil, désigné par le président, ferait un rapport sur le postulant et que la décision concernant sa candidature serait « *prise à l'unanimité des membres présents* », le parrain étant tenu pour responsable de l'admission éventuelle « *d'un candidat ne remplissant pas les conditions morales et civiques requises* » (art. 6, *ibid.*). Au cours d'une cérémonie bien simple, le nouveau promu recevait d'un général délégué par le président du Conseil de la Francisque, en même temps que l'Insigne, dont le numéro était gravé au revers, un document numéroté, signé du chef de l'Etat, attestant qu'il était autorisé au port de la *Francisque*. Quiconque le ferait « *sans pouvoir justifier de cette autorisation* (était) *passible d'une amende de 200 à 1 000 francs* ». Le *Journal officiel* publiait les radiations et les réintégrations. C'est ainsi que parut, dans ses colonnes, le 19 décembre 1942 (p. 4154, 1re colonne) le texte suivant :

CHEF DE L'ÉTAT
*Déchéance du droit
du port de l'insigne
de la Francisque gallique*
Réuni le 11 décembre 1942, sous la présidence du grand chancelier de la Légion d'honneur, le conseil de la Francisque a pris la décision suivante :
« *Sont déclarés indignes de porter l'insigne du Maréchal :*
« *MM. Charles Vallin, ex-député de Paris, Pierre de Leusse, ex-consul de France, à Lugano.* »

Autre texte, concernant cette fois une réintégration :

CHEF DE L'ÉTAT
*Réintégration du droit
du port de l'insigne
de la Francisque gallique*
Le Conseil de la Francisque, réuni le 16 juin 1943 sous la présidence de M. le général Brécard, grand chancelier de la Légion d'honneur, a décidé la réintégration de M. le commandant Baril, maire de Clairac (Lot-et-Garonne).
La décision du conseil, parue au Journal officiel du 26 mars 1943, est annulée.

Ce qui précède réduit à néant les affirmations plus ou moins intéressées de ceux qui ont tenté, soit de minimiser l'importance de la *Francisque*, soit de lui attribuer une valeur exceptionnelle — ce fut le cas de l'hebdomadaire communiste *Action*, qui publia, il y a vingt ans, des listes de titulaires. Le nombre de ces fidèles qui avaient fait « *don de*

leur personne au Maréchal* » et que le chef de l'Etat honorait de sa confiance ne dépassa jamais 5 000. Nombre d'entre eux ont accédé, sous la IVe et la Ve République, à des postes en vue, voire même particulièrement importants, tout comme certains membres du *Conseil National* (voir à ce nom) créé par le maréchal Pétain en janvier 1941.

FRANCISTES (Les).

Mouvement nationaliste fondé en juillet 1933 (ne pas confondre avec le *Parti Franciste* de Marcel Bucard, créé peu après). Principaux dirigeants : Henry Coston, directeur de *La Libre Parole*, René-Louis Jolivet, fondateur de *Brumaire*, Fergus (J. Ploncard d'Assac), des *Comités nationalistes de la Seine*, M.-Ch. Dubernard, René Plisson, R. Franssen, auxquels se joignirent d'anciens « cotystes » (*Solidarité Française*) : Marc Somon, J. Guitton, Reiffenrath, Lucien Durand, Fleury (de la maison *Fleury et Michon*), etc. Organe : *La Libre Parole Populaire*. Dissous en novembre 1934.

FRANCK (Louis, Joseph, Emile).

Né le 28 avril 1906, à Jaffa (Palestine). Fils de Achille Rosenstock et de Mme, née Marie Franck. Par décret du 19-1-1950, a été autorisé à s'appeler Rosenstock-Franck ; puis un décret du 23-9-1955 lui permit de s'appeler Franck. Ancien polytechnicien. Ingénieur en chef des Manufactures de l'Etat. Directeur général des Prix et des Enquêtes Economiques (1949). Membre du Conseil général de la *Banque de France* (1955). Administrateur des *Mines Domaniales de potasse d'Alsace*, de l'*Urbaine-Incendie* et de la *S.N.C.F.* Auteur de divers ouvrages sur la corporation et le fascisme italien. Professeur à l'Institut d'Etudes Politiques de Paris.

FRANÇOIS-BENARD.

Fonctionnaire, né à Paris le 2 février 1917. Inspecteur des Contributions indirectes (Entreposeur spécial des Tabacs). Maire de Vars (depuis 1959). Chef du secrétariat particulier (1948-1950), chef adjoint (1950-1951), puis chef de cabinet (1951) de Maurice Petsche, ministre des Finances et des Affaires économiques, puis ministre d'Etat. Elu député des Hautes-Alpes, le 4 novembre 1951, en remplacement de son ancien « patron » Maurice Petsche. Conseiller général du canton de Guillestre (1951). Réélu député des Hautes-Alpes, comme candidat de Concentration républicaine, avec l'investiture de *L'Express*, le 2 janvier 1956. S'apparenta aussitôt au groupe *U.D.S.R.* Sous-secrétaire d'Etat à la Présidence du

onseil (Energie atomique) (Cab. Bour-
ès-Maunoury, 1957). Battu aux élections
égislatives de 1958, mais élu à nouveau
éputé de la 2ᵉ circ. des Hautes-Alpes de
962. Inscrit au groupe de l'*Entente dé-
nocratique*. Battu en 1967.

RANÇOIS-PONCET (André).

Diplomate et homme politique, né à
²rovins (S.-et-M.) le 13 juin 1887. Fils
l'un conseiller à la cour d'appel de Pa-
is. Agrégé d'allemand, professeur au
ycée de Montpellier (1911), chargé de
onférences à l'Ecole Polytechnique
1913) et journaliste à *L'Opinion*, déta-
hé au Service de presse de l'ambas-
ade de France à Berne (1917-1919),
hargé de mission économique aux
:tats-Unis (1919). Membre de la délé-
ation française à la Conférence de
·ênes (1922), attaché à l'état-major du
énéral Degoutte. Fut plusieurs années
1920-1924), pour le compte du Comité
es Forges, le directeur du *Bulletin Quo-
·idien* de la *Société d'Etudes et d'Infor-
nations Economiques* et appartint au
·omité exécutif de l'*Alliance républi-
·aine démocratique* et du *Parti Républi-
ain Démocratique et Social* (dont il ré-
·igea le programme). Elu député de la
eine (1924, réélu en 1928), sous-secré-
aire d'Etat aux Beaux-Arts, puis à la
·résidence du Conseil (1928), chargé de
Economie nationale, délégué adjoint à
·a Société des Nations (1930-1931). Am-
·assadeur à Berlin (1931-1938), puis à
·ome (1938-1940). Déporté en Allemagne
1943-1945), fut attaché diplomatique au-
·rès du commandant en chef en Alle-
·agne (1948), haut-commissaire puis
·mbassadeur en République fédérale
²Allemagne (1949-1955). Vice-président,
·uis président de la Croix-Rouge fran-
aise et président de la Commission per-
·anente de la Croix-Rouge internatio-
·ale. Président du Conseil français du
·Iouvement européen. Elu à l'Académie
·rançaise, en 1952, au fauteuil du maré-
·hal Pétain (qui l'avait nommé membre
·e son Conseil National, à Vichy, en
941), il fit partie du Comité de Patro-
·age du *Comité Français pour la Défense
·es Droits de l'Homme* (pour l'amnistie
·es pétainistes). Administrateur de la
·ociété Fermière du Figaro et du *Figaro
·ttéraire*, André François-Poncet est
·auteur de nombreux ouvrages, princi-
·alement de souvenirs.

RANCS-TIREURS ET PARTISANS
   FRANÇAIS.

Les *F.T.P.F.* ou *F.T.P.* étaient, sous
occupation, la troupe armée du *Front
National*. Ils étaient surtout composés
d'éléments communistes. Leur participation aux sabotages et aux attentats contre l'armée d'occupation et les partisans
du maréchal Pétain furent nombreux.
Le professeur Marcel Prenant, puis Charles Tillon en furent les chefs. Leur en-
cadrement provenait en grande partie
des anciens des Brigades internationales
qui avaient combattu en Espagne (voir :
Brigades Internationales) et qui désiraient constituer une véritable armée
populaire, d'où leurs démêlés avec les
Français de Londres et les Anglo-Américains, accusés de leur mesurer l'aide
indispensable. Les *F.T.P.* n'acceptaient
que l'autorité du *C.O.M.A.C.* et, malgré
leur intégration dans les *F.F.I.*, ils conservèrent jalousement leur autonomie.
Leur objectif ne semble pas avoir été
uniquement la lutte contre l'Allemagne,
mais aussi d'établir en France un régime
communiste.

FRATERNITE FRANÇAISE.

Organe hebdomadaire du Mouvement
Poujade (voir à ce nom). Directeur :
Pierre Poujade, secondé par Maurice
Lebrun. Publié à Limoges (49, rue
Emile-Zola).

FREDERIC-DUPONT (Edouard, Frédé-
ric DUPONT, dit).

Avocat, né à Paris le 10 juillet 1902.
Fils d'un général. Militant national, ami
des *Jeunesses patriotes*. Conseiller municipal de Paris (1933-1943). Elu député
national de la Seine en 1936. Vota les
pouvoirs constituants au maréchal Pétain (1940). Vice-président du Conseil
municipal (1942). Démissionna en 1943
et entra dans la Résistance. Conseiller
municipal (1945-1947), réélu en 1953 et
1959, conseiller municipal (1945-1947),
réélu en 1953 et 1959, président du Conseil municipal de Paris (20 mai 1953-
4 juin 1954), membre des deux Assemblées constituantes (1945-1946). Participa
à la fondation du *P.R.L.*, adhéra au
R.P.F., puis au groupe d'*Action républicaine et sociale* et à l'*Alliance démocratique*. Député du 1ᵉʳ secteur de la Seine
(1946, réélu en 1951 et 1956), Ministre
des relations avec les Etats associés (cabinet Joseph Laniel, 3-14 juin 1954).
Bien qu'ayant rompu avec les gaullistes
en 1952 pour soutenir le président
Pinay, fit campagne pour le « Oui » en
1958. Membre du Comité directeur des
Indépendants et Paysans, vice-président
de l'Assemblée nationale (1958-1962),
Membre des *Amis de Robert Brasillach*.
Elu, à nouveau, député de Paris (1967).

FRENAY (Henri).

Administrateur de sociétés, né à Lyon (Rhône), le 19 novembre 1905. Fils d'officier et officier lui-même, entra dans la Résistance et fut l'un des fondateurs de l'*Armée Secrète* et du mouvement *Combat*. Appartint à l'Assemblée Consultative et au Comité Français d'Alger en qualité de Commissaire aux Prisonniers et aux Déportés (novembre 1943) puis devint ministre des prisonniers, déportés et réfugiés (gouvernement De Gaulle, 1944-1945). Fut, après la Libération, l'un des fondateurs de l'*Union Démocratique et Socialiste de la Résistance*. Signa, en 1958, le manifeste des gaullistes de gauche, défendit les couleurs de la *Réforme Républicaine* (sans succès) aux élections législatives suivantes (avec l'investiture *S.F.I.O.*) et soutint l'action du gouvernement De Gaulle contre les insurgés d'Alger (Lagaillarde et Ortiz) deux ans plus tard, mais se révéla anti-gaulliste par la suite. Ancien délégué général de Syndicat des producteurs de films est ou a été administrateur de *Cittex*, de la *Sté Européenne d'Etudes et d'Informations* et directeur général d'une filiale d'*Hachette*.

FREVILLE (Henri-Gustave).

Universitaire, né à Norrent-Fontes (P.-de-C.), le 4 décembre 1905. Militant de la *Jeune République,* de Marc Sangnier (1924), Fondateur du groupe rennais d'*Esprit* (1938) et de la fédération bretonne des *Nouvelles Equipes Françaises*. Prisonnier (1940). Libéré sur intervention (1943). Entra dans la Résistance (1944). Nommé par le Comité d'Alger responsable de l'Information clandestine (27-2-1944). Collaborateur de Victor Le Gorgeu, commissaire de la République en Bretagne. Nommé par la Résistance conseiller municipal de Rennes (4-7-1944). Professeur d'histoire économique et institutionnelle à la faculté des lettres de Rennes. Maire de Rennes (depuis 1953). Membre du Comité directeur de l'*Ass. des Maires de France*. Avant guerre, professeur au lycée de Rennes. Nommé directeur régional de l'Information en Bretagne à la Libération. Attaché au Centre national de la recherche scientifique (1945-1948). Retourna au lycée de Rennes en 1948-1949, puis fut nommé chargé d'enseignement, maître de conférences et enfin professeur à la Faculté des lettres de Rennes. Titulaire de la chaire d'histoire économique et institutionnelle (depuis le 1er novembre 1958). Conseiller général du canton nord-est de Rennes (1958). Fit campagne pour le OUI en 1958. Elu député *M.R.P.* d'Ille-et-Vilaine (1re circ.), le 30 novembr 1958. Prit position pour le NON a référendum d'octobre 1962, réélu députe *M.R.P.* en 1962 et en 1967. Auteur d différents ouvrages d'histoire sur l XVIIIe siècle (Grand prix Gobert de l'Académie française en 1955). Membre d *Rotary*. Membre du C.A. de l'*Institu français de Presse* et du *Bureau univel sitaire de Statistiques et de Documenta tion scolaire et professionnelle.*

FREY (Roger).

Cadre administratif, né à Noumé (Nouvelle-Calédonie), le 11 juin 191: Fils d'un haut employé de la Sté L *Nickel* (Rothschild). Fit, avant la guerre un peu de journalisme, notamment *Détective* (1935). Mais se consacra plu spécialement aux affaires dont s'occu pait son père. Engagé en 1940 dans l bataillon du Pacifique. Chargé de mis sion en Extrême-Orient par le gouver nement De Gaulle. Désigné par le *R.P.F* pour siéger à l'Assemblée de l'Unio: Française (1952). Conseiller municipa de Lyon, secrétaire général des *Répu blicains Sociaux* (1955). Ayant gagn l'Algérie après le 13 mai, y organisa avec d'autres gaullistes, le mouvemen en faveur du Général. Membre (officieu. du cabinet du ministre de l'Informatio: (Soustelle), joua un rôle important dan la coordination des divers mouvement gaullistes (*Union Civique*, de Chaban Delmas, *Convention Républicaine*, d Delbecque, *Union pour le Renouvea. Français,* de Soustelle), qui finirent pa fusionner sous le nom de l'*Union pou la Nouvelle République* (U.N.R.), dont i devint le secrétaire général. Nomm membre du Comité consultatif constitu tionnel (août 1958), devint ministre d l'Information dans le gouvernement De bré (1959), puis ministre délégué auprè du Premier ministre (Debré, 1960) e enfin ministre de l'Intérieur (cabinet Debré et Pompidou), fonctions qui son encore les siennes aujourd'hui. Entr temps, fut élu à deux reprises (1962 e 1965) député de la Seine, et céda so siège à son suppléant pour conserve son portefeuille ministériel. Depuis le assauts de l'*O.A.S.* contre la Ve Républi que, est considéré — avec Jacques Foc card et Alexandre Sanguinetti — comm l'un des pilliers essentiels du Régime.

FRIC (Guy).

Médecin, né à Clermont-Ferrand (P de-D.), le 25 juillet 1906. Président d Conseil régional de l'Ordre des Méd cins du Puy-de-Dôme. Prisonnier évad militia dans la Résistance, arrêté déporté à Buchenwald. Ancien militar

.P.F. Fondateur d'un *Comité pour le succès du référendum*, à Clermont. Suppléant de Valéry Giscard d'Estaing (Ind. ays.) nommé membre du Gouvernement, a été proclamé député du Puy-de-ôme (2e circ.) le 9 février 1959. A nouau suppléant de Giscard d'Estaing aux ections législatives de 1962, a été proamé député du Puy-de-Dôme le 7 janer 1963. M. Giscard d'Estaing étant evenu membre du gouvernement (groue *U.N.R.*, 1963-1967).

ROMENTIN (Pierre).

Journaliste, né à Paris, le 16 août 18. Participa à la Résistance. Nommé, près la Libération, administrateur de France d'outre-mer, attaché aux émisons coloniales de la *R.T.F.*, directeur l'Information du Gouvernement géné-l de l'Afrique occidentale française 952-1954). Secrétaire général, puis réacteur en chef du journal parlé de *rance 1*, sous-directeur de l'actualité arlée de l'*O.R.T.F.*

RONT DES COMBATTANTS.

Groupement national (1958) dirigé par an-Georges Maillot, Jean Michaud, oger Vuillemin, le général Touzet du igier, Joseph Brones, général de Renanger, Jean Feuga, etc.

RONT COMMUN.

Groupement fondé en 1933 par Gaston ergery, Georges Monnet, le professeur Langevin et Bernard Lecache pour ssembler les gauches, des radicaux aux ommunistes. Parmi les dirigeants tons, outre les quatre personnalités mmées : Henri Boville (*Féd. de l'Alientation*), Robert Lefèvre (*C.G.T.*), Jean ernier, journaliste, J.-R. Bloch (*Ass. des crivains et Artistes Révolutionnaires*), élicien Challaye (*L.D.H.*), Gabriel Cudet (*Parti Radical*), André Delmas (*Synd. s Instituteurs*), Jean-Claude Favre (*Etuants Socialistes*), Raymond Froideval *.G.T.*), Albert Guigui (*Union des Méniciens*), Georges Izard, avocat, Marcel ms (*L.A.U.R.S.*), Robert Lacoste (*Féd. nérale des Fonctionnaires*), Bernard ecache (*L.I.C.A.*), Julien Le Pen (*Synd. s Monteurs-Electriciens*), Pierre Lévy, liteur, Jean-Victor Meunier (*Jeunesses iiques et Républicaines*), Emile Michel *Parti Radical*), Madeleine Paz, Marceau ivert (*S.F.I.O.*), Jean Sennac (*Fédération ationale des Combattants Républiains*), Henri Sirolle (*Féd. des chemits*), J.-M. Thomas, député, etc.

RONT DEMOCRATIQUE POUR UNE EUROPE FEDERALE.

Groupe de gauche favorable à l'Europe. Présidé par Etienne Hirsch, membre du contre-gouvernement, assisté de Charles Hernu, Marc Paillet, Louis Perillier, Roger Chipot (8, rue de Montesquieu, Paris 1er).

FRONT DES FORCES FRANÇAISES.

Groupe national favorable à l'amnistie des pétainistes. Secrétaire général : Roger Paret. Organisa des réunions avec le concours de Maxence Bearne (Barbarin), Paul Estèbe, Michel Trécourt, Noël Pinelli, Beau de Lomenie, Jean Montigny, etc.

FRONT FRANC

Fondé avant la guerre, *Le Front Franc* fut l'un de ces « petits partis » qui répandaient en 1930-1944 les idées fascisantes et antisémites dans les milieux de droite. Son chef, Jean Boissel, un architecte originaire du Velay, avait eu, en 1914-1918, une brillante conduite au feu : sergent d'infanterie en 1914, officier en mars 1915, chef de corps franc, puis aviateur, 3 citations, 5 blessures, mutilé à 100 %, il était officier de la Légion d'honneur et titulaire des croix de guerre française et italienne. Après avoir suivi quelque temps *La Solidarité Française, Les Francistes* et le *Parti Socialiste National*, il avait créé un groupement, *R.I.F.* (Racisme International Fascisme), puis fondé un journal, *Le Réveil du Peuple* (1936) et *Le Front Franc*, que doublait une *Ligue anti-juive universelle*, patronnée par la veuve d'Edouard Drumont, Jacques Ditte, Jean Drault et Lucien Pemjean. Ses articles contre Léon Blum lui valurent une condamnation sévère : quatre mois de prison sans sursis (1937). Pendant la guerre, en mai 1940, Boissel fut arrêté sur l'ordre de Georges Mandel, ministre de l'Intérieur, en même temps que Charles Lesca et Laubreaux, de *Je suis partout*, et ne fut libéré, avec ses co-détenus, qu'au cours de l'été 1940. Il fit aussitôt reparaître son journal avec la collaboration de Henri Vibert, Henri Faraut, Marc Aurelle (R.-J. Courtine), Auguste Féval, Maurice Laschett, Max Frantel, Simone Mohy, René Gérard, secrétaire général de l'*Institut des Questions Juives*, Lucien Pemjean, Roger Cazy, Paul Le Flem, les dessinateurs God, Moisan, Julhès, Laborne, Frick, etc. Il relança son parti *Le Front Franc*, qui ne parvint à grouper que quelques centaines d'adhérents convaincus et dévoués, mais sans audience. Arrêté après la Libération, Jean Boissel, que ses blessures de guerre avaient singulièrement affaibli, mourut en prison peu après sa condamnation.

FRONT FRANÇAIS (Alger).

Groupement national créé à Alger en 1936 par Henry Coston et René Barthélemy.

FRONT FRANÇAIS (Marseille).

Mouvement fondé en 1935 par Simon Sabiani, adjoint au maire de Marseille, député socialiste indépendant. Après l'adhésion de Sabiani au *P.P.F.* de Jacques Doriot, les éléments du *Front Français* rejoignirent ce parti.

FRONT DE LA JEUNESSE.

Fondé en 1937 par l'avocat Jean-Charles Legrand, directeur du *Défi*. Principaux dirigeants : Jacques Dursort, Marcel Castelle, José Rière, etc. (S'appela ensuite : *Mouvement National-Syndicaliste et Corporatif*). Disparu en 1939.

FRONT NATIONAL.

Avant 1939, ce terme désignait le plus souvent une coalition de partis nationaux ou nationalistes s'opposant au Front populaire (par ex. en France, en 1935). Depuis la guerre, il s'agit le plus souvent d'une organisation groupant des partis et des formations politiques de diverses tendances sous une direction communiste (par ex. dans les pays européens libérés en 1944-1945 par l'Armée rouge). Le *Front national* présente une liste unique aux élections générales et permet ainsi aux communistes d'avoir beaucoup plus d'élus que ne le leur donnerait, par le procédé habituel, le nombre réel de leurs électeurs. Cette organisation a pour tâche principale d'influencer la population dans un sens favorable à la politique communiste. En France, le *Front national,* aujourd'hui disparu, fut créé en 1941, dans la clandestinité. Il tint son premier congrès du 31 janvier au 3 février 1945, et organisa à Paris la réunion des Etats généraux de la Renaissance, avec d'autres organisations résistantes. Fortement influencé par les communistes, qui tenaient les principaux leviers de commande, le *Front national* comptait dans son sein des personnalités modérées qui ne voulaient pas connaître d'ennemis dans la Résistance. Parmi ces *compagnons de route* des communistes, figuraient des membres dirigeants de la vieille *Fédération Républicaine,* de Louis Marin, dont Marin lui-même et son adjoint d'alors Jacques Debû-Bridel, qui appartenaient au bureau du *Front national,* avec le professeur Joliot-Curie (président), Pierre Villon (secrétaire général), Maurice Thorez, le professeur Wallon, tous quatre communistes, l'ancien ministre radical Justin Godart, R.P. Philippe, provincial des Carme Mgr Chevrot, l'académicien Franço Mauriac, démocrates-chrétiens, etc. P la suite, les éléments non communist quittèrent le mouvement, lequel tomba sommeil après avoir aidé à la fondatio du *Mouvement Unifié de la Résistance* Parmi les organisations adhérant à *Front national,* on remarquait, outre Parti Communiste : le *Secours Populai* l'*Union des Femmes Françaises,* le *Sy dicat des Métaux* de la région parisienn diverses fédérations radicales, l'*Unic Nationale des Mutilés et Réformés,* *Front patriotique de la Jeunesse* et qu ques autres groupements. Au cours d années 1944-1945, plusieurs quotidie régionaux se réclamaient du *Front n tional : Les Allobroges,* de Grenob (227 000 ex.), *L'Echo du Centre,* de l moges (35 000), *La Marseillaise,* de Ma seille (180 000), *La Marseillaise,* de Ly (60 000), *La Marseillaise du Ber* (44 000), *Midi-Soir* (30 000), *Le Patrio* de Saint-Etienne (37 000), *Le Patriote,* Nice (55 000), *Valmy,* de Mouli (23 000), *La Victoire,* de Bordeau (25 000), *La Voix de la Patrie,* de Mor pellier (90 000), et deux quotidiens pa siens *Franc-Tireur* (182 000) et *Fro National* (172 000). Ce dernier, fondé 22 août 1944, était en quelque sorte tribune des dirigeants du mouveme Dirigé par Jacques Debû-Bridel qu'ass tait Georges Adam, rédacteur en chef avait pour collaborateurs : Pierre Villo Raymond Millet, Jean Balensi, Lé Treich, Emm. Bourcier, les dessinateu Sennep et Effel, Claude Roy, S. de Giv Albert Meunier, Raymond Queneau, R bert Pimienta, etc. La plupart des jou naux du *Front national* devaient disp raître par la suite, ou devenir, très of ciellement, des organes communistes.

FRONT NATIONAL POUR L'ALGER FRANÇAISE.

Association dissoute, créée au lend main du *Colloque de Vincennes* (196 par des éléments favorables à l'Algér française tenus à l'écart par Jacqu Soustelle et ses amis. « *L'Algérie q paraissait sauvée est de nouveau grav ment menacée. Les mêmes forces de su version, de trahison, de désertion, l mêmes intérêts sordides s'acharnent mutiler le patrimoine national. On sauvera pas l'Algérie, on ne sauvera p la patrie sans briser le Système, s cadres, ses organisations, ses idéol gies.* » Le manifeste, d'où ces lignes so extraites, reçut l'adhésion de nombreus personnalités : Fred Aftalion, ingénie

rbier (Rassemblement d'Action Civi-
e), Raymond Bourgine, François Bri-
eau, journaliste, H. Caillemer, député
e Vendée, E. Canat, député, Collin du
occage, ingénieur, H. Colonna, député,
lien Coudy (Rassemblement d'Action
ivique), Pierre Debray, Jean Dides,
onseiller municipal de Paris, Henri Dor-
eres, délégué général du Syndicat de
éfense Paysanne, Frédéric-Dupont, dé-
uté, A. Frouard, administrateur de la
écurité Sociale (Centre Républicain),
Grousseaud, ancien député, A. Guibert,
vocat (Rassemblement National des ra-
atriés d'A.F.N.), Jacques Isorni, ancien
éputé, S. Jeanneret, journaliste, A. de
acoste-Lareymondie, député, B. Lafay,
ncien ministre, sénateur, A. Laffin, dé-
uté, général Lanusse, Leblanc-Penaud,
élégué général des *Jeunesses Paysannes*
e *France*, B. Le Coroller, avocat, J.-M.
e Pen, député, P. Malaguti, Marcellin,
énateur, P.-E. Menuet, conseiller muni-
ipal de Paris, L. Olivier de Roux (Res-
uration Nationale), général Renucci,
éputé, H. Saint-Julien, Georges Sauge,
ichel Sy, député, J.-L. Tixier-Vignan-
our, M. Trecourt (Comités Civiques),
. Troisgros, ancien conseiller de l'U.F.,
énéral Vesine de la Rue. J.-M. Le Pen
t le colonel Thomazo en étaient les
irigeants.

FRONT NATIONAL DES COMBAT-
   TANTS.

Parti fondé fin 1957 par les députés
emarquet et Le Pen qui avaient quitté
* Mouvement Poujade l'année précé-
ente. « *Considérant que l'ancien com-
attant, citoyen d'élite, a, comme tel, des
evoirs sur le plan civique, nous leur
vons donné l'occasion de mener l'ac-
on résultant de ces devoirs, en particu-
er sur la défense de l'Algérie. Autour
e ce noyau de valeur, le F.N.C. a groupé
us ceux qui ont le droit et le devoir
e préparer l'avenir dans le cadre de
e que sera demain notre pays.* » Ainsi
exprimaient les fondateurs dans leur
ulletin mensuel intérieur, *Le Front Na-
ional des Combattants*, n° 1, janvier
958. Le « noyau » du *F.N.C.* se compo-
ait alors de Roger Delpey, ancien pré-
ident des Combattants d'Indochine, au-
eur de *Soleil des Morts*, J.-M. Le Pen,
Demarquet, Yves Colmant, ancien para-
hutiste, aveugle de guerre, Jean-Pierre
Reveau et René Mantel, qui constituaient
e Bureau National. La propagande du
F.N.C. était faite surtout par le journal
'*Unité* (directeur : J.-M. Le Pen, secré-
aire général : Guy Mougenot) et les réu-
ions. Aux côtés de Le Pen, Demarquet,
Delpey, des personnalités nationales pre-

naient la parole dans les meetings : Jean
Gautrot, président de l'Association générale des Etudiants d'Algérie, Jacques Laporte, ancien président de cette association, le professeur Roger Müller, d'Alger,
Jean Dides, Luciani, Raingeart, Frédéric-
Dupont, députés, Cosso, président du
Comité d'Entente des Anciens Combattants d'Algérie, et même des gaullistes
ardents comme Mᵉ J.-B. Biaggi et Triboulet. Au cours d'une manifestation du
F.N.C., salle Wagram, le 11 février 1958,
un nouveau venu sur la scène politique
prit la parole : Georges Sauge, — « *de
la Centrale Catholique des Conférences* », annonçait l'affiche — qui fit beaucoup parler de lui dans les années qui
suivirent. Le retour au pouvoir du général De Gaulle, favorablement accueilli
par les dirigeants — ils firent d'ailleurs
campagne pour le « OUI à DE GAUL-
LE » — brisa net l'élan du *F.N.C.* Aux
élections de 1958, Le Pen fut réélu sous
l'étiquette des Indépendants et grâce à
l'appui de Frédéric-Dupont, leader des
élus modérés parisiens. Demarquet, par
contre, fut battu ; candidat contre Edgar Faure dans son fief, il tira les marrons du feu pour un autre et permit à
un hôtelier jurassien nommé Jaillon de
ravir le siège de l'ancien président du
Conseil.

FRONT NATIONAL FRANÇAIS .

Groupe stéphanois, fondé en 1947, par
Marcel Billard, puis déclaré à la préfecture en 1956. Son bulletin *Résurrection Nationale* était rédigé par Marcel
Billard (directeur), Louis de Besançon,
Louis-Gérard Doublet, Yves Jeanne, Jérôme Alibert, etc.

FRONT NATIONAL POPULAIRE.

L'une des étiquettes utilisées par le
mouvement Poujade aux élections (employée plus particulièrement aux élections législatives de 1962).

FRONT PAYSAN (Le) (voir : Henri
   Dorgères).

FRONT POPULAIRE.

Entente des communistes avec les autres partis de gauche, préconisé par le
VIIᵉ Congrès de l'Internationale communiste ou *Komintern* de 1935. En France,
cette formation s'appelait officiellement
Rassemblement populaire (voir à ce
nom).

FRONT DU PROGRES.

Parti gaulliste dirigé par Jacques
Dauer, qui animait, au cours des an-

nées 1961-1962, le *Mouvement pour la Communauté,* organisme que le député Abdesselam accusa de collusion avec le *F.L.N.* en Algérie (cf. *Le Monde,* 6-2-1962). Le *Front du progrès* prit la suite de ce *Mouvement* après le Congrès des 4 et 5 avril 1964. Se réclamant à la fois du gaullisme et de la gauche, il rassemble des gaullistes fidèles et des hommes de gauche ralliés au régime. Le *Front* se refusa, cependant, de prendre part à la campagne pour l'élection présidentielle (déclaration du 25-5-1965). A la troisième convention nationale (14 et 15 mai 1966), visant à unir des hommes qui se trouvaient alors dans des camps différents, il déclarait, être « *avant tout une organisation de citoyens libres, adaptée à une période de transition en fonction d'objectifs à long terme* ». *Nous pensons,* dit son chargé de presse, Michel Rodet, que « *les reclassements en cours sont loin d'être terminés et que bien des choses pourront bientôt rapprocher des hommes encore éloignés par les barrières anciennes.* » A cette convention, ouverte sous la présidence du Dr Noël, député-maire de Saint-Maur, participèrent notamment, comme présidents ou rapporteurs de commission : André Philip, Jean de Lipkowski, Yvon Morandat, Gilbert Grandval, René Lucien et Jean Lepètre, du C.N.R.S. *Le Télégramme de Paris* (voir à ce nom) est la tribune des animateurs du *Front du progrès.* En présence de Jacques Dauer, a été constituée, avec d'autres formations gaullistes de gauche, la *Convention de la Gauche Ve République* (voir à ce nom) à la direction de laquelle le *Front* a délégué plusieurs représentants. (B.P. 21-07, Paris 7e).

FRONT REPUBLICAIN.

Regroupement opéré à la veille des élections de janvier 1956 par diverses formations politiques (socialistes, radicaux, gaullistes, etc.) sous le triumvirat Guy Mollet — Pierre Mendès-France — Jacques Chaban-Delmas. Son (relatif) succès électoral permit à ses dirigeants de constituer le gouvernement Guy Mollet. Le *Front républicain* se disloqua quelques mois plus tard.

FRONT REVOLUTIONNAIRE NATIONAL).

En raison du développement du *P.P.F.,* inquiétant pour Pierre Laval — qui était bien le contraire d'un fasciste quoi qu'on ait dit —, son gouvernement favorisait volontiers les mouvements pouvant soit « damer le pion » à Doriot, soit aggraver les divisions dans les milieux politiques parisiens. Il semble bien que l Front Révolutionnaire National ait ét avant tout, une machine de guerre contr les doriotistes dont l'opposition au pr sident Laval s'était beaucoup durci depuis 1942. Il se peut, toutefois, qu nous nous trompions et que le *Front* a été, au contraire, une tentative sincèr de rapprochement des partis de la co laboration. Il est bien certain, de toute façons, que les organisateurs n'avaien en vue, eux, que la réalisation d'un union véritable de divers mouvemen fascistes et fascisants d'alors. Le *Fror Révolutionnaire-National* fut constitué a début de 1943 par le *R.N.P.,* le *M.S.R., l Parti Franciste,* les *Jeunes de l'Europ Nouvelle,* le *Comité d'Action Antibolche vique,* les *Jeunes de France,* les *Groupe Collaboration* et le *Front Social du Tr vail.*

Sa première manifestation eut lieu Paris, salle Pleyel, le 28 février 194 sous la présidence de Henri Barbé, secre taire général du *R.N.P.* et secrétair général, également, du *F.R.N.* A ses côté Claude Planson, du *Parti Franciste* Francis Desphelippon, secrétaire gén ral du *Front Social du Travail,* et Geor ges Soulès, secrétaire général du *M.S.R* prirent la parole.

Le Comité directeur du *Front Révo lutionnaire National* comprenait hui membres : Henri Barbé, secrétaire gén ral, et Marcel Déat, qui représentaient l *R.N.P. ;* Paul Chack, président du *Co mité d'Action Antibolchevique;* Alphons de Chateaubriant, directeur de *La Gerbe* représentant les groupes *Collaboration* Francis Desphelippon, secrétaire gén ral du *Front Social du Travail ;* le doc teur Rainsart, représentant le *Parti Fran ciste ;* Georges Soulès, secrétaire généra du *M.S.R. ;* Lucien Rebatet, rédacteur *Je suis partout.* Ce dernier avait ét choisi en raison de ses tendances parti culière, qui faisaient de lui, en dehor et au-dessus des partis, le représentan des petits, des sans-grade de la Révolu tion nationale. Ni le *P.P.F.,* ni la *Ligu Française* n'avaient adhéré au *F.R.N* Jean Fossati qui, en l'absence de Do riot, alors à la *L.V.F.,* avait paru entra ner le Parti dans cette entreprise, fu publiquement désavoué par le chef d *P.P.F.*

FRONT SOCIAL (PARTI FRONTISTE)

Fondé par Gaston Bergery, ancien dé puté de Seine-et-Oise, radical dissiden avec l'appui de Georges Izard. Princ paux dirigeants : Jean Maze, Félicie Challaye, Hubert Lagardelle, etc. Jour nal : *La Flèche,* hebdomadaire (qui por tait en manchette : «*Pour le rassemble*

ent de tous ceux qui veulent libérer la
rance de la tyrannie de l'argent et de
ingérance des gouvernements étran-
ers. ») Directeur : G. Bergery. Collaboateurs : Jean Maze, Cerf, André Hune-
elle (le futur cinéaste), André Boll,
Marcel Déat, Marcel Raval, Henri Jean-
on, Georges Pioch, J. Galtier-Boissière,
aston Cohen, etc.

RONT SOCIALISTE REPUBLICAIN FRANÇAIS.

Hebdomadaire néo-socialiste fondé en
935 et dirigé par Marcel Déat.

RONT TRAVAILLISTE.

Groupement gaulliste de gauche animé
ar Lucien Junillon, ancien membre du
Comité directeur de la *S.F.I.O.*, Frank
Arnal, ancien député socialiste, et Yvon
Morandat, président des *Houillères du
Nord et du Pas-de-Calais*, se réclamant
officieusement) de Louis Joxe, ministre
u gouvernement Pompidou. Y ont
dhéré diverses personnalités de gau-
he qui comptent amener le régime à
ne meilleure compréhension des aspi-
ations et des besoins de la masse labo-
ieuse. Selon les déclarations de ses
irigeants (cf. *Le Monde*, 11-10-1966),
huit sur dix de ses adhérents viennent
e la S.F.I.O. ou du Parti Communiste ».
26, rue Feydeau, Paris 2e.)

ROSSARD (André, Louis).

Journaliste, né à Colombier-Châtelot
Doubs), le 14 janvier 1915. Fils de
.-O. Frossard (notice ci-dessous). Fut,
vant la guerre, rédacteur à *l'Intransi-
eant* (1934-1936). Après la guerre, diri-
ea la rédaction de *Temps présent*,
e journal démocrate-chrétien qui avait
uccédé à *Sept*, puis collabora réguliè-
ement à *L'Aurore*, dont le directeur,
Robert Lazurick, avait été le protégé et
ami de son père. Sous le pseudonyme
e « *Rayon Z* », publia dans ce journal,
endant des années, un billet quoti-
ien d'un non-conformisme exception-
el. Donnait aussi, autour de 1955, sa
ollaboration régulière à l'hebdoma-
aire d'opposition *Le Bulletin de Paris
France-Documents*). A partir de 1960,
onna des articles à *Paris-Match*. Placé
la tête de la rédaction du *Nouveau
Candide* (4 mai 1961), quitta brusque-
ent *L'Aurore* (13 juin 1962) pour le
Figaro, où il écrit chaque jour son
billet ». A fondé, en 1965, en accord
vec ses amis de l'*U.N.R.*, une petite
evue pamphlétaire avant tout dirigée
ontre l'opposition. Cette évolution, qui

conduisit l'auteur de l' « *Histoire para-
doxale de la IVe République* » à la
rédaction du gaulliste *Nouveau Candide*
et au conformiste *Figaro*, a beaucoup
surpris ses lecteurs et, sans doute aussi,
singulièrement déçu ses amis. Car il fut
un temps où, ces derniers, avaient
autant d'illusions sur la politique (et
ceux qui en font) qu'André Frossard lui-
même. Candidat malheureux dans le
Lot, où il s'était présenté en juin 1951, à
l'ombre d'un grand disparu (Anatole de
Monzie, ami de son père), le « *Rayon Z* »
publiait quelques jours plus tard, dans
L'Aurore, un article où il expliquait
avec un brin d'amertume, « *comment
on se fait battre* » :

« *1° Choisissez un département où
quelque grand homme de vos amis
(Anatole de Monzie ?...) ait laissé nombre de clients et d'obligés qui vous
font l'accueil réservé aux porteurs de
contraintes;*

*2° Récusez tous les partis sans excep-
tion et présentez-vous sans aucune tache
d'investiture ;*

*3° Aux électeurs qui se déclareront
dégoûtés de la politique, parlez morale.
L'effet contraire est assuré ;*

*4° A ceux qui déplorent notre ava-
chissement national, parlez de la France
avec l'élan et la tendresse qu'elle vous
inspire. Emus aux larmes, ils iront en
pleurant voter pour un autre ;*

*5° Que votre sincérité soit évidente,
votre langage sans artifice et votre
désintéressement bien établi.*

*Bref, faites de la politique avec ce
qui sert le plus souvent à faire faillite :
peu d'arithmétique, et beaucoup d'illusions. Ne vous occupez pas du reste : la
défaite et même le cylindrage viennent
tout seuls.*

*Et si vous n'avez pas assez d'humour
pour tirer de la situation les nombreuses
satisfactions personnelles qu'elle com-
comporte, du moins le sourire de vos
bons amis vous dira-t-il, à votre retour,
que vous avez fait quelques heureux.* »

FROSSARD (Oscar, Louis, dit Ludovic-Oscar) .

Journaliste, né à Foussemagne (T. de
Belfort), le 5 mars 1889. Instituteur
révoqué pour activité révolutionnaire, il
milita au *Parti Socialiste S.F.I.O.*, puis
opta pour le *Parti Communiste* à la
scission de Tours (1920). Il fut quelque
temps le secrétaire général de la
*Section française de l'Internationale
Communiste*, comme se proclamait alors
le *P.C.* Exclu du parti en raison de son
appartenance à la franc-maçonnerie —
il fut jusqu'à la dissolution de 1940

membre de la Loge *L'Internationale* avec son ami et protégé Robert Lazurick —, il fonda le *Parti Communiste Unitaire* (1923), puis appartint au Comité central de l'*Union Socialiste-Communiste,* collabora à *L'Unité,* à *L'Egalité,* aux *Cahiers Jauressiens* (1923-1924), avant de réintégrer la *S.F.I.O.* et d'en devenir un membre influent. Elu député socialiste de la Martinique (1928), puis de la Haute-Saône (1932), il démissionna de la *S.F.I.O.* et fit partie de l'*Union Socialiste et Républicaine* fondée par d'anciens militants du *Parti Socialiste* en 1935. Journaliste de talent, rompant volontiers des lances avec l'adversaire pour la défense de ses idées, il anima, dans les années qui précédèrent la guerre, le quotidien *L'Homme libre* et collabora à *La République,* d'Emile Roche. Il donna aussi quelques articles à la presse israélite — probablement en souvenir de sa mère, née Stephanie Schwob, qui avait appartenu à la religion mosaïste — et en particulier à *L'Opinion Juive,* organe de la *Jeunesse Juive.* C'est dans ce journal qu'il écrivait, le 15 mai 1930 : « *Le socialisme doit beaucoup aux Juifs : sa doctrine, avec Marx et Lassalle ; et avec quelques-uns de ses morts les plus glorieux comme Liebknecht et Rosa Luxembourg, les plus beaux exemples du don total de soi qu'il puisse offrir aux générations.* » Il occupa au gouvernement, sous la IIIe République, des postes importants : il fut ministre du Travail (cabinets Buisson, Laval, Sarraut, 1935-1936), d'Etat (cabinet Chautemps, 1938), de la Propagande (cabinet Blum, 1938), des Travaux publics (cabinets Daladier, 1938, 1939, 1940), de l'Information (cabinet Paul Reynaud, 1940) et des Travaux publics et des Transports (cabinet Pétain, 1940). Il vota pour le maréchal Pétain le 10 juillet 1940 et dirigea le quotidien *Le Mot d'ordre,* qui paraissait à Marseille, avec l'appui financier de Vichy (cf. « *La Presse d'opinion* », *L'Echo de la Presse,* 1958). La haine fraternelle et vigilante de certaines dirigeants de la *S.F.I.O.* obligea Frossard à se cacher chez des amis socialistes et radicaux jusqu'à ce que les passions se fussent apaisées. Déclaré inéligible, il se retira de la politique et mourut à Paris, le 11 février 1946.

FROT (Eugène).

Avocat, né à Montargis (Loiret), le 2 octobre 1893. Elu député du Loiret en 1924 comme candidat du *Cartel des Gauches.* Militant *S.F.I.O.* à vingt-cinq ans. Initié le 26 novembre 1926 à la loge *Etienne Dolet,* d'Orléans ; fondateur d la loge *Aristide Briand.* Réélu député e 1928, 1932 et 1936. Plusieurs fois minis tre en 1933-1934.

FRUH (Charles).

Avocat, né à Paris, le 28 mai 1894. Fu successivement : conseiller municipal d Paris, vice-président du Conseil muni cipal et sénateur de la Seine. Elu e réélu en 1959, est inscrit au group sénatorial des *Républicains indépen dants.*

FRYS (Joseph).

Chimiste, né à Tourcoing (Nord), l 8 juillet 1906. Attaché à la direction d la Recherche scientifique. Elu député d Nord (7e circ.) le 30 novembre 1958. E octobre 1959, écrivait, dans une lettr adressée à ses collègues *U.N.R.,* repro duite par *Le Journal du Parlemnt* (8-10) « *Notre devoir est de soutenir le gouver nement, mais pas du tout celui de lu être assujetti.* » Quitta le groupe *U.N.R* mais y resta apparenté (16 décembr 1961). Réélu député en 1962 et 1967.

FUMET (Stanislas).

Homme de lettres, né à Lescar (B.-P.) le 10 mai 1896. Fils d'un compositeu de musique. Fondateur, en 1910, de l revue *La Forge,* puis de la collectio « *Le Roseau d'or* » (avec Jacques Mari tain). Dirigea ensuite les *Editions Des clée-De Brouwer* à Paris. Catholique d gauche, collaborateur de *Sept,* fut l directeur de *Temps Présent* (1937-1940) puis de *Temps Nouveau* (Lyon, 1940 1942). En 1956, entra au conseil d'ad ministration de *La Vie Catholique Illus trée.* Gaulliste de gauche, signa le mani feste des fondateurs du *Comité Républi cain et Démocrate* (gaulliste) en 1958 e entra à l'*U.D.T.* Entre temps, adhér au *Comité Romain Rolland* et à la So ciété Paul Claudel, qu'il présida. Auteu de « *Mission de Léon Bloy* », « *Geor ges Braque* », « *Claudel* ».

FUNCK-BRENTANO (Christian).

Bibliothécaire, né à Montfermei (Seine-et-Oise), le 15 août 1894, mort Rabat, en juillet 1966. Fils de l'historie Frantz Funck-Brentano (notice c dessous). Ancien collaborateur du maré chal Lyautey au Maroc et du généra De Gaulle à Alger, puis à Paris. Fut l'u des fondateurs de la société du journa *Le Monde.*

FUNCK-BRENTANO (Frantz).

Historien, né au château de Munsbach Grand Duché de Luxembourg), le 15 juillet 1862, mort à Paris en 1947. Professeur suppléant au Collège de France, conservateur à la Bibliothèque de l'Arsenal, membre de l'Institut, est l'auteur de nombreux ouvrages, traduits dans la plupart des langues européennes. La liste est trop longue pour qu'ils puissent être tous mentionnés. Citons cependant : « *Légendes et archives de la Bastille* » que préfaça Victorien Sardou, « *Le drame des poisons* », « *L'affaire du Collier* », « *Les nouvellistes* », « *Le Règne de Robespierre* », « *Le Moyen Age* », « *L'Ancien Régime* », etc. Fr. Funck-Brentano est l'un des historiens contemporains qui ont le plus contribué à détruire les légendes du temps passé et à rétablir la vérité historique.

FUSTEL DE COULANGES (Numa, Denis).

Historien et polémiste français, né à Paris en 1830, mort à Messy en 1889. Passionné de vérité, il est un des fondateurs de l'école du pragmatisme historique, qui s'en tient rigoureusement aux faits prouvés et ne les interprète qu'avec la plus grande prudence en les replaçant dans leur contexte. Pour lui, l'histoire est fondamentalement l'étude psychologique de l'homme en société. Dans « *La Cité antique* » (1864), œuvre magistrale devenue classique, après avoir montré que la base de la société est la famille, elle-même fondée sur la religion, il veut « *marquer le rapport intime qui existait entre les institutions des Anciens et leurs croyances* », et il prouve que les variations dans les insti-

Fustel de Coulanges

tutions suivent l'évolution des idées religieuses. Dans « *La manière d'écrire l'Histoire en France et en Allemagne depuis cinquante ans* » (article paru en 1872 dans *La Revue des Deux Mondes*), il s'élève violemment contre les distorsions partisanes de l'histoire à l'effet de calomnier le passé de la France. Il reprendra cette thèse en la développant dans son « *Histoire des Institutions politiques de l'ancienne France* » (six volumes, en partie posthumes, 1875-1892). Combattu avec acharnement par les tenants de l'histoire rationaliste, il eut une influence profonde sur les historiens et sur les idées politiques de l'école nationaliste, en particulier sur Charles Maurras, Jacques Bainville et les disciples de *L'Action Française* et de la *Revue Universelle*. A publié en outre : « *Recherches sur quelques problèmes d'histoire* » (1885), « *Nouvelles recherches...* » (1891). Ouvrages posthumes : « *Questions historiques* » (1893), « *Leçons à l'Impératrice* » (1930).

G

GABRIEL-ROBINET (Gabriel, Lucien ROBINET, dit Louis).

Journaliste, né à Paris, le 17 décembre 1909. Appartient à une famille illustrée par le Dr Jean-François-Eugène Robinet (1825-1899), historien de la Révolution, ami, médecin et biographe d'Auguste Comte, et le Dr Gabriel Robinet, ancien vice-président du Conseil municipal de Paris. D'abord avocat (1932), vint au journalisme (1934) et collabora à *L'Echo de Paris* et à *La Revue des Deux Mondes*. Entra au *Figaro* en 1937 et en devint le rédacteur en chef (1957) puis le directeur (1965). Ancien vice-président de la Société des gens de lettres, est l'auteur de divers ouvrages dont : « *Dorgères et le Front paysan* », « *Blocus à travers les âges* », « *Histoire de la Presse* », « *Je suis journaliste* », « *Journaux et journalistes hier et aujourd'hui* », etc.

GAILLARD D'AIME (Félix).

Homme politique, né à Paris, le 5 novembre 1919. Fils de Pierre-Antoine-Joseph-Félix-Maurice Gaillard et Mme, née Alice d'Aimé (veuve de Pierre Gaillard, s'est remariée avec Jean-Michel Tournaire, dit Renaitour, ancien député de gauche de la IIIe République). Le Tribunal civil de la Seine (1re section) a autorisé, le 24 juillet 1942, Félix Gaillard à ajouter le nom d'Achille d'Aimé, frère de sa mère, mort pour la France, à celui de son père. Marié avec la veuve de Raymond Patenôtre, née Dolorès-Jacqueline-Paule Delépine, le 27 février 1956 (témoin du marié : Jean Lageat,

administrateur d'*Astra*, filiale d'*Unilever*). L'année suivante, *Paris-Presse* (26 novembre 1957) publiait cette information : « *New York, 25 décembre. — Mme Dolorès Gaillard, femme du président du Conseil héritera d'un peu plus de deux cents millions de francs, représentant le cinquième des biens évalués à environ un milliard deux cents millions de francs Gaillard laissés, taxes déduites, par son premier mari, le sénateur Raymond Patenôtre, décédé le 19 juin 1951, apprend à New York le correspondant du journal britannique Daily Telegraph.* » F. Gaillard fonda, en 1939, une revue, *Liens*, avec ses amis Cl. Bernac et Jean Dutourd, chez l'éditeur Debresse ; il signait : Bernard Le Griffon. Devenu inspecteur des Finances choisit ensuite d'autres occupations. Membre du Comité financier du *C.N.R.* (1944). Adjoint d'Alexandre Parodi, délégué général de la Résistance (1943-1944). Directeur du cabinet de Jean Monnet, commissaire général au plan (1945-1946). Elu député de la Charente à la 1re Assemblée nationale (1946-1951). Réélu le 17 juin 1951. Sous-secrétaire d'Etat aux Affaires économiques (cabinet Schuman, 1948). Secrétaire d'Etat à la Présidence du Conseil (cabinet Pleven 1951-1952). Secrétaire d'Etat à la Présidence du Conseil et aux Finances (cabinet Edgar Faure, 1952 ; Pinay, 1952). Secrétaire d'Etat à la Présidence du Conseil (cabinet René Mayer, 1953). Président de la Commission de l'Economie générale et du Financement du Commissariat général du plan (avril 1953). Président de la délégation française à la conférence de Bruxelles sur le Marché commun et l'Euratom (1955). Réélu député radical le 2 janvier 1956. Ministre des Finances, des Affaires économiques et du plan (cabinet Bourgès-Maunoury, 1957). Président du Conseil des Ministres (1957-1958). C'est à cette époque qu'il intervint personnellement en faveur de la détaxation de la margarine ; fut alors accusé d'avoir voulu plaire à son ancien témoin de mariage, administrateur d'*Astra*. Fit l'objet de nouvelles attaques de la part du député Jean Legendre (cf. *Aspects de la France*, 17 et 31-1-1958) à propos de subventions jugées abusives aux producteurs de Cognac. Jouissant de la confiance des radicaux, fut porté à la présidence du *Parti Républicain Radical et Radical-Socialiste* le 14 septembre 1958 (et le demeura jusqu'en octobre 1961). Rallié en mai 1958 au général De Gaulle, fit voter OUI en septembre de la même année, puis approuva officiellement la politique algérienne du Président (*Le Monde*, 6-10-1959). Ce n'est qu'en 1962 qu'il prit du champ et entra dans une prudente opposition. Réélu en 1958, 1962 et 1967, est toujours député radical de la Charente (2e circ.) et est inscrit au groupe de la *Fédération de la Gauche dém. et soc.*

GAIT (Maurice).

Journaliste, né à Marseille en 1909. Ancien élève de l'Ecole normale supérieure, diplômé des Sciences politiques, professeur agrégé. Fut, avant la guerre, le collaborateur d'Anatole de Monzie et l'un des membres actifs des *Amis de la Flèche* (de Gaston Bergery). Après l'armistice de 1940, chef puis directeur du cabinet d'Abel Bonnard, ministre de l'Education natiaonale (1942-1943). Fut ensuite commissaire général à la Jeunesse (1944). Ayant abandonné l'enseignement pour le journalisme est, depuis le début, rédacteur à *Rivarol* et, depuis plusieurs années, son rédacteur en chef et éditorialiste. Sous le pseudonyme de Fabricius Dupont, a publié, il y a plusieurs lustres, « *Le manifeste des Inégaux* ».

GALARD (Hector, René, Charles de).

Journaliste, né à Paris, le 30 mars 1921. Fils du marquis Gérard de Galard-Saldebru, dit de Galard L'Isle (et lui-même marquis depuis la mort de ce dernier, survenu en 1954). Est le seul journaliste de la gauche qui puisse se flatter de descendre de Henri IV, par Louis XIII et du duc d'Orléans, ainsi que de Louis XIV, par Mlle de Blois, son bisaïeul Louis-François-Hector, comte de

Galard-Saldebru (1829-1904) ayant épousé Marie-Laure de Ségur, descendante du régent Philippe d'Orléans (1682-1753) et de l'actrice Christine-Charlotte Desmares (1702-1785). Fut rédacteur diplomatique à *Combat* (1947-1950) et administrateur de l'agence de presse *La Page internationale* (1947-1957). Militant du socialisme de gauche, figure parmi les associés de la société du *Nouvel Observateur*. Etait, depuis 1959, rédacteur à *France-Observateur*. Epousa en 1954 la fille du comte de Gourcuff et devint peu après le rédacteur en chef de l'hebdomadaire progressiste jusqu'à sa transformation en *Nouvel Observateur*. Actuellement : rédacteur en chef de *La Nef* (la revue de Mme Lucien Faure, femme du ministre Edgar Faure) et rédacteur en chef adjoint et membre du Comité de direction du *Nouvel Observateur*.

GALLIMARD (Gaston).

Editeur, né à Paris, le 18 janvier 1881. Fils d'un riche collectionneur de Renoir, propriétaire de l'*Ambigu-Comique*. Fut dans sa jeunesse le secrétaire de l'auteur de comédies boulevardières Robert de Flers, Directeur général de la *N.R.F.* la fameuse maison d'éditions, qui publiait la *Nouvelle Revue Française* jusqu'en 1944 (sous la direction de Drieu La Rochelle), et qui publie aujourd'hui, la *Nouvelle Nouvelle Revue Française*. Commandita, avant la guerre, l'hebdomadaire *Marianne*. Sa maison, étroitement liée à *Hachette*, contrôle les *Editions Denoël* et a des intérêts importants dans les *Editions de la Table Ronde*.

GALTIER-BOISSIERE (Jean).

Journaliste, né à Paris, le 26 décembre 1891, mort à Paris également, le 21 janvier 1966. S'affirmant homme de gauche, il avait, après son père, rejeté le titre de comte hérité de ses ancêtres (son grand-père, Pierre Galtier-Boissière, se disait comte Pierre Galtier de la Boissière-Mazarin de Montagnol-Rivesalte, baron de Versols). De la guerre de 1914-1918, qu'il avait faite avec courage, il avait rapporté deux passions : celle de la paix et celle de la vérité. Aussi, ce non-conformiste s'attaqua-t-il avec autant d'ardeur aux imbéciles et aux tricheurs de la Gauche et du Centre qu'à ceux de la Droite. Il prenait aussi volontiers pour cibles les trafiquants et les imposteurs. Son *Crapouillot*, jusqu'au jour où il fut lié aux éditions de *La Jeune Parque* (intérêts *Hachette*), publia des numéros spéciaux particulièrement percutants. Avant la dernière guerre, il collabora au *Canard Enchaîné*, à *La Flèche*, au *Merle Blanc* et à maintes publications de gauche où son non-conformisme pouvait se donner libre cours. Pendant l'occupation, il publia quelques articles dans *Aujourd'hui*, dont son ami Henri Jeanson avait eu l'idée avec Roger Capgras et qui venait d'être créé. Après la Libération, ses livres ne furent pas tendres pour ceux qui s'étaient engagé dans la collaboration franco-allemande, mais il ne comprit pas que l'on fusillât les journalistes et les écrivains qui avaient défendu leurs idées, et que l'on épargnât les constructeurs du mur de l'Atlantique et les fournisseurs de l'armée allemande, qui s'étaient enrichis en renforçant le potentiel militaire allemand. Il l'écrivit dans une série d'articles de *L'Intransigeant* et le répéta bien souvent dans le *Crapouillot*, d'ailleurs interdit par Daladier en 1939, en raison de son pacifisme ; ressuscité après la Libération, ce dernier fut, à partir de 1950, le point de rencontre d'écrivains et de journalistes de tout bord, qui y publiaient en toute liberté des études fort désagréables pour les gens en place. Cet « anarchiste bourgeois », comme l'appelait *L'Humanité*, fut aussi « *le Saint-Simon de notre époque* », selon le mot de Marcel Pagnol. Il a réuni dans ces dizaines de fascicules illustrés une documentation qui aidera les Français de l'an 2000 à comprendre la politique française d'aujourd'hui. Publia également : « *Mémoires d'un Parisien* », « *Mon journal pendant l'occupation* », « *Mon journal depuis la Libération* », « *Mon journal dans la drôle de paix* », « *Mon journal dans la grande pagaïe* », ainsi qu'un roman, dont la presse conformiste n'a pas parlé, en raison de son esprit indépendant et frondeur : « *Trois héros* ».

GAMBETTA (Léon, Michel).

Homme politique (1838-1882). Né à Cahors d'un père gènois (que Drumont disait d'origine juive et qui se serait appelé Gamberle), il fit son droit et s'inscrivit au barreau de Paris. Il aborda la politique en plaidant, en 1868, pour Delescluze, accusé d'avoir ouvert une souscription pour un monument au député Baudin, tué sur les barricades en 1851. « *Ce garçon a beaucoup de talent*, dit l'Empereur au lendemain du procès. *N'y a-t-il pas moyen de le calmer ?* », Elu en 1869 député de Belleville et de Marseille, Gambetta s'imposa aussitôt comme l'un des leaders de l'opposition républicaine. A une époque où la Franc-Maçonnerie était une puissance en même temps qu'un prodigieux bouillon de culture, Léon Gambetta se fit initier à la Loge « *La Réforme* » de Marseille (1869). Mis à la tête du Gouvernement né de l'insurrection du 4 septembre 1870 qui renversa l'Empire, il quitta en ballon Paris assiégé par les Prussiens et installa le gouvernement de la Défense nationale à Tours, puis à Bordeaux. Ne pouvant accepter une défaite qui était humiliante pour la jeune République et qui donnerait l'occasion aux conservateurs de ressaisir les rênes du pouvoir, il refusa, après la reddition de Bazaine, la capitulation devant l'envahisseur et préconisa la résistance à outrance. Thiers l'accula à la démission : « *C'est un fou furieux* », disait de lui le futur premier président de la République. Réélu député en 1871, dans neuf circonscriptions, il opta pour le département du Bas-Rhin, vota contre les préliminaires de paix et donna sa démission du Parlement. Il fut aussitôt réélu dans la Seine et les Bouches-du-Rhône. Chef de l'opposition, il se consacra à consolider le parti républicain chancelant et, à ce titre, peut être considéré comme le père de la III⁰ République et le fondateur du radicalisme contemporain. Après les élections de 1876, qui amenèrent au Palais-Bourbon une majorité de républicains, il se fit le champion de la lutte contre le maréchal Mac-Mahon, président de la République. Sa fameuse apostrophe à l'adresse du chef de l'Etat invité à « *se soumettre ou se démettre* » lui valut une condamnation à trois mois de prison. Mais après les élections d'octobre 1877, le maréchal dût se soumettre et lorsque le président Grévy, lui aussi franc-maçon, le remplaça à l'Elysée (1879), Gambetta devenu président de la Chambre, s'employa à faire voter l'amnistie des communards et, malgré sa fameuse déclaration de guerre au « *cléricalisme ennemi* », tendit à apaiser les esprits. Dès lors, une partie de ceux qui l'avaient soutenu le lachèrent : on admirait le grand orateur républicain, mais on n'acceptait pas son programme « opportuniste ». Péniblement réélu à Ménilmontant, après un ballotage à Charonne (1881), il redevint cependant président de la Chambre, puis chef du gouvernement (14 novembre 1881). Mais l'une après l'autre, les personnalités présenties s'étaient dérobées, et il avait dû faire appel à des hommes politiques de second plan. « *C'est donc ça, votre Grand Ministère* », lui aurait dit Jules Grévy méprisant. En fait, la Maçonnerie militante, celle qui comptait établir solidement le régime républicain, ne vou-

it plus de cet homme tenté par une
politique d'autorité, qui proposait une
révision de la Constitution et voulait
imposer le scrutin de liste. Les radicaux
les plus sectaires ne lui pardonnaient
pas d'avoir refusé de prendre, contre les
établissements religieux des Colonies,
des mesures qui visaient ceux de la
métropole : « *L'anticléricalisme*, leur
avait dit Gambetta, *n'est pas un article
d'exportation.* » Finalement renversé
(janvier 1882), Gambetta rentra dans le
rang, se consacrant plus particulièrement à la direction de *La République
française* qu'il avait fondée. A la fin
de novembre, le bruit se répandit que
Gambetta s'était blessé à la main d'une
balle de revolver dans sa propriété des
Jardies, à Ville-d'Avray. Le « drame des
Jardies » ne fut jamais élucidé : officiellement, le tribun est mort d'une
maladies intestinale. Il n'avait que quarante-quatre ans.

COLLECTION FELIX POTIN

GAMBETTA

GAMBON (Charles, Fernand).

Homme politique (1820-1887). Milita
dans les milieux républicains sous la
monarchie de Juillet et fut suspendu de
ses fonctions de magistrat. Elu député
de la Nièvre (1848), condamné par la
Haute Cour pour sa participation à
l'échauffourée des Arts et Métiers
(13 mai 1849), interné au pénitencier
de Corte et amnistié dix ans plus tard.
Prêchant le refus de l'impôt, ses biens
furent saisis par le fisc, mais, mis aux
enchères, ils ne trouvèrent pas d'acquéreur dans tout le pays. C'est l'histoire
de la *Vache à Gambon* popularisée par
Henri Rochefort qui ouvrit une souscription pour racheter l'illustre bovin.
Elu en 1871 député de la Seine, participa activement à la Commune, puis
s'exila en Suisse. Condamné à mort par
contumace, puis amnistié en 1879, rentra en France et rédigea avec Félix Pyat
le journal de la Commune. Elu député
de Cosne en 1882, fut battu en 1885.

G. A. R.

Les *Groupes d'Action et de Résistance*
furent constitués, sur l'initiative du
P.S.U., en février 1962. Des conversations avaient eu lieu le mois précédent
entre le *P.S.U.*, la *S.F.I.O.*, des radicaux,
l'*U.D.S.R.*, la *Ligue des Droits de
l'Homme*, la *L.I.C.A.*, l'*U.N.E.F.*, la *Gauche européenne*, la *Ligue pour le Combat Républicain* et divers syndicalistes en vue

de constituer des *commandos d'auto-
défense*. Mais ces pourparlers n'eurent
aucune suite, le *P.S.U.* désirant aussi la
participation des communistes et de la
C.G.T. que les socialistes *S.F.I.O.* et les
syndicalistes *F.O.* rejetaient. Finalement,
c'est le *P.S.U.* qui organisa ces *commandos* et le service de renseignements qui
devait guider leur action. Des *groupes*
de cinq hommes furent constitués avec
l'appui de syndicalistes *C.G.T.*, *F.O.* et
C.F.T.C. et de membres de la *Fédération
de l'Education nationale*. Six *commandos* formaient une trentaine (le mot
sigar — six *G.A.R.* — avait été, un
moment retenu, mais on lui préféra
trentaine, pour éviter le ridicule d'un
jeu de mots facile). Leur rôle consista
à intimider l'adversaire par des inscriptions sur les murs et des signes sur les
maisons habitées par des partisans de
l'Algérie française, soupçonnés de sympathies pour l'*O.A.S.* Soit que les membres de ces *G.A.R.* aient outrepassé les
consignes de leurs chefs, soit que de
mauvais plaisants se soient substitués à
eux, des militants Algérie française
reçurent des menaces par téléphone ou
par lettre anonyme. Quelques manifestations eurent lieu devant le domicile de
diverses personnalités de droite. D'autre
part, quatre affiches de grande dimension reproduisant les photographies de
l'identité judiciaire des clandestins,
dénoncés comme les « *tueurs de
l'O.A.S.* », furent placardées dans Paris.
Un numéro spécial de *Tribune socialiste*, paru le 17 novembre 1962, fut
adressé aux maires de France ; il conte-

nait un tableau des « condamnés avec sursis », des « évadés », des « jugés et condamnés », des « arrêtés et pas encore passé en jugement », des « condamnés à mort par contumace », des « déserteurs ou en fuite » (le tout avec de nombreuses photos d'identité) ainsi que les noms des députés ayant voté pour la libération des 130 000 jeunes soldats du contingent servant en Algérie (dit « amendement Salan ») et une liste des meurtres, des vols et des « plasticages » commis d'avril 1961 à octobre 1962 (à l'exclusion des attentats analogues attribués au F.L.N. et aux « barbouzes »). Les mesures d'auto-défense s'expliquaient fort bien : à une époque où les partisans de l'indépendance algérienne redoutaient l'action terroriste de l'O.A.S., il était naturel que la gauche cherchât à protéger ses hommes politiques, ses journalistes et ses militants comme l'avaient fait, pendant la guerre, les mouvements pétainistes et révolutionnaires nationaux dont les adhérents tombaient sous les balles de leurs adversaires et comme l'avaient tenté, quelques lustres plus tard, les Français d'Algérie menacés par les commandos fellaghas. Mais tout ce qui pouvait rappeler l'ère des dénonciations des années 1941-1945 dont avaient été victimes, tour à tour, les résistants et les pétainistes, hérissa non seulement le public mais nombre de militants de gauche. Des membres du Parti Socialiste Unifié s'émurent de voir un mouvement politique se faire les auxiliaires de la police. Dans le livre qu'il a consacré au P.S.U. (Paris 1966) et qu'Edouard Depreux a préfacé, Guy Nania écrit que : « ces actions n'ont pas pris l'ampleur spectaculaire que leurs promoteurs souhaitaient » parce qu'elles furent « freinées par le fait que certains de ses membres estimaient que la gauche ne devait pas instaurer, fût-ce à propos de la lutte anti-fasciste, la délation comme méthode politique. Au P.S.U., quelques militants ont donné leur démission du parti en invoquant de tels arguments » (page 231). Après l'effondrement de l'O.A.S., qui d'ailleurs n'eut jamais plus de quelques milliers d'affiliés en France et en Algérie, les G.A.R. cessèrent leurs activités. Les « fichiers des complices de l'organisation secrète » qui, selon G. Namia, « ont été dressés » sont naturellement restés au P.S.U., liquidateur amiable de l'entreprise.

GARAS (Félix, Jean).

Editeur, né à Paris, le 9 mai 1911. Militant du mouvement gaulliste après la Libération. Appartint au Comi directeur de La Vie française et prési la société de La Vie économique, Casablanca. Gérant et animateur d Edition de la Jeune Parque (filiale groupe Hachette, qui avait l'exploitatio du Crapouillot avant la cession de cet publication à l'éditeur Pauvert). Aute de : « Charles De Gaulle seul contre l pouvoirs », « Bourguiba et la naissan d'une nation ».

GARAUDY (Roger).

Universitaire, né à Marseille (B.-d Rh.), le 17 juillet 1913. Chargé d'ense gnement (philosophie) à la Faculté d lettres de Clermont-Ferrand. Milita communiste, ancien déporté chargé pl spécialement des contacts et des contr verses avec les chrétiens. Dirige actue lement les Cahiers du Communisme. F député du Tarn aux deux Assemblé constituantes (1945-1946) et à l'Asser blée nationale (1946-1951 et 1956-1958 puis sénateur de la Seine (1959-1962 membre du Bureau Politique du Par Communiste. Auteur de : « Les Sourc française du socialisme scientifique « Humanisme marxiste », « Perspectiv de l'homme », « Dieu est mort « Qu'est-ce que la morale marxiste « Karl Marx ».

GARCIN (Edmond).

Membre de l'enseignement, né à A bagne (B.-du-Rh.), le 24 avril 1917. D recteur d'école publique. Conseiller g néral du canton d'Aubagne depuis 27 avril 1958. Député communiste de Bouches-du-Rhône depuis 1962.

GARCIN (Félix).

Président de l'Union des Syndica agricoles du Sud-Est, nommé le 23 ja vier 1941, membre du Conseil Nation (voir à ce nom).

GARDES FRANÇAISES.

Mouvement fondé en 1940 et animé p Charles Lefebvre. Son principal instr ment était Le Jeune Front (voir à nom).

GARET (Pierre).

Avocat, né à Montdidier (Somme), 7 septembre 1905. Inscrit au barrea d'Amiens. Membre des deux Assemblé constituantes (1945-1946), député de Somme (1946-1958), ministre du Trava et de la Sécurité Sociale (cabin

Antoine Pinay, 1952-1953), de la Construction et du Logement (cabinets Félix Gaillard, 1957-1958 et Pierre Pflimlin, 1958), sénateur de la Somme (depuis 1959). Membre du Comité directeur du *Centre National des Indépendants et Paysans.*

GARNIER (abbé).

Ecclésiastique, né à Condé-sur-Noireau, en 1851, mort à Paris, en 1920. Nommé rédacteur de *La Croix* (1888), il créa les *Croix* de province et la *Ligue d'Union Nationale,* qui se fondit au sein de *l'Action libérale* de Jacques Piou. Il fonda *Le Peuple Français* qui soutint la politique du Ralliement et se fit le propagandiste inlassable des idées démocrates-chrétiennes.

GARONNE (La).

Quotidien régional catholique et royaliste fondé à Toulouse en 1891 sous le titre : *L'Express du Midi*. Entre les deux guerres, avait pour animateurs Gaston Guèze, le colonel de Franclieu, le marquis de Palaminy, puis Jean Baudry, Marius Soulé et R. Parant. Y collaborèrent : Arnaud de Pesquidoux, Armand Praviel, Firmin Bacconnier, Bernard Fay, Claude Jeantet, etc. Interdit à la Libération.

GARRIGOU (Louis).

Avocat, né à Alger, le 19 juillet 1884. Militant radical, membre de la loge *Gustave Mesureur*. Sénateur du Lot (1930-1941).

GASCUEL (Jacques, Henri).

Economiste, né au Havre (S.-Marit.), le 10 juillet 1898. Fit partie de missions des Affaires étrangères à diverses conférences internationales. Appartint, avant la guerre, à la rédaction du *Journal des Débats,* du *Temps,* et de la *Revue politique et parlementaire,* président-directeur général de la Société d'études et d'informations économiques. Collaborateur de *France-Soir* et de divers journaux de province. Ancien membre de la section de la conjoncture du Conseil économique et social (1959-1961). Auteur de : La Crise sociale en France et la question du bénéfice », « Dégradation du profit », « Ce qu'est la Charte des Nations Unies ».

GASPARINI (Jean-Louis).

Pharmacien, né à Aix-les-Bains (Savoie), le 9 juin 1915. Adjoint au maire d'Uckange (depuis 1959). Président de l'Association départementale de la France Libre. Elu député *U.N.R.* de la Moselle (3e circ.), le 25 novembre 1962,

grâce au désistement du député sortant *M.R.P.* Battu en 1967.

GAUCHE (La).

Journal d'union des gauches, dirigé par Georges Ponsot (1935).

GAUCHE EUROPEENNE.

Revue mensuelle fondée en 1953. Liée à *Jeune Gauche* (même adresse), publiée par un groupe *européen* et socialiste (10, boulevard Poissonnière, Paris 9e).

GAUCHE REVOLUTIONNAIRE (La).

Mensuel créé en 1934. Bulletin de la tendance gauche de la *S.F.I.O.* animée par Marceau Pivert et Lefeuvre.

GAUDIN (Pierre-Eugène).

Agriculteur, né à Fréjus (Var), le 5 février 1913. Conseiller général et maire du Luc. Député socialiste du Var (1re circ.) depuis le 25 novembre 1962.

GAUDIN (Roger).

Libraire, né à Trélazé (M.-et-L.), le 19 décembre 1924. Militant de gauche, secrétaire général-adjoint de la *Libre Pensée Française* et rédacteur en chef de *La Raison*. Président du C.A. de la *Résidence de la Libre Pensée*.

GAUDIN DE VILLAINE (Sylvain).

Sénateur nationaliste de la Manche, de 1906 à sa mort, en 1930. Ses interventions contre les Rothschild et les contrebandiers de guerre à la tribune du Sénat sont restées célèbres. Un autre GAUDIN DE VILLAINE, Adrien, avait été député de droite, dans le même département en 1885-1889.

GAUDY (Jean, Eugène, Georges).

Journaliste, né à Saint-Junien (Haute-Vienne), le 18 février 1895. Combattant des deux guerres (chef de bataillon honoraire, grand officier de la Légion d'Honneur, médaille militaire), président de l'*Association* d'ancien combattants *Marius Plateau*. Entre les deux guerres : rédacteur à *L'Action Française*, membre du Comité directeur des *Camelots du roi*, orateur et conférencier de la *Ligue d'Action Française*, collaborateur de *la Revue des Deux Mondes*, de *L'Eclair du Midi*, du *Courrier du Centre*, etc. Après la Libération : chargé des archives de la Mission française en Allemagne et en Autriche (1953), rédacteur en chef d'*Aspects de la France* (1955-1959), membre dirigeant des *Amis*

peuple de France, non pas celui des préhendes
travail, attend de vous les ....
pays et ...

PRÉSIDENCE DE M. ANDRÉ LE TROQUER

(A l'arrivée en séance de M. Charles de Gaulle, « président du
conseil désigné », Mmes et MM. les députés siégeant au centre,
à droite, à l'extrême droite et sur divers bancs à gauche se
lèvent et applaudissent longuement.)

La séance est ouverte à quinze heures.

— 1 —

COMMUNICATIONS DE M. LE PRÉSIDENT DE LA REPUBLIQUE ET DE M. LE PRÉSIDENT DU CONSEIL DÉSIGNÉ

M. le président. J'ai reçu de M. le Président de la République
la lettre suivante:

« Paris, le 31 mai 1958.

« Monsieur le président,

« J'ai l'honneur de vous informer que M. Pierre Pflimlin,
président du conseil des ministres, m'a remis, le 28 mai 1958,
la démission du cabinet qu'il préside. Je viens de l'accepter.

« J'ai prié M. le président du conseil de bien vouloir assurer, avec les membres du Gouvernement, la gestion des affaires
courantes.

« Je vous prie d'agréer, monsieur le président, l'expression
de mes sentiments de haute considération.   « R. COTY. »

101

... est de la
pro...

A ...me gauche. Il ne votera pas!

...ain nombre de députés siégeant à l'extrême gauche
J'ai également ...a la tribune.)
communication suivante: de M. le Président de la République la

« Monsieur le président,   « Paris, le 31 mai 1958.

« J'ai l'honneur de vous faire connaître qu'en application de
l'article 45 de la Constitution de la République française, je
désigne le général de Gaulle comme président du conseil.

« Je vous prie de bien vouloir en informer l'Assemblée nationale.

« Veuillez agréer, monsieur le président, l'assurance de ma
haute considération.

En outre, j'ai reçu de M. le président du conseil désigné la
lettre suivante:

« Monsieur le président,   « Paris, le 31 mai 1958.

« Monsieur le Président de la République m'ayant désigné
pour constituer le Gouvernement, j'ai l'honneur de vous prier
de bien vouloir m'informer l'Assemblée nationale.

« Je désirerais me présenter devant elle le 1er juin, à quinze
heures, pour lui soumettre le programme et la politique que
je compte poursuivre et lui demander sa confiance.

« Je vous prie d'agréer, monsieur le président, l'expression
de ma haute considération.

« CHARLES DE GAULLE. »

Dès réception de ces communications, j'ai convoqué l'Assemblée.

ORDRE DU JOUR

M. le président. J'informe l'Assemblée qu'une prochaine
séance aura lieu à vingt-deux heures trente pour le dépôt de
projets de loi et le renvoi de ces projets en commission.

Cette séance pouvant ne pas être de pure forme, je demande
à nos collègues de ne pas s'absenter.

Ce soir, à vingt-deux heures trente minutes, deuxième
séance publique:

Dépôt de projets de loi.

La séance est levée.

(La séance est levée à vingt et une heures vingt-cinq
minutes.)

Le Chef du service de la sténographie
de l'Assemblée nationale,
RENÉ MASSON.

ANNEXE AU PROCES-VERBAL

DE LA
1re séance du dimanche 1er juin 1958.

SCRUTIN (No 980)
(public à la tribune).

Sur la confiance, sur le programme et sur la politique de M. Charles
de Gaulle, président du conseil désigné. (Résultat du pointage.)

Nombre des votants	553
Majorité absolue	277
Pour l'adoption	329
Contre	224

L'Assemblée nationale a adopté.

Ont voté pour :

MM.		
Abelin.	Charles (Pierre).	Féron (Jacques).
Alduy.	Charpentier.	Ferrand (Joseph),
Alliot.	Chastel.	Morbihan.
Alloin.	Chatenay.	Fontanet.
André (Pierre),	Chauvet.	Fourcade (Jacques),
Meurthe-et-Moselle.	Cheikh (Mohamed	Hautes-Alpes.
Angibault.	Saïd).	François-Bénard,
Anthonioz.	Chevigné (Pierre de).	Frédéric-Dupont.
Antier.	Chevigny (de).	Gabelle.
Apithy.	Christiaens.	Gaborit.
Arbogast.	Clostermann.	Gagnaire.
Arnal (Frank).	Coirre.	Gaillard (Félix).
Bacon.	Colin (André).	Garat (Joseph).
Bailliencourt (de).	Conte (Arthur).	Garet (Pierre).
Balestren.	Corniglion-Molinier.	Gautier-Chaumet.
Barennes.	Coste-Floret (Alfred),	Gavini.
Barrachin.	Haute-Garonne.	Gayrard.
Barrot (Noël).	Coste-Floret (Paul),	Georges (Maurice).
Baudry d'Asson (de).	Hérault.	Gernez.
Bayrou.	Couinaud.	Giacobbi.
Beauguitte (André).	Coulon.	Giscard d'Estaing.
Bégouin (André).	Courant.	Gosset.
Charente-Maritime.	Courrier.	Goussu.
Bégouin (Lucien),	Couturaud.	Gozard (Gilles).
Seine-et-Marne.	Crouan.	Grandin.
Bénard, Oise.	Crouzier (Jean).	Guibert.
Bergasse.	Cuicci.	Guillou (Pierre).
Berrang	Cupfer.	Guislain.
Berthommier.	Damasio	Guitton (Antoine),
Besson (Robert).	David (Jean-Paul),	Vendée
Bettencourt.	Seine-et-Oise.	Guyon (Jean-
Bichet (Robert).	David (Marcel),	Raymond).
Bidault (Georges).	Landes.	Halbout
Billères	Davoust.	Helluin (Georges).
Bocoum Barèma	Degoutte.	Hénault.
Kissorou.	Mme Degrond.	Hersant.
Boisdé (Raymond).	Deixonne.	Houphouet-Boigny.
Bône	Dejean.	Huel (Robert-Henry).
Edouard Bonnefous.	Delabre.	Hugues (André),
Bonnet (Christian).	Delachenal.	Seine.
Bonnet (Georges),	Denvers.	Hugues (Emile),
Dordogne.	Desouches.	Alpes-Maritimes.
Boscary-Monsservin.	Dewasme.	Icher.
Bouhey (Jean).	Devinat.	Ihuel.
Bouret.	Dicko (Hammadoun).	Jacquet (Michel).
Bourgeois.	Didès.	Jacquinot (Louis).
Bouxom.	Mlle Dienesch.	Jarrosson
Bouyer.	Diori Hamani.	Jean-Moreau.
Brard.	Dixmier.	Jégorel.
Bretin.	Durey.	Joubert.
Bricout.	Dorgères d'Halluin.	Juliard (Georges).
Brocas.	Ducos.	July
Bruelle.	Dumortier.	Juskiewenski.
Brusset (Max).	Dupraz (Johannès).	Juvenal (Max).
Bruyneel.	Duquesne.	Keita (Modibo),
Buron.	Durbet.	Kir.
Cadic.	Engel.	Klock.
Cartier (Gilbert),	Evrard.	Koenig (Pierre).
Seine-et-Oise.	Faggianelli.	La Chambre (Guy).
Cassagne.	Faraud.	Lacoste.
Catoire.	Fauchon.	Lafay (Bernard).
Cayeux (Jean).	Faure (Edgar), Jura.	Laforest.
Chaban-Delmas.	Faure (Maurice), Lot	Lainé (Jean), Eure.
Chamant.	Febvay.	Lainé (Raymond),
	Félice (de).	Cher.
	Félix-Tchicaya.	

Le vote du 1er juin 1958 (suite page 486)

'Edouard Drumont. Auteur de nom-
reux ouvrages, dont « *L'Agonie du
'ont Renaud », « *Les trous d'obus de
erdun », « *Les galons noirs* », « *Com-
ats sans Gloire », « *La ville rouge* »,
La France cherche un homme », etc.

**,AULLE (Charles, André, Joseph,
Marie, De).**

Homme d'Etat, né à Lille, le 22 no-
embre 1890. Fils de Henri, Charles,
,lexandre De Gaulle, ancien préfet des
tudes au Collège de la rue de Vaugi-
ard, fondateur de l'Ecole Fontanes, et
e Jeanne Maillot. La famille de l'actuel
résident de la République appartient à
a bourgeoisie et figure à ce titre dans
e « *Recueil généalogique de la Bour-
eoisie ancienne » (Tome I, Paris 1954).
,e premier des De Gaulle qui occupa un
oste (à notre connaissance) était pro-
ureur au Parlement de Paris : il s'ap-
elait Jean-Baptiste et il mourut le
1 brumaire an VI (11 novembre 1797)
l'âge de soixante-dix-sept ans et demi.
on fils, Jean-Baptiste, Philippe (1756-
832) était attaché au service des postes
e la Grande Armée après avoir été avo-
at au Parlement de Paris : c'était le
rand-père paternel du futur chef de
Etat. Par sa mère, ce dernier est
e descendant de Louis-Philippe Kolb,
'origine allemande (1), qui fut sergent-
najor au régiment suisse de Reinach,
vant de devenir le président du consis-
oire protestant de Lille (2). L'histoire

politique retiendra les noms de deux
autres De Gaulle : celui de Pierre De
Gaulle, né le 22 mars 1897, mort en
décembre 1959 à Paris, qui fut directeur
de la *Banque de l'Union Parisienne* à
Paris pendant la guerre, puis déporté en
1944 à Eichenberg, et, après la guerre,
président du Conseil municipal de Paris (1947-1951), sénateur R.P.F. (1948-
1951) et député de la Seine (1951-1956),
commissaire général de la section française à l'Exposition Universelle Internationale de Bruxelles (nommé par Pierre
Mendès-France en 1955) et, finalement,
administrateur de diverses sociétés
financières et industrielles et directeur
littéraire du groupe d'édition Del Duca
(*Nous Deux, Intimité,* etc.) ; et celui de
Geneviève De Gaulle (fille de Xavier
De Gaulle, percepteur, puis consul de
France, frère du général), devenue Mme
Bernard Anthonioz, qui fut déportée
à Ravensbruck. Charles De Gaulle a
épousé, le 6 avril 1921, Yvonne, Charlotte, Anne-Marie Vendroux, fille d'un
fabricant de biscuits de Calais et sœur
de Jacques-Philippe Vendroux, également
biscuitier, député gaulliste de 1945 à
1956 et, à nouveau, depuis 1958, président de l'*Association France-Allemagne*.
Trois enfants sont nés de leur union :
Elisabeth, épouse du général Alain de
Boissieu de Luigné, ancien attaché au
cabinet du général De Gaulle à Londres,
commandant de l'Ecole spéciale militaire (Saint-Cyr) et de l'Ecole militaire
interarmes de Coëtquidan ; Philippe, officier de marine, marié avec Henriette
de Montalembert, filleul du maréchal
Philippe Pétain ; et Anne (décédée).
Charles De Gaulle fit ses études au col-

(1) Selon l'acte de mariage Kolb-Nicot établi
Maubeuge le 23 novembre 1790, Louis-Philippe
,olb, âgé de vingt-neuf ans, « *professant le
*'thérianisme, fils légitime de Louis Kolb et de
'arie Anne Heiden » était né à Groetzingen (près
e Durlach) province de Baaden.
(2) En juillet 1789, l'ancêtre allemand du gé-
éral De Gaulle était sergent-major au régiment
uisse de Reinach (ex-Eplingen) qui eut six tués
n défendant la Bastille contre les émeutiers.
n 1792, après la fameuse journée du 10 août et
e licenciement des régiments suisses, il ne con-
racta pas d'engagement dans l'armée française,
nais devint employé de la manufacture de tabac
e Dunkerque. Sous l'Empire (1811), il était ré-
isseur de la manufacture de tabac de Lyon et
n 1840, alors président du consistoire protestant
e Lille, il se convertit au catholicisme. Son
bjuration fut prononcée le 3 juin 1840, devant
e curé de La Madeleine, de Lille, et sa première
ommunion eut lieu à Paris, dans la chapelle
es Dames du Sacré-Cœur, rue de Varenne, où
'une de ses filles, la Mère Adèle Kolb, était assis-
ante. Il avait quatre-vingts ans. Il mourut en
842. De son mariage avec Marie-Anne, Constance
Nicot, née en 1769, fille légitime de François,
gnace Nicot et de Constance Lefort, il avait eu
uit enfants :
1. *Louise*-Constance, née à Dunkerque le 20 no-
embre 1792, devenue veuve à 36 ans de Henri

Maillot (quelle avait épousé dans sa ville natale
le 28 octobre 1811) avec sept jeunes enfants,
dont l'aîné, Henri, qui n'avait que seize ans, et
Jules, grand-père maternel du général De Gaulle ;
2. *Charles*-Louis-Henri, dit Kolb-Bernard, né
à Dunkerque le 18 janvier 1798, décédé le 7 mai
1888, ingénieur des manufactures royales de tabac, marié le 11 mai 1829 avec Sophie Bernard,
fille d'un grand fabricant de sucre, Auguste Ber-
nard-Beaussier (*Maison Bernard Frères*), fondateur de la première Conférence de Saint-Vincent-
de-Paul à Lille, député du Nord au Corps législatif (sous le Second Empire) et à l'Assemblée
Nationale (1871-1875), puis sénateur inamovible
(1875-1888), commandant de l'Ordre de Pie IX ;
3. Marie, épouse Marcellin Boursy ;
4. Adèle, religieuse du Sacré-Cœur ;
5. Emilie, religieuse du Sacré-Cœur (après la
mort de ses parents) ;
6. Victoire (morte à vingt-cinq ans) ;
7. *Henri*-Louis-Benjamin, né à Dunkerque le
22 février 1808, inspecteur général des travaux
maritimes, grand-père du financier Octave Hom-
berg ;
8. Auguste, né à Dunkerque en 1809, directeur
des contributions indirectes.

Lalle.
Lamarque-Cando.
Laniel (Joseph).
Lapie (Pierre-Olivier).
Larue (Tony), Seine-
 Maritime.
Laurens (Camille).
Lecourt.
Le Floch.
Lefranc (Jean),
 Pas-de-Calais.
Legendre.
Léger.
Lejeune (Max).
Lemaire.
Léotard (de).
Lipkowski (Jean de).
Liquard.
Louvel.
Lucas.
Luciani.
Lux.
Maga (Hubert).
Mailhe.
Malbrant.
Manceau (Bernard),
 Maine-et-Loire.
Marcellin.
Marie (André).
Martin (Gilbert),
 Eure.
Masson (Jean).
Maurice-Bokanowski.
Meck.
Médecin.
Méhaignerie.
Mercier (André-Fran-
 çois), Deux-Sèvres.
Meunier (Jean),
 Indre-et-Loire.
Michaud (Louis).
Mignot.
Minjoz.
Moch (Jules).
Moisan.
Mollet (Guy).
Mondon, Moselle.
Monnier.
Montalat.
Montel (André).
Montel (Pierre),
 Rhône.
Morève.
Morice (André).
Moustier (de).

Moynet.
Mutter (André).
Naegelen (Marcel-
 Edmond).
Naudet.
Nerzic.
Nicolas (Lucien),
 Vosges.
Nicolas (Maurice),
 Seine.
Ninine.
Orrlieb.
Orvoen.
Paquet.
Parmentier.
Parrot.
Paulin.
Pebellier (Eugène).
Pelat.
Pelleray.
Penoy.
Perroy.
Pesquet.
Petit (Guy).
Pflimlin.
Pianta.
Pierrebourg (de).
Piette.
Pinay.
Pinvidic.
Plantier.
Pleven (René).
Pommier (Pierre).
Priou.
Prisset.
Privat.
Provo.
Puy.
Queuille (Henri).
Quinson.
Raingeard.
Ramadier (Paul).
Ramel.
Ramonet.
Raymond-Laurent.
Regaudie.
Reille-Soult.
Réoyo.
Rey.
Reynaud (Paul).
Reynès (Alfred).
Ribeyre (Paul).
Ritter.
Roclore.
Rolland.

Rousseau
Ruf (Joannès).
Sagnol.
Salliard du Rivault.
Salvetat.
Sanglier.
Sauvage.
Schaff.
Scheider
Schmitt (Albert).
Schneiter.
Schuman (Robert),
 Moselle.
Schumann (Maurice),
 Nord.
Segelle.
Seitlinger.
Sesmaisons (de).
Sidi el Mokhtar.
Simonnet.
Sissoko Fily Dabo.
Soulié (Michel).
Tamarelle.
Tardieu.
Teitgen (Pierre-
 Henri).
Temple.
Teulé.
Thébault (Henri).
Thibault (Edouard),
 Gard.
Thiriet.
Thomas (Alexis).
Thomas (Eugène).
Tinguy (de).
Tixier-Vignancour.
Toublanc.
Trémolet de Villers.
Trémouilhe.
Triboulet.
Tubach.
Turc (Jean).
Ulrich.
Vahé.
Varvier.
Vassor.
Vaugelade.
Vayron (Philippe).
Viallet.
Viatte.
Vigier.
Vignard.
Villard (Jean).
Vitter (Pierre).
Wasmer.

Lamps.
Lareppe.
Le bail
Le Caroff.
Leclercq.
Lecœur.
Leenhardt (Francis).
Mme Lefebvre
 (Francine).
Lefranc (Raymond),
 Aisne.
Legagneux
Mme Lempereur
Lenormand (André),
 Calvados.
Leroy.
Lespiau.
Le Strat
Letoquart.
Levindrey.
Liante.
Loustau
Lussy (Charles).
Mabrut
Malleret-Joinville.
Manceau (Robert),
 Sarthe.
Mancey (André).
Mao (Hervé)
Margueritie (Charles)
Mariat (René).
Marin (Fernand).
Maroselli
Marrane
Martel (Henri).
Mlle Marzin.
Masse
Maton.
Mazier.
Mazuez (Pierre-
 Fernand).

Mendès-France.
Menthon (de).
Mercier (André),
 Oise
Mérigonde.
Merle.
Métayer (Pierre).
Meunier (Pierre),
 Côte-d'Or.
Michel.
Midol.
Mitterrand
Mondon (Raymond),
 Réunion
Montel (Eugène),
 Haute-Garonne.
Mora
Mouton.
Mudry
Musmeaux
Noël (Marcel).
Notebart.
Pagès
Palmero.
Panier
Paul (Gabriel).
Paumier (Bernard).
Pelissou
Penven
Perche
Peron (Yves).
Pierrard.
Pineau.
Pirot.
Plaisance.
Poirot.
Pourtalet.
Pranchère.
Prigent (Tanguy).
Mme Prin.
Pronteau.

Prot.
Mme Rabaté.
Ramette.
Ranoux.
Renard (Adrien).
Mme Reyraud
Rieu
Rincent
Mme Roca.
Rochet (Waldeck).
Roquefort.
Roucaute (Gabriel),
 Gard
Roucaute (Roger),
 Ardèche
Ruffe (Hubert).
Mlle Rumeau
Sauer.
Savard
Savary
Souquès (Pierre).
Soury.
Thamier.
Thibaud (Marcel).
Thoral.
Thorez (Maurice).
Titeux
Tourné.
Tourtaud.
Tricart.
Tys.
Mme Vaillant-
 Couturier.
Vallin
Vals (Francis).
Védrines
Verdier.
Mme Vermeersch.
Villon (Pierre).
Vuillien.

N'ont pas pris part au vote :

MM.
Arabi El Gonl.
Aubame
Barry Diawadou.
Boganda
Boni Nazi.
Césaire.
Condat-Mahaman.
Conombo.
Coulibaly Ouézzin.
Démarquet.
Dia (Mamadou).

Diallo Saïfoulaye.
Drouhe
Grunitzky
Guissou (Henri).
Lenormand (Maurice),
 Nouvelle-Calédonie
Le Pen.
Lisette
Mahamoud Harbi.
Mbida.
Monin.

Monnerville (Pierre).
Oopa Pouvanaa
Ouedraogo Kango.
Plantevin
Rakolovelo
Sékou Touré.
Senghor
Soustelle
Tsiranana.
Vergès
Véry (Emmanuel).

Ont voté contre :

MM.
André (Adrien),
 Vienne
Ansart.
Anxionnaz.
Arbeltier
Astier de La Vigerie (d').
Auban (Achille).
Badie.
Ballanger (Robert).
Barbot (Marcel).
Barel (Virgile).
Barthélemy.
Bartolini.
Baurens
Baylet
Bené (Maurice).
Benoist (Charles).
Benoît (Alcide).
Berthet.
Besset.
Billat.
Billoux.
Binot.
Bissol.
Blondeau.
Boccagny.
Boisseau.
Bonnaire
Bonte (Florimond).
Bouloux
Bourbon
Bourgès-Maunoury.
Mme Boutard.
Boutavant.
Briffod.
Cagne.
Caillavet
Calas
Cance.

Cartier (Marcel),
 Drôme
Cartier (Marius),
 Haute-Marne.
Casanova.
Castera.
Cermolacce
Chambeiron
Charlot (Jean).
Chatelain.
Chêne
Cherrier.
Cogniot.
Coquel.
Cordillot.
Cormier.
Cot (Pierre).
Coûtant (Robert).
Daladier (Edouard).
Darou.
Defferre.
Defrance.
Demusois.
Denis (Alphonse).
Depreux
Desson (Guy).
Diat (Jean).
Doize.
Doutrellot.
Dreyfus-Schmidt.
Dubois.
Duclos (Jacques).
Dufour
Dumas (Roland).
Dupont ,Louis).
Duprat (Gérard)
Dupuy (Marc).
Durroux.
Duveau
Mme Duvernois.

Mme Estachy.
Eudier.
Fajon (Etienne).
Ferrand (Pierre),
 Creuse.
Fourvel
Mme Gabriel-Péri.
Mme Galicier.
Galy-Gasparrou.
Garaudy.
Garnier.
Gautier (André).
Gazier
Girard
Girardot.
Gosnat
Goudoux
Gouin (Félix).
Gourdon
Mme Grappe.
Gravoille.
Grenier (Fernand).
Mme Guérin (Rose).
Guille
Guitton (Jean),
 Loire-Atlantique.
Guyot (Raymond).
Hanon (Marcel).
Henneguelle.
Hernu
Houdremont.
Hovnanian.
Isorni
Jaquet (Gérard).
Jourd'hui.
Juge
Julian (Gaston).
Kriegel-Valrimont.
Lacaze (Henri).
Lambert (Lucien).

N'ont pas pris part au vote :

M. Cerneau, dont l'élection est soumise à enquête.
M. Arrighi (Pascal), en application de la résolution du 26 mai 1958.

Excusés ou absents par congé (1) :

MM. Douala, Gaumont, Sourbet et Tirolien.

N'a pas pris part au vote :

M. André Le Troquer, président de l'Assemblée nationale.

(1) Motifs d'absence :

MM.
Douala...................... Retenu dans son territoire
Gaumont.................... Retenu dans son département.
Sourbet..................... Raisons de santé.
Tirolien..................... Retenu dans son département.

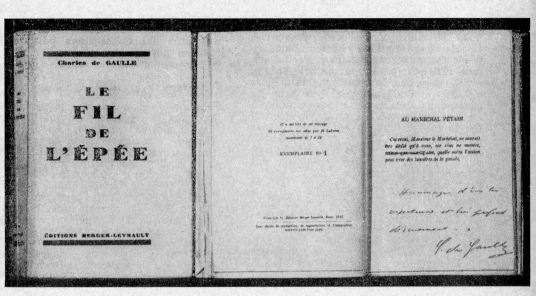

lège du Sacré-Cœur d'Antoing (Belgique), au collège de la rue de Vaugirard et à Stanislas, à Paris. Reçu à l'Ecole Militaire de Saint-Cyr en 1909. Sous-lieutenant au 33ᵉ Régiment d'Infanterie (colonel : Philippe Pétain), puis lieutenant. Blessé plusieurs fois (1914-1915) et fait prisonnier à Douaumont (mars 1916). Interné à Ingolstadt. Entre-temps nommé capitaine ; en 1920, commandant. Il prit part, sous les ordres du général Weygand, à la campagne de Pologne (1920-1921), puis fut professeur d'histoire militaire à Saint-Cyr (1921) et entra à l'Ecole Supérieure de Guerre (1922). Il appartint à l'Etat-Major de l'Armée du Rhin à Mayence (1924), puis au cabinet du maréchal Pétain, alors vice-président du Conseil supérieur de la Guerre (1925-1927). Il commanda le 19ᵉ bataillon de Chasseurs à pied (1927) et fit partie d'une mission militaire française en Irak, en Iran et en Egypte (1929-1931). Affecté quelque temps au Secrétariat général du Conseil de la Défense nationale (1932), il fut nommé lieutenant-colonel (1933), puis colonel (1937). Il commanda le 107ᵉ Régiment de Chars et, au début de la Seconde Guerre Mondiale, les chars de la Vᵉ Armée, avant d'être affecté au commandement de la IVᵉ division cuirassée. Fin mai 1940, promu général de brigade à titre temporaire, il entra, quelques jours plus tard, dans le cabinet Paul Reynaud en qualité de sous-secrétaire d'Etat à la Guerre. Envoyé en mission à Londres à deux reprises en juin 1940, il rentra en France (15 juin 1940) et proposa au gouvernement français, le 16 juin, de la part de Churchill, « *l'acte d'union* » entre la France et l'Angleterre, que le gouvernement français repoussa. Après avoir tenté de convaincre ce dernier de poursuivre la guerre en Afrique du Nord, il retourna en Angleterre, sans ordre de mission, à bord de l'avion personnel du chef de l'*Intelligence Service,* le général Spears. Puis, il lança son fameux appel au micro de la B.B.C. (18 juin) et créa le *Comité de la France Libre,* destiné à grouper les Français désirant poursuivre la guerre contre l'Allemagne malgré l'armistice signé par le Gouvernement. Il fut cassé de son grade et mis à la retraite d'office en raison de son attitude, pour « *avoir refusé de rejoindre son poste et pour avoir adressé de l'étranger des appels à des officiers et à des soldats français* ». Reconnu, le 28 juin, par le Gouvernement britannique comme chef des Français libres. Convoquée par le général de Lattre de Tassigny, la Cour militaire de la XIIIᵉ Région le condamna à mort par contumace pour « *trahison, attaque contre la Sûreté de l'Etat et désertion à l'étranger en temps de guerre* » (2 août 1940). Cinq jours plus tard, le chef des Français libres signa avec le premier ministre britannique un accord militaire précisant qu' « *en aucun cas les forces françaises libres ne seront mobilisées contre des Français* ». Après le ralliement à De Gaulle des Nouvelles-Hébrides, du Tchad, de la Nouvelle-Calédonie, des Comptoirs français de l'Inde, du Gabon, les troupes britanniques et celles des Forces françaises libres attaquèrent la Syrie demeurée fidèle au gouvernement du maréchal Pétain. Entre-temps, la marine britannique avait coulé des navires français à Mers el-Kébir et tenté, avec les partisans du général De Gaulle, un débarquement, à Dakar. Après Pearl Harbour, le général De Gaulle déclara la guerre au Japon (décembre 1941). Le général De Gaulle fut co-président, avec le général Giraud, du Comité Français de Libération Nationale créé au lendemain du débarquement allié en Afrique du Nord. Giraud bientôt éliminé, le « Premier Résistant de France » devint, après le débarquement en Normandie et la Libération de Paris, le président du Gouvernement provisoire de la République Française, dont l'un des premiers actes politiques fut la signature du pacte avec l'U.R.S.S. Il demeura à la tête du Gouvernement (dans lequel entra bientôt Maurice Thorez, amnistié, qui y retrouva plusieurs de ses camarades communistes), jusqu'en janvier 1946. Puis, ayant démissionné, il fonda (avril 1947) le *Rassemblement du Peuple Français (R.P.F.)* qu'il présida jusqu'en 1954, date à laquelle il se retira à Colombey-les-deux-Eglises. A la faveur des événements de mai 1958, le président Coty le rappela au pouvoir, à la demande de Guy Mollet, d'Antoine Pinay et de diverses personnalités politiques. Promoteur d'une nouvelle constitution, il fut pratiquement plébiscité par 78 % des votants en septembre 1958, puis élu président de la République par un collège de 80 000 notables (62 394 voix contre 10 355 au communiste Marrane et 6 731 au professeur Albert Chatelet (U.F.D.). Il a appliqué depuis, avec persévérance, le programme qui était le sien dès 1957 (cf. *France-Observateur*, 4-7-1957 ; *Lectures françaises*, juillet 1957) : décolonisation, indépendance de l'Afrique, rapprochement avec les pays de l'Est. Sa politique n'a pas surpris ceux qui connaissaient son grand dessein. « *J'ai annoncé dès le début*, a déclaré René Capitant, leader gaulliste de gauche, *que sa politique était l'indépendance de l'Algérie et la reconnaissance de la Chine* (1). » Son mandat de président de la République a été confirmé, en décembre 1965, après un ballotage, par 13 000 000 des votants sur 28 900 000 électeurs inscrits.

------

(1) Cf. *Le Monde*, 26/27-2-1967. De son côté, Couve de Murville a déclaré qu' « *il connaissait dès 1958 l'intention du général De Gaulle de sortir de l'O.T.A.N.* » (cf. *Le Monde*, 2-3-1967, p. 3).

GAULLISME (ou De gaullisme).

Ensemble des conceptions politiques défendues par le général De Gaulle et interprétées par ses partisans.

GAULLISTES (associations et presse).

Principaux mouvements, organismes et journaux se réclamant du gaullisme : *Action étudiante gaulliste, Appel des vingt-neuf, Association pour l'appel au général De Gaulle, Association nationale pour le soutien de l'action du général De Gaulle, Centre d'Information Civique, Centre d'Union Républicaine, Centre national des Républicains sociaux, Centre de la Réforme républicaine, Comité d'action pour la Ve République, Comité pour l'exercice de la Souveraineté populaire par le suffrage universel, Comité Républicain d'appel au général De Gaulle, Centre Républicain et Démocrate, Cercle Renaissance 2 000, Communauté Sociale Européenne, Convention républicaine, Démocratie combattante, France-Demain, France-Référendum, Front du progrès, La Nation, Notre République, Nouvelle frontière, Réalisations de la Direction des relations publiques et de l'information, Renouveau et fidélité, Le Télégramme de Paris, Le Travailliste, Union civique pour le référendum, Union démocratique du travail, Union des étudiants pour le progrès, Union gaulliste, Union des jeunes pour le progrès, Union nationale des commerçants et artisans, Union pour le progrès, etc.*

GAULOIS (Le).

Fondé en 1868, ce quotidien fut longtemps le moniteur de la vieille noblesse française, malgré la personnalité douteuse de son directeur, Arthur Meyer, l'ancien factotum de Blanche d'Antigny, une courtisane huppée, fort lancée dans les milieux conservateurs. Avec 40 000 abonnés, il était, autour de 1910, le grand journal de la droite monarchiste. Arthur Meyer, homme habile et journaliste averti, connaissait la puissance de l'*information dirigée* (comme on dirait aujourd'hui) sur l'opinion publique. « *Si j'avais jamais l'honneur d'être consulté par le prince* (le duc d'Orléans, prétendant au trône de son ancêtre Louis-Philippe), écrivit un jour Meyer, *je lui dirais :* « *N'ayez aucun journal, Monseigneur, ni Le Gaulois, ni un autre ; mais ayez à tout prix un pied dans une ou plusieurs agences* (de presse). *L'agence donne l'influence déguisée, anonyme ; personne ne s'en mêle et c'est une arme d'autant plus sûre.* » Les plus grands noms de la littérature et de la politique conservatrice figuraient au bas des articles et chroniques publiés dans *Le Gaulois* (Jean Richepin, H. Lavedan, Albert de Mun, Edmond Rostand, René Bazin, Maurice Barrès, etc.). Celui-ci fut racheté par François Coty après la Première Guerre mondiale et absorbé par *Le Figaro*.

GAUTHEROT (Gustave).

Universitaire, né à Pierrefontaine, le 29 mars 1880. Professeur de faculté libre. Se spécialisa dans l'étude de la Franc-Maçonnerie (avant 1914), puis dans la lutte anti-communiste (après). Directeur-fondateur de *La Vague Rouge*, revue d'information sur le communisme. Sénateur de la Loire-Inférieure (1932-1941). Vota la délégation des pouvoirs constituants au maréchal Pétain (1940).

GAUTHIER (André).

Agriculteur, né à Marcieu (Isère), le 20 février 1911. Adjoint au maire de Marcieu. Secrétaire général de la *Fédération des Exploitants agricoles* de l'Isère. Président de la section nationale des fermiers et métayers à la *F.N.S.E.A.* Trésorier de l'Amicale parlementaire agricole et rurale (janvier 1959). Associé de la société éditrice de l'*Information agricole*. Conseiller général de La Mure. Ancien membre du Conseil économique (1947-1958). Battu aux élections de janvier 1956 comme candidat radical-mendésiste : « Ce sera, disait-il alors dans sa profesison de foi, le grand mérite (de Mendès-France) d'avoir ouvert les portes à l'espérance. » Elu député radical-socialiste de l'Isère (3ᵉ circ.) le 30 novembre 1958. « L'intervention du général De Gaulle a finalement sauvé et la République et nos libertés » (*profession de foi*, novembre 1958). Membre suppléant de l'Assemblée du Conseil de l'Europe. Réélu député en 1962. Non réélu en 1967.

GAXOTTE (Pierre).

Homme de lettres, né à Revigny (Meuse), le 19 novembre 1895. Fils de notaire, il fit ses études au lycée de Bar-le-Duc et au lycée Henri-IV puis entra à l'Ecole normale supérieure. Professeur d'histoire en province et à Paris, il rallia l'*Action Française* après la 1ʳᵉ Guerre mondiale et fut l'un de ses conférenciers les plus prisés. Il appartint à l'*Action Française* en qualité de secrétaire de rédaction, puis fut rédacteur en chef de *Candide* et directeur de *Je suis partout*, jusqu'en 1940. Il rédigea quelque temps l'éditorial de l'hebdomadaire satirique *Le Coup de patte*, sous le pseudonyme de « *L'idiot du village* ». Depuis la guerre,

il a collaboré, sous son nom ou sous un pseudonyme, à plusieurs journaux (*Sud-Ouest, La Vie Française, Nice-Matin, La Revue de Paris, La Revue des Deux Mondes, Le Bulletin de Paris, Artaban, Le Monde e la Vie*) et fut le directeur littéraire de *Elle*. Le 29 janvier 1953, il entra à l'Académie française. Ses œuvres principales sont historiques : « *La Révolution française* » (1928), « *Le Siècle de Louis XV* », « *Frédéric II* » (1938), « *La France de Louis XIV* » (1946), « *Histoire des Français* » (1951), « *Thèmes et variations* » (1957), « *Histoire de France* » (1961), « *Histoire de l'Allemagne* » (1963).

GAYMAN (Vital).

Journaliste, né à Conches (Eure), au foyer d'israélites russes, le 2 avril 1897. Militant communiste, il fut avant la guerre le secrétaire du groupe parlementaire du *P.C.* Il collaborait alors à *L'Avant-Garde*, à *Regards*, à *L'Humanité*, dont il fut plusieurs années le secrétaire général. (Sa sœur, Rachel, était alors chef de service à l'*Agence Havas* (informations étrangères). Il appartient, toujours comme communiste, au conseil municipal de Paris et au conseil général de la Seine (1935). A l'époque, il participa à la guerre d'Espagne en qualité d'instructeur des Brigades internationales, avec André Malraux. A la Libération, il fut nommé rédacteur, puis rédacteur en chef du journal parlé R.T.F. (1945) et directeur des informations et du journal parlé (1946) et enfin directeur des informations de la R.T.F. (jusqu'en juillet 1958). Après avoir collaboré quelques mois aux publications de la *Société générale de presse*, il fut nommé secrétaire général de la rédaction de *La Dépêche du Midi*.

GAZETTE AGRICOLE (La) (voir) :
Henri Dorgères).

GAZETTE DE BIARRITZ (La).

Quotidien du soir fondé en 1891. Dirigé à la veille de la guerre et après l'armistice de 1940 par Pierre Haristoy et Serpeille de Gobineau, petit-fils de l'auteur de l' « *Inégalité des Races humaines* ». Publiait une édition intitulée : *La Gazette de Bayonne, du Pays Basque et des Landes*. Disparu à la Libération.

GAZETTE FRANÇAISE (La).

Hebdomadaire des royalistes ayant fait leur soumission à l'Église après la condamnation de l'*Action Française* par le Vatican (1927). Directeur : Amédée d'Yvignac (Piévache).

GAZETTE DE L'ILE-DE-FRANCE (La).

Hebdomadaire se réclamant du *Journal d'Etampes,* de l'*Abeille d'Etampes,* de *L'Avenir de l'Ile-de-France* et du *Journal de Seine-et-Oise,* et couvrant le nouveau département de l'Essonne avec ses cinq éditions. Sa chronique politique est rédigée par Joseph Barsalou, rédacteur en chef de *La Dépêche du Midi.* Sa direction est assurée par Yann Poilvet, P.D.G. du *Moniteur* et rédacteur en chef de *La Vie Bretonne,* ancien directeur de *Notre République* et ancien membre de la délégation exécutive de l'*U.D.T.,* qui préside l'*Union Bretonne.* Le président du conseil d'administration, Pierre Cabanes, est aussi le secrétaire général de l'Association *France-Amérique latine ;* et le vice-président, l'architecte Auguste Mione, P.D.G. de *La Construction Moderne Française,* est un ancien déporté de la Résistance.

GAZETTE PROVENÇALE (La).

Journal modéré paraissant à Avignon. Seul quotidien du département (4, rue Louis-Pasteur, Avignon).

GAZETTE DE ROUEN (La).

Journal mensuel fondé en 1964 et animé par Jean Trévilly, industriel à Rouen, militant national connu dans la région. Le directeur de la publication est J.-M. Kaspar. *La Gazette* a fait campagne pour la candidature de Mᵉ Tixier-Vignancour à l'élection présidentielle de 1965 (19, rue de Campulley, Rouen).

GAZETTE ROYALE (La) (voir : Légitimiste).

GAZIER (Albert, Pierre).

Syndicaliste, né à Valenciennes (Nord), le 16 mai 1908, Vendeur en librairie, puis employé de l'Union des Caisses d'Assurances Sociales et secrétaire général de la Chambre syndicale des employés de la région parisienne (1935-1940). Membre du Bureau provisoire de la *C.G.T.* clandestine (1943-1944), secrétaire de la *C.G.T.* unifiée (1945), délégué à l'Assemblée consultative provisoire (1943-1945), membre des deux Assemblées constituantes (1945-1946), député *S.F.I.O.* de la Seine (1946-1951 et 1956-1958). Plusieurs fois sous-secrétaire d'Etat ou ministre, notamment de l'Information, sous la IVᵉ République. Membre du Comité directeur de la *S.F.I.O.*

GEFFROY (Henri-Charles).

Directeur de journal, né à Paris, le 5 décembre 1895. D'origine normande : son père de Coutances et sa mère d'Agon-Coutainville. Fils du fondateur du *Sourire,* avec l'humoriste Alphonse Allais; petit-fils du fondateur du *Recueil Sirey.* Fabricant de papiers peints, publicitaire puis directeur du journal *La Vie claire,* qu'il a fondé en 1946, où il combat le conformisme dans l'alimentation et l'hygiène en même temps que les puissances politico-financières qui tirent profit de l'alimentation industrialisée et chimique.

GEOFFROY (Jean).

Avocat, né à Malaucène (Vaucluse), le 7 janvier 1905. Militant socialiste et résistant, fut élu député à la 1ʳᵉ Assemblée Constituante (1945-1946) ; est sénateur du Vaucluse (depuis 1948). Maire de Saint-Saturnin-lès-Apt.

GEORGES (Maurice-Gaston).

Docteur en médecine, né à Lérouville (Meuse), le 5 octobre 1901. Gendre de l'ancien président de la République René Coty. Ancien interne des hôpitaux de Paris. Ancien chef de clinique à la Faculté. Membre de l'*Alliance France-Israël.* Membre du conseil national de l'*U.N.R.* Elu député de Seine-Maritime (6ᵉ circ.) en 1962 et 1967.

GEORGES - BARTHELEMY (Georges BARTHELEMY, dit).

Journaliste (1882-1933). Ancien fonctionnaire colonial. Syndic de la presse coloniale, directeur de *La Gazette coloniale* et de *L'Empire français,* fondateur de la *Fédération française des anciens coloniaux,* fut élu député du Pas-de-Calais, comme socialiste, en 1919. Fonda l'un des premiers groupements de sinistrés et un journal pour défendre leurs intérêts, *Le Pas-de-Calais libéré,* qui eut une très grande influence en 1918-1924. En délicatesse avec la fédération socialiste de son département, présenta sa candidature en 1924 dans l'Inde française et fut battu. Se retira dès lors de la vie politique.

GEORGES-PICOT (Famille).

Les Georges-Picot occupent dans la vie politico-économique de notre pays une place de choix.

Le général Georges GEORGES-PICOT, né à Paris, le 10 janvier 1894, fils du banquier Charles Georges-Picot préside

la société *Sepemi* et la *Société Européenne de Développement Industriel*,
ainsi que la *Société Risques-Investisse-
ments* et administre la *Société des Ciments Artificiels au Sahara*. Il est le
mari d'Yvonne, née Bridou, qui fut
candidate *mendésiste* aux élections législatives de 1956, et le père de Léone,
épouse de Simon Aron, dit Nora (collaborateur du président Mendès-France),
ancienne rédactrice à *L'Express*.

Son frère, Guillaume GEORGES-PICOT,
né à Etretat (Seine-Inférieure), le 10 août
1898, diplomate révoqué par le gouvernement Pétain en 1941, venu aux affaires après une carrière d'ambassadeur
bien remplie, fut le chef de la mission
officieuse qui prit les premiers contacts
avec Mao Tsé-toung.

Le troisième frère, Jacques GEORGES-
PICOT, né à Paris, le 16 décembre
1900, est un ancien inspecteur des Finances. Il fut successivement sous-directeur, directeur au ministère des Finances (1931-37) et agent supérieur adjoint
en Egypte (1937). Directeur du cabinet
de Charbin, ministre du ravitaillement
(Vichy 1941-1942). Il entra ensuite dans
le « secteur privé » et fut secrétaire
général, directeur général adjoint, directeur général de la *Cie de Suez* ; il la préside aujourd'hui en même temps que le
Crédit Industriel de l'Ouest et il administre la *Société d'Investissements Mobiliers*, la *Sté Lyonnaise de Dépôts et de
Crédit Industriel* et le *Crédit Industriel
et Commercial*.

GERARD (André, Marie).

Journaliste, né à Epinal (Vosges), le
2 septembre 1918. Fut successivement
rédacteur à : *A Présent, Guérir, Tout
Savoir*, rédacteur en chef à *L'Aurore*
(1957-1960), directeur des journaux par-
lés et télévisés à l'*O.R.T.F.* (1961-1963),
et inspecteur général de l'*O.R.T.F.* (1964).

GERAULT-RICHARD (Alfred, Léon RI-
CHARD, dit).

Journaliste (1860-1911). Si l'on en
croit le romancier populaire Michel
Zévaco, qui écrivit sa biographie à la
fin du siècle dernier, Gérault-Richard
descendait de ces *bleus* de la Sarthe qui
luttèrent contre le noble et le curé. Il
débuta dans la vie comme apprenti tapissier, et fut tour à tour homme d'équipe
de chemin de fer, papetier, représentant
de commerce, « nègre » d'un feuilletonniste en vogue, chansonnier au « *Chat
Noir* ». Par la suite, il devint l'un des
polémistes les plus redoutés de la presse
socialiste des années 1880-1910 : rédacteur à *La Marseillaise*, au *Réveil*, au *Mot*

d'ordre, à *La Bataille* (où il signait
« Jean Valjean ») puis *leader* et « patron » du *Chambard socialiste* et de
Messidor (qu'il fonda), rédacteur en chef
de *La Petite République*, directeur de
Paris-Journal. C'est surtout dans *Le
Chambard* qu'il montra ses talents de
pamphlétaire. Qu'on en juge par ce morceau spécialement choisi : « *Leur République n'a que vingt-trois ans ! Et la
voilà vieillie déjà, essoufflée, flétrie,
bonne pour la pénitence, les œuvres
pieuses, le tronc de Saint-Pierre ! Après
les soupirs alanguis dans l'alcôve où
défilèrent les soudards éperonnés, les
chevaliers d'industrie, les rastaquouères
politiques, les faiseurs de finance, les
gueulards de cabinets particuliers, sou-
teneurs de toutes écailles, écumeurs de
cuvette, qu'elle entretient avec l'argent
du bonhomme populo, l'horrible mégère
s'en va soupirer au fond des ténèbres
louches du confessionnal et étouffer ses
dernières ardeurs sous la soutane du
prêtre. Qu'elle déménage au plus tôt
pour que nous puissions nettoyer la maison...* » Par la suite, très assagi, il défendit avec presque autant d'ardeur la
République bourgeoise qu'il en avait mis
à l'attaquer. Député socialiste de la Seine
de 1894 à 1898, il s'était fait réélire
dans la Guadeloupe, en 1902, sous une
étiquette de circonstance et resta au parlement jusqu'à sa mort. Entre-temps le
révolutionnaire famélique était devenu
un riche propriétaire, directeur d'usines
et concessionnaire du Mont-de-Piété de
Monaco.

GERBE (La).

Hebdomadaire fondé le 10 juillet 1940
par Alphonse de Chateaubriant. Cet hebdomadaire politique et littéraire fut, en
quelque sorte, l'organe du groupe *Collaboration*. Sa présentation typographique
rappelait un peu *Gringoire*. Ses rédacteurs étaient ainsi présentés par Alphonse de Chateaubriant : « *Des hommes qui, dans leur amour sincère de la
France, et connaissant particulièrement
l'Allemagne actuelle, rêvaient que l'on
fit de la France son alliée dans la force,
au lieu de l'exposer à n'être plus que sa
satellite dans la défaite.* » Les rédacteurs
de *La Gerbe* venaient de tous les horizons politiques : Camille Fégy, qui eut
la responsabilité du journal à partir de
1941, avait été au *Parti communiste*
avant d'être membre du *P.P.F.* de Doriot,
Marc Augier fut un dirigeant des très
laïques Auberges de la Jeunesse, tandis
que Bernard Fay, qui publia un article
dans le n° 2 (18 juillet 1940), est un
catholique fervent et un monarchiste
convaincu. Le gros de la rédaction était

formé de Mme Gabrielle Castelot, qui signait Guy Harveng, de son fils André Castelot, l'historien, de Rochebrune, Aimé Cassar, Michèle Lapierre, Yvonne Galli, Gonzague Truc, Louis-Charles Lecoc, Claude Chabry, François de la Mesanchère, Jean Darcante, Maurice Morel, Vandéric, Henri Bachelin, J. Aulneau, Henri Busser, Annie Achard, Jeannine Reigner, Jeanne Van Loo, Lydie Villars, auxquels se joignaient, en « extra » : Pierre Bertin, lieutenant-colonel Henri Carré, Adolphe Borchard, le pianiste, H. Cardinne-Petit, Jean Sarment, Stève Passeur, Charles Dullin, Jean Anouilh, Abel Bonnard, Maurice Rostand, Jacques de Lesdain, Pierre Ducrocq, le professeur G. Montandon, Pierre de Pressac, Georges Claude, José Germain, Robert Vallery-Radot, Georges Blond, Lucien Combelle, André de Laumois, André Valtry, Armand Le Corbeiller, Odette de Puigaudeau, Clément Serpeille, petit-fils de Gobineau, Pierre Daye, l'écrivain belge, Jean Héritier, l'historien de Catherine de Médicis et de la IIIe République, Hector Ghilini, J.-M. Rochard, Yves Dautun, Rudy Cantel, Jean Lasserre, Pierre Devaux, le vulgarisateur scientifique, Géo-Charles Véran, Henri Clerc, Gaston Denizot, Jean Hérold-Paquis, l'éditorialiste de *Radio-Paris* (« *L'Angleterre comme Carthage...* »), Jean Montigny, le général Jauneaud, Jacques Benoist-Méchin, Armand Petitjean, Ramon Fernandez, Marcel Péguy, Roger de Lafforest, Claude Farrère, Alphonse Séché, tant d'autres. Des hommes de théâtre comme J.-L. Vaudoyer, Marcel Lherbier et même Harry Baur y parlaient de leur métier, Henry de Montherlant y donnait un récit de guerre. Paul Morand, une nouvelle, Marcel Aymé son roman *La Vouivre*. Le journal disparut à la Libération.

GERBES FRANÇAISES (Les).

Association dépendant des groupes *Collaboration*. Fut surtout un cercle d'études fonctionnant par intermittence, entre 1940 et 1944.

GERMAIN (Charles-Francisque).

Entrepreneur, né à Villefranche (Rhône), le 4 novembre 1909. Directeur-gérant des Etablissements Germain (entr. d'électricité). Président des *P.M.E.* de Villefranche (depuis 1947). Maire de Villefranche-sur-Saône (depuis 1959). Conseiller général du centre de Villefranche-sur-Saône. Ancien vice-président du Conseil général (1958). Maire de Villefranche (1959). Membre du *Rotary* et de l'*Alliance France-Israël*. Elu député du Rhône (10e circ.) le 25 novembre 1962.

Se présenta sans étiquette, mais avec l'investiture de l'*Association pour la Ve République* (Malraux), ce qui lui valut le désistement du candidat *U.N.R.* même celui du député indépendant sortant, M. Bréchard. Non réélu en 1967.

GERMAIN (Hubert).

Cadre, né à Paris, le 6 août 1920. Haut employé de sociétés. Compagnons de la Libération. Attaché au cabinet du général Kœnig, commandant en chef des Forces d'occupation en Allemagne (1945). Maire de Saint-Chéron (1953). Chargé de mission au cabinet de Pierre Messmer, ministre des Armées (1960-1962). Membre de l'*Alliance France-Israël*. Elu député de la Seine (14e circ.) en 1962 contre le député sortant Biaggi (ex-*U.N.R.*), investi par le *Centre Républicain*. Non réélu en 1967.

GERMAIN-MARTIN (Louis, Germain)

Economiste et homme politique (1872-1948). A sa sortie de l'Ecole des Chartes, devint secrétaire général du Musée social (1898). Quatre ans plus tard, après une tournée de conférences aux U.S.A. et au Canada, fut chargé du secrétariat de rédaction de la *Revue d'Economie Politique* (1902). Puis enseigna le droit à la Faculté de Dijon, à celles de Montpellier et de Paris, et l'économie politique à la Faculté de Strasbourg, au Centre des Hautes Etudes militaires et à l'Ecole des sciences politiques de Paris. Entre temps, fut adjoint au maire de Dijon et chef de service aux Affaires étrangères et à la Présidence du Conseil. Elu à l'Académie des sciences morales et politiques (1927), entra l'année suivante à la Chambre, comme député centriste de l'Hérault, et, quelques mois après, dans le gouvernement Poincaré. De 1928 à 1935, fut huit fois sous-secrétaire d'Etat ou ministre (cabinets Briand, Tardieu, Herriot, Doumergue, Flandrin), principalement aux Finances. Réélu député de l'Hérault en 1932. A partir de 1936, tout en poursuivant son action politique et économique hors du parlement, présida le *Comité de Prévoyance et d'Action sociales* et administra l'Institut de France et l'Institut Pasteur. Adversaire du communisme, dont il a dénoncé les dangers dans « *Le communisme asiatique contre la civilisation occidentale* » (février 1940), se rallia au gouvernement du maréchal Pétain et fit partie du *Conseil national*. A publié une trentaine d'ouvrages importants sur les finances et l'économie et plus de cent études historiques, politiques ou sociales notamment : « *Les Finances publiques* en France et la Fortune privée », « Histoire économique et financière de la Nation française », « Les grands Messieurs qui firent la France ».

GERMINAL.

Hebdomadaire socialiste fondé au printemps de 1944 à Paris. Collaborateurs : Jean Ajalbert, Marcel Braibrant, Mme Marcelle Capy, Félicien Challaye, Francis Delaisi, Armand Charpentier, Georges Dharnes (alias Dumoulin), Léon Emery, Claude Jamet, Robert Jospin, Gérard de Lacaze-Duthiers, David Lamboray, Charles Pivert (frère de Marceau), Paul Rives, Maurice Rostand, Pierre Vaillandet, etc.

GERNEZ (Raymond).

Ebéniste, né à Avesnes - lès - Aubert (Nord), le 27 novembre 1906. Commerçant en tissus. Maire de Cambrai. Ancien député socialiste du Nord (arr. de Cambrai-1re circ.) (1936-1940). Vota les pleins pouvoirs au maréchal Pétain en juillet 1940. Membre des deux Assemblées constituantes (1945-1946). A nouveau député du Nord (3e circ.) à la 1re Assemblée nationale (1946-1951). Conseiller général du Nord en 1958. Réélu député le 2 janvier 1956 (avec l'investiture de L'Express) ainsi qu'en 1958, 1962 et 1967.

GERS SOCIALISTE (Le).

Hebdomadaire socialiste fondé en 1905, sabordé en 1940, et reparu après la Libération. Son tirage dépasse 5 000 exemplaires. Lu par les militants S.F.I.O. du Gers (16, place de la Libération, Auch).

GERTHOFFER (Charles, Alexandre).

Magistrat, né à Nancy le 19 septembre 1896. Juge d'instruction, puis procureur de la République à Coulommiers, nommé par le gouvernement de Vichy, substitut de la Seine (1941), et par le Gouvernement Provisoire, délégué du ministère de la Justice (1945), fut désigné par ledit gouvernement (la même année) pour occuper le ministère public au Tribunal Militaire International (voir à ce nom) siégeant à Nuremberg, en qualité d'avocat général. Puis fut nommé substitut du procureur général (1948) et avocat général à Paris (1954) et enfin avocat général à la Cour de Cassation (1957). Est devenu le conseiller du gouvernement Pompidou pour les affaires judiciaires (1963).

GEVAUDAN (Gaston).

Rédacteur au Crédit Foncier, né à Vaison-la-Romaine (Vaucluse), le 27 septembre 1899. Engagé volontaire en 1917, il fut de nouveau mobilisé en 1939. Vieux militant marxiste, il prit une part active à la Résistance et fut l'un des fondateurs du mouvement Libération-Nord. Membre du Parti Socialiste S.F.I.O., il fut élu conseiller municipal de Paris et conseiller général de la Seine en 1945 et réélu en 1947, 1953, 1959 et 1965. Elu président du Conseil général de la Seine. Aux élections législatives de 1962 et de 1967, il fut candidat de la S.F.I.O. dans la 26e circonscription de la Seine.

GHETTO.

Mot italien désignant le quartier juif de Rome. Par ext. quartier d'une ville où la population juive est en majorité. Le ghetto fut l'une des conséquences des conciles de Narbonne (1051), de Mayence (1300) et de Valence (1338) qui avaient décidé que les chrétiens ne seraient pas en contact permanent avec les juifs. Il est probable que le ghetto eut une grande influence dans le développement et surtout la survivance du judaïsme. En contraignant les juifs à vivre séparés des autres habitants du pays qu'ils habitaient, on les poussait à adopter des habitudes et des pratiques qui ont renforcé leurs caractères particuliers. Par ext. le mot ghetto désigne le quartier juif d'une ville européenne.

GIACOBBI (François).

Avocat, né à Venaco (Corse), le 19 juillet 1919. Fils de l'ancien ministre Paul Giacobbi. Rédacteur à l'Agence télégraphique universelle (1946-1948), à Paris-Match (1949-1951), à l'Action Automobile (1949-1951). Avocat inscrit au barreau de Corte (depuis 1952). Maire de Venaco, député radical-socialiste de la Corse (1956-1958), sous-secrétaire d'Etat à la présidence du Conseil (cabinet Bourgès-Maunoury, 1957 et Félix Gaillard, 1957-1958), président du Conseil général de la Corse, sénateur de la Corse (depuis 1962), secrétaire général du Parti Radical-Socialiste.

GIACOMETTI (Robert, Joseph).

Directeur de société, né à Grenoble (Isère), le 12 octobre 1923. Proche collaborateur à la P.I.C. de l'industriel Christian Wolf (ancien commandataire de Réalisme et de France Réelle). Administrateur de la *Société de Publicité Commerciale Internationale*, co-fondateur du *Consortium International de Propagande*, devenue l'*Omnium d'Impression et de Publicité*, dont il est l'un des administrateurs. Membre du Comité National du *Comité Tixier-Vignancour* (1965) et du Comité directeur du *Cercle du Panthéon* (1966).

GIANNOLI (Paul, Xavier).

Journaliste, né à Marseille (B.-du-Rh.), le 17 mars 1931. Gendre de Roger Frey, ministre de l'Intérieur. Ancien reporter à *Paris-Presse-l'Intransigeant*, est depuis 1962, rédacteur en chef adjoint du *Nouveau Candide*.

GIDEL (Gilbert).

Vice-doyen de la Faculté de droit de Paris, nommé le 23 janvier 1941 membre du *Conseil National* (voir à ce nom).

GIGNOUX (Claude-Joseph).

Journaliste, né à Lyon, le 29 novembre 1890, mort à Paris, le 17 avril 1966. Ancien secrétaire de la Commission économique de la Conférence de la Paix (1919), il participa à titre officiel à la plupart des conférences internationales d'après-guerre. Après avoir enseigné le droit à la Faculté de Nancy, il devint rédacteur en chef, puis directeur de *La Journée Industrielle*. Maire de Saint-Jean-Le Puy (Loire), il fut élu député modéré du département en 1928 et nommé sous-secrétaire d'Etat à l'économie en 1931-1932 (Cabinet Laval). En 1936, la *Confédération Générale du Patronat Français* l'ancêtre de l'actuel *C.N.P.F.*) le plaça à sa tête. Prisonnier en 1940, libéré l'année suivante, il fut nommé président de la Commission d'Etudes de l'Organisation Economique à Vichy et membre du *Conseil National* du maréchal Pétain. Il fit également partie, à cette époque, de l'*Institut d'Etudes Coopératives et Sociales*. En 1954, il prit la direction de la *Revue des Deux Mondes*, à laquelle il collaborait régulièrement depuis 1950. Il fut élu membre de l'Académie des sciences morales et politiques (section d'économie politique) en 1958 et, l'année suivante, membre du comité des experts chargé de faire rapport sur la situation financière. Il était, en outre, membre de l'Académie d'agriculture et vice-président de la Société d'encouragement à l'industrie nationale. Parmi ses nombreux ouvrages, on peut citer : « *L'Après-guerre et la politique commerciale* », « *La Vie du baron Louis* », « *Monsieur Colbert* », « *Turgot* », « *Karl Marx* »,

« *Lénine* », « *La Crise du capitalisme au* XXᵉ *siècle* », « *Feu la liberté* », etc.

GIL BLAS (Le).

Journal fondé en 1879 par A. Dumont. Fut longtemps dirigé par Pierre Mortje, dit Mortier, futur député radical et franc-maçon de Seine-et-Marne (1932-1936), qui en avait fait un quotidien de gauche. Disparu en 1914.

GILBERT-JULES (Jean, Gilbert JULES, dit).

Avocat, né à Chaulnes (Somme), le 1ᵉʳ septembre 1903. Ancien bâtonnier du Barreau d'Amiens, conseiller général radical-socialiste de Chaulnes (1945-1964), sénateur de la Somme (1948-1959), secrétaire d'Etat aux Finances et Affaires économiques (cabinets Mendès-France 1954-1955 et Edgar Faure (1955-1956), ministre de l'Intérieur (cabinets Guy Mollet, 1956-1957, Bourgès-Maunoury, 1957), membre du Comité consultatif constitutionnel (août 1958), nommé pour 9 ans membre du Conseil constitutionnel (février 1959).

GILLOUIN (René, Charles, Auguste).

Homme de lettres, né à Aouste (Drôme), le 11 mars 1881. Débuta comme rédacteur à la préfecture de la Seine (1905) et fut successivement sous-chef de bureau, chef de bureau, sous-directeur, démissionnaire (1931). Ancien conseiller municipal de Paris et vice-président du Conseil municipal : ancien dirigeant du *Rassemblement National*, fut le conseiller intime du maréchal Pétain à Vichy (il rédigea quelques-uns de ses messages). Fut également l'un des membres du Conseil général du *Centre Français de Synthèse*. Vécut en Suisse de 1942 à 1945. Après la Libération, collabora à *Paroles Françaises* et à *La Nation Française*. Aujourd'hui, participe à la direction du *C.E.P.E.C.* en qualité de vice-président, et collabore à *Aux Ecoutes de la Finance* sous le pseudonyme de *Severus*. Est l'auteur d'une vingtaine d'ouvrages, notamment : « *Philosophie d'Henri Bergson* », « *Etudes littéraires et philosophiques* » (prix de la Critique, 1912), « *Une nouvelle philosophie de l'histoire moderne et française* », « *Aristarchie ou Recherche d'un gouvernement* ».

GINDRE (Henri).

Président du *Syndicat des agriculteurs du Cher*, nommé le 23 janvier 1941 membre du *Conseil National* (voir à ce nom).

•INGEMBRE (Maurice, Henri, Jean-Marie).

Ingénieur, né à Paris 7e, le 22 avril
)20. Fils de Paul Gingembre, président
administrateur de sociétés minières,
e phosphates et d'engrais (*Comiphos,
ogolaise des Mines du Bénin, Phospha-
s de Taïba*, etc.). Il était le direc-
ur général adjoint de la *Sté Djebel Onk*
lont son père est vice-président) lors-
ue, soupçonné d'être le trésorier de
O.A.S., il fut arrêté par la police le
septembre 1961. Condamné lourde-
ent, il passa plus de quatre ans en
rison. A la Santé, il fit la connaissance
e Dominique Venner qui exerça tout
e suite une grande influence sur lui.
éduit à l'impuissance pendant de lon-
ues années, c'est sa femme, Suzanne
ingembre, qui organisa avec Venner
s *Editions Saint-Just*, la *Librairie de
Amitié* et *Europe-Action* (voir à ces
oms), auxquels Maurice Gingembre,
béré et amnistié, participa et intéressa
armateur L. Schiaffino.

•IONO (Jean).

Ecrivain, né à Manosque (B.-A.), le
) mars 1895. Fils d'un artisan anar-
hisant. Fut groom, puis employé de
anque (1911-1929) et vint à la littéra-
re dans les années qui suivirent la
remière Guerre mondiale. Son premier
cueil de vers parut dans ses *Cahiers
e l'Artisan*, qu'il imprimait lui-même à
aint-Paul. Bernard Grasset le découvrit
devint son éditeur. Homme de gauche
ollabora à *l'Humanité* et fut l'un des
embres du *Comité de vigilance des In-
ellectuels antifascistes*. Pacifiste, se pro-
onça en 1938-1939 contre l'action belli-
iste de certains de ses amis politiques
signa le fameux tract « *Paix immé-
iate* » de Louis Lecoin. Collabora pen-
ant la guerre à la *Nouvelle Revue Fran-
aise* que dirigeait Drieu La Rochelle.
on nom fut inscrit sur la *liste noire* des
urateurs du *C.N.E.* (1944). Entra, dix
ns plus tard, à l'Académie Goncourt.
uteur de nombreux succès dont plu-
eurs ont été portés à l'écran (« *La
mme du Boulanger* », « *L'eau vive* »,
Le Hussard sur le toit », etc.).

•IOVANNI (André).

Journaliste, né à Paris, le 20 février
927. Ancien ingénieur en organisation,
ntra dans la presse en 1954 et devint
ecrétaire général des *Editions Lacroix
ères* et directeur de la rédaction des
vue *Le Monde et la Vie, Guérir, La
ie des bêtes, Toute la pêche, Archéolo-
a*.

GIRARD (Florimond).

Agent général d'assurances, né à Saint-
Julien-de-Maurienne (Savoie). Suppléant
de Pierre Dumas aux élections législatives du 18 novembre 1962, a été proclamé député de la Savoie le 7 janvier 1963,
lorsque ce dernier devint membre du
gouvernement.

GIRARDIN (Emile de).

Journaliste, né et mort à Paris (1806-
1881). Fils naturel du comte Alexandre
de Girardin et de « *La jeune fille à la
colombe* » de Creuze. Il se lança tôt
dans la littérature, publia un roman
autobiographique : « *Emile* », puis une
revue composée d'articles pris chez les
confrères, d'où son titre significatif : *Le
voleur*. Bon journaliste et homme d'affaires averti, il est considéré comme le
« père » de la presse moderne : c'est lui
qui introduisit dans le journal un nouvel élément, la publicité, qui permettait,
en abaissant le prix de vente du quotidien, d'augmenter sa diffusion dans le
public, mais, en même temps, plaçait les
journaux dans une situation particulière
puisque désormais la vente et les abonnements ne couvraient plus les dépenses
de rédaction et de fabrication. Girardin
lança en 1836 *La Presse*, dirigea en 1866
La Liberté, et au début de la IIIe République *Le Moniteur Universel, Le Petit*

L'ombre de Pucheu : « *Prenez garde, mon général, ils sont fichus de vous fusiller.* »

France-Révolution, 23 juillet 1944.

Journal, puis *La France*. Il fut député de Bourges sous Louis-Philippe, du Bas-Rhin sous la IIe République, et de Paris sous la IIIe (voir : *Presse*).

GIRAUD (Henri).

Général, né à Paris en 1879, mort à Dijon en 1949. Combattant courageux de la Première Guerre mondiale, il fut fait prisonnier et parvint à s'échapper. Dans l'entre-deux-guerres, il fit peu parler de lui : on le savait « de droite », mais son nom ne fut pas mêlé aux événements politiques qui secouèrent la IIIe République. A la Seconde Guerre, capturé par l'ennemi à la tête de la 7e armée, il réussit encore à s'enfuir et à gagner, en France, la zone non occupée, où il écrivit au maréchal pour l'assurer de son loyalisme. Les Américains, après le refus opposé par Weygand, tentèrent de rallier Giraud à leur projet de débarquement en Afrique du Nord. Une première conférence eut lieu à Cherchell, avec Clark. Une seconde se tint à Gibraltar, avec Eisenhower. Au même moment, les Américains débarquaient en Afrique du Nord et signaient, le 13 novembre 1942, un accord avec l'amiral Darlan, dauphin désigné du maréchal Pétain, arrivé quatre jours plus tôt à Alger, au chevet de son fils malade ; Darlan était nommé haut commissaire et Giraud, commandant en chef des Forces armées. Après l'assassinat de Darlan, une rencontre à Anfa (faubourg de Casablanca) réunit Roosevelt, Churchill, Giraud et De Gaulle. Les deux généraux français se heurtèrent, dès l'abord : « *C'est clair*, entama De Gaulle, *vous êtes Foch, je suis Clemenceau.* » Le 19 février 194? Giraud, soutenu par les Américains, pri? le pas sur son rival et se vit maintenu à son poste de commandant en chef. L? presse gaulliste se déchaîna et accus? Giraud de s'opposer au rétablissemen? du décret Crémieux (qui avait accord? en bloc la nationalité française aux Juif? algériens et que Vichy avait abrogé). Le? Israélites de New York manifestèrent e? le baron Edouard de Rothschild adress? une protestation indignée au départe? ment d'Etat. Le 31 mai suivant, D? Gaulle reçut à Alger un accueil délirant? le public et la police arboraient la Croi? de Lorraine, interdite par Giraud. Le? deux généraux décidèrent de constitue? un Comité de Libération dont feraien? partie, outre eux-mêmes, quatre délégué? Giraud présenta le général Georges e? Jean Monnet ; De Gaulle, le général Ca? troux et Massigli. Au dernier momen? l'accord sur le point d'être signé, D? Gaulle imposa la nomination d'un cin? quième délégué choisi par lui : la partie? dès lors, était jouée : De Gaulle qui dis? posait de la majorité, en profita dans le? mois qui suivirent pour éliminer l'évad? de Kœnigstein et s'assurer tous les pou? voirs. En juillet 1944, un communiqu? laconique annonçait que le général Gi? raud venait d'être « *blessé d'une ball? dans la tête par un soldat sénégalai? pris de boisson* ». On n'entendit plu? guère parler de lui. En prenant congé d? ses soldats, Giraud, officier courageux? patriote ardent mais piètre politique? leur avait adressé cet adieu : « *Ecoute? un seul appel celui de la France. Le? hommes passent, mais la France es? éternelle.* »

GIRON (Roger, Rémy, Louis).

Journaliste, né à Bruyères-le-Châtel (S.-et-O.), le 28 février 1900. Dans sa jeunesse, anima les *Etudiants bonapartistes* Débuta dans la presse comme rédacteur au quotidien *L'Éclair* (1923), puis collabora au *Nouveau Siècle*, journal du mouvement fasciste *Le Faisceau*, à *L'Ami du Peuple du soir*, à *Paris-Midi*, à *Paris-Soir*. Fut ensuite : chargé de mission au ministère de la Justice (1938), chef du Service de presse au cabinet du ministre des Finances (1938-1939), directeur des services de presse aux Affaires étrangères, puis à la Présidence du Conseil (1940). A la Libération, appartint à la direction du *C.N.E.*, qui épura la presse et les lettres des éléments pétainistes, et fut nommé chef des services parlementaires du président du Gouvernement provisoire (1944-1945). Dans les années qui suivirent : directeur littéraire de *L'Intransigeant*, directeur-adjoint du cabinet du ministre des finances (1948) et du cabinet du président du Conseil (1953-1954), collaborateur de *France-Soir*, du *Figaro*, de *La Voix du Nord*, etc. Auteur de : « *La Jeunesse devant la politique* », « *L'Armistice* ».

GIRONDE POPULAIRE (La).

Journal bordelais du *Parti Communiste* absorbé par *Les Nouvelles de Bordeaux* (voir à ce nom).

GIROUD (France GOURDJI, épouse ELIACHEFF, dite Françoise).

Journaliste, née à Genève, le 21 septembre 1919. Son père était directeur de l'Agence télégraphique ottomane. Fut rédactrice en chef de *Elle* et collabora aux journaux du groupe Hachette (*France-soir, Paris-Presse-L'Intransigeant, France-Dimanche*) avant de devenir le bras-droit de J.-J. Servan-Schreiber à *L'Express*. A publié quelques ouvrages sans grande notoriété (en particulier « *La belle que voilà* ») qui ne manquent cependant pas d'intérêt.

GISCARD D'ESTAING (Valéry).

Inspecteur des Finances, né à Coblentz (Allemagne), le 2 février 1926. Fils d'Edmond Giscard d'Estaing, président ou administrateur de grandes sociétés (les *Giscard* ont été autorisés à ajouter d'Estaing à leur patronyme par décrets des 17 juin 1922 et 16 janvier 1923). Petit-fils de Jacques Bardoux, ancien député et administrateur d'une vingtaine de sociétés industrielles et financières. Arrière-petit-fils d'Agénor Bardoux, ancien ministre de l'Instruction publique. Descendant de Louis XV par les femmes : son ancêtre, Louise-Françoise-Adélaïde de Saint-Germain, épouse de Jean-Pierre Bachasson de Montalivet, était, en effet, la fille naturelle du roi et de Marthe-Charlotte de Saint-Germain (cf. *La France généalogique* n° 43, pages 36 à 50). Marié avec Anne-Aymone de Brantes, nièce de Mme Alfred Fabre-Luce, et petite-fille d'Eugène Schneider, l'une des héritières de cette illustre dynastie bourgeoise du Creusot. Sorti de l'Ecole Polytechnique et de l'Ecole Nationale d'Administration, fut nommé adjoint à l'Inspection Générale des Finances (1952), puis inspecteur des Finances (1954). Collaborateur (très officieux) d'Edgar Faure, président du Conseil (mars 1955), directeur adjoint de son cabinet (22 juin-12 décembre 1955). Elu député du Puy-de-Dôme au siège de son grand-père (1956), conseiller général du même département (1956). Membre de la Délégation française à l'O.N.U. (1956 et 1958). Secrétaire d'Etat aux Finances (gouvernement Debré 1959-1962), ministre des Finances et des Affaires économiques (même cabinet, janvier 1962, puis dans les premier et deuxième cabinets Pompidou, jusqu'en 1966). Avait été réélu, entre temps, député du Puy-de-Dôme (25 novembre 1962). Fondateur et principal animateur du groupe des *Républicains Indépendants*, réunissant les députés conservateurs et libéraux de tendance gaulliste. Président de la *Fédération des Républicains Indépendants*, a été réélu député en 1967.

GISCLON (Florimond).

Membre de l'enseignement, né à L'Arbresle (Rhône), le 18 janvier 1901. Ancien vénérable de la loge *Tolérance et cordialité*. Révoqué de ses fonctions de directeur d'école de Caluire par le gouvernement Pétain en 1941. Combattant volontaire de la Résistance. Membre actif de la *S.F.I.O.*, fut conseiller municipal de Caluire en 1953 et, depuis 1959, est adjoint au maire de Lyon. Secrétaire de l'*Union régionale des coopératives ouvrières de production du Sud-Est*. Auteur de plusieurs ouvrages sur la coopération.

GITTON (Marcel).

Ouvrier du bâtiment (1903-1941). Militant communiste, entra au bureau confédéral de la *C.G.T.U.* en 1929 (secrétaire) et devint secrétaire du *P.C.* six ans après. Elu député de la Seine en 1936. Abandonna le parti lors du pacte germano-soviétique. Intervint en faveur des militants révolutionnaires et pacifistes emprisonnés en 1939-1940. Collabora en 1940-1941 au *Cri du Peuple* de J. Doriot. Fut assassiné par des communistes, le 5 septembre 1941, quelques mois après le déclenchement de la guerre germano-soviétique.

GOBINEAU (comte Joseph-Arthur de).

Diplomate et homme de lettres, né à Ville d'Avray, en 1816, mort à Turin, en 1882. Il écrivit divers livres de littérature et de philosophie (notamment : « *Les Religions et les Philosophies dans l'Asie centrale* » (1865), « *Les Pléiades* » (1874), « *Nouvelles asiatiques* » (1876); mais son principal ouvrage est l' « *Essai sur l'inégalité des races humaines* » (1854), dans lequel, s'appuyant sur l'histoire, l'anthropologie et la philologie, il voulut démontrer qu'il y a une véritable hiérarchie entre les races humaines, et que la seule race pure est celle des Germains, du moins ceux qui habitent certaines contrées de l'Angleterre, de la Belgique et du Nord de la France, et qui ne sont pas métissés comme les Allemands (de son temps) avec les Slaves et les Celtes. Ses disciples se recrutèrent principalement outre-Rhin : Nietzsche et Richard Wagner lui empruntèrent beaucoup, et, bien avant Hitler, un professeur de Fribourg, Ludwig Scheemann, adopta ses idées racistes, créant même une association *gobinienne*. Clément Serpeille de Gobineau, fils d'une de ses filles et d'un rédacteur de *L'Œuvre* (de Gustave Téry), tenta de répandre le *gobinisme* en France, mais il eut peu d'adeptes en dehors de Jean Boissel, fondateur d'un petit journal raciste, *Le Réveil du Peuple*, qui parut par intermittence entre 1936 et 1944.

GODART (Justin).

Avocat, né à Lyon, le 26 novembre 1871, mort à Paris, le 13 décembre 1956. *Leader* radical-socialiste de la région lyonnaise, fut député du Rhône de 1906 à 1926, puis sénateur de ce département de 1926 à 1942 et, au cours de la guerre de 1914-1918, sous-secrétaire d'Etat. Bien qu'il n'étant pas d'origine israélite, présida plusieurs organisations juives ou sionistes dans l'entre-deux-guerres (*La Terre Retrouvée*). Appartint, à la même époque, au comité central de la *Ligue des Droits de l'Homme*. Vota pour le maréchal Pétain en juillet 1940. Manifesta, un peu plus tard, son hostilité au gouvernement de Vichy. Nommé maire provisoire de Lyon à la Libération. Fut, dans les années qui précédèrent sa mort, l'un des dirigeants du *M.R.A.P.*

GODEFROY (Pierre).

Journaliste, né à Octeville-la-Venelle (Manche), le 4 juillet 1915. Ancien collaborateur d'André Malraux. Anc. chef de la rubrique agricole de la *Presse de la Manche* et du *Réveil*. Membre de l'*Alliance France-Israël*. Député *U.N.R.* de la Manche (4e circ.) depuis 1958.

GODIN (André-Jean).

Préfet honoraire, né à Alger, le 11 juillet 1900. Fils du préfet Pierre Godin, ancien collaborateur de Clemenceau et président du conseil municipal de Paris. Fonctionnaire du ministère des Finances (1923-1928), puis sous-préfet et collaborateur d'André Tardieu (1928-1930) et du préfet de police Chiappe (1930-1932). Passé au ministère de l'Intérieur, devint directeur adjoint à la Préfecture de police, chef des Services de surveillance et de protection des Nord-Africains (1932-1937), puis directeur adjoint à la Direction du personnel et du matériel à la Préfecture de police (1937-1942). Chargé de cours à l'Ecole nationale de la France d'outre-mer (1941). Fut écarté par le gouvernement de Vichy en raison de son appartenance à la Loge *La Perfection Ecossaise*, et du grade (14e degré) qu'il avait dans le Rite Ecossais (mars 1942). Nommé préfet de 1re classe à la Libération, fut chargé de secrétariat général de la Préfecture de police (19 août 1944). Fait compagnon de la Libération. Elu député radical-socialiste de la Somme à la 2e Constituante (juin-novembre 1946), fut réélu (1re Assemblée nationale, 1946-1951). Ayant rejoint le *R.P.F.* du général De Gaulle entre temps, se présenta en juin 1951 sous cette étiquette et fut réélu. Occupa un fauteuil de vice-président de l'Assemblée au cours de la 2e législature, mais ne se représenta pas en 1956. Préside actuellement la *S.A. Immobilière de Construction La Colline du Midi*.

GODONECHE (Paul).

Médecin, né à La Tour d'Auvergne (Puy-de-Dôme), le 5 septembre 1899. Fils du Dr Henri Godonèche, ancien maire de Bagnols (pendant trente-neuf ans) et ancien conseiller d'arrondissement. Conseiller municipal de La Tour d'Auvergne, puis adjoint au maire (1929) et maire (depuis 1932), conseiller général du Puy-de-Dôme (depuis 1934), député indépendant du même département (3e circonscription : Issoire) (1958-1962). Membre du Rotary-Club de La Bourboule-Le Mont-Dore. Principal animateur du *Centre National des Indépendants et Paysans* du Puy-de-Dôme.

GOEMAERE (Roger, André).

Maître imprimeur, né à Romorantin (Loir-et-Cher) le 15 avril 1923. Ancien agent du réseau de résistance Buckmaster. Conseiller municipal de Montrichard. Candidat en janvier 1956 sur la liste gaulliste dite d'*Union et de Salut Public* (présentée par les Républicains Sociaux) avec Robert Pesquet (tête de liste : battu). Elu député *U.N.R.* de Loir-et-Cher (1re circ.) le 25 novembre 1962, fut battu en 1967.

GOGUEL (François, Ferdinand).

Secrétaire général du Sénat, né à Paris, le 3 février 1909. Fils d'un professeur à la Sorbonne. Appartint avant guerre aux services législatifs du Sénat, et après la Libération occupa les fonctions suivantes : secrétaire général de la Fondation nationale des sciences politiques (1945-1946), directeur du service de la séance au Conseil de la République (1948), secrétaire général du Conseil de la République, puis du Sénat (depuis 1954). Professeur à l'Institut d'études politiques de Paris, vice-président de l'*Association française de sciences politiques*. Président de l'*Association André Siegfried*. Auteur d'ouvrages importants tels que : « *La Politique des Partis sous la Troisième République* » (1946), « *Le Régime politique français* », « *La Politique en France* » (en collaboration avec Alfred Grosset, 1964).

GOHIER (Urbain DEGOULET-GOHIER, dit).

Journaliste, né à Versailles (Seine-et-Oise), le 17 décembre 1862, mort à Saint-Satur (Cher), le 29 juin 1951. Orphelin de bonne heure, le futur polémiste fut recueilli et élevé par un M. Gohier, dont il prit le nom. Il fit ses études à Stanislas où il eut comme condisciple Marcel Sembat. En sortant de Stanislas, Gohier commença par donner des leçons particulières et professa à Saint-Cyr et à Stanislas en même temps qu'il préparait ses licences en droit, ès lettres et histoire. Bien que dispensé de service militaire par la loi de 1872, comme soutien de famille, il s'engagea dans la cavalerie. Mais à la suite d'un accident de cheval, où il eut le ventre écrasé, il fut renvoyé « dans ses foyers ». Cela ne l'empêcha pas, un an plus tard, d'accomplir trois périodes militaires, mais dans l'infanterie. De son passage à l'armée, il garda un mauvais souvenir, d'où son livre : « *A bas la caserne !* ». Gohier se préparait à devenir professeur de droit : en fin de compte, il fut avocat (si peu) et journaliste. Dans l'histoire de la presse française, il occupe une place de choix, au premier rang. Il débuta au *Soleil*, alors dirigé par Hervé, un journaliste de classe qui aimait son métier. Gohier se fit bien vite remarquer par son courage et son talent. Bien que *Le Soleil* fut conservateur — son directeur était un vieil orléaniste, pour qui la Monarchie de Juillet était le modèle des régimes — tous ses collaborateurs n'acceptaient pas la monarchie : Gohier était de ceux-là. Les brochures qu'il écrivit alors et que l'on trouve encore, mais rarement, sur les quais, témoignent de son tempérament de révolutionnaire. Deux d'entre elles sont particulièrement remarquables : « *Sur la guerre* » (1895) et « *Contre l'Argent* » (1896). Son non-conformisme éclate à chaque page, et l'on pardonne ses injustices à l'homme qui sacrifia tout à la liberté et la paix. Du *Soleil*, Gohier passa à *L'Aurore*, que Vaughan dirigeait et dont il devint le principal rédacteur avec Georges Clemenceau. Son antimilitarisme l'avait poussé dans le camp *dreyfusiste* — « *Je n'ai jamais été dreyfusard*, disait-il, *mais seulement partisan de la révision du procès de Dreyfus* » — et il écrivit alors de véritables réquisitoires contre l'Armée et contre l'Eglise, articles qui furent un peu plus tard réunis en volumes : « *L'armée contre la Nation* » et « *Les Prétoriens et la Congrégation* ». Une fois « l'Affaire » réglée, dans le sens voulu par les « dreyfusards », Clemenceau lâcha *l'Aurore* et, avec lui, l'abandonnèrent ceux qui l'avaient aidée. Finalement, le journal fut vendu, et Gohier n'eut plus de tribune. Trop compromis et trop compromettant, il resta assez longtemps sans travail, épuisant ses petites réserves dans la publication d'un hebdomadaire, *Le Vieux Cordelier*, qui n'eut qu'une demi-douzaine de numéros. Il accepta, pour un temps, un poste au *Droit du Peuple*, de Grenoble, après avoir fait, en Amérique, un voyage qui lui inspira un livre : « *Le Peuple du XXe siècle* ». En 1904, nous le retrouvons au *Cri de Paris*, qu'il rédigeait à peu près seul et qui fut racheté par Jean Finot (Finkelhaus). Ses démêlés avec la Justice le conduisirent à la Santé et devant les Assises, celles de l'Yonne, en 1903, avec Gustave Hervé et celles de Paris, d'abord pour son livre : « *L'Armée contre la Nation* », ensuite pour une affiche incendiaire signée avec vingt-sept autres pacifistes. Devant les jurés parisiens, il expliquait ainsi sa position : « *Je n'entends pas laisser la France désarmée devant les autres nations armées. Nous ne voulons pas détruire « l'armée française » ; nous voulons supprimer toutes les armées, pour supprimer la guerre.* » (« *L'antimilitarisme et la paix* », Paris 1906). En 1906, Gohier entra au *Matin*, l'année suivante, à *L'Intransigeant*, et en 1909, à *La Libre Parole*. Entre-temps, il s'était fait inscrire au barreau de Paris et avait plaidé quelques affaires. Plus tard, il fut l'un des principaux collaborateurs de *l'Œuvre* hebdomadaire, de Gustave Téry, et du *Journal*, et fonda en 1917 un pamphlet hebdomadaire avec son ami Jean Drault, *La Vieille France* — qui s'appelait au début *L'Œuvre française* — laquelle parut jusqu'en 1924. Sa brouille avec Maurras et Daudet l'ayant coupé des milieux nationalistes qui lui fournissaient alors son principal contingent d'abonnés, il dut saborder son petit hebdomadaire. Autour de 1925, il entra au *Figaro* où, selon sa propre formule, il collabora de longues années « sous la signature de François Coty ». En 1929-1930, il fit paraître un hebdomadaire à la fois antisémite et « anti-orléaniste » : *La Nouvelle Aurore*, tout en collaborant au *Figaro* et à *l'Ami du Peuple*. Il donnait aussi quelques articles à *La Volonté*, dont il ne partageait pas les idées, mais qui accueillait volontiers ses diatribes contre l'*Action Française*. Lorsque Coty mourut (1934), ruiné par son divorce et dépossédé de ses journaux, Gohier se retira pratiquement du journalisme, se bornant à donner quelques articles à diverses feuilles où il comptait encore des amis (*La Libre Parole, Au Pilori*, etc.), sans bien se soucier de leurs tendances : « *Le journal est un mur*, disait-il, *sur lequel je colle mon affiche...* » Ses polémiques lui occasionnèrent plusieurs duels, notamment avec le comte de Sabran-Pontevès et le fils du général Mercier ; elles le brouillèrent tour à tour avec la gauche et avec la droite. A ceux qui lui reprochaient d'avoir varié, il répondait : « *Je n'ai pas changé. Ce sont mes voisins qui ont changé : car les hommes changent à mesure qu'il approchent du pouvoir. Je suis toujours resté à la même distance du pouvoir... N'ayant point de coterie, n'ayant avec personne une communauté de calculs et d'intérêts, je me suis trouvé simplement le compagnon de ceux qui, à tel ou tel moment, soutenaient les idées que j'ai toujours soutenues.* » (« *La Révolution vient-elle ?* ») Ailleurs, il écrivait : « *Si vous avez quelque énergie au cœur, ne redoutez pas, ne calomniez pas la misère. C'est la misère qui, seule, distingue, parmi*

les hommes, les forts des faibles, les bons des méchants. Elle arrache tous les masques ; elle ennoblit les nobles âmes ; elle découvre les âmes viles... Vous voulez vivre : vivre, c'est agir ; et l'or est un puissant levier ? La misère, aussi, qui donne l'indépendance. Restez pauvres. Si vous êtes privés des filles d'Opéra, du salut gouailleur des laquais, de l'obsession des parasites, de l'envie des faquins, de la trahison de vos amis, vous ne manquerez pas cependant de quelques satisfactions. Vous sentirez les vivifiantes secousses de la colère et les fortes jouissances du mépris. » (« *Contre l'Argent.* ») Se souciant fort peu de ses intérêts, il mourut pauvre et oublié, chez sa sœur, où il avait trouvé refuge en 1944. Ce remarquable styliste, qui aurait pu devenir un écrivain en renom s'il n'avait pas cédé au démon de la politique ou s'il avait été plus habile, a laissé outre les ouvrages déjà cités : « *Histoire d'une trahison* », « *La Sociale* », « *Le Réveil* », « *Gardons la France aux Français* », « *Leur République* », « *La Révolution vient-elle ?* », « *L'armée nouvelle* », « *L'Armée de Condé* », « *La Terreur juive* », « *A nous la France* », « *Le Droit de la Race supérieure* » (ces deux derniers sous le pseudonyme d'Isaac Blumchen), « *La femme et l'enfant* », « *Les bêtes* », « *Un peu d'idéal* », « *La Race a parlé* », « *La vraie figure de Clemenceau* », plusieurs pièces de théâtre : « *Le Ressort* », présentée au *Nouveau Théâtre* en février 1900 et interdite par le gouvernement, « *Spartacus* », drame antique et révolutionnaire, « *Les chaînes* » et « *Le mariage de Kretchinski* », pièces adaptées du théâtre russe en collaboration avec J.W. Bienstock, et divers autres ouvrages dont une traduction des « *Protocols des Sages d'Israël* ».

GOLDSKY (Jean GOLDSCHILD, dit).

(Voir : *Office Général de la Presse Française.*)

GOLVAN (Victor).

Vétérinaire, né à Gavres (Morbihan), le 6 avril 1902. Maire et conseiller général de Quiberon, député *R.P.F.* du Morbihan (juin 1951-janvier 1956), sénateur du Morbihan (depuis 1959), membre de l'U.N.R.

GOMBAULT (Georges WEISKOPF, dit).

Journaliste, né à Paris, le 12 août 1881. Fils de Moïse Weiskopf, d'origine bavaroise, naturalisé français le 31 octobre 1881 (cf. *Univers Israélite*, 14-2-1936, page 324), rabbin et traducteur juré. Successivement rédacteur à *L'Aurore*

(1905-1909), à *l'Action*, au *Siècle*, à *Paris-Midi* (1909-1913), à *L'Homme Libre* (1913-1914), à *l'Œuvre*, à *Bonsoir*, au *Quotidien*, à *L'Ere nouvelle*, au *Petit Provençal*, à *L'Œil de Paris*, à *La Dépêche Dauphinoise* (1919-1939), à *La Lumière*, où il mena une vigoureuse campagne contre le nazisme et en faveur de ses frères juifs persécutés en Allemagne, ce qui le fit accuser de bellicisme par ses adversaires. Exilé à Londres pendant la guerre, fut l'un des principaux rédacteurs de *France*, journal publié dans la capitale britannique. Est depuis longtemps un des dirigeants de la *Ligue des Droits de l'Homme* (actuellement : vice-président). Son fils Charles-Henri Gombault, né à Paris, le 25 août 1907, collabora au *Soir*, au *Populaire*, à *Paris-Midi* et à *Paris-Soir* et fut, avec son père, l'un des principaux animateurs de *France*. Depuis la Libération, fut successivement secrétaire général (1945), rédacteur en chef et directeur (1961) de *France-Soir*.

GONCOURT (Edmond-Louis-Antoine et Jules-Alfred).

Ecrivains, nés, le premier à Nancy, en 1822, le second à Paris en 1830, et morts, l'aîné à Champrosay, chez Alphonse Daudet, en 1896, le plus jeune, à Paris en 1870. « *Ce sera plus tard*, écrivait Drumont, *une des plus curieuses surprises de l'histoire littéraire que le spectacle de ces deux intelligences fraternellement associées, se complétant l'une par l'autre ou plutôt ne formant qu'une unité, pensant et éprouvant d'une façon absolument identique, ressentant tous les deux avec une intensité égale des impressions particulièrement subtiles et délicates* » (« *Figures de bronze ou statues de neige* », Paris, 1900). Un peu plus loin, Drumont ajoutait : « *En faisant abstraction de la foi religieuse, notre époque a une foi qui est très réelle en dépit de beaucoup de déclamations ; elle croit au progrès, aux transformations de la société, au nombre moralisé et instruit. Les Goncourt ne sont dans aucun de ces courants. Ils saluent la Religion en gens bien élevés, ils devinent en artistes la puissance des cérémonies sur l'âme ; ils ne raillent pas le monde moderne, ils témoignent du respect à ce qui est beau et sont incapables de complaisance pour ce qui est bas ; ils n'ont ni ironie, ni sarcasme, ni scepticisme affiché, mais aucun souffle d'opinion n'agite ces pages chaudes, colorées, mouvementées en apparence, et qu'on est tout étonné de trouver immobiles et glacées.* » Les Goncourt n'étaient pas,

Les Goncourt

comme on dit aujourd'hui, des écrivains engagés. Leur « *Histoire de la société française pendant la Révolution* » de même que leur « *Histoire de Marie-Antoinette* » n'en révèlent pas moins, malgré cette « écriture artiste » et ce goût pour les menus détails scandaleux ou seulement anecdotiques, un réel attachement pour les traditions. C'est probablement ce qui explique leur mépris pour la démocratie et leur antipathie marquée pour les israélites. « *La démocratie*, disaient-ils un jour, *procède par vastes actions générales qui annulent à peu près la part de l'action individuelle. Ainsi s'expliquent tant d'abdications de la volonté qui se produisent en nous et autour de nous.* » L'*Agence Inter-France*, qui rappelait cela dans son dossier n° 68 (18-1-1944) pour les besoins de la propagande, citait encore cette phrase des Goncourt : « *Si la famille de Rothschild n'est pas habillée en jaune, nous serons, nous chrétiens, très prochainement domestiqués, ilotisés, réduits en servitude.* » Edmond de Goncourt, recevant — en pleine affaire Dreyfus — Gaston Méry, de *La Libre Parole*, lui déclarait, avec une sorte de passion continue : « *Les Juifs !... oui, j'ai la haine de leur race qui a incontestablement des aptitudes supérieures pour conquérir le capital, et, qui, en ce dix-neuvième siècle, où il n'y a plus de foi aux choses spirituelles, a fait, de l'argent, le facteur du gouvernement, du mode social, de la guerre, de tout... en a fait* « *le pouvoir tout-puissant* ». Si, depuis un siècle, les Juifs ont pris cette influence dans le gouvernement, et dans la société, et dans les arts, que seront-ils à la fin du vingtième siècle ? Ils seront les marquis de l'argent de la France, au-dessus d'une population de catholiques miséreux qu'ils tiendront dans l'asservissement... » (cf. *La Libre Parole*, 7-2-1897). Le *Journal des Goncourt* est émaillé de réflexions désobligeantes pour les juifs. Il faut croire que leurs lointains héritiers spirituels n'ont pas les mêmes préventions contre les fils d'Israël puisque, au cours de ces vingt dernières années, contrairement à la tradition, les académiciens Goncourt ont attribué leur fameux prix littéraire à une demi-douzaine d'écrivains d'origine juive (Maurice Druon, Roger Ikor, Romain Gary, André Schwarz-Bart, Anna Langfus, etc.) et qu'ils ne l'ont finalement pas décerné à un autre lauréat, celui de 1960, Vintila Horia, soupçonné d'avoir partagé quelques-uns des préjugés d'Edmond et Jules de Goncourt lorsqu'il était étudiant en Roumanie. L'œuvre des Goncourt est abondante. Outre les deux études historiques citées, ils ont laissé « *Portraits intimes du dix-huitième siècle* », « *L'Art du dix-huitième siècle* », « *La Femme au dix-huitième siècle* », une pièce de théâtre : « *Henriette Maréchal* », et de nombreux romans : « *Sœur Philomène* », « *Manette Salomon* », « *La fille Elisa* » (écrit par Edmond seul), etc.

GORCE-FRANKLIN (Henri).

Agent commercial, né à Lyon (Rhône), le 7 décembre 1906. Anc. dirigeant des *Volontaires de l'Union Française*. Ancien président de l'*Association pour le soutien du général De Gaulle*, à Lyon. Député *U.N.R.* du Rhône (5e circonscription) de 1962 à 1967.

GORDEY (Moissei, dit Michel).

Journaliste, né à Berlin (Allemagne), le 17 février 1913. Autorisé à changer son nom patronymique de *Rapaport*, contre celui de *Gordey*, par décret du 17 juillet 1959. Après ses études de droit, fut conseil juridique (avant la guerre). Réfugié aux U.S.A. pendant l'occupation, fut rédacteur en chef des émissions françaises de la *Voix de l'Amérique*, à

Félix Gouin, vu par Ben.

New York (1944), puis correspondant aux Etats-Unis de *Paris-Presse* et de l'*Agence France-Presse* (1945-1946). Rentré en France en 1946, devint l'un des grands reporters de *France-Soir*. Auteur de : « *Visa pour Moscou* ».

GORGE (Albert).

Fonctionnaire municipal, né à Wisembach (Vosges), le 17 octobre 1884. Secrétaire général honoraire de la mairie de Melun. Premier adjoint au maire de Melun (depuis 1947). Suppléant de Marc Jacquet, aux élections législatives de novembre 1962. A été proclamé député de Seine-et-Marne le 7 janvier 1963, M. Jacquet étant devenu membre du gouvernement.

GORINI (Jean, Marc).

Journaliste, né à Lyon (Rhône), le 20 octobre 1924. Fils de Charles Gorini et de Mme, née Berthe Bérard. Marié en secondes noces avec Mlle Danielle Guilliot (3 enfants : Marc [du premier mariage], Laurence, Pascale). Débuta dans la presse à *L'Intransigeant* (1946), puis fut reporter à *Samedi-Soir, France-Dimanche, Radar, Paris-Presse* et rédacteur à *Constellation* (1952-1953). Entra ensuite à *Radio-Luxembourg* (1953), puis à *Europe n° 1* (1954) dont il est aujourd'hui le rédacteur en chef du journal parlé.

GOUIN (Félix).

Homme d'Etat, né à Peypin (B.-du-Rh.), le 4 octobre 1884. Fils d'un instituteur, il fit ses études au lycée de Marseille et à la faculté de Droit d'Aix-en-Provence et s'inscrivit au barreau de Marseille en 1907. Il avait adhéré au *Parti Socialiste* à vingt ans et était devenu l'un des militants les plus actifs de la Fédération des Bouches-du-Rhône. Sa carrière politique débuta en 1911 lorsqu'il entra au Conseil général de son département, dont il fut, quelques années, vice-président, puis rapporteur général du budget. Ensuite fut successivement ou simultanément : maire d'Istres (depuis 1923), député d'Aix-en-Provence (1924-1940), président de l'Assemblée consultative d'Alger et de Paris (1944-1945), membre des deux Assemblées constituantes (1945-1946) et président de la première constituante, président du Gouvernement provisoire (jan-

NE MANQUEZ PAS DE NOUS SIGNALER LES ERREURS ET LES OMISSIONS QUE VOUS AUREZ REMARQUÉES DANS CE « DICTIONNAIRE ». NOUS VOUS EN SERONS RECONNAISSANTS.

ier-juin 1946), vice-président du Conseil (gouvernement Bidault, juin-novembre 946) ; député socialiste des Bouches-du-Rhône (2ᵉ circonscription, 1946-1958), ministre d'Etat, président du Conseil du Plan (gouvernement Léon Blum, 1947), e « scandale des vins », auquel son nom fut mêlé, nuisit beaucoup à sa carrière : il ne fut jamais plus au gouvernement et seule la fidélité et l'esprit compréhensif des socialistes marseillais qui permirent de conserver son siège de conseiller général et son écharpe de député, jusqu'en 1958 et de faire partie en 1956 de la délégation française à l'O.N.U. Son activité paraît aujourd'hui limitée à une collaboration plus ou moins régulière à diverses publications, notamment au *Journal du Parlement*.

GOUNIN (René).

Journaliste, né à La Tâche, le 18 juin 1898. Conseiller général, député de la Charente (1928-1939). Membre dirigeant du *Parti Socialiste de France*, directeur du *Cri Charentais* et rédacteur à *La Justice* avant la guerre. Elu sénateur de ce département en 1939. Vota les pouvoirs constituants au maréchal Pétain (1940). Bien que maçon — initié le 20 décembre 1929 à la loge *Concorde et Tolérance* d'Angoulême — fut nommé par le gouvernement de Vichy membre du Conseil national. Dirigeait alors le quotidien *Le Mot d'Ordre*, à Marseille, avec L.-O. Frossard. En 1958, présidait le *Parti Républicain Socialiste* qui fit campagne pour le « oui » au général De Gaulle.

GOURDEAUX (Henri).

Employé des postes (1881-1961). Militant communiste et syndicaliste. Fut l'un des fondateurs du *P.C.* au congrès de Tours.

GOURMAIN (Pierre).

Garagiste, né à Vailly (Aisne), le 6 juin 1907. Ancien combattant, prisonnier de guerre 1939-1945, conseiller municipal de sa ville natale, conseiller général indépendant-paysan de l'Aisne, ancien vice-président du Conseil général de ce département.

GOUSSAULT (Rémy).

Secrétaire général de l'*Union nationale des syndicats agricoles,* nommé le 23 janvier 1941 membre du *Conseil National* (voir à ce nom).

GOUTON (Victor).

Chef d'atelier, né à Saint-Chamond (Loire), le 8 juin 1922. Conseiller municipal (1958), puis premier adjoint au maire de Saint-Choly-d'Apcher (depuis 1962). Député suppléant de Charles de Chambrun (élu sous l'étiquette *M.R.P.*), député titulaire depuis le 9 février 1966.

GOUVERNEMENT FANTOCHE.

Terme de mépris utilisé par les communistes (principalement) pour désigner un gouvernement dont ils contestent la légitimité ou la représentativité.

GOYAU (Georges).

Homme de lettres (1869-1939). Fut l'un de ceux qui contribuèrent, en France, à faire connaître les idées sociales de Léon XIII, Publia, dans cette intention, un ouvrage « *Le Pape, les catholiques et la question sociale* », qui fut largement diffusé dans le jeune clergé des années 1895-1900. Auteur de « *L'Histoire religieuse de la Nation Française* », collabora à la *Revue d'Histoire des Missions* et au journal démocrate-chrétien *L'Ame Française*, dirigea la *Réunion des Etudiants*, présida la *Corporation des Publicistes Chrétiens* et anima de longues années l'*Action Libérale Populaire*, fondée par J. Piou. Membre de l'Académie française, il en fut longtemps le secrétaire perpétuel.

GRACE.

Remise de peine soit partielle, soit totale, ne s'appliquant qu'aux cas particuliers. La *grâce* ne supprime pas les conséquences juridiques de la peine. Le *droit de grâce* est l'un des privilèges du chef de l'Etat qui en use, en principe, avec l'approbation du conseil de la magistrature. En matière politique, la *grâce* a souvent atténué l'effet des lourdes condamnations prononcées par les tribunaux d'exception, notamment après la Libération.

GRAILLY (comte Michel, Eugène de).

Avocat à la Cour, né à Vouvray (I.-et-L.), le 22 novembre 1920. Est député *U.N.R.* de la Seine (15ᵉ circ.) depuis novembre 1962. Représentant suppléant de la France à l'Assemblée Consultative du Conseil de l'Europe (décembre 1962). Très fier de ses ancêtres, se réclame de la famille de Grailly dont l'origine remonte au xvᵉ siècle (Guyenne).

GRAND (Roger).

Membre de l'Académie d'Agriculture, nommé le 2 novembre 1941 au *Conseil National* (voir à ce nom).

GRAND ECHO DU NORD (Le).

Quotidien lillois de tendance modérée fondé en 1819 et publiant, avant et pendant la guerre, deux éditions : celle du matin portait ce titre et celle du soir se présentait comme *L'Echo du Nord.* Son tirage, jusqu'à sa disparition en 1944, dépassait 300 000 exemplaires, lus dans le Nord, le Pas-de-Calais, l'Aisne, la Somme et même en Belgique. Dirigé, avant 1939, par Emile Ferré et Jean Dubar, il eut comme animateur, après l'armistice, outre Dubard, Charles Tardieu, qui fut condamné à une très lourde peine de travaux forcés. Interdite à la Libération, ses locaux ont été occupés, par *La Voix du Nord,* qui a pris une partie de sa clientèle.

GRAND GUIGNOL (Le).

Revue mensuelle de gauche fondée par Georges Anquetil au lendemain de la Première Guerre mondiale.

GRAND OCCIDENT (Le).

A la fin du siècle dernier, le *Grand Occident de France* était une organisation nationaliste et antisémite, fondée par Jules Guérin, l'organisateur du « Fort Chabrol ». En 1935, un vétéran du journalisme, Lucien Pemjean, avait lancé sous ce titre un petit journal également antisémite. Pemjean, qui avait alors soixante-quinze ans, était fils, petit-fils et neveu d'officiers supérieurs ; il avait fait ses études au Prytanée de La Flèche, où il avait eu comme condisciples les futurs généraux Grossetti, Quiquandon, Lebrun, Andrieux, Zeude, Eon, le futur colonel Lamy et Paul Margueritte. A peine majeur, il s'était jeté dans la bataille politique et participa, notamment, au mouvement boulangiste ; c'est même le fameux général à la barbe blonde qui préfaça son livre : « *Cent ans après (1789-1889)* ». Sans jamais s'affilier à un parti, fort jaloux de son indépendance, combattant en franc-tireur, il avait été amené à prendre des positions jugées « libertaires » qui l'amenèrent tout droit à Sainte-Pélagie, la prison de l'époque, où il avait fait la connaissance d'Edouard Drumont, et de Girault-Richard. Un peu plus tard, pour avoir publié un article protestant contre l'exécution de l'anarchiste Vaillant, dont l'attentat n'avait fait aucune victime, on l'avait emprisonné à nouveau. Ayant réussi à s'échapper, il avait vécu en exil à Londres et n'était rentré en France qu'après une amnistie. Lors de l'affaire Dreyfus, il s'était rangé du côté des anti-dreyfusistes. Drumont lui avait alors ouvert les colonnes de *La Libre Parole.* Après la guerre de 1914-1918 — au cours de laquelle il avait fait paraître *Le Courrier du Soldat* —, les *Editions Baudinière,* alors en pleine expansion, l'avaient pris pour directeur littéraire. Ensuite, il était entré à l'*Agence Prima-Presse* et avait finalement fondé *Le Grand Occident,* paraissant tous les mois. Il avait entre temps, publié un livre prophétique « *Vers l'invasion* » (1933) et divers romans de cape et d'épée. C'est dans *Le Grand Occident* que parut la fameuse manchette : « *Pétain au pouvoir !* » qui devait inciter quelques polémistes plus passionnés que circonspects à parler après la Libération, de « *complot Pétain contre la République* ». (A la même époque, Gustave Hervé, peu suspect d'hitlérisme, avait publié un livre préconisant l'avènement du maréchal au pouvoir.) Le *Grand Occident* était presque entièrement rédigé par son directeur. Il disparut en 1939, quelques années avant Lucien Pemjean, qui continua à écrire jusqu'à la veille de sa mort survenue peu après la Libération.

GRAND ORIENT DE FRANCE.

La principale des obédiences de la Franc-Maçonnerie française (voir *Franc-Maçonnerie*). Joua un rôle considérable sous la III° République. Très diminué depuis la Libération en raison d'une part, de son interdiction décidée en 1940 par le maréchal Pétain, et d'autre part, de l'obligation faite à ses anciens affiliés de solliciter leur réadmission en 1944-1945, précédant ou suivant une épuration rigoureuse des éléments compromis durant l'occupation — les maçons ayant été nombreux à se rallier à la *Révolution Nationale* et à la *Collaboration européenne* —. Comptait 30 000 adeptes en 1939 ; n'en groupe que la moitié aujourd'hui. Plusieurs présidents du Conseil, ministres, parlementaires et même des présidents de la République, ont appartenu ou appartiennent à la Franc-Maçonnerie. Parmi les plus connus, citons, sous les trois Républiques : Jules Favre, Léon Say, Jules Simon, Jules Ferry, Léon Gambetta, Félix Faure, Rouvier, H. Brisson, Léon Bourgeois, A. Constant, Jules Grévy, Delcassé, Alexandre Millerand, Emile Combes, Gaston Doumergue, Camille Pelletan, René Viviani, René Renoult, Henri Chéron, L. Klotz, Emile et Camille Chautemps, Marcel Sembat, Maurice Viollette, Alexandre Varennes, Paul Marchandeau, Paul Doumer, Jean Zay, Marc Rucard, L.-O. Frossard, Félix Gouin, Paul Ramadier, Mendès-France, Guy Mollet, André

Maroselli, André Marie, A. Forcinal, André Morice, Martinaud-Deplat, A. Caillavet, Emile Hughes, Henri Ulver, Pelletier (ministre de l'Intérieur du gouvernement De Gaulle en 1958), etc. Parmi les journalistes et directeurs de journaux, plusieurs ont été initiés dans les Loges : Robert Lazurick, directeur de *L'Aurore,* Bernard Lecache, président de la L.I.C.A., directeur du *Droit de vivre* et du *Journal du Dimanche,* Emile et Robert Servan-Schreiber, Robert Bothereau, de *Force-Ouvrière,* sont de ceux-là (voir : « *La République du Grand Orient* », numéro spécial de *Lectures Françaises,* Paris 1964). Le Grand Maître actuel du *Grand Orient* est Paul Anxionnaz, ancien ministre, qui appartient à la gauche socialiste ; il a succédé à Jacques Mitterrand, ancien conseiller de l'*Union Française,* qui dirigeait, il y a quelques années, l'*Union Progressiste.* Une forte minorité s'oppose, depuis deux lustres, au glissement du *Grand Orient* vers le communisme : elle appartient principalement au groupe des *Lettres Mensuelles* animé par Guy Vinatrel, secrétaire général du *Club des Montagnards* (16, rue Cadet, Paris 9e).

GRANDE LOGE DE FRANCE.

Deuxième grande obédience maçonnique française après le *Grand Orient de France.* Depuis quelques années, a rompu ses relations amicales avec ce dernier. Dans l'ensemble, ses dirigeants sont plus modérés, moins favorables au marxisme et à l'Union soviétique que ceux du Grand Orient. Louis Doignon, qui fut son Grand Maître, figurait parmi les participants du *Comité de Vincennes* (pour « l'Algérie Française »). Son Grand Maître actuel, Richard Dupuy, fut l'un des avocats de Bastien-Thiry. Deux de nos assemblées sur trois sont présidées par ses membres : Gaston Monnerville, président du Sénat, qui appartient aux hauts grades du Rite Ecossais, et Emile Roche, président du Conseil Economique et Social, qui fut longtemps l'une des illustrations de la loge *Les Amitiés Internationales.* Parmi les hommes politiques francs-maçons que nous citons plus loin (voir *Grand Orient de France*), plusieurs étaient ses adeptes, en particulier Paul Doumer, qui fut président du Sénat avant de devenir président de la République (8, rue Puteaux, Paris 17e).

GRANDE LOGE NATIONALE INDEPENDANTE ET REGULIERE.

Obédience maçonnique (voir : *Franc-Maçonnerie*). Née en 1913 d'une scission du *Grand Orient.* Provient de la loge *Le Centre des Amis,* créée au début du xxe siècle, qui se sépara de la rue Cadet pour devenir une obédience, la seule reconnue par la Grande Loge d'Angleterre. A absorbé en 1958 le *Grand Prieuré des Gaules.* Son principal animateur est le Grand Maître Van Hecke. Groupe un millier de membres, dont l'ancien préfet de police, Jean Baylot, et le député gaulliste Drouot L'Hermine. Foncièrement hostiles au marxisme, les maçons de G.L.N. appartiennent à cette fraction de la Maçonnerie française qui se proclame ouvertement chrétienne (65, boulevard Bineau, Neuilly-sur-Seine).

GRANDJEAN (Emile).

Gouverneur des colonies, né à Morlaix, le 12 décembre 1888. Agrégé de l'Université, passé par concours, en 1924, dans le corps des Services civils de l'Indochine. Résident supérieur en Indochine, au temps de l'amiral Decoux. Depuis près de vingt ans, l'un des rédacteurs les plus combatifs des *Ecrits de Paris,* où il a publié une série d'articles sur l'épuration de 1944. Collabore depuis le début au journal de l'opposition nationale, *Rivarol,* où il signe Jean Pleyber une chronique ironique et mordante intitulée : « *Les propos du Chouan* ».

GRANDMAISON (Jean ALLARD de).

Agriculteur, né à Nantes, le 1er janvier 1905. Conseiller municipal (depuis 1945) et maire (depuis 1953) de Machecoul, conseiller général de la Loire-Atlantique (depuis 1945). Député indépendant de ce département (1958-1962).

GRANDMAISON (baron Robert de).

Propriétaire, né à Paris le 5 mai 1896. Fils du baron Georges de Grandmaison, député (1893-1933), puis sénateur de Maine-et-Loire (1933-1942). Fut conseiller général (1922-1945) et député de Maine-et-Loire (1933-1942). Auteur de deux ouvrages importants : « *Les Associations de communes* » et « *La Constitution française et la représentation parlementaire du Saumurois* ».

GRANDMOUGIN (Robert, Lucien, dit Jean).

Journaliste, né à Paris, le 25 décembre 1913. Fit ses débuts de journaliste professionnel en 1938 à l'*Agence Havas.* Appartint après la Libération au service politique de l'*A.F.P.,* puis entra à *Radio-Luxembourg* comme rédacteur en chef (1948) et en devint l'éditorialiste écouté jusqu'en 1962. Accusé de sympathie pour l'Algérie française, subit le 6 mars 1962, en même temps qu'une centaine d'autres journalistes et hommes politiques, une perquisition, chez lui à Sèvres, et fut gardé à vue quelques heures par la police. Bien que mis hors de cause, dut cesser ses éditoriaux à *Radio-Luxembourg*. Est, depuis, chroniqueur quotidien à *L'Aurore*. Auteur de : « *Destination terre* », « *Diagnostic de la France* », « *Nœnœil, homme d'Etat* », « *Et après ?...* », « *Les Liens de Saint-Pierre* », « *Les Temps qui courent* ».

GRANDVAL (Gilbert).

Président de société, né à Paris le 12-2-1904. Fils d'Edmond Hirsch, industriel, et de Mme, née Jeanne Ollendorf (de la famille des éditeurs). Autorisé à changer son nom de Hirsch contre celui de Grandval par décret du 25-2-1946. Directeur commercial et directeur d'une entreprise de produits chimiques (1927-1940). Entra dans la Résistance en juillet 1940 ; chef des *F.F.I.* de la région C. (Est de la France). A la Libération, chargé du commandement militaire de la XXe Région, puis gouverneur militaire de la Sarre (1945-1948), haut commissaire de la République Française en Sarre (1948 - 1952), ambassadeur de France en Sarre (1952-1955), résident général de France au Maroc (1955). Fut, dès 1958, l'un des animateurs du groupe des gaullistes de gauche et, ensuite, membre du Comité directeur de l'*U.D.T.* Nommé secrétaire général à la Marine Marchande (1958), secrétaire d'Etat au Commerce Extérieur (cabinet Pompidou, 1962), puis ministre du Travail (premier et deuxième cabinets Pompidou, 1962), membre de la Sté éditrice de *Notre République*, hebdomadaire *U.N.R.-U.D.T.* A été nommé par décret (*J.O.*, 22-7-1966, président de la *Cie des Messageries Maritimes*.

GRASSET (Bernard).

Editeur (1881-1955), fondateur de la maison qui porte encore son nom bien que rachetée par le groupe *Hachette*. Publia les œuvres d'Alphonse de Chateaubriant, de Georges Bernanos, de l'antisémite Roger Lambelin, de Paul Morand, de Henry de Montherlant, de François Mauriac et d'André Maurois (ses « 4 M », comme il les nommait). Malgré cet eclectisme, fit figure d'éditeur engagé et ne cacha pas ses sentiments « de droite ».

GRASSIN (Jean).

Editeur, né à Coulomb (E.-et-L.), le 6 août 1925. Fut en 1952-1954 l'un des principaux membres du *Club International des Journalistes et Ecrivains d'Union Latine* et l'un des animateurs du *Syndicat des Journalistes et Ecrivains*. Fondateur en 1957 des *Editions Jean Grassin* créateur de diverses collections de poésie et de littérature, en particulier de « *Science européenne d'aujourd'hui* » et « *Idées présentes* ». C'est dans cette dernière qu'ont paru : « *Ecrivains juifs de langue française* », « *Le crime du 15 décembre 1941* » (préfacé par Vercors) de l'écrivain Raph Feigelson, et le pamphlet de Maurice Lemaître : « *Le temps des assis* » (dirigé contre Pierre Lazareff).

GRAT (Félix-Eugène).

Universitaire (1898-1940). Chargé d'enseignement à la Sorbonne. Député de la Mayenne (1936-1940), membre de la *Fédération Républicaine*. Mort à la guerre en 1940.

GRAULHET REPUBLICAIN.

Hebdomadaire *S.F.I.O.* du Tarn, fondé en 1947 par des militants socialistes de Graulhet. Dirigé par Noël Pelissou, qui fut maire de Graulhet pendant vingt-sept ans. Princ. collaborateurs : Christian Pineau, Léon Messaud, Pierre Behal, Marcel Brot, etc. (38, avenue Gambetta, Graulhet).

GRAVE (Jean).

Homme de lettres et militant anarchiste, né au Breuil (P.-de-D.) en 1854, mort en 1939. Fils d'un cordonnier, il fut également cordonnier dans sa jeunesse. En même temps qu'il travaillait, il réfléchissait, et, le soir, il lisait et s'instruisait seul. Ils ne furent pas rares, au siècle précédent, et même au début de celui-ci, les fils de pauvres gens qui surent apprendre sans le concours de maîtres et qui devinrent des érudits et des dirigeants : Jean Grave fut de ceux-là. Son premier livre, « *La Société au lendemain de la Révolution* » (1882) et ceux qui suivirent l'ont prouvé. Après avoir milité dans le parti de Jules Guesde, il rejoignit les anarchistes et fonda avec Reclus *Le Révolté*, qui devint beaucoup plus tard *La Révolte*. Au moment des attentats, des bombes, de la répression et des « lois scélérates », Jean Grave fut arrêté. Il avait publié, quelques mois plus tôt, un volume préfacé par Octave Mirbeau, qui fit grand bruit dans les milieux politiques : « *La société mourante et l'anarchie* » (Paris 1893). On

s'étonna qu'un simple ouvrier cordonnier pût exposer avec une telle clarté
des idées qui semblaient alors assez
confuses. Pour ce livre, le jeune sociologue fut condamné à deux ans de prison.
À quelque temps de là, il fut traduit
avec Sébastien Faure et vingt-huit autres
anarchistes devant la cour d'assises : ce
fut le fameux « procès des Trente » (voir
à *Sébastien Faure*), qui se termina par
un acquittement général. Mais Grave fit
à Clairvaux les deux ans de prison auxquels il avait été précédemment condamné. A sa sortie des geôles, il lança *Les
Temps Nouveaux* (voir à ce nom), et
publia de nombreux ouvrages où l'on
sent l'influence de Kropotkine, le doctrinaire russe : « *L'individu et la société* »
(1897), « *L'Anarchie, son but, ses
moyens* » (1899), « *Les aventures de
Nono* » (1901), « *Malfaiteurs* » (1903).
Il avait écrit entre temps : « *La Société
future* », « *La grande famille* », « *Réformes - Révolution* », « *Terre libre* ».

GRAVEREAU (Jacques, René).

Journaliste, né à Blois (L.-et-Ch.), le
31 décembre 1920. Collabore depuis
vingt-cinq ans à la presse nationale ; fut,
notamment, rédacteur à *Inter-France-
Informations*, à *L'Epoque*, au *Républicain du Sud-Ouest*. Collabora, en outre,
à *France-Soir*, à l'*Opinion en 24 heures*,
à l'*O.R.T.F.*, etc. Ancien maire-adjoint de
L'Hay-les-Roses (1947 - 1952). Directeur
de *L'Opinion Française et Internationale*
et auteur d'une demi-douzaine d'ouvrages, dont un sur les « écrivains oubliés ».

GRAVIER (Robert).

Agriculteur, né à Haudonville (M.-
et-M.), le 5 septembre 1905. Débuta dans
la carrière politique en 1935 : devint
alors conseiller municipal, puis maire
d'Haudonville. En 1937, entra au Conseil
général, dont il est d'ailleurs l'actuel
président. Membre du *Centre National
des Indépendants et Paysans*. En 1946,
devint conseiller de la République de
Meurthe-et-Moselle et occupe depuis 1947
les fonctions de questeur de la Seconde
Assemblée. Est, en outre, président du
Comice agricole de Lunéville et président de la Chambre d'agriculture de son
département.

GREGARISME.

Tendance à suivre l'avis du plus
grand nombre, à perdre son individualité, à renoncer à exercer son sens critique, à adopter des idées « toutes faites » (sens de l'histoire, le progrès à
gauche, etc.).

Les Hommes du jour

Dessin de A. Delannoy   Texte de Flax

GREGORY (Léon, Jean).

Avocat, né à Thuir (P.-O.), le 1er novembre 1909. Sénateur socialiste des
Pyrénées-Orientales depuis 1948. Vice-
président du Conseil général des Pyrénées-Orientales. Maire de Thuir.

GRENET (Henri)

Docteur en médecine, né à Bègles
(Gironde), le 7 février 1908. Chirurgien.
Maire de Bayonne. Conseiller général du
canton de Bayonne Nord-Est (1961). Fut
député des Basses-Pyrénées (4e circ.) de
1962 à 1967 (centriste).

GRENIER (Fernand).

Homme politique, né à Tourcoing, le
9 juillet 1901. Ancien ouvrier boulanger.
Ancien employé à la mairie d'Halluin.
Ancien député de Saint-Denis (1937).
Conseiller municipal de Saint-Denis.
Arrêté, puis évadé du camp de Château-
briant (juin 1941). Délégué du *Parti
communiste* auprès du général De Gaulle
à Londres (janvier-octobre 1943). Mem-
bre du Comité français d'Alger (1944).
Commissaire à l'Air (avril-sept. 1944).
Membre de l'Assemblée consultative pro-
visoire (1944-45). Député aux deux
Assemblées constituantes (1945-1946).
Ministre de l'Air (Gouv^t De Gaulle,
4-9 septembre 1944). Elu député de la
Seine (6e circ.) à la 1re Assemblée natio-

nale (1946-1951). Réélu le 17 juin 1951. Secrétaire général des *Amis de l'U.R.S.S.* Vice-président de *France-U.R.S.S.* (depuis 1944). Membre du Comité central du *Parti communiste*. Réélu député en 1956, 1958, 1962 et 1967. Auteur de : « *Au pays de Staline* », « *La marche radieuse* », « *Poujade sans masque* », « *C'était ainsi* », etc.

GRENOBLE (Rencontre socialiste de).

Conférence organisée dans la cité dauphinoise les 30 avril et 1er mai 1966 par un comité d'initiative composé de personnalités socialistes de diverses tendances, en vue d'établir un programme commun à toute la gauche -- sans exclusive, « *sans ségrégation* », a dit Pierre Mendès-France, principale vedette politique de cette manifestation. La séance d'ouverture fut présidée par le Dr Salomon (*Débat communiste*). Après un exposé inaugural de Serge Mallet, Maurice Duverger parla de « *La démocratie dans l'Etat socialiste* », Pierre Lavau du « *Plan et du marché en économie socialiste* » et Georges Servet des « *Voies de passage au socialisme* ». L'après-midi fut l'occasion d'une discussion générale en assemblée plénière présidée par Claude Bernardin (*Cercle Tocqueville*). Le lendemain matin, 1er mai, les rapporteurs vinrent présenter les conclusions des commissions et la discussion générale se poursuivit sous la présidence de Pierre Beregovoy (*P.S.U.*). En fin d'après-midi, la présidence fut confiée à Pierre Mendès-France, assisté de Marcel Gonin (*C.F.D.T.*), Robert Cottave (*F.O.*), Bernard Schreiner (ancien président de l'*U.N.E.F.*) et de membres du Comité d'Initiative. Les conclusions du colloque furent présentées par Serge Mallet ; puis Pierre Mendès-France prononça le discours de clôture et donna lecture de la déclaration finale. Les participants étaient nombreux et enthousiastes. Bien qu'ils aient prétendu publiquement le contraire, il semble bien que leur *rencontre* ait été organisée pour tenter d'infléchir la ligne de conduite que François Mitterrand venait de tracer pour la *Fédération de la Gauche démocrate et socialiste.* Selon *La Tribune Socialiste* (7-5-1966) ont participé à la *Rencontre socialiste de Grenoble* :

Des membres du P.S.U. : Jean Arthuys, Achille Auban, Colette Audry, André Barthelémy, Pierre Beregovoy, Paul Bosc, Georges Boulloud, Claude Bourdet, Gérard Constant, Michel de la Fournière, J.-M. Faivre, Georges Gontcharoff, Christian Guerche, André Hauriou, Marc Heurgon, Philippe Laubreaux, Henri Longeot, Serge Mallet, Pierre Marchi, Gilles Martinet, Alexandre Montariol, Pierre Mendès-France, Harris Puisais, Paul Parizot, Georges Servet, Pierre Stibbe, Robert Verdier, Jean Verlhac, David Weill, Jean-François Pertus (E.S.U.).

Des membres de la S.F.I.O. : Georges Brutelle, Gérard Jaquet, Roger Quilliot, Francis Leenhard.

Des membres de la Convention des Institutions Républicaines : Georges Beauchamp, Claude Estier, Marie-Thérèse Eyquem, Alain Gourdon, Marc Paillet.

Des membres de divers clubs, associations, syndicats : Démocratie nouvelle : Jean-François Armogathe ; *Bretagne et démocratie :* Michel Phliponneau ; *Technique et démocratie :* Jean Barets; *Socialisme et démocratie :* Alain Savary ; *Cercle Tocqueville (Lyon) :* Claude Bernardin, Robert Butheau, Michel Freyssenet ; *Club Jean-Moulin :* José Bidegain, Robert Fossaert, Claude Neuschwander, Jacques Pomonti ; *Citoyens 60 :* Pierre Lavau, Gérard Dezille, Christian Join-Lambert ; *République moderne et socialisme :* Paul-André Falcoz, Roger Humbert ; *Débat communiste :* Jean Chaintron, Pierre Mania, Jean Noaro, André Salomon ; *Centre des Jeunes Médecins :* Guy Caro ; *Association Jeunes Cadres :* Jacques-Antoine Gau ; *Centre National des Jeunes Agriculteurs :* Vincent Gaulmier ; *C.F.D.T. :* René Bonety, Marcel Gonin, André Jeanson, Edmond Maire ; *F.O. :* Robert Cottave ; *C.G.T. :* Pierre Le Brun ; *S.G.E.N. :* Claude Bouret, Paul Vignaux.

Personnalités diverses : Jean Bénard (professeur à la Faculté de droit de Poitiers), Maurice Bertrand (*Courrier de la République*), Alvarez-Julio Del Vayo (écrivain), Jean-Marie Domenach (directeur de la revue *Esprit*), Hubert Dubedout (maire de Grenoble), Maurice Duverger (professeur à la Faculté de droit de Paris, rédacteur au *Monde*), Pierre Ferrand (ancien député), Georges Fillioud (journaliste), Claude Gault (rédacteur en chef adjoint de *Témoignage chrétien*), Lucien Goldman (professeur), Annie Kriegel (professeur à la faculté de Nancy), Bernard Lambert (agriculteur, ancien député), Henri Lefebvre (professeur à la Faculté des lettres de Nanterre), Jacques Lochard (secrétaire général de *Christianisme social*), Martine Michelland (ex-présidente de la *M.N.E.F.*), André Philip (professeur à la Faculté de droit de Paris), Jean Rous (*Unité africaine*), Alfred Sauvy (professeur au Collège de France), Bernard Schreiner (président d'honneur de l'*U.N.E.F.*), etc.

GREVE

Cessation concertée du travail par les salariés en vue d'exercer une pression sur les employeurs (ou sur les pouvoirs publics) pour les amener à améliorer conditions de travail et salaires. La *grève sur le tas* implique l'occupation du lieu de travail (ex. : en juin 1936). La *grève perlée* désigne un ralentissement également concerté dans le travail. La *grève générale,* qui atteint en même temps toutes les branches de l'activité économique, est l'arme employée par la gauche pour paralyser le pays et, le cas échéant, rendre difficile toute mesure contre-révolutionnaire.

GREVY (François, Judith, Paul, dit Jules).

Homme politique (1807-1891). Avocat et militant républicain, membre de la Maçonnerie, député du Jura à la Constituante élue après la Révolution qui renversa Louis-Philippe, il aborda la carrière politique qui devait le conduire à la magistrature suprême en prononçant, le 16 octobre 1848, un réquisitoire... contre l'institution de la présidence de la République. A l'issue de sa harangue, il soumit un amendement qui tendait à confier le pouvoir exécutif à un président du Conseil nommé et révoqué par le Pouvoir législatif. L'assemblée se prononça contre son projet. Réélu à la Législative de 1849, il protesta mollement contre le coup d'Etat du 2 décembre et se tint à l'écart de la politique de 1852 à 1868. Elu à nouveau député du Jura en 1868, il demeura un spectateur prudent pendant la tourmente et la Commune. Elu député à l'Assemblée nationale en 1871, il en devint le président et poussa à la direction des affaires Adolphe Thiers. Démissionnaire de ses fonctions présidentielles en 1873, il combattit Mac Mahon, fut réélu député du Jura en 1876 et président de la Chambre. Lorsque Mac Mahon, après s'être soumis quelque temps se démit définitivement (janvier 1879), Grévy lui succéda dans les heures qui suivirent. (563 voix contre 99 au général Chanzy et 5 à Gambetta). Ce fils de paysans jurassiens incarnait, jusqu'à la caricature, le type du bon bourgeois provincial, pantouflard, économe et roublard. Chansonniers et pamphlétaires raillèrent sa passion pour le billard, son inséparable canard Bébé et sa propension à pourvoir ses proches de sinécures officielles (1). Dès son premier message, le nouveau président tint à signifier qu'il entendait se distinguer de son prédécesseur : « *Soumis avec sincérité à la grande loi du régime parlementaire, je n'entrerai jamais en lutte contre la volonté nationale...* » Il tint parole. Aussi fut-il le premier président à parvenir au bout de son septennat pourtant agité (manifestations socialistes, expédition tunisienne, guerre du Tonkin). Mais il eut la fâcheuse idée de solliciter la reconduction de son septennat (1885). A peine était-il réélu qu'éclatait la grève des mineurs de Decazeville qui mit en effervescence le monde ouvrier. Puis ce fut le début des manifestations boulangistes, la chute du ministère Freycinet, l'affaire Schnaebelé (du nom de ce commissaire spécial français enlevé par la police allemande), qui provoqua une nouvelle crise ministérielle. Suprême épreuve, le scandale Wilson éclata en 1887. Daniel Wilson, député depuis 1876, gendre du président de la République, logeait à l'Elysée. Or les policiers qui venaient d'arrêter une certaine dame Limouzin, sous l'inculpation de trafic de décorations, découvrirent au cours d'une perquisition divers documents établissant que le siège de l'officine de vente du ruban rouge était installé sous les voûtes élyséennes. On monnayait aussi les grâces, les remises d'impôt et les charges officielles. Le gouvernement tenta bien d'étouffer l'affaire, mais la presse s'était emparée du scandale. *Le Gaulois* publiait cette annonce : « *A céder, après fortune faite, un fond de Président de la République.* » On chantait dans les beuglants et les cafés-concerts : « *Ah quel malheur d'avoir un gendre !* » Le scandale étant public, il fallut sévir. Le Gauche et la Droite, pour une fois d'accord, exigèrent la nomination d'une commission d'enquête. Le 17 novembre 1887, la Chambre autorisait l'ouverture des poursuites judiciaires contre Wilson. Le 19, Clemenceau déposait une interpellation. Le ministère s'effondra. Grévy, malgré tout et contre tous, tentait désespérément de s'accrocher. La rue devint menaçante. Le matin du 2 décembre, le Sénat et la Chambre votaient une double résolution mettant en demeure le président de résigner ses fonctions. Quelques heures plus tard, Grévy remettait sa démission. Le 23 février 1888, la 10ᵉ Chambre correctionnelle condamnait Wilson à deux ans de prison et 3 000 francs d'amende. Il fit appel de ce jugement et, le 27 mars suivant, il fut acquitté. Tenu à l'écart du parlement pendant quatre ans, il y revint (1893-1902) bien qu'invalidé en 1894.

(1) Son frère Paul devint général, puis sénateur (1880-1906), et son frère Albert fut sénateur inamovible (1880-1899), tandis que son gendre, Wilson, était député d'Indre-et-Loire.

GRIMACES (Les).

Journal hebdomadaire traditionaliste et conservateur, fondé en 1887 par Octave Mirbeau que l'on vit, un peu plus tard, anticlérical farouche, pourfendeur des traditions nationales et adversaire fougueux de l'armée et de la droite. Le premier article de Mirbeau dans *Les Grimaces* était intitulé : « *Ode au choléra* ». « *Autrefois*, écrivait le fondateur du journal, *la France était grande et respectée... Des hommes la prirent et commencèrent sur elle l'œuvre maudite. Ce que l'Allemand n'avait pu faire, des Français le firent ; ce que l'ennemi avait laissé debout, des républicains le renversèrent. Ils s'attaquèrent aux hommes, aux croyances, aux respects séculaires du pays. Ils chassèrent le prêtre de l'autel, la sœur de charité du chevet des moribonds et traquaient Dieu partout où la prière agenouillait ses fidèles devant la Croix outragée. Comme ils avaient peur de l'armée, ils l'insultèrent... Ils apprirent aux soldats à mépriser leurs chefs, encouragèrent la révolte, primèrent l'indiscipline, exaltèrent le parjure... Ce n'était pas assez de la politique de haine, il leur fallait la politique de l'ordure... Le marquis de Sade dut compléter l'œuvre de Jules Ferry. Priape s'associa avec Marianne. Ils appelèrent alors la littérature obscène à leur secours, et pendant que les livres religieux étaient proscrits des écoles. l'on vit s'établir aux devantures des librairies. librement protégé, tout ce qui se cachait honteusement au fond de leurs bibliothèques secrètes...* »

GRIMAUD (Jean).

Commerçant, né à Redon (Ille-et-Vilaine) le 1er décembre 1909. Maire de Questembert (Morbihan). Suppléant de Raymond Marcellin aux élections législatives du 18 novembre 1962 ; a été proclamé député du Morbihan le 7 janvier 1963, lorsque ce dernier est devenu membre du gouvernement. Comme suppléant de R. Marcellin, a signé une profession de foi dans laquelle il demandait « le désarmement atomique dont dépend la survie de l'humanité ».

GRINGOIRE.

Hebdomadaire politique et littéraire fondé par Horace de Carbuccia en 1928. D'abord de gauche (avec Henry Torrès, J. Kessel, etc.) ; rallia la droite en 1934. Principaux collaborateurs : Henri Béraud, Philippe Henriot, G. Champeaux, Raymond Recouly, André Billy, Géo London, Francis de Croisset, Robert Brasillach, J.-P. Maxence, G. Suarez, etc.

GROOS (René).

Homme de lettres, né à Paris, le 18 novembre 1898. Fut, entre les deux guerres, l'un des rares israélites ralliés à Charles Maurras. Appartenait alors à l'*Alliance d'Action française*. Publia dans *Le Nouveau Mercure* (mai 1927), une étude sur le problème juif dans laquelle il écrivait que : « *Les deux internationales de la finance et de la révolution* (...) *sont les deux faces de l'internationale juive.* » Et il ajoutait : « *En France, elle règne véritablement... Avais-je tort de parler d'un règne juif ? Pour être moins apparent qu'en Russie ou en Hongrie bolcheviste, il n'en est pas moins réel.* » Répudia plus tard ses écrits nationalistes. Collabora, avant la guerre, à *L'Intransigeant* et dirigea, avec Gérard de Catalogne, les *Cahiers d'Occident*, d'opinion nationaliste. Est actuellement dans une maison d'édition, secrétaire général du *Syndicat des critiques littéraires*, vice-président de la Commission de professionalité des écrivains (ministère du Travail), assesseur à la Commission de 1re instance du contentieux de la Sécurité sociale (Palais de justice). Auteur de divers ouvrages : « *Enquête sur le problème juif* », « *La vraie figure de Rivarol* », « *La Bibliothèque de l'honnête homme* », etc.

GROS (Brigitte GROSZ, dite) (voir : famille SERVAN-SCHREIBER).

GROS (Louis, Gabriel, Marie).

Administrateur de sociétés, né à Marseille (B.-du-Rh.), le 18 mai 1902. Avocat au barreau de Casablanca. Sénateur des Français du Maroc (1948-1959), réélu sénateur représentant les Français établis hors de France (avril 1959) ; membre du groupe sénatorial des *Républicains indépendants*, membre du Conseil supérieur des Français de l'étranger (1963).

GROSFILLEY (Robert, Gaston, Calixte).

Journaliste, né à Belfort (Terr. de Belfort), le 23 mai 1920. Ancien chef des services politiques de *Ce Matin-Le Pays*, attaché au cabinet de Pierre Chevigné (secrétaire d'Etat à la Guerre, 1951-1952), puis son chargé de mission (1952) et son conseiller technique (1952-1954). Chargé de mission au cabinet de Pierre Schneiter (à la présidence de l'Assemblée nationale, 1955-1956), chef-adjoint du cabinet de Robert Lecourt (garde des Sceaux, ministre de la Justice, 1957-1958), du cabinet de Robert Buron (ministre des Travaux publics, des Transports et du Tourisme, 1958-1959), puis chef de cabinet de Robert Lecourt (ministre d'Etat, 12 janvier 1959), enfin chef de cabinet de Louis Jacquinot, ministre d'Etat chargé du Sahara, des départements et des territoires d'outre-mer (1959-1961). Actuellement : conseiller général du Jura et l'un des principaux collaborateurs de Jean Lecanuet à la direction du *Centre des Démocrates*.

GROSRICHARD (Yves, Edouard).

Journaliste, né à Paris, le 25 novembre 1907. D'abord rédacteur parlementaire à *L'Œuvre*, puis, après l'armistice de 1940, professeur de lettres, et à la Libération, rédacteur en chef du journal parlé de la *R.T.F.* (1944-1946). Ensuite : directeur du *Journal du Dimanche* (1961-1963), rédacteur en chef à *France-soir*, chroniqueur au *Figaro*. Auteur de : « *La Compagne de l'homme* » (Prix Cazes, 1957), « *l'Amérique insolite* », etc.

GROSSMANN (Robert).

Attaché de cabinet ministériel, né à Strasbourg, le 14 octobre 1940. Collaborateur des ministres Gaston Palewski, Bourges et Bord (attaché parlementaire, 1963-1966). Fondateur et président de l'*Union des Jeunes pour le Progrès*.

GROUPE PARLEMENTAIRE.

Ensemble de députés ou de sénateurs de même tendance. Les fonctions dans une assemblée législative sont d'ordinaire réparties selon l'importance numérique des groupes, de même que les sièges dans les commissions parlementaires (cette tradition n'est pas toujours respectée). L'Assemblée nationale compte, présentement, le groupe de l'*Union Dém. Ve République* (*U.N.R.-U.D.T.*) le groupe de la *Fédération de la Gauche démocrate et socialiste* (*S.F.I.O.*, radicaux, clubs, etc.), le groupe *Progrès et Démocratie* (*M.R.P.*, *Indépendants-Paysans*, etc.), le groupe *communiste* et le groupe des *Républicains indépendants* (Giscard d'Estaing (voir leur composition en *annexe*).

GROUPEMENT NATIONAL DES PILLES.

Créé en 1946. Réunit des sinistrés de guerre et des « pétainistes » dont les biens ont été pillés lors de la Libération par leurs adversaires politiques. Organe : *Rénovation française*, dirigé par Louis Dussart et rédigé par Fernand Pignatel, le général Berton-Boussou, Robert Verlon, J. de Kerlecq, etc.

GROUSSARD (Serge, Hariton).

Journaliste, né à Niort, le 18 janvier 1921. Fils du colonel Groussard et de Mme, née Bernstein. Résistant, plusieurs fois arrêté, condamné par le tribunal militaire allemand à vingt-cinq années de forteresse. Approuva bruyamment l'épuration. La guerre d'Algérie le rapprocha de ses anciens adversaires. A l'élection présidentielle, se prononça au second tour pour François Mitterrand contre De Gaulle. Collabore régulièrement à *L'Aurore* depuis qu'il a quitté *Le Figaro*, dont il fut l'un des grands reporters de 1954 à 1962. Auteur de divers ouvrages dont « *Crépuscule des vivants* », récit sur la Résistance, et « *Pogrom* », roman.

GROUSSET (Paul).

Industriel, né à Firminy (Loire), le 31 juillet 1912. Dirigeant des *Etablissements Grousset* (Saint-Just-sur-Loire). Eut des intérêts dans l'*Agence Fournier* et à *C'est-à-dire*. Co-fondateur du *Consortium International de Propagande*, dont il fut administrateur et qui est devenu l'*Omnium d'Impression et de Publicité*.

GROUSSIER (Arthur, Jules, Hippolyte).

Homme politique, né à Orléans, le 16 août 1863, mort à Enghien (S.-et-O.), le 6 février 1957. Fils d'un facteur au chemin de fer. Elève de l'Ecole Nationale des A. et M. d'Angers, dessinateur mécanicien, puis ingénieur, fut de 1890 à 1893, le secrétaire de la *Fédération Nationale des Ouvriers métallurgistes*. Militant du *Parti Ouvrier Révolutionnaire*, puis de l'*Alliance Communiste* et du *Parti Socialiste de France* et enfin de la *S.F.I.O.*, représenta à la Chambre le département de la Seine de 1893 à 1924. Présida de longues années le Conseil de l'Ordre du *Grand Orient de France*. Sa lettre du 7 août 1940 au maréchal Pétain annonçant la cessation volontaire des activités maçonniques, lui valut, à la Libération, le blâme de nombre de ses *frères*.

GRUMBACH (Philippe).

Journaliste, né le 25 juin 1924. Depuis vingt ans dans la presse parisienne, fut successivement : rédacteur à l'*A.F.P.*, à *Libération*, à *Paris-Presse*, rédacteur en chef de *L'Express* et directeur de *Pariscope*. Depuis peu, directeur du *Crapouillot*.

GRUNEBAUM (Jean).

Directeur de société, né à Paris, le 12 octobre 1901, mort à Chatou (Yvelines), le 17 avril 1966. Il avait été l'animateur du *Poste Parisien* — station privée — avant la dernière guerre. Après la guerre, qu'il fit dans les *F.F.L.*, il produisit plusieurs émissions radiophoniques (« *Avant première* », « *Tribunaux comiques* », etc.) et devint président-directeur général de la *Compagnie générale d'énergie radio-électrique Poste Parisien*, qui n'exploitait plus de station d'émission.

GRUSSENMEYER (François).

Fonctionnaire, né à Reichshoffen (Bas-Rhin), le 11 mai 1918. Agent technique au ministère de la Construction. Anc. conducteur de travaux à la Chefferie du Génie à Bitche. Chef de la subdivision de Wissembourg du ministère de la Construction (1945-1958). Président des Anciens Déportés de Reichshoffen. Adjoint au maire de Reichshoffen. Conseiller général de Woerth. Candidat, en janvier 1956, sur la liste gaulliste du général Kœnig (ministre de M. Mendès-France). Battu, se représenta en 1958 comme *U.N.R.* et fut élu député du Bas-Rhin (7e circ.) ; réélu en 1962 et 1967.

GUEBRIANT (Hervé de).

Président de l'*Union des Syndicats agricoles* du Finistère et des Côtes-du-Nord, nommé le 23 janvier 1941 membre du *Conseil National* (voir à ce nom).

GUEHENNO (Jean, Marcel, Jules, Marie).

Homme de lettres, né à Fougères (I.-et-V.) le 25 mars 1890. Fils d'un cordonnier. Débuta comme commis dans une fabrique de chaussures (1905) et poursuivit seul ses études jusqu'à l'Ecole normale supérieure. Professeur de lycée (1919-1941). Inspecteur général de l'Instruction publique (lettres et grammaire) (1945-1961). Milita activement dans les groupements de gauche, dirigea la revue *Europe*, collabora à l'*Humanité*, fonda *Vendredi* avec André Chamson et Andrée Viollis. anima le *Comité de Vigilance des Intellectuels anti-fascistes*. Participa à la Résistance et fut, après la guerre, rédacteur aux *Lettres Françaises*, puis au *Figaro* et au *Figaro littéraire*. Elu à l'Académie française (1962). Auteur de : « *Journal d'un homme de quarante ans* », « *Journal d'une révolution* », « *Journal des années noires* », « *La France et les Noirs* », « *Changer la vie* » (souvenirs), etc.

GUENA (Yves-René-Henry).

Homme politique, né à Brest (Finistère), le 6 juillet 1922. Par son mariage avec Mlle de La Bourdonnaye, fille de l'actuelle Mme Robert Debré, née Elisabeth de La Panouse (divorcée du comte Alphonse de La B.), belle-mère de Michel Debré, Yves Guéna est apparenté aux magnats de la métallurgie de Wendel et à Michel Missoffe, ministre *U.N.R.* Ancien élève de l'E.N.A. (1946). Contrôleur civil au Maroc (21 juillet 1948). Détaché au ministère des Affaires étrangères (16 avril 1956). Maître des requêtes au Conseil d'Etat (31 juillet 1957). Conseiller technique au cabinet de Michel Debré, puis directeur de son cabinet (1958-1959). Membre du Conseil d'administration du *Centre national d'études judiciaires* (1959). Membre de l'*Alliance France-Israël*. Haut-commissaire auprès de la république de Côte-d'Ivoire (15 juillet 1959-17 mai 1961). Elu député de la 1re circ. de la Dordogne en 1962, avec l'investiture *U.N.R.* Réélu en 1967. Auteur de « *Historique de la Communauté* ».

GUEPES (Les).

Journal fondé en 1906 par Eugène Lacotte, professeur révoqué pour délit d'opinion, qui fut député de l'Aube de 1919 à 1924. Célèbre pour ses campagnes contre les pétroliers et la « perfide Albion ». Disparu en 1939 (son directeur fut assassiné en 1943 par ses adversaires politiques). Aujourd'hui, le titre de la publication est repris par Guy Vinatrel (bi-mensuel : 62, rue Nationale, Paris XIIIe).

GUERIN (André, Paul).

Journaliste, né à Flers (Orne), le 1er décembre 1899. Homme de gauche, collabora avant la guerre au *Canard enchaîné* (1925-1939), à *L'Europe Nouvelle*, au *Petit Provençal*, à *La Dépêche de Toulouse* (1935-1939). Fut rédacteur, puis rédacteur en chef de *L'Œuvre* entre les deux guerres, et après l'armistice de 1940. Fut également rédacteur en chef de *La Liberté de Normandie* et du *Temps de Paris*. Est actuellement rédacteur en chef de *L'Aurore* (depuis 1946). Préside le *Club Henri Rochefort* (depuis 1963) et la Ligue des *Bleus de Normandie*. A pris position, lors de la dernière élection présidentielle, pour François Mitterrand aux deux tours. Auteur de : « *Manuel des Partis politiques en France* », « *Normandie champ de bataille* », « *La Commune de Paris* », etc.

GUERIN (Daniel).

Homme de lettres, né à Paris, le 19 mai 1904. Descendant des banquiers d'Eichtal, dont plusieurs membres ont

lustré l'économie et la politique et qui
urent les associés de l'ex-banque *Mira-*
aud. Dans la presse et la littérature
epuis quarante ans. Fut parmi les fon-
ateurs et animateurs du *Centre laïque*
es Auberges de la Jeunesse et l'un des
rincipaux rédacteurs de *Juin 36,* le
ournal du *Parti Socialiste Ouvrier et*
aysan. Collabore à la presse socialiste
e gauche. Auteur de plusieurs ouvrages
e valeur, documentés et précis, mais
oncièrement marxistes, tels que : « *Fas-*
isme et grand capital » (1936), « *La*
utte de classes sous la Première Répu-
lique » (1946), « *Où va le peuple amé-*
icain ? » (1950-1951), « *Jeunesse du*
ocialisme libertaire » (1959), « *Front*
opulaire et Révolution manquée »
1963), etc.

Jules Guérin

GUERIN (Jules, Napoléon).

Militant politique, né à Madrid (Espa-
ne), le 14 septembre 1860, mort à Paris,
e 12 février 1910. Compagnon d'Edouard
Drumont, puis son adversaire. Dirigeait
e *Grand Occident de France,* ligue anti-
émite fort active au moment de l'affaire
Dreyfus. Poursuivi pour complot contre
a sûreté de l'Etat, se réfugia dans l'immeuble que l'organisation occupait rue
le Chabrol et y soutint un siège en règle
voir : *Fort Chabrol).* Après sa reddition,
ut arrêté et condamné en Haute Cour.
Brouillé avec Drumont, exprima sa ran-
œur dans un pamphlet intitulé : « *Les*
rafiquants de l'antisémitisme ».

GUERRE DEFENSIVE.

En principe, guerre conduite contre
un attaquant. En fait, toute guerre est
qualifiée de défensive par chaque camp.

GUERRE FROIDE.

Désigne le conflit latent existant entre
l'Ouest et l'Est au cours des années 50.
La guerre froide est caractérisée par des
ensions diplomatiques fréquentes et par
l'emploi de toutes sortes de moyens subversifs contre le camp adverse, allant
le la campagne radiophonique à la
omentation de complots et de troubles
révolutionnaires.

GUERRE JUSTE.

Selon la terminologie communiste,
n'est *juste* que la guerre menée par les
gouvernements (ou les groupes) communistes ou sympathisants en vue de libérer les peuples de la tutelle capitaliste
(ou colonialiste). Selon Lénine, le caractère d'une guerre n'est pas déterminé
par la manière dont elle a été déclarée :
peu importe l'agresseur, ce qui compte,
c'est de savoir de quel côté se trouve
le peuple ou le gouvernement ami.

GUERRE PATRIOTIQUE.

Staline donna ce nom au combat que
l'U.R.S.S. mena contre l'Allemagne hitlérienne dont les armées avaient envahi
son territoire en 1941. En faisant appel
au patriotisme russe, le dictateur communiste voulait mobiliser toutes les forces
populaires soviétiques que l'idéologie
communiste ne rendait pas suffisamment
combatives. Pour le *P.C.F.,* la guerre devint *patriotique* en France à partir de
1941.

GUERRE PREVENTIVE.

Epreuve de force déclenchée par une
ou plusieurs puissances contre un autre
Etat dont on redoute une agression militaire. En 1933, Paul Lévy avait préconisé, dans son quotidien *Le Rempart,*
une *guerre préventive* contre l'Alle-
gne qui venait de se donner un *Führer.*

GUERRE PSYCHOLOGIQUE.

Efforts coordonnés tendant à miner
le moral de l'adversaire.

GUERRE SOCIALE (La).

Hebdomadaire révolutionnaire fondé
le 19 décembre 1906 par Gustave Hervé
et Miguel Almereyda. Ses initiateurs
précisaient leurs intentions dans un
éditorial où l'on lisait : « *La création*
de ce journal a été décidée à la prison
de la Santé et à Clairvaux où, pendant
plus de six mois, vingt-cinq militants
anarchistes ou socialistes furent détenus
pour insuffisance de patriotisme. La
Guerre Sociale *ne fait double emploi*
ni avec les Temps nouveaux, *le* Libertaire, *l'*Anarchie, *un peu théoriques, ni*
avec la Voix du Peuple *ou le* Socialiste,

*organes officiels de deux grandes orga-
nisations,* la Confédération Générale du
Travail *et le* Parti socialiste — *qui ont
fatalement les timidités et les réserves
de tous les organes officiels* — *ni encore
moins avec l'*Humanité *qui est un quotidien, entre les mains des socialistes
« jauressistes », c'est-à-dire ultra-réfor-
mistes et parlementaires, et ouvert aux
seuls éléments syndicalistes modérés ou
sur la pente du modérantisme.* La
Guerre Sociale *n'est un journal ni exclusivement socialiste ni exclusivement
libertaire. Elle aspire à devenir l'organe
des socialistes « unifiés » qui déplorent
de voir leur parti devenir de plus en
plus un parti d'action électorale et parlementaire et qui, à l'intérieur du parti,
luttent pour l'arracher à son réformisme, à son respect de la légalité, à
son révolutionnarisme purement ver-
bal. »* Principaux collaborateurs :
Eugène Merle, Henri Fabre, futur directeur des *Hommes du jour,* R. Perceau,
Francis Delaisi, E. Tissier. Transformée
en quotidien sous le titre : *La Victoire,*
lorsque la guerre de 1914 éclata et que
Gustave Hervé répudia l'antimilitarisme
et prôna l'Union sacrée.

GUERRE TOTALE.

Guerre conduite avec une extrême
rigueur, sans se soucier des règles
humanitaires et au mépris des conventions internationales, non seulement
contre les forces armées ennemies, mais
aussi contre les populations civiles de
l'adversaire.

GUESDE (Mathieu BASILE, dit Jules).

Doctrinaire socialiste, né à Paris, dans
l'île Saint-Louis, en 1845, mort à Saint-
Mandé, en 1922. Son père, le professeur
Basile, donnait des cours dans une institution libre. Jules Guesde — c'est le
pseudonyme qu'il adopta — fut l'un des
hommes qui ont le plus profondément
marqué le socialisme français. Le socialiste Victor Méric, qui signait Flax les
portraits des *Hommes du Jour,* le présentait en ces termes : « *Apôtre au cœur
généreux, prêchant la Révolution aux
foules effarées ; pontife infaillible, jetant
l'anathème à tour de bras ; artiste délicat, poète, lettré, causeur plein d'esprit
et de verve ; puis homme d'affaires,
habile et roublard ; puis encore, tribun
ignorant et paresseux, friand des éloges
et des admirations, vindicatif et haineux,
inutile et intéressé.* » Du meilleur et du
pire... Il débuta dans la vie comme
employé de ministère, puis s'installa
dans le Midi, où il devint secrétaire de
rédaction du *Progrès libéral,* de Toulouse, puis rédacteur à *La Liberté* de

Montpellier. Il entra en relation ave
Yves Guyot, Brousse et quelques autre
Il n'était alors qu'un opposant bourgeoi
à l'Empire et se proclamait républicai
Dans le journal qu'il avait créé, *Le
Droits de l'Homme,* il mena campagn
contre la guerre et fut condamné à
mois de prison en août 1870. En septem
bre, il participa à un coup de main con
tre la préfecture de l'Hérault pour obte
nir la libération de républicains cettoi
Favorable à la Commune de Paris, so
journal soutint avec vigueur l'insurrec
tion parisienne : traduit devant les juge
Guesde fut condamné à cinq ans de pri
son et 4 000 francs d'amende. Il se réfu
gia en Suisse et devint alors socialiste
l'annonçant publiquement dans une bro
chure qui fit quelque bruit : « *Le livr
rouge de la Justice rurale* ». Il fond
également un journal, *Le Réveil Inter
national,* et aida à la création d'une sec
tion de l'Internationale. Nommé profes
seur en Italie, il enseigna la littératur
au Collège Cappece, de Maglie, et anim
une *Correspondance franco-italienn*
qui était surtout un organe de propa
gande révolutionnaire. Tout en publian
un *Essai de Catéchisme Socialiste* et un
Lettre sur la Propriété, il collaborait
L'Italia Nuova et à *La Plèbe,* journau
extrémistes, et participait à la créatio
d'une section de l'Internationale. So
activité attira l'attention de la police Ita
lienne qui l'expulsa de la péninsule. I
retourna en Suisse. C'est au cours de c
nouveau séjour dans la République hel
vétique qu'il prit le parti de Bakounin
contre Karl Marx, qui l'avait qualifié d
provocateur à propos des événements d
Montpellier. Mais à peine rentré e
France (1876), il entreprit d'y acclimate
la doctrine du socialiste allemand (ell
était alors à peu près inconnue). Avec
Lafargue, il entama une active campagn
marxiste, par la parole et par la plume
Entre deux conférences, il écrivait de
articles pour *Les Droits de l'Homme
Le Radical* ou *La Révolution Française*
En 1877, il publia une première série d
L'Egalité, premier journal ouvertemen
collectiviste. A la suite du Congrès Inter
national de 1878, il fut condamné
comme instigateur, à six mois de prison
Peu après, il rédigea avec Marx lui
même le programme collectiviste qu'i
présenta au congrès du Havre. Avec Be
noît Malon, il lança en 1880 un quotidien
L'Emancipation (de Lyon), puis l'anné
suivante, une nouvelle série de *L'Egalité*
il fut alors condamné à six mois de pri
son par la cour d'assises de Moulin
pour avoir attaqué le banquier de Roths
child. A sa sortie de prison, il donna de
articles au *Citoyen,* au *Cri du Peuple*

(de Jules Vallès), et fonda *Le Socialiste* en 1885. Ayant fondé, entre temps, avec Lafargue, le *Parti Ouvrier Français*, il en fixa le programme. Le préambule de celui-ci précisait que « *l'émancipation de la classe productive est celle de tous les êtres humains, sans distinction de sexe ni de race* » et que « *les producteurs ne sauraient être libres qu'autant qu'ils seront en possession des moyens de production (terres, usines, navires, banques, crédit, etc.)* » et que l'appropriation collective de ces moyens de production « *ne peut sortir que de l'action révolutionnaire de la classe productive ou prolétariat, organisée en parti politique distinct* » sans pour autant négliger « *le suffrage universel, transformé ainsi d'instrument de duperie qu'il a été jusqu'ici en instrument d'émancipation* ». Il entreprit une campagne de réunions, parcourut la province, travaillant particulièrement la région marseillaise et les départements du Nord. En 1889, il se présenta aux électeurs de la cité phocéenne, avec la formule : « *Ni Ferry, ni Boulanger* », mais fut battu. Il se rabattit sur le Nord, aux élections générales suivantes, en 1893, et fut élu à Roubaix. Vaincu aux élections suivantes (1898), il reprit ses tournées de propagande. Au début de l'affaire Dreyfus, il refusa de suivre ceux qui prenaient parti pour le capitaine israélite. Sans doute se méfiait-il un peu des amis du condamné, parmi lesquels il lui semblait reconnaître celui qu'il avait qualifié, à la tribune de la Chambre, de « *roi de la République* » ? « *Les prolétaires*, disait la déclaration de son *Parti Ouvrier Français*, *n'ont rien à faire dans cette bataille, qui n'est pas la leur... Ils n'ont, du dehors, qu'à marquer les coups et à retourner contre l'ordre ou le désordre social les scandales d'un Panama militaire s'ajoutant aux scandales d'un Panama financier... C'est à ceux qui se plaignent que la justice ait été violée contre un des leurs à verser au socialisme qui poursuit et fera la justice pour tous, et non au socialisme à aller à eux, à épouser leur querelle particulière.* » (24-7-1898.) Et dans sa controverse avec Jaurès, déjà acquis au *dreyfusisme*, il ajoutait qu'il ne fallait pas « *mobiliser et immobiliser le prolétariat derrière une fraction bourgeoise contre l'autre* ». (Discours de l'Hippodrome de Lille.) Révolutionnaire et intransigeant quand il n'était pas député, combattant les *possibilistes* avec ardeur, refusant à Millerand le droit de siéger comme socialiste dans un ministère Waldeck-Rousseau, et n'acceptant que contraint et forcé l'*Unité*, c'est-à-dire la

Les Hommes du jour

Dessin de A. Delannoy   Texte de Flax

fusion en un seul parti des divers groupes socialistes, Jules Guesde s'assagit singulièrement lorsqu'il retourna au Palais-Bourbon, jusqu'à sa mort cette fois, huit ans après en avoir été chassé (1906). Cette modération, que lui reprochait amèrement l'aile gauche de son parti, eût probablement pour raison la maladie. Le fait est qu'il n'écrivit plus guère et ne prit la parole que dans des circonstances particulières, par exemple pour dénoncer une déviation ou mettre en garde contre les extrémistes. En acceptant un poste de ministre sans portefeuille dans le gouvernement des « renégats » Viviani et Briand, il activait son évolution « réformiste ». Sa petite-fille, Liliane Volpert, actrice de cinéma entre les deux guerres sous le pseudonyme de Lilian Constantini, épousa le magnat du Creusot, Charles Schneider, contre lequel les socialistes, jadis, avaient tant tonné.

GUEZE (Frédéric, André, Raphaël).

Négociant, né à Paris, le 1er décembre 1907. Fils de Georges, Laurent, Frédéric Geisenheimer, autorisé à s'appeler Guézé par décret du 3 juillet 1923. Fondateur de divers comptoirs à la Réunion, la Guadeloupe, en Indochine, en A.E.F. et au Maroc (*Ets de la Hogue et Guézé*, *Sté Borel et Gérard*, etc.). Fonda à Chartres, à la Libération, le quotidien *L'Echo Républicain*, qui paraissait hebdomadairement avant la guerre à La Loupe. En fut l'administrateur-délégué de longues années. Présida le *Syndicat des quoti-*

diens de province et fut le vice-président
de la *Fédératon Nationale de la Presse
Française* de 1944 à 1962. Très hostile
à l'Algérie algérienne, fut profondément
ulcéré par « l'abandon de cette province française ». Lorsqu'il donna sa
démission du *Syndicat des quotidiens
de province*, cet ancien gaulliste — qui
fut même, croit-on, dans les cadres du
R.P.F. —, écrivit à ses collègues une lettre dans laquelle, s'estimant « abomina-
blement trompé par les princes qui nous
gouvernent », il mettait la presse « en
garde contre un nouveau plébiscite-
référendum ». Et il ajoutait : « Certains
m'en voudront, j'en suis sûr, de cette intervention, qui choquera leurs convictions ou leur opportunisme sans gloire
et sans lendemain. D'autres penseront
que je sors de mon rôle présidentiel :
aussi me suis-je résolu, pour laisser libre
carrière à la Presse qui affrontera le
*III*e *Empire*, à remettre entre vos mains
mon mandat de Président. N'ayant aucune vocation personnelle pour la soumission, ni pour la compromission, je ne
remplis pas les conditions nécessaires
pour vous représenter désormais auprès
d'un pouvoir qui défigure tous les jours
un peu plus les traits de la République. »
Est aujourd'hui retiré de la presse. Administre l'*Oxydrique Française* et appartient aux *Amis d'Albert Bayet*.

GUGGIARI (Charles, Henri).

Directeur de journal, né à Senones
(Vosges), le 5 novembre 1908. Syndicaliste et homme de gauche avant la
guerre, devint le directeur du quotidien *L'Union*, de Reims, à la Libération,
et a conservé ce poste jusqu'ici.

GUICHARD (baron Olivier)

Préfet, né à Néac (Gironde), le 27 juillet 1920. D'une famille anoblie par Napoléon Ier en 1808. Fils du baron Louis
Guichard, capitaine de corvette, qui fut
directeur du cabinet de l'amiral Darlan,
ministre des Affaires étrangères à Vichy,
puis nommé par le gouvernement du
maréchal Pétain, ministre plénipotentiaire de France à Lisbonne. Conseiller
municipal de sa ville natale depuis plus
de vingt ans, puis maire de cette localité.
Il est l'un des plus anciens et des plus
intimes collaborateurs du général De
Gaulle. Il fut successivement : chef de
service au *R.P.F.* (1947), attaché au secrétariat politique du général (1951), chargé
du service de presse du Commissariat à
l'Energie Atomique (1955). *Le Monde*
(19-4-1962) note qu'il a joué, au cours
des années 1951-1958, « discrètement, un
rôle important, notamment en ce qui

concerne les prises de contact avec les
personnalités les plus diverses, ainsi que
l'organisation du *R.P.F.* Il accompagna
le général au cours des voyages que fit
celui-ci en Afrique noire, aux Antilles,
en Océanie, au Sahara. Il était en outre,
depuis 1955, chef du service de presse
au commissariat à l'énergie atomique
quand survinrent les événements de mai
1958. Son action facilita grandement certaines rencontres, ainsi que les ralie-
ments qui devaient permettre au général
De Gaulle de revenir au pouvoir. C'est
à lui, par exemple, que, le 25 mai, M. Guy
Mollet fit remettre la lettre qu'il adressait à l' « ermite de Colombey », lettre
d'où allait résulter, le lendemain, l'entrevue nocturne de Saint-Cloud entre celui-
ci et M. Pflimlin ». Après le retour du
général De Gaulle, il devint son directeur-adjoint de cabinet et fut, bien que
n'étant pas de la carrière préfectorale,
nommé préfet (20 décembre 1958). Par
la suite, il occupa les postes suivants :
conseiller technique au Secrétariat général de la Présidence de la République
(janvier 1959-juin 1960), délégué général
de l'Organisation Commune des Régions
Sahariennes (1960-1962), chargé de mission auprès de G. Pompidou, Premier
Ministre (avril - novembre 1962, puis
7 décembre 1962), administrateur de
l'Organisme technique franco-algérien
de la mise en valeur des richesses du
sous-sol du Sahara (septembre 1962),
délégué à l'aménagement du territoire et
à l'action régionale (janvier 1963), vice-
président de la Commission nationale,
vice-président du Comité des plans régionaux (1963), membre du Conseil d'administration de l'*O.R.T.F.* (1964). Tant en
raison du rôle très actif qu'il joua dans
ce que certains appellent le « complot »
de mai 1958 qui aboutit au retour du
Général aux affaires publiques, que pour
son action constante à l'Elysée depuis
huit ans, Olivier Guichard est considéré
comme l'un des « barons du régime ».
Il est, depuis mars 1967, député de la
Loire-Atlantique (7e circ.).

GUIGNOL

Hebdomadaire satirique fondé à Lyon
en 1914 par un ouvrier typographe, Victor Lorge, militant syndical, auquel son
fils succéda. Est actuellement dirigé par
Mme J. Clerc-Lorge. Principaux collaborateurs : H. Poulet, A. Sap, Périogt-
Fouquier, A. Isnard, R. Fonteret, Georges d'Herblet, A. Sarraillon. Non-conformiste et indépendant. (37, quai Fulchi-
ron, Lyon.)

GUILLAUD (Jean-Louis, Etienne).

Journaliste, né à Caen (Calvados), le

5 mars 1929. Successivement : chef du service politique de la *Société générale de presse* (1953-1958), rédacteur politique de *Paris-Jour* (1958-1960), adjoint du directeur de l'information de la Délégation générale en Algérie (1960-1961), collaborateur des services politiques de *France-soir* et du *Nouveau Candide* (1961-1963), rédacteur en chef des Actualités télévisées à l'*O.R.T.F.* (depuis novembre 1963).

GUILLAUMAT (Pierre).

Ingénieur, né à La Flèche (Sarthe), le 5 août 1909. Fils du général Adolphe Guillaumat. Fit ses études au Prytanée militaire de La Flèche, puis à l'Ecole Polytechnique. Nommé ingénieur des mines, fut successivement : chef du Service des Mines en Indochine (1934-1939), en Tunisie (1939-1943), directeur des Carburants (1944-1951), administrateur général délégué du Gouvernement près le Commissariat à l'Energie Atomique (1951-1958), président du conseil du Bureau de Recherches de Pétrole (jusqu'en 1959) et membre du Conseil général des Mines (1955-1958). Devint ministre des Armées (cabinets De Gaulle et Debré, 1958-1959), ministre délégué auprès du Premier ministre (1960), chargé de l'intérim de l'Education Nationale (nov. 1960). Puis, hors du gouvernement, fut nommé : président-directeur général de l'*Union générale des pétroles* (U.G.P.) (1962) et de la société *Rhône-Alpes* (1963), administrateur de la *Compagnie française des pétroles* (1963), président du conseil d'administration d'*Electricité de France* (janvier 1964) et vice-président de la Commission nationale de l'aménagement du Territoire. Est classé, peut-être abusivement, parmi les « technocrates » de la Ve République.

GUILLAUMOT (Paul).

Agriculteur, né à Molesmes (Yonne), le 8 juillet 1913. Maire de Tainguy, conseiller général du canton de Courson-les-Carrières et vice-président du Conseil général de l'Yonne. Sénateur du département (en remplacement de P. de Raincourt, décédé en juillet 1959). Membre du groupe sénatorial des *Républicains indépendants*.

GUILLE (Georges).

Instituteur, né à Badens (Aude), le 20 juillet 1909. Appartint aux deux Constituantes (1945-1946) et fut député *S.F.I.O.* de 1946 à 1958 et ministre sous la IVe République. Président du Conseil général de l'Aude. Sénateur socialiste de ce département depuis 1959.

GUILLERMET (Erik, Pierre).

Publicitaire, né à La Rochelle, le 1er septembre 1920. Directeur de la *Publicité Octo.* Administrateur de l'*Omnium d'Impression et de Publicité.*

GUILLERMIN (Henri).

Gérant de sociétés, né à Prissé (S.-et-L.) le 3 août 1920. Député *U.N.R.* du Rhône (2e circ.) depuis 1962. A remplacé l'indépendant sortant Collomb. Avait pour suppléant, en 1962, Jacques Vendroux, neveu du général De Gaulle, élu en 1967 député de Saint-Pierre-et-Miquelon.

GUILLON (Paul).

Docteur en médecine, né à Vandœuvre-du-Poitou (Vienne), le 13 janvier 1913. Compagnon de la Libération. Chef de service des hôpitaux de Poitiers. Chargé de cours et chef des travaux à l'Ecole de Médecine de Poitiers. Elu député de la Vienne (1re circ.) le 30 novembre 1958, comme gaulliste. Membre de l'*Alliance France-Israël*. Réélu le 18 novembre 1962. S'est suicidé en février 1965.

GUILLOU (Louis).

Agriculteur, né à Cleder (Finistère), le 6 mars 1921. Syndicaliste paysan et militant démocrate-chrétien, fut successivement député du Finistère (1946-1951) et sénateur de ce département (depuis 1962), et conseiller général du canton de Saint-Thégonnec (depuis 1964).

GUINGOUIN (Affaire).

Instituteur public et militant communiste, ancien chef des *F.T.P.* du Centre et *préfet du maquis,* compagnon de la Libération, Georges Guingouin fut longtemps présenté comme un héros par le *P.C.F.* qui lui confia le secrétariat général de sa section de Limoges (60 cellules) et le secrétariat adjoint de sa fédération de la Haute-Vienne (260 cellules). Son ancien *maquis* a été rendu responsable de nombreuses exécutions sommaires de pétainistes ou d'anticommunistes et même de crimes crapuleux. Les affaires Dutheil et Parrichon sont encore dans toutes les mémoires au pays limousin. En juillet 1944, des propriétaires corréziens, les Dutheil, furent pillés et assassinés par des *F.T.P.* de Guingouin. Les Parrichon, qui connaissaient les responsables du massacre et du vol, furent abattus et détroussés à leur tour, en novembre 1945, par le même groupe, après un conseil de guerre auquel aurait assisté Guingouin. Imité par *Le Réveil Limou-*

sin, le quotidien socialiste limousin, *Le Populaire du Centre,* animé par Jean Le Bail, a dénoncé ces crimes et en a révélé d'autres, par exemple l'assassinat d'officiers de l'*Armée secrète,* en particulier de Lair, Buisson et Périgord, On a cité également le cas du commandant Dominjo, d'Ambazac, qui aurait eu entre les mains la copie d'une lettre écrite au maréchal Pétain par Guingouin, au lendemain de l'armistice, dans laquelle le militant communiste répudiait Moscou et se déclarait prêt à servir la Révolution nationale. Cette lettre était-elle un faux ? Toujours est-il que le commandant Dominjo fut abattu, comme le furent le curé de St-Bonnet-de-Briance, des notables d'Eymoutiers, des paysans de Sussac, des instituteurs de Linards et des centaines d'autres. En 1952, Georges Guingouin, en conflit avec le *P.C.F.,* fut révoqué de toute ses fonctions dans le parti. La presse parla épisodiquement de « l'affaire Guingouin » dans les années qui suivirent : elle annonça même que l'ancien chef *F.T.P.* avait été arrêté, puis mis en liberté provisoire, et qu'il avait bénéficié d'un non-lieu tandis que ses subordonnés étaient traduits devant les assises, une vingtaine d'années après les faits. L'oubli s'est fait sur cette pénible affaire. La dernière fois que l'on entendit parler de Guingouin, ce fut à propos de sa présence, comme invité, à la *Garden-party* de l'Elysée de l'été 1961, et de sa participation au groupe de *La Nation socialiste* (fondée par les anciens communistes Auguste Lecœur et Pierre Hervé) au sein duquel il évoluait sous le pseudonyme de Larrivière (cf. *Juvenal,* 7-7-1961).

GUIRAUD.

Membre du syndicat des électriciens, nommé le 23 janvier 1941 au *Conseil National* (voir à ce nom).

GUITRY (Sacha).

Comédien et auteur dramatique, né à Saint-Pétersbourg, le 21 février 1885, fils de l'acteur Lucien Guitry, dont *L'Univers Israélite* prétendit, peu après son décès (1925) qu'il était d'origine juive et que son père s'appelait Wolff (voir plus loin). Sacha Guitry consacra la première partie de sa vie au théâtre (auteur de 120 pièces), sans jamais se mêler de politique. Mais en 1940, rallié ouvertement au nouveau régime, il parut accepter le principe de la collaboration, fréquenta l'ambassadeur d'Allemagne, donna des articles au *Petit Parisien,* accorda son patronage aux conférences de *La Gerbe,* fit partie du comité de l'*Institut d'Etudes Corporatives et Sociales* de Vichy, assista à la cérémonie organisée par les Allemands pour le retour des cendres de l'Aiglon et publia une anthologie de grand luxe « *De Jeanne d'Arc à Philippe Pétain* » qu'il tint à remettre lui-même, en grand cérémonial, au chef de l'Etat français, à Vichy, en mai 1944. Tout cela lui fut reproché à la Libération : arrêté le 23 août 1944 et interné au camp de Drancy, il ne dut son salut qu'à l'intervention de plusieurs amis israélites, dont Tristan Bernard, qui le tirèrent de ce mauvais pas au bout de deux mois de démarches (25 octobre 1944). Le *Comité National des Ecrivains* mit ses œuvres à l'index, l'Académie Goncourt, dont il était membre, l'obligea à la quitter, et son dossier fut transmis à la Chambre civique de la Seine. Pour sa défense, Sacha Guitry allégua qu'il était intervenu efficacement pour empêcher la déportation de quatorze personnes et il fit état d'attaques dont il avait été l'objet, sous l'occupation, de la part de *Paris-soir* et de *La France au Travail* (l'une d'elles, à propos des origines de son père avait cessé sur l'injonction de la censure allemande, qui imposa au journal une rectification, parue sous la signature de Jean Drault). Il a raconté, avec plus d'esprit que de respect pour la vérité historique, ses démêlés avec la justice de l'épuration dans son livre « *60 jours de prison* », niant toute ascendance judaïque, mais soulignant qu'il comptait de très nombreux israélites dans son entourage : amis, associés, médecins, éditeurs, collaborateurs. (C'est ce qui l'avait sauvé puisque, sur l'intervention de ces derniers, son affaire fut classée le 8 août 1947). Il put bientôt reprendre ses activités d'homme de théâtre et il mit en scène plusieurs films qui font date dans l'histoire du cinéma. Peu de temps avant sa mort, survenue en 1957, il avait accepté de donner son patronage à l'*Association pour défendre la mémoire du Maréchal Pétain.* Il a publié, outre les deux cités précédemment, plusieurs livres de souvenirs, dont « *Lucien Guitry raconté par son fils* » et « *Quatre ans d'occupation* ».

GUITTON (Jean, Marie, Pierre).

Universitaire, né à Saint-Etienne (Loire), le 18 août 1901. Professeur aux lycées de Troyes, Moulins et Lyon, aux facultés de Montpellier, de Dijon et de Paris (lettres). Membre de l'Académie française (depuis juin 1961). Fut autorisé, bien que n'étant pas prêtre, à siéger au Concile en 1962 et fut admis comme auditeur à la 2ᵉ session de 1963. Auteur de nombreux ouvrages religieux, est considéré par un large secteur de l'opinion comme l'un des maîtres de la pensée catholique contemporaine. Collabore à la presse chrétienne, en particulier à *La France Catholique*. Porte-parole des cercles paroissiaux de tendance modérée.

GUIZARD (Marcel, Raoul).

Directeur de journal, né à Oran (Algérie), le 6 août 1907. Postier (1925), militant communiste et cégétiste, résistant, fut chargé en 1945 de la direction du quotidien *La Marseillaise,* poste qu'il occupe toujours.

GUYOT (Marcel-Gilbert).

Militant politique, né à Moulins (Allier) le 28 août 1903. Successivement chaudronnier, ouvrier galochier, manœuvre dans une brasserie. Ancien sénateur (1946-1948). Ancien conseiller municipal de Moulins (1949-1953). Elu député communiste de la 1ʳᵉ circ. de l'Allier le 25 novembre 1962. Réélu en mars 1967.

GUYOT Raymond).

Homme politique, né à Auxerre (Yonne), le 17 novembre 1903. Après de courtes études au lycée de Tonnerre, il fut comptable, puis devint l'un des permanents du *P.C.* De tendance trotskyste en 1924 (cf. *Bulletin communiste,* 11.1.1924), il fut « repêché » par Doriot et devint, en 1928, secrétaire des *Jeunesses communistes.* Elu député communiste de la Seine (8ᵉ circ.) en 1937, il refusa à la Chambre de s'associer à l'hommage adressé par l'Assemblée à l'Armée française (9.1.1940), qu'il présentera ensuite comme une « *manifestation chauvine et d'union sacrée des fauteurs de guerre* » (l'*Humanité* clandestine, n° 19, 14.1.1940). Après la Libération, il fut nommé membre de l'Assemblée consultative provisoire (1944-1945), élu aux deux Assemblées nationales constituantes (1945-1946) et député de l'Aube (1945-1946), de la Seine (avril 1959). Il est sénateur de l'Allier et membre du bureau politique du *P.C.F.*

H

HABIB-DELONCLE (Michel, Louis, Léon).

Journaliste, né à Neuilly-sur-Seine, le 26 novembre 1921. Fils de Louis Habib, pêcheur de trésors libanais, et de Mme, née Deloncle. Petit-neveu de l'ancien sénateur Charles Deloncle et cousin d'Eugène Deloncle, le fondateur du *M.S.R.* Dans sa jeunesse était un grand admirateur de Bainville, l'historien monarchiste. Avocat, chargé de mission auprès du Tribunal de Nuremberg, rédacteur à *La France Catholique,* organe de la *Fédération Nationale Catholique* (de feu le général de Castelnau). Secrétaire administratif du groupe *R.P.F.* à l'Assemblée Nationale (1948 - 1954). Conseiller de l'Union française (29 juin 1954-8 décembre 1958). Élu député de la Seine (20ᵉ circonscription) le 30 novembre 1958. Trésorier, puis secrétaire général du groupe *U.N.R.* de l'Assemblée nationale. Secrétaire général du *Comité Français pour l'Union paneuropéenne.* Réélu député le 25 novembre 1962. Secrétaire d'Etat aux Affaires étrangères (deuxième cabinet Pompidou, 6 décembre 1962).

HACHETTE (Librairie).

Entreprise de librairie, d'édition, de commission et de messagerie de livres, dont l'origine remonte à la première moitié du XIXᵉ siècle. C'est en effet le 19 août 1826 que Louis-Christophe-François Hachette, né à Rethel (Ardennes) en 1800, mort au château du Plessis-Piquet (Seine) en 1864, fonda sa librairie dans une humble boutique de la rue Pierre-Sarrazin, petite voie étroite, partant du boulevard Saint-Michel, en face des ruines de Cluny. Elle occupe aujourd'hui tout le pâté de maisons compris entre la rue Pierre-Sarrazin, la rue d'Hautefeuille et le boulevard Saint-Germain. Louis Hachette se destinait à l'enseignement. Après de brillantes études au lycée Louis-le-Grand, il fut admis à entrer à l'Ecole Normale Supérieure, où il resta trois ans. Il en sortit avec la médaille d'honneur que l'on décernait aux meilleurs élèves. Mais l'état d'esprit qui régnait à *Normal Sup* n'était pas très orthodoxe. On y frondait les Bourbons et on y combattait la religion. Les royalistes et le clergé voyaient en elle *un foyer d'insubordination politique et religieuse* (cf. André Miramas, in *Transmondia,* juillet 1963). Une ordonnance ferma l'école (6 septembre 1822) et Hachette en fut chassé avec ses cinquante-sept labadens. Il en conçut un ressentiment bien compréhensible à l'endroit de l'Eglise et de la Monarchie. Dans l'impossibilité de créer ou d'acquérir un pensionnat ou une école libre — le jeune homme passait pour un républicain avancé —, il décida de devenir libraire. Pour ce faire, il réunit toutes ses ressources et celles de sa jeune femme. Cette dernière, ainsi que sa mère et sa sœur, travaillèrent avec lui. Un peu plus tard, lorsque l'affaire devint prospère, Hachette s'adjoignit des collaborateurs pris dans sa famille : ses deux gendres, Breton et Templier, et ses deux fils : Alfred et Georges. L'Ecole Normale lui fournit des auteurs : d'abord ses anciens camarades de turne et ses aînés, Burnouf et Quicherat, puis leurs cadets, Hippolyte Taine, Edmond About, Francisque Sarcey, Prévost-Paradol, eux aussi libéraux. La première grande entreprise de Louis Hachette et de sa maison fut le fameux dictionnaire de Littré (un de ses anciens camarades de lycée). Ce dernier lui avait soumis en 1841 l'idée de son œuvre monumentale. Pour qu'il puisse travailler sans préoccupations d'ordre matériel, Hachette lui assura une annuité de 4 000 francs pendant tout le temps nécessaire à la rédaction de ce fameux *Dictionnaire de la Langue française* (cela devait durer trente et un ans).

L'influence de Louis Hachette fut considérable, car il eut en effet un très grand rôle dans la formation idéologique des enseignants, professeurs ou instituteurs du XIXe siècle. En 1832, il avait d'ailleurs fondé à l'intention des maîtres d'école une publication devenue célèbre et qui demeure un guide précieux pour les instituteurs de France, le *Manuel Général de l'Instruction Primaire*. Ce dernier fut doublé d'une *Revue de l'Instruction publique,* destinée aux professeurs de l'enseignement secondaire, dans laquelle Hippolyte Taine écrivit une partie de ses « *Essais de critique et d'histoire* ». Sans abandonner une certaine prudence — les libéraux étaient assez mal vus sous la Monarchie et sous le Second Empire —, il encourageait ainsi, très efficacement, les éléments qui, au sein de l'Université, tendaient à dégager l'enseignement officiel de l'emprise de l'Eglise. Ainsi que l'a écrit Henri Mitterrand à propos du gros livre que l'ancien ministre Jean Mistler a consacré à la *Librairie Hachette* (Paris 1964), « *c'est sans aucun doute de ce côté qu'il faut chercher le creuset de cet esprit « libre-penseur » d'où devaient sortir les révolutions laïques de la fin du siècle* » (*Les Nouvelles Littéraires,* 24-12-1964). Là encore, la bourgeoisie (dont nous analysons le comportement par ailleurs — voir : *bourgeoisie*) eut un rôle considérable dans l'évolution politique du pays. Tout comme les industriels et les financiers de son époque, Hachette travailla à la déchristianisation systématique du peuple, non seulement par conviction, mais aussi par intérêt. Le principal obstacle à la réussite du capitalisme naissant demeurait, en ce milieu du XIXe siècle, l'Eglise catholique, pilier principal de l'Ordre traditionnel que représentaient les *terriens.* Les tenants de l'économie nouvelle, basée sur le profit, ayant compris qu'une politique plus libérale favoriserait leurs desseins en éliminant des postes gouvernementaux et des fonctions officielles les tenants de l'économie

traditionnelle, furent tout naturellement les alliés de ceux qui voulaient « *instruire le peuple* ». Il est probable qu'ils se souciaient fort peu de l'amélioration *réelle* de la condition des classes laborieuses ; mais ils savaient qu'en apprenant à lire aux jeunes ouvriers et aux jeunes paysans, c'est-à-dire en leur donnant la possibilité de les lire, eux, — ou de lire leurs journalistes et leurs écrivains —, il leur serait plus aisé d'exercer dans les milieux populaires une influence qui n'appartenait alors qu'à la chaire dominicale. Excellente en soi, l'instruction pouvait devenir entre leurs mains un instrument de domination d'une exceptionnelle puissance. En participant très largement à cette action, Hachette fut doublement récompensé : il contribua à renverser le vieil ordre qu'il exécrait depuis son adolescence, et il devint, à travers sa librairie, un homme puissant, allant transmettre à ses héritiers cette puissance qu'ils continuent à exercer de nos jours dans la presse, la littérature et l'enseignement.

La loi de 1833 avait apporté une véritable révolution dans le système des écoles primaires. Elle eut de très grandes conséquences puisqu'elle rendit obligatoire l'enseignement de nouvelles matières et fut à l'origine du développement de l'enseignement primaire en France. La *Librairie Hachette* se trouva rapidement en mesure de fournir non seulement les livres scolaires, mais également des cartes géographiques. Louis Hachette ne se contenta pas d'être un propagandiste intelligent, il se révéla également remarquable homme d'affaires ; il sut admirablement choisir ses auteurs et présenter leurs œuvres. Progressivement, il ajouta à ses livres scolaires d'autres ouvrages, d'auteurs français ou étrangers, littérateurs, poètes, philosophes, historiens ou savants, pouvant être lus par tous. Il apporta dans la distribution et la vente des livres des méthodes originales qui facilitèrent la diffusion de ses propres ouvrages, puis ceux des autres éditeurs dont il diffusa la production. Il avait ramené de Londres l'idée des bibliothèques de gares. Les chemins de fer étaient alors en pleine expansion et il avait obtenu des compagnies des avantages intéressants. Entre 1852 et 1855, il se fit concéder le monopole de la vente des livres et des publications périodiques par toutes les compagnies de chemins de fer. Ayant absorbé l'*Agence Périnet* et les *Messageries du Figaro*, la maison Hachette transforma, en 1898, son service de messageries en une *Agence de journaux parisiens* qu'elle installa rue Paul-Lelong et qui avait pour objet le transport par chemins de fer et la distribution en banlieue et province des journaux et périodiques parisiens. En 1912, un nouveau service s'occupa de la mise en vente des journaux français à l'étranger et des journaux étrangers en France. Divers accords avec les compagnies de chemins de fer assuraient à Hachette un tarif privilégié supprimant toute possibilité de concurrence.

La Librairie Hachette fut alors l'objet de vives critiques et d'attaques répétées d'hommes politiques, de journalistes et d'écrivains, tels que Francis Laur, Maurice Barrès, Urbain Gohier, Gustave Téry et Edouard Drumont. Ce dernier reprocha à la maison *Hachette* d'exercer une véritable censure sur les livres vendus en « exclusivité » dans les bibliothèques des gares :

« *De quel droit,* écrivait-il (les directeurs de la maison Hachette) *exercentils sur les livres qui traitent de questions sociales une censure qu'ils n'exercent pas sur les obscénités ? De quel droit se permettent-ils d'empêcher le public de lire un ouvrage irréprochable en tous points sous le rapport des mœurs, et qui n'a que le tort de ne pas être suffisamment respectueux pour les Rothschild ? De quel droit greffent-ils sur le privilège de percevoir une certaine somme par chaque volume la fonction toute morale d'examiner le contenu de ce volume et de juger s'il peut circuler librement ?* » (Edouard Drumont : « *La France juive devant l'opinion,* Paris 1886.)

La maison Hachette rendait de trop grands services à l'ensemble des éditeurs et au public pour que son monopole de fait fût sérieusement remis en question. Plus tard, les bibliothèques du métro entrèrent à leur tour dans le monopole Hachette. En 1914, le ministre des Travaux publics augmenta même la durée du contrat : vingt années au lieu de quinze. Ce secteur de la librairie Hachette, appelé Messageries Hachette, employait déjà 700 personnes et utilisait 14 camions automobiles et une quarantaine de voitures à chevaux. D'entreprise familiale, la maison Hachette se transforma en un véritable trust du papier imprimé. En 1919, l'apport de capitaux étrangers à la famille Hachette permit de constituer une société anonyme au capital de 100 millions de francs. Par un système de contrats, leurs messageries eurent bientôt la haute main, non seulement sur la distribution des journaux, des périodiques et des livres, mais aussi sur leur mise en vente par les librairesdépositaires — auxquels il était interdit de vendre quoi que ce soit qui ne fût

fourni par elles — et sur les maisons d'éditions elles-mêmes, qui devaient souvent lui soumettre les manuscrits de leurs auteurs avant publication. En 1924, Hachette créa un *Service de la vente à Paris.* Les marchands, qui étaient directement approvisionnés par des porteurs attachés aux services administratifs des journaux, le furent désormais par cinquante-cinq dépôts ouverts dans la capitale. Un peu plus tard, d'autres services (« *vente aux colonies* », « *quotidiens du soir* », etc.) furent créés par Hachette. A la veille de la guerre, la maison Hachette, liée par contrat aux compagnies aériennes et maritimes, utilisait simultanément le chemin de fer, l'autorail, l'automobile, le navire et l'avion pour le transport des journaux, des périodiques et des livres aux quatre coins du monde. Elle comptait alors 8 397 employés, diffusait 136 quotidiens et 807 périodiques, distribuait chaque jour 8 millions d'exemplaires, convoyait 160 000 tonnes de papier imprimé, alimentait 80 000 postes de vente, desservait 2 313 bibliothèques de gares, utilisait quotidiennement 325 trains, 428 voitures et 317 cyclistes et motocyclistes. C'est dire quelle formidable organisation était Hachette lorsque éclata le conflit qui devait provoquer une éclipse de son omnipotence.

A la Libération, son monopole fut, en effet, remis en question. La Résistance lui reprocha d'avoir « *travaillé avec les nazis* ». En fait, les locaux de messageries avaient été occupés par les Allemands qui, durant les quatre années de leur présence en France, contrôlèrent de très près les activités de la presse et de l'édition. En 1944, les services que l'occupant avait réquisitionnés furent pris en main par les représentants de la « *presse issue de la Résistance* ». Les *Messageries Françaises de Presse,* nouvellement créées, s'installèrent dans les locaux de la maison *Hachette,* rue Réaumur, malgré les protestations de ses dirigeants. La diffusion des quotidiens et des périodiques imprimés à Paris — ils étaient fort nombreux en 1944-1945 — fut assurée par ces messageries sous le contrôle des nouveaux journaux. Malgré les avantages dont bénéficiait cette distribution officielle et exclusive, une faillite retentissante mit fin à l'expérience deux ou trois ans plus tard. Les *Nouvelles Messageries de la Presse Parisienne* (N.M.P.P.), qui succédèrent aux *M.P.F.,* distribuent depuis la plus grande partie de la presse. Elles sont nées en 1947, explique une brochure éditée en 1952 par les N.M.P.P. « *de l'association des éditeurs de journaux et publications* groupés en coopératives avec la Librairie Hachette ».

Dans l'espoir de mieux surveiller les activités desdites messageries, une loi dont Robert Bichet, député *M.R.P.*, fut le rapporteur, créa un organisme de contrôle : le *Conseil Supérieur des Messageries de Presse.* « *L'une des conditions nécessaires à la véritable liberté de la presse est la garantie à tous les journaux et écrits périodiques d'impartiales et d'équitables conditions de transport et de diffusion. Il ne faudrait pas qu'un journal ne puisse pas se créer parce qu'il ne trouverait pas les moyens normaux et impartiaux de diffusion. On sait qu'avant les hostilités il existait un monopole de fait : toutes les publications, tout au moins celles de Paris, se trouvaient dans l'obligation de passer par lui. Nous estimons qu'aucun monopole de fait ne doit être reconstitué. Aussi avons-nous adopté une solution qui consiste à donner aux messageries un statut de coopérative* » (exposé des motifs de la proposition de loi n° 654, session de 1947). La loi du 2 avril 1947, article 17, précisa : « *Il est créé un Conseil supérieur des messageries de presse dont le rôle est de coordonner l'emploi des moyens de transports à longue distance utilisés par les sociétés coopératives de messageries de presse, de faciliter l'application de la présente loi et d'assurer le contrôle comptable par l'intermédiaire de son secrétariat permanent.* » Le président de ce conseil est aujourd'hui Henri Massot (co-directeur général de *France-Soir-Paris-Presse* et haut employé de la *Librairie Hachette*) qui représente les coopératives de journaux et périodiques au sein des *Nouvelles Messageries de la Presse Parisienne* dont il est le président, tandis que la direction générale des *N.M.P.P.* est assurée par Guy Lapeyre, administrateur de la *Librairie Hachette.* En fait donc, sinon en droit, le monopole *Hachette* s'est maintenu. Bien gérées et florissantes, les *N.M.P.P.* — dont la *Librairie Hachette* détient 49 % des actions et exerce la direction effective par ses fidéi-commissaires Massot et Lapeyre — comptent 40 000 postes de vente en France, diffusant près de 80 quotidiens de Paris et de province (2 millions et demi d'exemplaires par jour). Elles distribuent en outre 500 périodiques français, 400 quotidiens, hebdomadaires et revues de l'étranger et une centaine de collections dites de petite librairie. Elles emploient 3 500 personnes et utilisent des centaines de motocyclistes, de cyclistes et de voitures automobiles.

La puissance de la maison *Hachette* ne se borne pas au domaine de la distribution des journaux. Elle contrôle également les quotidiens, hebdomadaires et périodiques suivants : 2 quotidiens : *France - Soir* (son tirage est voisin d'un million d'exemplaires), *Paris-Presse* (90 000 exemplaires) ; 12 hebdomadaires : *Le nouveau Candide* (118 000 ex.), *La Vie Française* (123 000 exemplaires), *France-Dimanche* (1 062 000 ex.), *Le Journal du Dimanche* (619 000 ex.), *Elle* (622 000 ex.), *Elle* belge (40 000 ex.), *Elle* suisse (15 000 ex.), *Elle* (en allemand : 60 000 ex.), *Femmes d'Aujourd'hui* (un million 25 000 ex.), *Le Journal de Mickey* (375 000 ex.), *Confidences* (415 000 ex.), *Lectures d'aujourd'hui* (247 000 ex.), *Tout l'Univers* (150 000 ex.), *Entreprise* (35 000 ex.), *Top* (65 000 ex.), *Télé-7 jours* (1 326 000 ex.) ; 8 mensuels : *Réalités* (124 000 ex.), l'édition anglaise de *Réalités* (61 000 ex.), *Connaissance des Arts* (57 000 ex.), *Lectures pour Tous* (214 000 ex.), *Femme Pratique* (297 000 ex.), *Jardin des Modes* (102 000 ex.), *Arts Ménagers* (105 000 ex.), *Tricots de Femmes d'Aujourd'hui* (77 000 ex.). Les services de vente du « *trust vert* » sont également très importants. Il n'existe certainement pas une entreprise comparable en Europe. Avec sa centaine d'agences et annexes à Paris, en province, en Afrique ex-française, ses succursales et ses dépositaires de l'étranger, ses 80 000 postes de vente (dépositaires, sous-dépositaires et libraires) et ses 10 000 salariés, cette entreprise est l'une des plus grosses affaires françaises. Les « *participations* » d'*Hachette* sont nombreuses. Véritable trust, l'entreprise a investi des milliards dans diverses affaires allant de la *Franpar* (qui édite *France-Soir* et *Paris-Presse*) aux *N.M.P.P.*, ainsi que nous l'avons vu, en passant par des imprimeries (notamment *Brodard et Taupin* et *A.S.A.R.*), des papeteries (*Anc. Ets Tonnelier, Pont de Lignon*), des messageries et des diffuseurs (notamment *Société Chérifienne de Distribution et de Presse Sochepresse, Hachette - Madagascar,* la *Diffusion Chaix,* la *Maison du Livre français* et, pour 30 %, *Transports-Presse*), une maison de disques souples (*Sonopresse*), une firme italienne d'édition (*Mondadori Western*), des maisons d'édition (*Librairie Générale Française,* qui édite le *Livre de Poche, Grasset, Fayard, Plon, Rossignol, Editions graphiques internationales, Editio, Tallandier, Gallimard-N.R.F., Le Mercure de France*), une société de publicité (*Régie-Presse,* en association avec M. Bleustein-Blanchet) participations auxquelles il faut ajouter les intérêts du groupe dans la *Cie Française d'Exploitations Commer-*

ciales (80 %), la *Sté de Gérance des Messageries* (100 %), la société *Dunan, Frare et Seurat* (S.A.M.D.S.), etc. La *Librairie Hachette*, société anonyme au capital de 60 millions de F, a réalisé en 1965 un chiffre d'affaires de 1 850 millions de F (185 milliards d'A.F.) de plus que l'année précédente. Elle est intimement liée à la *Banque de Paris et des Pays-Bas* qui, directement ou par sociétés interposées, détient la plus importante des participations. Cette étroite collaboration se traduit par la présence d'Emmanuel Monick et d'Henri Deroy, respectivement président d'honneur et président de la *B.P.P.-B.* au conseil d'administration que préside Robert Meunier du Houssoy (administrateur du *Crédit Foncier Franco-Canadien*, également lié à la *B.P.P.-B.*), et auquel appartiennent : Mme Louis Hachette, C. Labouret, G. Lapeyre et Ithier de Roquemaurel, directeur général (siège social : 79, boulevard Saint-Germain, Paris 6ᵉ).

HADJI-GAVRIL (Athanase).

Journaliste, né à Tillières-sur-Avre (Eure), le 11 septembre 1929, de parents grecs orthodoxes (son oncle maternel, Mgr Yacovos, est archevêque de l'Ile de Mitylène). A son retour du service militaire (effectué dans les commandos parachutistes SAS), milita dans le syndicalisme ; successivement : délégué du personnel et secrétaire du comité d'établissement de *Rhône-Poulenc*, à Vitry-sur-Seine, membre du comité central d'entreprise du groupe *Rhône-Poulenc* et filiales, secrétaire adjoint de l'*Union des Syndicats Indépendants* de la R.P., membre de la Commission exécutive fédérale des industries chimiques et similaires, responsable de la délégation ouvrière aux Conventions collectives nationales (1951-1956) ; délégué du personnel, secrétaire général du Syndicat autonome des *Usines Chausson* et secrétaire de l'*Union des syndicats autonomes des métaux* de la R.P. (1956-1958). Fut également membre dirigeant de *La Coordination Nationale*. Actuellement : secrétaire général de l'*Union des Cercles d'études syndicalistes* et de la *Fédération nationale des syndicats indépendants* « *Travail et Liberté* » (Presse, publicité, livre et papier-carton). Fut rédacteur à *Chimie et Pharmacie* (1951-1956), rédacteur en chef de *La Chimie indépendante* (1952-1956), rédacteur à l'*Indépendance syndicale* (1953-1956), directeur de *Echos de l'Union* (1955-1956), de *L'Avenir* et du *Métallo autonome parisien* (1956-1958), rédacteur en chef du *Courrier de Paris* (1963-1964). Collabora égale-

ment à *Salut Public* (de Robert Martel) et dirige actuellement le bulletin *L'Evolution ouvrière*. Pseudonyme : André Tillières.

HAEDENS (Kléber).

Homme de lettres, journaliste, né à Equeurdreville (Manche), le 11 décembre 1913. Collabora, avant la guerre, à *L'Insurgé*, après l'armistice à : *L'Action Française*, *L'Alerte* (L. Bailby), *Idée* (de Vichy), *Compagnons* et, depuis la Libération, à *Paris-Presse-L'Intransigeant* et au *Nouveau Candide*. Auteur de plusieurs romans et d'une « *Histoire de la Littérature Française* ».

HAEDRICH (Marcel)

Journaliste, né à Munster (Haut-Rhin), le 25 janvier 1913. Collabora pendant la guerre à *Sept Jours* (1942), puis fut rédacteur en chef de *Samedi soir* (1945-1950), grand reporter à *Paris-Presse-l'Intransigeant* (1950-1953) et rédacteur en chef de *Marie-Claire* (1953-1964). Est actuellement le collaborateur de divers journaux dont *Le Figaro* et *L'Express*.

HALBOUT (André).

Pharmacien, né à Vire (Calvados), le 4 janvier 1900. Président du Tribunal de Commerce. Ancien conseiller général du Calvados (1944). Réélu en 1951. Battu le 20 avril 1958. Ancien maire de Vire (1944-1958). Député *U.N.R.* de la 5ᵉ circ. du Calvados (1962-1967), où il remplaça l'ancien ministre du maréchal Pétain, Leroy-Ladurie.

HALBOUT (Emile-Pierre).

Apiculteur, né à La Lande-Patry (Orne), le 15 février 1905. Maire de La Lande-Patry. Conseiller général du canton de Flers (depuis 1945). Président de la *Caisse de Crédit Agricole* de Flers et de la *Sté de Crédit Immobilier de l'Orne*. Président du groupe parlementaire d'amitié France-Canada. Membre de la deuxième Assemblée constituante (juin-novembre 1946). Député *M.R.P.* de l'Orne depuis 1946. Son parti ayant, en majorité, pris position pour le NON en octobre 1962, Emile Halbout a fait publier dans la presse un communiqué où il déclarait : « *Le bruit étant répandu que je ne serais ni OUI ni NON, je vous demande de faire connaître ma position qui est sans équivoque pour le OUI.* » Rappela également qu'il avait « *refusé de voter la motion de censure* ».

HALGOUET (vicomte Roger du).

Homme politique, né à Paris (7ᵉ), le

30 avril 1911, d'une famille alliée aux Wendel. Son père, Yves du Halgouët, fut tué à la guerre, en 1917. Propriétaire terrien, membre du comité de surveillance de la société *Les Petits-Fils de François de Wendel et C*[ie] et administrateur de *J.-J. Carnaud et Forges de Basse-Indre,* Roger du Halgouët est maire de Saint-Just (I.-et-V.), depuis 1936, conseiller général de Pipriac, depuis 1954 et sénateur d'Ille-et-Vilaine, depuis 1959. Il appartient au Comité central de l'*U.N.R.-U.D.T.* et a été choisi par son groupe parlementaire comme juré à la Haute Cour de Justice en 1964.

HALGOUET (Yves du).

Ingénieur agronome, né à Paris le 27 décembre 1910. Propriétaire exploitant. Administrateur de la Société d'agriculture du Morbihan. Membre du Conseil d'administration de la Fédération des exploitants agricoles. Elu conseiller municipal (1947) et adjoint au maire de Guegon (1953). Conseiller général du canton de Josselin (1945). Député du Morbihan (4e circ.) depuis 1958. Inscrit au groupe des *Républicains Indépendants.*

HAMELIN (Jean, Achille).

Président de société, né à Paris, le 2 décembre 1918. Fils d'un général. Ancien collaborateur de ministres, fut le directeur adjoint du journal *Le Progrès de Lyon* (1959-1961). l'administrateur de *Paris-Match* (1961) et le président de la *Société du Figaro,* propriétaire du *Figaro,* du *Figaro littéraire* et du *Figaro agricole.*

HAMON (Augustin).

Sociologue et écrivain, né à Nantes, le 20 janvier 1862, mort à Penvénan (C.-du-Nord), le 3 décembre 1945. Issu d'une famille nantaise d'artisans et de commerçants. De 1884 à 1889, il s'occupa surtout de questions d'hygiène. C'est à partir de 1889 qu'il s'intéressa à la politique. Tout en collaborant à des revues de gauche et d'extrême-gauche, comme *La Revue socialiste, L'Art social, La Société nouvelle, Free Review, Il Romani, Der Sozialist,* il publia huit ouvrages importants : « *Ministère et Mélinite* » (1891), « *La France sociale et politique* » (années 1890-91), « *La Psychologie du Militaire professionnel* » (1893), « *La Psychologie de l'Anarchiste-Socialiste* » (1895), « *Patrie et Internationalisme* » (1896) « *Le Socialisme et le Congrès de Londres de 1896* » (1897), « *Déterminisme et Responsabilité* » (1898), « *Le Congrès général des Organisations socialistes françaises* » (1900). Entre temps, il avait fondé une revue politique et littéraire internationale, *L'Humanité nouvelle* (1897), qui défendait le point de vue socialiste et libertaire avec une grande indépendance. Peut-être faut-il voir dans ce refus de se lier trop intimement à une organisation quelconque l'origine des difficultés qu'Augustin Hamon rencontra dans cette entreprise... Toujours est-il que, bien que militant socialiste et vénérable de la loge *L'Homme Libre,* il reçut si peu d'aide de ses amis qu'il dut, faute de ressources, suspendre la publication de sa revue au bout de six ans d'embarras financiers quasi-permanents. C'est au congrès socialiste de Londres, où il fut délégué par la Bourse du Travail de Nantes, qu'Augustin Hamon connut Bernard Shaw, dont il devint, en 1903, le traducteur (avec sa femme). Il avait vécu jusque-là dans la capitale. A partir de 1904, il regagna définitivement sa Bretagne natale et y demeura jusqu'à sa mort. Etabli dans les Côtes-du-Nord, il poursuivit son combat, collabora à la presse socialiste, locale ou non, et milita au Comité de la Fédération socialiste de Bretagne et au sein de la loge *Science et Conscience et Ernest-Renan réunis,* de Saint-Brieuc. Tout en traduisant les œuvres de Bernard Shaw, il écrivit « *Le Molière du XXe siècle* » sur le théâtre du grand dramaturge. Séjournant en Angleterre d'avril 1914 à juillet 1916, il y fit une série de conférences sur la guerre ; le texte de celles-ci a paru en volume, un peu plus tard (1917), sous le titre : « *Les leçons de la guerre mondiale* ». Dans l'entre-deux-guerres, il fit surtout de la propagande socialiste dans les Côtes-du-Nord, en particulier dans la *Charrue Rouge* fondée en 1930, accentuant nettement vers la gauche son action, tout en demeurant à la *S.F.I.O.* bien que les tendances du parti lui parussent souvent trop modérées. Son étude des milieux bourgeois et des rouages du système capitaliste l'amenèrent à écrire « *Les Maîtres de la France* » que publièrent les *Editions Sociales Internationales* (communistes) au cours des années 1936, 1937 et 1938. Dans ces trois volumes, composés avec la collaboration de spécialistes amis, Augustin Hamon présentait la féodalité financière dans les forteresses mêmes de sa puissance. Tout comme le faisait Francis Delaisi dans ses articles et comme l'ont fait, après lui, Emmanuel Beau de Loménie et Henry Coston, qui sont d'une tendance politique toute différente, il s'employait à démonter le mécanisme de la formidable machine, née du développement industriel des deux derniers siècles, qui menace à la fois l'existence des travailleurs et des classes moyennes et l'indépendance de l'Etat. Il publia, outre les livres cités plus haut : « *Le Mouvement ouvrier en Grande-Bretagne* » (1919), « *La Conférence de la Paix et son œuvre* » (en portugais, à Lisbonne, 1919), « *La crise mondiale du socialisme* » (1922) et « *L'Eglise dans la politique mondiale* » (1935).

HAMON (Léo, Lew).

Universitaire, né à Paris, le 12 janvier 1908. Autorisé à changer son patronyme de *Goldenberg* en *Hamon,* par décret du 24 novembre 1945. Ancien secrétaire de la conférence du stage des Avocats, à la Cour de Cassation et au Conseil d'Etat, appartint au Barreau de Paris. Pendant l'occupation, responsable au mouvement *Combat* de l'action ouvrière pour la région du Languedoc, puis responsable de *Ceux de la Résistance* pour la région parisienne. Fut également l'adjoint d'Yves Farge dans la clandestinité. En 1944, nommé membre du bureau du *Comité Parisien de Libération.* Fut ensuite : conseiller municipal de Paris et conseiller général de la Seine (1945-1947), sénateur *M.R.P.* de la Seine (élu le 7 novembre 1948 et réélu le 18 mai 1952). Fit partie de la Commission exécutive du *M.R.P.* et fut vice-président du groupe sénatorial du *M.R.P.* Exclu de ce parti pour avoir voté contre la *C.E.D.* (septembre 1954), rejoignit le *Parti de la Jeune République.* Après le retour au pouvoir du général De Gaulle, en 1958, participa à la création de l'*Union Démocratique du Travail* et, une fois opérée la fusion avec l'*U.N.R.,* entra à la Commission politique des mouvements gaullistes. Enseigne à la faculté de droit de Dijon et à l'Institut des Hautes Etudes d'outre-mer. A été nommé, en août 1964, conseiller économique et social. A collaboré, depuis la Libération, à *Esprit,* à *La Revue politique et juridique d'outremer, Notre République,* etc. Ami de l'U.R.S.S., qui l'accueillit cordialement (en 1955) ainsi qu'à l'ambassade de Paris (fréquemment), président du *Comité d'Echanges Parlementaires France-Yougoslavie,* membre du *Mouvement de la Paix* et du *Comité pour le respect des droits de l'Homme en Grèce,* Léo Hamon est l'une des personnalités du gaullisme de gauche, à la fois fidèle à l'homme du 18 juin et très proche du progressisme.

HAMON (Yves).

Agriculteur, né à Lennon (Finistère),
le 9 septembre 1909. Militant démocrate-chrétien, élu successivement : maire de Lennon, conseiller général du canton de Pleyben et sénateur *M.R.P.* du Finistère (depuis 1959).

HAMP (Pierre BOURILLON, dit).

Journaliste (1875-1962). Après avoir exercé les métiers les plus divers, commença une carrière de romancier et de journaliste. La lettre, qu'il écrivit un jour à Pierre Laval pour le conseiller et qui fut reproduite dans l'*Action Française,* lui donna la réputation d'un petit Machiavel. Homme de gauche, il collabora avant la guerre, à des journaux socialistes et syndicalistes ainsi qu'à *Paris-Soir.* Après l'armistice de 1940, il donna des articles à *La France socialiste,* de Paris, et à *L'Effort,* de Lyon, et fut l'un des dirigeants de la *Ligue de la Pensée Française,* et dans les dernières années de sa vie, il collabora à *Paroles Françaises, France Indépendante* et *Juvenal.* Son œuvre romanesque, tout entière consacrée au monde du travail, a été réunie sous le titre « *La Peine des Hommes* ».

HARAN (Ximun).

Pharmacien, né à Arcangues (B.-P.), le 13 avril 1928. Dans le mouvement autonomiste basque depuis plusieurs années (voir : *autonomisme*), Ximun (Simon) Haran est le *leader* et le secrétaire général du mouvement *Enbata,* avec ses amis Abeberry, Burucoa, Etcheverry Ainciart, Christiane Etchalus, Heguiaphal, Davant et Noblia. Ses convictions sont résumées dans une brochure publiée sous le titre « *Pourquoi Enbata ?* » dont voici la conclusion : « *Jeune Basque, si tu veux rester Basque et vivre libre, tu n'as plus de temps à perdre : ton avenir dépend de ton action présente... Viens lutter avec nous pour une Europe plus juste et plus fraternelle, dans laquelle ta Patrie sera unie et libre.* »

HARCOURT (duc François, Charles d').

Administrateur de sociétés, né à Thury-Harcourt (Calvados), le 12 juillet 1902. Appartient à une famille qui compte plusieurs hommes politiques, dont : Charles, François, Marie d'Harcourt, député du Calvados en 1876-1881, Charles d'Harcourt, député (1919-1924), puis sénateur du Calvados (1925-1945), et François, Henri, Michel d'Harcourt, conseiller général du Calvados, collaborateur de ministre et présentement rédacteur à plusieurs journaux. Député indépendant du Calvados (1929-1942). Président de *Savam* et de l'*Ouest Marocain.*

HARTY de PIERREBOURG (baron Olivier).

Journaliste, né à Vauxbuin (Aisne) le 10 juillet 1908. Descendant du comte de Vergennes (ministre de Louis XIV) et du général de Pierrebourg (Révolution et Empire). Sa famille s'appelait autrefois : Harty de Fleckenstein. Elle venait d'Irlande. Les Harty de Pierrebourg sont barons depuis 1812 : c'est Napoléon qui leur octroya ce titre (cf. « *Catalogue de la Noblesse française contemporaine* », par Régis Valette). Industriel. Directeur gérant des *Ets O. de Pierrebourg*. Anc. gérant de la *Sté d'Importation et d'Exportation Parisienne* (1949). Anc. associé des *Tissus Copitex*. Ancien adhérent de la S.F.I.O. Ancien rédacteur au service étranger de l'*Agence Havas* (1931-1940). Anc. résistant. Déporté. Anc. directeur de la publicité du journal progressiste *Libération* (1944-1947). Directeur politique de la *Creuse Républicaine*. Membre du *Parti Républicain Radical et Radical-Socialiste*, puis vice-président du *Parti-Radical-Socialiste* dissident (de M. Morice), de l'*Union Civique pour le Référendum*, du *Centre Républicain* (du Dr B. Lafay) et de l'*Alliance France-Israël*. Chef adjoint du cabinet d'*André Philip*, ministre S.F.I.O. de l'Economie nationale et des Finances (1946-1947) puis chef adjoint du cabinet de Paul Béchard, secrétaire d'Etat (1947-1948), puis secrétaire d'Etat à la Guerre (décembre 1947-mars 1948). Elu député radical-socialiste de la Creuse le 17 juin 1951 ; réélu (avec apparentement gaulliste) le 2 janvier 1956. Conseiller général du canton de Jarnages (1957). Membre du *R.G.R.* et du groupe de l'*Entente Républicaine*. L'un des fondateurs de l'*Union civique pour le Référendum* (faisant campagne pour le « oui » en septembre 1958). Réélu député de la Creuse en 1958, 1962 et 1967.

HAUPT (Jean, Fernand, Charles).

Universitaire et journaliste, né à Oran (Algérie), le 8 mars 1914. Fils d'un chef de bataillon du génie, fidèle au maréchal Pétain. Assistant au lycée de Königsberg (Prusse orientale), lecteur de Français à l'Université de Reykjavik (Islande) avant la guerre. Après sa démobilisation, professeur à l'Institut Français de Lisbonne (1941-1944). Etabli au Portugal depuis vingt-cinq ans, exerce la profession de traducteur (traducteur de « *Principes d'Action* » de Salazar) et d'interprète, en particulier au cours de conférences internationales tenues dans les cinq parties du monde. Mis en contact avec des ressortissants de tous les pays du monde au cours de ces rencontres, constata que si nombre d'étrangers parlent couramment le français, beaucoup plus rares sont ceux qui l'écrivent correctement. De là l'idée de rédiger « *On ne dit pas... on dit* », publié à Lisbonne. Dans la capitale portugaise, publie une revue internationale en langue française, *Découvertes*, où son directeur et ses rédacteurs s'affirment comme des défenseurs de l'Occident contre le communisme et la ploutocratie.

HAURET (Robert).

Viticulteur, né à Paimbœuf (Loire-Atl.) le 3 février 1922. Anc. instituteur libre. Conseiller nunicipal de Martigné-Briand. Membre de l'*Alliance France-Israël*. Candidat en janvier 1956 sur la liste gaulliste Chatenay, avec Diomède Catroux (ministre de M. Mendès-France) : battu. Député U.N.R. de Maine-et-Loire (4ᵉ circ.) depuis 1958.

HAURIOU (André, Laurent, Jules, Maurice).

Universitaire, né à Toulouse (Haute-Garonne), le 23 juillet 1897. Professeur de droit à la Faculté de Toulouse. Militant socialiste et résistant, fut nommé membre de l'Assemblée consultative d'Alger et vice-président de l'Assemblée consultative de Paris, sénateur socialiste de la Haute-Garonne (1946-1955). Enseigne le droit à la Faculté de Paris depuis 1954. Dirigeant du *P.S.U.* et ancien membre de son comité national, est également vice-président de la Ligue des Droits de l'Homme. Auteur de : « *Le Socialiste humaniste* ».

HAUT-MARNAIS REPUBLICAIN (Le).

Quotidien radical-socialiste fondé le 1ᵉʳ avril 1945, et dirigé par Raymond Dubreuil. Absorbé par *Les Dépêches* de Dijon qui l'ont fusionné avec *La Haute-Marne libérée*, devenue leur édition départementale.

HAUTE-LOIRE (La).

Quotidien fondé au Puy en 1813. Fut sous la IIIᵉ République un journal radical modéré.

HAUTE-MARNE LIBEREE (La).

Quotidien chaumontais fondé le 15 septembre 1944, et installé dans l'hôtel du *Petit Champenois* interdit à la Libération. Fusionnée avec *Le Haut-Marnais Républicain* (créé par les radicaux-socialistes en 1945), est devenue, depuis deux ans, l'édition départementale des

Dépêches de Dijon (1, rue Decrès, Chaumont).

HAUTECLOCQUE (Mme Nicole de SAINT-DENIS, ex-Pierre de).

Née le 10 mars 1913 à Commercy (Meuse). Epouse divorcée de Pierre de Hauteclocque. Ne porte ce nom que par pure courtoisie de son ex-mari. Participa à la Résistance. Militante *R.P.F.*, puis *U.N.R.* Conseiller municipal de Paris et conseiller général de la Seine (3e sect.). Elue député *U.N.R.* de la 18e circ. de Paris en 1962. Réélue en 1967.

HAUTECLOCQUE (baron Baudouin de).

Agriculteur, né à Royon (Pas-de-Calais), le 13 juin 1908. Conseiller général et sénateur du Pas-de-Calais (inscrit au *Centre Républicain d'Action Rurale et Sociale*), maire de sa ville natale.

HAVARD DE LA MONTAGNE (Robert HAVARD, dit).

Ecrivain (1877-1963). Fils d'Oscar Havard, journaliste parisien connu, qui anima longtemps la *Correspondance parisienne royaliste*, il fut lui-même un journaliste catholique et monarchiste réputé. Ami de Charles Maurras, rédacteur à *L'Action française*, puis à *Aspects de la France* (sous le pseudonyme de Jacques Villedieu), il dirigea pendant une dizaine d'années, dans l'entre-deux-guerres, le journal *Rome* qui paraissait en langue française dans la capitale italienne. Il a laissé de nombreux ouvrages d'histoire et des essais politiques, notamment : « *Etude sur le Ralliement* » (1926), « *Histoire de la Démocratie chrétienne* » (1948), « *Histoire de l'Action Française* » (1950) et « *Chemins de Rome et de France* » (1956).

HAVRE (Le).

Quotidien créé le 4 mars 1949, et se réclamant du quotidien *Le Havre*, quotidien du soir, maritime et commercial, fondé le 15 novembre 1868, et qui avait été absorbé par *Le Petit Havre* dont il était devenu l'édition vespérale. Ayant absorbé *Havre-Eclair* et *Le Progrès de Fécamp*, le journal *Le Havre* (*La Presse Normande du Littoral*) tire aujourd'hui à 22 000 exemplaires, lu par les centristes et les modérés de la région (112, boulevard de Strasbourg, Le Havre).

HAVRE-ECLAIR.

Quotidien centriste fondé en 1904.

Sabordé le 10 juin 1940, il reparut le 26 mars 1945. Important avant la guerre — il tirait alors à 35 000 exemplaires et publiait un hebdomadaire régional : *Le Messager normand* —, il n'obtint pas le succès escompté par son animateur, Urbain Falaize, après la Libération, et fut absorbé par *Le Havre*, en 1951.

HAVRE LIBRE.

Quotidien fondé le 13 octobre 1944 par un groupe de résistants se réclamant du *C.N.R.* et qui occupa, plusieurs années durant, l'immeuble et l'imprimerie du *Petit Havre*, disparu en 1944. Le journal est la propriété de la *S.A.R.L. La Presse Havraise Républicaine*, au capital de 70 000 F, dont Ulysse Nicolas fut, au début, le gérant en même temps que le principal animateur du journal. En 1956, Ulysse Nicolas se retira ; il fut remplacé par Roger Mayer, ancien élève de l'Ecole Normale Supérieure, professeur agrégé de physique et chimie, ancien résistant, et par Jean Binot, également professeur, alors député *S.F.I.O.* de la Seine-Maritime, ancien adjoint au maire du Havre et président du *Mouvement de l'Enfance Ouvrière*. Les associés de la S.A.R.L. étaient, à l'origine, les représentants des divers partis : communiste, socialiste S.F.I.O., radical-socialiste, M.R.P., etc. *Le Havre Libre* a un tirage moyen de 38 000 exemplaires. Roger Mayer en est le directeur, André Fatras, ancien rédacteur à *Paris-Normandie*, le rédacteur en chef (il rédige également le « leader » politique), Jean Bertrand, le rédacteur en chef adjoint, Pierre Montigny, le secrétaire général, et Guy Saint-Solieux, le directeur des services administratifs et financiers (25, avenue René-Coty, Le Havre).

HEBERT (Jacques, Edmond, Georges, Paul).

Docteur en médecine, né à Falaise (Calvados) le 8 août 1920. Cardiologue. Maire de Cherbourg (1959). Membre du *Rotary*. Elu député *U.D.T.* de la Manche (5e circ.) le 25 novembre 1962, avec l'investiture de l'*U.N.R.* Réélu en 1967.

HEBERTOT (André DAVIEL, dit Jacques).

Directeur de théâtre, né à Rouen (Seine-Inférieure), le 28 janvier 1886. Descendant de Jacques Daviel, oculiste de Louis XV, inventeur de l'opération de la cataracte ; d'Alfred Daviel, garde des Sceaux de l'Empire. Entre les deux guerres, fut le collaborateur du *Gil Blas* et du *Matin*, l'éditeur de *Paris-Journal* et des *disques du roi* (monarchistes) et l'animateur de diverses revues, tout en dirigeant des théâtres (*Théâtre des Champs-Elysées, Comédie des Champs-Elysées, Studio des Champs-Elysées,* etc.) où il monta tant de pièces à succès. Après la guerre, fonda et dirigea *Artaban,* hebdomadaire indépendant, et rénova le *Théâtre des Arts* devenu le Théâtre Hébertot.

HEDER (Léopold).

Fonctionnaire, né à Cayenne (Guyane), le 16 août 1918. Econome des centres hospitaliers. Directeur-économe de l'hôpital de Cayenne. Suppléant de Justin Catayée, élu le 30 novembre 1958 et décédé le 22 juin 1962, a été proclamé député de la Guyane le 27 juin 1962. Réélu le 25 novembre 1962 comme candidat du *Parti Socialiste guyanais.* Inscrit au groupe socialiste *S.F.I.O.*

HEITMATLOS.

Sans patrie, sans nationalité. Synonyme d'*apatride.*

HEITZ (Edouard, Léon).

Négociant en vins, né à Holtzheim (Bas-Rhin) le 12 mai 1920. Membre de l'*Alliance France-Israël.* Elu député *U.N.R.* de la Somme (2ᵉ cir.) en 1962.

HENNESSY (Jacques, Patrick, Jean).

Négociant en cognac (1874-1944). Dirigeant de la firme *Hennessy.* Député de la Charente (1910-1932) et des Alpes-Maritimes (1936-1942). Fut ambassadeur et ministre de la IIIᵉ République. Considéré comme un homme de gauche — le *Cartel* lui confia des missions. Acquit *Le Quotidien* après la déconfiture de la première administration de ce journal. Fonda, en 1934, le *Parti Social National.* Vota contre les pouvoirs constituants au maréchal Pétain, le 10 juillet 1940. Un autre HENNESSY, James, fut sénateur de la Charente, de 1921 à la guerre.

HENRIET (Jacques).

Chirurgien, né à Orchamps-Vennes (Doubs), le 6 octobre 1904. Professeur à l'Ecole de médecine de Besançon, conseiller municipal de Pontarlier, conseiller général du canton, sénateur indépendant du Doubs depuis 1959.

HENRIOT (Philippe).

Professeur et homme politique, né à Reims, le 7 janvier 1889. Fils d'un officier d'infanterie, il fit ses études au collège Saint-Jean-de-Béthune, puis à Notre-Dame-de-Cambrai et à l'Institut catholique de Paris et, enfin, à la Sorbonne. Licencié ès lettres, diplômé d'études supérieures de langues classiques, il fut professeur de français à l'école Berlitz à Londres, puis de longues années dans un collège libre à Sainte-Foy-la-Grande (Gironde), où il se maria le 23 juillet 1914. De son mariage il eut trois enfants : l'aîné, aviateur, est mort pour la France en 1940. Philippe Henriot fut, à partir de 1925, avec l'abbé Bergey, l'un des meilleurs orateurs de la *Fédération Nationale Catholique.* Candidat malheureux aux élections législatives de 1928 à Libourne, il fut élu député de la 4ᵉ circonscription de Bordeaux aux élections suivantes (1932) (à la place de l'abbé Bergey, qui ne se représentait pas) et réélu en 1936. Il était inscrit à la Chambre des députés au groupe de la *Fédération Républicaine,* de Louis Marin. Il était alors l'un des meilleurs orateurs des républicains nationaux, et ses offensives répétées, lors de l'affaire Stavisky, lui attirèrent de solides haines. Après la dissolution des ligues, prononcée en 1936 par le cabinet Léon Blum, Philippe Henriot devint l'un des vice-présidents du *Parti National Populaire,* transformé ensuite en *Parti Républicain National et Social (P.R.N.S.),* que présidait Pierre Taittinger, fondateur des *Jeunesses Patriotes.* Il était également le directeur politique de *Jeunesse 34,* de *France d'abord* et du quotidien *La Liberté du Sud-Ouest,* publié à Bordeaux. Partisan d'un rapprochement franco-allemand dès 1938, il prit position en faveur d'un règlement par la négociation de l'affaire des Sudètes et s'opposa de toutes ses forces au « courant belliciste » qui aboutit à la déclaration de guerre. Les hostilités commencées, il fit taire ses convictions et mena une intense propagande pour le succès de nos armes. En 1940, Henriot se rangea au côté du maréchal Pétain et fut l'un des orateurs les plus écoutés de la « Révolution Nationale ». Tout en collaborant à *Gringoire,* il fit chaque semaine un éditorial à la radio de Vichy; cet éditorial devint bi-quotidien lorsqu'il fut nommé secrétaire d'Etat à l'Information dans le gouvernement présidé par Pierre Laval. Le 28 juin 1944, il tomba sous les coups d'un commando, ayant à sa tête le résistant Charles Gonard, dit Morlot (qui fut, un peu plus tard, nommé colonel). Ses obsèques nationales eurent lieu à Notre-Dame en présence d'une foule énorme. Philippe Henriot laisse divers ouvrages : un recueil de poèmes (« *L'alliance aux sources* »), deux romans (« *La prison du silence* », « *La tunique de Nessus* »), un drame (« *L'Aigle noir* ») et plusieurs ouvrages politiques

(« *Six février* », « *Mort de la trêve* », « *Et s'ils débarquaient ?* »). Ses éditoriaux à la radio de Vichy furent publiés en brochures.

HENRY (Maurice).

Dessinateur, né à Cambrai (Nord), le 29 décembre 1907. Fils d'un journaliste, et journaliste lui-même, fut, après un stage à l'*Agence Havas*, autour de sa vingtième année, rédacteur au *Petit Journal*, à *Marianne*, à *L'Intransigeant*, au *Journal*, et collaborateur du poste *Radio-Cité*. A partir de 1932, donna des dessins aux journaux, à *L'Œuvre* et à *Vu*, puis au *Canard enchaîné*, au *Figaro littéraire*, à *Paris-Match*, à *France-Observateur*, etc. Appartint, au cours des années 1932-1952 au groupe surréaliste. Est considéré aujourd'hui comme l'un des grands caricaturistes de la gauche.

HENRY (Pierre).

Haut fonctionnaire, né à Grasse (A.-M.), le 13 août 1903. Successivement à partir de 1923 : chef adjoint du cabinet du préfet du Gard ; attaché au cabinet du ministre des Pensions ; chef de cabinet de préfet (Charente-Maritime et Gironde) ; chef adjoint du cabinet du ministre des P.T.T. ; sous-préfet ; membre du cabinet du sous-secrétaire d'Etat à l'Agriculture ; en service détaché aux affaires municipales de la ville de Paris ; mobilisé (guerre 1939-1940) ; sous-directeur à la préfecture de la Seine ; mis en disponibilité sur sa demande, suite à l'épuration de 1944 ; au service de diverses sociétés privées. Fondateur et dirigeant de l'*Union pour la défense et la restauration du service public*, et animateur de divers mouvements nationaux, fut candidat aux élections législatives à Paris (liste *U.N.I.R.*) en 1951. Est membre du Comité directeur des *Représentants du peuple de la IIIe République* et membre du *Comité des secrétaires parlementaires et collaborateurs de ministres*. En outre, est l'un des principaux animateurs de l'*Union des Intellectuels Indépendants*, et de l'*Association pour défendre la mémoire du maréchal Pétain* : vice-président de la première et secrétaire général de la seconde. A publié divers ouvrages historiques.

HENRY-HAYE (Gaston).

Homme politique, né à Wissous, le 6 février 1890. Ancien combattant de 1914-1918 (Croix de guerre, 5 citations, officier de la Légion d'honneur), il fut élu député de Seine-et-Oise en 1928 et réélu en 1932, puis il entra au Sénat en 1935. Maire de Versailles la même année,

conseiller général de Seine-et-Oise, il fut porté par les maires du département à la présidence de leur association. Il vota en 1940 la confiance au maréchal Pétain et accepta la tâche ingrate de représenter son gouvernement aux Etats-Unis : de 1940 à 1942, il fut ambassadeur de France à Washington. Conscient du péril communiste, son activité politique tend, depuis quarante ans, à opposer une digue solide à la « vague rouge » : d'où sa collaboration à *L'Heure H...*, en 1932-1934, et sa participation à l'*Union des Intellectuels Indépendants* depuis quinze ans. Il a gagné, en 1966, un procès peu banal contre l'auteur et l'éditeur l'un livre britannique accusant son ambassade à Washington d'avoir été un nid d'espions nazis : la Cour anglaise, qui a rendu son verdict, a condamné l'auteur, H. Montgomery Hyde et son éditeur, à de forts dommages et intérêts. L'un et l'autre ont reconnu que les accusations formulées dans le livre étaient sans fondement et n'auraient jamais dû être faites.

HEON (Gustave, Maurice).

Professeur, né à Asnières (Seine), le 30 mai 1910. Enseigna les mathématiques au collège de Bernay (1935-1962). Maire de Bernay, conseiller général, vice-président, puis président du Conseil général de l'Eure, a été élu sénateur de ce département en septembre 1962. Membre du groupe de la *Gauche démocratique*.

HENAULT (Pierre).

Magistrat municipal, né à Paris, le 25 février 1892, d'une famille de vieille souche normande (Orne). Combattant volontaire de la guerre 1914-1918 (artillerie et aviation de bombardement, blessé trois fois, trois citations). Rendu à la vie civile, devint secrétaire général d'un cabinet d'informations financières et effectua de nombreux voyages d'études en Amérique, en Afrique du Nord et dans divers pays d'Europe. Créa en 1929 son propre cabinet. Volontaire à nouveau en 1939, fut affecté à une formation de chars (cité, décoré de la Légion d'honneur). Militant avant la guerre aux *Croix de Feu*, puis au *P.S.F.*, dont il était l'un des orateurs. Pendant l'occupation, participa à la Résistance avec d'anciens partisans du colonel de La Rocque à Dreux. Créa, après la Libération, avec ses amis Charles Vallin, Barrachin, A. Mutter, le *Parti Républicain de la Liberté* dont il devint vice-président. Conseiller de l'Union Française, de 1946 à 1948, seconda le Dr Lecacheux, député de la Manche et, en 1948, remplaça celui-ci, devenu sénateur, à l'Assemblée Nationale. Réélu député de la Manche en 1951, sur la liste *R.P.F.*, parti qu'il quitta en 1952, pour soutenir la politique du président Antoine Pinay. Devenu l'un des principaux parlementaires du *Centre National des Indépendants*, fut réélu sous son égide en 1956 et en 1958. Rapporteur de la loi sur l'organisation du Sahara, secrétaire général de la commission de contrôle, défendit avec vigueur la cause de l'Algérie française au parlement. Se trouvait à Alger lorsque se produisit le mouvement du 13 mai 1958, et y joua un rôle important. N'appartenant plus au parlement depuis 1962, a été élu conseiller municipal, puis maire de Villedieu-les-Poêles en mars 1965. Anime et organise la défense paysanne dans son département depuis vingt ans.

HERISSON-LA PRESSE (Le) (voir : groupe Ventillard).

HERMAN (Pierre-François).

Cadre, né à Roubaix (Nord) le 20 décembre 1910. Chef d'atelier (Industrie caoutchouc et plastiques). Adjoint au maire de Roubaix. Membre de l'*Alliance France-Israël*. Adjoint au maire de Roubaix. Elu député *U.N.R.* du Nord en novembre 1962. Battu en 1967.

HERNU (Charles, Eugène).

Journaliste, né à Quimper (Finistère), le 3 juillet 1923. S'intéressa jeune à la politique. Vers la trentaine, milita au *Parti Radical-Socialiste*, s'affilia à la Franc-Maçonnerie et fonda le *Club des Jacobins*, le premier des clubs politiques créés depuis la guerre. Dirige *Le Jacobin*, journal du club, et préside toujours celui-ci. Partisan de Pierre Mendès-France, se fit élire sous son égide député de la Seine en janvier 1956. Non réélu en 1958, fut candidat à Lyon en novembre 1962, avec l'investiture du *Parti Radical-Socialiste*, de la *S.F.I.O.*, de *l'U.D.S.R.* et de divers groupes de gauche : fut battu par le candidat *U.N.R.*, malgré le désistement du communiste. Est aujourd'hui l'un des collaborateurs immédiats de François Mitterrand et participe à la direction de la *Convention des Institutions Républicaines* et de la *Fédération de la Gauche démocrate et socialiste*.

HEROLD-PAQUIS (Jean HEROLD, dit).

Journaliste, né le 4 février 1912, à Arches (Vosges). Orphelin de bonne heure, il entra très jeune dans le journalisme et collabora à divers journaux de Nancy et de Paris (*L'Eclaireur de l'Est, L'Intransigeant, Le Jour,* etc.). Au moment de la guerre d'Espagne, il prit parti pour les nationalistes et ne tarda pas à les rejoindre (1937). Il combattit dans les rangs franquistes, puis après une grave maladie qui le fit réformer, il devint *speaker* à *Radio-Saragosse*. Rentré en France en décembre 1939, il s'engagea, malgré sa mauvaise santé, et fit la « drôle de guerre » dans l'arme choisie par lui : le canon de première ligne, le 47 anti-chars. Après l'Armistice, il collabora quelque temps à *L'Eclaireur de Nice,* puis fut nommé délégué à la propagande par le président Laval. Acquis depuis quatre ou cinq ans aux idées fascistes, il ne cachait pas ses sympathies pour le national-socialisme. Il rejoignit bientôt la cohorte des partisans de la « nouvelle Europe ». Il s'inscrivit au *Parti Populaire Français* de Jacques Doriot, dont il fut l'un des orateurs les plus écoutés. Tout en collaborant à la presse parisienne, il prit la parole dans les meetings de la *L.V.F.*, de *Jeune Europe* et du groupe *Collaboration.* notamment aux Sociétés Savantes, à la Mutualité, au Vel'd'Hiv' et au Gaumont. Mais c'est au *Radio-Journal de Paris* — où il succéda en 1942[1] à René-Louis Jolivet, un jeune avocat qui animait, en 1930-1932, les *Etudiants Bonapartistes* — que Jean Hérold-Paquis connut la notoriété. C'est aussi comme *speaker* à ce poste, puis à *Radio-Patrie,* à Bad-Mergentheim, qu'il s'attira les plus solides haines : l'homme qui, pendant des années, avait répété inlassablement la phrase fameuse du général Hoche : « *L'Angleterre, comme Carthage, sera détruite* », ne pouvait échapper au sort qu'il semblait avoir lui-même prévu lorsqu'il disait à ses auditeurs : « *Nous préférons la mort du partisan, soldat ou non, à la mort du bourgeois* ». Il échappa à un attentat (1944) — où deux de ses secrétaires furent grièvement blessées — mais pas à la fusillade : condamné à mort, sur réquisitoire du procureur général Boissarie, par la Cour de Justice, il fut exécuté le 11 octobre 1945 au fort de Châtillon. Outre divers recueils d'éditoriaux, dont « *L'Angleterre comme Carthage...* » (1943), « *Paroles en l'air* »

---

(1) Selon le Premier président Pailhé, Hérold-Paquis, rentré à Paris en décembre 1941, fut « *présenté par Du Chastain au lieutenant Morenschild, directeur allemand du Radio-Journal de Paris* » qui le nomma rédacteur le 4 janvier 1942 (cf. « *Les Procès de la Radio* », par Maurice Garçon, Paris, 1947, p. 144).

Edouard Herriot présidant le banquet offert à Bernard Nathan, le cinéaste de funeste mémoire (1934).

(1944), il laisse un livre de souvenirs écrit dans sa prison « Des illusions... Désillusions » (Paris 1948).

HERRIOT (Edouard).

Homme d'Etat, né à Troyes, le 5 juillet 1872, mort à Lyon le 26 mars 1957. Fils d'un officier sorti du rang, neveu d'un curé de campagne et d'une servante de la famille de Maurice Barrès, il fut durant l'entre-deux-guerres et dans les débuts de la IVᵉ République le chef incontesté du *Parti Radical Socialiste.* Au sortir de l'Ecole normale supérieure il enseigna à Nantes, puis au lycée Ampère, dans cette ville de Lyon, dont il fit sa seconde patrie. Passionné de politique, ardent *supporter* d'Emile Combes dans le Lyonnais, le jeune universitaire devint conseiller municipal (1904), puis maire de Lyon (1905) et sénateur du Rhône (1912). Ministre des Transports et du Ravitaillement (1916-1917) dans le cabinet Briand, il fut élu, pour la première fois, président du *Parti Radical-Socialiste* deux ans plus tard (1919). Abandonnant le Luxembourg, il entra à la Chambre des députés (novembre 1919) et fut réélu aux élections suivantes (mai 1924). La victoire du *Cartel des Gauches,* dont il est l'un des fondateurs et le principal *leader,* le porta, en juin 1924, à la présidence du Conseil, grâce à l'appui parlementaire des socialistes qui lui accordèrent « *le préjugé favorable* » sans toutefois accepter de participer au gouvernement. Il inaugura alors une politique que ses adversaires jugèrent particulièrement sectaire et qu'ils disaient inspirée par les loges maçonniques : tentative de suppression de l'ambassade de France au Vatican, menaces à l'endroit de l'enseignement libre (école unique), reconnaissance de la Russie soviétique (pays qu'il avait visité en 1922). Une brutale crise financière suivie de la chute vertigineuse du franc — provoquée, disait-il, par « *le mur d'argent* » — obligea Herriot à démissionner en 1926 et à céder la direction du gouvernement à Raymond Poincaré. Celui-ci constitua un cabinet d'Union Nationale dont le maire de Lyon fit partie en qualité de ministre de l'Instruction publique (1926-1928). A la suite du congrès radical-socialiste d'Angers (novembre 1928), il quitta le gouvernement et se cantonna dans l'opposition. La victoire des Gauches aux élections législatives de 1932 lui permit de revenir au pouvoir en juin, mais la question des dettes françaises à l'Amérique provoqua la chute de son gouvernement (décembre 1932). Après les journées de février 1934, il fit partie des gouvernements G. Doumergue et P.-E. Flandin, puis appartint, toujours comme ministre d'Etat, aux cabinets Bouisson et Laval (1935). Elu président de la Chambre des députés en janvier 1937, il conserva son fauteuil jusqu'en juillet 1940. Lors de la séance de l'Assemblée tenue à Vichy le 9 juillet 1940, il fut un de ceux qui incitèrent les parlementaires à voter pour le vainqueur de Verdun : « *Autour de M. le maréchal Pétain*, dit-il, *dans la vénération que son nom inspire à tous, notre nation s'est groupée dans sa détresse. Prenons garde de ne pas troubler l'accord qui s'est ainsi établi sous son autorité.* » Relevé de ses fonctions de maire de Lyon un peu plus tard, tant en raison de son passé que de son hostilité — très discrète — à l'égard de la « Révolution nationale », il fut placé en résidence surveillée à Bretel, puis à Evaux, à Vittel et à Nancy, interné à l'asile de Ville-Evrard et enfin transféré à Maréville, d'où Laval le fit libérer au début de l'été 1944 dans l'intention de lui faire prendre des responsabilités dans la République restaurée. Les pourparlers n'ayant pas abouti, après trois jours d'habiles atermoiements, Edouard Herriot fut arrêté à nouveau, par les Allemands, et incarcéré dans diverses geôles pour aboutir à Potsdam. Délivré par l'Armée rouge en avril 1945, il rentra à Lyon le 20 mai après un crochet à Moscou. Réélu maire de Lyon et député du Rhône aux deux Constituantes (1945-1946), il prit position contre le projet de la 1re Constitution. En novembre 1946, il fut élu à l'Assemblée nationale ; il avait été reçu, quelques mois plus tôt (juin 1946), à l'Académie française, où il prononça l'éloge de ses deux prédécesseurs, l'historien Octave Aubry et le cardinal Baudrillart. A l'Assemblée nationale, il fut un des rares parlementaires qui s'insurgèrent contre « *la loi de spoliation* » du 11 mai 1946 qui, selon ses propres paroles, légalisait « *l'expropriation pour cause d'utilité privée* » des journaux qui avaient paru entre 1942 et 1944 et de leurs imprimeries. Porté à la présidence de l'Assemblée nationale le 12 janvier 1947, il occupa le fauteuil sans interruption jusqu'au 14 janvier 1954, date à laquelle il l'abandonna pour raison de santé. Sur la proposition de son successeur, André Le Troquer, il fut élu par acclamation président d'honneur. Trois ans plus tard, il s'éteignait, réconcilié semble-t-il, avec le Dieu de ses ancêtres, ce qui provoqua le courroux de certains de ses amis politiques : le cardinal Gerlier fut accusé d'avoir fait pression sur le mourant. La *Ligue des Droits de l'Homme*, saluant sa mémoire, publia dans la presse un communiqué dans lequel elle s'élevait contre le « *reniement de soi-même imposé à un agonisant, au mépris de sa volonté jusqu'alors affirmée et confirmée* » (cf. *Le Monde*, 6-4-1957). Herriot avait été, au cours des années 1924-1925, l'un des hommes politiques les plus importants, mais aussi l'un des plus contestés de France. Il fut, dès son avènement au pouvoir, stigmatisé par la droite comme « l'agent de la Franc-maçonnerie ». En fait, Herriot ne fut jamais initié aux mystères d'Hiram, ni inscrit à une loge française ou étrangère. Mais il ne cachait pas sa sympathie pour la franc-maçonnerie et il accepta même d'être le président d'honneur de la *Ligue d'Action et de Défense Laïque*, fondée par la loge *L'Effort*, au sein de laquelle il fit, le 30 novembre 1922, une conférence en « tenue blanche fermée ». Dans des conditions analogues, il prit la parole, cinq ans plus tard, devant les membres de la loge *Ernest Renan*. Ce qui explique l'attitude du *Grand Orient* qui, lors du Convent (assemblée générale) qui suivit son accession à la présidence du Conseil, lui manifesta son amitié : « *Avant de commencer les travaux, voulez-vous me permettre d'envoyer le salut de la F.·. M.·. au grand citoyen Herriot qui, quoique n'étant pas franc-maçon, traduit si bien dans la pratique notre pensée maçonnique.* » (Cf. Compte rendu du Convent du Grand Orient, 1924, p. 15.) Son appartenance à la *Ligue des Droits de l'Homme* (qu'il quitta avant la guerre avec éclat), à la *Ligue de l'Enseignement* et à la *Ligue Internationale contre l'Antisémitisme* était, aux yeux de certains de ses adversaires de droite, une preuve supplémentaire de sa collusion avec la maçonnerie. Bien qu'il ait été, en 1924, l'initiateur du rapprochement avec les Soviets [1], qu'il dût sa libération, en 1945, à l'Armée soviétique, et qu'il ait appartenu à l'*Association France-U.R.S.S.*, ses rapports avec le *Parti communiste* ne furent jamais excellents. Dans une brochure clandestine parue en 1940, le *P.C.F.* le traitait de « *politicien vaniteux* » et affirmait que l' « *on ne retiendra qu'avec beaucoup de mépris le nom du président Herriot* » (cf. « *Nous accusons* », p. 14 et 15). Le chef communiste J. Duclos le qualifiait, onze ans plus tard, de « *politicien invertébré dont les reniements ne se comptent plus* » (cf. *L'Humanité*, 21-5-1951). Il est vrai que le président du *Parti Radical-Socialiste* n'avait pas été tendre pour les communistes dans une déclaration faite deux jours plus tôt : « *On nous dit : Vous ne pouvez pas mettre dans le même panier Thorez et De Gaulle. Mais ce n'est pas de ma faute s'ils s'y sont mis eux-mêmes. J'avoue que j'ai été choqué quand j'ai vu un chef militaire prendre un déserteur qui eût été fusillé s'il n'avait pas été un homme politique, et en faire un ministre. On nous parle des séparatistes. Il eût mieux valu ne pas les faire entrer dans l'Etat.* » (Congrès radical, 18-5-1951.) Un peu plus tard, à droite comme au centre et même dans son propre parti, on lui reprocha d'avoir mis Pierre Mendès-France en selle et de l'avoir soutenu. *La République libre* citait, le 7 janvier 1955, ces lignes extraites du *Journal officiel* : « *Je souhaite très sincèrement*, disait Herriot, *que vous restiez le plus longtemps possible à la tête des Affaires publiques.* » (Séance du 23 décembre 1954.) Marcel Lucain, se faisant, il y a trente ans, le porte-parole des admirateurs du lettré que fut Herriot, écrivait : « *Nombre de ceux qui vivent pour l'amour des lettres regrettent bien souvent que les hasards de la vie et les exigences d'un tempérament où se mêlent l'ardeur des idées et le goût de l'action méditée, privent nos lettres de l'œuvre plus vaste et complète qu'aurait pu nous donner ce maître du verbe.* » Le fait est que « *Madame Récamier et ses amis* », « *Dans la forêt normande* », « *La vie de Beethoven* », « *Lyon n'est plus* », font regretter tout ce que ce maître écrivain égaré dans la politique aurait pu nous laisser.

HERSANT (groupe).

Groupe de presse dirigé par Robert Hersant, député radical de l'Oise (voir

(1) Mais il ne fut jamais « *colonel honoraire de l'Armée rouge* » comme l'imprima un jour la presse parisienne. Ce canular fut l'œuvre de P.-A. Cousteau qui l'avoua dans un livre plein d'humour : « *Mines de rien* » (Paris 1957).

ci-dessous). Eut pour commanditaire le financier Haïm-David Jaller (devenu Igoin par décret du 27-12-1957), représentant les intérêts soviétiques en France (cf. *Lectures Françaises*, nos 11, 12, 13, 1958). Le groupe comprend *Centre-Presse*, quotidien régional de Poitiers, *L'Action républicaine*, de Dreux, *Presse-Océan*, de Nantes, *L'Auto-Journal Nautisme*, *La Revue Nationale de la Chasse*, *La Pêche et les Poissons*, *Votre Tricot*, *La Bonne Cuisine*, etc. dont *Publiprint*, l'agence de publicité du groupe, possède la régie. La société *Edition Diffusion Presse* (E.D.P.) coiffe l'ensemble. Elle a pour associés, outre Robert Hersant (69 % du capital) : Jean Balestre (20 %), André Boussemart (3 %) Pierre Hersant (5 %) et Jacques Le Roy (3 %). Le groupe contrôlait également *L'Oise-Matin*, qui a été cédé il y a un an au *Parisien libéré*. Jean Balestre est le bras droit du député Robert Hersant dans ses affaires de presse. Depuis quelques années le groupe Hersant possède une importante imprimerie, *Offprint* (32, rue Olivier-Métra, Paris 20e) où sont tirées de nombreuses publications ; il a pris le contrôle de la *Mutuelle Nationale des Automobilistes* (compagnie d'assurances) soutenue par le *Syndicat National des Automobilistes* dirigé par Robert Hersant et Jean Balestre.

HERSANT (Robert).

Directeur de journaux, né à Vertou (Loire-Atl.), le 31 janvier 1920. Appartint avant la guerre aux *Jeunesses socialistes* de la Seine-Inférieure. Après l'armistice de 1940, fut le chef du *Jeune Front* qui scella une entente avec *Les Gardes Françaises* et le *Parti Français National-Collectiviste* et eurent un siège commun 28, Champs-Elysées. *Le Matin* (26-8-1940) notait que « *les chefs Pierre C., Ch. L. et Robert Hersant ont brièvement pris la parole pour préciser les buts de leur mouvement qui est avant tout antijuif et antimaçonnique* ». Fit également paraître *Jeunes forces*, « organe des jeunes du Maréchal » et dirigea le *Centre de Jeunesse Maréchal Pétain* à Brévannes. Candidat malheureux aux élections d'avril 1945 (2e secteur de la Seine) sur une liste d'Union Nationale. Renonçant provisoirement à la politique, fonda à la même époque l'*Internationale générale Publicité*, puis l'*Internationale générale Presse* et l'*Institut général de Publicité*, avec son frère Pierre Hersant et son vieil ami Jean Balestre. Créa, un peu plus tard (1950), le premier organe du groupe de presse dont il est le « patron » et qui com-

rend : les *Editions Diffusion Presse,*
Sté Edition Presse professionnelle,
'Auto-Journal, Centre-Presse (Limoges),
'Action Républicaine (Dreux), *Presse-*
céan (Nantes), *Le Berry Républicain*
'hâteauroux), etc. et l'agence de publi-
té *Pupliprint.* Fondateur de *C'est la*
ie, Dimanche-Magazine, Semaine du
'onde, Nord-France (disparus). Ancien
aire de Ravenel (1953-1959). Conseil-
r général du canton de Saint-Just-en-
haussée depuis le 17 avril 1955. Elu
éputé radical-mendésiste de l'Oise, le
janvier 1956. Invalidé le 18 avril
56 par l'Assemblée nationale (*J.O.,*
ébats parlement. 19.4.1956). Réélu le
juin 1956. Proposa, avec son collè-
1e J. de Lipkowski, le partage de l'Al-
rie (1957). Réélu député radical le
novembre 1958 et le 25 novembre
62. Le groupe de presse Hersant eut
ur commanditaire le financier judéo-
umain Haïm-David Jaller, dit Albert
oin, naturalisé français, ancien conseil-
r du ministre communiste F. Billoux,
1i contrôlait la *Société Parisienne de*
1nque, et fut arrêté (puis relâché) par
D.S.T. parce que homme d'affaires (et
ent ?) du gouvernement soviétique en
ance (cf. *Lectures Françaises,* docum.
1otog., n° 12, 1958 ; *L'Aurore,* 25-5-
55 ; *Aux Ecoutes,* mai 1955).

ERVE (Gustave, Alexandre, Victor).
Journaliste, né à Brest, le 2 janvier
71, mort à Paris, le 25 octobre 1944.
ls d'un sergent fourrier aux équipages
la Flotte et petit-fils d'un pavillon-
ur, qui fabriquait dans le port nom-
e de ces drapeaux que le journaliste
1 *Pioupiou de l'Yonne* devait un jour
anter dans le fumier. Il était l'aîné de
1atre enfants ; un de ses frères fut
édecin et un autre capitaine d'artille-
e. Boursier, il fit ses études au Lycée
Brest, puis au lycée Henri IV à Paris.
s débuts dans l'enseignement furent
:nibles : il fut pion à Laval, professeur
histoire à Lesneven, puis redevint
on à Saint-Brieuc, à Lakanal, à Bourg-
-Reine, à Henri IV. Ayant décroché sa
:ence, il fut professeur à Rodez. C'est
que commença sa carrière politique.
1 était au début de l'affaire Dreyfus
897) ; Hervé manifestait déjà des opi-
ons extrémistes. Il prit position pour
capitaine israélite et publia en sa
veur une lettre qui fit sensation. Le
andale fut tel qu'il dût plier bagage
partir pour Alençon. Il y poursuivit
propagande, mais sans grand résul-
t dans cette ville calme dont les paisi-
es habitants le considéraient comme
individu bizarre. Nommé professeur

à Sens un peu plus tard, il se révéla
bientôt comme un agitateur socialiste et
antimilitariste acharné. Dans *Le Tra-*
vailleur socialiste, fondé par la Fédération de l'Yonne en avril 1900, il publia
des articles d'une rare violence, signé
Un Sans-Patrie. C'est dans l'un d'entre
eux qu'il évoqua *le drapeau planté dans*
le fumier, pour lequel il fut traduit en
cour d'assises. Défendu par un jeune
avocat révolutionnaire nommé Aristide
Briand, il fut acquitté ; mais le ministre
de l'Instruction publique Georges Leygues le révoqua. Hervé se consacra dès
lors à la propagande : ses conférences,
ses articles du *Pioupiou de l'Yonne* firent
sensation. Poursuivit à nouveau et toujours défendu par Briand, il fut à deux
reprises acquitté. Après l'unité socialiste, Gustave Hervé devint l'un des *lea-*
ders de l'aile gauche du parti : il s'était
fait remarquer au congrès de Tivoli-
Vaux-hall par ses déclarations pacifistes
et anti-militaristes, affirmant au nom des
socialistes de l'Yonne *qu'on ne mar-*
cherait pas en cas de guerre. Il était
alors le chef d'une école qu'on appela
herveiste. La Guerre sociale fut l'organe
hebdomadaire de sa tendance. Sa violence conduisit Hervé en prison. C'est
au lendemain d'une grâce présidentielle,
— d'ailleurs non sollicitée — que son
journal publia la fameuse manchette :
« *Et je vous dit M... !* » (Le mot était,
naturellement, en toutes lettres). Lorsque
la guerre de 1914 éclata, le directeur de
La Guerre sociale se rallia à l'Union
sacrée et son journal s'appela *La Vic-*
toire. L'ancien apôtre de l'anti-militarisme, qui n'était pas l'homme des
demi-teintes, devint alors un farouche
« jusqu'auboutiste » dénonçant avec
vigueur le défaitisme, accusant Joseph
Caillaux et Malvy de collusion avec
l'Allemagne, s'inquiétant de l'origine des
fonds des nouveaux journaux (cf. ses
attaques contre *Le Pays,* coupable de
« *démoraliser l'armée et la nation* »). Ce
n'est que beaucoup plus tard, au temps
du *briandisme,* qu'il reprit son action
en faveur du rapprochement franco-allemand. Au cours des années 30, il se présenta comme un chaud partisan du
socialisme national. Son quotidien, *La*
Victoire — principalement lu par des
curés de campagne attendris par l'ancien anticlérical devenu défenseur des
traditions chrétiennes — se présentait
comme l'organe de la République autoritaire tout en dénonçant avec acharnement le nazisme et l'antisémitisme. Sa
carrière politique prit fin, en juin 1940,
en même temps que *La Victoire,* disparue définitivement après avoir publié

Gustave Hervé, fondateur de La Guerre Sociale et de La Victoire.

quelques numéros dans Paris récemment occupé. Victor Méric, ancien collaborateur d'Hervé, mais demeuré, lui, un homme de gauche et un pacifiste jusqu'à sa mort, expliquait ainsi les virevoltes du fondateur de *La Guerre sociale* et de *La Victoire* : « *Ce qu'on peut entendre sur la personnalité de Gustave Hervé, c'est inouï. Pour les uns, c'est un vendu, livré pieds et poings liés à la bourgeoisie qui le paie. Pour d'autres, il ne cède qu'à la vanité et à la manie du scandale. On rappelle les propos de Paul Lafargue : «Hervé tire des pétards « pour faire retourner le passant. » La vérité, c'est qu'on le connaît fort mal. Moi qui ai vécu des années à ses côtés et qui, je puis le dire, le « sais par « cœur », je ne saurais souscrire à de tels jugements définitifs. Hervé vendu ? Il n'a pas le sou. Hervé vaniteux ? On ne le voit aucune part. Il fuit le monde, les soirées, les brasseries, rentre tranquillement dans son petit logement de la* rue de Vaugirard, une fois sa besog terminée. Alors ? C'est à la fois très si ple et très compliqué. Gustave Hervé un homme qui passe sa vie à cherch « sa vérité ». Chaque fois, il croit l'av trouvée et il fonce avec toute l'arde brutale de son tempérament. Jad c'était la Révolution qui l'appelait. Il s donna avec passion, consentit à tous l sacrifices. Aujourd'hui, c'est la Pat qui lui fait de l'œil. Il se jette dans s bras, avec le même emportement. » (« travers la jungle politique et littéraire Paris 1930.)

HERVE (Pierre).

Universitaire, né à Lanmeur (Fin tère), le 25 août 1913. Fut d'abord ana chiste. Rallié au communisme par suite. Prisonnier évadé, participa à rédaction de l'*Université libre* clande tine et fut arrêté par la police po infraction au décret Daladier visa

activité communiste. S'évada et passa
e la zone Nord en zone Sud où il milita
ans le groupe *Libération*. Devint chef
égional du *Mouvement Uni de la Résis-
nce Française*, secrétaire général du
.*L.N.* et membre du *C.N.R.* Fut ensuite :
élégué à l'Assemblée consultative pro-
isoire (1944-1945), député du Finistère
945-1948), éditorialiste et rédacteur en
nef-adjoint de *L'Humanité* (1945-1948),
édacteur en chef d'*Action*, dirigé par
ves Farge (1949-1952). Quitta le *P.C.F.*
: redevint professeur de philosophie
Châlons-sur-Marne, Rambouillet, Paris).
 publié « *La révolution et les fétiches* »,
 Dieu et César sont-ils communistes ? ».
ubliant ses attaques contre le « *Général
evé par les Jésuites* », vient de rallier
a bannière du gaullisme de gauche.

ERZOG (Maurice).

Homme politique, né à Lyon (Rhône),
e 15 janvier 1919. Anc. directeur à la
ociété *Kléber-Colombes* (jusqu'en 1958).
apitaine, commandant d'une compagnie
e Haute Montagne au 27ᵉ B.C.A. (1939-
942 et 1944-1945). Chef de l'expédition
ançaise à l'Himalaya (conquête de
Annapurna, 8 000 m) (juin 1950). Au-
eur de plusieurs volumes sur cet exploit:
 Annapurna, premier 8 000 », « *Re-
ards sur l'Annapurna, L'expédition de
Annapurna* et, en collaboration, *La
lontagne*. Sur la recommandation de
'*Express*, dit-on, fut nommé chargé de
iission au cabinet de M. *André Moynet*,
ecrétaire d'Etat à la Présidence du
onseil dans le ministère Mendès-France
10vembre 1954-février 1955). Participa
 une expédition au Hoggar (décembre
957). Haut-commissaire à la Jeunesse et
ux Sports (1962-1966). Entre-temps fut
lu député *U.N.R.* du Rhône (1962).

ESSE (André).

Avocat et homme politique (1874-1940).
Radical-socialiste et membre de la loge
'Unité maçonnique, représenta la Gau-
he de Charente-Inférieure à la Chambre
1910-1919 et 1924-1936). Fut ministre
ans deux gouvernements du Cartel des
auches : aux Colonies (1925) et aux Tra-
aux Publics (1926). Ayant été l'avocat
e l'escroc Stavisky, sa popularité en
ouffrit : il fut battu, aux élections sui-
antes, par René Château.

ETTIER DE BOISLAMBERT (Claude
HETTIER, dit).

Administrateur de sociétés, né à Hé-
ouvillette (Calvados), le 26 juillet 1906.

Administrateur de *La Revue Pétrolière*
(et actionnaire-fondateur du *Crédit Pétrolier Français*, créé par le directeur de
cette revue). Directeur adjoint du cabinet du général De Gaulle à Londres
(1941). Nommé chef d'escadron (octobre
1944), puis colonel (février 1945) par le
Gouvernement Provisoire. Président du
groupe de la Résistance extra-métropo-
litaine Libération (novembre 1944). Administrateur de la *Société des journaux
et publications périodiques* et de *Samedi-
soir* (1945-1950). Gouverneur délégué gén.
de Rhénanie et du Palatinat (1945-1951).
Député de la Manche (élu en 1951 comme
« tête de liste » *R.P.F.* — imposé par le
Général). Candidat républicain social
(gaulliste) en janvier 1956 : non élu.
Délégué à l'O.N.U. (1954). Haut-repré-
sentant de la République française et de
la Communauté auprès de la Fédération
du Mali (juin 1960), puis auprès de la
République du Sénégal (septembre 1960).
Chancelier de l'Ordre de la Libération
(1962).

HEURE FRANÇAISE (L').

Journal qui remplaça, en 1954, *France
Réelle*. Confectionnée en équipe par Michel Trécourt, directeur, J.-A. Faucher,
rédacteur en chef, R.-A. Soyer, administrateur, Claude Bienne, Stéphen Hecquet,
Roger Leroy, Hubert Saint-Julien, Marcel Cordonnier, Jean Lousteau, Adolphe
de Falgairolle, Guy Vinatrel, Henri Delavignette, Martial Attané, etc. Un comité
d'hommes politiques nationaux patronnait le journal. Après une existence difficile, *L'Heure Française* disparut en
1956. Elle devait survivre quelques mois
sous le titre de *Nouveau Régime* (direction : Philippe Meïer dit Buren).

HIGGINS (Georges, William).

Journaliste, né à Neuilly-sur-Seine
(Seine), le 5 mai 1916. Fils d'un banquier. Rédacteur en chef de *France-Dimanche* (1949), de *Paris-Match* (1949-
1951), rédacteur en chef (1955), puis directeur-rédacteur en chef (1959) et directeur général (depuis 1964) de *France-
Dimanche*.

HILLAIRE-DARRIGRAND (Henri).

Polémiste bordelais (1883-1965), directeur de *La Bataille*, puis rédacteur en
chef du *Nouvelliste* de Bordeaux (voir à
ces noms).

HINSBERGER (Etienne).

Comptable, né à Saint-Louis-lès-Bitche
(Moselle), le 27 décembre 1920. Chef

comptable dans une société de travaux publics. Membre du comité départemental *U.N.R.* Elu député de la Moselle (7ᵉ circ.) en 1962. Réélu en 1967.

HIRSCH (Etienne).

Ingénieur, né à Paris, le 24 janvier 1901. Entra au laboratoire des recherches de *Kuhlmann* en 1924. Administrateur délégué de la *Sté Marles-Kuhlmann*, de la *Sté des Produits chimiques Ethyl-Kuhlmann* et de la *Société Technique pour l'amélioration des Carburants*. Dès 1940, rallia le Comité du général De Gaulle à Londres, où on le chargea de la direction d'un service d'Armement, ainsi que de l'approvisionnement des territoires ralliés à la *France Combattante*. Collaborateur de Jean Monnet à Alger (juillet 1943) ; puis, à partir de 1946, au Commissariat général du Plan. Nommé commissaire général adjoint en 1949 et Commissaire général en 1952. Participa en 1951-1952 aux travaux du « Comité des Sages », ainsi qu'à ceux de la C.E.D. Président du Comité d'Armement (1951-1952). Membre du Haut Comité d'Etudes et d'Information sur l'Alcoolisme. Président de la Commission de l'Euratom (1959-1961), président du Comité central du *Mouvement Fédéraliste Européen* et « ministre » du *contregouvernement* présidé par François Mitterrand.

HISARD (Claude, Marie, Joseph, Lucien).

Journaliste, né à Saint-Omer (P.-de-C.), le 18 mars 1906. Fondateur et rédacteur en chef du *National d'Artois et des Flandres* (1927-1933), rédacteur à l'agence parisienne du *Nouvelliste* de Lyon (1932), accrédité à Vichy (1940), directeur de la presse au ministère de l'Information (1943-1944). Après la Libération, rédacteur en chef de *La Gazette de Jean Primus*, trésorier de l'*Association Professionnelle de la Presse Monarchique et Catholique*. Auteur de l' « *Histoire de la Spoliation de la Presse Française* ».

HOFFER (Marcel).

Cadre, né à Thaon-les-Vosges (Vosges) le 13 juillet 1916. Technicien en bâtiment. Ancien prisonnier de guerre. Secrétaire des « Anciens gaullistes ». Membre de l'*Alliance France-Israël*. Député *U.N.R.* des Vosges (1ʳᵉ circ.) le 25 novembre 1962. Réélu en 1967.

HOGUET (Michel-Joseph).

Avoué plaidant, né à Amiens (Somme) le 11 février 1910. Maire de Nogent-le-Rotrou. Député *U.N.R.* d'Eure-et-Loir (circ.) depuis 1958.

HOOG (Georges).

(Voir : **La Jeune République**).

HOMME D'ABORD (L').

Cahiers pacifistes et anarchistes for dés en 1965 par André Casteilla (59, av nue des Gobelins, Paris 13ᵉ).

HOMME LIBRE (L').

Quotidien fondé en 1913 par Georg Clemenceau, puis dirigé par Euger Lautier. S'est appelé *L'Homme enchaîn* en 1916 (en raison des rigueurs de censure). Animé avant la guerre pa Henri Dié, L.-O. Frossard, L. Masso Forestier, A. Bernier, Paul Lombar avec la collaboration de Pierre Mal Jean Thouvenin, etc.

HOMME NOUVEAU (L')

Journal bi-mensuel fondé en 1946 dirigé par l'abbé André Richard, assist de Marcel Clément, rédacteur en che Absorba en 1958 la revue mensuell *L'Avenir catholique*, fondée en avr 1954 et animée par Dom Pierre Delègu Organe du *Mouvement pour l'Unité* (cré par le R.P. Fillère) qui lutte contre le infiltrations marxistes dans certains m lieux catholiques (1, place Saint-Sulpic Paris 6ᵉ).

HOMME DE PAILLE.

Intermédiaire agissant pour le compt d'un tiers, mais sans le dire et e laissant croire qu'il est le véritable pro priétaire ou interlocuteur. Les *homme de paille* sont fréquents dans les affa res. Dans la politique, ils sont beaucou plus rares. Le terme peut être employ pour certains dirigeants de journaux o pour des actionnaires ou associés d'un société de presse qui représentent, e fait, des personnes ou des intérêts off ciellement étrangers à ces entreprises.

HOMMES DU JOUR.

Journal politique de gauche, fondé e 1908 par Henri Fabre, avec la collabo ration de Victor Meric.

HORIZON 80.

Association créée en 1964 pour soute nir la candidature de Gaston Defferre l'élection présidentielle de 1965, candi dature lancée par le journal *L'Express* Une revue, *H. 80*, servit de lien aux mem bres du groupement dont Charles-Emil

...oo, Roger Quilliot, G. Bergougnoux, Étienne Desouches, député, Michel Phliponneau, professeur Lalumière, Emile Muller, maire de Mulhouse, et Michel ...oulié, ancien député, étaient les princi...aux animateurs. *Horizon 80* cessa ses ...ctivités en août 1965, lorsque Gaston ...efferre renonça à se présenter.

HOSPITAL (Jean, Marie, Henri d').

Journaliste, né à Bayonne (B.-P.), le ... mai 1896. Rédacteur au *Matin* (1923-...924), secrétaire de rédaction à *Paris-...oir* (1924-1928), secrétaire général de la ...édaction de *l'Ami du Peuple* (1928-...930), grand reporter (1931-1938), puis ...irecteur de *l'Agence Havas* (et sa suite) ...n Espagne (1938-1943). Après la Libéra-...on, correspondant de guerre de *l'A.F.P.* 1944-1945) et correspondant du *Monde* ...n Italie (depuis 1946).

HOSTIER (Robert-Emmanuel).

Professeur d'Enseignement général, né ... Saint - Pierre - le - Moutier (Nièvre), le ... septembre 1912. Maire de Fourcham-...ault. Conseiller général du canton de ...ougues (1958). Elu député communiste ...e la Nièvre (2ᵉ circ.) le 25 novembre ...962. Réélu en 1967.

HOUCKE (Jules).

Confectionneur, né à Nieppe (Nord), ... 20 mai 1896. Maire de Nieppe (Nord). ...onseiller général du canton nord-est de ...ailleul. Membre du conseil d'adminis-...ration du journal *La Voix du Nord*. ...Iembre *M.R.P.* de la 1ʳᵉ Assemblée Cons-...tuante (octobre 1945-juin 1946). Elu ...énateur *R.P.F.* le 7 novembre 1948 ; ...éélu le 18 mai 1952, ne se représenta ...as aux élections du 8 juin 1958. Elu ...nouveau député du Nord le 18 novem-...re 1962, battant le député sortant Paul ...eynaud. Inscrit à l'*U.N.R.*

HOUDET (Roger, E.).

Ingénieur, né à Angers (M.-et-L.), le ... juin 1899. Fonctionnaire du génie ...ural. Participa à la Résistance. Ancien ...ollaborateur de ministres de l'Agricul-...ure (Antier, Laurens, Sourbet). Sénateur ...ndépendant de la Seine-Maritime depuis ...952, fut ministre de l'Agriculture dans ...s cabinets Laniel (1953-1954), Mendès-...rance (1954-1955), De Gaulle (1958-...959), Debré (8 janvier 1959, démis-...ionna en mai 1959).

HOUEL (Marcel).

Maçon, né à Lyon (Rhône) le 12 octo-...re 1921. Ancien conseiller municipal de Villeurbanne (1953-1959). Maire de Venissieux (1962). Elu député communiste du Rhône (6ᵉ circ.) en 1962. Réélu en 1967.

HOURDIN (Georges, Frédéric).

Journaliste, né à Nantes (L.-I.), le 3 janvier 1899. Appartient à la presse depuis 1928, époque à laquelle, jeune démocrate-chrétien enthousiaste, il entra à la rédaction du *Petit Démocrate*. Fut ensuite rédacteur en chef de l'hebdomadaire *Temps Présent*, qui succéda à *Sept*. Rapporteur économique et social au Congrès du *M.R.P.* en décembre 1945. Après la Libération, en accord avec Mme Sauvageot, « grand patron » du groupe, dirigea *La Vie catholique illustrée*, ainsi que *Radio-Télévision-Cinéma* (devenu *Télérama*), *Les Informations Catholiques Internationales*, *Croissance des jeunes nations*. A pris la présidence du groupe depuis la disparition de Mme Sauvageot. Utilise parfois le pseudonyme de Jacques Batuaud. Auteur de nombreux livres : « *Mauriac, romancier chrétien* », « *La Presse Catholique* », « *Camus le juste* », etc.

HOURIEZ (Pierre, Joseph).

Publiciste, né à Iwuy (Nord), le 6 septembre 1905. Ancien fonctionnaire des Finances entré dans la presse à la Libération. Est directeur général de *Nord-Matin*, actionnaire important des *Dépêches*, de Dijon, vice-président honoraire de *l'Agence France-Presse* et dirigeant d'un certain nombre de groupements professionnels de presse.

HOURS (Joseph).

Ancien rédacteur à *L'Aube* et à *La Vie catholique* (voir : *Itinéraires*).

HOVAERE (Marcel).

Industriel, nommé le 2 novembre 1941 membre du *Conseil National* (voir à ce nom).

HUGUES (Clovis).

Poète et homme politique, né à Menerbes (Vaucluse), le 3 novembre 1851, mort à Paris le 11 juin 1907. Militant socialiste, il prit part, en 1871, aux événements communalistes et fut condamné à trois ans de prison par le Conseil de guerre pour avoir soutenu la Commune. Il collabora au *Peuple*, de Marseille, à la *Jeune République*, à *L'Egalité*, de Jules Guesde. Candidat socialiste à Marseille en 1881, il fut élu et conserva son siège jusqu'en 1889. Comme beaucoup d'autres socialistes, quand survint la crise boulangiste (1888-1889), il suivit Laguerre,

Laisant, Rochefort, Eudes, Ernest Roche et quelques autres qui rallièrent le képi du général pour mieux combattre, pensaient-ils, la bourgeoisie opportuniste. Après cette aventure - qui se renouvela pour d'autres, soixante-dix ans plus tard —, il ne se représenta pas à Marseille, mais se fit élire, en 1893, dans le XIXᵉ arrondissement de Paris, qu'il représenta au Palais-Bourbon jusqu'en 1906. Très indépendant, donna des articles et des poèmes à des journaux dont les opinions n'étaient pas les siennes, notamment à *La Libre Parole* de Drumont. Il malmena, à plusieurs reprises, les Rothschild, dans ses ouvrages. Les vers qui suivent en disent long sur ses sentiments à l'endroit du banquier de la rue Laffitte :

> *Tu le fais gardien du Trésor,*
> *Comme si nous n'avions, pour clore ta souffrance*
> *Qu'à lui confier la clé d'or ?*
> *Comme si tu n'avais, après tant de désastres,*
> *Qu'à le hisser sur ton Crédit,*
> *Dans une apothéose où, couronné de piastres,*
> *Le dieu Million resplendit ?*
> *Quoi ! tu mets à ses pieds, sans grelotter de honte,*
> *Sans seulement baisser les yeux,*
> *La pudeur de la Rente et l'honneur de l'Escompte,*
> *Ces deux probités des aïeux ?*
> *Tu prends comme intendant ce quartier de roture,*
> *Ce vague baron de tréteau,*
> *Dont les pères étaient prompts à planter l'usure*
> *Dans les gorges, comme un couteau ?*
> ....
> *O misère ! pendant que le travailleur manque*
> *De pain blanc, de justice et d'air,*
> *C'est un Juif allemand qui régente la Banque,*
> *Dans votre patrie, ô Kléber !*
> ....
> *Où sont-ils, ô Rothschild, tes cavaliers numides ?*
> *Quel soleil de gloire t'a lui ?*
> *Quel mot as-tu jeté du haut des Pyramides*
> *Pour oser signer après lui ?*
> *(Allusion à Bonaparte.)*
> ....
> *Tu pourras t'acheter, pour y bâtir ta tombe,*
> *La Synagogue ou l'Opéra ;*
> *Tu resteras debout dans un siècle où tout tombe,*
> *Jusqu'au jour, et ce jour viendra,*
> *Où tu t'affaleras comme un paquet de toile,*
> *Les doigts crispés sur ton trésor,*
> *Pour avoir essayé de voler une étoile,*
> *Sous prétexte qu'elle est en or !*

(Iambes du poète de la Chanson de Jehanne d'Arc).

Son action politique lui valut de solides haines. Pour mieux l'atteindre, l'un de ses adversaires, le journaliste Morin, écrivit un jour un article particulièrement ignoble contre sa femme : dans ce « papier », Mme Clovis Hugues était accusée de fréquenter une maison de rendez-vous. Poursuivi, Morin fut condamné par le Tribunal Correctionnel de Marseille à deux ans de prison avec sursis. Mᵉ Ferdinand Gatineau, député-maire de Dreux, avait plaidé pour Mme Hugues. Celle-ci sortait de la salle d'audience au bras de son avocat lorsqu'elle se trouva nez-à-nez avec son diffama-teur. « *Sans lâcher le bras de mon grand-père,* écrit Georges Gatineau-Clemenceau, *elle sortit de son manchon un petit revolver et, de deux balles, à bout portant, elle le tua net. Arrêtée et emprisonnée à Saint-Lazare, elle passa en cour d'assises et, grâce à la plaidoirie de mon grand-père, elle fut acquittée.* » (Cf. « *Des pattes du Tigre aux griffes du destin* », par G. Gatineau-Clemenceau, Paris 1961.) Clovis Hugues publia plusieurs ouvrages : « *Les Intransigeants* », « *Soirs de Bataille* », « *Jours de Combat* », « *La Chanson de Jeanne d'Arc* », « *Le Sommeil de Danton* », etc.

HUGUES (Emile).

Notaire, né à Vence (A.-M.) le 7 avril 1901. Maire et conseiller général de Vence. De nuance radicale-socialiste, représenta le département des Alpes-Maritimes à la deuxième Assemblée constituante (1946), puis à l'Assemblée nationale (1946-1958). Fut entre temps secrétaire d'Etat aux Finances et aux Affaires économiques (cabinet Pleven, 1951), secrétaire d'Etat à la Présidence du Conseil. Chargé de l'Information (cabinets René Mayer, 1953, et Laniel, 1953-1954), garde des Sceaux, ministre de la Justice (cabinet P. Mendès-France, 1954). Secrétaire d'Etat aux Affaires économiques (cabinets Bourgès-Maunoury, 1957, et Félix Gaillard, 1957-1958). Est sénateur des Alpes-Maritimes depuis 1959.

HUMANITE (L').

Quotidien officiel du *Parti Communiste* depuis la scission de Tours, en 1920. *L'Humanité* a été fondée en 1904 par Jean Jaurès, alors l'un des *leaders* du mouvement socialiste qui n'avait pas encore fait son unité. Jaurès avait été amené à créer ce nouveau journal parce que *La Petite République* était aux mains de personnages plus doués pour les affaires que pour la propagande socialiste. Urbain Gohier a maintes fois parlé d'une assez sordide histoire dite « *des cent mille paletots* », dont il rendait le chef socialiste responsable et qui avait transformé *La Petite République* en magasin de confection où l'on vendait aux lecteurs, des vêtements à bas prix confectionnés par de malheureuses ouvrières payées à des salaires de famine. Ayant quitté *La Petite République* le 23 décembre 1903 en compagnie de ses amis Viviani, Millerand, A. Thomas, Briand, Léon Blum et Herr, il avait lancé *L'Humanité* quatre mois plus tard — le lundi 18 avril 1904 exactement — avec une brillante équipe de rédacteurs et de collaborateurs. Celle-ci se composait ainsi : directeur politique : Jean Jaurès ; éditorial : Gustave Rouanet ; secrétaire de rédaction : Gabriel Bertrand ; rédacteurs politiques : Allemane, Aristide Briand, Eugène Fournière, Francis de Pressensé, Louis Ravelin, René Viviani ; politique extérieure : Francis de Pressensé, Lucien Herr, Charles Andler, Jean Longuet, Rémy ; collaborateurs littéraires : Anatole France, Octave Mirbeau, Abel Hermant, Jules Renard, Gustave Geffroy, Tristan Bernard, René Viviani, Georges Lecomte, Jean Ajalbert, Léon Blum, Michel Zévaco, Henry de Jouvenel, Alfred Athis, B. Marcel, Louis Vauxcelles ; parlement : Paul Pottier, Michaël Py ; conseil municipal : Eugène Fournière ; mouvement social : Aristide Briand ; communications : A. Maurel ; mouvement syndical : Albert Thomas ; coopératives : Philippe Landrieu, Marcel Mauss ; questions agraires et prolétariat paysan : Gabriel Ellen ; questions économiques : Edgar Milhaud ; tribunaux : Henry Bréal ; information : Henri Amoretti, Daniel Halévy, Géroule, Parassols ; enseignement : Gustave Lanson ; chronique scientifique : J.-L. Breton ; chronique médicale : Etienne Brunet. Comme de nos jours pour *L'Express* et pour *Le Nouvel Observateur,* le lancement du journal socialiste avait été opéré grâce à l'appui financier d'hommes qui se souciaient infiniment plus de leurs affaires que de l'avenir des masses laborieuses. Jaurès et les socialistes avaient rendu service aux amis du capitaine Dreyfus ; à leur tour les dreyfusistes fortunés lui rendaient service. Emile Cahen l'expliquait en ces termes dans *Les Archives israélites* (11-10-1906, p. 324) : « ... *Les grands services rendus à la cause de la justice et de la vérité* (allusion à l'affaire Dreyfus — N.D.L.R.) *par M. Jaurès lui ont créé des titres indiscutables à la reconnaissance de tous les Israélites français. Ce sont eux qui, en très grande partie, l'avaient, il faut bien le dire, aidé à fonder son journal.* » Le journal de Gustave Hervé, *La Guerre sociale,* hebdomadaire de la fraction la plus révolutionnaire du *Parti Socialiste S.F.I.O.,* révéla dans son numéro du 16 novembre 1910, que le futur organe central du *P.C.F* avait été fondé grâce aux subsides de riches banquiers et hommes israélites. Aucun démenti ne vint infirmer ces révélations qui firent grand bruit, à l'époque, dans les milieux socialistes, et pour cause. Il est démontré aujourd'hui que si la moitié des actions de la *Société du journal « L'Humanité »,* créée en 1904, fut bien remise à Jaurès à titre d'apport, les 400 000 francs réellement versés l'ont été par des personnages qui, à deux ou trois exceptions près, n'avaient rien de commun avec la classe ouvrière. Voici, en effet, la liste des premiers souscripteurs : Levy-Bruhl : 1 000 actions ; Picard, dit Le Pic, 1 000 actions ; Jaurès et quelques amis : 204 actions ; Javal : 200 actions ; Rouff : 180 actions ; Salomon Reinach : 120 actions ; Casewitz : 20 actions ; G. Rouanet : 20 actions ; André : 20 actions ; Baudeau : 20 actions ; Landrieu : 20 actions ; Mauss : 20 actions ; Levy-Brahms : 20 actions. Quelque temps après, le banquier Louis Dreyfus apportait, à son tour 20 000 francs.

l'Humanité

NE JETEZ PAS CE JOURNAL ! ! FAITES -LE CIRCULER !

ORGANE CENTRAL DU
PARTI COMMUNISTE
FRANCAIS (S.F.I.C.)

N° 58 - 1er Juillet 1940

Vive l'U.R.S.S.

CEUX QUI ONT LE DROIT DE PARLER

"L'HUMANITE" interdite, en Août der-nier, par Daladier pour avoir défendu le pacte germano-soviétique, "l'HUMANITE" interdite pour avoir défendu la Paix, ne peut toujours pas paraître normalement.

Par contre, deux journaux bien con-nus pour leurs mensonges, "le MATIN" et "PARIS-SOIR" peuvent paraître, mais ils ne parviendront jamais à faire oublier leur triste besogne d'excitations à la guerre.

Et voici que, maintenant, paraît aus-si une feuille de la bande à Doriot, de cette bande dont on sait que, depuis le premier jour de la guerre, elle a fait chorus avec les fauteurs de massacres.

Cette bande, écrivait le 7 Juin der-nier : "En frappant la colonne hitléro-thorezienne on est sûr de ne pas se tromper", dans le but évident de déclen-cher l'assassinat en mas-se des emprisonnés et de désigner les communistes, courageux défenseurs de la Paix, aux poteaux d' exécution du sinistre Man-del.

Le Peuple de France n' aime pas les chiens couchants, ceux qui sont toujours du côté du manche. Il ne peut avoir que mépris pour ceux qui ont hurlé à la guerre, qui ont été les sou-tiens dociles de la clique Daladier-Reynaud-Mandel.

Les valets des fauteurs de guerre peuvent se répandre aujourd'hui, en bavardages, ils ne feront pas oublier leur attitude d'excitateurs à la guerre.

Un journal a le droit de parler, un journal a le droit de dire leur fait aux responsables des malheurs de la France; ce journal c'est "l'HUMANITE" qui a dé-fendu la grande cause de la liberté et de la Paix, a lutté pour le socialisme contre le capitalisme générateur de mi-sère et de guerre.

"l'HUMANITE" doit pouvoir paraître nor-malement. Voilà ce que pensent, ce que demandent les masses populaires de Fran-ce.

LE CAPITALISME C'EST LE PROFIT POUR LES UNS ET LA MISERE POUR LES AUTRES, C'EST LE DESORDRE ECONOMIQUE, LE CHOMAGE, LA GUERRE, A BAS LE CAPITALISME. VIVE LE SOCIALISME

Mr. MARCHAND successeur de Mr. LANGERON VEUT CONTI-NUER LES POURSUITES CONTRE LES COMMUNISTES.

OU CES MESSIEURS VEULENT-ILS EN VENIR ?

L'ARMÉE ROUGE LIBÈRE LA BESSARABIE

Après avoir libéré 13 Millions de Bielo-russiens et d'Ukrainiens du joug des seigneurs polonais, après avoir bri-sé les plans criminels des garde-blancs finlandais, après avoir libéré les peu-ples des Etats Baltes où se sont cons-titués des gouvernements ouvriers et paysans, l'Armée Rouge vient d'entrer en Bessarabie et en Bukovine septentrio-nale où elle libère les masses populai-res qui, depuis 22 ans, subissaient l' oppression des capitalistes roumains.

Le gouvernement roumain, sachant ce que vaut la garantie britannique qui lui avait été accordée, a fait droit aux légitimes revendications de l'U.R.S.S. et ainsi la question de la Bessarabie a été réglée pacifiquement.

Salut à la glorieuse Armée Rouge qui porte la liberté des peu-ples dans les plis de ses drapeaux.

VIVE L'U.R.S.S. de LENI-NE et de STALINE, pays du socialisme et rem-part de la Paix.

LES REVENDICATIONS DU PEUPLE DE FRANCE

Le Peuple de France soucieux d'assu-rer le redressement économique et moral du pays, demande :

1°) La libération de tous les défenseurs de la Paix et le rétablissement dans leurs fonctions des élus du peuple dé-chus pour avoir défendu la Paix.

2°) Le rétablissement des droits du peu-ple et des libertés syndicales (rétablis-sement dans leurs fonctions des délégués ouvriers élus et conseillers prud'hommes déchus.)

3°) La mise en accusation des responsa-bles de la guerre et de leurs valets.

4°) La remise en activité de toutes les entreprises.

5°) La création d'un fonds de solidari-té nationale en vue de procurer aide et assistance aux blessés, évacués, famil-les nombreuses, vieillards, etc ...

6°) La confiscation des bénéfices de guerre, l'institution d'un prélèvement
(suite en 2ème page)

Un numéro de l'Humanité clandestine pendant la « drôle de guerre »

Lorsque l'Humanité était l'organe du Parti Socialiste.

La première *Humanité*, grevée dès l'origine de charges excessives, fut bientôt à bout de souffle. Jaurès lança un appel le 5 octobre 1906 : il reçut 1 000 francs des socialistes tchèques et 25 000 francs du parti frère d'Allemagne. C'est le socialiste allemand A. Bebel qui, le 12 octobre 1906, annonça l'envoi de ces 25 000 francs-or à Jaurès. Louis Dubreuil, Bracke et Pierre Renaudel acceptèrent au nom du Parti par lettre du 17 octobre 1906 (Cf. *L'Humanité*, 18-10-1906). A la suite de cette lettre du *leader* social-démocrate et de l'envoi des fonds allemands, Forain publia un dessin satirique dans *Le Figaro* du 21 octobre 1906. Cette caricature représente Guillaume II, coiffé du casque à pointe, remplissant d'or le chapeau que Jaurès, incliné profondément devant l'empereur d'Allemagne, tend de ses deux mains. Une barrière, la frontière, sépare l'Allemand et le Français. La légende en est aussi féroce que le dessin : « *Ce n'est pas un secours, Monsieur Jaurès... : c'est une dette.* » Ces versements étaient bien insuffisants. La création d'une nouvelle société chargée d'éditer le quotidien socialiste fut décidée. Ce fut la *Société Nouvelle du journal L'Humanité*, au capital de 125 000 francs.

Aux anciens actionnaires Levy-Bruhl (123 actions), Picard (123), Louis Louis-Dreyfus (31) et Charles Louis-Dreyfus (31) s'ajoutèrent de nouveaux souscripteurs : J. Clément : 10 000 francs ; Hoyer : 1 250 francs ; Vaillant : 1 000 francs ; Poisson : 1 000 francs ; Bunel : 1 000 francs ; Léon Blum : 1 000 francs ; diverses organisations ouvrières : 5 875 francs; Achille Rosnoblet : 28 000 francs; Mme Hélène Rosnoblet : 25 000 francs. Les deux derniers souscripteurs fournissaient donc à eux seuls les 2/5 du capital. On devait apprendre par la suite que les Rosnoblet n'étaient que les prête-noms des Rothschild. A la suite des révélations de *La Guerre sociale*, Francis Delaisi, l'auteur de celles-ci, avait été invité par Pierre Renaudel, administrateur de *L'Humanité*, à venir examiner les comptes du journal. Il donna à ses lecteurs, le résultat de ses investigations. Parlant des actionnaires de la première société, donc des co-fondateurs de *L'Humanité*, il écrivait :

« *Les trois quarts des actions sont souscrites par trois personnes dont les noms doivent être retenus. L'une est M. Salomon Reinach, le frère de Joseph Reinach, que les Rothschild donnèrent comme secrétaire à Gambetta. L'autre, M. Lévy-Bruhl, philosophe éminent, est professeur à la Sorbonne, où il gagne environ 10 000 francs par an. On s'étonnerait qu'il plaçât 120 000 francs à fonds perdus dans un journal socialiste s'il ne passait pour être le dispensateur des libéralités des Rothschild parmi les jeunes revues qui naissent et meurent comme les feuilles dans les environs de l'Odéon. Quant au troisième, Picard, dit Le Pic, publiciste et polémiste de talent, il venait de tuer sous lui le journal* Les Droits de l'Homme, *et s'il avait eu 125 000 francs à lui, peut-être les eût-il employés à défendre de la mort son propre journal.* » (*La Guerre Sociale*, 16 et 22-11-1910.) *Le Matin* devait, trente ans après la fondation de *L'Humanité*, publier un document qui prouvait que la Compagnie des Agents de Change de Paris avait également fourni une grosse somme : 300 000 francs-or. Il s'agit d'une déclaration rédigée et signée par Léon Picard, premier souscripteur de *L'Humanité* et encaisseur des 300 000 francs-or. En voici le texte :

« *Durant les années* 1902 *et* 1903, *la presse socialiste, notamment le journal* La Petite République, *faisait une campagne ardente contre les agents de change. Cette campagne avait pour objet de faire supprimer leur privilège. Un groupe de militants et de journalistes socialistes dont faisaient partie notamment Jaurès,* Albert Thomas *et* Viviani, *décida de quitter* La Petite République *à la suite de la campagne des cent mille paletots et de fonder un journal qui serait l'organe du Parti. Pour cela, il fallait de l'argent, et c'est ainsi que ce groupe eut l'idée de cesser la campagne contre les agents de change et de faire appel à leur concours. Ceux-ci remirent une somme d'environ* 300 000 *francs. Cette somme fut encaissée par M. Picard chez M. Perquel, agent de change, place de la Bourse, et servit à MM. Léon Picard, Lévy-Bruhl, Dr Lévy-Brahms, de Pressensé, Jaurès, Briand, Rouanet, Rouff, à souscrire à la nouvelle société constituée pour éditer* L'Humanité. *C'est ainsi que ce journal vit le jour grâce au concours financier de la Compagnie des agents de change. Le bulletin financier de* L'Humanité *fut confié à M. Léon Picard, l'un des souscripteurs, avec l'accord de Jaurès. Ce bulletin parut pendant plus d'une année et recrutait de la publicité financière, M. Picard touchant* 25 % *sur les encaissements de cette publicité.* » (Cf. *Le Matin*, 3, 6 et 12-10-1934.)

Par la suite, le Parti socialiste aurait racheté par l'intermédiaire de Camélinat, 2 120 actions souscrites par les Rosnoblet pour la somme de 17 500 francs. La *Société nouvelle du journal* L'Humanité existe toujours. C'est elle qui possède le journal du *Parti Communiste Français*. La majorité des actions, que détenait Camélinat, homme de confiance du *Parti Socialiste*, fut remise au *Parti Communiste*, en 1920, la majorité s'étant prononcée pour l'adhésion à la IIIᵉ Internationale. Camélinat, vieux communard, s'était d'ailleurs rallié au *P.C.* avec son ami Marcel Cachin, qui dirigeait *L'Humanité*. Jacques Doriot, après avoir quitté le *P.C.*, affirma que ce paquet d'actions avait été remis au délégué du Komintern, Piatnitski, ce que les communistes contestèrent. Une polémique s'ensuivit au cours de laquelle le syndicaliste d'extrême-gauche Pierre Monatte accusa *L'Humanité* de ne pas oser publier ses comptes. Doriot prétendit dans *L'Emancipation*, alors organe du « *rayon communiste majoritaire de Saint-Denis* », que la publicité était fournie par le truchement d'une société de publicité fondée par le bras droit de Piatnitski (*L'Emancipation*, 12-10-1935). *L'Humanité* publia, par la suite, son bilan de 1935 qui faisait ressortir un bénéfice de 1 107 357,60 F avec 1 181 517,20 F de publicité (*L'Humanité*, 12-4-1936). Les choses en restèrent là, chacune des parties n'ayant d'ailleurs pas convaincu son adversaire...

Le tirage de *L'Humanité* augmenta considérablement après la victoire électorale du *Front Populaire*. Le 22 janvier 1937, à la Conférence nationale du Parti, Maurice Thorez annonçait que 400 000 exemplaires sortaient chaque jour des presses. Le journal était toujours dirigé par Marcel Cachin. Il avait pour rédacteur en chef Paul Vaillant-Couturier, l'assistaient P.-L. Darnar, Paul Nizan, Lucien Sampaix, J. Moussinac, etc. Dans l'équipe de collaborateurs littéraires figuraient notamment : Louis Aragon, Claude Aveline, Jean Baby, Georges Besson, René Blech, Jean-Richard Bloch, Julien Benda, Charles Braibant, Jean Cassou, André Chamson, J.-P. Dreyfus, Luc Durtain, Charles Dullin, Elie Faure, Jean Fréville, Georges Friedmann, Joseph Jolinon, Paul Gsell, Jean Guehenno, Jean Giono, Henri Jeanson, Louis Jouvet, Pierre Kaldor, Charles Koechlin, Pierre Labérenne, H.-R. Lenormand, René Lalou, René Maran, André Malraux, René Maublanc, Victor Marguéritte, Léon Moussinac, le professeur Prenant, Tristan Rémy, Romain Rolland, Georges Saoul, Charles Vildrac, André Wurmser, Maurice de Vlaminck, J.-M. Lahy, professeur à l'Ecole des hautes études, Henri Wallon, professeur à la Sorbonne, Marcel Cohen, professeur à l'Ecole des hautes études, Jean Langevin, professeur au lycée Louis-le-Grand, Henri Mineur, astronome à l'Observatoire de Paris, et même Jacques Soustelle, assistant au Musée d'ethnographie. *L'Humanité* fut interdite par le gouvernement Daladier après la signature du pacte germano-soviétique, mais elle parut clandestinement pendant la « drôle de guerre » (1939-1940). Après l'entrée des Allemands à Paris, elle faillit reparaître. L'appareil clandestin du *P.C.* avait, en effet, chargé Denise Ginolin, son amie Mme Schrott et réand de faire les démarches nécessaires auprès des autorités d'occupation. Mais la police française, qui traquait les communistes depuis le début de la guerre, intervint, et le journal ne put reparaître (voir : *Parti Communiste français* et document photographique reproduit). Ce n'est, finalement, que quatre ans plus tard que *L'Humanité* put sortir de la clandestinité (août 1944). Elle connut un succès grandissant jusqu'en 1946 : 326 000 exemplaires fin 1944, 600 000 en 1945, 500 000 en 1946, puis 400 000 en 1947, 310 000 en 1949 et 292 000 en 1952. Elle tire encore à 292 000 exemplaires en 1960. Sous la direction d'Etienne Fajon qu'assiste René Andrieu, rédacteur en chef, *L'Humanité* est rédigée par une équipe composée des meilleurs journalistes du parti : André Carrel, André Wurmser, Nelly Feld, André Stil, Guy Leclerc, Jacques Kahn, Jean-François Dominique, Gérard Gatinot, Roland Michel, Paulette Jourda, Gilette Ziegler, Denise Mathon, Roger Pourteau, Daniel Marty, Gilbert Florès, André Courbez, Jean Lustac, Jean Sanitas, René Rougeron, Jean Delerue, Jo Vareille, Robert Frédérique, G. Roblin, Molnar, Jacques Naret, Mariel Dauphin, Claude Clero, Jean Ollivier, Samuel Lachèze, Georges Léon, etc. Les *leaders* du *P.C.F.* y apportent naturellement leur collaboration.

Au conseil d'administration, que présidait Firmin Pélissier, remplacé en 1957 par Octave Rabaté, ancien rédacteur à *L'Humanité* et à *La Vie Ouvrière*, ancien rédacteur en chef de la clandestine *Voix des Charentes* et ancien député, lui-même remplacé par André Laloue, l'actuel président-directeur général de la *Société Nouvelle du journal L'Humanité*, on remarquait, au cours des années 50 : Joanny Berlioz-Benier, Henri Gourdeaux, Louis Jegon, Lucien Midol, Jean Oswald dit Dorval, Georges Cogniot, Marc Dupuy, Eugène Hénaff, Daniel Renoult, Georges Marrane, Waldeck L'Huillier, etc. Marcel Cachin et André Marty en firent également partie. Actuellement, le conseil comprend, outre André Laloue : Etienne Fajon, Oswald-Dorval, Georges Fourcade, Joseph Kerjouan, Gaston Leboulanger et Pierre Leschemelle (qui a remplacé Georges Palluy). Pour équilibrer un budget particulièrement compromis, les administrateurs de *L'Humanité* ont fait un gros effort dans la prospection des annonceurs. Etienne Fajon, dans son rapport à la Conférence nationale du parti (Villejuif, 6 et 7 février 1965), a souligné que la direction du journal a mené « *une action persévérante pour augmenter les ressources en publicité* » et cela, précisa-t-il, « *en appelant ouvertement les lecteurs à boycotter les firmes qui nous refusent leurs annonces* » (cf. *L'Humanité*, 8-2-1965). Ce boycott eut parfois, un aspect très particulier. C'est ainsi que, dans son numéro du 11 septembre 1960, *L'Humanité-Dimanche* publia un grand article sur l'intoxication collective qui venait de se produire en Hollande et dont la margarine était responsable : « *Tout le monde connaît l'histoire de cette margarine hollandaise*, écrivait son rédacteur. *Par contre, peu de monde a su le nom exact de cette margarine. Elle s'appelle « Planta », mais un étrange silence s'est fait sur « Planta », car elle est fabriquée par un trust hollando - britannique singulière-*

18

ment puissant, *Unilever* (...) *C'est un colorant nouveau, intégré à Planta, qui serait responsable des intoxications constatées. Le mythe de la « richesse des tropiques sur votre table » y a perdu quelques plumes (ou quelques palmes). Alors, il n'y a donc pas dans la margarine que « de belles huiles ensoleillées tirées de beaux fruits gorgés de soleil » ? Il y a donc aussi des produits chimiques. »* L'article, qui occupait la moitié de la sixième page de *L'Humanité-Dimanche*, avec un titre énorme sur huit colonnes, se terminait par ces mots : « *Les trusts de la mangeaille, comme les autres, n'ont pas toujours le plus grand respect des lois qui ne leur conviennent pas.* » Comme le journal communiste est principalement lu dans les milieux ouvriers gros consommateurs de margarine, la direction d'*Unilever* ne fut pas longue à réagir. Le mois suivant, le quotidien officiel du *P.C.F.* publiait un énorme cliché, occupant toute la largeur de la page où l'on vantait les qualités de *Planta* (*L'Humanité*, 23-10-1960 p. 7). Les grandes firmes ont probablement compris l'intérêt qu'il y avait, pour leurs produits, à suivre l'exemple du groupe *Unilever* puisque, depuis quelques années, leur publicité s'étale dans les colonnes du journal communiste, depuis l'*Huile Lesieur* jusqu'aux *Automobiles Simca* en passant par le *Pepsi-Cola*, les grandes marques d'apéritif, les vins populaires, les eaux minérales *Perrier*, *Charrier*, *Volvic*, *Contrexéville*, *Evian*, *Vichy-Célestins*, les pâtes *Rivoire et Carret*, le *Bonbel*, les postes *Schneider*, les machines à coudre *Singer* et les machines à écrire *Japy*, le matériel de camping *Trigano*, les meubles *Lévitan* et les *Galeries Barbès*, les encyclopédies *Larousse* et *Quillet*, les lames *Gillette*, la cire *Baranne* et une foule d'autres marques que *L'Humanité-Dimanche* présente à ses lecteurs dans un « *Répertoire des annonceurs de L'Humanité* » édité spécialement chaque année à l'automne. C'est grâce à ces centaines de millions versés dans sa caisse par des sociétés capitalistes, que le quotidien du *P.C.F.* a pu résister aux difficultés que connaissent les journaux d'opinion. (Il vient de bénéficier d'un autre avantage : bien que le prix des journaux soit bloqué à trente centimes, il a été récemment autorisé, en même temps que *Le Populaire*, à porter son prix de vente à quarante centimes.)

Le tirage de *L'Humanité* n'est plus ce qu'il était avant la guerre ou immédiatement après la Libération. Le contrôle *O.J.D.* du 2 décembre 1964 le fixait à 184 000 exemplaires, avec 140 000 exem-

plaires diffusés, dont 25 500 abonné *L'Humanité-Dimanche* est beaucoup pl largement répandue : l'*O.J.D.* indiqu pour la dernière année contrôlée (1965 un tirage de 489 000 exemplaires do 455 000 exemplaires effectivement diff sés (6, boulevard Poissonnière, Paris 9°

HUMANITE D'ALSACE ET DE LOI RAINE (L').

Quotidien du *Parti Communiste*, fon en 1932 et publié à Strasbourg (25, 2 rue des Serruriers).

HUMANITE NOUVELLE (L').

Organe central du *Mouvement Comm niste Français* (*Marxiste-Léniniste*) fon en 1965 par des communistes pro-Ch nois opposés aux communistes « rév sionnistes » pro-soviétiques. D'abor mensuel et publié à Marseille, le journ est hebdomadaire et parisien depu octobre 1966. A l'origine, il fut l'orgar de la *Fédération des Cercles marxiste léninistes*. Directeur-gérant : Franço Marty. Rédacteur en chef : Regis Berg ron (40, boulevard Magenta, Paris 10°

HUNAULT (Xavier).

Huissier de justice, né à Châteaubrian (Loire-Inférieure), le 29 juillet 192 Membre du *Rotary*. Candidat « indépe dant d'action urbaine et rurale » en ja vier 1956 (liste A. Bonnet) contre le d puté « indépendant » de Sesmaisons battu. Elu conseiller municipal de Ch teaubriant en 1953 : adjoint en 1957 maire en 1959. Président de l'*Associatic des Maires* de l'arrondissement de Ch teaubriant (depuis 1961). Elu député la Loire-Atlantique (5° circ.) le 18 n vembre 1962, contre le député sortar Bernard Lambert (*M.R.P.*). Ne s'inscriv tout d'abord à aucun groupe. Puis, 1967, se fit réélire sous l'étiquette gau liste.

HURON (Le).

Pamphlet hebdomadaire de gauch fondé en 1932. Directeur : Paul Langloi Rédacteur en chef : M.-I. Sicard. Di paru en 1935.

HYMANS (Max).

Avocat, né à Paris, le 2 mars 190 mort le 7 mars 1961. Issu d'une famil israélite établie en France au XIX° siècl Militant socialiste, membre de la *Gran Loge*, initié à la loge *Isis Montyon*, 16 avril 1926, fut député de l'Indre, 1928 à 1942. Suivit avant la guerre l dissidents néo-socialistes (Marquet-Déa

l'Humanité nouvelle

Rédaction - Administration :
45, Boulevard Magenta
PARIS (10ᵉ)

ORGANE CENTRAL
DU MOUVEMENT COMMUNISTE FRANÇAIS
(MARXISTE-LENINISTE)

HEBDOMADAIRE
JEUDI 15 DECEMBRE
2ᵉ ANNÉE · Nᵒ 32 · 1 F.

LA POIGNÉE DE MAIN
DE GAULLE-DUCLOS

Les faits sont les faits et ils sont têtus. Nous avons relaté la semaine dernière la présence à l'Elysée de Billoux et Guyot sablant le champagne avec le gratin gaulliste. Quelques jours plus tard, Jacques Duclos serrait la main du Général de Gaulle sous l'œil potelin de Kossyguine dont le séjour à Paris servait d'alibi à cette rencontre. Voilà comme on entend la lutte de classes chez les révisionnistes ! Quel complément à la thèse sur le passage pacifique au socialisme ?

Il est vrai qu'on ne peut se battre sur tous les fronts à la fois. Mobiliser par priorité toutes les forces du Parti contre les marxistes léninistes et lutter contre le pouvoir des monopoles, Duclos s'était acquitté laborieusement de la première tâche dans un article-fleuve paru dans « l'Humanité » du 6 décembre. Le lendemain même, il offrait le triste spectacle de cette poignée de mains désormais historique. Le surlendemain, il apparaissait longuement sur les écrans de la télévision dont la complaisante attention offrait une audience inattendue aux propos qu'il avait tenus entre la poire et le fromage au déjeuner organisé en son honneur par la presse parlementaire.

Ces facilités accordées par le pouvoir, dans cet étrange contexte, aux révisionnistes pour ouvrir devant vingt millions de Français leur campagne électorale n'ont pas manqué de faire réfléchir les travailleurs en général et les communistes à la base en particulier.

Les actuelles conférences de rédaction montrent cependant que le cri de guerre : « Le Chinois, voilà l'ennemi ! » rencontre un bien faible écho auprès des militants. Et quand on commence, comme à Choisy-le-Roi, la totalité de la résolution à dénoncer cet ennemi-là, qui on se demandait à quel jeu tragique se livrent les scissionnistes du groupe dirigeant révisionniste ?

L'apparition, toute verbale, de ces derniers au régime ne peut cacher le fait qu'ils s'installent confortablement dans celui-ci et que les notaires à vendre du rentmec plus cher leur journal, leur rend la clarière de Vincennes peu leur tête annuelle, leur tête-à-l'Etrso qui ils ne vendent sans vergogne, leur tout que mais qu'ils s'empressent de servir. Où l'Camarade communiste auquel on soutire tant d'argent en pleurant misère, spéculant sur sa fidélité, tendu qu'on s'apprête à construire, avec quels fonds ? un immeuble de grand luxe dont le prix, avec la tenvoir, frisera le milliard, que de crimes on commet dans ton dos ? Le plus ignoble comité à le dresser contre tes frères, les vrais communistes, les marxistes-léninistes qu'on fait matraquer à Grenoble et à Marseille et qu'on tente, avec la complicité d'importantes forces de... police, d'empêcher de parler à Paris, alors que les fascistes attaquent impunément aux portes des lycées et des facultés. Impuissants à résister aux thèses, ils fuient le débat d'idées. A nos patients efforts de persuasion, ils répondent par la violence et par la calomnie. Nous leur opposons des faits. Et nous l'en faisons juge, car nous avons confiance.

Régis BERGERON.

La photo que l'Humanité (R) ne publiera pas !...

…fit partie du groupe de l'*Union Socia-
…et Républicaine* de la Chambre. Pré-
…da le Conseil général de l'Indre, fut
…us-secrétaire d'Etat au Commerce
…937), puis aux Finances (1938). Vota
…s pouvoirs constituants au maréchal
…tain (1940). Participa à la Résistance
…ndant la guerre et, après, fut nommé
secrétaire général à l'Aviation civile.
Rentré à la *S.F.I.O.*, fut élu conseiller
général de l'Indre. Nommé par le gouvernement président d'*Air-France*, fut
également administrateur de diverses
sociétés nationalisées ou privées, depuis
la *Cie Gle Transatlantique* jusqu'à la
Radiotechnique.

I

IBRAHIM (Prince Saïd).

Homme politique, né à Tananarive (Madagascar), le 17 avril 1911. Président de l'Assemblée territoriale des Comores (avril 1958). Ancien gouverneur de l'administration autochtone. Ancien ministre des Finances du conseil de gouvernement des Comores. Elu député des Comores le 31 mai 1959, réélu en 1962. Apparenté au groupe *U.N.R.*

ICART (Fernand).

Entrepreneur, né à Nice le 3 décembre 1921. Conseiller général des Alpes-Maritimes. Président de la Chambre économique de la Côte d'Azur. Suppl. de Corniglion-Molinier (*U.N.R.*). Proclamé député des Alpes-Maritimes à la mort (9-5-1963) de ce dernier. Candidat gaulliste en 1967 : non réélu.

IDEE LIBRE (L').

Revue mensuelle, fondée en 1911 par André-Georges Roulot, dit Lorulot, le farouche anticlérical disparu il y a quelques années, qui anima pendant près d'un demi-siècle la *Fédération Nationale de la Libre Pensée*. Y collaborèrent : Henri Barbusse, Victor Margueritte, Hans Ryner, Romain Rolland, André Wurmser, etc. Dirigée actuellement par R. Labrégère, que seconde un comité composé de J. Cotereau, Guy Fau, Perrodo-Le Moyne, H. Buisson, A. Prudhommeaux, R. Maurice, A. et P. Lapeyre, Argence (siège : 7, quai René-Veil, Vesoul, Haute-Saône).

IDEES.

« Revue de la Révolution nationale »,

Idées date de 1941. Fondée par Re[n] Vincent, elle était rédigée par des écr[i] vains et des journalistes connus : Ser[g] Jeanneret, ancien président des instit[u] teurs royalistes, Pierre Andreu, Philip[p] de Clinchamps, Gilbert Pradet, Ala[in] Galante, Pierre Dominique, Charles Ma[r] ban (Caillemer), Gilbert Sigaux, L. [de] Gérin-Ricard, M. Morht, Jean Turla[is] Maurice Gaït, M. Martin du Gard, A. P[e] titjean, Louis Salleron, Kleber Haeden[s] François-Charles Bauer (François Ch[a] lais), Jean Maze, Drieu La Rochell[e] François Perroux, Gustave Thibon, A[n] dré Fraigneau, La Varende, Gaetan Sa[n] voisin, etc...

IDEES ET LES FAITS (Les).

Fondée quelques années après la Lib[é] ration, cette revue éphémère était dir[i] gée par Maurice Barbarin (Maxen[c] Bearne), assisté de Philippe Bure[au] (Meïer), rédacteur en chef. Principa[ux] collaborateurs : Maurice Clavière, Com[te] Le Roch, Paul Montfort, Christian Pe[r] roux, Claude Malet, Charles de Jonqui[è] res, etc-

IDEOLOGIE.

Ensemble d'idées se rattachant [à] une doctrine philosophique ou social[e] L'*idéaliste* est la personne qui défen[d] ses idées d'une manière désintéressé[e] sans chercher à en tirer profit. L'*idé[o]* *logue* est un rêveur poursuivant un idé[al] chimérique.

IGOIN (Haïm-David, dit Albert).

Financier, né à Tragul-Frumos (Ro[u]

manie), le 10 février 1915. Naturalisé français par décret du 24 décembre 1938, a été autorisé à substituer à son nom patronymique de *Jaller*, celui d'*Igoin*. Fut, après la Libération, le collaborateur des ministres communistes Billoux et Tillon. Homme de confiance et représentant financier de l'U.R.S.S. en France, présida et administra diverses entreprises, dont *France-Navigation* (créée au siège de la *Banque Commerciale pour l'Europe du Nord*) et la *Société Parisienne de Banque*. En 1955, fut arrêté (puis relâché) par la *D.S.T.* : la police s'était étonnée de l'importance prise brusquement, dans le monde financier, par cet ancien attaché de cabinet ministériel. S'intéressa à la *Cie Française de Cultures et de Participations,* au *Consortium du Nord* ainsi qu'au groupe de presse Robert Hersant (cf. *Lectures Françaises,* nos 11, 12 et 13, 1958).

IHUEL (Paul).

Homme politique, né à Pontivy (Morbihan), le 2 novembre 1903. Agriculteur. Maire de Berné. Anc. député républicain indépendant de Pontivy (2e circ.) (1936-1940). Engagé volontaire en 1939. Prisonnier de guerre. Membre de l'Assemblée consultative provisoire (1944-45). Conseiller général du canton du Faouët (1945). Président du Conseil général du Morbihan. Membre des deux Assemblées constituantes (1945-1946). Député *M.R.P.* du Morbihan depuis 1946. Secrétaire d'Etat à l'Agriculture (cab. Bidault, février-juillet 1950).

ILLUSTRATION (L').

Grande revue hebdomadaire fondée en 1843. Considérée, dans l'entre-deux-guerres, en raison de sa diffusion et de sa tenue, comme « le premier périodique du monde ». Tirait chaque semaine à 200 000 exemplaires lus dans cent vingt pays étrangers. Directeurs : René et Louis Baschet. Rédacteur en chef : Gaston Sorbets. Rédacteurs et collaborateurs : Jacques de Lesdain, Robert de Beauplan, Louis Thomas, Gabriel Hanotaux, François Duhourcau, Cl. Serpeille de Gobineau, G. Suarez, J.-M. Aimot, René Martel, Gérard de Baecker, Rudy Cantel, P.-B. Gheusi, Jean d'Agraives, François Hulot, J. Coudurier de Chasseigne, Pierre Lucius, Henri Clerc, Louis Reynaud, etc. Fut interdite à la Libération.

IMMOBILIERE DE PRESSE ET D'EDITION (Société).

Holding du *Parti Communiste Fran**çais*. Est également connue sous le sigle *EMDEPE*. Fondée le 14 mars 1924, sous la forme d'une société anonyme au capital de 350 000 francs (anciens), jamais augmenté (à notre connaissance) depuis. Sert d'intermédiaire à la direction du *P.C.F.* pour ses investissements dans les entreprises de presse, d'édition et de librairie : a ainsi versé 1 475 000 francs (147 millions et demi d'anciens francs) au *Centre de Diffusion du Livre et de la Presse* (voir à ce nom) lors de l'augmentation de capital de ce dernier en 1964 (acte du 23 décembre 1964). Son conseil d'administration comprend : Léon, Jean, Antoine Salagnac, président-directeur général, Georges Marrane, sénateur, et Auguste Tourtaud, qui a remplacé Henri Lozeray (120, rue Lafayette, Paris 10e).

IMPARTIAL (L').

Hebdomadaire modéré fondé en 1871 et dirigé par André Briard, président, et Bernard Bonnissent, administrateur-directeur. Ses 13 000 exemplaires sont diffusés dans le Vexin (6 et 8, avenue de la République, Les Andelys, Eure).

IMPERIALISME.

Politique d'une nation visant à dominer politiquement, économiquement ou idéologiquement certains Etats. La concentration des capitaux entre les mains de groupes financiers ou industriels qui assure à ceux-ci de véritables monopoles dans certains secteurs économiques, est une forme d'*impérialisme* (ou de *colonialisme*).

INCIVIQUES (voir : indignes nationaux).

INCONDITIONNEL.

Se dit d'un partisan qui suit aveuglément son ou ses chefs. Le terme est, principalement, appliqué au militant gaulliste qui fait confiance au général De Gaulle bien qu'il ne saisisse pas toujours les mobiles de sa politique, ou bien qu'il soit opposé à certaines de ses initiatives et à certaines de ses décisions.

INDEPENDANCE FRANÇAISE (L').

Journal monarchiste paraissant à Paris en 1946-1950 ; fondé par Marcel Justinien, il avait pour principal rédacteur Jean-Louis Lagor, futur directeur d'*Itinéraires,* sous le pseudonyme de Jean Madiran. Antoine Blondin, J.-M. Desse, Roger Paret, Julien Guernec, Sylvain Bonmariage, André Joussain, Pierre Buffière, etc., collaboraient également à ce bi - mensuel. *L'Indépendance Française* fut la seule publication, à notre connaissance, qui se permit, en février 1949, de rendre hommage à Drumont, à l'occasion de l'anniversaire de sa mort. C'est elle également qui osa ouvrir six ans après la Libération, une vaste enquête sur le fascisme, sujet tabou, à laquelle prirent part Alfred Fabre-Luce, Simon Arbellot, Pierre Dominique, Jacques Perret, Pierre Nicolas, René Barjavel, Michel Mohrt, Jacques Isorni, François Le Grix, Gonzague Truc, Lucien Maulvaut, E. Beau de Loménie, Pierre Varillon, Robert Havard de la Montagne, René Johannet et... Charles Maurras, lui-même, sous le pseudonyme d'Octave Martin (il était alors détenu à Clairvaux). Marcel Justinien, emprisonné, dut interrompre la publication de *L'Indépendance Française* d'octobre 1946 à mars 1947. Il avait, en effet, commencé la publication de son journal avant d'avoir reçu la fameuse « autorisation préalable », et le gouvernement Bidault l'avait fait jeter en prison. Défendu par Me Isorni, il fut relaxé en correctionnelle (mars 1947). Les amendes et les frais, qui l'obligèrent à s'endetter de plus de deux millions, l'amenèrent à s'entendre avec *Aspects de la France*, qui absorba son journal au début de l'été 1950.

INDEPENDANT (L').

Quotidien de centre-gauche fondé au xixe siècle à Perpignan (selon *L'Annuaire de la Presse* de 1912, il fut créé en 1868, et d'après *L'Annuaire de la Presse* de 1965, il aurait paru dès 1846). Dans l'entre-deux-guerres, *L'Indépendant des Pyrénées-Orientales* était publié sous la direction de Georges Brousse, que secondaient René Brousse, directeur-administrateur, et Edouard Chichet, administrateur délégué. Le journal poursuivit sa publication après l'armistice. Georges Brousse fut déporté au camp d'Auschwitz et fusillé à Marienburg le 15 avril 1945 ; il fut le seul directeur de journal français exécuté par les Allemands. Néanmoins, à la Libération, une instruction judiciaire fut ouverte contre *L'Indépendant* et l'*Imprimerie du Midi*. Cette instruction fut close par une ordonnance de classement, rendue le 7 mai 1946 par le Commissaire du Gouvernement auprès de la Cour de Justice des Pyrénées-Orientales. Les propriétaires du journal reçurent, quelques mois plus tard (10 octobre 1946) l'autorisation de faire reparaître *L'Indépendant*. Mais l'année suivante (20 février 1947), le président du Tribunal Civil de Perpignan refusait la levée du séquestre et il fallut un arrêt de la Cour de Mont-

pellier (13 mai 1947) pour que la main levée du séquestre fût ordonnée. La Cour de Cassation (9 mai 1949) rejeta le recours formé contre la décision de Montpellier. Entre temps, sous prétexte de faits nouveaux, une seconde information fut ouverte contre *L'Indépendant* (30 octobre 1947) et une ordonnance de référé (16 décembre 1947), confirmée par un arrêt de la Cour de Montpellier (30 juin 1948), replaça les biens sous séquestre. Mais un second non-lieu, rendu par la Cour de Justice de Toulouse (4 octobre 1949), intervint et la famille Brousse présenta une demande de main levée de séquestre. Malgré l'avis défavorable du ministre P.-H. Teitgen, le Tribunal civil de Toulouse prononça la mainlevée immédiate. Le 18 avril 1950, *L'Indépendant* put enfin renaître. Louis Noguères, ancien président de la Haute Cour et ancien député socialiste, était à l'origine de la majeure partie de ces ennuis ; il avait créé, avec des amis socialistes, à la Libération, un quotidien, *Le Républicain du Midi*, pour remplacer *L'Indépendant* interdit. *L'Indépendant* reparut au moment où le journal de Louis Noguères suspendait sa publication. Dans un éditorial, Paul Chichet, directeur de *L'Indépendant*, dénonça avec vigueur les « *basses manœuvres politiques* », les « *interprétations tendancieuses d'une législation obscure et contradictoire, la haine de quelques faux grands hommes qui se donnent des airs de justiciers* ». Il récupéra assez vite son public et, avec 71 000 exemplaires, il est aujourd'hui un grand journal. Sa société éditrice, constituée le 1er juillet 1942, au capital de 2 millions de francs, sous forme de S.A.R.L., a pour gérants : Paul Chichet et Georges Brousse jeune. L'état-major du journal, dont Paul Chichet est le chef, comprend Georges Brousse, Henri Rosat, secrétaire général, Francis Velasco, rédacteur en chef, Jean Baille, secrétaire administratif. *L'Indépendant* et son hebdomadaire *L'Indépendant-Dimanche* sont largement diffusés dans les Pyrénées-Orientales et dans l'Aude (4, rue Emmanuel-Brousse, Perpignan).

INDEPENDANT DES BASSES-PYRENEES (L').

Quotidien modéré, fondé en 1867 à Pau. S'appelait alors *L'Indépendant des Pyrénées*. Disparu pendant la dernière guerre.

INDEPENDANT DE LA COTE D'AZUR (L').

Hebdomadaire fondé le 18 juin 1948

par Aimé J. Monnin. Républicain indépendant soutenant l'œuvre de la Vᵉ République. Directeur : Georges H. Guiraud, assisté de Mme Adrienne Guiraud et Pierre Escabasse. Diffusion : 9 996 (O.J.D.). (43, rue de la République, Antibes.)

INDEPENDANT D'EURE-ET-LOIR (L').

Journal de gauche, fondé en 1886. Avait avant 1939 et après la Libération Maurice Viollette pour directeur politique. Paraissait trois fois par semaine sous la IIIᵉ République et chaque jour sous la IVᵉ. Fut absorbé par La République du Centre, d'Orléans.

INDEPENDANT-EUROPE LIBERALE (L').

Journal bi-mensuel indépendant et national, fondé en 1953 sous le titre de Indépendant du Sud-Ouest. Son E.-M. se compose de : Robert Cassagnau, directeur ; Louis-Georges Planes, éditorialiste ; Ch.-G. de Montalier, secrétaire général ; Marie-Magdelaine Kergo, secrétaire général adjoint (6, rue Blanc-Dutrouilh, Bordeaux).

INDEPENDANT DE PARIS (L').

Journal modéré, anticommuniste, fondé en 1936 par le sénateur Henry Lémery et disparu à la guerre. Rédacteurs : Maurice Heim, Henry Janières, Hubert de Lagarde, etc.

INDICATEUR.

Agent rétribué ou bénévole d'un service de police (ou d'un groupe), renseignant secrètement celui-ci. L'indicateur (appelé aussi mouchard) est, bien souvent, le membre zélé du parti ou du groupement dont il dénonce les agissements. Les gouvernements, quel que soit le régime, entretiennent des indicateurs dans les milieux d'opposition. Lorsque ces indicateurs ne se bornent pas à informer ceux qui les emploient, mais tentent également d'entraîner, dans une action illégale, les membres des organisations qu'ils espionnent, ils deviennent des agents provocateurs (voir : provocateurs).

INDIGNE NATIONAL.

Personne frappée de la dégradation nationale au lendemain de la Libération en raison de son attitude en 1940-1944 (voir à Epuration).

INELIGIBLE.

Personne qui n'a pas le droit de solliciter une fonction élective. Furent déclarés inéligibles, par l'ordonnance d'Alger du 21 avril 1944, les parlementaires qui avaient, le 10 juillet 1940, voté les pleins pouvoirs au gouvernement de la République, présidé à l'époque par le maréchal Pétain. Plusieurs de ces députés furent relevés de l'inéligibilité pour services rendus à la Résistance, et la loi d'amnistie, dont le député Devaud fut le rapporteur en 1953, rendit leurs droits aux autres.

INFORMATION.

Nouvelle donnée par la voie de la presse, de la radio, de la télévision ou de toute autre manière. L'information politique est assimilée à la propagande lorsqu'elle est tendancieuse, déformée, incomplète, ce qui est très souvent le cas.

INFORMATION (L').

Créée en 1899, L'Information financière, économique et politique devint, à partir de 1902, la propriété d'une Société anonyme L'Information. Son directeur, avant la Deuxième Guerre mondiale, était Léon Chavenon ; mais c'était la banque Lazard frères et Cie qui, en fait, en était la propriétaire. Au cours des années 30, Fernand de Brinon fut son principal rédacteur et éditorialiste. Par son caractère, sa tenue, sa diffusion, L'Information était alors le plus important des journaux financiers. L'immeuble qu'elle occupait est devenu le siège du Parisien libéré. Depuis le 20 février 1950, L'Information, dont Robert Bollack (voir à ce nom) devint le directeur, est publiée par la Société Nouvelle du journal L'Information, dont le siège est à Paris, dans les locaux de L'Agence Economique et Financière. Cette dernière, qui était jusqu'à l'an dernier propriété de la famille Bollack, avait été fondée avec l'appui d'Yves Guyot. Sous la direction de Robert Bollack, L'Information tenta de prendre, il y a une quinzaine d'années, une partie de la clientèle du Monde ; elle y fut aidée par un groupe d'industriels et de financiers qui désapprouvaient l'attitude « neutraliste » du journal d'Hubert Beuve-Méry. A la mort de Robert Bollack, L'Information et L'Agence Economique et Financière ont été dirigées par son frère André Bollack. Au cours de l'été 1966, la famille Bollack céda ses deux journaux à un important groupe financier qui comprendrait la Banque de Paris et des Pays-Bas, le Crédit Commercial de France, Péchiney, Saint-Gobain et la Cie Financière de Suez (cf. Le Monde, 1-6 et 23-8-1966). Ses 31 000 exemplaires sont principalement lus dans les milieux d'affaires. (108, rue de Richelieu, Paris 2ᵉ.)

INFORMATION MONARCHIQUE (L')
(voir : **Légitimiste**).

INFORMATIONS CATHOLIQUES INTERNATIONALES (voir : **La Vie Catholique Illustrée**).

INSTITUT D'ETUDES CORPORATIVES ET SOCIALES.

Organisme créé à Paris en 1934, sous le patronage du maréchal Pétain et officialisé, en quelque sorte, par lui en 1940. Le conseil supérieur de l'*I.E.C.S.* était présidé par François Olivier-Martin, de la Faculté de droit de Paris, assisté de : Georges Blondel, professeur à l'Ecole des Sciences Politiques ; Alfred Rolland, vice-présidents ; Jacques André, Louis Baudin, professeur à la Faculté de droit de Paris ; Pierre Cheylus, ancien directeur-gérant de *Courrier Royal ;* Henri Huguet ; Louis Le Fur, professeur à la Faculté de droit de Paris ; Jean-Guillaume Henri-Martin, de l'Académie des Beaux-Arts ; Achille Mestre, professeur à la Faculté de droit de Paris. Un Comité patronnait l'organisation. En faisaient partie : Lucien Allix, président de la Confédération des Cadres de l'Economie Nationale ; Firmin Bacconnier, Maurice Clavière, écrivains ; Albert Coustenoble, président de l'Assemblée des Présidents des Chambres de Métiers ; Georges Dumoulin, ancien secrétaire de la *C.G.T. ;* Mme Dussane, de la Comédie française ; J.-C. Gignoux, ancien ministre ; Sacha Guitry, de l'Académie Goncourt ; Hubert Lagardelle, ministre du maréchal ; Georges Lamirand ; le marquis de La Tour du Pin ; le député J. Le Cour-Grandmaison, président de la *Fédération Nationale Catholique ;* le duc de Levis-Mirepoix ; Pierre Loyer, directeur du Service de l'Artisanat, ancien éditorialiste de la *Revue Internationle des Sociétés secrètes ;* Pierre Lucius ; Jean Mersch, président des *Jeunes Patrons ;* Joseph de Pesquidoux, de l'Académie française ; Raoul d'Orbigny, président des Jeunes de l'*U.N.C. ;* Pierre Vigne, ancien président de l'Internationale des mineurs ; Lamotte, ancien secrétaire du *Cercle La Tour du Pin.* La formation des cadres était assurée par trois organismes : le *Collège d'Etudes Syndicales et Corporatives,* dirigé par André Voisin et siégeant à Paris, boulevard Saint-Germain ; l'*Ecole de Hautes Etudes Corporatives,* dirigée par Robert Guillermain ;

le *Cours supérieur de l'Institut d'Etudes Corporatives,* dirigé par Louis Salleron. A côté de cet enseignement d'ordre général, trois autres organismes dispensaient un enseignement plus spécialisé : l'*Ecole des Hautes Etudes Artisanales* (directeur : Georges Chaudieu), le Cours social de l'*Institut d'Etudes Corporatives et Sociales* (directeur : Marcel Didier) et le *Collège Paysan* (directeur : Louis Salleron). La direction effective de l'Institut était assurée par Maurice Bouvier-Ajam, assisté (pour l'administration générale) par Jean A. Vieux, André Géraud, Raymond Portail et (pour les études) par Robert Guillermain. Le corps professoral était nombreux et choisi. A côté des vétérans du corporatisme comme Firmin Bacconnier (de l'*Action Française*), Louis Salleron et Marcel Felgines, figuraient Gignoux, de la *Journée Industrielle,* Pierre Virion, Jacques Bassot, Alphonse Joffre, Pierre Marty, Maurice Duverger, ancien dirigeant de l'*U.P.J.F.* (jeunes de Doriot), Maurice H. Lenormand, Mᵉ François Prévost, Jean Quéval, de l'*Agence Inter-France,* Pierre Tixier, etc. Le *Collège d'Etudes Syndicales et Corporatives* avait pour objet principal « *de diffuser les idées sociales de la Révolution nationale, par l'illustration de la doctrine corporative du maréchal dans ces milieux professionnels et dans les organisations de jeunesse.* » Ceux des élèves qui avaient subi avec succès l'examen de fin d'année et obtenu le diplôme secondaire des Hautes Etudes Corporatives pouvaient suivre le *Cours Supérieur* de l'Institut. L'enseignement de l'Institut se faisait également par correspondance. Mais ceux des militants de la Révolution Nationale et des fidèles du maréchal qui ne pouvaient suivre les cours régulièrement pouvaient recevoir l'enseignement de l'Institut en lisant *Le Corporatisme,* sa revue officielle, et l'*Organisation Corporative,* journal de vulgarisation édité par l'*Office Central d'Organisation Corporative.*

INSTITUT FRANÇAIS D'HISTOIRE SOCIALE.

Organisme fonctionnant sous la présidence d'E. Labrousse, assisté de J. Lhomme et M. David, vice-présidents, Jean Maitron, secrétaire, Mme Fauvel-Rouif, secrétaire adjointe, J. Marillier, trésorier, F. Boudot, trésorier adjoint, R. Dufraisse, J. Rougerie, M. Rubel, G. Vidalenc, C. Willard, Mlle Chambillaud, Mme Percot. Publie la revue trimestrielle *Le Mouvement Social* (Hôtel de Rohan, Archives Nationales, 87, rue Vieille du Temple, Paris 3ᵉ).

INSTITUT FRANÇAIS D'OPINION PUBLIC (I. F. O. P.).

Organisme de sondage d'opinion dont les résultats, lorsqu'ils sont favorables aux clients ou aux dirigeants, sont assez largement diffusés. Fut créé en 1938, sous la forme d'une société civile de même dénomination, par Noël Pouderoux, ingénieur (fils du général Pouderoux, du corps des pompiers, haut dignitaire de la Franc-Maçonnerie), Alfred Max, aujourd'hui directeur de la rédaction de *Réalités* et d'*Entreprise* et Jean Antoine Stoetzel, actuellement directeur du Centre d'études sociologiques du *C.N.R.S.* En 1961, les trois associés ont créé une S.A.R.L. au capital de 50 000 F pour l'exploitation de l'*I.F.O.P.*, avec Hélène Riffault, nommée gérante. L'animateur de cette importante entreprise, que l'on peut ranger parmi celles « *qui fabriquent l'opinion* » ou qui, en tout cas, l'influencent très sérieusement, est Roland Sadoun, d'origine israélite nord-africaine, dont les opinions gaullistes sont connues et qui appartient au comité fondateur de *Téléspectateurs et Auditeurs de France*. De récents sondages semblent indiquer qu'il est difficile de faire aveuglément confiance à l'*I.F.O.P.* (siège: 20, rue d'Aumale, Paris-9e).

INSTITUT DES QUESTIONS JUIVES.

Organisme créé en 1941 par René Gérard et le capitaine Sézille, deux militants antisémites des années 30. Plusieurs écrivains et journalistes nationalistes, bien qu'ayant participé aux luttes antisémites de l'entre-deux-guerres, s'en étaient ou en avaient été écartés. L'*Institut* faisait paraître une revue, qui s'appela d'abord *Le Cahier Jaune* et ensuite *Revivre*.

INSULAIRE (L').

Hebdomadaire corse fondé en 1952 par Jean Makis. Directeur : Achille de Susini. De tendance centre-droit. Tirage annoncé : 6 000 exemplaires. (14, cours Grandval, Ajaccio.)

INSURGE (L').

Hebdomadaire nationaliste de tendance fasciste fondé en janvier 1937. Dirigé par Thierry-Maulnier, Guy Richelet et Jean-Pierre Maxence. Principaux collaborateurs : Dominique Bertin, Kléber Hædens, M. Y. Sicard, Michel Lombard, Robert Castille, Fernand J. Sautès, Jean Paillard, Maurice Grandchamp, Dominique Aury, H. de Reinach-Hirtzbach, les dessinateurs Delongray-Montier, Ben, R. Soupault, Ch. Saint-Georges, Zazoute, etc. (Passait pour être commandité par Lemaigre-Dubreuil — des *Huiles Lesieur* — qui fut un activiste de droite avant de jouer une autre carte au Maroc, ce qui causa sa perte.)

INSURRECTION.

Selon l'article 35 de la Déclaration de 1793, « *quand le gouvernement viole les droits du peuple, l'insurrection est pour le peuple et pour chaque portion du peuple le plus sacré des droits et le plus indispensable des devoirs* ». Commentant ce texte, le professeur Georges Burdeau déclare : « L'histoire nous enseigne que ces mêmes hommes qui rédigèrent l'article 35 gouvernèrent de la façon la plus tyrannique que notre pays ait jamais connue (...). Si l'insurrection réussit, elle prouvera par là-même qu'elle était légitime et si elle échoue, le pouvoir établi n'aura pas de peine à la faire déclarer criminelle. » (« *Droit constitutionnel et institutions politiques* », par G. Burdeau, professeur à la Faculté de droit de Paris, 1965.)

INTEGRISTE.

Nom donné par ses adversaires au catholique demeuré attaché à la fois aux traditions de l'Eglise et aux traditions nationales, donc hostile au libéralisme sous toutes ses formes.

INTELLIGENTSIA.

Mot russe désignant l'ensemble des intellectuels. Très employé lorsqu'il s'agit des intellectuels de gauche ; ceux de droite, qualifiés de *bourgeois,* de réactionnaires ou de fascistes, sont pratiquement exclus de l'*intelligentsia.*

INTER-FRANCE (Agence).

Contrairement à ce qui a été dit et imprimé bien souvent, *Inter-France* n'était pas une création allemande. C'est en 1937 que, sur l'initiative de Dominique Sordet, 27 quotidiens et 11 hebdomadaires et périodiques de province fondèrent cette agence. La direction était assurée par : le colonel Michel Alerme, président du conseil d'administration de la société ; Sordet, directeur général ; Marc Pradelle, directeur adjoint ; Georges Vigne dit P. Dovisme, rédacteur en chef, et Georges Riond, rédacteur en chef-adjoint. Dans une brochure aujourd'hui rarissime, publiée à l'occasion du congrès d'*Inter-France* des 10, 11 et 12 octobre 1942, Sordet a conté comment l'agence était née : « *Au cours de l'été de 1936, chacun pouvait constater l'impuissance de la presse qui se* *flattait de défendre les idées nationales. Elle était pourtant la plus nombreuse et la plus riche. Pendant la période électorale, plusieurs centaines de journaux avaient fait campagne contre le Front Populaire. Ils continuaient à en dénoncer les méfaits, et les événements fournissaient chaque jour à leur indignation une matière abondante. Et pourtant, la dispersion de leurs efforts, l'insuffisance de leur documentation, les erreurs, les contradictions, les injustices aussi dont leurs colonnes étaient remplies, les condamnaient à l'impuissance. Beaucoup d'argent, et parfois de talent, se dépensaient sans résultats. »* C'est alors que Sordet eut l'idée d'écrire à de nombreux directeurs de journaux nationaux, la veille encore inconnus de lui. « *Il s'agissait,* expliqua-t-il, *d'obtenir de la presse nationale qu'elle consentît à la discipline d'une manifestation de masse. Un vaste ensemble de quotidiens et d'hebdomadaires devait faire paraître au jour dit, en première page, un bilan sérieux, nourri de faits et de chiffres, des quatre premiers mois de* Front Populaire. *L'entreprise heurtait les habitudes des journaux. Elle les effrayait dans la mesure où le Gouvernement en place* (celui de Blum. N.D.L.R.) *était, malgré tout redouté.* Elle venait d'un journaliste isolé que ses attaches (*L'Action Française*) et sa spécialisation (la critique musicale) rendaient doublement suspect. Elle réussit pourtant au-delà de toute espérance... Un matin d'octobre (1936), le Gouvernement de Léon Blum fut mis en accusation dans trois cents journaux qui avaient tout l'air de s'être fédérés pour une campagne de grand style. *Le Populaire, L'Humanité, Ce Soir* réagirent avec une violence qui trahissait leur inquiétude. La puissance d'une presse méthodiquement dirigée s'affirmait en France pour la première fois. »* Ce premier succès enhardit Sordet. Au début de 1937, il créait avec Marc Pradelle, directeur de *L'Avenir du Loir-et-Cher*, de Blois, l'agence *Inter-France*, qui fut installée rue de Téhéran. Les fondateurs avaient obtenu l'aide financière de plusieurs industriels français qu'effrayait la vague communiste : Georges-René Laederich, Bernard de Revel, Georges Marignier, etc... L'équipe du début comprenait, outre Sordet et Pradelle, André Delavenne, fils d'un président national du Conseil Municipal de Paris, et Louis Kempf, auxquels se joignirent bientôt le colonel Alerme, Georges Vigne, Xavier de Magallon, ancien député royaliste, Dormeuil dit Jean Quéval. En 1941, l'agence créait *Inter-France-Informations*. L'année suivante, une subvention du ministère de l'Information (3 000 000 de francs en 1943, 4 200 000 prévus en 1944) officialisait l'organisme. Le congrès d'*Inter-France* tenu à Paris les 10, 11 et 12 octobre 1942 donnèrent une idée de l'importance de cette agence, qui groupait alors 215 journaux. Les personnalités officielles étaient présentes à ces journées, depuis le préfet de la Seine, Amédée Bussière, jusqu'au directeur de la presse de Vichy, A.-M. Piétri, en passant par Charles Trochu, président du Conseil municipal de Paris, et Paul Marion, ministre du maréchal Pétain. Au banquet qui clôtura les *Journées Inter-France*, outre les inévitables représentants des occupants et les envoyés des gouvernements, on remarquait : Gabriel Cognacq, patron de *La Samaritaine*, président de l'*Entraide d'hiver du Maréchal*, Gilbert Cesbron et Henri Philippon, du *Secours National*, Raymond Lachal, directeur général de la *Légion Française des Combattants*, J. Darnand, chef du *S.O.L.*, Paul Guitard, du service de presse du gouvernement général de l'Algérie, le colonel Puaud, Xavier de Magallon, Marcel Boucher, député des Vosges, Michel Brille, député de la Somme, l'abbé Ferdinand Renaud, Henri Dorgères, de la Corporation Paysanne, Joannès Dupraz, futur député *M.R.P.*, René Mesnard, président du *C.O.S.I.*, Pierre Taittinger, Paul Chack, Marcel Bucard, Vauquelin, des *J.N.P.*, Pierre Costantini, de la *Ligue Française*, Jean Filiol, du *M.S.R.*, Jacques Doriot, Jean Fossati, du *P.P.F.*, Henri Barbé, Marcel Déat, Georges Albertini, du *R.N.P.* Georges Suarez, Robert Gaillard, d'*Aujourd'hui*, Henri Lebre, du *Cri du Peuple*, René Château, de *La France Socialiste*, R. de Beauplan, J. Ménard, du *Matin*, Jean Luchaire, Georges Prade, Jean Riondé, de *Paris-Midi*, Jacques Vidal de La Blache, P.-A. Cousteau, Bertrand Dupeyrat, de *Paris-Soir*, Jacques Roujon, Claude Jeantet, André Algarron, du *Petit Parisien*, Gabriel Jeantet, de *France*, Henri Charbonneau, de *France-Europe*, A. de Chateaubriant, Camille Fégy, de *La Gerbe*, Louis Baschet, J. de Lesdain, de l'*Illustration*, Jean-J. Charles, Henri Forissier, de *Terre Française*, Charles Lesca, Robert Brasillach, Georges Blond, Alain Laubreaux, Lucien Rebatet, de *Je suis partout*, Ralph Soupault, Maurice de Séré, Lucien Combelle, Michel Petitjean, François Hulot, Alfred Mallet, journalistes parisiens et une foule de journalistes de province, ainsi que les rédacteurs politiques du *Radio-Journal de Paris*, Gabriel du Chastain et Jean Azema ; les représentants de l'*Agence Fournier* et *Presse-Informations* : Auguste Ardoino et Gaston Morancé ; des personnalités du monde des affaires : Henri Ardant, président du C.O. des Banques, Paul Berliet, des *Automobiles Berliet*, Georges Claude, Georges-René Laederich, Pierre Nicolle, président du *Comité de Salut Economique*, Marcel Paul-Cavallier, président des *Fonderies et Hauts Fourneaux de Pont-à-Mousson*, Georges Rouzaud, de *La Marquise de Sévigné*, Eugène Schueller, de *Mon Savon-L'Oréal*, etc... (Cf. « *Partis, journaux et hommes politiques* », publié sous la direction de Henry Coston, Paris, 1960.) Dominique Sordet mourut peu après la Libération et ses collaborateurs se dispersèrent ou furent épurés.

INTERDICTION DE SEJOUR.

Peine frappant automatiquement certaines catégories de condamnés, ou infligée individuellement à tel ou tel condamné, qui interdit l'accès de localités ou de départements déterminés. Appliquée par les tribunaux d'exception aux condamnés politiques, cette peine gêne, en général, le reclassement des libérés. Les condamnés de droit commun qui la subissent ne peuvent s'y soustraire sans risque que dans la mesure où ils acceptent de renseigner la police sur le *milieu* (voir : *indicateur*).

INTERET CHOLETAIS. (L').

Hebdomadaire se réclamant de l'*Intérêt Public* de Cholet, fondé en 1850 et qui dut interrompre sa publication en 1944. Indépendant et modéré, comme son prédécesseur, tend à reconquérir le public important qui avait fait confiance à celui-ci pendant près d'un siècle (13, boulevard Gustave-Richard, Cholet).

INTERET FRANÇAIS (L').

Hebdomadaire fondé en 1921. Devise : « Pas d'ennemi à droite ». Directeur : Auguste Cavalier, auteur des « *Rouges Chrétiens* ». (Disparu avant la guerre.)

INTERNATIONALE.

Association d'ouvriers de divers pays unis pour défendre leurs revendications communes. Idée de l'*Internationale* est due à Flora Tristan qui préconisait, dès 1843, la création d'une société universelle d'ouvriers ; mais c'est à Karl Marx et Engels, qui lancèrent à Londres, en 1847, leur fameux slogan : « *Prolétaires de tous les pays, unissez-vous !* » que l'on doit, en grande partie, sa réalisation. L'*Internationale des Travailleurs* fut fondée à la suite d'un voyage d'ouvriers français à l'Exposition de Londres en 1862 ; elle vit le jour à Genève, en 1866, au cours d'un congrès qui adopta les statuts que Marx avait inspirés. Bakounine, le révolutionnaire russe, adhéra peu après à la *Première Internationale* et s'opposa à Marx, alors considéré comme le *leader* du mouvement. Après le vote d'une loi française (14 mars 1872) qui interdisait aux ouvriers de s'y affilier, l'*Internationale des Travailleurs* périclita et disparut.

La *IIe Internationale* ou *Internationale ouvrière* fut constituée en 1889, à l'issue du Congrès de Paris. Elle tint successivement ses second et troisième Congrès à Bruxelles (1891) et à Zürich (1893). C'est ce dernier congrès qui décida, par 16 voix contre 2 (Espagne et France) de n'admettre que les associations socialistes reconnaissant la nécessité de l'organisation ouvrière et de l'action politique. Cette motion, qui visait les anarchistes, fut votée une seconde fois à Londres, en 1900. Le Congrès de Paris, qui siégea en septembre 1900, précisa la doctrine de l'*Internationale Ouvrière* en ce qui concerne la conquête du pouvoir : « *Dans un Etat démocratique moderne, la conquête du pouvoir politique par le prolétariat ne peut être le résultat d'un coup de main, mais bien d'un long et pénible travail d'organisation prolétarienne sur le terrain économique et politique, de la régénération physique et morale de la classe ouvrière et de la conquête graduelle des municipalités et assemblées législatives. Mais dans les pays où le pouvoir gouvernemental est centralisé, il ne peut être conquis fragmentairement. L'entrée d'un socialiste isolé dans un groupement bourgeois ne peut pas être considérée comme le commencement normal de la conquête politique, mais seulement comme un expédient forcé, transitoire et exceptionnel.* » (cité par Paul Louis, in « *Histoire du socialisme en France* », Paris, 1946.) Au Congrès international suivant, tenu à Amsterdam du 14 au 20 août 1904, les divers partis socialistes français qui y étaient représentés (*Parti Socialiste de France* (Vaillant), *Parti Socialiste Français* (Jaurès), *Parti Ouvrier Socialiste*, etc.) se rapprochèrent sous la pression de plusieurs délégués étrangers, dont Bebel. L'année suivante, ils fusionnèrent au sein du *Parti Socialiste* qui se proclama *Section Française de l'Internationale Ouvrière* (S.F.I.O.).

La *IIIe Internationale* ou *Internationale communiste* vit le jour à Moscou, en mars 1919. Après diverses manœuvres, qui aboutirent à la scission de Tours (1920), la majorité du *Parti Socialiste* rejoignit la *IIIe Internationale* et se constitua en *Parti communiste S.F.I.C.* (Section Française de l'Internationale

Communiste). L'*Internationale commu-niste,* dite aussi *Komintern* (abréviation de KOMunist INTERNationale) fut dissoute par Staline en 1943 (pour rassurer les alliés de l'U.R.S.S.) et remplacée en 1947 par le *Kominform.*

La *IVᵉ Internationale* fut fondée par Trotsky après que ce dernier eût été évincé par Staline qui le bannit de Russie en 1929. Divers groupes marxistes se réclament en France du *trotskysme,* en particulier le *Parti communiste internationaliste* (voir *trotskystes*).

INTERNATIONALISME.

Doctrine selon laquelle l'intérêt national doit être subordonné à l'intérêt général des nations. L'*internationalisme prolétarien* (des communistes) reconnaît des intérêts et des buts communs aux travailleurs de tous les pays ; en fait, la solidarité des prolétaires est surtout invoquée par les communistes lorsque la politique extérieure de l'U.R.S.S. l'exige.

INTERNEMENT.

Les lois de la guerre permettent à un Etat belligérant d'*interner* les ressortissants d'un Etat ennemi, ou à un Etat neutre de garder dans des camps d'internement les soldats de puissances en guerre. Lors de la guerre d'Algérie, plusieurs centaines d'adversaires de la politique du général De Gaulle ont été frappés de mesures d'*internement administratif* et enfermés dans des camps de concentration (Saint-Maurice l'Ardoise, Thol, ancien hôpital Beaujon). La durée de leur détention dépendait du bon vouloir du ministre de l'Intérieur qui avait signé l'ordre d'internement.

INTERPELLATION.

Demande d'explication adressée par un parlementaire à un ministre ou au gouvernement et sanctionnée par le vote d'un ordre du jour. Sommation faite par un magistrat ou un officier ministériel d'avoir à dire ou à faire quelque chose. Dans le langage de la police, *interpeller,* c'est *arrêter* pour quelques heures une personne, soit pour contrôler son identité, soit dans l'attente d'une décision judiciaire.

INTRANSIGEANT (L').

Quotidien modéré fondé en 1880. Dirigé tour à tour par Henri Rochefort, Léon Bailby et Louis Louis-Dreyfus, le sénateur-banquier. Principaux collaborateurs (avant la guerre) : Jean Fabry, Louis Latzarus (Gallus), Robert Dubard, Marcel Sauvage, Pierre Humbourg, Yves Gandon, etc. Absorbé après la guerre par *Paris-Presse.*

INVALIDATION.

Décision rendant nulle l'élection d'un parlementaire, d'un conseiller général, etc. Les dernières *invalidations* massives eurent lieu après les élections législatives du 2 janvier 1956 : l'Assemblée nationale *invalida* une douzaine d'élus poujadistes : Clair Bareylon, Cyprien Calmel, Edgar Cochet, Lionel Cottet, François Duchoud, Maurice Guichard, Maurice Guignard, Jean Lamalle, Robert Martin, Joseph Vignal, etc. Autre invalidation qui fit quelque bruit à la même époque : celle de Robert Hersant, élu dans l'Oise, auquel on reprochait son activité politique sous l'occupation.

INVASION.

Irruption faite dans un territoire par une force armée. Par ext. envahissement d'un pays par un grand nombre de personnes étrangères.

INVESTITURE.

Sous la IVᵉ République, vote de confiance de l'Assemblée nationale au président du Conseil désigné. Acte par lequel un parti, un groupe, une association désigne un candidat à une fonction élective et l'autorise à porter ses couleurs dans la compétition.

ISAUTIER (Alfred).

Ingénieur-conseil, né à Saint-Pierre (La Réunion), le 29 juin 1911. Administrateur de sociétés, ancien directeur général des *Etablissements Isautier,* président honoraire du *Syndicat général des travaux publics et du bâtiment* de La Réunion, administrateur de la *Fédération nationale des travaux publics de France.* Ancien conseiller général, ancien conseiller de l'Union française. Sénateur indépendant de La Réunion depuis 1959.

ISOLATIONNISME.

Politique d'un Etat qui s'isole des autres Etats et rejette toute participation au « concert des nations ». L'*isolationnisme* américain, pratiqué surtout à l'égard des pays européens au cours des années 20 et 30, découlait de la déclaration du président Monroe (1759-1831) qui repoussait toute intervention européenne dans les affaires du continent américain et des Etats-Unis dans les affaires de l'Europe. C'est au nom de l'*isolationnisme* que les Etats-Unis refusèrent de ratifier, en 1919, le traité de Versailles. Les partisans de l'*isolation-*

isme empêchèrent le président Roo-evelt d'aider les démocraties euro-péennes luttant contre l'Axe, mais ils s'inclinèrent lorsque les Japonais eurent attaqué Pearl Harbor. Bien que moins nombreux et moins puissants qu'il y a trente ans, les *isolationnistes* américains n'ont pas désarmé, et l'attitude de certains Etats européens leur donne souvent des arguments pour leur propagande.

ISORNI (Jacques, Alfred, Antoine, Tibère).

Avocat, né à Paris le 3 juillet 1911. Descendant de Mme Marchand, berceuse du roi de Rome. Etudiant, il fonda avec Robert Grasset et son frère, Pierre Isorni, un petit journal politique et littéraire d'inspiration maurrassienne : *Rivarol* — vingt ans avant la création de l'hebdomadaire actuel. Après ses études de droit, il s'inscrivit au barreau de Paris (1932), et fut premier secrétaire de la Conférence des Avocats. De grandes causes, celles du maréchal Pétain et de Robert Brasillach, l'ont rendu célèbre. Candidat à Paris, en juin 1951, sous le signe d'*U.N.I.R.*, dont il était le co-fondateur, il fut élu. Aux élections suivantes, en 1956, il obtint l'investiture du *Centre National des Indépendants* et triompha de ses adversaires. Il se fit remarquer au parlement par ses interventions en faveur de l'amnistie, contre l'activité communiste et pour l'Algérie française. Après le 13 mai 1958, lorsque la candidature du général De Gaulle à la tête du gouvernement fut lancée par ses amis, il fut le seul député qui prit la parole contre le futur président de la République :

« *Mesdames, messieurs*, — déclara-t-il, — *il est possible que nous vivions une des dernières journées de la IVᵉ République. Et je voudrais exprimer une conviction, au moment où le général De Gaulle s'est adressé à la nation. Le général De Gaulle s'est adressé à la nation au-dessus des autorités de la République, en revendiquant les « pouvoirs de la République ». Si les mots ont encore un sens, cela veut dire qu'il revendique le pouvoir exécutif et le pouvoir législatif, c'est-à-dire la dictature. Il les revendique au moment où une partie de notre peuple, désespéré et en péril, semble faire appel à lui. Je m'adresse à vous, mes chers collègues, mais — peut-être ai-je quelques illusions, — avec l'idée, le désir que mes paroles puissent être entendues au-delà de la Méditerranée. Alors que, pour la plupart d'entre nous, nous avons inscrit dans notre cœur « l'Algérie fran-*

çaise », *comme l'ont inscrit d'ailleurs les milliers de soldats qui s'y battent, comme le crie l'Algérie elle-même tout entière, le général De Gaulle n'a pas prononcé ces mots. Alors que tant d'Européens et de Musulmans se tournent vers lui avec anxiété, il ne se tourne pas vers eux. Il répond seulement : « Moi, De Gaulle ! »* (Séance de l'Assemblée nationale du 16 mai 1958.)

Il ne fut pas réélu aux élections suivantes (novembre 1958), en raison du maintien de son opposition au moment du référendum, — contrairement à nombre de ses amis qui firent voter « oui ». Il se consacra dès lors à la défense des militants de l'Algérie Française, jusqu'au jour où, ayant mis en cause un magistrat dont le comportement passé ne lui semblait pas exempt de critique, il fut radié du barreau pour trois ans (1962). Pour assurer son existence et poursuivre le combat, il publia des livres et fit des conférences. Lors de l'élection présidentielle, il crut tout d'abord que le président Pinay se présenterait. Quand il fut convaincu du contraire, il rallia la candidature Lecanuet. S'adressant « *à ceux qui* (en 1958) *disaient « oui » en dépit de* (ses) *avertissements et qui ne s'en souviennent plus* », il écrivit, dans la tribune libre du *Monde*, un article pour expliquer sa position : « *Que ceux-là, qui ont amené et consolidé Charles De Gaulle au pouvoir pour défendre l'Algérie française, et déplorent aujourd'hui avec fureur ce qu'ils ont eux-mêmes provoqué, ne fassent rien pour l'y maintenir. Une si funeste erreur suffit à une carrière. Moi, je voterai pour Lecanuet.* » (23-10-1965.) Jacques Isorni est l'auteur de nombreux ouvrages : « *Souffrance et mort du Maréchal* », « *Ainsi passent les Républiques* », « *C'est un péché de la France* », « *Le silence est d'or* », « *Lui qui les juge* », « *Pétain a sauvé la France* », etc. et il a préfacé « *Pétain toujours présent* », contenant les textes politiques du Maréchal.

ISRAEL.

Ensemble du peuple juif. Nom porté par l'Etat juif de Palestine fondé en vertu d'une décision de l'O.N.U. (1947) sur un territoire dont les limites étaient fixées par elle et qui fut sensiblement agrandi à la suite d'une guerre qui opposa la jeune nation israélienne à ses voisins arabes (voir : *Juif* et *Sionisme*).

ITINERAIRES.

Revue mensuelle catholique de droite, fondée en 1956 par Jean Madiran, Henri Charlier, Louis Salleron, Marcel Clément et Henri Pourrat, auxquels se joignirent bientôt l'amiral Auphan, Henri Massis, Marcel De Corte et Jean de Fabrègues. Ce dernier quitta la revue au troisième numéro ; l'écrivain Pourrat mourut en juillet 1959 ; Clément devint rédacteur en chef de *L'Homme nouveau*, et Luc Baresta, qui était venu renforcer la rédaction en 1960, s'en éloigna en 1964 lorsqu'il devint rédacteur en chef de *La France catholique*. Les principaux collaborateurs d'*Itinéraires* ont été, au cours de ces dix ans, fort nombreux. Citons, parmi les principaux : Joseph Hours, un ancien de *l'Aube* et de *La Vie intellectuelle*, qui avait appartenu aux groupes clandestins de Lyon pendant l'occupation, puis au *M.R.P.*, et que l'on considérait comme un homme de gauche jusqu'au jour où sa signature parut dans cette revue traditionaliste et dans *La Nation française ;* Georges Dumoulin, qui fut chef syndicaliste et partisan de Marcel Déat, un ancien maçon converti au catholicisme ; Antoine Lestra, un historien contre-révolutionnaire ; Charles De Koninck, proche collaborateur du cardinal Roy, de Québec; Pierre Andreu; Henri Barbé, ancien secrétaire général du *P.P.F. ;* Pierre Boutang ; le Père Roger-Thomas Calmel ; André Charlier ; Alexis Curvers ; Dominique Daguet ; Hyacinthe Dubreuil ; J.-M. Dufour ; Mgr Marcel Lefebvre ; Thomas Molnar ; Jean-Baptiste Morvan, d'*Aspects de la France;* Paul Péraud-Chaillot ; Henri Rambaud ; François Saint-Pierre ; Joseph Thérol ; Gustave Thibon ; Michel Tissot ; etc. *Les Nouvelles Editions Latines* publient, d'autre part, dans la « *Collection Itinéraires* », les œuvres des collaborateurs de la revue. Le directeur d'*Itinéraire* Jean Madiran, est l'un des *leaders* d ce que les progressistes appellent, lui donnant un sens péjoratif, l' « int grisme ». Ses livres, en particulier « *Ils ne savent pas ce qu'ils font* » « *Ils ne savent pas ce qu'ils disent*) sont une critique sévère de l'orientatio prise, depuis quelques décennies, par le cercles catholiques dirigeants. Sous so patronyme : Jean Arfel, le directeu d'*Itinéraires* collaborait pendant l guerre à *L'Action française*. Après l Libération, sous le pseudonyme de Jean Louis Lagor, il fut le principal rédacteu de *L'Indépendance Française* et il écri vit divers ouvrages dont « *La Philoso phie politique de Saint-Thomas* », ou vrage préfacé par Charles Maurras, (« *Le Temps de l'Imposture* ». Sous l pseudonyme de Madiran, il collabor plusieurs années à *Rivarol* et au *B.E.I. P.I.*, ainsi qu'aux *Ecrits de Paris*.

IZARD (Georges).

Avocat, né à Abeilhan (Hérault), l 17 juin 1903. Fondateur de la *IIIᵉ* Forc Directeur adjoint de *La Flèche*, organ du *Front Social* (Bergery). Député fron tiste de Meurthe-et-Moselle (1936-1942) Volontairement, s'abstint de prendr part au vote du 10 juillet 1940. Entr dans la Résistance et fut secrétaire d l'O.C.M. Fondateur de la revue *Espri* est l'auteur de : « *La Fédération euro péenne* », « *Les classes moyennes* » « *Lettre affligée au général De Gaulle* » etc.

J

JACQUELINE (Jean-Claude).

Journaliste, né à Saint-Nicolas (Seine-Maritime), le 22 février 1942. Rédacteur à *Saint-Romain-Presse* et à *Montivilliers-Presse,* hebdomadaires indépendants de Normandie.

JACQUEMART (Claude).

Journaliste, né à Sedan, le 2 mars 1936. Etudes : Institut d'Etudes Politiques (1954-1957). Sous les drapeaux en Algérie de septembre 1957 à novembre 1959. Sous-lieutenant à la 13e demi-brigade de la Légion étrangère (1958-1959). Rédacteur en chef du *Charivari* de décembre 1959 à janvier 1962. Directeur d'une *Lettre d'Information* (1960-1961) (interdite par le ministre de l'Intérieur, elle eut plusieurs titres successifs pour échapper à l'interdiction : *Lettre d'Information de Claude Jacquemart, Presse et documentation nationales, Les Informations françaises*). Arrêté en septembre 1961 (affaire Georges Bousquet), mis en liberté provisoire après dix jours de garde à vue. Quitta son domicile parisien en janvier 1962 pour échapper à une nouvelle arrestation. Depuis, frappé de quatre condamnations pour « activisme » : deux fois à vingt ans de détention et deux fois à dix ans. En exil depuis 1962, collabore à la presse sous divers pseudonymes.

JACQUEMART (Noël, Gustave).

Journaliste, né à Sedan (Ardennes), le 24 décembre 1909. Père du précédent. Fils d'un boulanger, quitta l'école à douze ans et fut, successivement, « saute-ruisseau » chez un notaire, employé de bureau, manœuvre, aide-comptable, ouvrier aux Halles, figurant au Châtelet, aide-menuisier, marchand forain, employé de bureau, tout en poursuivant seul sa formation et ses études. Fonda en 1933 *Le Réveil de Sedan* qu'il dirigea jusqu'en 1934, puis devint, la même année, le directeur de l'hebdomadaire *L'Eclaireur de Rocroi* et de *L'Echo de Givet* et, quelques années avant la guerre, appartint à la direction de *l'Union des Journaux Français*. Prit part à la guerre de 1939 comme brigadier dans une unité combattante. Fait prisonnier en 1940, fut libéré en 1942 à la suite du décès de sa première femme. Après la Libération, fonda *L'Echo de la Presse et de la Publicité* (1945), qu'il dirige depuis vingt-deux ans avec la collaboration de sa seconde épouse, Jeanne Jacquemart. Dans les colonnes de ce journal technique et professionnel, a mené, dès 1946, une vigoureuse campagne contre les « spoliations » dont l'ancienne presse a été la victime en 1944 et dans les années qui suivirent. Ajouta par la suite, à cette publication destinée aux journalistes et aux publicitaires, d'autres revues : *L'Echo des dépositaires, L'Echo de l'Imprimerie, L'Echo de la Librairie et de l'Edition, Reflets du Cinéma, L'Echo des Relations Publiques, Mots Croisés Magazine* et *Le Charivari,* ce dernier nettement politique, dont la direction est assumée par Jeanne Jacquemart. Défenseur passionné de l'Algérie française, a connu les rigueurs de la seconde épuration pour un article paru

PREFECTURE DE LA SEINE

MAIRIE DU XI ème Arrt.

M.C. 302

RÉPUBLIQUE FRANÇAISE
Liberté - Égalité - Fraternité

Paris, le   -8 FEV 1966

Monsieur Jacquemart Noël

    Vous êtes informé qu'en exécution des prescriptions des articles 8 et 15 des décrets du 2 février 1852, votre nom a été rayé de la liste électorale de 19

    Un délai de quatre jours vous est accordé pour présenter, s'il y a lieu, vos observations contre cette mesure.

    Dans ce cas se présenter en personne au BUREAU DES ELECTIONS, les jours ouvrables de 9 h. à 12 h. et de 14 h. à 18 h., porteur de la présente et d'une pièce d'Etat-Civil, telle que LIVRET MILITAIRE ou LIVRET DE FAMILLE, BULLETIN ou ACTE DE NAISSANCE.

BUREAU OUVERT
de 9 h. à 12 h. et de 13 h. 45 à 18 h.
sauf le samedi après-midi

Le Maire,

Quand un journaliste de l'opposition est condamné pour avoir exprimé ses opinions...

dans *Le Charivari*. Auteur de « *Quatre ans d'histoire de la presse française (1944-1947)* », où sont relatés les avatars des journaux après la Libération.

JACQUET (Marc).

Industriel, né à Mercy-le-Bas (M.-et-M.), le 17 février 1913. Militant gaulliste à la Libération, fut délégué national à l'Action agricole du *R.P.F.* Elu député *R.P.F.* de Seine-et-Marne le 17 juin 1951, puis conseiller général du canton sud de Melun, le 14 octobre 1951. Elu maire de Barbizon. Nommé secrétaire d'Etat à la présidence du Conseil, chargé des relations avec les Etats Associés dans le cabinet Laniel le 14 juin 1953, dut s'en retirer le 30 mai 1954 à la suite d'une vive altercation avec le chef du gouvernement : selon *Le Figaro* (31-5-1954), on avait saisi une lettre signée : Marc Jacquet lors d'une perquisition dans les bureaux de *L'Express* et, d'après divers journaux d'opposition, on trouvait en haut lieu son attitude déplacée au moment des combats de Dien Bien Phu. Fut battu aux élections législatives suivantes et revint aux affaires industrielles et commerciales qu'il dirigeait. Après le retour du général De Gaulle, se fit élire député de Seine-et-Marne sous l'étiquette *U.N.R.* (1958) et fut réélu en 1952 et 1967. Appartint de 1962 à 1966 au gouvernement Pompidou comme ministre des Travaux publics et des Transports. Homme d'affaires important, préside la *Société nouvelle pour l'industrie du bâtiment,* et administre, entre autres entreprises, le groupe *Schneider-Radio-Télévision, Réalisations industrielles et commerciales (Ricom)* et la *Société régionale d'équipement de Seine-et-Marne.*

JACQUET (Michel).

Homme politique, né à Saint-Etienne-le-Molard (Loire) le 16 février 1907. Agriculteur. Maire de Saint-Etienne-le-Molard (depuis 1943). Anc. responsable local du *P.S.F.* (du colonel de La Rocque). Conseiller général du canton de Boen-en-Lignon depuis 1949. Elu député indépendant de la Loire à une élection partielle le 18 mai 1952, soutenu par le Parti de la *Réconciliation Française* (ex-*P.S.F.*). Réélu député *C.N.I.* le 2 janvier 1956 (liste A. Pinay) et le 30 novembre 1958. Questeur de l'Assemblée nationale (1958-1962 et depuis 1966). Membre de l'*Alliance France-Israël.* Réélu député en 1962 et 1967.

JACSON (William-Jean).

Docteur en médecine, né à Nancy (M.-et-M.) le 5 septembre 1909. Conseiller municipal de Nancy. Député *U.N.R.* de Meurthe-et-Moselle (2ᵉ circ.) depuis 1958.

JACQUINOT (Louis).

Avocat, né à Gondrecourt-le-Château (Meuse), le 16 septembre 1898. Marié avec Simone Lazard (épouse en premières noces de Paul de Saignard, marquis de La Fressange, veuve de Maurice Petsche, ministre de la IIIᵉ République et président du Conseil de la IVᵉ, associée de la banque *Lazard frères*). Inscrit au barreau de Paris. Fut le protégé et le collaborateur d'André Maginot. Appartenait, en 1926, à la *Ligue Républicaine Nationale* (d'Alexandre Millerand). Député de

la Meuse (1932-1940), sous-secrétaire d'Etat au Comité Français d'Alger (1943-1944), ministre de la Marine puis ministre d'Etat (cabinet De Gaulle, 1944-1946), membre des deux Assemblées constituantes (1945-1946), député de la Meuse depuis le 10-11-1946, ministre de la Marine (cabinet Ramadier, 1947), des Anciens Combattants (cabinets Bidault, Queuille, Pleven, Queuille, 1949-1951), de la France d'Outre-Mer (cabinets Pleven, E. Faure, René Mayer, Laniel, 1951-1954), ministre d'Etat (cabinets De Gaulle, 1954 ; Debré, 1959-1962). Réélu député de la Meuse le 25 novembre 1962. S'est aussitôt apparenté au groupe *U.N.R.* A nouveau, ministre d'Etat, chargé des départements et territoires d'outre-mer dans le deuxième cabinet Pompidou (1962-1965). Réélu député en 1967.

JACQUY (Jean).

Agriculteur, né à Montceau-les-Mines (S.-et-L.), le 27 juin 1875, mort à Bouvancourt (Marne), le 29 septembre 1954. Député (1924-1928), puis sénateur de la Marne (1933-1942). Conseiller général, maire de Bouvancourt. Nommé le 23 janvier 1941 membre du Conseil National. Pour ce motif et bien qu'ayant résisté aux Allemands (faits reconnus par le « Jury d'honneur » présidé par René Cassin, le 5 octobre 1945), fut déclaré inéligible. Le colonel Rémy fit campagne pour que justice lui soit rendue (cf. *Aspects de la France,* 15-2-1952).

JAGER (René).

Journaliste, né à Richeling (Moselle), le 8 mars 1909. Directeur politique du *Courrier de Metz* (depuis 1945). Conseiller général et maire de Fénétrange, sénateur *M.R.P.* de la Moselle (depuis 1959).

JAMAIN (Eugène, Paul, Marie).

Minotier, né à Clémont (Cher), le 2 mai 1891. Maire de sa ville natale (depuis 1927). Vice-président du Conseil général du Cher, sénateur du Cher (depuis 1959), inscrit au groupe sénatorial du *Centre Républicain d'Action rurale et sociale.*

JAMET (Claude).

Universitaire, né à Paris, le 23 juillet 1910. Disciple d'Alain, professeur, écrivain, conférencier (depuis 1932). Militant socialiste et, avant tout, pacifiste (même pendant la guerre), fut secrétaire de la section *S.F.I.O.* de Poitiers et de la fédération socialiste de la Vienne. Membre du *Comité de Vigilance des Intellectuels Antifascistes* et de la *Ligue Internationale des Combattants Pacifistes* (avant la guerre). Fit de nombreuses conférences sur Alain, Karl Marx, Jean Jaurès et participa à des débats, aux « *nouvelles conférences* », avec Jules Roy et Le Pen. Collabora, au cours de ces vingt-cinq dernières années, à divers journaux et fut directeur de *La France Socialiste* et critique littéraire à *Germinal*, à *Paroles Françaises*. Auteur de : « *Carnets de déroute* » (1942), « *Images mêlées* » (1947), « *Journal très intime* » (1948), « *Engagements* » (1949), « *L'Homme égaré* » (1953), « *Les enfantillages* » (1958), « *Le rendez-vous manqué de 1944* » (1964) et du célèbre « *Fifi Roi* » (1948), qui retrace certains aspects peu glorieux de la Libération de Paris.

JANOD (Privat).

Membre de la Chambre d'agriculture du Jura, nommé le 23 janvier 1941 au *Conseil National* (voir à ce nom).

JAQUET (Gérard).

Homme politique, né à Malakoff (Seine), le 12 janvier 1916. Docteur en médecine, militant socialiste et résistant, il fut secrétaire général adjoint de la *S.F.I.O.* clandestine sous l'occupation et membre du *Comité parisien de Libération*. Elu député aux deux Constituantes, il représenta la Seine à l'Assemblée nationale de 1946 à 1958. Délégué à l'Assemblée du Conseil de l'Europe, il fut ministre des cabinets Mollet, Bourgès-Maunoury et F. Gaillard (1956-1958) et dirigea plusieurs années *Le Populaire de Paris*, quotidien officiel de son parti et présida le *Bureau de liaison* des partis socialistes du Marché commun. Il appartient au comité directeur de la *S.F.I.O.* et préside la *Gauche européenne*, ainsi que la *Société d'Etudes et de Recherches des Moyens d'Information*.

JAILLON (Louis).

Hôtelier, né à Saint-Claude (Jura) le 28 avril 1916. Propriétaire de l'*Hôtel du Globe*. Maire de Saint-Claude. Conseiller général du canton de Saint-Claude depuis le 20 avril 1958. Elu député *M.R.P.* du Jura (1re circ.) le 30 novembre 1958, contre le député sortant Edgar Faure. Réélu en 1962, battu en 1967. Membre du *Rotary* et du groupe de la *L.I.C.A.*

JAMOT (Michel).

Chirurgien-dentiste, né à Paris, le 23 avril 1904. Maire du Mesnil-le-Roi (en 1947). Conseiller général du canton de Maisons-Laffite (1951). Anc. vice-président du Conseil général. Député *U.N.R.* de Seine-et-Oise (2e circ.) depuis 1958.

JARROSSON (Guy, Joseph, Marie, Maurice).

Agent de change, né à Lyon (Rhône), le 9 mars 1911. Syndic de la Compagnie des Agents de Change de Lyon. Fut conseiller général (1949-1961) et député national du Rhône (1951-1962), ainsi que sénateur de la Communauté et représentant de la France au Parlement européen. Appartient au conseil municipal de Lyon depuis 1947. Auteur de « *Révolution en Espagne* ».

JARROT (André).

Parlementaire, né à Lux (Saône-et-Loire) le 13 décembre 1909. Mécanicien. Ancien employé du Gaz. Garagiste. Moniteur d'aviation populaire. Responsable *R.P.F.* de Saône-et-Loire (1947). Membre du Conseil central de l'*U.N.R.* et de l'*Alliance France-Israël*. Ancien maire de Lux. Député *U.N.R.* de Saône-et-Loire (4e circ.) depuis 1958.

JAURES (Jean, Léon).

Homme politique, né à Castres (Tarn), le 3 septembre 1859, assassiné à Paris le 31 juillet 1914. Professeur de philosophie à Toulouse, il se fit élire député dans le Tarn en 1885, à vingt-six ans, sous une étiquette assez vague et ne se rallia le socialisme qu'un peu plus tard. Il fut d'abord socialiste indépendant et appartint à une fédération autonome. Collaborant régulièrement à la *Revue Socialiste* et à *La Petite République*, il était alors déjà l'un des leaders du socialisme français à la Chambre. Non réélu en 1889, il l'emporta aux élections générales de 1893 et, après une absence de quatre ans, revint à la Chambre en 1902 ; il y siégera jusqu'à sa disparition. La fondation de *L'Humanité*, dont il fut le directeur, lui donna dans le mouvement socialiste une place prépondérante. Si les socialistes de gauche, en particulier ceux de *La Guerre sociale*, lui reprochèrent amèrement d'avoir accepté l'argent du banquier Louis Louis-Dreyfus pour fonder le journal — en échange d'un appui efficace du *Parti socialiste* dans une élection partielle en Lozère —, la majorité de son parti lui sut gré d'avoir doté le socialisme français d'un grand journal. Orateur brillant et manœuvrier habile, Jaurès fut l'une des grandes figures politiques de son temps. Sa participation active au mouvement *dreyfusiste* fit basculer l'immense majorité des socialistes de toutes tendances dans le camp des défenseurs du capitaine juif et permit à ces derniers de faire triompher leur cause. En retour, les appuis reçus des *dreyfusistes* et la solidarité née du combat commun contre la « réaction » et le « militarisme » facilitèrent grandement la propagande socialiste dans des milieux jusque-là hostiles aux « *partageux* » : de deux ou trois douzaines en 1893, les députés socialistes passèrent à 57 en 1898 et à 74 en 1906. Grâce aux *dreyfusistes*, qui comptaient des amis partout, son nom fut connu dans les cinq parties du monde. Son « *Histoire socialiste* » en plusieurs volumes obtint la large diffusion, ainsi que ses autres ouvrages, en particulier « *L'Armée nouvelle* » qui provoqua des remous dans les cercles militaires. Champion du pacifisme, il fut accusé bien souvent par ses adversaires de faire le jeu de l'Allemagne. Charles Péguy voyait en lui « *un pangermaniste* », « *un agent du parti allemand* ». Dans « *L'Argent* » (Paris 1913, page 119), il allait jusqu'à écrire : « *Il travaille pour la plus grande Allemagne (...) Jaurès est un malhonnête homme (...) Cette trahison qu'un Jaurès répand autour de lui, nous avons commencé à le refouler. Nous ne commettrons pas ce crime, de nous laisser massacrer par les pacifistes, par les humanitaires. Mais précisément, pour éviter une telle catastrophe, nous sommes très capables de supprimer en temps utile quelques mauvais bergers...* » Quelques mois avant que son accusateur ne mourût sous les balles allemandes, Jaurès tombait sous celles de Charles Villain, un déséquilibré qui s'était pris pour un vengeur. Et la guerre éclata dans les jours qui suivirent...

JE SUIS PARTOUT.

Journal politique hebdomadaire dont les tendances fascistes s'apparentaient, à la fois, à celles des mouvements de Joseph Darnand et de Jacques Doriot. Fondé par la *Librairie Arthème Fayard*, était, au début, royaliste (*Action Française*). Dirigé par Pierre Gaxotte, jusqu'en 1940, puis par Charles Lesca, Robert Brasillach et Pierre-Antoine Cousteau. Ce dernier remplaça Robert Brasillach en 1943 et fut le rédacteur en chef du journal jusqu'en août 1944, date de sa disparition. Avant 1940, la rédaction se composait principalement des collaborateurs suivants : Pierre Gaxotte, qui rédigeait l'éditorial ; Thierry Maulnier ; R. Brasillach ; le dessinateur Hermann-Paul ; Pierre-A. Cousteau ; le dessinateur Hervé Baille ; Jean Fayard ; J.-J. Brousson ; André Bellessort ; Jean Decrais ; Henri Claudet ; Marcel Chaminade ; André Foucault ; René Richard ; François Dauture (Henri Lebre) ; professeur Bernard Fay, Claude Jeantet ; Benjamin Crémieux ; Charles Kunstler ; Da-

Jean Jaurès,
vu par un dessinateur des Hommes du jour.

niel Halévy ; Bernard de Vaulx ; le Dr Paul Guérin ; Dorsay ; le dessinateur Phil; Jean Barthot ; Jean Bauverd; L. de Guérin-Ricard ; François Fosca (Beaux-Arts) ; Pierre Daye ; Georges Roux ; Gabriel Brunet ; Claude Roy ; G. Bernoville ; Philippe Henriot ; Jean Meillonnas (C. Fégy) ; Jacques Nissol ; Max Favalelli (sports) ; André Nicolas ; Drieu La Rochelle ; Pierre Varillon ; Jehan Sennep ; Robert Andriveau ; Paul Bonny ; Jacques Perret ; Maurice Bardèche ; Ch. Lesca ; L. Rebatet ; A. Laubreaux ; R. Soupault, etc. La guerre, qui divisa si profondémnt les Français, provoqua le départ de divers rédacteurs, que d'autres collaborateurs vinrent remplacer. De 1940 à 1944, les articles, chroniques, nouvelles, etc., étaient signés par : R. Brasillach, P.-A. Cousteau, Charles Lesca, Lucien Rebatet (qui signait aussi François Vinneuil), André Bellesort, Dr Paul Guérin, Alain Laubreaux, Georges Blond, Henri Poulain, Dorsay (Pierre Villette), Morvan Lebesque (nouvelle), Abel Manouvriez, J. Coudurier de Chassaigne, La Varende (roman), Drieu La Rochelle, Ralph Soupault, Robert Andriveau, Noël B. de La Mort, J. Vidal de la Blache, R. Soupault, René Barjavel (roman et nouvelles), Georges Bozonnat, G.-P. de Rouville, A. Bernardini, Michel Davet (roman), Michel Mohrt, Jean Maubourget, Gérald Devries (enquête cinéma français), Michel Perrin, Claude Maubourguet, Georges Champeaux, J.-Alexis Néret (roman), François-Charles Bauer (François Chalais), Joseph Rouault, Marie Lejeune, Jean Scherb, Jean Lacroix (nou-

Charles Lesca, di-
recteur de Je suis
partout.

velle), André Cœuroy, Jacques Boulenger, Pierre Lucius, Henri Legrand, Camille Bruyère, Georges Maurevert, Marcel Aymé (roman et nouvelles), Pierre
d'Espezel, Louis Le Fur, Lucien Combelle, le colonel Alerme, André Fraigneau, Georges Devaise (G. Champeaux),
etc.

JEAN-RENAUD (commandant) (voir : L'Ami du Peuple, La Solidarité française).

JEANNENEY (Jean, Marcel).

Universitaire, né à Paris, le 13 novembre 1910. Fils de Jules Jeanneney, ancien président du Sénat et ministre du
gouvernement provisoire De Gaulle 1944-
1945. Professeur, puis doyen de la
faculté de droit de Grenoble (1937-1951).
Directeur du cabinet de son père, ministre d'Etat (1944-1945). Professeur d'économie politique à la faculté de droit de
Paris (depuis 1952). Appartint au Comité
des experts (direction Rueff) qui fixa les
principes de la politique économique et
financière du gouvernement De Gaulle
(1958). Ministre de l'Industrie et du
Commerce, puis de l'Industrie (seulement) dans le gouvernement Debré (1959-
1962). Ambassadeur, haut représentant
de la France en Algérie (juillet 1962-
janvier 1963). Nommé conseiller économique et social (1964). Ancien chef de
la délégation française au Conseil économique et social de l'O.N.U. Elu
conseiller général de Rioz (Haute-Saône),
berceau de sa famille (juillet 1965).
Ministre des Affaires sociales (travail et
santé) depuis janvier 1966. Auteur de :
« Le mouvement des prix en France
depuis la stabilisation du franc (1927-
1935) », « Economie et droit de l'électricité », « L'économie alpine », « Les
commerces de détail en Europe occidentale », « Forces et faiblesses de l'économie française, 1945-1959 », « Texte de
droit économique et social français,
1789-1957 », « Economie politique ».

JEANNENEY (Jules, Emile).

Avocat, né à Besançon, le 6 juillet
1864, mort à Paris, le 27 avril 1957. Fut
longtemps l'un des leaders parlementaires
du radicalisme. Député (1902-1909), puis
sénateur de la Haute-Saône (1909-1942).
Sous-secrétaire d'Etat à la guerre (cabinet Clemenceau, 1917-1920). Président
du Sénat (1932-1940), présida la séance
de l'Assemblée nationale réunie à Vichy
pour se prononcer sur la délégation des
pouvoirs constituants au maréchal Pétain. En tant que président de séance, ne
prit pas part au vote, mais avait déclaré,
la veille, dans son discours au Sénat :
« J'atteste enfin à Monsieur le maréchal
Pétain notre vénération et la pleine reconnaissance qui lui est due pour un don
nouveau de sa personne. Il sait nos sentiments envers lui, qui sont de longue
date. Nous savons la noblesse de son
âme ; elle nous a valu des jours de
gloire, qu'elle ait carrière en ces jours
de terrible épreuve et nous prémunisse,
au besoin, contre toute discorde. (...) Il
eût fallu épargner à nos enfants, le
lamentable héritage que nous allons lui
laisser. Ils expieront nos fautes, comme
ma génération expia, puis répara celles
d'un autre régime. » (J.O., 10 juillet
1940.) En raison de sa réputation de
guide éclairé et de conseil éminent de
la IIIe République ainsi que de la considération qui s'attachait à sa personne et
à sa fonction, les paroles qu'il avait
prononcées déterminèrent un grand nombre de parlementaires indécis à voter les
pouvoirs demandés par le maréchal Pétain. On en tint rigueur à ces députés et
sénateurs, mais pas à lui : la République restaurée, le général De Gaulle le
nomma ministre d'Etat de son Gouvernement Provisoire (septembre 1944-no-
vembre 1945).

JEANSON (Henri).

Auteur dramatique et journaliste, né
à Paris, le 6 mars 1900. Fut avant la
guerre, l'un des journalistes les plus
poursuivis. Collabora à Paris-soir, au
Crapouillot, à La Flèche, au Canard
enchaîné. A la veille de la guerre, un
article dans S.I.A., journal anarchiste,
où il félicitait Grynspan d'avoir assassiné vom Rath, le secrétaire de l'ambassade d'Allemagne à Paris, lui valut une
nouvelle condamnation, cette fois à dix-
huit mois de prison. Fut, dès juillet 1940,
rédacteur en chef et éditorialiste de
Paris-soir, amené à ce journal par Roger

Capgras, qui venait d'en prendre la direction (ses éditoriaux contre le gouvernement de Vichy, Sacha Guitry, etc. firent sensation alors). *Aujourd'hui*, une idée de Capgras, de Nad et de Jeanson, eut animé par lui quelques mois (1940-1941). Arrêté deux fois par les Allemands, il resta plusieurs mois à la Santé. N'en fut pas moins traduit devant un Comité d'épuration du cinéma qui le blâma d'avoir « *par ses actes favorisé les desseins de l'ennemi* ». Depuis la Libération, n'a donné que de rares articles (*Combat, Canard enchaîné*), presque toujours pour y défendre un ami. Critique de cinéma redouté, est depuis vingt ans le dialoguiste de films le plus prisé.

JEANTET (Claude).

Journaliste, né à Pomponne (S.-et-M.), le 12 juillet 1902. Il appartient à une famille jurassienne. Son père, Félix Jeantet, directeur-fondateur de la *Revue Hebdomadaire*, poète parnassien, critique d'art, fut l'un des membres du Comité directeur de la *Patrie Française*. Claude Jeantet prépara la carrière universitaire à la Sorbonne : boursier de licence au concours de l'Ecole normale ; licencié Langues et Littératures classiques ; diplômé d'Etudes Supérieures de Philosophie (« *L'Idée dans le système kantien* ») et élève de Léon Brunschwicg. Dès 1919, il milita aux *Etudiants d'Action Française*, dont il devint le secrétaire général ; sur le plan corporatif, élu au comité de l'A.G. de Paris, en dirigea la majorité. Au début de 1930, avec d'autres dirigeants du mouvement, il se sépara de l'*A.F.*, mais conserva l'amitié de Charles Maurras. Tout en poursuivant ses études, il opta en 1923 pour le journalisme. Rédacteur à *Action Française* jusqu'en 1930, il entra alors chez Arthème Fayard pour *Candide*, puis, avec Pierre Gaxotte, pour la fondation de *Je Suis Partout*, comme secrétaire général et jusqu'à la guerre comme spécialiste des affaires allemandes. Se consacrant à la politique extérieure, il fut chef des services diplomatiques du *Petit Journal* (1932-1937), de *Agence Fournier* (1934-1938), de *La Liberté* (1937-1938), d'*Inter-France* (1938-1940), de *l'Emancipation Nationale* (1936-1939), du *Mois* (1939). Il collaborait aussi à *Frontières, Revue Mondiale, Nouvelliste de Lyon*, etc. Accrédité au quai d'Orsay de 1932 à 1940, il annonça le premier dans la presse, en opposition avec Pierre Comert, directeur de ce service, l'accession inévitable d'Hitler au pouvoir. Il soutint activement la politique pacifique de Pierre Laval et de Georges Bonnet. Sur le plan intérieur, il participa aux côtés d'Adrien Marquet au mouvement néo-socialiste (« Ordre, Autorité, Nation ») qui constitua en 1933 le *Parti Socialiste de France*. Avant le 6 février 1934, il prit part avec Eugène Frot au mouvement dit « *Complot de l'Acacia* ». Il rejoignit Jacques Doriot, qui venait de se séparer du *P.C.* avec le Rayon majoritaire de Saint-Denis, et appartint au comité central du *Parti Populaire Français*, à sa fondation (1936), puis au bureau politique. En 1940, il suivit le gouvernement à Bordeaux, puis à Vichy, où il fut nommé chef du service de la presse étrangère au ministère des Affaires étrangères. Désigné par le gouvernement du maréchal Pétain, en accord avec la société du journal, il prit la rédaction en chef et la direction politique du *Petit Parisien*, en quelque sorte organe du gouvernement de Vichy pour la zone occupée. Il assuma sa mission jusqu'au bout, non sans en avoir été écarté quelques semaines à deux reprises à la suite de violents incidents avec les autorités d'occupation. Après la guerre, son activité journalistique a été marquée par des multiples collaborations politiques (*France Réelle, France et Monde, l'Heure Française, Fraternité Française, Dimanche-Matin* et *Midi Cinq*). Longue collaboration au *Centre National des Indépendants*, d'abord avec Roger Duchet pour *France Indépendante*, à partir de 1953, puis jusqu'en 1962 pour *Le Journal des Indépendants*. De 1956 à 1965, il rédigea la chronique diplomatique d'*Aspects de la France* dont il se sépara au début de 1966 après avoir combattu jusqu'au bout la politique extérieure gaulliste. Depuis 1951, il collabore à la *Lettre* de Paul Dehème et depuis 1961 au *Capital*. Il est entré, en 1966, à la *Revue des Deux Mondes*. Outre sa signature, il a usé de nombreux pseudonymes : Claude Bienne, Jacques Carré, Claude Thierry, Janus, Edualc, Claude Chavin... Enfin, il fut critique cinématographique en 1929-1930, collaborateur du *Charivari* (1925-1930) et rédacteur en chef du *Coup de Patte* d'Augustin Martini, en 1931.

JEROME-LEVY (Jérôme LEVY dit).

Publiciste, né à Epinal (Vosges), le 19 avril 1883, mort à Paris, le 12 janvier 1960. Militant de gauche dans sa jeunesse, fut le collaborateur de divers ministres, dont celui de Levasseur, d'Aristide Briand et de Georges Bonnet. Rédacteur en chef de *La France Libre* (1918-1926). En 1927, devint le bras droit de Marthe Hanau à *La Gazette du Franc*, qui finit dans un scandale financier retentissant. Fut également le collaborateur de Léon Jouhaux, à la *C.G.T.*, puis celui de Maurice Mignon, à l'*Agence Générale de la Presse,* organisme chargé de distribuer aux journaux la publicité financière des banques et des grandes compagnies. A la Libération, reprit cette agence (avec Raymond Fischoff, proche parent de M. Fernandez, ancien administrateur du *Journal*). Ayant connu et fréquenté les personnalités marquantes de la III° République, ne perdit pas le contact avec la politique. Cela l'a conduit à devenir l'un des agents de Marcel Boussac, ou plus exactement, l'un de ses intermédiaires. C'est par lui que le « roi des cotonnades » prit pied dans *L'Aurore* en entrant dans les deux sociétés (*Franclau* et *Jéropar*) qui détenaient la majorité des actions du grand quotidien de Robert Lazurick.

JEUNE EUROPE.

Organisation fondée en 1960 pour prendre la suite de la Section Française de la *Campagne Européenne de la Jeunesse.* Président : Philippe Farine ; secrétaire général : Jacques Eugène.

JEUNE FRANCE REPUBLICAINE.

Fondée en 1924. Favorable à une République modérée. Principaux animateurs : Paul Reynaud, A. Dutheillon de Lamothe, André de Fels et Pierre Cot.

JEUNE FRONT (Le).

Mouvement né à Paris au lendemain de l'armistice de 1940. Principalement composé de très jeunes gens (auxquels il fut reproché, à tort ou à raison, d'avoir briser quelques vitrines de magasins juifs aux Champs-Elysées en 1940-1941), le *Jeune Front* était dirigé par un jeune nationaliste, Robert Hersant, le futur député radical-socialiste de l'Oise, directeur de l'*Auto-Journal* (voir : *Hersant*). Le groupement était l'émanation des *Gardes Françaises*, dont l'organisation rappelait celle des jeunesses fascistes et que dirigeait un homme énergique et entreprenant, Charles Lefebvre. Celui-ci était secondé par Samson, son adjoint à la direction du mouvement, Borelly, chargé de la propagande, R. des Essarts, secrétaire général, Antonucci et C. Bellot, inspecteurs généraux, Pau, Jarde, Lemeray et Cheval, chefs de groupe. Le *Parti Français National-Collectiviste* constituait l'ossature politique de ces groupes. (Voir à ce nom.)

JEUNE GARDE (La).

Chant des jeunes révolutionnaires marxistes, de l'entre-deux-guerres, à peu près abandonné aujourd'hui par le communistes, sauf par le *Mouvemen Communiste Français* (pro-chinois), qu en publia les paroles dans *L'Humani nouvelle* (6-10-1966). En voici le refrai que les jeunesses communistes repr naient en chœur jadis, à la fin des ré nions :

Prenez garde, prenez garde
Vous les sabreurs, les bourgeois, les g
    [vés (et les curés ou les planqués
V'la la Jeune Garde, V'la la Jeune Gar
Qui descend sur le Pavé, sur le Pavé
C'est la lutte finale qui commence
C'est la revanche de tous les meurts a
    [fai

C'est la Révolution qui s'avance
Et qui sera victorieuse demain.
Prenez garde, prenez garde
V'la la Jeune Garde.

JEUNE GAUCHE.

Publication mensuelle, fondée en 196 par les jeunes de la *Gauche Européenn* sous la direction d'Edouard Gourtovo président du bureau exécutif du Conse National des *Jeunes de la Gauche Eur péenne* (10, boulevard Poissonnièr Paris 9°).

JEUNE NATION.

Mouvement nationaliste créé en 195 par un groupe de jeunes hommes, do les frères Sidos furent les animateur Jusqu'à sa dissolution forcée, *Jeu Nation* fut de toutes les manifestatio contre le régime, le communisme, le sy tème capitaliste, pour la restauration d l'Etat et la défense de l'Afrique fra çaise. Dès son premier congrès, tenu Paris, le 11 novembre 1955 et placé sou le signe de la croix celtique (cercle bar d'une croix, emblème national aya figuré sur les pièces de monnaie, ca ques et enseignes des habitants de Gaule), « symbole du soleil considé comme source de la vie universelle », *Mouvement Jeune Nation* formulait c qui serait la base de sa méthode et c sa doctrine : pas de référence au pass le Mouvement ne voulant pas épous les querelles partisanes, séquelles de dernière guerre ; pas de référence, n plus, aux « personnalités », même si le activité se situait dans un cadre nati nal et, corollaire de ce principe, ref absolu d'une action dans le cadre pa lementaire. Un autre point qui méri de retenir notre attention, autre règ de son action — et il ne se cacha aucunement d'avoir profité de l'exemp du *Parti communiste* — : l'importan du rôle militant. Refusant d'être un pa de masse, alourdi et gêné par un eff if d'adhérents et de sympathisants fluctuant au gré de l'actualité, votant ou approuvant des motions sans lendemain, le Mouvement se voulait le rassemblement de militants constamment mobilisés au service de leur idéal. Hostile à l'ingérance étrangère, *Jeune Nation* combattait à la fois le *P.C.F.*, considéré comme le représentant des Soviets en France, et les manifestations de « *l'impérialisme américain* ». D'où maintes bagarres avec les militants communistes et plusieurs manifestations devant l'ambassade des Etats-Unis à Paris, en particulier celle du 25 novembre 1957. La notoriété du mouvement était telle, au cours des années 1956-1958, qu'il fut porté à l'actif des Sidos et de leurs amis plus d'actions d'éclat qu'ils ne firent effectivement. On les accusa même d'avoir fait exploser, le 6 février 1958, une bombe dans les W.-C. du Palais-Bourbon. Tant et si bien que le gouvernement, inquiet du développement du mouvement, signa à son encontre un décret de dissolution deux jours après le 13 mai 1958. Plusieurs de ses membres ayant, avec d'autres opposants au régime, fondé un *Parti Nationaliste* aussitôt interdit, furent inculpés pour reconstitution de ligue dissoute et atteinte à la sûreté intérieure de l'Etat. Ses dirigeants furent traduits en juin 1963 devant les tribunaux et condamnés à des peines diverses. Reprenant les thèmes principaux de *Jeune Nation*, le nouveau parti se déclarait favorable au renversement de la République, à l'élimination des partis, à l'éviction des « métèques » des rouages de l'Etat, au châtiment des responsables de l'abandon, et partisan de la refonte de l'armée, de l'instauration d'un syndicalisme corporatif, de la mise au pas des féodaux de la finance, de la création d'un Etat nationaliste qui serait partie intégrante d'une nouvelle Europe dressée à la fois contre le matérialisme de Wall Street et contre le matérialisme de Moscou. A partir du 5 juillet 1958, jour anniversaire de la prise d'Alger en 1830, le mouvement eut son journal *Jeune Nation*, qui fut assez largement répandu dans les milieux nationalistes de la capitale, puis dans ceux de province et d'Algérie. Il succédait au *Courrier d'informations*, bulletin intérieur tiré au duplicateur paraissant entre 1955 et 1958. Son directeur était Pierre Sidos, le *leader* du mouvement, qu'assistaient Dominique Venner, venu tard au mouvement, mais qui s'était fait très vite remarquer par son ardeur et sa détermination, Luis Daney, un juriste qui avait été officier en Algérie, Jean Malardier, militant déjà chevronné, Jac-

ques Meyniel, agent de publicité et ancien d'Indochine et d'Algérie, F. Ferrand, un négociant parisien, Albert Malbrun, etc. Outre les éditoriaux de Pierre Sidos et les articles de son équipe, *Jeune Nation* publiait des chroniques, des études, des interviews de personnalités de la presse et de la politique. C'est ainsi que parurent, de temps en temps, dans les colonnes du journal, les signatures des nationalistes Jacques Ploncard d'Assac et Hubert Saint-Julien, des anticapitalistes Pierre Fontaine et Henry Coston, et celles des personnalités politiques et littéraires de tendance assez diverses : Pierre Hofstetter, Jean-André Faucher, Georges Robert, ancien délégué à la presse de *Présence Française-Tunisie*, Paul Ottaviani, leader national niçois, Saint-Paulien, l'auteur du « *Soleil des Morts* » et des « *Maudits* », le général Rime-Bruneau, président de *Présence Française-Tunisie*, le Dr Gaston Thouvenot, militant nationaliste connu en Algérie, Stephen Hecquet, Jean-Louis Tixier-Vignancour, qui était le défenseur des militants de *Jeune Nation*, et Pierre-Antoine Cousteau, qui avait promis une chronique régulière dans le journal lorsque la mort l'emporta. Après la dissolution du *Parti Nationaliste* et malgré les saisies nombreuses qui le frappaient à chaque numéro, ou presque, le journal *Jeune Nation* avait poursuivi sa publication jusqu'en 1961, date à laquelle Pierre Sidos et son principal lieutenant Dominique Venner, étaient entrés dans la clandestinité. Pour la publication du journal, une *Société de Presse et d'Edition de La Croix Celtique*, au capital de 1 200 000 AF avait été créée, le 27 juin 1958, par sept actionnaires, membres du mouvement : Pierre Sidos, qui faisait apport du titre et de fonds (5/12e), François Sidos (1/12e), D. Venner (2,8/12e), Luis Daney (2,9/12e) et trois autres actionnaires A. Malbrun, J. Malardier et Hubert-Michel Hitier (ensemble : 0,3/12e). La société fut mise en faillite en avril 1963 alors que Pierre Sidos, son président, était emprisonné depuis près de huit mois. Les autres administrateurs s'étaient désintéressés d'un journal mis depuis deux ans dans l'impossibilité pratique de paraître ; ils suivaient déjà avec sympathie les efforts de Dominique Venner, libéré six mois auparavant et qui venait de fonder une nouvelle société *Les Editions Saint-Just*. L'attraction exercée par *Jeune Nation* sur la jeunesse française fut si grande, que plusieurs formations ou périodiques, sans être organiquement sortis du mouvement ou du journal, sont en quelque sorte ses héritiers directs. C'est notamment le cas du journal *Le Soleil,* de Pierre Sidos, de la revue *Europe-Action,* et du *Mouvement Nationaliste du Progrès,* de Dominique Venner, de la *Fédération des Etudiants Nationalistes,* du mouvement *Occident* et d'une multitude de groupes et de feuilles provinciales qui ont existé au cours des années 1962-1965.

JEUNE REPUBLIQUE (La).

Fondé en 1912, le mouvement de la *Jeune République* est, en quelque sorte, la suite du *Sillon* créé par Marc Sangnier et condamné par Pie X. Dirigé entre les deux guerres par son fondateur et par Georges Hoog, le mouvement prit une part active à la lutte contre le colonialisme et le fascisme ; bien que d'origine pacifiste, il se rangea en 1938 et 1939 aux côtés des partisans de la politique de fermeté à l'égard de Hitler, Mussolini et Franco. Maurice Lacroix animait sa fédération de la Seine qui participait à toutes les grandes manifestations de *Rassemblement Populaire* à laquelle *La Jeune République* avait adhéré. Ses représentants au parlement votèrent contre le maréchal Pétain en juillet 1940 et entrèrent dans la Résistance. A la Libération, lorsque Marc Sangnier devint le président d'honneur du *M.R.P.,* qui venait de regrouper les démocrates-chrétiens de diverses origines, la *Jeune République* refusa la fusion. Maurice Lacroix fut longtemps le *leader* du parti — au parlement, Charles d'Aragon, Léo Hamon, aujourd'hui gaullistes, André Denis, Henri Bouret étaient ses représentants —. Le journal *La Jeune République,* qui soutint avec ardeur le gouvernement Mendès-France en 1954-1955, était alors rédigé par des journalistes et des hommes politiques connus : Jacques Nantet, Robert Barrat, Jean Bauché, Jean Cassou, Jean-Marie Domenach, J.-J. Gruber, Germaine Kellerson, Marcelle Leconte, René Maran, Paul Morelle, Pierre Paolini, Camille Val, Georges Gontcharoff, Serge Woronoff, André Denis, Claude-Roland Souchet, Léo Hamon, Roger Dauphin, Claude Gault, Yves Goussault, Georges Morvan, François Sarda, André Vimeux, Paul Andrey, Bertrand Schneider, Robert Besseige, Jacques Gouin, Maurice Rochery, Elisabeth Beaurepaire, etc. Après avoir adhéré à l'*Union des Forces Démocratiques* (mendésiste) et rejeté la fusion avec le *Parti Socialiste Autonome* en 1959, la *Jeune République* a poursuivi ses activités ; elle a notamment soutenu la candidature Mitterrand à l'élection présidentielle de décembre 1956 et s'est liée avec la *Convention des Institutions Ré-*

publicaines ; une bonne moitié de se: cadres et de ses adhérents se sont rallié: en 1960 au *Parti Socialiste Unifié.* So: principal animateur est un jeune avocat Claude-Roland Souchet (24, boulevard Saint-Germain, Paris 5e) sous la direction duquel paraît, assez irrégulièrement l'organe du parti.

J.E.U.N.E.S. (Jeunes Equipes Unies pour une Nouvelle Economie So ciale).

Groupement de gauche dirigé entr: les deux guerres par Jean Noche: (Charron), rédacteur à *L'Œuvre.*

JEUNES DE L'EUROPE NOUVELLE

(voir : **Collaboration**).

JEUNESSE DE FRANCE ET D'OUTRE MER.

Fondée à Marseille en janvier 1941, l: *J.O.F.M.,* avait, au dire de ses dirigeant (*Franc Jeu,* 11-4-1942), reçu un appu: sérieux de la part de Joseph Darnand C'est d'ailleurs à Nice, où Darnand com mandait la *Légion Française des Combat tants,* que se tint en octobre 1941, e1 présence de Roger de Saivre et George Riond, envoyés par Vichy, le Ier Congrè de la *J.F.O.M.,* au cours duquel les délé gués fixèrent les grandes lignes du pro gramme du mouvement. (Rapporteurs J. Cordesse, Paul Ferrand, P. Gache Jean Malo et Lucette Tellier.) Le mouve ment y prit nettement position contre l: « dissidence gaulliste » et contre le internationales, celle de l'or et celle d sang. Dans son journal, *Franc-Jeu,* édit tout d'abord à Marseille, puis à Lyon, i publiait cet appel : « *Jeunes ouvriers Jeunes ouvrières !* publiait-il dans so n° 11 (31-1-1942), *trahis par le Bolche visme, exploités souvent par un capita lisme antisocial, venez à la J.F.O.M. où unis à vos camarades des Bureaux, de Usines, des Lycées, des Universités e des Champs, vous lutterez pour la vrai Révolution Nationale et Sociale voulu par le Maréchal.* » Les dirigeants d: mouvement et du journal venaient d tous les horizons politiques : beaucou: étaient d'anciens militants des ligue dissoutes en 1936. Aux côtés du fonda teur, Henry E. Pugibet, et du chef natic nal, J.-M. Renault, figuraient notammen Claude Planson, le petit-fils du « gran: patron » de l'*Agence Havas,* R. Dela marre, chef du Bureau de commande ment, René Van Cauwelaert, chef de l Propagande, P. Gache, Guy de George: Marc Antoinet, Eugène Dimier, etc *Franc-Jeu* était rédigé par une équip de jeunes renforcée par quelques vété

ans du journalisme : Gabriel d'Auba-
ède, L. de Gérin-Ricard (de *l'Action
française*), Christian Carrol, Armand
Chauvier, Adhémar de Montgon, René
Barbizet (des Jeunes Ecrivains Français),
Jean Plateau, Armand Macé, Eugène
Dimier, P. Aslier (de la Société Spéléolo-
gique de France), André Demaison, Gas-
ton Bidet (secrétaire général du journal),
J.-P. Vareda-Joussaume, les dessinateurs
Carb et Jo Paz, etc.

JEUNESSE OUVRIERE (La).

Journal fondé en 1926. Organe de la
Jeunesse Ouvrière Chrétienne, de tendance démocrate-chrétienne, dont le
rédacteur en chef était, vers 1935-1936,
Paul Bacon, futur ministre de la IVe et
de la Ve Républiques. Actuellement animée par Jack Salinas, directeur, R. Ron-
del, administrateur, et Jacques Deroo,
rédacteur en chef.

JEUNESSE 39.

Fondé en 1934. Directeurs politiques :
Philippe Henriot et François Valentin.
S'intitulait : organe de combat de la jeunesse nationale française. Disparu avant
la guerre.

JEUNESSES COMMUNISTES REVOLU-
TIONNAIRES.

Groupe créé le 2 avril 1966 par les
dissidents pro-chinois de *l'Union des
Etudiants communistes* et de *l'Union de
la Jeunesse communiste,* — auxquels
s'étaient joints des éléments des *Jeunesses Socialistes Unitaires* — à l'issue
d'une « conférence nationale » tenue à
Paris par cent vingt délégués de Paris
et de quatorze villes de province. Les
J.C.R. publient un journal *Avant-garde
Jeunesse* (B.P. 39-16, Paris) dont Verbi-
zier est le directeur-gérant. Ils possèdent
également quelques organes régionaux :
La Méthode (B.P. 43, Cannes, A.-M.),
L'Etincelle (B.P. 30-29, Caen, Calvados),
Spartacus (à Toulouse) et *L'Etincelle*
78, rue Saint-Maur, Rouen, S.-M.).

JEUNESSES NATIONALES ET SOCIALES

(voir : **Parti Républicain National et
Social**).

JEUNESSES PATRIOTES.

D'abord section des jeunes de la *Ligue
des Patriotes,* que présidait alors le général de Castelnau, les *Jeunesses Patriotes,*
animées par Pierre Taittinger, député
bonapartiste de la Charente-Inférieure,
se formèrent en parti indépendant (1924).
Le nouveau groupement, auquel adhérèrent des hommes et des femmes de tous

âges, se posa aussitôt en adversaire déterminé du *Parti Communiste.* Les heurts
entre adeptes de la IIIe Internationale et
partisans de Taittinger furent fréquents
et souvent d'une rare violence. Le
25 avril 1925, à la sortie d'une réunion
rue Damrémont, à Paris, quatre *J.P.,*
Marchal, Tillet, Trullet et Recaud tombèrent sous les balles de leurs adversaires. Un peu plus tard, un cinquième
J.P. fut tué dans une réunion de Paul
Raynaud et Henri de Kérillis. Ces assassinats marquèrent le début d'une ascension foudroyante. Par dizaines de milliers, les Parisiens qui avaient assisté
aux obsèques des victimes donnèrent
leur adhésion enthousiaste au mouvement qui suscitait un tel sacrifice. En
frappant cinq des leurs, le P.C. ne
venait-il pas de désigner l'ennemi n° 1
du communisme ? L'année suivante, le
10 janvier 1926, Taittinger fonda *Le
National,* qui fut l'hebdomadaire des
Jeunesses Patriotes. Le journal fut aussitôt diffusé par les militants jusque dans
les faubourgs ouvriers. Au Quartier Latin, il était vendu par les équipes du
Groupe universitaire *J.P.* que venait de
créer Pierre-Henri Simon et qui constituaient le noyau des futures *Phalanges
universitaires,* fondées en 1927 par Pi-
ghetti de Rivasso, Roger de Saivre et
J. Martin-Sané.

Le congrès de décembre 1928, qui survint peu après la rupture de l'Union Nationale *poincariste* par les radicaux, enregistra un nouveau pas en avant. Autour
de Pierre Taittinger se pressaient : le colonel des Isnards, Henri de Kérillis,
Louis Dumat, le plus jeune député de la
législature, Appourchaux, député du Pas-
de-Calais, le pasteur Soulier, député de
Paris, Ybarnégaray, qui sera l'un des
dirigeants des *Croix de feu* et du *Parti
Social Français,* Désiré Ferry, député de
Meurthe-et-Moselle, Henri Provost de la
Fardinière, Henry Bordeaux, de l'Académie Française, le lieutenant-colonel de
Franqueville, Edouard de Warren, député
de Meurthe-et-Moselle, président de
l'Union lorraine des Syndicats Agricoles,
Georges Pascalis, ancien président de la
Chambre de Commerce de Paris, Charles
Coutel, député du Nord, etc. On y ap-
plaudit avec enthousiasme les rapports
présentés par Raymond Cartier — au-
jourd'hui éditorialiste de *Paris-Match* —,
F. François Legueu, l'économiste, Jean
Vicaire, le lieutenant-colonel Faye, Mlle
Verdat, l'éditeur Antoine Rédier, l'animateur de *La Légion,* René Richard, délégué à la propagande — futur secrétaire
général du *Syndicat des Cadres C.G.T.-
Force Ouvrière,* — François Sidos, père

des animateurs de *Jeune Nation*. Participant aux manifestations du 6 février 1934, les *Jeunesses Patriotes* eurent des dizaines de blessés et deux tués : Jean Fabre et Raymond Rossignol.

Libérales à leurs débuts, les *Jeunesses Patriotes* rejetèrent dès 1935 « *le libéralisme qui a fait la fortune de la France* », mais « *s'est avéré insuffisant au lendemain de la guerre* ». « *Libéralisme et socialisme sont condamnés*, déclarait Pierre Taittinger. *Ce sont là les deux faces d'une même erreur* ». Et de préconiser « *la Charte nationale du Travail* » que reprendront, un lustre plus tard, les hommes de Vichy. Comment provoquer le changement espéré ? Par la Révolution. « *Nous estimons qu'une Révolution est nécessaire (...). La Révolution nationale est celle de la Jeunesse. Par conséquent, elle fait abandon des vieilles routines de la politique modérée ou conservatrice... Pour nous, les mots de Droite et de Gauche ne signifient plus rien. Qui pourrait dire si le socialisme-nationaliste de Mussolini est de droite ou de gauche ? La Révolution nationale sera une révolution, non d'une classe, mais d'une génération... Elle combattra impitoyablement l'internationalisme, que ce soit celui des banquiers ou celui des agitateurs sociaux.* » (*Vers la Révolution nationale*, Paris 40, p. 15.) La dissolution des ligues (1935) mit fin à l'activité des *Jeunesses Patriotes,* mais non à celle de ses adhérents et de ses chefs qui se retrouvèrent aussitôt au *Parti National Populaire,* puis au *Parti Républicain National et Social* (voir à ce nom).

JEUNESSES REVISIONNISTES.

Fondées en 1938 par Marcel Castelle, ancien dirigeant du *Front de la Jeunesse* (de J.-Ch. Legrand) et R. L. Moyson. Réclamaient une « *IVᵉ République autoritaire et plébiscitaire à base professionnelle ayant à sa tête le maréchal Pétain* » (disparues en 1939).

JEUNESSES SOCIALISTES.

Groupe de jeunes de la *S.F.I.O.* Au cours de ces dernières années, les *Jeunesses Socialistes* avaient pour principaux animateurs Roger Southon, fils de l'ancien sénateur-maire de Montluçon, Roger Fajardie, Antoine Blanca, Pierre Castaing, Jean Menu, Lucien Weygand, Michel Popiol, etc. (voir : *Parti Socialiste*).

JOANOVICI (Joseph).

Homme d'affaires, né à Kichinev, en Bessarabie, en 1905, mort à Clichy (Seine), en 1965. Arriva en France vers 1925 et y exerça la profession de chiffonnier et de récupérateur de vieux métaux. Fournisseur de l'armée allemande pendant l'occupation, lui aurait procuré pour cinq milliards de francs de l'époque de métaux non-ferreux. Considéré alors comme WWJ (*Wirtschaftlich Wertvoller Jude* = Juif économiquement précieux), plus ou moins indicateur de l'Abwehr, eut l'habileté de livrer à la justice française, lors de la Libération ses « collègues » Bony et Laffont, après avoir financé le mouvement de résistance « *Honneur et Police* ». Son double jeu fut découvert par Wybot, de la D.S.T. : mais de puissantes amitiés dans les hautes sphères de la IVᵉ République lui permirent de se tirer assez bien de ce mauvais pas : traduit en Cour de Justice (1949), fut condamné à cinq ans de prison, à 600 000 francs d'amende et à la confiscation des biens jusqu'à concurrence de 50 millions; il obtint sa libération en 1951. Mis en résidence surveillée à Mende, y reprit ses affaires et fut poursuivi pour infractions aux lois économiques. S'enfuit alors en Israël (1957) mais fut extradé. Ses démêlés avec la Justice et l'Administration n'étaient pas réglés lorsque la mort le surprit.

JOLIOT-CURIE (Jean-Frédéric JOLIOT, dit).

Professeur, né à Paris le 19 mars 1900 d'une famille de commerçants aisés. Marié avec Irène Curie, la fille de Pierre et Marie Curie. Après ses études secondaires au lycée Lakanal de Sceaux, il suivit les cours de l'Ecole de chimie et de physique industrielle et passa le doctorat ès sciences. A vingt-cinq ans, il devint l'assistant de Marie Curie et à trente-deux, assistant à la faculté des sciences. Plus tard, il fut nommé maître de conférences à la Sorbonne et obtint conjointement avec sa femme, le Prix Nobel de physique. En 1937, il devint professeur au Collège de France et, à la Libération, le Gouvernement provisoire lui confia la direction générale du Centre National de la Recherche Scientifique. Du 4 janvier 1946 au 26 avril 1950 il occupa le poste de haut-commissaire à l'énergie atomique, dont il fut écarté en raison de ses liens avec le *Parti communiste*. Il découvrit, avec sa femme Irène, la radio-activité artificielle (1934). Un de ses élèves, le professeur Chien San-Chiang, qu'il forma dans son laboratoire et qui acquit, sous l'occupation allemande, son titre de docteur ès sciences (1943), est probablement le « père » de la bombe atomique chinoise.

D'abord socialiste, Joliot-Curie fit partie avant la guerre du *Comité de Vigilance des Intellectuels antifascistes.* Lors de la scission de 1938, il prit parti pour le clan communiste, ce qui ne l'empêcha pas, l'année suivante, d'être indigné par l'alliance conclue entre Staline et Hitler. Il signa même, avec d'autres intellectuels de gauche, un manifeste stigmatisant « *la volte-face qui a rapproché les dirigeants de l'U.R.S.S. des dirigeants nazis* » et demandant « *à ceux que la volte-face a le plus profondément déçus et meurtris de placer au-dessus de tout l'amour de leur pays* » (*Le Temps,* 30.8.1939 ; *La Lumière,* 9.9.39). Jouissant sous l'occupation allemande de toutes les facilités nécessaires pour la poursuite de ses travaux, il demeura à Paris et n'hésita pas à déclarer au quotidien *Les Nouveaux Temps,* de Jean Luchaire : « *Nous autres, français, passionnément attachés à notre pays, nous devons avoir le courage moral de tirer la leçon de notre défaite.* » Le 11 octobre 1941, les Allemands étant en guerre avec la Russie soviétique depuis quatre mois, Joliot-Curie fit devant les occupants une importante conférence sur la radio-activité artificielle. Ses travaux lui valurent une faveur extrêmement rare à l'époque : les autorités d'occupation accordèrent à sa femme, le 31 août 1942, l'autorisation de se rendre en Suisse. L'année suivante, il succéda à Branly comme membre de l'académie des Sciences, puis il devint membre libre de l'académie de Médecine. A la Libération, bien qu'il eût désapprouvé le pacte germano-soviétique, le *Parti communiste* accepta son adhésion (31 octobre 1944). Il fut, par la suite, président de diverses associations communistes ou para-communistes telles que : les *Combattants de la Paix,* l'*Association France-U.R.S.S.,* l'*Amitié franco-polonaise,* le *Conseil Mondial de la Paix.* Le jour même où il était nommé haut-commissaire à l'énergie atomique, il entrait au comité central du *P.C.F.,* en qualité de membre. Après avoir présenté *Zoé,* la première pile atomique française, les journaux *The Economist* et *New York Herald Tribune* (27-12-1948) insinuèrent qu'il communiquait à Moscou le résultat des recherches françaises. Il protesta énergiquement au cours du déjeuner hebdomadaire de la presse anglo-américaine à Paris qui l'avait invité : « *Un communiste,* déclara-t-il, *ne peut honnêtement penser communiquer à une puissance étrangère, quelle qu'elle soit, des résultats qui appartiennent à la collectivité qui lui a permis de travailler..* » Cette déclaration, reproduite dans *Le Monde* (6.1.1949), mécontenta fortement le *P.C.F.* qui ne pouvait admettre qu'un de ses dirigeants puisse assimiler l'U.R.S.S., patrie de tous les travailleurs, à une « *puissance étrangère quelle qu'elle soit* ». Joliot-Curie effaça le mauvais effet produit par ces paroles en approuvant, le 23 février 1949, la résolution du comité central du Parti affirmant que « *le peuple de France ne fera jamais la guerre à l'U.R.S.S.* ». Au cours de la même année, il alla d'ailleurs à Moscou où il s'entretint des questions atomiques avec ses confrères soviétiques. Sans doute, le professeur Prenant, militant communiste également, pensait-il à lui lorsqu'il déclarait, un an plus tard, devant les membres de l'académie des Sciences de Hongrie que « *des savants français progressistes ont la possibilité d'échanger leurs expériences avec les savants soviétiques* » ? (cf. *Szabad Nep,* journal communiste hongrois, 3.12.1950). Au congrès du *P.C.F.,* tenu à Gennevilliers du 2 au 6 avril 1950, Joliot-Curie livra le fond de sa pensée en déclarant : « *Jamais les scientifiques progressistes, les scientifiques communistes ne donneront une parcelle de leur science pour faire la guerre contre l'U.R.S.S.* » Le même mois, le gouvernement le relevait de ses fonctions de haut-commissaire à l'énergie atomique. Sa fidélité au communisme lui valut, en 1951, le Prix Staline de la Paix. Entre-temps, il avait été nommé membre de la *Royal Society* de Londres, docteur *honoris causa* des universités de Dublin, de Delhi et de Cracovie. Commandeur de la Légion d'honneur et titulaire de nombreux ordres étrangers, il jouissait d'une réputation mondiale. Si la IVe République le tenait à l'écart en raison de ses liens avec le *P.C.F.,* le général De Gaulle lui rendit officiellement hommage : lorsque le savant communiste mourut le 15 août 1958, le gouvernement lui fit des obsèques nationales.

JOLIVET (René, Louis).

Avocat et journaliste, né à Paris, le 25 juillet 1912, mort à Saint-Hilaire-du-Touvet (Isère), le 1er août 1954. Fondateur du journal *Brumaire,* qui fut l'organe des *Etudiants Bonapartistes,* puis celui du *Parti de l'Appel du Peuple.* Orateur des jeunes de *La Solidarité Française* (1933), co-fondateur des *Francistes* (1933), rédacteur à *La Libre Parole* (1933-1935), au *Pays Libre* (1936-1937). Animateur, avec l'écrivain Guy des Cars, du *Mouvement Jeunes de de France* (1936). Editorialiste au *Radio-Journal de Paris* (1940-1942).

JONCRET (Ferdinand, Edmond).

Journaliste, né à Valenciennes, le 24 avril 1921. Directeur général adjoint du *Service de Propagande, Edition, Information (S.P.E.I.)*, vice-président et fondateur du *Club Démocratie Directe*, délégué de l'*Association pour le Soutien de l'Action du général De Gaulle* pour le département de la Seine-Saint-Denis. Est, en outre, directeur de *Demain*, des *Communes*, rédacteur en chef de *Regards sur la France* et de *Chambre et Sénat*. Auteur de « *L'Université de Paris et l'Enseignement Supérieur* » et de « *L'Evolution de la Construction* ». Ecrit parfois sous le pseudonyme de J. Jaquet.

JOSEPH (Roger, Fernand, Henri, Marie).

Ecrivain et journaliste, né à Orléans, le 3 août 1910. Issu d'une famille de souche vigneronne séculaire au lieudit « La Grande Ecalle », aux portes de cette ville. (Sa maison natale, 17, rue Jeanne-d'Arc, porte sur les anciens actes le nom d' « Hôtel de la Fleur de Lis ».) Débuta dans les lettres et le journalisme par des vers à l'*Etudiant Français* (1929) et au *Pays d'Orléans* (1930), deux organes du mouvement d'*Action Française* auquel il voua désormais sa vie. Entra en 1932 à la rédaction du *Journal du Loiret* et en devint le rédacteur en chef ; simultanément participa à la fondation d'une revue de jeunes, *La Trirème* (1932-1933) et dirigea *Le Provincial* (1935-1939). Après son service militaire accompli en Afrique du Nord par tradition familiale, collabora à *L'Action Nationale* et au *Réveil National* de Tunis (1934-1939), ainsi qu'à de nombreux journaux nationalistes de la métropole (*Le Progrès*, de Saintes, l'*Appel au Peuple* de Saintonge, l'*Intérêt Français*, d'Auguste Cavalier, le *Petit Orléanais*, le *National*, etc.) et à l'*Almanach de l'Action Française*. Mobilisé et fait prisonnier, s'évada du Stalag II D (Poméranie), à la fin de février 1941. Refusa alors tout poste dans les journaux de zone Nord, mais accepta l'offre de Charles Maurras et Maurice Pujo et devint secrétaire de rédaction de l'*Action Française*, repliée à Lyon ; articles dans ce journal jusqu'au dernier numéro paru (23 août 1944), ainsi que dans les revues *France, Grande France, Nouveaux Cahiers de France, L'Etudiant Français, Frontières*, etc. Reprit sa profession d'écrivain dès la date de « *cessation officielle* » des hostilités (1er juin 1946) : rédacteur en chef de l'hebdomadaire *La Dépêche du Loiret* (1946-1950), et collaborateur des *Documents Nationaux, Réalités Françaises*, l'*Indépendance*

Française, Paroles Françaises, l'*Opinion* l'*Accent* d'Avignon, *Pages Libres de Gre* noble, le *Messager* du Puy, etc. Appartient depuis le premier numéro à la rédaction d'*Aspects de la France* et de *Cahiers Charles Maurras*, fondés par son ami Georges Calzant, et donne régulièrement des articles à une vingtaine de journaux et revues, depuis *Le Méridional-La France* jusqu'à *La Nation Belge* et *O Debate* (de Lisbonne), en passant par *Amitiés Françaises Universitaires La France Latine, Le Travailleur* (de U.S.A.). Membre de l'exécution testamentaire de Charles Maurras qu'il avait assisté à son procès en janvier 1945 ; a été nommé mainteneur du Félibrige mistralien en 1952. Auteur de revues locales et conférencier, a publié entre 1931 et 1966 une trentaine de livres (poésie, contes, critique, souvenirs, histoire, politique), dont : « *Charles Maurras ou le maître de la Pensée Française* », « *Biblio-Iconographie générale de Charles Maurras* » (2 tomes, en collaboration avec Jean Forges), « *En évoquant Frédéric Mistral* », « *Les combats de Léon Daudet* », « *J'ai vu condamner un Juste au bagne* ».

JOUHAUD (Edmond).

Général d'armée aérienne, né à Bou Sfer (Oran), le 2 avril 1905. Sorti de Saint-Cyr en 1926. Campagne du Tibesti et de l'Aïr. Chef du 1er Bureau de la 1re Armée aérienne au début de la guerre. Placé à la tête du Groupe aérien 1-36 en Lorraine le 1er mai 1940. Fait prisonnier, s'évada peu après et fut envoyé en Algérie. En juillet 1942, fut rappelé en métropole et y joua un rôle important dans la lutte clandestine (chef de l'O.R.A. de la région bordelaise et chef d'état-major des F.F.I.) ; avait sous ses ordres les maquis de Gironde, de Dordogne, de Lot-et-Garonne, particulièrement actifs en 1944. En 1948, le colonel Jouhaud commanda les forces aériennes en Tunisie et fut promu général ; l'année suivante, devint directeur adjoint de la Direction technique et industrielle de l'Air. Commanda la Ire Région aérienne de Dijon en 1951, puis fut placé à la tête du Ier commandement aérien tactique et des Forces aériennes en Allemagne en 1952. Commandant de l'Air en Indochine en juin 1954, puis major général de l'Air en métropole. En 1956, prit le commandement de la Ve Région aérienne d'Alger et, à partir de juillet 1957, exerça également les fonctions d'adjoint opérationnel de Salan. Après le 13 mai, devint vice-président du *Comité de Salut Public d'Algérie-Sahara* (dont il devait démissionner sur l'ordre de De

Gaulle), puis prit le commandement opérationnel en Algérie. Chef d'Etat-Major de l'Armée de l'Air le 18 septembre 1958. Quitta ce poste en mai 1960 pour celui d'inspecteur général. Au mois d'octobre suivant, demanda sa mise à la retraite anticipée parce qu'il n'approuvait pas la politique de De Gaulle en Algérie ; les adieux à ses troupes à Oran ne furent pas appréciés par le gouvernement. Revenu comme civil en Algérie, s'installa à Oran et présida le *Rassemblement national des Français rapatriés d'Afrique du Nord.* S'opposa au référendum du 8 janvier 1961 sur l'Algérie. Le 22 avril 1961, prenait part au « putsch » des généraux, avec Salan, Zeller et Challe. Si ces deux derniers se rendirent au bout de quatre jours, Jouhaud — qui n'aurait pas été prévenu de la décision de ses collègues — devint chef de l'*O.A.S.* en Oranie, du 26 avril 1961 à son arrestation à Oran, le 25 mars 1962 (en compagnie de son adjoint, le commandant Camelin). Déjà condamné à mort par contumace, vit cette sentence confirmée par le Haut Tribunal militaire, le 13 avril 1962, après une procédure expéditive et des débats accélérés. Allait être exécuté — la date et les modalités en étaient déjà fixées — lorsque la menace de démission de plusieurs ministres de De Gaulle et surtout de nombreuses interventions firent accepter une révision du procès. Finalement, sa peine fut commuée en détention criminelle à vie. Bien que l'on parle souvent de sa libération anticipée, en raison de son état de santé, est toujours incarcéré à la prison de Tulle avec le général Salan.

JOUHAUX (Léon).

Syndicaliste (1879-1954). D'abord anarchiste, membre du groupe libertaire d'Aubervilliers - Quatre-Chemins, condamné à trois mois de prison et révoqué de la Manufacture d'allumettes où il était ouvrier, vint au syndicalisme révolutionnaire quelques années plus tard et accéda au secrétariat général de la *C.G.T.* en 1909. Anti-militariste, partisan du sabotage de la mobilisation et condamné pour ce motif, se rallia, aussitôt la guerre déclarée, au gouvernement comme le firent la majorité des socialistes. Après la dissidence de Tours, qui entraîna une scission, l'année suivante, dans le syndicalisme ouvrier, conserva son poste de secrétaire confédéral de la *C.G.T.* ; le gardera jusqu'à la scission de 1947 qui plaça hors de la *C.G.T.* les éléments réformistes, dont il était le chef de file. Devint alors secrétaire général de la *C.G.T.-F.O.* Ses adversaires ont prétendu qu'il aurait collaboré avec Vichy si son opposition à René Bellin, bien en cour auprès du Maréchal, ne l'avait pas rejeté dans la Résistance. Arrêté en décembre 1942, fut interné à Vals-les-Bains et à Evian, puis déporté en Allemagne. A son retour en France (avril 1945), reprit toutes ses activités. Nommé vice-président de la *Fédération Syndicale Mondiale,* président du *Conseil International du Mouvement Européen,* occupa le fauteuil présidentiel du Conseil Economique durant plusieurs années.

JOUR (Le).

Quotidien national fondé par Léon Bailby en 1933. Principaux collaborateurs : Alex Delpeyrou, Antoine de Courson, Michel Pobers, Marcel Idzowski, Hervé Lauwick, Michel Davet, André Suarès, de Poncins, etc. Absorba, un peu plus tard, *L'Echo de Paris.* Passé sous le contrôle du député Fernand-Laurent en 1939, le journal disparut pendant l'occupation, en zone Sud où il s'était replié. Son fondateur, Léon Bailby, avait créé l'hebdomadaire *L'Alerte,* à Nice, en 1940. Ses anciens collaborateurs ont fondé beaucoup plus tard *Les Nouveaux Jours* (voir : *L'Alerte* et *Les Nouveaux Jours*).

JOURNAL (LE).

Quotidien modéré. Fondé en 1892 par F. Xau. Dirigé avant la guerre par Pierre Guimier. Principaux collaborateurs : Clément Vautel, Saint-Brice, Géo London, Edouard Hersey, Titayna, Jean Oberlé, Yves Morvan (Jean Marin), P.-A. Cousteau, Pierre Wolff, etc.

JOURNAL D'ALSACE ET DE LORRAINE (Le).

Quotidien strasbourgeois de tendance centre-gauche, dont l'origine remonte à 1787. Provenant de la fusion du *Journal d'Alsace* et du *Courrier du Bas-Rhin.* Absorba, dans l'entre-deux-guerres, *Le Journal de l'Est,* également imprimé à Strasbourg.

JOURNAL D'AMIENS (Le).

Quotidien modéré paraissant à Amiens (1850-1944). Avait absorbé *Le Mémorial d'Amiens* et faisait paraître le samedi, un hebdomadaire, *Le Messager de la Somme.* Avant la guerre et après l'armistice de 1940, Joseph Picavet en était le directeur. S'intitulait « *organe de Rénovation Nationale en Picardie* ».

JOURNAL D'ARCACHON (Le).

Hebdomadaire se réclamant du journal fondé en 1856 par Lamarque de Plaisance, mais dont la présentation actuelle remonte au début du siècle. Etait dirigé avant la guerre par Félix Frapereau. Sous la direction de Robert Duchez, ce journal modéré favorable au général De Gaulle, est rédigé par une équipe composée de M. Baboulène, R. Gally et H. Lieuteaud. Y collaborent également : Pierre Lataillade, des *Jeunesses Européennes Fédéralistes*, Emile Doussy, Louis Dague-Dubois (26, rue Lucien-Pinneberg, Arcachon).

JOURNAL DU CANTAL (Le).

Hebdomadaire indépendant - paysan, fondé en 1947. Tirage moyen : 8 000 ex. (22, rue E.-Duclaux, Aurillac).

JOURNAL DU CENTRE (Le).

Quotidien nivernais, né à la Libération et se réclamant d'une origine clandestine remontant à l'année précédente. Installé dans les locaux de *Paris-Centre* interdit à la Libération. De nuance socialiste, il est relié aux autres quotidiens de même tendance par le truchement de l'Agence Centrale Parisienne de Presse dont il est membre associé. Son directeur est Jean Lhospied, membre du conseil d'administration de la société éditrice du journal, avec le Dr Charles Bourdillon, Toussaint Courault, René Marlin, Frédéric Bonnot, Pierre Gauthe, le Dr Léon Bondoux, Roger Godenoux, Louise Roche née Montupet, François Guyollot, Georges Pacton, Jean-Baptiste Saint-André, Jacqueline Tuelle, André Kraemer, rédacteur au journal, et Marius Durbet, ancien député *U.N.R.-U.D.T.* Sa diffusion moyenne dépasse 43 000 exemplaires vendus principalement dans la Nièvre, mais aussi dans l'Allier et en Saône-et-Loire (3, rue du Chemin de fer, Nevers).

JOURNAL DE LA CORSE (Le).

Quotidien fondé au XIXᵉ siècle (1). Considéré comme « le doyen des journaux français ». Dirigé par Paul Fieschi, fils du journaliste Jacques Fieschi, ami de François Coty et ancien rédacteur à *L'Ami du Peuple* et au *Figaro*. Son rédacteur en chef, J.-A. Livrelli occupait déjà

ce poste avant la guerre, au temps où il était l'organe d'entente des gauches. Son tirage est d'environ 11 000 exemplaires (1, rue du Général Campi, Ajaccio).

JOURNAL DES DEBATS (Le).

Quotidien modéré fondé en 1789. Fut longtemps le moniteur de la droite conservatrice. Dirigé avant la guerre par Etienne de Nalèche.

JOURNAL DU DIMANCHE (Le).

Hebdomadaire dont l'origine remonte à 1945, devenu l'édition dominicale de *France-soir*. Eut longtemps pour directeur Bernard Lecache, président de la *Ligue Internationale contre le Racisme et l'Antisémitisme* (LICA), est placé sous la triple direction de Robert Salmon, Henri Massot et Pierre Lazareff ; celui-ci contrôle la rédaction, dont René Maine est le directeur. Le tirage annoncé (cf. *Annuaire de la Presse*, 1966) était de 804 000 exemplaires ; le contrôle O.J.D. du 9 avril 1965 le fixe à 683 000, avec une diffusion réelle de 552 600 (100, rue Réaumur, Paris 2ᵉ).

JOURNAL DE DOULLENS (Le).

Hebdomadaire fondé en 1944 par René Dessaint et dirigé par Gisèle René-Dessaint. Ce journal indépendant tire à 12 000 exemplaires et rayonne sur une partie de la Somme et du Pas-de-Calais. Il a remplacé, en quelque sorte, *Le Petit Doullennais*, hebdomadaire républicain libéral, fondé en 1887, et que dirigeaient Charles Dessaint avant la guerre et Maurice Dessaint après l'armistice de 1940. (62, rue du Bourg, Doullens, Somme.)

JOURNAL DE GIEN (Le).

Hebdomadaire indépendant fondé en 1945 et dirigé par Raymond Jatteau. Tirage : 11 000 exemplaires (27, rue Georges-Clemenceau, Gien, Loiret).

JOURNAL D'HAGUENAU.

Quotidien modéré fondé en 1841 et disparu pendant la dernière guerre.

JOURNAL DU HAVRE

Quotidien national fondé en 1750 et disparu pendant la dernière guerre.

JOURNAL DES INDEPENDANTS.

Hebdomadaire du *Centre National des Indépendants et des Paysans* fondé en 1962 pour remplacer *France Indépendante* qui cessait d'être l'organe du mou-

---

(1) Les sources diffèrent quant à la date de fondation : « *l'Annuaire de la Presse* » 1939 indique : « 123ᵉ année, donc 1817 ; « *Le Tarif Média* » de février 1966 : 1814 ; et « *Le Répertoire de la Presse* » de H.F. Raux, conservateur à la Bibliothèque Nationale : 1878.

vement. Son comité de direction comprend quatre personnalités du *C.N.I.P.* : Camille Laurens, directeur de la publication, Edmond Barrachin, Hector Peschau et Pierre Sallenave, qui a remplacé Bertrand Motte (106, rue de l'Université, Paris 7e).

JOURNAL D'INDRE-ET-LOIR (Le).

Quotidien catholique et modéré de Tours, fondé à la fin du XVIIIe siècle et disparu sous la IIIe République.

JOURNAL DU LOIRET (Le).

Quotidien de droite considéré, avant la guerre, comme le plus ancien journal de France (fondé en 1743). Passé, dans l'entre-deux-guerres, sous le contrôle de Pierre Taittinger, député de Paris et chef des *Jeunesses Patriotes* (disparu).

JOURNAL DE MARQUENTERRE ET DU PONTHIEU.

Hebdomadaire indépendant fondé en 1946. Directeur (depuis 1959) : Etienne d'Anchald (18, quai de Romeril, Saint-Valéry-sur-Somme).

JOURNAL OFFICIEL DE LA REPUBLIQUE FRANÇAISE.

Quotidien fondé en 1870 et publiant les débats parlementaires (Assemblée nationale et Sénat), les lois et décrets, les arrêtés ministériels (26, rue Desaix, Paris 15e).

JOURNAL DE L'ORNE (Le).

Hebdomadaire fondé en 1814. De nuance républicaine nationale, eut comme directeur, de longues années, Emile Langlois, son propriétaire, auquel succéda Robert Langlois. En raison de sa publication pendant l'occupation, cet hebdomadaire à rayonnement départemental (14 000 exemplaires) fut interdit à la Libération. Un nouveau *Journal de l'Orne* paraît depuis le 9 mars 1950, sous la direction de Maurice David-Darnac : il est principalement un hebdomadaire d'information et de défense paysanne. (14, rue Lautour-Labroise, Argentan.)

JOURNAL DU PARLEMENT (Le).

Journal quotidien fondé à Paris le 9 mars 1954 par Maurice Berlow. D'abord exploité directement par celui-ci, fut à partir du 5 décembre 1954 édité par la *Société Le Journal du Parlement* (s.à r.l.) fondée par Maurice Berlow, Jean Sarrus, Jean-Jacques Grunberg et Guy David. La gérance, exercée par Berlow, fut confiée le 8 mai 1961 à Claude-Henry Leconte, puis à Guy Loeb David. Une *Société Fermière du Journal du Parlement*, fut créée le 2 janvier 1962 par Georges Hentschel, Georges Salvago et Pierre Toulza ; elle prit la suite de la première société qui fut dissoute le 10 octobre 1962. Le 11 juillet 1964, l'entreprise devint société anonyme et le capital social fut réparti entre : Cl.-H. Leconte (78,40 %), Pierre Toulza (11,6 %), René Saive (0,20 %), Marcel Espiau (0,20 %), G. Hentschel (0,20 %), Guy David (0,20 %) et Georges Benichou (0,20 %). Le Conseil d'administration se compose de : Cl.-H. Leconte, directeur du journal, Pierre Toulza, secrétaire général de la rédaction, René Saive, éditorialiste, et Guy Loeb David, secrétaire général. Le rédacteur en chef, Pascal Pia, et le chef des services économiques et financiers, Georges Hentschel, complètent l'équipe du *Journal du Parlement*.

JOURNAL DU PAS-DE-CALAIS ET DE LA SOMME (Le).

Quotidien modéré fondé à Boulogne-sur-Mer en 1946 (47, rue Victor-Hugo, Boulogne).

JOURNAL DU PEUPLE (Le).

Quotidien anarchiste publié à Paris du 6 février au 3 décembre 1899. Fondé par Sébastien Faure avec « *l'argent des milieux israélites* » (cf. « *Histoire du mouvement anarchiste en France* », par Jean Maitron, Paris 1951 — voir également : « *Sébastien Faure* », par J. Humbert, Paris 1949). Principaux collaborateurs : C. Malato, F. Pelloutier, Emile Janvion, Octave Mirbeau, J. Ajalbert, Laurent Tailhade, Aristide Briand, Jean Allemane, etc.

JOURNAL DU PEUPLE (LE).

Fondé en 1915. « *Le premier journal bolcheviste français* » (R. Manevy dixit). Dirigé par Henri Fabre. Y collaboraient alors : Raymond Lefèvre, Paul Vaillant-Couturier, Henry Torrès, Bernard Lecache, Souvarine, Victor Méric, André Gybal, etc., qui dénonçaient les « pourvoyeurs de charniers », les « suppôts de l'Union sacrée », les collaborateurs de « Poincaré-la-guerre », qu'ils fussent bourgeois ou socialistes.

JOURNAL DE ROUBAIX (Le).

Quotidien catholique fondé en 1856 et devenu, sous la IIIe République la feuille la plus lue dans la région de Roubaix et Tourcoing, avec un tirage de 60 000 exemplaires. Alfred Reboux, son directeur avant la guerre, étant mort, fut remplacé par sa veuve, qui confia la direction du journal pendant l'occupation à Jacques Demey. À la Libération, le quotidien fut interdit, et *Nord-Eclair,* journal *M.R.P.,* occupa ses locaux et reprit sa clientèle. Les biens de la *Société des Journaux réunis* qui l'éditait furent confisqués (cf. *Journal officiel,* 6-9-1946); une nouvelle décision publiée dans le *Journal officiel* (31-5-1950) adoucit considérablement les rigueurs de la première. Entre-temps, trois des dirigeants du *Journal de Roubaix* avaient été condamnés à des peines diverses. Finalement Jacques Demey devint le directeur technique du journal imprimé dans la maison de sa famille, puis son directeur général (voir : *Nord-Eclair*).

JOURNAL DE ROUEN (Le).

Quotidien régional de tendance centriste, fondé en 1762 et frappé d'interdiction à la Libération. Animé avant la guerre par : Pierre Lafond, directeur-administrateur ; Jacques Lafond, secrétaire général ; Jean Lafond, rédacteur en chef ; R. G. Nobécourt, secrétaire général de la rédaction ; et Eugène Gaudry, administrateur. Après l'armistice, Jean et Pierre Lafond en furent les directeurs, et Michel Lafond le rédacteur en chef. Résolument anti-*Front populaire,* le *Journal de Rouen* et ses propriétaires, les Lafond, jouèrent un rôle important dans les luttes politiques des années 1934-1944. A la veille de la dernière guerre, le quotidien tirait à 80 000 exemplaire et était diffusé dans toute la Normandie. Ses installations ont été occupées, en 1944, par *Paris-Normandie* (voir à ce nom).

JOURNAL DE TOULOUSE (Le).

Hebdomadaire de droite, fondé le 13 novembre 1789 et disparu pendant la guerre. Fut longtemps rédigé par un grand journaliste toulousain, Victor Lespine, dont les convictions catholiques et monarchistes étaient bien connues.

JOURNAL DE TOURNON ET D'ANNONAY.

Hebdomadaire républicain radical fondé en 1876 rayonnant sur le département de l'Ardèche et une partie de la Drôme. Directeur : Georges Moussel (22, rue Joseph-Parnin, Tournon, Ardèche).

JOURS DE FRANCE.

Magazine hebdomadaire fondé en 1954 par l'industriel Marcel Dassault (voir à ce nom). A l'origine, *Jours de France* devait concurrencer *Paris-Match,* mais il se transforma peu à peu en revue féminine. Marcel Minckes, beau-frère du fondateur, est directeur-gérant ; Guillain de Bénouville, ancien député gaulliste, est directeur de la rédaction ; et Louis Locci dirige l'administration. Bien qu'en principe apolitique, *Jours de France* fait, ainsi que le remarque *Presse-actualité* (novembre 1966), « *sans en avoir l'air, une fidèle publicité pour l'U.N.R.* ». En 1956, *Jours de France* absorba *Semaine du Monde,* édité par le groupe Hersant. Il est exploité par la *Société de presse Jours de France,* au capital de 3 millions de F, ainsi réparti : *Société Immobilière Marcel Dassault,* 1/3 ; *Société Marcel Dassault,* 1/3 ; *Société Immobilière de Mérignac,* 1/3. Sa diffusion dépasse 545 000 exemplaires (*O.J.D.* du 8-4-1965). (15, avenue des Champs-Elysées, Paris 8e.)

JOUSSAIN (Henri, Jean-Baptiste, dit André).

Professeur, écrivain, né à Thiais (Seine), le 21 septembre 1880. Professeur agrégé de philosophie à Cherbourg (1920-1922), à Evreux (1922-1924) et à Périgueux (1924-1941). Appartint au *Redressement Français* (1933-1936), à la *Ligue des Contribuables* (1935-1939) et à la *Légion Française des Combattants* (1940-1944). Il publia des articles politiques dans *La Revue Internationale de sociologie* (1935-1937), *L'Année politique* (1937-1940), *Res Publica* (1946-1947) et *Fédération* (1950-1951) puis les *Ecrits de Paris* (1953-1965). A publié de nombreux livres et brochures : « *Petit traité de Sociologie économique* » (couronné par l'Institut, prix Joseph Saillet 1932), « *Le régime actuel peut-il durer ?* » « *Les Classes sociales* » (collection Que Sais-je ?) et un ouvrage d'une grande portée politique, « *La loi des révolutions* » qui répond aux questions : pourquoi, quand, comment se font les révolutions.

JOUVENEL (famille de).

Les *Jouvenel* laisseront un nom dans la politique et la presse. Robert de JOUVENEL fut, avant la 1re Guerre mondiale, un journaliste politique de talent : son pamphlet sur le *Journalisme* est un petit chef-d'œuvre. Henri de JOUVENEL, ambassadeur de France, fut sénateur de la Corrèze de 1921 à sa mort, en 1935 ; ex-mari de Colette, il épousa, après son troisième divorce, la veuve de Charles Louis-Dreyfus, belle-sœur du sénateur et banquier. Sa première femme, Mme BOAS DE JOUVENEL a publié divers volumes sous le pseudonyme d'Ariel et a créé la *Revue des Messages*. Son fils, Renaud de

OUVENEL, né de son troisième mariage avec Ida de Comminges), qui épousa la fille de sa quatrième femme, Arlette Louis-Dreyfus, milita dans les milieux l'extrême-gauche et collabora à la presse communiste, notamment à *Regards*. Son autre fils, l'aîné, Bertrand de JOUVE-NEL (né à Paris, le 31 octobre 1903), milita très jeune dans plusieurs partis de gauche, dirigea avec Sammy Béracha *La Lutte des Jeunes*, et anima le groupe *Travail et Nation* (avec Coutrot et Pucheu), fut chef adjoint des services poliiques du *Petit Journal* (direction Patenôtre) et adhéra en 1936 au *Parti Populaire Français,* dont il devint l'un des principaux dirigeants. Il quitta le parti de Doriot en 1938. Pendant l'occupation, il fut l'un des rédacteurs de l'hebdomadaire *Le Fait* (avec Georges Roux et Drieu La Rochelle) et, après la Libération, il collabora aux *Ecrits de Paris*, à *Fédération* et à diverses publications étrangères, avant de devenir l'un des principaux rédacteurs de *La France Catholique*. Conseiller économique et social, il dirige le *Bulletin Sedeis,* que publie la *Société d'Etude et de Documentation Economique*, dont il est le président-directeur général. A écrit une quinzaine d'ouvrages importants, dont : « *Vers les Etats-Unis d'Europe* » 1930), « *Le Réveil de l'Europe* » (1938), « *D'une guerre à l'autre* » (1939-1941), « *Après la défaite* » (1940), « *Le Blocus continental* » (1942), « *l'Or au temps de Charles Quint* » (1943), « *Raisons de craindre et Raisons d'espérer* » (1947-1948), « *De la souveraineté* » (1955), « *De la politique pure* » (1963), « *l'Art de la Conjecture* » (1964).

JOXE (Louis).

Ambassadeur de France, né à Bourg-la-Reine, le 16 septembre 1901. Fils d'un professeur agrégé. Marié avec Françoise Hélène Halévy. Agrégé de l'Université. Professeur (1925-1932). Attaché au cabinet de Pierre Cot, sous-secrétaire d'Etat aux Affaires étrangères (1932-1933), délégué à la Conférence du Désarmement 1933-1934). Entra à l'*Agence Havas* et en devint l'Inspecteur des Services étrangers (1934-1939). Secrétaire général du Centre d'Etudes de Politique étrangère (1930-1939). Nommé professeur à Alger en 1940. Lorsque le Comité de Libération Nationale fut constitué à Alger, il en devint le secrétaire général 1942-1944) puis fut secrétaire général du Gouvernement Provisoire de la République (1945-1946). Entre temps nommé conseiller d'Etat (décembre 1944), directeur général au ministère des Affaires étrangères (Affaires culturelles, 1946-

1955), membre du Conseil des Programmes de la Radiodiffusion (juin 1955), président de la Commission Interministérielle de l'Enseignement français à l'Etranger (1951), ambassadeur de France à Moscou (1952), puis à Bonn (1955), secrétaire général du ministère des Affaires étrangères (1956-1959), secrétaire d'Etat auprès du Premier ministre (cabinet Debré, 1959-1960), ministre de l'Education nationale (même gouvernement, janvier 1960), puis ministre d'Etat chargé des affaires algériennes dans les gouvernements Debré et Pompidou, chargé de l'*intérim* du ministère de l'Education nationale (du 15-10 au 15-12-1962), ministre d'Etat, chargé de la Réforme administrative dans le cabinet Pompidou. Considéré comme l'un des leaders des gaullistes de gauche, fut leur candidat heureux à Lyon en mars 1967.

JUDAISME.

Religion des Juifs, la plus ancienne des confessions monothéistes du monde. Le terme est également employé pour désigner l'ensemble des Juifs (on dit aussi, dans ce cas, depuis quelques années : *judaïcité*).

JUIGNE (marquis Jacques de).

Agriculteur, né à Paris, le 16 février 1874, mort à Juigné-sur-Sarthe, le 11 mars 1951. Marié avec Mlle Marie-Madeleine Schneider, fille du maître des forges (Creusot). Fils, petit-fils et neveu de parlementaires. Maire de Juigné (Sarthe) et conseiller général de la Loire-Inférieure de 1901 à la Libération. Député de la Loire-Inférieure (1906-1936), puis sénateur de ce département (1936-1941).

JUIF.

Membre du peuple juif, ou israélite. Selon la loi mosaïque, que l'Etat d'Israël a fait sienne, est réputé *Juif* celui dont la mère est *Juive,* quelle que soit l'origine ethnique ou la religion du père. D'origine sémitique, les *Juifs* ont eu un rôle considérable dans l'histoire de l'humanité, en raison des emprunts faits à leurs traditions et à leurs croyances par les religions monothéistes, et dans le monde contemporain du fait de leur participation grandissante aux diverses activités tant politiques et économiques que culturelles et scientifiques. Les persécutions dont ils furent les victimes au cours des siècles, dans l'Antiquité, au Moyen Age et au XXe siècle — les dernières en date, les plus odieuses et les plus meurtrières, au temps de Hitler — les ont incités à se regrouper et à établir un nouvel Etat sur la terre de leur ancêtre, la Palestine (voir : *Sionisme*).

19

On estime la population juive dans le monde à environ quatorze millions d'âmes (1) se répartissant de la manière suivante :

Europe	4 200 000/5 200 00

dont U.R.S.S. : 2 500 000/3 500 000 (2)

France :	500 000
Grande-Bretagne :	450 000
Roumanie :	170 000
Hongrie :	80 000
Turquie :	43 000
Italie :	35 000
Belgique :	35 000
Pologne :	30 000

Amérique	6 800 000

dont U.S.A. :	5 800 000
Argentine :	450 000
Canada :	260 000
Brésil :	130 000
Uruguay :	45 000
Chili :	30 000
Mexique :	28 000

Asie	2 400 000

dont Israël :	2 300 000
Iran :	80 000
Inde :	18 000

Afrique	300 000

dont Union Sud-Africaine :	120 000
Maroc :	100 000
Tunisie :	35 000
Ethiopie :	12 000

Océanie	75 000

dont Australie :	70 000

En France, où leur nombre est relativement modeste puisqu'ils ne représente que 1 % de la population du pays, les *Juifs* se sont particulièrement distingués dans la politique et parmi ceux qui ont une influence non négligeable sur l'opinion (journalistes, éditeurs, publicitaires). On en découvre dans tous les milieux, encore que la droite nous semble les séduire infiniment moins que la gauche. On trouve, en effet, des Juifs dans la plupart des organisations politiques, chez les conservateurs comme chez les révolutionnaires. S'ils sont plus nombreux ici que là, ne faut-il pas en rechercher la raison dans le comportement des autres Français à leur égard ?

(1) Les antisémites comptent quelques millions de juifs de plus, car ils considèrent comme juifs des personnes qui ont rompu avec le judaïsme et ne pratiquent aucune religion ou bien appartiennent à une autre religion que celle de leurs ancêtres.

(2) Les statistiques soviétiques ne comptent comme « juifs » que les citoyens qui ont fait porter cette mention sur leurs papiers d'identité et non les autres.

C'est à la Révolution française qu'ils doivent d'être des citoyens « à part entière », pour employer une expression à la mode. N'est-il pas logique qu'ils soient attirés par les idées généreuses de la Révolution et que nous les retrouvions, en grand nombre, dans les partis qui se réclament des grands ancêtres ? « *Pendant la seconde période révolutionnaire* — écrit l'un des leurs — *celle qui part de 1830, ils (les Israélites) montrèrent plus d'ardeur encore que pendant la première. Ils y étaient d'ailleurs directement intéressés, car, dans la plupart des états de l'Europe, ils ne jouissaient pas de la plénitude de leurs droits. Ceux-là même d'entre eux qui n'étaient pas révolutionnaires par raisonnement et tempérament le furent par intérêt ; en travaillant pour le triomphe du libéralisme, ils travaillaient pour eux. Il est hors de doute que par leur or, leur énergie, leur talent, ils soutinrent et secondèrent la révolution européenne.* » (Bernard Lazare, « *L'Antisémitisme* », Paris 1894.)

Le fait est qu'on les vit nombreux dans les mouvements révolutionnaires du XIXe siècle et du début du XXe : Karl Marx, Trotsky, Léon Blum, Jean-Richard Bloch, dont les idées sont toujours en honneur dans les groupes socialistes et communistes, étaient *Juifs*. Dans l'état-major des partis et journaux de gauche, l'élément israélite est largement représenté : Daniel Mayer préside la *Ligue des Droits de l'Homme* ; Georges Beauchamp, Fernand Weil et Georges Dayan appartiennent au *brain trust* de François Mitterrand, candidat à la présidence de la République en 1965 et leader de la *Fédération de la Gauche* ; J. Pierre-Bloch, ancien député socialiste, est l'un des membres du Groupe permanent (direction) de la *Convention des Institutions Républicaines* avec G. Beauchamp déjà nommé ; Jules Moch, ancien ministre, est l'un des dirigeants de la *S.F.I.O.* dont l'organe officiel, *Le Populaire*, est administré par Roger Nahon, vice-président et ancien président de la Commission de la Carte des Journalistes Professionnels ; Pierre Mendès-France, ancien président du Conseil, est l'un des espoirs de la Gauche ; au *Parti communiste*, qui compta à ses débuts de nombreux *Juifs* — de Boris Souvarine à Bernard Lecache, en passant par Henry Torrès, Charles Lussy, Georges Lévy, Antonio Coën, Charles Rappoport, Robert Lazurick — demeurent attachés, malgré l'accusation d'antisémitisme portée contre l'U.R.S.S. par les organisations juives : Kriegel-Valrimont, Pierre Villon, dirigeants du parti, et André Wurmser, éditorialiste de *L'Humanité*. Si au Centre, on ne remarque guère que le député *M.R.P.* et ancien ministre Maurice Schumann, d'ailleurs converti au catholicisme, et Mme Alexandre-Debray, personnalité des Indépendants-Paysans, au sein du mouvement gaulliste, les israélites occupent des postes éminents : outre le petit-fils du grand rabbin Debré, qui fut Premier ministre avant d'être le ministre des Finances, citons : Maurice-Bokanowsky, Grandval, Maurice Herzog, G. Palewsky, de la commission politique de l'*U.N.R.-U.D.T.* et Léon Hamon, Neuwirth, J.-C. Servan-Schreiber, Roger Sauphar, qui font partie du Comité central avec J.-P. Palewsky, Pierre Ziller, Pierre Cahen, Raphaël-Leygues, auxquels il faut ajouter les parlementaires gaullistes de ces dix dernières années : René Moatti, Henri Ulver, Dreyfous-Ducas, Alex Moskovitch, A. Valabregue, Marcel Dassault, Cerf-Lurie et Mme S. Devaux.

Dans la presse politique et d'information, des israélites occupent une position enviée : Raymond Aron préside la *Société des rédacteurs du Figaro* ; François Musard et Raphaël Valensi collaborent à *L'Aurore* dont Robert Lazurick est le directeur ; Robert Salmon, Pierre Lazareff, Charles Gombault et Sam Cohen sont les « patrons » du groupe *France-Soir* ; Daniel Morgaine et Jean Eskenazi dirigent chacun l'un des services de ce journal ; Philippe Ben est l'envoyé spécial apprécié du *Monde* ; Jacques Rozner est l'éditorialiste des *Echos* fondés par les Servan-Schreiber ; le concurrent direct de ce quotidien économique, *L'Information*, naguère dirigée par Robert Bollack, a ajourd'hui pour directeur André Bollack, qui anime aussi *L'Agence Economique et Financière* ; le Dr Henry Smadja, propriétaire de *La Presse*, de Tunis, dirige le quotidien *Combat* ; Marcel Dassault est le propriétaire du quotidien *24 Heures* (disparu) et de *Jours de France* ; Jean Daniel est le rédacteur en chef du *Nouvel Observateur* ; Ch.-H. Leconte dirige *Le Journal du Parlement* ; Mme Paul Lévy, qui a succédé à son mari à la tête d'*Aux Ecoutes*, est également propriétaire de *Fortune française* ; J.-J. Servan-Schreiber est le directeur de *L'Express* en même temps que l'un de ses principaux actionnaires ; Mme Gordon-Lazareff dirige *Elle*, et Bernard Lecache, *Le Journal du Dimanche*, deux hebdomadaires du groupe *France-Soir* ; Pierre-René Wolf, naguère président de la Fédération Nationale de la Presse Française, est le président-directeur général de *Paris-Normandie*, le grand régional de Rouen, et Mme Baylet, la directrice de *La Dépê-*

che du Midi, de Toulouse ; Paul Winckler, ancien directeur de *Samedi-Soir*, vice-président de la Fédération Nationale des Agences de Presse, dirige *Lectures pour tous* et l'agence *Opera Mundi*, dont le rédacteur en chef est Charles Ronsac ; Gilbert Dreyfus est le directeur général d'*Eclair-Journal*, les actualités cinématographiques bien connues.

La publicité, sans laquelle la presse moderne ne pourrait exister, compte un petit nombre de personnalités d'origine juive, mais toutes très importantes : Marcel Bleustein-Blanchet, anime *Publicis* et *Régie-Presse* ; il est secondé dans la direction de ces deux *grands* par Claude Marcus, Gilbert Cahen-Salvador et Wormser ; Georges Cravenne dirige l'agence qui porte son nom, et Pierre Leven, l'*A.Z. Publicité* ; R.G. Lang, R. Kinsbourg et R. Klotz sont respectivement président d'honneur, président délégué et vice-président de l'Union des Chambres syndicales françaises d'Affichage et de Publicité ; R. Klotz, président de la Chambre syndicale de la Publicité lumineuse, dirige *Publi-Action* ; J. Lévy est le trésorier de la Chambre syndicale de la Publicité lumineuse ; Raymond Méry, naguère président de la Fédération Française de la Publicité, dont il est toujours l'un des dirigeants, préside la Communauté Européenne des Organisations de Publicitaires, dirige *Ripsa* et l'*Agence de Diffusion et de Publicité* et édite, depuis 1965, l'*Annuaire de la Presse*.

L'édition, qu'ont illustrée depuis un siècle, les Calmann-Lévy, les Alcan et les Offenstadt, ont attiré quelques *Juifs* qui semblent avoir fort bien réussi dans cette branche : les Nathan, dont les livres scolaires, les albums d'enfants et les grands ouvrages ont conquis un vaste public, sont à la tête d'une maison presque centenaire ; Ferenczi et Rouff ont eu une place de choix dans le livre populaire ; la famille Lindon dirige les *Editions de Minuit*. Enfin, des hommes d'affaires avisés se sont interessés aux entreprises d'éditions : Jean Ellissen a été le commanditaire des *Editions Amiot-Dumont* avant de devenir l'un des principaux actionnaires des *Publications Périodiques Françaises* ; il est le vice-président de l'*Imprimerie Desfossés* ; Stéphane Leven, administrateur de sociétés d'alimentation et de compagnies pétrolières, est l'un des « patrons » de l'*Union Générale d'Editions* (livre de poche 10/18) et l'administrateur de *Plon* ; le banquier Sacha Guéronik contrôlait le groupe *Julliard-Plon-Nouvelle Sequana* ; son confrère, Lambert, de la banque franco-canadienne du même nom, détient une participation très importante dans les *Editions Robert Laffont.* (Ouvrages à consulter : « *Les Juifs en France* », par Robert Anchel, Paris 1956 ; « *La France Juive* », par Edouard Drumont, Paris 1886 ; « *Les Juifs et les nations* », par Jacques Nantet, Paris 1956 ; « *L'Alliance Israélite Universelle* », par Georges Ollivier, Paris 1960 ; « *Les Juifs dans le monde* », par Moché Catane, Paris 1962 ; « *Les Juifs dans la France d'aujourd'hui* », par Gygès, Paris 1965.)

JUIN 36.

Hebdomadaire socialiste de gauche, fondé en 1938 et disparu en 1939. Directeur : Marcel Pivert, socialiste dissident et franc-maçon, fondateur avec d'autres anciens militants de la *S.F.I.O.* du *Parti Socialiste Ouvrier et Paysan,* dont ce journal était l'organe. Principaux collaborateurs : René Modiano, Lucien Hérard, Daniel Guérin, Henri Goldschild, dirigeant de la *Ligue des Anciens Combattants Pacifistes,* Lucie Colliard.

JULES-JULIEN (Alfred).

Avocat, né à Avignon (Vaucluse), le 29 septembre 1882. Après ses études de droit, s'inscrivit au barreau de Lyon. Fut élu député *radical-socialiste* en 1931, réélu en 1932 et en 1936. Sous-secrétaire d'Etat à l'Enseignement technique dans les ministères Sarraut (1936), Blum (1936-1937), Chautemps (1937-1938), Blum (1938), ministre des Postes dans les ministères Daladier (1938-1939-1940), et Reynaud (1940). Lors du vote des pouvoirs constituants au maréchal Pétain, en juillet 1940, s'est volontairement abstenu. Elu député radical à la 2ᵉ Assemblée constituante et pour le Rhône, à l'Assemblée nationale en 1946 ; réélu en 1951. Secrétaire d'Etat au commerce (1948-1949 et 1955), président, puis président d'honneur (1960) du *Centre national du Commerce extérieur.* Préside le *Comité républicain du commerce, de l'industrie et de l'agriculture.*

JULIEN (Charles-André).

Universitaire, né à Caen (Calvados), le 2 septembre 1891, d'un père professeur. D'abord professeur d'histoire aux lycées Janson-de-Sailly et Montaigne, puis à l'Ecole nationale de la France d'Outre-Mer, à l'Institut d'Etudes Politiques et à l'E.N.A. Professeur honoraire à la Sorbonne et doyen honoraire à la faculté des lettres. Militant socialiste *S.F.I.O.,* il fut élu par l'Assemblée nationale au Conseil de l'Union Française, où il demeura de 1947 à 1958. Il quitta alors le *Parti Socialiste S.F.I.O.* pour adhérer au *Parti Socialiste Autonome* devenu ensuite *Parti Socialiste Unifié* (P.S.U.). Ancien secrétaire général du Haut Comité méditerranéen et de l'Afrique du Nord à la présidence du Conseil (1936-1939). Il dirige aujourd'hui la collection Outre-Mer aux *Presses Universitaires de France.* Il est l'auteur de divers ouvrages historiques, notamment de l' « *Histoire de l'Afrique du Nord* », de l' « *Histoire de l'expansion et de la colonisation française* », et de l' « *Histoire contemporaine de l'Algérie* ».

JULIEN (Roger-Emile).

Avocat, né à Nant (Aveyron), le 11 mars 1932. Ancien élève de l'Institution Sainte-Marie de Rodez. Elu conseiller municipal de Nant (1959), puis maire (1961). Conseiller général du canton de La Cavalerie (1961). Membre de l'*Alliance France-Israël.* Elu député de l'Aveyron (3ᵉ circ.) le 25 novembre 1962. Non réélu en mars 1967.

JULLIARD (René, Henri).

Editeur, né à Genève le 22 novembre 1900, mort le 15 juillet 1962. Débuta dans l'édition à vingt et un ans. Dirigea les éditions *Séquana* fondées en 1923. Pendant la guerre, installé à Vichy, édita les discours du maréchal Pétain et divers ouvrages favorables à la Révolution Nationale ; puis, à la Libération, devint l'éditeur d'auteurs résistants et de la revue *Les Temps modernes* de J.-P. Sartre et de Merleau-Ponty.

JULY (Pierre).

Avocat, né à Vitry-le-François, le 9 septembre 1906. Avoué à Dreux (avant la guerre de 1939-1945), puis avocat à la cour d'appel de Paris (depuis 1957). Membre de la Résistance. Fut l'un des fondateurs de *l'Echo Républicain,* le quotidien de Chartres, qu'il dirigea de longues années. Député indépendant d'Eure-et-Loir (1946-1958). Secrétaire d'Etat à la présidence du Conseil (cabinet Laniel, 1953-1954), ministre des Affaires marocaines et tunisiennes, puis ministre délégué à la présidence du Conseil (cabinet Edgar Faure, 1955-1956). Président de la Chambre économique européenne pour le Marché commun (depuis 1964).

JUNG (Louis, Geoffroi).

Directeur de coopérative, né à Zollin-

---

gen (Bas-Rhin), le 18 février 1917. Militant démocrate-chrétien, maire d'Harskirchen, conseiller général et sénateur *M.R.P.* du Bas-Rhin.

JUNOT (Michel, Henri).

Préfet hors cadre, né à Paris, le 29 septembre 1916, d'une famille illustrée par le général Junot, duc d'Abrantès (arrière-grand-oncle) et par Léon Borie, député-maire de Tulle (grand-père maternel). Fonctionnaire au ministère de l'Intérieur (1936), attaché de cabinet du préfet de Seine-et-Oise (1940), chef de cabinet du secrétaire général du ministère de l'Intérieur (1942), sous-préfet de Pithiviers (1942), secrétaire général du Loiret (1944), chef de cabinet du Commissaire général au Tourisme (1945-1946) et du secrétaire d'Etat à la Présidence du Conseil (1948-1949), délégué du haut-commissaire de l'A.E.F. (1950), secrétaire général de l'Indre (1951-1953), collaborateur de divers ministres (Paul Devinat, 1948 et 1953 ; René Billères, 1954 ; Roger Duchet, 1956), sous-préfet de Beaune (1956-1957), préfet hors cadre (1958). Délégué général à la propagande du *Centre National des Indépendants et Paysans* (1957-1958). Elu député indépendant-paysan de la Seine (1958). Délégué au Conseil de l'Europe et à l'U.E.O. Président du groupe libéral de ces deux assemblées (1960-1963). Président de Commission au Conseil de l'Europe (1959-1963), de l'*Association générale de coopératives de construction (A.G.E.C.O.)* et du *Centre d'Etudes Politiques, Economiques et Sociales de l'Aéronautique (C.E.P.E.S.A.)*, vice-président du *Mouvement Libéral pour l'Europe Unie*. Administrateur de la *Société Immobilière Berri-Ponthieu*.

JURIDICTION D'EXCEPTION (Voir : tribunaux d'exception).

JUSKIEWENSKI (Georges)

Docteur en médecine, né à Guettar el Aiech (Dép. de Constantine - Algérie), le 16 mars 1907. Fils d'un employé et d'une institutrice algérienne (M.-L. Abdelhak). Breveté d'arabe. Maire de Figeac (depuis 1947). Elu conseiller général du canton de Figeac-Ouest et vice-président du Conseil général du Lot (octobre 1947). Réélu en 1955 et en 1961. Elu député socialiste et mendésiste du Lot le 2 janvier 1956 (avec l'investiture de *L'Express*), réélu le 30 novembre 1958 (sans étiquette : il avait quitté la *S.F.I.O.* et se réclamait du général De Gaulle) et le 18 novembre 1962, mais non réélu en 1967 en raison de son attitude à la fois antigaulliste et anticommuniste.

JUSTICE (La).

Quotidien de gauche fondé en 1939 par L.O. Frossard. Principaux collaborateurs : Mary Morgan, J. Debû-Bridel, Maurice Nau, Francine Bonitzer (future Mme Lazurick), Robert Lazurick, René Gounin, René Naegelen, Gustave Joly, etc.

JUZEAU-MARIGNE (Léon, Jean, Louis).

Avoué, né à Angers (M.-et-L.) le 21 juillet 1909. Président d'honneur de la Chambre nationale des Avoués. Elu sénateur de la Manche en 1948 et réélu en 1955, 1959 et 1965. Conseiller général de la Manche (depuis 1951) et maire d'Avranches (1953, réélu en 1959). Ancien vice-président du Sénat. Membre du groupe des *Républicains Indépendants*.

K

KAPITAL (Das).

Titre de l'œuvre fondamentale de Karl Marx traduite et publiée en français sous le titre « *Le Capital* » (voir à *Marxisme*).

KARCHER (Henri).

Docteur en médecine, né à Saint-Dié (Vosges), le 26 octobre 1908. Chirurgien. Participa à la Résistance. Conseiller général de la Moselle (depuis le 16 décembre 1962). Membre du Comité central de l'*U.N.R.* Elu député de la Seine (21ᵉ circ.) le 30 novembre 1958, alla se faire réélire dans la Moselle (8ᵉ circ.) en 1962, où il fut battu en 1967.

KASPEREIT (Gabriel-Adolphe).

Directeur commercial, né à Paris, le 21 juin 1919. Ancien officier (jusqu'à 1946). Directeur commercial des *Biscuits Brun-Pâtes La Lune.* Membre du Comité directeur des *Républicains Sociaux* (gaullistes) et secrétaire de la fédération de Paris (1955-1958). Secrétaire général adjoint de la fédération *U.N.R.* de la Seine. Membre du Comité central de l'*U.N.R.* Elu député de la Seine le 11 juin 1961 au 2ᵉ tour de scrutin (en remplacement de René Moatti, non insc., démissionnaire). Réélu en 1962 et 1967.

KERBORIS (Jean, François) (voir : **J.-F. CHAUVEL).**

KERDREL (Roger, Casimir AUDREN de).

Général (1841-1929). Cousin de Vincent Audren de Kerdrel (1815-1899), membre de l'Assemblée législative (1848), du Corps législatif (1852), de l'Assemblée nationale (1871) et sénateur conservateur du Morbihan (1876-1899). Maire de Saint-Gravé, conseiller général du Morbihan et sénateur de droite de ce département (1909-1920).

KERILLIS (Henri, Adrien de).

Journaliste et homme politique, né à Vertheuil-en-Médoc (Gironde), le 27 octobre 1889, mort à New York (U.S.A.), en avril 1958. Ayant choisi la carrière des armes — son père était amiral — il sortit en 1912 de l'Ecole de cavalerie, commença la guerre comme officier du 16ᵉ régiment de Dragons et, après une blessure qui le rendit inapte à la cavalerie, passa dans l'aviation où il se distingua à la tête de l'escadrille qui bombarda Karlsruhe le 21 juin 1916. Ses deux cent cinquante raids lui valurent six citations et, à vingt-neuf ans, la rosette de la Légion d'honneur. La fin du conflit le trouva au sous-secrétariat d'Etat à l'Aéronautique. La paix revenue, il quitta l'armée et entra aux *Usines Farman* dont il devint l'un des directeurs. Il débuta dans la politique comme adjoint de Paul Reynaud. Candidat à une élection partielle en 1926, il fut battu par les communistes. C'est alors qu'il constata le point faible des groupements nationaux : absence de documentation, insuffisance de la propagande, manque de formation politique. Il fonda, à leur intention, le *Centre de Propagande des Républicains Nationaux* (voir à ce nom), qui fournit aux organisations de droite des tracts, des affiches, des orateurs, et aux candidats une documentation toujours à jour sur les partis adverses et leurs dirigeants. Il était devenu, entre-temps, le rédacteur de la rubrique « aviation » de *l'Echo de Paris*, puis son *leader* politique. Il quittera le journal, quelques années avant la guerre, lorsque celui-ci fut absorbé par *Le Jour*, de Léon Bailby. Henri de Kerillis fonda alors (1937), avec l'aide de ses amis — parmi lesquels le banquier Louis Louis-Dreyfus — un nouveau quotidien, *L'Epoque*, à la fois conservateur et pro-soviétique, par opposition au national-socialisme que son directeur abhorrait et par admiration pour l'U.R.S.S. où il avait été reçu trois ans plus tôt. Féroce à l'égard de ceux qui espéraient sauver la paix (1937-1939), il les accusait volontiers de trahison, épousant parfois les haines de ses anciens adversaires contre ses anciens amis. Après la défaite de 1940, il gagna Londres, puis les Etats-Unis, où il fonda une publication française, *La Victoire*, dans laquelle il vouait au poteau le maréchal Pétain et ceux qui le suivaient. S'étant brouillé avec le chef de la France Libre, il écrivit et publia au Canada un ouvrage « *De Gaulle dictateur* » (*Editions Beauchemin*, Montréal, 1945) dans lequel il portait les accusations les plus graves contre « *l'homme du 18 juin* ». Après la Libération, le président du Gouvernement provisoire lui fit refuser le visa de retour. Il aurait probablement pu revenir après le départ du général De Gaulle. Pourquoi ne l'a-t-il pas fait ? *Aspects de la France* (18.4. 1958) laisse entendre qu'il aurait eu des difficultés avec quelques-uns de ceux qui avaient dirigé en sa compagnie le *Centre de Propagande des Républicains Nationaux*. On ne sait. Toujours est-il qu'il resta aux Etats-Unis où il mourut un mois avant le retour au pouvoir de l'homme qu'il avait si sévèrement accablé dans son pamphlet.

KESSEL (Joseph-Elie).

Homme de lettres, né à Clara (Argentine), le 10 février 1898, d'un père juif russe émigré. Fut successivement acteur et journaliste. Pendant la Première Guerre mondiale, aviateur. Envoyé en mission en Sibérie en 1918. Le récit de ce voyage parut sous le titre « *La steppe rouge* », en 1922. Ecrivit ensuite « *L'équipage* » (1923), fit un reportage en Palestine (1924) et publia « *Les Captifs* » (1926) et « *Les Cœurs purs* » (1927), puis obtint le Grand Prix du Roman de l'Académie française en 1927. Désormais

Louis Louis-Dreyfus quêtait au profit de Kerillis.

lancé, fit pour la grande presse des reportages : en mer Rouge (avec Henri de Monfreid, 1930), à Berlin (1932), en Espagne (1936). Collaborait alors au *Journal des Débats*, au *Matin*, à *Gringoire*, à *Marianne* et surtout à *Paris-soir*. Quitta la France en 1940 et rallia la France Libre du général De Gaulle. Ecrivit, avec son neveu Maurice Druon, les paroles du « *Chant des partisans* » sur une musique soviétique : « *Ami, entends-tu...* » (1942). Devenu l'un des grands écrivains de la Ve République : académicien (depuis 1962, au fauteuil du duc de La Force), scénariste de films, collaborateur de *France-soir*, membre influent des milieux gaullistes de gauche (état-major de l'*U.D.T.*). Outre les œuvres déjà citées, a fait paraître : « *Belle de jour* » (1929), « *Vent de sable* » (1930), « *Fortune Carrée* », une biographie de Mermoz (1938), et, après la guerre « *L'armée des ombres* », sur la résistance (1945), « *Le Bataillon du Ciel* », « *La Tour du malheur* », « *Tous n'étaient pas des anges* », etc.

KIR (Félix-Adrien).

Ecclésiastique, né à Alise-Sainte-Reine (Côte-d'Or), le 22 janvier 1876. Chanoine du chapitre de Dijon. Collaborait avant la guerre au *Bien Public*, du chanoine Belorgey. Auteur du livre « *Le problème religieux à la portée de tout le monde* ». Maire de Dijon. Conseiller général du canton Ouest de Dijon. Ancien vice-président du Conseil général de la Côte-d'Or. Membre des deux Assemblées constituantes (1945-1946). Député indépendant de la Côte-d'Or à la 1re Assemblée nationale. Réélu en 1946, 1951, 1956, 1958 et 1962. Battu aux élections de 1967.

KISTLER (Michel).

Administrateur de société, né à Herrlisheim, le 16 juin 1897. Administrateur de la *Société Jacobert* à Colmar, maire de Herrlisheim, ancien vice-président du Conseil général du Bas-Rhin, sénateur *M.R.P.* du Bas-Rhin (depuis 1959).

KLOCK (Joseph).

Secrétaire général du Commerce et de l'Artisanat d'Alsace, né à Brouderdoff (Moselle), le 4 février 1908. Elu conseiller général du canton de Marmoutier en 1945, se présenta aux élections municipales de Strasbourg et devint conseiller et adjoint au maire de la grande cité alsacienne (1950). Candidat des commerçants, des artisans et des classes moyennes aux élections législatives de 1951 dans le Bas-Rhin, fut élu député. S'inscrivit au groupe républicain populaire de l'Assemblée et demeura au parlement jusqu'en 1958. Préside aujourd'hui les *Transports Strasbourgeois* et administre le *Port Autonome de Strasbourg,* la Sté *Astra-Auto-Cars* et les *Carrières de Saint-Nabor.*

KOENIG (Marie, Pierre, Joseph, François).

Administrateur de sociétés, né à Caen (Calvados), le 10 octobre 1898. Fils d'un constructeur d'orgues. Interrompit ses études (dans un collège de Jésuites) pour s'engager au cours de la Première Guerre mondiale. Sous-lieutenant en 1918, lieutenant en 1920 ; participa à la guerre du Rif où son courage fut exemplaire. Etait capitaine lorsque la Deuxième Guerre mondiale éclata. Prit part à l'expédition de Norvège et devint commandant. Combattit ensuite avec la 13e demi-brigade en Bretagne et gagna l'Angleterre à bord d'un bateau de pêche. Sur l'ordre du général De Gaulle — qui le nomma en 1940 lieutenant-colonel et, en 1941, colonel, puis général de brigade des *F.F.L.* — passa en Afrique et fit toute la campagne de Libye (sa victoire à Bir Hakeim est célèbre). Général de division (1943), puis de corps d'armée (1944), fut en outre délégué militaire au *C.F.L.N.* et commandant en chef des *F.F.I.* à la Libération. Nommé gouverneur militaire de Paris en 1944, fut chargé par le gouvernement d'arrêter à la frontière, de gar-

der et de conduire en prison le maréchal Pétain, en 1945, lorsque l'ancien chef de l'Etat français vint se livrer à la Justice. De 1945 à 1949, commanda en chef les troupes françaises d'occupation en Allemagne et, en 1949-1950, fut inspecteur des forces terrestres, maritimes et aériennes de l'Afrique du Nord. Dans l'intervalle, fut promu général d'armée et nommé vice-président du Conseil Supérieur de la Guerre. Ayant adhéré au *R.P.F.* dès sa création, défendit les couleurs de son parti en Alsace, aux élections générales de 1951 : fut élu député du Haut-Rhin. Les présidents Mendès-France et Edgar Faure le nommèrent ministre de la Guerre dans leur cabinet en 1954-1955. Dès son entrée en fonction, fit preuve de libéralisme en donnant l'ordre d'arrêter les poursuites contre le journal *L'Express* qui avait publié des documents secrets intéressant la défense nationale (rapport Ely-Salan), et interdit à la Justice militaire de transmettre à la présidence de l'Assemblée Nationale la demande de levée d'immunité parlementaire d'Emmanuel d'Astier de la Vigerie, alors député d'Ille-et-Vilaine, impliqué dans cette même affaire. Sa présence à la réception de l'ambassade de l'U.R.S.S., en novembre 1959, mentionnée le lendemain par *l'Humanité,* semble indiquer que son libéralisme va fort loin vers la gauche. Ami du jeune état sioniste et président de l'*Alliance France-Israël,* fut chargé de l'organisation de l'accueil à Orly des cendres du sioniste-socialiste Jabotinsky en 1964. Hors du parlement depuis 1958, est entré dans les affaires sous l'égide et pour le compte du groupe Schiff-Giorgini : préside la *Société industrielle et financière des pétroles* et la *Compagnie de raffinage en Afrique du Nord,* et administre les *Forges de Strasbourg,* la *Compagnie industrielle et financière de Pompey* et la *Société générale foncière.* Retiré de la politique active, passe pour hostile à la politique pratiquée depuis huit ans en Afrique. Son nom fut prononcé à plusieurs reprises, au moment de l'élection présidentielle de 1965 ; mais, outre ses propres réticences, l'hostilité ouverte de la droite et des pétainistes à son éventuelle candidature, avaient rendue difficile une opération politique de cette envergure.

KOMINFORM.

Bureau d'information communiste, créé par la Conférence des partis communistes réunie à Varsovie en septembre 1947. Organisme international remplaçant, avec plus de discrétion, le *Komintern* dissous en 1943.

KOMINTERN (Voir **Internationale**).

KRACH.

Débâcle financière. — Les *krachs* les plus connus sont ceux de l'*Union Générale* (1882), *de Panama* (1892), Rochette (1908), de *La Gazette du Franc* (1928), Oustric (1931), Stavisky (1934), Nathan (1935), *Comptoir National du Logement* (1961), auxquels furent mêlés maints hommes politiques de premier plan et de nombreux journalistes.

KONZENTRATIONSLAGER (ou **K. Z.**).

Camp de concentration allemand où le gouvernement hitlérien enfermait les opposants considérés comme dangereux, juifs ou non.

KREMLIN.

Siège du pouvoir soviétique. Par ext. désignait le centre du communisme mondial au temps de la III° Internationale.

KRIEG (Pierre-Charles).

Avocat, né à Lille (Nord), le 18 janvier 1922. Inscrit au barreau de Paris. Candidat républicain social (liste Ulver-Debû-Bridel) en janvier 1956 contre Clostermann, aujourd'hui membre de son groupe (battu). Collabora à la *Chronique juridique* de la R.T.F. (1959-1962). Membre de l'*Alliance France-Israël*. Député gaulliste de Paris (1re circ.) depuis 1962.

KRIEGEL-VALRIMONT (Maurice, Benjamin KRIEGEL, dit).

Journaliste, né à Strasbourg (alors allemand), le 14 mai 1914, de parents israélites originaires de Galicie, venus s'établir brocanteurs en Alsace au début du siècle et naturalisés français par décret du 16 mai 1928 (cf. *J.O.*, 27.5. 1928, p. 5923). Licencié en droit, fut successivement employé d'assurances, secrétaire général du Syndicat des Employés d'assurances et journaliste. Participa à la Résistance sous le nom de Valrimont, à Paris, puis à Lyon. Arrêté en mars 1943, s'évada deux mois plus tard et organisa l'action ouvrière au *M.L.N.* ce qui lui permit de noyauter la résistance au profit du communisme. Responsable de la publication clandestine *Action* et délégué du *M.L.N.* au *C.O.M.A.C.*, fit partie de l'E.-M. de l'insurrection parisienne en 1944. Membre de l'Assemblée consultative provisoire (1944) et des deux Assemblées constituantes (1945-1946), député communiste de Meurthe-et-Moselle (1946-1958). Vice-président de la Haute-Cour, se fit « *remarquer par son sectarisme et son acharnement haineux contre certains inculpés* » (*Crapouillot*, n° 9). Fut également membre de la commission d'enquête sur le « *scandale des généraux* ». Fut longtemps considéré comme l'une des têtes pensantes du *P.C.F.* Depuis quelque temps, son influence paraît avoir beaucoup faibli.

KROEPFLE (Charles-Germain).

Industriel, né à Saint-Louis (Haut-Rhin). Président-directeur général de la *Société de Construction S.H.E.M.* Directeur des *Ateliers mécaniques de Saint-Louis*. Membre du C.A. de l'*Aéroport Bâle-Mulhouse*. Maire de Saint-Louis. Député *U.N.R.* du Haut-Rhin de 1962 à 1967.

L

LABARTHE (André).

Journaliste, né à Paris le 26 janvier 1902. Assistant de laboratoire, puis directeur de la Station nationale des travaux publics. Rejoignit le général De Gaulle à Londres en 1940 où il fonda et publia bientôt la revue mensuelle *La France Libre*. Fut au commissariat à l'Information du Comité d'Alger (1943). Fonda en 1948 et dirigea jusqu'en 1964 la revue *Constellation*. Est aujourd'hui à la tête de la rédaction de *Science et Vie*. Auteur de : « *La France devant la guerre* », « *La Vérité sur la bombe atomique* », « *La vie commence demain* », etc.

LABARTHETE (Henry du MOULIN de).

Inspecteur des Finances, né à Paris le 19 mars 1900, mort à Aire-sur-Adour en octobre 1948. Appartenait à une famille de Guyenne et Gascogne, dont l'un des membres prit part à la guerre de l'Indépendance des Etats-Unis. A ce titre, faisait partie de l'*Association française des Cincinnati*. Dirigea le cabinet de Paul Reynaud, s'y fit des relations, puis se lança dans les affaires et administra le *Crédit Colonial*, les *Ports Coloniaux* et les *Messageries africaines*. A la veille de la guerre, appartint au personnel de l'ambassade de France à Madrid. En 1940, devint le chef du cabinet civil du maréchal Pétain — son « cornac », ont dit ses adversaires. Opposé à la politique et à la personne de Pierre Laval, quitta le sevice du maréchal et fut nommé, par le gouvernement de Vichy, atta-

ché financier à Berne (1942). A laissé d'intéressants souvenirs sous le titre : « *Le Temps des illusions* ».

LABEGUERIE (Michel).

Docteur en médecine, né à Ustaritz (B.-Pyr.), le 4 mars 1921. Elu député *C.N.I.* des Basses-Pyrénées (3e circ.), le 25 novembre 1962. Non réélu aux élections de mars 1967.

LABEYRIE.

Maire de Pantin, nommé le 2 novembre 1941 membre du *Conseil National* (voir à ce nom).

LABIN (Suzanne, née DEVOYON).

Femme de lettres, née à Paris, le 6 mai 1913. Militante socialiste connaissant bien l'action marxiste dans les milieux populaires, se consacre depuis une quinzaine d'années à l'étude des problèmes soviétiques et à la lutte contre le communisme. La *Conférence Internationale sur la guerre politique des Soviets* (voir à ce nom) qui se réunit à Paris les 1er, 2 et 3 décembre 1960, est son œuvre, de même que la seconde *Conférence* qui eut lieu à Rome, l'année suivante. Est l'auteur d'un grand nombre d'ouvrages, presque tous consacrés au communisme et à ses alliés, notamment : « *Staline le Terrible* » (préfacé par Arthur Koestler et Carlos Lacerda), « *Le Drame de la Démocratie* » (traduit en diverses langues), « *Libertés aux liberticides ?* » (couronné par le *Prix de la Liberté*), « *La condition humaine en*

Chine communiste », « Il est moins cinq » (traduit en cinq langues), « Vie et mort du monde libre », « Le colonialisme chinois en Afrique », « Le Tiers Monde entre l'Est et l'Ouest », « De Gaulle ou la France enchaînée ». A collaboré à de très nombreux journaux français et étrangers (New York Times, National Review, La Naccion, New Züricher Zeitung, etc.).

LABROUE (Henri).

Universitaire et avocat, né à Bergerac, le 29 août 1880, mort à Nice, le 29 août 1964. Descendant de vieilles familles de notables poitevins et bergeracois, ayant compté notamment l'évêque de Gap, Mgr Labroue de Vareilles, qui, lors de la période révolutionnaire, refusa de prêter serment à la Constitution civile, un conseiller et un avocat au Parlement de Toulouse, ces deux derniers guillotinés sous la Terreur. Fils d'un proviseur du lycée de Bergerac. Enseigna à Toulon, classe de Navale, à Limoges, à la Faculté des Lettres de Bordeaux, etc. Appartint à la franc-maçonnerie, qu'il quitta en 1924. Fut élu député de la Gironde en 1914 et élu, à nouveau, en 1928. Collabora à L'Homme enchaîné, de Clemenceau, pendant la Première Guerre mondiale qu'il fit comme officier d'infanterie. Professeur d'histoire du judaïsme à la Sorbonne pendant la guerre. Incarcéré à la Libération, fut condamné à vingt ans de réclusion : il avait refusé de répondre à son juge d'instruction et interdit à son avocat de plaider, ne reconnaissant pas « cette juridiction d'exception qu'était la Cour de Justice composée d'adversaires politiques ». Après une longue détention — près de huit ans — il se retira à Nice où il mourut. Auteur de : « L'Impérialisme japonais », « Le Japon au XIXe siècle », « La France vue de l'étranger », « Voltaire antijuif », etc.

LACAZE (Jean).

Pharmacien, né à Luchon (Haute-Garonne), le 26 décembre 1909. Maire et conseiller général de Grisolles, a été élu sénateur radical-socialiste de Tarn-et-Garonne en 1952, et fut constamment réélu. Vice-président du groupe sénatorial de la Gauche démocratique jusqu'en octobre 1964, date à laquelle il démissionna du groupe ; est demeuré non inscrit. Administrateur de la Société anonyme des journaux La Dépêche et Le Petit Toulousain.

LACAZE-DUTHIERS (Gérard de).

Ecrivain, né à Bordeaux le 26 janvier 1876, mort à Paris le 3 mai 1958. Fils d'un professeur issu d'une vieille famille de Guyenne. Militant de gauche, collabora pendant un demi-siècle à la presse pacifiste et socialiste, voire anarchisante. Donna aussi des articles à Germinal (1944). Fondateur de la Bibliothèque de l'Artistocratie : « L'Artistocratie consiste, pour chaque individu, à faire de sa vie une œuvre d'art libre et désintéressée, au-dessus de toutes les limitations et de tous les partis. » Obtint en 1946 le Grand Prix de l'Académie Française pour l'ensemble de son œuvre. Auteur de : « La Liberté de Pensée », « Philosophie de la Préhistoire » (10 vol.), « Les Chemins de l'Amitié », « Pour sauver l'Esprit », « Psychologie du slogan », « Sous le Sceptre d'Anastasie », « Visage de ce temps », « La Torture à travers les âges », etc.

LACHEVRE (Roger).

Imprimeur, né à Paris, le 20 août 1906. Ancien officier de la marine marchande, devint imprimeur, éditeur et directeur de L'Avenir de l'Ile-de-France, et président du Syndicat de la presse de Seine-et-Oise. Sénateur de ce département ; membre du groupe des Républicains indép. et du comité directeur du Centre National des Indépendants et Paysans.

LACHOMETTE (Jean de).

Industriel, né à Lyon (Rhône), le 28 mars 1912. Vice-président des Etablissements Hotchkiss-Brandt, administrateur de l'Appareillage électrique. Sénateur de la Haute-Loire (depuis 1948). Membre du Groupe républicain d'action rurale et sociale. Conseiller général de la Haute-Loire et maire de Bas-en-Basset.

LACOIN (Gaston).

Président de la Plus Grande Famille, nommé le 23 janvier 1941 membre du Conseil National (voir à ce nom).

LA COMBE (René).

Représentant, né à Combrée (M.-et-L.), le 18 avril 1915. Compagnon de la Libération. Conseiller municipal, puis maire de Saint - Germain - des - Prés (M.-et-L.). Député U.N.R. de Maine-et-Loire (6e circ.) depuis 1958. Membre du Groupe parlementaire de la L.I.C.A.

LACORDAIRE (Henri).

Ecclésiastique, né à Recey-sur-Ourcq (Côte-d'Or) en 1802, mort à Sorèze (Tarn) en 1861. Grand orateur de la chaire, disciple de Lamennais, il collabora avec ce dernier à L'Avenir, en

1830. Après la condamnatioin de son maître par le Vatican (1832), il rompit avec lui et fonda, dans la même esprit, *L'Ere nouvelle*. Il institua les Conférences de Notre-Dame et restaura l'Ordre de Saint-Dominique. Il fut député à l'Assemblée nationale constituante élue en 1848 et, peu avant sa mort, il entra à l'Académie française. Il est considéré comme l'un des pionniers de la démocratie chrétienne en France.

LACOSTE (Robert).

Homme politique né à Azerat (Dordogne), le 5 juillet 1898. Ancien percepteur. Maire d'Azerat. Conseiller général du canton de Thénon. Président du Conseil général de la Dordogne. Ancien secrétaire de la *Fédération générale des fonctionnaires C.G.T.* Ancien professeur et conférencier du *Centre Polytechnicien d'Etudes Economiques* (fondé par le synarchiste Coutrot). Membre du groupe *France 50* et co-fondateur de *Nouvel Age*. Ancien rédacteur en chef de la *Tribune des Fonctionnaires*. Ancien membre du C.C. de la *Ligue des Droits de l'Homme*. Membre du Comité de direction de *France et Monde*. Membre du Conseil général du *Centre Français de Synthèse* (Vichy, 1942-1943). Fondateur du mouvement « *Libération-Nord* » et membre du conseil politique de « *Libération-Sud* ». Membre du Comité général d'études pour l'organisation de la délégation en France du Gouvernement provisoire (1944). Membre du Comité directeur du *Mouvement de Libération Nationale* (1944-1945). Secrétaire général à la Production industrielle (Gouv. De Gaulle, 1944-1945). Membre des deux Assemblées constituantes (1945-46). Elu député S.F.I.O. de la Dordogne à la 1re Assemblée Nationale le 10 novembre 1946 et réélu en 1951. Ministre de la Production industrielle (cabinets Blum, 1946-1947, et Ramadier, 1947). Ministre de l'Industrie (3e cabinet Ramadier, 1947). Ministre de l'Industrie et du Commerce (cab. Schuman, 1947-1948 ; Marie, 1948 ; Schuman, 1948 ; Queuille, 1948-1949 ; Bidault, 1949-1950). Fit campagne contre la C.E.D. Ancien président du Conseil supérieur de l'Electricité et du Gaz. Premier vice-président de l'Assemblée nationale (12 janvier - 1er décembre 1955). Réélu député le 2 janvier 1956 (avec l'investiture de *L'Express*). Ministre des Affaires économiques et financières (cabinet Guy Mollet, 1957). Ministre de l'Algérie (cabinet Bourgès-Maunoury, 1957 ; cabinet Félix Gaillard, 1957-1958). Fut parmi les souscripteurs privilégiés à la fondation de la *Francarep* par Rothschild et Worms (1957). Battu aux élections législatives le 30 novembre 1958. Membre de l'*Alliance France-Israël*. Membre du Conseil Economique et Social (4 juin 1959). Elu à nouveau député S.F.I.O. de la Dordogne (4e circ.) en 1962. Réélu en 1967. Partisan de l'*Algérie française*, fut violemment attaqué dans son parti. En mai 1962, il déclarait : « Je ne connais pas l'O.A.S., mais je suis pour les Européens d'Algérie. » (*La Quotidienne*, 29-5-1962.)

LACOSTE-LAREYMONDIE (Alain de).

Maître des requêtes au Conseil d'Etat, né à Niort (S.-S.), le 7 janvier 1921. Fils de J. de Lacoste Lareymondie, directeur de *L'Eclair de l'Ouest* et du *Courrier de Bressuire*. Auditeur au Conseil d'Etat (1946), puis maître de conférences à l'Institut d'Etudes Politiques de Paris (1949), fut chef de cabinet du général de Lattre de Tassigny en Indochine (1951), conseiller technique au cabinet de plusieurs ministres (Pierre Garet, Pierre Courant, Maurice Lemaire, Roger Duchet) et du général Salan, en Algérie. En 1958, fut élu député de la Charente-Maritime ; invalidé par la Commission constitutionnelle provisoire, fut réélu et demeura au parlement jusqu'en 1962. Retourna au Conseil d'Etat. Candidat aux élections de mars 1965, puis de mars 1967 à Paris (16e), ne fut pas élu. Lors de l'élection présidentielle de 1965, fit partie de la direction du *Comité Tixier-Vignancour* et, après la scission intervenue en 1966 entre la tendance Tixier-Vignancour et la tendance Le Pen, suivit le premier à l'*Alliance Républicaine pour le Progrès et les Libertés*, dont il est l'un des fondateurs.

LACOTTE (Charles, Eugène).

Journaliste (1870-1943). Professeur révoqué pour délit d'opinion par le ministère Dupuy, Eugène Lacotte se lança dans le combat et le journalisme politiques à la fin du siècle dernier. Il publia diverses brochures, dont « *Nos seigneurs républicains* » (1909), et un pamphlet, *Les Guêpes*, qui parut très irrégulièrement de 1906 à 1939. Candidat socialiste indépendant en 1910, il fut battu de 80 voix à la suite de combinaisons électorales attribuées à l'administration préfectorale de l'Aube. En 1914, il fut élu, puis invalidé. L'Aube l'envoya à la Chambre en 1919. Il s'y fit remarquer par ses interventions contre les trusts pétroliers et la finance internationale. En plein parlement, il accusa un jour « *la diplomatie française* (d'être) *vendue au trust anglais du pétrole* ». Il eut alors la quasi-totalité de ses collègues contre lui (séances des 3-2-1921, 25-5-1921, 8-4-1922, 23-5-1922). Il ne fut pas réélu en 1924, et se consacra à l'action politique extra-parlementaire par la parole et l'écrit. Socialiste rallié au maréchal Pétain, il fut assassiné en 1943 par des adversaires politiques.

LACROIX (Jean, Paul).

Universitaire, né à Lyon (Rhône), le 23 décembre 1900. Professeur de philosophie aux lycées de Lons-le-Saunier, de Bourg, de Dijon, puis de Lyon (première supérieure préparant à l'Ecole normale supérieure). Fondateur, avec Emmanuel Mounier, de la revue *Esprit* à laquelle il collabore. Est, en outre, rédacteur au *Monde* et membre du Comité directeur des *Semaines sociales*. Directeur de la collection « *Initiation philosophique* » des Presses Universitaires de France. Auteur de : « *Itinéraire spirituel* », « *Vocation personnelle et tradition nationale* », « *Force et faiblesse de la Famille* », « *Marxisme, Existentialisme, Personnalisme* », « *La Sociologie d'Auguste Comte* », « *Le Sens de l'athéisme moderne* ».

LAEDERICH (Georges, René).

Industriel, né à Epinal, le 30 juin 1898. Administrateur de la *Sté Alsacienne de Constructions Mécaniques*, des *Eaux Minérales de Vittel*, de la *Télémécanique Electrique*, des *Ets Laederich* et des *Ets Badin et Fils*. Ancien président du *Syndicat cotonnier*. Co-fondateur d'*Inter-France* (1937). Nommé membre du *Conseil National* du maréchal Pétain (1941). Membre du comité d'honneur de l'*Association pour défendre la mémoire du maréchal Pétain* (A.D.M.P.). Participa au *Colloque de Vincennes* réunissant, en 1960, les personnalités favorables à l'Algérie française. Préside le *Centre d'Etudes Politiques et Civiques* (C.E.P.E.C.) et appartient, en qualité d'actionnaire fondateur, à l'*Omnium d'Impression et de Publicité*.

LAFARGUE (Paul).

Homme politique, né à Santiago de Cuba, le 15 janvier 1842, mort à Draveil en novembre 1911. « *Par son père*, écrivait Victor Méric, *il a recueilli un peu de sang nègre ; par sa mère un peu de sang caraïbe. Faut-il en conclure, selon les méthodes éminemment psychologiques, que ces divers éléments constitutifs d'un tempérament concourent à former un Lafargue prédestiné à l'internationalisme et à la révolte ?* » (*Les Hommes du jour*, 10-7-1909.) Toujours est-il qu'il entra dans la famille de Karl Marx, en épousant sa seconde fille, Laura (1868), et devint le propagandiste zélé du socialisme internationaliste. Au sein du *Parti Ouvrier Français* (dont il était co-fondateur), il prit toujours le parti de son beau-père contre ceux qui ne partageaient pas les idées du doctrinaire judéo-allemand. C'est ainsi qu'il attaqua avec vigueur Bakounine et vota même son exclusion au Congrès international de La Haye. Un peu plus tard, il attaqua un autre révolutionnaire, Pelloutier, qui est cependant le véritable créateur du mouvement syndical. Plusieurs fois condamné pour ses activités politiques, il était en prison quand ses amis socialistes posèrent sa candidature à Lille, à une élection partielle (1891). Elu député, il fut libéré de prison. Mais à l'Assemblée, ses adversaires demandèrent son invalidation, affirmant qu'il n'avait pas la nationalité française. Son élection fut néanmoins validée et, dès le 8 décembre 1891, c'est-à-dire un mois après sa désignation par les électeurs lillois, il développait à la tribune du parlement le programme collectiviste et internationaliste. Battu en 1898, il se présenta contre son ancien camarade Alexandre Millerand en 1906, mais il échoua. Il consacra la fin de sa vie à la propagande, réservant ses principaux articles à *L'Humanité*. Il se donna la mort avec sa femme Laura, en 1911. Il est l'auteur de plusieurs ouvrages : « *Le droit à la paresse* », « *La Religion du Capital* », « *Les pamphlets socialistes* », « *Cours d'Economie sociale* », « *La Propriété, origine et évolution* », « *Le Déterminisme économique de Marx* ».

LAFAY (Bernard).

Médecin, né à Malakoff (Seine), le 8 septembre 1905. Fils d'un professeur de l'Ecole polytechnique. Membre de l'Académie de Médecine. Candidat national aux élections municipales de Paris en 1935 ; ne fut pas élu, mais entra dix ans plus tard à l'hôtel de ville, comme conseiller municipal ; a été constamment réélu depuis et fut, successivement vice-président (1947-1948) et président du conseil municipal de Paris (1954-1955). Ancien résistant et militant du *Parti Radical-Socialiste*, fut pendant deux ans le secrétaire administratif de l'organisation. Entra au parlement comme sénateur de la Seine en 1946 et y resta comme député de Paris de 1951 à 1958. Fut, entre-temps, secrétaire d'Etat chargé de la Fonction publique (gouvernement E. Faure, 1952), secrétaire d'Etat aux Affaires économiques (gouvernement

Joseph Laniel, 1953-1954), ministre de la Santé publique et de la Population (gouvernement Edgar Faure, 1955-1956). Ayant quitté le *Parti Radical-Socialiste*, fonda avec les radicaux modérés le *Centre Républicain*. Revint au Sénat en avril 1959 et fut l'une des personnalités marquantes du groupe de la *Gauche démocratique*. Elu, à nouveau, député de Paris (22ᵉ circ.) en mars 1967.

LAFITTE (Paul).

Militant politique (1883-1946). Sous-officier de cuirassiers, fait prisonnier au début de la guerre de 1914, fut interné dans un camp de représailles après plusieurs tentatives d'évasion. Adhéra au *Faisceau* en 1925, puis rejoignit la *Milice Socialiste Nationale* (de Gustave Hervé) et en devint (1932-1933) l'un des dirigeants. Suivit Lhérault et Bucard au *Francisme*, dont il fut l'un des fondateurs en 1933 et qu'il quitta peu avant la guerre. Puis adhéra au *Parti Populaire Français*. Partisan du maréchal Pétain. Fut secrétaire général du *Centre d'Action et de Documentation* (service des sociétés secrètes) en 1941-1944. Arrêté à la Libération, mourut en prison un mois après sa condamnation à dix ans de réclusion.

LAFFONT (Pierre).

Directeur de journaux, né le 12 mars 1913 à Marseille (B.-du-R.). Directeur général de *L'Echo d'Oran*, fondateur d'*Echo-Soir* et d'*Echo-Dimanche*. Député d'Oran-campagne sur la liste G.U.R. avec le Dr Sid Cara et Djelloul Berrouaïne, le 3 décembre 1958. Partisan de l'autodétermination de l'Algérie (*Le Figaro* du 22 janvier 1960, *Le Monde* du 11 mai 1960). « *La seule solution pour nous aujourd'hui*, écrivait-il dans *L'Echo d'Oran* du 10 mai 1960, *est de considérer l'autodétermination comme un fait acquis. Partant de cette base, il faut abandonner la querelle des slogans, nous préoccuper d'abord et avant tout du premier des deux référendums, celui qui déterminera le sort de l'Algérie. Avec ou contre la France... Vouloir imposer d'Alger une solution qui n'ait pas l'adhésion du pays est une utopie.* » Mais le 16 mai 1961, il donnait sa démission de député parce que, écrivait-il dans l'éditorial « *Les raisons d'une décision* » (*L'Echo d'Oran*, 17-5-1960), « *... le rôle dévolu à un parlementaire dans le règlement de l'affaire algérienne est si restreint que j'estime de mon devoir d'y renoncer.* » Et il ajoutait : « *Aucune considération ne peut m'empêcher, en m'en allant, de répéter avec foi que la violence n'entraîne que la violence et que rien n'est possible dans ce pays sans la concorde entre les différentes communautés et l'union étroite avec la France métropolitaine et avec tous ses enfants qui la représentent ici.* » En octobre 1961, il avouait dans *Le Figaro* que son quotidien « *n'est pas aujourd'hui un journal digne de ce nom, mais une simple feuille d'avis* ». A la suite d'un raid *O.A.S.* qui obligea son imprimerie à tirer une « édition pirate », ses trois journaux furent suspendus *sine die* en février 1962. Au début de 1964, il a pris le contrôle de la revue *Constellation*. Pierre Laffont est le frère de Robert Laffont dont il est l'associé dans les éditions qui portent son nom.

LAFLEUR (Henri, Francisque).

Industriel, né à Nouméa (Nouvelle-Calédonie), le 18 avril 1902. Intéressé dans diverses affaires minières calédoniennes. Conseiller général et sénateur de la Nouvelle-Calédonie.

LA FOUCHARDIERE (Georges de).

Journaliste (1874-1946). Fut l'un des rédacteurs les plus brillants et les plus agressifs de la presse parisienne des années 1910-1944. Déniché à *La Liberté* par Gustave Tery, il devint son collaborateur à *L'Œuvre* hebdomadaire, puis à *L'Œuvre* quotidienne et fut rédacteur au *Merle Blanc* et au *Canard Enchaîné*, où il pourfendait indistinctement les bourgeois, les curés et les militaires. Pendant la guerre, il collabora régulièrement à *Paris-soir* (édition de Paris), sous le pseudonyme de Jean Chatel, et à *L'Œuvre*, qui paraissait sous la direction de Marcel Déat. Il fut épuré à la Libération à la demande du *Comité National des Ecrivains*.

LAGAILLARDE (Pierre).

Avocat, né à Courbevoie, le 15 mai 1931. Président de l'Association des Etudiants d'Algérie, puis inscrit au barreau de Blida, fut l'un des organisateurs de la manifestation du 13 mai 1958, puis des émeutes de janvier 1960 à Alger. Ecroué à la prison de la Santé en février 1960, mis en liberté provisoire en novembre de la même année, s'enfuit à l'étranger où il vit depuis lors. Entre-temps, avait été élu (novembre 1958) député d'Alger et fut à l'Assemblée nationale l'un des défenseurs passionnés de l'Algérie française.

LAGARDELLE (Jean-Baptiste, Joseph, Hubert).

Universitaire, né à Burgand (Haute-Garonne), le 8 juillet 1874, mort à Paris le 20 septembre 1958. Epousa à Kiev, en Russie, le 3 septembre 1899, Zénaïde Gogounzwa. Il fut l'un des principaux théoriciens du syndicalisme révolutionnaire et de la grève générale. Entré jeune dans le mouvement socialiste, animateur du Groupe collectiviste du Quartier Latin, il participa activement à la vie du mouvement révolutionnaire à partir de 1896. Avocat, professeur au Collège libre des Sciences Sociales de Paris et à l'Université nouvelle de Bruxelles, il fonda en 1898 la revue *Le Mouvement Socialiste,* dont il fut longtemps le directeur et à laquelle collabora Georges Sorel. Au congrès socialiste de Toulouse, en 1908, il prononça un discours où l'on a découvert, plus tard, les principes du fascisme. Il fut d'ailleurs l'ami de Mussolini, qu'il avait connu dans les milieux socialistes, et il travailla quelque temps avec les anciens du *Faisceau,* qui venaient de fonder la revue fasciste *Prélude.* Un peu plus tard, le gouvernement français l'adjoignit à l'ambassadeur de France à Rome, en qualité de conseiller; c'est lui qui organisa, ensuite, le voyage que le président Laval fit dans la capitale italienne. Au lendemain de l'armistice de 1940, il devint l'un des théoriciens de la Révolution Nationale. A Vichy, il participa aux travaux de l'*Institut d'Etudes Corporatives et Sociales* et du *Centre Français de Synthèse* et fut quelque temps, le ministre du travail du gouvernement du maréchal Pétain ; il avait alors comme collaborateur l'ancien animateur de *Prélude,* le Dr Pierre Winter. Ses collaborations à la presse furent assez limitées : avant la guerre, il donna des articles à *La Flèche,* de Gaston Bergery, et pendant, à *La France Socialiste,* de René Château. Après la Libération, il fut condamné par la Haute Cour de Justice (1946). Il resta emprisonné quelque temps, puis se retira de la politique active et se borna à publier çà et là des articles, principalement aux *Ecrits de Paris.*

LA GONTRIE (Pierre, Charles MOSSION de).

Avocat, né à La Rochelle (Charente-Inférieure) le 30 juillet 1902. Bâtonnier de l'ordre des avocats à la cour de Chambéry. Elu, en 1948, sénateur de la Savoie, et constamment réélu depuis, président (depuis 1959) du groupe sénatorial de la *Gauche démocratique.* Président du Conseil général de la Savoie, maire de Courchevel.

LAGOR (Jean ARFEL, dit J.-L.) (Voir Itinéraires).

LA GORCE (Paul-Marie de).

Journaliste, né à Paris, le 10 novembre 1928. Correspondant de journaux étrangers et attaché à la direction d'une maison d'édition (*Editions de Montsouris*) jusqu'en 1959. Collabora ensuite à *France-Observateur* et à *L'Express* et entra au *Nouveau Candide* pour y diriger les services politiques. Donna, au cours de ces dernières années, des articles au *Figaro littéraire* et à *Jeune Afrique.* Auteur de quelques livres dont : « *La République et son armée* ».

LAGRANGE (François, Léo).

Avocat, né à Bourg, le 28 novembre 1900, mort à Evergincourt (Aisne), le 8 juin 1940. Militant socialiste, député du Nord de 1932 à 1940, sous-secrétaire d'Etat à l'Education physique dans le premier cabinet Léon Blum (1936-1937) et des Sports et Loisirs dans le deuxième (1937-1938). Parti au front à la déclaration de guerre, fut tué dans l'Aisne en juin 1940.

LAGRANGE (Roger).

Membre de l'enseignement, né à Vauxen-Pré (S.-et-L.), le 4 mai 1913. Maire d'Essertenne, sénateur *S.F.I.O.* de Saône-et-Loire depuis 1959.

LA GRANDIERE (Jacques de).

Conseiller général du Maine-et-Loire, nommé le 23 janvier 1941 membre du *Conseil National* (voir à ce nom).

LAHARGUE (Jean).

Président-fondateur du *S.P.E.S.* (voir à ce nom).

LAICISME.

Doctrine des partisans de la laïcisation de l'Etat. (De nos jours, c'est principalement la laïcisation de l'enseignement qui est préconisée.)

LAINE (Jean).

Exploitant agricole, né à Pont-Audemer (Eure), le 22 décembre 1901. Président d'honneur de la Fédération des Exploitants agricoles de l'Eure. Membre du C.A. de l'Amicale Parlementaire Agricole. Maire de Valletot. Elu député de l'Eure le 2 janvier 1956. Vice-président du groupe paysan de l'Assemblée Nationale (21 janvier 1956). Membre de l'*Alliance France-Israël.* Réélu député le 30 novembre 1958 et le 25 novembre 1962 (cette fois contre le candidat *U.N.R.* Pierre Desprez, qui lui reprochait d'avoir voté NON). Inscrit au groupe des *Républicains Indépendants* et rallié au gaullisme, fut réélu en mars 1967.

LALLE (Albert).

Agriculteur, né à Villy - le - Moutier, le 24 mai 1905. Maire de sa ville natale (depuis 1935). Membre de la deuxième Assemblée constituante (juin-novembre 1946). Elu député de la Côte-d'Or à la première Assemblée Nationale, le 10 novembre 1946. Réélu en 1951. Secrétaire du Groupe des *Républicains Indépendants* de l'Assemblée. Réélu député en 1956, en 1958 et en 1962. Ancien président de l'*Amicale parlementaire agricole et rurale* (janvier 1959-mai 1961). Ancien vice-président du groupe des Indépendants-Paysans à l'Assemblée nationale (2 décembre 1961). Inscrit au groupe des *Républicains Indépendants*. Non réélu en 1967.

LALLOY (Maurice).

Ingénieur du génie rural, né à Fumay (Ardennes), le 25 novembre 1896. Milita dans la Résistance. Maire de Nanteau-sur-Lunain. Ingénieur général des eaux et du génie rural. Sénateur de Seine-et-Marne depuis 1959. Bien que n'appartenant pas à l'*U.N.R.-U.D.T.*, s'est rattaché administrativement à son groupe sénatorial.

LAMARE (Georges).

Imprimeur et journaliste, né au Havre, le 21 mai 1915. Petit-fils de l'amiral Dupuis et neveu de l'amiral Barthes, ancien résident général à Dakar. Appartient aux *Jeunesses Patriotes* dans l'entre-deux-guerres. Dirige *Saint-Romain-Presse*, *Montivilliers-Presse* et *La Presse hebdo du Chef de Caux*.

LA MALENE (Voir LUNET DE LA MALENE).

LAMARQUE-CANDO (Charles-Pierre).

Libraire, né à Onard (Landes), le 12 janvier 1901. Agent d'assurances. Maire de Mont-de-Marsan (depuis le 9 mars 1962). Ancien conseiller général du canton de Sabres (1936-1951). Ancien membre du Comité politique de *La Nouvelle République de Bordeaux* et directeur du *Travailleur landais*. Ancien Président du Conseil général des Landes. Ancien secrétaire départemental de la *Ligue des Droits de l'Homme* (1933-1936). Ancien président du Comité Départemental de la Libération. Membre des deux Assemblées constituantes (1945-46). Député *S.F.I.O.* des Landes de 1946 à 1958. Battu le 30 novembre 1958. Elu à nouveau député de la 1re circ. le 25 novembre 1962 et le 12 mars 1967.

LAMBERT (Marcel).

Industriel, né à Neuilly-sur-Marne (S.-et-O.), le 10 novembre 1897. Maire de Pontivy, président de l'Association des Maires du Morbihan, sénateur de ce département depuis 1959, inscrit au groupe sénatorial des *Républicains Indépendants*.

LAMENNAIS (Félicité, Robert de).

Ecclésiastique et philosophe, né à Saint-Malo en 1782 d'une famille de marins et d'armateurs. Elevé par un oncle dans l'esprit de l'« *Emile* ». Amour passionné à dix-huit ans, duel à vingt et un ans, première communion fervente à vingt-deux ans. Il commença par défendre l'Eglise contre les empiètements de l'Etat dans « *Réflexions sur l'état de l'Eglise en France pendant le XVIIIᵉ siècle et sur sa situation actuelle* » (1809) et dans « *La tradition de l'Eglise sur l'institution des évêques* » (1814). Ordonné prêtre en 1816, il écrivit son maître livre, l' « *Essai sur l'indifférence en matière de religion* » (4 vol. 1817-1823) qui lui donna la notoriété et groupa autour de lui les catholiques libéraux. Dès lors, il attaqua violemment tous ceux qui n'étaient pas partisans de l'autorité absolue de l'Eglise en tous domaines (bourgeois voltairiens, parlementaristes, gallicans), à la fois par ses livres tels que « *De la religion considérée dans ses rapports avec l'ordre politique et civil* » (1825-1826) ou « *Des progrès de la Révolution et de la guerre contre l'Eglise* » (1829), et par ses articles dans *Le Conservateur* (de Chateaubriand), *Le Défenseur*, *Le Mémorial catholique*, ce qui le fit traduire en justice par ses adversaires. Jusqu'alors, il avait l'appui de la hiérarchie catholique ; mais déjà se dessinait une évolution de ses idées vers une forme démocratique de la religion et, le 17 octobre 1830, il fondait avec Lacordaire, Montalembert et Gerbet un quotidien *L'Avenir*, avec pour devise « *Dieu et Liberté* » — qui est considéré comme le prototype des journaux démocrates-chrétiens. Ses idées libérales se précisant, il en vint à réclamer la séparation de l'Eglise et de l'Etat. Désavoué par l'archevêché de Paris, il suspendit la publication de *L'Avenir* et décida d'aller plaider sa cause au Vatican. Grégoire XVI le reçut froidement. Rentré à Paris, il reprit la publication de *L'Avenir* et reprit sa campagne pour un catholicisme libéral, mais dans l'encyclique *Mirari Vos*, le pape condamna formellement ses idées, condamnation qui eut des dessous assez troubles et qui n'est pas sans rappeler celle de *L'Action Française* en 1926. Sous la pression de son frère, prêtre lui aussi, et de Lacordaire, Lamennais accepta de signer une lettre de soumission ; mais en 1833, il manifesta sa révolte dans « *Paroles d'un croyant* », à allure prophétique, qui eut un retentissement dans le monde entier et détourna de lui ses disciples de la première heure, Lacordaire et Montalembert. Pour sa justification, il publia « *Les Affaires de Rome* » (1836), véritable réquisitoire contre le Vatican qui venait de condamner solennellement les idées émises dans « *Paroles d'un croyant* » comme « *impies, contraires à la parole de Dieu* ». Dès lors, ce fut la rupture définitive, et Lamennais prit pour emblème un chêne brisé par l'orage avec pour devise : « *Je romps et ne plie pas.* » Il publia alors une série d'ouvrages de combat, dont « *Le livre au peuple* » (1837), « *De la lutte entre la cour et le pouvoir parlementaire* » (1839), « *Questions politiques et philosophiques* » (1840), qui le firent enfermer pour délit d'opinion à Sainte-Pélagie — où il écrivit « *Une voix de prison* » (1841). A la révolution de 1848, il fonda le journal *Le Peuple constituant* et fut élu député de Paris à l'Assemblée nationale, où il déposa un projet de constitution en vue de faire officialiser ses conceptions — projet repoussé : déçu, il donna sa démission de député et publia un violent pamphlet « *Les saturnales de l'Assemblée* ». Le coup d'Etat de 1851 le fit se replier à La Chênaie, ne revint à Paris que pour y mourir le 27 février 1854. Il demanda, dans son testament : « *Je veux être enterré au milieu des pauvres et comme le sont les pauvres. On ne mettra rien sur ma tombe, pas même une simple pierre. Mon corps sera porté directement au cimetière, sans être porté à aucune église.* »

LAMOUR (Philippe).

Avocat, né à Landrecies (Nord), le 12 février 1903. Gendre de feu Walter, le magnat des *Mines Zélidja*. Débuta tôt dans la politique et donna, dès 1925, son adhésion au premier parti fasciste français : *Le Faisceau,* dont il devint l'un des dirigeants et le meilleur orateur. Après la disparition du *Faisceau,* suivit quelque temps le groupe de la *Révolution fasciste* et le *Parti Fasciste Révolutionnaire* du Dr P. Winter (1929), puis évolua vers la gauche, tout en conservant, semble-t-il, quelques relations avec l'anciens membres du *Faisceau,* jusqu'à la Libération. Fut ensuite secrétaire

Lamennais,
l'un des premiers démocrates chrétiens.

général de la *Confédération Générale de l'Agriculture* et membre du Conseil Economique (1945-1953) et, après le sabordage de la *C.G.A.,* président fondateur du *Comité Général d'Action Paysanne.* Abandonnant l'action politique et l'action paysanne, son activité se situa, à partir de 1955, au niveau des affaires économiques ; est actuellement : président-directeur général de la *Compagnie nationale d'aménagement de la région du Bas-Rhône et du Languedoc* (depuis 1955), membre du *Conseil supérieur du Plan,* président de la *Commission nationale de l'aménagement du Territoire* (février 1963), membre du Conseil national du crédit (depuis 1946) et du Conseil de direction du *Centre national du commerce extérieur* (depuis 1956), vice-président de la *Société Mer du Nord-Méditerranée* (1964), président du *Comité international pour la zone pilote de Sardaigne,* président du Comité des experts du projet F.A.O., membre de la Commission des actions régionales (C.E.E. 1963), etc. Auteur de deux ouvrages politiques : « *La République des Producteurs* » (« Nous sommes fascistes »), « *Entretiens sous la tour Eiffel* », publiés lorsqu'il était au *Faisceau*, et, plus récemment, d'un troisième livre : « *La France, revue et corrigée* » (1964).

LAMOUREUX (Lucien).

Avocat, né à Viplaix (Allier), le 16 septembre 1888. Dirigeant du *Parti Radical-Socialiste*, député de l'Allier (1919-1942), conseiller général de Vichy, ministre de l'Instruction publique (1926), des colonies (1930 et 1933), du Budget (1933), du Travail (1933), du Commerce (1934), des Finances (1940). Vota pour le maréchal Pétain le 10 juillet 1940. Nommé membre du Conseil National (1941). Président de l'*Association des Anciens de la III*e *République*.

LAMOUSSE (Georges).

Professeur, né à Droux (Haute-Vienne), le 23 décembre 1909. Professeur d'école normale à Laon et à Bordeaux, professeur au Centre d'enseignement par correspondance et radio de l'Université de Clermont-Ferrand. A la Libération : directeur régional de la Radiodiffusion à Limoges, directeur de la Presse libérée de la région du Centre ; puis sénateur socialiste de la Haute-Vienne (depuis 1949) Conseiller général du canton de Magnac-Laval et maire de Droux. Après avoir soutenu la cause de l'Algérie française, et protesté contre « l'internement administratif » des partisans du maintien des anciens départements outre-méditerranée dans la République française, s'est attaqué avec vigueur au président sortant lors de l'élection présidentielle de 1965. Sur sa proposition, le Conseil général de la Haute-Vienne, « considérant le caractère plébiscitaire de l'élection présidentielle (appela) les électeurs à voter contre tout candidat se réclamant à un titre quelconque du pouvoir personnel » (cf. *Le Monde*, 27-10-1965). Ce vœu fut adopté à l'unanimité moins deux abstentions. Le préfet avait, auparavant quitté la salle.

LAMPS (René).

Membre de l'enseignement, né à Amiens (Somme), le 5 novembre 1915. Instituteur, puis professeur. Participa à la Résistance. Membre du Comité central du *P.C.F.* Membre et secrétaire des deux Assemblées constituantes (1945-46). Elu député de la Somme à la 1re Assemblée nationale le 10 novembre 1946. Réélu en 1951 et en 1956. Battu en 1958. Elu conseiller général du canton de Domart-en-Ponthieu (18 octobre 1959). Elu à nouveau député de la 1re circ. en 1962 et 1967.

LA MYRE-MORY (comte Robert de).

Agriculteur, né à Port-au-Prince (Haïti), le 4 mars 1898, mort en 1940. Dans sa jeunesse, appartint à l'*Action Française* ; démissionna après la condamnation du mouvement par le Vatican en 1927. Conseiller général, puis député de Villeneuve-sur-Lot (Lot-et-Garonne), qu'il représenta à la Chambre de 1933 à 1940. Avait conquis le siège (vacant à la mort de Georges Leygues, ancien ministre de la Marine) contre l'avocat Papon, vénérable de la loge *Le Réveil* et *leader* du *Parti Radical-Socialiste*, président du comité électoral de Leygues. Parti au front en 1939, fut tué à l'ennemi en 1940.

LANGEVIN (Paul).

Physicien (1872-1946). Professeur au Collège de France ; successeur de Pierre Curie comme professeur à l'Ecole de Physique et de Chimie, dont il devint le directeur ; président du Comité scientifique de l'Institut Solvay, membre de l'Institut. Il fut dans les années qui ont précédé la Seconde Guerre mondiale l'un des *leaders* de l'antifascisme en France. Il était, avec Alain et Rivet, à la tête du *Comité de Vigilance des Intellectuels antifascistes* et l'un des fondateurs du *Front commun* (avec G. Bergery). A la Libération, il présida la *Ligue des Droits de l'Homme*, à laquelle il donna une tendance pro-communiste (1944-1946). Sa famille fut très éprouvée pendant la guerre : son gendre Jacques Solomon fut fusillé par les Allemands et sa fille subit la déportation dans un camp outre-Rhin.

LANGUMIER (Adrien).

Journaliste, né le 3 janvier 1902. Militant communiste, élu député de la Seine en 1936.

LANIEL (Joseph).

Industriel, né à Vimoutiers (Orne), le 12 octobre 1889. Fils de Henri, Gustave Laniel, député du Calvados (1896-1932) ; frère de l'ex-sénateur Laniel. Maire de Notre-Dame-de-Courson (Calvados), conseiller général du Calvados, député du Calvados (1932, réélu en 1936). Sous-secrétaire d'Etat aux finances (cabinet Paul Reynaud, 1940). Vota la délégation de pouvoirs au maréchal Pétain (1940). Membre de l'*Alliance Démocratique*, fut à ce titre, nommé au *Comité National de la Résistance* dès sa fondation dans la clandestinité. Délégué à l'Assemblée consultative provisoire (1944). Elu aux deux Assemblées constituantes (1945-1946) éputé du Calvados (1946, 1951-décembre 1958), président du *Parti Républicain de la Liberté* (1946-1947). Secrétaire d'Etat aux Finances (cabinet André Marie, 1948), ministre des P.T.T. (cabinet René Pleven, 1951), ministre d'Etat (cabinets René Pleven, 1951 et Edgar Faure, 1952) et président du Conseil des ministres (1953-1954). Membre de l'*Alliance France-Israël*.

LANTERNE (La).

Ce titre fut, d'abord, celui d'un pamphlet hebdomadaire de Henri Rochefort, sous le Second Empire : « La lanterne, disait le grand journaliste, *sert à la fois* à éclairer les honnêtes gens et à pendre les voleurs. » En 1877, parut une nouvelle *Lanterne*, quotidienne celle-là, d'un radicalisme intransigeant et agressif, qui fut longtemps dirigée par la « *bête noire* » des catholiques (en raison de son anti-cléricalisme) et des antisémites (du fait de ses origines) : Eugène Mayer. Elle disparut entre les deux guerres ; mais elle avait déjà cessé d'être un grand journal pendant la Première Guerre mondiale. Plusieurs notabilités de la III⁰ République y avaient collaboré, depuis Gaston Doumergue, alors maçon et radical actif, futur président de la République, jusqu'à Justin Godart, sénateur du Rhône et président d'honneur de

Le quotidien de action anticléricale de la Belle Epoque.

sociétés sionistes, en passant par René Besnard, J.-L. Breton, Charles Humbert, Georges Ponsot, Théodore Steeg et Alexandre Varenne, qui dirigea ensuite *La Montagne*, de Clermont-Ferrand. Il y eut, par la suite, *La Nouvelle Lanterne*, de René de Planhol, *La Lanterne des Patriotes*, de Jacques Ploncard, *La Dernière Lanterne*, de Pierre Boutang et Antoine Blondin, etc. (voir à ce nom).

LANTERNE DES PATRIOTES (La).

Journal mensuel lancé en 1929 par Jacques Ploncard, aidé par Armand Bernardini. Disparu la même année.

LAPLACE (Adrien).

Agriculteur, né à Montauban (T.-et-G.), le 18 septembre 1909. Conseiller général. Résistant de nuance radicale, fut tour à tour — parfois simultanément — : conseiller municipal de Montauban, député de Tarn-et-Garonne (1951-1956), sénateur de ce département (depuis juin 1958). Inscrit au groupe sénatorial de la *Gauche démocratique*, jusqu'en octobre 1964, date à laquelle il quitta ce groupe ; ne s'inscrivit à aucun autre.

LANOUX (Armand).

Homme de lettres, né à Paris, le 24 octobre 1913. Il fut successivement employé de banque, représentant, instituteur et journaliste. En 1938, il appartenait à la rédaction du quotidien *La Liberté*, dirigé par Jacques Doriot. Les liens qui l'unissaient au *Parti Populaire Français* ne furent pas seulement politiques : ils ne tardèrent pas à devenir sentimentaux puisqu'il épousa la fille du photographe attitré du parti. Fait prisonnier en 1940, il fut libéré sur les instances de Jacques Doriot au début de 1941 et enrôlé dans les services de l'Information à Vichy par le secrétaire d'Etat à l'Information, son ami Paul Marion, qu'il avait connu avant la guerre, lorsqu'ils étaient tous les deux à *La Liberté*. Il a fait une carrière fulgurante dans la littérature, depuis qu'il a pris ses distances avec ses amis politiques de la veille et noué d'utiles relations avec les milieux communistes. Il obtint plusieurs prix littéraires : Prix du roman populiste 1948 (pour « *La Nef des fous* »), Prix Apollinaire 1953 (pour « *Colporteur* »), Grand Prix du Roman de la Sté des Gens de lettres 1953 (pour « *Les lézards dans l'horloge* »), Prix Paul Dermée (pour « *La Fille de Londres* »), Prix Interallié 1956 (pour « *Le commandant Watrin* »), Prix Goncourt 1963 (pour « *Quand la mer se retire* »). Il fut rédacteur en chef des *Œuvres libres* et, en 1958-1959, présida le comit de la Télévision française. Il est, aujour d'hui, le secrétaire général de l'Univer sité radiophonique et télévisuelle inter nationale.

LA ROCQUE (comte François de LA ROCQUE DE SEVERAC).

Officier et homme politique, né à Lo rient, le 6 octobre 1885, mort à Croiss (S.-et-O.), le 28 avril 1946. Issu d'un vieille famille de noblesse auvergnate, fil d'un général et père d'un proche colla borateur du duc de Guise, prétendant a trône de France. Reçu à Saint-Cyr à dix neuf ans, il servit d'abord comme officie de cavalerie, en Algérie, puis au Maro avec Lyautey. Maintenu à son poste e 1914, il fut grièvement blessé en 1916, e regagna la France. A peine rétabli, i rejoignit un régiment d'infanterie dan la Somme et termina la guerre avec le galons de commandant, la rosette d'offi cier de la Légion d'honneur, trois bles sures et neuf citations. En 1919, il fu chef d'Etat-Major de la section françai du Conseil supérieur interallié, pui passa à l'E.M. du maréchal Foch. Il fu ensuite envoyé en Pologne comme repré sentant du maréchal Foch auprès de Pi sudski. Puis lorsque la guerre du Ri éclata, il fut affecté au 2e Bureau de l'a mée du Maroc, qu'il dirigea. En 192 l'E.M. de Foch étant dissous, le lieute nant-colonel de La Rocque prit sa re traite. Il adhéra l'année suivante au *Croix de Feu* et en devint le vice-prési dent en 1930, et le président en 193 Dès lors son existence se confondit ave celle du mouvement dont il fut le ch (voir : *Croix de Feu* et *Parti Social Fran çais*). Un grave différend l'opposa, e 1937, à l'un des fondateurs et dirigean des *Croix de Feu* dissous. Faisant état d déclarations privées faites par l'ancie président du Conseil André Tardieu, l duc Pozzo di Borgo affirma dans *Cho* journal hebdomadaire de droite, qu l'ancien président des *Croix de Fe* avait émargé aux fonds secrets du go vernement. Un procès s'ensuivit. A cours des débats le président Tardie vint déclarer à la barre qu'il avait rem à La Rocque, d'abord vice-président d *Croix de Feu*, puis leur président, d sommes importantes pour l'époque (c compte rendu dans la presse du 27-1 1937). L'ancien garde des Sceaux L méry, venu également déposer, racont que lors de la chute du cabinet Doume gue, il avait été réveillé la nuit par u coup de téléphone du ministre de l'I térieur l'invitant à une conférence u gente. Il s'agissait d'assurer l'ordre da la rue et on redoutait des manifestations violentes de la part des ligues. Au cours de la conversation qu'il eut alors avec le ministre de l'Intérieur et plusieurs hauts fonctionnaires, Léméry fit allusion aux *Croix de Feu*. « *A ce moment*, dit-il, *le ministre de l'Intérieur m'a dit : — De ce côté, rassurez-vous, rien à craindre. La Rocque comprend et je l'ai bien en main.* » Ces « révélations » convainquirent aisément les adversaires de La Rocque, mais elles ne troublèrent nullement les fidèles du chef du *P.S.F.* Et le tribunal évita de se prononcer sur une affaire qui divisait si bien les nationaux. « *L'affaire La Rocque* », comme on disait alors, et pas seulement pour l'incident des « fonds secrets », empoisonna les milieux de droite jusqu'à la guerre. Elle creusa un fossé presque infranchissable entre le *P.S.F.* et les autres partis nationaux. Dans une certaine mesure, elle facilita la tâche des hommes du *Front Populaire* qu'un rassemblement de tous leurs adversaires aurait singulièrement gênés

Pendant la guerre, La Rocque galvanisa la *résistance* de ses amis. Il écrivit même, dans son journal, un article qui portait ce titre (« *Résistance* », in *Le Petit Journal*, 16-6-1940). Après l'armistice, rallié au maréchal Pétain et nommé par lui membre du *Conseil national* (1941), il n'en rejetait pas moins la politique de collaboration pratiquée par le gouvernement. Il était de ceux qui, à l'instar du général Weygand, attendaient la revanche. Pour lui, comme pour la majeure partie de ses lieutenants, l'armistice n'était qu'un répit ; il fallait souffler et reprendre des forces. Contrairement aux autres organisations politiques nationales autorisées ou tolérées par le Pouvoir et par l'occupant, le *P.S.F.* — *Progrès Social Français* depuis 1940 — était nettement hostile à l'Europe. L'antigermanisme du mouvement datait du début, à une époque où il n'y avait ni nazis, ni réarmement allemand (Jean G.L. d'Orsay et Jean Brumeaux notent dans leur brochure « *Les Droits de La Rocque homme et citoyen* », que l'aveugle de guerre Scapini fut radié des *Croix de Feu* en 1930 ou 1931, parce que trop souvent en contact avec des A.C. allemands). Bien qu'opposé au communisme, La Rocque se refusa toujours à autoriser ses militants à s'engager dans la *Légion des Volontaires Français contre le Bolchevisme* qui combattait à l'Est. Au contraire, « *malgré l'opposition doctrinale fondamentale existant entre le P.S.F. et le Parti Communiste*, soulignent deux fidèles de La Rocque, *rien ne sera fait qui puisse contrecarrer les activités communistes pendant l'occupation. La Rocque donnera lui-même toutes directives en ce sens* » (J. d'Orsay et J. Brumeaux, *op. cit.*, p. 44). De même, il n'autorisera pas les cadres du *P.S.F.* à participer à la direction même locale de la *Légion Française des Combattants* créée par le Maréchal, et il s'abstint d'y adhérer lui-même. Chaque fois qu'il fut question d'unifier les mouvements nationaux en zone Sud, La Rocque s'arrangea pour que le projet échouât. En ce qui concerne la question juive, il resta sur une prudente réserve. Même avant la guerre, à une époque où les israélites n'étaient pas persécutés et où certains l'attaquaient dans *Le Droit de vivre*, La Rocque s'était refusé à faire, entre les citoyens français, cette distinction que les nationalistes faisaient tout naturellement. Ceux-ci le lui reprochaient d'ailleurs avec vivacité. Cette attitude était, évidemment, une position officieuse, discrète, voire secrète. Officiellement, le chef du *P.S.F.* était pour « la Révolution Nationale ». Le 27 septembre 1941, quand les troupes allemandes renforcées par les armées roumaines, hongroises, bulgares, les corps expéditionnaires italiens et espagnols, les légions de volontaires hollandais, danois, belges, français marchaient sur Moscou, La Rocque écrivait dans *Le Petit Journal* : « *On comprendra que nous souhaitions l'écrasement du satanisme que le Komintern anime et que Staline incarne.* » Et il ajoutait le 18 octobre suivant : « *Un succès de l'U.R.S.S. eût engendré une catastrophe européenne et mondiale.* » Lorsque les Anglo-Américains débarquèrent en Afrique du Nord, La Rocque stigmatisa cette « *agression* » (9 novembre 1942). Il n'avait, officiellement, que mépris pour le général De Gaulle. Le 25 mai 1941, il écrivait, toujours dans *Le Petit Journal* : « *L'ex-général De Gaulle s'est rendu coupable de désertion. Qui se fait l'instrument de l'étranger trahit les intérêts sacrés de son pays : communistes et gaullistes sont ainsi alliés depuis le premier jour par la force des choses.* »

Ces écrits furent, à la Libération, reprochés aux dirigeants du *Petit Journal*. Ceux-ci, par la voix d'un de leurs témoins, — le professeur Hermann, doyen de la Faculté de médecine et de pharmacie de Lyon et militant actif du *P. S.F.* —, firent cette réponse : « *Nous savions tous qu'il fallait en prendre exactement le contre-pied.* » Au procès du *Petit Journal*, la preuve fut apportée que le chef du *P.S.F.* avait créé, en France, d'accord avec l'*Intelligence Service*, le réseau *Klan*. Ce dernier, qui s'appela au début « la Toile d'Araignée », fonctionna si bien que La Rocque recevra de l'*Anglo-French Communication Bureau* l'attestation suivante du 11 juin 1945 : « *Nous certifions que le colonel de La Rocque a été le chef du réseau Klan à partir du 1ᵉʳ juin 1942 jusqu'au mois de février 1943 (moment de son arrestation par les Allemands) et a fourni au Service de l'Intelligence Militaire Britannique des renseignements politiques et militaires, lesquels nous sont parvenus, avec régularité, pendant la période en question.* » Les Allemands finirent par découvrir les véritables sentiments de La Rocque à leur endroit : ils l'arrêtèrent et le déportèrent (1943). Durant sa captivité, la santé de La Rocque s'altéra gravement. Libéré par les troupes américaines, il fut arrêté par la police française à son retour (8 mai 1945) et emprisonné par les épurateurs à Versailles. Les interventions de ses amis auprès du général De Gaulle n'eurent aucun résultat, mais l'aggravation de son état incita les autorités à le mettre en résidence forcée à Croissy (S.-et-O.) où, malgré une intervention chirurgicale, il mourut le 28 avril 1946. Ses obsèques eurent lieu à Saint-Honoré d'Eylau en présence de plusieurs milliers de ses amis venus lui rendre un dernier hommage. Il fut inhumé à Saint-Clément, près du hameau de La Rocque, à 9 km de Vic-sur-Cère. La carte et la médaille de déporté, qui avaient été refusées à La Rocque de son vivant, ont été offertes en 1961 à sa veuve par celui qui avait, seize ans plus tôt, déclenché l'épuration dont le chef du *P.S.F.* fut l'une des victimes.

LAROUSSE (Librairie).

Les origines de la *Librairie Larousse* remontent à 1852. C'est, en effet, cette année-là qu'un petit instituteur bourguignon, fils de forgeron, d'idées fort avancées pour l'époque, créa la maison qui est aujourd'hui l'une des plus importantes de France. Pierre Larousse rêvait de transformer la société française et, pour ce faire, il voulait mettre à la portée de ses concitoyens une synthèse des connaissances humaines qui allait à l'encontre des idées de son époque. Son *Grand Dictionnaire Universel du XIXᵉ siècle*, en quinze volumes, commencé en 1865, fut terminé en 1876. Mais cette œuvre géante avait épuisé les forces de son auteur : Pierre Larousse mourut à cinquante-sept ans, en 1875. Ses neveux et ses petits-neveux, ainsi que les héritiers d'Augustin Boyer qui avait été son associé, poursuivirent l'œuvre entreprise et, peu à peu, en modifièrent l'esprit. La *Librairie Larousse*, qui semble avoir échappé à l'emprise des grandes banques et qui n'appartient pas, comme on dit aujourd'hui, au « *commerce intégré* » — c'est-à-dire au grand capitalisme — passait, à la veille de la Seconde Guerre, pour une maison « réactionnaire », sinon conservatrice. D'aucuns la cataloguaient même royaliste ou fasciste, sous prétexte qu'un Moreau était parmi les fondateurs de la *Ligue d'Action Française*, qu'un autre avait eu des sympathies pour la *Spirale* du commandant Loustaunau-Lacau, et qu'un troisième subventionnait assez largement *La Liberté*, de Jacques Doriot, tandis qu'un « gendre » apportait son appui à *La Libre Parole* dont il était, en 1933, l'un des actionnaires. En fait, la *Librairie Larousse* ne faisait pas de politique et évitait soigneusement tout ce qui pouvait la compromettre. De même aujourd'hui, si elle refuse parfois de faire de la publicité dans des revues trop engagées à l'extrême-droite, elle répartit avec équité ses ordres de publicité entre les périodiques d'opinion, de *L'Humanité* à *Rivarol* et *Aspects de la France*. Malgré toutes ces précautions, la célèbre librairie a des ennemis puissants qui n'ont pas manqué de lui créer de graves difficultés il y a quelques années (1959) : un de ses collaborateurs avait indiqué dans la notice du *Petit Larousse* consacrée à Léon Blum que l'ancien président du Conseil était né *Karfulkenstein* (voir *Léon Blum*). Ce petit incident fut démesurément enflé, et un procès s'ensuivit. André Weil-Curiel intervint au Conseil général de la Seine et imposa l'exclusion du fameux dictionnaire des fournitures scolaires du département. L'affaire ne fut réglée que par le retrait de dizaines de milliers d'exemplaires de cette édition en dépôt chez les libraires. La famille et les amis de Léon Blum obtinrent non seulement la modification de la notice erronée, mais aussi d'importantes corrections dans diverses parties de l'ouvrage. C'est ainsi que la définition des mots *Juif*, *Judaïque*, *Juiverie*, *Antisémitisme*, etc. fut transformée et que l'on fit des rectifications importantes aux articles *Concentration*, *Résistance*, *Dreyfus*, etc. Malgré ces ennuis, « *Larousse* » demeure synonyme de « *Dictionnaire* », et les diverses éditions du « *Petit Larousse* » du « *Larousse classique* », du « *Larousse élémentaire* », du « *Larousse universel* » et du « *Larousse du XXᵉ siècle* » en dix volumes sont connues dans le monde entier. Tant par ses dictionnaires que par ses autres ouvrages encyclopédiques — « *Histoire universelle* », « *Histoire de France* », « *Larousse ménager* », « *Larousse de la musique* », « *Larousse médical* », « *Encyclopédie des Sports* », « *Littérature française* »,

Géographie universelle », « *Atlas général* », etc. — la *Librairie Larousse* jus-fie sa devise : « *Je sème à tout vent* ». *es Nouvelles Littéraires* et *Vie et Langage* sont publiés par elle. La maison est estée une entreprise familiale ainsi que indique la forme de la société (S.A.R.L.) t sa raison sociale : *Augé, Gillon, Hollier-Larousse, Moreau et Cie* (capital : 4 000 000 de F). André Gillon, directeur es *Nouvelles Littéraires*, vice-président e l'*Alliance Française*, ancien directeur-gérant de la *Librairie Larousse*, son ls, Etienne Gillon, vice-président de *Association pour la diffusion des Arts raphiques et plastiques*, directeur-gé-nt de la librairie, Jean Ibos-Augé, fils u général Ibos, ancien officier, directeur-gérant de la librairie, Jacques-Auste Moreau, auteur de « *Clemenceau en loc* » et d' « *Intelligence avec l'enne-i* », secrétaire général des *Amis de lemenceau*, ancien gérant de la librai-e, Claude Jacques Moreau, fils du pré-ident, Jacques Hollier-Larousse, Jean-ouis Moreau, tous trois co-gérants, mes Paul Augé et P. Hollier-Larousse, i appartiennent au conseil de surveil-nce, sont les principaux associés de entreprise (17, rue du Montparnasse, aris 6ᵉ).

ARUE (Tony).

Expert-comptable, né à Rouen (S.-Inf.), 18 août 1904. Expert judiciaire agréé ar la cour d'appel de Rouen. Commis-ire aux comptes de sociétés. Maire du rand-Quévilly depuis 1935 (sauf 1941-44). Ancien conseiller général du can-n du Grand-Couronné (1945-1951). An-en vice-président du Conseil général. éputé *S.F.I.O.* de la Seine-Maritime ᵉ circ.) depuis 1956. Membre du oupe parlementaire de la *L.I.C.A.*

ASSALLE (Lucien).

Président de la Chambre de Commerce e Paris, nommé le 2 novembre 1941

membre du *Conseil National* (voir à ce nom).

LASSALLE (Robert).

Fonctionnaire (1882-1940). Chef de bu-reau au ministère des Finances. Conseil-ler général et député républicain socia-liste des Landes (1924-1940). Parti au front, fait prisonnier, mourut dans un *Oflag* en 1940.

LASSUS SAINT-GENIES (baron François de).

Ingénieur (1883-1940). Descendant de *capitouls*, petit-fils d'un préfet du Second Empire et d'un général ayant pris une part active à la conquête et à la pacifi-cation de l'Algérie. Gendre du comman-dant Picot, qui battit dans les Vosges, aux élections de 1889, le président Jules Ferry. Au retour de la Première Guerre mondiale, au cours de laquelle il fut blessé, il devint l'animateur de la sec-tion d'*Action Française* du 8ᵉ arrondis-sement de Paris, puis fut appelé (1929) au secrétariat politique du duc de Guise, prétendant au trône de France ; il ensei-gna, en même temps, la balistique au jeune comte de Paris. Après la mort de l'amiral Schwerer, il fut porté à la pré-sidence de la *Ligue d'Action Française* et il entra aux comités directeurs de l'*Action Française*. Parcourant la France, il fit (entre 1937 et 1939) des centaines de conférences pour alerter le pays sur les dangers que représentait le désarme-ment de la France, dénonçant avec vi-gueur les livraisons d'armes et d'avions faites, disait-il, à l'Espagne républicaine. Officier de réserve, il partit volontaire-ment au front en 1939 et fut nommé lieu-tenant-colonel en janvier 1940. Faisant fonction de colonel, il tomba à la tête du 41ᵉ R.A. le 7 juin 1940, près de Noyon. Son fils, Philippe de Lassus Saint-Geniès (1923-1951), qui combattit en Italie et en France dans l'armée de Lattre (1943-1944), fut tué à son tour, en Indochine, onze ans plus tard.

LA TOUR DU PIN (René, Charles, Humbert CHAMBLY DE LA CHARCE, marquis de).

Sociologue, né à Avrancy (Aisne), le 1ᵉʳ avril 1834, mort à Lausanne (Suisse), le 5 décembre 1924. Issu de la maison souveraine qui légua le Dauphiné au roi de France, Charles V, son parent. Offi-cier à vingt ans, il prit part aux campa-gnes d'Algérie, de Tunisie, d'Italie. Fait prisonnier en 1870, en même temps qu'Albert de Mun, il consacra ses loisirs forcés de captif à des études sociales. Rentré à Paris avec beaucoup d'autres soldats à la demande de Thiers pour combattre la Commune, il déposa au procès de Bazaine et s'intéressa, dès lors, très activement aux problèmes sociaux. Il connut Frédérice Le Play et fonda, plus tard, le cercle *Tradition et Progrès* (1897). Il fut l'un des premiers à rejoindre *L'Action Française* (1899). Les nationalistes traditionnels le considèrent comme le maître du corporatisme moderne. Il a exposé la somme de sa doctrine dans son ouvrage: « *Vers un Ordre social chrétien. Jalons de route 1882-1907* ». Ses premiers travaux ont consisté dans une coopération aux « *Avis du Conseil des Etudes de l'Œuvre des Cercles catholiques d'Ouvriers* ». On lui doit la définition sociale de la propriété déduite des propos de son père, grand propriétaire foncier, et qui résument la notion traditionnelle chrétienne: « *Rappelle-toi toujours que tu ne seras que l'administrateur de cette terre pour ses habitants* », ainsi que l'idée du *salaire familial*.

« *Ce n'est pas l'argent, converti en capital*, expliquait-il, *c'est-à-dire un instrument de travail, qui travaille. C'est celui qui le met en œuvre, et la productivité du capital est une de ces expressions qu'il ne faut pas prendre à la lettre, mais traduire par cette périphrase : la productivité du travail au moyen du capital. Ce n'est pas la charrue qui travaille, c'est le laboureur ; donc c'est lui qui produit et non pas elle, bien qu'il ne pourrait produire sans elle.* » (« *Vers un ordre social chrétien* », pages 75-76.) Chrétien, il s'opposait à la conception juive de la propriété :

« *La propriété*, écrivait-il encore, *est pour la cité juive l'accomplissement de la Promesse ; le Chrétien, dans l'acte d'espérance, demande à Dieu Ses grâces en ce monde et Son paradis dans l'autre : le Juif Lui demande Ses biens en ce monde, il ne conçoit guère autrement le Paradis. Il se fait dès lors de la propriété une idée à la fois communautaire en ce qui est du peuple d'Israël, et prédataire en ce qui est du reste de l'humanité. Il la possède virtuellement en sa totalité, puisqu'elle lui a été destinée par le Maitre suprême, et il ne fait qu'accomplir les vues providentielles en en prenant effectivement possession par les arts usuraires, que sa Loi lui défend de pratiquer sur ses coreligionaires, mais nullement sur tous les autres hommes.* » (*Ibid.*, p. 334.) D'où son opposition fondamentale aux « *erreurs philosophique(s) politiques et économiques dont les Juif(s) nous ont empoisonnés* », en premier lie(u) le libéralisme, qui a produit l'individu(a)lisme avec ses conséquences : « *Le cap(i)talisme qui en est la floraison bourgeois(e) et le socialisme qui en est le fruit pop(u)laire* ». Sa doctrine s'établit sur l'étud(e) de l'histoire, débarrassée des inexact(i)tudes et des préjugés qu'y ont introduit(s) les opinions partisanes, et il cherche (à) prouver que la monarchie, comprise à l(a) française, a été et reste la plus social(e) des formes de gouvernement. Toute (s)œuvre tendra à poser les bases d'un(e) société rénovée, revenant à ses source(s) chrétiennes, et il proposera des solution(s) à chacun des problèmes sociaux en fon(c)tion de la certitude historique, ouvra(nt) ainsi la voie à Charles Maurras et à so(n) pragmatisme historique. En conclusio(n) à la démocratie révolutionnaire qui e(st) « *le jeu d'un mécanisme d'Etat exerc(é) par le suffrage universel s'exerçant (en) continu, uniquement selon la loi du nom(bre)* », et ne peut avoir comme abouti(s)sement, pensait-il, que l'anarchie ou l(e) césarisme, il opposait la démocrati(e) chrétienne ayant pour bases essentielle(s) et nécessaires la famille, la corporatio(n) et la cité, celle-ci gouvernée par un(e) monarchie du type maurrassien : « *un(e) dynastie nationale incarnant à la fois l(a) famille et la profession* », et qui ser(t) « *le faîte d'un édifice formé par les re(s) publiques françaises* ». Cette monarchi(e) « *ne paraîtra plus une anomalie dan(s) l'ordre social et donnera facilement (à) l'ordre politique le couronnement d'un(e) monarchie vraiment sociale* ». Il ava(it) passé une partie de sa vie sous l'unifor(me), en dernier lieu avec le grade d(e) lieutenant-colonel d'Etat-Major et étai(t) grand bailli de l'Ordre de Malte restaur(é) en France à son initiative personnell(e).

LATTRE DE TASSIGNY (Jean de).

Maréchal de France, né à Mouilleron(-)en-Pareds (Vendée), le 2 février 189(0), mort en 1952. Gendre de Marie Calar(y) de Lamazière, député de la Seine (191(9)-1924) et ami de Pierre Laval. A pein(e) sorti de Saint-Cyr, il partit à la guerr(e) dans la cavalerie, puis fut versé dan(s) l'infanterie (chef de bataillon, quatr(e) fois blessé). Il prit part, ensuite, au(x) campagnes du Maroc (nouvelles blessu(res). En 1933-1934, il fit partie de l'Eta(t) Major du général Weygand. Le journa(liste) Philippe Boegner l'accusa alor(s) d'avoir été l'un des instigateurs du 6 f(é)vrier (cf. « *Révélation sensationnelle su(r) le 6 février* », in *Marianne*, 18-4-1934(). A la suite de cette attaque, le lieutenan(t)

olonel de Lattre de Tassigny fut amené
 faire une déposition devant la commision parlementaire présidée par Laurent
Bonnevay, député du Rhône : il reconnut
voir rencontré Maxime Réal del Sarte,
hef des *Camelots du Roi*, mais nia toute
articipation au « complot » (cf. compte
endu de la séance de la Commission
'enquête in *L'Echo de Paris*, 29-4-1934).
Nommé à Metz, en 1935, où il prit le
ommandement du 151ᵉ R.I., puis chef
'E.-M. du général Bourret. A la déclara-
ion de guerre, en 1939, il était le plus
eune général de l'armée française. On
ui confia le commandement de la 14ᵉ Di-
ision. Après l'armistice, il fut chargé
ar le gouvernement Pétain de la direc-
ion de l'Ecole des Cadres pour l'entraî-
ement des officiers et des sous-officiers.
l fit également partie du Conseil de
uerre qui condamna à mort le général
De Gaulle (1940). Après avoir exercé le
ommandement militaire en Tunisie,
uis à Montpellier, il tenta, de sa propre
nitiative, de s'opposer à la Wehrmacht
n novembre 1942, après le débarque-
ent anglo-américain en Afrique du
Nord. Arrêté aussitôt sur l'ordre du gou-
ernement de Vichy, il fut destitué et
ncarcéré à la prison militaire de Tou-
ouse, puis à celle de Lyon. Il fut con-
amné à dix ans de prison le 9 janvier
943, mais le Conseil de l'Ordre de la
Légion d'honneur, rendant hommage à
« *homme doué de telles qualités* » et
uquel le pays devait « *de si grands
ervices* », estima que le général, malgré
a condamnation, ne devait pas être
rivé de sa dignité de grand officier de
a Légion d'honneur. Interné à la forte-
esse de Riom, il réussit à s'évader le
septembre 1943, et à passer en Angle-
erre d'où il gagna ensuite Alger. Com-
andant en chef des troupes françaises
ébarquées d'Algérie en Provence, il
ousucla la défense allemande, opéra sa
aison avec la division Leclerc (septem-
re 1944), atteignit le Rhin (fin 1944), le
ranchit (avril 1945) et reçut au nom du
ouvernement provisoire, la capitula-
ion des armées allemandes (8 mai 1945).
l fut ensuite chef d'E.-M. de la Défense
ationale, commandant en chef de l'ar-
ée de terre des forces européennes
ccidentales, inspecteur général des
orces françaises d'Afrique du Nord,
aut-commissaire et commandant en
hef des forces françaises en Indochine
n 1950. Très éprouvé par la mort de
on fils Bernard, tué au combat contre
e Vietminh, il mourut peu après (1952).
on hostilité à l'endroit du général De
aulle était connue. Sa veuve, fidèle à
es principes, a pris publiquement posi-
ion contre la politique suivie depuis

1958, notamment au sujet de l'Algérie :
on distribua, outre-méditerranée, le texte
d'une lettre de la Maréchale recommandant de voter *non* (cf. *Juvenal*, 13-1-1961).
La place Maréchal-de-Lattre-de-Tassigny
à Paris n'en fut pas moins inaugurée,
le 15 janvier 1961, par le président de
la République : « *Il fut un soldat*, déclara le général De Gaulle. *Ce que l'ordre
militaire comporte à la fois d'éclat et
de refoulement, de passion et d'obéissance, d'exaltation et de mélancolie,
bref, ce combat intérieur qui est l'honneur et la douleur de ceux qui servent
sous les armes, son action en était marquée parce que son âme la ressentait au
plus haut degré possible.* »

LAUCHE (Jacques).

Ouvrier mécanicien (1872-1920). Fils
d'un ouvrier socialiste des Landes,
adhéra en 1889 au *Parti Ouvrier Socialiste Révolutionnaire* et milita dans les
syndicats ; devint secrétaire de l'*Union
des ouvriers mécaniciens de la Seine* et
fut le délégué de son syndicat à la
C.G.T. Fervent coopérateur, collabora à
l'expansion de la *Bellevilloise*. Représenta les électeurs du XIᵉ arrondissement
de Paris de 1910 à 1920.

LAUDENBACH (Roland).

Homme de lettres, né à Paris, le 20 octobre 1921. Neveu de l'acteur Pierre
Fresnay. Appartient à une famille protestante restée attachée aux traditions
françaises. Sous le pseudonyme de Michel Braspart, fut plusieurs années l'un
des plus brillants collaborateurs de *La
Nation Française*. Figure également
parmi les fondateurs du journal protestant de droite, *Tant qu'il fait jour,* et
parmi les premiers rédacteurs d'*Esprit
public*. Ecrivain d'opposition, n'hésita
pas, au second tour de l'élection présidentielle de 1965, à recommander publiquement (*Combat*, 15-12-1965), de voter
pour François Mitterrand pour faire
échec au général De Gaulle. Directeur
littéraire des *Editions de la Table Ronde*,
depuis plusieurs années et directeur-
gérant des *Films Saint-James* (fut, dans
sa jeunesse, à *Pathé-Cinéma*), est aussi
l'auteur de romans (« *Le Divertissement* », « *Le voyage de Jérôme* », « *La
mauvaise carte* »), de scénarios ou adaptations de films (« *La Minute de vérité* »,
« *La Route Napoléon* », « *Les Mauvaises
Rencontres* », « *Les Aristocrates* »,
« *Thérèse Etienne* », « *Les Grandes
Familles* », « *Les Naufrageurs* », « *Education sentimentale* », etc.) ainsi que de
pièces de théâtre.

LAUDRIN (abbé Hervé).

Ecclésiastique, né à Locminé (Morbihan), le 23 mars 1902. Fondateur d'un centre sportif de jeunes catholiques du Morbihan. Elu député du Morbihan (3e circ.), le 30 novembre 1958. S'apparenta à l'*U.N.R.* Secrétaire général de l'*Association pour la Démocratie Chrétienne et l'Unité française* ; donna son adhésion à la *Démocratie Chrétienne* fondée en juillet 1958 par G. Bidault (mai 1959). Membre de l'Assemblée parlementaire européenne (7 juin 1962). Réélu député le 18 novembre 1962 et le 5 mars 1967 (Invest. Ve République).

LAUNAY (François).

Directeur de journal, né à Châteaudun, le 23 septembre 1886. Directeur d'imprimerie (1908-1955). Dirige depuis 1946 l'hebdomadaire *Le Vendômois*.

LAUNAY (Mme Odette).

Vendeuse, née le 10 septembre 1909 à Neuilly-sur-Seine (Seine). Employée de la maison de haute couture Jacques Heim. Suppléante de Michel Habib-Deloncle, aux élections législatives de novembre 1962. Fut proclamée député de la Seine, le 7 janvier 1963, lorsque Habib-Deloncle a été nommé membre du gouvernement.

LAURENS (Camille).

Agriculteur, né à Lacroix-Barrez (Aveyron), le 12 août 1906. Membre des Assemblées constituantes (1945-1946), fut élu député paysan du Cantal en 1946 et réélu en 1951 et 1956, et s'inscrivit au *Groupe indépendant et paysan d'action sociale*. Entra dans le gouvernement Pleven, en 1951, comme secrétaire d'Etat, puis ministre de l'Agriculture. Occupa ces mêmes fonctions dans les gouvernements E. Faure (1952), Pinay (1952), René Mayer (1953). N'appartenant plus au parlement depuis 1958, devint membre du Conseil économique et social (1959-1964). Depuis le départ de Roger Duchet, assume les fonctions de secrétaire général du *Centre National des Indépendants et Paysans* et de directeur du *Journal des Indépendants*.

LAURENS (Emile).

Professeur, né à Requista (Aveyron), le 29 janvier 1884, mort en 1940. Député radical-socialiste du Loir-et-Cher (1935-1940). Tué à la guerre en 1940.

LAURENS (Robert).

Agriculteur, né à Lacroix-Barrez (Aveyron), le 27 septembre 1910. Député (1951-1955) puis sénateur républicain indépendant de l'Aveyron (depuis 1956) et maire de Lacroix-Barrez.

LAURENT (Augustin).

Journaliste, né à Wahagnies (Nord), le 9 septembre 1896. Militant socialiste et secrétaire de mairie, fut élu conseiller général (1931), puis député du Nord (1936). Ne prit pas part au vote du 10 juillet 1940 sur les pouvoirs constituants. Participa à la Résistance, créa deux journaux clandestins (*L'Homme libre* et *La IVe République*) et fit partie, à la Libération, des deux Assemblées constituantes (1945-1946) et de l'Assemblée nationale (1946-1951). Fut membre des gouvernements De Gaulle (P.T.T., 1944) et Blum (ministre d'Etat, 1946). Maire de Lille, directeur de *Nord-Matin*, appartient également au Comité directeur de la *S.F.I.O.* et dirige la Fédération socialiste du Nord.

LAURENT (Marceau).

Fonctionnaire municipal en retraite, né à Wahagnies (Nord), le 9 janvier 1901. Ancien secrétaire de la mairie de Wahagnies. Maire de Wahagnies (depuis 1950). Candidat *S.F.I.O.* dans le Nord, en janvier 1956, avec l'investiture de *L'Express* (battu). Elu député socialiste du Nord (6e circ.) le 25 novembre. Réélu en 1967.

LAURENT DARNAR (Pierre Darnar, dit).

Journaliste, né à Fontenay-le-Comte, le 31 mai 1901. Il fit ses études aux collèges de Civrey et de Wassy, puis à la faculté des lettres de Lyon. Licencié ès lettres et diplômé d'enseignement supérieur, fut professeur d'histoire de 1924 à 1928. Militait alors au *Parti communiste* et devint par la suite, rédacteur, secrétaire général puis rédacteur en chef-adjoint de *L'Humanité* (1931-1939). Outre ses articles et ses éditoriaux politiques, qu'il signait P.L. Darnar, publia de grands reportages. Lors de la signature du pacte germano-soviétique, salua l'événement comme une victoire de la paix, comme « *la politique à la fois énergique et intelligente, seule conforme à la cause de la Paix* » (*L'Humanité* 24.8.1939). Pendant la guerre, participa à la Résistance (appartient à l'*Amicale des Réseaux de la France Combattante*). Après la Libération, fonda, avec quatre autres associés, *Les Editions du Croissant*, qui publièrent la revue *Votre Maison* et collabora à *Samedi-Soir* (1945-1951), puis au *Dauphiné libéré* (rédacteur en chef de 1951 à 1957, directeur

politique depuis 1957). Egalement directeur politique de *La Dernière Heure
Lyonnaise*, édition locale du *Dauphiné
libéré*. Est l'auteur de « *La Constitution
du Sacré Collège* » et de diverses brochures de propagande politique (avant la
guerre).

LAURENT-EYNAC (André, Victor, Laurent EYNAC, dit).

Homme politique, né au Monastier
(Haute-Loire), le 4 octobre 1886. Avocat,
conseiller général de la Haute-Loire
(1913-1917), député (1914-1935), puis
sénateur (1935-1945), fut successivement
à l'Aéronautique (sous-secrétaire d'Etat,
puis ministre, 1921-1930), ministre des
P.T.T. (1932-1933), du Commerce (1933-
1935), des Travaux publics (1935-1936),
de l'Air (à nouveau) (1940). Membre
influent du *Parti Radical-Socialiste*, il fit
ainsi partie de gouvernements fort
divers, présidés par Poincaré, Briand,
Tardieu, Daladier, Chautemps, Sarraut,
Laval ou Paul Reynaud. Après la Libération, il fut conseiller de l'Union française (1947-1948), vice-président de
cette assemblée (1947-1952, 1953-1958),
juge à la Haute Cour de justice et
conseiller économique et social (1959-
1964). Il figura également au comité du
Parti Radical-Socialiste en qualité de
vice-président et fut le directeur politique du *Quotidien de la Haute-Loire*.

LAURIN (René, Georges).

Commissaire-priseur, né à Paris, le
2 mai 1921. Maire de Saint-Raphaël. Ancien délégué à l'Assemblée consultative
provisoire de Paris (1944-1945) au titre
de dirigeant de la *Fédération Nationale
des Internés et Déportés de la Résistance*.
Chef de cabinet du socialiste Alexandre
Varenne, ministre d'Etat (juin-novembre
1946). Attaché au cabinet de l'amiral
Thierry d'Argenlieu, Haut-commissaire
de France en Indochine (1945-1947).
Attaché de presse du général De Gaulle.
Conseiller de l'Union Française (1947-
1958). Député *U.N.R.* du Var (2e circ.
depuis 1958. Non réélu en 1967.

LAUZANNE (Stéphane).

Journaliste, né à Paris, le 22 janvier
1874. Il prit sa licence en droit en notre
vieille école de la place du Panthéon ; il
était également docteur de l'université
d'Ann Arbor (U.S.A.). Il débuta dans le
journalisme en 1898 comme correspondant du *Matin* à Londres et fut nommé
en 1901, rédacteur en chef du quotidien
des Bunau-Varilla, poste qu'il conserva
jusqu'à la disparition de ce journal en
1944. Mobilisé pendant la Première
Guerre mondiale comme lieutenant au
31e R.I.T., il fut, en 1917, envoyé aux
Etats-Unis pour y diriger les services de
presse et de propagande de la République française. Pendant un demi-siècle,
Stéphane Lauzanne fut l'un des journalistes français les plus connus ; ses éditoriaux du *Matin* étaient cités dans la
presse mondiale ; il était vice-président
de l'*Association des Journalistes Républicains*. Arrêté à la Libération et condamné par la Cour de justice de la Seine,
il demeura plusieurs années en prison,
notamment au pénitencier de l'île de Ré
(où il était avec Henri Béraud et Robert
de Beauplan). Après son élargissement,
il vécut dans une demi-retraite, collaborant très irrégulièrement aux journaux
de l'opposition nationale (*Rivarol, France
Réelle, Forces Réelles*). Il mourut à Paris,
le 22 novembre 1958, et fut enterré à
Boulogne-sur-Seine (ancien cimetière),
dans le caveau de famille du journaliste
de Blowitz, dont il était le fils adoptif.
Il a laissé plusieurs ouvrages, notamment
« *Feuilles de route d'un mobilisé* »
(1916), « *Les hommes que j'ai vus* »
(1922) et « *Sa Majesté la Presse* », qui
lui valut le Prix Vitet de l'Académie
française.

LAVAL (Pierre).

Homme d'Etat, né à Chateldon (Puy-
de-Dôme), le 28 juin 1883. Fils de petites
gens, il poursuivit seul, après l'école
primaire, ses études secondaires, passa
sa licence d'histoire naturelle, puis celle
de droit et s'inscrit au barreau de
Paris, en 1907. Militant de gauche, il
était alors l'avocat des organisations
ouvrières et des syndicats. Candidat socialiste, il devint maire d'Aubervilliers.
Elu député socialiste en 1914 ; battu en
1919, il fut élu à nouveau en 1924.
Lors de la scission du *Parti socialiste* à
Tours en 1920, sa section d'Aubervilliers
se prononça en majorité pour l'adhésion
à la IIIe Internationale communiste : il
fut donc quelques semaines, sans doute
involontairement, membre d'une section
ralliée au communisme. Très vite, il se
proclama socialiste indépendant et c'est
à ce titre qu'un autre socialiste indépendant, Aristide Briand, le prit dans son
ministère, en qualité de sous-secrétaire
d'Etat à la présidence du Conseil et aux
Affaires étrangères (1925), puis comme
ministre de la Justice, également chargé
des Affaires d'Alsace-Lorraine (1926).
Elu au Sénat, en 1927, il abandonna le
Palais-Bourbon pour le Luxembourg.
Tardieu lui confia le ministère du Travail (1930) et, l'année suivante, il fut,
pour la première fois, président du Con-

Soixante-dix maires de la région parisienne adressaient ce message au président Pierre Laval quelques Jours avant la Libération (11-8-1944).

eil (1931). Il était en même temps minis-
re de l'Intérieur. L'année suivante, dans
on ministère remanié, il troqua l'In-
érieur contre les Affaires étrangères
1932). Il redevint le ministre de Tardieu
Travail, 1932), fut celui de Doumergue
Colonies, 1934), de Flandin (Affaires
trangères, 1934-1935), de F. Bouisson
idem), et prit la tête d'un nouveau
abinet, tout en restant au Quai d'Orsay
1935-1936). C'est pendant ces huit mois
le gouvernement qu'il se rendit à Mos-
ou, accompagné de René Mayer, alors
minence grise des Rothschild, et y con-
lut un accord avec Staline. Son attitude
le désarma pas pour autant la gauche
qui attaquait systématiquement sa poli-
ique, l'accusant de favoriser les possé-
lants au détriment du peuple. Les polé-
niques furent particulièrement vives, et
'un des hebdomadaires du Front popu-
aire naissant, *La Lumière,* alla jusqu'à
'accuser d'avoir été l'avocat de *La Fon-
ière,* c'est-à-dire d'une des sociétés de
'escroc Stavisky. La haine vigilante des
narxistes le tint écarté des responsabi-
ités gouvernementales jusqu'à la guerre.
ses interventions à la commission des
Affaires étrangères du Sénat, par lesquel-
es il cherchait à mettre en garde ses
collègues contre une politique qui désar-
nait la France tout en la poussant dans
e conflit, se heurtèrent à la détermination d'adversaires qui ne pardonnaient
pas à leur ancien camarade son évolu-
ion politique. Lorsque la défaite survint,
n 1940, il fut parmi ceux qui apportèrent leur appui au maréchal Pétain et
qui incitèrent le président Lebrun à
'effacer devant le vainqueur de Verdun.
Après le vote du 10 juillet 1940, dont il
ut l'un des artisans, il entra dans le
gouvernement Pétain formé le 12 juillet
et en fut le vice-président, jusqu'au
13 décembre. Démis de ses fonctions,
arrêté par la police spéciale du Maré-
hal, libéré sur l'intervention de ses
amis et sous la pression de l'ambassa-
leur allemand Abetz, il fut tenu à l'écart
usqu'au 18 avril 1942. Chef du gouvernement d'avril 1942 à août 1944, il tenta
l'imposer sa politique sans trop céder
aux Vichyssois, en résistant aux collaborationnistes et en abandonnant le moins
possible aux occupants. On lui a beaucoup reproché alors sa phrase, d'ailleurs
tronquée : « *Je souhaite la victoire de
l'Allemagne...* » Avec le recul, les passions étant apaisées, peut-on, à l'examen
du dossier qui permit à ses adversaires
de le condamner, le considérer comme
un traître ? Tout au plus peut-on l'accuser d'avoir amorcé une politique de
collaboration qui lui semblait aussi indispensable à la survie de la France

meurtrie et occupée, que celle menée par
Adenauer, sous l'occupation alliée, a pu
sembler nécessaire à la restauration de
l'Allemagne vaincue. (Le but de cet ouvrage n'étant pas de juger les hommes
d'Etat, ni leur politique, nous renvoyons
le lecteur aux nombreux ouvrages de
toutes tendances qui ont été publiés
depuis vingt ans sur les événements de
1939-1945). Contraint de partir avec les
Allemands en août 1944 — après avoir
vainement tenté de rétablir la légalité
républicaine avec l'aide d'Herriot —
placé sous la surveillance de la police
pendant son séjour forcé en Allemagne,
il parvint à quitter le Reich vaincu à
bord d'un avion qui alla se poser en
Espagne. A la suite de tractations encore
mystérieuses, ce même avion le trans-
porta en Autriche (30 juillet 1945). Laval
se livra aux autorités militaires alliées
qui le remirent entre les mains de la
police française. Son procès en Haute
Cour (octobre 1945) fut l'un des plus
pénibles que l'on connut alors. Avec
intelligence et courage, l'ancien président du Conseil expliqua sa politique.
Mais la cause était entendue et jugée
depuis longtemps : il fut condamné à
mort. Sa famille, ses amis et ses défenseurs tentèrent d'obtenir sa grâce, mais
le général De Gaulle ne se laissa pas
fléchir. Mystérieusement averti ou pres-
sentant l'issue de la démarche, Pierre
Laval s'empoisonna. Les magistrats et
les gardiens le trouvèrent agonisant lorsqu'ils se présentèrent, le matin du
15 octobre 1945, pour le conduire au
lieu de son exécution. Les médecins
alertés le ranimèrent tant bien que mal,
et le condamné, à demi-mort, fut fusillé
sur une chaise. Cette fin ignominieuse
souleva l'indignation, dans le monde
entier, même parmi ceux qui n'avaient
aucune sympathie pour le supplicié.
Depuis vingt ans, sa fille et son gendre
déploient une activité prodigieuse pour
réhabiliter l'homme d'Etat et laver sa
mémoire de l'odieuse accusation de trahison. On peut dire qu'auprès de l'opinion internationale, leurs efforts ont été
couronnés de succès. La publication, par
l'Institut Hoover, de l'énorme dossier
(trois gros volumes parus chez *Plon*)
réuni par leurs soins, semble l'indiquer.
Ils ne désespèrent pas d'obtenir une
réhabilitation judiciaire en France même
lorsque les circonstances le permettront.
Ils n'auront alors aucun mal à démontrer la fausseté de nombre d'accusations
portées contre ce vieux républicain, qui
dut lutter sur plusieurs fronts — non
seulement contre la Résistance, mais
aussi contre la droite vichyssoise et
contre les fascistes de Paris — qui tint

éloigné du pouvoir Doriot et ses amis et qui n'accepta Déat, Darnand et Henriot qu'*in extremis*. On ne peut oublier, par exemple, que l'amiral Platon fut écarté de son gouvernement — et plus tard mis en résidence forcée en Dordogne, où le maquis put à loisir l'enlever et l'exécuter — en raison de son hostilité à l'égard de la franc-maçonnerie, ni que d'anciens membres des sociétés secrètes dissoutes furent, grâce à lui, soustraits à l'inquisition des services anti-maçonniques dépendant du ministère de la Justice. On ne doit pas davantage ignorer que Laval eut, pendant longtemps, comme secrétaire particulier, un Algérois, Roger Stora, qui était à la fois juif et franc-maçon (lorsqu'il lui fut vraiment impossible de le conserver auprès de lui, en 1941 ou 1942, il le fit nommer receveur particulier des Finances à Grasse). Rappelons enfin que sur son initiative avait été nommé, à la tête de la Commission des Sociétés Secrètes chargée de blanchir d'anciens maçons, fonctionnaires de l'Administration, un homme d'une probité indiscutable, qui était lui-même un « *initié* ». Les antisémites, qui l'avaient cru juif (en raison de son nom de ville), et les anti-maçons, que son attitude à l'endroit de certains dignitaires de l'ordre maçonnique déconcertait, attribuaient cette mansuétude au fait que l'homme d'Etat avait conservé de solides amitiés juives (n'avait-il pas été le « patron » de René Mayer, de Robert Lazurick et de Stora, et l'avocat du cinéaste Bernard Nathan ?) et qu'il avait, jadis, pris la parole en loge, avant la guerre de 1914 (selon ses propres déclarations) et aussi après, notamment le 2 décembre 1923, à la loge *n° 753 L'Avenir de la Montjoie* (cf. *Bulletin bi-mensuel des Loges du « Droit Humain »*, n° 11, du 1er au 15-12-1923). Quoi qu'il en fût, Laval eut, selon le mot d'un de ses anciens collaborateurs, un « *rôle de bouclier* » qui devait immanquablement attirer des coups de toutes parts. Il s'en servait comme il se servait d'une certaine impopularité qu'il paraissait d'ailleurs cultiver : « *Quand vous aurez compris*, dit-il un jour à l'ancien chef de la *Légion Française des Combattants* de l'Aveyron, *que je fais monnaie de mon impopularité pour mon pays, vous aurez compris beaucoup de choses.* »

LA VARENDE (Jean-Balthazard-Marie MALART de).

Homme de lettres (1887-1959). Cet « *anarchiste d'Ancien Régime* » (le *Crapouillot* dixit) démissionna de l'académie Goncourt après la Libération — il y avait succédé à Léon Daudet, en 194? — parce qu'on lui tenait rigueur de son attitude pétainiste. Il venait d'être « épuré » par le *Comité National des Ecrivains* (« liste noire » de 1944), en raison de sa collaboration au *Petit Parisien* et à *Je suis partout* (où il publia un roman). Principal animateur du *Souvenir Chouan de Normandie*, il écrivit pour le non-conformiste *Artaban*, d'Hébertot, en 1957, et donna son adhésion aux *Amis de Robert Brasillach* dès leur formation.

LA VASSELAIS (Guy PETITPAS de).

Industriel, né à Colombes (Seine), le 5 décembre 1902. Président des imprimeries *Agrochim*. Conseiller général du canton de Maintenon, maire de Saint Symphorien, ancien conseiller de l'Union française (1947-1952). Sénateur d'Eure-et-Loir (depuis 1959), secrétaire général de *La Voie de la Liberté*.

LAVERGNE (Jean).

Directeur commercial, né à Paris, le 3 février 1928. Secrétaire général du *Centre des Jeunes Libéraux* (1960-1962) délégué régional du « *Comité de Vincennes* » (1960-1961).

LAVIALLE (Roger).

Journaliste, né à Pont-du-Château (P.-de-D.), le 6 août 1920. Militant démocrate-chrétien. Secrétaire général (1945-1949), puis président de l'*Association Catholique de la Jeunesse Française*. Actuellement, directeur de la *Bonne Presse* (groupe de *La Croix*), président du *Centre National de la Presse Catholique* et secrétaire général des *Semaines sociales de France*.

LAVIGERIE (Charles-Martial ALLE-MAND-LAVIGERIE, dit).

Prélat, né à Bayonne en 1825, mort à Alger en 1892. Cardinal et archevêque d'Alger, il prononça le toast historique du 12 novembre 1890 au banquet offert à l'amiral Duperré dans lequel il annonça, lui légitimiste, « *son adhésion sans arrière-pensée au gouvernement de la République, en vue d'arracher le pays aux abîmes qui le menacent* ». Il inaugura ainsi la politique dite de *ralliement* qui incita la majorité des catholiques à se *rallier* à la République : le mot d'ordre fut immédiatement suivi dans les milieux de la bourgeoisie d'affaires qui y trouvait un intérêt indiscutable (voir : *Bourgeoisie*).

LAVIGNE (Jacques-Marie).

Avocat, né au Bouscat (Gironde), le

9 août 1920. Inscrit au barreau de Bordeaux. Membre du C.D. du Mouvement de Libération nationale. Adjoint au maire de Bordeaux. Conseiller général du IVe canton de Bordeaux depuis le 27 mars 1949. Député *U.N.R.* de la Gironde (3e circ.) de 1958 à 1967.

LAVY (Arthur).

Fonctionnaire, né à Pringy (Haute-Savoie), le 11 septembre 1905. Inspecteur principal des Contributions directes, maire d'Argonnex, président du Conseil général de la Haute-Savoie, sénateur républicain indépendant de ce département.

LAZAREFF (Pierre).

Journaliste, né à Paris, le 16 avril 1907. Fils d'un lapidaire israélite russe. Marié en secondes noces à Hélène Gordon, également issue d'une famille juive russe, directrice du magazine féminin *Elle*. Débuta dans la presse à quatorze ans, faisant les utilités au journal *Le Peuple* ; puis passa au quotidien socialiste *Le Soir,* où il trouva un protecteur, Paul Gordeaux, qui dirigeait la page parisienne. Collabora ensuite, comme chroniqueur, reporter ou secrétaire de rédaction à *L'Avenir, L'Echo de Paris, Paris-Matinal, Candide, Gringoire, Marianne*. Pendant l'Exposition coloniale de 1925, fut rédacteur en chef de *La Dépêche coloniale* et attaché de presse du commissaire général de l'Exposition. S'intéressa au théâtre et au cinéma avec Falconnetti, André Lang, Osso, Simone Berriau, mais retourna très vite au journalisme, et 1928 le trouva chef des informations de *Paris-Midi*. Après l'achat de ce journal par Jean Prouvost et la création, par ce dernier, de *Paris-soir,* devint le principal collaborateur de l'industriel lainier à la direction de son groupe de presse (*Paris-soir, Paris-Match, Marie-Claire*). Les attaques contre lui se multiplièrent alors en raison de l'attitude générale de *Paris-soir,* surtout dans le domaine de la politique étrangère : était alors considéré par ses adversaires politiques comme un « belliciste ». Quitta la France après l'Armistice et alla à New York poursuivre le combat contre l'hitlérisme. Y dirigea *La Voix de l'Amérique* dépendant de l'*Office War Informations* américain et collabora, avec les autorités militaires U.S. à la préparation des équipes de guerre psychologique pour le débarquement en Afrique du Nord. Se rendit ensuite en Angleterre pour le compte de l'*Office War Information,* qui le chargea de la direction des services de l'*A.B.S.I.E.* (Radio américaine en Europe), en même temps que de la formation de nouvelles équipes de guerre psychologique pour le débarquement du 6 juin 1944. Revenu en France avec les armées américaines (septembre 1944) entra à *France-soir* que venait de lancer le groupe *Défense de la France* et fit adopter par ce nouveau journal la formule qui avait si bien réussi à *Paris-soir.* Lorsque le journal fut repris en main par le groupe *Hachette,* en devint le « grand patron ». Lança alors, tour à tour : *Elle, France-Dimanche, le Journal du Dimanche,* l'agence *Scoop,* etc. Est aujourd'hui : directeur général de *France-soir* et du *Journal du Dimanche,* directeur de la publication de *Elle* et *France-Dimanche,* membre du comité de direction de *Paris-Presse-l'Intransigeant,* conseiller technique de *Réalités,* du *Nouveau Candide, Vive les vacances,* d'*Entreprise* et de *Connaissance des arts,* de *Régie-Presse,* de la *Librairie Hachette,* administrateur du *Jardin des Modes,* de *Télé 7 Jours* et de *Femmes d'Aujourd'hui,* gérant de la *Société d'exploitation de journaux de loisirs* et de la *Société d'Etudes littéraires et artistiques,* directeur de la collection *l'Air du temps* (Editions Gallimard), producteur de l'émission télévisée « Cinq colonnes à la une » et codirecteur-gérant de *Télé-Hachette.* Est l'auteur de quelques livres : « *Dernière édition* », « *De Munich à Vichy* », et (avec Hélène Lazareff), « *L'U.R.S.S. à l'heure Malenkov* ». Considéré, à juste titre, comme l'un des piliers du gaullisme depuis 1958, joue (avec l'appui du groupe *Hachette* et de son ami Bleustein-Blanchet) un rôle considérable dans l'action psychologique menée par l'*U.N.R.* et ses alliés.

LAZURICK (Maurice, dit Robert).

Journaliste, né à Pantin (Seine), le 3 avril 1895. Longtemps avocat, il milita très tôt dans les partis d'extrême-gauche. Il appartient aux *Jeunesses Socialistes,* puis au *Parti communiste* lorsque la majorité du parti de Jaurès rallia la IIIe Internationale. Sous la houlette de Marcel Cachin, il collabora à *l'Humanité,* en compagnie de Charles Lussy, Armand Salacrou, Bernard Lecache, Ludovic-Oscar Frossard (le père du spirituel « rayon Z ») et de quelques autres, bien oubliés aujourd'hui. Lorsque Frossard quitta le *Parti communiste,* Lazurick le suivit. Ensemble ils retournèrent à la *S.F.I.O.* Ensemble ils parurent dans les loges : le premier, qui appartenait déjà à la Loge *L'Internationale,* de Paris, servit de parrain au second, lorsque le futur directeur de *L'Aurore* se fit initier dans

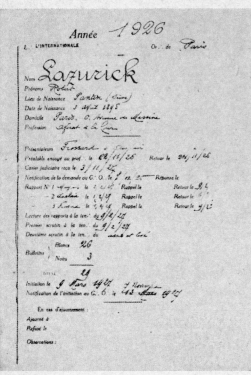

cet atelier maçonnique le 9 mars 1927. Entre-temps, Robert Lazurick avait été le collaborateur de Pierre Laval ; il avait même dirigé son cabinet lorsque ce dernier était ministre des Travaux publics du gouvernement Painlevé. Il fut également le collaborateur de L.O. Frossard, son protecteur, au quotidien *Le Soir*. Il se présenta dans le Cher en 1936. Elu sous l'égide du *Front populaire*, il continua de collaborer à la presse de gauche, notamment au quotidien *La Justice* que dirigeait Frossard. Pour des motifs qui restent obscurs, il quitta, à la Libération, le *Parti Socialiste* qu'il avait rejoint dans la clandestinité. Depuis 1944, il dirige, avec la collaboration de son épouse, née Francine Bonitzer, le journal *L'Aurore*, dont le « roi des cotonnades » Marcel Boussac est le principal actionnaire (par sociétés interposées). Il en a fait l'organe quotidien de la petite bourgeoisie parisienne et, au cours des années 1956-1962, l'un des quotidiens les plus ardemment « Algérie française ». Demeuré homme de gauche et foncièrement hostile à tout ce qui peut lui paraître « fasciste », Robert Lazurick est devenu, sur ses vieux jours, un bon libéral avant tout soucieux de se maintenir contre vents communistes et marées gaullistes à la direction de son quotidien.

LE BAIL (Jean).

Universitaire, né à Redon (Ille-et-Vilaine), le 26 février 1904, mort à Limoges, le 26 octobre 1965. Professeur au lycée Gay-Lussac de Limoges, éditorialiste du *Populaire du Centre*, secrétaire de la *Fédération socialiste* de la Haute-Vienne, fut député de ce département à la deuxième Constituante (1946), à l'Assemblée nationale (1946-1958), et au Conseil de la République (1958-1959). Mena une vigoureuse campagne dans le journal socialiste contre les auteurs communistes des exécutions sommaires dans le Limousin à la Libération et se déclara, dès 1958, un adversaire déterminé du général De Gaulle. En désaccord avec son parti, en raison de son anti-communisme déterminé, donna sa démission à la *S.F.I.O.* et ne se représenta pas aux élections sénatoriales en 1959.

LEBAS (Edouard).

Haut fonctionnaire de l'administration préfectorale, né à Octeville (Manche), le 18 novembre 1897. Professeur au lycée Malherbe de Caen, participa à la Résistance et fut nommé, à la Libération (juillet 1944) préfet de la Manche, puis préfet de l'Orne (1946) et, à nouveau, préfet de la Manche (1946-1952). Ensuite, inspecteur général de l'Administration (1952-1959). Elu député de la Manche en 1958. Prit vigoureusement parti pour l'Algérie française contre le gouvernement et le général De Gaulle, en particulier dans ses articles du *Journal du Parlement*. A l'élection présidentielle de décembre 1965, fit campagne pour Jean Lecanuet et, au second tour, se prononça pour François Mitterrand.

LEBAS (Jean-Baptiste).

Comptable (1878-1944). Militant socialiste, député du Nord (1919-1928, 1932-1942), ministre des P.T.T., fut l'un des animateurs de la fraction modérée de la *S.F.I.O.*

LE BAULT de la MORINIERE (René).

Propriétaire - agriculteur, né à Landemont (M.-et-L.), le 31 mai 1915. Se targue d'être, par les femmes, un descendant direct de Mme de Sévigné (cf. *Le Journal du Parlement*, 2-2-1962). Le *Who's Who*, 1963-1964, p. 1488, et le *Bottin Mondain*, 1963, p. 1124 indiquent : « Comte Le Bault de La Morinière ». Le *Bulletin des Lois*, série XII, t. X, 1er sem. 1875, n° 245, p. 163, insère le décret du 15 février 1875 précisant que Charles et René Le Bault, d'Angers « sont autorisés à ajouter à leur nom patronymique celui de DE LA

MORINIERE, et à s'appeler à l'avenir, LE BAULT DE LA MORINIERE ». Un peu auparavant, une décision pontificale en date du 5 juillet 1870, avait fait *comte du pape* M. Le Bault de la Morinière (René), aïeul de l'actuel député gaulliste (les titres du pape ne sont pas héréditaires). Sa famille figure néanmoins comme d'authentique noblesse dans certains annuaires. Maire de Landemont. Conseiller général de Maine-et-Loire. Membre du Comité de Libération de Maine-et-Loire (1944). Conseiller général du canton de Chantoceaux (1945). Député *U.N.R.* de Maine-et-Loire (5e circ. Cholet) depuis 1958.

LE BELLEGOU (Edouard).

Avocat, né à Toulon (Var), le 20 décembre 1903. Bâtonnier de l'Ordre des avocats de Toulon (1949). Conseiller municipal de Toulon (1947), vice-président du Conseil général du Var, maire de Toulon (1953-1959), sénateur socialiste du Var (depuis 1959).

LEBESCOND (Raymond).

Syndicaliste, né au Havre (Seine-Inférieure), le 1er novembre 1911. Secrétaire confédéral de la *C.F.T.C.*, directeur de l'Institut d'études et de formation syndicales (de cette centrale), membre du comité de coordination de la promotion sociale, conseiller économique et social.

LE BIGOT (René).

Commerçant, exportateur, nommé le 23 janvier 1941 membre du *Conseil National* (voir à ce nom).

LE BOURRE (Raymond).

Syndicaliste, né à Arcueil (Seine), le 10 novembre 1912. Militant syndicaliste (depuis 1930), délégué général à l'Office du cinéma (1945-1947), sous-directeur du *Centre national du cinéma* (1947-1952), secrétaire de la *C.G.T.-Force Ouvrière* (1952-1959). Milita en faveur de l'Algérie française, et renonça à son mandat de secrétaire de la Confédération Force ouvrière. En 1963, créa le *Comité de défense des libertés professionnelles* qui s'est notamment prononcé contre la reconnaissance de la section syndicale d'entreprise qui aboutirait, écrivait-il, « à donner un monopole de fait à la *C.G.T.* et au parti communiste ». Collabora au *Figaro*, à *Carrefour*, à *La Nation française*. Auteur de : « *Démocratie économique* », « *Le Syndicalisme français dans la Ve République* ».

LEBRE (Henri) (pseudonyme : François Dauture).

Journaliste, né à Pau (Basses-Pyr.) le 12 mars 1894. Après sa démobilisation (1919), attaché à la haute commission interalliée des Territoires rhénans (1920-1926), puis journaliste : a collaboré successivement ou simultanément au quotidien *Le Jour*, à l'hebdomadaire *1934*, à la *Revue Universelle*, au *Mercure de France*, à l'*Emancipation Nationale*. Fut rédacteur en chef et directeur politique du *Cri du Peuple*, et membre du Bureau Politique et du Directoire du *P.P.F.* Actuellement collaborateur des *Ecrits de Paris*, de *Rivarol* et du *Spectacle du monde*. A publié dans « *Les origines secrètes de la guerre* » (Paris 1957) les chapitres sur Munich et les prémices du conflit.

LEBRET (Louis, Joseph).

Ecclésiastique, né à Minihic-sur-Rance (I.-et-V.), en 1897, mort à Paris en 1966. Fut d'abord officier de marine, puis entra dans les ordres (dominicain). Son activité se porta principalement sur l'aide aux pays sous-développés. Fondateur d'*Economie et humanisme* et du *Centre International de formation et de recherche en vue du développement harmonisé*. Participa aux travaux de l'O.N.U. et collabora à l'élaboration du schéma XIII sur l'Eglise dans le monde au concile de Vatican II.

LEBRETON (Marcel, Emile, Alphonse).

Agriculteur, né à Ecrainville (Seine-Inférieure), le 22 mai 1900. Conseiller municipal (1929), puis maire (1935), d'Annouville-Vilmesnil, conseiller général et sénateur républicain indépendant de la Seine-Maritime.

LEBRUN (Albert) .

Homme politique, né à Mercy-le-Haut (M.-et-M.), mort à Paris (1871-1950). Ancien élève de Polytechnique. Sénateur. Ministre des Colonies (1911, 1912, 1913), du Blocus et des Régions libérées (cab. Clemenceau, 1917-1918). Présidait le Sénat lorsqu'il fut élu président de la République en 1932. Réélu en 1939. Fidèle « gardien de la Constitution » en toutes affaires, ne fit qu'une seule entorse au « jeu parlementaire » lorsque, après les journées de février 1934, il appela à la tête du gouvernement son prédécesseur Gaston Doumergue. Dans sa déposition à la commission d'enquête de l'Assemblée nationale sur les événements survenus en France de 1933 à 1945, il analysa ainsi la situation :

20

« *...Pour me résumer, 16 cabinets en 7 ans ; durée moyenne 6 mois ! Situation lamentable qui marque un mauvais fonctionnement du régime parlementaire, l'émiettement et la confusion des partis. Au même moment, l'Allemagne travaillait de jour et de nuit...* » (Annexe au P.V. de la séance du 8 août 1947). Ses présidences agitées virent l'affaire Stavisky et les journées de février 1934, l'arrivée au pouvoir du *Front populaire,* les occupations d'usines, la guerre civile espagnole, Munich, l'invasion de la Tchécoslovaquie, puis de la Pologne, la « mise hors-la-loi » du communisme par Daladier, la déclaration de guerre de 1939, la débâcle. Le 15 juillet 1940, il passait — non sans réticences — le pouvoir au maréchal Pétain et se retirait de la vie politique.

LEBRUN (Joseph, Maurice SERRE, dit).

Journaliste, né à Nîmes, le 28 mars 1900. Milita au *Parti Communiste* et collabora à *L'Humanité* dont il fut secrétaire de rédaction. Rallia ensuite le *P.P.F.*

Dès 1937, Bernard Lecache annonçait à ses frères la perte de l'Algérie...

de Jacques Doriot et fut l'un des rédacteurs de *La Liberté* et l'administrateur de *L'Emancipation Nationale.* Est aujourd'hui l'animateur des *Amis de Fraternité Française* et le secrétaire général de la rédaction de *Fraternité Française,* le journal du Mouvement Poujade.

LE BRUN (Pierre).

Syndicaliste, né à Saint-Claude (Jura), le 28 octobre 1906. Ingénieur chez Schneider et au groupe Mercier avant la guerre. Militant cégétiste très voisin des communistes, appartint à l'Assemblée consultative et fut élu secrétaire de la *C.G.T.* en 1947 ; le demeura jusqu'en janvier 1966, date de sa démission. Rallié au gaullisme, avait pris position pour le président sortant lors de l'élection présidentielle de décembre 1965, tandis que la *C.G.T.* était favorable à la candidature Mitterrand. Conseiller économique (1947-1959). Est vice-président de la Section des Investissements et du plan du Conseil Economique et Social (dont il est membre depuis 1959) au titre de représentant de la *C.G.T.* et a conservé ce poste, bien que n'étant plus leader cégétiste.

LECACHE (Bernard).

Journaliste, né à Paris, le 16 août 1895. Militant socialiste, opta pour le *Parti Communiste* en 1920 et fut l'un des rédacteurs les plus virulents de *L'Humanité* où il tenait la rubrique antimilitariste. Retourna en 1923 au *Parti Socialiste* en même temps que de nombreux intellectuels rejetés par la *Section Française de l'Internationale Communiste.* Fondateur de la *Ligue Internationale contre l'Antisémitisme* (L.I.C.A.) et du journal *Le Droit de Vivre,* entre les deux guerres. Etait alors le principal collaborateur d'Albert Dubarry au journal *La Volonté,* avec Jean Luchaire. Entra ensuite à *Paris-Soir.* Au début de l'occupation, fut interné par Vichy dans un camp en Algérie. Après le débarquement américain, fut libéré et reprit le combat contre l'hitlérisme dans la presse et à la radio. Dirigea la rédaction de *Point de Vue,* puis *Le Journal du Dimanche* et reprit la présidence de la *L.I.C.A.,* devenue *Ligue Internationale contre le Racisme et l'Antisémitisme,* et la direction de son journal *Le Droit de Vivre.* Préside également le *Rassemblement mondial antiraciste.* Auteur de divers ouvrages dont : « *Les Porteurs de Croix* », « *Quand Israël meurt* » et « *Séverine* » (dans ce dernier, il rend un hommage, peut-être involontaire, à Edouard Drumont, dont les droits d'auteur revenaient à sa femme, petite-fille de Séverine, elle-même héritière du fondateur de *La Libre Parole*).

LECANUET (Jean, Adrien, François).

Homme politique, né à Rouen (Seine-Inférieure), le 4 mars 1920. Fils d'un commerçant (épicier), il fit ses études au pensionnat Jean-Baptiste de la Salle, au lycée Corneille (Rouen), au lycée Henri-IV et la faculté des lettres (Paris). Licencié ès lettres, agrégé de philosophie. Il participa à la « drôle de guerre », comme soldat de 2e classe dans les dragons, puis à la Résistance, dans le département du Nord. Il était alors professeur de philosophie à Lille (1943-1944). A la Libération, il fut nommé inspecteur général au ministère de l'Information, poste qu'il conserva jusqu'en 1951. De 1946 à 1951, il appartint à divers cabinets ministériels : directeur du cabinet de Robert Bichet, sous-secrétaire d'Etat à la Présidence du Conseil, chargé de l'Information (juin-novembre 1946) ; chef du cabinet civil de Joanès-Dupraz, sous-secrétaire d'Etat à l'Armement (octobre-novembre 1947) ; directeur adjoint du cabinet de Pierre Abelin, secrétaire d'Etat à la présidence du Conseil, chargé de l'Information (novembre 1947-septembre 1948) ; chef de cabinet d'André Colin, ministre de la Marine marchande (septembre 1948-octobre 1949); chef de cabinet de Robert Buron, secrétaire d'Etat aux Finances et aux Affaires économiques (novembre 1949-janvier 1950); chef de cabinet de Colin, secrétaire d'Etat à l'Intérieur (janvier-juillet 1950); conseiller technique au cabinet de Jean Letourneau, ministre d'Etat, chargé de l'Information (juillet 1950); chargé de mission au cabinet de Letourneau, ministre d'Etat chargé des relations avec les Etats associés (juillet 1950- juin 1951). Il fut élu député *M.R.P.* de la Seine-Maritime (1re circ.) le 17 juin 1951, et l'un de ses votes les plus importants fut celui où il refusa la levée de l'immunité parlementaire de Duclos, Fajon, Guyot, Billoux et Marty poursuivis pour atteinte à la sécurité extérieure de l'Etat (1953). Le président Edgar Faure en fit un secrétaire d'Etat à la présidence du Conseil (20 octobre 1955-2 janvier 1956). Battu aux élections générale en 1956, il se présenta aux élections cantonales et fut élu conseiller général de Rouen (2e) le 27 avril 1958. Aussitôt après, il entra au cabinet de Pflimlin, comme chargé de missions (14-31 mai 1958), puis comme directeur de cabinet lorsque celui-ci devint ministre du gouvernement De Gaulle (1er juin-31 octobre 1958 et 1er dé-

cembre 1958-8 janvier 1959). Partisan du « OUI » en 1958, et candidat aux élections législatives de novembre 1958, il se flattait dans sa profession de foi, d'avoir « *été entièrement associé à l'action qui a permis l'appel du général De Gaulle dans l'ordre et la légalité* ». Il ajoutait : « *Le général De Gaulle n'a pas voulu un parti unique. Il s'est au contraire appuyé sur une large union d'hommes au patriotisme éclairé, capables et dignes de diriger les affaires publiques. Préserver demain cette union : soutenir l'action du général De Gaulle ; construire, comme il le souhaite, une grande force politique du Centre préservant le Pays des extrémistes de droite et de gauche (...) : telles sont à mon avis les conditions du renouveau. Je les inscris dans mon programme comme des nécessités fondamentales, car elles peuvent permettre d'atteindre ce que nous voulons. En Algérie : établir une paix française, fondée sur la justice, telle que l'a définie le général De Gaulle, et qui respecte la personnalité algérienne, etc.* » Malgré cette profession de foi gaulliste, il fut battu. Mais l'année suivante, il entra au Sénat (26 avril 1959) et présida le groupe sénatorial M.R.P. de décembre 1960 à juin 1963, date de son élection à la présidence du M.R.P. Après avoir voté OUI au plébiscite de septembre 1958, OUI au référendum-plébiscite de janvier 1961, J. Lecanuet a pris position pour le OUI du référendum d'avril 1962 en rappelant qu'il était déjà, en 1958, favorable à cette politique : « *Aujourd'hui, De Gaulle a rejeté Soustelle, condamné Salan. Il a contredit Debré et confirmé la clairvoyance de Pierre Pflimlin. Combien de vies humaines, combien d'années de guerre, combien de concessions, peut-être, auraient été épargnées si la voix de la raison avait été écoutée dès ce moment-là et non quatre ans plus tard ! Mais sans doute fallait-il le prestige du général De Gaulle pour faire mûrir la solution.* » (cf. son article dans *L'Aisne nouvelle*, 7-4-1962.) Candidat à l'élection présidentielle de décembre 1965, il obtint 3 767 000 voix. Animateur du *Centre Démocrate*, front politique réunissant des personnalités modérées, démocrates-chrétiennes et radicales, fondé avec l'appui du *M.R.P.* et du *C.N.I.P.*

LECHANTRE (Jean, Hector, Louis).

Journaliste, né à Roubaix, le 13 mars 1917. D'abord surveillant d'internat (1937), et agent d'assurances (1938), il entra aux Ponts et Chaussées et fit du journalisme en même temps que de la politique. Depuis l'âge de vingt ans, il

appartient au *Parti Socialiste S.F.I.O.* ;
il fait également partie de la Franc-
Maçonnerie. A la Libération, il entra
comme rédacteur à *Nord-Matin* et en
devint l'année suivante (1945) le rédacteur en chef ; il l'est encore aujourd'hui.

LEC'HVIEN (Pierre-Marie).

Ecclésiastique, né à Ploubazlanec (C.-
du-N.), le 6 novembre 1885, mort dans la
nuit du 10 au 11 août 1944. Ordonné prêtre à Rome, le 5 juillet 1914, il fut nommé
vicaire à Plouézec (1919) — au retour de
la guerre, qu'il fit comme caporal-bran-
cardier et aumônier, puis comme capo-
ral-infirmier —. Fut aumônier des Filles
de la Croix (1925), et enfin recteur de
Treglamus (1932) et de Quemper-Guézennec (1937). Lié d'amitié avec l'abbé Perrot (voir à ce nom), dont il partageait les
idées fédéralistes, il était un défenseur
ardent des traditions bretonnes. Le soir
du 10 août 1944, il fut enlevé par des
maquisards après avoir été assommé, puis
achevé à coups de revolver. On retrouva
son corps le lendemain sur la route
d'Yvias. L'un des chefs de la Résistance,
E. Mathys, devait écrire le 28 avril 1948
au frère de la victime qui lui demandait
le résultat de son enquête sur l'assassinat du recteur de Quemper-Guézennec :
« *Exécuté par les hommes du groupe
F.T.P. de Pontrieux. Ordre reçu par le
chef du secteur militaire sur acte d'accusation dressé par le responsable des
F.N. de Quemper-Guézennec. Motif :
membre de la VII*[e] *(?) colonne.* » Et
Mathys ajoutait : « *Je pense que la personnalité du recteur demandait davantage de circonspection dans les suites à
donner à une accusation qui semble
n'avoir eu aucune base sérieuse. Je n'ai
pu recueillir, dans le canton de Pontrieux, aucune accusation logique établie
contre votre frère.* » (Cf. « *L'Abbé
Pierre-Marie Lec'hvien* », par l'abbé
H. Poisson, Saint-Brieuc, 1959.)

LECŒUR (Auguste).

Syndicaliste, né à Lille, le 4 septembre 1911. Mineur dès l'âge de treize ans
et militant communiste à seize, il fut
commissaire politique aux Brigades
internationales en Espagne (1936), secrétaire général de la Fédération communiste du Pas-de-Calais, membre du
comité central du *P.C.* (1938), secrétaire à l'organisation du *Parti communiste* clandestin (1940-1944), maire de
Lens (1944), député du Pas-de-Calais aux
deux Assemblées nationales constituantes (1945-1946), puis à l'Assemblée nationale (1946-1955), sous-secrétaire d'Etat
à la Production industrielle (cabinet

Gouin, 1946 ; cabinet Bidault, 1946). Il
était membre du Comité central et secrétaire chargé de l'organisation du *Parti
communiste* lorsqu'il participa à la fondation du Kominform et assista au XIXe
congrès du P.C. de l'U.R.S.S. Il quitta
le *Parti communiste* le 30 novembre
1954 et adhéra au *Parti Socialiste S.F.I.O.*
(1958) après avoir animé un éphémère
Mouvement communiste national. Ses
attaques contre le *P.C.F.* et Maurice Thorez avaient été particulièrement virulentes dans l'organe du mouvement, *La
Nation socialiste*, qu'il avait fondé en
1956. Il a publié un livre de souvenirs
politiques : « *Le Partisan* » (Paris 1963).

LECOIN (Louis).

Correcteur d'imprimerie, né à Saint-
Amand-Montrond en 1888. Fut successivement : jardinier, ouvrier maçon, conducteur d'imprimerie. Syndicaliste révolutionnaire, en lutte ouverte au sein de la
C.G.T. avec la fraction Jouhaux (1921),
adhéra à la C.G.T.U. (1922) et en fut,
quelque temps, l'un des membres dirigeants. Participa à la même époque à la
conférence internationale syndicaliste
qui se tint à Berlin sur l'initiative de
l'*A.I.T.* (*Association Internationale des
Travailleurs*) de tendances anarcho-syndicalistes. Collabora, avant la guerre, au
Libertaire puis dirigea le journal *S.I.A.*
(*Solidarité Internationale Antifasciste*),
maintes fois poursuivi. Est, après Blanqui, le militant politique le plus souvent
condamné et emprisonné : 6 mois de
prison en 1910 pour avoir, étant militaire, refusé de marcher contre les grévistes ; 5 ans de prison en 1913 dans le
procès dit du *Mouvement anarchiste* ;
un an de prison en 1917 pour diffusion
de tracts pacifistes ; 5 ans de prison
(plus 18 mois) pour anti-militarisme,
etc. Etait en prison pour son tract « *Paix
immédiate* », depuis septembre 1939,
lorsque l'armistice de 1940 survint. Une
campagne de presse, déclenchée fin 1940
par Diogène (H. Coston) dans *La France
au Travail*, sous le titre « *Libérez-les !* »
ne fut probablement pas étrangère aux
mesures de grâce qui intervinrent en
1941. Après la guerre, fut un des rares
hommes de gauche à condamner l'épuration. Fonda en 1949 la revue *Défense de
l'Homme*, aujourd'hui animée par Louis
Dorlet, puis en janvier 1958, le journal
Liberté, qu'il dirige toujours. Après des
années de combat et de grèves de la
faim, finit par obtenir une loi sur l'objection de conscience dont il s'est fait le
défenseur. Cet homme généreux se prononça cependant, assez inexplicable-
ment, contre l'amnistie des condamnés

Algérie française en 1965. Depuis un an, il mène dans son journal *Liberté* une ardente campagne en faveur des républicains espagnols.

LECONTE (Henri SCHKROUN, dit Claude-Henry).

Journaliste, né à Sidi-Bel-Abbès (Algérie), le 16 avril 1906. Diplômé d'études supérieures, licencié ès lettres et en philosophie. Anc. professeur de philosophie. Co-fondateur d'*Oran Républicain* (1936) dont il fut chef des informations. Successivement : chroniqueur littéraire de *l'Intransigeant* (1938-1939), chef de service à l'Agence France-Afrique (1942), correspondant de guerre en Italie de cette agence, éditorialiste et rédacteur en chef de la R.T.F. à Alger (1944), chef des informations parisiennes de *l'Intransigeant* (1947), secrétaire de rédaction à l'A.F.P. (1948) et rédacteur à *Combat* (1954). Administrateur (1961), puis P.D.G. du *Journal du Parlement* (depuis 1964). Rédacteur au *Spectacle du monde* et à *Finance*. Membre dirigeant du *Mouvement Evolutionniste Français*. Rapporteur général de la Commission du Programme Libéral pour la Présidence de la République à la *Convention Nationale Libérale*, où il soutint la candidature Marcilhacy. Auteur de « *Descartes et Malebranche* », « *Cavalier du ciel* » et « *André Moynet, pilote de combat* ».

LECORNU (Alain).

Agriculteur, né à Sulley (Calvados), le 18 mai 1929. Conseiller municipal de Nonant. Ancien secrétaire général du *Cercle des Jeunes Agriculteurs* du Calvados. Administrateur de la *Laiterie coopérative de Juaye-Mondaye*. Membre de *l'Alliance France-Israël*. Suppléant de Raymond Triboulet aux élections législatives du 18 novembre 1962 ; a été proclamé député du Calvados le 7 janvier 1963, lorsque Triboulet est entré dans le gouvernement.

LE COUR (Paul).

Ecrivain (1871-1954). Occidentaliste convaincu, il écrivit plusieurs ouvrages : « *L'Atlantide, origine des civilisations* ». « *Hellénisme et Christianisme* », « *Dieu et les dieux* » (préfacé par Camille Mauclair), etc., pour défendre l'origine hyperboréenne des civilisations et soutenir que le christianisme se rattachait bien plus aux traditions helléniques du Dieu solaire qu'au culte de Jéhovah. Il affirmait que Jésus lui-même n'était pas Juif mais Celte. Fondateur, en 1926, de la première *Société d'études atlantéennes* et de la revue *Atlantis*.

LE COUR GRANDMAISON (Jean).

Officier de marine, né à Nantes (Loire-Inférieure), le 15 mars 1883. Fils d'un sénateur royaliste, fut lui-même parlementaire royaliste, et représenta la Loire-Inférieure à la Chambre des Députés, de 1919 à 1942. Fut également : maire de Guenrouët (1924-1942), directeur de *La France catholique* (1945-1956), président de la *Fédération Nationale Catholique* (avant et pendant la guerre), puis de la *Fédération Internationale des hommes catholiques* (1948-1954).

LECOURT (Robert).

Avocat, né à Pavilly (Seine-Inférieure), le 19 septembre 1908. Inscrit au barreau de Rouen (1928-1932), puis à celui de Paris. Militant démocrate-chrétien, ancien disciple de Marc Sangnier, présida la *Jeunesse démocratique populaire* (1936), et appartint au Comité directeur du mouvement « *Résistance* » (1942-1944). Après la Libération : délégué à l'Assemblée consultative provisoire (1944-1945), membre des deux Assemblées constituantes (1945-1946), député *M.R.P.* de la Seine (1946-1958), ministre de la Justice (cabinets André Marie, 1948 ; Schuman, 1948 ; Queuille, 1949 ; Gaillard, 1957-1958 ; Pflimlin, 1958), président du groupe du *M.R.P.* de l'Assemblée nationale (1946-1948 et 1952-1957). Réélu député, cette fois dans les Hautes-Alpes (1958), laissa son siège de député à son suppléant, pour être ministre d'Etat du gouvernement Debré (1959-1961).

LECTURE ET TRADITION.

Revue bi-mestrielle de tendance nationale et catholique, fondée dans le Poitou en 1966 et consacrée à la critique et à la présentation des livres politiques. Directrice-gérante : Denise Castaing. Collaborateurs : Jacques Meunier, Jean Auguy, Olivier Fenoy, Jean-Pierre Roussel, Jean-Paul Roudeau, François Miller, Christian Lagrave. (Siège : 86, Chiré-en-Montreuil.)

LECTURES FRANÇAISES.

Revue mensuelle fondée en mars 1957 par Henry Coston, Pierre-Antoine Cousteau et Michel de Mauny. Peut être classée parmi les publications d'opposition nationale, malgré son caractère particu-

---

lier et l'indépendance qu'elle affiche à l'égard des partis et des groupes ; spécialisée dans l'étude de la presse, des milieux politiques et des cercles financiers. A publié de nombreux numéros spéciaux sur : la Synarchie, les investissements étrangers en France, le parlement, la Franc-Maçonnerie, les partis politiques, etc. (Dépôt central : 27, rue de l'Abbé-Grégoire, Paris 6°).

LE DOUAREC (François).

Avocat, né à Rennes (I.-et-V.), le 21 octobre 1924. Fils d'un ancien député démocrate-chrétien. Frère de Bernard Le Douarec, ancien député *U.N.R.*, puis non inscrit, de la Loire-Atlantique. Inscrit au barreau de Rennes. Anc. délégué régional à la propagande du *R.P.F.* Président du Syndicat national des avocats. Anc. conseiller économique et social (mars 1961-novembre 1962). Elu député *U.N.R.* d'Ille-et-Vilaine (2° circ.) le 25 novembre et le 12 mars 1967.

LEDUC (René).

Directeur commercial, né à Paris le 11 novembre 1901. Lieutenant-colonel de réserve. Président des déportés de « *Ceux de la Libération* ». Membre de l'*Alliance France-Israël*. Maire de Meudon (depuis 1947). Vice-président de l'Union internationale des Maires. Vice-président des Maires de Seine-et-Oise. Candidat du *Centre des Indépendants* en 1956 (liste A. Mignot). (Battu.) Elu député *U.N.R.* de Seine-et-Oise en 1958. Réélu en 1962.

LEENHARDT (Francis).

Homme d'affaires, né à Marseille, le 24 avril 1908. Licencié en droit et licencié ès lettres, socialiste militant, il fut chargé, en 1943, de la création des Comités de Libération clandestins (pour l'ensemble de la France) par les services spéciaux du général De Gaulle établis à Alger. Il présida en 1944 le *C.D.L.* des Bouches-du-Rhône et, personnellement détenteur de l'autorisation de faire paraître un quotidien à Marseille, il créa *Le Provençal* avec G. Defferre et ses amis dans l'immeuble de l'ancien *Petit Provençal,* occupé par les *F.F.I.* à la Libération. Il préside aujourd'hui le conseil d'administration de la société *Le Provençal* et de la société *La République* (de Toulon). Il fut député aux Assemblées constituantes de 1945 et 1946, puis siégea à l'Assemblée nationale comme représentant des Bouches-du-Rhône de 1946 à 1962 et il présida le groupe parlementaire socialiste de 1958 à 1962. Très versé dans les questions financières et économiques,

il fut tour à tour : président de la commission des Affaires économiques, du comité permanent des Foires à l'étranger, membre de la Commission des Finances, rapporteur du Budget de l'Intérieur, etc. Dirigeant du *Parti socialiste S.F.I.O.,* il en préside la commission des Affaires économiques.

LEFEVRE (abbé Luc-J.) (Voir **La Pensée Catholique**).

LEFEVRE (Bernard).

Médecin, né à Oran, le 3 avril 1921. Docteur en médecine, diplômé par les universités d'Alger (1948) et de Madrid (1965) ; spécialiste de médecine fonctionnelle (acupuncture et homéopathie) à Alger de 1948 à 1960. Chantiers de jeunesse à Tlemcen (1942), campagne de Tunisie, débarquement de Provence et campagne de France (1943-1944). Elu conseiller municipal de Birmandreis, près d'Alger (1954), il exerça les fonctions de maire-adjoint. Il participa à la tentative avortée du général Faure (1957) et fit partie du « *Comité des 7* » qui prépara et déclencha l'insurrection du 13 mai 1958. Il fut nommé peu après membre du comité directeur du *Comité de Salut Public*, où il prit la tête de la minorité anti-gaulliste. Co-signataire du « *manifeste des 14* » (minoritaires du C.S.P.) qui provoqua la rupture entre gaullistes et nationalistes algérois (juillet 1958). Démis de ses fonctions municipales, il se retira du forum et fonda, en 1959, une société de pensée *Pour l'instauration d'un Ordre corporatif*, qui eut bientôt une branche métropolitaine, l'*E.V.O.C.*, dirigée à Nice par Henri Le Rouxel. Prêchant « *la résistance à l'abandon* », il participa à l'organisation du soulèvement dit « *des barricades* » à l'issue duquel il fut arrêté (février 1960), emprisonné à la Santé et finalement acquitté (mars 1961). Son rôle dans le putsch de 1961 l'obligea à entrer dans la clandestinité, d'où il anima quelque temps le réseau *Résurrection-Patrie*, puis le réseau *Forces Nouvelles Françaises*, démantelé avec l'arrestation de l'ancien député poujadiste Marcel Bouyer. Persuadé désormais de l'inanité d'une lutte basée sur l'activisme pur, il se consacra dans son refuge espagnol aux études doctrinales et à l'économie politique. Les grandes lignes de sa pensée sont exposées dans le bulletin du *Syndicalisme communautaire*, de Henri Le Rouxel, et dans ses deux ouvrages : « *Sur le chemin de la Restauration* » (1959), et « *L'Occident en péril* » (1962).

LEFEBVRE (Raymond).

Journaliste (1891-1920). Militant socialiste et pacifiste, rallié en 1918 à l'Internationale Communiste dont il fut l'un des délégués au II° congrès. Co-fondateur de l'*Association Républicaine des Anciens Combattants*. Périt dans un naufrage, en rentrant de Russie.

LEFÈVRE PONTALIS (Hubert).

Avocat, né à Paris, le 8 août 1909. Descendant de Guillaume le Conquérant (1027-1087) par Elisabeth, duchesse de Suffolk, sœur de Richard III et d'Edouard IV, rois d'Angleterre, et de Jean Secondat de Montesquieu. Petit-fils d'Amédée Pontalis, ancien député du Nord, petit-neveu d'Antonin Lefèvre Pontalis, ancien ministre. Fut député modéré de la Sarthe, conseiller municipal de Paris et conseiller général de la Seine.

LEFORT (Bernard, Charles).

Journaliste, né à Paris, le 6 octobre 1917. Dans la presse depuis la Libération. Successivement : rédacteur, puis chef du sevice politique de *Franc-Tireur* (1944-1958), *Paris-Journal* devenu *Paris-Jour* (depuis 1959), où il défend avec vigueur le point de vue gaulliste. Est également l'un des collaboateurs de l'O.R.T.F.

LE GALL (Jean, Alexis).

Docteur en médecine, né à Paris le 3 mai 1922. Otorhinolaryngologiste à Charleville. Médecin officier de réserve de l'armée de l'Air. Secrétaire départemental de l'*U.N.R.* (1959). Elu député de ce parti dans les Ardennes (2° circonscription) en 1962. Non réélu en 1967.

LEGARET (Jean).

Maître des requêtes au Conseil d'Etat, né à Ambert (P.-de-D.), le 29 août 1913. Milita dans la Résistance, et fut nommé, après la Libération, auditeur au Conseil d'Etat (1946). Après un stage à l'Ecole supérieure de guerre (1948-1949), devint collaborateur technique de divers ministres (1952-1955). Elu député de la Seine en 1952, resta hors du parlement de 1956 à 1958, et fut, à nouveau, député de la Seine, de 1958 à 1962. Inscrit au groupe des *Indépendants et Paysans*. Appartint également au Conseil municipal de Paris, qu'il présida, et au Conseil général de la Seine. Fondateur et président du *Club des Prouvaires*. A pris, au cours des dernières années une attitude résolument anti-gouvernementale, non seulement dans ses discours, mais aussi dans ses articles du *Journal du Parlement*.

LEGENDRE (Jean).

Journaliste, né à Paris, le 7 mai 1906. Son nom est, depuis plus de trente ans, attaché à la lutte contre le marxisme. Avant la guerre, il était l'un des animateurs du *Centre de Propagande des Républicains Nationaux*, que dirigeait Henri de Kérillis. A la Libération, il fut élu aux deux Constituantes (1945-1946), puis à l'Assemblée nationale où il représenta l'Oise de 1946 à 1962. Ayant rallié le *R.P.F.* peu après sa fondation, il en démissionna en 1952 pour soutenir le président Pinay et devint, par la suite, l'un des porte-parole du *Centre National des Indépendants et Paysans* au parlement, où il se faisait le champion de l'anti-communisme et de l'Algérie française. Lorsqu'il eut compris que la politique du général De Gaulle conduisait à l'indépendance de l'Algérie, il regretta publiquement d'avoir fait voter, en 1958, pour le futur président de la République : « *Nous sommes cocus !* » s'écriat-il. A la séance de l'Assemblée nationale du 26 avril 1962, faisait allusion à certain livre de Michel Debré et aux « patrons » du nouveau Premier ministre, il eut ce mot féroce, le 26 avril 1962 : « *Le règne des princes est terminé, celui des barons commence.* » C'est à lui que l'on doit, également, la formule, reprise depuis par maints journaux de l'opposition, de « *République des Barbouzes* » (Assemblée nationale, 15-12-1961). Son franc parler lui attira, naturellement, de sérieuses inimitiés : il ne fut pas réélu en 1962. Il se consacre donc à la ville de Compiègne, dont il est maire depuis 1947 (sauf au cours de la période 1954-1959). Il donne depuis plusieurs années des articles au *Progrès de l'Oise*, aux *Nouveaux Jours* et au *Journal du Parlement*.

LEGION (La).

Revue mensuelle publiée, à partir de juin 1941, par la *Légion Française des Combattants* à Vichy. Elle était, selon les propres paroles du maréchal Pétain, « *la tribune vivante de la Révolution nationale* » (n° 1, page 3). « *Prendre parti hardiment* », telle était la devise de ce journal qui s'attaquait avec vigueur à l'adversaire de l'Etat nouveau. Une pléiade d'écrivains et de journalistes collaborèrent à *La Légion*, notamment : Abel Bonnard, Jean Baudry, Henry Bidou, François-Ch. Bauer, André Boll, Francis Bout de l'An, Gabriel Boissy, Jean Bonherbe, Jean Cocteau, Emile Condroyer, Pierre Dominique, Edmond Delage, Jean-Pierre Dorian, Lucien Dubech, Henri Dorgères, Raymond Dumay, Jacques Faugeras, Léon-Paul Fargue, Raoul Follereau, Yves Florenne, Paul Février, Pierre Gallet, Lucien Gachon,

Albert Girardon, le recteur Georges Hardy, Kleber Haedens, Edouard Helsey, Serge Hyb, Robert Havard de la Montagne, André Joussain, Claude Jamet, Gabriel Imbert, Léo Larguier, Pierre Lyautey, le duc de Levis-Mirepoix, Pierre Lafue, J. Le Cour Grandmaison, Jacques de Lacretelle, Maurice Martin du Gard, Georges Mourlon, Pierre Mac Orlan, J.-P. Maxence, Albert Mousset, Claude Martin, Pierre Nord, Armand Petitjean, Henri Pichot, Léon de Poncins, Henri Pourrat, Romain Roussel, Georges Riond, Claude Roy, Pierre Rossillon, Jean Savant, Paul Saby, François de Saulieu, Saint-Brice, Saint-Georges de Bouhelier, André Thérive, Jean-Raymond Tournoux, Thierry-Maulnier, Gonzague Truc, Robert Vallery-Radot, François Valentin, le Dr Voivenel, Robert Vaucher, Emile Vuillermoz, etc. La revue avait créé la « *bibliothèque légionnaire* », dépendant de la Centrale de Propagande, qui prônait les ouvrages de Léon de Poncins : « *La Franc-Maçonnerie contre la France* », « *Forces occultes* », « *L'Enigme communiste* » ; de A.-G. Michel : « *La France sous l'étreinte maçonnique* » ; d'André Gervais : « *Les Combattants de l'Unité Française* ».

LEGION NATIONALISTE.

Groupe éphémère créé en 1960 par Jean-Pierre Mauduché à La Plaine-Saint-Denis, Seine.

LEGION TRICOLORE.

Corps de volontaires français créé par une loi de l'Etat français (Vichy 1942) destiné, précisait une circulaire du général Bridoux (6 juin 1942) « *à représenter la France sur tous les théâtres d'opérations où nos intérêts nationaux sont en jeu* ». La Légion comprenait, outre les *légionnaires* (soldats volontaires) proprement dits, les *Amis de la Légion* et les *Anciens légionnaires*. « *Les personnes déclarées juives par la loi du 2 juin 1941, ainsi que les personnes qui, bien que n'étant pas considérées comme juives, ont deux grands-parents juifs, ne peuvent être membres de la Légion Tricolore* », précisait une circulaire ministérielle (Vichy, 7 juillet 1942). Il s'agissait en fait d'une armée politique, formée de partisans. Le Comité d'honneur était ainsi composé : F. de Brinon, Jean Ajalbert, J. Benoist-Méchin, le général Blanc, Abel Bonnard, H. de Carbuccia, Georges Claude, Gabriel Cognacq, Lucien Daudet, Drieu La Rochelle, le révérend père Gorce, le général Havard, Abel Hermant, le colonel Labonne, Auguste Lumière, Paul Marion,

Jean Montigny, le chanoine Tricot, le général Régis Sabatier, le colonel Tissier. Au comité central siégeaient : Jacques Benoist-Méchin, le commandant Pierre Costantini, Joseph Darnand, Marcel Déat, Jacques Doriot, Jean Filliol, Jean-Marcel Renaud, Simon Sabiani. Le général Galy en était le commissaire général et le lieutenant-colonel Tézé, le commissaire général adjoint.

LEGION DES VOLONTAIRES FRANÇAIS CONTRE LE BOLCHEVISME (L.V.F.).

Formation militaire composée de militants politiques et constituée en juillet 1941, sous l'impulsion des mouvements collaborationnistes de la zone Nord (*P.P.F., R.N.P., M.S.R., Ligue Française*, etc.), après l'entrée en guerre de l'Allemagne contre la Russie soviétique. (C'est au cours de la cérémonie organisée à Versailles, en août 1941, lors du départ du premier contingent de volontaires que Collette tenta d'abattre Pierre Laval et Marcel Déat, qui ne furent que blessés.) La *L.V.F.* comportait deux faces : une face française, l'association déclarée conformément à la loi du 1er juillet 1901, dirigée par un comité central politique français ; une face allemande, représentée par les éléments militaires engagés sur le front germano-soviétique et combattant sous le commandement de la Werhrmacht. Les *légionnaires* portaient l'uniforme de l'armée au sein de laquelle ils combattaient, ainsi que l'exigeaient, pour les deux camps, les lois de la guerre. Le colonel Labonne était leur chef militaire et Mgr Mayol de Luppé, leur aumônier. Lors des combats de 1941, des éléments de la *L.V.F.* commandés par un capitaine de l'armée française, proche parent d'un futur Premier ministre, parvinrent à quelques dizaines de kilomètres de Moscou. En juillet 1942, la *L.V.F.* fut dissoute en tant qu'association régie par la loi française et ses biens furent dévolus à la *Légion Tricolore*. Le comité central de l'organisation fut, en partie, repris par le comité de cette dernière, dont J. Benoist-Méchin assumait la présidence. Bien que la *L.V.F.* n'eut jamais dépendu du gouvernement du maréchal Pétain, ses membres militaires et civils étaient assurés de son approbation. La messe solennelle du 27 août 1942, à la mémoire des légionnaires français tués sur le front de l'Est, fut célébrée à Notre-Dame en présence des représentants du gouvernement de Vichy et l'absoute fut donnée par le cardinal Suhard, archevêque de Paris. Après la Libération, l'appartenance à la *L.V.F.* fut sévèrement sanctionnée, et les survivants de cette petite cohorte de soldats politiques, que leur anticommunisme avait poussés à endosser l'uniforme allemand, furent arrêtés, traduits devant les Cours de justice ou les tribunaux militaires et lourdement condamnés. On leur reprocha, selon les propres paroles du président de la Haute Cour, le socialiste Louis Noguères, de s'être dressés « *contre l'admirable armée russe qui se battait pour les Français* » (5 juin 1947).

LEGITIMISTE.

Monarchiste, partisan de la dynastie légitime. Sous la Monarchie de Juillet, après que le duc d'Orléans eût été couronné « roi des Français », les fidèles de la branche aînée des Bourbons de France, qui s'insurgeaient contre « l'Usurpateur », furent désignés sous le nom de *légitimistes*. *Orléanistes*, partisans des descendants de Louis-Philippe, et *légitimistes*, partisans de la monarchie légitime, se combattirent avec acharnement pendant une cinquantaine d'années. Les uns tenaient pour le comte de Paris, petit-fils de Louis-Philippe, les autres pour le comte de Chambord, petit-fils de Charles X, dernier roi légitime de la France monarchique. Prince chrétien, ouvert aux difficultés sociales de son temps sur lequel il était sans doute en avance, désireux, sans cléricalisme outrancier mais avec une foi robuste, de restaurer les *droits de Dieu* pour retrouver l'exacte portée de sa fonction royale, le comte de Chambord avait élaboré de la monarchie une notion fort éloignée des maximes libérales et révolutionnaires au goût du jour. Sous l'influence de sa pensée propre, et aussi grâce à celle de philosophes ou de juristes tels que Blanc de Saint-Bonnet, Maumigny, A. de Margerie, J.-B.-V. Coquille et d'autres, le *légitimisme* tendait à devenir bien davantage qu'une simple revendication dynastique de « légalistes » : plutôt toute une vision contre-révolutionnaire, souvent profonde, de la vie politique. D'un côté se trouvait la monarchie « *blanche* », de droit divin, catholique, décentralisée, représentative; de l'autre, la monarchie « *tricolore* », libérale, moderniste et parlementaire. Entre le comte de Chambord et le comte de Paris, il y avait Philippe Egalité, 1830, la citadelle de Blaye, le « drapeau chéri » dont parlait Aumale et les « immortels principes » qu'il « résumait », une clientèle et une sensibilité souvent très opposées. La fusion politique et dynastique se fit, malgré ce fossé, avec une relative facilité à la mort du comte de Chambord en 1883 : la grande masse des légitimistes

reconnut le comte de Paris, en général sans grand enthousiasme. Cette fusion surprit beaucoup de monde, à commencer par les républicains et les *orléanistes* qui ne s'attendaient pas à une telle débandade des tenants du drapeau blanc. Des conséquences très lourdes pour l'avenir du royalisme en France en résultèrent : le grand courant des doctrinaires légitimistes sociaux se trouva tari : si La Tour du Pin conserva son hommage aux Orléans, Albert de Mun, Lavigerie et d'autres se rallièrent à la République, cependant que nombre d'anciens militants influents, tenus à l'écart, se retiraient désabusés de la vie politique. Les *orléanistes* eurent, du jour au lendemain, la représentation presque exclusive des intérêts royalistes : coupés des masses populaires, souvent liés aux puissances d'argent les plus égoïstes, dénués de principes, ils se laissèrent engluer dans l'aventure boulangiste, et survécurent misérablement jusqu'à l'apparition de *L'Action Française*. Rares furent les anciens cadres légitimistes qui cherchèrent à poursuivre leur action. On évalue à une douzaine, les présidents de comités départementaux fidèles au comte de Chambord qui rallièrent ceux qu'on appelait, par dérision, « *les blancs d'Espagne* », parce qu'ils s'étaient tournés vers Jean de Bourbon, le Don Juan de la branche carliste espagnole — Jean III, pour ses partisans — considéré comme le nouveau chef de la Maison de Bourbon. A Jean III, mort en 1887, succédèrent tour à tour Charles XI (Don Carlos VII d'Espagne, 1887-1909), Jacques Ier (Don Jaime, duc de Madrid, 1909-1931), Charles XII (Alfonso-Carlos, duc de San Jaime, mort sans postérité en 1936), puis, par transfert des droits à la branche alphonsine devenue aînée, Alphonse Ier (Alphonse XIII d'Espagne, de 1936 à 1941) et actuellement Jacques-Henri, duc d'Anjou et Ségovie, qui est le père du duc de Bourbon. Après la mort du comte de Chambord, le mouvement *légitimiste* fut très faible. La bourgeoisie était *orléaniste* ou républicaine et, déjà, les propriétaires terriens chez lesquels se recrutaient les monarchistes anti-libéraux commençaient à connaître les difficultés que l'évolution capitaliste a, de nos jours, singulièrement aggravées. En 1884, les *légitimistes* ne disposaient que de huit journaux de province contre environ cent cinquante favorables au comte de Paris. Malgré tout, un petit groupe s'organisa autour de Maurice d'Andigné et de son hebdomadaire, *Le Journal de Paris* (qui défendit ses idées de 1883 à 1892), avec l'appui du prince de Valori, du général Cathelineau, de Joseph Du

Bourg, ancien secrétaire (comme d'Andigné lui-même) du comte de Chambord et de quelques milliers d'adhérents recrutés dans toutes les classes sociales, nombreux surtout dans le Maine-et-Loire et le Morbihan. Plus tard, parurent la revue bi-mensuelle *La Monarchie française* (1911-1912), qui polémiqua vigoureusement avec *L'Action Française,* puis diverses moutures du *Drapeau blanc,* dont celle d'André Yvert, avant la Seconde Guerre, et le bulletin ronéotypé de Michel Josseaume en 1956. On doit signaler également les publications animées par Paul Watrin dans l'entre-deux-guerres (spécialement sa *Science historique*). En outre, divers travaux universitaires ont défendu le droit des Bourbons-Anjou, parmi lesquels on citera les thèses de droit d'Henri de La Perrière, du prince Sixte de Bourbon-Parme et de Paul Watrin.

Cependant, jusqu'en 1931, la descendance du deuxième petit-fils de Louis XIV, Philippe, duc d'Anjou, se tint à l'écart, tout occupée qu'elle était à régner en Espagne. Mais, après la mort d'Alphonse XIII, l'un de ses fils, Jacques Henri, duc d'Anjou et de Ségovie, fut reconnu par de nombreux monarchistes français comme l'héritier légitime de la couronne de France, malgré le traité d'Utrecht qui a exclu du trône les descendants du duc d'Anjou devenu roi d'Espagne sous le nom de Philippe V. Bien que n'étant pas décédé, le duc d'Anjou et de Ségovie est pratiquement écarté par la plupart des légitimistes pour deux raisons majeures. La première, c'est qu'il est sourd-muet et qu'il n'est donc pas apte à certains actes de gouvernement. La seconde, c'est qu'il est divorcé et remarié civilement avec une cantatrice de Kœnigsberg. Dans ces conditions, ils proposent que le fils aîné du duc d'Anjou, Louis-Alphonse, duc de Bourbon, soit *associé* à son père, ce qui, soutiennent-ils, est une solution normale prévue par la loi monarchique.

D'autant plus nombreux (relativement) que certaines prises de position du comte de Paris ont profondément blessé les monarchistes de tradition, les *légitimistes* sont groupés dans diverses associations, parfois rivales. L'*Association Générale des Légitimistes de France* a été fondée le 21 janvier 1957, date anniversaire de la mort de Louis XVI, et déclarée officiellement le 5 mars suivant (*J.O.* 3-4-1957). Elle engendra, le 5 juin 1963, les *Cercles d'études Chateaubriand-Bonald,* dont le comte E. de Roquefeuil-Anduze, ancien chargé de mission au cabinet militaire du maréchal Pétain, est le président, et le Dr Georges Godard,

père du jeune Georges Godard tué par les gardes mobiles en Algérie (24-3-1962) est le secrétaire général. Les *Cercles* publient des *cahiers* (secrétariat : Dr Godard, 2, rue Morimont, Langres, Haute-Marne).

L'organisation légitimiste a, également, pour animateurs, dans une autre sphère d'influence, le baron Hervé Pinoteau et le comte Pierre de la Forest Divonne, qui organisèrent à l'Hôtel de Crillon, le 18 juin 1965, une réception en l'honneur du duc de Bourbon à qui ils présentèrent les légitimistes venus nombreux voir leur *dauphin.*

Le journal *Tradition Française* est l'organe du *Centre doctrinal d'Action royaliste.* Naguère dirigé par Jean Feraudy et Jacques Rambaud, cet organe mensuel légitimiste est, aujourd'hui, animé par le directeur du *Centre,* composé de trois membres : Alain Néry, Guy Augé et Jaume Népote, tous trois étudiants (B.P. 19-05, Paris-5e).

Naguère paraissaient *Le Drapeau blanc,* puis *La Gazette royale,* qui se réclamaient de l'*Association Générale des Légitimistes de France.* Mentionnons également le *Cercle Saint-Louis,* le *Centre Culturel de Cluny,* le *Comité Charles X* qui organisent des conférences à Paris et dans diverses villes de province.

Parmi les noms des personnalités et des militants *légitimistes* cités dans la presse nous avons relevé, au cours de ces deux derniers lustres, outre ceux que nous venons de mentionner, les noms de: Mlle M.-T. de Tassin, Joseph Jackson, Pierre Tollé, Ch. Clerget-Guinaud, Jacques Rambaud, le baron L. de Condé, président du *Mémorial de France* à Saint-Denis, Raymond Vuichoud, Maurice Etienne, le duc de Bauffremont, Saclier de la Batie, Yves Le Moyne, Robert Le Dru, Bernaudin de Rochechinard, le comte A. de Chansiergues-Ornano, Guy Augé, Sarrague de Villers, Richard Picat, Lesage de la Franquerie, Ange Giemnez, Alain Néry, et celui du Dr Bernard Lefèvre, dont les déclarations, à Alger, avant les « *barricades* » de janvier 1960, ont attiré l'attention du public sur les partisans de la branche aînée des Bourbons.

D'autres *légitimistes* ont pour prétendant le prince Xavier de Bourbon-Parme, qui descend également de Louis XIV. Mais ce dernier ne semble pas très désireux de répondre à leurs aspirations et paraît se contenter d'assister tous les ans, le 21 janvier, à la messe anniversaire de la mort de Louis XVI, à Saint-Philippe du Roule, tandis que les fidèles du comte de Paris entendent la messe dite à Saint-Germain-l'Auxerrois. D'autres encore se déclarent favorables au descendant de l'infortuné fils de Louis XVI, officiellement mort au Temple, mais qui, au dire d'historiens comme Lenôtre et André Castelot, aurait échappé à la surveillance du savetier Simon, son geôlier. Ayant constitué un *Cercle Louis XVII*, — qui a succédé, en fait, à une suite de groupements « naundorffistes » —, ces monarchistes entendent démontrer que, non seulement le fils de Louis XVI et de Marie-Antoinette n'est pas mort au Temple, mais qu'il a survécu, qu'il n'est mort qu'en 1845 à Delft en Hollande (où il vivait sous le nom de Naundorff et où il fut reconnu comme le prince Charles-Louis, duc de Normandie, roi de France et de Navarre, par la Cour de Hollande) et qu'il a laissé une postérité nombreuse, dont deux fils, Charles-Edmond (1833-1888) et Adelberth (1840-1887). Le descendant du premier, Henri, duc de Bourgogne, né en 1899, étant mort sans postérité en 1960, et ses deux cousins étant déclarés — « *non dynastes* »(1), c'est le descendant du second, Louis, duc de Normandie, qui est devenu leur prétendant : « *Devenu par la mort de mon cousin Henri, duc de Bourgogne, chef de la famille de Bourbon, je suis décidé à faire face à tous mes devoirs* », déclara-t-il le 10 juin 1960 à La Haye.

Né en 1908, Louis a deux fils : Charles-Louis, né en 1933, et Henri-Emmanuel, né en 1935, qui ont eux-mêmes des enfants. Le *Cercle Louis XVII*, fondé par le baron du Genièbre, naundorffiste actif, le marquis de Castellane, décédés, et sa revue trimestrielle *Flos Florum,* furent longtemps animés par la comtesse Michel de Pierredon, née princesse de Polignac, Boutté de Fréville, Guy de Closières, le comte Yves-Michel de Pierredon, J. de Montéty, Michel Duplessis, la comtesse de Villermont, Mme de Cazillac, Mme Tisserant et le marquis Bertrand de Bourmont-Coucy, ancien directeur-administrateur de *France Réelle,* qui présida le *Cercle* et a fondé, il y a quelques années, *L'Information monarchique* (64, rue Sauffroy, Paris-17e).

LEGITIMITE.

Caractère de ce qui est conforme aux usages. Droit d'hérédité par primo-

géniture dans le système monarchique français. Bien que le principe de *légitimité* soit remplacé, sous la République, par celui de légalité, le général De Gaulle l'invoque fréquemment pour son propre compte en affirmant qu'il *incarne la légitimité depuis 1940.*

LE GOASGUEN (Charles).

Avocat, né à Brest (Finistère), le 4 mai 1920. Inscrit au barreau de Brest. Compagnon de la Libération. Conseiller municipal de Brest (depuis janvier 1963). Fut député *U.N.R.* du Finistère (2e circ.) de 1962 à 1967.

LEGOUEZ (Modeste).

Agriculteur, né à Epreville (Eure), le 24 septembre 1908. Président de la Corporation paysanne (1942-1944), des Producteurs d'endives (1954-1960), vice-président de la Fédération des Producteurs de fruits à cidre (1954-1959), président d'honneur de la Fédération départementale des Syndicats d'Exploitants agricoles, secrétaire général de la Chambre d'Agriculture de Normandie, vice-président de la Chambre d'Agriculture de l'Eure. Elu sénateur de l'Eure, en 1959 ; réélu en 1962 (groupe des *Républicains Indépendants*). Conseiller général du canton de Saint-Georges-du-Vièvre. Ancien membre du Sénat de la Communauté.

LE GOUVELLO.

Président de l'*Union des syndicats agricoles* de la Loire-Inférieure, nommé le 23 janvier 1941 membre du *Conseil National* (voir à ce nom).

LEGRAND (Jean-Charles).

Avocat, né à Paris, le 23 décembre 1900, d'un père industriel, qui fut président de la Chambre de Commerce de Paris. Il acquit une grande notoriété au barreau de Paris comme avocat d'Almazian, faussement accusé de meurtre par la police qui avait usé de procédés inadmissibles pour extorquer des aveux (1929). Ses plaidoiries dans l'affaire de l'*Aéropostale*, dans le procès de l'Intendant Frogé, dans le conflit opposant Mlle Cotillon au policier Bonny, futur auxiliaire de la Gestapo, sont restées célèbres dans les annales judiciaires. Collaborateur d'Alexandre Millerand, puis de P.-E. Flandin, il n'entra dans la politique active que beaucoup plus tard, sous le gouvernement de Front populaire, après avoir quitté le barreau de Paris (1937), en créant le *Front de la Jeunesse* et un hebdomadaire particulièrement virulent, *Le Défi*, où il dénonçait

---

(1) Il s'agit de Charles-Edmond et de René. « *Ces deux héritiers ne sont pas dynastes* », nous dit *Flos Florum, Revue du Cercle Louis XVII* (no 76-77, 1960) parce que le père de Charles-Edmond se maria « *civilement* » le 11 mai 1926 et ne régularisa « *religieusement* » son mariage que le 1er juin 1932, c'est-à-dire trois ans avant la naissance de l'enfant ; parce que René, né en 1898, ne fut reconnu que le 20 février 1940 par son père, Louis-Edmond.

avec talent ce qu'il considérait comme « la décadence parlementaire » en même temps que la finance internationale. Blessé et cité en 1940, il s'est assez peu mêlé de politique depuis, sauf en Afrique du Nord où il a vécu après la guerre. Inscrit au barreau de Casablanca en juillet 1948, il y exerça pendant dix-sept ans (voir son livre : « *Justice, patrie de l'Homme* », qui reproduit ses plaidoiries devant le Tribunal des Forces Armées au Maroc). Depuis le 5 février 1965, il est, à nouveau, inscrit au barreau de Paris.

LEGROS (Marcel).

Viticulteur, né à Saint-Boil (S.-et-L.), le 7 octobre 1898. Conseiller général (depuis 1951) et sénateur républicain indépendant de Saône-et-Loire (depuis 1958), maire de Buxy.

LE GUEN (Alain).

Agriculteur, né à Plouha (Côtes-du-Nord) le 18 mars 1926. Elu député *M.R.P.* des Côtes-du-Nord (4ᵉ circ.) le 30 novembre 1958. Membre de la Commission supérieure des prestations familiales agricoles (1961). Après avoir voté la censure (contre le gouvernement) en octobre 1962, s'est proclamé favorable au *oui*. De cette manière, eut l'appui de l'*U.N.R.* et fut réélu député en novembre 1962. Candidat Vᵉ République en 1967 : non réélu.

LEJEUNE (Max).

Homme politique, né à Flesselles (Somme) le 19 janvier 1909. Militant socialiste depuis plus de trente-cinq ans, député *S.F.I.O.* en 1936-1940. Fut initié le 7 mars 1932 à la loge *La Fayette* de Paris, mais ne voulut par renouveler son adhésion à la Maçonnerie à la Libération. Fut prisonnier de guerre en 1940-1945, et interné à Colditz et à Lubeck. Président du Conseil général de la Somme. Conseiller général du canton sud d'Abbeville (depuis 1945). Maire d'Abbeville (depuis 1947). Membre de l'Assemblée consultative provisoire (1945). Membre des deux Assemblées constituantes (1945-1946). Elu député de la Somme à la 1ʳᵉ Assemblée nationale le 10 novembre 1946. Vice-président de cette Assemblée (1947-1948). Ministre des Anciens Combattants et victimes de guerre (gouv. provisoire Blum, 1946-1947). Secrétaire d'Etat aux Forces armées (Guerre) (cab. Schuman, 1947-1948 ; Queuille, 1948-1949 ; Bidault, 1949-1950). Réélu député le 17 juin 1951. Exclu du la *S.F.I.O.* pour son opposition à la C.E.D. (1954) ; réintégré peu après. Président de la Commission de la Défense nationale (7 juillet

1954-1ᵉʳdécembre 1955). Réélu député le 2 janvier 1956, avec l'investiture de *l'Express*. Secrétaire d'Etat aux Forces armées (Terre) (cab. Guy Mollet, 1956-1957). Ministre du Sahara (cab. Bourgès-Maunoury, 1957 ; cab. Félix Gaillard, 1957-1958). Ministre d'Etat (cab. Pflimlin, mai 1958). Ministre du Sahara (cab. De Gaulle, 1958-1959). Réélu député *S.F.I.O.* de la Somme le 23 novembre 1958, ainsi qu'en 1962 et 1967. N'a jamais fait mystère de ses sentiments « Algérie française », sans toutefois se compromettre avec « la droite ». Fut un des rares hommes politiques ayant le courage de mettre en cause les grands intérêts : « *La guerre des pétroles se déchaîne en Algérie comme ailleurs dans le monde, cette guerre des pétroles qui dépasse la volonté des gouvernements, même de gouvernements amis.* » (Discours de Moreuil [Somme]. Cf. *Le Monde*, 19-6-1956.) Au moment où la grande presse incitait les épargnants à placer leurs économies dans les pétroles, il déclarait à l'Assemblée de l'Union Française : « *Il ne faut pas commettre l'erreur de trop mobiliser l'épargne pour le Sahara. Je ne veux pas être un nouveau banquier de la rue Quincampoix.* » (Cf. *Le Monde*, 3-1-1958.)

LE LANN (Jean-François).

Docteur vétérinaire, né à Berrien (Finistère), le 20 mars 1924. Conseiller général du canton de Fougères-Sud et député *C.N.I.* d'Ille-et-Vilaine (5ᵉ circ.) depuis 1962. Inscrit au *Centre Démocratique*. Non réélu en 1967.

LELIEVRE (Raymond).

Peintre et homme de lettres, né à Anneville (Manche), le 14 septembre 1915. Fondateur de *Terre Normande* (1946) et des *Editions Edithor*. Directeur général de *L'Echo agricole* (depuis septembre 1948). Auteur de « *La Varende, dernier seigneur des lettres* » (1963), de « *La Manche, en 40 dessins* » (1964) et de « *Manoirs et châteaux normands* » (pseudonymes : Richard Danneville, Erik Norois). Son fils, Philippe Lelièvre (né à Coutances, le 6 mai 1942), dirige *L'Echo agricole* depuis septembre 1963.

LEMAIRE (Marcel).

Agriculteur, né à Saint-Thierry (Marne), le 7 mai 1906. Sénateur de la Marne depuis 1948. Membre du groupe du *Centre républicain d'action rurale et sociale*. Préside, dirige ou administre nombre de sociétés, associations, coopératives et syndicats agricoles. Président du *Rotary Club* de Reims (1958-1959), ancien président de l'Amicale de la Marne à Paris.

Membre de la Chambre d'agriculture de
la Marne et du secrétariat international
de la laine « International Wool Secre-
tariat », à Paris.

LEMAIRE (Maurice).

Homme politique, né à Gerbépal (Vosges), le 25 mai 1895. Ingénieur. Ancien
élève de l'Ecole Polytechnique (promotion 1919). Adm. des *Pétroles Serco*.
Maire de Colroy-la-Grande (1946). Ancien
directeur du réseau du Nord de la Somme (mai 1940), puis du réseau Nord
(janv. 1944). Directeur-adjoint de la
S.N.C.F. (sept. 1944), puis directeur général (mars 1946-juin 1949). Président
du Comité de gérance internationale des
Chemins de fer (mars 1946-sept. 1951).
Elu député *R.P.F.* des Vosges le 17 juin
1951. Elu conseiller général du canton
de Raon-L'Etape (oct. 1951). Membre titulaire de l'Assemblée consultative du
Conseil de l'Europe et de l'Assemblée de
la Communauté européenne du charbon
et de l'acier (1951-1953). Ministre de la
Reconstruction et du Logement (cab. Laniel, 1953-1954). Ministre du Logement
et de la Reconstruction (cab. Mendès-
France, 19 juin 1954 ; démissionnaire le
13 août 1954 ; à nouveau du 12 novembre 1954 au 5 février 1955). Réélu député
républicain social (gaulliste) le 2 janvier
1956. Secrétaire d'Etat à l'Industrie et
au Commerce (cab. Guy Mollet, 1956-
1957). Réélu (*U.N.R.*) en 1958, 1962 et
1967. Membre de l'*Alliance France-Israël*.

LEMAITRE (François, Elie, Jules).

Homme de lettres (1853-1914). Professeur aux lycées du Havre et d'Alger,
puis aux facultés de Besançon et de
Grenoble, quitta l'enseignement pour la
littérature. Critique de la *Revue Bleue*,

Jules Lemaître,
l'un des chefs
du nationalisme
français des
années 1890-1910

du *Journal des Débats,* de la *Revue des
Deux Mondes.* Elu membre de l'Académie française en 1895. Auteur de :
« *Contemporains* », « *Impressions de
théâtres* », « *Opinions à répandre* »,
« *Un nouvel état d'esprit* », « *J.-J.
Rousseau* », « *Racine* », « *Fénelon* »,
« *Chateaubriand* », etc., de divers
recueils de vers et de nombreuses pièces
de théâtre (« *Le député Leveau* », « *Les
Rois* », « *Le mariage de Télémaque* »,
etc.). Fut l'un des principaux animateurs de la *Ligue de la Patrie Française* et, rallié à la monarchie, devint
président d'honneur de l'*Action Française.*

LEMARCHAND (Pierre, Raymond).

Avocat, né à Tourlaville (Manche), le
25 septembre 1926. Inscrit au barreau
de Paris (radié en 1966, en raison d'accusations graves portées contre lui à propos de « l'affaire Ben Barka »). Participa
d'une manière active à l'action para-
policière contre les opposants au régime
en Algérie. Elu député *U.N.R.* de l'Yonne
(1re circ.) en 1962. Ne se présenta pas
en 1967.

LEMARIE (Bernard).

Docteur en pharmacie, né à Caulnes
(C.-du-N.), le 30 juillet 1913. Chef de
travaux à la faculté de médecine et de
pharmacie de Rennes. Conseiller général
et maire de Caulnes, vice-président du
Conseil général des Côtes-du-Nord, sénateur *M.R.P.* de ce département.

LEMERY (Henry).

Avocat, né à Saint-Pierre (Martinique),
le 9 décembre 1874. Député (1914-1919),
puis sénateur de la Martinique (1920-
1941). Sous-secrétaire d'Etat aux Transports maritimes (cabinet Clemenceau,
1917-1920), garde des Sceaux (cabinet
Doumergue, 1934). Vota pour le maréchal Pétain, le 10 juillet 1940. Ministre
des colonies du gouvernement Pétain
(1940). Auteur de plusieurs ouvrages
dont l'un : « *D'une République à l'autre* » (1964) a été poursuivi pour offense
au chef de l'Etat, le général De Gaulle.

LEMIRE (Jules-Auguste).

Ecclésiastique et homme politique, né
à Vieux-Berquin, près de Bailleul (Nord),
en 1833, mort à Hazebrouck, en 1928.
Professeur de rhétorique au petit séminaire d'Hazebrouck, il fut élu député
en 1893 et fonda la *Ligue du Coin de
terre et du foyer.* A la Chambre, sans
interruption, de 1893 à 1928, il fit campagne pour le vote plural des chefs de
famille, les « allocations de famille »

et la limitation de la durée du travail. Il fut un défenseur acharné du Ralliement, des « abbés démocrates » et du *Sillon.*

LENORMAND (Maurice-Henry).

Pharmacien, né à Mâcon (S.-et-L.), le 15 janvier 1913. Ingénieur de l'Institut agricole d'Algérie. Propriétaire exploitant de la plantation de Sarabo. Directeur de la *Société Coloniale du Pacifique austral.* Secrétaire général de la *Société des études mélanésiennes.* Directeur de *l'Avenir Calédonien.* Elu député le 17 juin 1951, réélu en 1956. Président du Conseil de Gouvernement de la Nouvelle-Calédonie (24 décembre 1958). Fondateur du *Mouvement de l'Union Calédonienne.* Réélu député de la Nouvelle-Calédonie le 24 mai 1959 et le 18 novembre 1962. A été exclu de l'Assemblée Nationale. (Ses amis mettent en cause les Rothschild, magnats du nickel calédonien.)

LEOTARD (Pierre de).

Conseiller en relations publiques, né à Bordeaux (Gironde), le 6 juillet 1909. Militant au *P.S.F.* avant la guerre, fit partie du mouvement créé, après la Libération, par les fidèles du colonel de La Rocque et fut le rédacteur en chef de son journal *Le Flambeau,* organe du *Parti de la Réconciliation Française.* Elu député de la Seine en 1951 sous le signe de la *Réconciliation Française* et réélu en 1956, s'inscrivit au groupe du *R.G.R.* Appartint au Conseil municipal de Paris de 1953 à 1955. Directeur de la revue mensuelle *Etudes et Réformes,* président du comité extra-départemental du Haut Commerce et des Métiers d'art et de créations. Est actuellement secrétaire général du *Mouvement d'entraide et de solidarité pour les Français d'outre-mer.*

LEPAGE (Pierre).

Expert près les Tribunaux, né à Orbigny (I.-et-L.), le 5 avril 1909. Anc. conseiller économique et social (mars 1961-nov. 62). Conseiller général du canton de Tours-Nord (1961). Député *U.N.R.* d'Indre-et-Loire (2e circ.) depuis 1962.

LEPERCQ (Aimé.

Administrateur de sociétés (1889-1944). Ingénieur au corps des mines, puis homme de confiance du groupe *Schneider* (Le Creusot) pour les affaires métallurgiques et minières de ce trust en Tchécoslovaquie (*Skoda, Mines et Forces,* etc.), Mobilisé en 1939 comme chef d'escadron d'artillerie, fait prisonnier en 1940, libéré quatre mois plus tard et nommé par le gouvernement Pétain à la présidence du Comité d'Organisation de l'Industrie des combustibles minéraux solides. Suspendu de ses fonctions en juin 1943. Entra dans la Résistance et fut, à partir du 25 février 1944, président de *l'O.C.M.* Arrêté en mars 1944, libéré en août, fut chargé du commandement militaire des *F.F.I.* de l'Hôtel de Ville et devint, après la Libération, ministre des Finances du Gouvernement Provisoire de la République Française. Tué accidentellement le 9 novembre suivant près de Lille.

LEPEU (Bernard-Edmond-Jules).

Industriel, né à Paris le 1er mars 1910. Gérant de la *Société L.B.D.D.* (outillage en gros). Président-Directeur général de la *Sté Nereca* (importation de cuirs). Anc. président du Tribunal de commerce de Paris. Elu député *U.N.R.* de la Seine (21e circ.) en 1962 ; réélu en 1967.

LE PEN (Jean-Marie).

Né à La Trinité-sur-Mer (Morbihan), le 20 juin 1928. Militant national au Quartier Latin, fut élu président de la Corporation des étudiants en droit de Paris. Fit son service militaire comme sous-lieutenant au 1er bataillon étranger de parachutistes en Indochine, où il anima *Caravelle,* organe du corps expéditionnaire français. Adhéra à son retour au Mouvement Poujade, devint le délégué national de *l'Union de défense de la jeunesse française* et fut élu député de la Seine le 2 janvier 1956. Quitta le groupe *U.F.F.* (auquel il était inscrit) et le Mouvement Poujade en janvier 1957 après que celui-ci eut désapprouvé l'expédition de Suez. Appuya alors le *Mouvement National d'Action Civique et Sociale,* fondé par le député ex-poujadiste Louis Alloin, puis créa le *Front National des Combattants,* participa activement à la lutte pour l'Algérie française et accueillit avec espoir le retour au pouvoir du général De Gaulle qui devait la sauver. Réélu député de la Seine, avec l'investiture du *Centre National des Indépendants et Paysans,* en 1958, poursuivit ardemment sa campagne contre « le bradage de l'Algérie » (« Colloque de Vincennes », *Front National de l'Algérie Française,* etc.). Ayant pris position contre la politique du général De Gaulle, fut battu aux élections législatives de 1962 par le professeur Capitant, gaulliste de gauche. Se consacra, dès lors, à la propagande par le disque (création de la *S.E.R.P.*) et à l'aide aux prisonniers politiques (*Secours de France*). A l'approche de l'élection présidentielle, créa avec quelques amis le *Comité National Tixier-Vignancour* destiné à soutenir la candidature de l'avocat du général Salan. Après la réélection du président sortant, au moment où se créa l'*Alliance Républicaine* de Tixier-Vignancour, rompit bruyamment avec ce dernier ; s'est replié dès lors sur son *Cercle du Panthéon*, créé alors qu'il était député, sur la *Société d'Etudes et de Relations Publiques* (*S.E.R.P.*), qui édite des disques d'opposition fort goûtés dans les milieux nationaux.

LEPIDI (Jean-Charles).

Conseiller financier, né à La Seyne (Var), le 1er juillet 1921. Président de l'*Ecole polytechnique de vente*. S'enrôla en 1941 dans les *Chantiers de Jeunesse* du maréchal Pétain. Après le débarquement anglo-américain en Afrique, changea de camp et entra dans la Résistance. Directeur du journal *Le Bulletin du Commerce*. Membre de l'*Union pour le renouveau français* (de J. Soustelle). Elu député *U.N.R.* de la Seine (8e circ.) le 30 novembre 1958. Membre du groupe parlementaire de la *L.I.C.A.* et de l'*Alliance France-Israël*. Réélu député *U.N.R.* en 1962 et 1967.

LE PLAY (Pierre, Guillaume, Frédéric).

Sociologue, né à La Rivière, près de Honfleur, en 1806, mort à Paris en 1882. Ingénieur des mines, commissaire général de l'Exposition de Paris (1855), et commissaire du Gouvernement français à celle de Londres (1862), il organisa l'Exposition Universelle de Paris (1867). Conseiller d'Etat, sénateur de l'Empire, il étudia les problèmes sociaux et publia plusieurs ouvrages qui ont profondément marqué La Tour du Pin et les fondateurs de l'*Action Française* : « *Les Ouvriers européens* », « *La Réforme sociale en France* » et « *La Constitution essentielle de l'humanité* ». Il créa la *Société internationale des études pratiques d'économie sociale* et des cercles d'ouvriers catholiques. Il fonda aussi une revue, *La Réforme sociale*, où il exposa également sa doctrine. Pour Le Play, l'individu n'est pas une unité sociale ; c'est la famille qui est la seule vraie cellule de la société. Il voyait dans la restauration de l'autorité du patron dans l'atelier et du père dans la famille les bases solides d'un véritable progrès social.

LEPOURRY (Constant-Adolphe).

Agriculteur, né à Sainteny (Manche), le 5 avril 1908. Ancien président de la Fédération de la Manche des syndicats d'exploitants agricoles (1959). Elu député de la Manche (1re circ.) le 25 novembre 1962. Inscrit au groupe *U.N.R.* Battu en 1967.

L'ERMITE (Edmond LOUTIL, dit Pierre).

Ecclésiastique et journaliste, né à Mohon (Ardennes), le 17 novembre 1863, d'un père berrichon (ébéniste) et d'une mère alsacienne. Mort le 14 avril 1959. Ordonné prêtre en 1888, vicaire à Clichy, à St-Roch, à St-Pierre-de-Chaillot, curé de St-Jean-de-Montmartre, puis de St-François-de-Sales, il appartint quelque temps au conseil municipal de Coudray-Montceaux (S.-et-O.). Rédacteur à *La Croix* de 1890 à sa mort, il fut l'un de ceux qui, dans le monde catholique, comprirent le mieux l'importance politique et sociale de la presse : « *Depuis un siècle, écrivait-il, est née une force, une force incalculable, une force à laquelle rien ni personne ne résiste. Autrefois, celui qui conduisait les peuples, c'était celui qui avait les biceps les plus durs, l'épée la plus valeureuse, c'étaient les chefs d'armée, les rois, voire même les présidents de république. Aujourd'hui, une force anonyme conduit les peuples, et quand on oublie cette force, on oublie tout... Ce qui conduit le monde maintenant, c'est l'opinion, Sa Majesté l'Opinion. Et l'opinion, on la fait ! Et ce qui la fait, c'est la presse ! La presse aujourd'hui, centre de tout... force de tout... condition de tout. Tant que mes confrères n'auront pas compris cela, c'est absolument comme s'ils partaient en guerre avec une arquebuse contre des mitrailleuses et des avions... »* (Congrès de *La Bonne Presse*, 1924). Même dans ses romans, il défendait avec ardeur ses idées : « *Les deux mains* » montrent, dans des scènes poignantes, l'influence de la franc-maçonnerie ; « *Le Grand Muffle* » met en scène un « mangeur » de curés ; « *La Grande Amie* », ouvrage couronné par l'Académie française, et « *L'Emprise* » nous font assister à la lutte de la terre contre l'usine, de la noblesse terrienne contre l'homme d'affaire cosmopolite, du foyer rustique et sain contre l'exode incessant qui porte les ruraux vers les grandes villes. La plume de Pierre l'Ermite fut, longtemps, l'une des meilleures armes des catholiques traditionnels.

LEROUX (Pierre).

Journaliste, né à Paris (Bercy) le 17 avril 1797, mort à Paris le 12 avril 1871. Polytechnicien, puis typographe et correcteur, fut l'inventeur de ce qu'il appela le « pianotype » et qui peut être considéré comme l'ancêtre de la linotype. Entré dans le groupe des Saint-Simoniens en 1831, s'en écarta en raison des extravagances d'Enfantin. Fonda *La Revue Indépendante* (1839) et *L'Encyclopédie nouvelle*, dont il interrompit la publication en 1841 après en avoir édité huit volumes. Maire de Moussac, avait fondé en 1846 une imprimerie coopérative. Après la Révolution de 1848, élu à l'Assemblée constituante, fut le champion de la limitation de la durée du travail : « *L'ouvrier*, disait-il le 30 avril 1848, *placé dans l'alternative de mourir de faim, lui, sa femme et ses enfants, ou de travailler quatorze heures par jour, n'est pas libre dans le consentement qu'il donne, et qui n'est autre qu'un consentement au suicide. Que les chefs d'industrie qui encouragent ou exigent un travail de quatorze heures ne viennent pas dire que les ouvriers y consentent, et couvrir l'homicide de ce beau nom de liberté des contrats, de liberté des transactions. On peut toujours bien répondre :* « *Vous n'avez pas le droit d'attenter à la vie de votre semblable, même avec son consentement. La loi vous le défend. La vie humaine est sacrée, et la société est instituée pour la protéger.* » (Cf. « *De Babeuf à la Commune* », par A. Chaboseau, Paris 1911). Après le coup d'Etat du 2 décembre 1851, s'enfuit à Bruxelles, puis résida à Londres, Jersey et Lausanne, donnant des leçons pour vivre, pratiquant la culture maraîchère ou faisant du commerce, sans cesser d'écrire. Avait à sa charge trente-deux personnes : « *Jamais cette tribu n'aurait pu subsister sans les souscriptions, presque nationales, lancées de loin en loin par des amis comme Jean Reynaud et George Sand, et pour lesquelles Edgar Quinet, Victor Hugo, Théodore de Banville, Sainte-Beuve, Henri Martin faisaient une propagande fervente.* » (Chaboseau, *op. cit.*) Loin d'être l'adversaire de la propriété, ce socialiste la défendait : « *La famille, la patrie, la propriété*, disait-il, *sont les trois modes nécessaires de la communion de l'homme avec ses semblables et avec la nature... Mais ces trois choses, qui sont excellentes en elles-mêmes, et nécessaires, peuvent, par leur excès, devenir mauvaises... Que la famille, que la nation, que la propriété soient telles que l'homme puisse se développer et progresser dans leur sein sans être opprimé. Voilà le programme de l'avenir.* » George Sand, attirée par le féminisme de Pierre Leroux, disait de lui : « *Il est ma foi vivante !* » Par l'intermédiaire de la célèbre femme de lettres — dont le livre « *Le Compagnon du tour de France* » servit la cause socia-

liste dans les milieux les plus divers —, Pierre Leroux exerça une influence réelle, en maintes circonstances, sur le Gouvernement provisoire. George Sand siégeait, en quelque sorte, dans ce conseil, « *ministre occulte*, dit Chaboseau, *mais souvent consulté, toujours écouté avec attention, choisi parfois pour arbitre sans appel.* » Rentré en France après l'amnistie de 1859, Leroux vécut ses dernières années dans une demi-retraite. Principaux ouvrages : « *De l'humanité* » (1840), « *Sept discours sur la situation actuelle de la société et de l'esprit humain* » (1841), « *Projet d'une constitution démocratique et sociale* » (1848), « *De la ploutocratie* » (1848), « *De l'égalité* » (1848), « *Malthus et les Economistes ou y aura-t-il toujours des pauvres ?* » (1849), « *La grève de Samarez* » (1864), etc.

LEROUX (Roger).

Universitaire, né à Blois, le 28 avril 1918. Professeur au lycée Dupuy de Lôme, à Lorient (depuis 1948). Conseiller municipal (radical-socialiste) de Lorient (1953-1959). Préside la Fédération départementale du *Parti radical-socialiste*. Appartenant à la minorité *mendésiste*, démissionna du parti en janvier 1959 avec un groupe important de personnalités radicales qui suivirent l'ancien président du Conseil au *Centre d'Action Démocratique*. Fondateur du *Club des Jacobins Morbihannais* en 1963, devenu le groupe départemental de la *Convention des Institutions Républicaines*, dont il assume la présidence. Elu à nouveau conseiller municipal de Lorient, en mars 1965. Président de la *Fédération de la Gauche démocrate et socialiste* du Morbihan (1966).

LE ROUXEL (Henri, Victor).

Chef d'entreprise commerciale, né le 19 janvier 1904 à Juaye-Mondaye (Calvados). Fils de l'ancien président du Tribunal de commerce de Bayeux. Avant la guerre, responsable des services de propagande du *Parti Social Français* pour les cinq départements normands (1937-1940). Ancien président de Syndicat professionnel français. Animateur des groupes *Effort vers l'ordre corporatif* (1958) et *Apports du Syndicalisme National Communautaire* (1962), à Nice. Délégué général de *Syndicom-France* et de l'*Amicale niçoise de conférences « Rencontres et apports »*. Ancien collaborateur de *Fraternité Française* (sous le pseudonyme de Henri Brécourt). Collaborateur direct et représentant en France du Dr Bernard Lefèvre, le doctrinaire du corporatisme.

LEROY-LADURIE (Jacques).

Agriculteur, né à Saint-Mihiel (Meuse) le 28 mars 1902. Ministre de l'Agriculture du maréchal Pétain. Maire des Moutiers-en-Cinglais, député du Calvados (1951-1956). Est demeuré un militant actif du mouvement paysan.

LESOURD (Paul).

Homme de lettres, né à Tours (I.-et-L.) le 19 décembre 1897. Archiviste-paléographe, professeur à la faculté des lettres de l'Université catholique de Paris. Est considéré comme l'un des maîtres de la pensée catholique traditionaliste. Auteur de nombreux ouvrages historiques ou religieux, dont : « L'Œuvre civilisatrice et scientifique des missionnaires catholiques dans les colonies françaises », « Bugeaud, le soldat laboureur », « Le Visage chrétien de la France », « Les Présidences de la République dans l'histoire de France ».

LE TAC (Joël, André).

Journaliste, né à Paris le 15 février 1918. Ses parents, instituteurs, militants d'extrême-gauche actifs, participèrent à la résistance dès 1941, après la rupture des accords germano-soviétiques ; Mme Le Tac (décédée le 23-12-1957) fut arrêtée par les Allemands et envoyée dans un camp de concentration. Elle était la doyenne des déportées résistantes. Rallié au général De Gaulle (1940). Fit partie du B.C.R.A. de Londres. Parachuté en France, arrêté par les Allemands (fév. 1942) et interné au camp de Bergen-Belsen (1942-1944). Capitaine d'infanterie parachutiste en Indochine. Commandant de compagnie (campagne de Corée) (1950). Puis fut reporter à Paris-Match. Anc. secrétaire général de la fédération parisienne de l'U.N.R. (mars-juin 1961), Membre de l'Alliance France-Israël et du groupe parlementaire de la L.I.C.A. Vice-président de l'Amicale des anciens officiers de la mission Action (agents secrets). Elu député de Paris (26e circ.) le 30 novembre 1958 ; réélu le 25 novembre 1962. L'affaire du Comptoir National du Logement (dite affaire Pouillon), qui a révélé les accointances de certains personnages de l'U.N.R. avec Pouillon et ses adjoints, a permis d'apprendre que cette société immobilière avait versé 33 millions et demi d'anciens francs au journal de J. Le Tac, L'Hebdomadaire de Paris-18e, périodique publié par la Société Parisienne d'Information et de Diffusion, dont le député Le Tac était le fondateur et l'animateur. Il avait pour principaux actionnaires : Gilbert Mouret (pour Pouillon), Roland Ducher, J.-M. Larrue et Jean Leroy, tous quatre du groupe C.N.L. René Thomas, conseiller municipal de Paris, ayant cité (dans L'Indépendant de Montmartre) le député U.N.R. parmi les personnes réunies la nuit du putsch place Beauvau en faisant suivre son nom de la mention « du C.N.L. », fut poursuivi. La 17e chambre correctionnelle le relaxa. Le jugement précise en effet que « les retentissantes campagnes de presse consacrées au scandale du Comptoir National du Logement n'avaient rien laissé ignorer des remises importantes de fonds qui avaient été consenties par cette entreprise de construction à une société de presse et d'édition dirigée par la partie civile... Le rappel des liens ayant existé entre le C.N.L. et M. Le Tac, sans qu'aucune appréciation soit portée sur la nature de ces liens, ne peut constituer en soi une diffamation. » (Cf. Le Journal du Parlement, 11-10-1962.) D'autres procès eurent un résultat analogue.

LE TELLIER (Michel).

Secrétaire général de messageries, né à Saint-Malo (I.-et-V.), le 26 août 1904. Entré à la Librairie Hachette en 1931. Occupe aujourd'hui l'un des postes les plus importants pour la diffusion de la pensée française : la direction des Bibliothèques des gares et le secrétariat général des Nouvelles Messageries de la Presse Parisienne.

LE THEULE (Joël).

Universitaire, né à Sablé (Sarthe), le 22 mars 1930. Professeur de géographie au Prytanée militaire de La Flèche. Maire de Sablé. Député U.N.R. de la Sarthe (4e circ.) depuis 1958.

LE TROQUER (André).

Avocat (1884-1963). Mutilé de 1914-1918. Militant marxiste, collabora après la guerre à l'Humanité et au Populaire et fut élu conseiller municipal de Paris (1919) et député de la Seine (1936). Prit ouvertement position contre le maréchal Pétain en 1940, mais ne put voter contre lui le 10 juillet, étant à bord du Massilia (avec son futur gendre Edgar Pisani et de nombreuses personnalités politiques — voir à Massilia). Défendit Léon Blum devant la Cour de Riom, milita au sein du Comité d'Action socialiste clandestin, puis quitta la France. Le général De Gaulle le nomma commissaire à la Guerre dans son Comité de Libération (Alger 1943), puis délégué à l'administration des territoires libérés (jusqu'en septembre 1944). Appartint successivement à l'Assemblée consultative provisoire (1943), aux deux Assemblées constituantes (1945-1946) et à l'Assemblée Nationale (1946-1958), qu'il présida quelque temps. Présida précédemment, en 1945-1946 le Conseil Municipal de Paris. Fut l'un des députés socialistes ayant pris position pour le « Non à De Gaulle » en 1958 au congrès S.F.I.O. qui précéda le référendum. Termina assez lamentablement sa carrière dans une affaire de mœurs dite des « ballets roses » : condamné à un an de prison avec sursis et à 3 000 F d'amende par le tribunal correctionnel en juin 1960 (confirmé par la Xe Chambre de la Cour d'Appel en mars 1961). Ses amis, faisant allusion à une affaire analogue (qui s'était fort bien terminée) ont prétendu que l'on avait voulu frapper en lui l'adversaire du régime.

LETTRE DE CACHET.

Sous l'Ancien Régime, lettre cachetée du sceau du roi donnant l'ordre d'arrêter sans jugement une personne pour un temps souvent indéterminé. Par ext. mandat donné à la police pour une arrestation jugée arbitraire ou injustifiée. Sous la Ve République, on a souvent assimilé à des lettres de cachet les ordres signés par le ministre de l'Intérieur pour l'internement administratif (sans décision judiciaire) des opposants au régime.

LETTRES CONFIDENTIELLES.

Depuis une quinzaine d'années paraissent, sous la forme de bulletins ronéotypés, des lettres d'informations que les abonnés reçoivent sous enveloppe fermée. La disparition à peu près totale des journaux politiques, si nombreux avant la guerre, a facilité l'éclosion et le succès de ces lettres confidentielles dont le prix d'abonnement est assez élevé. C'est le journaliste Paul Dehème (de Méritens) qui créa la première de ces lettres : la « lettre de minuit » (quotidienne, 25, rue Jean-Dolent, Paris (14e), — dont les tendances sont nettement nationales. Gabriel du Chastain, ancien rédacteur-speaker de Radio-Tunis en 1942, animateur de déjeuners-débats fort suivis, publie également une lettre L'Opinion en 24 heures et son supplément L'Opinion des confidentiels (1, rue Volney, Paris 2e). La Lettre du cousin Jean et La Lettre de l'oncle Pierre, consacrées la première aux dessous de la politique, la seconde aux problèmes de presse, sont rédigées par Jean-André Faucher, rédacteur en chef de Juvénal (2, rue de Chateaudun, Paris 9e).

L'ancien député M.R.P. André Noël publiait les Lettres d'Informations politiques et économiques (23, rue Paul-Vaillant Couturier, Maisons-Alfort) ; sa veuve continue la publication de ce bulletin hebdomadaire. Pierre Thurotte, ancien dirigeant P.P.F., fait paraître L'Indiscret de Paris (104, quai du Parc, St-Maur).

René de Livois (alias Eveillard), ancien militant P.P.F., Jean Thouvenin, journaliste, jadis à Vichy où il a publié une série de petits volumes sur les Actes du maréchal Pétain (Sequana-Julliard, éditeur, 1940-1941). Jacques Bloch-Morhange, qui se fit connaître comme collaborateur du Monde, où il publia « le document Fechtler », Jean-Daniel Scherb et Philippe Gardy dirigent également des lettres qui connaissent un inégal succès.

LETTRES FRANÇAISES (Les).

Journal fondé en 1942, dans la clandestinité. Evoquant la naissance des Lettres Françaises, Jean Blanzat écrivait dans ce journal (27 mai 1965) : « C'est à Jacques Decour et à Jean Paulhan que revint l'initiative (...). La première réunion de la première équipe des Lettres Françaises eut lieu chez moi, rue de Navarre — probablement vers décembre 1941. Nous n'étions pas plus de sept ou huit (...). Au cours de cette réunion fut élaboré le premier numéro — dont la formule n'allait plus guère changer. Que Les Lettres fussent ronéotypées (jusqu'en septembre 1943) ou, ensuite, imprimées, on y trouvait : une sorte d'éditorial ; des commentaires des événements ; des informations ; la dénonciation des principales impostures du moment ; des ripostes à certains livres provocants... » Le texte préparé pour ce premier numéro ne fut jamais utilisé : Daniel Decourdemanche, dit Jacques Decour, fut arrêté en février 1942 et fusillé en mai suivant. Les articles de Jean Blanzat, Jacques Debû-Bridel, Jacques Decour, Pierre de Lescure, Georges Linbour, François Mauriac, Jean Paulhan et Jean Vaudal furent détruits. Claude Morgan fit paraître seul, en septembre 1942, le numéro 1. C'est le Comité National des Ecrivains qui assuma la responsabilité des numéros suivants. Collaborèrent à ce périodique clandestin (quatre numéros ronéotypés en 1942, cinq numéros ronéotypés en 1943, trois numéros imprimés en 1943 et sept numéros imprimés en 1944 plus un numéro spécial le 1er août de cette même année), outre les huit résistants ci-dessus : George Adam, Louis Aragon, Pierre Bénard, Jean Cassou, Paul Eluard, Yves Farges, Max-Pol Fouchet, ndré Frénaud, François Lachenal, Mihel Leiris, Loys Masson, Claude Leomte dit Morgan, Louis Parrot, Henry ignolet, Raymond Queneau, André ousseaux, Claude Roy, Jean-Paul Sare, Pierre Seghers, Jean Tardieu, Marel Thiry, Edith Thomas, Elsa Triolet, harles Vildrac, Pierre Ginsburger, dit illon, Walt Whitman. Le Comité de édaction se réunissait alors au musée u Louvre, dans le bureau de Claude organ, puis chez George Adam, place dolphe-Chérioux, et pour les deux deriers numéros, aux *Cahiers d'Art*, rue u Dragon, quartier général de Paul luard. Les numéros imprimés furent rés chez Marcel Blondin, rue Cardinet, les derniers chez Emilien Amaury, à *Office de Publicité Générale*, rue de ille. Après la Libération, le journal evint hebdomadaire ; sous la direction e Claude Morgan, il fut un organe eservé aux écrivains et intellectuels ommunistes, progressistes et sympathints. La *S.A.R.L. Les Lettres Françaiss*, chargée de l'exploitation du jour- l, fut constituée en septembre 1944 r : George Adam, Louis Aragon, Paul luard, René Maran, Loys Masson, laude Morgan, Léon Moussinac, Jean aulhan, Georges Pillement et Lucien cheller. En 1952, *Les Lettres Franuises* absorbèrent deux publications ommunistes, *Tous les Arts,* dirigé par ragon, assisté de Marcel Cornu, rédacur en chef, et *L'Ecran français,* également fondé dans la clandestinité et digé alors par René Blech, George lam, Pierre Blanchar, Louis Daquin, eorges Sadoul, Jean-Paul Sartre et ernard Zimmer. Les principaux collaorateurs des *Lettres Françaises* étaient moment de la fusion : Herbert Le orrier, Jacques Armel, Daniel Anselme, ené Lacoste, Jean Marcenac, Jacques rbain, Ismael Abdelrazek, Robert Le antine, Pierre Abraham, Jean Dureim, Claude Roy, J.-P. Darre, Elsa riolet, Louis Martin-Chauffier ; Jean andrey-Rety avait la haute main sur rédaction. Au début de 1953, le jour- l modifia sa formule et sa présention. Louis Aragon en prit la direcon avec Pierre Daix comme rédacur en chef, tandis que Claude Morgan, ut en continuant sa collaboration, se nsacrait plus particulièrement à la vue *Défense de la Paix* qu'il avait ndé en 1951 avec Pierre Cot, député ogressiste (ayant signé avec plusieurs tellectuels de gauche une déclaration blique réprouvant l'intervention sovieque en Hongrie et ayant été blâmé pour geste par le Comité central du *P.C.F.*, aude Morgan cessa d'écrire dans Les

Lettres Françaises). Sous la direction de Louis Aragon, cet hebdomadaire est devenu un journal nettement communiste ; il est rédigé par une équipe composée de : R. Bourdier, secrétaire général, Noëlle Boër, administratrice, Pierre Daix, rédacteur en chef, Anne Villelaur, critique littéraire, Claude Olivier, critique dramatique, etc. Son tirage est d'environ 40 000 exemplaires. (5, rue du Faubourg Poissonnière, Paris 9°.)

LEVACHER (François).

Agriculteur, éleveur, né à Berchères-les-Pierres (E.-et-L.), le 24 août 1915. Administrateur de syndicats agricoles et ovins d'Eure-et-Loir, maire de Saint-Maur-sur-le-Loir (depuis 1945). Député (1952-1956), puis sénateur d'Eure-et-Loir (depuis 1956), membre du groupe sénatorial du *Centre républicain d'action rurale et sociale*.

LEVEN (Famille).

Les *Leven* appartiennent à une « dynastie » de la bourgeoisie israélite d'origine francfortoise illustrée, dès le XIX° siècle, par Manuel Leven, médecin-chef de l'Hôpital Rothschild de 1873 à 1889, fondateur de l'*Alliance Israélite Universelle* dont Adolphe Crémieux fut, avec lui, le dirigeant. Narcisse Leven, son cadet de deux ans, fut le secrétaire de Crémieux, puis secrétaire général du ministre de la Justice, conseiller municipal de Paris, président de l'*Alliance Israélite Universelle* et du Consistoire israélite de Paris. Son fils, Maurice Leven, avocat, fut le secrétaire de Waldeck-Rousseau, président du conseil, le chef de cabinet d'Alexandre Millerand, futur président de la République, et l'un des commissaires du gouvernement de la Cour de Justice de la Seine, lors de l'épuration de 1944. Aujourd'hui, quatre Leven, les quatre frères, occupent une position assez considérable dans la vie politique et économique française : Edouard, Armand, David Leven, administrateur de *Perrier*, vice-président D.G. de *Contrexeville*, P.D.G. de *Charrier* et de la *Continentale de Confiserie*, de *Vergèze*, de la *Cie Générale Pétrolière*, de *Rouzat* ; André Raymond Jacob Leven, agent de change à Paris ; Gustave Paul Isaac Leven, P.D.G. de *Perrier*, vice-président de *Vergèze*, de *Charrier*, de *Rouzat*, administrateur de *Contrexéville*, de la *Cie Générale Pétrolière* et de la *Société des Pétroles du Sud* ; et Stephan Daniel Leven, président de la *Gestion Industrielle et Financière*, administrateur de l'*Union Française d'Industrie et Marques Alimentaires* (*U.F.I.*

M.A.), des *Pétroles du Sud*, de l'*Union des Transports et Participations*, de la *Librairie Plon* et l'un des « patrons » de l'*Union Générale d'Editions* (qui publie les *livres de poche 10/18*). Les frères Leven occupent une place privilégiée dans les eaux minérales, les boissons gazeuses, les jus de fruits, la confiserie, la biscuiterie et le chocolat. Ils contrôlent le groupe *Perrier* qui compte douze usines d'embouteillage (Source Perrier, Source Pavillon Légère, Source de la Versoie, etc.), les boissons gazeuses *Pschitt, Drey Tonic, Pepsi-Cola*, les jus de fruits *Eva*, les *Brasseries et Glacières d'Indochine*, le *Chocolat Menier*, le *Chocolat Rozan*, le *Chocolat Lombart*, les *Ets Loriot*, la *Sté Alsacienne de Confiserie et Chocolaterie*, les *Dragées de France*, les caramels et les biscuits *Dupont D'Isigny* (ne pas confondre avec le beurre), la *Confiserie Industrielle S.A.C.I.*, les *Bonbons Tour Effel*, la *Continentale de Confiserie*, etc. Ils possèdent, en outre, des intérêts (par l'intermédiaire du groupe *Perrier*) dans la *Société des Industries Agricoles et Alimentaires de l'Ouest*. Enfin, ils sont liés avec *Evian* pour la fabrication et le lancement de « L'Evian-Fruité » (boisson à base de jus de fruits fournis par *Perrier*) et avec *Vichy*, dont le groupe *Perrier* a acquis la majorité en septembre 1966. Ne faisant pas, du moins officiellement, de politique, les Leven exercent néanmoins une très grande influence sur l'opinion publique, par les livres qu'éditent les maisons auxquelles ils s'intéressent, et surtout par la publicité qu'il n'accordent qu'aux journaux et revues répondant à certains critères bien déterminés (Certains, axés à droite, ont été ainsi aidés à leurs débuts).

LEVEQUE (André).

Ingénieur, né à La Péruse (Charente), le 22 janvier 1909. Ingénieur en chef de l'Agriculture (e.r.), ancien directeur de station agronomique. Appartint pendant la guerre aux *F.F.L.* Fut vice-président de l'Assemblée territoriale de l'Oubangui-Chari. Est actuellement secrétaire départemental de l'*U.N.R.-U.D.T.*, en Charente, et membre du Comité central de ce parti. Est également membre de la Commission d'Equipement de la Charente.

LEVEQUE (Paul).

Médecin, né à Lagny-sur-Marne (S.-et-M.), le 11 juillet 1895. Maire de sa ville natale, sénateur républicain indépendant de Seine-et-Marne (depuis 1959) : remplaça A. Boutemy, décédé.

LEVILLAIN (Maurice).

Homme politique, né à Paris, le 2 avri[l] 1892. Fut successivement ouvrier méca[-]nicien, contremaître, puis chef d'atelier[.] Pilote pendant la guerre, fut fait pri[-]sonnier en Orient en 1916. Militan[t] socialiste, candidat de son parti en 192[.] aux élections municipales, battit so[n] concurrent communiste et représenta l[e] quartier de Charonne jusqu'à la Libé[-]ration, tant au Conseil municipal d[e] Paris qu'au Conseil général de la Sein[e.] Rallié à Marcel Déat, appartint au *Ras[-]semblement National Populaire* pendan[t] la guerre. En 1958, participa au *Mouve[-]ment pour le Manifeste aux Français* animé par Clarus.

LEVY (Georges).

Médecin (1874-1961). Militant socia[-]liste, passé au communisme lors du con[-]grès de Tours. Député du Rhône de 191[.] à 1924, chef du *P.C.* pour la région lyon[-]naise, élu à nouveau député du Rhôn[e] en 1936, fut l'un des trente parlemen[-]taires qui constituèrent à la Chambr[e] après le pacte germano-soviétique et l[a] dissolution du parti, le *Groupe Ouvrie[r] et Paysan*.

LEVY (Paul).

Journaliste, né à Luxembourg (Gran[d] Duché), le 26 juillet 1876, mort à Par[is] le 29 mai 1960. Celui qui fut le directeu[r] du plus important des hebdomadaire[s] d' « *indiscrétions* » de l'entre - deux[-] guerres, débuta dans la presse sous l[a] houlette de Georges Clemenceau. C'es[t] en effet, à l'*Aurore* qu'il publia ses pre[-]mières chroniques. Puis il fit du repor[-]tage au *Journal* et à *L'Echo de Paris*, s[e] spécialisant dans les questions allema[n-]des et la politique intérieure. Après l[a] guerre (durant laquelle il fut mobilis[é] au 164e *R.I.*, qui combattit à Verdun), entra au *Phare de la Loire*, comme ch[ef] des services parisiens, puis à *L'Intrans[i-]geant*, et rédigea quelque temps l'édito[-]rial du *Pays*. C'est en mai 1918, qu'[il] fonda — son ancien « patron » Clemen[-]ceau *régnante* — *Aux Ecoutes*, da[ns] lequel il mena, par la suite, une ardent[e] campagne contre le rapprochement fra[n-]co-allemand et contre Briand qui l'ava[it] ébauché à Locarno. *Aux Ecoutes de [la] Finance* et *A Paris* furent créés par l[ui] en 1931. Après la prise du pouvoir [de] Hitler outre-Rhin, Paul Lévy fut l'un d[es] premiers à lancer le cri d'alarme. Créa[nt] *Le Rempart*, en 1933, quotidien faro[u-]chement anti-allemand, il ne craign[it] pas de réclamer une guerre préventiv[e] contre l'Allemagne. Mais son journ[al] n'eut pas de succès et, après sa transfo[r-]mation en quotidien de petit form[at] sous le titre d'*Aujourd'hui,* quelques mois plus tard, il disparut. L'affaire Stavisky, qui éclata alors, ternit quelque peu l'étoile de l'entreprenant directeur d'*Aux Ecoutes,* qui n'en poursuivit pas moins ses campagnes avec ardeur jusqu'à l'armistice de 1940. Pendant la guerre, il se réfugia en zone Sud, puis gagna le maquis. Après la Libération, il reprit la publication d'*Aux Ecoutes,* puis avec Raymond Bourgine, celle d'*Aux Ecoutes de la Finance* (une brouille intervint entre les deux hommes qui se séparèrent : *Finance,* suite de ce journal, eut alors comme animateur R. Bourgine seul, tandis que P. Lévy créait *Fortune Française).* À la tête d'*Aux Ecoutes,* la veuve du fondateur — Paul Lévy épousa Rosie Nathan en zone Sud, le 31 juillet 1942 — poursuit obstinément la tâche de son mari, faisant face aux difficultés que lui valent sa politique pro-Algérie française et son opposition au Gouvernement.

L'HEVEDER (Louis, François, Marie).

Universitaire, né à Minihy-Tréguier (C.-du-N.), le 24 janvier 1899, mort le 9 octobre 1946. Député socialiste du Morbihan (1930-1942). Nommé le 23 janvier 1941 membre du *Conseil National.*

L'HUILLIER (Waldeck).

Ingénieur, né à Chauvigny (Vienne), le 27 mai 1905. Maire de Gennevilliers. Conseiller général de la Seine. Secrétaire général de l'*Amicale des Elus Républicains.* Elu député communiste de la Seine (5e sect.) à la 1re Assemblée nationale le 10 novembre 1946. Sénateur de la Seine (1952-1962). Ancien président du Groupe sénatorial du *Parti Communiste.* Elu député communiste de la Seine en 1962, puis des Hauts-de-Seine en 1967.

LIAUTEY (André, François, Marie, Joseph).

Avocat, né à Port-sur-Saône (Haute-Saône), le 9 mars 1896. Attaché de cabinet de divers ministres. Directeur de journaux (*L'Evénement, L'Indépendant français,* etc.). Président du Conseil général de la Haute-Saône (1934-1945, 1951-1952), député radical de Vesoul (1932-1942), sous-secrétaire d'Etat à l'Agriculture (cabinets Blum et Chautemps), vice-président du *Parti Radical-Socialiste* (1936-1937). Vota les pouvoirs constituants au maréchal Pétain (1940). A nouveau député de la Haute-Saône (1951-1955). Co-fondateur de l'*Union Démocratique des Indépendants.*

LIBENZI (Joseph).

Agriculteur, né à Marseille, le 13 avril 1922. Bien que n'appartenant pas au *R.P.F.,* fut chef de cabinet du Dr Puy, député-maire gaulliste de Toulon. Rallié par écœurement au mouvement ouvrier, milita plusieurs années au *P.C.F.* et y remplit des fonctions, mais le quitta à la suite des événements de Hongrie. Resta quelque temps éloigné de la politique et étudia les sciences politiques à l'Institut de Marseille, puis au Collège de sciences sociales et économiques de Paris. Sans appartenir à la *S.F.I.O.,* donna un cours sur le marxisme au Centre d'études politiques fonctionnant sous l'égide de la Fédération socialiste du Var. Partisan du maintien de l'Algérie dans la République française, dirigea en second le *Courrier National,* organe nationaliste, et fit partie de la Commission agricole du *Comité Tixier-Vignancour* (1964-1965). Actuellement préside l'*Association Nationale des Propriétaires Ruraux,* qu'il a fondée.

LIBERALISME.

Doctrine de ceux qui opposent la liberté à l'autorité absolue de l'Etat ou de l'Eglise. En politique, les *libéraux* réclament la plus large indépendance du pouvoir législatif et du pouvoir judiciaire à l'égard du pouvoir exécutif. Sur le plan philosophique, ils considèrent que la société française ne doit pas être liée à l'Eglise, et ils réclament la liberté de pensée. Du point de vue économique, ils estiment que l'Etat ne doit exercer aucune fonction industrielle ou commerciale et s'élèvent contre toute forme d'étatisme. A l'origine, les *libéraux* étaient soit des monarchistes qui voulaient substituer une monarchie parlementaire à la monarchie traditionnelle, soit des républicains. Sous la Restauration, les *libéraux* luttaient pour assurer la défense des conquêtes de la Révolution de 89 dans le domaine politique. Par la suite, les *libéraux* s'opposèrent aux groupes socialistes et défendirent surtout les principes selon lesquels la liberté de travail et des échanges est absolue et la non-intervention de l'Etat en matière économique une règle. Selon Baudin, « *le libéral classique est un économiste qui observe la société dont il fait partie et constate qu'une fois l'individu devenu libre, un ordre s'institue de lui-même, ordre dit naturel* » (« *L'Aube d'un nouveau libéralisme* », par L. Baudin, Paris 1953). Charles Maurras définissait le mot *libéralisme* de la manière suivante : « *Doctrine politique qui fait de la liberté le principe fondamental par rapport auquel tout doit s'organiser en fait, par rapport auquel tout doit se juger en droit. Je dis que le libéralisme supprime donc en fait toutes les libertés. Libéralisme égale despotisme.* » Il ajoutait : « *Le libéralisme veut dégager l'individu humain de ses antécédences ou naturelles ou historiques. Il l'affranchira des liens de famille, des liens corporatifs et de tous les autres liens sociaux ou traditionnels. Seulement, comme il faut vivre en société, et que la société exige un gouvernement, le libéralisme établira le gouvernement de la société (...) La volonté de la majorité devient dès lors le décret-loi contre lequel personne ni rien ne saurait avoir de recours, si utile et si raisonnable, ou si précieuse et si sacrée que puisse être cette chose ou cette personne (...) C'est son premier effet. Le second est de tyranniser, sans sortir du « droit », tous les individus n'appartenant pas au parti de la majorité, et ainsi de détruire les derniers refuges des libertés réelles.* » (*Dictionnaire politique et critique,* par Charles Maurras, Paris 1932.) Peu avant la guerre, avec « *La Cité libre* » de Walter Lippmann, naquit un *néo-libéralisme* qui refusait toute forme de socialisme, le socialisme autoritaire du fascisme aussi bien que le socialisme collectiviste. Mais à la différence du libéralisme classique, il « *ne prétend pas que la libre concurrence est tout naturellement réalisée, par la simple mise en présence des différents acteurs de l'économie. Seul un ordre légal, approprié par l'Etat, peut la rendre effective, permettant l'harmonieux fonctionnement du mécanisme des prix* » (« *Le néo-libéralisme* », par L.-J. Gros, Paris, s.d.). Les libéraux, qui se situaient à gauche il y a un siècle, sont aujourd'hui considérés comme des hommes de droite bien qu'ils se proclament eux-mêmes *centristes.* (Voir notamment : *Parti libéral européen, Centre National des Indépendants et Paysans, Alliance républicaine pour les libertés et le progrès.*)

LIBÉRATION.

Délivrance des territoires occupés par l'ennemi. La *Libération* de la France eut lieu en 1944, après le débarquement des armées alliées. L'Ordre de la Libération a été créé à Londres en novembre 1940 par le général De Gaulle, pour récompenser les services de ceux qui participèrent à son action.

LIBÉRATION.

Journal fondé dans la clandestinité en 1941 par Emmanuel d'Astier de la Vigerie, qui venait d'être démobilisé et s'était lancé à corps perdu dans la Résistance, sous le pseudonyme de Bernard. La feuille clandestine était l'organe du mouvement *Libération.* « *C'était un soir de février 1941, trois hommes se réunissaient dans un café, à Clermont-Ferrand, puis autour d'une presse à bras, pour préparer le premier numéro : Rochon, le journaliste, Cavaillès, le philosophe, et le signataire de ces lignes. Les deux premiers, torturés et fusillés, n'ont pas survécu pour apprendre que des généraux allemands viendraient à Paris le jeudi 15 février 1951 sous la protection de la police française, non pas en accusés, mais en partenaires.* » (E. d'Astier de la Vigerie, in *Libération,* 12-2-1951.) Il s'agissait là de la feuille paraissant en zone Sud, à laquelle collaborèrent dans la clandestinité : Pascal Copeau, Roger Massip, Lucie Aubrac, F. Bauer, Maurice Cuvillon, Jean Du-

urd, Pierre Hervé, Louis Martin-Chauf-
er, Yves Massip et Yvon Morandat. En
one Nord paraissait un autre journal,
galement clandestin, portant le même
tre et que dirigeait Christian Pineau,
econdé par Jean Cavaillès, Jean Texcier,
aurice Harmel, Gaston Teissier. Le
° 1 du quotidien *Libération* parut au
rand jour, à Paris, le 21 août 1944. A
artir du n° 5 le nom du gérant, Roger
aurent, et celui de l'éditorialiste, Claude
artial, figurèrent dans le journal, et le
° 6 indiqua son adresse : 37, rue du
ouvre, dans l'immeuble de l'ancien
aris-soir. Pierre Hervé, membre du
.*N.R.*, donna les consignes à ses lec-
eurs (n° 7) : « *Des comités de vigilance
oivent se constituer dans chaque quar-
er, dans chaque îlot, dans chaque mai-
on. Il faut faire appel aux concierges et
tous les habitants des immeubles ; il
ut faire comprendre que c'est un impé-
eux devoir national de signaler aux
utorités des F.F.I. tous membres de la
ilice, du P.P.F., du R.N.P., de la L.V.F.,
es Francistes, etc.* » Le 4 septembre
pparut le nom du véritable gérant
esponsable de *Libération*, Jean-Paul
chmitt, auquel succéda, le 1er février
045, Emmanuel d'Astier, directeur géné-
al. Avec Claude Martial et Pierre Hervé,
ollaboraient à *Libération* : Roger Mas-
p, Kriegel qui signait Valrimont, les
essinateurs Henri Monier, R. Jeannin,
rove, Pol Ferjac, Oberlé, Paul Colin,
futur ministre Maurice Schumann,
orte-parole de la France Combattante
micro de la B.B.C., Jean Padovani,
ascal Copeau, Robert de Saint-Jean,
an Moppès, Raymond Manevy, Jean
abiani, Roger Vailland, Jean Dutourd,
ernand Pouey, Pierre Grosmolard (an-
en rédacteur de *La Dépêche de Tou-
use*), André Ducrocq, Alexis Danan,
c. ainsi que les romanciers Alexandre
rnoux et Claude Avtzin dit Aveline, le
ritique André Billy, le chroniqueur
cial Paul Louis, le juriste René Cassin.
près l'enthousiasme du début, le tirage
issa dangereusement. C'est alors que
produisirent les incidents *Libération-
ranc-Tireur*. A la suite de querelles
testines qui divisaient profondément
rédaction de *Franc-Tireur*, plusieurs
llaborateurs importants de ce journal
quittèrent pour entrer à *Libération* :
eorges E. Vallois (que l'on confondait
début avec l'ex-chef du *Faisceau*,
eorges Gressent dit Valois), Marcel
urrier, Andrée Marty-Capgras, Made-
ine Jacob, etc. tandis qu'Alexis Danan,
and reporter, abandonnait *Libération*
ur *Franc-Tireur*. D'autres rédacteurs
journal d'Emmanuel d'Astier partint également : Raymond Manevy,

Claude Martial, Jean Fabiani, J.-R. Tournoux et Clavaud, qui entrèrent dans la
presse d'information. On affirma à
l'époque que Georges E. Vallois, qui
avait apporté à *Franc-Tireur* un contrat
de publicité de 80 millions, reprit ce
contrat et en fit apport à *Libération*.
Plusieurs milliers de lecteurs de *Franc-
Tireur* suivirent les transfuges et ache-
tèrent *Libération* chaque matin. Francis
Carco, André Gillois, Vercors, André
Sauger renforcèrent la rédaction de ce
dernier. Malgré cet apport de sang nouveau, le tirage du journal faiblissait. En
décembre 1948, il était de 155 000 exemplaires ; en janvier, il fléchissait à
152 000 ; en février à 146 000 ; en mars
à 145 000. Le rendement de la publicité
était infime. L'argent pouvait manquer
d'un jour à l'autre. C'est alors que se
présenta le général Georges Grégoire
Imbert, inconnu dans la presse et qui
avait prit sa retraite dans l'entre-deux-
guerres. Il voulait lancer un journal et
avait demandé au ministère de l'Information l'autorisation de publier *La
Gazette de Paris*, laquelle devait être,
assurait *L'Echo de la Presse* (20-7-1949),
l'organe de soutien du Plan Marshall.
Mais il avait rencontré tant de difficultés dans la réalisation de son projet,
qu'il y avait renoncé. Il s'intéressa dès
lors à *Libération*. Jusque-là, et depuis
le 21 décembre 1944, le journal progressiste était publié par la *Société des
Editions Libération*, au capital de
140 000 F, qu'administraient Emmanuel
d'Astier, Pierre Hervé, Pascal Copeau,
Roger Massip et Alfred Malleret, plus
connu sous le nom de général Joinville,
député communiste. Avec le concours
du général Imbert, la *Société Nouvelle
d'Edition et de Presse Libération* fut
constituée le 28 juin 1949, sous forme
de S.A.R.L. au capital de 1 000 000 de F.
Imbert fournit 40 % du capital, Raymond Samuel dit Aubrac, 21 %, Francis
Lazard, 21 % ; le reste fut versé par
Emmanuel d'Astier, Maurice Victor
Cuvillon, Marcel Fourrier, Jean-Maurice
Hermann, Pierre-Marie Hervé, Louis
Martin-Chauffier, Jules Meurillon, André
Sauger, Georges Vallois, à raison de 2 %
chacun. Le 5 juillet 1949, *Libération*
indiquait, en bas de page, « *Le gérant
de la publication : Georges Imbert* ».
Malgré un déficit important, le quotidien progressiste poursuivit sa publication sans interruption, enrichissant
sa rédaction d'éléments nouveaux, agré-
mentant sa devanture de photos inédites
et sensationnelles. Trop sensationnelles,
peut-être, puisque le juge d'instruction
Pérez fut commis pour examiner la
plainte des pouvoirs publics contre

Libération, accusé d'avoir publié et diffusé des « *pièces falsifiées suscepti- bles de troubler la paix publique* ». Il s'agissait, en l'occurrence, d'une photo parue le lendemain d'une manifestation de résistants d'extrême-gauche contre *Le Figaro.* Ce cliché était sensé repré- senter un ancien déporté revêtu du cos- tume des camps nazis, renversé sur la chaussée, alors qu'il s'agissait d'un agent du service d'ordre ; un habile retou- cheur photographe avait maquillé le cliché original. Le truquage valut une amende de 35 000 F au général Imbert, gérant de la publication. Ce dernier craignit-il d'autres condamnations ? Ou bien renonça-t-il à recueillir ou à four- nir des fonds pour une entreprise cons- tamment déficitaire ? On ne sait. Tou- jours est-il qu'il abandonna brusquement ses titres et prérogatives de directeur- gérant et qu'une troisième société fut constituée sous le titre de *Société fer- mière Libération.* Le capital social de la nouvelle entreprise (un million de F) était réparti entre : Emmanuel d'Astier (2,5 %), Raymond Aubrac (10 %), Mau- rice Cuvillon (2,5 %), Justin Godard, ancien ministre (2,5 %), Georges Imbert (5 %), Francis Lazard (30 %), Alfred Malleret-Joinville (7,5 %), Meurillon (7,5 %), Armand Mitterrand (10 %), Jacques Mitterrand, futur Grand-Maître du *Grand Orient de France* (2,5 %), Serge Ascher-Ravanel (7,5 %), Georges Vallois (2,5 %) et Henri Pouget (10 %). Emmanuel d'Astier de la Vigerie devint le gérant de la publication. De nouvelles signatures apparurent : celles du dessi- nateur Es Caro, de L. de Villefosse, de Claude Roy et de Jean Guignebert et plus tard celle de Claude Ezratty, dit Estier. Le journal accentua son atti- tude anti-américaine et organisa un véritable référendum sur l'organisation militaire de l'Europe de l'Ouest, invitant ses lecteurs à signer et à retourner à l'administration un bulletin portant en gros cette simple phrase : « *Je m'oppose au réarmement de l'Allemagne.* » Cette campagne était épaulée par de nouveaux collaborateurs : le professeur Paul Rivet, Pierre Cot, Louis Saillant, Pierre Meu- nier, Gilbert de Chambrun, Alain Le Léap, le général Le Corguillé, Yves Farge, Francis Viaud, alors Grand Maî- tre du *Grand Orient,* Louis Marin, an- cien ministre, Marc Jacquier, donnè- rent des articles qui parurent sous le titre général de « *Tribune républi- caine* ». Peu à peu, le journal qui repre- nait les slogans du *Parti Communiste* dépendit entièrement de lui : n'assurait- il pas ses fins de mois difficiles ? Son état-major comprenait d'ailleurs plu-

sieurs membres du *P.C.F.* : si Emmanu d'Astier était demeuré en dehors d Parti, il présidait l'*Union Progressist* qui groupait alors les éléments crypt communistes. L'administrateur du qu tidien, Maurice Cuvillon, le rédacte en chef Henry Bordage, les chefs d informations, René Maison et Jea François Dominique, étaient membr du parti. L'attitude pro-gaullist d'Emmanuel d'Astier de la Vigerie pr voqua, à partir de 1962, des remous a sein de la rédaction du journal. Henr Bordage publia même un article o sans nommer son directeur, il prena le contre-pied de sa politique : « On « *découvert* » *dans certains milieux (compris à gauche) qu'il vaudrait mieu s'accommoder du gaullisme plutôt qu de le combattre résolument... Est-il b soin de dire que nous n'avons aucun ment l'intention de prendre je ne sa quel spectaculaire virage ? Libération bat avec force contre le pouvoir pe sonnel et par conséquent contre l Gaulle, car nous ne nous livrons pas a jeu subtil qui consiste à critiquer l'u tout en défendant l'autre (...) On no invite à trouver au régime gaulliste et à De Gaulle personnellement — d vertus qu'il n'a sur aucun plan, à di tinguer ce qu'il y aurait « positif » « négatif », pour aboutir à cette « opp sition constructive » dont Guy Moll s'est fait jusqu'ici le principal cha pion.* » (*Libération,* 21-6-1962.) Emm nuel d'Astier, qui se proclamait dé dans le privé « *gaulliste d'extrêm gauche* », chercha-t-il à changer commanditaire et à faire financer s journal par un groupe proche de l'El sée ? On l'a prétendu. Quoi qu'il en so avant qu'il ait pu réaliser l'intenti qu'on lui a prêtée, le *Parti Communis* suspendit brusquement son aide finan cière, et le 28 novembre 1964, *Libér tion* disparut. Dans le dernier numér à côté des adieux d'Emmanuel d'Astie figurait un appel incitant les lecteurs lire *L'Humanité.* Il était signé de ving cinq membres de la rédaction dont Henry Bordage, rédacteur en chef, Ma cel Fourrier et André Sauger, éditori listes, Jean-François Dominique, Jea Maurice Hermann, Michel Hincker Georges Royer, auxquels s'étaient join divers membres des services admini tratifs. Un an plus tard, Emmanu d'Astier fondait *L'Evénement.*

LIBÉRATION-CHAMPAGNE.

Quotidien de l'Aube fondé le 4 se tembre 1945 dans les locaux du *Pet Troyen* par des résistants socialistes mouvement clandestin *Libération-Nord*. Eut pour animateurs, au cours des années 1946-1948, Charles Arpin et Georges Ferry. Actuellement dirigé par Paul Brandon, secondé par René L'Hoste. Principaux rédacteurs : Georges Bréeon, René Gautheron, Denise Floiras, Georges et Bernard Lutet, Claude Patin, Robert Claverie, Hubert Regnault, etc. Tirage moyen : 27 000 ex. (126, rue du Général De Gaulle, Troyes.)

LIBERATION-NORD .

Groupe de résistance créé sous l'occupation allemande et composé principalement d'hommes de gauche, marxistes ou démocrates-chrétiens, et dirigé par Henri Ribière, Louis Vallon, Jean Texier, Christian Pineau, Louis Saillant, Charles Laurent, Gaston Tessier, de *l'Aube* et de la *C.F.T.C.*, Jean Cavaillès, etc. Ce groupe publia clandestinement *Libération*, mais son action était plus politique et de propagande que militaire. En raison des tendances de ses dirigeants, *La Voix du Nord* fut quelque temps associée à l'action. La majorité des membres du groupe *Libération-Nord* participèrent en 1945 à la création de l'*Union Démocratique et Socialiste de la Résistance* (U.D.S.R.).

LIBERER ET FEDERER.

Groupe de résistance (voir : *Union Démocratique et Socialiste de la Résistance*).

LIBERTAIRE.

Partisan de la liberté absolue, donc de la doctrine anarchiste (voir : *anarchie*).

LIBERTAIRE (Le).

Journal anarchiste fondé à Paris, le 16 novembre 1895, par Louise Michel et Sébastien Faure. En 1898, cet hebdomadaire émigra trois mois à Marseille, puis revint dans la capitale où il parut longtemps. En 1899, il cessa sa publication lorsque le quotidien *Le Journal du Peuple* fut créé, mais il reparut dès le 20 août 1899. Interrompu pendant la Première Guerre mondiale, il fut alors des deux guerres l'organe le plus répandu du mouvement anarchiste. Il se présentait, avant 1939, comme le journal de l'*Union anarchiste communiste*. Y collaborèrent à la Belle Epoque : E. Pouget, L. Grandidier, Eugène Merle, Victor Méric, Urbain Gohier, Gustave Hervé, Miguel Almereyda, Laurent Tailhade, Han Ryner, Francis Jourdain, Georges Pioch. Voir : *Le Monde libertaire*.)

LIBERTE.

La liberté, telle que la définit la Déclaration des Droits de l'Homme et du Citoyen, consiste à pouvoir faire tout ce qui ne nuit pas à autrui. On est donc « *libre de faire tout ce qui n'est pas défendu par la loi, et de refuser de faire ce qu'elle n'ordonne pas* » (*Vocabulaire de la Philosophie*, par André Lalande, Paris 1962). Au nom de l'intérêt général, l'Etat ne cesse (sous divers régimes) de limiter la liberté des citoyens en étendant progressivement le domaine de ce qui, précisément, est « *défendu par la loi* ».

LIBERTE.

Quotidien communiste fondé à Lille en 1944 sous la direction d'Arthur Ramette, et diffusant, dans le Nord et le Pas-de-Calais, chaque matin, plus de 80 000 exemplaires répartis en 18 éditions. Fut d'abord installé dans les locaux du *Grand Echo du Nord*, occupés à la faveur de la Libération (113, rue de Lannoy, Lille).

LIBERTE.

Journal pacifiste lancé en janvier 1958 par Louis Lecoin (voir à ce nom).

LIBERTE (La).

Quotidien parisien disparu, fondé en 1864 par Emile de Girardin. Avant 1914, le monarchiste Maurice Talmeyr, le radical François de Tessan, le spirituel Georges de La Fouchardière y collaboraient. Dans l'entre-deux-guerres, ce quotidien du soir fut modéré avec Camille Aymard et Désiré Ferry, et nationaliste avec Pierre Taittinger et Jacques Doriot. La société éditrice de *La Liberté*, dont Fernand d'Hangouwart, Désiré Ferry, René Virat et Georges Gautier étaient les administrateurs et Paul Mannoni et Lucien Perrier, de *La Dépêche Algérienne*, les actionnaires, fut liquidée en 1950 par Hector Ghilini.

LIBERTE D'ASSOCIATION.

Le droit pour les citoyens français de s'associer est reconnu par la loi du 1er juillet 1901. En vertu de cette loi, toute association, pour avoir la personnalité civile, doit faire une déclaration au préfet du département — pour Paris, au préfet de Police — accompagnant le dépôt des statuts. Dans un délai d'un mois, cette déclaration doit être rendue publique au moyen de l'insertion au *Journal officiel* d'un extrait contenant la date de la déclaration, le titre et l'objet de l'association, ainsi que l'indication du siège social. L'association est tenue de faire connaître à l'autorité préfectorale, dans les trois mois, les changements survenus dans son administration ou sa direction ainsi que toutes les modifications apportées à ses statuts.

LIBERTE DU CENTRE (La).

(Voir : *Le Courrier-Liberté.*)

LIBERTE DE L'EST (La).

Quotidien centriste fondé à Epinal en mars 1945 dans l'hôtel particulier de *L'Express de l'Est* interdit. A sa tête se trouve un état-major composé de : Gaston Chatelain, directeur général et rédacteur en chef ; René Amoy, ancien chef des services des ventes du journal disparu, administrateur ; secrétaire général : Roger Hiessler. Son tirage dépasse 33 000 exemplaires, diffusé dans les Vosges et la Haute-Saône (40, quai des Bons-Enfants, Epinal).

LIBERTE D'EXPRESSION.

Droit de s'exprimer librement. Ne doit pas être confondu avec la *liberté de la presse* que garantit la loi de 1881 : le citoyen a le droit de faire connaître sa pensée dans un livre ou un périodique, mais ladite loi ne lui en donne naturellement pas les moyens. Il s'ensuit que le citoyen ne peut jouir pleinement de la *liberté d'expression* que s'il peut faire paraître lui-même, à ses frais, un livre ou un journal. Il fut un temps où il était même pratiquement impossible de publier un nouveau quotidien (non conformiste ou d'opposition), en France : les imprimeries de journaux, confisquées à la Libération dans la proportion de 9 sur 10, ayant été remises aux journaux issus de la Résistance, ces derniers n'avaient nulle envie de tirer sur *leurs* presses un journal concurrent et d'opinion opposée. Quelques journaux donnent parfois la parole à leurs lecteurs ; d'autres, moins nombreux — sauf en province, au moment des élections — ouvrent leur « *Tribune libre* » à des personnalités politiques de tendances diverses (à Paris, *Combat, Le Journal du Parlement* et *Le Monde*). Mais la radio et la télévision, monopole d'Etat, sont pratiquement réservées au gouvernement : ses porte-parole seuls y accèdent, sauf cas exceptionnels (par ex. : l'élection présidentielle). La loi donne donc aux Français le droit de s'exprimer librement, mais ceux-ci, pour la plupart, ne peuvent user de ce droit.

LIBERTE DE LA HAUTE-LOIRE (La).

Quotidien national fondé en 1936 au Puy et ayant pris la suite de *L'Avenir* créé en 1901 et publié à la même adresse. Confisquée en totalité par la Cour de Justice du Puy le 29 mars 1946, sa condamnation fut ramenée, après cassation à une amende de 100 000 anciens francs par la Cour de Justice de Riom, le 4 juin 1946.

LIBERTE DU MASSIF CENTRAL (La).

Quotidien centriste créé le 10 septembre 1944 dans l'immeuble de *l'Avenir du Plateau Central*, journal modéré fondé en 1896 et interdit à la Libération. Pour son exploitation, fut constituée le 19 décembre 1944 une société anonyme au capital de 500 000 F composée de sept actionnaires-fondateurs : Gabriel Aufauvre (255 000 F), le professeur G. Canguilhem (80 000), Etienne Jolfre (10 000), Emile Lohner (25 000), Pierre Loiselet (110 000), Robert Mercier (10 000) et Henry Rochon (10 000). Le premier était le directeur du journal, Jolfre, le rédacteur en chef, et Loiselet le critique littéraire. A la suite de graves difficultés financières, le groupe du *Parisien libéré* entra dans l'affaire et Marcel Verrière devint président du conseil d'administration. Des luttes intestines opposèrent l'ancienne direction aux nouveaux actionnaires. Malgré plusieurs augmentations de capital, la trésorerie du journal ne s'améliora guère. Le 16 juin 1958, la société dut réduire son capital, puis procéder à l'émission de 600 actions de 1 000 F souscrites avec prime de 32 000 F par action (ce qui ne se fait guère que pour les affaires florissantes). Outre *Le Parisien libéré*, qui souscrivit à 38 actions, quatre autres actionnaires firent leur entrée dans la société : Paul Chambriard, sénateur, ancien administrateur de *L'Avenir du Plateau Central* (15 actions) ; Pierre Coulon, député-maire de Vichy (30) ; Camille Laurens, député, ancien ministre (30) ; et le futur ministre des finances du gouvernement Pompidou, Valéry Giscard d'Estaing (140). Ce nouvel apport fut épuisé au bout de quelques mois. En 1959, le groupe du *Parisien libéré* versa encore 13 200 000 F pour 400 actions souscrites avec prime. Le 3 janvier 1961, le conseil d'administration fut de nouveau remanié et Gilbert de Véricourt en devint le président, tandis que Robert Lantzberg était confirmé dans ses fonctions d'administrateur général du journal. Dans l'étude qu'elle publiait alors sur *La Liberté du Massif central* la revue *Lectures françaises* (mars 1963) demandait : « *Le journal est-il sauvé ? C'est difficile à dire. Tant que son grand frère, Le Parisien libéré, déver-*

sera dans la caisse du journal auvergnat le trop-plein de la sienne, La Liberté survivra. Mais si MM. Amaury et Bellanger, les « patrons » du plus grand quotidien français du matin, se lassaient ? Nous doutons fort que M. Valéry Giscard d'Estaing, tout multi-millionnaire qu'il soit, tout gros actionnaire (par sa femme) du trust Schneider qu'il semble bien être, veuille faire les sacrifices nécessaires pour conserver la vie à ce quotidien pourtant influent et fort répandu dans tout le Massif central. On le voit, les tribulations de La Liberté ne semblent pas, hélas ! sur le point d'être terminées. » En fait, *La Liberté du Massif central* ne survécut pas longtemps à ces crises successives. Avec ses 57 000 exemplaires quotidiens, elle aurait pu, peut-être, continuer à vivoter, mais il aurait fallu réduire les frais généraux, et si une partie du personnel accepta ces restrictions, l'autre partie refusa et déclencha une grève. Ceci se passait en avril 1965. Le journal ne résista pas à ce nouveau coup et la direction suspendit sa publication.

LIBERTE DU MORBIHAN (La).

Quotidien indépendant du soir fondé en 1944 et dirigé par Maurice Chenailler. Collaborateurs : André Figueras, Ph. Casanova, le commandant Renoult, etc. Ses 22 000 exemplaires sont répandus dans la basse-Bretagne (8, rue Clairambault, Lorient).

LIBERTE DE NICE ET DU SUD-OUEST (La).

Quotidien démocrate-chrétien fondé le 24 janvier 1945 et disparu après quelques années de publication difficile en raison de son tirage modeste (20 000 à 30 000 ex.). Etait dirigé par Lucien Guéguen et Antoine Roubaudi, assisté d'André Ghis, rédacteur en chef.

LIBERTE DE NORMANDIE (La).

Quotidien fondé le 9 juillet 1944 à Caen. Parut pendant trente-cinq jours sous les bombardements. Fut dirigé quelque temps par Hollier-Larousse (de la *Librairie Larousse*). Est aujourd'hui animé par Pierre Moisy. Lié par un accord publicitaire avec *Ouest-France*. Son tirage est d'environ 8 000 ex. (34, rue Demolombe, Caen.)

LIBERTE DE L'OUEST (La).

Quotidien fondé au Mans en septembre 1946 et dirigé par F. du Rivau et J.-J. Launay. Disparu l'année suivante.

LIBERTE DU PEUPLE (La).

Journal bi-mensuel paraissant quelques années après la Libération, rédigé par un ancien fonctionnaire de Vichy, Georges Villaret, dit Jean Roy, et Maxence Bearne, Henry Babize, Philippe Saint-Germain, Daniel Berry, René Warrens, A. Schneider, P. Hofstetter, Pierre H. Schaeffer, Maurice de Nys, F. de Romainville, Jean Lelong, etc.

LIBERTE DE LA PRESSE.

Droit d'exprimer sa pensée, son opinion par le livre et par les journaux. La liberté de la presse, garantie par la Constitution, autorise chacun à publier ce qui lui convient, à condition d'observer des règles destinées à assurer sa responsabilité en raison des conséquences possibles de ses écrits. L'éditeur d'un écrit non périodique — ou l'auteur lui-même s'il est l'éditeur de son propre livre — doit faire le dépôt légal au ministère de l'Intérieur et à la Bibliothèque Nationale. Pour un écrit périodique, un gérant ou « directeur de la publication » est nécessaire. *« Le gérant,* précise la loi du 29 juillet 1881, *devra être français, majeur, avoir la jouissance de ses droits civils, et n'être privé de ses droits civiques par aucune condamnation judiciaire. Le nom du gérant sera imprimé au bas de tous les exemplaires à peine contre l'imprimeur de 16 francs à 100 francs d'amende par chaque numéro publié en contravention de la présente disposition. »* Jadis, le gérant était un employé quelconque de la publication, souvent un ancien militaire, habile à l'épée, adroit au pistolet, auquel on venait demander raison des offenses. C'était lui qui recevait le papier timbré ; lui encore qui était traduit en justice et condamné en l'absence de l'auteur du texte jugé diffamatoire ou injurieux, ou concurremment avec lui ; lui enfin qui allait en prison, que l'on *saisissait.* Mais comme il était généralement insolvable, les dommages-intérêts étaient rarement payés, et les frais engagés par l'adversaire presque jamais remboursés.

Est-ce pour pallier cet ennui — pour le plaignant — que l'ordonnance du 26 août 1944 fait obligation au gérant de prendre désormais le titre de « *directeur de la publication* » ?... L'article 7 de l'ordonnance précise que c'est le propriétaire ou le principal dirigeant de la Société exploitant le journal qui sera obligatoirement le *directeur de la publication.* De 1944 à 1951, un grand nombre de parlementaires directeurs de publications, jouissant de l'immunité que la Constitution conférait aux représentants de la Nation, ne purent être poursuivis pour les infractions à la législation sur la presse ou ne le furent qu'après une longue procédure nécessitée par la levée de leur immunité. Cet état de fait a été considéré comme créant une « inégalité difficilement justifiable » entre les entreprises de presse, selon qu'elles sont ou non dirigées par une personne bénéficiant de l'immunité parlementaire. Le 8 novembre 1951, l'Assemblée nationale décida qu'il y aurait désormais incompatibilité entre le mandat législatif et les fonctions de directeur de publication et que le parlementaire, directeur d'une publication, devrait être obligatoirement assisté d'un co-directeur responsable.

Le gérant est donc le représentant légal du périodique. L'article 42 de la loi de 1881 spécifie qu'il en est le responsable : « *Il est passible, comme auteur principal, des peines qui constituent la répression des crimes et délits commis par voie de presse.* »

Pour paraître, l'écrit périodique n'a pas d'autre obligation. Mais pour bénéficier des avantages accordés à la presse (sans lesquels aucun journal ne pourrait vivre normalement), qu'il s'agisse du tarif postal réduit, de la détaxe sur le papier, de l'exonération de la taxe sur le chiffre d'affaires et sur les frais d'impression, etc., l'éditeur d'une publication périodique doit faire inscrire celle-ci à la *Commission paritaire* siégeant au ministère de l'Information, qui peut refuser l'inscription, mais ne l'a pas fait, à notre connaissance, pour des motifs politiques.

Au cours du XIXᵉ siècle, la *liberté de la presse* connut maintes tribulations. Dès 1800, le Premier Consul interdit tous les journaux politiques, sauf une douzaine. Le souvenir des violences du *Père Duchesne* et de l'*Ami du Peuple*, de Marat permettait toutes les « réformes », et les complots de Cadoudal autorisaient toutes les répressions. Finalement, après une nouvelle mesure qui *sabra* les deux tiers des survivants, il ne resta pour célébrer le nouvel Empereur, que quatre quotidiens placés sous le contrôle du ministre de la Police. Napoléon fut plus libéral pendant les *Cent jours*. Découvrant les beautés de la liberté de la presse, il affirmait : « *L'étouffer est absurde.* » Faveur sans lendemain : le retour des Bourbons sonna le glas de la *liberté de la presse* et il fallut attendre 1819 pour que, sous la pression de l'opinion, une loi vînt modifier la législation. Les journaux furent astreints au cautionnement — somme que les fondateurs d'un périodique devaient verser entre les mains de l'autorité pour garantir le recouvrement des amendes éventuelles — mais les délits relèveraient de la Cour d'Assises sauf la diffamation contre les particuliers qui relèverait du tribunal correctionnel. Dès lors, les journaux, trop longtemps muselés, s'en donnèrent à cœur joie, avec une telle violence dans la polémique que la censure fut brusquement rétablie après l'assassinat du duc de Berry, dont les feuilles de l'opposition, souvent provocatrices, furent déclarées responsables. *Le Conservateur* ultra-royaliste cessa de paraître en même temps que de nombreux quotidiens. Chateaubriand, le principal leader du *Conservateur*, trouva un refuge au *Journal des Débats* où il publia ses premières attaques contre le Roi.

En province, les événements avaient facilité la naissance de nombreux journaux. Mais, plus encore que la gêne rencontrée par les feuilles parisiennes dans leur publication et leur diffusion, la législation napoléonienne avait favorisé la presse régionale. En effet, la publication d'un certain nombre d'actes devenait obligatoire et l'insertion payante de ces annonces légales suscitait la création de nouveaux journaux. Ainsi naquirent des dizaines de quotidiens et d'hebdomadaires départementaux — dont *Le Sémaphore* de Marseille — qui vinrent renforcer la cohorte des journaux déjà existants, tel que le *Journal de Rouen* l'un des plus anciens quotidiens français, qui parut jusqu'à la Libération. La petite presse occupait, elle aussi, sa place dans le concert, pas très harmonieux d'ailleurs, que les journaux offrirent aux puissants du jour et... à ceux du lendemain. La bataille engagée entre le gouvernement et la presse — celle-ci soutenue par l'opinion et, plus ou moins énergiquement, par la Chambre des Pairs — devait provoquer une cascade de lois de décrets, d'arrêtés, tantôt hostiles (ministère de Villèle), tantôt libéraux (ministère de Martignac), dont les *ordonnances de juillet* furent l'aboutissement fatal. On sait ce qu'il en advint : à peine promulguée, la première ordonnance, qui abolissait la liberté de la presse, « *instrument de désordre et de sédition* » souleva une tempête de protestations. Thiers et *Le National*, approuvés par toute la presse libérale et suivis par *Le Temps* et *Le Globe*, organisèrent la résistance et poussèrent à l'insurrection.

Ce furent les fameuses *journées de juillet* qui, remplaçant la monarchie traditionnelle et légitime par la monarchie bourgeoise, mirent sur le trône la branche cadette des Bourbons. Cette opération, qui plaisait plus encore aux banquiers qu'aux journalistes, eut pour conséquence logique la promulgation d'une nouvelle loi qui accordait aux journaux des avantages certains : réduction du cautionnement, des droits de timbre, des frais de port ; liberté de l'affichage et du colportage ; juridiction de la Cour d'Assises pour les délits de presse. La presse libérale triomphait. Mais les journaux légitimistes, tels que *La Gazette de France* et *La Quotidienne*, n'en poursuivirent pas moins leur publication, soutenus par une clientèle provinciale fidèle composée principalement de ruraux. *Le Journal des Débats*, dont le directeur Bertin n'avait pas eu d'aversion pour la cassette de Louis XVIII et de Charles X, se mit résolument au service du nouveau régime, moyennant une substantielle mensualité. On le voit, les fonds secrets avaient déjà leur emploi dans la presse.

Sous Louis-Philippe, une grande partie de la presse était hostile au souverain. Parmi ces journaux « patriotes », bonapartistes ou légitimistes, le *Charivari* se distinguait par ses attaques contre le roi. C'est lui qui publiait les caricatures de Daumier où Louis-Philippe était présenté sous la forme d'une poire. Pour endiguer ces vagues d'insultes qui éclaboussaient la famille royale, Adolphe Thiers, le protestataire de 1830 devenu ministre, fit adopter par les Chambres les lois de septembre 1835 réprimant l'offense à la personne du roi et au principe monarchique et aggravant les peines. Dès lors, les amendes s'abattirent sur la presse d'opposition. Pour ne pas disparaître, les petits journaux légitimistes quêtèrent dans le noble faubourg tandis que les feuilles *républicaines* s'en allèrent frapper à la porte, c'est-à-dire à la caisse, de la *Société pour la Défense de la Presse patriote* patronnée par Arago, Carrel, Cavagnac, Garnier-Pagès, Raspail, La Fayette et subventionnée par le banquier Laffitte (1). Grâce à ces subsides, les amendes ne purent écraser les deux douzaines de journaux démocrates de province que soutenaient la *Société*, ni la meute parisienne que formaient *Le Charivari*, *La Tribune*, *La Révolution*, *La Caricature* et *Le Corsaire*.

Mais ces mesures de coercition n'engendraient pas la prospérité. Il faudra l'instauration de la Seconde République pour que la presse, principalement la presse républicaine et révolutionnaire, puisse prendre un essor prodigieux. Le

(1) L'histoire de la Presse révèle une prédilection toute particulière des banquiers, de Laffitte à Rothschild, pour la presse libérale, orléaniste ou républicaine.

fait est que, de 1848 à 1851, il n'y eut pas moins de douze cents nouveaux titres. Tout le monde voulait avoir son journal : George Sand eut le sien : *La Cause Commune*, tout comme Victor Hugo : *L'Evénement*, Proudhon : *Le Peuple*, Raspail : *L'Ami du Peuple*. Il y eut une multitude de *Républiques* françaises, démocratiques, universelles, vraies, fausses, napoléoniennes et même une *République des Femmes* qui, avec *la Voix des Femmes*, déclarait la guerre au sexe fort. Le déchaînement de cette presse, la virulence de ces néo-journalistes trop longtemps tenus à l'écart du forum, provoquèrent la réaction du gouvernement. Dès 1849, celui-ci rétablit la législation monarchique, en particulier le fameux cautionnement dont le résultat immédiat fut la disparition de nombreuses feuilles aux ressources modestes. « *Silence aux pauvres !* » s'écria Lamennais. Protestation sans effet d'ailleurs, le peuple de Paris, las des rhéteurs de la presse, ne devait plus se soulever pour maintenir une liberté qui était devenue une licence...

Avec Napoléon III, la presse connut de nouvelles difficultés. La constitution de 1852 restant muette sur les libertés de presse, la publication d'un journal fut désormais soumise à l'autorisation du gouvernement. Le cautionnement fut maintenu, le droit de suspension et de suppression rétabli, et les « avertissements » remplirent l'office de censure. La plupart des journaux nés de la Révolution de 1848 disparurent. Il fallut attendre l'Empire libéral, qui modifia la loi sur l'Empire, pour que de nouvelles feuilles parussent. En un an, cent cinquante journaux virent le jour, de *l'Eclaireur*, de Jules Ferry, au *Journal de Paris*, de J.-J. Weiss et Edouard Hervé. Les feuilles d'opposition violente, royalistes et républicaines, se multiplièrent au point de provoquer une brutale riposte du gouvernement. Jules Ferry et *L'Eclaireur*, Delescluze et Le *Réveil*, Challemel-Lacour, de la *Revue Politique*, Peyrat, de *l'Avenir National* furent condamnés. Ces brimades ne découragèrent pas cependant les fondateurs de journaux. Dans les années qui suivirent, *Le National*, *Le Soir*, *Le Peuple français*, *Le Rappel*, de Victor Hugo, *La Marseillaise*, de Rochefort, et quelques autres quotidiens parurent à Paris.

Après la chute de Napoléon III et les horreurs de la Commune, la presse connut une période de prospérité. Tandis que Gambetta fondait *La République française*, tribune du groupe parlementaire de l'*Union républicaine*, Edouard Hervé prenait la direction du *Soleil*, principal adversaire de *La République*, avec *l'Union*, royaliste, et *Le Pays, La Nation* et *Le Bon Sens,* bonapartistes. En même temps que s'accroissait leur nombre, les journaux modifiaient leur allure. Le danger — la répression — écarté, le directeur-journaliste céda peu à peu sa place au directeur-industriel et commerçant. Le règne du chroniqueur et du polémiste s'achevait ; celui de l'informateur et du marchand de papier imprimé commençait. La grande presse d'information, avec *Le Matin,* fondé par Edwards et repris par Henri Poidatz et Bunau-Varilla, avec *Le Petit Parisien,* dirigé par Jules Roche, puis par les Dupuy, avec *Le Journal* de Fernand Xau, conquit le grand public et conserva sa faveur.

En 1881 fut promulguée la loi sur la presse de la IIIᵉ République. Abrogeant toute la législation antérieure, — fatras de lois, de décrets et d'ordonnances souvent contradictoires — les parlementaires établirent un véritable code qui garantit la liberté de la presse jusqu'à nos jours — sauf pendant les intermèdes tragiques des deux guerres, durant lesquelles censure française ou censure allemande caviardèrent copieusement la prose des journalistes. Ce « *code de la presse* » ne subit, en fait, que deux accrocs sérieux : les *lois scélérates,* dirigées contre les anarchistes, et le décret-loi Marchandeau, visant l'antisémitisme. (Ouvrages à consulter : « *Le Journalisme en 30 leçons* », par Henry Coston, Paris 1951, 1952, 1960, 1962. « *Le quatrième pouvoir* », par J.-A. Faucher, Paris 1957. « *Histoire de la Presse* », par R. Manevy, Paris 1948.)

LIBERTE DU SUD-OUEST (La).

Quotidien modéré catholique fondé en 1908 et dirigé, à la veille de la guerre, par Philippe Henriot. Y collaboraient alors : Louis Cadars, G. Planes, Rémy Aurélien, Rossillon, etc. Interdit à la Libération.

LIBERTE DE L'YONNE (La).

Journal modéré catholique fondé en 1919 à Auxerre. S'appela d'abord *La Croix de l'Yonne.* Interrompit sa publication pendant la guerre et ne la reprit que plusieurs années après la Libération. Son tirage (7 000 ex.) lui permet d'atteindre les cadres et les cercles catholiques du département (3, place Robillard et 4, rue Belle-Pierre, Auxerre).

LIBRAIRIE DE L'AMITIE.

Entreprise de librairie fondée par la *Société de Presse et d'Edition Saint-Just,* qui publie la collection *Action* e la revue *Europe-Action* (voir à ce nom) animée par Dominique Venner. En février 1966, la *Librairie de l'Amitié* es devenue une S.A.R.L. au capital d 200 000 F ; celle-ci a pour fondateurs e co-associés : la *Société de Presse e d'Edition Saint-Just,* Suzanne et Mauric Gingembre, le Dr Claude Grandjean l'ancien sénateur Albert Tucci et l *Société d'Entreprise de Remorquage, d Sauvetage et d'Acconage,* de l'ancie sénateur Laurent Schiaffino. Diffuse le ouvrages du groupe *Europe-Action, d Mouvement Nationaliste du Progrè (M.N.P.)* et du *Rassemblement Europée de la Liberté* (A déposé son bilan a début de 1967).

LIBRAIRIE ARISTIDE QUILLET (voir Quillet).

LIBRAIRIE DES SCIENCES POLITIQUE ET SOCIALES (voir : Rivière et Cie)

LIBRE ARTOIS (Le).

Quotidien socialiste créé en 1945 sou l'égide de Guy Mollet. S'installa dans le locaux du quotidien catholique démocrate du soir, *Le Courrier du Pas-de-Calais,* interdit à la Libération. Son fai ble tirage (une vingtaine de milliers d'exemplaires) ne lui permit qu'une existence précaire. (5, boulevard de Strasbourg, Arras.)

LIBRE OPINION (La).

Hebdomadaire fondé en 1922 par un ancien franc-maçon H. Roux-Costadau. National, révisionniste, antimarxiste (disparu avant la guerre).

LA LIBRE PAROLE.

Journal nationaliste et antisémite Fondée en 1892 par Edouard Drumont Dirigée d'abord par Drumont, puis par Joseph Denais, député de Paris. Disparue comme quotidien en 1924. Reprise en 1928 par Jacques Ploncard, puis Raymond Durand, dit Durand-Massiet. Publication interrompue en octobre 1929 Reprise en octobre 1930 par Henry Coston et René Plisson. Publiée jusqu'en 1939 sous la direction de Henry Coston. avec la collaboration de : Jacques Ploncard, Jean Drault, Albert Monniot, Pierre Ensch, René-Louis Jolivet, Jacques Ditte Louis Tournayre, Mathieu Degeilh, Gabriel Gobin, Zazoute, etc.

LA LIBRE PAROLE NORD-AFRICAINE.

Edition algérienne de *La Libre Parole,* publiée à Alger en 1936-1938 par Henry Coston et René Barthélemy.

LIBRE POITOU (Le).

Quotidien fondé à la Libération dans les locaux de *Centre et Ouest* interdit, sous les auspices du *C.D.L.* de la Vienne par des résistants. La direction et la rédaction en furent confiées à Henri Viaux, ancien directeur départemental de *La France de Bordeaux* sous l'occupation, Pouilloux, auparavant rédacteur à *L'Avenir de la Vienne*, puis à l'*Agence Inter-France*, L.-Ch. Debelle, ex-chargé des services de presse au secrétariat à la Jeunesse à Vichy, et Edgard Renaud, ancien correspondant de *La Petite Gironde* et de l'*Agence Française d'Informations* pendant la guerre. Absorbé par le groupe Hersant, il y a été remplacé par *Centre-Presse*.

LIGNE.

Etre *dans la ligne*, c'est, pour un militant politique, suivre scrupuleusement les consignes du parti. Les militants communistes disciplinés, ceux qui suivaient aveuglément leurs chefs malgré la ligne sinueuse imposée par la tactique électorale, par la politique étrangère de l'Union soviétique ou pour tout autre motif, étaient naguère qualifiés de *ignards*. Le mot semble être remplacé, dans le vocabulaire politique, par celui l'*inconditionnels*, encore que le terme soit principalement appliqué aux gaullistes (voir : *inconditionnel*).

LIGUE D'ACTION UNIVERSITAIRE RE-PUBLICAINE ET SOCIALISTE (L.A. U.R.S.).

Dans l'entre-deux guerres, groupe estudiantin de gauche, au sein duquel ont milité Pierre Mendès-France, futur président du Conseil, Alexis Zousmann, futur magistrat de l'épuration et de la répression antigaulliste, André Weil-Curiel, aujourd'hui conseiller municipal de Paris.

LIGUE ANTIMILITARISTE.

Fondée en décembre 1902 par H. Beylie, Paraf-Javal, Libertad, E. Janvier et Yvetot. Prit part, en juin 1904, au Congrès antimilitariste d'Amsterdam convoqué par G. Yvetot, Francis Jourdain, Miguel Almereyda, etc., au cours duquel fut créée l'*Alliance Internationale Antimilitariste* (A.I.A.) dont la *Ligue* devint la section française.

LIGUE CIVIQUE.

Fondée en novembre 1917 par les professeurs Lanson, Allier, Hubert Bourgin et Ernest Denis, qui la dirigèrent, et Maurice Lailler, Berthélemy, doyen de la Faculté de Droit, Gallois, professeur à la Sorbonne, Andler et Rosenthal. Organe : *L'Information civique*.

LIGUE POUR LE COMBAT REPUBLI-CAIN.

Organisation créée pour servir de trait d'union à diverses formations et hommes politiques de gauche. Fut l'une des principales organisations qui fondèrent en 1965 la *Fédération de la Gauche* présidée par F. Mitterrand. Membres dirigeants : François Mitterrand, député, Aubert, sénateur socialiste, Hovnanian, Roland Dumas, Aimé Pastre, de la *C.G.T.*, Ludovic Tron, sénateur, Périllier, ancien igame de Toulouse, Jean Ramadier, ancien haut commissaire, Jean Baboulène, journaliste, etc. (25, rue du Louvre, Paris 1er).

LIGUE POUR LA DEFENSE DES LIBER-TES PUBLIQUES.

Constituée en juin 1923 pour résister à l'action et à la propagande des nationalistes. Dirigeants : Séverine, Alfred Dominique, Henry Torrès, L. O. Frossard, Robert Lazurick, Antériou, Victor Basch, Albert Dubarry, Noël Garnier, André Grisoni, Victor Méric, Jean Longuet, de Moro-Giafferri, Marius Moutet, Georges Pioch, Georges Ponsot, Robert Salomon, Henri Sellier, Viollette, etc.

LIGUE DES DROITS DE L'HOMME.

Née de l'affaire Dreyfus, la Ligue des Droits de l'Homme a été fondée le 20 février 1898. Dès son origine, elle s'affirma comme un mouvement nettement révolutionnaire : « *Nous sommes*, déclarait le 18 mai 1907 l'un de ses fondateurs, Francis de Pressensé, dirigeant du *Parti Socialiste, des hommes qui avons mis notre vie au service de la Révolution.* » Cela explique son comportement chaque fois qu'un « *révolutionnaire* » comparaît devant la Justice, mais aussi mon mutisme lorsqu'il s'agit d'un « *réactionnaire* » ou d'un « *fasciste* ». En 1917, elle a pris la défense des rédacteurs du *Bonnet Rouge* et fait grâcier Jean Goldsky, le secrétaire général du journal, après une longue et bruyante campagne dont le mot d'ordre était : « *A toutes les réunions publiques organisées par les sections de la Ligue, le martyre de Goldsky (doit être) invoqué et sa libération demandée.* » (*Cahiers des Droits de l'Homme*, 25 août 1923). En 1924, elle réclama et obtint la grâce d'André Marty, « *mutin de la Mer Noire* ». En 1956, fidèle à sa tradition, elle prit la défense de Labrusse condamné à six ans de prison par le Tribunal militaire de Paris pour avoir livré, disait l'accusation, les secrets de la Défense nationale dont il était détenteur en sa qualité de haut fonctionnaire. Quatre années plus tard, le 20 juin 1960, elle s'élevait avec vigueur contre la manière dont avaient été conduits les procès Alleg, Boupacha et Arnaud, reprochant aux tribunaux militaires de faire une application abusive du code pénal. Elle demandait alors « *que la compétence des tribunaux militaires soit, en temps de paix, exclusivement limitée aux infractions à la discipline militaire, et que soit confié à la Cour d'Assises le jugement de toutes les infractions à la sûreté de l'Etat.* » (*Cahiers*, juin-juillet 1960). Mais elle omit systématiquement de rappeler ces principes lorsque furent jugés les opposants de l'Algérie française et les activistes de l'O.A.S. par des tribunaux que présidaient parfois des membres influents de sa propre organisation. Il est vrai qu'elle n'était jamais intervenue au lendemain de la Libération en faveur des partisans et des collaborateurs du maréchal Pétain, condamnés par des tribunaux d'exception, exclusivement composés d'adversaires politiques des inculpés. Non seulement elle ne s'était pas élevée contre les arrestations abusives et les mauvais traitements (on dirait aujourd'hui : les tortures) dont furent victimes les pétainistes, mais elle adressa même un appel au gouvernement pour que les cendres du maréchal Pétain ne fussent pas transférées à l'ossuaire de Douaumont (*Cahiers*, septembre 1955). Quelque temps auparavant, la Ligue s'était élevée avec horreur contre les « *grâces inquiétantes* » dont « *bénéficiaient l'Alsacien Ross et l'écrivain Maurice Bardèche.* » (*Cahiers*, octobre 1954.)

Nettement axée à gauche, — à l'extrême gauche pourrait-on dire, depuis vingt ans, — la *Ligue* est également foncièrement anti-cléricale, voire anti-catholique : « *L'ennemi de la Ligue des Droits de l'Homme*, lit-on dans l'un de ses *Cahiers, c'est l'Eglise Romaine. L'ennemie de la tolérance, c'est l'Eglise Romaine, l'Eglise, par la voix infaillible de son chef, se déclare contre la liberté, se fait championne de l'intolérance... Ainsi la question entre eux et nous se trouve clairement posée.* » (*Cahiers*, n° 29, 1929.) Aussi ne faut-il pas s'étonner de voir la Ligue réclamer avec insistance la disparition de l'enseignement libre. Elle exige notamment l'abrogation de la loi Barangé et reproche même « *aux membres du gouvernement et aux autres élus du* Front Républicain *de ne pas tenir l'engagement formel d'abolir sans tarder l'attribution de fonds publics aux écoles privées.* » (Comité Central de la L.D.H.,

18 mars 1957). De même, elle s'élève contre « *le système frauduleux* (qui a) *donné le pouvoir à la réaction cléricale* » (Congrès de la Ligue des Droits de l'Homme, 1955), contre « *la présence de représentants du gouvernement aux cérémonies culturelles* » (*Cahiers*, octobre 1956), contre « *l'envoi à Rome d'un délégué du gouvernement français chargé de le représenter à la béatification des martyrs de Laval* » (prêtres réfractaires massacrés sous la Révolution) (Lettre du président de la Ligue au chef du Gouvernement, 22-6-1955), voire même contre la visite que le président Coty envisageait, lui catholique, de faire au Saint Père (*Cahiers des Droits de l'Homme*, mars 1957). En fait, la Ligue reste fidèle à sa doctrine. L'un de ses dirigeants n'a-t-il pas déclaré : « *Comment faire disparaître cette lèpre* (l'idée religieuse) *qui couvre nos cerveaux ? Ce n'est pas avec des lois, il ne faut pas légiférer contre la religion ; ce qu'il faut, c'est changer l'esprit du peuple, dresser quelque chose à côté de la religion qui fasse qu'elle tombe un jour comme un arbre mort.* » (Congrès de la Ligue, 1921). Cette attitude est d'autant plus incompréhensible que plusieurs dirigeants de la Ligue, à commencer par le président D. Mayer, appartiennent à une religion dont il serait odieux de dire qu'il fallait qu'elle tombât comme un arbre mort.

Sur le problème de la paix, la Ligue est divisée. Avant la guerre, une minorité était sincèrement pacifiste, tandis que la majorité affichait des sentiments contraires. En 1951, alors que la France faisait face à une agression communiste en Indochine, M. Emile Kahn, qui présidait alors la Ligue, publia dans *L'Observateur* (devenu depuis le *Nouvel Observateur*) un article dans lequel il dénonçait à la fois l'armée française et notre colonialisme. Il écrivait : « *On dit : défense nationale. Assurément, mais la défense nationale ne consiste pas seulement en prolongation du temps de service et en accumulation de matériel. Le matériel n'est rien sans les hommes pour le manier, et les hommes sont peu, sans un idéal à servir. Offrir pour idéal aux Français d'aujourd'hui la perspective de se battre aux côtés des Franquistes et des Nazis absous (L.V.F. et Légion Azul ressuscitées et combinées) pour la cause de Syngman Rhee, de Tchang Kaï Chek et de Bao Daï n'est peut-être pas suffisant.* » (*L'Observateur*, 8 février 1951). De 1946 à 1954 la Ligue réclama l'indépendance de l'Indochine comme elle réclama celle de la Tunisie, du Maroc et de l'Algérie. Sur la question algérienne, son attitude était très nette : « *On a dit, et beaucoup ré* pètent encore : « *l'Algérie, c'est la France », ce n'est pas vrai. L'Algérie n'est pas la France...* » Elle exigea « *le renoncement à l'arbitraire, c'est-à-dire la libération des prisonniers politiques, la suppression des camps, l'interdiction des violences policières et le rétablissement de la liberté d'expression.* » (*Cahiers,* 1-4-1956). Le président actuel de la Ligue, Daniel Mayer, déclarait de son côté : « *Je ne suis pas du tout partisan d'une victoire militaire, quelle qu'elle soit, dans le conflit algérien. Je ne suis pas partisan de la victoire militaire française parce qu'elle serait la victoire des ultras, parce qu'elle serait la victoire des colons, et que l'on reviendrait rapidement à la situation sociale d'avant l'insurrection algérienne.* » Et il ajoutait qu'il ne l'était pas davantage de la victoire *militaire* du F.L.N., d'ailleurs impossible. (*Cahiers,* juin-juillet 1960.)

On peut donc dire, sans donner d'ailleurs un sens péjoratif à cette appréciation, que la *Ligue des Droits de l'Homme* est d'abord et avant tout une ligue des droits de *l'homme marxiste.* Ses sympathies pour le *Parti communiste* sont connues. La Ligue a maintes fois protesté contre l'interdiction de manifestations communistes. Elle a demandé la réintégration des fonctionnaires communistes révoqués par l'*UNESCO,* elle s'est indignée de l'interdiction des représentations des Ballets de Moscou et de Leningrad (sous la IVe République) et s'est élevée contre le refus des candidatures de communistes au concours d'entrée à l'Ecole Nationale d'Administration et de plusieurs autres au concours des P.T.T. Elle a fait campagne contre les poursuites engagées contre Guingouin que l'on accusait d'assassinats pendant la guerre et à la Libération, assurant qu'il était un « *résistant exemplaire* » bien que le député socialiste Le Bail, dans le quotidien *Le Populaire du Centre,* ait assuré le contraire. Elle a fait des démarches pressantes auprès du ministre de l'Intérieur en faveur des Espagnols rouges qui avaient reconstitué le *Parti Communiste* espagnol et étaient frappés d'arrêté d'expulsion ou mis en résidence surveillée, au moment même où elle protestait contre « la scandaleuse entrée de l'Espagne » anti-communiste de Franco à l'O.N.U. Elle participa à la vaste campagne déclenchée par les organisations communistes en faveur des époux Julius et Ethel Rosenberg qui avaient été condamnés à mort par les tribunaux américains pour avoir livré à l'U.R.S.S. des secrets atomiques. Elle réclame aujourd'hui avec insistance, l'admission de la Chine communiste à l'O.N.U. La direction

de la *Ligue* est assurée par un comité central, qui délègue pratiquement ses pouvoirs au président et au secrétaire général. Les présidents de la *Ligue* ont été successivement : Ludovic Trarieux (1898-1903), Francis de Pressensé (1903-1914), Ferdinand Buisson (1914-1926), Victor Basch (1926-1940), Paul Langevin (1944-1946), le Dr Sicard de Plauzoles (1947-1953), Emile Kahn (1953-1958), Daniel Mayer (depuis le 9 mars 1958). Ce dernier n'a peut-être pas la notoriété de ses prédécesseurs ni leur autorité, mais il est incontestablement un animateur. Sous sa direction, la vieille Ligue, qui s'endormait, est entrée résolument dans la bagarre politique. Aux côtés de Daniel Mayer, socialiste de gauche (nuance P.S.U.), siègent notamment : Georges Gombault, de *France-soir,* J. Paul-Boncour, Etienne Nouveau, Suzanne Colette-Kahn, André Boissarie, ancien procureur général de l'épuration, David Lambert, Robert Verdier et Michel Blum. La *L.D.H.* publie un bulletin mensuel réservé à ses membres et un journal de documentation et de formation politique *Après-demain,* dirigé par Françoise Seligmann. (27, rue Jean-Dolent, Paris 14e.)

LIGUE DE L'ENSEIGNEMENT.

Lancée par Jean Macé, qui affirmait lui-même au Congrès de 1885, qu'elle était « *une institution maçonnique* », la *Ligue de l'Enseignement* est l'un des fondateurs du *Comité National d'Action Laïque* qui mène avec vigueur et persévérance la lutte pour l'Ecole Laïque et contre les subventions aux écoles libres. Sous la IIIe République, la plupart des personnalités de la gauche en firent partie. Sous la IVe et la Ve, elles lui sont toutes favorables. Feu Albert Bayet, président de la Fédération de la Presse, fut longtemps son principal animateur après la guerre.

LIGUE FRANÇAISE.

Créée en 1914 par diverses personnalités dont l'historien Ernest Lavisse. Ses principaux dirigeants étaient, au lendemain de la Première Guerre mondiale, c'est-à-dire à l'époque de son plus grand succès : le général Pau, Emile Bertin, de l'Institut, Louis Barthou, Léon Bourgeois, Gabriel Hanoteaux, Jules Isaac, Jonnart, Millerand, l'abbé Wetterlé, etc. En 1940, le commandant Costantini, directeur de *L'Appel,* donna ce nom à son mouvement à la fois anti-anglais, antisémite et favorable à l'unité de l'Europe. La *Ligue Française* fut alors l'un des plus ardents défenseurs de la politique du maréchal Pétain en zone Nord.

LIGUE FRANÇAISE POUR LES AUBERGES DE LA JEUNESSE.

Association fondée en 1930 par Marc Sangnier, après le succès obtenu par la première auberge de la jeunesse ouverte en France par l'ancien leader du *Sillon* dans sa propriété de Bierville, près de Boissy-la-Rivière, en Seine-et-Oise. En 1932, une *Fédération Internationale des Auberges de la Jeunesse* coiffa les associations nationales de divers pays. Après la guerre, les groupes d'auberges de jeunesse s'unirent au sein d'une nouvelle association : la *Fédération Unie des Auberges de Jeunesse,* créée en 1956. Mais les prises de position politiques de certaines associations départementales de la *F.U.A.J.* amenèrent, dès 1957, la *L.F.A.J.* à protester ; deux ans plus tard, ce fut la rupture. Malgré les efforts déployés par le secrétariat d'Etat à la Jeunesse, le rapprochement n'a pu s'opérer (siège : 38, boulevard Raspail, Paris 7e).

LIGUE INTERNATIONALE DES COMBATTANTS DE LA PAIX.

Organisation pacifiste de l'entre-deux-guerres dont *La Patrie Humaine* était la tribune la plus répandue.

LIGUE INTERNATIONALE DES DROITS DE L'HOMME.

Fédération internationale des diverses ligues nationales des Droits de l'Homme, constituée en 1922.

LIGUE INTERNATIONALE CONTRE LE RACISME ET L'ANTISEMITISME. (L. I. C. A.).

Fondée en 1929 par Bernard Lecache, futur directeur de *Journal du Dimanche,* et toujours dirigée par lui, la *L.I.C.A.* a très souvent été en butte à l'hostilité du Consistoire israélite. (On a prétendu que les cercles israélites officiels lui reprochaient de compromettre la communauté juive, ce qui paraît assez surprenant). Elle est, avant tout, une organisation de gauche luttant contre l'antisémitisme et le racisme. *Supporter* de Pierre Mendès-France en 1954-1956, elle approuva chaleureusement la création du *Front Républicain* et ses consignes pour les élections législatives de 1956 étaient: « *Votez Front Républicain! Votez à gauche! Votez sans hésiter pour une gauche sans équivoque, pour des hommes qui prennent vraiment racine à gauche...* » (Cf. *Le Droit de vivre,* organe de la L.I.C.A., n° 351 daté du 1er janvier 1956, paru fin décembre 1955.) Bien qu'affaiblie par la scission provoquée en 1949 par la minorité communiste et progressiste qui créa ensuite, le *Mouvement contre le Racisme et l'Antisémitisme, pour la Paix,* la *L.I.C.A.* conserve des amitiés puissantes dans les cercles socialistes, gaullistes de gauche et même modérés. Après les élections de 1962, son journal (n° du 15-12-1962) publiait la liste suivante des députés ayant donné leur adhésion à son groupe parlementaire : le général Billotte, René Capitant, Pierre Clostermann, Bertrand Flornoy, Le Gallo, Achille Peretti, Jacqueline Thome-Patenôtre, Louis Vallon, Michel Maurice-Bokanowski, Barbet, Bleuse, Dupérier, Dupuis, Habib-Deloncle, J.-P. Palewski, Sainteny, Nungesser, Joël Le Tac, Lolive, Odru, Waldeck Lhuillier, Roger Frey, Guy Mollet, Maurice Faure, Louis Escande, Maurice Schumann, Jules Moch, Francis Palmero, Diomède Catroux, Edouard Corniglion-Molinier, Bernard Cornut-Gentille, Edmond Desouches, Jacques Chaban-Delmas, Roger Brettes, Maurice Herzog, Gaston Defferre, le chanoine Kir, Paul Bechard, Montel, Louis Jacquinot, Tanguy-Prigent, Chandernagor, Robert Boulin, Deschizaux, Cassagne, Neuwirth, Blancho, François Mitterrand, Schmittlein, Vals, François Billoux, Masse, Cermolacce, Doize, Matalon, Notebart, Max Lejeune, Musmeaux, René Pleven, Lamarque-Cando, Félix Gaillard, Pierre Pflimlin, de Lipkowski, Juskiewenski, Louis Terrenoire, Pierre Monnerville, Billières. A son comité d'honneur appartiennent : René Cassin, Pierre Cot, Georges Duhamel, le pasteur La Gravière, Louis Martin-Chauffier, Pierre Mendès-France, Gaston Monnerville, J. Paul-Boncour, André Philip, l'abbé Pierre, le Père Riquet, Emile Roche, David Rousset, A. Salacrou, l'abbé Fulbert Youlou, etc. (40, rue de Paradis, Paris 10e.)

LIGUE NATIONALE POPULAIRE.

Née de la transformation du *Parti National-Populaire* (P.N.F.) après l'adhésion d'Etienne de Raulin (futur Raulin-Laboureur) et de ses amis lyonnais. Dirigeants : E. de Raulin, Georges Besnard, M.-C. Dubernard, Jacques Bertin-Schuler, le comte Alexandre d'Aste, Gaston Tanesy, A. Moitrel, André Chaumet, René de Raulin, Maurice Herblay (Piot), André Cordier, Maurice Leclair, Robert Chazol, Dr Millet (de Lyon), etc.

LIGUE DES PATRIOTES.

Fondée en 1882. Fut dirigée par Paul Déroulède de 1885 à 1914. Surtout axée, avant la Première Guerre mondiale, sur « *la guerre de revanche* » contre l'Allemagne, pour la récupération de l'Alsace-

Lorraine perdue en 1871. Parti de droite, la ligue était hostile à la constitution de 1875 et au régime parlementaire. Elle fut l'un des fermes soutiens du général Boulanger et mena une campagne acharnée contre les « dreyfusards » au côté de la *Ligue de la Patrie Française* de Jules Lemaître. Convaincu de complot contre la sûreté de l'Etat, Déroulède fut condamné à deux ans de bannissement à la fin du XIXᵉ siècle. Maurice Barrès, puis le général de Castelnau lui succédèrent. Les jeunes du mouvement, dirigé par Pierre Taittinger, député de la Charente-Inférieure, formèrent en 1924 *les Jeunesses Patriotes* qui se séparèrent de la *L.D.P.* peu après. La *Ligue* disparut pendant la guerre de 1939-1945. En 1956, Jean-Louis Febvre fonda une nouvelle *Ligue des Patriotes,* qui semble avoir disparu à son tour.

LIGUE DE LA PENSEE FRANÇAISE.

Créée et dirigée par un ancien collaborateur de Marcel Déat, devenu le directeur de *La France Socialiste,* René Château, la *Ligue de la Pensée Française* n'eut qu'une existence difficile et éphémère. Dès sa création, elle fut l'objet d'un tir de barrage en règle de la part des journaux et groupes nationaux et fascistes qui lui reprochaient de n'être qu'une seconde mouture de la *Ligue des Droits de l'Homme,* et de la *Ligue de l'Enseignement* réunies, c'est-à-dire une société d'obédience maçonnique. Principaux dirigeants : René Château, président, Pierre Hamp, Lucien-Marcel Roy (de la Fédération des Métaux), Francis Delaisi, Jules Bureau (ancien secrétaire de la Fédération des Instituteurs de la Seine), Marcel Braibant, Edouard Chaux (président du *Cercle Européen*), Georges Guyot, René Gérin, Camille Planche, René de Robert, directeur du *Centre Paysan,* etc.

LIGUE REPUBLICAINE DU BIEN PUBLIC.

Fondée en 1935. Animée par Paul Orsini et R.-H. Birnbaum. Organe : *Journal du Bien Public.*

LIGUE DE LA REPUBLIQUE.

Fondée en 1921 pour lutter contre le *Bloc National.* Formée d'éléments radicaux et socialistes. Principaux dirigeants : Paul Painlevé, Ed. Herriot, professeur Georges Scelle, Georges Ricou, Jacques Jaujard, Jean Piot, Robert de Jouvenel, Stephen Valot, Francis Delaisi, Yvon Delbos, François de Tessan, J. Prudhommeaux, Ernest Perney, A.-J. Kayser, René Besnard, général Sarrail,

Germain-Martin, Ch. Rist, Gaston Jèze, Maurice Viollette, Jean Hennessy, Dr Ch. Debierre, etc.

LIGUE DE LA REVOLUTION NATIONALE.

Fondée en 1934 par Jacques Reboul, Guy de Meredieu, René Audo, Jean-Pierre Millet. Journal : *Le Peuple Français* (directeur-gérant : B. Murzi-Reboul).

LIMAGNE (Pierre).

Journaliste, né à Aubenas (Ardèche), le 6 avril 1909. A fait toute sa carrière à *La Croix :* rédacteur (1930-1933), membre du service politique (de 1934 à la mobilisation), chef de ce service (après la guerre), puis rédacteur en chef adjoint. Auteur d'un roman et de trois volumes d' « *Ephémérides de quatre années tragiques* ».

LINDON (Jérôme).

Editeur, né à Paris le 9 juin 1925. Fils de Raymond Lindon (voir ci-dessous). Militant de la gauche progressiste, préside et dirige les *Editions de Minuit* (voir à ce nom). Signa la fameuse pétition en faveur des membres des réseaux d'aide au *F.L.N.* algérien (juin 1962). Fut l'objet, au cours des années 1957-1961, de poursuites judiciaires en raison des livres qu'il éditait et fut condamné par la 17ᵉ chambre correctionnelle (décembre 1961) et la 11ᵉ chambre de la Cour d'appel de Paris (juin 1962) pour provocation des militaires à la désobéissance.

LINDON (Raymond).

Magistrat, né à Paris, le 26 décembre 1901. De même que l'on affirma, jadis, que les ancêtres de Léon Blum s'appelaient Karfunkelstein, on a prétendu que ceux de Raymond Lindon s'appelaient Lindenbaum ; si l'intéressé ne s'est jamais donné la peine de démentir, la preuve de cette allégation n'a jamais été apportée. Ce qui est certain, c'est que ce haut magistrat appartient à une famille israélite de banquiers, de marchands de tableaux et de perles, qu'avait illustrée avant lui l'industriel André Citroën, son oncle, et Maxime Lindon, son frère, financier dans l'entre-deux-guerres et membre influent de la Franc-Maçonnerie. Avocat à la Cour d'appel de Paris avant la guerre, Raymond Lindon appartint aux services de l'Intendance militaire en 1939-1940 et ne devint magistrat qu'à la Libération. D'abord conseiller à la Cour, il fut commissaire du gouvernement à la Cour de Justice de la Seine.

Le procu-
reur Jérôme
Lindon.

Il requit avec une extrême rigueur contre
les pétainistes et fut, notamment, le magistrat accusateur de l'écrivain Henri
Béraud et du journaliste Jean Luchaire
tous deux condamnés à mort. Il devint,
par la suite, avocat général près la Haute
Cour de Justice (chargée de juger les
ministres de Vichy) puis près la Cour
de Cassation et enfin commissaire du
gouvernement près le tribunal des
conflits. Politiquement à gauche, il a
participé activement à la lutte en faveur
de l'indépendance algérienne à travers
les *Editions de Minuit* dont il est le principal actionnaire avec son fils Jérôme
Lindon. Dans l'*interview* qu'il accorda,
naguère, au journal *Telstar-La Presse*
(31-1-1963), « *celui-là même qu'on appelait Lindon le Terrible à l'époque des
grands procès de l'épuration* » déclarait
au journaliste Jacques Parrot : « *Depuis
vingt ans, on a fusillé beaucoup plus de
condamnés qu'on n'en a guillotinés.* »
Il a réuni ses souvenirs de magistrat
sous un titre badin : « *A quoi tiennent
les choses* », qu'édita Robert Laffont. Il
est également l'auteur d'un ouvrage intitulé : « *Livre de l'amateur de froma-
ges* », ce qui fit dire au féroce Henri
Jeanson, qui n'était pourtant pas l'ami
politique des fusillés de l'épuration :
« *Il doit forcément préférer la tête de
mort.* » (Cf. *La Presse*, 13-11-1961.)

LIOCHON.

Syndicaliste, membre du Syndicat du
Livre, nommé le 23 janvier 1941 au
Conseil National (voir à ce nom).

LIOT (Robert, Henri).

Fonctionnaire, né à Royan (Charente-
Inférieure) le 18 septembre 1908. Inspecteur central des Contributions directes
et du cadastre. Sénateur du Nord depuis
1952. Membre de l'*U.N.R.*

LIPKOWSKI (Jean-Noël de).

Homme politique, né à Paris le 25 décembre 1920. Fils de Mme Irène de Lipkowski, née Irène Auguste-Marie, anc.
député. Petit-fils du Dr Marie, ancien
conseiller général de la Seine. Bien que
les titres étrangers ne soient pas admis
en France (sauf lorsqu'ils sont reconnus
par le chef de l'Etat au moment de la
naturalisation de l'intéressé), M. de Lipkowski, depuis qu'il est député gaulliste,
a fait ajouter dans les annuaires le titre
de « comte ». (Cf. *Who's Who* 1963-1964.
Avant, lorsqu'il était radical mendésiste,
il était inscrit au *W.W.* sans aucun titre.)
Rallia le général De Gaulle dès juin 1940,
s'engagea dans les F.F.L. en octobre 1943.
Attaché de consulat et affecté à divers
postes (1945-1949). Secrétaire des Affaires Etrangères (1er janvier 1951). Consul
adjoint à Madrid (1952). Membre de la
délégation française à l'O.N.U. (1953).
Directeur adjoint du cabinet du Résident
général de France en Tunisie (1954-
1955). Directeur adjoint du cabinet du
Résident Général de France au Maroc
(1955). Conseiller des Affaires Etrangères
(1er janvier 1956). Elu député radical
mendésiste de Seine-et-Oise (1re circ.) le
2 janvier 1956 (avec l'investiture de
L'Express). Fut le premier parlementaire
à demander, le 16 mai 1958, le retour du
général De Gaulle, après avoir proposé,
avec son collègue Robert Hersant, le partage de l'Algérie (l'année précédente).
Battu le 30 novembre 1958 comme candidat de l'*Union Démocratique du Travail* (U.D.T.). Elu député *U.N.R.* de la
Charente-Maritime (5e circ.) le 25 novembre 1962. Réélu le 12 mars 1967.

LISTE NOIRE.

Liste de personnes, de livres, de journaux, de groupements, etc., jugés indésirables et frappés d'ostracisme. Les autorités allemandes d'occupation avaient
établi, en 1940, la *liste noire* des livres
qu'elles frappaient d'interdit. A la Libération des *listes noires*, d'écrivain notamment, furent publiées dans la presse.
Jean Galtier-Boissière a prétendu que

certains journaux ont dressé une *liste noire* où figurent des noms d'hommes politiques, de journalistes, d'écrivains, d'artistes qu'il ne faut imprimer à aucun prix. Le fait est que, dans quelques quotidiens et hebdomadaires parisiens, diverses personnalités politiques ne sont jamais mentionnées.

LISTE UNIQUE.

Dans les démocraties populaires, le système dit de la *liste unique* permet de ne présenter aux suffrages des électeurs qu'une seule liste réunissant les représentants des partis ou groupements choisis par les communistes. Les dirigeants du *Front National* le proposèrent en France, après la Libération, pour éliminer plus sûrement l'opposition, mais ils ne furent pas suivis.

LITOUX (Pierre).

Cultivateur, né à Saint-Lyphard (Loire-Atlantique), le 7 juillet 1902. Maire de Saint-Lyphard depuis 1929. Membre de l'*Alliance France-Israël*. Elu député *U.N.R.* de la Loire-Atlantique (7e circ.) le 25 novembre 1962, contre le député sortant, Bernard Le Douarec, ex-*U.N.R.*, exclu par le parti gaulliste. Suppl. d'Olivier Guichard, élu en mars 1967.

LIVRE BLANC. LIVRE BLEU. LIVRE GRIS. LIVRE JAUNE. LIVRE ORANGE. LIVRE ROUGE.

Documentation diplomatique de divers ministères des Affaires étrangères, appelée ainsi en raison de la couleur de la couverture. *Blanc* : Allemagne ; *bleu* : Grande-Bretagne ; *gris* : Belgique, Japon ; *jaune* : France ; *orange* : Hollande ; *rouge* : Autriche, Espagne, Turquie.

LIVRES ET LECTURES.

Revue mensuelle ayant pris la suite, en quelque sorte, de *La Revue des Lectures* (voir à ce nom), fondée par l'abbé Bethleem. Les publications et les livres y sont examinés du point de vue catholique, avec une certaine rigueur, mais, semble-t-il, avec équité. Ses collaborateurs paraissent cependant infiniment moins « à droite » que ceux de *La Revue des Lectures*. Très répandue dans les presbytères des pays de langue française où l'on tient compte de ses avis et de ses critiques (184, avenue de Verdun, Issy-les-Moulineaux).

LOBBY (pluriel : lobbies).

Mot anglais signifiant couloir. C'est dans les *couloirs* du Capitole de Washington que les députés américains rencontrent leurs électeurs ou les personnes venus les voir. Par ext., on désigne sous le nom de *lobby*, les groupes qui exercent ou tentent d'exercer une pression sur les parlementaires, les ministres, les hauts fonctionnaires, la presse, etc., pour les amener à adopter leur point de vue ou à défendre leurs intérêts particuliers même à l'encontre de l'intérêt général.

LOCARNO (esprit de) (Voir : Briand).

LOHEAC (Pierre).

Agriculteur, né à Spézet, le 6 juillet 1893. Maire de sa ville natale. Elu député du Finistère en 1936. Inscrit au groupe des *Républicains Indépendants d'Action Sociale*. Vota pour le maréchal Pétain en 1940.

LOIRE REPUBLICAINE (La).

Quotidien radical de Saint-Etienne, fondé en 1885 et dirigé, avant 1939, par Benoît Bonche. Disparu pendant la guerre.

LOLIVE (Jean).

Ouvrier cimentier, né à Brignais (Rhône), le 6 juin 1910. Militant communiste. Participa à la résistance après l'entrée en guerre de l'Allemagne contre l'U.R.S.S. Déporté à Mathausen (1943). Membre du Conseil Syndical des Cimentiers et Maçons d'Art. Anc. conseiller général du Ve secteur de la Seine (1953-1959). Anc. sénateur de la Seine (8 juin 1958). Maire de Pantin. Député communiste de la Seine (44e circ.) depuis 1958.

LOMBARD (Georges).

Avocat, né à Paris le 14 mars 1925. Elu conseiller municipal de Brest en 1953, adjoint au maire en 1954 et maire en 1959 ; réélu maire en 1962 et en 1965. Fut député de la 2e circ. du Finistère de 1958 à 1962. Elu à nouveau le 12 mars 1967 (indépendant).

LOMBARD (Jean).

Ouvrier horloger, puis journaliste (1854-1891). Militant socialiste, participa au fameux congrès ouvrier de Marseille (1879) et fut l'un des principaux rédacteurs de *La France Moderne*.

LONGCHAMBON (Henri).

Professeur, né à Clermont-Ferrand (P.-de-D.), le 27 juillet 1896. Professeur de minéralogie à la faculté des sciences de Montpellier, puis à celle de Lyon, doyen de la faculté des sciences de Lyon, directeur du Centre national de la recherche scientifique appliquée. Participa à la Résistance. Nommé préfet du Rhône à la Libération, puis commissaire de la République pour la région Rhône-Alpes, fut ministre du Ravitaillement (gouvernement Gouin, 1946), secrétaire d'Etat à la recherche scientifique (gouvernement Mendès-France, (1954-1955). Sénateur des Français établis hors de France, depuis 1947, inscrit au groupe de la *gauche démocratique*, est vice-président du Conseil supérieur des Français de l'étranger et président de l'*Union des Français de l'étranger*. Auteur de nombreux ouvrages.

LONGEQUEUE (Louis, Jean, André).

Pharmacien, né à Saint-Léonard-de-Noblat (Haute-Vienne) le 30 novembre 1914. Maire de Limoges. Membre du Conseil Médical de la Résistance. Secrétaire du Comité de Libération de Limoges (1944). Elu conseiller municipal de Limoges en 1944, adjoint au maire en 1947 et maire de Limoges en 1956. Conseiller général du canton Ouest de Limoges. Député *S.F.I.O.* de la Haute-Vienne (3e circ.) depuis 1958.

LONGUET (Jean).

Homme politique (1876-1938). Militant du *Parti Socialiste Français* (avant l'unité), puis de la *S.F.I.O.*, rédacteur à *l'Humanité*, fut chargé par le congrès socialiste de Strasbourg (février 1920) de prendre contact avec Moscou, en compagnie de Marcel Cachin, mais ne suivit pas ce dernier au *Parti Communiste* après la scission de Tours. Député *S.F.I.O.* de la Seine, de 1914 à 1919 et de 1932 à 1936.

LOPEZ (René, François).

Directeur de société, né à Oran, le 8 septembre 1918. Fils de modestes fonctionnaires, petit-fils d'un authentique défricheur qui vit le jour à Bou-Sfer, en 1854. Il prit part à la guerre de 1939-1945 (grand invalide, médaillé militaire, Légion d'honneur) et, dès sa démobilisation (1945), alors qu'il enseignait au collège Pasteur, il jeta les bases de l'association *Rhin et Danube* en Algérie, en collaboration avec le colonel Bouvet. Partisan de l'Algérie française, il connut à deux reprises, comme il dit, « *l'inconfortable hospitalité offerte par les argousins du moment* ». Ancien vice-président du Conseil régional d'Oranie, « hexagonal » depuis le 1er juillet 1962, René Lopez poursuit son combat au sein des comités nationaux des grandes associations d'anciens combattants.

LORGERIL (comte Christian de).

Agriculteur, né à Henon (Côtes-du-Nord), le 12 février 1885, mort dans l'Aude en octobre 1944. Officier de dragons pendant la Première Guerre mondiale, puis attaché militaire à La Haye. Retiré dans sa propriété de l'Aude et s'y livrant à l'agriculture, fut le président de la Fédération d'*Action française* de son département en même temps que l'un des animateurs des organisations viticoles. Considéré comme l'un des fidèles du maréchal Pétain par la Résistance, sous l'occupation, cet ancien combattant des deux guerres (volontaire à cinquante-cinq ans en 1939), titulaire de la Croix de guerre et de la médaille de Verdun, eut une fin horrible. Relatant cette abominable affaire, *l'aube*, le quotidien du *M.R.P.*, écrivait le 16 novembre 1950 : « *Parce qu'il possédait un vaste domaine et un château historique, et sous le prétexte qu'il avait toujours professé des idées monarchistes, les ignobles individus l'ont arrêté le 22 août 1944 et torturé atrocement. Complètement nu, le malheureux dut d'abord s'asseoir sur la pointe d'une baïonnette. Puis, il eut les espaces métacarpiens sectionnés, les pieds et les mains broyés. Les bourreaux lui transpercèrent le thorax et le dos avec une baïonnette rougie au feu. Le martyr fut ensuite plongé dans une baignoire pleine d'essence à laquelle les sadiques mirent le feu. Leur victime s'étant évanouie, ils la ranimèrent en l'aspergeant d'eau pour répandre ensuite sur ses plaies du pétrole enflammé. Le malheureux vivait encore. Il ne devait mourir que cinquante-cinq jours plus tard dans des souffrances de damné !* »

LORRAIN (Le)

Quotidien fondé à Metz (Lorraine annexée par l'Allemagne) en 1883. Le chanoine Henri Collin, futur sénateur, en assuma la direction dès 1887. Sous son impulsion, le journal fut le porte-parole du *Bloc lorrain* qui résistait à la germanisation. L'abbé Charles Ritz, conseiller général de la Moselle, disparu au début de l'année 1939, dirigea *Le Lorrain* pendant de longues années. Après la guerre, la direction du journal fut assurée par Jules Annéser et Paul Durand, puis par Léon Chadé, lorsque le quotidien eut été absorbé par *L'Est Républicain* qui en fit son édition pour la Moselle (16, rue des Clercs, Metz).

LORULOT (André, Georges).

Journaliste et conférencier (1885-1963). Il travailla très jeune dans l'imprimerie et milita, très tôt également, dans les milieux libertaires, fit partie de l'équipe de *l'Anarchie* fondée par Libertad, puis créa *L'Idée Libre* (1911), qui vécut près d'un demi-siècle. Avant la guerre de 1914-1918, il publia « *Les théories anarchistes* » (1913) qui eurent un succès d'estime parmi les *compagnons*. Celui qu'il écrivit en 1922, intitulé : « *Chez les loups* », lui valut, par contre, de solides inimitiés dans les milieux libertaires. « *Cet éreintement, cette caricature transparente, outrée, souvent injuste, souleva des polémiques acerbes et sépara irrémédiablement André Lorulot de ses amis d'avant-guerre dont il était l'orateur écouté et l'écrivain apprécié.* » (Louis Louvet, in *Contre-courant*, n° 113, 1963.) Pendant une quarantaine d'années, il sillonna la France, prenant la parole dans les plus modestes bourgs pour y répandre l'athéisme, affrontant les grands orateurs du mouvement catholique (l'abbé Viollet, le professeur Mélandre, etc.). Son anticléricalisme virulent s'exprimait également dans un journal populaire, *La Calotte*, qui eut son heure de succès malgré — ou peut-être en raison — de son caractère outrancier. Dans les dernières années de sa vie, outre la direction de *La Calotte* et de *L'Idée libre*, ses deux publications personnelles, il assuma la présidence de la *Fédération Nationale des Libres-Penseurs de France et de l'Union Française* et dirigea son organe, *La Raison*. On le disait franc-maçon, mais le *Bulletin hebdomadaire des Loges de la Région Parisienne*, aussi bien en 1923 et 1924, qu'en 1932, ne l'ont jamais qualifié de *frère*, ce qui laisserait supposer qu'il ne l'était point. Il a laissé un grand nombre de brochures et de livres, dont : « *La Franc-Maçonnerie et la guerre* », « *Barbarie allemande et barbarie universelle* », « *Pourquoi je suis athée* » (préfacé par Han Ryner), « *Véridique histoire de l'Eglise* », « *La vie comique de Jésus* », « *Histoire des Papes* », etc., ainsi que divers ouvrages d'un caractère très particulier tels que « *Fleur-de-Poisse* » et « *L'Education sexuelle et amoureuse de la femme* ».

LOSTE (Henry).

Administrateur de sociétés, né à Bordeaux, le 27 mai 1899. Conseiller de l'Union Française (1952-1958). Sénateur indépendant des Iles Wallis et Futuna (septembre 1962). Administrateur de la société *Le Nickel* (fief de la banque *de Rothschild frères*).

LOSTE (Hervé-Marie).

Administrateur de Stés, né à Villenave-d'Ornon, le 29 mai 1926. Fils du précédent. Directeur des *Etablissements Ballande* à Nouméa. Elu député des Iles Wallis et Futuna le 25 mars 1962, réélu le 3 décembre 1962 s'inscrivit au groupe des *Républicains Indépendants*.

LOUBET (Emile).

Homme politique, né à Marsanne (Drôme), en 1838, mort à Labégude (Ardèche), en 1929. Candidat modéré de la gauche, franc-maçon, il fut élu président de la République le 18 février 1899 contre Paul Deschanel, candidat des modérés. Au lendemain de l'élection, Clemenceau écrivait dans *L'Aurore* : « *C'est un modéré, sans doute, mais ce n'est pas une souche de modération. L'esprit est ouvert et même fort avisé. C'est un républicain bonhomme doublé d'un finaud du Midi* », tandis que Drumont affirmait dans *La Libre Parole* : « *C'est le président des escrocs et des traîtres.* » Pendant son septennat, fort agité, les controverses entre républicains et conservateurs prirent — en particulier pendant le « grand ministère » Waldeck-Rousseau (1899-1902), les cabinets Combes (1902-1905) et Rouvier (1905-1906 — un caractère passionné, notamment à l'occasion de l'affaire Dreyfus (conseil de guerre « révisionniste » de Rennes, grâce, puis réhabilitation le 12 juillet 1905), de l'affaire des « fiches » dans l'armée et de l'affaire Syveton, de l'affaire des inventaires, et des congrégations et de la loi du 9 décembre 1905 sur la séparation des Eglises et de l'Etat, suivie de la rupture des relations diplomatiques avec le Vatican (à la suite de la visite de Loubet au roi Victor-Emmanuel III alors en conflit ouvert avec le Pape). La présidence de Loubet fut encore marquée par la loi sur les associations, l'Exposition universelle de 1900, la participation de nos troupes à la guerre des Boxers en Chine, les troubles antisémites d'Algérie, la guerre russo-japonaise, la signature de la Triple Entente (Angleterre, France, Russie) s'opposant à la Triple Alliance ou Triplice (Allemagne, Autriche, Italie), le « coup de Tanger » et la conférence d'Algésiras. Il termina son septennat le 18 février 1906 et se retira de la vie politique active, tout en demeurant membre du *Comité Mascuraud* (*Comité Républicain du Commerce et de l'Industrie*) très actif aux diverses élections. Il fut, probablement, le seul président de la République qu'un adversaire osa « rosser ». Loubet reçut, en effet, de violents coups de canne, en pleine affaire Dreyfus : son agresseur, le baron Cristiani, antidreyfusard, fut sévèrement condamné.

LOUIS-ANTERIOU (Jacques ANTE-RIOU, dit).

Administrateur de sociétés, né à Privas (Ardèche), le 20 janvier 1920. Fils de l'ancien ministre Louis Antériou, député de l'Ardèche (1887-1931). Fonctionnaire au ministère de l'Intérieur (1943), devint chef de cabinet du directeur de la Sûreté nationale à la Libération, puis le collaborateur d'Emile Bollaert, de Henri Queuille, de Paul Devinat, d'André Cornu. Entré à la direction générale de l'E.D.F. (1955), fut nommé secrétaire général de la Société *Facel* (1958). Est actuellement président-directeur général de la *Compagnie française d'études et de recherches* (*Cofer*), président du *Groupement de construction industrialisée* (*Figess*), administrateur des *Chantiers navals de La Ciotat*, de la *Compagnie européenne de matériels* (*Cema*), de la *société S.E.A.L.* et conseiller à la direction générale des *Etablissements Brissonneau et Lotz*. Adepte de la Franc-Maçonnerie comme son père, fut tour à tour ou simultanément : secrétaire général adjoint du *Rassemblement des Gauches Républicaines*, président des *Jeunesses Radicales-Socialistes* et membre du bureau du *Parti Radical et Radical-Socia-*

Le « roi du blé » vu (en 1934) par l'un des futurs animateurs de Courrier Royal.

liste. Président du *Club des Montagnards* en 1958, accueillit avec joie la fin de la IVe République et considéra « *comme légitime, la révolution d'Alger du 13 mai* » (cf. *Le Montagnard*, juin 1958).

LOUIS-DREYFUS (Louis).

Banquier, né à Zurich (Suisse), le 6 septembre 1867. Fils aîné de Léopold Dreyfus, fondateur de la célèbre banque. (Par décret du 16 août 1896, les Dreyfus furent autorisés à s'appeler *Louis-Dreyfus* pour se distinguer du capitaine). Déjà associé de la banque et attiré par la politique, il avait fourni, en même temps que son frère Charles, des fonds à Jaurès pour fonder la société éditrice de *l'Humanité*, moyennant quoi le leader socialiste le fit élire député radical de la Lozère (1905). Changeant son fusil d'épaule aux élections suivantes, il fut élu grâce aux voix libérales des amis de Piou, l'une des vedettes du monde parlementaire catholique d'alors. *L'Almanach de l'Action Libérale* se félicita, l'année suivante, de ce succès. Mais ces palinodies finirent par indisposer les électeurs : Louis Louis-Dreyfus fut battu en 1910. Il ne put revenir au parlement que vingt et un ans plus tard, en décembre 1931, grâce aux voix collectées par les curés des Alpes-Maritimes auxquels on avait soigneusement caché que leur candidat était membre du *Grand-Orient de France* depuis 1896 (il avait été initié le 13 décembre 1896 à la Loge *L'Etoile Polaire*). Il se fit ensuite élire sénateur dans le même département. Pendant la guerre de 1914-1918, les affaires de la maison *Louis Dreyfus et Cie* connurent une prospérité inimaginable. Le ravitaillement de l'armée française fut d'un excellent rapport. Son attitude fut alors diversement appréciée. Après la Première Guerre mondiale, grâce aux très substantiels profits des marchés militaires, la flotte de la maison *Louis Dreyfus* s'enrichit de nouvelles unités. Elle possédait une filiale à Londres : *Paris Markes Ltd*, et une à Buenos-Aires : la *S.A.F.I.F.* En 1926, la maison reprit contact avec la Russie. Les Louis-Dreyfus avaient-ils retrouvé au commissariat du Commerce extérieur soviétique une de leurs relations d'affaires d'avant 1914 ? C'est possible. Toujours est-il qu'on annonça de Riga que le gouvernement de l'U.R.S.S. avait signé un accord avec *Louis-Dreyfus et Cie* autorisant ceux-ci à acheter des grains pour l'exportation. Entre 1930 et 1939, la maison s'intéressa aux marchés d'Extrême-Orient. En 1937, *Le Journal de Changhaï* signala que le marché de soja, à Kharbine en Mandchourie, était contrôlé par deux trusts japonais auxquels se joignaient *l'Est-Asiatique Danois* et *Louis-Dreyfus et Cie*. Outre ses affaires de blé, Louis Louis-Dreyfus — que Léon Daudet appelait « Double-Louis » — contrôlait alors le groupe de presse *L'Intransigeant-Match-Pour Vous,* et s'intéressait au journal *L'Epoque*, de Henri de Kerillis, qu'il soutint de ses deniers tout en faisant une quête pour lui (voir le document photographique reproduit page 583). Il était aussi consul général de Roumanie, ce qui facilitait grandement ses affaires. Réquisitionnée en 1939, la flotte Louis-Dreyfus se trouva scindée en deux lorsque le maréchal Pétain, approuvé par le sénateur Louis-Dreyfus (qui vota la délégation des pouvoirs constituants le 10 juillet 1940), signa l'armistice. Une partie travailla pour les Alliés, l'autre fut placée sous le contrôle de Vichy. Le chef de la maison étant mort le 10 novembre 1940, dans son fief des Alpes Maritimes où il s'était retiré, la couronne et le sceptre passèrent à ses fils qui, de Buenos-Aires, prirent en main les affaires internationales de leur entreprise, tandis que leur siège à Paris, rue de la Banque, était affecté au Commissariat Général aux Questions Juives. Sa banque, dirigée par le sénateur Jean Filippi, ancien ministre, est toujours l'une des premières de France.

LOUSTAUNAU-LACAU (Georges).

Officier, né à Pau (B.-P.), le 17 avril 1894, mort à Paris, le 11 février 1955. Ancien officier d'ordonnance du maréchal Pétain (1934-1938). Créa, en 1936, un premier réseau, *Corvignolles,* composé d'officiers d'active et de réserve, chargé de détecter les activités communistes dans l'armée. Puis fonda *La Spirale* et l'*Union Militaire Française,* et publia une revue mensuelle, *Barrage,* consacrée à l'étude du mouvement communiste, à laquelle succéda, en décembre 1938, *L'Ordre National,* organismes et publications qualifiés de *cagoulards* et d'antisémites par leurs adversaires. Avait alors adopté le pseudonyme de Navarre. Signa avec Doriot un *pacte anti-communiste* que reproduisit *La Liberté* (19-10-1938). Créa, le 8 décembre 1938, l'*Association de Défense de la Nation* (J.O., 16-12-1938), qui avait pour objectif de provoquer la dissolution et l'interdiction du *Parti Communiste.* Au début de la guerre, caserné dans l'Est, avait chargé son adjointe, Mme Méric (aujourd'hui Marie-Madeleine Fourcade), de diriger ses organisations et sa presse, de la rue de Courty où était installé son P.C.

politique. Ayant accusé Anatole de Monzie, alors ministre des Travaux publics, de compromission avec les Allemands dans une affaire financière au lendemain de l'autre guerre, fut incarcéré d'ordre de Daladier. Fut libéré en mai 1940 et participa aux durs combats de la retraite comme il l'avait fait en 1914-1918. Après l'armistice, fut interné à Evaux, avec Edouard Herriot et Léon Jouhaux, puis déporté en Allemagne. Dans ses « *Mémoires d'un Français rebelle* », figure une relation — peut-être un peu arrangée mais dans l'ensemble fort vraisemblable — de ses aventures politico-militaires. Candidat d'opposition dans les Basses-Pyrénées en juin 1951, représenta ce département à l'Assemblée nationale jusqu'à sa mort. Ce non-conformiste, qui s'était rapproché des nationaux après la guerre, se brouilla avec eux, à nouveau, lorsqu'il prôna l'entente avec l'Est après plusieurs voyages effectués en Pologne.

Georges Loustaunau-Lacau.

LOUSTEAU (Kléber).

Homme politique, né à Romorantin (L.-et-C.) le 5 février 1915. Ouvrier ajusteur puis fonctionnaire de l'Intérieur. Anc. chef de groupe à l'Office national interprofessionnel des céréales pendant l'occupation. Membre du Comité consultatif de l'utilisation de l'Energie. Membre du Comité directeur du parti *S.F.I.O.* A la Libération, chargé des fonctions de sous-préfet de Romorantin (3° cl.) (24 août 1944-7 mai 1946). Membre de la 2° Assemblée Constituante (2 juin-10 novembre 1946). Député *S.F.I.O.* de Loir-et-Cher depuis le 10 novembre 1946. Sous-secrétaire d'Etat à l'Agriculture (Cab. Guy Mollet, 1956-1957). Secrétaire d'Etat à l'Equipement et au Plan agricoles (Cab. Bourgès-Maunoury, 1957). Représentant de la France au parlement européen (déc. 1962).

LOUVEL (Jean-Marie).

Ingénieur, né à La Ferté-Macé (Orne), le 1er juillet 1900. Elu, à la Libération, membre des deux Assemblées constituantes, puis, en 1946, député républicain populaire du Calvados, siège qu'il conserva jusqu'en 1958, ministre de l'Industrie et du Commerce (gouvernements Bidault 1950, Queuille 1950, Pleven 1951, Queuille 1951, Pleven 1951, Edgar Faure 1952, Pinay 1952, René Mayer 1953, Laniel 1953-1954), sénateur du Calvados, apparenté au groupe républicain populaire, depuis 1959. Maire du Vésinet, puis de Caen, appartient au comité directeur de l'Association des maires de France. Président de la *Compagnie générale d'électricité.*

LOZERAY (Henri).

Ouvrier typographe (1898-1952). Militant communiste, membre de la Commission de contrôle financier du *P.C.*, élu député de la Seine en 1936. Resté fidèle au parti, appartint au « *Groupe Ouvrier et Paysan* » constitué après le pacte germano-soviétique, fut exclu de la Chambre et condamné à cinq ans de prison.

LUCA (Charles GASTAUT, dit).

Journaliste, né le 10 octobre 1920. Neveu de Mme Marcel Déat. Fils d'un militant socialiste qui quitta la *S.F.I.O.* en 1933 avec Marquet, Renaudel et leurs amis. Créa, avec quatre jeunes camarades, en 1947, la *Formation de Préparation Militaire Antoine de Saint-Exupéry*, qui fut dissoute par le ministre de l'Intérieur Jules Moch en novembre 1949. Fonda ensuite le Mouvement *Citadelle* qui se transforma ensuite en *Parti Socialiste Français*, puis en *Phalange Française*, frappée de dissolution en 1958. Constitua, au lendemain du 13 mai, le *Mouvement Populaire Français*, et fit campagne pour le *non* au référendum de septembre 1958, maintenant par la suite son opposition à la V° République et au général De Gaulle.

LUCHAIRE (Jean).

Journaliste, né à Sienne (Italie), le 21 juillet 1901. Petit-fils de l'historien A. Luchaire, fils de Julien Luchaire, directeur de l'*Institut français* de Florence, puis de l'*Institut de Coopération Intellectuelle*, il étudia au milieu des merveilles florentines et ne vint en France que pour y passer ses examens (baccalauréat, puis licences de Lettres et de Droit). A douze ans, il fonda sa première revue : *Les Jeunes Auteurs* (1913-1924) et à quatorze, il créa et dirigea la *Ligue latine de la Jeunesse*. Il n'était pas encore majeur lorsqu'il entra à *L'Ere Nouvelle*, le quotidien radical parisien, dont il écrivit plus tard l'éditorial. Il passa ensuite au *Matin*, puis au *Petit Parisien*, où il fut le second rédacteur diplomatique. Au cours des années qui suivirent, sa signature parut dans *L'Homme Libre, L'Europe Nouvelle, Le Carnet de la Semaine, L'Information, Le Petit Journal*, etc. Dans les années 30, il fut le collaborateur d'Albert Dubarry, personnage balzacien que Léon Daudet n'appelait jamais autrement que « *le voleur de portefeuille* ». Il dirigeait la rédaction de son journal, *La Volonté*, avec Bernard Lecache comme adjoint. Il dirigea aussi un quotidien radical, *La Voix*, qui fut absorbé plus tard par *La République*, d'Emile Roche. Membre du *Parti Radical-Socialiste*, il anima en 1927 les *Jeunesses Radicales* et exerça longtemps une influence non négligeable sur les éléments jeunes de la rue de Valois, enthousiasmés par les idées d'Aristide Briand. Mais c'est à *Notre Temps*, qu'il fonda en 1927, que Jean Luchaire donna le meilleur de lui-même. Il était alors le familier de Briand, ministre quasi-inamovible des Affaires étrangères, précurseur de l'Europe de Jean Monnet et de Robert Schuman. Avec l'aide financière du Quai d'Orsay, il transforma son journal en bi-mensuel, puis en hebdomadaire. Au III° Congrès franco-allemand des Jeunesses, tenu à Mayence du 20 au 26 mars 1932, il fit la connaissance d'un jeune social-démocrate allemand, professeur de dessin, qui travaillait comme lui au rapprochement franco-allemand, et qui lui donna même quelques articles, dont l'un était assez dur pour le national-socialisme. Ce colla-

borateur allemand de *Notre Temps*
s'appelait Otto Abetz (voir : *Notre
Temps*). Homme de gauche, Jean Luchaire accueillit avec allégresse l'avé-
nement de Léon Blum et soutint avec
ardeur son gouvernement de Front
populaire en 1936-1937. Il n'en fut pas
moins mis au ban de la gauche antifasciste, en 1938, lorsque l'ancien protégé de Briand approuva la politique
pacifique de Georges Bonnet et applaudit
aux accords de Munich. Accusé alors
de « *pactiser avec le nazisme* », il fut
violemment attaqué par ses anciens
amis, parmi lesquels Bernard Lecache,
dont le journal *Le Droit de Vivre* avait,
cependant, compté le directeur de *Notre
temps* parmi ses amis. Retiré en province de juillet 1934 à mars 1940,
Luchaire rentra à Paris en avril et fit
reparaître *Notre Temps* grâce aux subsides de L.-O. Frossard alors ministre
de l'Information. Il participa à l'exode
de juin 1940, comme beaucoup de ses
concitoyens, et se retrouva dans les
Landes lorsque fut signé l'armistice. Il
se rendit alors à Vichy, se mit à la disposition du gouvernement et reçut
mission du président Laval de renouer
avec Otto Abetz que Hitler venait de
nommer ambassadeur. Il fut ainsi, pendant de longues semaines, un intermédiaire discret entre le vice-président du
Conseil français et le représentant diplomatique du gouvernement allemand.
Puis Bunau-Varilla, qui n'avait pas
gardé un trop mauvais souvenir de son
ancien collaborateur, lui confia la rédaction en chef du *Matin*. Mais Luchaire
avait d'autres ambitions : le 1er novembre 1940, il lança, avec l'argent d'amis
fortunés, et de l'industriel Marcel Boussac, un quotidien du soir : *Les Nouveaux Temps* (voir à ce nom). C'était
un journal du format du *Temps,* mais
infiniment moins austère que l'organe
officieux qu'il visait à remplacer. Il
avait naturellement bénéficé, au départ,
d'un appui précieux : celui de son ami
Otto Abetz, qui sut l'imposer à la tête
des organisations professionnelles de
presse créées sous l'occupation : la *Corporation Nationale de la Presse Française*, qu'il présidait, le *Groupement
Corporatif de la Presse Périodique*, présidée par René Baschet, l'un des « patrons » de *L'Illustration,* le *Groupement
Corporatif des Agences Françaises de
Presse* et le *Groupement Corporatif de
la Presse Quotidienne de Paris. Les
Nouveaux Temps* furent, pendant quatre
ans, à la pointe de la collaboration tout
en étant sourdement combattu par les
fascistes et les nationalistes qui le
taxaient de « crypto-maçonnisme » en

raison du nombre important d' « initiés » collaborant à la feuille vespérale
de Luchaire. Réfugié en Allemagne
après un court séjour à Saint-Dié où
s'étaient repliés les services diplomatiques d'Abetz (cf. « *Pétain à Sigmaringen* », par André Brissaud, Paris 1966),
l'ancien directeur des *Nouveaux Temps*
s'employa à lancer un nouveau journal.
Après quelques tribulations — nombre
de journalistes réfugiés lui refusèrent
leur collaboration —, Jean Luchaire parvint à faire paraître à Sigmaringen un
quotidien destiné aux Français du S.T.O.
et aux « nouveaux émigrés ». Ce journal
s'appelait *La France* (voir à ce nom).
Entre-temps, installé à Baden-Baden,
avec sa femme et ses filles Corinne,
l'actrice de cinéma, Florence et Monique — son fils était S.T.O. quelque part
en Allemagne et son père n'avait pas
quitté Saint-Dié — Luchaire avait été
nommé commissaire à l'Information de
la Commission gouvernementale créée
par F. de Brisson pour succéder au gouvernement Pétain-Laval, sous le nom de
« *Délégation française pour la Défense
des Intérêts nationaux* ». C'est d'ailleurs
sous les auspices de cette *délégation*
qu'avait été lancé *La France*. Après
l'effondrement de l'Allemagne, Jean
Luchaire se réfugia en Italie, son pays
natal ; mais il y fut arrêté avec sa fille
Corinne et finalement transféré en
France où il fut traduit devant la Cour
de justice de la Seine. Sur réquisitoire
de Raymond Lindon, il fut condamné à
mort le 22 janvier 1946. Il affronta avec
courage le peloton d'exécution le
22 février 1946. Ce « cynique », comme
avait dit le commissaire du gouvernement, s'était converti au catholicisme
dans sa prison.

LUCCHINI (Albert).

Comptable, né à Marseille, le 10 juillet 1899. Conseiller général et député
S.F.I.O. des Bouches-du-Rhône (1936-
1942). Vota pour le maréchal Pétain le
10 juillet 1940.

LUCIANI (Emile).

Représentant de commerce, né à Paris,
le 28 octobre 1913 Ancien prisonnier de
guerre. Elu député poujadiste de la
Somme le 2 janvier 1956. Inscrit à
l'*U.F.F.* (groupe poujadiste) ; quitta ce
groupe le 8 novembre 1956 (au moment
de l'expédition de Suez qu'il approuvait). Conseiller général du canton de
Ham (27 avril 1958). Membre dirigeant
du *Mouvement National d'Action Civique et Sociale* (fondé par Louis Alloin).
Rejoignit le gaullisme après le retour du

général De Gaulle au pouvoir. Réélu député *U.N.R.* en 1958, 1962 et 1967.

LUDRE (comte Armand Thierry de).

Journaliste, né à Paris, le 30 juillet 1903. Fils du comte Ferri de Ludre, député de Nancy de 1902 à 1915 ; petit-fils de l'historien de Ludre, membre de l'Académie Stanislas, et, par sa mère, du comte de Maillé, parlementaire de Maine-et-Loire pendant trente-trois ans ; cousin de von Papen, l'homme d'Etat allemand, du baron Nothomb, l'industriel belge, et du comte Louis de Vienne, ancien diplomate et administrateur de filiales *Schneider* du Creusot. Il appartenait à une famille jouissant d'une grande considération dans l'aristocratie et le monde des affaires. Licencié d'histoire, il fut d'abord attaché d'ambassade à Berlin (1927-1928), puis journaliste. Il collabora à divers journaux et notamment à *L'Ordre*. Partisan du rapprochement franco-allemand, il avait été l'ami de Gustav Stresemann et entretenait des rapports suivis avec des personnalités politiques et mondaines du Reich. Ce fut, en juin 1940, le prétexte de son arrestation (d'ordre de Georges Mandel, ministre de l'Intérieur) en même temps que Charles Lesca et Alain Laubraux, de *Je suis partout*, Clément Serpeille de Gobineau, petit-fils de l'auteur de l' « *Inégalité des Races Humaines* », et le baron Robert Fabre-Luce, cousin de l'écrivain et écrivain lui-même. Incarcéré à la Santé, il fut emmené le 12 juin vers le sud, participant ainsi à l'exode, enchaîné et étroitement surveillé par ses gardiens armés. A pied, le convoi de prisonniers atteignit le canal de Briare, puis Jouy ; là, les détenus furent chargés dans des autobus et transportés au camp de Gurs, dans les Basses-Pyrénées, d'où ils furent libérés, après un non-lieu, entre le 29 juin et le 8 août. Thierry de Ludre avait obtenu, lui aussi, un non-lieu, mais on ne put lui rendre la liberté : il avait disparu. Une enquête ordonnée par le Garde des Sceaux révéla que le prisonnier se trouvait bien, le 15 juin au soir, dans la longue colonne qui quitta Cépoy, à sept kilomètres de Montargis, mais qu'il ne répondit pas : *Présent !* à l'appel du 17, au départ d'Avord (Cher). Un témoin devait déclarer que Thierry de Ludre, asthmatique et cardiaque, avait été tué d'un coup de feu parce qu'il ne pouvait plus avancer, et que son corps avait été basculé dans le canal de la Briare (cf. *Le Matin*, 23 octobre 1940). Chargé de mener l'enquête pour le compte du *Petit Parisien*, Morvan Lebesque a retracé dans ce journal (20 octobre 1940) les péripéties de ce long calvaire

d'un ancien attaché d'ambassade devenu son confrère. Bien que la presse du 6 décembre 1940 eût annoncé que le corps de Thierry de Ludre avait été exhumé le 4 décembre et formellement reconnu, l'instruction conduite par le juge Combeau ne permit pas de retrouver le cadavre du prisonnier (le magistrat signa, au début de janvier 1941, une ordonnance d'incompétence, l'affaire étant transmise au parquet de Montargis). *L'Alerte*, de Léon Bailby et de Guillain de Bénouville, accusant (comme la quasi-totalité de leurs confrères) le ministre de l'Intérieur de l'époque, affirmait le 19 novembre 1940 que le malheureux Thierry de Ludre était la victime d' « *une atroce vengeance de Mandel* ». Il est impossible de souscrire à de tels propos, car aucun document n'indique que la place Beauvau ait donné l'ordre d'abattre les traînards. Mais il semble bien que cette accusation, maintes fois répétée au cours des années 1940-1944, soit à l'origine de l'assassinat de celui contre qui elle étai portée (1).

LUMIERE (La).

Hebdomadaire d'éducation civique et d'action républicaine laïque, antifasciste. Dirigée par Georges Boris, Albert Bayet, Emile Glay, Georges Gombault (Weisskopf), avec la collaboration de G.-E. Vallois, futur directeur de *Franc-Tireur*, Benjamin Crémieux, Louis Perceau, Salomon Grumbach, Emile Kahn, Alain, Georges Altmann, etc. Fondée en 1926 par des rédacteurs du *Quotidien* mécontents de la nouvelle ligne du journal. Passait alors pour l'organe officieux du *Grand Orient* bien que tous ses dirigeants ne fussent pas maçons.

LUNET DE LA MALENE (Christian).

Homme politique, né à Nîmes (Gard), le 5 décembre 1920. Ancien secrétaire administratif du groupe des *Républicains Sociaux* au Conseil de la République et à l'Assemblée nationale. Conseiller de l'Union française (12 avril 1957-

---

(1) La disparition de Thierry de Ludre survenant peu après l'exécution sommaire des « 21 *fusillés d'Abbeville* » n'a pu que renforcer la conviction de ceux qui crurent à l'assassinat de l'ancien diplomate. L'affaire d'Abbeville, qui fit un certain bruit à l'époque, mais dont on ne parle plus depuis fort longtemps, fut probablement la première exécution d'*otages* qui eut lieu en France au cours de la dernière guerre. Parmi ces infortunés se trouvaient Joris van Severen, père du Benelux (avant la lettre), et son fidèle compagnon Jan Rijckoort, arrêtés en Belgique, abattus sur l'ordre de l'officier français chargé de les garder. Leur dépouille mortelle repose au cimetière d'Abbeville, où des amis ont fait élever un monument funéraire sur la tombe des disparus.

8 décembre 1958). Député *U.N.R.* de la Seine, (16ᵉ circ.) (30 novembre 1958-25 septembre 1961). Est l'auteur (avec Biaggi) d'une proposition de loi tendant à assujettir journaux et journalistes à des règles draconiennes (travaux forcés pour les gérants, éditeurs, imprimeurs, directeurs et distributeurs de publications portant atteinte au moral de l'Armée). Membre de l'Assemblée parlementaire européenne (1959). Secrétaire d'Etat auprès du Premier ministre, et chargé de l'Infomation (cab. Debré, 1961-1962). Réélu député de la Seine (16ᵉ circ), le 25 novembre 1962 et le 12 mars 1967.

LUR-SALUCES (famille de).

Les Lur sont originaires de Franconie (Allemagne). Etablis en Limousin au xᵉ siècle, puis en Guyenne, l'un d'eux, Jean de Lur, épousa en 1586 la fille unique du marquis de Saluces et reçut de son beau-père les marquisats de Saluces et de Montferrat. Plusieurs Lur-Saluces ont illustré la politique française :

— le comte Henri de LUR-SALUCES, député de la Gironde (1876-1879), puis sénateur de ce département jusqu'à sa mort (1879-1891) ;

— le marquis Amédée - Eugène de LUR-SALUCES, membre de l'Assemblée nationale (1871-1876) et député de la Gironde (1889-1893) ;

— le comte Eugène de LUR-SALUCES (1852-1922), chef d'escadron démissionnaire (1894), qui fut dans le Sud-Ouest le délégué du duc d'Orléans et le chef du mouvement monarchiste dans le Bordelais ; impliqué dans un complot nationaliste et antisémite et condamné par contumace à dix ans de bannissement (1900), fut à sa rentrée en France (1901), arrêté et condamné à nouveau, cette fois à cinq ans de bannissement ; grâcié le 14 juillet 1905 et amnistié en novembre de la même année, reprit son activité politique au sein de la *Ligue d'Action Française* dont il avait été, entre-temps, nommé président d'honneur ;

— le marquis Bertrand de LUR-SALUCES (fils du précédent, né à Melun, le 20 janvier 1888), qui fut le représentant du duc de Guise, puis du comte de Paris, pour le Sud-Ouest, avant la guerre de 1939-45, et qui accueillit si cordialement Khrouchtchev au printemps 1960 en lui prodiguant maints compliments en langue russe.

LUSSY (Charles RUFF, dit).

Journaliste, né à Alger, le 25 septembre 1883. D'abord fonctionnaire des Postes, milita tôt au *Parti Socialiste* dont il fut, à Alger, le secrétaire de section, puis le secrétaire de la Fédération nord-africaine (1909-1910). Entré dans le journlisme, fut rédacteur en chef de *L'Humanité* (1919), puis chef des services politiques de ce journal, devenu l'organe central du *Parti Communiste* (1921). Avec d'anciens membres de ce parti (démissionnaires ou exclus), fonda l'*Union Socialiste-Communiste* (1923) et en devint l'un des dirigeants. Rédacteur en chef du *Soir*, rédacteur politique au *Quotidien* et à *Paris-Soir*, s'affilia à la maçonnerie (initié le 14 octobre 1926 à la Loge *L'Internationale*). Revenu à la *S.F.I.O.*, fut élu député du Vaucluse (1936). S'abstint volontairement de prendre part au vote du 10 juillet 1940. Après la Libération fut, successivement : secrétaire général du *Populaire* (1944-1945), député du Vaucluse (1945-1958), président du groupe socialiste de l'Assemblée nationale, maire de Pertuis (Vaucluse). Quitta, à nouveau, la *S.F.I.O.* en 1958 et devint membre du Comité politique national du *Parti Socialiste Unifié* (1960). S'est affirmé, au cours des années 1957-1962, comme un partisan résolu de l'Algérie française et, depuis plusieurs années, comme un adversaire déterminé de la politique du général De Gaulle.

LUTTE (La).

Plusieurs publications ont porté ce titre. En 1927-1930, *La Lutte*, revue mensuelle nationaliste, avait pour directeur Jacques Ploncard. En novembre 1949, une autre *Lutte,* qui portait en sous-titre: « *Pour l'unité de la nation par la révolution sociale* » vit le jour. Ce journal était lié au *Front des Forces Françaises* dont le secrétaire était R. Paret (futur rédacteur à *France-Observateur*). Collaborateurs : Paul Estèbe, Michel Trécourt, A. Burchardt, Félix Nombel, Jean Rivollet, etc.

LUTTE ANTI-RELIGIEUSE ET PROLETARIENNE (La).

Journal anti-clérical communiste, dirigé par le Dr Galpérine dit G. Levasseur (1933-1937).

LUTTE COMMUNISTE (voir : Parti Communiste révolutionnaire).

LYAUTEY (Pierre, Louis, Henri).

Homme de lettres, né à Châteaudun (E.-et-L.), le 20 janvier 1893. Neveu du maréchal Lyautey. Combattant des deux guerres. Délégué de la *Légion Française des Combattants* auprès des Unions de l'étranger (Vichy, 1940-1942), collaborateur de *La Légion* (1941). Président de la *Société des Gens de lettres* (1964). Auteur de divers ouvrages, dont :

« *Chine ou Japon* », « *Révolution amé-ricaine* », « *La Campagne de France* », « *La Campagne d'Italie* », « *Les Maré-chaux de la Libération* », « *L'Empire colonial français* », « *L'Armée, ce qu'elle est, ce qu'elle sera* », etc.

LYON LIBRE.

Quotidien du soir installé dans les locaux du *Salut Public* de Lyon après la Libération et qui suspendit sa publica-tion après quelques années d'existence difficile.

LYON REPUBLICAIN.

Quotidien fondé en 1878 sous le signe du radicalisme, par Lucien Jantet. Ray-mond Patenôtre en prit le contrôle quel-ques années avant la guerre. Dirigé par Albert Lejeune, homme de confiance du député de Seine-et-Oise, il fut inter-dit en 1944.

LYS ROUGE (Le)

Journal des jeunes socialistes monar-chistes, mouvement fondé en novembre 1944 par Jean-Marc Bourquin, un jeune avoué de Compiègne, qui connut les pires difficultés dans son entreprise. Contraint de changer fréquemment de titre, l'organe du groupe s'appela tour à tour : *La Voix Royale, Les Nouvelles Monarchistes, L'Avant-Garde Royaliste*, etc. avant de disparaître.

M

MAC-MAHON (Marie, Edme, Patrice, comte de).

Officier, né à Sully en 1808, mort à La Forêt en 1893. Descendant d'une famille écossaise établie en France (depuis 1688), par fidélité aux Stuart. Sorti de Saint-Cyr, se distingua comme général à Malakoff (1855) pendant la guerre de Crimée (« *J'y suis, j'y reste* »), puis à la guerre d'Italie où il gagna en 1859 le bâton de maréchal et le titre de duc de Magenta. Gouverneur général de l'Algérie (1864-1870). Commandait en 1870 le 1er corps d'armée battu par le nombre à Reichshoffen, puis la Deuxième Armée, dite de Châlons ; blessé et fait prisonnier à Sedan. Commandant de l'Armée de Versailles chargée de réprimer la Commune (1871). A la chute de Thiers (24 mai 1873), fut élu deuxième président de la République. En dépit de ses opinions notoirement royalistes, refusa de négocier avec le comte de Chambord, prétendant légitimiste. C'est pendant son septennat que furent votées les « lois constitutionnelles de 1875 », en particulier celle du 30 janvier 1875 qui, à une voix de majorité, légitima le mot de République. Dès son entrée à l'Elysée, il avait défini son programme : « *Rétablir l'Ordre moral avec l'aide de Dieu et l'appui des honnêtes gens* » ; d'où une violente réaction de la gauche qui se traduisit plus tard par la célèbre apostrophe de Gambetta : « *Le cléricalisme, voilà l'ennemi !* ». Les élections de 1876 ayant amené le triomphe des républicains, le ministère Jules Simon dût démissionner, sur une loi correctionnalisant les délits de presse, pour être remplacé par le « *ministère de combat* » de Broglie qui prononça la dissolution de la Chambre. Les républicains, qui escomptaient une grande victoire, n'eurent que 327 sièges (au lieu de 363), mais qui leur assuraient la majorité. « *Il faudra se soumettre ou se démettre* », avait dit Gambetta. Sujet, dès lors, à une opposition constante, Mac-Mahon se démit le 30 janvier 1879.

MACHIAVELISME.

Système politique du diplomate italien Machiavel (1469-1527), selon lequel l'hypocrisie et la ruse doivent être employées pour obtenir le pouvoir et le conserver. Les idées de Machiavel sont exposées dans son traité intitulé « *Le Prince* ».

MACQUET (Benoît, Joseph).

Représentant de commerce, né à Berck (P.-de-C.), le 12 février 1914. Ancien officier F.F.L. Trésorier de la *Fédération départementale des déportés et internés de la Résistance*. Membre de l'*Alliance France-Israël*. Elu député *U.N.R.* de la Loire-Atlantique (3e circ.) le 25 novembre 1962. Réélu en 1967.

MADAULE (Jacques, Philippe).

Professeur et homme de lettres, né à Castelnaudary (Aude), le 11 octobre 1898. Fils d'un notaire, agrégé d'histoire et de géographie, il enseigna successivement aux lycées de Tunis et de Poitiers, puis à

Paris, aux lycées Rollin et Michelet. Gagné aux idées progressistes, il devint l'un des propagandistes les plus zélés de la non-résistance au communisme dans les milieux catholiques. Avant la guerre, il prenait volontiers la parole aux côtés des communistes dans des réunions organisées en commun (1936) et collaborait à *Temps présent*, l'hebdomadaire de la gauche catholique qui avait succédé à *Sept*, supprimé par la hiérarchie (1938). Co-directeur (avec François Perroux) de la *Communauté Française*, revue maréchaliste publiée à Paris (1941-1942). Après la guerre, il suivit quelques années le *M.R.P.*, puis milita dans les milieux de la gauche socialiste (*Cartel des gauches indépendantes*). Il fut plusieurs années conseiller municipal, puis maire d'Issy-les-Moulineaux (1949-1952). Son voyage à Moscou, en 1952, a soulevé des commentaires passionnés dans la presse : la propagande communiste utilisa largement, à l'époque, les déclarations qu'il fit à *L'Humanité*, à *Défense de la Paix* et *Ouest-Matin*. Il est également le secrétaire général du Conseil National du *Mouvement de la paix*, organisation para-communiste qui organisa le 19 juin 1966 une « *marche de la paix* » de Paris à Châtillon-sous-Bagneux. Il figure parmi les fondateurs du *Centre d'Action des Gauches Indépendantes* (1954) où se retrouvaient gaullistes de gauche, progressistes-chrétiens et futurs membres du *P.S.U.* Il fit également partie de la direction de l'*Action Civique non violente* spécialement créée pour trouver et imposer une solution pacifique à la guerre d'Algérie. Cependant, ne croyant pas, en 1958, aux bonnes intentions du général De Gaulle en ce qui concernait l'indépendance algérienne, il fut l'un des rares hommes de gauche à faire voter « *non* » au référendum. En 1962, en qualité de membre du comité de la revue *Europe*, il signa l'appel en faveur des membres des réseaux d'aide au *F.L.N.* Depuis 1964, Jacques Madaule préside le *Comité National des Ecrivains* dont on connaît les tendances pro communistes, et les *Amitiés Judéo-chrétiennes*. Il publia diverses études sur Paul Claudel, Dostoïewski, Barrès et Graham Greene, deux ouvrages sur les Juifs, ainsi que « *Le Chrétien dans la Cité* », « *Apocalypse pour notre temps* », « *Le drame des Albigeois et le destin français* ».

MADIRAN (Jean Arfel, dit) (Voir : Itinéraires).

MAFFRAY (Marius).

Négociant en vins, né à Hommes, le 22 mars 1894. Conseiller général et député *S.F.I.O.* d'Indre-et-Loire (1936-1942). Vota pour le maréchal Pétain en juillet 1940.

MAGNAN (Jean, Marie, André).

Homme politique, né à Saint-Etienne (Loire), le 16 juin 1903. Député républicain de gauche de la Loire (1936-1942). Nommé le 23 janvier 1941, membre du Conseil National.

MAGNE (Charles).

Homme politique, né à Gannat (Allier), le 3 avril 1897. Retraité. Ancien fonctionnaire au ministère des Anciens Combattants. Elu conseiller municipal (mai 1935), puis maire de Gannat, le 25 septembre 1945. Conseiller général du canton de Gannat depuis le 30 septembre 1945. Candidat *S.F.I.O.* en janvier 1956, avec l'investiture de *L'Express* (battu). Elu député socialiste de l'Allier (3e circ.) le 25 novembre 1962 contre le député sortant Roger Ginzburger, dit Pierre Villon, communiste.

MAGNE (Raymond, Paul).

Journaliste, né à Martizay (Indre), le 20 novembre 1912, mort à Neuilly-sur-Seine, le 19 juin 1966. Beau-fils de l'écrivain Marcel Aymé. Après de brillantes études secondaires au lycée Descartes de Tours, il s'inscrivit à la faculté de droit de Paris. C'est alors qu'il milita au sein de la *Ligue d'Action Universitaire Républicaine et Socialiste* (*L.A.U.R.S.*), dont Pierre Mendès-France fut l'un des fondateurs et qui était, au cours des années 30, le groupe estudiantin le plus actif de la gauche. Il fit ses premières armes journalistiques dans l'organe de la ligue, *L'Université Républicaine*. Devenu le secrétaire de Marc Sangnier, puis le secrétaire général de la *Ligue Française pour les Auberges de la Jeunesse*, il collabora régulièrement à *la Jeune République* et à *l'Eveil des Peuples*, journaux dirigés par l'ancien *leader* du *Sillon*. Dans ces milieux démocrates-chrétiens, militait un autre disciple de Marc Sangnier, avec lequel Raymond Magne se lia d'amitié : Emilien Amaury. Lorsque celui-ci devint le « patron » du *Parisien libéré*, il l'appela auprès de lui et lui confia bientôt des postes importants dans son groupe de presse. C'est ainsi que Raymond Magne fut, tour à tour, ou simultanément : rédacteur au *Parisien libéré*, rédacteur en chef, puis directeur de *Carrefour*, corédacteur en chef du *Parisien libéré*, chef des services parisiens du *Courrier de l'Ouest*, du *Maine libre* et de *La Liberté du Massif central* (aujourd'hui disparue). Au cours des années 1956-1962, il fit de *Carrefour* l'un des plus ardents défenseurs de la présence française en Algérie.

MAHE (André) (voir : Mouvement Social Révolutionnaire).

MAHIAS (Pierre, René, Jean).

Homme politique, né à Paris, le 5 juillet 1921. Ancien collaborateur de Georges Bidault, directeur du *Monde nouveau*. Elu député *M.R.P.* du Loir-et-Cher (en 1958) et maire de la Ville-aux-Clercs (en 1959). Non réélu aux élections législatives de 1962. Secrétaire général de l'*Association Française pour la Communauté Atlantique* (depuis 1954) et de l'*Association Internationale du Traité Atlantique* (depuis 1965).

MAILLE (Pierre).

Agriculteur, né à Soyécourt (Somme), le 13 décembre 1923. Président de coopérative de conserves, membre du *M.R.P.*, conseiller général de la Somme, maire de sa ville natale, élu sénateur du *Centre démocratique* de la Somme en juillet 1966.

MAILLET (Georges, Louis).

Représentant d'imprimerie, né à Paris le 23 février 1939. Militant nationaliste, partisan de l'Algérie française, fonda en février 1963 l'*Union Française pour l'Amnistie*, dont il est le principal dirigeant.

MAILLOT (Louis).

Agriculteur, né à Barboux (Doubs), le 21 août 1899. Maire de Barboux. Conseiller général du canton du Russey depuis le 17 avril 1955. Elu sénateur indépendant du Doubs le 20 octobre 1957 (malgré l'opposition du marquis de Moustier, alors partisan de Pierre Mendès-France) en remplacement de M. Tharradin, républicain socialiste décédé. Militant d'extrême-droite se rallia au gaullisme après le 13 mai et se présenta comme « *candidat national indépendant d'action sociale et rurale* ». Elu député de la 3e circ. du Doubs en 1958, s'inscrivit au groupe *U.N.R.* Réélu en 1962. Supp. d'Edgar Faure, élu en 1967.

MAINE (René BOYER, dit).

Journaliste, né à Paris, le 24 juillet 1907. Fut, dans l'entre-deux-guerres : directeur du *Réveil Normand* et rédacteur à *L'Intransigeant*, *Paris-Midi*, *L'Echo de Paris*, secrétaire de rédaction de *Paris-Soir*, rédacteur en chef de *Match*. Pendant l'occupation dirigea la rédaction de *Paris-Soir*, replié à Toulouse (1940-1944), du *Monde Illustré* (1944-1945), de *Quatre et Trois* (1945-1946), de *L'Intransigeant* (1947), de *Paris-Presse* (1947-1960). Après avoir dirigé quelque temps le *Nouveau Candide* (1960-1961), est devenu le directeur-rédacteur en chef du *Journal du Dimanche*. Auteur de plusieurs livres d'histoire maritime.

MAINE LIBRE (Le).

Quotidien centre-droit fondé en août 1944, ayant pris la place du journal *La Sarthe* et du *Régional de l'Ouest* interdits à la Libération. Dirigé par P.-M. Train. Tirage : 60 000 exemplaires. Appartient au groupe de presse du *Parisien libéré* (Emilien Amaury) (28, 30, place de l'Eperon, Le Mans, Sarthe).

MAINGUY (Paul).

Médecin radiologiste, né à Bourg-la-Reine (Seine), le 31 août 1908. Président du IVe secteur de l'*Association Rhin et Danube*. Vice-président de l'Amicale des Médecins de Banlieue Sud. Conseiller municipal de Bourg-la-Reine (ancien maire). Député *U.N.R.* de la Seine (53e circ.) depuis 1958. Eut droit à la « une » de tous les journaux de France le 23 janvier 1962 : il avait été enlevé par l'O.A.S. et libéré aussitôt par la police. Partisan farouche du général De Gaulle et constatant que l'*O.R.T.F.*, par la voix des chansonniers, « critiquait » chaque samedi le général De Gaulle, demanda, par « question écrite » au ministre de l'Information « *s'il ne serait pas possible de trouver à Paris des chansonniers qui seraient capables de faire rire le monde sans prendre systématiquement pour cibles le Chef de l'Etat et le Premier ministre* » (*Le Monde*, 2-5-60).

MAIRE.

Choisi parmi les conseillers de la commune et élu par eux, le *maire* est le premier officier municipal. Ses fonctions consistent à représenter la municipalité auprès des pouvoirs publics et à servir d'agent d'exécution au pouvoir central en ce qui concerne les lois et règlements, l'état civil, le maintien de l'ordre sur le territoire de la commune. Le conseil municipal de la ville de Paris n'a pas de maire élu, mais un président. Paris eut cependant un maire sous la Révolution, ainsi qu'en 1848 et en 1871. En raison de l'importance que prendrait, sur le plan politique, un *maire de Paris*, le gouvernement préfère que les fonctions habituellement dévolues au maire d'une commune soient exercées conjointement par le préfet de la Seine et le préfet de police, secondés par les vingt maires d'arrondissement nommés par décrets.

MAISON DE LA CULTURE (La).

Inaugurée en avril 1934, comptait en 1936 près de 50 000 membres. Sous influence communiste groupait alors : l'*Association des Ecrivains et Artistes Révolutionnaires* (voir : *Commune*) ; l'*Union des théâtres indépendants de France* (Charles Vildrac, Louis Jouvet, Charles Dulin, Gaston Baty, Ludmilla Pitoëff, Colonna Romano, André Berley, Michel Simon, Paul Colin, Tony Grégory, Vidalin, Jacques Chabannes, H.-R. Lenormand, Harry Baur) ; *la Fédération musicale populaire* (Charles Koechlin, Cantrelle, Etcheverry, de l'Opéra, Roger Désormières, Georges Auric, Henry Sauveplane) ; *L'Alliance du cinéma indépendant* (*Ciné-Liberté*) (Jean Renoir, Jacques Feyder, Germaine Dulac, Jean Painlevé, Henri Jeanson, Gaston Modot, René Lefèvre, Léon Moussinac, L.-P. Quint) ; *Les peintres et sculpteurs de la Maison de la sculpture* (Goerg, Gromaire, F. Léger, A. Lhote, Lipchitz, Masereel, J. Lurçat) ; *L'Art mural* (*Président :* Saint-Maur) ; *Les Architectes* (Le Corbusier, alias Jeanneret, A. Perret, Chareau, F. Jourdain, A. Lurçat, Ch. Perrian) ; *Les Jeunes architectes, décorateurs, urbanistes ; Les Amis de* Commune.

MAITRON (Jean).

Ecrivain, auteur de divers ouvrages d'histoire sur les révolutionnaires français, notamment « *Au temps des bombes* », « *Histoire du Mouvement anarchiste* » et « *Dictionnaire biographique du Mouvement ouvrier français* ». Directeur du *Mouvement Social* (voir à ce nom).

MAJORITE.

Ensemble de voix donnant la supériorité par le nombre des suffrages réunis. Dans une élection, la *majorité absolue* est une *majorité* réunissant au moins la moitié des voix exprimées plus une ; la *majorité relative* est un groupement de suffrages supérieur en nombre à celui de chacun des autres concurrents.

MALLARME (André).

Sénateur d'Alger, nommé le 23 janvier 1941, membre du *Conseil national* (voir à ce nom).

MALLERET-JOINVILLE (Alfred MAL-LERET, dit).

Employé d'assurances (1911-1960). Mi-litant communiste, membre du Comité central du parti, chef d'E.-M. des *F.F.I.* (sous le nom de : général Joinville). Elu député aux deux Constituantes (1945-1946), puis à l'Assemblée nationale (1946-1958).

MALLET (Bernard, Marie, Joseph).

Industriel, né à Vincennes, le 27 mars 1900. Gendre de l'industriel Brissonneau. Président-directeur général des *Anciens Etablissements Brissonneau et Lotz*. Président des *Comités directeurs de l'Action Française (Aspects de la France*) à la mort du comte Olivier de Roux.

MALLET (Serge).

Journaliste, né à Bordeaux (Gironde), le 20 décembre 1927. Participa à la Résistance dans les Charentes. Après la Libération, collaborateur de divers journaux d'extrême-gauche et correspondant départemental du quotidien communiste *Ce Soir*. Un peu plus tard, secrétaire de *Travail et Culture*, l'organisation culturelle syndicaliste proche de la *C.G.T.* Co-fondateur du groupe *Tribune du communisme* qui se fondit ensuite dans le *P.S.U.* Ancien membre du comité de rédaction d'*Arguments* et de la *Nouvelle Revue Marxiste ;* ancien collaborateur des *Temps Modernes* et d'*Esprit.* Membre du comité de rédaction de *France-Observateur*, puis du *Nouvel Observateur*. Secrétaire de la commission nationale agricole du *Parti Socialiste Unifié*. Est, en outre, chef de travaux à l'Ecole Pratique des Hautes Etudes à la Sorbonne.

MALLEVILLE (Jacques-André-Pierre).

Homme politique, né à Bordeaux (Gironde), le 27 juillet 1929. Attaché à la Grande Chancellerie de la Légion d'Honneur. Président du Judo-Club de l'Alhambra de Paris. Secrétaire d'administration au ministère des Finances (depuis 1949). Chef du secrétariat particulier (à titre officieux) de Gaston Palewski, ministre délégué à la Présidence du Conseil (1955). Attaché aux cabinets des ministres Chaban-Delmas (1957-1958) et Michelet (1958). Député *U.N.R.* de Paris (10ᵉ circ.) depuis 1958. Membre de l'Assemblée de l'Union Européenne occidentale. Fut, pendant quatre mois, gérant de trois sociétés filiales du *Comptoir National du Logement* (affaire Pouillon), dont la *Société Immobilière du 56, avenue de Neuilly*, à Neuilly (devenue depuis janvier 1963 la *Société Immobilière Neuilly Bergerat*).

MALLIAVIN (René, Pierre).

Journaliste, né à Paris le 31 mai 1896. Gendre de l'ancien vice-président du Conseil municipal de Paris et président du Conseil général de la Seine Georges Delavenne. Ancien collaborateur du président Paul Deschanel. Directeur des *Écrits de Paris* et de *Rivarol*. Editorialiste de ces deux publications sous le pseudonyme de Michel Dacier, est considéré comme l'un des meilleurs journalistes. En raison de son attitude antigouvernementale, a fait l'objet de très nombreuses poursuites et de plusieurs condamnations pour délits de presse.

MALON (Benoît).

Militant politique, né à Prétieux (Loire), le 23 juin 1841, mort à Asnières, le 14 septembre 1893. Considéré par les uns comme le fondateur d'une nouvelle école socialiste, par d'autres comme le continuateur de Marx. La conception « *trop générale et, partant trop simple de l'histoire sociale* (de K. Marx), *Malon entreprit de la modifier ou plutôt de l'agrandir en faisant intervenir les notions de justice et de droit* » a dit le socialiste Fournière. Cet ancien ouvrier teinturier, condamné pour activité révolutionnaire sous l'Empire, poursuivi comme communard en 1871, exilé à Genève où il fonda *La Revanche*, et rentré en France après l'amnistie, fut l'un des principaux théoriciens du socialisme français de la fin du XIXᵉ siècle. Fondateur de *La Revue Socialiste* en 1885, véritable tribune des diverses tendances socialistes de l'époque. Exposa ses conceptions politiques, économiques et sociales dans plusieurs ouvrages dont : « *Histoire du socialisme et des prolétaires* », « *Manuel d'économie sociale* », « *L'évolution sociale et le socialisme* », « *Le socialisme intégral* », « *Agiotage de 1715 à 1870* », etc. Edouard Drumont qui connut Benoît Malon, qui qui l'aima et l'admira bien qu'il ne fût point de son bord, écrit à son propos, dans « *Figures de bronze ou statues de neige* » (Paris 1900) : « *Quelle énergie morale, quelles conquêtes sur le sommeil, sur le repos, sur le plaisir n'a-t-il pas fallu à un autodidacte comme Malon, qui commence comme homme de peine dans une teinturerie, pour devenir un de nos premiers écrivains socialistes !... Les sociologues de l'avenir devront étudier cette individualité, s'ils veulent connaître dans un type, sinon exceptionnel, du moins un peu au-dessus de la moyenne, ce que furent, à la fin du XIXᵉ siècle, la formation intellectuelle, les idées, la fa-*

Benoît
Malon.

çon de vivre d'un homme du peuple qui avait été membre de la Commune... »

MALRAUX (André).

Homme de lettres, né à Paris, le 3 novembre 1901. Fils d'un banquier. Premier mari de l'écrivain Clara Malraux, née Goldsmidt. Chargé de mission au Cambodge (1923), fit l'objet de critiques particulièrement graves. Participa ensuite à la guerre civile chinoise et appartint au Kuomintang. Président du *Comité mondial anti-fasciste*, du *Comité Dimitrov* et du *Comité Thaelman* (1933). Commandant dans l'aviation rouge espagnole pendant la guerre civile (1937-38). Sous le nom de « Colonel Berger », dirigea les *F.F.I.* de Lot-et-Garonne et de Corrèze. Ancien membre dirigeant du *M.L.N.*, co-fondateur de l'*U.D.S.R.* et ancien membre du Conseil de direction du *R.P.F.* Ministre de l'Information (cabinet De Gaulle, 1945-1946) et ministre délégué à la Présidence du Conseil (cabinet

L'AFFAIRE
Malraux-Chevasson
L'arrêt de la Cour

La Chambre Correctionnelle de la Cour d'Appel de Saigon a tenu ce matin une audience ordinaire sous la présidence de M. le Conseiller Gaudin, assisté de MM. d'Hooghe et Léonardi.

La Cour, rendant son jugement dans l'affaire du vol des bas-reliefs d'Angkor, a condamné M. Malraux à un an de prison avec sursis et son complice M. Chevasson à 8 mois d'emprisonnement avec sursis.

De Gaulle, 1958). Ministre d'Etat (cabinet Debré, 1959). Ministre d'Etat chargé des Affaires culturelles (cabinets Pompidou, depuis 1962). Dirige l'*Association pour la V*^e *République* qui a donné l'investiture gaulliste aux candidats non-*U.N.R.* en 1962. Bien qu'il eût collaboré avant la guerre à *L'Humanité*, à *Regard* et à *Commune* et qu'il eût combattu dans les rangs communistes en Chine, puis en Espagne, n'aurait jamais été inscrit au *P.C.F.* Auteur de nombreux ouvrages dont : « *La Tentation de l'Occident* » (1926), « *Les Conquérants* » (1928), « *La Voix royale* » (1930), « *La Condition humaine* » (1933), « *Le Temps du mépris* » (1935), « *L'Espoir* » (1937), « *Saturne* » (1949), « *Le Musée imaginaire de la sculpture mondiale* ».

MALRIC (Ernest).

Industriel, né à Rabastens, le 23 décembre 1883. Député radical-socialiste du Tarn (1932-1942). Vota pour le maréchal Pétain le 10 juillet 1940.

MALVY (Louis, Jean).

Avocat (1875-1949). Originaire de Figeac. Radical-socialiste, représenta le Lot de 1906 à 1942 — sauf pendant la période 1919-1924, en raison de sa condamnation en Haute Cour pour l'affaire du *Bonnet Rouge* (voir : *Almereyda*).

MAMEAUX (René).

Journaliste, né à Rouen, le 23 mars 1914. Directeur et rédacteur en chef du journal indépendant *Le Courrier du Loiret*. Ecrit parfois sous le pseudonyme de Patrice Lannier.

MAMY (Georges, Jean).

Journaliste, né à Allassac (Corrèze), le 14 novembre 1921. Fut d'abord employé de banque et dirigeant d'un mouvement de jeunes (1936-1942), puis entra dans la Résistance et devint journaliste à la Libération. Rédacteur politique à *L'Aube* jusqu'en juillet 1951, puis au *Monde* jusqu'en octobre 1961, entra à *France-soir* dont il est le chef du service politique.

MANCEAU (Bernard).

Directeur de journaux, né à Cholet, le 10 avril 1908. Fils d'Anatole Manceau, sénateur conservateur du Maine-et-Loire (1925-1941). Avocat, administrateur de compagnies d'assurances, président de la Fédération internationale de l'horlogerie, président de la *Société d'études et d'impression technique et républicaine* (S.A.T.R.), gérant de la firme *Manceau et Cie* (fournitures industrielles), directeur de *l'Intérêt de l'Ouest, l'Intérêt choletais, l'Intérêt saumurois* et *l'Intérêt européen* (1963). Membre du comité de direction de la *Revue politique des idées et des institutions*. Fut député de Maine-et-Loire, inscrit au *Centre National des Indépendants*, de 1951 à 1958. Appartient au *Rotary-Club* et au *Cercle républicain*.

MANCEAU (Robert).

Cheminot, né à Sainte-Jamme-sur-Sarthe (Sarthe), le 12 février 1913. Ajusteur à la S.N.C.F. Membre du Bureau du Syndicat des Cheminots (depuis 1934). Secrétaire de la Fédération de la Sarthe du *P.C.F.* Membre de la 2e Assemblée constituante (2 juin-10 novembre 1946). Elu député communiste de la Sarthe à la 1re Assemblée nationale le 10 novembre 1946. Réélu en 1951 et 1956. Battu en 1958. Conseiller général du 3e canton du Mans depuis le 24 avril 1955. Elu à nouveau député de la Sarthe (2e circ.) en 1962. Réélu en 1967.

MANCHE LIBRE (La).

Journal centriste fondé à Coutances, le 26 novembre 1944 et animé par J. et M.-E. Leclerc qui en ont fait l'hebdomadaire le plus lu dans le département : 50 000 exemplaires (Boîte postale 2, Saint-Lô).

MANDAT.

En politique intérieure : fonctions dévolues par les électeurs à un député. Au temps de la Société des Nations, le *mandat international* était une souveraineté temporaire donnée à un pays sur un territoire ; la France reçut ainsi, après la Première Guerre mondiale, un mandat sur la Syrie et le Liban, qui avaient été enlevés à l'Empire ottoman, ainsi que le Togo et le Cameroun, anciennes colonies allemandes. Ces pays sous mandat ont proclamé leur indépendance, les deux premiers à la fin de la Seconde Guerre mondiale, les seconds depuis le retour au pouvoir du général De Gaulle.

MANDEL (Louis ROTHSCHILD, dit Georges).

Homme d'Etat, né à Chatou, le 5 juin 1885. Il débuta dans la presse et la politique auprès de Clemenceau, et collabora à *L'Homme libre*, puis à *L'Homme enchaîné* et fut, de 1917 à 1920, le chef de cabinet du « Tigre ». Elu député de la Gironde en 1919, il fut battu en 1924, mais prit sa revanche en 1928 et fut réélu en 1932 et en 1936. Entre-temps, il était devenu maire et conseiller général de Soulac. Il présida la Commission du Suffrage universel (1929 et 1932) et appartint à la Commission d'enquête parlementaire de l'affaire Stavisky (1934). Il eut pour la première fois un portefeuille dans le cabinet Flandin (1934-1935) et appartint aux cabinets Bouisson (1935), Laval (1935-1936), Sarraut (1936) en qualité de ministre des *P.T.T.* A la fois autoritaire et dissimulé, il se fit, à l'époque, de sérieux ennemis non seulement parmi les parlementaires mais aussi dans les syndicats. En 1936, le *Syndicat National des Agents des P.T.T.* lui consacrait tout une brochure dans laquelle il révélait les méthodes employées par Mandel lorsqu'il était ministre des Postes et Télégraphes. On apprit ainsi qu'il se faisait communiquer les copies des télégrammes reçus par les hommes politiques et que les conversations téléphoniques de certains personnages intéressant plus particulièrement le ministre étaient également captées et enregistrées au Central par les fonctionnaires de la « table d'écoute » : « *M. Flandin, président du Conseil, trouvait lui-même que son collaborateur allait un peu fort* », lisait-on dans cette brochure, « *mais les tables d'écoute fonctionnent toujours à plein rendement. Comme la discrétion est de rigueur dans ce domaine, c'est au directeur des services téléphoniques lui-même que M. Mandel a confié ce service bien spécial (...) Depuis, le volume de ces « renvois » a augmenté dans des proportions considérables, et notre directeur ne pouvant suffire à la besogne, a dû faire appel à la main-d'œuvre subalterne. Le « service » s'est perfectionné. Ce sont trois vérificateurs de l'I.E.M. qui ont été chargés de la besogne. Et le chômage ne les a pas encore atteints ! Nantis de la liste quotidienne, ils vont, au hasard des répartiteurs, « cueillir » les lignes d'abonnés auxquels M. Mandel porte un intérêt particulier. Tout le monde y passe à tour de rôle : ambassadeurs, hommes politiques, journalistes, associations — particulièrement celles d'anciens combattants — sont pris en écoute ou abandonnés suivant l'intérêt du moment.* » Bien que considéré comme un grand ministre, Mandel ne participa ni aux cabinets présidés par Léon Blum, ni à celui constitué par Camille Chautemps. Soucieux de contrebalancer l'hostilité ouverte de la gauche par une plus grande influence sur la droite, qu'il voulait désarmer, il racheta *L'Ami du Peuple* à Pierre Taittinger et tenta d'en faire l'organe quotidien d'une partie des nationaux. Mais l'opération échoua, et le journal fondé

par Coty disparut. Entre-temps, Edouard Daladier, qui appréciait les qualités de l'ancien collaborateur de Clemenceau tout en les redoutant un peu, lui confia le portefeuille des Colonies dans son cabinet de centre-gauche constitué en avril 1938 et le lui conserva dans les deux suivants (1939-1940). Paul Reynaud garda Mandel, mais lui confia l'Intérieur (mars 1940). Considéré par la droite et par les pacifistes de gauche comme un « belliciste », il s'attira de solides haines dans divers milieux. Les attaques de *Je suis partout* lui furent particulièrement pénibles, et il résolut, en juin 1940, d'y mettre fin en faisant arrêter pour germanophilie quelques-uns de ses rédacteurs en même temps que l'écrivain Robert Fabre-Luce et le comte Thierry de Ludre. Les premiers furent libérés par le gouvernement Pétain et mis hors de cause par la justice militaire, mais le comte de Ludre disparut au cours d'un transfert pénitentiaire, abattu, croit-on, par ses gardiens qui auraient reçu des ordres très stricts du ministère de l'Intérieur (voir : *Thierry de Ludre*). Ayant pris place à bord du *Massilia*, qui gagna le Maroc, Georges Mandel fut arrêté dans le Protectorat par ordre du gouvernement Pétain et ramené en France où il fut emprisonné en attendant d'être traduit devant la Haute Cour de Justice. Il fut tour à tour détenu à Chazeron, Vassard, Pellevoisin, Vals, Le Portalet. En novembre 1942, lorsque les Allemands eurent envahi la zone Sud, il fut emmené par eux et envoyé à Oranienburg, puis dans la prison bavaroise de Léon Blum. Laval, ayant toujours promis qu'il ne le livrerait pas aux Allemands, protesta contre cette déportation. Finalement, les Allemands rendirent l'ancien ministre au gouvernement de Vichy. Mais il ne regagna jamais la zone Sud. Après cette longue et pénible détention, Georges Mandel fut, comme Thierry de Ludre, abattu au cours d'un transport, sur la route de Fontainebleau, par ceux qui étaient chargés de le convoyer (7 juillet 1944). Vingt ans après cette fin affreuse, l'ancien directeur de *Je suis partout* devenu académicien, Pierre Gaxotte, écrivait dans *Le Figaro* qu' « *il est peu d'hommes aussi méconnus* ». Rendant un hommage public à ce « *Disraéli français* » (Marcel Lucain *dixit*), la IV⁰ République a donné son nom à l'une des plus belles voies de notre capitale et lui a fait élever un monument, en forêt de Fontainebleau, à l'endroit où il fut assassiné.

MANIFESTE.
Déclaration publique faite par écrit,

d'un souverain, d'un chef de parti ou d'un groupe de personnalités exprimant ses idées, rendant compte de sa conduite dans le passé, ou définissant les objectifs qu'il se propose d'atteindre.

MANIFESTE DES 121.

Déclaration rendue publique en octobre 1960, dans laquelle les 121 signataires, appartenant aux milieux de gauche et d'extrême-gauche, se prononçaient ouvertement pour le droit à l'insoumission dans la guerre d'Algérie. Parmi les signataires figuraient le romancier Maurice Blanchot, le journaliste Claude Lanzmann, l'agent de publicité Jean Schuster, l'écrivain Daniel Guérin, l'éditeur François Maspero, Edouard Petit, directeur de la revue *Phases*, les professeurs Vidal-Naquet et Jehan Mayoux, une dizaine d'attachés de recherches au *C.N.R.S.*, Robert Morel, directeur du *Club du Livre Chrétien*, etc.

MANIFESTE COMMUNISTE.

Programme publié en 1848 par Karl Marx et Engels sous forme de brochure et servant de base à la doctrine marxiste.

MANIFESTE DES 60.

A l'occasion des élections complémentaires de 1864, soixante artisans signèrent un manisfeste rédigé par Tolain et Henri Lefort, pour soutenir des candidatures ouvrières. Les signataire le soumirent à Proudhon puis le rendirent public le 17 février 1864. Il fut comme le prélude à la fondation de la 1re Internationale : « ... *Le droit politique égal implique un droit social égal. La bourgeoisie, notre aînée en émancipation, dut, en 1789, absorber la noblesse et détruire d'injustes privilèges. Il s'agit pour nous, non de détruire les droits dont jouissent justement les classes moyennes, mais de conquérir la même liberté d'action... La liberté, le crédit, la solidarité, voilà nos rêves. La misère n'est pas d'institution divine. Nous voulons, non l'aumône, mais la justice. Nous ne haïssons pas les hommes ; nous voulons changer les choses.* » Aubert, Baraguet, Bouyer, Cohadon, Coutant, Carrat, Dujardin, Kin, Ripert, Moret, Tolain, Murat, Lagarde, Royanez, Garnier, Rampillon, Barbier, Revenu, Guénot, Limousin, Louis Aubert, Audoint, Hallereau, Perrachon, Piprel, Rouxel, Rainot, Vallier, Vanhamme, Vespierre, Blanc, Samson, Camélinat, Michel, Voirin, Langreni, Secrétand, Thiercelin, Chevrier, Loye, Vilhem, Messerer, Faillot, Flament, Halhen, Barra, Adinet, Camille Mauzon, Chiron, Bibal, Oudin, Chéron, Morel, Capet, Arblas, Cohu, Beaumont et Delahaye (aïeul du journaliste J.-M. Aimot, président des *Amis du Socialisme français et de la Commune*). C'est parmi eux que se recrutèrent les organisateurs et les adhérents du premier et du deuxième bureau français de la 1re Internationale.

MANŒUVRE.

Moyens détournés pour obtenir le résultat escompté. Les *manœuvres électorales* sont les moyens mis en œuvre pour piper leurs suffrages. Les *manœuvres de diversion* ont pour but de détourner l'attention de l'adversaire ou des électeurs en mettant l'accent sur une question secondaire.

MANOUVRIER (Abel).

Journaliste, né à Valenciennes le 24 août 1883, mort à Paris le 14 juin 1963. Ancien élève de Louis Dimier, en classe de philosophie. Jeune avocat, il débuta vers 1900 dans le journalisme. Il collabora à *La Revue syndicaliste* — où il publia un article remarqué sur Drumont —, au *Panache*, puis à *L'Action française* où il tint la chronique judiciaire pendant une trentaine d'années, à *Candide*, à *Ric et Rac* et à *Je suis partout*. Après la guerre, il participa à la renaissance de l'*Association de la Presse Monarchique et Catholique*, dont il fut le vice-président, collabora à *Paroles françaises*, à *Aspects de la France* et aux *Libertés françaises*. Il présida les *Amis de Rivarol* et, quelques mois avant sa mort, les *Amis d'Edouard Drumont*, qu'il contribua à fonder avec Hubert Biucchi.

MARÇAIS (Philippe, André).

Universitaire, né à Alger (Algérie), le 16 mars 1910. Professeur à la Médersa de Constantine (1934-1936), d'Alger (1936-1938), directeur de la Médersa de Tlemcen (1938-1947). Professeur à la faculté des lettres d'Alger (1947-1962), puis doyen (1957-1958). Député d'Alger à l'Assemblée nationale (1958-1962). Professeur à Nantes (1962-1964), puis professeur à l'Ecole nationale des langues orientales vivantes depuis 1964. Trésorier du *Comité Tixier-Vignancour* (1964-1965). Auteur d'ouvrages de linguistique arabe, d'ethnographie et de sociologie nord-africaine.

MARCELLIN (Raymond).

Avocat, né à Sézanne (Marne), le 19 août 1914. Elu député du Morbihan depuis 1946. Sous-secrétaire d'Etat à l'Intérieur (cabinet Queuille, 1948-1949), à l'Industrie et au Commerce (cabinet Bidault, 1949-1950), à la Présidence du Conseil (cabinets E. Faure et A. Pinay, 1952), à l'Information (cabinet Pinay, 1952), à la Fonction publique et à la Réforme administrative (cabinet Félix Gaillard, 1957-1958). Conseiller général du canton de Sarzeau (depuis 1953). Ancien membre du Comité directeur du Centre National des Indépendants et Paysans. Ministre de la Santé publique et de la Population (cabinets Pompidou, 1962). Appartient à l'état-major des Républicains Indépendants de Giscard d'Estaing.

MARCENET (Albert Emile).

Militant politique, né à Champvoux (Nièvre), le 19 octobre 1918. Chef du personnel aux usines Simca (Nanterre). Ancien inspecteur de l'enseignement technique. Vice-président du Comité ouvrier gaulliste. Membre du Comité central de l'U.N.R. Député de la Seine (31e circ.) de 1958 à 1967.

MARCHANDEAU (Paul).

Avocat, né à Gaillac, le 10 août 1882. Ancien bâtonnier de l'Ordre à Reims, conseil des syndicats viticoles, il s'intéressa très tôt à la politique. Appuyé par la loge La Sincérité de Reims, à laquelle il s'était affilié en s'installant dans la cité du champagne (il avait été initié à la loge Orion, de Gaillac, à l'âge de vingt-deux ans), ce républicain courtois et disert entra au Conseil municipal de la ville martyre en 1919. Il en devint bientôt le rapporteur du budget, puis il fut maire; en cette qualité, et aussi comme avocat, il joua un rôle prépondérant dans le financement des dommages de guerre. Candidat radical à diverses élections, il se fit élire député, pour la première fois, à une élection partielle, le 28 février 1926. Il fut constamment réélu par la suite, et représenta Reims au Palais-Bourbon jusqu'à la guerre. Son ami Chautemps lui confia, en 1930, un demi-maroquin (à l'Intérieur) et il en eut un autre (à la Présidence du Conseil) dans les cabinets Steeg (1930) et Herriot (1932). Puis Chautemps en fit un ministre du Budget (1933-1934), Daladier, un ministre des Finances (1934), Doumergue, un ministre de l'Intérieur (1934) et Flandin, un ministre du Commerce (1934-1935). Après une éclipse de près de trois ans, il eut de nouveau un portefeuille, celui des Finances, dans les cabinets Chautemps (1938), Daladier (1938-1939), avec un court passage à celui de la Justice (cabinet Daladier) durant lequel il signa (avril 1939) un décret-loi sur la presse, qui met les Israélites à l'abri des attaques. Président de l'Association des Maires de France depuis 1934, il conserva ces fonctions sous l'Etat français. Cela lui valut, à la Libération, de sérieuses difficultés avec les épurateurs, d'autant plus qu'il avait été favorable au maréchal Pétain le 10 juillet 1940. Non seulement il fut déclaré inéligible, mais son quotidien, L'Eclaireur de l'Est, qui rayonnait sur cinq départements, fut interdit (comme la plupart des journaux ayant continué leur publication pendant l'occupation). Les services rendus à la République et aux républicains par l'ancien ministre radical furent oubliés.

MARCHANDS DE PAPIER.

Terme péjoratif donné aux entreprises de presse qui ne sont que des affaires commerciales, par opposition à celles qui obéissent principalement à des mobiles politiques ou d'ordre spirituel.

MARCHE COMMUN.

Nom courant donné à la Communauté Economique Européenne, fondée le 25 mars 1957 à Rome par le Benelux (Belgique, Hollande, Luxembourg), la France, l'Italie et l'Allemagne de l'Ouest (R.F.A.) prévoyant l'adaptation des six économies nationales aux nécessités communes par la suppression progressive des barrières douanières et l'harmonisation de la production des Etats membres. Ses adversaires lui reprochent de précipiter la concentration et d'éliminer les entreprises moyennes au profit des grosses.

MARCILHACY (Pierre-Henry).

Avocat, né à Paris, le 14 février 1910. Fils de Maurice Marcilhacy, avocat au conseil d'Etat et à la cour de cassation. Anc. rédacteur et secrétaire de rédaction de Paris-soir (1936-1939). Inscrit au barreau de Paris en 1940, défendit devant les tribunaux des résistants, dont plusieurs chefs communistes. Elu conseiller général de Jonzac, canton que sa famille représente depuis 1852 à l'assemblée départementale. Sénateur de la Charente (depuis 1948). Membre du Sénat de la Communauté. Anc. membre du comité consultatif constitutionnel (1958). Partisan du OUI en septembre 1958. Désapprouva l'action du gouvernement contre les « insurgés des barricades » (1960). Membre de l'Alliance France-Israël. Président du groupe sénatorial d'Amitié France-Hollande. Il a épousé, d'ailleurs, une Hollandaise, petite-fille du « Lyautey des Indes néerlan-

daises ». Ancien membre du groupe des Républicains Indépendants du Sénat. Proposa (mai 1960) de substituer le régime présidentiel au régime d'alors. Déposa (mars 1961) une proposition de loi « *tendant à la création d'une commission de vérification des fortunes et revenus des membres du Parlement, du Conseil Constitutionnel et des Grands Corps de l'Etat* ». (Ce projet ne fut jamais examiné par l'Assemblée.) Rapporteur du projet de loi sur l'amnistie au Sénat (1963). Auteur d'un projet de loi tendant à l'élection d'un vice-président de la République (avril 1964). A voté contre les crédits militaires, la force de frappe et délégué ses pouvoirs, plusieurs fois, à des collègues socialistes. Désigné comme candidat à l'élection présidentielle par la *Convention Nationale Libérale* d'avril 1965. Après une campagne très courte et d'une grande dignité, obtint un demi-million de voix le 5 décembre 1965. Auteur de « *Les Chouans de la Liberté* » et, sous le pseudonyme de Pierre Debassac, de deux romans : « *La Musique de tante Aurèle* » et « *Le lion et la Demoiselle* ». Détail particulier : mesure 2,01 m.

MARCILLAC (Jean JEANNIN, dit).

Journaliste, né à Paris, le 16 octobre 1902. D'abord publicitaire et cinéaste, puis journaliste à la *R.T.F.* et producteur d'émissions à *Europe n° 1* et *Radio-Luxembourg*.

MARCUS (Claude).

Publicitaire, né à Paris, le 28 août 1924. Neveu de Marcel Bleustein-Blanchet. Directeur commercial puis directeur général adjoint et, enfin, depuis mars 1962, directeur général de *Publicis*. Administrateur de *Régie-Presse*, de *Cinéma et Publicité*, de la *Régie Publicitaire des Transports Parisiens*. Ancien dirigeant de la *Ligue Internationale contre l'Antisémitisme*.

MARÉCHAL (Jeanne PRUNIER, Vve).

Directrice de journal, née à Paris, 13°, le 30 mars 1885. Veuve de Maurice Maréchal (mort en 1943), fondateur du *Canard Enchaîné*. Directrice du fameux hebdomadaire satirique et présidente de la S.A. *Les Editions Maréchal-Le Canard Enchaîné*. Pour un article ayant entraîné condamnation à une petite amende (5 000 F), a été privée de ses droits civiques (juillet 1963).

MARÉCHAL (Le) (voir : Association pour défendre la mémoire du maréchal Pétain).

MARETTE (Jacques).

Homme politique, né à Paris le 21 septembre 1922. Participa à la Résistance. Rédacteur à *France-soir* et à *Combat* (sous le pseudonyme de Jean Michelet) (1947). Conseiller technique d'Edouard Ramonet, ministre de l'Industrie et du Commerce (1958-1959). Secrétaire général adjoint de l'*U.N.R.* (1959), conseiller municipal de Paris et conseiller général de la Seine (1959). Proclamé sénateur de la Seine en remplacement de M. Edmond Michelet (1959). En tant que « cadre de l'Industrie » fut membre du Conseil Supérieur de l'Electricité et du Gaz (1960). Ministre des P. et T. (cabinets Pompidou, 1962-1967). Elu député *U.N.R.* de la Seine (17° circ.) en 1962 ; réélu en 1967.

MARIANNE.

Hebdomadaire politique et littéraire de gauche fondé en 1936, édité par Gallimard, et commandité par R. Patenôtre. Directeur : Emmanuel Berl, puis André Cornu (1939). Collaborateurs : Ramon Fernandez, Michel Duran, Marcel Aymé, J. Kessel, etc. A disparu en 1939.

MARIE (André, Désiré, Paul).

Avocat, né à Honfleur (Calvados), le 3 décembre 1897. Ancien bâtonnier, conseiller général du canton de Pavilly (1928-1940, 1945-1949 et à nouveau depuis 1955), député radical-socialiste de la Seine-Inférieure (1928-1940), sous-secrétaire d'Etat à la Présidence du Conseil (cabinet Sarrault 1933), aux Affaires étrangères (cabinet Daladier 1934), membre de la *Ligue des Droits de l'Homme* et de la Loge *La Fidélité Normande* (radié le 26 janvier 1939). Déporté à Buchenwald (1943-1944). Membre des deux Assemblées constituantes (1945-1946), député radical-socialiste de la Seine-Maritime (1946-1958), garde des Sceaux (cabinets Ramadier 1947, Schuman 1947), président du Conseil des ministres (1948), vice-président du Conseil (cabinet Schuman 1948), ministre de la Justice (cabinet Queuille, 1948-1949). Après une éclipse de deux ans due à la malencontreuse affaire *Sainrapt et Brice*, revint au gouvernement : ministre de l'Education nationale (cabinets Pleven 1951, Edgar Faure 1952, Pinay 1952, René Mayer 1953, Laniel 1953-1954). Fut quelques jours président du Conseil (désigné le 11 juin 1953, non investi par l'Assemblée nationale). Réélu député radical indépendant de la Seine-Maritime (1948-1962). Maire de Barentin (Seine-Maritime). Membre de l'*Alliance France-Israël*. Partisan de l'Algérie française, fit partie de l'*Union pour le Salut* t le *Renouveau de l'Algérie française* 1957). Président du groupe parlementaire du *Centre Républicain* (1959). A marqué en maintes circonstances, depuis six ans, son hostilité à la politique du général De Gaulle.

MARIETTON (Joannès, Jules).

Avocat (1860 - 1914). D'abord clerc d'avoué, puis inscrit au barreau de Lyon, adhéra au mouvement socialiste à la fin du xixᵉ siècle. Collabora au *Courrier de Lyon,* au *Petit Lyonnais,* au *Rhône,* au *Peuple.* Conseiller municipal de Lyon et vice-président du Conseil général, fut également député du Rhône (1906-1924).

MARIN (Yves, André, Marie MORVAN, dit Jean).

Journaliste, né à Douarnenez (Finistère), le 24 février 1909. Militant de droite, conférencier de cercles royalistes et rédacteur au *Journal* avant la guerre. Etait correspondant de l'*Agence Havas* à Londres, depuis un an, lorsque fut signé l'armistice de 1940. Rallia aussitôt le Comité du général De Gaulle et devint l'un des principaux *speakers* de la B.B.C. (émission : « Les Français parlent aux Français ») (1940-1944). A la Libération, dirigea *Les Nouvelles du Matin,* fut nommé à l'Assemblée consultative. Membre dirigeant de l'U.D.S.R. et adhérent du R.P.F., fit partie du Conseil municipal de Paris pendant huit ans (1945-1953). En 1954, devint directeur général de l'*Agence France-Presse,* fonctions qu'il a conservées depuis. Préside, en outre, l'*Alliance européenne des agences d'Information.*

MARIN (Louis).

Homme politique, né à Faulx (M.-et-M.) le 7 février 1871. Président de la *Fédération Républicaine* (modérés) de 1925 à 1940, directeur de *La Nation,* fondée par lui en 1925. Député de Meurthe-et-Moselle de 1905 à 1940, d'abord inscrit au *Groupe progressiste* de la Chambre, devenu *Entente Républicaine* en 1917, puis *Union Républicaine Démocratique* en 1924. Plusieurs fois ministre (cabinets Poincaré, Marsal, Doumergue, Flandin, Bouisson, Laval) et président du Conseil général de Meurthe-et-Moselle. Patriote ardent et anti-allemand acharné, il appuya à partir de 1937 les partisans les plus résolus de la politique de fermeté à l'endroit de l'Allemagne. Après l'armistice, il ne prit pas part au vote du 10 juillet 1940 et vécut jusqu'en mars 1944, à Vichy, à l'*Hôtel Aix et Chambéry :* très visé par les Allemands,

il se mettait ainsi sous la protection du maréchal Pétain. Mais lorsque les événements rendirent ce refuge illusoire, il quitta secrètement la France et, début avril 1944, la B.B.C. annonça son arrivée à Londres. Marin prit même le micro pour confirmer la nouvelle et critiquer avec violence le chef de l'Etat français contre lequel il témoigna, plus tard, devant la Haute Cour. Nommé membre de l'Assemblée consultative provisoire à Alger, il tenta de reconstituer la *Fédération Républicaine.* Rentré en France après la Libération, il se présenta aux élections et fut élu, en octobre 1945, député de Meurthe-et-Moselle. En 1951, il fut battu et dut renoncer, quatre ans plus tard, à son mandat de conseiller général qu'il avait reconquis une dizaine d'années auparavant. Membre de l'Institut depuis 1945, il présida l'Académie des Sciences morales en 1957. Il mourut à Paris le 22 mai 1960.

MARITAIN (Jacques).

Philosophe, né à Paris, le 18 novembre 1882. Petit-fils de Jules Favre, l'homme politique républicain (1809-1880). Elevé dans la religion protestante et l'anticléricalisme, ayant épousé une israélite, Raïssa Oumançoff, se convertit au catholicisme et devint l'un des fidèles de l'*Action Française* jusqu'en 1927. A cette époque, fonda la société *Thomiste.* Après la condamnation du mouvement royaliste par le Vatican, évolua vers la gauche et participa à l'action des démocrates-chrétiens, collaborant à leurs journaux, notamment à *Temps présent,* et servant pour ainsi dire d'enseigne à l'hebdomadaire crypto-communiste *Vendredi* qui avait adopté le slogan : « *D'André Gide à Jacques Maritain.* » Sa carrière professionnelle fut particulièrement brillante : professeur au collège Stanislas, à Paris (1912-1914 et 1915-1916), puis au petit séminaire de Versailles (1916-1917), professeur de philosophie à l'Institut Catholique de Paris (1914), à l'*Institute of Mediaeval Studies* de Toronto (1933), à l'Université de Princeton (1941-1942 et 1955-1960), à la Columbia University (1941-1944). Auteur de nombreux ouvrages de philosophie dont : « *La philosophie bergsonienne* », « *Primauté du spirituel* », « *A travers le désastre* », « *La Philosophie morale* », etc. Ses dernières fonctions occupées furent diplomatiques : ambassadeur de France auprès du Saint-Siège (1945-1948).

MARJOLIN (Robert, Ernest).

Economiste, né à Paris le 27 juillet

1911. Attaché à l'Institut des Recherches économiques et sociales (dirigé par le professeur Charles Rist) (1934-1939). Membre du groupe « *France 50* » (d'Hekking), dans lequel il fut rapporteur de « l'équipe n° 4 », chargée de l'étude des relations économiques (1937). Secrétaire de rédaction de la revue *L'Activité Economique* et collaborateur des *Nouveaux Cahiers* (de Detœuf et Barnaud). Gagna l'Angleterre en 1941 et devint le collaborateur d'Hervé Alphand et l'un des conseillers économiques du général De Gaulle. Envoyé par le Comité Français de Londres aux Etats-Unis (1943), où il remplaça Jean Monnet, son « patron ». Nommé officiellement chef de la Mission française d'Achats aux Etats-Unis (1944). Directeur des Relations économiques extérieures au ministère de l'Economie nationale (1945). Commissaire général adjoint du Plan de Modernisation et d'Equipement 1946-1948). Président du Groupe de travail au Plan Marshall (1947). Secrétaire général de l'Organisation Européenne de Coopération Economique (1948 - 1955), poste qu'il abandonna lorsque Jean Monnet quitta la présidence de la C.E.C.A. Professeur d'Economie politique à la Faculté de Droit de Nancy (1955). Secrétaire général du *Comité d'Etudes pour la République* (fondé par Christian Pineau, 1955). Vice-président de la Délégation française dans les négociations sur le marché Commun et l'Euratom (1956-1957). Vice-président de la Commission de la Communauté Européenne (depuis 1958). Considéré comme l'un des « Sages » de la technocratie française.

MARNE HEBDOMADAIRE (La).

Journal centriste paraissant le vendredi, fondé en 1948 et dirigé par Pierre Lamarle. Tirage : 6 000 exemplaires (50, place de la République, Châlons-sur-Marne).

MAROSELLI (André).

Homme politique, né à Rutali (Corse), le 22 février 1893. Ancien industriel. Maire de Luxeuil-les-Bains (depuis 1929). Conseiller général du canton de Luxeuil. Ancien sénateur radical-socialiste de la Haute-Saône (1935-1942 et 1952-1955 et depuis avril 1959). Affilié, avant la guerre, à la Loge maçonnique *Les Cœurs Unis* de Vesoul. Ayant rejoint le général De Gaulle à Londres, présida le Comité central d'aide aux prisonniers à Londres (1943-1944). Elu membre des deux Assemblées constituantes (1945-1946) et député de la Haute-Saône (1946-1951 et 1956-1958), ministre de l'Air (1947), se-

crétaire d'Etat aux Forces armées (1948) ministre des Anciens Combattants (1948) secrétaire d'Etat aux Forces Armées A (1949-1951), secrétaire d'Etat à la Sant publique et à la Population (cabinet Gu Mollet, 1er février 1956-13 juin 1957, cabi net M. Bourgès-Maunoury, 14 juin-6 no vembre 1957), ministre de la Santé publi que et de la Population (cabinet P. Pflim lin, 14-31 mai 1958). Vice-président d *Parti Républicain Radical et Radical Socialiste*. Président de la Compagni d'assurances *La France maritime e continentale,* à Nantes.

MAROSELLI (Jacques, Louis, Raphaël)

Ancien préfet, né à Luxeuil (Haute Saône), le 12 avril 1921. Fils du précé dent. Successivement : administrateur d la France d'Outre-mer, sous-préfet, pui préfet (1945-1957), directeur de compa gnie d'assurances (jusqu'en 1966). Can didat radical aux élections législative de 1962. Président de l'*Atelier Républi cain,* membre du groupe permanent de la *Convention des Institutions Républi caines* et du bureau du *Parti Rad.-Soc* Député de la Hte-Saône depuis 1967.

MARQUAND-GAIRARD (Pierre-Henri)

Administrateur de sociétés, né à Mar seille (B.-du-Rh.), le 11 février 1902. Le Marquand ont été autorisés par décret du 8-8-1922 à s'appeler Marquand-Gairard Ancien avocat. Exploitant agricole. An cien conseiller municipal et adjoint a maire de Marseille (1947-1959). Candida républicain social (avec l'investiture de *L'Express*) en janvier 1956 (battu). A nou veau candidat en novembre 1958 sou l'étiquette de la *Réforme Républicaine* gaullistes de gauche (battu) malgré l sympathie active du *Provençal.* Membr de *l'U.D.T.* Elu député des Bouches-du Rhône (1re circ.) le 25 novembre 1962 (*U.N.R.*). Non réélu en 1967.

MARQUET (Adrien, Théodore, Ernest)

Magistrat municipal, né à Bordeaux le 6 octobre 1884, mort dans cette vill le 3 avril 1955. *Leader* du *Parti socia liste,* fut élu député de la Gironde e 1924 et réélu en 1932 et 1936. Maire d Bordeaux durant de longues année Quitta la *S.F.I.O.* en 1933, en mêm temps que Renaudel, Déat et Montagno pour fonder avec eux le *Parti Socialist de France.* Fut ainsi l'un des *leaders* d néo-socialisme entre les deux guerres Ministre de l'Intérieur du gouverne ment Pétain (1940) après avoir été mi nistre du Travail du gouvernemen Doumergue (1934). Epuré à la Libéra tion, demeura absent de la scène politi que durant plusieurs années. Avait repris son activité depuis peu lorsque la mort le surprit.

MARRANE (Georges, Léon, Marie).

Mécanicien, né à Louviers, le 20 janvier 1888. Fut apprenti mécanicien, puis apprenti horloger au début du siècle. Milita jeune dans le mouvement ouvrier et fut, de 1921 à 1927, secrétaire de la Fédération communiste de la Seine. Maire d'Ivry à partir de 1925, puis maire honoraire. Conseiller général de la Seine, présida l'assemblée départementale de la Seine en 1936 et après la Libération. En 1944, fut l'un des vice-présidents du Comité Parisien de Libération et membre de l'Assemblée consultative, puis ministre de la Santé publique (cabinet Ramadier, 1947) et sénateur de la Seine à partir de 1947 et jusqu'à son élection comme député du 4e secteur de la Seine en 1956. Revint au Sénat en avril 1959. Fut candidat communiste à la Présidence de la République en 1958. Président de la commission centrale de contrôle financier du *P.C.F.* depuis la Libération et administrateur du holding commercial et financier du parti connu sous le nom de *Société Immobilière de Presse et d'Edition* ou EMDEPE (voir à ce nom).

MARSCHALL (Marcel).

Directeur commercial, né à Saint-Denis (Seine), le 8 septembre 1901. Ancien adjoint, puis maire de Saint-Denis, ancien vice-président du conseil général de la Seine. Ancien membre du bureau politique du *Parti Populaire Français,* collabora à la presse de ce mouvement : *L'Emancipation Nationale, La Liberté, Le Cri du Peuple.*

MARSEILLAISE (La).

Journal régional fondé dans la clandestinité le 1er décembre 1943 et publié au grand jour, à Marseille, en 1944, sous la forme d'un quotidien. D'abord quotidien du *Front National,* dominé par le *P.C.F.,* il ne devint le journal régional communiste qu'après la disparition de *Rouge Midi* (voir à ce nom). Dirigé depuis vingt ans par Marcel Guizard. Principaux dirigeants et rédacteurs : Louis Perrimond, Joseph Peiron, Pierre Laugier, Gaston Magnaldi, Marcel Carasso, Richard Lelangrand, Lucien Pucciarelli, Raoul Vignettes, Claude Grivolla, Emile Breton, André Remacle, etc. Tirage moyen : 90 000 ex. (17, cours Honoré-d'Estienne-d'Orves, Marseille).

MARSEILLAISE DU BERRY (La).

Quotidien communiste fondé à la Libération sous le signe du *C.N.R.* Se réclame du bulletin paru sous le même nom dans la clandestinité et dont les nos 3 et 4 (juillet et septembre 1944) sont déposés à la Bibliothèque nationale. Son tirage, qui atteignit 42 000 exemplaires en 1946, oscille autour de 11 000 en 1966 (4, rue Henri-Barboux, Châteauroux).

MARTEL (Henri).

Ouvrier mineur, né à Bruay-sur-l'Escaut (Nord) le 3 août 1898. Ancien maire de Sin-le-Noble. Président de la *Fédération Nationale des Mineurs.* Député communiste de la 1re circ. de Douai (1936-1940). Membre de l'Assemblée Consultative provisoire (1944-1945). Membre des deux Assemblées constituantes (1945-1946). Membre du Conseil de la République (1946-1948). Elu député du Nord (3e circ.) à la 1re Assemblée nationale à une élection partielle (1948-1951). Réélu en 1951 et 1956. Battu en 1958. Elu à nouveau dans la 14e circ. le 25 novembre 1962.

MARTEL (Hippolyte, Albert, Prosper).

Directeur commercial, né à Dinan (C.-du-N.) le 4 novembre 1886. Travailla dès l'âge de quatorze ans et termina sa carrière directeur des ventes à l'exportation des *Tissus Rodier,* où il resta vingt-quatre ans. Ancien combattant de 14-18 (Croix de guerre et médaille militaire). Elu conseiller municipal d'Eragny en 1935, adhéra au *Parti Radical et Radical-Socialiste* après les élections législatives de 1936. La même année, fonda la *Fédération des Braves Gens de France,* dont il est toujours le président. Avant la guerre de 1939, collabora à *L'Evénement,* journal radical, et au *Pays libre,* organe du national-communisme. Sous l'occupation, fut révoqué de ses fonctions de conseiller municipal d'Eragny (1942), mais il fut réélu après la Libération. Lors des élections législatives, fut, dans le Loiret, en 1951, le porte-drapeau du *Ralliement Démocratique Français* qu'il venait de fonder (1950). Membre de la Franc-Maçonnerie, président, en qualité de vénérable, de la loge « La Paix », du Rite Ecossais; également affilié à la loge « Les Amis du Peuple », du Grand Orient. Auteur de « Le Plan Centennal » sous le pseudonyme de « Denn-Ha-Toût », 1934), « La Réponse à Mein Kampf » (1938), « La Torpille contre le cuirassé » (1945). Dirige depuis de longues années le journal *La Force.*

MARTIAL (Claude) (voir : CLAUDE-MARTIAL).

MARTIN (François, Louis, Alfred).

Avocat, né à Millau (Aveyron), le 6 septembre 1900, mort dans cette ville, le 20 avril 1964. Inscrit au barreau de Paris, fut élu député de l'Aveyron en 1936. Inscrit à la *Fédération Républicaine*. Vota pour le maréchal Pétain le 10 juillet 1940 et fut nommé, le 23 janvier 1941, membre du Conseil national et, quelques mois plus tard, préfet de Tarn-et-Garonne, fonctions dont il devait être révoqué après avoir offert sa démission en septembre 1942. Après la Libération, manifesta sa sympathie à l'*Union des Intellectuels Indépendants* et aux partisans de l'*Algérie française*. Fut le défenseur de Canal, accusé dans une des affaires *O.A.S.* Mourut des suites d'un accident d'automobile.

MARTIN (Hubert).

Docteur en médecine, né à Briey (M.-et-M.) le 23 février 1912. Radiologue. Membre du *Rotary*. Maire de Briey. Elu député de Meurthe-et-Moselle (6e circ.) le 25 novembre 1962 sous l'étiquette « Union pour la défense et l'expansion du Bassin de Briey ». Secrétaire de la Commission des affaires culturelles. Inscrit au groupe des *Républicains Indépendants*.

MARTIN (Louis, Claude).

Directeur de services bancaires, né à Sury-le-Comtal (Loire), le 16 août 1913. Directeur d'une agence bancaire de crédit agricole. Maire de Sury-le-Comtal, conseiller général du canton de Saint-Rambert, sénateur républicain indépendant de la Loire (depuis 1959).

MARTIN-CHAUFFIER (Louis, Marie, Jean).

Journaliste, né à Vannes (Morbihan), le 24 août 1894. Fils de médecin, se destinant lui-même à la médecine, fut quelque temps externe des hôpitaux de Paris. Puis devint bibliothécaire à la Bibliothèque Mazarine (1922-1925) et conservateur à la Bibliothèque Finaly, à Florence (1925-1927). Attiré par les lettres et la presse, fut trois ans, le collaborateur du *Figaro* (questions religieuses), puis le directeur littéraire aux éditions du « Sans Pareil » (1927-1930). Ensuite rédacteur en chef de *Lu* et de *Vu*, de *Vendredi*, rédacteur à *Paris-soir* et à *Paris-Match*. Pendant l'occupation, milita dans la Résistance avec les éléments les plus communisants, entra à *Libération* comme rédacteur en chef après la Libération, puis au *Figaro* et au *Figaro littéraire*. Président de l'*Union des écrivains pour la Liberté*, a pris part à diverses manifestations en faveur des membres des réseaux d'aide au F.L.N. et de l'indépendance de l'Algérie ; affichant ses tendances politiques, déposa au procès Kravchenko (2e audience) contre l'homme qui avait « choisi la liberté » et protesta, quelques années plus tard, contre l'arrestation du communiste André Stil. Préside l'*Union des écrivains pour la vérité*. Est membre de l'Académie des Sciences morales et politiques et a écrit divers ouvrages tels que : « *L'Heure du choix* », « *La Voix libre* » et « *L'Examen des consciences* ».

MARTIN DU GARD (Maurice).

Homme de lettres, né à Nancy, le 7 décembre 1896. Cousin de Roger Martin du Gard. Fondateur des *Nouvelles Littéraires* (1922), collabora à de nombreux journaux politiques, dont *L'Alerte* de Léon Bailby, *Idées*, revue de la Révolution Nationale, *Rivarol*, etc. Auteur de : « *Courrier d'Afrique* », « *Le Voyage de Madagascar* », « *Un Français en Europe* », « *La Fenêtre ouverte* », « *La Chronique de Vichy* », « *La Carte impériale* », « *Maximes et caractères* », « *Les Mémorables* » (I et II), « *Climat tempéré* ».

MARTINAUD-DEPLAT (Léon).

Avocat, né à Lyon, le 9 août 1899. Président de l'*Union des jeunes avocats* (1925-1926), secrétaire général du Comité exécutif du *Parti-Radical-Socialiste* (1929), député de la Seine (1932-1936), sous-secrétaire d'Etat à la Présidence du Conseil (cabinet Daladier 1934), conseiller juridique de l'*Association fraternelle* (maçonnique) *des Journalistes*, directeur de la presse au Haut-commissariat à l'Information (1939-1940), exploitant agricole dans le Vaucluse (1940-1945), directeur de *La Dépêche de Paris* et de *L'Information radicale-socialiste*, président administratif du *Parti Radical-Socialiste* (1948-1955). A nouveau, député des Bouches-du-Rhône (1951-décembre 1955). Garde des Sceaux, ministre de la Justice (cabinets Edgar Faure, 1952 ; Antoine Pinay, 1952 et René Mayer, 1953), ministre de l'Intérieur (cabinet Laniel, 1953-1954). Exclu du *Parti Radical-Socialiste* en 1955. Candidat du *Centre Républicain* (1958). Maire de Saint-Antonin (B.-du-R.).

MARTINET (Gilles, Henri).

Journaliste, né à Paris le 8 août 1916. Militant depuis l'âge de dix-sept ans dans le mouvement marxiste, il fut secrétaire des *Etudiants communistes* de Paris et quitta le *P.C.F.* à vingt-deux ans, après le procès de Moscou. Il débuta dans le journalisme comme rédacteur aux services étrangers de l'*Agence Havas* en juillet 1937 ; il le resta jusqu'en septembre 1939. Pendant l'occupation, il participa à la Résistance ; à la Libération, il fut nommé rédacteur en chef de l'*Agence France Presse* (ex-*Havas*), fonctions qu'il conserva jusqu'en février 1949, date à laquelle son attitude politique anticoloniale provoqua son départ. Il fut quelque temps directeur de l'*Agence Intercontinentale,* puis devint rédacteur en chef de *L'Observateur* (avril 1950) et co-directeur-gérant de ce même journal, devenu *France-Observateur* (décembre 1959). Au lendemain du 13 mai 1958, il participa à la fondation de l'*Union des Forces Démocratiques* et siégea à son bureau provisoire (en compagnie du doyen Chatelet, et de Merleau-Ponty, Depreux, Mendès-France, Mitterand). Il venait de l'*Union Progressiste* (de d'Astier de la Vigerie et Pierre Cot) et de la *Nouvelle Gauche*. Il fit partie du comité politique de l'*Union de la Gauche Socialiste* qui fusionna avec les dissidents du *Parti Socialiste S.F.I.O.* pour former le *Parti Socialiste Unifié* (P.S.U.), dont il est aujourd'hui l'un des dirigeants (membre du bureau national). Depuis l'arrivée de Claude Perdriel au *Nouvel Observateur,* ex-*France-Observateur* (1964), Gilles Martinet n'est plus le gérant de l'hebdomadaire progressiste, mais il en reste l'un des principaux collaborateurs. Aux élections législatives de novembre 1962, il fut sans succès candidat du *P.S.U.* dans la 14e circonscription de la Seine. La même année, il avait publié un livre : « *Le Marxisme de notre temps* ».

MARTY (André).

Homme politique, né à Perpignan le 6 novembre 1886. D'abord chaudronnier en cuivre, puis matelot engagé (avant la guerre) et enfin officier mécanicien de la Marine depuis 1917, il était à bord du « *Protée* » qui mouillat en rade d'Odessa en 1917 lorsqu'une mutinerie, qui éclata d'abord sur le cuirassé « *France* », gagna son navire. Après avoir été arrêté par les mutins, comme tous les autres officiers, il se solidarisa avec le mouvement. Cela lui valut d'être condamné à vingt ans de réclusion par le Tribunal maritime de Toulon, bien qu'il eût invoqué pour sa défense « *un surmenage cérébral* » et qu'il eût affirmé n'avoir eu « *de relations avec les groupes révolutionnaires ni en France, ni en Russie* ». Il fut par la suite le président d'un groupement des anciens mutins de la Mer noire. Il appartenait déjà à la franc-maçonnerie

ayant été initié à la loge N° 162 *Saint-Jean des Arts et de la Régularité* de Perpignan. Ses *frères* en maçonnerie commencèrent une active campagne en faveur de sa libération en accord avec le *Parti communiste.* Bien qu'emprisonné, il fut élu successivement conseiller municipal de Paris et conseiller général de la Seine par le XXe arrondissement (1921 et 1923), par le XIVe arrondissement (1922) et par le XIIIe arrondissement (1929), conseiller général de la Seine-Inférieure, du Nord, du Var et des Pyrénées-Orientales (1922), conseiller municipal de Malakoff et de vingt et une autres communes (1921-1923). Le convent du Grand Orient de France, tenu à Paris en 1922, invitait « *les parlementaires francs-maçons à intervenir au plus tôt et avec une insistance justifiée par le noble caractère de ce Frère et par les manifestations électorales récentes pour la libération du Frère André Marty* ». Enfin libéré, André Marty adhéra au *Parti communiste* et abandonna la franc-maçonnerie, la double appartenance ayant été interdite par la IIIe Internationale. Elu député de Seine-et-Oise en 1924, il devint le porte-drapeau de l'anti-militarisme que son parti professait à cette époque. Il passait alors pour un « dur » et était un véritable « épouvantail à bourgeois ». En 1926, il entra au comité central du *P.C.F.* et en 1931, au bureau politique. Il avait alors la confiance de Staline qui le fit entrer, en 1932, au comité exécutif de l'Internationale et lui fit confier le secrétariat du Komintern en 1934. Battu en 1928, André Marty se

présenta à Puteaux en 1929 et fut élu
député de la Seine : de 1932 à 1940, il
représentera au Palais Bourbon le XIIIe
arrondissement. Dès le début de la guerre
civile espagnole, Moscou l'envoya à Barcelone avec le titre officiel d'Inspecteur
général des brigades internationales. Sa
participation active à la liquidation des
éléments républicains espagnols et étrangers qui refusaient de se plier aux directives du Kremlin le firent alors surnom-
mer « *le boucher d'Albacète* ». On lui
reprochait d'avoir fait exécuter des
dizaines de volontaires français des
brigades internationales, parmi lesquels
le lieutenant-colonel Delesalle (1). Il liquida le *P.O.U.M.*, mouvement trotskyste,
et s'attaqua à la *Confédération Nationale
du Travail* et à la *Fédération anarchiste
ibérique*. Le 23 août 1939, le jour même
où l'on apprenait la signature du pacte
germano-soviétique, il gagna la Russie
où il restera jusqu'en 1943. A cette date,
Staline l'envoya à Alger comme chef de
la délégation communiste auprès du
Comité Français de Libération Nationale.
C'est à lui qu'incombait la préparation
de la liquidation des adversaires du
P.C.F. sous le couvert de la Résistance
et de l'Epuration. Il fut membre de
l'assemblée consultative d'Alger et de
Paris (1944-1945), puis des deux assemblées constituantes (1945-1946). Aux élections législatives du 10 novembre 1946,
il se présenta dans le 1er secteur de la
Seine et fut élu ; le 17 juin 1951, son
mandat fut renouvelé dans la même circonscription. Eliminé des sphères internationales communistes en même temps
que Dimitrov, lorsque Staline avait dissous le Komintern pour complaire à
Churchill et à Roosevelt, Marty s'opposait de plus en plus à la direction du
P.C.F. Finalement, accusé en septembre
1952 de « fractionnisme », de « duplicité » et d'activités « policières », il fut
écarté en même temps que Charles Tillon,
du secrétariat du *P.C.F.* où il siégeait
depuis 1931. Il fut exclu en janvier 1953
du parti lui-même. Il mourut en novembre 1956 isolé ; sa femme, Raymonde
Marty, s'était désolidarisée de lui et avait
divorcé en juin 1953. Dans un livre intitulé : « *L'Affaire Marty* », il explique ses
démêlés avec la direction du parti.

(1) C'est Max Dormoy, alors ministre de l'Intérieur, qui révéla au Conseil National de la
S.F.I.O., le 9 novembre 1937, que Marty avait
fait exécuter des membres français des B.I. à
Albacète. L'exécution de Delesalle fut racontée
à la chambre des Députés, le 10 mars 1939. Le
comportement de Marty en Espagne incita He-
mingway à tracer son portrait dans « *Pour qui
sonne le glas* », sous le nom de « *Commissaire
Massart* ».

MARXISME.

Doctrine socialiste collectiviste définie
par Karl Marx, sociologue israélite allemand, né à Trèves en 1818, mort à Londres en 1883. L'essentiel de la doctrine
est précisé dans « *Das Kapital* » (*Le
Capital*), ouvrage en trois tomes dont le
premier parut en 1867 (les deux autres
publiés par Engels en 1893 et 1894, après
la mort de Marx). « Le marxisme *résulte
d'un véritable travail collectif, a écrit
Henri Lefebvre* (« Le Marxisme », *Paris*
1952), *dans lequel s'épanouit le génie
propre de Marx. La contribution au marxisme de Frédéric Engels ne peut être
passée sous silence et rejetée au second
plan.* » L'œuvre de Marx consista dans
la synthèse des idées des matérialistes
français du XVIIIe siècle, de la *théorie des
contradictions* d'Hegel et des travaux
des économistes classiques, à laquelle il
apporta son interprétation. L'étude des
phénomènes économiques lui parut relever d'une étude scientifique appelée depuis
le *matérialisme historique* (1844-
1845). En 1857, il découvrait sa *théorie
de la plus-value du salaire*, que l'on peut
schématiser dans la différence entre le
salaire ou temps de travail moyen nécessaire à l'entretien du salarié et de sa
famille, et le salaire ou temps de travail
qu'il est susceptible de fournir (ce qui
représente le bénéfice dans le régime
capitaliste). Enfin, Marx découvrit, entre
1848 et 1871, à l'expérience de la Seconde République française et de la
Commune de Paris : — le rôle historique
du prolétariat ; — la possibilité pour la
classe ouvrière de mener une politique
indépendante de la bourgeoisie ; — la
possibilité de transformer la nature des
rapports sociaux grâce à cette politique
indépendante (*lutte des classes*). Marx en
a déduit une conception philosophique
du monde qui constitue le *matérialisme
dialectique,* synthèse du matérialisme
philosophique et de la dialectique d'Hegel (*théorie des contradictions*). En
conséquence, le marxisme présente le
collectivisme comme le terme inéluctable
et nécessaire de l'évolution des sociétés
sous l'effet de la lutte des classes. Il est
à noter que Karl Marx, tout israélite
qu'il fût, manifesta un certain antisémitisme économique. Le grand rabbin Ber-
man écrit dans son « *Histoire des Juifs
en France* » (1937) : « *Plus déconcertan-
tes sont les recrues de l'antisémitisme
économique. Fourier et Proudhon, mais
comme Karl Marx et Lassalle, voient
dans le juif un agitateur et un parasite
improductif.* » Les théories de Marx ont
été adoptées par divers groupes politiques, avec des interprétations différen-

les — parfois fort éloignées de la pensée
de Marx. C'est ainsi que le *communisme*
y a rajouté la suppression de toute propriété privée et la répartition des biens
communs entre chaque individu suivant
ses besoins. D'où l'opposition fondamentale du *socialisme collectiviste (S.F.I.O.)*
qui n'envisage que la nationalisation des
moyens de production. Quant au *bolché-
visme*, il renchérissait encore sur le marxisme en y ajoutant une idéologie — à
base nationale — tendant à exclure et à
combattre tous ceux qui possèdent autre
chose que leur « force de travail ».
Dans « *Le Monde qui naît* », Keyserling
n'hésite pas à écrire : « *Le bolchevisme
en tant que réalité n'a rien à voir avec
le marxisme* », tandis qu'Ortega y Gasset
affirme dans « *La révolte des masses* » :
« *J'attends le livre dans lequel le marxisme de Staline apparaîtrait inséré dans
l'histoire de la Russie. Ce qui est vraiment fort en Staline, c'est ce qui est
vraiment Russe et non ce qui est marxiste.* » Donnant une appréciation sur le
marxisme, George Uscatesco écrit : « *Les
théories de Marx étant essentiellement et
volontairement confuses, il était naturel
que ses successeurs en proposassent une
série d'interprétations et d'adaptations.
Mais tout ce travail exégétique se fit avec
du temps, de la tranquillité et d'infinies
opportunités de les comparer à la réalité
sociale et de découvrir les moyens tac-
tiques d'application les plus adéquats.
Malgré quoi, une véritable dissociation
se produisit. La finalité que se proposait
le socialisme scientifique était la création d'une société libre, sans classe et
internationale. Mais, en pratique, au
moins durant une première et longue
étape, cela parut impossible. C'est pourquoi le marxisme se divisa (...) Le caractère des disputes au sein du socialisme
marxiste a présenté, sur le terrain tactique, des aspects irréconciliables. Les
colères de Lénine et de Boukarine contre
« l'école autrichienne » et contre le socialisme de la Deuxième Internationale,
qualifiées de doctrines mesquines à l'usage des « maladies infantiles », sont célèbres. Sur le terrain tactique, l'attitude du
communisme allemand est aussi signifi-
cative, qui, parfois, souscrivit de véritables pactes avec le national-socialisme à
seul effet de détruire la social-démocratie.* » (« *El Problema de Europa* », traduit en français sous le titre « *Mort de
l'Europe ?* », Paris 1957.)

MARXISME-LENINISME (Voir : Com-
munisme).

Doctrine de Marx, revue et adaptée par
Lénine. Par opposition aux *stalinistes*,

Karl Marx.

les communistes pro-chinois se réclament du *marxisme-léninisme* (voir : *Bulletin d'Information marxiste-léniniste,
Mouvement communiste français*).

MASBATIN.

Syndicaliste, membre du Syndicat de
la chaussure, nommé le 23 janvier 1941
au *Conseil national* (voir à ce nom).

MASPERO (François).

Editeur, né à Paris-16e le 19 janvier
1932, d'une famille illustrée par l'égypto-
logue Gaston Maspero, son grand-père, et
le sinologue Henri Maspero, son père.
Militant de gauche, fonda en 1958 les
éditions qui portent son nom et dont la
production est presque exclusivement
politique et spécialisée dans l'anticolo-
nialisme. Depuis 1961, dirige la revue
marxiste *Partisans*, dont l'influence grandit dans les milieux de gauche, malgré
l'hostilité marquée d'une fraction importante du socialisme français et les difficultés matérielles.

MASQUELIER (Pierre).

Industriel, né à Paris, le 4 avril 1898.
Ingénieur chez *Schneider*, puis aux *Forges de Châtillon Commentry Neuves-
Maisons* dont il est devenu le président
(1958), directeur de l'*Union pour le Crédit et l'Industrie* (UCINA), président
de la *Société Commentryenne des Aciers
fins Vanadium Allaoys*, administrateur
des *Parfums Caron* et dès *Aciéries et
Tréfileries de Neuves-Maisons*. Est vice-
président du *Centre d'Etudes Politiques
et Civiques* en même temps que membre
du conseil d'administration de l'*Omnium
d'Impression et de Publicité*.

" COMPAGNIE DES CHARGEURS REUNIS "

LISTE

des passagers embarqués sur le vapeur "MASSILIA"

Capitaine : FERRUS.

Départ de BORDEAUX. Arrivé à CASABLANCA le 24/6/40.

Noms et Prénoms	Age	Nationalité	Profession
DALADIER Édouard	55 ans	Française	Député du Vaucluse - Ancien Président du Conseil.
CAMPINCHI César	58	"	Avocat à la cour \\\\\
CALPINCHI Hélène	42	"	Avocate à la cour
MENDES France Pierre	33	"	Ancien Député ...
MENDES France Lily	30	"	Sans profession
MENDES France Bernard	5	"	"
MENDES France Michel	4	"	"
ZAY Jean	35	"	Député du Loiret , Sous-Lieutenant
Madame ZAY	33	"	Sans profession
ZAY Catherine	3	"	Sans profession
RESSILON Marie Michel	49	"	Avocat à la cour , Sénateur
WILZER Alex	57	"	Avocat , Député ...
BASTIDE Paul	48	"	Professeur faculté de droit - Député, ancien ministre.
MENDEL Georges	54	"	Ancien ministre de l'intérieur
MENDEL Claude	10	"	Sans profession
Vve MANGEL dite RESTTY		"	Sociétaire de la Comédie Française
BEATRIX.	42	"	Député
GRIMBACH Salomon	56	"	Sans profession
GRIMBACH Wally	52	"	Député Maire
LEVY Alphandery	78	"	Sans profession
Mme LEVY et enfant	73-5	"	Sans profession
Mme LEVY	92	"	Sans profession
RECOUVREUR Marie	65	"	Député de la Hte Marne - questeur à la Chambre
PERFETTI Camille	64	"	Député
DELMAS Yvon	50	"	Député , Avocat à la cour
DELATTRE Gabriel	49	"	Député
DURIS Marius	50	"	Député
THOMAS F...	45	"	Sans profession
THOMAS Marie	18	"	Sans profession
THOMAS Noella	53	"	Député
BIGOT Marcel	56	"	Couturière
BIGOT Jeanne	42	"	Député les Ardennes
VIENOT Marcel	38	"	Sans profession
VIENOT me	11	"	Etudiant
VIENOT Gilles	65	"	Député
GALANDC DIOUF	30	"	Fils de Chef
BIRANE SALANE	51	"	Député
de la GRANDIERE Bernard	54	"	Sans profession
de la GRANDIERE Marie	19	"	Femme de chambre
ARTHURSTAR Anna	13	"	Cupée
DENAIS Joseph		"	Député

Noms et Prénoms	Age	Nationalité	Profession
CAMO François	52 ans	Française	1er maître Mécanicien
Docteur JAFFRY	52	"	Médecin Principal de la Marine
LE HETTET Pierre	52	"	Enseigne de Vaisseau
CONSTANT Madeleine			Femme du 146.

MASSE (Jean).

Fonctionnaire, né à Marseille (B.-du-Rh.) le 3 janvier 1911. Employé. Chef de service à la Caisse de sécurité sociale. Conseiller général (depuis 1945) et Président du Conseil général des Bouches-du-Rhône. Conseiller municipal et adjoint au maire de Marseille (depuis 1948). Membre de l'*Alliance France-Israël*. Elu député *S.F.I.O.* des Bouches-du-Rhône (1re circ.) le 2 janvier 1956 (avec l'investiture de *L'Express* et du Comité national d'Action laïque) ; suppléant de Gaston Defferre aux élections du 23 novembre 1958. Elu à nouveau, dans la 8e circ., le 25 novembre 1962.

MASSIANI (Martial).

Journaliste, né à Saint-Ouen (Seine), le 1er juillet 1887. Ancien rédacteur à *La Liberté* et à *L'Epoque*, avant la guerre, fut, après la Libération, rédacteur en chef de *La Nation* (1945). Conseiller municipal de Neuilly, membre de l'Assemblée départementale provisoire puis président du Conseil général de la Seine.

MASSILIA (l'affaire du).

Ce que les contempteurs de la IIIe République appellent « *l'équipée du Massilia* » se déroula en juin 1940. Dans la matinée du 20 juin, Edouard Barthe, questeur de la Chambre des députés, informait ses collègues qu'« *un paquebot " Massilia ", mouillé au Verdon, transportera au Maroc les parlementaires désireux d'accompagner le gouvernement* ». Il précisait, toutefois, que le Maréchal restait en France et qu'il donnerait à Camille Chautemps « *la délégation nécessaire pour permettre en Algérie le fonctionnement légal du gouvernement* ». Les parlementaires étaient d'autre part informés par un communiqué de l'amiral Darlan que « *le gouvernement, d'accord avec les présidents de Chambres, a décidé, hier 19 juin, que les parlementaires embarqueraient sur le " Massilia " aujourd'hui 20* ». Il n'était pas question des présidents d'assemblées, ni d'une partie du Gouvernement. Sur les 130 passagers civils, il n'y avait que vingt-sept parlementaires, mais généralement accompagnés de leur famille, de leur secrétaire, d'amis ou d'amies très chères (voir documents reproduits pages 672 et 674). Au dernier moment, Louis Marin, Edouard Herriot et beaucoup d'autres parlementaires renoncèrent à partir. Une note de l'amiral Darlan devait préciser que ces personnalités s'étaient *embarquées de leur plein gré et sans mission officielle* (cf. L.-G.

Planes et R. Dufourg, « *Bordeaux, capitale tragique* », Paris 1956) ; le Gouvernement avait, en effet, décidé de rester en France (mais il est compréhensible que des Israélites aient fui le racisme hitlérien et que Georges Mandel ait nourri le projet de constituer un gouvernement en Afrique du Nord). Cette « fuite » ayant indisposé l'équipage, le chef mécanicien se présenta au commandant et lui déclara : « *Commandant, il y a la révolution à l'arrière et les hommes de la machine m'ont fait savoir que l'équipage refuse de partir.* » Puis un porte-parole de l'équipage, reçu par le commandant, prononça cette allocution dont il convient de respecter le style et la verdeur authentiques : « *Eh ! bien, voilà... Nous ne comprenons pas pourquoi, alors que le gouvernement a donné l'ordre aux populations de rester sur place et de ne pas fuir devant l'ennemi ; alors que nos familles vont se trouver sous la coupe des " boches " ; alors que nos femmes sont exposées à... ; ces messieurs les Parlementaires, ce tas de s... qui sont cause de notre défaite et nous ont f... dans le pétrin, n'observent pas les consignes du gouvernement et mettent les voiles, en emportant, bien entendu, leur pognon, et tout... Ils n'ont qu'à y rester, eux aussi, sur place ! Qu'est-ce que cela peut nous faire qu'ils soient faits prisonniers ou non ! En tout cas, ce n'est pas pour sauver leur peau que nous allons risquer la nôtre et nous refusons de partir...* » (*Op. cit.*, p. 189.) Une discussion s'ensuivit, avec les parlementaires eux-mêmes. Finalement, les marins se résignèrent à partir. Le paquebot leva l'ancre le lendemain après-midi et pénétra en rade de Casablanca le 24 juin. Mais, à l'exception des fusiliers-marins, également embarqués, tous les autres passagers furent consignés à bord. Georges Mandel, qui tenta d'entraîner ses collègues dans l'illégalité, fut placé en résidence forcée, tandis que Jean Zay, Weltzer, Mendès-France et Vienot, qui étaient mobilisés, donc militaires, étaient déférés devant un conseil de guerre pour « *abandon de poste devant l'ennemi* ».

MASSIP (Roger).

Journaliste, né à Montauban (T.-et-G.), le 6 novembre 1904. Fils de journaliste, entra dans la presse assez tôt. Fut, avant la guerre, correspondant de l'*Agence Havas* à Bucarest (1931-1934), du *Petit Parisien* à Varsovie (1934-1937) et chef adjoint du service étranger du *Petit Parisien* (1937-1940). Pendant la guerre, écrivit dans le journal pétainiste *Compagnons*, puis rejoignit la résis-

22

Noms et Prénoms	Nationalité	Age	Profession
DENIS Henriette	Française	63 ans	Sans profession
DUPONT André	"	45	Député de l'Eure
DUPONT René	"	36	Sans profession
DUPONT Huguette	"	14	"
DUPONT Jean	"	68	"
SCHMITT Jenny	"	46	Député
Mme SCHMITT J.M	"	54	Député d'ALGER
GUSTAVINO Jean	"	49	Sans profession
GUSTAVINO Mme	"	49	Député de PARIS , Avocat
LE TROQUER André	"	20	Etudiante
LE TROQUER Colette	"	66	Député
DUPRE Léandre	"	50	Sans profession
DUPRE Gilberte	"	14	Ecolier
DUPRE Jacques	"	36	Sans profession
DALADIA Jean	"	18	Etudiant
De CRUSSOL	Indéterminée	30	Sans profession
BLOCH J. Charles	Française	21	Student
GUSZMZJRI Joseph	"	60	Publiciste , Capitaine Aviation de réserve
PISANI Eugent	"	44	Attaché Cabinet Ministère de la Famille
SCREIBER Robert	"	19	Elève Assistante Sociale
SCHREIBER Suzanne	"	75	Vve Ancien Sénateur du GARD.
SCHREIBER M.C	"	11	Sans profession
SCHREIBER M.G.	"	11	Attachée à la Section motorisée Femme
LICBOT Simone	"	27	Prof. Faculté de Strasbourg. Chargé de mission contre Nl. de recherches scientifiques.
GACHIARD Louis	"	40	Sans profession
IBERT Jacques	"	41	Directeur Académie de France à ROME
IBERT Marie-Rose	"	50	Sans profession
IBERT Jacqueline	"	18	
IBERT Jean-Claude	"	18	
LAZURICH Renée	"	45	Avocat à la cour
ZAZURICH Renée	"	15	Sans profession
RAVUS Pierre	"	20	Employé de commerce, étalagiste
CATALAN Camille	"	51	Inspecteur - Contrôleur contribut.directes
CATALAN M.l	"	42	Sans profession
GICQUEL Yves	"	20	Employé Chambre des Députés
GICQUEL Georges	"	19	Copiste Agence Havas
GEOKARD Georges	"	63	Chef Secretariat législatif Chambre Députés
De KEYER Lucien	"	40	Huissier Chambre des Députés
BADIN Marie	"	40	Employée
FAURE Adrien	"	48	Huissier
ARMOTTI Dominique	"	38	Employé Chambre des Députés des Députés
LECUILLEC Adolphe	"	50	Agent temporaire Chambre des Députés
MAURICE Mozart	"	31	Fonctionnaire Chambre des Députés
THEPELIAN Marcel	"	53	Chef de service
BARON Jacqueline	"	34	Sculpteur
ZAY Léon	"	66	Journaliste
PERRIN Jean	"	69	Professeur Sorbonne , Membre Institut Prix NOBEL.
CHOUCAUN Aîné	"	40	Diplômée ès-Sciences , Maître recherches
HUISMAN J.C.	"	51	Directeur Galerie des Beaux Arts
HUISMAN J.C.	"	18	Etudiant
HUISMAN Claude	"	41	Scrivain

Noms et Prénoms	Age	Nationalité	Professions
ALISAAN Philippe	15 ans	Française	Lycéen
HUISMAN Denis	11	"	Lycéen
SACHS Antoinette	43	"	artiste peintre
KOHN Suzanne	29	"	Aviatrice
HAGUENAUER Maurice dit AU	56	"	Chargé de mission au cabinet du ministère des T.r.
HAGUENAUER Paul	16	"	Sans profession
HAGUENAUER Philippe	15	"	Sans profession
HENRIT Guy	49	"	Industriel
BRAUN Mathieu	47	"	President Office Sarrois
BRAUN Angèle	42	"	Sans profession.
BRAUN Henri	52	"	Membre Office Sarrois
MELCHIOR Sidye	34	"	Secrétaire
DELEPLANQUE Roger	39	"	Directeur politique " Petit Bleu "
DELEPLANQUE Marie	37	"	Sans profession.
DUPAY Jean	45	"	Directeur observatoire LYON
DUPAY Maurice	18	"	Etudiant
CAIN Julien	53	"	Administrateur Général Bibliothèque Nationale
VEISTE Michel	34	"	Employé P.T.T.
ALFAIA Jacques	15	"	Etudiant
GORAICA Céline	27	"	Secrétaire particulier
CAILLARD Maurice	54	"	Secrétaire
HAACKMAN Marcelle	44	"	Capitaine
MICHEL Delphili	57	"	Général Cdt. Militaire Chambre des Députés.
VALADE Lucien	55	"	Capitaine
VALADE Alfredu	49	"	Sans profession
VALADE Françoise	16	"	Sans profession
CHAISNON Pierre	41	"	Commandant de l'armée de l'Air
SERON Emile	31	"	Commandant de l'aviation
CLAUDEL Pierre	43	"	Officier
CHENIC Marcel	28	"	Capitaine artillerie coloniale
BOULGOULOU Jean	28	"	Lieutenant 14 D.C.A.
BLEGER Jean	30	"	Lieutenant 6ème Spahis
BOUCHABET	22	"	Lieutenant de cavalerie
SERVENTES Claude	24	"	Sans profession
MOREF Henri	52	"	Vétérinaire
GARDI René	24	"	Lieutenant
MOBERT Henri		"	Lieutenant
JOND Roger	24	"	S..le tenant de Réserve
LOSHAS Alphonse	32	"	Sergent
Ari Yves	32	"	Orionnance Général militaire
SEDUR Gabriel	47	"	Officier le marin
Le Lacu Charles	35	"	Officier principal des équipages
HAGER Charles	35	"	Officier mécanicien de la marine
VILIN George	34	"	
NINTAR Jacques	22	"	
HARDUELLE Joseph		"	
CONAU Joseph		"	
Lucien		"	
DEBRIS Georges		"	
Copriot J.		"	
FAUDOT François	22	"	

tance et fit partie du comité de rédaction des *Cahiers de la Libération* et de la rédaction de *Libération* paraissant dans la clandestinité. En 1944, lorsque *Libération* parut au grand jour, en fut le rédacteur en chef. Rompit en 1947 avec les dirigeants communistes de ce journal et devint le directeur des services étrangers du *Figaro* (1947). Est le secrétaire général de la section internationale de l'Institut français de presse (1961). A publié en librairie : « *La Nouvelle Société des Nations* », « *Voici l'Europe* », « *De Gaulle et l'Europe* ».

MASSIS (Henri).

Ecrivain, journaliste, critique, né à Paris, le 21 mars 1886. Fils d'un assureur-conseil. Etudes au lycée Condorcet, à la faculté des Lettres de Paris (licence ès lettres) et à l'Ecole nationale supérieure des Arts décoratifs. Disciple ou ami de Bergson, Barrès, Péguy, Maurras, Claudel, Maritain, Bernanos, son nom ne fut connu qu'assez tard du public nationaliste bien que l'un de ses ouvrages, écrit en collaboration avec Guillaume de Tarde, eût obtenu tout de suite un grand succès, « *Les Jeunes gens d'aujourd'hui* » (1913). L'œuvre, qui était signée *Agathon,* fut saluée par des hommes de tous bords : Barrès, naturellement, auquel il avait consacré un livre en 1909, mais aussi Albert de Mun, Herriot, Paul-Boncour. Secrétaire de rédaction de *L'Opinion,* de 1911 jusqu'au conflit de 1914 — dont il revint avec la croix de guerre —, fut ensuite rédacteur en chef de *La Revue universelle,* depuis sa fondation (1920) jusqu'à la mort de Jacques Bainville (1936), auquel il succéda comme directeur jusqu'en 1944. Fidèle du maréchal Pétain fut nommé le 23 janvier 1941, membre du Conseil national. Après la Libération, collabora à la presse nationale, en particulier à *Aspects de la France.* A publié de nombreux ouvrages, dont « *Défense de l'Occident* » (1927), son maître livre, où il démontre la prééminence des idéologies occidentales sur celles qui tentent de les détruire, et « *Découverte de la Russie* » (1944), où il prouve que le peuple russe n'a supporté la dictature bolcheviste que parce qu'il voyait dans le communisme une possibilité de triomphe du nationalisme russe traditionnel. Parmi ses autres œuvres, « *Jugements* » (1923-1924), œuvre de critique, « *Les idées restent* » (1941), « *Charles Maurras et notre temps* » (1951), « *L'Occident et son destin* » (1956), « *De l'homme à Dieu* » (1959), « *Salazar face à face* » (1961), « *Barrès et nous* »

(1962), « *Le Souvenir de Robert Brasillach* » (1963). Membre de l'Académie française (1960) dont il eut le Grand Prix de littérature en 1928.

MASSON-FORESTIER (Henri, André, Gaston).

Secrétaire général du *Figaro,* né à Rouen (Seine-Inf.), le 6 septembre 1891. Fut, après la 1re Guerre mondiale, en Pologne, directeur de la *Société des pétrole de Dabrowa* (1919-1922), puis, entra au *Figaro,* où il remplit les fonctions suivantes : directeur des services commerciaux, directeur du *Figaro illustré,* de l'*Album du Figaro,* secrétaire général du *Figaro.* Préside ou administre de nombreuses associations professionnelles de presse, et notamment : le *Conseil supérieur des messageries,* l'*Union nationale des expéditeurs-exportateurs de publications françaises,* la *Caisse générale de retraite de la presse française.*

MASSOT (Henri, Victor, Joseph).

Directeur de journal, né à Marseille, le 25 avril 1903. Successivement : rédacteur au *Radical,* de Marseille, au *Petit Marseillais,* rédacteur en chef de *Marseille-Matin,* ancien rédacteur au *Daily-Express,* à l'*Associated Press,* à l'*Agence Reuter,* au *Matin,* etc. Actuellement, est l'homme de confiance du groupe *Hachette* dans la presse française : président du *Syndicat de la presse parisienne,* du Conseil de gérance des *Nouvelles Messageries de la presse parisienne,* du *Conseil supérieur des Messageries,* vice-président de la *Fédération nationale de la presse française,* membre du conseil de gérance de la société *Franpar,* président-directeur général de la *Compagnie Nouvelle de Paris-Presse.*

MASSOT (Marcel-Xavier).

Avocat, né à La Motte-du-Caire (B.-A.) le 7 avril 1899. Inscrit au barreau de Paris. Député des Basses-Alpes, arr. de Digne (1936-1940). Vota pour le maréchal Pétain (1940). Pendant la guerre, membre du *Conseil National de la Résistance* (Commission de l'Agriculture). Conseiller général du canton de La Motte-du-Caire depuis 1945. Elu député radical-socialiste des Basses-Alpes à la 1re Assemblée nationale le 10 novembre 1946 ; réélu en 1951. Ne s'est pas représenté en 1956. Elu, à nouveau, dans la 1re circ. en 1962. Réélu en 1967.

MASSU (Jacques, Emile, Charles, Marie).

Général, né à Châlons-sur-Marne le

5 mai 1908. Marié à l'ex-Mme Henry Torrès, née Suzanne Rosemberg (Rosambert). Militaire de carrière, fut co-président du *Comité de Salut Public d'Algérie et du Sahara* (1958). Ses déclarations à un journaliste allemand, dans lesquelles il désavouait la politique gaulliste en Algérie, provoquèrent à Alger des troubles graves. Mis « *sur la touche* » (selon sa propre expression), fut nommé gouverneur militaire de Metz, général de corps d'armée et commandant en chef en Allemagne après qu'il eut fait sa soumission au général De Gaulle.

MASTEAU (Jacques).

Avocat, né à Poitiers, le 18 juillet 1903. Député républicain de gauche de la Vienne (1936-1942). Vota pour le maréchal Pétain le 10 juillet 1940).

MATALON (Daniel).

Transitaire, né à Salonique (Grèce) le 13 août 1914. Conseiller municipal de Marseille (1953). Conseiller général des Bouches-du-Rhône (1955). Lorsqu'il fut élu député *S.F.I.O.* des Bouches-du-Rhône (2e circ.) le 25 novembre 1962, le journal de la communauté israélite britannique, *The Jewish Chronicle* (30-3-1962) félicita le « Jewish candidat » Daniel Matalon. Opposé à Gaston Defferre, jugé par lui trop « à droite », fut évincé de la fédération socialiste des Bouches-du-Rhône et s'allia aux communistes pour combattre son « frère ennemi » lors des élections municipales de 1965. Non réélu député en 1967.

MATERIALISME.

Doctrine d'après laquelle la matière étant la seule réalité, la santé, la richesse, les jouissances de toutes sortes, sont les intérêts fondamentaux de l'existence. Le *matérialisme historique* de Marx, défini par Engels, considère que les faits économiques sont la base et la cause déterminante de tous les phénomènes historiques et sociaux. Selon F. Le Play, c'est le genre de travail qui est le facteur prédominant.

MATHE (Pierre, Cyprien).

Agriculteur, né à Giry, le 1er août 1882, mort à Paris, le 3 juin 1956. Fut l'un des chefs de la paysannerie française de l'entre-deux-guerres. Conseiller général de la Côte-d'Or, fut élu député agraire de ce département en 1936. Chargé par le maréchal Pétain de l'organisation paysanne. Nommé membre du *Conseil national* le 2 novembre 1941.

MATHEVET (René, Jean, Victor).

Syndicaliste, né à Saint-Etienne (Loire), le 10 mars 1914. Militant démocrate-chrétien et résistant, entra, après la Libération, au Conseil confédéral de la Confédération française des travailleurs chrétiens (C.F.T.C.). Appartient au Conseil économique et social, depuis 1959.

MATHEY (Pierre).

Agriculteur, né à Prauthoy (Haute-Marne), le 30 juillet 1890. Maire de Prauthoy, vice-président de la Chambre d'agriculture de la Haute-Marne et sénateur de la Haute-Marne (depuis 1955). Membre du Groupe de la *Gauche démocratique*.

MATIGNON (colonel Maurice) (Voir Croix de France).

MATIN (Le).

Fondé à Paris en 1884 par des Américains qui en confièrent la direction à Edwards, lequel fit écrire l'éditorial à tour de rôle par deux hommes de gauche, Jules Vallès et Emmanuel Arène, et deux hommes de droite, Cornély et Paul de Cassagnac. Puis le journal passa aux mains de Poidatz qui en fit un journal populaire à un sou et passa un accord avec le *Times* pour améliorer ses sources d'information. Les Bunau-Varilla en devinrent ensuite les « patrons » et le restèrent jusqu'en 1944. Sous la IIIe République, ce quotidien fut l'un des « cinq grands » qui régnaient sur l'opinion publique. « *Mon fauteuil*, disait Maurice Bunau-Varilla, *vaut trois trônes.* » Pendant très longtemps, la rédaction du journal fut dirigée par Stéphane Lauzanne. Y collaborèrent également : Camille Pelletan, Henri de Jouvenel, Gustave Téry, Maurice Prax, Clément Vautel (avant 1914), puis Philippe Barrès, Gerville-Réache, Sam Cohen, Georges Dessoudaix (dans l'entre-deux-guerres). *Le Matin* suspendit sa publication, comme tous les autres quotidiens, au début de juin 1940. Avec l'accord des autorités préfectorales, *Le Matin* reparut le 17 juin. Jacques Ménard, qui n'avait tenu dans la presse que de petits rôles, eut pratiquement la responsabilité de ce très grand quotidien. Jean de La Hire, le célèbre feuilletonniste, en prit la direction littéraire. Stéphane Lauzanne, son rédacteur en chef depuis près d'un demi-siècle, qui séjournait en zone libre, fut remplacé quelque temps par Jean Luchaire, le directeur de *Notre Temps*, et par Jac-

Le Matin reparut le 17 juin 1940 avec les encouragements des préfets Villey et Langeron.

ques Roujon, l'ancien rédacteur en chef du *Nouveau Siècle* et de l'*Ami du Peuple*. Il reprit sa place, à son retour, mais n'exerça pas les fonctions : il se borna à écrire des éditoriaux. Jacques Ménard fut officiellement nommé rédacteur en chef quelque temps plus tard et partagea la direction de la rédaction avec Roujon ; il eut comme adjoints Pierre Harel-Darc, Pierre Pascal, Beuve et Sprecher. *Le Matin* disparut en août 1944, lorsque, les armes à la main, une vingtaine de F.F.I. y installèrent les services du *Populaire*. Son immeuble abrite aujourd'hui la direction, l'administration et la rédaction de *L'Humanité*.

MATIN CHARENTAIS (Le).

Quotidien de droite fondé en 1883 à Angoulême et contrôlé avant et pendant la guerre par Pierre Taittinger, ancien chef des *Jeunesses Patriotes*. Disparu à la Libération.

MAUCLAIR (Camille FAUST, dit).

Homme de lettres et critique d'art, né et mort à Paris (1872-1945). Esprit universel et curieux, mêlé très jeune aux mouvements symboliste et anarchiste, il a, dans ses premiers romans (« *L'Ennemie des Rêves* », « *Le Soleil des Morts* », « *La Ville-Lumière* », etc.) exprimé en penseur et en lyrique les déchirements d'une génération également sollicitée par le rêve et l'action. Passionné de peinture et de musique, commensal de presque tous les grands artistes de son temps, il a écrit plus de vingt-cinq essais sur l'art ancien et moderne : « *La Religion de la Musique* », « *Les Héros de l'Orchestre* », « *Princes de l'Esprit* », « *Servitude et Grandeur Littéraires* ». Son culte des maîtres et sa probité de critique l'amenèrent, vers 1928, à dénoncer avec vigueur les agissements des grands mercantis de la peinture — ventes fictives, placements forcés dans les musées, etc. — et les réputations usurpées qui en ont résulté. Parues d'abord en articles dans *Le Figaro* puis dans *L'Ami du Peuple*, ces attaques, qui valurent à leur auteur un déchaînement d'injures et des haines tenaces, ont été réunis en volumes sous les titres : *La Farce de l'Art Vivant* et *Les Métèques contre l'Art Français*. Pour avoir écrit sous l'occupation une brochure traitant des Juifs dans l'Art, il figura à la Libération sur la liste noire du *C.N.R.* Depuis sa disparition, son action est reprise par Paul Biehler, artiste-peintre, écrivain d'art et journaliste, fougueux défenseur des disciplines classiques et de la culture occidentale, qui s'élève contre les excès de l'art moderne et la commercialisation de la peinture dans de nombreux pamphlets (« *La Course à l'Etron* », « *La Civilisation en Clandestinité* », « *L'Archevêque au Sabbat* », etc.), et dans ses articles et chroniques politiques et artistiques (*L'Alliance Nouvelle, L'Homme Nouveau, l'Indépendance Française, Le Nouveau Prométhée, L'Europe Réelle, Le Cahier des Arts, Atlantis* », etc.).

MAULION (Paul, Alfred, Camille).

Avocat, né à Poitiers, le 1er juillet 1875, mort à Paris, le 28 janvier 1946. Conseiller général, député du Morbihan (1919-1924), puis sénateur de ce département (1933-1941). Inscrit au groupe de la *Gauche radicale*. Nommé le 23 janvier 1941 membre du *Conseil national*.

MAULNIER (Jacques, Louis, André TALAGRAND, dit Thierry).

Journaliste et homme de lettres, né à Alès le 1er octobre 1909. Ancien élève des lycées d'Alès et de Nice, du lycée Louis-le-Grand et de l'Ecole Normale Supérieure, il entra très jeune à l'*Action française* (1930); il y collaborait pendant la guerre, alors que le journal monarchiste était replié à Lyon. Entre les deux guerres, Thierry Maulnier fut rédacteur de politique étrangère au *Rempart*, de

Paul Lévy (1933) et dirigea *Combat* avec Jean de Fabrègues, collabora régulièrement à *Je suis partout* et au *Figaro*, et fut l'animateur d'un fougueux journal nationaliste *L'Insurgé* (1937-1938). Depuis la guerre, il a été successivement ou simultanément : rédacteur au *Figaro*, chroniqueur dramatique à *Combat* et à *La Revue de Paris*, directeur de *La Table Ronde* (qu'il a fondée avec F. Mauriac), etc. Candidat au fauteuil de Henry Bordeaux, il fut élu académicien en 1964. Auteur dramatique estimé, il a produit : « *Antigone* » (1944), « *La Course des rois* » (1947), « *Jeanne et les Juges* » (1949), « *Le Profanateur* » (1952), « *Œdipe-Roi* » (adaptation, 1952) « *La Maison de la nuit* » (1953), « *La Condition humaine* » (adaptation, 1954) « *Procès à Jésus* » (adaptation, 1958), « *le Sexe et le Néant* » (1960), « *Signe du feu* » (adaptation, 1960) et mis en scène « *La Thébaïde* », au Théâtre Montparnasse-Gaston Baty (1965). Il est, en outre, l'auteur de plusieurs ouvrages, dont : « *La crise est dans l'homme* » (1932), « *Nietzsche* » (1933), « *Racine* » (1934), « *Introduction à la poésie française* » (1939), « *Violence et Conscience* » (1945), « *La Face de méduse du communisme* » (1952), etc. Partisan de l'Europe fédérée, il collabore à *XXe siècle fédéraliste*. En septembre 1958, ce Maurrassien se prononça publiquement pour le « *OUI au De Gaulle* » comme les neuf dixièmes de ses amis politiques.

MAUNY (Michel de).

Journaliste, né à Nantes (Loire-Inférieur), le 19 avril 1915. Militant national depuis une trentaine d'années. Donnait une chronique hebdomadaire au *Phare de la Loire* et une chronique littéraire à *La Cité*, de Namur, entre les deux guerres. A collaboré à de nombreuses publications (actuellement au *Miroir de l'histoire*). Vice-président du *Club national des lecteurs,* directeur de la publication *Lectures Françaises* qu'il a fondée en 1957 avec Pierre-Antoine Cousteau et Henry Coston.

MAURIAC (François).

Poète, romancier, dramaturge, critique, essayiste, journaliste politique, né à Bordeaux, le 22 octobre 1885, cinquième enfant d'une famille de la grande bourgeoisie bordelaise appartenant au célèbre « quai des Chartrons » qui groupe les armateurs, résiniers et propriétaires des grands vignobles. Est l'un des écrivains français les plus connus dans le monde, membre de l'Académie française depuis 1933, prix

Nobel de littérature 1952. De ses trois frères, l'un se fera jésuite, l'autre deviendra doyen de la faculté de Médecine de Bordeaux, le troisième avoué. Etudes chez les marianistes de Grand-Lebrun à Caudéran (Gironde), poursuivies au lycée, puis à la faculté de Bordeaux (licence ès lettres). Prépare à Paris et passe avec succès le concours d'entrée à l'Ecole des chartes, puis démissionne aussitôt pour se lancer dans la littérature. A fréquenté les milieux d'étudiants catholiques, a connu le *Sillon* de Marc Sangnier, s'est lié avec Jean de la Ville de Mirmont et André Lafon. Marié le 3 juin 1913 avec Jeanne Lafon, dont il a eu un fils, Claude, l'année suivante. Campagne 1914-1917 comme auxiliaire du service de Santé en Champagne, puis à l'armée d'Orient à Salonique d'où il revient paludéen grave. Grand Prix du Roman de l'Académie française (1925) avec *Le Désert de l'Amour*, président de la Société des Gens de Lettres (1932). Publication du premier volume de son *Journal* en 1934, puis de son *Bloc-Notes* en 1952 (qui paraîtra successivement dans *La Table Ronde*, au *Figaro*, à *L'Express*, enfin au *Figaro littéraire* depuis 1961). Victime d'une éducation bourgeoise janséniste qui a développé en lui le sens inné du scrupule, en lui faisant peut-être perdre de vue la « loi d'amour » du catholicisme et par là, lui a révélé la volupté d'un certain masochisme spirituel à base d'orgueil que reflètent ses principales héroïnes (Thérèse Desqueyroux, Noémi du « *Baiser aux Lépreux* », etc.) et qui donne au catholicisme ainsi étriqué un « aspect rebutant » ou, pour tout dire, pharisien. C'est probablement à ce sens du scrupule qu'on doit attribuer les variations politiques de Mauriac qui, pétainiste en 1940, s'est retrouvé gaulliste en 1944 — jusqu'à sa brouille avec le directeur du *Figaro*. Faut-il rappeler ces textes, maintes fois cités, qui demeurent des exemples de « girouettisme » politique ?

« *Les paroles du maréchal Pétain, le soir du 25 juin, rendaient un son presque intemporel : ce n'était pas un homme qui nous parlait, mais du plus profond de notre histoire nous entendions monter l'appel de la grande nation humiliée. Ce vieillard était délégué vers nous par les morts de Verdun et par la foule innombrable de ceux qui, depuis des siècles, se transmettent ce même flambeau que viennent de laisser tomber nos mains débiles. Une voix brisée par la douleur et par les années nous apportait le reproche des héros dont le sacri-*

La fameuse dédicace au lieutenant de la Censure allemande.

fice, à cause de notre défaite, a été rendu inutile... » (*Le Figaro*, 3-7-1940.)

« *Il y a, dans l'excès de malheur, une sorte de paix qui naît de cette certitude que l'on ne saurait tomber plus bas : c'est le repos du fond de l'abîme. Au soir de l'armistice nous ne pensions pas qu'il pût rien nous arriver de pire, et il ne restait à chacun de nous que de veiller et de prier avec notre peuple en agonie... Et puis, tout à coup, ce retournement de l'Angleterre contre nous, ce guet-apens de Mers-el-Kébir, et tous ces marins sacrifiés...* (*Le Figaro*, 15-7-1940.)

« *Cet homme (le général De Gaulle), je suis si occupé à le regarder qu'il m'est d'abord impossible d'attacher ma pensée aux paroles qu'il prononce... Mais loin de moi, au-dessus de la foule, sur un fond de draperies aux couleurs sacrées, il se dresse dans sa réalité intemporelle. Il m'est livré. Je puis le dévorer des yeux à loisir. Je le tiens sous mon regard, comme une de ces images de l'histoire de France de Guizot, sur lesquelles, enfant, je rêvais des soirées entières... Ce chef ne prétend pas nous ravir à nous-même... Il ramasse dans le sang et dans la boue cette couronne qui y gisait depuis bientôt cinq ans, et il la dépose avec un profond et tendre respect sur le front si longtemps humilié de notre peuple...* » (*Le Figaro*, 14-9-1944.)

Au moment où Mauriac écrivait ces lignes, le rédacteur prestigieux du *Figaro* appartenait au *Front national* noyauté par les communistes. Après avoir déclaré, à un meeting de la Mutualité, que « *c'est dans la lutte commune que s'est formée une meilleure connaissance réciproque des éléments divers qui constituent les forces vives de la nation* » et que « *le Front national doit poursuivre son action* » — paroles recueillies avec satisfaction par *L'Humanité* (14-10-1944) — et affirmé qu' « *il était impossible d'être dans la Résistance sans se trouver du même côté que les communistes et mêlé à eux, voilà le fait ; et qu'un gouvernement français pût être formé en dehors d'eux n'était même pas imaginable...* » (*Le Figaro,* 22-11-1945), l'auteur du « *Nœud de vipères* » écrivait, quelques années plus tard : « *Pour moi qui avais été lié dans la Résistance au* Front national, *j'ai bien vu, dès les premiers jours de la Libération, que mon nom était utilisé en province, que le Parti se servait de nous sans vergogne...* » (*Le Figaro,* 2-8-1947). Lorsque Pierre Mendès-France devint président du Conseil (1954-1955), son *Bloc-Notes* fut mendésiste et paraissait dans *L'Express.* Après le retour du général De Gaulle au pouvoir (1958), il fut nettement gaulliste et reçut l'hospitalité du *Figaro littéraire.* Ecrivain très fécond, a publié de nombreux ouvrages, parmi lesquels, outre ceux cités plus haut, on peut relever : « *Le Sang d'Atys* » (poèmes, 1940), « *L'Enfant chargé de chaînes* » (1913), « *Genitrix* » (1923), « *Le Désert de l'Amour* » (1925), « *La Pharisienne* » (1941), romans, « *La Vie de Jean Racine* » (1928), « *Dieu et Mammon* » (1929), « *Vie de Jésus* » (1936), « *Le Cahier noir* » (1943), « *Le Fils de l'Homme* » (1958), « *De Gaulle* » (1964) et les pièces de théâtre : « *Asmodée* » (1937), « *Les Mal-Aimés* » (1945), « *Passage du Malin* » (1947) et « *Le Feu sur la Terre* » (1955).

MAURICE-BOKANOWSKI (Michel).

Homme d'affaires, né à Paris le 6 novembre 1912. Fils de Maurice Bokanowski (député et ministre de la IIIe République). Principal actionnaire de *Dralux-Boka* (tissus, firme issue de la maison *Boka*), de la *Grande Maison de Blanc* et de plusieurs sociétés régionales. Conseiller municipal d'Asnières. Ancien secrétaire fédéral du *R.P.F.* pour la région parisienne. Député *R.P.F.*, puis *Républicain Social* et *U.N.R.* (1951-1967). Fondateur, en 1956, du *Comité d'Action pour la Défense des Institutions Répu-*

blicaines. Secrétaire d'Etat à l'Intérieur (1959), ministre des P. et T. (1960, cabinet Debré), puis ministre de l'Industrie (cabinets Pompidou, depuis 1962).

MAUROIS (Emile, Salomon, Wilhelm HERZOG).

Homme de lettres, né à Elbeuf (Seine-Inférieure) le 26 juillet 1885, du fabricant de drap Herzog et de son épouse, Alice-Hélène Lévy. Marié en secondes noces avec la fille d'Arman, dit de Caillavet, l'auteur dramatique bien connu. Adopta, dès ses premiers ouvrages, le pseudonyme d' « André Maurois », puis il demanda (*J. O.,* 8.10.1939) l'autorisation de s'appeler légalement Maurois et il l'obtint, huit ans plus tard, par décret spécial (*J. O.,* 26.6.1947). Romancier, historien, membre de l'Académie française, il publia notamment une biographie de « *Disraéli* », une « *Histoire d'Angleterre* », une « *Histoire des Etats-Unis* » et (avec la collaboration de Louis Aragon, qui rédigea la partie russe), une « *Histoire parallèle des U.S.A. et de l'U.R.S.S.* ». Il ne cachait pas, avant la guerre, ses idées conservatrices (*Courrier royal,* l'hebdomadaire monarchiste, lança son premier numéro avec un article de l'illustre écrivain). Réfugié aux Etats-Unis en 1940, il défendit le maréchal Pétain dans les milieux émigrés français de New York. Qui ne se souvient de sa réponse à Henry Bernstein, lui aussi new-yorkais en 1940 ? « *Puisque vous m'obligez à choisir, je choisis. Je suis pour la France du Maréchal !* » Il rallia le gaullisme plus tard et gagna l'Afrique du Nord. En 1946, il rentra en France, collabora à *France-soir, Carrefour, Le Havre, La Nouvelle République* de Tours, *La Revue de Paris.* Il fit campagne pour De Gaulle en 1958, se prononça pour le OUI au référendum de janvier 1961, et devint l'un des membres du comité de patronage du *Centre l'Information Civique.*

MAURRAS (Charles-Marie-Photius).

Ecrivain, journaliste et homme politique, né à Martigues (Bouches-du-Rhône), le 20 avril 1862, mort à la clinique Saint-Symphorien de Tours (Indre-et-Loire), le 16 novembre 1952. Il appartenait à une famille provençale où l'on trouve des magistrats, des officiers, des médecins et des marins. Son père, qui était percepteur, mourut alors que le jeune Maurras n'avait que six ans. Il fit ses études au collège catholique

À Charles Maurras.

Respectueux hommage

25 Mars 1924.

C de Gaulle.

Les lois désarmées tombent dans le mépris; les armes insurmenaires aux lois tombent dans l'anarchie.

(Cardinal de Retz.)

La Discorde

chez l'Ennemi

d'Aix-en-Provence où la philosophie lui fut enseignée par un futur évêque de Fréjus. Il était en quatrième lorsqu'une surdité presque totale le frappa brusquement. Quelques années plus tard, il perdit la foi. Après le baccalauréat, il vint à Paris avec sa mère et il hanta bientôt les cafés littéraires du Quartier Latin, *Le Voltaire* et le *Café de Flore*, où il se lia d'amité avec Charles Le Goffic, Jean Moréas, l'helléniste Desrousseaux qui fut plus tard député socialiste sous le nom de Bracke. Il collabora aux *Annales de Philosophie chrétienne*, à *La Cocarde, La Vie intellectuelle, La Revue blanche, Le Soleil, La Revue indépendante, La Réforme sociale, La Gazette de France, La Revue encyclopédique Larousse*. Il fréquenta Barrès, dont il devint l'ami, et Anatole France, qui lui donna des conseils sur l'art d'écrire. L'Affaire Dreyfus, qui divisa si dangereusement la France, jeta Charles Maurras dans la mêlée. Convaincu, d'une part, de la nécessité d'opposer la doctrine royaliste à la démocratie et, d'autre part, des dangers que faisait courir à la France le pangermanisme allemand, il fonda *L'Action française,* avec Henri Vaugeois et Maurice Pujo (qui en conçut le titre), Léon de Montesquiou, le colonel de Villebois-Mareuil, Lucien Moreau, un petit-fils de Pierre Larousse l'encyclopédiste, et Jacques Bainville ; d'abord bi-mensuelle à partir de 1899, sous la forme d'une petite « revue grise », *L'Action française* devint (21 mars 1908) le quotidien du « nationalisme intégral », c'est-à-dire : monarchie traditionnelle, héréditaire, antiparlementaire et décentralisée. Entre temps, Maurras avait publié sa fameuse *Enquête sur la Monarchie* (1900) qui eut une si grande influence sur les milieux nationalistes, en premier lieu sur son entourage, et qui devint la bible du néoroyalisme. Un peu plus tard, il publia en brochures sa longue discussion avec J. Paul-Boncour, réunies en volume en 1905 sous le titre : « *Un débat nouveau sur la République et la décentralisation* », puis un livre capital, « *L'Avenir de l'Intelligence* » (1905), où il montrait que, sous le régime démocratique,

Laissez de côté le procès de trahison qui ne tient pas debout, qui est rejeté partout, par toute l'expérience de ma vie et de ma nature. Rendez-moi ma personnalité. Ne vous amusez pas à fabriquer un mannequin que vous appelez Charles Maurras. J'ai, moi, ma vie, j'ai ma carrière, mes livres, ma doctrine, mes idées, mes ouvrages. J'ai l'avenir devant moi qui vous jugeront.

Ch. Maurras

25 janvier 45

**Déclaration faite par Charles Maurras
devant la Cour de Justice de Lyon** (Cliché Cahiers Charles Maurras)

l'écrivain est presque toujours asservi au plus dégradant des despotismes, celui de l'Argent. A cette époque, Maurras partit en guerre contre *Le Sillon* et son chef, dont il dénonça ce qui était, à ses yeux, des erreurs dangereuses, dans un livre intitulé « *Le Dilemme de Marc Sangnier* » (1906). C'est en 1910 qu'il publia « *Kiel et Tanger* », livre dans lequel il prédisait les conséquences des erreurs politiques des années précédentes. Ses études « *La Politique religieuse* » (1912) et « *L'Action française et la Religion catholique* » (1913), dans lesquelles, tout en affichant son agnosticisme, il affirme son respect pour la religion catholique en raison de son influence bénéfique sur le plan social, amorcèrent ses difficultés avec Rome. Ce qui n'empêcha pas Maurras de défendre la politique de neutralité du pape Benoît XV dans « *Le Pape, la Guerre et la Paix* » (1917). Le conflit devait atteindre son point culminant en 1926 avec le réquisitoire de l'archevêque de Bordeaux auquel les dirigeants de *L'Action Française* répondirent par un sec « Non possumus » retentissant, et qui fut suivi d'une condamnation en consistoire secret ; sans prononcer l'excommunication, la sanction frappait tous les sympathisants d'*Action Française* et leur refusait les sacrements. Le « Non possumus » fut suivi d'une « *Lettre de Maurras à S.S. le pape Pie XI* » (1927), de « *Les pièces d'un procès : L'Action française et le Vatican* » (1927), et de « *La Politique du Vatican* » (1928) qui n'arrangeaient rien. Certains ont voulu voir dans la condamnation de *L'Action française* une revanche des catholiques démocrates partisans du *Sillon*. En tout cas, la sanction ne fut levée qu'en 1939 par le pape Pie XII, sur l'intervention du Carmel de Lisieux.

Au cours de la guerre 1914-1918, Maurras a publié de nombreux ouvrages politiques, d'un nationalisme ardent : « *La France se sauve elle-même* », « *Ministère et Parlement* », « *Le Parlement se réunit* », « *La Blessure intérieure* » (sous le titre générique « *Les Conditions de la Victoire* », « *La Part du Combattant* » (1917) ; puis il attaqua le traité de Versailles, dans « *Le Mauvais Traité : de la Victoire à Locarno* » (1928). Les violentes campagnes de *L'Action française* lui avaient attiré de vives haines qui se manifestèrent par des procès sans nombre et des attentats (Marius Plateau, Philippe Daudet, Ernest Berger en furent les principales victimes). Maurras lui-même fut condamné une première fois à huit mois de prison en 1912 pour de prétendus « coups et blessures, me-

naces de mort, port d'arme prohibée », sanction aussitôt amnistiée ; puis à un an de prison avec sursis en 1929 pour menaces de mort conditionnelles à l'égard du ministre de l'Intérieur Abraham Schrameck, à la suite d'attentats contre des patriotes ; une nouvelle fois à huit mois de prison ferme, en 1936, pour menaces de représailles (le « couteau de cuisine ») envers les 140 parlementaires qui exigeaient une déclaration de guerre à l'Italie à propos de sa campagne éthiopienne (la sentence fut exécutée: Maurras fut emprisonné). De 1931 à 1934), publication du magistral « *Dictionnaire politique et critique* » ; (établi par les soins de Pierre Chardon, qui choisit et classa avec soin les textes publiés par son maître çà et là) ; puis « *Devant l'Allemagne éternelle* » (1937), livre dans lequel Maurras précise les motifs de son anti-germanisme et un ouvrage de synthèse, « *Mes Idées politiques* » (1937). Mais, la même année 1937, Maurras était publiquement désavoué par la famille royale. En 1938, il entrait à l'Académie française. Violemment opposé à la guerre, parce qu'il ne jugeait pas la France en mesure de la gagner, il suivit, à la débâcle de 1940, *L'Action française* dans ses replis successifs : Poitiers, Limoges et finalement Lyon, parvenant à maintenir la parution à peu près régulière du journal. Rallié au maréchal Pétain, et tandis que la Gestapo arrêtait Maurice Pujo et Georges Calzant, il publia « *La seule France* » (1941), « *De la Colère à la Justice, réflexions sur un Désastre* » (1942), « *Pour un Réveil français* » (1943). En août 1944, parut le dernier numéro de *L'Action française*. Arrêté à la Libération, Maurras fut condamné le 27 janvier 1945 par la Cour de Justice de Lyon à la réclusion perpétuelle et à la dégradation nationale pour intelligences avec l'ennemi ». Emprisonné à Riom, puis à Clairvaux, il fit paraître sous son nom (ou sous des pseudonymes) divers ouvrages politiques, en particulier « *Pour un jeune Français* » (1949) et « *Œuvres capitales* » (1952), qui représentent la somme de ses idées politiques. En avril 1952, il fut placé en résidence surveillée à la clinique Saint-Symphorien de Tours, où il mourut. Outre ses œuvres de politique et de polémique, il a écrit de nombreux ouvrages de philosophie, de poésie, de souvenirs, de critique littéraire, de régionalisme provençal (il était membre du Félibrige), dont les plus connues sont : « *Le Chemin de Paradis* » (1895), « *Anthinéa, d'Athènes à Florence* » (1901), reportage sur les Jeux olympiques de 1896, « *Les Amants de*

Venise » (1902), étude sur George Sand et Musset tendant à réfuter les idées romantiques, « *L'Etang de Berre* » (1915), « *L'Allée des Philosophes* » et « *Poètes* » (1923), « *La Musique intérieure* » (1925), « *La Sagesse de Mistral* » (1926), « *Sur les Etangs de Marthe* » (1927), « *Mar e Lono* » (1930), « *Nouveaux Méandres* » (1931), « *Les Vergers sur la Mer* » (1937), « *Mon Jardin qui s'est souvenu* » (1949), « *La Balance intérieure* » (1952). Il fut le chef d'une école qui a compté des noms prestigieux : Robert Brasillach, Michel Déon, Thierry-Maulnier, Pierre Gaxotte, Jean de la Varende, Henri Massis, Xavier Vallat, Pierre Varillon, Kléber Haedens, Georges Bernanos, etc., dont certains se sont séparés de lui, surtout à cause de la rigidité de sa doctrine.

MAX-PETIT (Camille-Lucien PETIT, dit).

Journaliste, né à Gardanne (B.-du-R.) le 21 juillet 1921. Président d'honneur des Etudiants en Droit. Arrêté au cours d'une manifestation gaulliste (11 - 11 - 1940). Arrêté de nouveau, s'évada et entra dans la Résistance (1943). S'engagea pour la campagne contre le Japon et fut nommé directeur des programmes de *Radio-Saigon* (1945), puis de *Radio-Cambodge* (1946) et enfin chef du service de presse de la Direction fédérale de l'Information en Indochine (novembre 1946). Directeur de la station *Radio-Alger* (1947). Directeur des informations de la R.T.F. aux Antilles et en Guyane (1951). Reporter à l'*A.F.P.* (1951-52). Collaborateur puis chef adjoint des reportages à la R.T.F. (1957). Attaché au cabinet de Jacques Soustelle, ministre de l'Information (1959). Collaborateur, puis rédacteur en chef du *Journal télévisé* (1er janvier 1960). Elu député *U.N.R.* de Seine-et-Oise (15e circ.) en 1962. Membre de l'*Alliance France-Israël*.

MAXENCE (Pierre GODME, dit Jean-Pierre).

Ecrivain, né à Paris, le 20 août 1906. Fils d'un important entrepreneur de travaux publics, frère du romancier Robert Francis, avec lequel il créa, en 1928, *Les Cahiers*. Militant d'extrême-droite, fut délégué à la propagande de *La Solidarité Française*, parti fasciste fondé par François Coty, collabora à *Gringoire* et dirigea, avec Thierry-Maulnier, l'hebdomadaire de droite *L'Insurgé*. Puis fut professeur de philosophie au collège de Mortefontaine, près de Senlis. Publia alors d'intéressants souvenirs sur les milieux politiques et littéraires sous

le titre « *Histoire de dix ans* » (1938) Rallié au maréchal Pétain, en 1940, son nom fut inscrit sur la « liste noire » du *C.N.E.* à la Libération.

MAXENCE-BIBIE (voir BIBIE).

MAYER (Daniel).

Journaliste, né le 29 avril 1909 à Paris. Fils d'un représentant de commerce et d'une institutrice. Ses adversaires ont prétendu qu'il avait débuté dans la vie comme ouvrier bijoutier, mais rien de précis ne permet de l'affirmer. Depuis 1933 au moins, il collabore à la presse : il fut le chef de la rubrique sociale du *Populaire* pendant six ans, jusqu'en 1939. Il n'occupait alors qu'une place fort modeste dans la presse de gauche. En fait, c'est la Résistance qui lui donna l'occasion de s'affirmer. Pendant l'occupation, il dirigea *Le Populaire* clandestin et le *Parti Socialiste* également clandestin, ce qui lui permit d'entrer dans l'état-major du *Conseil National de la Résistance*. A la Libération, il fit partie de la première Assemblée constituante de 1945, fut réélu à celle de 1946, puis entra à l'Assemblée nationale où il resta jusqu'en 1958. Léon Blum, qui avait de la sympathie pour lui, le prit dans son gouvernement et en fit un ministre du Travail et de la Sécurité sociale, juste revanche contre le clan Guy Mollet qui lui avait ravi son poste de secrétaire général de la *S.F.I.O.* trois mois plus tôt. Son ascension s'est poursuivie jusqu'en 1958 ; président du groupe des *Amitiés France-Espagne libre*, du groupe des Parlementaires Résistants, et de la commission des Affaires étrangères de l'Assemblée nationale ; enfin, président de la *Ligue des Droits de l'Homme* le 9 mars 1958, date à laquelle il renonça à son mandat de député, persuadé que son action était inutile au Parlement et que d'ailleurs ses électeurs ne l'y renverraient pas aux élections suivantes. Ses sympathies pour le *Parti Socialiste Unifié* sont connues : il faillit même être le candidat de ce mouvement à l'élection présidentielle de décembre 1965. Les vieux militants de la *Ligue des Droits de l'Homme*, qui ont conservé l'esprit généreux des républicains de jadis, se sont cependant étonnés qu'on l'ait choisi pour présider leur vieille association. Courageux et énergique, Daniel Mayer n'est pas précisément indulgent, ni charitable. Ne s'est-il pas exclamé, en plein conseil des ministres, alors qu'on envisageait de permettre au maréchal Pétain, détenu à l'Ile d'Yeu, d'aller mourir parmi les siens : « *Le vieux est bien où il est, qu'il y crève !* » C'est encore lui qui, au cours d'une réunion de la *Ligue Internationale contre l'Antisémitisme* (L.I. C.A.), déclara, à propos de l'épuration : « *Il y eut beaucoup de crânes tondus, mais pas assez de têtes coupées* » (réunion de la *L.I.C.A.*, 31 janvier 1950).

MAYER (René, Joël, Simon).

Administrateur de sociétés, né à Paris le 4 mai 1895. Cousin (par sa mère) des Rothschild. Auditeur au Conseil d'Etat (1920-1925). Collaborateur de Pierre Laval, qui l'attacha à son cabinet ministériel en 1925 et qu'il accompagna à Moscou en 1935. Maître des requêtes au Conseil d'Etat, secrétaire général du Conseil supérieur des chemins de fer, vice-président du *Chemin de fer du Nord* et principal animateur de la banque *de Rothschild frères* (1928-1940). Commissaire puis chef de la mission en Grande-Bretagne du ministère de l'Armement, demeura en France jusqu'en 1942, protégé par son ancien « patron ». Puis gagna l'Algérie où le général Giraud lui confia le Commissariat aux Communications et à la Marine marchande du Comité Français de Libération à Alger. Député radical-socialiste de Constantine (1946-1956). Ministre des Travaux publics, des Finances, de la Défense nationale et de la Justice, et président du Conseil (1953), Conseiller général de l'Eure, puis (plus tard) de Constantine. Président de la Haute Autorité de la Communauté européenne du charbon et de l'acier 1955-1957), président-directeur général de la *Compagnie de recherches et d'exploitation de pétrole* (Eurafrep), vice-président de la *Société financière de transports et d'entreprises industrielles* (Sofina), appartient en outre au : *Le Nickel, La Union et Le Phenix espanol, Rio Tinto*, etc.

MAYOL DE LUPE (comte Jean de).

Ecclésiastique (1873-1955). Issu d'une famille de tradition chrétienne et monarchiste éprouvée par la Révolution, originaire de Lupé, petite commune de la Loire. Cet anticommuniste ardent qui fit la 1re Guerre mondiale, fut au cours de la deuxième, l'aumônier des Waffen S.S. français de la Division Charlemagne, sur le front germano-soviétique. Réfugié dans un monastère après la capitulation allemande, arrêté un an plus tard, il fut condamné par la Cour de Justice de Versailles à vingt ans de travaux forcés. Libéré assez vite en raison de son mauvais état de santé et de son grand âge, il mourut le 28 juin 1955. Ses obsèques eurent lieu à Lupé : son cercueil fut porté en terre sur les épaules de six hommes du village, anciens prisonniers de guerre qui lui devaient leur libération.

MAYOUD.

Syndicaliste, membre du Syndicat des textiles, nommé le 23 janvier 1941 au *Conseil national* (voir à ce nom).

MAZIOL (Jacques).

Avocat, né à Aurillac, le 13 janvier 1918. Inscrit au barreau de Toulouse. Membre du conseil national du *R.P.F.* et président de la Fédération *R.P.F.* de Haute-Garonne. Membre du comité directeur des *Républicains Sociaux*. Elu député de la Haute-Garonne sous l'étiquette *U.N.R.* (1958). Réélu (novembre 1962). Membre du comité central *U.N.R.* Elu conseiller général de Haute-Garonne et conseiller municipal de Toulouse. Ministre de la Construction (cabinets Pompidou, 1962-1966). Nommé directeur de *Radio-Monte Carlo* (1966).

MECK (Henri).

Syndicaliste, né à Saverne (B.-du-R.) le 31 juillet 1897. Ancien secrétaire général (1922-1945), puis président de la Fédération des syndicats chrétiens d'Alsace et de Lorraine (1945-1957). Membre du C.A. du *Nouvel Alsacien*. Maire de Molsheim (depuis 1934). Conseiller général du canton de Benfeld (1949-1955), du canton de Schirmeck (19 avril 1955), du canton de Molsheim (20 avril 1958). Président du Conseil général du Bas-Rhin (1960). Député démocrate populaire du Bas-Rhin (1928-1940), vota pour le maréchal Pétain en juillet 1940. Membre des deux Assemblées Constituantes (1945-1946). Député *M.R.P.* du Bas-Rhin à partir du 10 novembre 1946. A refusé la levée de l'immunité parlementaire de M. Duclos et de ses collègues communistes poursuivis pour atteinte à la sûreté de l'Etat (1953). Lors de l'élection présidentielle de décembre 1965, a invité les électeurs alsaciens à voter pour le général De Gaulle au second tour ; s'était d'ailleurs prononcé, avant le 1er tour, au sein de la fédération *M.R.P.* du Bas-Rhin, contre la candidature de Lecanuet et pour celle du président sortant.

MEDECIN (Jacques).

Journaliste, né à Nice, le 5 mai 1928. Fils de Jean Médecin (voir ci-dessous). Tout jeune, appartint au groupe de Résistance du lycée de Nice, puis au mouvement clandestin *Combat* et participa à la Libération de Nice. Après son service militaire et un assez long séjour à l'étranger, fut attaché de cabinet de ministre et devint journaliste à *Paris-Presse* (1951). Revenu à Nice, fut reporter au quotidien *Nice-Matin* pendant cinq ans (1954-1959), l'envoyé spécial permanent (pour la Côte d'Azur) de *L'Aurore*, l'*United Press International*, *Newsweek*, *Europe N° 1*, le magazine berlinois *B.Z.*, etc. puis l'éditeur du journal de combat politique indépendant et national *Flash sur la Côte d'Azur*. Après avoir milité dans les rangs du *Rassemblement Républicain* animé par son père, fut candidat aux élections cantonales (juin 1961), aux élections municipales de Nice (février 1966) et aux élections législatives de mars 1967 : élu aux trois. Occupe depuis le 11 février 1966 le fauteuil de maire de Nice que la mort de son père laissait vacant.

MEDECIN (Jean, François, Pierre, René, Horace).

Avocat, né à Nice, le 2 décembre 1890, mort à Nice, le 18 décembre 1965. Fils d'Alexandre Médecin, conseiller général des Alpes-Maritimes et adjoint au maire de Nice ; petit-fils de Pierre Médecin, premier maire français de Villefranche-sur-Mer. Sous la IIIe République, fut député de Nice de 1932 à 1938, puis sénateur (non inscrit) des Alpes-Maritimes de 1938 à 1942. Elu successivement aux deux Assemblées constituantes (1945-1946), représenta son département à l'Assemblée nationale de 1946 à 1958. Fut, en outre : adjoint au maire de Nice (1925), maire de Nice (1928-1943 et 1947-1965), président délégué du Conseil supérieur du tourisme, membre du Conseil supérieur d'Electricité et Gaz de France et du Comité national d'urbanisme, secrétaire d'Etat à la Présidence du Conseil (cabinet Edgar Faure, mars 1955-janvier 1956), à nouveau député des Alpes-Maritimes (2e circonscription : Nice IV et V) (novembre 1958-novembre 1962), président du groupe de l'Entente démocratique à l'Assemblée nationale (1959-1960). Hostile à la politique du général De Gaulle et au pouvoir personnel, appartenait à la fin de sa vie à l'opposition et prit ouvertement position pour la candidature Jean Lecanuet à l'élection présidentielle (1965).

MEHAIGNERIE (Alexis).

Cultivateur, né à Balazé (I.-et-V.) le 11 octobre 1899. Président d'honneur de la *Fédération nationale des Syndicats d'exploitants agricoles*. Ancien vice-président de l'ancienne *Confédération générale de l'Agriculture*. Fut, avant la guerre, un actif partisan de Henri Dorgères et l'une de ses *chemises vertes*. Maire de Balazé (depuis 1945). Conseiller général du canton Est de Vitré (depuis 1945). Membre des deux Assemblées constituantes (1945-46). Elu député *M.R.P.* d'Ille-et-Vilaine à la 1re Assemblée Nationale le 10 novembre 1946 et constamment réélu depuis.

MEIER (Jacques) (voir : Le Nouveau Régime).

MEMORANDUM.

Note diplomatique résumant le point de vue d'un Etat sur certains problèmes intéressant le destinataire.

MEMORIAL (Le).

Quotidien régional modéré fondé en 1845 et suspendu à la Libération. Ses biens furent confisqués par un tribunal épurateur bien qu'aucun de ses dirigeants n'ait fait l'objet d'une sanction personnelle. Fit place à *La Dépêche*, dévouée à Georges Bidault.

MEMORIAL DES DEUX-SEVRES (Le).

Journal fondé en 1848 à Niort par Th. Mercier. Il combattit l'Empire et fut plusieurs fois condamné sous l'Ordre moral (présidence Mac Mahon) malgré les éloquentes plaidoiries de Jules Favre et Amable Ricard. Bi-hebdomadaire, puis tri-hebdomadaire avant 1914, il devint le quotidien de l'*Alliance Républicaine Démocratique* dans les Deux-Sèvres au temps du *Bloc National*. Il poursuivit sa publication après l'armistice de 1940 et disparut en août 1944. Son directeur, René Guyet, donna le 28 août 1944, sous le titre « *Pour prendre congé* », l'un des rares éditoriaux qu'il ait jamais écrits ou tout au moins signés. Malgré cette confession, où le directeur du *Mémorial* expliquait que « *délivré de la contrainte* », il allait pouvoir désormais s'exprimer librement, le journal fut interdit. Dans ses locaux, s'installa *La République*, organe quotidien du *Comité de Libération* des Deux-Sèvres.

MEMORIAL DE LA MARCHE (Le).

Hebdomadaire indépendant du département de la Creuse fondé en 1949, et se réclamant du *Mémorial* créé en 1827 (rue Pierre-d'Aubusson, Aubusson).

MENARD (Jacques).

Industriel, né à Parthenay (D.-S.), le 31 décembre 1914. Gérant de la société

Ménard Frères, de Thouars, conseiller général et maire de Thouars, sénateur des Deux-Sèvres (depuis 1957), membre du groupe sénatorial des *Républicains indépendants.*

MENDES-FRANCE (Pierre, Isaac, Isidore).

Avocat et homme politique, né à Paris, le 11 janvier 1907. Les Mendès-France, ainsi que nous le verrons, sont issus d'israélites portugais venus s'installer en France au XVI⁰ siècle. La grand-mère paternelle de Pierre Mendès-France, Émilie Strauss, était, cependant d'origine *askenazi* (israélite allemande). Du côté maternel, l'homme politique descend d'israélites *askenazim* : sa mère, Palmyre Sarah Cahn, née en Moselle alors allemande, était la fille d'Isidore Cahn et d'Henriette Wolff. Mais si trois sur quatre de ses grands-parents sont d'origine judéo-allemande, le quatrième, dont il porte le nom, appartenait à l'une des plus anciennes familles de la communauté israélite de Bordeaux. Dans son « *Histoire des Juifs de Bordeaux* », Th. Malvezin cite à plusieurs reprises le nom de Mendès-France

et notamment à propos de la taxe qui était imposée aux membres de la Communauté, au profit de la Caisse de bienfaisance, en vertu de l'Ordonnance royale du 25 avril 1730. Des adversaires de Pierre Mendès-France ont prétendu que celui-ci avait ajouté la seconde partie de son nom pour *franciser* la première. Ce n'est pas exact puisque le grand-père de l'ancien président du Conseil s'appelait ainsi (l'état-civil est formel et le nom de Mendès-France y figure, avec le trait d'union que la presse américaine et *L'Express* suppriment immanquablement et sans raison apparente. On a pensé que l'un des nombreux *Mendès* immigrés en France aux XVI⁰ et au XVII⁰ siècles, ayant épousé une demoiselle Francia — nom porté par des *marranes* venus du Portugal —, avait joint les deux noms comme l'on faisait et l'on fait encore dans certaines provinces. « *Cela permet de mieux se faire connaître,* souligne M. Joseph Cohen, *et c'est tellement agréable à l'oreille.* » (*Journal des Communautés,* n⁰ 11, du 11 Tichri 5715, 8 octobre 1954.) « *Mais, on serait fondé à admettre une origine historique et beaucoup plus ancienne. Grâce à l'excellente et*

FUNDADOR — JOAQUIM MANSO   QUINTA-FEIRA, 7 DE JUNHO DE 1962   ANO 42.⁰ — NUMERO 14182

Diario de Lisbôa

DIRECTOR — NORBERTO LOPES
DIRECTOR-ADJUNTO — MARIO NEVES

TELEFS.: 320271 e 320273, 321154 e 321155   REDACÇÃO, COMPOSIÇÃO E IMPRESSO   PROPRIEDADE DA RENASCENÇA GRAFICA   EDITOR — J. CHRISOSTOMO DE SA
ENDEREÇO TELEGRAFICO: DILBOA   RUA LUZ SORIANO 44 e 43 — LISBOA   ADMINISTRAÇÃO — RUA DA ROSA, 57, 2.   NUMERO AVULSO: UM ESCUDO

Não pode construir-se a Europa

sem o concurso da Grã-Bretanha

por PIERRE MENDÈS FRANCE

A EUROPA está na moda. Para nós, franceses, trata-se de um paradoxo no momento em que tantos problemas, da maior gravidade, estão pendentes de solução na metrópole e na Argélia. Ali continuamos a suportar pesadas responsabilidades que, além de dramáticas são imediatas. Na realidade não pesaremos nada na Europa, enquanto não arrumarmos a casa. Quer queiramos ou não, a nossa política europeia passa por Argel. Todos, a começar no general de Gaulle, fingem ignorá-lo e os ministros do M. R. P., que durante quatro anos engoliram as pílulas mais amargas, abandonaram o Governo por causa da Europa, abrindo uma crise de consequências imprevisíveis.

No entanto, mesmo que demos prioridade à questão argelina, dadas as suas características, e urgência, não podemos alhear-nos da ordem em curso sobre a construção da Europa, generoso e nobre empreendimento do qual, em parte, depende a sorte dos povos europeus e o seu bem-estar. Mesmo aqueles que discordam da técnica seguida entre 1956 e 1958, para construir a Europa, não contestam a grandeza da tentativa nem deixam de querer vê-la

A SITUAÇÃO ECONÓMICA DOS E. U. A. EXAMINADA POR KENNEDY

Na Feira Internacional de Campo, próximo de Madrid, o gado apresentado no pavilhão português obteve o terceiro prémio. Na foto vê-se a tribuna oficial, no momento em que o generalíssimo Franco fazia a entrega da respectiva taça ao embaixador de Portugal. O chefe do Estado espanhol tem á sua direita a esposa e está rodeado por diversos ministro e altas patentes militares

OS AFRO-ASIÁTICOS

O FUTURO DO TURISMO PORTUGUÊS

— segundo declarações do dr. Moreira Baptista

MADRID, 7 — «Brevemente o turismo será a principal fonte de divisas de Portugal, fonte esta que ocupa agora o sexto lugar», declarou ao diário madrileno «ABC», o secretário nacional da Informação e Turismo de Portugal, dr. Moreira Baptista.

O ilustre português acrescentou que «Portugal deve aproveitar a entrada maciça de turistas em Espanha, oferecendo-lhes como uma continuação, ou melhor, como uma prolongação do turismo».

Interrogado acerca dos esforços que faz o Governo português, para o desenvolvimento turístico de Portugal, o dr. Moreira Baptista declarou que o Governo está fazendo um extraordinário esforço económico para atingir o pleno desenvolvimento turístico de Portugal. Este esforço é palpável de modo especial no Sul, onde se constroem aeroportos, hotéis, magníficas estradas e se modernizam as ferrovias.

Quand Pierre Mendès-France signait les éditoriaux du quotidien portugais Diario de Lisbôa...

magnifique plaquette où Mme Alice-Fernande Halphen a exposé la noble vie de l'illustre Dona Gracia Mendescia-Nassi, nous savons que cette « Sérénissime Princesse », la gloire d'Israël, la Fleur de l'exil, épousa en 1528 le richissime marrane Francisco-Mendés qui, avec son frère Christoval Mendès-Franco, avait créé un grand établissement financier avec des succursales en France et en Flandre, et comptait parmi ses débiteurs l'Empereur Charles-Quint, le roi de France et d'autres princes. » (Graëtz, *Histoire des Juifs*, t. V, p. 135.) « *Or*, — ajoute le *Journal des Communautés*, déjà cité — *Francisco-Mendès, en revenant au judaïsme après avoir quitté le Portugal, prit le prénom hébreu d'Isaac. Ne serait-il pas le premier des Isaac qui portèrent ce prénom, de génération en génération, dans la famille Mendès-Franco ou Mendès-France ?* »

C'est à l'école primaire du quartier où ses parents étaient commerçants — les Mendès-France sont d'ailleurs toujours dans les affaires[1] et l'homme politique lui-même n'est pas un avocat d'assises, mais un avocat d'affaires — que le jeune Pierre commença ses études. Il les poursuivit à Turgot et les acheva à la Faculté de droit, à l'Ecole des Sciences politiques et à la Sorbonne. Dans la thèse de droit qu'il présenta au jury, il défendait avec talent une conception internationaliste de la finance et de la diplomatie, deux sujets qui paraissaient distincts au commun des mortels, mais qui sont étroitement liés. Au moment de solliciter l'investiture de l'Assemblée nationale, lors de son « faux pas » de 1953, Pierre Mendès-France se plaça sous le patronage posthume de Poincaré : « *Tout jeune*, déclara-t-il, *j'admirais en Raymond Poincaré l'homme d'Etat digne de la France qu'il gouvernait.* » La lecture de son livre ne laissait pas du tout cette impression. On y lit, en effet que « M.

---

(1) Son grand-père, Jules Mendès-France était négociant à Limoges. Sa grand-mère, Emilie Strauss, est inscrite comme marchande dans les actes de l'état civil. Son père, Cerf David Mendès-France, était installé avant la guerre rue Saint-Sauveur à Paris, où il exploitait un commerce de lingerie et de confection pour dames créé par un certain Moïse Ferki. Après les vicissitudes de l'occupation, l'affaire de Cerf David Mendès-France se transforma en C. Mendès (S.A.R.L.) au capital de 2 millions ayant pour objet la confection et la vente de vêtements. Le capital a été porté à 4 millions (1948), puis à 20 millions d'A.F. (1959) et, enfin, en S.A.C. Mendès Diberna (1960), dont la moitié du capital social est représentée par les actions de Pierre Mendès-France. D'autres Mendès-France : Pierre-Jacques, Alice, André, sont également commerçants ou financiers. L'épouse de l'homme politique, Lily Cicurel, qui n'a plus d'intérêts en Egypte, fut l'animatrice de la French Distributing Cº.

Poincaré aurait pu sentir, s'il y avait prêté l'oreille, palpiter la vie réelle du pays qu'il écrasait » (« L'œuvre financière du gouvernement Poincaré », par Pierre Mendès-France).* Il n'est, d'ailleurs, nullement anormal que le futur président du Conseil ait été hostile aux thèses poincaristes : il appartenait alors au groupe maçonnique *Littré Condorcet* et à la *Ligue d'Action Universitaire Républicaine et Socialiste* (L.A.U.R.S.), qui soutenait l'*Union des Gauches* (ex-*Cartel*). Militant radical-socialiste, il alla s'inscrire au barreau de Louviers et entreprit de *républicaniser* cette circonscription considérée alors comme un fief *réactionnaire*, représenté au parlement par un député âgé, Alexandre Duval. Entre temps, il s'était fait initier à la Loge *Paris* du *Grand Orient*, le 19 mai 1928, et avait acquis les grades de compagnon et de maître les années suivantes (15 mai 1929 et 8 mai 1930). Ses *frères* l'avaient même élevé à la dignité d'officier de loge : dès 1930, il était *orateur*, et l'année suivante *délégué judiciaire*. Quand arrivèrent les élections législatives de 1932, la loge *Union et Progrès*, de Pacy-sur-Eure, à laquelle Mendès-France s'était affilié, soutint sa candidature. Grâce au retrait du candidat communiste, il battit le vieux Duval au second tour. Des *batteries d'allégresse* furent tirées en l'honneur du vainqueur et, fière de son « *poulain* », sa loge-mère *Paris*, le chargea de rédiger, pour le convent de 1933, un rapport sur la « *Réorganisation et la simplification du régime fiscal en France* ». Pierre Mendès-France se passionnait pour toutes les questions ayant un rapport avec l'argent : stabilisation du franc, fisc, finance internationale. Il écrivit, pour la « bibliothèque économique universelle », fondée par Georges Valois, un ouvrage intitulé : « *La Banque internationale* ». C'était une étude, assez poussée, sur cette *Banque des Règlements Internationaux* que la Commission du plan Young avait fondée en remplacement de la Commission des Réparations. Dans l'esprit de Pierre Mendès-France, il s'agissait d'établir une super-banque internationale, chargée de l'administration des finances des Etats : « *Bientôt*, écrivait-il dans cet ouvrage, *il n'y aura plus autant de politiques de crédit que d'Etats indépendants, mais une politique de crédit unique comme le métal qui en constitue la base.* » Et s'affirmant, dans une certaine mesure, *supra-national* — où, comme diraient les soviétiques, « *cosmopolite* » —, il ajoutait : « *Les grands moyens d'action du monde moderne appartien-*

nent au mode économique et financier et dépassent, à ce titre, les cadres retardataires d'un droit individualiste et politique révolu et qu'il faut renouveler... » Gaston Bergery, alors député radical lui aussi, craignant que l'impuissance de la S.D.N. et les rivalités entre gouvernements établis ne permettent à la *Banque des Règlements Internationaux* d'instaurer une insupportable dictature, avait dit à la tribune de la Chambre qu'elle constituerait un « *mur d'argent international* », ce que pensaient également la grande majorité de ses collègues. Cependant, grâce à ce livre, Pierre Mendès-France acquit une réputation de spécialiste, de « technicien » des questions financières, ce qui lui permit de devenir le secrétaire de la commission des Douanes de la Chambre, puis le rapporteur des questions financières au Congrès radical-socialiste de Toulouse, en octobre 1932. Il était alors le défenseur des producteurs d'alcool en faveur desquels il déposa, un peu plus tard, une proposition de loi « *tendant à inviter le Gouvernement à envisager une réduction des impôts auxquels l'alcool est soumis* ». Dans l'exposé des motifs, il déclarait : « *Il est naturel qu'un impôt de consommation frappe l'alcool, encore ne faut-il pas que cet impôt atteigne un niveau tel qu'il constitue, d'une part, un fardeau écrasant pour le contribuable honnête, agriculteur, commerçant ou industriel et d'autre part, un attrait excessif pour les fraudeurs. La première mesure à prendre doit donc consister dans une diminution massive des taxes auxquelles l'alcool reste soumis.* » Ce n'est que beaucoup plus tard, lorsqu'il fut le *leader* de *L'Express*, journal étroitement lié à Marcel Bleustein-Blanchet, lui-même agent de publicité de grandes firmes pétrolières que Pierre Mendès-France se révéla l'adversaire des « *bouilleurs de cru* ». Réélu entre-temps député de Louviers, toujours grâce aux voix communistes (1936), il devint deux ans plus tard le collaborateur de Léon Blum, en qualité de sous-secrétaire d'Etat au Trésor (2ᵉ gouvernement Blum, 1938). Avec Georges Boris, ancien secrétaire du banquier Lœwenstein et directeur de *La Lumière*, Georges Gombault, directeur des services politiques de *Paris-soir*, Weil-Raynal, agrégé d'histoire, et deux autres fonctionnaires, Pierre Mendès-France composa un *brain trust* chargé de mettre au point les mesures financières du Cabinet. Vincent Auriol, qui avait été un ministre des finances fort discuté en 1936-1937, apporta ses lumières au

cénacle, Depuis 1936, la situation financière s'était aggravée. Au moment où Léon Blum devint Président du Conseil pour la seconde fois, les caisses publiques étaient à sec. Il fallait les remplir au plus vite. Le gouvernement réclama une avance de cinq milliards à la *Banque de France* et le transfert de trois milliards et demi de fonds d'égalisation des changes à la *Caisse autonome de la Défense nationale*. Au total, huit milliards et demi d'inflation pure. Malgré l'appui du rapporteur général du Budget de la Chambre, Jammy-Schmidt, le projet Mendès-France échoua devant la volonté des sénateurs et le gouvernement Blum fut renversé le 10 avril 1938. Quand la crise internationale de septembre survint, Mendès-France, redevenu simple député, fit partie de la majorité qui approuva les déclarations d'Edouard Daladier revenant de la conférence de Munich, ratifiant ainsi pratiquement les accords conclus. Après la déclaration de guerre, Mendès-France fut envoyé à l'armée du Levant, à Beyrouth. Lieutenant d'aviation, il passa son brevet d'observateur en Syrie. Le Proche-Orient l'attirait d'autant plus que son épouse, Lily Cicurel, est originaire d'Egypte, où sa famille possédait, avant le régime Nasser, des intérêts considérables (bazars, coton). Mais il se trouvait le 10 mai 1940, en permission exceptionnelle en France, au titre de parlementaire, quand les officiers permissionnaires reçurent l'ordre de rejoindre leurs formations sans délai. Il ne retourna pas en Syrie et fut affecté à l'école d'observateurs de Mérignac, près de Bordeaux. Lorsque les divisions allemandes eurent franchi la Loire et que toute résistance s'avéra impossible, Pierre Mendès-France s'embarqua avec sa famille à bord du « *Massilia* ». Arrêté le 31 août 1940 à Casablanca et traduit devant un conseil de guerre pour désertion à l'intérieur en temps de guerre, il fut condamné à six ans de prison, à la dégradation militaire et à la privation de ses droits civiques pendant dix ans (Jugement du 9 mai 1941). S'étant fait transférer à l'hôpital, il s'en évada, le 22 juin, à l'aube. Il a décrit cet exploit avec humour dans « *Liberté, liberté chérie..* ». Reproduisant une partie de ces souvenirs, *Paris-Presse-l'Intransigeant* (18-6-1954) ajoutait : « *Tout le livre est dans ce ton-là ; pour Mendès-France, la guerre, dont il n'a pourtant jamais fui les souffrances, aura été une immense détente qu'il décrit avec une fraîcheur d'écolier.* » Sans commentaires. Pierre Mendès-France parviendra à gagner Londres, quartier général de la *France Combattante*. Il refusera les postes civils offerts pour accepter un poste de combat dans la R.A.F. C'est ainsi qu'il vint, à bord de son « Boston », déverser des tonnes de bombes sur la France occupée. « *Avons-nous le droit d'aller bombarder les Français ? se demandait-il. Si nous n'y allons pas, d'autres aviateurs alliés iront à notre place. Viseront-ils leur objectif avec autant de soin, d'inquiète minutie.* » (« *Roissy en France* », cité par *Paris-Presse,* ibid.) En novembre 1943, il troqua l'uniforme de la R.A.F. contre un portefeuille de commissaire aux Finances dans le Comité d'Alger. Les contacts qu'il avait pris à Londres lui permirent de renouer avec les milieux qui l'ont toujours soutenu. La City lui était favorable : il en profita pour signer avec l'Angleterre un accord monétaire point trop défavorable aux Finances du Comité d'Alger. Il participera ensuite à la conférence de Bretton-Woods, puis sera nommé ministre de l'Economie nationale (septembre 1944). Les mesures financières et économiques qu'il préconisa ensuite furent trop mal accueillies pour qu'il put se maintenir : il démissionna avec éclat : « *Nous traversons une crise d'immoralité qui rappelle le Directoire...* », déclara-t-il.

Il sembla s'occuper un peu moins de politique et un peu plus de ses dossiers d'avocat d'affaires. Mais dans le silence de son cabinet, il préparait sa revanche. Il l'attendit longtemps, avec patience, rappelant, de temps en temps, qu'il était l'homme d'une autre politique. Le défaite de Dien-Bien-Phu lui fournira l'occasion espérée. Il apparaîtra à beaucoup comme le négociateur désigné pour mettre fin à la « sale guerre ». Ne préconisait-il pas depuis des années l'ouverture de négociations directes avec Ho Chi-minh ? Dans son livre prophétique à bien des égards (« *Mendès ou Pinay* », par Sapiens, Paris, 1953), Alfred Fabre-Luce avait prévu l'opération. Pour lui, la partie se jouait en deux coups. Premier coup : Mendès-France terminait la guerre d'Indochine. Pour y parvenir, il lui fallait l'appui des Russes. Sans une pression soviétique sur Ho Chi-minh et Mao Tsé-toung, il n'était pas possible d'en sortir. Malenkov et Molotov ne consentiraient à intervenir auprès de leurs amis Viets et Chinois que s'ils y trouvaient un avantage. Ce serait donnant-donnant : « *Je te permets de terminer la guerre d'Indochine en invitant tes adversaires à se montrer plus conciliants. En échange, tu profiteras de la popularité que te vaudra la fin* des hostilités pour faire rejeter par l'Assemblée nationale la Communauté Européenne de Défense.* » Un an après la publication de son livre, Alfred Fabre-Luce pouvait constater que ses déductions — ou ses informations — se révélaient exactes. Le nouveau président du Conseil Mendès-France signait à Genève, en présence des Russes et des Chinois, les accords mettant fin aux hostilités et, deux mois plus tard, le parlement refusait de ratifier la C.E.D. Naturellement, cette opération n'avait été rendue possible que grâce aux relations internationales que Mendès-France possède dans le monde entier. « *L'hom-seul* », que la presse s'ingéniait alors à nous présenter, était en fait un homme puissamment épaulé. Jean de Fabrègues, qui l'avait compris dès juillet 1954, écrivait, sous le titre « *M. Mendès-France est-il la troisième force internationale ?* » : « *Une tierce position dont on voit trop bien qui peut la désirer, internationale d'argent ou internationales politiques idéologiques — spirituelles même... Quelques pointes d'oreilles d'une certaine maçonnerie percent ici et là, en ce moment et, mon Dieu, l'Express de la famille Servan-Schreiber et des Echos n'est pas tellement lointain de ces internationales financières, raciales ou spirituelles.* » Son avènement, en 1954, avait d'ailleurs été salué avec allégresse par la presse favorable aux milieux internationaux auxquelles Fabrègues faisait allusion. Et c'est avec joie que les journaux britanniques, liés à la City (que l'on sait acquise à la politique de rapprochement avec Moscou et la Chine), accueillirent les premiers succès du président du Conseil Mendès-France (août 1954) : « *Quand M. Mendès-France a étudié un problème (...), il en poursuit la solution avec une logique euclidienne, sans un regard en arrière, ni aucune trace de sentimentalité.* » (*Times*.) « *La fortune sourit aux audacieux, le succès appelle le succès. La guerre d'Indochine a procuré un soulagement immédiat à l'économie française...* « *M. France* »*... peut ne pas réussir. Nous espérons sincèrement qu'il y parviendra.* (Daily Mail.) « *M. Mendès-France n'a pas pu sauver son pays de la défaite militaire en Indochine, mais il a su le sauver de la honte.* » (Daily Herald.) « *Le monde avait renoncé à la France en tant que grande nation. Elle avait eu dix-huit gouvernements désastreux depuis la guerre. De ses dirigeants, le monde ne se rappelait que Pétain et de Gaulle, le lamentable maréchal emprisonné pour trahison et le général hau-*

ain qui semblait avoir des visées de *ouvoir absolu. Certains Américains aillaient ouvertement la France d'après *uerre. La Grande-Bretagne était attristée. C'est alors qu'un homme nouveau *st arrivé, avec un nom imprononçable : *Iendès-France. Le monde le connaît *naintenant sous le nom de « M. *'rance ». C'est un visage nouveau parmi *es vieux visages durs et désespérés. » *Daily Mirror.)* Cet enthousiasme fit dire *ux adversaires du président Mendès-*'rance que sa politique semblait satis-aire « *les intérêts permanents de la *lity »*. Cette accusation fut reprise lors-*que l'on sut (cf. *Le Monde*, 14-10-1955) *que le seul diplomate qui avait assisté *u lancement de *L'Express* quotidien, *onsidéré alors comme l'organe du men-*lèsisme*, était l'ambassadeur d'Angle-*erre, Sir Gladwyn Jebb, le futur lord *Iladwyn*, qui devint l'un des dirigeants *le la banque *S.G. Warburg*, de Londres, *près avoir quitté la carrière. Contraint *le démissionner (1955), malgré l'appui *les gaullistes représentés d'ailleurs dans *on gouvernement, Pierre Mendès-France *et les radicaux-socialistes qui lui étaient *estés fidèles, scellèrent un accord avec *es *Républicains sociaux*, dirigés par *acques Chaban-Delmas, la *S.F.I.O.*, re-*résentée par Guy Mollet, et l'*U.D.S.R.*, *le François Mitterrand. Cette alliance *rit le nom de *Front Républicain*. Pour *outenir l'action électorale de ce *Front* — dont Mendès-France était, aux yeux *le tous, le *leader* —, *L'Express* devint *quotidien pendant quelques mois (1955-*956). Le succès couronna les efforts de *a majeure partie des candidats qu'il *patronnait : la nouvelle Assemblée natio-*ale*, malgré la vague poujadiste qui *vait « *sorti* » un certain nombre de *« sortants »*, fut en majorité *Front *Républicain*. Toutefois, le *Parti Radical-*Socialiste* ayant moins d'élus que la *S.F.I.O.*, ce n'est pas Pierre Mendès-*'rance qui devint chef du Gouverne-*nent*, mais Guy Mollet ; ce dernier of-*rit à l'ancien président du Conseil un *iège dans son cabinet. L'entente dura *peu : nommé ministre d'Etat le 1er fé-*vrier 1956, Mendès-France démissionna *e 23 mai suivant.

Il se consacra dès lors plus particu-*ièrement*, à la direction de ses *Cahiers *le la République*. Le retour au pouvoir *lu Général De Gaulle le surprit. Bien *qu'il connût les desseins du nouveau *chef du gouvernement en ce qui con-*cerne l'Algérie et sa politique de rap-*prochement avec l'Est — *France-Obser-*vateur*, informé par Roger Stéphane, les *vait exposés à ses lecteurs l'année pré-*cédente —, il fit voter « *Non* » en sep-tembre 1958. Cette prise de position entraîna sa défaite aux élections de novembre suivant. L'échec, qu'une longue « *expérience normande* » aurait dû lui éviter, incita dès lors Pierre Mendès-France à préparer la riposte que la Gauche devrait faire un jour aux centristes et aux modérés provisoirement rassemblés sous la bannière gaulliste. Dans son esprit, le chef d'un nouveau *Front* englobant communistes, socialistes et radicaux ne pouvait être l'un de ces derniers, trop à droite par rapport aux premiers, mais un homme du centre de cette coalition, donc un socialiste. L'expérience de 1956 l'incitant à se méfier de Guy Mollet, et l'embrigadement, dans un parti organisé comme la *S.F.I.O.*, lui déplaisant au plus haut point, Mendès-France décida de rejoindre le *Parti Socialiste Autonome* (futur *P.S.U.*). Il y était d'autant plus enclin que le *Centre d'Action Démocratique*, qu'il animait, était insuffisant et que les rapports des socialistes non *S.F.I.O.* avec les progressistes et les communistes étaient déjà satisfaisants, sinon cordiaux. Entre temps, la direction du *Parti Radical-Socialiste* faisait savoir qu'il était exclu, en même temps que son ami Paul Anxionnaz, du mouvement auquel il appartenait depuis trente ans (février 1959). Sa participation au meeting du *P.S.A.*, à la Mutualité (octobre 1959), marqua son ralliement officiel et public au socialisme de gauche. Nouant (ou renouant) parallèlement des contacts avec les formations étrangères, Pierre Mendès-France, reçu l'année précédente par Khrouchtchev à Moscou (août 1958) (1), participa à une « *rencontre au sommet* » du socialisme européen à Londres, avec le travailliste Bevan et le socialiste Nenni, respectivement chef des socialistes anglais et italiens (février 1959). Son évolution du radicalisme libéral au socialisme international apparut nettement lors de la réunion de Bruxelles au cours de laquelle il prit la parole en compagnie du chef du *Parti Socialiste Italien* : « *La troisième guerre mondiale étant devenue impossible*, déclara-t-il, *la rivalité des deux blocs s'exercera sur le plan du progrès économique, que seule la doctrine socialiste est capable d'atteindre* » (cf. *Le Monde*, 30-3-1960). En prenant la parole, six mois plus tard, dans le fief communiste de Fernand Grenier (et, selon *France Observateur* du 13-10-1960, sous la protection d' « *un millier de militants communistes (...) réunis à la Mairie, prêts à intervenir en*

---

(1) Les U.S.A., Israël et nombre d'autres pays l'accueillirent également.

cas de besoin »), il marquait sa ferme résolution d'être le *leader* d'un nouveau *Front Populaire*. Sans éclat, mais avec persévérance, il poursuivit ainsi son action politique, publiant un livre exposant sa doctrine (« *La République Moderne,* Paris 1962), et ne manquant pas l'occasion de rappeler son hostilité à une « *Algérie française* » qu'il jugeait désormais impossible. « *Qu'on le regrette ou non,* déclara-t-il à *l'Hôtel Lutétia,* le 5 avril 1961, *la représentativité du F.L.N. est chaque jour moins contestable.* » Aussi fut-il satisfait lorsque le général De Gaulle, ayant enfin brisé la résistance de ceux qui voulaient « conserver l'Algérie à la France », conclut un accord avec les envoyés du F.L.N., représentant le *G.P.R.A.,* et reconnut l'indépendance de l'Algérie. Aussi bien, nous l'avons vu, ce n'est pas dans le domaine de la politique étrangère que l'ancien président du Conseil s'oppose au président De Gaulle : ils étaient, tous deux, acquis depuis longtemps à l'idée d'une Afrique libérée de ses liens avec la France et d'une entente avec les pays communistes (les votes mendésistes et gaullistes d'août 1954 sur la *C.E.D.* l'indiquent). C'est sur le plan de la politique intérieure, de la politique économique et sociale, et sur la manière de gouverner que les deux hommes s'affrontent depuis huit ans. Nombreux sont, à gauche et dans les milieux d'affaires, ceux qui pensent qu'un jour prochain le vaincu de 1958, devenu le fédérateur de la Gauche française, sera le vainqueur de la grande compétition qui s'annonce. Le fait que François Mitterrand soit, aujourd'hui, le *leader* d'une partie de cette gauche, ne paraît pas modifier leurs espérances. Les clubs, dans une très large part, sont ouvertement ou secrètement favorables à l'ancien président du Conseil : la « *technicité* » de l'homme politique et son passé républicain insoupçonnable leur plaît. (N'est-il pas l'un des membres du *P.S.U.* ?) L'appui discret, mais efficace, que lui apportera le *Grand Orient de France,* — au siège duquel il prenait, hier encore, la parole (1), et dont le Grand

(1) L'invitation suivante fut lancée, en mars 1962, aux maçons de la région parisienne :
SAMEDI 10 MARS
CERCLE D'ETUDES « CONFIANTE AMITIE »
Cadet, T. Arthur-Groussier, 20 h 30 préc.
REUNION D'INFORMATIONS
M. le Président P. MENDES-FRANCE
y traitera de :
« LA FRANCE D'HIER, D'AUJOURD'HUI,
DE DEMAIN. »
Invit. frat. aux FF. des Obéd. sœurs.
Vêtements sombres, gants blancs.
Tuilage rigoureux, carte d'identité maçon.
Vestiaire obligatoire
à la salle du rez-de-chaussée.

Maître, Paul Anxionnaz, est l'ami — peut-être décisif, d'abord dans la compétition de Grenoble, aux élections législatives de mars 1967, ensuite dans les tractations et les manœuvres politiques qui marqueraient la rentrée du socialiste de gauche Mendès-France à l'Assemblée nationale. Après une éclipse de dix années, l'astre de la « *bourgeoisie intelligente* » (André Ribard *dixit*) pourrait briller d'un nouvel éclat au firmament de la Gauche française.

MENNELET.

Syndicaliste, membre du Syndicat des employés, nommé le 23 janvier 1941 au *Conseil National* (voir à ce nom).

MENNEVEE (Roger).

Journaliste, né à Torcy (S.-et-M.) le 21 décembre 1885. Débuta dans la banque (attaché à un établissement de crédit), puis fit du journalisme. Ancien directeur du *Courrier politique et financier* (1913) et des *Informations politiques et financières.* Depuis 1920, dirige *Les Documents politiques, diplomatiques et financiers* (dont la publication fut interrompue pendant l'occupation). Appartint entre les deux guerres, au *Parti Radical et Radical-Socialiste* et, durant quelques années, à la franc-maçonnerie. Son non-conformisme le fit abandonner tout lien avec une société ou un groupe politique ou philosophique quelconque. Est l'un des spécialistes les mieux informés sur le dessous des cartes tant dans le domaine politique et diplomatique que dans le domaine économique et financier. Ses archives — récemment acquises par une grande bibliothèque de Californie — étaient célèbres dans les milieux d'affaires et dans les cercles politiques. Auteur de plusieurs livres, notamment de « *Bazil Zaharoff, l'homme mystérieux de l'Europe* », « *L'Espionnage international en temps de paix* », « *Horace Finaly* » « *Jean Monnet* ».

MENTHON (comte François de).

Universitaire, né à Montmirey (Jura) le 8 janvier 1900. Fils du comte Henri-Bernard de Menthon, député de la Haute-Saône (1919-1928). Professeur d'économie politique à la Faculté de droit de Nancy. Militant démocrate-chrétien, fut élu, avant la guerre, conseiller municipal de Nancy. Nommé, malgré ses opinions politiques opposées, professeur d'économie politique à la Faculté de droit de Lyon par le gouvernement en 1941, rejoignit le général De Gaulle et devint commissaire de la Justice du Comité français de la Libération natio

nale (1943-1944), puis ministre de la
Justice (1944). A ce poste, fit preuve
d'une extrême sévérité (voir : *dégradation nationale*) : ses adversaires lui font
grief d'avoir, bien souvent, oublié ses
devoirs de chrétien au moment de l'épuration des pétainistes, d'avoir agi à la
manière des totalitaires et de s'être enor-
gueilli d'avoir procédé « *à la mise en
place d'une énorme machine judiciaire*
(celle de l'épuration) *que l'on peut dire
sans précédent dans notre vie nationale.* » (J.O., séance du mardi 20 février
1945, p. 120.) (Cette réputation expliquerait les animosités qui ont entravé sa
carrière politique, au sein même de son
parti, le *M.R.P.*) Fut encore une fois
ministre (Education nationale) en 1946,
après avoir rempli les fonctions de délégué au Tribunal militaire de Nuremberg
(1945), député *M.R.P.* de la Haute-Savoie
(1946-1958), professeur d'économie politique à la Faculté de droit de Nancy et
directeur du Centre européen universitaire de cette ville depuis février 1962.

MER (Jacques, Paul)

Publiciste, né à Paris le 17 octobre
1927. Chargé de mission à l'Office Inter-
Etats d'Information des Républiques
Africaines d'expression française. Ancien dirigeant des Etudiants gaullistes
(*R.P.F.* puis *Républicains sociaux*). Conseiller national *U.N.R.* Membre du Comité
fédéral de l'*U.N.R.* (Seine). Président du
Comité d'Union des Oui du 7e arrondissement. Rédacteur en chef de la *Revue
politique moderne*. Secrétaire général du
*Centre d'études et d'Action pour une
politique moderne*. Elu député *U.N.R.* de
la Seine (5e circonscription) le 25 novembre 1962.

MERCERONE-VICAT.

Industriel, nommé le 23 janvier 1941
membre du *Conseil National* (voir à ce
nom).

MERCIER (Jean).

Avocat, né à Mâcon, le 31 mars
1914. Fils d'un ancien adjoint au maire
de Lyon et ancien vice-président du
Conseil général du Rhône. Fut chargé
de cours à la Faculté de droit de Lyon.
Membre de l'*U.D.S.R.* et adjoint au
maire de Lyon.

MERIC (Marie-Madeleine, épouse du
général Méric) (voir : M. M. FOUR-
CADE).

MERIC (Victor).

Journaliste (1876-1933). Petit-fils d'un
républicain emprisonné pendant cinq

ans, à Belle-Isle, avec Blanqui. Fils d'un
ancien sénateur du Var. Petit-fils d'un
proscrit du 2 décembre 1851, déporté à
Belle-Isle où il fut le compagnon de captivité d'Armand Barbès. Condamné une
première fois, pendant son service militaire ; fit alors 200 jours de cellule.
Plusieurs condamnations, par la suite,
pour délits de presse (au total : quelques années de prison). Militant anarchiste, collaborateur de *Libertaire*,
adhéra en 1906 au *Parti socialiste* sous
l'influence de Gustave Hervé. Fut rédacteur à *La Guerre sociale*, aux *Hommes
du Jour*, à *La Révolution*, à *La Province* avant 1914, Pendant la première
guerre mondiale et après l'armistice, collabora au *Journal du Peuple* et à *L'Humanité*. Devint l'un des dirigeants du
Parti Communiste après le congrès de
Tours, mais s'éleva contre les « *21 conditions* » et rompit avec la IIIe Internationale pour fonder, avec divers dissidents,
l'*Union socialiste communiste* (voir à ce
nom) et la *Ligue pour la défense des
libertés publiques*. Peu à peu se détacha
des grands partis pour se consacrer uniquement à la lutte contre la guerre. Dans
les années qui précédèrent la guerre,
dirigea *La Patrie Humaine* et anima le
groupe pacifiste dont cet hebdomadaire
était le porte-parole. Auteur de diverses
biographies (« *Marat* », « *Camille Desmoulins* », « *Babœuf* », etc.), de romans
politiques : « *La Der des Der* », « *Le
Crime des vieux* » et « *Les compagnons*

de l'Escopette », et de deux excellents livres de souvenirs : « *A travers la jungle politique et littéraire* » et « *Coulisses et tréteaux* ».

MERIDIONAL-LA FRANCE (Le).

Quotidien marseillais fondé en novembre 1944. La société éditrice du journal — une S. A R. L. — fut, elle, créée le 26 janvier 1945 par vingt-huit personnes dont Alexandre Chazeaux et Pierre-Marie Train, directeurs ; Elie Pardigon, administrateur, et Raoul Vignaud. À la même époque, paraissait *La France*, fondée le 10 octobre 1944, qui devait être absorbée par *Le Méridional*, d'où le double titre actuel. Le 15 janvier 1948, les associés de la S.A.R.L. ci-dessus nommaient gérant Roland Frayssinet et, l'année suivante, Jean Frayssinet et les Cies *Frayssinet* et *Cyprien-Fabre* entraient officiellement dans l'affaire. Ayant fait d'assez larges avances au journal, ils transformèrent leurs comptes courants créditeurs en parts sociales. Dès lors, les Frayssinet devenaient les maîtres du journal puisqu'ils détenaient, avec leur compagnie, 6 659 parts sur 10 000, la *Cie Cyprien-Fabre* en possédant de son côté 330. La perte de l'Algérie et la crise que subissent, désormais, les compagnies de navigation modifia profondément la situation financière de Jean Frayssinet. Il ne lui était plus possible, dès lors, de conserver un journal qui lui rapportait assez peu et qui immobilisait des capitaux dont l'ancien député et armateur aurait besoin pour reconvertir une partie de ses affaires. C'est alors qu'il traita (1966) avec *Le Progrès de Lyon*, lequel venait de mettre la main sur une partie de la presse de Saint-Etienne. Désormais, *Le Méridional-La France*, l'un des rares quotidiens d'opinion nationale, est une annexe du grand journal radical lyonnais. Au moment de la cession des actions de Jean Frayssinet et de son groupe, *Le Méridional-La France* avait un tirage moyen de 129 000 exemplaires répandus dans les Bouches-du-Rhône, le Var, les Basses-Alpes, les Hautes-Alpes, le Vaucluse, le Gard et l'Ardèche (15, cours Honoré-d'Estienne-d'Orves, Marseille).

MERITENS (Paul de).

Journaliste (pseudonyme : Paul Dehème), né à Nogent-sur-Marne, le 16 juillet 1905, d'une famille qu'illustrèrent l'ingénieur Auguste de Méritens, inventeur d'une machine magnéto-électrique, le journaliste Emile de Girardin et Etienne de Méritens, lieutenant lors de la guerre d'indépendance américaine. Dans la presse depuis plus de trente ans, a été successivement ou simultanément : rédacteur à l'*Agence Havas* (1935-1939), secrétaire de rédaction à *Paris-Midi* (1936-1939), chef de la rubrique financière de *l'Intransigeant* (1937-1939), puis le rédacteur de la première *lettre d'information* devenue *Le Courrier Paul Dehème*, dont il est le directeur (depuis 1944). Entre-temps, fut chargé de mission au cabinet de Jean Bichelonne (secrétaire d'Etat à la Production industrielle et aux Communications 1942-1944). Actuellement gérant de la *Documentation Paul Dehème* et vice-président de la *Sorenofel*.

MERLE (Eugène, Jean MERLO, dit).

Journaliste, né à Marseille, le 5 février 1884, mort avant la guerre. Milita dans le mouvement révolutionnaire phocéen dès l'âge de quinze ans. S'enfuit en Suisse à la suite de l'échec d'une tentative de création d'une colonie communiste libertaire; collabora quelque temps au journal socialiste de La Chaux-de-Fonds, *La Sentinelle*. Rentré à Marseille, y créa le *Syndicat des Hommes de peine*, rédigea en partie L'*Ouvrier Syndiqué* et fonda *L'Action antimilitariste*. Vint à Paris et se lia avec Gustave Hervé. Condamné comme co-signataire de l'*Affiche rouge*, fit la connaissance, en prison, de Henri Fabre, directeur des *Hommes du Jour ;* de ses conversations avec le fameux journaliste non-conformiste naquit l'idée d'un hebdomadaire réunissant les éléments révolutionnaires dispersés : ce fut *La Guerre Sociale*, fondée par Gustave Hervé et Almereyda, dont il devint l'administrateur un peu plus tard. Collabora également au *Libertaire* et au *Bonnet Rouge*. Après la guerre, ce prodigieux animateur, assez peu scrupuleux sur le choix des moyens, fonda et dirigea *Le Merle*, *Le Merle Blanc* et un quotidien qui allait devenir célèbre (sous une autre direction que la sienne) : *Paris-Soir*. Anima également, autour de 1930, les *Editions du Tambourin*.

MERLE (Le).

Hebdomadaire satirique de gauche fondé en 1928 par Eugène Merle. Succédait, en quelque sorte, au *Merle Blanc*, autre journal d'Eugène Merle disparu.

MERLE BLANC (Le).

Hebdomadaire satirique de gauche, publié pendant la Première Guerre mondiale. Son directeur fut longtemps Eugène Merle, ancien collaborateur de Gustave

Hervé, au journal socialiste révolutionnaire *La Guerre Sociale*. Collaborateurs : G. de La Fouchardière, P. Chatelain-Tailhade, Bernard Gervaise, etc.

MERMOZ (Jean).

Aviateur (1901-1936). Fut l'un des principaux militants du *Parti Social Français*, du colonel de La Rocque.

MERS EL-KEBIR.

Base de la marine militaire française en Algérie avant l'indépendance de cette dernière. Fut le théâtre d'incidents sanglants qui, pour une très grande part, firent basculer l'ensemble de la marine française dans le camp antigaulliste en 1940. Le 3 juillet, au large de Mers el-Kébir, s'opérait une concentration de navires britanniques sous le commandement de l'amiral Sommerville. Bien que l'amiral Darlan, ministre de la Marine, eut déclaré au premier lord de l'Amiraux qu'en aucun cas nos navires ne seraient mis au service des Allemands (18 juin 1940), l'amiral anglais adressa à l'amiral Gensoul, commandant notre flotte de l'Atlantique rassemblée à Mers el-Kébir et qui était en cours de désarmement, un ultimatum lui enjoignant de rallier immédiatement la flotte britannique ou de se saborder. L'amiral français ayant rejeté cet ordre, les navires britanniques bombardèrent nos vaisseaux et, le lendemain, 4 juillet, plusieurs avions britanniques mitraillèrent les obsèques des tués de la veille. Bilan : 1 400 marins français tués, autant de blessés et plusieurs navires coulés. L'anglophobie de Darlan daterait de cette agression.

MERY (Raymond).

Publicitaire, né à Paris, le 17 septembre 1910. Fils de l'agent de publicité Samuel-Paul Van Minder, autorisé à s'appeler Méry, par décret du 24 juin 1930. Carrière exclusivement consacrée à la publicité depuis 1929. Directeur général de l'*Agence de Diffusion et de Publicité*, Directeur général de l'*Agence de Publicité Méry*, Président-directeur général de *Représentation internationale de Publicité* (*R.I.P.S.A.*), Président du *Comité National de propagande pour l'exportation*. Directeur général de l'*Annuaire de la Presse*. Ancien président de la *Fédération Française de la Publicité*.

METENIER (François).

(Voir : *Comité secret d'Action Révolutionnaire*.)

MESSAGER DE LA HAUTE-SAVOIE (Le).

Hebdomadaire fondé en 1899 sous le nom de *Messager agricole*. Son directeur, René Mossu, né à Annemasse, le 23 août 1901, le dirigeait déjà avant la dernière guerre (il anima également *Hebdo-Sports*, en 1924-1939 et *L'Appel du ski*, en 1932-1939). Journal édité par la *Société d'Imprimerie de Presse et d'Edition*, dont le conseil d'administration, présidé par André-Alphonse-René Mossu, comprenait au cours de ces derniers lustres : Arthur-Louis-Michel Delachenal, Louis-Marie Delavay (décédé), Paul Aubry (décédé), Raymond Duparc, Jean Chatenoud (de nationalité suisse), Marcel Bruchon, Marcel Rizet, Gaston Riondel (de nationalité suisse) et Bernard Mossu. Tirage annoncé : 42 000 exemplaires. (22, boulevard des Bains, Thonon.)

MESSAGERS D'ALSACE (Les).

Quotidiens catholiques et nationaux, fondés à Strasbourg en 1928 et comprenant : *Le Messager du Matin, Le Messager du Soir, Le Messager de Mulhouse, Le Messager de Colmar, Le Messager de Thann-Masevaux*. Disparus pendant la guerre.

MESSAUD (Léon).

Avocat, né à Toulouse (Hte-Gar.), le 23 juin 1897. Ancien bâtonnier de l'Ordre à Toulouse, sénateur *S.F.I.O.* de Haute-Garonne depuis 1959.

MESSIDOR.

Hebdomadaire syndicaliste fondé en 1938 par Léon Jouhaux, qui en assumait la direction. Principaux collaborateurs : Francis Delaisi, Jules Rivet, Philippe Lamour, Maurice Harmel, Claude Martial, André Sauger, Marcel Braibant, Pierre La Mazière, Madeleine Jacob, Gabriel Cudenet, Marcel Lapierre, les dessinateurs Jean Effel, Henri Monier, P. Ferjac, Gassier, etc.

MESSMER (Pierre, Auguste, Joseph).

Gouverneur des colonies, né à Vincennes, le 20 mars 1916. Docteur en Droit, diplômé de l'Ecole des langues orientales, entra au ministère des Colonies en août 1938. Nommé administrateur adjoint des Colonies un an plus tard. Engagé dans les *F.F.L.* en 1940. Chef de la mission française à Calcutta (1945). Parachuté au Tonkin, fut fait prisonnier par le Viet-Minh (1945). Libéré, devint secrétaire général du comité interministériel de l'Indochine (1946). Directeur du cabinet de M. Bollaert, haut commissaire en Indochine. Administrateur en chef de la France d'Outre-Mer (1951). Secrétaire général de la Mauritanie (1952), puis gouverneur de ce territoire par interim et enfin gouverneur en titre (1953). Gouverneur de la Côte d'Ivoire (1954). Etait alors socialiste et intime avec Gaston Defferre, qui en fit son directeur de cabinet lorsque le maire de Marseille appartint au gouvernement, haut-commissaire de France au Cameroun (1956), puis en A.E.F. (1958) et en A.O.F. (1958). Gouverneur général de la France d'O.-M. et Haut-Commissaire à Dakar (1958-1959). Ministre des Armées (cabinet Debré, 1960 ; cabinets Pompidou depuis 1962).

METAYER (Pierre).

Universitaire, né à Arcueil (Seine), le 26 août 1905. Membre des deux Assemblées constituantes (1945-1946), député socialiste de Seine-et-Oise (1946-1958), fut sous-secrétaire d'Etat aux Forces armées (1946-1947), secrétaire d'Etat à la Fonction publique et à la Réforme administrative (1950-1951), chargé de la Fonction publique (1956-1957), secrétaire d'Etat aux Forces armées (1957-1958), est sénateur socialiste de Seine-et-Oise depuis 1959.

MEUNIER (Jean).

Imprimeur, né à Bourges (Cher) le 19 mai 1906. Fils d'un imprimeur et imprimeur lui-même. Membre de la *Grande Loge* et de la *S.F.I.O.*, fut élu député d'Indre-et-Loire en 1936. Résistant, devint maire de Tours en 1944. Fonda, avec ses amis, *La Nouvelle République du Centre-Ouest* (1944), dans le nid tout chaud de *La Dépêche du Centre,* confisquée à la Libération et qui demeura interdite bien qu'ayant été acquittée par la Cour de Justice. Membre de l'Assemblée consultative, député socialiste d'Indre-et-Loire (1945-1958), sous-secrétaire d'Etat aux Travaux publics (Gouvernement Léon Blum, 1946), secrétaire d'Etat à l'Intérieur (cabinet Bidault, 1949-1950), secrétaire d'Etat à la Présidence du Conseil (cabinet Bourgès-Maunoury, 1957). Président de l'*Association de la presse démocratique.*

MEUNIER (Lucien).

Agent général d'Assurances, né à Boulogne-sur-Mer (P.-de-C.) le 21 décembre 1907. Ancien receveur buraliste. Participa à la Résistance. Conseiller municipal de Juniville (depuis 1952). Elu député *U.N.R.* des Ardennes (1re circ.) le 25 novembre 1962. Réélu en 1967.

MEURTRE JURIDIQUE.

Exécution d'une personne jugée par un tribunal illégal et condamnée en vertu d'une législation de circonstance.

MEUSIEN (Le) (voir : **Aujourd'hui - Croix-de-Lorraine**).

MEYER (Arthur).

Journaliste (1843-1923). Ce fils d'un petit commerçant israélite, aux origines modestes, s'éleva par son astuce et son esprit d'intrigue jusqu'à la cime du monde conservateur, dont il devint le maître à penser. Ses débuts dans la vie furent plus que difficiles : il fut un temps « secrétaire » de la *biche* (on dirait aujourd'hui la *play-girl*) Blanche d'Antigny. Son rôle auprès d'elle consistait à « prendre » et à noter les rendez-vous. Bref, il faisait office de téléphoniste à une époque où le téléphone attendait son inventeur. La bonne fortune aidant, dans le tohu-bohu du Second Empire, il réussit à se faire remarquer de l'affairiste-né qu'était le duc de Morny et organisa ce qu'on appelle de nos jours des *surboums* pour toute cette société tourbillonnante qui courait à Sedan en pensant voler à Austerlitz ! Devenu directeur du journal *Le Gaulois,* il s'y montra le ferme soutien du pouvoir établi. Son bonapartisme de circonstance, ébranlé par Sedan, ne résista pas à la mort de Napoléon III (1873). Aussi le vit-on aux obsèques du comte de Chambord (1883) se signaler par des sentiments royalistes d'une telle ferveur qu'il se mêla à la famille même du défunt ! Dès lors, Arthur Meyer défend le trône et l'autel. Ses tendances sont très « orléanistes » et c'est lui qui suggère au jeune duc d'Orléans de se présenter à l'incorporation de sa classe (1889). Ce qui vaut au fils du Prétendant le surnom de « Prince-Gamelle » et un séjour à Clairvaux. Mais, depuis 1886, Arthur Meyer était devenu célèbre grâce à un duel avec Edouard Drumont. Dès la parution de « *La France juive* » (avril 1886), Arthur Meyer, cité dans le livre, s'estima injurié et demanda à Drumont réparation par les armes. Au cours du combat, Arthur Meyer saisit de la main gauche l'épée de Drumont et enfonça la sienne dans la cuisse de son adversaire. Drumont s'écria qu'il s'agissait là d' « *une escrime inconnue des gentilshommes de jadis* » et Arthur

Meyer, reconnaissant qu'il avait été fort incorrect, déclara avec gravité « *qu'il faudrait une grande guerre pour oublier tout cela* » ! En fait de « grande guerre », Meyer se lança dans le Boulangisme. Il fut avec Naquet, son coreligionnaire, et le comte Dillon, un des principaux membres du comité (Brain trust) du général à la barbe blonde. Son ardeur était telle qu'il sut trouver les arguments pour soutirer à la duchesse d'Uzès *trois millions* dont elle rapporta dans ses « *Souvenirs* » (Plon 1934) qu'elle n'en connut jamais l'utilisation ! Le boulangisme passé, c'est le scandale de Panama (1890), puis « l'Affaire » ! Arthur Meyer, dans *Le Gaulois*, traita Dreyfus de Turc à More ! Il était « antidreyfusard » acharné. Là encore, il en imposa tant à ses lecteurs que Drumont railla : « *C'est le triomphe du chand d'habits !* » Peu rancunier, le « chand d'habits » salua en Drumont « un grand maître ». Le « grand maître » peu sensible à la flatterie, ricana : « *Meyer ? c'est une vieille carpette, plus on le bat, plus il est moelleux.* » Meyer s'aboucha bientôt avec *La Patrie Française*. Mme Alphonse Daudet le réconcilia avec Drumont : « *Je ne savais si je devais lui tendre la main gauche !* », rapporta l'auteur de « *La France Juive* ». En 1901, il épousa une demoiselle de Turenne après s'être, « *avec discrétion et en province* », converti au catholicisme. Le chand d'habits était bien loin ! Sous sa direction, *Le Gaulois* était un journal bien-pensant qui rapportait avec attendrissement les fêtes données par les puissants du jour. Lire *Le Gaulois*, c'était être un *gentleman*. Arthur Meyer se flattait d'avoir des idées « sociales » : il les proclamait dans des morceaux d'éloquence dans le genre de celui-ci : « *Les hauts de forme devraient s'allier avec les chapeaux ronds et ceux-ci avec les petits chapeaux, et les petits chapeaux, à leur tour avec les casquettes, car il y en a de bonnes.* » Arthur Meyer a publié deux volumes de souvenirs : « *Ce que mes yeux ont vu* » et « *Ce que je peux dire* » où il chante encore le los de Drumont et stigmatise « *les juifs avides et étrangers* », responsables, selon lui, de l'antisémitisme. Puis, c'est la Grande Guerre. Cette Grande Guerre ne fit pas oublier « sa main gauche ». En 1923, lorsqu'il fêta ses quatre-vingts ans, il se trouva encore des chroniqueurs pour rappeler sa notion singulière de l'escrime. Il mourut quelques mois plus tard, et *Le Gaulois* ne survécut pas très longtemps à son directeur : racheté par François Coty, il fut absorbé par *Le Figaro*. Sans doute ne reste-t-il, dans les

ARTHUR MEYER

milieux politiques et de presse de la Vᵉ République, qu'un très vague souvenir de « *la main gauche* » et des « *côtelettes* » (les favoris) d'Arthur Meyer. Il n'empêche que cet homme a si profondément marqué le mouvement conservateur qu'on peut dire, sans craindre d'exagérer, qu'il est demeuré « l'exemple » : il suffit, pour s'en convaincre, de lire les héritiers et les imitateurs modernes du *Gaulois*.

MEYER (Léon).

Courtier, né au Havre le 11 septembre 1868, mort à Paris, le 22 janvier 1948. Issu d'une famille isréalite établie au Havre au XIXᵉ siècle. Militant radical, maçon initié à la Loge *H.H.H.* le 7 juillet 1889. Conseiller général et maire du Havre pendant de longues années. Député radical-socialiste de la Seine-Inférieure de 1923 à 1942. Ministre pour la première fois dans le premier gouvernement constitué par Herriot après la victoire du Cartel. Plusieurs fois au gouvernement ensuite, généralement à la Marine marchande. Vota pour la délégation des pouvoirs constituants au maréchal Pétain (1940).

MICHARD-PELLISSIER (Jean, Lucien, Victor).

Avocat, né à Gap, le 3 octobre 1909. Fils du banquier Michard. (A ajouté le nom de sa mère à celui de son père pour se distinguer de nombreux Michard). Conseiller général et député radical-socialiste des Hautes-Alpes (1936-1942). Conseiller de l'Union Française (1947-1951), maire de Soulac-sur-Mer (1953-1959), collaborateur de divers ministres de la IVᵉ République, a été nommé en 1959 membre du Conseil Constitutionnel.

MICHAUD (Louis, Jacques, François, Michel).

Entrepreneur, né à Puteaux (Seine) le 8 octobre 1912. Propriétaire d'une entreprise de charpente et de menuiserie. Secrétaire général de la *Jeunesse indépendante chrétienne* (1930-1939). Membre du Comité général de l'*Association catholique de la jeunesse française*. Membre du Comité de libération de Puteaux (1944). Conseiller municipal de Puteaux (1945-1946). Membre de la 2ᵉ Assemblée Constituante (juin-novembre 1946). Elu député de la Vendée à la 1ʳᵉ Assemblée nationale le 10 novembre 1946. Conseiller municipal du Poiré-sur-Vie (Vendée) (1946-1953). Réélu député *M.R.P.* le 17 juin 1951. Maire et conseiller général de l'Ile d'Yeu. Membre de l'*Alliance France-Israël*. Réélu député *M.R.P.* en 1956, en 1958 et en 1962. Battu en 1967.

MICHEL (Augustin).

Avocat, né à Issingeaux, le 26 avril 1182. Président de la *Ligue des Familles Nombreuses*. Conseiller général et député de la Haute-Loire. Inscrit à la *Fédération 1882*. Président de la *Ligue des Familles Républicaine*. Vota les pouvoirs constituants au maréchal Pétain (1940). Membre du Conseil National (1941).

MICHEL (Henri, Jules).

Universitaire, né à Vidauban (Var), le 28 avril 1907. S'est fait l'historien, parfois passionné et injuste, de la Résistance. Co-directeur de la collection « *Esprit de la Résistance* » et auteur de : « *Histoire de la Résistance* », « *Les Idées politiques et sociales de la Résistance* » (en collaboration avec Mirkine-Guetzévitch).

MICHEL (Clémence, Louise).

Militante révolutionnaire, née au château de Vroncourt (Haute-Marne), le 29 mai 1830, « *de la rencontre d'un jeune châtelain et d'une servante* » (cf. Ch. Malato, in *Le Peuple*, 23-3-1938). Entrée à l'Ecole Normale de Chaumont, elle en sortit institutrice et, par refus de prêter serment à l'Empire, opta pour l'école libre. Elle publia dans un journal de la région un feuilleton : « *L'empereur Domitien* ». Mais l'assimilation par trop évidente au prince impérial lui attira une admonestation des autorités. Louise Michel décida, en 1856, de partir pour Paris, où elle prit la direction d'une institution à Montmartre. Elle correspondait alors régulièrement avec Victor Hugo et fréquentait Clemenceau et Jules Guesde. En 1870, dès l'annonce de la débâcle, elle se rendit à l'Hôtel de Ville à la tête d'un groupe de révolutionnaires et réclama des armes pour aller délivrer Strasbourg. En mars 1871, elle proposa au Conseil Central d'aller à Versailles pour y assassiner Thiers. Déchaînée, indomptable, elle fit le coup de feu sur toutes les barricades. Après le triomphe des Versaillais, elle fut arrêtée et conduite au camp de Satory. Elle y soigna les blessés, distribua aux malades les trois-quarts de ses rations. Le 16 décembre, elle comparut devant le Conseil de guerre toute vêtue de noir. Elle portait le deuil de Ferré, le seul amour (platonique) de sa vie, fusillé quelques jours plus tôt. L'accusée revendiqua toute la responsabilité de son rôle durant les journées sanglantes. On la condamna à la déportation dans une enceinte fortifiée (Victor Hugo lui dédia sa poésie : « *Viro-Major* » : « *Ton œil fixe pesant sur les juges livides...* » Débarquée avec Rochefort en Nouvelle-Calédonie, elle distribua à ses co-détenues ses vêtements et ses chaussures, ouvrit une école pour les indigènes, soigna les malades, réconforta tout le monde. Apprenant que des amis, à Paris, faisaient des démarches pour obtenir sa grâce, elle écrivit au ministre : « *La Libération pour tous, ou rien !* » Grâciée le 5 juin 1879, elle revint en France et reprit aussitôt le combat politique. Propagandiste ardente et militante farouche, la « *Vierge rouge* », comme on l'appelait alors, fut surtout une sentimentale. Ayant été victime d'un attentat qui faillit lui coûter la vie, elle fit des démarches pour faire libérer son agresseur. Le 25 juin 1888, elle écrivait à la femme de celui-ci : « *Apprenant votre désespoir, je désirerais vous rassurer. Soyez tranquille. Comme on ne peut admettre que votre mari ait agi avec discernement, il est par conséquent impossible qu'il ne vous soit rendu. Ni mes amis, ni les médecins, ni la presse de Paris, sans oublier celle du Havre, ne cesseront, jusque là, de réclamer sa mise en liberté. Et si cela tardait trop, je retournerais au Havre, et cette fois ma conférence n'aurait d'autre but que d'obtenir cette mesure de justice.* » (Cf. *L'Idée Ouvrière, du Havre*, 28-1-1888.) Mais cette exaltée n'en fut pas moins plusieurs fois condamnée pour ses paroles, pour ses écrits et pour ses actes anarchistes. Elle est l'auteur de plusieurs ouvrages dont : « La Misère » (1881), « Les Méprisées » (1882), « Les Crimes de l'époque » (1888), « La Fille du peuple » (1889), « Le Claque-dents » (1890), « La Commune » (1898), etc. et d'un tome I (unique) de « Mémoires » (1886). Elle mourut à Marseille le 10 janvier 1905 au cours d'une tournée de conférences. Son corps fut ramené à Levallois-Perret le 22 janvier. Une foule considérable — Le Libertaire (5 - 2 - 1905) parle de 100 000 personnes — accompagna sa dépouille mortelle de la gare de Lyon au cimetière.

MICHELET (Edmond).

Courtier, né à Paris le 8 octobre 1899. Agent commercial à Brive, à partir de 1926. Il avait été, dans le Béarn, en 1922-1925, président de la Jeunesse Catholique, et il fut, en 1932, fondateur en Corrèze des Equipes Sociales et l'un des propagandistes les plus zélés de la Démocratie chrétienne. Pendant la guerre, il entra dans la Résistance et fut le responsable des mouvements clandestins Combat et Liberté pour le Centre. Arrêté par les Allemands, en août 1943, il fut déporté à Dachau. Nommé, à son retour en France, membre de l'Assemblée consultative provisoire (1944-1945), il fut ensuite député de la Corrèze (1946-1951). D'abord inscrit au M.R.P., il rallia le R.P.F., du général De Gaulle, en 1947. A cette époque, il s'intéressait à La Liberté, de Limoges, et à Brive-Information, nés à la Libération : il présidait l'un et administrait l'autre. Malgré les facilités obtenues par ces journaux au début de leur exploitation, leur existence fut précaire et ils connurent la déconfiture. Depuis 1945, la carrière politique peut se résumer ainsi : député (nous l'avons vu), ministre des Armées (1945-1946), sénateur de la Seine (1952-1959), vice-président du Conseil de la République (1957-1958), vice-président du Mouvement international des responsables chrétiens, président du Centre national des Républicains sociaux (1958), ministre des Anciens Combattants et Victimes de guerre (cabinet De Gaulle, 1958-1959), ministre de la Justice (cabinet Michel Debré, 1959-1961), membre du Conseil constitutionnel (février 1962). Il est l'auteur de plusieurs ouvrages, dont : « De la fidélité en politique », « Le Gaullisme, passionnante aventure » et « Contre la guerre civile ». C'est dans ce livre, paru en 1957, qu'il écrivait : « L'Algérie, c'est la France !... Pourquoi faut-il que cette évidence soit devenue un slogan politique auquel répond cet autre slogan : « L'Algérie, c'est d'abord l'Algérie ? » (...) Personne ne mettait en doute que la lutte contre le totalitarisme nazi allait se poursuivre sur les rives de la France africaine. Personne, à l'exception du petit nombre de ceux qui, depuis quelque temps déjà, s'étaient résignés à la défaite et à la totale victoire allemande... A cette heure décisive, l'Algérie, pour eux, ce n'était donc déjà plus la France ? » Enfin il préside l'Amicale des anciens de Dachau et est vice-président de la Fédération des internés et déportés de la Résistance.

MICHELS (Charles).

Ouvrier en chaussures (1903-1941). Militant communiste et syndicaliste, secrétaire de la Fédération C.G.T. des cuirs et peaux. Elu député de la Seine en 1936. Lors de la séance de la Chambre du 9 janvier 1940, refusa de se lever pour le salut aux combattants ; le président Herriot proposa son expulsion. Frappé par ses collègues, fut emporté évanoui hors du Palais-Bourbon par les huissiers. Fut, l'année suivante, fusillé par les Allemands à Châteaubriant.

MIDI (Le).

Quotidien socialiste fondé à Toulouse en 1908 et disparu pendant la guerre. Avait pour directeurs, en 1939, Vincent Auriol et Bedouce que secondait Emile Berlia. Son tirage dépassait 40 000 exemplaires.

MIDI-LIBRE.

Quotidien régional fondé à Montpellier le 27 août 1944 par une équipe de résistants dirigée par Jacques Bellon et Madeleine Rochette. Bellon, décédé en 1956, s'appelait à l'état-civil Armand Labin ; il était né en 1906 à Bucarest, au foyer d'une famille israélite très modeste. Madeleine Rochette, elle, est russe : elle naquit à Pétrograd en 1915 et s'appelle Nina Morguleff. Le lancement du journal fut d'autant plus facile que les deux concurrents, L'Eclair et Le Petit Méridional, avaient été interdits, qu'il s'installa dans les locaux de L'Eclair, utilisa l'imprimerie, le papier et les listes d'abonnés du vieux journal national et que Labin-Bellon, pour payer son équipe, se fit remettre 900 000 francs par le président de l'Eclair, terrorisé par le commissaire de la République. A Joseph Denais, député de Paris, qui demandait au président du Gouvernement provisoire pourquoi la direction d'un journal français était confiée à un étranger, sujet roumain, il fut répondu qu'effectivement le directeur n'était pas Français, mais qu'on étudiait son dossier de naturalisation. Le fait est que, deux ans et demi après la Libération, Labin dit Bellon (Bellon était le nom du premier mari de sa compagne) fut naturalisé par Marrane, ministre communiste de la Santé publique (*J.O.*, 16-3-1947, p. 2514). Quant à Madeleine Rochette, elle avait obtenu sa naturalisation dix-huit mois plus tôt (*J.O.* 25-11-1945, p. 7830). La société éditrice du *Midi Libre* fut constituée le 25 septembre 1945. Le capital initial était réparti entre : Labin, dit Bellon (16 %), Ernest de Varenne (ancien collaborateur de *l'Eclair*) (14 %), Georges Campredon (14 %), Albert Marsal (14 %), Emmanuel Gambardella (14 %), Jean Connillières (14 %), Maurice Bujon (14 %).

A la suite de diverses augmentations de capital, devinrent actionnaires de la société du journal : les parlementaires Béchard, Jean Bène, Jules Moch et Joseph Lanet, les journalistes Claude Raynal, dit Berneide, La Jonchère, secrétaire du *M.L.N.*, Charles Alliès, instituteur à Pezenas, etc. (cf. l'étude sur *Midi Libre,* in *Lectures Françaises,* décembre 1959). Le directeur général du journal est Maurice Bujon, un fils d'officier que la carrière militaire tenta un moment, né à Narbonne en 1912, que secondent : Jean Chautemps, fils de Camille Chautemps, ancien président du Conseil de la III⁰ République, qui remplit les fonctions de rédacteur en chef ; Ernest de Varenne, secrétaire général ; Nina Morguleff, dite Madeleine Rochette, secrétaire générale des services parisiens ; L. Chaillot, secrétaire de rédaction ; F. Carréras, chef des informations ; R. Barillon, chronique politique ; L. Gamblin, informations sportives ; Gérard Bauer, Jean Benedetti, Maurice Charny, Georges Duhamel, Jean Fabiani, Max Favalleli, Philippe Lamour, Claude Martial, Robert Verdier, etc., apportent à ce journal de gauche l'appui de leur autorité ou de leur talent. Seul quotidien de la région, avec *La Dépêche* de Toulouse, donc lu également par les hommes du centre et de la droite, *Midi Libre* a un tirage en progression. Il tirait à 94 000 exemplaires en 1944 ; à 150 000 en 1951 ; à 168 000 en 1957 et à 194 000 en 1965 (derniers chiffres connus). *Midi Libre,* qui est mis en vente dans huit départements et annonce seize éditions différentes, est surtout répandu dans l'Hérault, le Gard et l'Aude. Malgré leur habileté, ses dirigeants ne parviennent pas à cacher tout à fait les liens qui l'unissent aux milieux socialistes. (12, rue d'Alger, Montpellier.)

MIDI PROVENCE.

Quotidien d'information fondé à Marseille le 1ᵉʳ décembre 1966, par des militants de gauche. Paraît à midi et publie une revue de la presse du jour. Jean-André Faucher y rédige un billet quotidien sous le titre « *L'événement politique* ». Directrice de la publication : Christiane Bonnaud. Les amis de Gaston Defferre craignent que ce journal ait été fondé pour combattre le maire socialiste de la cité phocéenne dans les milieux populaires (10, rue Venture, Marseille 1ᵉʳ).

MIDI-SOIR.

Edition vespérale (disparue) de *La Marseillaise,* paraissant après la Libération, dans les Bouches-du-Rhône.

MIGNON.

Syndicaliste, membre du *Syndicat des agents de fabrique,* nommé le 23 janvier 1941 au *Conseil National* (voir à ce nom).

MIGNOT (André).

Avocat, né à Versailles (S.-et-O.), le 19 janvier 1915. Inscrit au barreau de Versailles. Fut successivement, depuis la Libération, membre de la 2ᵉ Assemblée constituante (en 1946, à vingt et un ans), maire de Versailles (depuis 1947), Conseiller général du canton nord de Versailles (1948), député indépendant de Seine-et-Oise (1951-1962), membre du Comité consultatif constitutionnel (août 1958), président de la Haute Cour de justice (1961-1962), président du conseil d'administration (1964) du district de Paris.

MILHAU (Lucien).

Membre de l'enseignement, né à Laurabuc (Aude), le 25 décembre 1901. Instituteur frappé par le gouvernement Pétain et déplacé. Participa à la Résistance. Secrétaire général du Conseil général. Elu député *S.F.I.O.* de l'Aude (3ᵉ circ.) en 1962. Réélu en 1967.

MILICE.

Troupe paramilitaire destinée au maintien de l'ordre. Avant 1789, les milices étaient formées de bourgeois et de paysans, choisis par tirage au sort. Les premières milices communales prirent part à la bataille de Bouvines (1214). Après la Révolution, les *milices bourgeoises* devinrent la *Garde nationale.* Dans certains pays de l'Est, la *milice* st l'organisation militarisée du parti ommuniste (par ex. : en République Démocratique Allemande).

MILICE FRANÇAISE (La).

Créée le 30 janvier 1943 par une loi u gouvernement Laval. *Le Journal fficiel* (n° 27, 31-1-1943, p. 290) spéci-ait : « *La Milice française, qui groupe 'es Français résolus à prendre une part ctive au redressement politique, social, conomique, intellectuel et moral de la 'rance, est reconnue d'utilité publique. 'es statuts, annexés à la présente loi, ont approuvés. Le chef du gouverne-* *ment est le chef de la Milice française. La Milice française est administrée et dirigée par un secrétaire général nommé par le chef du gouvernement. Le secrétaire général représente la Milice française à l'égard des tiers.* » Mais, si la date de naissance officielle est bien celle de la *loi de l'Etat* promulguée par Vichy, la *Milice* n'est pas sortie tout armée du cerveau de Pierre Laval. Son origine remonte à 1940, et son père véritable est Joseph Darnand (voir à ce nom). Démobilisé, installé sur la Côte d'Azur, Darnand présidait la *Légion Française des Combattants* des Alpes-Maritimes. Il se trouvait ainsi à la tête de quatre-vingts

```
CHANT   DES   COHORTES

          Chant de marche de la MILICE FRANCAISE
Paroles d'Antoine QUEBRIAC          Musique de Pierre de PROUS
                                       et Georges BAILLY


   REFRAIN :        A genoux, nous fîmes le serment,
                    Miliciens, de mourir en chantant
                    S'il le faut pour la nouvelle France.
                    Amoureux de gloire et de grandeur,
                    Tous unis par la même ferveur,
                    Nous jurons de refaire la France :
                    A genoux, nous fîmes ce serment !

   1er couplet      Le Sauveur de la France immortelle
                    A fait luire un radieux idéal,
                    Le vainqueur de Verdun nous appelle,
                    Répondons : "Présents!" au Maréchal !

   2° couplet       Accourez dans nos dures cohortes,
                    O vous tous que grisent les combats :
                    La Milice fera la France forte
                    Par ceux-là qui ne trembleront pas !

   3° couplet       Pour qu'enfin la nation se redresse,
                    Miliciens, nous irons jusqu'au bout !
                    Modelons une ardente jeunesse
                    Et nos morts seront contents de nous !

   4° couplet       Nous servirons de toute notre âme
                    La Milice, son Chef et la Nation :
                    Miliciens, la Nation nous réclame
                    Pour que vive la Révolution !

   5° couplet       Pour les hommes de notre défaite
                    Il n'est pas d'assez dur châtiment :
                    Nous voulons qu'on nous livre les têtes,
                    Nous voulons le poteau infâmant !

   6° couplet       Miliciens, faisons la France pure :
                    Bolchevicks, francs-maçons ennemis,
                    Israël, ignoble pourriture,
                    Ecoeurée, la France vous vomit !


   Texte du serment de la Milice Française :

        Je m'engage sur l'honneur à servir la France, au sacrifice
   même de ma vie.

        Je jure de consacrer toutes mes forces à faire triompher
   l'idéal révolutionnaire de la Milice Française dont j'accepte
   librement la discipline.            Je le jure !
```

mille anciens combattants, pétainistes enthousiastes pour la plupart, qu'encadraient des hommes résolus et politiquement sûrs, comme ses adjoints, Pierre Gallet, un ancien de son corps-franc de 1939-1940, et Jean Bassompierre, un officier de carrière qui remplissait les fonctions de secrétaire général de la Légion à Nice. Lorsque se répandit le bruit d'une occupation italienne de la région niçoise, Joseph Darnand déclara à ses amis qu'il fallait s'y opposer. Il constitua des groupes et des dépôts d'armes au sein de la *Légion* des Alpes-Maritimes. La menace écartée, les unités ainsi créées demeurèrent et formèrent le *Service d'Ordre Légionnaire* de Nice. Cet exemple fut suivi discrètement et officieusement dans toute la zone Sud où la *Légion Française des Combattants*, dirigée par François Valentin, député de Nancy, comptait des millions d'adhérents. Après l'entrée en guerre de l'Allemagne contre la Russie, le *S.O.L.* fut officiellement constitué : Président : François Valentin, puis Raymond Lachal ; secrétaire général Joseph Darnand. Ce dernier, qui dirigeait en fait le *S.O.L.*, fut alors délégué par la *Légion Française des Combattants* auprès du Gouvernement et s'installa à l'Hôtel du Parc. Depuis que l'U.R.S.S. était officiellement l'alliée des Anglais, Darnand, pour qui l'Allemand était toujours le « *Boche* », se déclarait cependant favorable à une entente avec Hitler. Quand fut créée la *Légion tricolore* qui devait combattre le Bolchevisme sur le Front de l'Est, sous la direction du général Puaux, Darnand délégua Bassompierre pour le représenter dans ce nouvel organisme. Dès lors, le fossé se creusa entre la *Légion Française des Combattants* et le *S.O.L.* Au modéré Lachal s'opposa Darnand le dur. La cassure fut pratiquement réalisée en octobre 1942, lorsque ce dernier décida de transformer le *Service d'Ordre Légionnaire* en *Milice française*. Dans l'esprit de son fondateur, la *Milice française* devait être un instrument politique et militaire de la « *Révolution nationale qui reste à faire* », Elle ne faisait que poursuivre, avec des pouvoirs accrus, les buts du *S.O.L.* définis dans un message de Darnand à ses camarades : « *Notre Révolution intérieure sera d'abord nationale. La Patrie est en danger. Cette évidence nous rallie tous dans un même élan et vers ce seul but : sauvegarder, maintenir et transmettre l'héritage de nos pères. (...) Mais au lieu d'opposer, en un conflit néfaste, la réalité européenne que certains prétendent encore incompatible avec la grandeur française,*

nous voulons conquérir à notre pays un place digne de son passé dans cett Europe enfin solide. (...) Qu'on n s'acharne pas à voir en nous de simple réactionnaires pressés de prendre, sur l terrain politique et social, une revanch hargneuse. On se tromperait. En nou déclarant « contre l'égoïsme bourgeois pour la solidarité humaine », nous avon voulu stigmatiser les fautes d'une class que nous estimons responsable pou une grande part de nos malheurs pré sents. (...) Nous sommes contre le capi talisme qui paye trop inégalement pos sédants et travailleurs. Il écarte le pro ducteur des bénéfices de la production (...) Nous sommes contre le marxism qui, nivelant par le bas, mène fatalemen à l'avilissement général et supprime ave le goût du risque l'éclosion des valeurs. » (Message de Joseph Darnand au *S.O.L.* Marseille, 4-10-1942.) La doctrine est trè floue, mais déjà paraît le fascisme, ce fascisme que nombre de militants et d cadres n'acceptaient pas encore, n'ac cepteront peut-être jamais. La plupar des « hommes de Darnand » venaien de la Droite ; très peu étaient issus de milieux de gauche. Les maurrassiens, le plus nombreux sans doute, étaient hos tiles à l'idéologie fasciste ; leur nationa lisme, exacerbé par la guerre et la dé faite, rejetait toute collaboration effectiv avec l'Allemagne. Selon les régions, le *S.O.L.*, puis la *Milice* furent donc, jus qu'à la fin ou presque, composés prin cipalement de réactionnaires classique ou de nationalistes plus ou moins ralliés à l'Europe fasciste. L'opposition à l'Alle magne se manifesta à maintes reprises non seulement en France jusqu'en 1944 mais aussi en Allemagne, après le dépar forcé du Maréchal à Sigmaringen e l'absorption de la milice par les *Waffen-SS*. (L'opposition à l'Allemand est s nette chez certains miliciens que l'adhé sion à la division de *Waffen-SS Charle magne*, fin 1944, fut refusée par toute une fraction de la Milice.) Jusqu'en 1943, n le *S.O.L.*, ni la *Milice* ne semblent avoi été mêlés à une opération contre la Résistance. Les militants, sauf quelques unités fort réduites, n'étaient d'ailleur pas armés, ce qui explique, sans doute le nombre de miliciens abattus par la Résistance, d'avril à novembre 1943. En juillet 1943, Darnand, auquel on refusai des armes, songea à dissoudre la *Milice* ou à démissionner. Pierre Laval, che légal de cette formation, n'accepta pas : de même le maréchal Pétain, qui lu rappela les termes de son discours du 29 avril 1943 aux légionnaires et aux miliciens : La Milice « *doit constituer a force indispensable pour mener la lutte contre toutes les puissances occultes* » ; elle « *doit être investie par priorité de toutes les missions d'avant-garde, notamment celles relatives au maintien de l'ordre, à la garde des points sensibles du territoire, à la lutte contre le communisme* ».

Ce n'est qu'après l'engagement de deux cents de ses miliciens dans une formation de *Waffen-S.S.* français allant combattre sur le front allemand de Russie que Darnand obtint les armes qu'il demandait pour la *Milice*. Ces armes furent prélevées sur les stocks de l'Armistice. Darnand, qui avait une réputation d'homme fort, fut nommé au Maintien de l'Ordre. Pierre Laval ne signa sa nomination qu'à contrecœur. Non qu'il doutât de la fidélité du secrétaire général de la *Milice*, mais parce qu'il répugnait à toute solution de force contre le maquis. Pour lui, Darnand était d'abord un pion, un pion qu'il poussait sur l'échiquier politique et qu'il opposait à Déat et à Doriot. C'est comme chef responsable du Maintien de l'Ordre que Darnand fit intervenir les miliciens, aux côtés des gendarmes et des *G.M.R.*, contre les maquis. D'où les sanglantes rencontres avec la Résistance, qui ont été principalement reprochées à Darnand et à ses amis. Pour la formation des cadres, la *Milice* avait créé une Ecole spéciale à Uriage en 1943. Il y avait en permanence, à Uriage, un peloton d'*aspirants*, une trentaine environ. Les cadres de la *Milice* y effectuaient, à tour de rôle, des stages de vingt et un jours. On y étudiait la doctrine des maîtres (Bonald, de Maistre, Maurras, Gobineau, Renan. Proudhon), l'histoire politique de la France et les vingt et un points de la *Milice*. Les méthodes communistes de propagande faisaient l'objet d'un examen particulier. L'école publiait une revue mensuelle, *Les cahiers d'Uriage*, destinée principalement à la base et aux cadres subalternes qui ne pouvaient suivre directement les cours. La *Milice*, qui n'avait pas été autorisée jusque-là en zone Nord, put s'installer à Paris en février 1944. Elle occupa, carrefour Châteaulin, l'ancien immeuble du *Parti Communiste* que le gouvernement Daladier avait confisqué en 1939. Désormais officialisée dans les deux zones, placée sous le commandement du responsable au Maintien de l'Ordre, elle participa aux opérations de police contre les maquis. La grande, la sanglante, la tragique épreuve commençait... Autour de Darnand, composant son état-major ou participant à son action, les officiers étaient

en majorité ; il y avait aussi des professeurs, des journalistes, des industriels. Tous furent l'objet de poursuites, beaucoup furent condamnés à mort et fusillés (Darnand, Clemoz, Knipping, Radici, Bassompierre, etc. furent exécutés, Bertheux mourut en prison). Des centaines de chefs régionaux et locaux connurent également les prisons de l'épuration.

MILICE SOCIALISTE NATIONALE.

Fondée par Gustave Hervé, directeur de *La Victoire,* jadis militant socialiste révolutionnaire et directeur de *La Guerre Sociale.* Dirigeants : Hervé, M. Bucard, Emile Tissier, Paul Lafitte, Lucien Bernard et J.-B. Lhérault. La Milice succédait au *Parti de la République Autoritaire,* autre création d'Hervé (1925) et de son fidèle Tissier, ancien dirigeant des *Jeunes Gardes Révolutionnaires.* « Au contraire du socialisme communiste et collectiviste, qui est de l'étatisme poussé jusqu'à l'absurde, notre socialisme est un socialisme corporatif basé sur le respect de la propriété individuelle et de la responsabilité personnelle des chefs d'entreprise... Notre socialisme national emprunte à tous les partis ce qu'ils ont de bon : aux révolutionnaires et aux radicaux, leur passion de justice sociale, leur idéal de paix internationale, leurs généreuses audaces intellectuelles ; aux modérés et aux réactionnaires leur respect de la propriété individuelle, leur culte de la patrie et de l'armée, leur respect de la religion, leur goût de l'ordre et de la discipline. » (*Manifeste des Socialistes Nationaux*, décembre 1932.) Le départ de Bucard, Lafitte et Lhérault qui fondèrent, en 1933, le *Francisme* (voir à ce nom) provoqua l'effondrement de la *M.S.N.* Organe : *La Victoire* (quot.), et *La Victoire du Dimanche* (hebd.).

MILITANT.

Personne luttant pour le triomphe d'une idée ou d'un parti. Le *militant* est, avant tout, un propagandiste : politiquement formé, il cherche à faire des adeptes. Pour y parvenir, il participe activement à la vie du parti auquel il appartient : il prend la parole à ses réunions, rédige ou diffuse ses tracts, colle ses affiches, vend sa presse dans la rue, etc.

MILITARISME.

Sentiment de ceux qui préconisent la prépondérance des militaires dans la vie politique et publique de la nation.

MILLE (Hervé, Dominique).

Journaliste, né à Constantinople (Turquie), le 23 septembre 1909. Appartient à la presse depuis 1926. Fut, avant la guerre, directeur de la rédaction de *Paris-Soir, Paris-Midi, Match, Marie-Claire* (1937-1939). Pendant l'occupation, replié à Lyon, dirigea la rédaction de *Sept Jours* (1941-1943). Depuis la guerre : directeur de *Paris-Match* (depuis 1949), de *Marie-Claire* (depuis 1954) et de *Télé-sept-jours* (depuis 1960).

MILLERAND (Etienne-Alexandre).

Avocat et homme politique (1859-1943). Inscrit au barreau de Paris, il entra de bonne heure dans la politique et milita dans les milieux radicaux. Il se fit élire député en 1885 et collabora à *La Justice*, avec Georges Clemenceau. Il s'éloigna peu à peu du radicalisme et se rapprocha du socialisme. En 1889, il fonda *La Voix*, avec Basly, Hovelacque, Alphonse Humbert et de Lanessan. Son programme était alors : « Ni Ferry, ni Boulanger. » Dans *La Petite République*, dont il fut le directeur politique, et dans *La Lanterne*, il attaquait avec virulence le *cléricalisme*, la *réaction*, les *bourgeois* et l'armée. S'en prenant aux ploutocrates, il écrivit un jour : « *C'est contre la Haute Finance qu'il faut consacrer tous nos efforts. La Nation doit reprendre sur les barons de cette féodalité cosmopolite les forteresses qu'ils lui ont ravies pour la dominer.* » Lorsque l'affaire Dreyfus éclata, il se rangea aux côtés des amis du capitaine autant par sentiment — sa mère et sa femme étaient israélites — que par conviction politique. Il fut l'un des défenseurs les plus chaleureux de l'officier juif condamné. Il se fit aussi l'avocat des grévistes et des anarchistes. Dans les meetings, où il prenait la parole, ceux qu'il avait tirés des griffes de la Justice et leurs camarades, lui faisaient des ovations d'une chaleur exceptionnelle. Il était alors un socialiste extrémiste. Dans un discours retentissant, à l'issue d'un banquet à Saint-Mandé (le « *banquet des municipalités socialistes* », auquel assistaient les représentants des diverses tendances socialistes, sauf celle des *allemanistes*), il proclama sa foi absolue dans l'avenir du collectivisme et de l'Internationale des travailleurs (30 mai 1896). Trois ans plus tard, il acceptait néanmoins le portefeuille du Commerce dans le gouvernement Waldeck-Rousseau, où il siégea à côté du général de Gallifet que ses amis socialistes appelaient « *l'étrangleur de la Commune* ». Ce fut le début de sa nouvelle évolution, vers la droite cette fois. « *Vous iriez collaborer avec ce bourreau* (Gallifet) *? Cela me paraît si odieux et si ignoble que je ne puis*

y croire », lui avait écrit Edouard Vaillant. Il resta dans le cabinet Waldeck-Rousseau jusqu'au bout, c'est-à-dire jusqu'aux élections générales de 1902 qui furent un succès pour la gauche. Il soutint régulièrement de ses votes le cabinet Combes, qui succéda. Mais quand éclata « *le scandale des fiches* », il fut l'un des républicains qui clamèrent leur indignation au Palais Bourbon : « — *Ce régime est le plus abject que la France ait jamais subi* », s'écria-t-il. La chute du ministère Combes fut, en partie, son œuvre. Aussi eut-il à faire face aux reproches de ses amis. Membre de la loge *L'Amitié*, il fut mis en accusation devant ses *frères* et exclu le 25 février 1905, comme le fut, à la même époque, Paul Doumer. Mais il réussit à conserver son siège de député de la Seine jusqu'en 1920. Toutefois, pendant de longues années, il resta hors du gouvernement. Ce n'est qu'en 1909 que son ancien camarade de parti, Briand, lui offrit un portefeuille, celui des Travaux publics et des P.T.T., qu'il conserva quelques mois. Poincaré le prit dans son gouvernement en 1912. Après la guerre, lorsque Clemenceau remit la démission de son ministère, il fut chargé de constituer le cabinet : pour la première fois, il devenait président du Conseil (20 janvier 1920). Il le resta jusqu'au 23 septembre 1920, date de son élection à la présidence de la République. Son évolution s'était précipitée pendant la guerre. Aux élections générales de 1919, il était devenu le *leader* du *Bloc National*, et lorsqu'il fut à l'Elysée, ne cachant guère ses sympathies, il écrivit à la *Ligue des Patriotes* : « *La guerre a été pour tous les Français une grande école de fraternité et de tolérance. Elle a fait apparaître la vanité de beaucoup de leurs querelles passées, et les raisons décisives qui commandaient leur accord. A la lumière d'une si tragique épreuve, ils se sont rendu compte, plus clairement que jamais, des titres d'un Paul Deroulède à leur admiration et à leur gratitude...* » (Cf. « *Manuel des partis politiques en France*, par J. Carrère et G. Bourgin, Paris 1924). Après les élections de 1924, qui donnèrent la victoire au *Cartel des Gauches*, Alexandre Millerand fut mis dans l'impossibilité de former un ministère. La presse de gauche (*Le Quotidien, L'Œuvre, L'Ere Nouvelle, Le Populaire, L'Humanité*, etc.), demandait son départ de l'Elysée. Edouard Herriot et les autres *leaders* du *Cartel* refusaient de constituer un gouvernement tant que Millerand n'aurait pas abandonné la présidence de la République.

Une tentative François-Marsal, avec des radicaux modérés et des centristes, échoua lamentablement : constitué le 9 juin 1924, le cabinet François-Marsal démissionnait le lendemain. Il fallut bien se résigner : Millerand donna sa démission le 11 juin. Sa carrière politique n'était cependant pas terminée. Elu sénateur en 1925, il siègera au Luxembourg jusqu'à la chute de la III° République, d'abord comme représentant de la Seine, puis, à partir de 1927, comme représentant de l'Orne. Il mourut pendant l'occupation. Son fils, Jacques Millerand, s'écarta de la politique : ayant épousé la fille de Christian Lazard, conseiller général de Seine-et-Oise et associé de la banque *Lazard frères et Cie,* il se consacra aux affaires.

MILLOT (Jacques).

Avocat, né à Sery-lès-Mézières (Aisne), le 21 août 1907. Membre du Conseil de l'Ordre (1945). Anc. bâtonnier (1955-1956 et 1956-1957). Professeur à l'Ecole de Notariat (depuis 1937). Chargé de cours à la Faculté de Droit de l'Université catholique d'Angers (depuis 1941). Maire d'Angers (1959). Proclamé député de Maine-et-Loire (1re circ.) le 29 mai 1960, en remplacement de Jean Foyer, nommé membre du Gouvernement. Réélu le 25 novembre 1962. Apparenté au groupe *U.N.R.*

MINISTRE.

Membre d'un gouvernement chargé de la direction autonome d'un ensemble de services publics. Le *Premier ministre,* qui s'appelait sous la III° et la IV° Républiques : président du conseil, est le chef du gouvernement. Le *ministre sans portefeuille* est un membre du gouvernement n'ayant pas d'attributions particulières, donc n'ayant pas la responsabilité de services publics. Le *ministre de l'Intérieur* est, par définition, le ministre chargé des affaires politiques du pays. Ses principales tâches sont, en effet, d'assurer la sécurité intérieure de l'Etat et de surveiller les groupes de l'opposition au moyen des forces du maintien de l'ordre (polices, C.R.S.) et du service des Renseignements généraux (voir aussi : *indicateurs, provocateurs*). Le *ministre des Affaires étrangères* est le responsable de la politique extérieure du gouvernement.

MINJOZ (Jean).

Magistrat, né à Montmélian (Savoie), le 12 octobre 1904. Fils d'avocat et avocat lui-même. Fut nommé, sur sa demande, adjoint au maire de Besançon par le gouvernement du maréchal Pétain (arrêté de l'amiral Darlan du 24 mai 1941, *Journal officiel* du 28 mai 1941, n° 147, page 2221). Entré un peu plus tard dans la Résistance (réseau Libération-Nord), fut l'un des dirigeants du *C.D.L.* du Doubs (1944), fit partie des deux Assemblées constituantes (1945-1946) et fut élu maire de Besançon (1945). Représenta son département à l'Assemblée nationale pendant douze ans (1946-1958) et appartint à divers gouvernements : sous-secrétaire d'Etat au Commerce (cabinet Léon Blum, 1947), secrétaire d'Etat au Travail et à la Sécurité sociale (cabinet Guy Mollet, 1957 ; cabinet Bourgès-Maunoury, 1957). Procureur général de la Haute Cour de Justice (1947-1955), fit preuve d'une rigueur tout à fait exceptionnelle dans l'épuration, allant jusqu'à faire inclure dans la loi d'amnistie de 1953 une clause qui permettait d'écarter de cette mesure les journalistes et les écrivains aussi bien que les vils dénonciateurs. N'ayant pas été réélu en novembre 1958, a été nommé conseiller à la Cour d'appel de Paris en décembre de la même année. Appartint au conseil d'administration de la *Chambre de Commerce France-Israël* et au comité directeur de la *S.F.I.O.,* et fut, de longues années durant, conseiller juridique de la *C.G.T.* et directeur politique du quotidien *Le Comtois.*

MINK (Paule).

Militante socialiste (1840-1901). Prit part à la Commune de Paris et collabora avec Vaillant à la direction du *Parti Socialiste Révolutionnaire.*

MINORITE.

Par opposition à *majorité,* la *minorité* est le plus petit nombre ; dans un vote, c'est le plus petit nombre de suffrages obtenus. Les *minorités ethniques* sont les habitants d'un pays n'ayant pas la même origine que la majorité des habitants.

MINUTE.

Hebdomadaire d'opposition fondé en avril 1962 par Jean-François Devay et publié par la *Société d'Editions Parisiennes Associées.* En quelques années a pris une place de choix dans la presse d'échos. Ses critiques à l'endroit de la politique du général De Gaulle et des hommes politiques qui la défendent lui ont valu maints procès, mais aussi une diffusion importante. L'équipe rédactionnelle de *Minute* se compose essentiellement de son directeur, qui révise personnellement la majeure partie de la

« copie », de Philippe Héduy, François Brigneau, Jean Bourdier, Jean Boizeau, René Chauvin, etc. Sa diffusion moyenne (O. J. D. 1966) dépasse 156 000 exemplaires (12, rue du Croissant, Paris 2e).

MIOSSEC (Gabriel).

Ingénieur, né à Audierne (Finistère), le 21 juillet 1901. Directeur de la Glacière du port d'Audierne. Vice-président de la Chambre de Commerce. Membre du Rotary. Adjoint au maire d'Audierne. Elu député U.N.R. de la 7e circ. du Finistère le 25 novembre 1962. Réélu en 1967.

MIRBEAU (Octave) (voir : Les Grimaces).

MIREAUX (Emile, Bernard).

Professeur et journaliste, né le 21 août 1885 à Mont-de-Marsan. Entré à l'Ecole normale supérieure. Agrégé d'histoire et de géographie. Mobilisé en 1914, capitaine, blessé à deux reprises, chevalier de la Légion d'honneur, trois citations. Agrégé préparateur à l'Ecole normale supérieure (1920). Directeur de la Société d'études et d'informations économiques (1922-1931). Collaborateur au Temps, en deviendra co-directeur jusqu'en 1942. Sénateur des Hautes-Pyrénées. Nommé le 23 janvier 1941 membre du Conseil national. Secrétaire d'Etat à l'Instruction publique (10 juillet-7 septembre 1940). Poursuivi à la Libération, bénéficia d'un non-lieu pour faits de résistance. Membre de l'Académie des sciences morales et politiques (1940), élu secrétaire perpétuel (mars 1956). A publié de nombreuses études « Philosophie du libéralisme », « La France et les huit heures », « Les Miracles du Crédit », « Les monopoles », « L'expérience financière de Raymond Poincaré », ainsi que des œuvres historiques : « Les Poèmes homériques et l'Histoire grecque », « La Reine Bérénice », etc.

MIROIR DE L'INFORMATION (Le).

Revue fondée en 1957 par André Dépernon. Paraît chaque semaine et donne des informaitons et des études sur la presse, la publicité et les relations publiques, ainsi que des monographies sur les journaux et des biographies de personnalités de la presse et de la publicité (11 bis, rue Léopold-Bellan, Paris 2e).

MISSOFFE (François).

Administrateur de sociétés, né à Toulon, le 13 octobre 1919. Fils de Jacques Missoffe, vice-amiral d'escadre, adminis trateur d'Astra. Marié avec Hélène d Mitry, fille du comte de Mitry, adminis trateur de sociétés sidérurgiques et finan cières, petite-fille du maître de forges d Wendel. Fit ses études au Prytanée mili taire de La Flèche. Prit part à la Résis tance. Administrateur de Harriet Hub bard Ayer (filiale d'Astra), haut employ du trust Unilever. Elu député U.N.R. d la 24e circonscription de la Seine (no vembre 1958). Trésorier général de l'U N.R.-U.D.T. (1959-1961). Secrétaire d'Eta au Commerce intérieur (cabinet Debré 24 août 1961 et premier cabinet Pompi dou, 15 avril 1962). Se rendit célèbre pa sa fameuse campagne : « Suivez l bœuf ». Fut particulièrement critiqu lorsqu'il nomma le directeur généra adjoint de Sté Wendel et Cie au Consei du Comptoir National d'Escompte d Paris en remplacement du délégué de Petites et Moyennes Entreprises (J. O 4-1-1962). Réélu député de la 24e circons cription de la Seine le 25 novembr 1962. Ministre des Rapatriés (deuxième cabinet Pompidou, 6 décembre 1962 23 juillet 1964). Ambassadeur au Japor (septembre 1964). Actuellement ministr de la Jeunesse et des Sports (cabine Pompidou).

MISTLER (Jean).

Homme de lettres, né à Sorèze (Tarn) le 1er septembre 1897. Par sa mère, des cend des Auriol de Montagut. D'abor attaché culturel à la légation de Franc en Hongrie et chargé de cours à l'Uni versité de Budapest puis chef de section au ministère des Affaires étrangères (1925). Elu député radical-socialiste d l'Aude en 1928 ; réélu en 1932 et 1936 Sous-secrétaire d'Etat aux Beaux-Arts (cabinets Herriot et Paul-Boncour, 1932 et aux P.T.T. (Sarraut, Chautemps, 1933) Ministre du Commerce (cabinet Daladier 1934), président de la Commission de Affaires étrangères (1936-1940). Vota le pouvoirs constituants au maréchal Pé tain, le 10 juillet 1940. Nommé membre du Conseil National (23 janvier 1941 Directeur général de la Maison du Livre Français (1947-1960). Chroniqueur litté raire et musical de l'Aurore, Directeur du département de littérature générale de la Librairie Hachette (depuis 1964) Président des Docks de Bordeaux, admi nistrateur de l'Accumulateur Fulmen e de la Compagnie industrielle des télé phones. Auteur d'un ouvrage sur « Ha chette », de romans ou essais : « Châ teaux en Suède », « la Symphonie ina chevée », « A Bayreuth, avec Richard Wagner », « Epinal et l'imagerie populaire », « *Le 14 juillet* ». etc. Elu au premier tour membre de l'Académie française en juin 1966.

MISTRAL (Frédéric).

Poète provençal, né et mort à Maillane (B.-du-Rh.) (8 septembre 1830-25 mars 1914). Avec ses amis du Félibrige — fondé le 21 mai 1854 par Roumanille — fut le rénovateur de la langue provençale à laquelle il a donné un dictionnaire encyclopédique provençal-français « *Tresor dou Felibrige* » (1878-1886). Ses œuvres, sous leur aspect poétique le plus souvent épique, représentent un effort de régionalisme tant sur le plan littéraire que sur le plan moral et même politique. Partisan de la décentralisation dans tous les domaines et même du fédéralisme politique, ne pouvant admettre la « *conquête du Midi par le Nord* » à la suite de la croisade contre les Albigeois (1208-1229), il réclamait le respect des traditions et de la langue d'oc. Son disciple et ami Charles Maurras écrivait dans *L'Action Française* du 25 mars 1923 : « *Nous avons toujours dû compter Mistral parmi nos héros fondateurs. Non qu'il ait jamais adhéré à aucune formation politique. Mais il créa la sienne et c'était celle d'un nationalisme intellectuel qui choisit son point de départ dans les faits concrets, émouvants et directs auxquels l'âme et l'esprit de l'homme demandent leurs premières forces et leurs formes élémentaires. Il l'avait fait pour la Provence, et cela a servi pour la France, ainsi qu'il l'avait parfaitement prévu et annoncé.* » Son affection pour Charles Maurras était telle que, lui dédicaçant un jour l'un de ses portraits, il écrivait : « *À mon ami Charles Maurras qui, mieux que tous et par-dessous tous, a compris et éclairci l'idée de ma vie.* » (Cf. *Cahiers Charles Maurras*, n° 10, 1964.) Principales œuvres : « *Mireio* » (Mireille, 1859), couronnée par l'Académie française en 1861, « *Calendau* » (Calendal, 1867), « *Lis Isclo d'Or* » (Les Iles d'Or, 1875), « *Moun Espelido — memori e raconte* » (Mes origines — mémoires et récits, 1906). Il a publié ses œuvres poétiques avec leur traduction française. Collabora à divers périodiques : *L'Armana Prouvençau*, *L'Aïoli*, *La Revue Félibréenne*, *Lous Cartabèu de Santo Estello*, *Lou Viro-Soulèu*. Prix Nobel de littérature (1904).

MISTRAL (Paul, François, Antoine)

Négociant (1872-1932). Dessinateur, comptable dans l'industrie mécanique, puis négociant en vins à Grenoble. Inscrit au *Parti Ouvrier Français* à l'âge de vingt et un ans. Rédacteur au *Droit du Peuple*, poursuivi en cour d'Assises pour ses articles jugés anti-militaristes — il avait défendu avec vigueur un artilleur acculé au suicide — fut acquitté. Membre indépendant de la *S.F.I.O.* et de la *Ligue des Droits de l'Homme*. Conseiller général, maire, député de l'Isère (1910-1932). Son fils est conseiller général *S.F.I.O.* de l'Isère.

MITTERRAND (François, Maurice).

Avocat et homme politique, né à Jarnac (Charente), le 26 octobre 1916. Fils d'un cheminot et descendant de Léon Faucher, ministre de l'Intérieur de la Deuxième République. Il a fait ses études au collège Saint-Paul, d'Angoulême, et aux facultés de droit et des lettres de Paris. Il milita très tôt dans les milieux d'extrême-droite et fut, dit-on, cagoulard (ce qui expliquerait ses liens d'amitié avec Gabriel Jeantet et feu Eugène Schueller, l'un des fondateurs du *M.S.R.*, et le fait que son frère a épousé, en premières noces, une nièce d'Eugène Deloncle). Mobilisé en 1939 et fait prisonnier en 1940. Ses adversaires politiques (actuels) prétendent qu'il aurait été libéré sur l'intervention de Jacques Doriot alerté par Yves Dautun (cousin de Mitterrand et dirigeant du *P.P.F.*) (1). Mais ses amis affirment qu'il s'est évadé et rien ne prouve, en effet, qu'il n'en fut pas ainsi. Il fit partie du Service national des Etudiants et du service de presse des Prisonniers à Vichy et reçut, à ce titre, la Francisque du maréchal Pétain sous le parrainage de Simon Arbellot et Gabriel Jeantet. Il collabora alors à *France*, « revue de l'Etat nouveau », publiée à Vichy. En 1942, il fonda le *Mouvement National des Prisonniers* (résistant) et fut nommé à la Libération, secrétaire général des prisonniers de guerre auprès du gouvernement De Gaulle. En 1945, son ami Eugène Schueller, ex-dirigeant du *M.S.R.* et du *R.N.P.*, lui confia la direction de la revue *Votre Beauté*. L'année suivante, il fut élu député de la Nièvre (avec le concours de la Droite nivernaise et sur la recommandation d'Edmond Barrachin), sous l'étiquette d'indépendant. Dès lors, Mitterrand eut une car-

(1) François Mitterrand sait utiliser les membres de sa famille : son autre cousin Gilles Dautun fut candidat *F.G.D.S.* en mars 1967 à Argenteuil, son frère Robert Mitterrand le fut à Ussel, son neveu Olivier Mitterrand se présenta en Saône-et-Loire ; son cousin Yves Faure et son frère Philippe Mitterrand appartiennent aux cadres dirigeants de la *F.G.D.S.* On a parlé à gauche de népotisme...

LE 5 DECEMBRE LE PEUPLE FRANÇAIS DIRA:

NON à MITTERRAND le candidat PRO-AMERICAIN

MITTERRAND C'EST

- L'AGENT EN FRANCE DE L'IMPERIALISME AMERICAIN
  DE TOUS LES PEUPLES DU MONDE
  ENNEMI PRINCIPAL DU PEUPLE FRANÇAIS EN PARTICULIER
- FONDE DE POUVOIR DE LA FRACTION DU CAPITALISME
  FRANÇAIS SOUS CONTROLE AMERICAIN
- L'ULTRA COLONIALISTE DE LA GUERRE D'ALGERIE
- UN REACTIONNAIRE DEGUISE EN DEMOCRATE POUR
  TROMPER LES MASSES POPULAIRES.

UNITE DES TRAVAILLEURS CONTRE LES NAZIS AMERICAINS !

LUTTONS POUR:
- L'INDEPENDANCE NATIONALE
  – QUITTER L'OTAN
  – L'ELIMINATION DES BASES U.S. EN FRANCE
- LES REVENDICATIONS DES TRAVAILLEURS
- LA PAIX MONDIALE PAR L'ANEANTISSEMENT
  DE L'IMPERIALISME AMERICAIN
- LA RECONSTITUTION DU PARTI COMMUNISTE
  FRANÇAIS AVANT-GARDE DU PROLETARIAT

DANS LA PERSPECTIVE D'UN

FRONT UNI NATIONAL
CONTRE L'IMPERIALISME AMERICAIN

Affiche placardée par les communistes pro-Chinois à l'élection présidentielle de 1965

rière bien remplie : élu conseiller municipal de Nevers (octobre 1947) et conseiller général de Montsauché (1949); ministre des Anciens Combattants et victimes de la guerre (cabinets Ramadier, janvier-octobre 1947 ; Schuman, novembre 1947-juillet 1948); secrétaire d'Etat à la Présidence du Conseil, chargé de l'Information (cabinets André Marie, juillet-septembre 1948 ; Schuman, septembre 1948 ; Queuille, septembre 1948-octobre 1949); ministre de la France d'Outre-Mer (cabinets Pleven, juillet 1950-mars 1951 ; Queuille, mars-juillet 1951); ministre d'Etat (cabinet Edgar Faure, 20 janvier-29 février 1952); ministre délégué au Conseil de l'Europe (cabinet Laniel, 29 juin-3 septembre 1953); président du groupe parlementaire de l'*U.D.S.R.* (juin 1951-janvier 1952 et mars 1952-juillet 1953); président national de l'*U.D.S.R.* (23 novembre 1953); ministre de l'Intérieur (cabinet Mendès-France, 19 juin 1954-5 février 1955); réélu député le 2 janvier 1956 ; ministre d'Etat, garde des Sceaux, chargé de la Justice (cabinet Guy Mollet, 1er février 1956-11 juin 1957); battu aux élections du 30 novembre 1958 ; élu maire de Château-Chinon le 30 mars 1959 ; sénateur de la Nièvre (1959-1962); élu à nouveau député de la Nièvre (3e circonscription) le 25 novembre 1962 (inscrit au groupe du *Rassemblement démocratique*). Co-fondateur (1952) et vice-président de l'organisation anti-communiste *Comité Français pour l'Europe libre*. Il a été mêlé à diverses affaires : « affaire des fuites », « affaire Navarre », « affaire Pesquet ». Après avoir déclaré à l'Assemblée nationale que « *l'Algérie, c'est la France* », il fut un adversaire plus ou moins virulent de l'Algérie française. Il se prononça pour le « *Non* » en 1958 (ce qui lui coûta son siège de député) et est partisan de l'amnistie des anciens de « l'Algérie française ». Il a donné son adhésion à la *Ligue Internationale contre l'Antisémitisme*, au *Club des Jacobins* et à la *Ligue pour le combat républicain*. Membre du Comité d'honn. de l'A.R.A.C. Candidat de la Gauche à l'élection présidentielle en décembre 1965, il obtint 7 655 000 suffrages au premier tour et, seul maintenu en face du général De Gaulle, 10 557 000 au second tour. Président de la *Fédération de la Gauche démocrate et socialiste*, il a constitué en mai 1966 un *contre-gouvernement* dont il est le président. Auteur de : « *Aux frontières de l'Union française* », « *La Chine au défi* », « *Le coup d'Etat permanent* ». Il est enfin le directeur politique du *Courrier de la Nièvre* et du *Combat républicain*.

MITTERRAND (Jacques).

Fonctionnaire, né à Bourges (Cher), le 10 juin 1908. Administrateur civil à la Caisse des dépôts et consignations. Résistant sous l'occupation, secrétaire général de *L'Union Progressiste* (voir à ce nom) et membre influent du *Conseil mondial de la Paix*. Appartint au conseil municipal de Bourges et fut conseiller de l'Union française (1947-1958), au titre du groupe des *Républicains progressistes* de l'Assemblée nationale. Grand-maître du Grand Orient de France (1962-1964). Violemment hostile à l'Eglise, a publié : « *La politique extérieure du Vatican* ».

MOCH (Jules-Salvator).

Homme politique, né à Paris, le 15 mars 1893. Avocat. Ingénieur (Ecole Polytechnique. Major de la promotion 1912). Député socialiste de la Drôme (arr. de Valence) (1928-1936). Non réélu le 26 avril 1936. Réélu à une élection partielle dans l'Hérault (arr. de Sète) (1937-40). Secrétaire général de la Présidence du Conseil (1936-37), puis sous-secrétaire d'Etat à la Présidence du Conseil (cabinet Léon Blum, juin 1936-juin 1937). Commandant d'artillerie navale (1939-1940), participa à la campagne de Norvège. Fonda le mouvement de résistance « *1793* » (1941). Directeur de cabinet du général François d'Astier de la Vigerie à Londres (1942). Membre des Assemblées Consultatives provisoires d'Alger et de Paris (1943-1944). Membre des deux Assemblées Constituantes (1945-1946). Elu député de l'Hérault à la première Assemblée Nationale le 10 novembre 1946. Ministre des Travaux Publics et des Transports (Gouv. Gouin, janvier-juin 1946. et Bidault, juin-novembre 1946). Ministre des Travaux Publics, des Transports et de la Reconstruction (Gouv. Léon Blum, décembre 1946-janvier 1947). Ministre des Travaux Publics et des Transports (cabinet Ramadier, janvier-octobre 1947). Ministre des Affaires économiques (cabinet Ramadier, octobre-novembre 1947). Ministre de l'Intérieur (cabinet Schumann, novembre 1947-juillet 1948 ; André Marie, juillet-septembre 1948 ; Schumann, sept. 1948 ; Queuille, sept. 1948-octobre 1949). Président du Conseil désigné le 11 octobre 1949, investi le 13 octobre 1949 par 311 voix, renonça à former le cabinet le 17 octobre. Vice-président du Conseil, ministre de l'Intérieur (cabinet Bidault, 29 octobre 1949-4 février 1950). Ministre de la Défense nationale (cabinet Pleven, juillet 1950-mars 1951 ; Queuille, mars-juillet 1951). Délégué de la France à la Conférence du désarmement (depuis 1952). Membre du Comité directeur de la *S.F.I.O.* (1960). Collaborateur des *Cahiers de la République* (de P. Mendès-France). Exclu de la *S.F.I.O.* en raison de son vote contre la C.E.D. (1954). Réintégré presque aussitôt. Réélu député le 2 janvier 1956 (avec l'investiture de *L'Express*). Ministre de l'Intérieur (cabinet Pflimlin, 16-31 mai 1958). Non réélu député le 30 novembre 1958 (il s'était prononcé pour le NON). Fut à nouveau député de la 3ᵉ circ. de l'Hérault, de nov. 1962 à mars 1967. Membre du comité directeur du *Parti S.F.I.O.*, président-directeur général de la *Société d'étude du pont sur la Manche*. Père d'André Moch, membre d'un réseau anglais de destruction, tué par les Allemands. Fils d'un haut dignitaire de la Grande Loge de France. Sans être lui-même « initié » (mais seulement « lowton ») a fait une ou plusieurs conférences en loges en 1933 (cf. *Bulletin Hebdomadaire des Loges de la Région Parisienne*, nᵒ 882, 1933). Son « éminence grise » fut longtemps François Collaveri, un haut maçon, ancien secrétaire de la Grande Loge. Signataire du manifeste contre l'interdiction de la *Tribune du socialisme* (par le groupe Mollet-Commin). Hostile au retour du général De Gaulle en 1958. Aurait même proposé d'armer des mineurs du Nord pour s'opposer aux « putchistes » de mai 1958. Après s'être montré très dur à l'endroit des communistes (1948-1949), fréquenta volontiers les ambassades des Républiques communistes et sympathisa avec des militants du *P.C.F.* Auteur de : « *La Russie des Soviets* », « *Jean Jaurès et les problèmes du temps présent* », « *Le Rail et la Nation* », « *L'Espagne républicaine* », « *Arguments socialistes* », « *La Folie des hommes* », « *Washington D. Smith, banquier de Wall Street* », « *Socialisme vivant* », « *Paix en Algérie* », « *Le Pont sur la Manche* », « *Non à la force de frappe* », etc.

MODERNISME.

Doctrine de certains écrivains du début du xxᵉ siècle qui tendaient à concilier l'exégèse chrétienne avec les philosophies modernes. Condamnée par Pie X, en 1907, dans son encyclique *Pascendi Dominici gregis.*

MOLLE (Jules).

Médecin, né à Aubenas en 1868, mort à Paris en 1931. D'abord maire de sa ville natale, puis maire et conseiller général d'Oran. Elu député antisémite d'Algérie en 1928. Dirigea *Le Petit Oranais,* collabora à *La Libre Parole* et présida le *Parti National Populaire*. Considéré comme le leader de l'antisémitisme français des années 1926-1931.

MOLLE (Marcel, Jean-Marie).

Notaire, né à Aubenas (Ardèche), le 12 octobre 1902. Sénateur de l'Ardèche (depuis 1946). Membre au Groupe sénatorial du *Centre républicain d'Action rurale et sociale*, Conseiller général et maire d'Aubenas.

MOLLET (Guy).

Homme politique, né à Flers (Orne), le 31 décembre 1905. Professeur d'anglais. Ancien secrétaire général de la Fédération de l'Enseignement (1939). Auteur d'une grammaire d'anglais. Maire d'Arras (depuis 1945). Secrétaire général du Parti socialiste *S.F.I.O.* (depuis le 4 septembre 1946). Membre actif du *Grand Orient de France*. Directeur politique du journal *Libre Artois*. Collaborateur du *Populaire* et de la *Revue socialiste*. Administrateur de la *Société des Editions du Pas-de-Calais*. Vice-président de l'Internationale Socialiste. Mobilisé en 1939, fait prisonnier en 1940, libéré en 1942, entra dans la résistance, responsable de l'*O.C.M.* du Pas-de-Calais, capitaine des F.F.I. (1942-1944). Membre des deux Assemblées constituantes (1945-1946). Elu député du Pas-de-Calais (2e circ.) à la première Assemblée nationale, le 10 novembre 1946. Ancien Conseiller général d'Arras (1945-1949). Ancien président du Conseil général du Pas-de-Calais. Ministre d'Etat (gouv. Léon Blum, 1946-1947). Ministre d'Etat chargé du Conseil de l'Europe (cabinet Pleven, 1950-1951). Délégué à l'Assemblée consultative du Conseil de l'Europe (août 1949). Rapporteur général, puis président de la Commission des affaires générales du Conseil de l'Europe, délégué au Comité des ministres du Conseil de l'Europe (3 juillet 1950). Vice-président du Conseil (cabinet Queuille, 1951). Réélu député le 17 juin 1951. Président de l'Assemblée consultative du Conseil de l'Europe (1954-1956). Fonda avec P. Mendès-France, F. Mitterrand et Chaban-Delmas le *Front Républicain*. Réélu député *S.F.I.O.* le 2 janvier 1956 (avec l'investiture de *l'Express*). Président du Conseil des ministres (1956-1957). Responsable de la « folle équipée de Suez » en 1956. Vice-président du Conseil (cabinet Pflimlin, 15-31 mai 1958). Fut l'un des hommes politiques qui facilitèrent le retour au pouvoir du général De Gaulle en mai 1958. Devint ministre d'Etat de ce dernier le 1er juin 1958 et le resta jusqu'en janvier 1959. Entre-temps, fut réélu député du Pas-de-Calais (1re circ.)

en novembre 1958. Au moment de la campagne électorale de novembre 1958, le président Mollet a reçu du général De Gaulle une photo portant cette dédicace : « *A Guy Mollet, mon compagnon de guerre, au président du Conseil, au collègue dans une grande tâche nationale et républicaine. Bien amicalement. Charles De Gaulle.* » (*Nord-Matin*, quotidien socialiste de Lille, 15-11-1958). En 1962, inquiet de la politique suivie par le général De Gaulle, fut à l'origine du « *Cartel des non* », avec des modérés, des *M.R.P.* et des radicaux. Proposa même une entente (limitée) avec les communistes pour battre les candidats gaullistes et fut personnellement réélu grâce aux voix communistes. A soutenu la candidature de François Mitterrand à l'élection présidentielle en décembre 1965 et participé à l'organisation de la *Fédération de la gauche démocrate et socialiste* (1966). Réélu député en 1967.

MONARCHIE.

Gouvernement d'un Etat que régit un seul chef, généralement un roi ou un empereur. La France a été, jusqu'à la Révolution, gouvernée par un monarque héréditaire. Avec Napoléon, fut établie une monarchie impériale également héréditaire. Avec la première et la seconde Restauration (1814, 1815), la monarchie traditionnelle fut rétablie : une *charte* fut alors octroyée par le monarque. La Révolution de 1830 renversa la monarchie traditionnelle des Bourbons pour lui substituer la monarchie constitutionnelle des Orléans, où le pouvoir était partagé entre le souverain et une représentation nationale (parlement) comme en Angleterre. En 1852, le neveu de Napoléon Ier rétablit la monarchie impériale héréditaire, qui disparut en 1870. La couronne, dans l'ancienne monarchie, se transmettait héréditairement en ligne directe ou en ligne collatérale. Les femmes et les descendants des femmes en étaient écartés (*loi salique*). Pour pallier les inconvénients d'une minorité, la majorité du monarque était fixée à quatorze ans (ordonnance de Charles V, 1374). Dans certains pays étrangers, la monarchie était élective (par ex. : la Pologne) : un électorat restreint conférait le pouvoir à un chef souverain.

MONATTE (Pierre).

Syndicaliste, né à Monlet (Haute-Loire), le 15 janvier 1881. Successivement répétiteur de collège, employé de librairie, correcteur d'imprimerie. Collabora très jeune au *Tocsin populaire*, organe socialiste blanquiste de Clermont-

Ferrand, fonda avec Georges Gressent, (le futur Georges Valois) alors chez Armand Colin, un syndicat des employés de librairie. S'orienta ensuite vers le socialisme révolutionnaire et remplaça le fameux Broutchoux, emprisonné, à la rédaction de *L'Action Syndicale* du Nord. Joua un rôle important dans les syndicats *C.G.T.* et dans les mouvements grévistes de 1907-1908 ; n'échappa alors que de justesse à l'arrestation. Fondateur en 1909 de *La Vie ouvrière*. Antimilitariste et pacifiste avant 1914, le demeura pendant le conflit, se sépara ainsi de Léon Jouhaux. Démissionnaire du comité confédéral de la *C.G.T.* en décembre 1914, applaudit l'initiative de Zimmerwald en 1915 et approuva les bolchevicks en 1917. Secrétaire du *Comité de la IIIᵉ Internationale*, fut arrêté en mai 1920 (affaire du complot Loriot-Monatte-Souvarine) et acquitté par le jury en 1921. Collabora régulièrement à *L'Humanité* de 1921 à 1924, et milita quatre années au *P.C.* qu'il abandonna en 1924 en même temps que Rosmer. Créa *La Révolution Prolétarienne* (janvier 1925) qui devait être un lien entre les syndicalistes de différentes tendances. Type du militant et du meneur anarcho-syndicaliste, à la fois dressé contre le capitalisme et le socialisme bureaucratique.

MONDE (Le).

Quotidien du soir fondé le 18 décembre 1944, dans les locaux et l'imprimerie du journal *Le Temps*, interdit à la Libération. Il est l'héritier du vieux journal d'Adrien Hébrard et jouit de ce prestige un peu mystérieux dont bénéficiait celui-ci. Mais il est infiniment plus facile à lire, ce qui explique sa clientèle plus étendue. En 1939, *Le Temps* tirait à 90 000 exemplaires ; en 1966, *Le Monde* imprime chaque jour 345 000 exemplaires. Cette supériorité se retrouve aussi dans la devanture. La mise en pages du *Monde* est moins rébarbative que celle du *Temps,* les caractères, les titres et les sous-titres en facilitent la lecture. Il est difficile de dire si cette supériorité s'affirme aussi dans l'information. Peut-être *Le Monde* ne possède-t-il pas les moyens qui étaient mis à la disposition de la rédaction du *Temps* par le comité des Forges ? L'équipe rédactionnelle, cependant brillante, est probablement moins étoffée que celle qui l'a précédée dans l'hôtel de la rue des Italiens. Question d'argent, certes, mais aussi question d'esprit : le mauvais génie de l'Epuration a écarté une partie de ceux qui firent la renommée de la maison. On n'a, par exemple, jamais remplacé un André Thérive. Au lendemain de la Libération,

la création d'un journal de classe internationale jouant le rôle de messager de la France auprès des cercles étrangers, parut nécessaire. Ce que les collaborationnistes avaient tenté de faire avec *Les Nouveaux Temps* (voir à ce nom), on allait l'essayer à nouveau avec *Le Monde*. On a dit que le général De Gaulle, alors président du gouvernement provisoire, avait fortement encouragé la création du *Monde*. Le fait est que Johannès Dupraz, alors secrétaire général du ministère de l'Information, joua un rôle dans la création du journal, et que, parmi les associés de la société éditrice, l'un d'eux, Ch. Funck-Brentano, appartenait au cabinet du général De Gaulle. Une somme d'un million de francs fut même mise à la disposition des fondateurs qui disposaient déjà de l'immeuble et du matériel de l'ancien *Temps*. Le nouveau journal reprenait en partie l'ancienne présentation, l'ancien format, et son titre même, en caractères gothiques, rappelait celui du quotidien du Comité des Forges. Le succès, malgré les restrictions de papier, fut immédiat. Le 14 janvier 1945, il réduisit son format de moitié : c'est celui qu'il a encore aujourd'hui. Sa rédaction se composait en grande majorité d'anciens rédacteurs du *Temps*. Les résultats obtenus incitèrent la direction du *Monde* à lancer un hebdomadaire, *Une semaine dans le monde*, dont le premier numéro parut le 13 avril 1946. Mais son existence fut d'assez courte durée : il disparut le 25 septembre 1948. L'entreprise elle-même ne fut pas ébranlée par cet échec. Sa situation financière était saine. C'est le 11 décembre 1944 qu'avait été créée la société éditrice du journal *Le Monde* sous la forme d'une S.A.R.L. au capital de 200 000 F. L'acte reçu par Mᵉ Blanchet, notaire à Paris, indique que les associés étaient alors au nombre de neuf : Hubert Beuve-Méry (40 parts de 1 000 F), René Courtin, professeur à la Faculté de Droit de Paris (40 parts), Christian Funck-Brentano, bibliothécaire et archiviste (40 parts), Jean Schloesing, attaché commercial (25 parts), André Catrice, industriel (15 parts), Suzanne Forfer, directrice de lycée (15 parts), Gérard de Broissia, industriel (15 parts), Jean Vignal, inspecteur général géographe (5 parts), Pierre Fromont, professeur à la Faculté de Droit de Paris (5 parts). Hubert Beuve-Méry avait été nommé gérant statutaire. Selon le journal progressiste *Action* et la revue *Documents* (de Roger Mennevée), Gérard de Broissia et Jean Schloesing auraient été les intermédiaires de Joannès Dupraz. En 1951, André Catrice fut nommé co-gérant de la société, laquelle procéda, l'année suivante, à une augmentation de capital — la deuxième puisque le capital social avait été porté à un million en 1950 « *au moyen de l'incorporation d'une somme de 800 000 F prélevée sur les bénéfices de l'exercice* 1949 » et réalisée par voie d'élévation du montant nominal des parts sociales (5 000 F au lieu de 1 000 F) : 400 000 F divisés en 80 parts attribuées à la *Société des Rédacteurs du Monde*, fondée le 13 novembre 1951. L'assemblée générale constitutive de cette dernière, présidée par Robert Gauthier, directeur des Informations, assisté de René Dumesnil et de Roland Delcour, scrutateurs, avait nommé comme premiers administrateurs : André Chênebenoit, rédacteur en chef du journal, Pierre Drouin, Emile Henriot, Rémy Roure et Jean Schwoebel. Les tendances du *Monde* sont celles de son directeur Hubert Beuve-Méry. Jusqu'en 1949, il en était autrement puisque, dans les colonnes du journal, on voyait René Courtin défendre l'Alliance Atlantique, et Etienne Gilson la combattre. En décembre 1949, désapprouvant les campagnes « neutralistes » du professeur Gilson qu'approuvait Hubert Beuve-Méry, René Courtin et Funck-Brentano quittèrent le journal. *Le Monde* fut dès lors l'objet d'attaques redoublées de la part des anticommunistes qui l'accusèrent de faire le jeu de Moscou. La guerre froide était à l'époque à son point culminant. Gilson cessa bientôt de collaborer au *Monde* et il quitta la France. La crise, qui avait alors dressé une partie de la rédaction contre l'autre, n'était cependant pas terminée. Mis publiquement en cause par Courtin et Funck-Brentano, Hubert Beuve-Méry adressa à ses associés une lettre de démission, démission qui devait être effective le 1er novembre 1951 et qui avait été officiellement acceptée par l'assemblée générale des associés le 2 août ; c'est à ce moment-là qu'André Catrice était devenu gérant et qu'un comité de direction, présidé par Johannès Dupraz et comprenant Courtin, Funck-Brentano et Catrice, avait été constitué officiellement. Mais ces décisions ne furent pas appliquées en raison des protestations qui s'élevèrent parmi les lecteurs, en particulier dans les milieux universitaires. Les rédacteurs du *Monde* intervinrent également, demandant la médiation du président Vincent Auriol et la création d'une commission chargée d'étudier une nouvelle structure du journal. Johannès Dupraz se retira, et Hubert Beuve-Méry sortit victorieux de l'épreuve. Il y eut par la suite d'autres crises, moins importantes, qui provo-

quèrent le départ de collaborateurs connus, par exemple celui de Jean-Jacques Servan-Schreiber, qui créa un peu plus tard *L'Express* avec ses parents, et celui de Rémy Roure, qui passa au *Figaro*, à la suite de la publication de ce qu'il appela « le faux Fechteler ». A ces crises intérieures s'ajoutèrent les pressions extérieures : nous avons mentionné les attaques dont *Le Monde* fut l'objet ; il y eut également des manœuvres tendant à lui susciter des concurrents. Selon Nicolas Chatelain (in « *Le Monde et ses lecteurs* », Paris 1962) des représentants de l'industrie lourde auraient offert en 1953 quelques centaines de millions au directeur du *Monde* à condition qu'il abandonnât une attitude jugée « neutraliste ». Son refus incita ces « mécènes » à commanditer un concurrent, spécialisé dans les nouvelles économiques et financières, le quotidien *L'Information*, d'André Bollack. Sans grand résultat d'ailleurs. Trois ans plus tard, nouvelle tentative, plus sérieuse, celle-ci : sous la direction de Philippe Boegner, *Le Temps de Paris* fut lancé (voir à ce nom). Après deux mois de publication, le journal cessa de paraître : cette opération avortée avait coûté quelque 800 millions de francs anciens. Les événements d'Algérie, en raison de l'attitude prise dès le début par Hubert Beuve-Méry et ses collaborateurs, favorisèrent la diffusion du *Monde* : outre les hommes de gauche, les Algériens et les autres Africains firent du journal leur lecture favorite. Avant 1958, le tirage du *Monde* plafonnait à 200 000 ; après le 13 mai, il dépassait les 300 000 exemplaires. Ce fut naturellement un feu de paille et, après le retour au pouvoir du général De Gaulle, le tirage se stabilisa au-dessous de ce chiffre. Cependant, il augmenta progressivement jusqu'au chiffre actuel, cité plus haut. *Le Monde* est probablement le seul quotidien parisien lu avec autant d'intérêt par ses amis que par ses adversaires. Ses lecteurs se recrutent, en premier lieu, dans les milieux politiques, diplomatiques et de presse ; mais ce sont les cadres, les enseignants, les hommes d'affaires qui constituent le fond de sa clientèle. Parmi les collaborateurs les plus connus de ces vingt dernières années, citons : Pierre Audiat, Jean-Jacques Servan-Schreiber, Edouard Schamasch, dit Sablier, Maurice Ferro, Rémy Roure, Bloch-Morhange, Etienne Gilson, Emile Henriot, Robert Coiplet, René Courtin, Claude Ezratty, dit Estier, Pierre Frédérix, Pierre Fromont, Christian Funck-Brentano, Robert Kemp, René Lauret,

Olivier Merlin, Georges Penchenier, etc.
L'équipe actuelle, sous la direction d'Hubert Beuve-Méry, comprend notamment : Jacques Fauvet, rédacteur en chef, Pierre Drouin, rédacteur économique, André Fontaine, rédacteur diplomatique, Pierre Viansson-Ponté et Raymond Barrillon, rédacteurs politiques, Philippe Ben, Maurice Duverger, Robert Escarpit, Bernard Féron, Henri Fesquet, Yves Florenne, Bertrand Girod de l'Ain, Alain Guichard, Georges Hourdin, Jacques Kayser, Jean Lacouture, André Latreille, Bernard Lauzanne, Marcel Niedergang, André Pierre, Jean Planchais, Bertrand Poirot-Delpech, Jean de Baroncelli, André Scemama, Jean Schwoebel, Pierre-Henri Simon, Michel Tatu, Jean-Marc Théolleyre, Nicolas Vichney, François Henri de Virieu, Alain Guichard, André Ballet, Robert-Julien Courtine dit La Reynière, Alain Jacob, Pierre de Vos, Claude Julien, Jean Lacroix, André Laurens, etc. (5, rue des Italiens, Paris 9e).

MONDE LIBERTAIRE (Le).

Journal anarchiste ayant, en quelque sorte, remplacé, en 1954, *Le Libertaire*, fondé en 1895, lequel suspendit sa publication à plusieurs reprises, notamment pendant la guerre, et disparut définitivement sous la IVe République. Organe de la *Fédération Anarchiste*, il est dirigé par Maurice Joyeux, libraire et orateur libertaire connu, et Gérard Schaafs. Principaux collaborateurs : P.V. Berthier, Maurice Laisant, René Bianco, Alain Thevenet, Jean-Louis Gérard, etc. (3, rue Ternaux, Paris 11e).

MONDE OUVRIER.

Hebdomadaire démocrate-chrétien destiné aux milieux ouvriers, fondé en 1937 et dirigé par Paul Bacon. Devenu, après la guerre, l'organe du *Mouvement de Libération du Peuple*, qui fusionna dans l'*Union de la gauche socialiste* (voir : *Parti Socialiste Unifié*).

MONDE UNI.

Mensuel fondé en 1954, dirigé par Guy Marchand. Rédacteur en chef : Michel Voirol. Organe de l'*Union Fédéraliste Mondiale* (8 bis, rue Jouffroy, Paris 17e).

MONDE ET LA VIE (Le).

Magazine mensuel fondé en 1953 sous le titre *Tout Savoir*, par les frères Jacques et Jean Lacroix. A pris la nouvelle dénomination en 1960. Publié par les *Editions Lacroix* qui font également paraître : *Guérir, La Vie des Bêtes, Archéologia, Mon Jardin et ma Maison, Toute la pêche*, dont le chef de publicité est Tony Guédel, ancien journaliste national. Placée sous la direction d'André Giovanni, qu'assistent Romain Roussel et Jean Sodini, la rédaction compte de nombreuses personnalités appartenant à la droite catholique : Louis Salleron, Pierre Gaxotte, Henriette Charasson, Alexis Curvers, Marcel de Corte, le colonel Rémy, etc. Ses campagnes pour la réhabilitation du maréchal Pétain et contre les « progressistes chrétiens » ont eu un grand retentissement dans les milieux nationaux et lui ont permis d'atteindre un tirage dépassant très largement les 100 000 exemplaires. Mais l'épiscopat français, inquiet de ses attaques contre les catholiques de gauche, lui a manifesté son hostilité dans une sorte d'*avertissement*, attitude publique qui ne correspond probablement pas au sentiment profond de nombreux évêques de France (49, avenue d'Iéna, Paris 16e).

MONDON (Raymond).

Homme politique, né à Ancy-sur-Moselle (Moselle), le 8 mars 1914. Magistrat. Ancien procureur de la République. Administrateur de *La Moselle* et de la S.A. de *Crédit Immobilier de la Moselle*. Maire de Metz. Conseiller général de la Moselle (depuis 1945). Président de la Fédération des Maires de la Moselle et vice-président de l'Association des Maires de France. Président du groupe des députés-maires. Directeur du cabinet du préfet de la Moselle (1944). Elu député de la Moselle à la première Assemblée nationale, le 10 novembre 1946. Réélu député *R.P.F.* le 17 juin 1951. Quitta le *R.P.F.* en juillet 1952 et adhéra à l'*A.R.S.* dont il (vice-) présida le groupe parlementaire (1952-1955), puis rallia le *Centre National des Indépendants*. Secrétaire d'Etat à l'Intérieur, chargé des affaires départementales et communales (cabinet Mendès-France remanié, 1955). Son « mendèsisme » ne l'empêcha pas d'être réélu en 1956. Rallié au général De Gaulle, fut réélu député en 1958, 1962 et 1967. Préside le groupe parlementaire des *Républicains Indépendants* et appartient à l'*Alliance France-Israël*.

MONICHON (Max, Pierre).

Administrateur de biens, né à Mios (Gironde), le 25 novembre 1900. Sénateur de la Gironde depuis 1948. Membre du Groupe sénatorial du *Centre républicain d'Action rurale et sociale* (1955). Maire du Bouscat. Membre du Comité directeur du *Centre National des Indépendants et Paysans*.

MONITEUR DU PUY-DE-DOME (Le).

Quotidien fondé en 1856 par G. Mont-Louis. Fut autour de 1900 le journal du radicalisme auvergnat. Pierre Laval en prit le contrôle entre les deux guerres. Il poursuivit sa publication sous l'occupation et fut même l'objet d'un attentat au plastic qui provoqua quelques dégâts à son imprimerie. *Le Moniteur* n'en souffrit pas, car, confrère généreux, le socialiste Alexandre Varenne lui offrit, le temps nécessaire, l'hospitalité de l'imprimerie de *La Montagne* (cf. *Histoire de la spoliation de la Presse française*, par Claude Hisard, Paris, 1955, page 91). A la Libération, le journal fut interdit et son imprimerie confisquée.

MONJAUVIS (Lucien) (voir : Télé-Liberté).

MONMOUSSEAU (Geston).

Cheminot (1883-1960). Militant communiste venu de l'anarcho-syndicalisme. Fut l'un des dirigeants de la *C.G.T.U.*, de la *C.G.T.* et du *P.C.* Député de la Seine depuis 1936, entra dans la clandestinité après la dissolution du *Parti Communiste* par le gouvernement Daladier. Le 3ᵉ Tribunal militaire de Paris le condamna par contumace (mars 1940). Participa pendant la guerre à l'action illégale du *P.C.* contre le gouvernement de la IIIᵉ République, puis, après l'entrée en guerre de l'Allemagne contre l'U.R.S.S., à l'action clandestine anti-nazie et anti-pétainiste.

MONNERAY (Henri MEIERHOF, dit).

Substitut au *Tribunal militaire international* (voir à ce nom).

MONNERVILE (Gaston).

Avocat et homme politique, né à Cayenne (Guyanne), le 2 janvier 1897. Licencié ès lettres et docteur en droit, il fut d'abord avocat à Toulouse (1918), puis à Paris (1921), secrétaire de la conférence des avocats (1923), président de l'Union des Jeunes Avocats (1927). Il appartint plusieurs années au cabinet de Mᵉ Campinchi, un maître du barreau en même temps qu'un *leader* radical-socialiste. Initié dans une loge du Rite Ecossais, il gravit assez promptement les échelons de la hiérarchie et appartint, à la veille de la guerre, au conseil fédéral de la *Grande Loge de France* avec le grade de Chevalier Kadosch (30ᵉ). Personnalité marquante du *Parti Radical-Socialiste*, et de la *Ligue Internationale contre l'Antisémitisme*, il était, en outre,

depuis 1932, député de la Guyanne, et il eut un poste de sous-secrétaire d'Etat aux Colonies en 1937-1938. Engagé volontaire dans la marine en 1939, cet antifasciste convaincu entra, dès qu'il le put, dans la Résistance (en 1941) et fut commandant *F.F.I.* dans le maquis du Massif Central. Nommé membre de l'Assemblée Consultative (1944), il fut élu député aux deux Assemblées constituantes (1945, 1946) et représenta la France à l'O.N.U. (1946). Il entra au Conseil de la République en 1946, comme sénateur de la Guyanne, puis à partir de 1948, comme élu du Lot, dont il est conseiller général. Depuis 1947, il préside l'assemblée du Luxembourg et, en 1959-1960, il fut également le président du Sénat de la Communauté. Maire de Saint-Céré, il préside, en outre, le conseil général du Lot. Profondément libéral et très attaché aux institutions républicaines, Gaston Monnerville est entré en conflit avec le général De Gaulle ; depuis plusieurs années, ce juriste s'oppose ouvertement à ce qu'il considère comme des violations répétées de la Constitution.

MONNERVILLE (Pierre, Alexandre, Just).

Docteur en médecine, né à Cayenne (Guyane), le 24 février 1895. Frère de Gaston Monnerville, président du Sénat. Maire de Morne-à-l'Eau (depuis 1947). Ancien conseiller général de la Guadeloupe (octobre 1945-4 juin 1961). Elu député de la Guadeloupe le 2 janvier 1956. Réélu en 1958 et en 1962. Inscrit au groupe *S.F.I.O.* Ne s'est pas représenté en 1967.

MONNET (Georges).

Président de société, né à Aurillac (Cantal), le 12 août 1898. Fils d'un magistrat. Exploitant agricole au Chemin-des-Dames (1920), maire de Celles-sur-Aisne (1925-1933), il milita à la *S.F.I.O.* et fut successivement élu député de Soissons (1928) et conseiller général de l'Aisne (1930). Il se fit initier à la loge *Le Phare soissonnais*, le 16 mars 1931, et fut réélu député socialiste en 1932. Il se trouvait, avec sa femme, dans la voiture de Léon Blum lorsque, longeant le cortège funèbre de Jacques Bainville, le *leader* socialiste, reconnu par les amis du défunt, qui crurent à une provocation, fut pris violemment à partie. Mme Georges Monnet, ayant fait un rempart de son corps au chef de la *S.F.I.O.*, le protégea ainsi des coups qui lui étaient destinés. Blum sut gré de ce geste courageux au ménage Monnet et prit le mari dans le gouvernement qu'il constitua en 1936. Georges Monnet fut ministre de l'Agriculture (1936-1937, 1938) et du Blocus (1940). Le 10 juillet 1940, il fut parmi ceux qui volontairement s'abstinrent de prendre part au vote. Nommé par le gouvernement secrétaire général du Comité d'organisation de l'industrie des jus de fruits (1942-1944). Conseiller de l'Union Française (1947-1958), comme représentant la Côte d'Ivoire, il resta dans le pays après l'indépendance et devint ministre de l'Agriculture de cette République noire (1958-1961), puis conseiller permanent du président de la République Ivoirienne (1961-1964). Rentré en France, il présida l'Institut du Café et du Cacao et le Centre National des Expositions et Concours agricoles.

MONNET (Jean, Omer, Marie, Gabriel).

Haut fonctionnaire. Né à Cognac, le 9 novembre 1888. Fils de Jean-Gabriel Monnet, exportateur de Cognac (« Propriétaires vinicoles de cognac J.G. Monnet et Cie »). Epousa, le 13 novembre 1934 à Moscou, Mme Sylvia Bondini (mariée en premières noces avec un sujet italien ; divorcée à Moscou). D'abord, représentant de la firme familiale. Réformé au moment de la guerre 1914-1918, entra au ministère du Commerce. Chargé de mission en Angleterre (1917). Conseiller (officieux) dans les conférences préparatoires du Traité de Versailles. Délégué au Conseil Suprême économique inter-allié (1919). Secrétaire général adjoint de la S.D.N. (1920-1922). Vice-président-fondateur (1926) de la banque *Blair and C° Foreign Corporation*, de Paris (absorbée par la *Bank of America*). Adm. de l'*Union des Mines et des Phosphates de Constantine*. Conseiller financier du général chinois Tchang-Kaï-Chek (1935). Fondateur de la banque *Monnet-Murnane* (U.S.A.), correspondante de la *China Finance Development Corp.* Coauteur du plan de « fusion » des empires français et britanniques proposé à la France par le gouvernement anglais en juin 1940. Membre du *British Supply Council* à Washington (1940) au titre de représentant de S.M. britannique. Corédacteur du « *Victory Program* » américain. Envoyé spécial de Harry Hopkins à Alger (1943). Commissaire à l'Armement, à l'Approvisionnement et à la Reconstruction du Comité Français de Libération Nationale. Signataire des accords prêt-bail avec les U.S.A. (1945). Auteur du « *Plan Monnet* » et Commissaire général du Plan de Modernisation et d'Equipement (1946). Président de la Conférence préparatoire du « *Plan Schuman* » (1950). Membre du « Comité des Sages » (1951). Président de la Haute Autorité de la Communauté Européenne du Charbon et de l'Acier (1952-1955). Entre-temps : membre du Conseil de l'Economie nationale, de la Commission des Investissements, de la Commission de la Répression des fraudes fiscales, du Comité de Productivité, Président du Comité d'Action pour les Etats-Unis d'Europe (1956). Surnommé : « *l'homme mystérieux de la petite Europe* » (H. Coston) et « *l'imperator de l'Europe* » (R. Mennevée). A l'élection présidentielle de décembre 1965, prit position au second tour en faveur de François Mitterrand (cf. *L'Aurore*, 17.12.65). Consulter : *Les Documents*, de R. Mennevée, 1952-1953 ; « *La Haute Banque et les trusts* », par H. Coston (trois chapitres consacrés à Jean Monnet).

MONOPOLE.

Privilège de fabriquer, de vendre certaines choses, d'exploiter certains services, que possède, à l'exclusion de tous autres, un individu, une société, ou l'Etat. En France, l'Etat possède le monopole de la vente du tabac et des allumettes, celui de la radio-télévision et celui des postes. Depuis les nationalisations du gouvernement de Front populaire et du gouvernement de la Libération, l'Etat français a étendu considérablement ses monopoles de fait : chemins de fer, eau, gaz, électricité, etc. Dans les pays communistes, le monopole de l'Etat s'étend pratiquement à tout ce qui se fabrique et se vend. Au Canada, en Suède, l'Etat possède le monopole de vente des alcools. D'une manière générale, le prix de monopole est plus élevé que le prix de la concurrence et la production du monopole plus faible que la production de concurrence. Le monopole de l'Etat dans le domaine de la radio-télévision (du moins tel qu'il est compris aujourd'hui) est une atteinte à la liberté d'expression, puisque, sauf cas exceptionnel (élection), seuls les représentants du Pouvoir ont accès au micro ou paraissent sur le petit écran. Le monopole *de droit* de la *Librairie Hachette* sur les bibliothèques des chemins de fer, et *de fait* sur la distribution de la quasi-totalité des écrits, est également une atteinte à la liberté, puisque les éditeurs et les auteurs doivent se soumettre à une véritable censure (voir : *Hachette*). Cependant, pense le professeur Henri Guitton, « *le monopole semble capable, par ses anticipations de l'avenir, de rendre l'économie indépendante de certains impéra-*

tifs (...) *Le monopole est de ce point de vue moins étranger que la concurrence aux préoccupations humaines. S'il a la possibilité de devenir plus clairvoyant, il ne faut pas oublier cependant qu'il risque aussi la déviation de l'excès de pouvoir au profit de ceux qui n'auraient pas le sens du bien commun.* » (H. Guiton, in *Dictionnaire des Sciences Economiques*, Paris 1958). Cette dernière mise en garde est d'autant plus justifiée que le monopole *de droit* favorise la technocratie en plaçant de formidables concentrations entre les mains de quelques hauts fonctionnaires, et que le monopole *de fait* précipite la disparition des entreprises moyennes et petites, provoquant ainsi un grave déséquilibre dans la société.

MONSARRAT (François, Joseph, Adrien, Alexandre).

Agriculteur, né à Verdalle (Tarn), le 12 septembre 1900. Sénateur du Tarn (depuis 1952). Inscrit au groupe sénatorial de la *Gauche Démocratique*. Conseiller général du canton de Dourgne et maire de Verdalle.

MONT (Claude).

Universitaire, né à Pouilly-sous-Charlieu (Loire), le 30 juin 1913. Ancien professeur aux lycées de Tunis, de Tanger et de Roanne. Député *M.R.P.* de la Loire (1945-1951). Chargé de mission aux cabinets du président Georges Bidault (1951), des ministres J.-M. Louvel (1952), Robert Buron (1954), Léopold Senghor (1955). Sénateur *M.R.P.* de la Loire (depuis 1955). Conseiller général du canton de Noirétable, vice-président du Conseil général de la Loire et ancien vice-président du Sénat de la Communauté.

MONTAGNE (La).

Quotidien fondé en 1919 par Alexandre Varenne qui en fit le porte-parole de la gauche socialiste en Auvergne, dans le Bourbonnais et les départements voisins. Son tirage, qui dépassait avant la guerre 100 000 exemplaires, a plus que doublé aujourd'hui : ses 12 éditions totalisent, en effet, 230 000 exemplaires. Depuis la disparition de son fondateur, la société *La Montagne* est présidée par Mme Alexandre Varenne. Au conseil d'administration figurent également : Francis Varenne, Antonin Coulaud, Y. Antoine Pourtier, Albert Guitard, André Borde, Georges Gilberton et Francisque Fabre, directeur et rédacteur en chef du journal (7, place de Jaude, Clermont-Ferrand).

MONTAGNE (Rémy).

Avocat, né à Mirabeau (Vaucluse), le 9 janvier 1917. Inscrit au barreau de Paris. Ancien élève du collège des Jésuites d'Avignon. Directeur de l'hebdomadaire *Eure-Eclair*. Président de l'Institut national de l'U.N.E.S.C.O. à Munich. Président du Comité d'expansion économique de l'Eure. Militant des groupes de jeunesses catholiques. Aspirant de l'armée blindée (1940). Grand blessé de guerre. Elu député de l'Eure (3e circ.) le 23 novembre 1958 (premier tour), contre P. Mendès-France, député sortant. Aussitôt élu, partit pour Alger où il soutint la candidature de son cousin, M. Lauriol, candidat « Algérie française » (Radio-Luxembourg, 26-11-1958, 19 h 15). Membre du groupe de la *LICA*. Réélu député le 25 novembre 1962 et le 12 mars 1967 (centriste).

MONTAGNE NOIRE (La).

Quotidien du Tarn ayant succédé au *Petit Cevenol*, quotidien vespéral fondé en 1914 (rue Galebert-Ferret, Mazamet).

MONTALAIS (Jacques SMEESTERS de).

Journaliste, né à Anvers (Belgique), le 7 décembre 1910. Fils d'un président du *Syndicat des assurances maritimes*. Par sa mère, née Guépratte, est le petit-neveu de l'amiral. Commença sa carrière de journaliste à l'âge de trente-cinq ans. Fut successivement : rédacteur à *Samedi-Soir* (1945-1952), à *Combat* (1953-1959), au *Monde*, puis éditorialiste et rédacteur en chef de *La Nation* (depuis 1962). Fut, entre temps, délégué général du *Comité Français pour l'Union pan-européenne* et auteur dramatique. A également publié un livre : *Eloge de la République*.

MONTALAT (Jean) .

Pharmacien, né à Tulle (Corrèze), le 12 juillet 1912. Maire de Tulle. Ancien juge suppléant de la Haute Cour. Elu député *S.F.I.O.* le 17 juin 1951. Réélu le 2 janvier 1956 avec l'investiture de *L'Express*. Réélu dans la 1re circ. le 30 novembre 1958. Vice-président de l'Assemblée nationale (10 décembre 1958-9 octobre 1962). Membre de l'*Alliance France-Israël*. Réélu député socialiste en novembre 1962 et mars 1967.

MONTALEMBERT (Charles de).

Homme politique, né à Londres en 1810, mort à Paris en 1870. Grand orateur, disciple de Lamennais dont il se sépara après la rébellion de son maître contre Rome, il fut l'un des plus célèbres défenseurs du catholicisme libéral et de la liberté de l'enseignement. La fameuse loi Falloux fut le résultat de sa croisade.

MONTALEMBERT (Geoffroy de).

Propriétaire, né à Annappes (Nord), le 10 octobre 1898. Fils du comte Geoffroy de Montalembert, député du Nord (1889-1906). Gendre du magnat de la sidérurgie de Wendel. Successivement maire de sa ville natale, puis d'Ermenonville (depuis 1935). Elu député national de la Seine-Inférieure (1936), vota les pouvoirs constituants au maréchal Pétain (1940), puis rallia le gaullisme à la Libération et entra au Conseil de la République comme sénateur de la Seine-Inférieure (1946). Constamment réélu depuis, appartient au groupe de l'*U.N.R.* du Sénat.

MONTALZA.

Ce groupement ne présente aucun des aspects caractérisant un « mouvement ». C'est seulement le signe d'une détermination : « *modifier le climat éducatif, renouveler profondément les conceptions mêmes de l'action politique et sociale, les nourrir des principes du droit naturel et chrétien.* » Il travaille à multiplier les élites civiques, conscientes de leur rôle, de leurs responsabilités, de leur fonction politico-sociale. *Montalza* fonctionne à la manière d'une agence : ses conseillers sont à la disposition des personnes et des groupes faisant appel à ses services... Services allant de l'élémentaire nourriture doctrinale jusqu'à ceux d' « *ingénieur conseil* » en matière d'action, de tactique civique et sociale. (Secrétariat : 49, rue Des Renaudes, Paris, 17e.)

MONTARON (Georges).

Journaliste, né à Paris, le 10 avril 1921. Militant démocrate-chrétien, très tôt engagé dans l'action politique, fut tout d'abord délégué régional des *Centres de formation professionnelle* (1940-1941), puis dirigeant national de la *Jeunesse ouvrière catholique* (1941-1947). Depuis 1948, dirige l'hebdomadaire de la gauche catholique : *Témoignage chrétien*, dont il a fait un journal vivant et singulièrement virulent à l'endroit des traditionalistes et de la droite. Est également : vice-président du *Centre national de la presse catholique*, trésorier du *Syndicat de la presse hebdomadaire parisienne*, administrateur du *Courrier Cauchois*, co-directeur du magazine *Faim et Soif* et administrateur de l'hebdomadaire *Télérama*.

MONTEIL (André).

Professeur, né à Juillac (Corrèze), le 15 août 1915. Enseigna au lycée de Quimper tout en militant pour la démocratie chrétienne. Elu sous l'étiquette du *M.R.P.* aux deux Assemblées constituantes (1945-1946), puis à l'Assemblée nationale (1946-1958). Appartint à plusieurs gouvernements : secrétaire d'Etat à la Marine, (cabinets Pleven et Queuille, 1950-1951), secrétaire d'Etat à la Marine (cabinet Mendès-France, 1954), ministre de la Santé publique (cabinet Mendès-France remanié, 1954-1955). Fut maire de Quimper pendant quatre ans (1955-1959). Sénateur républicain populaire du Finistère (depuis 1959), président du groupe *France-Israël* du Sénat, a présidé la manifestation des *Sionistes Généraux Indépendants* de France (1963).

MONTEL (Eugène-Georges).

Homme politique, né à Montbazin (Hérault), le 5 juin 1885, mort le 21 janvier 1966. Fonctionnaire retraité. Journaliste. Ancien vénérable de la loge *La Libre Pensée*, de Narbonne. Ancien dirigeant de la *Ligue des Droits de l'Homme*. Maire de Colomiers (1945). Conseiller général de l'Aude, puis du canton ouest de Toulouse. Président du Conseil général de la Haute-Garonne. Attaché au cabinet de Léon Blum, président du Conseil (1936-1937). Arrêté en septembre 1940. Evadé en juin 1944. Député *S.F.I.O.* de la Haute-Garonne (1951-1966). Membre de l'*Alliance France-Israël*.

MONTESQUIOU (Léon de).

Ecrivain, né à Bligny, le 14 juillet 1873, tué au front, à Souain, le 25 septembre 1915. D'abord officier, il abandonna la carrière des armes par protestation contre le régime qu'il abhorrait. Il présida le conseil d'administration du quotidien *L'Action française*, et fut le directeur de la revue du même nom et premier secrétaire général de la *Ligue d'Action française*.

MONTESQUIOU, duc de FEZENSAC (Pierre-Joseph, marquis de).

Agriculteur, né à Paris, le 1er mars 1909. Ascendants : Blaise de Monluc, maréchal de Balagny, maréchal Pierre de Montesquiou (comte d'Artagnan), Robert de Montesquiou, maréchal Masséna, Paule Furtado-Heine. Gendre du pétrolier Fenaille. Beau-frère d'André Lévêque de Vilmorin, directeur général de la société *Vilmorin-Andrieux*. Beau-père du comte Michel de Ganay (fils d'une

Dlle Bemberg, de la famille des financiers). Beau-frère d'André Massena, prince d'Essling, duc de Rivoli, président de la Cie d'assurances *La Vigilance RD*, de la *Chérifienne d'Engrais et de Produits Chimiques*, des *Moulins du Maghreb*, administrateur de la *Banque Franco-Polonaise* et de la Cie d'assurances *La Protectrice R.D. et Vie*, etc. Négociant en Armagnac. Président D.G. de la *Société des Produits d'Armagnac*. Maire de Marsan. Conseiller général du Gers (depuis le 27 avril 1958). Candidat mendésiste et U.D.S.R. en 1956 (avec l'investiture de *L'Express*). Battu. Membre du *Rotary* (1957). Elu député du Gers (2ᵉ circ.) le 30 novembre 1958 (avec l'investiture du *Centre Républicain* du Dr B. Lafay, et en se réclamant du général De Gaulle). Fut réélu le 25 novembre 1962 et le 12 mars 1967. Participa activement avec Jean-Paul David à la création du *Parti Libéral Européen* (1962). A l'élection présidentielle de décembre 1965 il observa une prudente neutralité. Peu après, il écrivit même au *Nouveau Candide* pour se défendre d'être antigaulliste et préciser qu'à l'élection il n'avait pris position pour aucun candidat.

MONTFORT (Henri ARCHAMBAULT de).

Journaliste (1889-1966). Marié avec Suzanne Feingold, ancienne secrétaire de l'*Alliance Israélite Universelle*. Fut, dans sa jeunesse, le secrétaire particulier d'Alexandre Ribot, alors président du Conseil et ministre des Affaires étrangères. Après avoir été l'envoyé spécial du *Temps* en Pologne et dans les Pays Baltes, devint secrétaire administratif de l'Académie des Sciences morales et politiques, puis directeur des services administratifs de l'Institut de France et secrétaire général de l'Académie française (1934-1951). Directeur de l'hebdomadaire *Ici Paris* pendant de longues années. A publié plusieurs ouvrages, dont une « *Histoire de Pologne* » ; est, en outre, l'auteur d'un ouvrage sur le massacre de « *Katyn* », qui parut après sa mort.

MONTHERLANT (Henry, Marie, Joseph MILLON de).

Homme de lettres, né à Paris le 21 avril 1896. Ce descendant d'un échanson de Louis XIV, d'un député guillotiné sous la Terreur et d'un chef de l'opposition légitimiste sous Napoléon III, fut sur le plan politique moins rigoureux que ses aïeux. Ses récentes déclarations à Radio-Luxembourg (émission du 15 octobre 1966, 13 h — 13 h 45) le montrent très violemment anti-fasciste, dès l'avant-guerre : il collaborait alors à la revue *Commune*, de l'*Association des Ecrivains et Artistes Révolutionnaires*, et à *Marianne*. Après l'armistice, il écrivit dans *La Gerbe*, *Franc-Jeu* et la *N.R.F.*, de Drieu La Rochelle, donna son patronage (à moins qu'on le lui eût arraché) aux *Gerbes Françaises*, d'Alphonse de Chateaubriant, fit jouer à Paris « *La Reine morte* » et publia un livre qui lui fut, plus tard, vivement reproché : « *Le Solstice de juin* ». Cela lui valut de figurer, à la Libération, sur la « liste noire » des épurateurs du *C.N.E.* Il n'en poursuivit pas moins sa carrière d'auteur dramatique avec le succès que mérite son grand talent.

MONTI DE REZE (comte René, Henri de).

Agriculteur (1874-1966). Ancien officire de cavalerie. Devenu maire de Montjean (Mayenne), représenta la Mayenne de 1906 à 1924 au Palais-Bourbon, comme député conservateur, puis de 1925 à 1940 au Luxembourg, où il siégea au groupe de l'*Action nationale*. Nommé le 23 janvier 1941 membre du *Conseil National*.

MONTIGNY (Jean).

Homme politique, né à Guéret le 19 avril 1892. Avocat à la cour d'appel de Paris de 1919 à 1962, il débuta dans la politique après la guerre de 1914-1918 dans la Sarthe. Depuis 1909, il était l'un des proches collaborateurs de Joseph Caillaux, qu'il soutint avec courage dans l'adversité. Il fut de cette poignée d'élus sarthois qui, en pleine vague clemenciste, accueillit publiquement le condamné de la Haute Cour et lui remit une symbolique gerbe de fleurs : « *Cette gerbe a marqué ma vie*, devait-il déclarer trente ans plus tard : *elle m'a voué au mépris de la justice politique, au non-conformisme, puisque, en 1951, avec une autre poignée d'amis qui accompagnaient Lemaire et Isorni, j'allais poser une autre gerbe de fleurs au Mémorial de Verdun, pour protester contre une autre condamnation politique, celle du maréchal Pétain !* » (*France Réelle*, 30-5-1952). Revenu du front avec la croix de guerre en 1919, il se présenta sur une liste radicale-socialiste et fut élu conseiller général. Cinq ans plus tard, en 1924, il devint député radical de la Sarthe, et fut constamment réélu jusqu'à la guerre. Il appartenait au *Parti Radical* et *Radical-Socialiste* depuis 1920 et ne le quitta qu'en 1931. Devenu radical indépendant, il lutta contre le Front populaire et, dès le premier jour du ministère Léon Blum, il combattit sa politique à la tribune de la Chambre. En juillet 1940, il vota pour le maréchal Pétain et fut nommé, un peu plus tard, membre du Conseil National. Après la guerre, il reprit son activité politique, fonda le *Comité de la Grande Amnistie*, anima les *Indépendants de Paris* (vice-président) et participa à diverses réunions ou manifestations organisées par *Défendre la France*, le *Front des Forces Françaises*, l'*Union pour le Salut de la Nation* et le *Rassemblement National* dont il fut le candidat à Paris en janvier 1956. Dix années durant, il présida l'*Union des Intellectuels Indépendants* qui, sous son impulsion, prit un essor considérable. (Il en est actuellement le président d'honneur.) Jean Montigny, qui a publié de nombreux articles et études dans la presse, notamment dans la *Revue Politique des Idées et des Institutions, Notre Temps, L'Heure Française*, est l'auteur de : « *La République réaliste* » (1925), « *Toute la vérité sur un mois dramatique de notre histoire* » (1940) et d'un ouvrage historique : « *Le Complot contre la Paix* », où il met en accusation les « *croisés de la démocratie* ».

MONTPEYROUX (marquis A. de).

Officier, né à Paris, le 16 avril 1910. Appartient à une ancienne famille issue des princes de Limoges. Se destinant à la musique, et violoniste de talent, fut l'élève de Charpentier et appartint à l'orchestre de ce maître. Engagé volontaire aux spahis, participa à diverses actions en Syrie. Rendu à la vie civile, dirigea le préventorium antituberculeux de Domme (Dordogne) et l'Association antituberculeuse de la duchesse de Vendôme. Officier de S.A.S. en Algérie, conseiller général de l'Indre, milita avec courage pour le maintien de l'Afrique française et combattit, dès 1958, la politique et le gouvernement du général De Gaulle. Poursuivi pour ses activités pro-Algérie Française, vit actuellement en Espagne où il s'est réfugié il y a quelques années.

MONTPIED (Gabriel).

Mécanicien, né à Clermont-Ferrand (P.-de-D.), le 29 septembre 1903. Ancien ouvrier mécanicien, devenu contremaître, puis chef d'atelier. Militant socialiste, participa à la Résistance, commanda un groupe de F.F.I. (lieutenant-colonel) et fut le chef régional des maquis de R-6, présida le Comité départemental de la Libération du Puy-de-Dôme. Maire de Clermont-Ferrand (depuis 1945), sé-

nateur *S.F.I.O.* du Puy-de-Dôme (depuis 1952), président du Conseil général.

MONZIE (Pierre, Armand, Anatole de).

Avocat et journaliste, né à Bazas, le 22 novembre 1876, mort à Paris, le 11 janvier 1947. Fils d'un contrôleur des contributions directes. Milita, dans sa jeunesse, au sein des mouvements les plus avancés. Resté homme de gauche, mais singulièrement assagi, fut député du Lot de 1909 à 1919 et de 1929 à 1942. Plusieurs fois ministre de 1913 à 1940. Grand libéral, entretenait alors des rapports d'amitié avec des personnalités d'extrême-gauche aussi bien qu'avec des hommes d'extrême-droite. Auteur de : « *Ci-devant* », « *Les contes de Saint-Céré* », « *Mémoires de la Tribune* », « *Pétition pour l'Histoire* », « *Le conservatoire du peuple* », etc.

MOQUET (Guy).

Etudiant (1924-1941). Militant des *Jeunesses communistes* clandestines du XVIIe arrondissement de Paris. Fusillé parmi les otages le 22 octobre 1941, à Châteaubriant, après le meurtre du lieutenant-colonel Holz, Feld-Kommandant de Nantes, abattu le 20 octobre.

MORANDAT (Yvon).

Administrateur de sociétés, né à Buelles (Ain), le 25 décembre 1913. Militant syndicaliste démocrate-chrétien avant la guerre, fut secrétaire général des syndicats chrétiens de la Savoie en 1937-1939. Ayant rejoint le général De Gaulle en 1940, entra au cabinet de ce dernier en janvier 1941, puis fut parachuté en France pour y assurer la liaison entre les groupes clandestins et Londres. S'affirmant alors socialiste, participa à la création du *Populaire* (clandestin) et de *Libération*, ainsi que du *Mouvement Ouvrier Français*. Siégea à l'Assemblée consultative d'Alger (1943-1944) et dirigea l'*Agence Européenne de Presse* et l'hebdomadaire *Bref*, après la Libération (1944-1947). Chargé des services de presse de Jules Moch (Travaux publics, puis Intérieur) et des *Charbonnages de France* (1947-1949), devint l'un des hauts employés de cette entreprise nationalisée (1949). Plus tard, lorsque le général De Gaulle revint au pouvoir, fut nommé président des *Houillères du Bassin de Provence* (1959), puis des *Houillères du Bassin du Nord et du Pas-de-Calais* (1963) et administrateur de la *Société Chimique de la Grande Paroisse*. Membre du *R.P.F.* dès 1947, avait été chargé entretemps de l'*Action ouvrière* du mouvement gaulliste ; rallia le mendésisme en

1954-1955, puis fut l'un des fondateurs du *Comité Républicain et Démocrate* et de l'*Union Démocratique du Travail* (gaullistes de gauche), de l'*Association pour le Soutien du Général De Gaulle*. Préside le *Mouvement de Libération Nationale* et anime le *Front travailliste*. Est, en outre, vice-président de la *Confédération des Combattants volontaires de la Résistance*. Son épouse, née Monique Walbaum, est l'un des rares actionnaires (particuliers) de la *Société Immobilière de la Côte d'Azur*, dans laquelle la banque *Louis-Dreyfus*, le groupe *Bloch-Dassault*, la banque *Lazard*, la *Compagnie de Suez* et la *Banque de l'Indochine* sont intéressés.

MORBIHAN-ECLAIR.

Hebdomadaire démocrate-chrétien dépendant du quotidien rennais *Ouest-France*. Tirage : 28 000 exemplaires (7, place Maurice-Marchais, Vannes).

MOREAU (Lucien).

Editeur, né à Paris, le 19 janvier 1875, mort à Paris également, le 6 avril 1932. L'un des associés de la *Librairie Larousse*. Fut un prestigieux orateur des réunions de l'*Action française* et appartint aux comités directeurs du mouvement monarchiste.

MOREL (Léopold, Henri).

Directeur de banque, né à Nice (A.-M.), le 9 janvier 1912. Dirigea *La Dépêche de Constantine*, jusqu'à sa nationalisation par le gouvernement algérien (septembre 1963). Fut élu député de Philippeville, en 1958, en se recommandant du « *plan du chef du Gouvernement* (De Gaulle) *qui traduit nos aspirations, nos besoins et les moyens de les satisfaire* » (profession de foi, novembre 1958). Elu sénateur de Constantine en 1959. Fut également conseiller général. Actuellement président-directeur général de la *Banque de l'Eurafrique*, dont il est l'un des fondateurs.

MORES (Antoine, Marie, Amédée, Vincent Manca de VALLOMBROSA, marquis de).

Explorateur et militant politique, né à Paris en 1858, mort à El Aoutia, en 1896. Petit-fils, par sa mère, du duc des Cars, qui s'illustra lors de la prise d'Alger en 1830. Se destina d'abord à l'armée ; fut à Saint-Cyr, le condisciple et l'ami de Philippe Pétain et du futur Père de Foucauld. Vécut quelque temps en Indochine, alors gouvernée par le

COLLECTION FÉLIX POTIN

MARQUIS DE MORÈS

futur ministre Constans. Eut l'idée du chemin de fer de Mandalay que réalisèrent, plus tard, les Anglais. Ecœuré par les prévarications auxquelles il assista dans la lointaine colonie française, gagna les Etats-Unis et s'y fit éleveur. Ayant épousé, entre temps, Miss Medorah Hoffmann, donna son nom à la bourgade qu'il créa dans le Nord-Dakota : *Medorah City*. Ses démêlés avec les « chevillards » (bouchers vendant la viande sortant des abattoirs), qui étaient pour la plupart israélites, furent à l'origine de son antisémitisme. Ruiné, rentra en France et devint l'un des plus ardents *supporters* d'Edouard Drumont. Sa popularité auprès des *forts* des Halles était grande. Ses duels furent innombrables : au cours de l'un d'eux, le capitaine Alfred Mayer trouva la mort. Emprisonné pendant quelques mois, se présenta ensuite aux élections municipales (1894) dans le quartier des Epinettes à Paris, avec un programme socialiste et antisémite, favorable au crédit collectiviste. Participa à la campagne dans le Var contre Clemenceau, accusé d'être « l'homme de Cornelius Herz », et contribua à le faire battre. Alors qu'il tentait de gagner le Tchad, fut assassiné par des Touareg aux confins de la Tripolitaine (juin 1896). Ses amis affirmèrent qu'il était la victime d'un guet-apens politique. Edouard VII, alors prince de Galles, qui l'avait connu à Paris, s'écria lorsqu'il apprit sa mort : « *Anglais, je l'eus fait vice-roi !* » Sous l'égide de Jules Guérin se constituèrent, en 1897, les *Amis de Morès*, qui disparurent dans l'affaire du Fort Chabrol.

En 1930, Pierre Ensch, futur directeur-gérant d'*Aspects de la France*, fonda à La Villette, le *Cercle Marquis de Morès*, également disparu. Pour les jeunes nationalistes, Morès demeure un exemple de ces témoins auxquels croyait Pascal et « *qui se font égorger* ». Maurice Barrès a évoqué Morès dans un chapitre de ses « *Scènes du nationalisme français* ». Jules Delahaye et Charles Droulers ont consacré de passionnants ouvrages à « ce preux égaré dans le XIXe siècle ».

MOREVE (Roger).

Négociant, né à Mézières-en-Brenne (Indre), le 7 juin 1897. Dirige une entreprise de grains, farines et issues dont il est propriétaire. Conseiller général et maire de Mézières, fut député de l'Indre (1951-1958). Est actuellement sénateur de l'Indre depuis 1959 (*Gauche démocratique*).

MORGAN (Claude LECOMTE, dit).

Homme de lettres, né à Paris, le 29 janvier 1898. Fils de l'académicien Georges Lecomte (qui fut anarchiste dans sa jeunesse). Bien qu'à demi-israélite (par sa mère), appartint, entre les deux guerres, à la droite nationaliste. Signa le 4 octobre 1934, le « *Manifeste pour la Défense de l'Occident* » avec Léon Daudet, Abel Bonnard, A. de Châteaubriand, Lucien Dubech, René Benjamin, Bernard Fay, et le 15 novembre 1935, un manifeste d'intellectuels contre les sanctions à l'Italie, avec Brasillach, Maurras, Massis et Drieu La Rochelle. Puis rallia la gauche après la victoire du Front populaire, collabora à *Vendémiaire* et à *Commune* et fut, après la Libération, directeur des *Lettres Françaises* (1944-1950), rédacteur en chef de la revue pro-soviétique *Horizons* (1950-1958), membre influent du *Comité National des Ecrivains*. Auteur de : « *Une bête de race* », « *Liberté* », « *La Marque de l'homme* », « *Le Poids du Monde* », « *Mauvaise graine* », « *Yves Farge* », « *l'Amour parfait* », et, sous le pseudonyme de Claude Arnaud de divers ouvrages de vulgarisation scientifique : « *la Chirurgie du cœur* », « *la Chirurgie du cerveau* », « *le Fond des mers* », « *l'Alimentation humaine* », « *la Conquête des grandes vitesses* », « *le Monde a faim de kilowatts* », « *l'Hérédité* », « *l'Océanographie* ».

MORICE (André).

Entrepreneur de travaux publics, né à Nantes (L.-Inf.), le 11 octobre 1900. Militant radical, fut, dès 1924, président de la Fédération de son parti en Loire-Inférieure. Candidat aux élections municipales de Nantes (1935) et aux élections législatives (1936), ne fut pas élu. Prisonnier de guerre (1940). Après la Libération, fut élu député de la Loire-Atlantique et le demeura jusqu'à la chute de la IVe République. Appartint à divers gouvernements : sous-secrétaire d'Etat à l'Enseignement technique (novembre 1947), secrétaire d'Etat à la présidence du Conseil et à l'Enseignement technique (août 1948), secrétaire d'Etat à l'Enseignement technique et aux sports (1949-1950, 1951), ministre de l'Education nationale (juillet 1950), de la Marine marchande (1951), des Travaux publics, des Transports et du Tourisme (mars 1952-1953), du Commerce et de l'Industrie (février 1955-24 janvier 1956), de la Défense nationale et des Forces armées (14 juin-5 novembre 1957). Fit construire la « *ligne Morice* », à la frontière algéro-tunisienne, pour empêcher les passages massifs de *fellaghas* de l'ancienne Régence (où ils étaient instruits) en Algérie. Partisan de l'Algérie française, eut des démêlées mémorables avec *L'Express*, partisan de l'indépendance algérienne. Fonda le *Parti Radical-socialiste* qui regroupait d'anciens membres du *Parti Républicain Radical et Radical-socialiste* alors fortement influencé par Pierre Mendès-France. Animateur du *Centre Républicain*, directeur politique du quotidien *L'Eclair*, de Nantes, et administrateur de la Société d'éditions et d'informations périodiques, président de la section française du *Mouvement libéral pour l'Europe unie* et de la section française de l'*Internationale libérale*.

MORINAUD (Emile).

Avocat, né à Philippeville, le 17 février 1865, mort à Djidjelli le 20 février 1952. Radical, franc-maçon et antisémite, ayant soutenu la candidature d'Edouard Drumont à Alger et s'étant fait élire lui-même à Constantine en même temps (1898), proposa à sa loge (*Union et Progrès* de Constantine, où il avait été initié le 17 octobre 1889) qui l'adopta, un ordre du jour demandant « *l'expulsion des juifs de la Franc-Maçonnerie* » (cf. *Bulletin du Grand Orient*, 1er-13 octobre 1898, p. 5 à 9), ce qui lui valut une condamnation formelle de l'obédience maçonnique. Battu aux élections législatives de 1902 en même temps que Drumont, poursuivit quelques années sa propagande antisémite, puis se réconcilia avec les républicains d'Algérie et se fit élire à nouveau député de Constantine, bénéficiant, cette fois, de l'appui de l'électorat israélite avec lequel il avait fait la paix. Réélu en 1924, 1928 et 1936. Entre temps, a fait partie du gouvernement Tardieu comme sous-secrétaire d'Etat à l'Education physique (1930), puis du gouvernement Laval (même portefeuille, 1931).

MORISSE (Jean-Marie).

Industriel, né à Sotteville-lès-Rouen (Seine-Maritime), le 23 novembre 1905. Conseiller municipal de Rouen. Conseiller général du 6e canton de Rouen (1949). Député U.N.R. de la Seine-Maritime (3e circ.) de 1958 à 1967.

MORIZET, André).

Journaliste, né à Reims, le 23 janvier 1876, mort à Paris, le 30 mars 1942. Fils d'un notaire. Dès 1895, milita dans le mouvement socialiste ; en 1909, fut le secrétaire des Etudiants collectivistes au Quartier latin. Retourné dans la Marne, à la fin de ses études, y fonda la fédération du Parti Socialiste Français. Un peu plus tard, après l'unité socialiste, devint l'un des chefs de la S.F.I.O. de la Région parisienne. Pendant de longues années, collabora avec Hubert Lagardelle au Mouvement socialiste (revue), fut l'un des fondateurs de L'Avant-Garde et de L'Action Directe. Collabora également au Conscrit et à L'Humanité, où il se spécialisa dans la lutte contre les « requins internationaux ». Après la 1re Guerre mondiale, se fit initier à la loge L'Internationale, de Paris (13 octobre 1926), entra au Sénat (1927) et devint maire de Boulogne-Billancourt. Conserva ces sièges jusqu'à la fin de la IIIe République.

MORLEVAT (Robert).

Directeur de Caisse d'Epargne, né à Saint-Maur-des-Fossés (Seine), le 14 février 1907. Conseiller général de la Côte-d'Or (depuis 1945). Maire de Semur-en-Auxois (depuis 1937). Président de la Fédération radicale-socialiste de la Côte-d'Or. Elu député de la 4e circ. de la Côte-d'Or, le 25 novembre 1962. Inscrit au groupe du Rassemblement Démocratique. Réélu en mars 1967.

MORO-GIAFFERRI (Vincent de).

Avocat (1878-1956). Ancien secrétaire de la Conférence du stage et ancien président de la Conférence Molé. Anima les Etudiants Bonapartistes avant la guerre de 1914-1918, mais n'en plaida pas moins pour les anarchistes quelques années plus tard et témoigna pour Gustave Hervé poursuivi en cour d'assises, en 1910. Milita ensuite au Parti Radical et Radical-Socialiste, se fit élire en Corse (1919) et fut sous-secrétaire d'Etat à l'Education physique (cabinet Herriot, 1924). Candidat malheureux aux élections législatives à Bastia (1929) et à Niort (1932), ne revint au Palais-Bourbon qu'en 1945, d'abord député radical aux deux Constituantes, puis à l'Assemblée nationale (les deux premières législatures). Ardent défenseur des libertés humaines, fut l'avocat de Joseph Caillaux, devant la Haute Cour, et de Grynspan, le jeune meurtrier israélite du conseiller d'Ambassade allemand. Défendit aussi les assassins Landru et Wiedmann.

MOT D'ORDRE (Le).

Quotidien de gauche, ayant succédé à La Justice, et paraissant à Marseille en 1941-1944. A l'origine, L.-O. Frossard en était le directeur, et René Gounin, le rédacteur en chef (voir à ces noms). Tous deux appartinrent au Conseil National du maréchal Pétain : « Au Mot d'Ordre, nous sommes heureux de voir notre directeur L.-O. Frossard et notre rédacteur en chef René Gounin, siéger parmi les membres de cette assemblée », écrivait René Naegelen, dans ce journal, le 27 janvier 1941. Outre ce dernier et le gérant du journal, R. Banlin, l'équipe rédactionnelle se composait de : Robert Sadoul, Albert Rivière, ancien ministre socialiste, H.-P. Gassier, dessinateur, T. Marval, Xavier Blain, Léon Treich, Jacques Lynn, Gabriel d'Aubarède, R. Moriquand, Louis Pierard, Pierre Buffière, etc. Au cours de l'année 1941, Frossard devint directeur politique et Gounin, directeur. Ce journal était principalement lu par les élus et les notables de gauche de la zone Sud. En raison des bons rapports de sa direction avec le gouvernement, il recevait une subvention du ministère de l'Information (un million 410 000 francs pour l'année 1943, selon les documents photographiques reproduits dans le numéro spécial de l'Echo de la Presse sur « La Presse d'opinion », publiée en juillet 1958).

MOTET.

Contre-amiral, nommé le 23 janvier 1941, membre du Conseil national (voir à ce nom).

MOTION.

Proposition faite dans une assemblée par un ou plusieurs de ses membres. La motion de censure est une décision majoritaire d'une assemblée législative retirant la confiance au chef du gouvernement ; elle est présentée par un groupe de députés. Selon la Constitution, l'adoption d'une *motion de censure* entraîne la démission du gouvernement.

MOTTE (Bertrand).

Administrateur de sociétés, né à Annappes (Nord), le 19 juillet 1914. Administrateur des *Etablissements Agache* (S.A. de Perenchies), de la *Compagnie industrielle minière et chimique,* de la *Société d'investissements industriels et financiers,* président de la *Société Gevaert-France,* vice-président de la *Société de développement régional du Nord et du Pas-de-Calais* et du *Comité d'expansion du Nord et du Pas-de-Calais,* conseiller général du canton de Lille-Centre fut, par la suite, député indépendant du Nord (1958-1962). Est actuellement l'un des principaux dirigeants du *Centre national des Indépendants et Paysans* et du *Centre des Démocrates.*

MOTTIN (Jean, François).

Conseiller d'Etat, né à Grenoble (Isère), le 27 janvier 1914. Avocat près la cour d'Appel de Grenoble (1934) et la cour d'Appel de Paris (1937). Fut, au début de la guerre, rédacteur au ministère du Ravitaillement. Nommé, en 1941, auditeur au Conseil d'Etat. Après la Libération, chargé de mission ou Conseiller technique aux cabinets de différents ministres (1945-1954) et directeur du cabinet de Michel Soulié (secrétaire d'Etat chargé de l'Information, 1957). Considéré comme un spécialiste des questions de presse depuis la publication de son remarquable ouvrage' sur l'*Histoire politique de la Presse* (publié par son ami Georges Bérard-Quelin en 1949), fut nommé membre du conseil d'administration (1953), puis président-directeur général (1955) de la *Société nationale d'entreprises de presse* (S.N.E.P.), puis administrateur de la *Caisse de garantie des entreprises de presse,* président de la commission des entreprises de presse au Commissariat général au plan (1963) et gérant de la *Nouvelle agence de presse* et de la *Société nouvelle d'éditions industrielles* (1964). Maître des requêtes au Conseil d'Etat (1947) et conseiller d'Etat (depuis 1963).

MOUCHARDAGE.

Dénonciation, délation. D'ordinaire, la police emploie des *mouchards* pour la renseigner sur les milieux, les organisations, les individus qu'elle a pour mission de surveiller, soit pour le compte de la justice, soit pour celui du gouvernement (voir : *indicateurs*). Le *mouchar-dage* s'est considérablement développé à certaines époques et sous certains régimes. L'*affaire des fiches,* au début du siècle, a révélé que des individus sans mandat, appartenant au *Grand Orient de France,* avaient systématiquement *mouchardé* les officiers dont les opinions politiques (de droite) ou les convictions religieuses (catholiques) étaient considérées par le gouvernement Combes comme incompatibles avec leur appartenance à l'Armée de la République française. Durant l'occupation (1940-1944), la police allemande encourageait la délation pour découvrir les résistants ou simplement ceux qui détenaient une arme (revolver, fusil de chasse, etc.) ou qui écoutaient les émissions de la B.B.C. A la Libération, ia dénonciation des pétainistes et des partisans de la collaboration franco-allemande fut présentée officiellement comme un devoir patriotique. Il y a quelques années, le gouvernement fit appel implicitement au mouchardage en présentant à la télévision les photographies de membres de l'*O.A.S.* (ou prétendus tels) recherchés par la police. Dans les pays démocratiques, notamment en Amérique, on fait parfois appel au *mouchardage* dans la recherche d'individus dont on affiche le portrait, mais il s'agit de criminels de droit commun. Dans les pays totalitaires, où le système fut élevé à la hauteur d'une institution, la délation était également considérée comme un devoir. Elle l'est toujours dans les Etats communistes qui la présentent comme une manifestation licite de « *la vigilance prolétarienne vis-à-vis de l'ennemi de classe* ».

MOULIN (Arthur).

Vétérinaire, né à Saint-Aubin (Nord), le 4 juillet 1924. Député *U.N.R.* du Nord (21e circ.) de 1958 à 1967. Etait vice-président du groupe *U.N.R.-U.D.T.* de l'Assemblée.

MOULIN (Jean).

Préfet, né à Béziers en 1899, mort en déportation en 1943. Préfet à Chartres en juin 1940, il fut mis en disponibilité par le gouvernement de Vichy. Il rencontra Henri Frenay qui organisait la résistance à Marseille, puis il gagna Londres. Chargé de mission du général De Gaulle, il fut parachuté en zone Sud en 1942. Rassemblant les divers mouvements de la Résistance, il facilita la formation d'une armée clandestine en zone Sud. Nommé délégué général du Comité National Français, il créa une administration de la Résistance. Il organisa les services communs à tous les mouvements ou réseaux clandestins (transmissions, finances, armes, bureau d'information). Il fut le premier président du *C.N.R.* (Conseil National de la Résistance). Trahi, arrêté à Caluire (Rhône), le 21 juin 1943, affreusement torturé par la police allemande, il mourut dans le train qui le déportait en Allemagne. Le général De Gaulle fit transférer ses cendres au Panthéon (automne 1964). On lui doit « *Premier combat* » (publication posthume), où il relate son opposition aux Allemands dès le 17 juin 1940 (c'est-à-dire avant l'Appel de Londres) quand, en tant que préfet d'Eure-et-Loir, il refusa de signer un document accusant d'atrocités des troupes coloniales françaises. Son nom a été donné à un club dont les fondateurs ont ainsi voulu rendre hommage à cet ardent patriote et à ce grand républicain.

MOULIN (Jean).

Professeur technique, né à Lyon, le 14 septembre 1912. Professeur au C.E.T. de Firminy (1946-1954), puis professeur technique chef de travaux à Troyes (1954-1956) et chef de travaux au C.E.T. de Chambon-Feugerolles (depuis 1956). Militant socialiste depuis sa jeunesse, fut successivement : secrétaire de la section *S.F.I.O.* de Firminy (1933-1940), puis de celle de Chambon-Feugerolles, — ville dont il est maire-adjoint depuis 1959 —, membre de la commission exécutive de la Fédération socialiste de la Loire et vice-président de la *Fédération de la Gauche Démocratique et Socialiste* de ce département. Anime, en outre, diverses sociétés dont le *Syndicat F.O. des lycées et collèges* du département.

MOULIN (Jean).

Vétérinaire, né à Thueyts (Ardèche) le 17 juillet 1924. Président du syndicat vétérinaire de l'Ardèche. Elu député *M.R.P.* de l'Ardèche le 25 novembre 1962. Inscrit au groupe du *Centre Démocratique*. Réélu en 1967.

MOULIN de LABARTHETE (Henry du)
(voir : **Labarthète**).

MOUNIER (Emmanuel).

Homme de lettres (1905-1950). Fondateur de la revue « *Esprit* » (1932). Est considéré par les uns comme un progressiste (lisez : pro-communiste), par les autres comme le défenseur de la dignité humaine. Entra dans la politique active à la veille de la Seconde Guerre mondiale et fonda, en septembre 1938, Le *Voltigeur* pour lutter contre les « Munichois ». Pendant l'occupation, fut emprisonné (1942) et n'obtint sa libération qu'à la suite d'une grève de la faim. En novembre 1944, fit reparaître *Esprit* qui avait cessé sa publication pendant la guerre. D'abord fort bien vu des communistes orthodoxes, subit leurs attaques lorsqu'il prit le parti de Tito contre Staline. N'en continua pas moins à condamner l'anticommunisme et à souhaiter un rapprochement des catholiques avec le marxisme. Auteur de : « *Traité du caractère* », « *Liberté sous condition* », « *Introduction aux existentialismes* », « *L'Eveil de l'Afrique noire* », « *La petite peur du vingtième siècle* » et « *Le personnalisme* ».

MOUSSA AHMED IDRISS.

Né à Doudah (Somalis) en 1933. Employé de la *Banque de l'Indochine*. Elu député de la Côte Française des Somalis le 25 novembre 1962. Apparenté au groupe *U.N.R.*

MOUSTIER (Famille de).

Les *Moustier* se sont illustrés dans la politique parlementaire au cours de ces derniers trois-quarts de siècle : Pierre de MOUSTIER fut député de droite du Doubs de 1889 à 1921, puis sénateur de ce département jusqu'à sa mort, en 1935 ; Léonel de MOUSTIER représenta le même département à la Chambre, de 1928 à 1942, vota contre le maréchal Pétain en 1940, et fut déporté par les Allemands ; Jean de MOUSTIER, ancien conseiller général de Seine-et-Marne, parent et associé des Wendel ; Roland-François de MOUSTIER (né à Paris, le 30 octobre 1909), qui fut député indépendant, président du Conseil général du Doubs et ministre du gouvernement Mendès-France, et est aujourd'hui président-directeur général de la *Banque pour le développement du Crédit et de la Consommation* et administrateur de diverses sociétés. Les *Moustier* étaient propriétaires du quotidien *La République de l'Est*, fondé à Besançon en 1933 et né de la fusion de *L'Alsace* et de *La Dépêche Républicaine*.

MOUTET (Marius).

Avocat, né à Nîmes, le 19 avril 1876. Militant *S.F.I.O.* depuis 1905. Conseiller général de Lyon, député socialiste du Rhône (1914-1928) puis de la Drôme (1942). Défenseur de Joseph Caillaux devant la Haute-Cour. Plusieurs fois ministre des Colonies (cabinets Blum, 1936-1937, Chautemps, 1937-1938, Blum,

1938). Vota, avec les 80, contre le maréchal Pétain en 1940. Membre de l'Assemblée Constituante (1945-1946). Ministre des territoires d'outre-mer (cabinets Gouin, Bidault, Blum et Ramadier, 1946-1947). Sénateur du Soudan (1947), de la Drôme (depuis 1948). Fut l'un des principaux dirigeants de la *Ligue des Droits de l'Homme* et de la *Ligue pour la Défense des Libertés publiques*.

MOUVEMENT D'ACTION UNIVERSITAIRE ET CULTURELLE.

Fondé en 1950, ce groupement publiait en 1951 un journal mensuel, *Occident* (gérante : G. Marchal). Les animateurs du mouvement et du journal se recrutaient principalement chez les jeunes et les étudiants nationaux : Jean-Jacques Varenne, Philippe Denis, J. Walter, Jacques Wagner, Philippe Wolf, Ch. Veher, J.-M. de Falèze, Jacques Pérodeau, Henri Gaillard, Y. Kermot, J. Tissier, Jean Cernay, R. Milton, Pierre Montalte, Bernard Lesfargues, etc. Plusieurs dirigeants du M.A.U.C., — dont Philippe Wolf, le fils de l'industriel Christian Wolf, — venaient du journal *Etudiants*, qui paraissait en 1949-1950. Ce mensuel était installé dans les locaux de *Réalisme* et avait pour directrice gérante Françoise Poullain, proche parente du futur directeur de *France Réelle*, J.-M. Poullain. Outre Philippe Wolf, — qui signait Philippe Leloup, — François Sauvage, Paul Bonnet, Daniel Berry, Edouard de Ribaucourt, R. Cardinne-Petit et Sylvain Bonmariage donnaient à *Etudiants* des articles ou des chroniques propres à intéresser les jeunes. Une scission provoquée par les tendances « européennes » de Philippe Wolf et ses amis survint dans le courant de 1950 et le journal, modifiant son titre — il s'appela dès lors *Contre-Révolution* — devint l'organe des étudiants monarchistes et du *Syndicat Universitaire Français*, sous la direction de Pierre Roos assisté d'une équipe de jeunes rédacteurs : Thomas Perroux, Pierre Visan, Louis Peillon, Pierre Poyet, Paul Koenig, etc., auxquels se joignirent des écrivains de la « Nouvelle Droite » : Michel Vivier et Pierre Boutang, qui devaient fonder *La Nation Française*. Michel Braspart (Roland Laudenbach) et Roger Nimier apportaient l'appui de leur nom.

MOUVEMENT DU CHRISTIANISME SOCIAL (voir : Cité Nouvelle).

MOUVEMENT POUR LA COMMUNAUTE (voir : Front du Progrès).

MOUVEMENT COMMUNISTE FRANÇAIS.

Parti communiste d'obédience chinoise constitué en 1966 par les membres des *Cercles marxistes-léninistes* alors installés à Marseille. A l'origine, le groupe eut comme animateurs les exclus (ou démissionnaires) du *P.C.F.* qui, dans une déclaration de décembre 1964, avaient dénoncé « *le révisionnisme, danger principal illustré par le titisme, puis par le khrouchtchévisme* » : André Baronnet, ancien secrétaire de cellule du *P.C.F.*, et sa femme Christiane Baronnet (Angoulême); Marcel Coste, instituteur, secrétaire du comité marseillais des *Amitiés franco-chinoises*; Paul Coste, mineur, militant communiste depuis 1944, maire-adjoint de la cité minière de Saint-Savournin (B.-du-Rh.), frère du précédent ; André Fortin, professeur d'enseignement technique, qui adhéra au *P.C.* clandestin en 1943 ; Georges Gauthier, cultivateur, militant communiste actif depuis 1936 ; Rose Innocenti, docteur en médecine, ancienne candidate du *P.C.F.* aux élections cantonales du Var ; Lucien Jacqueline, ouvrier mécanicien, militant communiste depuis une quinzaine d'années, ancien membre du comité de la section *P.C.F.* de Septèmes-les-Vallons (B.-du-Rh.); Paulette Lacabe, employée de la Sécurité Sociale, militante communiste depuis 1936, dirigeante régionale de la *Jeunesse communiste* et de l'*U.J.F.F.* avant la guerre, qui milita dans la Résistance, fut emprisonnée en 1940 par le gouvernement Daladier, puis, après évasion, internée (1941) au camp de Mérignac, dont elle s'échappa pour militer dans la Résistance en Haute-Vienne (1943-1944), ancienne dirigeante de la section bordelaise de l'*Union des Femmes Françaises*; Hervé Llucia, chirurgien, militant communiste depuis la Libération, ancien conseiller municipal d'Aubagne, chef de la mission médicale française au Nord-Vietnam ; Christian Maillet, artiste peintre, militant communiste depuis 1939, ancien collaborateur du comité central du *P.C.* marocain au titre des *Jeunesses communistes* du Maroc ; Micheline Marchetti, qui appartient à une famille communiste, mariée avec Vincent Marchetti, marin de commerce, militant communiste depuis 1936, ancien résistant, emprisonné plusieurs fois après la Libération pour sa participation réelle ou supposée à l'action des *F.T.P.* en Provence (« *acquitté sous la pression des masses* », précise *L'Humanité nouvelle*, février 1965); Suzanne Marty, professeur à Perpignan ; Michel Nottin employé de la Sécurité Sociale, militant communiste depuis la Libération, ancien membre du bureau fédéral *U.J.R.F.* de la Gironde (1945), militant du *Front National* et ancien *F.T.P.*, ancien secrétaire adjoint de cellules ; Robert Thiervoz, qui adhéra au *P.C.F.* en 1948 après avoir milité à l'*U.J.R.F.*, professeur à l'Université nouvelle de Grenoble jusqu'à son exclusion du parti ; Marc Thibérat, employé de la Sécurité Sociale, membre du *P.C.F.* depuis 1937, ancien responsable régional des *Jeunesses Communistes* clandestines, ancien combattant volontaire de la Résistance ; François Marty, ancien instituteur, membre du *P.C.* de 1926 à 1964, ancien dirigeant régional du parti dans les Pyrénées-Orientales, organisateur du *Comité Amsterdam-Pleyel* à Perpignan, fondateur du journal communiste *Le Travailleur catalan* qu'il dirigea de 1936 à 1939, organisateur d'un maquis *F.T.P.* dans la région de Villefranche-de-Rouergue et instructeur d'une école de *F.T.P.* sous le pseudonyme de « Commandant Quinta », puis chef de bataillon *F.T.P.* dans l'Aude, sous le pseudonyme de « Commandant Boursat » et libérateur, en août 1944, de Quillan, Couiza, Espéraza, Limoux et Carcassonne, réorganisateur de l'*A.R.A.C.* dans les Pyrénées-Orientales, puis secrétaire départemental du *Mouvement de la Paix* ; Jacques Jurquet, inspecteur des impôts, militant communiste depuis 1943, secrétaire fédéral de Seine-et-Marne, puis membre du comité fédéral des Bouches-du-Rhône, après avoir milité dans le maquis du Jura et été secrétaire du chef d'Etat-Major des *F.F.I.* du Nord-Jura, ancien secrétaire parlementaire à l'Assemblée nationale, candidat suppléant communiste aux élections législatives (1re circ. de Marseille). Ces deux derniers sont, depuis la création du *Mouvement communiste français*, ses principaux dirigeants : Jurquet est le secrétaire national et Marty l'un des secrétaires en même temps que le directeur gérant de *L'Hmanité nouvelle*, organe central du *M.C.F.* Auprès d'eux, Régis Bergeron assume la direction de la rédaction du journal tandis que Marc Tibérat, déjà cité, et Raymond Casas les secondent au secrétariat. Citons encore parmi les animateurs et dirigeants du mouvement : Claude Combe, membre du Bureau politique ; Jean-Louis Dumas et Michel Viviant, rédacteurs à *L'Humanité nouvelle* ; Louis Barbot, cheminot, militant cégétiste et communiste depuis plusieurs lustres, dirigeant du *Cercle marxiste-léniniste* du Havre ; Michel Gilquin, ancien membre des *Jeunesses communistes* et du *P.C.F.* (1963-1965), dirigeant de l'*Association*

générale des Etudiants de Tours (*U.N. E.F.*), fondateur du Cercle *marxiste-léniniste* de cette ville ; et Gilbert Mury, sociologue et écrivain, militant communiste depuis 1940, ancien dirigeant du *Mouvement de la Paix* et du *Centre d'études et de recherches marxistes*, dont il était secrétaire général, ancien professeur à l'Ecole centrale du *P.C.F.*, membre du comité de rédaction des revues *Economie et Politique* et *Cahiers du communisme*, auteur de divers ouvrages, dont deux sur le Christianisme. Depuis octobre 1966, l'organe central du mouvement, *L'Humanité nouvelle*, paraît chaque semaine. (40, bd Magenta, Paris 10e).

MOUVEMENT COMMUNISTE INDEPENDANT.

Groupement antistalinien publiant en 1950-1951 un bi-mensuel intitulé *La Lutte*. Collaborateurs : R. Monestier, Henri Fraval, Maurice Combes, secrétaire des cheminots *F.O.* de Montluçon, G. Gérico, etc. Aux élections de 1951, les candidats du *M.C.I.* obtinrent 7 000 voix dans la VIe circonscription de la Seine, autant en Seine-et-Oise, 3 000 en Meurthe-et-Moselle et 2 400 en Gironde.

MOUVEMENT DEMOCRATIQUE FEMININ.

Organisation adhérente à la *Fédération de la Gauche démocrate et socialiste* et animée par Marie-Thérèse Eyquem, sa présidente, membre du *contre-gouvernement*. Appartiennent ou ont appartenu à son conseil : Mme Abbadie, Colette Audry, Germaine Bédier, Janette Brutelle, Yvonne Dornès, Marcelle Kraemer-Bach, Solange Lambergeon, Suzanne Masse, Simone Menez, Andrée Michel, Paule Michel, Odette Olagnier, Colette Piat, Yvonne Pons de Poli, Marguerite Schwab, Suzanne Southworth, Marguerite Thibert, Jacqueline Thome-Patenôtre. Organe : *La femme du 20e siècle,* revue bimestrielle. (77, rue Notre-Dame-des-Champs, Paris 6e.)

MOUVEMENT FEDERALISTE EUROPEEN.

Groupement international œuvrant en faveur de l'unité européenne. Principaux dirigeants français : Etienne Hirsch, René Mayer, Raymond Rifflet, Pierre Moriquand, etc. (voir : *Fédéralisme européen*).

MOUVEMENT FEDERALISTE FRANÇAIS

(voir : **La Fédération**).

MOUVEMENT FRANÇAIS DE L'ABON-DANCE.

Fondé en 1932, par l'économiste Jacques Duboin, le *M.F.A.* est difficile à classer. Il n'est ni de droite, ni de gauche, ni monarchiste, ni fasciste, ni marxiste. Bien que son président-fondateur soit un homme de gauche, ayant longtemps collaboré à des journaux de gauche (*L'Œuvre*, d'avant guerre, *La France au Travail*, etc.), il est difficile d'affirmer qu'il ne se rallierait pas à un gouvernement de droite si celui-ci se déclarait hostile à la politique des grands féodaux de l'Argent et s'il pouvait accepter quelques-unes des idées maîtresses de la doctrine « abondanciste ». Ancien banquier, Jacques Duboin expose ses idées dans *La Grande Relève des Hommes par la Science*, journal qu'il a fondé en 1935 pour servir d'organe à la *Ligue pour le droit au travail et le progrès social.* — première dénomination du *M.F.A.* Il les a également développées dans plusieurs livres : « *Réflexions d'un Français moyen* » (préface de Henry de Jouvenel), « *Nous faisons fausse route* » (présenté par Joseph Caillaux, ancien ministre des Finances), « *Demain ou le Socialisme de l'Abondance* », « *L'Economie distribution s'impose* », « *Les yeux ouverts* », etc. que diffuse le centre d'édition et de librairie du mouvement. (10, rue de Lancry, Paris 10e).

MOUVEMENT DE LA GAUCHE EURO-PEENNE.

Groupement composé principalement de socialistes. Prit position en octobre 1962 pour le *non* : « Le chef de l'Etat a ouvert un processus d'illégalité dont le terme, s'il était atteint, serait la fin de la république et de la liberté. » Animé par Alain Savary, Etienne Hirsch, Ludovic Tron, Gérard Jacquet et André Philip (ce dernier vient de rallier le « gaullisme de gauche »).

LE MOUVEMENT POUR L'INSTAURA-TION D'UN ORDRE CORPORATIF.

Groupement fondé par le docteur Bernard Lefèvre en 1958 à Alger. Les objectifs du *M.P.I.C.* étaient fixés dans un manifeste diffusé en Afrique du Nord et dans la Métropole : « *Le Mouvement pour l'instauration d'un ordre corporatif* (M.P.I.C.), *né au moment où il fut évident que le C.S.P. du 13 mai ne pourrait plus remplir sa mission, s'est voué à la réalisation des véritables objectifs du 13 mai : faire de l'Algérie une province française à part entière ; instaurer un ordre corporatif illuminé par les principes de la civilisation chrétienne.* » Les *Cahiers corporatifs* (1959), puis un *Bulletin de Liaison* (1959), et enfin un journal *L'Ordre Corporatif* (1960) furent les organes du *M.P.I.C.* Un livre du docteur Lefèvre : « *Sur le chemin de La Restauration* » (Nouvelles Editions Latines, Paris 1959) fixait la doctrine du mouvement. Depuis 1962, le docteur Lefèvre vit en exil. *Efforts vers l'Ordre Corporatif* (47 *bis*, rue de la Californie, Nice) diffuse ses idées.

MOUVEMENT JEUNES DE FRANCE.

Fondé en 1936. Animé par Guy des Cars et René-Louis Jolivet. Anti-parlementaire, anti-communiste, anti-trust. Soutenu par *Savez-vous ?*, hebdomadaire national.

MOUVEMENT DE LIBERATION NA-TIONALE.

Organisation de résistance créée par Frénay. Du fait de « *l'absence des Allemands jusqu'en novembre* 1942 (qui) *permit plus de liberté d'expression* », la tâche des résistants fut, au début, beaucoup plus aisée en zone Sud qu'en zone Nord. L'organisation y fut donc plus poussée. Le commandant Loustaunau-Lacau n'a peut-être pas eu tort d'écrire, dans ses *Mémoires d'un Français rebelle*, que la signature de l'armistice et l'existence d'une zone libre avaient été, somme toute, favorable, à la Résistance. D'autant plus que, tout en restant fidèles au Maréchal, du moins les premiers temps, nombre d'officiers et de hauts-fonctionnaires de Vichy contrecarrèrent la politique de collaboration ébauchée à Montoire. Il semble, cependant, que les mouvements de résistance de la zone Sud aient été, dès leur fondation, plus politiques que militaires, et plus préoccupés de faire échec au gouvernement Pétain et à la Révolution nationale qu'aux entreprises de l'Allemagne. C'est Henri Frénay qui, dès 1940, prit des contacts à Marseille, où il était officier, en vue de constituer des groupes au sein même de l'armée de l'armistice. Pour se consacrer à cette tâche, il démissionna de l'armée peu après et organisa son *Mouvement de Libération Nationale* non seulement dans la cité phocéenne, mais à Lyon, à Toulouse, à Nice et en zone Nord. *Les Petites Ailes,* d'abord tapées à la machine, puis imprimées, furent l'organe du groupe. Plus tard, ce bulletin prit le titre de *Vérités*. Frénay entretenait déjà des rapports suivis avec des officiers du contre-espionnage vichyssois qui, n'acceptant pas l'armistice, continuaient à travailler contre l'Allemagne. Après la Libération, le *M.L.N.* s'installa dans l'immeuble du *P.P.F.* de Doriot et vingt-six de ses membres furent nommés à l'Assemblée consultative provisoire. Par la suite, les deux tendances du *Mouvement* rejoignirent des groupes voisins : les communisants s'intégrèrent au *M.U.R.F.* et les socialisants à l'*U.D.S.R.*

MOUVEMENT DE LIBERATION DU PEUPLE.

Groupe catholique de gauche issu du *Mouvement Populaire des Familles* qu'un groupe de militants de la *Jeunesse Ouvrière Chrétienne* avait constitué en 1942. C'était à l'origine un mouvement d'éducation populaire, d'action sociale, d'entr'aide et de solidarité. Après la Libération, la crise du logement devenant de plus en plus aiguë, il s'employa à reloger par *squattage* des familles ouvrières. Sous la pression des événements intérieurs et extérieurs, et en raison des luttes électorales, les préoccupations politiques l'emportèrent bientôt sur les préoccupations premières du mouvement. Il s'ensuivit, en 1951, un éclatement du *Mouvement Populaire des Familles*. Les militants plus sociaux que politiques se regroupèrent dans un *Mouvement de Libération Ouvrière ;* les autres, affirmant la suprématie du politique, créèrent le *Mouvement de Libération du Peuple*, dont un militant de gauche, Louis Alvergnat, prit le secrétariat général. Ce dernier, avec la majorité du mouvement (Roger Beaunez, Jean Begassat, Pierre Belleville, Jean Bonneville, André Buisson, Alphonse Garelli, Louis Guéry, Henri Longeot, Guy Roustang, Marc Serratrice, Georges Tamburini, Albert Puel, Marcelle Varyse, etc.), participa à la création de l'*Union de la Gauche socialiste* en 1958. Son organe hebdomadaire, *Monde ouvrier*, fusionna avec *Nouvelle Gauche* pour devenir *Tribune du Peuple*.

MOUVEMENT DU MANIFESTE AUX FRANÇAIS.

Parti politique créé en 1958 et animé par Camille Bornerie-Clarus, un ancien militant d'extrême-gauche devenu éditorialiste au *Capital*. Ne semble plus avoir d'activité aujourd'hui. Autour de 1960, son état-major comprenait, outre Bornerie-Clarus, secrétaire général : Aimé Guibert, industriel, secrétaire général adjoint, Jean Boucher, correcteur d'imprimerie, secrétaire à l'organisation, Aymar Achille-Fould, industriel, secrétaire à la propagande, et Roger Robin, trésorier

général ; Comité Exécutif National : le Dr Paul Baron, Maurice Du Parc, Mme Baritsch, journaliste, André Fraysse, militant responsable *C.G.T.-F.O.*, cadre de la Sécurité Sociale, Pierre Guérard, ingénieur, Jean-Baptiste Hamon, directeur, J.-P. Martin, Paris, Marcel Mouche, P.-J. Truffaut, journaliste, Marcel Van de Put, retraité de presse, le docteur Soulier, Jean Artheau, militant syndicaliste *C.F. T.C.*, Henri Barré, ex-sénateur *S.F.I.O.* de la Seine, et René-Jean Cazenave, avocat à la Cour, secrétaire général adjoint à la propagande.

MOUVEMENT DU MILLIARD.

Organisation de gauche créée pour venir en aide aux victimes nord-vietnamiennes des bombardements sud-vietnamiens et américains. « *Cette aide financière*, dit l'appel du comité, *sera en même temps une manifestation éclatante de la réprobation de l'opinion publique.* » Les animateurs du *Mouvement du milliard* ne sont guère connus du grand public, mais appartiennent aux milieux de la gauche socialiste et marxiste : Pierre Guetta, président ; Philippe, fonctionnaire au ministère des Finances ; Lavialle, psychosociologue ; Pieffort, ingénieur ; Vessilier, économiste ; le professeur Barbu ; Régnier, statisticien ; Mlle Dumas, économiste, etc. Ont donné leur patronage : les pasteurs Bosc et Gaillard, les RR.PP. Boudoresque, Liran et Liège, le rabbin Eisenberg, le professeur Kastler, Emm. d'Astier de la Vigerie, A. Barjonet, Claude Bourdet, E. Peyron (*U.N. E.F.*), André Philip, Laurent Schwartz, A. Souquière (Mouvement de la Paix), René Capitant, Edouard Depreux, M.-T. Eyquem, Georges Fillioud, Léo Hamon, H. Jourdain, P. Juquin, Gilles Martinet, P. Malot, Daniel Mayer, J.-M. Domenach, Simone de Beauvoir, J.-L. Bory, Jacques Madaule, J. Nantet, J. Prévert, Claude Roy, J.-F. Revel, J.-P. Sartre, Vercors, etc. (B.P. 34-13, Paris 13e.)

MOUVEMENT NATIONAL D'ACTION CIVIQUE ET SOCIALE.

Groupement politique formé par d'anciens députés poujadistes, Le Pen, Demarquet et Louis Alloin (1957). Le *M.N. A.C.S.*, dont le mensuel *Volonté Française* était l'organe, avait à sa tête une équipe composée uniquement — ou presque — d'anciens militants de l'*U.D.C.A.* Outre les trois parlementaires nommés, en faisant partie Henry Quaranta, Laurent Labranche (Rhône), E. Luciani, député de la Somme, Jean-Pierre Lussan, L. Roussin (Morbihan), B. Guillemaind, Claude Eymard (Oran), etc.

MOUVEMENT NATIONAL COMMU-NAUTAIRE (voir : L'Assaut des Jeunes et du Peuple).

MOUVEMENT NATIONAL DES ELUS LOCAUX.

Association regroupant les élus municipaux et les conseillers généraux non marxistes, fondée en septembre 1953. Lors de la guerre d'Algérie, le *M.N.E.L.* prit l'initiative de faire parrainer les villes algériennes par des villes métropolitaines. Depuis quelques années, le *Mouvement* s'est principalement consacré aux problèmes pratiques que les élus locaux, dans l'exercice de leurs fonctions, ont souvent à régler. Il répond ainsi à l'attente de ceux qui, fort nombreux, lui ont apporté leur adhésion. Ouvert à toutes les tendances nationales sans exception, il compte dans son comité directeur des gaullistes et anti-gaullistes, des indépendants-paysans et des « giscardiens », des socialistes indépendants et des radicaux modérés. On y remarque notamment : Michel d'Aillières, député, Paul Alduy, député, Jean Bertaud, sénateur, Robert Bichet, ancien ministre, maire d'Ermont, Michel Boscher, député, Yvon Bourges, secrétaire d'Etat à la Recherche Economique, maire de Dinard, Pierre Brun, conseiller général de Seine-et-Marne, Julien Brunhes, sénateur, Pierre Carous, sénateur, Albert Dassie, député, Jean-Paul David, maire de Mantes, Marcelle Devaud, membre du Conseil Economique, Robert Grillou, conseiller général de la Seine, d'Harcourt, maire de Montmelas par Saint-Julien (Rhône), Aimé Isella, ancien maire de Hamma Plaisance (Constantine), Jean Legaret, ancien conseiller municipal de Paris, ancien député, Théo Lombard, maire-adjoint de Marseille, André Mandonnet, vice-président de l'Association des Maires de France, Lucien Martin, secrétaire général de la *Fondation Européenne pour les échanges internationaux,* Marcel Martin, sénateur, Mauduit, président de l'*Association des Maires* de Maine-et-Loire, André Mignot, maire de Versailles, Raymond Mondon, député-maire de Metz, Bertrand Motte, conseiller général du Nord, Suzanne Ploux, député, Georges Potut, ancien député, Marcel Ribera, ancien conseiller général de la Seine, André Salardaine, député, Julien Tardieux, ancien député, Henri Terre, député-maire de Troyes, René Thomas, ancien conseiller municipal de Paris, Jacqueline Thome-Patenôtre, député-maire de Rambouillet, Philippe Vayron, conseiller général de la Seine, André

Voisin, conseiller municipal de Neuilly-sur-Seine, le Dr Weber, député-maire de Nancy, etc. (69, rue Condorcet, Paris 9e).

MOUVEMENT NATIONAL PROGRESSISTE.

Créé sous le nom de *Nation et Progrès* en 1952. Dirigeants : Charles de Jonquières, journaliste et éditeur (*Actes des Apôtres*), René Binet, Pierre Morel, éditeur, Maurice Achart, Raoul Minjoz, Léon Bourdel, professeur à l'Ecole supérieure d'anthropobiologie, Jacques Genevay, professeur à la même école, Georges Vertus, professeur de philosophie, commandant Lacoste, ancien commandant des sapeurs-pompiers de Paris. La première manifestation du mouvement fut la candidature (de principe) de son secrétaire général, Charles de Jonquières, aux élections partielles du 22 juin 1952. Les nationaux-progressistes réclamaient alors : « *Un Etat national, un Etat populaire, un Etat fort (qui) se rattache au sol, au sang, aux traditions* », ils rejetaient « *le cosmopolitisme, les naturalisations hâtives et la double citoyenneté* », et postulaient « *une discipline nationale, qui exclut l'égoïsme destructeur et l'égoïsme de clans* » ; ils se déclaraient hostiles au plan Schumann et aux trusts. L'appel du *M.N.P.* se terminait par ces mots : « *Ni Russe, ni Américain : votez Français !* » Au conférences et réunions du mouvement prenaient la parole : le sénateur Armengaud, Georges Prade, ancien vice-président du Conseil municipal de Paris et ancien administrateur de *Paris-Soir* (1942-1944), Alex Rossigneux, André de La Far, le général G. Georges-Picot, Charles Reibel, ancien ministre, etc.

MOUVEMENT NATIONAL REVOLUTIONNAIRE.

Groupement nationaliste fondé fin 1956, peu après les événements tragiques de Budapest et aujourd'hui disparu. Il avait pour dirigeants : le secrétaire général, Jean Daspre, commissionnaire en librairie, qui appartient depuis l'adolescence au mouvement nationaliste et antisémite ; Max Baeza, « cadre » de l'automobile, issu d'une famille bourgeoise foncièrement nationale (délégué général); Jean-Philippe Pénicaud, auteur d'un ouvrage sur le nationalisme français ; Georges Adam (ancien R.P.F.) ; Paul-Antoine Quilichini (officier de carrière) ; Antoine Cozzolino ; Antoine d'Etigny, étudiant ; Pierre Gorce, ancien d'Indochine ; Guy Charles-Vallin, fils de l'ancien député *P.S.F.* Léon Dupont, ancien *leader* des paysans poujadistes (décédé il y a quelques années) prenait fréquemment la parole aux réunions du *M.N.R.*, dont il approuvait les tendances antisémites.

MOUVEMENT NATIONAL UNIVERSITAIRE D'ACTION CIVIQUE.

Organisation créée en 1958 par des professeurs d'université, de lycée ou de collège de Lyon et de Paris. Le Comité d'organisation comprenait en juin 1958 : Jacques Narbonne et Pierre Grosclaude, professeurs détachés au *C.N.R.S.*, Etienne Bougouin, du lycée Buffon, Deguy, du lycée de Beauvais, auxquels se joignirent par la suite : René Sers, du lycée Janson de Sailly, Jean La Hargue, du lycée Carnot, Jean Chardonnet, de la Faculté des lettres de Dijon, Métais, des Cours complémentaires de la Seine, et Mme Llaury, qui représentait le groupe lyonnais. Des enseignants de l'Hérault et de la Moselle grossirent bientôt les rangs du *Mouvement*. Un premier manifeste polycopié fut diffusé à la veille des vacances ; il valut au groupement de nouvelles adhésions (*L'Université Française*, janvier 1959). Des sections furent créées au lycée Carnot (21 adhérents), à Victor Duruy (une vingtaine de membres), à Janson de Sailly, à Sèvres, au lycée Fermat de Toulouse. Le *Mouvement* publie un bimestriel, *L'Université Française*. Bien que se proclamant apolitique, le *M.N.U.A.C.* fut, à ses débuts, fortement teinté de gaullisme : l'un de ses fondateurs, Pierre Grosclaude, fut d'ailleurs l'un des dirigeants du *Front national de l'Enseignement secondaire* qui organisa la Résistance et prit part, en 1944, à la Libération. Mais la crise algérienne et la perte des trois départements semblent avoir provoqué l'évolution d'une partie de ses dirigeants et de ses membres. Le *Mouvement* compte aujourd'hui, dans ses rangs, nombre d'anti-gaullistes notoires. Créé pour combattre la décadence de l'esprit civique, il s'emploie également à dénoncer l'influence grandissante du marxisme dans les milieux universitaires. La présidence du *M.N.U.A.C.* est assumée par le professeur Henri Mazeaud, de la Faculté de droit de Paris, qu'assistent P. Grosclaude, secrétaire général, Georges Drieu La Rochelle, Joseph Varro, Jean Savard, Jean Butin, Henri Lapeyre, etc. (58 *bis*, rue de la Chaussé d'Antin, Paris 9e).

MOUVEMENT NATIONALISTE DU PROGRES.

Parti constitué au lendemain de l'élec-

tion présidentielle de décembre 1965 par les dirigeants d'*Europe-Action* (voir à ce nom), avec divers éléments venus de l'ancien *Comité Tixier-Vignancour* et la direction de la *Fédération des Etudiants Nationalistes*, déjà intimement liée à *Europe-Action*. Sa doctrine est celle qui est exposée, depuis 1963, dans cette revue. Le président du *M.N.P.* est Aurélien Guineau, assisté de Roger Lemoine, secrétaire. Mais le principal animateur du parti est l'ancien adjoint de Pierre Sidos à *Jeune Nation*, Dominique Venner, que secondent : Pierre Bousquet et Ferdinand Ferrand, anciens de *Jeune Nation*, Georges Schmelz, Franjois d'Orcival et Fabrice Laroche, des *Etudiants Nationalistes*, Jean Mabire, rédacteur en chef d'*Europe Action*, Gérard Denestebe et le général Cariou, de l'ancien *Comité Tixier-Vignancour*, Pierre Pauty, ancien du *Mouvement Poujade*, etc. Le groupe se veut moderne. Il rejette les nostalgies de la droite et s'écarte résolument des traditions chrétiennes (cf. *Europe-Action*, revue n° 5, 1963). Tout en dénonçant avec vigueur l'invasion d'éléments allogènes qu'il juge dangereux pour la paix et la santé publiques, il rompt avec les « *maniaques de l'hydre judéo-tibétaine* » (*E.-A.*, bulletin n° 113, 1966) et invite Georges Elgozy à venir dédicacer son livre aux lecteurs d'*Europe-Action* convoqués spécialement à sa librairie (11 mai 1966). Opposé au général De Gaulle et à sa politique, mais ne voulant plus soutenir Tixier-Vignancour et ses amis — qui furent candidats aux élections de mars 1967 — il a fondé le *Rassemblement Européen de la Liberté*, lequel annonça (novembre 1966) qu'il présenterait en 1967, ses propres candidats dans une centaine de circonscriptions (9, rue aux Ours, Paris 2e).

MOUVEMENT DE LA PAIX.

Organisation d'obédience communiste dont André Souquière, membre du comité central du *P.C.F.*, est le secrétaire général. Pierre Cot, René Rognon, Corentin Bourveau, Pierre Biquard, Michel Langignon, Roger Mayer, etc, appartiennent à son Conseil national. Son organe, *Le Combat pour la Paix*, paraît depuis octobre 1957. Son directeur-gérant est P. Descomps. Y collaborent : Jacques Madaule, J. Schaefer, le pasteur Francis Bosc, le professeur Vincent Labeyrie, etc. (35, rue de Clichy, Paris 9e).

MOUVEMENT POPULAIRE FRANÇAIS.

Parti de tendance fasciste fondé au lendemain du 13 mai 1958, par Charles Luca (voir à ce nom). Faisait suite, en quelque sorte, aux *Commandos de Saint-Exupéry* (dits *Formation de Préparation Militaire Antoine de Saint-Exupéry*), au mouvement *Citadelle*, au *Parti Socialiste Français* et à *La Phalange française*. Aux côtés du fondateur, figuraient à l'origine : Raymond Foucher, secrétaire général, qui fut jadis au *Parti Franciste* de Marcel Bucard, Crespin, Hermann Mollat, de Marseille, Pierre Galopeau, de Nantes, Palacande, de Toulon, A. Mallemort, de Corse, Jean Floy, de l'Isère, Claude Bézioux, Robert Grée, P. Reboux, ancien militant communiste, responsable d'un groupe syndical de postiers, R. Girard et Thielland, Jean Francis, Jean Mercier, etc. A la rédaction de *Fidélité*, organe du parti dirigé par Luca, assisté de Foucher et de Victor Lardineaux, ont appartenu notamment : Roland Cavallier, Marc Rémy, Raimon, ancien socialiste *S.F.I.O.*, qui suivit Déat et Marquet en 1933, J. Branger, J.-C. Pranet, J.-Y. Ely, fonctionnaire d'Algérie, Charles-Henri Papin, ancien franciste, et Claude Vernoux, co-fondateur de *Jeune Révolution*, avec Drieu La Rochelle.

MOUVEMENT POPULAIRE DU 13 MAI (M. P. 13).

Groupement de droite fondé en juin 1958, par le général Chassin. Il fusionna, dès septembre suivant, avec l'*Union Française Nord-Africaine*, créée par Boyer-Banse et animée depuis 1956, par Robert Martel. Au moment du référendum de septembre 1958, le mouvement fut divisé entre partisans du *Oui* et partisans du *Non*. Les premiers, qui faisaient néanmoins des réserves sur les projets du général De Gaulle, furent mis en minorité par Robert Martel. Finalement, on laissa chaque adhérent libre de se prononcer selon sa conscience. Peu après, le général Chassin, très affecté par la mort de son épouse, donnait sa démission de président national du *M. P. 13*. Robert Martel le remplaça. Très actif en Algérie et dans certaines régions (l'Ouest notamment), le *M. P. 13* a disparu après quelques années d'existence : sa délégation d'Algérie Sahara fut dissoute par le gouvernement en 1960 et son chef, Robert Martel, entré dans la clandestinité, fut arrêté et condamné. Outre Martel, le mouvement avait pour animateurs et cadres : Joseph Bilger, militant connu des organisations paysannes, Maurice Crespin, méridional de naissance et algérois d'adoption, ancien militant de l'*U.F.N.A.* emprisonné avec Robert Martel en 1957, sur l'ordre de Robert Lacoste, ministre de l'Algérie ; Paul Moreau, Rodolphe Parachini et Marcel Schambill,

tous trois membres du *Comité de Salut Public* d'Alger et signataires du « Manifeste des 14 » ; Louis Mehrenberger ; Lucien Ressort, délégué à la Propagande ; Jean Orfila, lui aussi ancien dirigeant de l'*U.F.N.A.* ; Pierre Faillant de Villemarest, journaliste et écrivain ; Pierre Richard, Michel de Sablet, Chantal de La Chapelle. L'organe central du *M. P. 13* était *Salut Public de l'Algérie Française* (voir à ce nom). Une scission intervint en octobre 1960, tandis que Robert Martel tenait « le maquis » : d'un côté Joseph Bilger et ses amis, de l'autre Paul Chevallet, François de Saizieu, vice-président, et une partie des adhérents.

MOUVEMENT POUJADE (voir : Poujade).

MOUVEMENT CONTRE LE RACISME ET L'ANTISEMITISME, POUR LA PAIX (M.R.A.P.).

En 1949, les éléments communistes qui militaient à la *Ligue Internationale contre le Racisme et l'Antisémitisme* (voir à ce nom) quittèrent celle-ci et créèrent, avec diverses personnalités progressistes, un nouveau groupement : le *M.R.A.P.* André Blumel, ancien collaborateur de Léon Blum, communisant notoire et président adjoint de *France-U.R.S.S.*, en prit la direction. Le président Léon Lyon-Caen (communiste) lui succéda, puis Pierre Paraf (moins engagé). La cheville ouvrière du *M.R.A.P.*, Charles Palant (candidat communiste en 1956) assure le secrétariat général. Le *M.R.A.P.* participa à plusieurs grandes campagnes, en faveur de l'*Appel de Stockholm*, des époux Rosenberg (pour lesquels il créa un *Comité de Défense*) et contre la *Communauté Européenne de Défense*. Les animateurs communistes et progressistes du *M.R.A.P.* bénéficient de l'appui de personnalités diverses, dont certaines sont connues pour leurs liens avec le *P.C.F.* mais d'autres sont considérées comme socialistes ou même modérées. A son *comité d'honneur* figurent, en effet : le bâtonnier Paul Arrighi, Claude Aveline, Roger Bastide, Robert Ballanger, Jean Cassou, Diomède Catroux, Aimé Césaire, Robert Chambeiron, Charles de Chambrun, Pierre Cot, le Dr Jean Dalsace, Louis Daquin, Hubert Deschamps, Henri Desoille, Michel Droit, Pasteur André Dumas, Adolphe Espiard, Henri Faure, Max-Pol Fouchet, Francisque Gay, Jacques Hadamard, André Hauriou, Charles-André Julien, Alfred Kastler, Joseph Kessel, Alain Le Leap, Michel Leiris, Jeanne Levy, Henri Levy-Bruhl, Jean Lurçat,

André Maurois, Amiral Muselier, Etienne Nouveau, Jean Painlevé, Marcel Prenant, Emmanuel Robles, Françoise Rosay, Armand Salacrou, André Spire, J.-P. Sartre, Jacqueline Thome-Pâtenôtre, général Paul Tubert, Vercors, Edmond Vermeil, Dr Pierre Wertheimer. En firent également partie : Vincent Auriol, Albert Bayet, Yves Farge, Georges Huisman, Jules Isaac, Frédéric Joliot-Curie, Louis Marin, Marc Sangnier et le chanoine Jean Viollet. Le *M.R.A.P.* publie un journal, *Droit et Liberté,* qui paraît mensuellement (30, rue des Jeûneurs, Paris 2ᵉ).

M. P. 13 (voir : **Mouvement Populaire du 13 mai**).

M. R. P. (voir : **Mouvement Républicain Populaire**).

MOUVEMENT REPUBLICAIN POPULAIRE (M.R.P.).

Le *Mouvement Républicain Populaire* trouve ses origines dans les idées de la démocratie chrétienne développées vers 1830 par Lamennais et Lacordaire, et reprises à partir de 1894 par *Le Sillon* de Marc Sangnier (voir à ce nom). Sans influence notable sur le plan politique jusqu'à la guerre de 1939-1945, malgré les efforts de coordination de Francisque Gay dans son journal *L'Aube* fondé en 1932, les démocrates-chrétiens organisèrent le noyautage systématique de la Résistance dès l'appel de Londres du général De Gaulle. Tandis qu'au micro de la *B.B.C.*, Maurice Schumann, israélite converti au catholicisme, transmettait les consignes, et qu'à *Radio-Beyrouth*, André Colin poussait l'Empire français à la dissidence, François de Menthon, jusqu'à son départ pour Alger, présidait le *Comité Général d'Etude de la Résistance*, et Georges Bidault, libéré d'un *Oflag* et nommé professeur à Lyon par le gouvernement Pétain, présidait le *Comité National de la Résistance;* Francisque Gay, qui avait sabordé *l'aube*, publiait *La France continue*, feuille clandestine, et devenait, avec Pierre-Henri Teitgen, responsable de l'Information clandestine. Les rédacteurs de *l'aube* : Terrenoire, Corval, Dannenmuller, Pochard, Richard participaient à la rédaction de diverses publications clandestines ; Max André s'inscrivait à *Front National*, Robert Lecourt à *Résistance*, Marie-Hélène Lefaucheux à l'*O.C.M.*, Germaine Poinso-Chapuis au *M.L.N.* à Marseille. Résistants aussi les démocrates populaires Gaston Tessier, secrétaire général de la *C.F.T.C.*, Solange Lamblin, Renée Prévert, etc. Ce noyau-

tage de la Résistance avait pour but la constitution d'un appareil politique cohérent en vue de la conquête du pouvoir. Georges Bidault, chef du groupe résistant *Avenir*, travaillait à un rassemblement de la démocratie chrétienne pour organiser un vaste mouvement politique. Et déjà, en 1943, un étudiant à la Faculté des lettres de Lyon, Gilbert Dru, militant de la *J.E.C.* et membre du *Comité Chrétien d'Action Civique* (*C.C.A.C.*) où il retrouvait Joseph Hours et Maurice Guérin, affirmait dans un projet de manifeste qu'il appartenait aux jeunes de se libérer des errements du passé et de concilier « *les droits de l'homme avec la mystique démocrate d'inspiration chrétienne* », en des mouvements politiques nouveaux « *dont l'intérêt viendrait de ce qu'ils dépasseraient le champ de la politique et de l'action parlementaire (...) Ils seraient fondés sur une conception du monde, ils seraient écoles de pensées en même temps que partis politiques* ». Francisque Gay mit Dru en relation avec Bidault, qui avait entrepris au début de 1944 de déterminer l'assise politique du mouvement dont il avait confié l'organisation à André Colin. En juillet 1944, Dru était fusillé par les Allemands, mais en septembre Colin et Maurice Simonnet faisaient adopter la charte d'une *Ligue d'action pour la Libération*, inspirée du manifeste de Dru. Cette charte, d'une part, adoptait le programme du *C.N.R.* de Bidault et, d'autre part, donnait les directives d'un *Mouvement Républicain de Libération* transformé, deux mois plus tard, en *Mouvement Républicain Populaire*. Les buts : défense républicaine et établissement d'un nouvel ordre social sont définis par l'article 2, titre I des statuts : « *Le Mouvement Républicain Populaire a pour objet de poursuivre — dans le cadre des institutions républicaines renouvelées — une action politique démocratique suivant les principes qui ont animé la Résistance et une œuvre d'éducation politique et sociale.* » Moyennant quoi, dans l'euphorie de la Libération, le *M.R.P.* n'hésita pas à endosser la responsabilité légale de l'épuration (ordonnances de Menthon, Commissaire à la Justice du gouvernement d'Alger) ; à participer aux gouvernements du « tripartisme » (*M.R.P., S.F.I.O., P.C.F.*); et à voter les nationalisations, alors qu'aux yeux du public il apparaissait comme le seul mouvement capable de s'opposer aux communistes. Si, à l'Assemblée consultative d'Alger, les démocrates chrétiens n'avaient que seize députés, les élections générales du 21 octobre 1945 leur donnèrent cent trente-quatre sièges à la première Assemblée constituante. Et dès lors, ils participèrent à tous les gouvernements de la IVᵉ République, sauf à celui de Mendès-France (encore que Robert Buron, exclu du *M.R.P.* pour indiscipline, il est vrai, en fit partie). Mais dès 1945, suivant l'hebdomadaire *M.R.P. Forces Nouvelles* (numéro spécial de juin 1954), « *le choc révolutionnaire est déjà amorti ; le général De Gaulle n'a su parler que le langage abstrait des généralités politiques (...) on fait de l'anachronisme et de l'archaïsme en imitant esthétiquement les révolutions du passé (...) la façade de l'unité de la résistance ne peut être maintenue plus longtemps* ». Or, en 1946, De Gaulle abandonnera brusquement le pouvoir. Le *M.R.P.*, inquiet des tendances de ses alliés manifestées par le texte du projet de Constitution, le fit échouer. A la deuxième Assemblée constituante, il obtint cent soixante-treize sièges, ce qui lui permit de faire adopter un deuxième projet de Constitution moins révolutionnaire, donnant la primauté aux partis (15 octobre 1946) malgré l'opposition du Général. Aux élections du 10 novembre, le *M.R.P.* n'obtenait que cent soixante-huit sièges. Et, pour en détacher les électeurs de droite, De Gaulle lançait le *Rassemblement du Peuple Français (R. P.F.)* qui se taillait un succès aux élections municipales d'octobre 1947. Aussitôt, d'accord avec la *S.F.I.O.*, des radicaux et des modérés, pour assurer la « *défense républicaine* » — au vrai, pour conserver et rattraper des voix de droite — le *M.R.P.* tentait de fonder une troisième force qui poussait Robert Schuman au pouvoir avec mission de s'opposer tant aux communistes qu'au *R.P.F.*, et ce fut la fin du tripartisme. Mais ce retour au « régime des partis » allait sonner le déclin du *M.R.P.* Déjà il fut attaqué en mai 1948 sur la question des subventions aux écoles libres, et les socialistes firent nationaliser vingt-huit écoles confessionnelles des Houillères. Au congrès de Nantes des 18-21 mai 1950, après les démissions de l'abbé Pierre et du marquis d'Aragon, le parti fut pratiquement scindé en deux, Georges Bidault demeurant leader de la droite tandis que Maurice Schumann prenait la tête de la gauche intellectuelle. Dans ses conclusions, le congrès réclamait pour les familles le libre choix des modes d'éducation et le droit des écoles privées à l'appui de l'Etat en tant qu' « *assurant un service social* ». En conséquence, le *M.R.P.* fit voter la loi André Marie accordant des bourses aux élèves du second degré des établissements publics et pri-

vés, et la loi Barangé accordant des allocations scolaires aux deux secteurs. Dans le domaine des problèmes posés par l'Empire français, le *M.R.P.* avait soutenu la politique des divers gouvernements, mais s'était élevé contre l'octroi à la Tunisie, par Mendès-France, de « *l'indépendance dans l'interdépendance* ». Pour l'Algérie, il n'admettait « *ni abandon, ni intégration* ». Et il vota les crédits pour la campagne d'Indochine. Sur le plan international, après avoir été, dès 1945, partisan d'une alliance avec l'U.R.S.S., conformément au programme du *C.N.R.*, il fit volte-face en 1948 — pour ne pas se couper de la droite — et se déclara pour les Etats-Unis et pour le plan Marshall. En 1949, le *M.R.P.* vota l'adhésion au Pacte Atlantique, et Robert Schuman, le « *père de l'Europe* », proposa la création de la *Communauté Européenne du Charbon et de l'Acier*.

Aux élections de juin 1951, attaqué sur sa droite par le *R.P.F.* et sur sa gauche par ses anciens alliés socialistes et communistes, le *M.R.P.*, malgré les « apparentements », ne retrouva que quatre-vingt-huit députés, dont cinq d'outre-mer (il avait vingt sièges au Conseil de la République) ; en 1956, soixante et onze députés seulement. Après le 13 mai 1958, le *M.R.P.* se ralliant au général De Gaulle fit voter *oui* au référendum de septembre suivant. Malgré tout, les élections de novembre ne lui donnèrent que quarante-quatre sièges à l'Assemblée nationale. Au XVIᵉ Congrès du *M.R.P.*, Maurice Schumann, présentant son rapport sur la politique extérieure, précisait la participation du parti aux trois Communautés qu'il approuvait : — la Communauté Française où : « *Par un acte sans précédent, le général De Gaulle a fondé la présence de la France en Afrique Noire sur l'existence d'une Communauté dont l'entrée et la sortie sont également libres* » ; — la Communauté Atlantique ; — la Communauté Européenne. Sauf quelques parlementaires comme Henri Meck (Bas-Rhin), Mme Aymé de La Chevrelière (Deux-Sèvres), Mˡˡᵉ Marie Madeleine Dienesch (C.-du-N.), Maurice Schumann (Nord) et quelques autres, qui ont pris parti pour le général De Gaulle (et se trouvent, selon le secrétaire général du parti, « *en dehors du M.R.P.* »), les cadres et les militants sont opposés à la politique du président de la République. Les ministres *M.R.P.* ont quitté le gouvernement après les premières déclarations (jugées par eux « anti-européennes ») du Général et le mouvement a non seulement soutenu la candidature de Jean

Lecanuet à l'élection présidentielle de 1965, mais aussi adhéré au *Centre démocrate* (voir à ce nom) qui affrontera l'*U.N.R.-U.D.T.* aux élections législatives de 1967. En 1962, d'éminentes personnalités du *M.R.P.* avaient participé au *Cartel des non.*

Depuis sa création — dans le salon de Mme Abrami a rappelé *Paris-Presse* (30-1-1966) — le *M.R.P.* est soutenu par divers journaux. En 1947, on comptait deux douzaines de quotidiens *M.R.P.* ou sympathisants : *Le Pays, Ce Matin, Le Courrier de Metz, Le Courrier de l'Ouest, L'Eclair-Voix du Centre, La Dépêche démocratique, L'Echo du Midi, L'Essor du Centre-Ouest, La Liberté* de Lyon, *La Liberté du Centre, La Liberté* de Nice, *Nord-Eclair, La Tribune de Mulhouse, Le Nouveau Rhin Français, Le Nouvel Alsacien, Ouest-France, Le Réveil, La Victoire* de Toulouse, *Centre-Eclair, L'Eclaireur du Sud-Ouest, Le Soir* de Bordeaux, *Le Pays* de Rodez, etc. et naturellement *l'aube,* dont le tirage passa de 148 000 à la Libération à 70 000 en 1949, et qui cessa de paraître deux ans plus tard. Depuis quelques lustres, la tendance a été sporadiquement maintenue par divers organes de province comme *Ouest-France, Courrier de l'Ouest, Courrier de Metz,* etc., mais sans coordination suffisante. Aussi, au congrès *M.R.P.* de Marseille de 1955, on transforma en hebdomadaire l'organe d'information *Forces Nouvelles* pour assurer la liaison avec la presse sympathisante de province. Par ailleurs, la revue *France-Forum* (42, boulevard Latour-Maubourg, Paris 7e) publie des études doctrinaires, et le *M.R.P.* édite directement divers périodiques tandis que certaines fédérations possèdent leur propre journal. La direction du mouvement est assurée par un bureau national composé de : Pierre Abelin, qui présida le *Centre Démocratique* à l'Assemblée nationale, Théo Braun, Paul Coste-Floret, député, André Colin, président du Groupe *M.R.P.* au Sénat, Joseph Fontanet, secrétaire général du parti, André Fosset, sénateur, Albert Genin, Francine Lefebvre, ancien député, Jean Mastias, André Pairault, trésorier national du parti, Pierre Pflimlin, député, et Maurice-René Simonnet. Jean Lecanuet, qui fut le président national du *M.R.P.* de 1963 à 1965, a fondé le *Centre démocrate* (voir à ce nom) dont la majeure partie des cadres ont été fournis par les démocrates-chrétiens adhérents ou sympathisants du parti. Totalisant en métropole 4 580 000 suffrages en octobre 1945, 5 589 000 en juin 1946, et 4 988 000 en novembre 1946, à une époque où il apparaissait comme le rempart des classes moyennes contre le communisme menaçant, le *M.R.P.* ne réunit que 2 369 000 voix en 1951, 2 366 000 voix en 1956, 2 273 000 en 1958 et 1 635 000 en 1962. Son rajeunissement, voulu par Jean Lecanuet et ses amis, parviendra-t-il à lui faire regagner le terrain perdu ? (7, rue de Poissy, Paris 5e.)

MOUVEMENT SOCIAL (Le)

Revue trimestrielle de l'*Institut français d'Histoire sociale,* publiée avec le concours financier du *C.N.R.S.* Directeur gérant : Jean Maitron, spécialiste connu de l'histoire révolutionnaire français, auteur du « *Dictionnaire biographique du Mouvement ouvrier français* ». Comité de rédaction : Mlles Chambelland, Trempé, Mmes Fauvel-Rouif, Kriegel, Perrot, Rebérioux, MM. F. Bédarida, J. Bouvier, P. Broué, G. Haupt, J. Julliard, J. Maitron, J. Ozouf, J.-D. Reynaud, J. Rougerie, C. Willard (Administration : *Editions Ouvrières,* 12, avenue Sœur-Rosalie, Paris 13e).

MOUVEMENT SOCIAL EUROPEEN.

Fondé en 1942 par le commandant Costantini, président de la *Ligue Française* et directeur de *L'Appel.* Dix ans avant le plan Schuman, préconisait l'entente des Etats européens et leur unité économique. (Disparu à la Libération.)

MOUVEMENT SOCIAL EUROPEEN.

Emanation de la revue *Défense de l'Occident,* de Maurice Bardèche (1952). « *Seule l'Union des pays d'Europe en une seule communauté,* proclamait-il *leur permettra de disposer de ressources analogues à celles des Etats-Unis et de l'Union Soviétique et de redonner à l'Europe un rôle historique.* » Le bureau comprenait, outre Bardèche, Victor Barthélémy, Francis Desphilippon, Jean Lesieur, Jacques Sidos, Guy Mougenot, Paul Rives, ancien député socialiste, J.-L. Tixier-Vignancour, ancien député, Odette Moreau, avocat, etc.

MOUVEMENT SOCIAL REVOLUTIONNAIRE.

Parti fondé à Paris en 1940. « *Aime et Sers* » était la devise de ce *Mouvement Social Révolutionnaire pour la Révolution Nationale.* Les fondateurs officiels du *M.S.R.,* ceux qui, dès le début, livrèrent leur nom à la publicité, étaient au nombre de six : Charles Deloncle, le chef ; Jean Fontenoy, journaliste, ancien directeur de l'*Agence Fournier,* ancien dirigeant du P.P.F. de Jacques Doriot ;

le général Lavigne-Delville, ancien membre de *La Spirale* et de l'*Œillet Blanc* ; J.-L. Dossche, industriel de la région parisienne ; Eugène Schueller, « patron » de *L'Oréal*, de *Mon Savon*, de *Vernis Valentine* et de *Votre Beauté*, et beau-père d'André Bettencourt, ministre de Mendès-France et de Pompidou; Jacques Dursort, ancien dirigeant des jeunes du *P.P.F.* et du *Front de la Jeunesse*, futur conseiller municipal *U.N.R.* de Paris, secrétaire général du *M.S.R.* Eugène Deloncle, expliquant ce qu'était le nouveau parti, tenait à rattacher son activité nouvelle, ouverte, publique celle-là, au travail révolutionnaire secret d'avant la guerre : Le *M.S.R.*, déclarait-il, « *succède sur le plan visible à l'organisation secrète que j'avais fondée en 1936-1937, lorsque le péril couru par la patrie est apparu tellement grave, tellement imminent, qu'une seule solution pouvait être envisagée : le recours aux armes, pour éviter le malheur et le désastre qui se sont, hélas ! abattus sur nous* ». Précisant la doctrine du *M.S.R.*, Deloncle affirmait que son parti avait « *choisi l'Europe nouvelle, l'Europe nationale-socialiste en marche, que rien n'arrêtera. Elle sera nationale*, disait-il, *cette nouvelle Europe, parce que, dans la nouvelle extension des groupements humains, la nation reste l'unité de base, la cellule élémentaire du monde nouveau. La nation, c'est la communauté tutélaire à l'abri de laquelle un peuple issu du même sang, vivant sur le même sol, parlant la même langue, pénétré d'un même idéal, assure un libre développement à sa vie propre, et donne la mesure de son génie original. Elle sera socialiste, cette Europe, parce que les progrès de la technique moderne ont créé des sommes de richesse dont la production disciplinée permet au plus humble travailleur de participer largement au bien-être général. Elle sera raciste enfin, cette nouvelle Europe, parce que l'anarchie économique et la division politique n'ont jamais servi que les intérêts d'une seule caste : celle des Juifs, celle des banquiers internationaux dont la guerre est la principale source de profits (...) Il faut refaire la Nation, redonner aux Français le goût de leur pays, le goût de l'effort, le goût du travail, le goût du courage. C'est cela notre premier but : construire une communauté nationale vivante, nombreuse et pleine de confiance en elle-même* », (*Révolution*, organe du *M.S.R.*, mai 1942). En décembre 1940, le *M.S.R.* participa à la fondation du *R.N.P.* (voir plus loin) avec Déat et ses amis. Au moment où Deloncle fut abattu par la Gestapo (1942),

le comité exécutif du *Mouvement Social Révolutionnaire* était ainsi composé : chef : Deloncle ; chef-adjoint : Fontenoy ; sécurité et information : Jean Filliol ; organisation territoriale : Jacques Corrèze, secondé par Henry Charbonneau ; relations extérieures : Jacques Fauran ; comités et cellules techniques : Georges Soulès. Il y avait aussi, parmi les dirigeants nationaux, régionaux ou départementaux : le général Lavigne-Delville ; A. Girardin, secrétaire général des *Camarades du Feu* ; Ch. Gaudiot ; J. Bertrand ; Mme Genay ; J.-L. Dossche ; H. Goussot ; R. Tremblay ; M. Huicq ; l'avocat Wilhelm - Bernard ; Alain de Saint-Méloir ; Louis Dussart ; Mohammed El Maadi ; V. Lefaucheux ; le docteur Berrier ; le docteur Mathis, etc...

Après la mort de Deloncle, une révolution de palais modifia complètement la composition du Comité. Celui-ci, qui prit le nom de *Bureau Politique*, compta sept membres : J. de Castellane, Raymond Gaudin, R. Letourneau, Georges Soulès, André Mahé, C. Royer et M. Testaert. Le capitaine Gaudin, ancien membre de *La Spirale*, dirigeait le secrétariat administratif, et C. Royer, la région parisienne. Le secrétariat général du parti était assuré par Soulès et Mahé. Le polytechnicien Georges Soulès, fils d'un ouvrier toulousain et d'une paysanne angevine, venait de la *S.F.I.O.* Il a acquis, depuis la Libération, une grande notoriété dans la littérature sous le pseudonyme d'*Abelio* (voir à ce nom). André Mahé, qui avait alors trente-cinq ans, est issu d'une famille de paysans et d'artisans, bretons du côté paternel, alsaciens du côté maternel. Ayant quitté l'école à treize ans, il travaillait depuis sa jeunesse. En 1936, il était communiste et dirigeait le canton de Nemours. L'année suivante, ayant démissionné du *P.C.*, il publiait un article contre la direction du parti dans *Le Libertaire*. Militant syndicaliste actif, il fonda peu après l'Union locale des Syndicats C.G.T. de Nemours et la Bourse du Travail de sa petite ville. Attiré par Gaston Bergery, il milita quelque temps au *Front Social* puis créa une *Cellule d'Unité Française* à Nemours. Mobilisé en 1939-1940, il adhéra au P.P.F. et fit campagne contre le préfet Voizard avec Albert Clément. Le *P.P.F.* lui confia alors le secrétariat général (adjoint) du Comité *Jeunesse de France*. Déçu par le parti de Doriot et « *attiré par la virginité politique de Deloncle et par le prestige de la Cagoule* », il adhéra à son Mouvement et fit partie de « *l'équipe qui décida l'épuration du M.S.R. et qui la réalisa le*

14 *mai* 1942 ». Sous le pseudonyme litté-raire d'Alain Sergent, il a publié depuis la Libération divers ouvrages. Le *M.S.R.* fut frappé d'interdit à la Libération, et ses dirigeants connurent les rigueurs de l'épuration, comme les autres pétainistes.

MOUVEMENT SOCIALISTE MONAR-CHISTE.

Fondé en décembre 1945 par Jean Bourquin, avoué, qui fut candidat du *M.S.M.* aux élections de 1945, 2ᵉ secteur de Paris, où il obtint 7 152 voix. Princi-paux dirigeants et militants : Salomon-Albert Malebranche, Désiré Barnoin, Raymond des Essards, Jacques Danos, Emile de Taxis, Jean Moussoir, Robert Linand de Bellefonds, Jacques Porre, Léon de Parny, Michel Surre-Calvet, Léon Bergon, etc.

MOUVEMENT POUR UNE SOCIETE LIBRE.

Organisation libérale et nationale fon-dée en 1959 par le professeur Maurice Allais, de l'Ecole des Mines. Le mouve-ment se propose de donner pour idéal à l'opinion publique européenne la cons-truction d'une « *société vraiment libre et humaine* » conciliant le libéralisme et le socialisme (non marxiste) tradition-nels. Les présidents Antoine Pinay et René Mayer, Edmond Michelet, Maurice Faure ont témoigné de la sympathie pour ce mouvement. A publié au moment de sa création un manifeste de cinquante-neuf pages élaboré par Jacques Rueff, Jean Coutard, les professeurs Denis Rou-gier, Thierry-Maulnier, René Courtin, Michel Massenet et Jean de Soto.

MOUVEMENT TRAVAILLISTE NATIO-NAL (Travail et Nation).

Fondé en 1955. A tenu son premier congrès à Paris, le 21 janvier 1956, au-quel participèrent : Francis Caillet, an-cien député *U.D.S.R.*, Henri Barbé, an-cien secrétaire du *Parti communiste,* puis du *Parti Populaire Français* et du *Ras-semblement National Populaire,* Amar Naroun, député de Constantine, etc. Prin-cipaux dirigeants : Jean-André Faucher, secrétaire général, Michel Trécourt, di-recteur de *L'Heure Française,* président du Conseil national, Hubert Saint-Julien, secrétaire général des Jeunesses, le Dr Henry Moreau, conseiller municipal de Marseille, François Moretti, Paul Fatta-ciolli, Robert Dupont, président de l'Union des Commerçants de la Seine, André de La Far, Boux de Casson, con-seiller général de la Vendée, Yves Fossier, Abel Clarté, Vincent Ascione, directeur de *Paris-Indépendant,* Paul R.

Benoist, Laurent Deleuil, maire de Mari-gnane, Max Beurard, etc. « *Pourquoi les jeunes élites sont-elles travaillistes ? Parce qu'elles sentent et constatent que tout renouveau de la Nation Française est impossible sans le consentement des masses populaires — ouvriers, paysans et classes moyennes — qui sont l'ossa-ture et la chair du Pays. Cela implique une réforme profonde du capitalisme.* » (Extrait d'un tract du *M.T.N.*).

MOUVEMENT UNIFIE DE LA RENAIS-SANCE FRANÇAISE (M.U.R.F.).

Groupement fondé en juin 1945. (Le choix du titre était habile, les initiales *M.U.R.* étaient celles du groupe dit *Mou-vements Unis de la Résistance* organisés en zone Sud sous l'occupation par les résistants de *Combat, Franc-Tireur* et *Libé-Nord.*) Le *M.U.R.F.* était directe-ment sous contrôle communiste. Edouard Herriot, *leader* radical, en fit cependant partie quelque temps et s'en justifia au congrès du *Parti Radical-Socialiste* tenu en août 1945.

MOUVEMENTS UNIS DE LA RESIS-TANCE (M. U. R.).

Groupement né de la fusion des orga-nisations de Résistance *Combat, Libéra-tion* et *Franc-Tireur.* C'est Jean Moulin, un haut fonctionnaire ayant le sens de l'Etat, qui réalisa l'unification de la Ré-sistance, c'est-à-dire de ces groupements qui, comme disait Frenay, voulaient *se battre contre l'ennemi* mais aussi *jeter bas Vichy et la Révolution nationale.* Il fit d'abord admettre aux dirigeants des trois principales organisations en zone Sud de fondre en une seule, nommée *Armée Secrète,* leurs effectifs militaires. Puis il créa deux organismes nouveaux destinés à réunir les services épars de ces groupements : le *Bureau d'Informations et de Presse* (B.I.P.) et le *Comité Général d'Etudes* (C.G.E.). Il confia à Georges Bidault, ancien rédacteur en chef de *l'aube* démocrate-chrétienne, qui venait d'être libéré par les Allemands de son Oflag, la direction du premier. Le *B.I.P.* devait centraliser, puis diffuser les in-formations propres à soutenir le moral des clandestins et transmettre à Londres des renseignements et des documents intérieurs. Le *C.G.E.* préparerait les me-sures législatives, administratives et ju-diciaires qui seraient appliquées après la chute du régime de Vichy. Le 26 jan-vier 1943, l'unification totale fut réalisée entre : *Combat,* dirigé par H. Frenay, de Menthon, Maurice Chevance-Bertin, Ed. Bourdet, P.-H. Teitgen, G. Bidault, André

Hauriou, Paul Coste-Floret, Maurice In-
grand, avec au secrétariat général : Jean-
Guy Bernard, aux groupes francs (expéditions punitives, exécutions et sabotages) : Jacques Renouvin, et aux Affaires
Extérieures : Guillain de Bénouville ;
Libération, dont le comité exécutif comprenait Emmanuel d'Astier de la Vigerie, Samuel, dit Aubrac, Brunschwig, dit
Bordier, Pierre Vienot (*Comité d'Action
Socialiste*), Robert Lacoste (*C.G.T.*) et
Marcel Poimbœuf (*C.F.T.C.*) ; et *Franc-
Tireur,* au comité de direction duquel se
trouvaient : A. Avinin, E. Péju, Noël Clavier, Aug. Pinton, J.-P. Lévy, Jean Soudeille, Georges Altmann et Eugène Petit,
dit Claudius.

MOYNET (André Rémy).

Ingénieur, né à Saint-Mandé (Seine),
le 19 juillet 1921. Epousa une américaine
pendant la guerre. Remarié, après divorce, avec Mlle Madeleine de Latude.
Chef pilote d'essais. Auteur de *Pilote de
combat.* Pilote militaire en février 1940,
passa en Angleterre le 27 juin 1940, et
rallia le général De Gaulle ; prit part
aux opérations du Cameroun, du Gabon,
du Tchad (1940-1941), puis commanda
une escadrille de la formation Normandie-Niemen (reçut l'Ordre Soviétique de
la Victoire et une décoration de la résistance polonaise). Commandant de l'Ecole
de chasse de Toulouse, puis commandant
de l'Ecole des Moniteurs de Tours (1945-
46). Elu député républicain indépendant
de Saône-et-Loire, le 10 novembre 1946,
réélu le 17 juin 1951. Secrétaire du
groupe des *Républicains Indépendants*
de l'Assemblée Nationale. Membre du
Rotary. Secrétaire d'Etat à la Présidence
du Conseil (cabinet Mendès - France,
1954-1955). Réélu député en 1956 et en
1958. Elu maire de Gigny-sur-Saône
(22 mars 1959). Réélu député républicain indépendant le 25 novembre 1962.
Ses adversaires l'accusant de délaisser
sa circonscription, ont apposé, en novembre 1962, des papillons et affichettes
ainsi rédigés : « L'oiseau rare MOY-
NET est ici pour quinze jours seulement.
Hâtez-vous de le voir. Prochain passage
DANS CINQ ANS. » Non réélu en 1967.

MOYSSET (Henri).

Ministre d'Etat à la présidence du
Conseil, directeur honoraire au ministère de la Marine, nommé le 23 janvier
1941 membre du *Conseil national* (voir
à ce nom).

MUN (comte Albert-Adrien-Marie de).

Homme politique, né à Lucigny (S.-et-

M.) en 1841, mort à Bordeaux en 1915.
D'abord officier de cuirassiers, jusqu'en
1871, il devint l'un des *leaders* du catholicisme social avec La Tour du Pin. Il
était alors monarchiste ; une fois rallié
à la République, il entra de plain-pied
dans la vie politique en se faisant élire
député du Morbihan, en 1893, puis du
Finistère, de 1896 à 1914. Au parlement,
il fut le défenseur inlassable des travailleurs et fit adopter plusieurs lois les pro-
tégeant. Il anima les *Cercles Catholiques
Ouvriers* et fut le promoteur de l'*Association Catholique de la Jeunesse Française* (*A.C.J.F.*). Outre ses études sociales,
il publia divers ouvrages dont « *La Conquête du Peuple* », « *La Loi des suspects* » et « *Combats d'hier et d'aujour-
d'hui* ».

M. U. R. (voir : **Mouvements Unis de la Résistance**).

MUSARD (Lazare **PAPPO**, dit **François**).

Journaliste, né le 14 juin 1900. Collabora simultanément à *L'Aurore,* à *La
Tribune des Nations* et au *Droit de
vivre.* A publié, en 1965, un livre intitulé « *Les Glières* » qui provoqua les
protestations indignées de J. Buttin,
président de l'*Association des rescapés
du plateau des Glières* (cf. *Le Monde,*
26-11-1965).

MUSMEAUX (Arthur).

Militant politique, né à Anor (Nord),
le 24 juin 1888. Ancien ajusteur. Ancien
député de Valenciennes (1936-1940). Ancien conseiller d'arrondissement. Conseiller général du Nord. Membre du
bureau fédéral du Nord du *P.C.F.* Membre des deux Assemblées constituantes
(1945-1946). Elu député du Nord (3e circ.)
à la première Assemblée nationale, le

10 novembre 1946. Réélu en 1951 et en 1956. Battu en 1958. Elu à nouveau dans la 19e circ. en 1962 et 1967.

MUTTER (André, Joseph).

Journaliste, né à Troyes (Aube), le 11 novembre 1901. Avocat au barreau de Troyes. Fut, avant la guerre, l'un des plus actifs militants du *P.S.F.* (du colonel de La Rocque). Milita dans la clandestinité et devint membre du Conseil national de la Résistance (1944). Après la Libération : délégué à l'Assemblée consultative provisoire (1944 - 1945), membre des deux Assemblées constituantes (1945-1946), député indépendant de l'Aube (1946-1958). Co-fondateur du *Parti Républicain de la Liberté* (1945) fut plusieurs années durant le directeur politique de *Paroles Françaises,* où il mena une ardente campagne en faveur de l'amnistie des pétainistes, en liaison avec le *Comité national des Droits de l'Homme* auquel il appartenait. Fut également l'un des dirigeants du *C.N.I.P.* Entre temps : vice-président de l'Assemblée nationale (1951-1953), ministre des Anciens combattants (cabinet Joseph Laniel, 1953-1954), ministre de l'Algérie (cabinet P. Pflimlin, mai 1958), co-directeur du journal quotidien *l'Est-Eclair* de Troyes ; est l'auteur de : « *Face à la Gestapo* », « *Sous le signe de la liberté* ».

N

NAEGELEN (Marcel-Edmond).

Universitaire, né à Belfort (T.-de-B.), le 17 janvier 1892. Professeur à l'Ecole normale de Strasbourg. Militant socialiste et membre de la loge *Tolérance et Fraternité* de Belfort, dirigeant de la *Ligue Internationale contre l'Antisémitisme*, appartint au Conseil municipal de Strasbourg dès 1925 et fut plusieurs fois adjoint au maire. Entra dans la Résistance fin 1941 (mouvement *Combat*) et fut, à la Libération, membre de l'Assemblée consultative provisoire. Ensuite : député du Bas-Rhin, président de la Haute Cour de Justice (1945-1946), ministre de l'Education nationale (cabinets Gouin, 1946; Georges Bidault, 1946; Léon Blum, 1946 ; Paul Ramadier, 1947 ; Robert Schuman, 1948), gouverneur général de l'Algérie (1948-1951), député des Basses-Alpes (1951-1958). En décembre 1953, fut candidat à l'élection présidentielle et obtint 328 voix contre 477 voix à René Coty. Partisan du maintien de l'Algérie dans la République Française, a publié : « *Mission en Algérie* » et « *L'Hexagonie* », où il défend son point de vue avec d'autant plus de courage que la majorité des socialistes étaient favorables à l'indépendance. Est également l'auteur de : « *La Conversion de Georges Bukardt* », « *Le Revenant* », « *Les Morts reviennent* », « *Grandeur et Solitude de la France* », « *Avant que meure le dernier* », « *Nous n'irons plus au bois...* », « *Tito* », « *L'Immortelle espérance* » (Prix Clovis-Hugues, de la Société des poètes français, 1964). Préside la *Société des Ecrivains d'Alsace*

et de Lorraine et l'*Institut d'Etudes européennes de Strasbourg* et appartient à l'*Alliance France-Israël*. Ses collaborations à la presse sont nombreuses (*Dépêche du Midi, Journal du Parlement*, etc.). Naguère, membre du conseil d'administration de *La Presse Libre*, de Strasbourg.

NAEGELEN (René, Gaston).

Journaliste, né à Belfort le 27 août 1894. Frère du précédent. Appartient à la presse depuis 1919. Fut l'un des principaux rédacteurs du *Mot d'Ordre*, paraissant à Marseille en 1941-1944 (voir à ce nom). Depuis la Libération, après un court passage au Palais-Bourbon comme député de Belfort, fut président-directeur général du *Populaire de Paris*, membre du comité directeur de la S.F.I.O., éditorialiste de la *Nouvelle République* de Tours, membre du comité de direction de *La Nation socialiste*, etc. Au moment de la guerre d'Algérie, retrouvant le souffle des grands ancêtres de 1789, réclama la guillotine pour Joseph Ortiz : « *La guillotine, cette horrible chose, conviendrait parfaitement à ce criminel et à ce lâche.* » (Cf. *Le Journal du Parlement*, 5-2-1960.) Auteur de : « *Les Suppliciés* », « *Les Vacances du courage* », « *Les Deux Sirènes* », « *Cette vie que j'aime* ».

NAIN JAUNE (Le).

Journal fondé en 1814, par Cauchois-Lemaire, ressuscité en 1857 par Adolphe Jalabert, en 1863 par Aurélien Scholl et en 1867 par Gregory Ganesco. Ses animateurs avaient créé deux ordres de chevalerie : celui de l'Eteignoir et celui de la Girouette. L'Ordre de l'Eteignoir était décerné aux écrivains connus « *pour n'avoir d'opinion que celle qui paie* » et qui ne reculent « *devant aucune absurdité, quelque grossière, quelque palpable qu'elle puisse être, s'il n'y a plus de profit à l'avancer que de honte à la soutenir* ». L'Ordre de la Girouette était réservé à ceux qui s'étaient le plus distingués par la variation de leurs opinions. Nul ne pouvait faire partie de l'Ordre s'il ne prouvait « avoir changé trois fois de suite d'opinions » et avoir servi plusieurs gouvernements. Quant à la grande maîtrise de l'Ordre, elle ne pouvait être conférée qu'à « un homme qui, pendant une période de vingt-cinq ans aura changé vingt-cinq fois de systèmes, d'opinions, d'amis, de dignités et de fonctions, qui aura été universellement reconnu pour avoir trahi tous les gouvernements et vendu, le plus tôt et le plus cher possible, celui qui le dernier l'avait acheté ».

NAMY (Louis, Lucien).

Ouvrier peintre, né à Bordeaux (Gironde), le 14 juin 1908. Sénateur communiste de Seine-et-Oise depuis 1951 et conseiller général d'Arpajon.

NANTES (Georges de).

Ecclésiastique, né à Toulon (Var), le 3 avril 1924. Fils d'un officier de marine. Ordonné prêtre le 27 mars 1948, en possession de quatre licences, l'abbé de Nantes fut, pendant une

dizaine d'années, professeur de théologie et de philosophie. Puis, sur sa demande, il devint curé de campagne : il fut affecté à Villemaur, un bourg de moins de six cents habitants, dans le diocèse de Troyes (15 septembre 1958). Il eut à s'occuper de trois paroisses déchristianisées de la vallée de la Vanne, où il se dépensa pendant cinq ans. Parallèlement à son sacerdoce, il mena une action en profondeur à la fois religieuse et politique, au moyen de « *Lettres privées* », qu'il adressait de temps en temps à ses amis et où il exprimait ses idées, à la fois traditionalistes et non-conformistes. Sous le pseudonyme d'*Amicus*, il rédigea quelque temps une chronique de « politique religieuse » dans *Aspects de la France*. Ses prises de position à la fois nationalistes et pro-Algérie Française lui valurent une attaque dans *L'Humanité* (24-2-1962) et une perquisition policière suivie d'une « garde à vue ». Il fut, alors, défendu par son évêque, Mgr Le Couëdic, du diocèse de Troyes ; néanmoins, celui-ci lui donna tort, reprochant à l'homme d'Eglise de s'élever contre le pouvoir politique. Dès lors, écrit l'abbé de Nantes, « *tout ce qui milite en faveur de la Révolution ne cessa de Vous réclamer le départ du « Curé O.A.S. » de Villemaur. Cette tunique de Nessus, je l'ai portée douloureusement, admirablement soutenu par mes paroissiens et longtemps encore par Vous, jusqu'à ce 11 mars 1963 où je reçus votre ordre de quitter paroisses et diocèse dans les plus brefs délais. Entrange coïncidence : ce matin-là, le colonel Bastien-Thiry donnait sa vie pour la France. Il fallait donc que se taisent les témoins de la Vérité, jusqu'au plus humble ! Les années ont passé sur ce drame affreux, mais le sang innocent crie encore vers le Ciel. Ma conscience m'est témoin qu'en ces heures tragiques je n'ai pas failli, quoi qu'il m'en ait coûté, à mon devoir de prêtre de Jésus-Christ.* » (Lettre à son évêque, 19-12-1965.) Privé de son poste et réfugié, avec la communauté qu'il a fondée, à la Maison Saint-Joseph, de Saint-Parres-lès-Vaudes, dans l'Aube, il poursuit son combat à la fois passionné de la plus haute mystique et animé d'une violence patriotique inouïe. Ceci malgré les sanctions de la Hiérarchie, qui vient de lui infliger la *suspense a divinis*. Critiquant avec fougue les décisions du Concile, il accuse les *novateurs* de changer « *l'Eglise en un Peuple sans foi définie, sans vitalité sacramentelle sans force morale, un Peuple qui n'aura bientôt plus de prêtres ni de religieuses, plus de moines* ni *de missionnaires, plus de convertis ni de défenseurs animés d'une fidélité exclusive et absolue.* » Ce qui fit dire au directeur de *L'Homme nouveau* qu'il est « *un prêtre terriblement sûr de lui* ». Ceux qui ont comparé l'abbé de Nantes à Lamennais, — un Lamennais à rebours, si l'on peut dire —, n'ont peut-être pas tout à fait tort. Il n'est pas un « réformateur », puisqu'il défend, au contraire, la tradition, mais il y a en lui ce souffle puissant qui exalta jadis l'auteur de « *Paroles d'un croyant* ».

NAPOLÉON (Louis, Jérôme, Victor-Emmanuel, Léopold, Marie, prince).

Né à Bruxelles le 23 janvier 1914. Fils du prince Victor Napoléon (1862-1926) et de la princesse Clémentine de Belgique, petit-fils du prince Jérôme (1822-1891), descendant de Jérôme, roi de Westphalie et frère de Napoléon Ier, de Louis-Philippe, roi des Français, et de Léopold II, roi des Belges. Au début de la guerre, il s'engagea sous le nom de Louis Blanchard dans la Légion étrangère. Démobilisé en septembre 1940, il se retira en Suisse, où il entra en contact avec les services secrets gaullistes. Revenu en France, il tenta, avec le baron Roger de Saivre, alors attaché au cabinet du maréchal Pétain, et le fils du général Georges, de franchir la frontière espagnole. Arrêté à Seix (Ariège) par les Allemands, le 20 décembre 1942, il fut transféré au Fort du Hâ, puis à la prison de Fresnes et, enfin, dans une villa de la Gestapo à Neuilly. Relâché sur l'intervention de la Couronne d'Italie, il poursuivit son activité comme agent secret sous les noms de Renault et de Müller. A la Libération, sous celui de Lucien Monnier, il combattit dans les *F.F.I.* Blessé à Ecueillé (Indre) le 28 août 1944, il fut fait lieutenant par le général Koenig en septembre. Il fut ensuite nommé à l'Etat-Major général en qualité d'officier de liaison de la 27e D.A. Un décret signé De Gaulle et Michelet a fait de Louis de Montfort, autre nom du prince Napoléon, un chevalier de la Légion d'honneur à titre militaire (4-2-1946). Revenu à la vie civile en 1947, le prince écrivit une préface pour « *Napoléon Ier. Écrits philosophiques et politiques, choisis et présentés par Franz Toussaint* ». Il préfaça, un peu plus tard, d'autres ouvrages sur des membres de sa famille, par exemple le livre d'Alain Decaux : « *Lætitia, mère de l'empereur* », et celui du commandant Henri Lachouque : « *Napoléon, sa vie, son œuvre* ». Entre-temps, le prince Napoléon avait épousé la fille du comte de Foresta, Alix, qui lui a donné quatre enfants. Bien que ne participant pas activement à la politique française, le prince, qui demeure aux yeux des bonapartistes (voir : *Bonapartiste*) l'héritier du trône impérial, a fait connaître, à plusieurs reprises, sa position sur les grands problèmes français. Par exemple, dans un communiqué diffusé par son secrétariat, il fit savoir qu'il s'abstiendrait au référendum du 8 avril 1962 « *ne pouvant approuver aujourd'hui ce qui, hier, était condamnable* », c'est-à-dire « *les conséquences inévitables de la politique algérienne du gouvernement.* » Gérant les biens hérités de son aïeul Léopold II, il appartient au conseil d'administration de la *Cie du Katanga* et de la *Sté Cotonnière franco-tchadienne.*

NARODOWIEC.

Quotidien démocrate-chrétien de langue polonaise, fondé en 1909 par Michel Kwiatkowski à l'intention de ses concitoyens émigrés en France. Disparu en mai 1940, a reparu le 23 décembre 1944. Tirage moyen : 36 000 exemplaires (101, rue Émile-Zola, Lens, Pas-de-Calais).

NATION (La).

Fondée en 1925 par Georges Ducrocq. Son directeur, Louis Marin, ancien ministre, en fit l'organe de la *Fédération Républicaine ;* il était secondé par Pierre Rossillion. Suspendue pendant la guerre, reparut quelque temps comme quotidien après la Libération. Au temps de son relatif succès, avant 1939, ses principaux collaborateurs étaient : François Valentin, Gustave Gautherot, Philippe Henriot, etc.

NATION (La).

Journal quotidien de l'*U.N.R.-U.D.T.* fondé le 5 mars 1962. Dans l'étude qu'elle consacrait à ce journal, la revue *Presse Actualité* (octobre-novembre 1963) soulignait que le « *quotidien fait figure de* « *phénomène* », *un phénomène dont le sort n'est pas soumis aux lois habituelles du marché* ». En effet, l'exploitation de ce quotidien est notoirement déficitaire, tant en raison de l'absence de publicité que du nombre très réduit de ses lecteurs. Il est soutenu par le mouvement gaulliste (et naturellement par le gouvernement) dont il est l'émanation. Son équipe se compose principalement de : Jean Boinvilliers, député *U.N.R.*, directeur, Jacques de Montalais, rédacteur en chef, Michel Leleu, Philippe Atger, Edouard Sablier, François Luizet, fils de l'ancien préfet de police à la Libération, Frédéric Grendel, Yves Michelet, Lucienne Hubert-Rodier, etc. Tirage : quelques milliers d'exemplaires (32, rue Olivier-Métra, Paris 20ᵉ) (voir à *Union pour la Nouvelle République*).

NATION EUROPEENNE (La).

Revue favorable à l'unité européenne publiée par les amis français du Belge Jean Thiriart, fondateur et animateur de *Jeune Europe* (qui avait pris pour emblème celui du mouvement français *Jeune Nation*) et de *Nation-Belgique,* qui soutint l'O.A.S. et s'est assez curieusement ralliée aux conceptions du général De Gaulle par la suite. Directeur : Gérard Bordes ; rédacteur en chef : Francis Thill ; collaborateurs : David Duquesnoy, Dominique Lepoutre, Jean-Claude Pabst, Pierre Delorme, etc. (10, rue Théodule-Ribot, Paris 17ᵉ).

NATION FRANÇAISE (La).

Hebdomadaire royaliste fondé le 12 octobre 1955 par Pierre Boutang, son actuel directeur, Michel Montel dit Vivier, Abel Pomarède et François Loizeau. Tribune plutôt que journal de parti, *La Nation Française* a publié des articles d'écrivains et de journalistes de tendances fort diverses. En certaines circonstances, le journal ouvre ses colonnes aux amis de Michel Debré : c'est ainsi qu'en août 1960, Christian de La Malène, député U.N.R. de Paris et conseiller écouté du Premier ministre, y publia un article fort remarqué rendant hommage au groupe gaulliste de l'Assemblée qui avait permis « *le bon fonctionnement du système parlementaire* ». Parmi les collaborateurs les plus connus, qui apportèrent leur concours au journal de Pierre Boutang au cours de ces onze années citons : Henri Massis, Daniel Halévy, Antoine Blondin, Roger Nimier, Louis Salleron, Michel de Saint-Pierre, Gabriel Marcel, Gilbert Comte, André Figueras, Paul Sérant, Jean Brune, etc. Depuis le retour au pouvoir du général De Gaulle, *La Nation Française* s'est abstenue de toute opposition systématique, préconisant tantôt le OUI tantôt le NON aux divers référendums. Bien qu'entretenant d'excellents rapports avec diverses personnalités gaullistes — l'industriel Dassault n'hésita pas à faire de la publicité dans les colonnes de l'hebdomadaire royaliste en faveur de son magazine *Jours de France* et, l'an dernier, Pierre Boutang collabora à *24 heures* — son directeur fut poursuivi sur plainte du Gouvernement. D'autres procès opposèrent *La Nation Française* à des adversaires politiques ou à des journaux ad-

verses : la XVIIᵉ Chambre correctionnelle condamna, en février 1959, son directeur-gérant, François Loizeau, et son rédacteur Henri Garrailh, pour diffamation envers *Le Figaro* (*La Nation Française* était défendue par Mᵉ Lemarchand, homonyme de l'avocat-député).

NATION ET PROGRES (Voir **Mouvement National Progressiste**).

NATION REVEILLEE (La).

Journal fondé en 1936. S'intitulait, au début, organe de l'Union des *Comités de Défense des Jeunesses Françaises ouvrières et paysannes*, puis hebdomadaire *national indépendant*, avec André Fabre, J.F. Lelong et L. Josset, Raymond des Essards en était le principal animateur : il assumait la direction politique du journal et en rédigeait l'article de tête. Militant du mouvement national avant la guerre, ce critique musical estimé fut, après la Libération, l'un des dirigeants du *Mouvement Socialiste Monarchiste*, et l'un des partisans les plus actifs de l'Algérie française. Collaboraient également à ce journal violemment anti-Front populaire : Vauquelin, secrétaire général du *Comité de Rassemblement anti-soviétique*, Raymond Prince, fils du conseiller Prince, le « suicidé » de la Combe-aux-Fées, Edouard Carrel, Maurice Koch, ancien dirigeant de la *Solidarité Française*, Jean-Marie Aimot, du *Francisme,* Raymond Pillet, Fernand Demeure, etc.

NATIONAL.

Dans la terminologie courante, homme de droite, ou modéré.

NATIONAL-SYNDICALISTE (Groupe).

Animé par Philippe Dreux (alias Sape) et Caudmont. Journal : *L'attaque,* de Lyon (1937-1938).

NATIONALISME.

Doctrine politique qui se réclame de la tradition autant que de l'indépendance nationale. Il se distingue du patriotisme, car, disait Charles Maurras, théoricien du nationalisme intégral, « *le nationalisme est la sauvegarde de tous ces trésors qui peuvent être menacés sans qu'une armée étrangère ait passé la frontière, sans que le territoire soit physiquement envahi* ». Il ajoutait : « *Le culte de la patrie est le respect, la religion de la terre des pères ; le culte de la nation est le respect et la religion de* leur sang. *Nation n'est pas un mot révolutionnaire.* « *A la Gloire de la nation* », dit Bossuet, dans son discours de réception à l'Académie française. *Patriotisme* convenait à Déroulède parce qu'il s'agissait de reprendre la terre. *Nationalisme* convenait à Barrès et à moi, parce qu'il s'agissait de défendre des hommes, leur œuvre, leur art, leur pensée, leur bien contre ce qui les menaçait spécialement. » Jacques Ploncard d'Assac, auteur de « *Doctrines du nationalisme* » (Paris 1959), a dit un jour au micro de *La Voix de l'Occident* de Lisbonne : « *Le nationalisme est la conscience du fait que l'intégrité de la nation, peut être menacée par autre chose qu'une agression extérieure.* » C'est aussi ce que pensait Edouard Drumont lorsqu'il attaquait, dans « *La France Juive* », ceux qu'il considérait en quelque sorte comme des agresseurs de l'intérieur.

Au XIXᵉ siècle, ce vocable n'était guère utilisé que par les diplomates et les journalistes qui s'occupaient de politique extérieure : ils parlaient alors des menées *nationalistes* en Europe, notamment dans les états de François-Joseph ou dans ceux du tsar. Maurice Barrès utilisa le mot pour la première fois dans *Le Figaro* du 29 juillet 1892 à propos de « *la querelle des nationalistes et des cosmopolites* ». Il détourna si bien le terme de son sens européen que le courant politique qui l'employa dès lors lui donna sa définition : « *Le nationalisme, c'est de résoudre chaque question par rapport à la France.* » (« *Scènes et Doctrines du nationalisme.* ») Mais pour Barrès première manière — comme pour nombre de nationalistes d'aujourd'hui, qui répudient le capitalisme et la ploutocratie — l'idée socialiste et l'idée nationaliste étaient inséparables. Il se présentait alors (programme de Nancy) comme « *républicain socialiste nationaliste* » et proclamait que « *nationalisme engendre nécessairement socialisme* ». Charles Maurras, de son côté, a écrit : « *Le nationalisme sous-entend une idée de protection du travail et des travailleurs, et l'on peut même, au moyen de ces calembours qui sont fréquents en politique, y faire entrer l'idée de nationaliser le sol, le sous-sol, les moyens de production.* Sans calembour, un sentiment national plus intense, avisé par une administration plus sérieuse des intérêts nationaux, en tant que tels, pouvait introduire dans l'esprit de nos lois un compte rationnel des fortes plus-values que la société ajoute à l'initiative et à l'effort des particuliers, membres de la nation. Cette espèce de socialisme nationaliste était viable à condition d'en vouloir aussi les moyens, dont le principal eut dépendu d'un gouvernement fortement charpenté. Si l'Etat doit être solide pour faire face à l'Etranger, il doit l'être bien davantage pour résister à cette insaisissable étrangère, la Finance, à ce pouvoir cosmopolite, le Capital !* » (*L'Action Française*, 3 août 1914.) Mais, avec le mouvement de *décolonisation* du milieu du XXᵉ siècle, un nouveau sens fut donné au mot *nationalisme* : « *On verra qualifier pareillement de nationalistes ceux qui entendent maintenir l'unité de la nation historique et ceux qui entendent la briser au nom du principe de la nation-contrat, fille de l'autodétermination.* » Pour Jacques Ploncard d'Assac, qui fait ces réflexions, il y aurait donc lieu d'employer le vocable *nationalitaire* pour désigner les partisans de la nation-contrat (d'où le néologisme : *nationalitarisme*) et de réserver la qualification de *nationalistes* aux disciples de Barrès, de Drumont et de Maurras, c'est-à-dire aux défenseurs de la nation-héritage. (« *La Voix de l'Occident* », recueil des éditoriaux de J. Ploncard d'Assac, T. I, p. 48 et 49.)

NATURALISATION.

Acte officiel par lequel un étranger acquiert la nationalité de l'Etat qui l'accueille et lui confère la quasi-totalité des droits et des devoirs de ses nationaux. Les règles et modes de naturalisation varient suivant les Etats. En droit français, elle est établie, sur demande de l'intéressé, par décret publié au *Journal Officiel*, et dépend de modalités qui ont varié avec le temps. Elle est révocable par décret. On notera : — que les enfants mineurs doivent confirmer leur *naturalisation* à l'époque de leur majorité ; — que les femmes mariées peuvent, dans certaines conditions, conserver leur nationalité d'origine ; — que, parfois, les nationaux ou naturalisés peuvent jouir d'une double nationalité (ex. : la famille française de Chambrun jouit de plein droit, depuis la guerre de l'Indépendance, de la nationalité française et de la nationalité américaine).

NAUDET (Paul).

Ecclésiastique, né à Bordeaux en 1859, mort à Saint-Michel-de-Fronsac (Gironde), en 1929. Orateur de classe, polémiste redoutable, il fit longtemps figure de chef de file des « *abbés démocrates* » qui s'étaient donné pour tâche de rallier les masses catholiques à la République. Il fonda *La Justice Sociale* et en fut le directeur de 1893 à 1908 ; il dirigea également *Le Monde* de 1894 à 1896. « *Il fut,* a dit Robert Cornilleau, *le clairon du matin à l'aube de la Démocratie chrétienne.* » Son discours de Liège (6 août 1893) est considéré comme la base du mouvement démocrate-chrétien.

NAUDET (Pierre, Henri).

Avocat, né à Paris, le 23 décembre 1922. Ancien secrétaire de la Conférence des Avocats. Ancien S.T.O. Conseiller municipal et maire-adjoint de Courbevoie (1951-1959). Militant du *Parti Radical et Radical-Socialiste,* fut vice-président de la Commission de discipline, membre du Comité exécutif du parti (rapporteur de la commission pour l'exclusion d'Edgar Faure) et président de la Fédération Banlieue-Nord et Ouest du dit parti. Elu député de la Seine comme *mendésiste,* patronné par *L'Express* en janvier 1956. Etait alors l'un des collaborateurs du *Jacobin,* organe du *Club des Jacobins.* Rallié au gaullisme après le 13 mai 1958, fut candidat gaulliste de gauche avec l'investiture du *Centre de la Réforme Républicaine* aux élections législatives de novembre 1958 et fut battu. Membre de l'*Alliance France-Israël.*

NAVEAU (Charles, Edouard).

Agriculteur, né à Ramousies (Nord), le 14 juillet 1903. Sénateur socialiste du Nord, depuis 1948, conseiller général du canton d'Avesnes-Sud et maire de Sains-du-Nord.

NAYROU (Jean).

Instituteur, né à Esplas - de - Sérou (Ariège), le 3 décembre 1914. Exploitant agricole puis instituteur itinérant agricole. Militant socialiste, se présenta au Conseil général de l'Ariège et fut élu en 1945 ; a conservé le siège depuis. Est, en outre, sénateur de l'Ariège depuis 1955 et adjoint au maire de Foix depuis 1965.

NEF (La).

Revue trimestrielle (précédemment mensuelle) paraissant sous la direction de Lucie Faure, femme du ministre de l'Agriculture et ancien président du Conseil. A été fondée en 1944. A la fois politique et littéraire, est nettement axée à gauche. Fut très favorable au gouvernement Mendès-France. Y collaborent ou y ont collaboré : Maurice Duverger, François Mitterrand, André Philip, Serge Mallet, Claude Roy, Gilles Martinet, Hector de Galard, Maurice Druon, Georges Izard, François Nourissier, etc. (30, rue de l'Université, Paris 7ᵉ).

NEGRE (Jean).

Professeur de lycée, né à Armentières (Nord), le 20 juin 1907. Vice-président de la Fédération hospitalière de France. Administrateur national de la Mutuelle générale de l'Education nationale. Maire et conseiller général de Montluçon (1959). Elu député *S.F.I.O.* de la 2ᵉ circ. de l'Allier le 25 novembre 1962. Auteur de : « *Précis de législation du travail, d'hygiène professionnelle et d'instruction civique* » (Publ. Roy), « *Eléments de législation familiale et sociale* », « *Documentation de législation du travail* », « *Précis de droit commercial et de législation fiscale* ».

NEPOTISME.

Historiquement, le *népotisme* définissait le favoritisme manifesté par certains papes à l'égard de leurs neveux et, par extension, aux membres de leur famille. De nos jours ce terme désigne l'usage abusif de son crédit par un personnage en place — surtout par un homme politique influent — pour procurer à sa famille des places bien rétribuées. Léon Blum, alors président du Conseil, fut accusé de népotisme par ses adversaires pour avoir procuré à son fils une sinécure dans la société *Peugeot,* dont il était avocat-conseil. Sous la IVᵉ et la Vᵉ République les actes de *népotisme* se sont multipliés.

NESSLER (Edmond).

Journaliste, né au Caire (Egypte), le 24 février 1907. Ancien officier F.F.L. Compagnon de la Libération. Ancien secrétaire général de la *Tribune du Centre,* édition de *La Tribune Républicaine,* quotidien de gauche paraissant à Saint-Etienne (1933-1939). Ancien rédacteur en chef du *Journal du Centre* (1945-1951). Ancien reporter à *France-Illustration* (1952-1954), et à *L'Information* (1954-1956), envoyé spécial du *Monde* (1957). Chef des services administratifs de la *Société Industrielle d'acide phosphorique et d'engrais* (1958-1960). Elu député *U.D.T.* de l'Oise le 25 novembre 1962 avec l'investiture *U.N.R.* contre le député sortant, Jean Legendre. Réélu en 1967.

NEUTRALISME.

Néologisme récent qui définit la neutralité déterminée d'une nation dans la rivalité d'influence entre le bloc dit occidental, sous la houlette des Etats-Unis, et le bloc communiste dirigé par Moscou. En réalité, il sous-entend une neutralité bienveillante pour le bloc communiste.

NEUTRALITE.

Politiquement, la neutralité définit le refus d'une nation de prendre part à un conflit. Elle peut découler : — soit d'une convention internationale, et la neutralité est dite alors *perpétuelle* (ex. la Suisse) ; — soit d'une déclaration de neutralité au début du conflit, et la neutralité est dite *temporaire*. Les Etats signataires d'une convention de neutralité s'engagent généralement à faire respecter l'intégrité du territoire et des droits de la nation neutre. En revanche, l'Etat neutre ne doit pas engager de guerre offensive. De même, il ne doit apporter aucune aide militaire, pécuniaire ou autre aux belligérants quels qu'ils soient ; cet engagement est rarement respecté, si bien qu'on donne le nom de *neutralité bienveillante* à l'attitude d'un Etat neutre qui favorise l'un des belligérants (ex., en 1940, les U.S.A. ont adopté une attitude de neutralité bienveillante en faveur de la Grande-Bretagne par leur loi de « cash and carry », qui leur a fait livrer, en particulier, des destroyers contre paiement comptant). Lorsqu'un Etat neutre, sans prendre parti dans un conflit, prend des mesures militaires pour faire respecter l'intégrité de son territoire, il est dit en *neutralité armée* (ex. la Belgique en 1914).

NEUTRE.

En terminologie scolaire, ce qualificatif est synonyme de laïque. Ecole neutre = école laïque, par opposition à école confessionnelle.

NEUWIRTH (Lucien).

Administrateur de société, né à Saint-Etienne (Loire), le 18 mai 1924. Issu d'une famille de fourreurs israélites de l'Est venue s'établir dans le Forez. Participa à la Résistance dans les Forces françaises Libres. Fait prisonnier à Bastogne où il avait été parachuté, et condamné à mort, échappa par miracle au feu du peloton d'exécution. Milita dans le mouvement gaulliste dès 1947. Conseiller municipal *R.P.F.* puis *U.N.R.* de Saint-Etienne (depuis 1947). Adjoint au maire (depuis 1953). Candidat républicain social en janvier 1956 dans la Loire (battu). Fut envoyé par son parti en Algérie au moment des événements de mai 1958 et réussit, bien que non algérois, à se faire nommer au *Comité de Salut Public* d'Alger. Fut l'un de ceux qui rallièrent l'opposition d'Alger au général De Gaulle en mai 1958, en se faisant le champion de « l'Algérie française ». Membre de l'*Alliance France-Israël* et du groupe parlementaire de la *L.I.C.A.* Représentant permanent de J. Soustelle, ministre de l'Information en Algérie (juin 1958). Député *U.N.R.* de la Loire (2e circ.) depuis 1958. Secrétaire général du groupe *U.N.R.* de l'Assemblée (janvier 1959). Adjoint du secrétaire général de l'*U.N.R.*

NICE-MATIN.

Quotidien fondé le 28 août 1944, et publiant une édition du soir sous le titre : *L'Espoir*. A remplacé *L'Eclaireur de Nice*, interdit à la Libération. De tendance centriste, rayonne sur les Alpes-Maritimes, les Basses-Alpes, la Corse, la Principauté de Monaco et une partie du Var. Tirage : 269 000 exemplaires. Son état-major comprend : Michel Bavastro, président-directeur général, Raymond Comboul, vice-président-directeur général adjoint, C. Berneide-Raynal, J. Allegre, R. Calmet, E. Laty, L. Henot, Mme Marconetto, administrateurs, Raoul Calmet, directeur administratif et Georges Mars, rédacteur en chef (27, 29, avenue de la Victoire, à Nice, Alpes-Maritimes).

NICOD (René, Marius).

Comptable, né à Saint-Claude, le 18 juillet 1881, mort à Oyonnax (Ain), le 14 mars 1950. Conseiller général de l'Ain. Député socialiste, puis communiste de ce département de 1919 à 1924 et de 1936 à 1942. Démissionna du *Parti Communiste* lors du pacte germano-soviétique en août 1939. Vota contre le maréchal Pétain en juillet 1940. Arrêté sous l'occupation, demeura quarante-trois mois en prison. Désigné par décret du Gouvernement Provisoire pour siéger à l'Assemblée municipale provisoire de Paris, les communistes firent un gros effort pour obtenir son invalidation au cours d'un débat bruyant à l'Hôtel de Ville (16 mars 1945). Ils échouèrent : par 61 voix contre 49, R. Nicod fut accepté.

NICOLAS (André, Maurice).

Inspecteur d'assurances, né à Availles-sur-Chizé (Deux-Sèvres), le 10 novembre 1930 (père : maire de Villenouvelle depuis 1943). Adjoint au maire de Boinerolles (1959), conseiller général des Deux-Sèvres (1964). Secrétaire général de la *Fédération radicale-socialiste* des

Deux-Sèvres (1961-1965), membre de la commission de politique générale du *Parti Radical et Radical-Socialiste* (depuis 1962), de l'*Atelier Républicain* et de la *Convention des Institutions Républicaines*.

NILES (Maurice).

Ouvrier fraiseur, né à Paris le 12 août 1919. Maire communiste de Drancy (1959). Conseiller général de la Seine (secteur de Noisy-le-Sec). Elu député de la Seine (42ᵉ circ.) le 30 novembre 1958 : réélu en novembre 1962 et mars 1967. Membre influent du groupe communiste.

NOBECOURT (Jacques, Adrien, René).

Journaliste, né à Rouen (S.-I.), le 3 août 1923. Etait, tout jeune, l'ami de Robert Brasillach (qui écrivit dans sa « *Lettre à un soldat de la classe 60* », page 45 : « *J'ai reçu une lettre de Jacques N..., étudiant, membre des Equipes nationales, déblayeur de décombres à C...,* » etc.). Son père, le journaliste et historien R.-G. Nobécourt, ancien secrétaire général du *Journal de Rouen*, ancien directeur de l'*Echo de Normandie* et de *La Croix du Nord*, fut longtemps co-directeur de *La France Catholique*, journal de la Droite chrétienne. Jacques Nobécourt fut successivement : attaché de presse du commandant les troupes françaises d'occupation en Allemagne (1945-1948), correspondant de journaux de province à Paris (1949-1950), rédacteur à *Combat* (1951), au *Parisien libéré* (1956), au *Monde* (1961), ainsi que collaborateur de *La Voix du Nord, Paris Normandie, L'Est républicain, Les Nouvelles littéraires, L'Express,* etc. Auteur de : « *La Tête aux Français* », « *Le Vicaire et l'histoire* », « *Le Dernier Coup de dés de Hitler* ».

NOBLESSE.

Deuxième des trois « Etats » de l'Ancien régime, il trouvait ses origines dans les feudes ou *barons* de l'époque médiévale, les *comtes* administrateurs de cités ou de provinces, les *ducs* chargés des commandements militaires. A l'époque carolingienne, s'y ajoutèrent les *marquis* ou défenseurs des « marches ». Les troubles féodaux renforcèrent la puissance des grands dignitaires et de leurs vassaux qui offrirent aux populations l'abri de leurs châteaux-forts et aux bourgs l'appui de leurs hommes d'armes. Il se créa ainsi une classe dont les privilèges, accordés par le roi ou arrachés à sa faiblesse et reconnus de plus ou moins bon gré par les populations, trouvaient leur justification dans les services rendus. Aux débuts donc, la noblesse se confondait avec le *titre*. Mais peu à peu, sous l'influence du pouvoir central, elle se transforma en noblesse de cour, soumise au bon vouloir du roi et de ses ministres, et n'ayant plus pour justifier ses privilèges que l'obligation de l'*impôt du sang* à acquitter sur les champs de bataille. Louis XIV, qui garda jusqu'à sa mort la hantise de la Fronde, acheva cette transformation ; même la noblesse terrienne, défavorisée par rapport à la *noblesse de cour*, déserta et vendit ses terres. Au XVIIᵉ siècle, la noblesse n'avait plus aucune fonction sociale — sauf en tant que fonctionnaires —, et les charges civiles étaient passées aux mains d'une bourgeoisie jalouse de la considération attachée à la noblesse d'épée et tentant de la lui disputer.

A cette époque, la noblesse était acquise : — par droit de naissance (*gentilshommes, noblesse héréditaire, noblesse d'extraction*) ou par concession royale (*anoblis, noblesse par lettres*). On distinguait : — la *noblesse d'épée*, acquise par les services militaires de la lignée ; — la *noblesse par service militaire*, conférée par le roi à des officiers de haut grade pour services exceptionnels (tel Jean Bart) ; — la *noblesse de robe* ou *d'office*, acquise par l'achat de certaines charges (et qui n'était pas toujours héréditaire) ; — la *noblesse par achat*, qui revenait aux acquéreurs d'une terre à laquelle étaient attachés des privilèges ou un titre nobiliaire. Il y eut de tels abus que Louis XIV créa une commission de héraldistes chargés de vérifier les titres de tous ceux qui se targuaient de noblesse. A la même époque, d'Hozier publiait en cent cinquante volumes sa célèbre « *Généalogie des principales familles de France* », qui fait autorité malgré quelques erreurs et qui fut continuée par des membres de sa famille. La *noblesse titrée* comprenait l'ensemble des nobles possédant un titre reconnu (duc, marquis, comte, vicomte, baron, chevalier, banneret, écuyer, vidame, etc.) ; sauf les titres de prince du sang et de duc, il n'existait aucune hiérarchie (ex. : avant d'être duc de Grammont, le fils aîné et futur titulaire s'appelait comte de Guiche).

La Convention abolit les titres de noblesse, mais Napoléon Iᵉʳ, voulant se créer une cour, les rétablit en leur instituant une hiérarchie : archiduc, prince, duc, comte et baron. Ce fut la *noblesse d'Empire* (à ne pas confondre avec la noblesse d'Empire provenant de l'ancien Empire romain germanique). Maintenus ou reconnus par la Restauration, les titres nobiliaires furent abolis par le gouvernement provisoire de 1848, rétablis de nouveau par le Second Empire dans le décret du 24 janvier 1852, toujours en vigueur. Mais de nos jours, les tribunaux n'autorisent pas le « relèvement » des titres — alors que, paradoxalement, le Code pénal en punit l'usurpation ; par contre, ils accordent la reprise de la particule *de,* parce qu'elle ne constitue pas un « titre de noblesse » par elle-même et ne rappelle que le lieu d'origine ou tout autre signe distinctif.

De nos jours, on distingue la *noblesse ancienne* (avant 1789), et la *noblesse nouvelle* qui comprend les titres du Premier Empire, de la Restauration, du Second Empire et les titres étrangers (concédés par un souverain étranger, en particulier pour le pape, et soumis à autorisation préalable par les tribunaux français).

NOCHER (Gaston CHARRON, dit Jean).

Journaliste, né à Poitiers (Vienne), le 27 septembre 1908. Avant la guerre, était rédacteur à *La Tribune Républicaine* (St-Etienne) et à *l'Œuvre,* et dirigeait le mouvement *J.E.U.N.E.S.* (Jeunes Equipes Unies pour une Nouvelle Economie Sociale). Sur des apparences, fut alors considéré comme franc-maçon : un Gaston Charron avait sollicité son admission à la loge *Agni* et Jean Nocher, lui-même, avait fait une conférence dans une autre loge en 1935 (son démenti fut enregistré dans *Lectures Françaises,* octobre 1958). Chef régional du mouvement *Franc-Tireur* dans la Loire en 1943-1944, fonda à la Libération le quotidien *L'Espoir,* de St-Etienne, puis dirigea l'hebdomadaire *Libre Espoir.* Député *R.P.F.* de la Loire (1951-1956), vota la loi Baranger. Fut membre du groupe parlementaire (anti-franquiste) *France-Espagne libre,* et collabora au *Rassemblement* et à *Carrefour.* Est aujourd'hui l'un des *speakers* les plus écoutés de *France-Inter* (émission : « En direct avec vous »). A publié divers ouvrages, dont : « La liberté chantait dans la prison ».

NOEL (André).

Journaliste (1915-1964). Grièvement blessé en 1940, parvint à s'évader après l'armistice de l'hôpital où il était soigné et gardé. Participa en 1944 à la Résistance dans la région d'Ambert. A La Libération, fut député du Vaucluse aux deux Constituantes, puis député du Puy-de-Dôme à l'Assemblée nationale (1946-1951). Appartenait alors au *M.R.P.* qu'il quitta sans cesser de conserver d'étroites relations avec Georges Bidault, dont il fut le collaborateur. Dut sa renommée à son grand talent de journaliste qu'il exerçait principalement dans ses « Lettres d'informations politiques et économiques ». Ses prises de positions anti-gouvernementales et pro-Algérie française lui valurent maints démêlés avec le pouvoir : arrestations, perquisitions, inculpations, condamnations et même internement dans le camp de concentration de Thol (Ain). Ses *lettres* furent interdites à plusieurs reprises. Apparut, au cours des années 1960-1964, comme l'un des *leaders* de l'opposition journalistique. Trouva la mort à la suite d'un accident d'automobile en Espagne.

NOEL (Léon).

Diplomate, né à Paris, le 28 mars 1888. Entré au Conseil d'Etat comme auditeur en 1913, il appartint à divers cabinets ministériels et fut ainsi le collaborateur de Maurice Colrat, du général Guillaumat et de Pierre Laval. Cela lui permit d'accéder ensuite à d'importants postes administratifs : délégué général du Haut commissariat de la République en Rhénanie, préfet du Haut-Rhin, secrétaire général du ministère de l'Intérieur et directeur de la Sûreté générale. A son retour de Prague, — où il fut pendant trois ans ministre de France (1932-1935) —, son parent, Pierre-Etienne Flandin, le nomma secrétaire général de la Présidence du Conseil. Lorsque Pierre Laval revint au pouvoir, Léon Noël repartit à l'étranger, cette fois à Varsovie, en qualité d'ambassadeur, jusqu'à la guerre. Nommé par le gouvernement Pétain membre de la Commission d'armistice (1940), il ne conserva aucun poste officiel après août 1940. Pendant tout la durée de la guerre, il demeura dans sa propriété de Toucy (Yonne). Sa fidélité aux principes républicains lui valut d'être élu, dès 1945, membre de l'Académie des Sciences morales et politiques, puis d'être agréé au sein du *R.P.F.* Il présida quelque temps la commission des Affaires étrangères et fut l'un des cadres (vice-président du conseil national et membre du comité de direction) de ce mouvement gaulliste. Pendant une législature (1951-1956), il fut député de l'Yonne. L'effondrement du parti gaulliste, dont il a conté les malheurs dans « Notre dernière chance » (Paris, 1956), ne l'incita pas à demander le renouvellement de son mandat aux élections de 1956. Après le retour au pouvoir du général De Gaulle, il fut nommé au Comité consultatif constitutionnel, puis au Conseil constitutionnel. Au début de l'année 1966, lorsque le scandale de l'enlèvement Ben Barka révéla de graves désordres au sein des polices françaises, il fut chargé de faire un rapport sur leur réorganisation. Détail sans portée, mais qui ne manquera pas de susciter la moquerie des échotiers non-conformistes : Léon Noël avait été, devant les électeurs de l'Yonne, l'un des parrains de Pierre Lemarchand, l'avocat-parlementaire, dont il fut récemment beaucoup question dans « l'affaire Ben Barka ».

NOGUERES (Henri).

Journaliste, né à Bages (P.-O.), le 13 novembre 1916. Fils de Louis Noguères (voir ci-dessous). Militant *S.F.I.O.*, appartint avant la guerre à la rédaction du *Populaire*. Participa à la Résistance et fut, après la Libération : directeur du journal parlé de la Radiodiffusion française (1946), rédacteur en chef du *Populaire*, directeur-rédacteur en chef de *l'Agence centrale parisienne de presse* (1949-1959), directeur et rédacteur en chef de la revue *Aux carrefours de l'histoire*, directeur administratif des *Editions Robert Laffont*, co-directeur de la revue *Janus*, secrétaire général de la *Librairie Flammarion*. Auteur de : « *Le suicide de la flotte française* » « *Munich ou la drôle de paix* », etc.

NOGUERES (Louis, François, Jacques).

Avocat, né à Laval, en 1884, mort à Perpignan, en 1956. Père du précédent. Militant socialiste, s'affilia jeune à la Maçonnerie (initié à la loge *L'Action*, de Paris, le 17 octobre 1904). Comme avocat et homme de gauche, fut mêlé à divers procès contre Léon Daudet et *L'Action française* avant la guerre. Maire de Thuir et conseiller général des Pyrénées-Orientales, fut élu député socialiste de Céret le 10 avril 1938. En 1940, refusa les pouvoirs constituants au maréchal Pétain. Placé en résidence forcée, échappa à la surveillance de la police et vécut dans la clandestinité. S'occupa alors de la presse de la Résistance. Après la Libération, fut membre de l'Assemblée consultative provisoire, puis des Assemblées constituantes. Devint, en février 1946, président de la Haute Cour de justice en remplacement de M.-E. Naegelen, devenu ministre de l'Education nationale. A ce titre, jugea plusieurs anciens ministres ou hauts fonctionnaires de Vichy. Réélu député *S.F.I.O.* des Pyrénées-Orientales le 10 novembre 1946, ne s'est pas représenté en 1951. A sa mort, présidait le Conseil général des Pyrénées-Orientales.

Auteur d'un livre « *Le véritable procès Pétain* », dont l'absence d'objectivité rend la lecture difficile.

NOIR ET ROUGE.

Cahiers d'études anarchistes-communistes, sans périodicité régulière, animée par le libertaire Lagant (B.P. 113, Paris 18e).

NON-INSCRITS (N. I.).

On désigne ainsi les députés de diverses nuances n'appartenant à aucun groupe parlementaire.

NORA (Simon ARON, dit).

Inspecteur des Finances, né à Paris, le 21 février 1921. D'abord marié avec Marie-Pierre de Cossé-Brissac (l'actuelle Mme Maurice Herzog), a épousé en 1955 Léone Georges-Picot, journaliste et attachée de presse des *Editons Gallimard* (fille du général Georges-Picot, ancien inspecteur des Finances, président-directeur général de la *S.E.P.E.N.I.*, de la *Société Européenne de Développement Industriel* et administrateur de la *Société des Ciments Artificiels au Sahara*). Inspecteur adjoint (1947), puis inspecteur des Finances (1949) et chargé de mission à l'Administration centrale des Finances (1951). Devint, en 1954, secrétaire général de la Commission des Comptes et Budget Economique de la Nation (nommé par Pierre Mendès-France, dont il était le conseiller). Membre de la Commission de la Main-d'Œuvre au Commissariat général du Plan. Sous-directeur au ministère des Finances (1955). Directeur général du service « Economie et Energie » à la C.E.C.A. (1960-1963). Réintégré à l'inspection des Finances (février 1963).

NORD-ECLAIR.

Quotidien de nuance *M.R.P.* fondé le 2 septembre 1944, et installé dans l'immeuble de l'ancien *Journal de Roubaix*, disparu à la Libération. Paul Gosset, député *M.R.P.* du Nord, en prit la direction politique. Progressivement, Jacques Demey, gendre de Mme Reboux, propriétaire du *Journal de Roubaix* interdit, qui avait dirigé ce dernier, prit une place importante dans *Nord-Eclair* : entré par la petite porte, comme conseiller technique, il devint directeur technique, puis directeur général. Depuis quelques années, *Nord-Eclair* est lié avec *La Croix du Nord*. Sa diffusion moyenne dépasse 78 000 exemplaires, principalement vendus dans la région de Roubaix et Tourcoing (71, Grande-Rue, Roubaix).

NORD-EST (Le).

Quotidien républicain national fondé à Reims en 1923. Dirigé avant la guerre par Gabriel Bureau — qui resta à sa tête après l'armistice —, il était rédigé en 1938-1943 par une équipe comprenant : Paul Bureau, fils du précédent, Urbain et Luc Falaize, C. et O. Laurain, Tanguy, etc. Interdit à la Libération, son ancien directeur est entré dans les ordres. Son tirage était d'environ 40 000 exemplaires et son rayon d'action s'étendait non seulement à la Marne, mais aussi à l'Aisne et aux Ardennes.

NORD-LITTORAL.

Quotidien fondé par des socialistes en décembre 1944 à Calais. Dirigé par Mme Jean Baratte, épouse de l'ancien directeur. André Meney en est le rédacteur en chef depuis vingt ans. Tirage annoncé : 18 000 exemplaires (39, boulevard Jacquard, Calais).

NORD-MATIN.

Quotidien socialiste fondé à Lille en 1944 dans les locaux du *Réveil du Nord* interdit. Edité par la Société *La Presse Socialiste et Démocratique du Nord de la France*, administrée par Augustin Laurent, président-directeur général, Pierre Houriez, directeur général de *Nord-Matin*, Camille Delabre, Eugène Thomas, Victor Provo, Maurice Piquet, Gustave Descamps, René Kesteloot, Alphonse Deblock, Pierre Behal, Just Evrard et Jean Lechantre, rédacteur en chef du journal. Ses 165 000 exemplaires vendus chaque jour sont lus principalement dans le Nord et le Pas-de-Calais, où les socialistes possèdent leurs deux grandes fédérations. Sur le plan publicitaire, *Nord-Matin* dépend de *Régie-Presse* (Bleustein-Blanchet) et sur le plan rédactionnel, il est relié à l'*Agence Centrale Parisienne de Presse* que domine Gaston Defferre (186, rue de Paris, Lille).

NORMANDIE (Louis, duc de) (voir : Légitimiste).

NORTH (Roger) (voir : L'Evénement).

NOTABLE.

Citoyen occupant une situation en vue ou un rang élevé dans un pays ou dans une ville.

NOTEBART (Arthur).

Homme politique, né à Lomme (Nord), le 12 juillet 1914. Représentant de commerce. Maire de Lomme (1947). Membre du Comité directeur de la *S.F.I.O.* Anc. responsable du réseau de résistance *Libé-Nord*. Anc. vice-président du Comité de Libération. Conseiller général du canton d'Haubourdin (1947). Député socialiste *S.F.I.O.* du Nord de 1951 à 1958. Président de l'*U.S.T.* et dirigeant des Amicales laïques (filiales de la *Ligue de l'Enseignement*). Membre de l'*Alliance France-Israël*). Battu en 1958, fut élu à nouveau, député socialiste du Nord en novembre 1962. Réélu en 1967.

NOTRE COMBAT.

Bi-mensuel, paraissant à Paris pendant l'occupation, et œuvrant « pour la France socialiste » et son intégration dans « l'Europe nouvelle ». Dirigé par André Chaumet, militant nationaliste d'avant-guerre, d'origine bonapartiste, et Henry Janières, de *Paris-Soir*. Présenté sous la forme d'une brochure de grandeur moyenne, *Notre Combat* publiait des numéros spéciaux consacrés à des sujets exclusivement politiques ou d'actualité : *Le Socialisme vaincra, Cinq ans de trahison, Les Juifs et la France, Le Gaullisme, La Réconciliation franco-allemande* ; principaux collaborateurs : Marc Augier, Marcel Déat, directeur de l'*Œuvre*, Georges Dumoulin, Michel Moyne, Georges Pelorson, Jean Luchaire, Jean-Albert Foëx, C.E. Duguet, Jean Riondé, Alfred Cortot, Léon Cayla, gouverneur général de Madagascar, etc.

NOTRE EPOQUE.

Hebdomadaire catholique illustré dont les premiers numéros tirèrent à plus de 200 000 exemplaires. Lancé en mars 1956 par un groupe qui rêvait d'affaiblir *La Vie catholique illustrée*, jugée très progressiste, il disparut peu après. Son directeur était Paul Lesourd, professeur à la Faculté Catholique à Paris.

NOTRE PAROLE (Unzer Wort).

Quotidien sioniste socialiste publié en yiddisch, ayant une édition hebdomadaire en français. Paraît à Paris depuis 1944 (45, rue de Chabrol, Paris 10e).

NOTRE REPUBLIQUE.

Organe des « *gaullistes de gauche* » fondé en 1959 pour servir d'organe à l'*Union Démocratique du Travail* (voir à ce nom). D'abord bi-mensuel, le journal devint hebdomadaire. Au printemps 1960, *Notre République*, dont Jean Poilvet était le rédacteur en chef, suspendit sa publication hebdomadaire et ne la reprit que beaucoup plus tard. Entre-temps, ses animateurs firent paraître un bulletin intermittent tiré au duplicateur, puis une feuille bi-mensuelle imprimée, sous le titre de *Notre République*. Le Comité de direction de l'hebdomadaire comprend les sept associés de la société éditrice : Pierre Billotte, Jacques Debû-Bridel, Léo Hamon, Roger Sauphar, Louis Vallon, René Capitant et Jacques Baumel, ainsi que Jean-Michel Royer, Pierre Sandhal. A son comité de rédaction siègent : Charles d'Aragon, Claire Barsal, Jean de Beer, Gabriel Cordouin, Alain Dutaret, François d'Harcourt, Gilles Gozard, Frédéric Grendel, Janig Le Guennec, Jacques de Montalais, Victor Rochenoir et Alfred Rosier. Au cours de ces dernières années y ont collaboré : Philippe de Saint-Robert, Hervé Bromberger, Pierre Sandahl, le général Méric, ex-mari de Marie-Madeleine Fourcade, Maurice Clavel, Georges Altman, Jean-Jacques Brissac, André Gillois, Henri Viaud, Yves Rocard, Philippe Luc-Verbon, Michel Mosnier, Georges Broussine, Jacques Vernant, Michel Marteau, J.-C. Abrami, Michel Guibert, Jean-Loup Vichniac, Jean Cazeneuve, Stanislas Fumet, Rémy Goussault, Christiane Marcilhacy, etc. (91, Champs-Elysées, Paris 8°).

NOTRE TEMPS.

Journal fondé en 1927 par Jean Luchaire. D'abord mensuel, puis bi-mensuel et enfin hebdomadaire, avait pour devise : « *Refaire la France, faire l'Empire, unir l'Europe* ». Directeur : Jean Luchaire (assisté pendant quelques années par Robert Lange). Rédacteur en chef : Jacques Chabannes, puis Georges Suarez. Principaux collaborateurs : Fernand Schmidt, Gilbert Davel, Georges Van Parys, André Boll, Guy Crouzet, Guy Zuccarelli, Gaston Riou, Louis Deschizeaux, Jean Montigny, J.-M. Renaitour. Pierre Brossolette, Paul Vialar, Paul Marion, Sammy Beracha, Lucien Coquet, Bertrand de Jouvenel, Gilbert Comte, Gaston Maurice, Henri Clerc, François de Tessan, André Germain, Alfred Silbert, Dimitri Navachine, Gaston Bergery, Charles Braibant, etc.

NOTRE VOIX (Unzer Stimme).

Quotidien socialiste publié en yiddisch, se réclamant de l'hebdomadaire juif publié, sous le titre de : *Notre voix*, par Albert Starasetski, pendant quelques années dans l'entre-deux-guerres (20, rue Ferdinand-Duval, Paris 4°).

NOU (Joseph).

Agent d'assurances, né à Daigny

(Ardennes), le 2 juillet 1926. Agent technique à la *Société Lorraine-Escaut*. Candidat gaulliste en 1953 et en 1959 aux élections municipales (battu). Membres du C.C. de l'*U.N.R.-U.D.T.* Elu député de Meurthe-et-Moselle (7° circ.) en 1958 ; réélu en 1962. Associé de la s.a.r.l. *Sexca*, de Villers-la-Montagne. Abandonna brusquement son mandat à la suite d'incidents mal éclaircis. Fut ensuite nommé conseiller d'ambassade en Afrique noire.

NOUELLE (Georges).

Membre de l'enseignement, né à Mansac (Corrèze), le 30 avril 1887. Militant socialiste et membre de la *Ligue des Droits de l'Homme*. Député *S.F.I.O.* de la Loire (1924-1941). Maire de Châlon-sur-Saône de 1925 à 1944, et réélu en 1951. Conseiller général de Saône-et-Loire.

NOURY (Jean).

Industriel, né à Saint-Malo (I.-et-V.), le 19 février 1904. Militant démocrate-chrétien. Participa à la Résistance. Elu conseiller général du canton de Saint-Malo en 1945, fut vice-président du Conseil général d'Ille-et-Vilaine. Sénateur *M.R.P.* de ce département depuis 1959.

NOUVEAU CANDIDE (Le).

Hebdomadaire politique et littéraire, de tendance gaulliste, fondé en 1961 par le groupe *Hachette*, représenté par la société *Holpa*, la *Société d'Edition des Cahiers de « Elle »*, la *Librairie Arthème Fayard* et René Coulet, gérant de la société *Lectures et Actualités*, éditrice du journal. Pierre Lazareff en supervise la rédaction composée de journalistes de tendances diverses utilisés au mieux des intérêts du journal et de la politique qu'il défend. Sa diffusion moyenne est d'environ 100 000 exemplaires (4 *bis*, rue de Cléry, Paris 2°).

NOUVEAU CLARTE (Le).

Revue mensuelle de l'*Union des Etudiants Communistes de France*. A succédé en 1966 à *Clarté*, après la faillite de cette feuille, consécutive à la scission survenue au sein du groupe communiste du Quartier Latin. Son équipe est ainsi composée : directeur politique : Guy Hermier ; rédacteur en chef : Serge Goffard ; rédacteur en chef adjoint : Hervé Arlin ; administrateur : Jean Gimenez ; directeur de la publication : Alexandre Robert ; J.-C. Allanic, A. Bérélovitch, J.-M. Catala, B. Duhamel, R. Gaudy, A. Jaubert, M. Jouet, etc. (9, rue Humblot, Paris 15°).

NOUVEAU JOURNAL DE STRASBOURG (Le) (voir) : Strassbürger neue Zeitung).

NOUVEAU MERIDIONAL (Le).

Hebdomadaire centré gauche fondé en 1944. Dirigé par Bernard Verriès. Tirage : 5 800 exemplaires (71, boulevard de la Liberté, Béziers).

NOUVEAU PROMETHEE (Le)

Journal d'opposition nationale paraissant en juillet 1950. Son véritable directeur était René Binet, un ancien militant communiste rallié au racisme européen, que l'on retrouve à l'origine ou à la tête de plusieurs groupes activistes nationaux de 1948 à 1955 (*Le Combattant Européen, L'Unité, La Sentinelle*, etc.), et qui publia divers ouvrages (« *Théorie du racisme* », « *Contribution à une ethnie raciste* », « *Socialisme national contre marxisme* »). Il trouva la mort, en 1957, dans un accident d'automobile. Le directeur en titre du *Nouveau Prométhée* Dominique Anquetil, secondait Binet dans sa tâche. Les articles du journal étaient signés : Paul Chantepie, Maurice Achart, A. Ameline, Fernand Demeure, Gonzague Truc, François Sauvage (Jean-Albert Foëx, ancien rédacteur à *L'Union Française* de Lyon), Claude Jamet (l'auteur de *Fifi roi* et d'*Images mêlées*), M. Justinien, J.-M. Desse, Robert Pernot, Hardouin, etc. Disparu en 1951.

NOUVEAU REGIME (Le).

Journal monarchiste, créé quelques années après la Libération, qui se transforma en *Ici France,* bi-mensuel puis hebdomadaire. Dirigé par Paul Griffoulière, homme de confiance, semble-t-il, du comte de Paris. Collaborateurs : Jacques Perret, P. Liévin, Jean Loisy, Pierre Longone, Jacques Baulmier, etc. Ce titre a été repris, plus tard, en 1956, par la revue éphémère du journaliste Meïer dit Philippe Buren, dont la famille serait originaire d'Europe centrale. Cet ancien rédacteur en chef de la revue *Les Idées et les Faits,* antigaulliste et pétainiste, participa dix ans plus tard à la constitution de la Convention de la Gauche Ve République (voir à ce nom), comme animateur du groupe *Le Nouveau Régime.*

NOUVEAU RHIN FRANÇAIS (Le).

Quotidien créé par Marcel Jacob, le 20 février 1945, quelques jours après la libération de Colmar. De tendance *M.R.P.,* il manifesta une certaine méfiance à l'égard du *R.P.F.* à la création de celui-ci. L'un de ses actionnaires, Mgr Hincky, curé de Colmar, qui appartenait à l'époque au Conseil National du mouvement gaulliste, protesta. Il y eut, en 1951, une lutte d'influence entre les éléments démocrates-chrétiens et les membres du *R.P.F.* Après avoir été « couplé » (pour la publicité) avec *Le Nouvel Alsacien* et *L'Alsace, Le Nouveau Rhin Français* a été absorbé par ce dernier (1966). Il tirait alors à 21 000 exemplaires.

NOUVEAUX CAHIERS (Les).

Revue d'études et de libres débats publiée par l'*Alliance Israélite Universelle,* qu'Adolphe Crémieux anima dans la seconde partie du dix-neuvième siècle. Fondés en 1965, *Les Nouveaux cahiers* paraissent une fois par trimestre (45, rue La Bruyère, Paris 9e).

NOUVEAUX JOURS (Les).

Fondés le 15 mars 1953, avec l'appui de Léon Bailby, l'un des grands directeurs de journaux de l'avant-guerre, et sous son égide, par Roger René-Lignac (Roger Lacor). Ancien directeur de l'*Echo des Etats-Unis* (1930), ancien rédacteur à *L'Intransigeant,* au *Matin,* au *Jour* et, toujours avant la guerre, ancien rédacteur en chef de *La Liberté du Sud-Ouest,* René-Lignac est secondé par deux anciens collaborateurs de Léon Bailby : Antoine-Marie Pietri, ancien rédacteur parlementaire au *Petit Journal* et au *Jour,* ancien directeur de la presse et de la censure au ministère de l'Information, et par Jeanne Collet, ancien chef du secrétariat particulier du fondateur du *Jour.* Soutenant les efforts des parlementaires « récalcitrants », *Les Nouveaux Jours* bénéficièrent de la collaboration de députés, de journalistes et d'écrivains connus comme des adversaires du Système : Jean Legendre, député de l'Oise, André Joigny, Robert de Narbonne, Louis de Charbonnières, Marcel Espiau, Robert Cario, Raymond Dronne, Michel Junot, Stève Passeur, Simon Arbellot, Max de Vaucorbeil, le dessinateur Ben, récemment décédé. Après avoir dit *oui* en septembre 1958, *Les Nouveaux Jours* ont marqué leur opposition très nette au général De Gaulle. Ils sont édités par la *Cie d'Edition, d'Impression et de Publicité* (anciennement *Sté Nouveaux Jours* SONOJO) constituée en février 1953 par René-Lignac, le comte Patrice de la Selle, Paul Anrich et A.M. Pietri, auxquels s'est jointe Jeanne Collet (2, rue de la Paix, Paris 2e).

NOURISSIER (François).

Journaliste, né à Paris, le 18 mai 1927. Marié en 3es noces avec Cécile Muhlstein, petite-fille du baron Robert de Rothschild. Secrétaire général des *Editions Denoël* (1952-1956), rédacteur en chef de la revue de droite *La Parisienne* de Jacques Laurent (1956-1958), conseiller littéraire des *Editions Grasset,* directeur littéraire de *Vogue,* collaborateur de *France-Observateur,* de la *N.R.F.* et auteur de divers ouvrages, dont « *Une histoire française* » (Grand Prix du roman de l'Académie française 1966).

NOUVEAUX TEMPS.

Quotidien du soir fondé, à Paris, le 1er novembre 1940, par Luchaire, « *avec un capital de 500 000 francs, dont l'origine a été indiquée, à savoir : fonds personnels, en partie de l'accusé, avances d'un M. Marcel Boussac, prêt d'un M. Justin Gerber...* » (compte rendu du procès Luchaire, 22-1-1946). Jean Luchaire, son directeur, était secondé par : O.P. Gilbert, Pierre Causse et Guy Zuccarelli, rédacteurs en chef, Guy Crouzet, dont les éditoriaux étaient souvent remarquables, Nino Frank, Emile Vuillermoz, Roger Régint, Philippe Piétri, Georges Prade, Jean Thouvenin, Marcel Espiau, auxquels s'ajoutaient de nombreux collaborateurs réguliers ou occasionnels : Pierre Mac Orlan, qui assurait la critique des livres, Marcel Delannoy et Robert Bernard, pour la rubrique de la musique, Charles Rivet, J.-M. Champagne, critique d'art, et une pléiade d'hommes politiques de toutes tendances depuis le radical Emile Roche, futur président du Conseil Economique et Social, jusqu'au nationaliste Robert Francis, frère de J.-P. Maxence, en passant par P.-E. Flandin, André Beaugitte, René Brunet, Charles Daniélou, Barthélémy Montagnon, Jean Goy, Georges Rivollet, auxquels se mêlaient une foule de journalistes et d'écrivains de valeur souvent inégale mais connus : J.-M. Renaitour, G. Suarez, de Lesdain, Louis-Charles Royer, Audiberti, José Germain, André Thérive, Marcel Aymé, Paul Fort, Abel Hermant, Armand Charpentier, Jacques Saint-Germain, Jean-Alexis Neret, Etienne Rey, Gaston Derys, etc. La revue de la presse fut longtemps l'œuvre d'Alfred Mallet, un journaliste averti, ancien rédacteur en chef du *Petit Journal,* qui dirigeait, pour le compte de Luchaire, le magazine *Toute la Vie,* concurrent direct d'*Actu* et de *La Semaine. Les Nouveaux Temps* disparurent en août 1944.

NOUVEL ADAM (Le).

Revue mensuelle ayant succédé en 1966 au magazine *Adam.* Consacré à tous les problèmes intéressant l'homme moderne, y compris les problèmes politiques. Est dirigé par un ancien collaborateur du banquier Edmond de Rothschild, Claude Perdriel, directeur général de l'hebdomadaire de gauche *Le Nouvel Observateur* (installé à la même adresse). Principaux collaborateurs : Clara Malraux, Bernard Frank, Antoine Blondin, Claude Roy, Jacques Laurent, Lawrence Durell, Jean-François Revel, etc. Une partie de sa prospection, notamment pour le n° 5 (novembre 1966), a été faite avec la collaboration de la revue *L'Arche,* publication touchant de près aux Rothschild (18, rue Royale, Paris 8e).

NOUVEL AGE.

Quotidien anti-capitaliste et anti-fasciste fondé en 1934, par Georges Valois. Avait pris la suite de *Chantiers Coopératifs* et des *Cahiers Bleus.* Principaux collaborateurs : Gustave Rodrigues, Georges Favreau, Régis Messac. Disparut en 1939 et reparut quelque temps après la Libération.

NOUVEL ALSACIEN (Le).

Quotidien démocrate-chrétien créé en 1944 dans les locaux de l'ancien *Alsacien (Der Elsässer)* dont il a pris la succession et dirigé par E. Zimmermann. Tirage moyen : 35 000 exemplaires environ (6, rue Finkmatt, Strasbourg).

NOUVEL OBSERVATEUR (Le).

Hebdomadaire socialiste de gauche, fondé en 1950 sous la forme d'une revue qui s'appela d'abord *L'Observateur* et qui, transformée en journal, prit le titre de *France-Observateur* (à la suite d'un procès avec un journal d'assurances qui avait le même titre depuis de longues années). Claude Bourdet, en quittant *Combat* (voir à ce nom), avait entraîné un certain nombre de rédacteurs et de très nombreux lecteurs qui formèrent les uns la nouvelle équipe du journal, les autres sa clientèle. Une S.A.R.L., constituée le 10 octobre 1950 au capital de 180 000 francs, avait pour associés-fondateurs : Claude Bourdet, Jacques Havet, Jacques Lebar, Claude Roussel, Jacques Charrière, Roger Worms dit Stéphane, Maurice Laval, Gilles Martinet et Georges Fradier, qui apportaient chacun 20 000 francs. En 1953, le capital fut augmenté de 40 000 francs et les quatre nouvelles parts de 10 000 francs furent remises à Mme René Daniel, née Denise Delage (deux parts) et à Hector de Galard (deux parts). Après le retour au pouvoir du général De Gaulle (1958), Roger Stéphane, conseiller et confident de l' « Ermite de Colombey-les-deux-Eglises », qui savait quelle politique le général comptait suivre tant en Afrique qu'en Europe, quitta *France-Observateur,* laissant ses anciens camarades poursuivre une action qu'il jugeait contraire aux intérêts de la Gauche. A quelque temps de là, les dirigeants de l'hebdomadaire participèrent à la constitution du *Parti Socialiste Unifié* (voir à ce nom) dont *France-Observateur* devint, en quelque sorte, l'organe officieux, infiniment plus répandu que l'organe officiel du parti. Il ne semble pas toutefois que les liens, plus ou moins affichés, de *France-Observateur* avec le *P.S.U.* aient été profitables au journal de Claude Bourdet. Bien au contraire, un assez grand nombre de lecteurs socialistes et de gauche cessèrent de le lire régulièrement. Aussi chercha-t-il à s'imposer comme organe d'union et de rapprochement de la gauche. C'est ce qui l'amena à créer, en 1963, un *Conseil* composé des éléments représentatifs des divers courants de la gauche française et dont le but était de favoriser les plus larges confrontations. Y siégèrent : Emmanuel d'Astier de la Vigerie, Colette Audry, Pierre Beregavoy, Gabriel Bergougnoux, Xavier Bilbant, René Duhamel, René Dumont, Marcel Gonin, Alfred Grosser, Marcel Liauton, Vitia Hessel, Maurice Labi, Bernard Lambert, Pierre Le Brun, Jérôme Lindon, Dr Robin, Alain Savary, Laurent Schwartz et Pierre Stibbe (cf. *Service des Nouvelles Rapides,* 6-7-1963). Sans grand succès : la situation financière du journal, qui n'était déjà pas florissante, devint catastrophique lorsque des luttes intestines divisèrent sa direction et sa rédaction. Le départ de Claude Bourdet (1964) ne fit qu'aggraver le malaise. C'est alors qu'apparut Claude Perdriel. La veille, ce dernier était parfaitement inconnu dans les milieux de gauche. Il n'était pas un militant, mais un homme d'affaires. Il n'appartenait pas au mouvement progressiste ou au *P.S.U. :* il était un haut employé du baron Edmond de Rothschild et assumait les fonctions de directeur général adjoint de *Cogi-Alu,* filiale de *Cogifrance,* deux importantes sociétés immobilières dont l'unique actionnaire, par sociétés interposées, était le fameux banquier. L'opération serait probablement passée inaperçue si *Lectures Françaises* (numéros d'octobre et décembre 1964) n'avait révélé que les fonds permettant le renflouement du journal socialiste de gauche provenaient de Claude Perdriel, considéré comme le fidéi-commissaire du baron Edmond de Rothschild. *Rivarol, Aspects de la France, Juvenal, Politique-Eclair, Le Charivari, L'Echo de la Presse* et *Le Canard enchaîné* reprirent l'information et posèrent des questions assez embarrassantes à la direction du journal qui, entretemps, était devenu *Le Nouvel Observateur.* Organe professionnel des journalistes et des publicitaires, *L'Echo de la Presse* (25-4-1965) demandait « *pourquoi M. Perdriel et ses amis en sont venus à mettre de l'argent, beaucoup d'argent, dans un journal qui les combat, eux, les capitalistes-types* ». Quant au *Canard enchaîné* (28-4-1965), dans un article occupant un quart de page, sous le titre : « *D'où vient l'argent ?* » il posait cette question : « *Comment diable ce journal publié à grands frais, dépensant sans compter pour sa publicité, fait-il pour s'en tirer, avec un tirage somme toute assez modeste... et 50 % d'invendus ?* » Et il ajoutait malicieusement : « *M. Perdriel, si riche soit-il, n'est tout de même pas M. de Rothschild ? Et le contrat de publicité du Club de la Méditerranée, si avantageux soit-il, doit avoir, comme tous les contrats de publicité, un certain rapport avec le tirage (quand ce rapport n'existe pas, cela s'appelle subvention). ... Très franchement, nous espérions que notre confrère saisirait la balle au bond pour mettre fin, une fois pour toutes, à toute interprétation fâcheuse. Il avait un bon moyen pour cela, jadis en honneur dans la presse de gauche : publier un état précis de ses ressources et de leur origine, M. Jean Daniel a préféré la polémique — en mettant tout sur le dos du* Canard. *C'est un peu trop facile.* » Puis, comme *Le Nouvel Observateur* rechignait, *Le Canard enchaîné* proposait qu'un jury, composé exclusivement d'experts-comptables, fût appelé à se prononcer et à libeller son verdict comme suit : « *Dépenses : tant ; recettes vente : tant ; recettes publicité : tant ; différence : tant. Et, s'il y a lieu : appoint fourni par... Et voilà, ce serait tout. Et tout le monde serait content* », concluait le *Canard* (12-5-1965). Le jury ne fut jamais constitué. On apprit, à la même époque, qu'une nouvelle société avait été créée pour l'édition du journal. Le 9 décembre 1964, une *S.A.R.L.* au capital (provisoire) de 495 000 F — soit 49 560 000 AF — venait d'être constituée sous le titre *Le Nouvel Observateur du Monde.* Les 4 956 parts de 100 F étaient réparties entre dix-neuf personnes dont quelques-unes appartenaient à la rédaction du journal, mais plusieurs autres, majoritaires, lui étaient étrangères. En tête de

DEMANDE D'INSC... .. MODIFICATIV...

(Modèle à employer également en cas de cessation partielle d'activité.)

Déposée le ....

N° d'arrivée **19040**

Par modification à l'immatriculation au Registre du Commerce n° .... B .... de la Société
au capital de 600.000 F

Forme juridique .... Société anonyme
Raison sociale ou dénomination " COGI - AlU "
Adresse du Siège social PARIS (8ᵉ) 41, rue du Faubourg Saint-Honoré
Adresse du principal établissement (s'il y en a) :

Activité **principale** exercée [1] Etude, mise au point, fabrication, production, montage, achat, importation, vente, exportation de tous
produits, matières, articles, matériels, et notamment d'éléments employant l'aluminium comme
matériau principal entrant, en tout ou en partie, dans la
construction de bâtiment.
Autres activités **effectivement** exercées [1] ....

à l'INSEE ....

Le soussigné [2] CONIN, Pierre, dom à Neuilly-sur-Seine, 94, Boulevard
agissant en qualité de [3] Président-Directeur Général (Maurice Barrès
demande l'inscription de la mention modificative suivante dont il affirme l'exactitude et pour laquelle il présente
les pièces justificatives énumérées au verso. (Indiquer ci-dessous l'objet de la modification, dans l'ordre des rubriques
de l'immatriculation)

1964. ADMINISTRATEUR A RADIER
MEUNIER, Jean-Pierre, démissionnaire le 13 Janvier
Janvier 1964). (Délibération du Conseil ... stration du 13

(Suite au verso)

La conformité des déclarations ci-dessus avec les pièces justificatives qui a procédé la présente
...dules a été visé de la mention demandée.
à l'inscription A Paris, le ... Certifié, le Greffier,

Le conformité ... visé par le Greffier avant

(Suite de l'inscription modificative)

ADMINISTRATEUR A INSCRIRE:
PERDRIEL, Jean Claude Marcel, dem à ISSY-LES-MOULINEAUX (Se
6, ... et de ....écouté 1926 au Havre (Seine
Ma itime) fils de Marcel Jules Auguste et de Raymondo Marie
Th érèse Rogère Jeanne IOLOUR, de nationalité française.
(Même délibération).

DIRECTEUR GENER L ADJOINT A INSCRIRE:
PERDRIEL, Claude, sus-nommé.
(Même délibération).

"neuf c.......... ... trois - Vr.. dix francs
"Bordereau numéro 1622/9 ...
"signé : BARRE."
"signé audit acte est annexé la pièce dont teneur
littérale suit : .... COGI-AlU ...
Société anonyme en voie .. ....Fusure
de 600.000 F. (six cent mille francs) avant l'augm
siège social : PARIS, 41, rue du Faubourg Saint-
Honoré. LISTE DES SOUSCRIPTEURS des 6.000 (six mille
Société anonyme en voie de sp. .... (six cent mille fr
siège social à CENT (100 F.) nominal ch.
....néral Del.... ... .tal social et Bor....

6   Actions "LE GENERALE IMMOBI-
    LIERE DE FRANCE (COGIFRANCE)
    Société anonyme au capital de
    15.000.000 F Siège social
    PARIS (VIIIᵉ) 46, rue du
    Faubourg Saint-Honoré   4.185   418.500
    LA COMPAGNIE FINANCIERE
    Société anonyme au capital
    de 30.000.000 F. Siège so-
7   cial : PARIS (VIIIᵉ)
    45, rue du Fbg...........   1.810   181.000

    Total: LA COMPAGNIE GENERALE IMMOBILIERE
    FDCE (COGIFRANCE)

- des action : LA COMPAGNIE ......
- du montar Société Anonyme au capital de
- A souscrir 8.500.000 N.F.
- les ver   Siège social : Saint-Honoré- PARI
  mille   R.C.SEINE 58 B 14.700
              47 rue du Faubourg 58 B 14.700 ......naire de l'on

AUGMENTATION DE CAPITAL:
d'un montant de 1.500.000 NF. par l'émission publique,...au pair, de 15.000 actions de 100 N.F.
nominal chacune, jouissance du premier Janvier 1961
(délibération 1960 et de l'Assemblée Générale Extraordinaire du 17
du 30 Juin 1961) - ETAT DE LA SOUSCRIPTION:

Aïolphe,Maurice,
Jules,Jacques,Adminis-   8.650   865.000 N.F.
trateur de Sociétés GENEVE   (montant du verse-
(Bosseau Chateau de   ment de libération
Frégny.   effectué par coupon
                                          sation)

LA COMPAGNIE FINANCIERE
S.A. au capital de :   6.350   635.000 NF.
17.500.000 N.F. 45 rue   (montant du verse-
du Fg St Honoré -PARIS.   ment de libération
                                          effectué par con-
                                          pensation)

TOTAL: UN MILLION CINQ CENT MILLE N.F.   1.500.000 N.F.

Certifié exact et véritable
....

10.

                                          418.500

                                          181.000

                                          600.000

Extraits de documents relatifs aux liens existant entre
le baron Edmond de Rothschild et Claude Perdriel,
directeur général du Nouvel Observateur.

la liste des associés figurait Claude Perdriel, avec 2 000 parts, puis venaient : Mme Norbert Beyrard (667), Philippe Cambessedès (350), Georges Halphen (167), Olivier Cambessedès (100), Jean-Louis Rabaté (84), amis de Perdriel, et quelques collaborateurs du journal, provenant soit de l'ancienne rédaction, soit de la nouvelle (composée d'obligés de Claude Perdriel, transfuges de *L'Express*) : Philippe Viannay (834 parts), Jean Bensaïd, dit Daniel (100), Gérard Horst (100), Karol Kewes dit K.S. Karol (100), Serge Lafaurie (100), Florence Malraux (84), Françoise Spira (34), Marie-Thérèse Salats (34), Olivier Todd (34), Lucien Copferman (17), Denis Richet (17). Les associés de l'ancienne société reçurent des parts au prorata de celles qu'ils possédaient dans la S.A.R.L. fondée en 1950, et le capital fut augmenté en conséquence. Le bruit fait autour de cette prise de possession de l'hebdomadaire socialiste de gauche par un homme d'affaires incita ce dernier à transformer au plus tôt la société à responsabilité limitée, dont il était impossible de cacher les noms des associés effectifs, par une société anonyme dont les actions pouvaient aisément et confidentiellement changer de mains. Au cours d'une assemblée générale extraordinaire tenue en 1966, la S.A.R.L. devint société anonyme et, du même coup, le capital social fut porté de 896 000 F (89 600 000 AF) à 2 189 600 F (218 960 000 AF). Ainsi, 1 293 000 F (129 300 000 AF) d'argent frais entraient dans les caisses du *Nouvel Observateur*, qui en avait le plus grand besoin. On remarqua alors que parmi les gros actionnaires de la société éditrice du journal de la gauche socialiste figuraient non seulement l'ancien collaborateur du baron Edmond de Rothschild, mais aussi un fondé de pouvoir de la banque *Lazard frères et Cie* (Philippe Cambessedès), son frère, président-directeur général de *Plans et Etudes Cambessedès* (Olivier Cambessedès), la directrice du *Cabinet d'Etudes Economiques et Techniques* (Mme Norbert Beyrard), un cousin du baron Guy de Rothschild, le patron de la banque *de Rothschild frères* (Georges Halphen), et même, un actionnaire de *L'Express,* président-directeur général de la *Société de Prospection électrique Schlumberger* (René Seydoux). Sous l'active direction de Claude Perdriel, *Le Nouvel Observateur* transformé, rajeuni, modernisé, connaît un certain succès après une période très difficile. Il est aujourd'hui l'un des principaux hebdomadaires politiques et littéraires de gauche. On n'y attaque plus, comme au temps de Claude Bourdet, les puissances d'argent, on se montre plus compréhensif à l'endroit d'une certaine bourgeoisie qualifiée d'*intelligente* par les communistes, mais on a su, par ces petits à-côtés qui flattent la clientèle, attirer un grand nombre de lecteurs, sans doute moins politisés que ceux de l'ancien journal, mais dont le pouvoir d'achat enchante les annonceurs ; plusieurs, très importants (comme le *Club Méditerranée*) sont intimement liés aux intérêts Rothschild. L'état-major du *Nouvel Observateur* est ainsi composé : président directeur général : Claude Perdriel ; rédacteur en chef : Jean Bensaïd, dit Daniel, secondé par Serge Lafaurie et le comte Hector de Galard, descendant de trois rois de France (Henri IV, Louis XIII et Louis XIV); directeur technique : Robert Namia ; Michel Bosquet, Gilles Martinet, Philippe Viannay, Michel Cournot, O. Todd ; principaux collaborateurs : Maurice Clavel, Claude Angeli, Claude Estier, Serge Mallet, Jean Lacouture, Jacques Mornand, etc. Tombé à moins de 20 000 exemplaires en 1964, le tirage du journal atteindrait quatre ou cinq fois ce chiffre (bouillonnage inconnu); 47 % des exemplaires vendus le sont dans la région parisienne. Pour « travailler » les milieux réfractaires aux leçons du *Nouvel Observateur,* Claude Perdriel a créé à la même adresse que l'organe de la gauche socialiste, une revue, *Le Nouvel Adam,* qui a pris la suite de l'ancien, mais est devenu une revue d'information plus générale. C'est dans *Le Nouvel Adam* qu'est parue, à la fin de 1966, la fameuse enquête de l'I.F.O.P. sur l'antisémitisme en France, dont les résultats ont beaucoup surpris. (24, rue Royale, Paris 8e.)

NOUVELLE ECOLE (La).

Nouveau nom adopté en 1964 par *Patrie et Progrès* (voir à ce nom).

NOUVELLE FRONTIERE.

Revue gaulliste fondée en 1963. Directeur de la publication : R. Lacoste de Laval. Principaux collaborateurs : Jacques de Sugny, ancien administrateur de *L'Humanité* et de *Ce Soir,* Yves Guena, Michel Debré, Gabriel d'Arboussier, Michel Massenet, Albin Chalandon, Michel Drancourt, André Labarthe, Rémy Goussault, Gaston Paolewski, Léo Hamon, François Goguel, Marcel Niedergang, Philippe de Saint-Robert, etc. (241, boulevard Saint-Germain, Paris 7e).

NOUVELLE GAUCHE.

Journal fondé en 1956 pour servir

d'organe au mouvement du même nom. Comité de rédaction : Colette Audry, Ph. Bauchard, L.-M. Colonna, C. Devence, Y. Dominique, G. Ducaroy, R. Gerland, H. Hermand, L. Houdeville, L. Kiner, J. Limousin, L. Rioux, Ph. Viannay. Administration : Roger Cerat.

NOUVELLE GENERATION.

Club de tendance gaulliste fondé en 1966 par des amis d'Édgar Faure, pour soutenir l'action de ce dernier dans les milieux radicaux et modérés, en liaison avec l'*Union pour le progrès*, animée par le sénateur Roger Duchet, rallié au gaullisme il y a quelques années. Le club est dirigé par Philippe Poiré, jeune industriel, qui en assume la présidence, et Patrick Wallaert, vice-président (162, boulevard Berthier, Paris 17e).

NOUVELLE LANTERNE (La).

Revue mensuelle de petit format fondée en 1927 et disparue quelques années plus tard. Elle était domiciliée dans l'immeuble de l'imprimerie de *L'Action Française*. Son directeur - propriétaire, René de Planhol, ancien rédacteur à *L'Echo de Paris*, y défendait avec vigueur et talent, les idées nationalistes.

NOUVELLE NOUVELLE REVUE FRANÇAISE.

A succédé, en 1953, à la *Nouvelle Revue Française*, publiée par ce même éditeur (Gallimard) pendant l'occupation et interdite en 1944. Animée par Jean Paulhan et Marcel Arland, rédacteurs en chef, que seconde Dominique Aury, secrétaire général. (5, rue Sébastien-Bottin, Paris 7e.)

NOUVELLE REPUBLIQUE DE BORDEAUX (La).

Quotidien républicain fondé à Bordeaux en 1944, pour reprendre la clientèle de *La France de Bordeaux*, dont elle a pris le titre plusieurs lustres après la Libération (voir : *La France de Bordeaux*).

NOUVELLE REPUBLIQUE DU CENTRE-OUEST (La).

Quotidien fondé en 1944 dans les locaux et l'imprimerie de *La Dépêche du Centre et de l'Ouest*, des Arrault, interdite à la Libération. Le président de son Conseil d'administration, le socialiste Jean Meunier, passe pour s'être particulièrement acharné contre les dirigeants de *La Dépêche*. Le quotidien rayonne sur toute la région : les 266 000 exemplaires de sa vingtaine d'éditions sont vendus dans neuf départements. Le directeur du journal, Pierre Archambault, fut, a-t-on dit, militant d'extrême-droite avant la guerre. A la Libération, Robert Kistler assuma la rédaction en chef du journal avec autant de conviction qu'il dirigeait les services rédactionnels de *La Dépêche*. Aujourd'hui, sous la baguette de Gaston Sirdey et Robert Vazeilles, les rédacteurs et collaborateurs de *La Nouvelle République* confectionnent un journal adroitement gauchisant à l'usage d'un public en majorité modéré. Le journal est édité par la *S.A. La Nouvelle République du Centre-Ouest*, constituée en 1945 (mais dont le début d'exploitation fut fixé au 1er septembre 1944). Son capital actuel s'élève à 2 472 000 F. Les fondateurs de la société étaient au nombre de 139 (plus 300 employés et ouvriers également actionnaires). Parmi eux citons : Jean Meunier, alors maire de Tours, Michel, Marie, Bernard Vareilles, ingénieur, Marcel Mallet, marée et primeurs, Paul, Ernest Racault, instituteur, l'abbé Joseph Simonin, Pierre, Jean, Alexandre Archambault, directeur commercial, Kléber Gaudron, commerçant, Emile Beche, député-maire de Niort, Anne-Marie Marteau, professeur, Georgette Prévot, née Légar, Maurice, Ferdinand, René Mériot, technicien, Alfred, Georges Albert, électricien, Eugène, Herbert Cochard, propriétaire, Edmond Stanislas Allot, cultivateur, le Dr Emile Aron, Théodore Astier, greffier du Tribunal de Commerce de Chatellerault, Maurice Bedel, homme de lettres, Henri, Marie, Emmanuel Chaulier, avocat, le Dr Georges, Jules, Albert Desbuquois, Henri Gallet, avoué à Poitiers, le Dr Pierre Journeault, Robert, Emile, Auguste Kistler, journaliste, Pierre Lefort, magistrat, l'abbé Bernard, Marie, René Letourneaux de la Perraudière, Pierre Leveel, professeur, Robert Mauger, député, Marcel Meunier, imprimeur, Henry Milot, Pierre Mistouflet, Henri, Paul Moinet, tous trois avocats, Alfred et André Monmarché, notaires, Albert et Georges Montenay, négociants, Germaine Montenay, fondé de pouvoir, Léon Fage, directeur commercial, Parmentier, libraire (à Chateauroux), Jean Planchon, inspecteur d'assurances, Théophile Ramet, inspecteur de la S.N.C.F., Henri Ribière, membre de l'Assemblée consultative, etc. Le conseil d'administration, au cours de ces dernières années, présidé par Jean, André Meunier, comprenait : Joseph Beaujannot, Marcel Mallet, Georges Thauraux, Fernand Vila, Hélène Roujon, née Trouvé, Jean Forest, Roger Livet et Emile Jacquin. (4-18, rue de la Préfecture, Tours.)

NOUVELLE REPUBLIQUE DES PYRENEES (La).

Journal quotidien fondé à la Libération pour remplacer *Le Républicain des Hautes-Pyrénées*, interdit en raison de son pétainisme. Fut édité par une société créée le 3 janvier 1945 pour son exploitation : la *Société Tarbaise d'Edition*, S.A.R.L. comptant à l'origine quatorze associés faisant chacun un apport de 4 500 francs : Pierre Cohou, ingénieur des T.P.E., Marcel Biard, artificier, Roland Barret, tourneur, André Saint-Upery, instituteur, Gaston Manent, membre de l'Assemblée consultative, Louis Baque, instituteur, Jean-Marc Sournait, chef de bureau à la préfecture de Tarbes, Pierre Beck, professeur, François Daste, typographe, Pierre Dendary comptable, Charles-Alsime Dubernet, tourneur sur métaux, Jean Bordenave, chef de bureau à la préfecture de Tarbes, Guy Etienne, journaliste, et Jean Gaits. La situation du journal fut difficile en raison de son faible tirage jusqu'en 1955. A ce moment-là, un ancien magnat de l'ancienne presse, Jacques Dupuy (du *Petit Parisien*), en prit discrètement le contrôle par l'intermédiaire de la *Société Pyrénéenne d'Edition et d'Imprimerie* créée à cet effet. Le capital social (16 millions de F) fut souscrit par la *Société Excelsior Publications* (11 200 000 F) et la *Société Tarbaise d'Edition* (4 800 000 F). La *Société Excelsior-Publications*, présidée par Jacques Dupuy, publie ou contrôle : *Caravane, Camping-Voyages, Camping-Plein air, Sport et Camping*, le *Guide Susse, Science et Vie*, etc. L'équipe de *La Nouvelle République*, dirigée par Jean Gaits (qui signe parfois Francis Massey), ancien rédacteur à *La Dépêche* de Toulouse, à *Combat* clandestin et à *Quarante-Quatre*, se compose de : Jean Gaurel, secrétaire général, Paul Duyen, proche parent de Mme Gaits, secrétaire de rédaction, Georges Dujardin, Roger Girard, Marcel Claverie, etc. La *Société Pyrénéenne d'Editions et d'Imprimerie*, propriétaire du journal, a été transformée en société anonyme en 1966, et son capital a été porté à 410 000 F. Conseil d'administration : Jacques Dupuy, S.A. *Excelsior-Publications*, Paul Dupuy, S.A. R.L. *Tarbaise d'Edition*, et Pierre Henri Cohou. Tirage : 16 000 exemplaires (48, 50, avenue Bertrand-Barère, Tarbes).

NOUVELLE REVUE FRANÇAISE.

Mensuel fondé en 1909. Publiée avant la guerre par l'éditeur Gaston Gallimard, sous la direction de Jean Paulhan, avec la collaboration d'André Breton, André Gide, Paul Claudel, J.-P. Sartre, Jean Giraudoux, André Malraux, Paul Leautaud, André Suarès, etc. La direction en fut confiée, pendant l'occupation, à Drieu La Rochelle, qui en fit en quelque sorte la revue littéraire du fascisme, avec la collaboration de Ramon Fernandez, Auriant, Jean Fougère, Armand Petitjean, Jean Giono, André Salmon, Marius Richard, Jacques Chardonne, Lucien Combelle, Jean Rostand, Alfred Fabre-Luce, etc. Autres collaborateurs : Alain, Marcel Jouhandeau, H. de Montherlant, Bernard Fay, Robert Francis, Marcel Arland, Claude Roy, Georges Izard, etc. La *N.R.F.* publia même en 1942 et 1943 des textes de Boris Pasternak. Devenue la *Nouvelle N.R.F.* après la Libération.

NOUVELLE REVUE INTERNATIONALE (La).

Publication communiste mensuelle, éditée en plusieurs langues (allemand, anglais, bulgare, espagnol, français, hongrois, italien, japonais, mongol, néerlandais, polonais, portugais, roumain, russe, suédois, tchèque, vietnamien). L'édition française, animée par Fernand Lainat, est publiée par la *Société d'Edition et d'Information*. (9, boulevard des Italiens, Paris 2e.)

NOUVELLES (Les).

Quotidien fondé à Besançon le 1er octobre 1958, par des catholiques modérés, alarmés par la prise de contrôle de *La République*, également de Besançon, par *La Bourgogne Républicaine*, de Dijon. Malgré les sacrifices de ses amis, le journal disparut le 7 mai 1960, et dut, à son tour, passer sous le contrôle du quotidien dijonnais.

NOUVELLES DE BORDEAUX (Les).

Quotidien communiste fondé le 13 novembre 1948. Absorba le quotidien *La Gironde populaire*. Diffuse, chaque soir, 5 000 exemplaires (29, rue Saint-Hubert, Bordeaux).

NOUVELLES DE BRETAGNE (Les).

Journal fondé en 1947 pour regrouper les anciens lecteurs catholiques et modérés de l'ancien *Nouvelliste* de Rennes, interdit à la Libération. Parut d'abord chaque jour, puis devint hebdomadaire. Avec cette périodicité, a conquis un assez vaste secteur de l'opinion publique bretonne, principalement parmi les modérés d'Ille-et-Vilaine et des départements voisins. Tirage moyen : 14 000 exemplaires (31, avenue Janvier, Rennes).

NOUVELLES DE CHRETIENTE.

Bulletin hebdomadaire d'information et de documentation catholique dirigé par Charles-Pierre Doazan et Lucien Garrido. Publie des études sur les déviations auxquelles mènent le « modernisme ». Attaché au catholicisme traditionnel, combat avec vigueur le « progressisme chrétien » et ceux qu'il appelle ses « alliés ». L'actualité politique y est également traitée, dans l'esprit de la tradition (*Civitec,* 134, rue de Rivoli, Paris 1er).

NOUVELLES EQUIPES FRANÇAISES (N. E. F.).

Groupement démocrate-chrétien créé en 1938 par les amis de *l'aube* avec l'appui de Marc Sangnier, Jacques Madaule, Georges Bidault, Etienne Borne, Georges Hoog, Louis Terrenoire et son beau-père Francisque Gay. Y adhérèrent notamment : Henri Fréville, futur maire de Rennes, Maurice Schumann, les professeurs Percerou, Lagarde, Fromont, de la Faculté de droit, Sauzin, futur doyen de la Faculté des lettres de Rennes, etc.

NOUVELLES DU MATIN (Les).

Quotidien éphémère fondé le 1er février 1945 par Jean Marin.

NOUVELLISTE DE BORDEAUX (Le)

Journal fondé en 1882. Fut à l'origine monarchiste et catholique. Disparut comme quotidien dans le premier quart du xxe siècle et reparut en 1937, comme hebdomadaire, sous la direction de Henri Hillaire-Darrigrand, polémiste ardent (décédé il y a quelques années).

NOUVELLISTE DE BRETAGNE (Le).

Quotidien catholique et modéré de Rennes, fondé en 1901, *Le Nouvelliste* eut longtemps pour directeur-rédacteur en chef Eugène Delahaye, qui quitta le journal autour de 1927 pour fonder *La Province.* En 1939-1940, la rédaction était dirigée par Armand Terrière, qui conserva ses fonctions quelques années. Le journal rayonnait sur la Bretagne, le Maine et la Normandie. Ayant poursuivi sa publication pendant la guerre, fut frappé d'interdit à la Libération. *Les Nouvelles de Bretagne,* qui appartiennent à la même famille politique, prirent en quelque sorte sa succession en 1947.

NOUVELLISTE DE LYON (Le).

Quotidien national et catholique fondé en 1879 par Joseph Rambaud. Avec un tirage voisin de 200 000 exemplaires, il rayonnait sur toute la région lyonnaise. Son état-major en 1939, présidé par Félix Garcin, comprenait : A. Peloux, directeur général, P. Francart, secrétaire général, L. Garcin, secrétaire de la direction, P. Berthollet, administrateur, et Ch. Ledré, directeur des services parisiens. A la Libération, *Le Nouvelliste,* qui avait poursuivi sa publication pendant l'occupation, fut interdit. Un groupe de militants démocrates-chrétiens dit *Comité de coordination d'action chrétienne,* composé de Joseph Hours, Noël Sabot et Maurice Guérin, s'installa dans les locaux du *Nouvelliste* et y fit paraître un nouveau journal, *La Liberté,* qui fusionna un peu plus tard avec *L'Echo du Sud-Est* pour former *L'Echo-Liberté* (voir à ce nom).

NOUVELLISTE DU MORBIHAN (Le).

Journal républicain centriste fondé à Lorient en 1886, par Alexandre Cathrine père sous forme de tri-hebdomadaire. Il fut dirigé après la Première Guerre mondiale par Alexandre Cathrine fils, revenu du front où il s'était fort bien conduit. Sous l'impulsion de son nouveau directeur, le journal, transformé en quotidien entre temps, prit un développement considérable. En 1939, ses 42 000 exemplaires étaient répandus dans toute la région de Basse-Bretagne. Après l'armistice de 1940, le journal poursuivit sa publication ; mais son directeur-propriétaire dut quitter Lorient en 1941 et aller vivre à Segré d'abord, à Paris ensuite, sous la surveillance de la police allemande. *Le Nouvelliste* n'en fut pas moins interdit en 1944 et Alexandre Cathrine, protestant contre l'occupation de son imprimerie par un nouveau journal, fut arrêté. Traduit devant la Cour de Justice du Morbihan après sept mois de prison préventive, il fut condamné à cinq ans d'indignité nationale. *La Société de Presse de Basse-Bretagne,* éditrice du *Nouvelliste,* également poursuivie, fut condamnée, elle, à la confiscation de 20 % de ses biens. Comme Cathrine protestait à nouveau très énergiquement, ses adversaires le firent traduire une seconde fois devant la Cour de Justice et, sous prétexte que sa cave avait été vendue aux Allemands qui occupaient sa maison, il fut condamné à cinq ans de prison et à la confiscation du quart de ses biens. Cette condamnation, tempérée par une mesure de grâce, avait pour but d'empêcher Alexandre Cathrine de reprendre son imprimerie et de faire paraître un autre *Nouvelliste* (voir : Alexandre Cathrine).

NOYAUTAGE.

Action clandestine qui consiste à introduire dans une organisation — le plus souvent composée d'adversaires — un certain nombre d'individus qui affectent d'en épouser les opinions, en vue de l'espionner, de la désorganiser, de s'emparer éventuellement des postes de commande ou d'influencer ses décisions dans un sens déterminé. La police politique s'est, de tout temps, vantée d'avoir noyauté l'opposition.

NUNGESSER (Roland).

Homme politique, né à Nogent-sur-Marne le 9 octobre 1925. Fils d'un cafetier-restaurateur ; neveu de l'aviateur Nungesser, disparu avec Coli en 1926. Sous-directeur de la *Société coopérative de reconstruction*. Commissaire-général du Salon nautique international. Vice-président de la Chambre syndicale des Industries nautiques. Secrétaire général de l'*Association pour le développement des transports par eau*. Vice-président de la Commission des relations extérieures du Conseil national de la Navigation fluviale. Secrétaire général du groupe d'études de la navigation intérieure à l'Assemblée nationale et au Sénat. Membre du Grand Conseil de la *Ligue maritime d'outre-mer*. Elu conseiller municipal de Nogent-sur-Marne, le 27 avril 1953 et premier adjoint au maire ; élu maire le 11 janvier 1959 et réélu le 22 mars 1959. Elu député de la Seine (47ᵉ circ.) le 30 novembre 1958, avec l'investiture du Centre Nat. des Indépendants. (S'inscrivit aussitôt au groupe *U.N.R.*) Secrétaire de l'Assemblée Nationale (11 décembre 1958-4 juillet 1961). Président du district de la région parisienne. Réélu député *U.N.R.-U.D.T.* le 25 novembre 1962. Représente l'Assemblée nationale auprès de l'*O.R.T.F.* Secrétaire d'Etat à la Construction (cabinet Pompidou, 1962). Auteur du scénario du film « *Les chemins qui marchent* » et (en collaboration) du livre « *Le chevalier du ciel* ».

O

O. A. S. (voir : **Organisation Armée Secrète**).

OBJECTEUR DE CONSCIENCE.

Personne qui repousse l'idée de porter les armes, qui refuse le service militaire pour des raisons soit religieuses, soit politiques. Louis Lecoin a fait la grève de la faim pour obtenir la reconnaissance officielle de l'*objection de conscience*. Le gouvernement de la Ve République a donné, en partie, satisfaction aux objecteurs de conscience, devenus particulièrement nombreux à la suite des événements d'Algérie (voir : *Comité de cohésion et de défense des objecteurs de conscience*).

OBJECTIF 72.

Groupe créé en novembre 1966 par Robert Buron, ancien ministre, Jean-Pierre Prévost, ancien rédacteur en chef de *Forces Nouvelles*, et Jean Mastias, ancien responsable des jeunes du *M.R.P.* « *Attentif aux réalités publiques*, Objectif 72 *considère que de plus en plus l'opinion aura besoin de se trouver en face d'une alternative claire. La préparation d'une majorité impose donc de ne plus placer à priori l'attitude à l'égard du* Parti Communiste *sous le signe du refus sommaire ou de l'habileté tactique.* » Robert Buron a indiqué au *Monde* (12-11-1966) qu'il souhaitait construire une structure d'accueil pour les nombreux démocrates qui ont regretté en 1965 l'échec de la tentative Defferre. (14, rue de Bellechasse, Paris 7e.)

OBSERVATEUR (L') (voir : Le Nouvel Observateur).

OBSERVATEUR DU CENTRE-OUEST (L').

Bi-mensuel anti-communiste paraissant dans le Limousin depuis 1957. Directeur : Jean-Marie Desselas (Boîte Postale n° 87, Saint-Junien, Haute-Vienne).

OBSERVATEUR DU MOYEN-ORIENT ET DE L'AFRIQUE.

Hebdomadaire fondé le 15 mai 1957, comme édition française du *Jewish Chronicle*, de Londres. Rédacteur en chef : Jon Kimche. Défend le point de vue israélien dans la politique africaine et asiatique. Lu principalement dans les milieux officiels des républiques noires et dans les cercles diplomatiques de langue française (38, avenue de l'Opéra, Paris 2e).

OCCIDENT.

Partie du globe ou d'une contrée qui se situe à l'ouest : notion toute relative qui ne se justifie que par rapport à une ligne de démarcation donnée. En politique internationale classique, l'*Occident* se composait des Etats de l'Europe par opposition à l'Orient, lui-même décomposé en Proche-Orient (pays situés à l'Est de la Méditerranée) et en Extrême-Orient (pays situés à l'Ouest du Pacifique). Actuellement l'*Occident* englobe l'ensemble des Etats (bloc occidental) dont la politique s'oppose à celle des Etats communistes.

OCCIDENT UNIVERSITE.

Journal nationaliste mensuel, dirigé par Philippe Asselin, assisté de François Duprat, rédacteur en chef. Porte-parole d'un important groupe d'universitaires et d'étudiants, actif au Quartier latin et dans diverses universités de province. Principaux collaborateurs : Pierre Barroux, Gérard Longuet, Alain Robert, Philippe Ferrer, Robert Cazenave, Philippe Lantaignet, Jean Belin, Bertrand Ripoche. (Administration : 8, rue Boyer-Barret, Paris-14e.)

ODEON-DIFFUSION.

Entreprise de diffusion du livre contrôlée par le *Parti communiste*. Fondée sous forme de S.A.R.L. le 1er juillet 1958, est dirigé par un conseil d'administration présidé par René Roucaute, proche parent du député communiste du Gard, Albert Michaut et Marcel Jouliat, qui a remplacé en 1964 le fondateur Raymond Hallery. Lié avec les *Editeurs Français Réunis*, les *Editions Sociales* et le *Centre de Diffusion du Livre et de la Presse*. (24, rue Racine, Paris 6e.)

ODRU (Louis).

Instituteur, né à Sospel (A.-M.), le 9 décembre 1918. Adjoint au maire de Montreuil-sous-Bois. Ancien conseiller de l'Union française (1949-1958). Elu conseiller général du 34e secteur de la Seine le 8 mars 1959. Elu député communiste de la Seine (45e cir.) le 25 novembre 1962 (avec le soutien du *Comité d'Action Laïque*). Réélu le 12 mars 1967.

ŒUVRE (L').

Journal fondé en 1902 par une ancien normalien, Gustave Téry, professeur révoqué pour activité politique. D'abord mensuel, puis hebdomadaire, sous la forme d'une petite brochure à couverture rouge que « *les imbéciles ne lisaient pas* » *L'Œuvre* avait alors pour collaborateurs, outre Téry, de grands noms de la presse : Urbain Gohier, Robert de Jouvenel, Georges de La Fouchardière, Louis Latzarus, dit René Bures, Jean Piot et Séverine. Pamphlet violent et d'un non-conformisme qui épouvantait nos contemporains, *L'Œuvre* prétendait dire « *tout haut ce que tout le monde pense tout bas* ». En pleine guerre, Téry trouva des fonds pour transformer son petit hebdomadaire agressif en un grand quotidien (10-9-1915), lequel devint l'un des grands journaux de la gauche. Y collaboraient des journalistes de qualité : R. de Jouvenel, G. de La Fouchardière, Georges Rozet, André Billy, Pierre Chaine, Henri Simoni et Maxime Serpeille,

gendre de Gobineau. Henri Barbusse y publia son chef-d'œuvre « *Le Feu* ».

Avec ses 115.000 exemplaires, *L'Œuvre* était, à la veille de la Seconde Guerre mondiale, le porte-parole des milieux radicaux et socialistes indépendants. Dirigée par Henry Raud, elle avait pour rédacteur en chef Jean Piot, et pour principaux rédacteurs, outre des « anciens » comme La Fouchardière et Billy, des nouveaux comme André Guérin et Pierre Bénard, qui collaboraient au *Canard Enchaîné*, Jean Nocher, Edmond Sée, Marcel Déat, Mme Geneviève Tabouis, Francis Delaisi, Henri Clerc, Paul Elbel, Jacques Duboin, etc. Me André Le Troquer, futur président de l'Assemblée nationale, fut de 1936 jusqu'à la guerre, — certains disent jusqu'à son départ pour Londres en 1943 — l'avocat de la société du journal. « Repliée », comme on disait alors, à Clermont-Ferrand en juillet 1940, elle revint à Paris en septembre de la même année et parut, sous la direction de Marcel Déat, jusqu'en août 1944, date de sa disparition. Parmi ses collaborateurs figuraient alors J. Piot que remplaça André Guérin à la rédaction en chef, Georges Pioch, René Gérin, Alexandre Zevaès, René Chateau, Georges Albertini (sous le pseudonyme de Pierre Thomas), La Fouchardière, J.-M. Renaitour, Eugène Frot, Ch. Spinasse, Emile Périn, Ludovic Zoretti, etc. L'administration était dirigée par les représentants des principaux actionnaires : Henry Raud et A.-M. Chauchat.

ŒUVRE LATINE (L').

Journal paraissant entre les deux guerres (1927-1939), fondé pour la défense et la gloire de la civilisation latine. Lutta ouvertement contre les sanctions appliquées à l'Italie fasciste en 1935. Directeur : Raoul Follereau, le Saint Vincent de Paul des lépreux du xxe siècle.

OFFENSTADT (famille).

Les Offenstadt, israélites d'origine bavaroise, s'établirent en France sous le Second Empire et y furent naturalisés le 16 juillet 1890. Editeurs, ils lancèrent des journaux illustrés dont l'un, *La Vie en culotte rouge*, connut les foudres de la justice. Sous la firme qu'ils avaient créée — la *Société Parisienne d'Edition* — parurent divers journaux pour enfants (*Le Petit Illustré, L'Epatant, Les Histoires en Images, Cri-Cri, Fillette, L'Intrépide, Le Journal des Voyages, Pêle-Mêle, Junior, Hardi, L'As, Boum*), des magazines pour les adultes (*Le Film complet, Mon Ciné, Le Système D, Police-Magazine, Le Protecteur des animaux, La France judiciaire*), des revues féminines

(*La Femme de France, Les Dimanches de la Femme*) et même le célèbre *Alma-nach Vermot*, qui avait été acquis entre temps. Le chef de la famille Moïse Offen-stadt, dit Maurice Villefranche, qui na-quit à Paris, le 4 novembre 1865, et de-vint français à sa majorité en vertu de l'ancien art. 9 du code civil, fréquentait les grands de la politique. Il les avait connus pour la plupart dans les loges (la loge *L'Effort*, où il avait été initié, la loge *Jean-Jacques-Rousseau*, de Montmo-rency, et la loge *Jean-Jaurès* auxquel-les il était affilié). Plusieurs fois candidat (élections législatives, élections munici-pales) il fut battu à Paris, mais parvint à se faire élire dans la Drôme, au conseil municipal de Buis-les-Baronnies. Les autres membres de la famille, sans se désintéresser de la politique et tout en soutenant le *Cartel des Gauches* en 1924 et le *Front Populaire* en 1936, se montrè-rent plus prudents. Seuls, d'ailleurs, Ed-mond et Georges Offenstadt apparte-naient à la Franc-Maçonnerie (loge *Le Libre Examen*), Charles, Nathan et Léon s'occupant principalement de leurs affai-res, qui furent florissantes jusqu'à la guerre. Leur maison est, aujourd'hui, sous le contrôle du groupe *Ventillard* (voir : *Société Parisienne d'Edition*).

OFFICE FRANÇAIS D'INFORMATION.

Agence de presse créée en 1940 à Vichy et fonctionnant sous le contrôle gouvernemental. Remplaçait l'*Agence Havas*. Directeur général : Pierre Domi-nique.

OFFICE GENERAL DE LA PRESSE FRAN-ÇAISE (O. G. P. F.).

Organisme de presse diffusant, avant la guerre, des articles, des reportages, des clichés parmi les journaux de Paris et de province (sous l'indice de *Paris-Phare*, de *Midi-Journal* et de *La Voix de Paris*) dont le directeur général était Jean Goldsky. Ce dernier, journaliste chevronné, fut condamné en mai 1918 par le troisième Conseil de Guerre de Paris à huit ans de travaux forcés en raison de sa collaboration au *Bonnet Rouge,* dont il était le secrétaire général. Amnistié après plusieurs années de ba-gne à la suite d'une énergique campagne de ses amis politiques et de ses frères en maçonnerie (il appartint à la Loge *La Jérusalem écossaise*), il avait repris son activité et fondé les quotidiens de gauche *Paris-Phare* en 1926 et *Midi-Journal* en 1932. Outre la direction de l'*O.G.P.F.*, Goldsky assumait celle de *La Revue des Temps Modernes*. Il était, à la même époque, l'un des dirigeants du

Parti Radical Français, devenu *Mouve-ment Radical Français.*

OFFICE INTERNATIONAL DES ŒUVRES DE FORMATION CIVIQUE ET D'AC-TION DOCTRINALE SELON LE DROIT NATUREL ET CHRETIEN.

Organisme cherchant à synchroniser les efforts des chrétiens demeurés tradi-tionalistes en faisant se connaître d'abord ceux qui mènent la même action. L'*Office* ne se reconnaît aucune autorité sur quel-que organisme que ce soit, son travail ou son action n'exigeant par eux-mêmes aucun rapport de subordination ou d'au-torité. « *Organe auxiliaire distinct et in-dépendant, l'Office n'entend se substituer à aucun organisme. Le fait d'être recom-mandé par lui n'indique pas un lien de dépendance à son égard.* » Une des prin-cipales activités de l'*Office* consiste dans l'organisation de congrès internationaux réunissant des militants de l'action civi-que chrétienne et des représentants d'or-ganismes de formation doctrinale. Le pre-mier congrès international réunit à Sion (Suisse), en mai 1964, 1 350 personnalités et militants appartenant à dix-huit na-tions différentes. Le thème de ce Congrès était : « L'Homme face au Totalitarisme moderne ». Le deuxième eut lieu à Lau-sanne, en avril 1965. Thème de ces jour-nées : « L'information ». Plus de 1 500 délégués représentant vingt-trois pays y assistaient. Outre les principaux diri-geants de l'*Office* : Jean Ousset, Bernard Couchepin, Michel de Penfentenyo, Mi-chel Creuzet et Jean Beaucoudray, pri-rent la parole : Georges Sauge, le pro-fesseur Louis Salleron, Bertrand de la Bellière, Geoffroy Lawman, André Char-lier, Marcel de Corte, Joseph Dupin de Saint-Cyr, technicien de l'information, André Malterre, président de la *C.G.C.,* Gustave Thibon, François Gousseau, etc. Rendant compte du congrès, dont il avait souligné l'importance, *Le Figaro* impri-mait : « *La motion finale du deuxième Congrès de l'* « Office international de formation civique et d'action doctri-nale », *issu de la* « Cité catholique » *et qui vient de se tenir à Lausanne, appelle* « le laïcat chrétien à prendre conscience de ses responsabilités, à s'unir et à s'or-ganiser pour être en mesure d'exercer le pouvoir temporel qui est le sien. » C'est sur le thème : « *Les laïcs dans la cité* » qu'eut lieu en avril 1966 le troi-sième congrès. L'*Office*, qui a pour or-gane la revue *Permanences*, fondée en 1963, a sa délégation générale en Suisse (B.P. 22, Sion), et ses bureaux adminis-tratifs à Paris (49, rue des Renaudes, 17e).

OFFICIEL.

En terme administratif, concerne tout ce qui est annoncé, déclaré, promulgué, ordonné ou soutenu par une autorité reconnue. Le *Journal officiel* (ou *L'Officiel*) est le quotidien officiel de la République qui publie, d'une part, les lois, décrets, arrêtés et autres documents ayant force de loi et, d'autre part, le compte rendu in extenso des débats parlementaires et les questions écrites des députés et sénateurs aux ministres.

OFFICIEUX.

En politique, on qualifie d'*officieux* tout renseignement, communication, information, provenant en principe d'une source autorisée, donné à titre aléatoire avec probabilité de véracité, mais sans caractère officiel ou authentique. Sous la Révolution, on avait substitué le terme d'*officieux* à ceux de valet ou de laquais jugés infâmants. Pendant la Restauration, quelques auteurs appelaient *officieux* les agents de basse police.

OISE LIBEREE (L').

Journal fondé le 30 août 1944. Etabli dans l'imprimerie et les bureaux de *La République de l'Oise,* dirigée avant et pendant la guerre par Félix Séné. *L'Oise libérée,* bi-hebdomadaire radical-socialiste, eut pour animateurs : Robert Séné, sénateur et maire de Beauvais (après la Libération), directeur du journal, et André Bonnard, ancien rédacteur de *La République de l'Oise* (avant la guerre et après l'armistice de 1940), rédacteur en chef. Le journal fut acquis ensuite par Marcel Bloch-Dassault auquel Robert Séné laissa à la fois son siège de directeur général-propriétaire et son siège de sénateur. Après avoir paru quotidiennement, quelques années, sous la direction générale de l'industriel conseillé par Guillain de Bénouville, et la direction technique de Robert Séné et André Bonnard, *L'Oise libérée* est devenue hebdomadaire. (34, rue du Dr Gérard, Beauvais.)

OISE-MATIN (L').

Se réclame de *La Semaine de l'Oise,* petit hebdomadaire radical publié à Creil avant la seconde guerre mondiale et fondé en 1893. En fait, ce quotidien fut lancé il y a dix ans par Robert Hersant, député radical-socialiste de l'Oise (voir à ce nom). Le groupe du *Parisien libéré* en a pris le contrôle en 1965. De nuance centriste, il diffuse dans tout le département une quarantaine de milliers d'exemplaires chaque jour (6, rue Saint-Pierre, Beauvais).

O. J. D .

L'*Office de Justification de la Diffusion des supports de publicité* a été fondé en 1922 sous le nom d' *Office de la Justification des Tirages des organes quotidiens et périodiques.* Association sans but lucratif, l'O.J.D. a pour but « *la détermination de la diffusion réelle de toute publication périodique, quelle qu'en soit la périodicité, c'est-à-dire du nombre représentant l'ensemble des numéros ou exemplaires vendus, soit par abonnements, soit au numéro, auquel est ajouté, en le mentionnant toujours spécialement, le nombre des services réguliers* ». L'O.J.D. est dirigé par un conseil d'administration ainsi composé : président : Martial Buisson, vice-président du *Syndicat National des Cadres et Techniciens de la Publicité ;* vice-présidents : Jean-Paul Alcay, président du *Syndicat National des Agences de Publicité,* Michel Cazé, vice-président de l'*Union des Annonceurs,* Henri Masson-Forestier, vice-président délégué du *Syndicat de la Presse Parisienne,* secrétaire général du *Figaro ;* Maurice Babou, secrétaire général de la *Confédération de la Presse française ;* Yves Marescot, de l'*Union Syndicale de la Presse Périodique ;* secrétaire général : Jacques Fermaud, de l'*Union des Annonceurs ;* trésorier : Jean-Marie Balestre, membre du bureau de la *Fédération Nationale de la Presse Hebdomadaire et Périodique.* Jean Bonherbe en est le directeur depuis de longues années (27 *bis,* avenue de Villiers, Paris 17e).

OLLEON (Jean).

Ingénieur, né à Ambert (P.-de-D.), le 21 janvier 1906. Ancien élève de l'Ecole polytechnique, ingénieur des mines. Président de la *Société de superphosphate.* Ancien conseiller de l'Union Française et ancien conseiller du Commerce extérieur. Président de l'Association pour l'encouragement à la productivité agricole.

OLLIVIER (Georges).

Homme de lettres, né à Paris le 18 avril 1898, mort dans la même ville le 23 juin 1958. Cet écrivain traditionaliste, catholique et monarchiste, fut l'un des spécialistes de la question maçonnique, d'abord à la *Revue Internationale des Sociétés Secrètes,* de Mgr Jouin, puis aux *Documents maçonniques,* dirigés par le professeur B. Fay. Il collabora également au *Bulletin du Cercle Augustin Cochin,* à *Défense de l'Occident,* aux *Libertés Françaises* et à *Lectures Françaises.* Il publia plusieurs ouvrages : « *Les Fraternelles maçonniques* » (1936), « *Fran-*

klin Roosevelt, l'homme de Yalta » (1955),
« La Tradition monarchique en France
et en Angleterre » (1957). Deux ans
après sa mort, parut un dernier ouvrage
historique : « L'Alliance Israélite Universelle » (1959).

OMNIUM D'IMPRESSION ET DE PUBLI-CITE (O. I. P.).

« Société de promotion » de tendance
nationale créée en 1958 sous le titre de
Consortium International de Propagande
par Robert Giacometti, collaborateur de
Christian Wolf (mécène des journaux de
l'opposition nationale des années 1948-
1953), Philippe Saint-Germain, journaliste, auteur de « Article 75 » et des
« Gaietés de l'Officiel », Paul Grousset,
des Ets Grousset, Etienne Fraisse, Georges Laederich, Jean-Marie-Pierre Exper-
ton, Maurice Firino-Martell, Christiane
Mary Broutechoux, fille de Christian
Wolf, Alice Rives et Théodore-Emile
Boury, industriel. En septembre 1960, la
société changea de dénomination et de
président : elle devint l'Omnium d'Impression et de Publicité, et Robert Giacometti céda le fauteuil présidentiel,
qu'il occupait, à Yvon Chotard, le « patron » des Editions France-Empire qui
apportèrent 25 000 F (sur 30 000) lors de
l'augmentation de capital de 1963. La
S.A. Omnium d'Impression et de Publicité s'est donné pour tâche d'attirer
l'attention des annonceurs et des milieux de publicité sur les hebdomadaires
non-marxistes de province. Elle organisa
— avec l'Agence Coopérative Interrégionale de Presse (A.C.I.P.) — des congrès
nationaux réunissant les représentants de
cent cinquante journaux des départements, ainsi que des conférences d'information pour les publicitaires et les
directeurs des agences (la dernière en
date, chez le duc Pozzo di Borgo, le
17 février 1966). L'E-M. de l'O.I.P. se
compose essentiellement, depuis la mort
de Th.-E. Bourry, de : Yvon Chotard,
Louis Leroux, Erik Guillermot, de la
Publicité Octo, R. Giacometti et Marc
Pradelle (4, rue de la Michodière, Paris 2e).

OPERA MUNDI.

Agence de presse fondée en 1931 sous
le nom d'Opera Mundi Press Service, par
Paul Winkler et Biro, et faisant suite au
bureau de presse créé vers 1928 par le
premier pour placer les features et les
photos d'agences anglo-saxonnes (Express
Newspapers, de Londres, King Features
Syndicate et International News Service,
de New York). L'association Biro (18
parts) - Winckler (12 parts) dura plu-

sieurs années ; en 1939, c'est avec Firmin Dablanc (272 parts), que Winkler
(238 parts) se trouva associé. Quelques
jours après la déclaration de guerre,
Firmin Dablanc, mobilisé, céda à son
associé 225 parts, donnant ainsi la majorité à Winkler. Après l'armistice de
juin 1940, Winkler, réfugié à Marseille,
agissant comme seul gérant et associé
libre, nomma Louis Ollivier co-gérant
(acte notifié au Tribunal de Commerce
le 26 août 1940). Puis il s'embarqua pour
l'Amérique. En raison de l'origine ethnique de Paul Winkler, les Allemands
mirent la main sur l'agence. C'est alors
que Firmin Dablanc, qui était prisonnier,
revendiqua les 225 parts cédées à son
associé : il obtint gain de cause auprès
du Tribunal de Commerce de la Seine
(jugement du 23-9-1942, enregistré à Paris le 27-10-1942, fol. 2, case 15). Cette
décision judiciaire évita le pire. Bien
entendu, à la Libération, Dablanc rendit
ses parts à Winkler et il céda même
celles qu'il avait conservées (47 parts) à
Liliane Teycheney, collaboratrice de
Paul Winkler et future épouse de Ralph
Stuart Smith. Les deux associés transformèrent Opera Mundi en société anonyme le 1er janvier 1958, quelques années
après avoir nommé Mme B. Winkler, née
Dablanc, directrice générale de l'agence.
Le capital social de 10 500 000 francs
fut ainsi réparti : P. Winkler, 9 075 000
francs ; Mme Smith, née Teycheney,
925 000 francs ; Henri Furth, 100 000
francs ; Gérald Gauthier, 50 000 francs ;
Claude Winkler (ex-Mme Michel Leren-
nard), 50 000 francs ; Philippe Régnault,
50 000 francs ; Alfred Sciaky, 50 000
francs ; Jeannette Nazaret, 50 000 francs;
Ralph Stuart Smith, 100 000 francs ; et
Emma Rabodnik, 50 000 francs. Sous
l'impulsion de Paul Winkler (voir à ce
nom), et de ses associés (majoritaires)
successifs, Biro et Dablanc, l'agence
Opera Mundi Press Service, devenue, à
partir de 1937, Opera Mundi (tout court),
connut un développement exceptionnel.
Avec les informations, les reportages, les
indiscrétions que les agences de Londres
et de New York lui transmettaient ou
qu'elle recevait de ses correspondants,
cette agence introduisit un vent nouveau
dans la presse française alors surtout
préoccupée d'actualités européennes.
Grâce à elle, l'intimité des stars d'Hollywood n'eut bientôt plus de secret pour
le public français. Devenue également
maison d'édition, Opera Mundi publiait
avant la guerre une revue pour les publicitaires : Presse-Publicité, et des journaux pour enfants : Le Journal de
Mickey, Robinson, Hop là et un magazine à grand tirage, Confidences, imité

du fameux *True Story*. L'une de ses plus belles réussites fut probablement les bandes du dessinateur Delachenal dit André Daix qui contaient les aventures du « *professeur Nimbus* ». Malgré la présence de Daix, dont les opinions fascistes étaient connues (il collaborait d'ailleurs au *Franciste*), le *Journal de Mickey* (400 000 ex.) était nettement orienté à gauche, et le public national lui faisait grief de certains textes jugés pro-marxistes et lui reprochait de dénaturer l'Histoire de France ou de tourner en dérision les souverains de la France de jadis. Mise en sommeil pendant la guerre, l'agence reprit ses activités après la Libération. La bande du « *Professeur Nimbus* », dessinée par un autre artiste qui sut prendre le genre du créateur — disparu à la Libération et considéré comme mort dans un jugement du Tribunal civil de la Seine (cf. *L'Echo de la Presse*, 20-9-1950) — fut largement distribuée aux journaux (pour la reproduction dans leur page magazine) en même temps que les articles exclusifs d'Albert Einstein, David Lilienthal, Thomas Mann, Henry Walace, Henry Morgenthau, Arthur Koestler, Eleanor Roosevelt, la correspondance Hitler-Mussolini, les souvenirs de James Byrnes, les mémoires du Duce et des textes de Léon Blum, Paul Reynaud et Edouard Herriot. Son directeur général, Paul Winckler, en a fait le pilier de l'édifice construit par lui depuis vingt ans (*Samedi-soir, Confidences, Le Journal de Mickey, Lectures pour tous, Edimonde, Club des Auberges*), en liaison étroite avec le groupe *Hachette*. Homme de confiance du « grand patron », Charles Ronsac (voir à ce nom) dirige la rédaction d'*Opera Mundi* et d'*Opera Mundi Europe*, sa filiale. (Siège : 100, av. Raymond Poincaré, Paris 16ᵉ.)

OPINION (L').

Hebdomadaire fondé en 1908 par Paul Doumer, futur président de la République, François Carnot, Fernand Faure, L. Klotz, qui devint ministre, et auquel collaborèrent : un autre futur chef de l'Etat, Paul Deschanel, Francis de Croisset, Jacques Bardoux, Louis Bertrand, Henry Bordeaux, Pierre de Nolhac, etc. Avant la guerre de 1914, le journal était dirigé par Maurice Colrat, assisté de Jean de Pierrefeu et de Henri Massis, qui ne portait pas encore l'habit vert et qui faisait ses premières armes dans les services techniques de la presse en qualité de secrétaire adjoint de la rédaction. Disparue entre les deux guerres. Aujourd'hui, un journal jouissant d'un certain prestige dans le monde des affaires et auprès des épargnants, porte ce titre : *L'Opinion économique et financière* qui publie des éditoriaux sur les problèmes politiques de l'heure. (1, rue Saint-Georges, Paris.)

OPINION INDEPENDANTE DU SUD-OUEST (L').

Hebdomadaire départemental d'opposition nationale paraissant en Lot-et-Garonne depuis 1954. Sous la direction de Charles Arrivets, il a pris nettement position contre le général De Gaulle et s'est prononcé, en décembre 1965, pour la candidature de Tixier-Vignancour. Son rédacteur en chef, Louis Cadars, est un pamphlétaire bien connu dans le Bordelais. (9 *bis*, place Sainte-Foy, Agen.)

OPPORTUNISME.

Système politique d'après lequel l'exercice du pouvoir exige de tempérer les principes doctrinaires et de temporiser pour leur application, afin d'atteindre sans trop de remous le but fixé en profitant de tous les éléments ou circonstances opportuns. Le *Parti opportuniste*, dirigé par Gambetta et Jules Ferry, a gouverné la France de 1879 à 1885 où, renversé par les radicaux-socialistes, il changea son nom pour celui de *Parti progressiste*.

OPPOSITION.

Dans son acception politique, l'*opposition* représente le groupe des citoyens qui n'acceptent pas la position du gouvernement sur un point donné ou sur l'ensemble de sa politique. Dans son acception parlementaire, on rassemble sous le nom d'opposition tous les groupes ou membres de groupes opposés à la politique du gouvernement ou à sa constitution. Actuellement, on a restreint le sens du terme : sont considérés comme faisant partie de l'*opposition* tous ceux qui refusent de donner une approbation « inconditionnelle » à la totalité de la politique gouvernementale, même s'ils en admettent certaines manifestations. Le parlement se trouve ainsi divisé en deux camps : les inconditionnels et l'*opposition*.

ORDRE (L').

Quotidien fondé en 1929 par Emile Buré (voir à ce nom) avec l'appui financier de certains aristocrates et propriétaires fonciers monarchistes. Avait alors pour administrateur Jacques Ebstein. Avait alors pour rédacteurs : Pertinax, Jean Sarrus, André Stibio, S. de Givet, Jacques Debu-Bridel, Pierre Lœwel, Léon

Treich, Alfred Silbert (Silberberg), Roger Deleplanque, Jean Tomasi, René Saive, etc. Fut accusé de bellicisme (1938 et 1939) par la droite en raison de son attitude anti-munichoise et pro-soviétique. Reparut quelques temps, après la Libération (1945).

ORDRE FRANÇAIS (L').

Revue mensuelle fondée en 1956 par Philippe Roussel, nationaliste maurrassien. Avec l'aide de quelques amis également monarchistes (René Wiltz, Essaü Grand, Georges Lehr, Georges Lacheteau, Maurice Savioz, André Deluchey), le fondateur constitua une société chargée de l'édition de la revue qui gravite dans l'orbite d'*Aspects de la France* tout en étant indépendante de ce dernier. (Siège : 12, rue Chabanais, Paris-2e.)

ORDRE NATIONAL (L').

Organe de la *Spirale,* groupe « cagoulard » animé par le commandant Navarre (alias Loustanau-Lacau) et Mme Marie-Madeleine Méric (aujourd'hui M.-M. Fourcade). Principaux collaborateurs : général Lavigne-Delville, Jean de Richemont, avocat, secrétaire des Cercles d'Etudes du groupe, Hubert Bourgin, R. Daire, Pierre Loyer, rédacteur de la *Revue Internationale des Sociétés Secrètes,* M. de Bacqueville, Jean Thierry, A. Brodrick, J.-G. Tricot, Martial-Piéchaud, des Garets, etc. Anticommuniste et antisémite, *L'Ordre National* publiait des articles sur la question juive, signés de Navarre et d'Hubert Bourgin (16-11-1938). Loustanau-Lacau écrivait à un correspondant le 10 août 1938 : « *Il n'y a pas de juifs dans notre organisation, sous quelque forme que ce soit ; il n'est pas, en effet, possible de mener un redressement national en leur compagnie, alors que ce redressement ne peut se faire que contre la volonté du réseau israélite international.* »

ORDRE NOUVEAU (L').

Revue mensuelle fondée en 1933 par Arnaud Dandieu, et animé en 1934-1935 par Daniel-Rops, Robert Aron, Alexandre Marc, Dominique Ardouint, Denis de Rougemont.

ORGANISATION.

Synonyme d'association, de groupe, dans le langage politique. Signifie également ensemble des activités ayant pour objet l'accomplissement harmonieux des fonctions pour lesquelles une association, un groupe a été créé. Sans organisation, un parti politique est un corps sans force : ni l'enthousiasme de ses membres, ni leur courage, ni leur dévouement, ni même les moyens matériels ou financiers qu'ils apportent ne peuvent la remplacer.

ORGANISATION ARMEE SECRETE.

Formation politique clandestine née de l'échec du putsch des généraux à Alger en avril 1961. Tandis que les généraux Challe et Zeller se livraient à la Justice, leurs compagnons, les généraux Salan, Jouhaud et Gardy, les colonels Gardes, Argoud, Broizat, Godard et Lacheroy, le capitaine Sergent, les lieutenants Degueldre et Godot, suivis de quelques autres, dont Jean-Jacques Susini, entrèrent dans la clandestinité. Ainsi naquit la fameuse organisation secrète. Le sigle *O.A.S.* avait été employé au début de l'année par un groupe de partisans de l'Algérie française, peu nombreux, mais actifs, dont Pierre Lagaillarde semble avoir été l'inspirateur. Salan et Jouhaud furent les chefs suprêmes de cette *Organisation Armée Secrète.* Après leur arrestation (mars et avril 1962), le *Conseil National de la Résistance* (*C.N.R.*), présidé par Georges Bidault, puis le *Conseil National de la Révolution,* animé par le capitaine Sergent, prirent la relève. Pendant la *période chaude* de l'*O.A.S.* de nombreux attentats ensanglantèrent l'Algérie et la métropole. Laissons aux historiens de l'avenir le soin de conter en détail, avec les documents et les témoignages qu'apporteront les deux parties, les origines et les péripéties d'un drame qui a bouleversé tout un peuple et qui coûta la vie à de bons Français. On ne pourra d'ailleurs porter un jugement serein sur ces années tragiques qu'une fois les haines apaisées et seulement après le vote de cette amnistie pleine et entière que l'on a en vain demandée jusqu'ici, tant pour les partisans du général Salan que pour ceux du maréchal Pétain.

ORGANISATION CIVILE ET MILITAIRE (O. C. M.).

Mouvement de résistance né en décembre 1940 de la fusion de divers groupes, notamment d'un organisme militaire créé par le colonel Heurteaux et l'ancien fasciste Arthuys. *L'Organisation Civile et Militaire* (O.C.M.) fut l'un des cinq plus importants mouvements de résistance. Le colonel Touny, dit Langlois, en fut le chef jusqu'à son arrestation le 25 février 1944. Son adjoint, le financier Maxime Blocq-Mascart, constitua un service d'études économiques et politiques qui mettait au point les mesures à prendre après la chute des autorités vichyssoises ; il avait des antennes et des collaborations dans toutes les administrations. A la Libération, ses animateurs étaient : Blocq-Mascart, Jacques Piette, Georges Izard et Jacques Rebeyrol, ces deux derniers membres de l'Assemblée consultative. Elle comptait 16 quotidiens et 28 hebdomadaires amis, dont *Le Parisien libéré*. Après avoir projeté la création d'une *Union travailliste*, l'*O.C.M.* participa à la fondation de l'*U.D.S.R.* en 1945 (Son histoire est contée en détail par Arthur Calmette dans la monographie qu'il a consacrée à l'*O.C.M.*, parue en 1961).

ORGANISATION SECRETE D'ACTION REVOLUTIONNAIRE NATIONALE (O. S. A. R. N.).

Groupe clandestin nationaliste animé par Eugène Deloncle au temps du gouvernement Blum (1936-1937) et compris dans ce que l'on appelait alors la *Cagoule* (voir : *Cagoule, Deloncle*).

ORLEANISTE.

Nom donné, sous la Monarchie de Juillet et par la suite, au royaliste, généralement libéral, partisan de la branche cadette des Bourbons, représentée par Louis-Philippe (« *fils du régicide* » Philippe-Egalité) et ses descendants. Par opposition, le tenant de la branche aînée, légitime, était appelé *légitimiste* (voir à ce nom).

ORMESSON (famille LEFEVRE d').

Les Lefèvre d'Ormesson ont donné à la France un ministre sous Charles IX, un autre sous Louis XVI, un chancelier de France, un Premier Président du Parlement de Paris, des conseillers d'Etat, des ambassadeurs, des journalistes, des administrateurs de sociétés.

Le comte Wladimir, Olivier, Marie, François-de-Paule LEFEVRE D'ORMESSON, né à Saint-Petersbourg le 2 août 1888, fils de l'ambassadeur de France en Russie, fut lui-même ambassadeur avant de devenir le collaborateur du *Temps*, membre de l'Académie française et du conseil d'administration du *Figaro*, président de l'*O.R.T.F.* gouvernemental.

Son fils, Olivier, Marie, André, François-de-Paule LEFEVRE D'ORMESSON, né à Biarritz le 5 août 1918, fut secrétaire général du *Figaro agricole* et député indépendant de Seine-et-Oise.

Le marquis Henry, Olivier, Jacques, François-de-Paule LEFEVRE D'ORMESSON, né à Paris, le 20 avril 1921, fils de l'ambassadeur André Lefèvre d'Ormesson, inspecteur des Finances, fut à plusieurs reprises le collaborateur de ministres

M.R.P. avant d'administrer des sociétés anonymes.

Son frère, Jean Bruno, Wladimir, François-de-Paule LEFEVRE D'ORMESSON, né à Paris le 16 juin 1925, gendre de Ferdinand Béghin, le magnat du sucre et du papier, fut également attaché de cabinet de deux ministres et appartient à la direction de la revue *Diogène*.

ORNANO (comte Michel d').

Industriel, né à Paris, le 12 juillet 1924. Fils du comte Guillaume d'Ornano, conseiller général de l'Indre. Descendant de : Rodolphe d'Ornano (1817-1863), préfet, puis député de l'Yonne, Premier chambellan de Napoléon III, fils de Philippe-Antoine d'Ornano (1784-1863), cousin des Bonaparte, comte d'Empire, pair de France sous Louis-Philippe, maréchal de France sous Napoléon III, et de Marie Walewska (1786-1817), le grand amour de Napoléon. Co-propriétaire des *Parfums Jean d'Albret* et des produits de beauté *Orlane*. Président du Comité régional des conseillers du commerce extérieur de Basse-Normandie, membre du conseil de direction du Comité national des Conseillers du commerce extérieur de la France. Maire de Deauville (1962) et député rép. ind. V° Rép. (1967).

O. R. T. F. (Organisation de la Radiodiffusion-Télévision Française).

Organisme d'Etat détenant le monopole de la radio-télévision en France. Il constitue un établissement public à caractère industriel et commercial doté d'un budget autonome et placé sous l'autorité du ministre de l'Information. Ses attributions sont fixées par l'ordonnance signée par le général De Gaulle le 4 février 1959 et par le décret n° 59-277, du 5 février 1959. L'*O.R.T.F.* possède à Paris les émetteurs *France-Inter, Inter-Variétés, France-Culture, Inter-312 m* et vingt-six émetteurs dans les départements et d'Outre-Mer, ainsi que deux chaînes de télévision. Wladimir d'Ormesson, du *Figaro*, personnalité gaulliste connue, en assume la présidence. Il est entouré de huit représentants de l'Etat ; Jules Antonini, un ancien de la France libre, secrétaire général de la S.N.C.F. ; Jean-Jacques de Bresson, ancien résistant, conseiller technique à l'Elysée ; Louis Damour, premier président honoraire à la cour de Cassation, ancien président suppléant du Haut Tribunal Militaire ; Michel Fourré-Cormeray, ancien membre du réseau de Résistance Shell Burn, membre du secrétariat de la délégation clandestine du Comité d'Alger, puis préfet à la Libération ; Olivier Guichard, ancien chargé de mission au *R.P.F.* et homme de confiance du général De Gaulle ; Jean Hourticq, conseiller d'Etat ; Michel Jobert, ancien collaborateur de Mendès-France, Robert Lecourt et Pompidou ; René Massigli, ambassadeur de France, ancien commissaire aux Affaires étrangères du Comité d'Alger ; un représentant des auditeurs et téléspectateurs : Jean Cazeneuve, collaborateur de *Notre République*, secrétaire général de section au C.N.R.S. ; un représentant de la presse écrite : Pierre Archambault, directeur de *La Nouvelle République*, de Tours, membre du Conseil Supérieur de l'*Agence France-Presse ;* deux représentants du personnel : Marcel Caze, chef de service à l'*O.R.T.F.* ; Pierre Simonetti, dirigeant de la *Fédération Syndicale Unifiée* de la radio ; trois autres « personnalités hautement qualifiées » : Julien Cain, ancien déporté, administrateur honoraire de la Bibliothèque Nationale ; André Chamson, ancien collaborateur de *L'Humanité*, de *Commune* (*Association des Ecrivains et Artistes Révolutionnaires*), d'*Europe* et ancien membre du comité directeur de l'hebdomadaire *Vendredi*, ami et compagnon d'armes d'André Malraux, directeur général des Archives de France et académicien ; Pierre Piganiol, ancien chef de réseau de renseignements, ancien directeur de la *Cie Saint-Gobain*. Le secrétaire général du conseil d'administration est l'ancien rédacteur en chef du *Rassemblement* (*R.P.F.*), Jean Chauveau, ancien chef du service de presse du général De Gaulle. Parmi les dirigeants et chefs de service des émissions figurent des militants ou sympathisants de l'*U.N.R.-U.D.T.* comme : Rolland Samana (affaires générales), Pierre de Boisdeffre (directeur de la radiodiffusion), Edouard Sablier (sous-directeur de l'actualité télévisée), Pierre Sandhal (enquêtes et commentaire) et Jean Teitgen (grandes enquêtes). Le manque d'objectivité des émissions a soulevé, à maintes reprises, les protestations à gauche comme à droite. Mais il ne semble pas que le fameux statut réclamé par beaucoup et qui sauvegarderait la liberté d'expression, soit facile à établir, ni même souhaité par le gouvernement. (116, avenue du Président-Kennedy, Paris 16ᵉ et 13-15, rue Cognacq-Jay, Paris 7ᵉ.)

ORTHODOXE.

Terme dérivé de l'apologétique et qui signifie conforme à la doctrine. Il présuppose donc l'existence d'une doctrine nettement définie sous une forme dogmatique. Le fait est rare en politique : s'il est possible, peut-être, de qualifier d'*orthodoxe* un maurrassien ou un communiste, on ne voit pas très bien comment l'appliquer à un membre, voire à un groupement appartenant à la plupart des partis, dont la soi-disant « doctrine » s'enveloppe le plus souvent dans un flou opportuniste.

ORTIZ (Joseph, Fernand).

Commerçant, né à Guyotville (Alger), le 4 avril 1917, d'un père qui fut tué à la guerre de 1914-1918. Fit lui-même celle de 1939-1945 (prisonnier évadé). Agent immobilier (1945-1950), garagiste (1950-1953), propriétaire de la Brasserie du Forum d'Alger (à partir de 1953). Fut l'un des *activistes* les plus redoutés des IVᵉ et Vᵉ Républiques. Appartint au *Comité de Salut Public du 13 mai* et fonda le *Front National Français* (1ᵉʳ novembre 1958) qu'il présida jusqu'à sa dissolution par le gouvernement en 1961. Dans la clandestinité depuis le fameux « *procès des barricades* », créa à Madrid le 26 septembre 1961 l'*Union Méditerranéenne Anti-Communiste* (*U.M.A.C.*). Réfugié en Espagne depuis plusieurs années, a publié ses souvenirs de militant politique sous le titre : « *Mes combats* ».

ORVOEN (Louis).

Ingénieur agricole, né à Moëlan-sur-Mer (Finistère), le 9 décembre 1919. Propriétaire agricole. Maire de Moëlan-sur-Mer. Président de la Coopérative agricole « La Rurale » à Quimperlé. Elu conseiller général du canton de Pont-Aven le 27 avril 1958. Député *M.R.P.* du Finistère depuis 1956.

O. S. A. R. N. (voir : Organisation Secrète d'Action Révolutionnaire Nationale).

OTAGE.

Personne détenue pour servir en quelque sorte de gage contre un adversaire. A cours des années 1940-1945 l'exécution des *otages* pris parmi les militants ou les sympathisants du parti adverse, déjà condamnés, en instance de jugement, ou arrêtés arbitrairement, fut l'une des manifestations les plus cruelles de la Seconde Guerre mondiale. Les fusillades de Chateaubriant et du Bois de Boulogne, l'incendie d'Oradour, pour ne parler que des plus connues de ces abominations, sont des exemples des exécutions d'otages par les Allemands. Au début de la guerre, en 1940, à Abbeville, eut lieu la fusillade de vingt et un détenus politiques qui peut être assimilée à une exécution d'otages (voir : *Abbeville*, Fusillés d'). Ce crime, demeuré impuni, n'est jamais évoqué par les historiens de la guerre de 1939-1945, pas plus que l'exécution sommaire de Thierry de Ludre, également en 1940 (voir à ce nom).

OUEST (L').

Quotidien modéré publié à Angers. Fondé en 1910, il disparut à la Libération.

OUEST-ECLAIR (L').

Quotidien rennais fondé le 2 août 1899 par l'abbé Trochu et un groupe d'amis. Emmanuel Desgrées du Lou, avocat à Brest, venait de prendre une part active aux élections de 1897 qui avaient permis à l'abbé Hippolyte Gayraud, ancien dominicain, de se faire élire député du Finistère. L'abbé Trochu, homme habile et entreprenant, voulait ainsi réunir en un grand quotidien les diverses feuilles hebdomadaires qui avaient fait campagne pour l'abbé Gayraud : il avait aussitôt pensé au bouillant républicain Desgrées du Lou pour diriger ce journal qui aurait pour objet d'arracher les campagnes bretonnes à l'influence des monarchistes. Parmi les premiers actionnaires figuraient outre Desgrées du Lou : le commandant Cary, l'avocat Jean Salmon et le professeur Charles Bodin. Bien que l'archevêque de Rennes eût interdit à l'abbé Trochu de diriger L'Ouest-Eclair, ce prêtre n'en exerça pas moins ce qu'il considérait comme son véritable sacerdoce, secondé par Desgrées du Lou et Henri Teitgen, père du futur ministre de la IVe République, qui assuma la direction de la rédaction dès 1907. Ses démêlés avec le clergé breton — le curé-doyen de Bain-de-Bretagne classait son journal parmi les « mauvais journaux » — n'empêchèrent nullement l'impétueux abbé Trochu de faire de L'Ouest-Eclair le premier journal de la région (son tirage dépassait 300 000 exemplaires). Ayant poursuivi sa publication pendant la dernière guerre, le journal fut interdit à la Libération.

OUEST-FRANCE.

Journal quotidien régional fondé à la Libération. C'est, en effet, le 7 août 1944

Signatures de l'acte constitutif de la Société des Editions d'Ouest-France :
Georges Bidault, André Colin, Maurice Schumann, P.-H. Teitgen, etc...

que parut le premier numéro d'*Ouest-France.* Les troupes américaines venaient de chasser de Rennes les derniers bataillons de la Wehrmacht, et Henri Fréville, l'actuel député-maire *M.R.P.* de la grande cité bretonne, nommé en février 1944 « *responsable de l'information clandestine* », avait pris en main les services du *Comité Régional de Presse* émanant du *Comité de Libération* de Rennes. Militant de la *Jeune République* et fondateur du groupe rennais d'*Esprit,* il devait tout naturellement favoriser ses amis politiques. C'est avec joie qu'il donna le feu vert aux fondateurs d'*Ouest-France* qui s'étaient installés dans l'immeuble de l'imprimerie de *L'Ouest-Eclair,* « *à jamais enfoui dans la fosse commune de nos déshonneurs nationaux* » (Teitgen dixit). Ce n'est qu'en septembre que le nouveau quotidien breton eut une existence tout à fait légale, lorsque ses fondateurs eurent créé la société chargée de l'exploitation. Pendant plusieurs semaines, on ne savait pas très bien à qui appartenait le nouveau quotidien. Les 29 et 30 septembre 1944, 29 militants du mouvement démocrate-chrétien — parmi lesquels plusieurs actionnaires de la *Presse Régionale de l'Ouest* (société éditrice de *l'Ouest-Eclair*) — fondèrent la *Société des Editions d'Ouest-France* dont le capital initial était de 100 000 francs (des francs d'alors). Les associés de cette S.A.R.L. étaient : Paul Hutin, journaliste ; Adolphe Le Goaziou, libraire ; Emilien Amaury, journaliste ; Francis Le Bour'his, avocat ; François Desgrées du Lou, publiciste ; Simone Louviot, employée de banque ; Gustave Maruelle, assureur ; Charles Poisson ; Julien Le Prince, employé ; Pierre Berson, chef mécanicien ; Paul Verneyras, industriel ; Pierre Becdelièvre, imprimeur ; Claude Bellanger, journaliste ; Georges Bidault, professeur agrégé (futur président du Conseil); Albert Blanchoin, journaliste (futur directeur du *Courrier* d'Angers); Henri Boissard, inspecteur général des Finances ; André Colin, professeur agrégé, futur ministre ; Charles Flory ; Francisque Gay, directeur de *l'aube* ; Louis Giordano, dépositaire de journaux ; Léon Grimault, chef de groupe S.N.C.F. ; Henri Hutin, industriel ; Eugène Olive, aide-clicheur ; Jean Sangnier, journaliste (fils de Marc Sangnier) ; Laurence Saucourt, née Morancé ; Maurice Schumann, publiciste (futur ministre); Pierre-Henri Teitgen, professeur agrégé (futur ministre); Gaston Tessier, président de la *C.F.T.C.* et Jean Thoraval, professeur agrégé. Par la suite, d'autres associés vinrent s'intégrer : Paul-Joseph Saucourt-Harmel, industriel ; Mme Robert Cornilleau, née

Yvonne Germaine Cholet, veuve de l'ancien animateur du *Petit Démocrate* ; Mme Vve Philippe J. Pagniez ; le général Armand des Prez de la Morlais ; Mme Vve Jules Hutin, née Marthe Vatelot ; Joseph Hutin, industriel ; Gérard Hutin, agriculteur ; Mme Ph. A. Gauvain, née Marie-Madeleine Hutin ; Mme Vve Henri Leclerc, née Jeanne Renée Senaud, et le lieutenant Emmanuel Paul Desgrées du Lou. D'autres modifications intervinrent un peu plus tard, et les 224 parts sociales furent réparties un peu différemment. Premier grand régional de France, le quotidien rennais a pris la suite du quotidien animé jadis par l'abbé Trochu, *L'Ouest-Eclair,* qui fut le pionnier de la démocratie chrétienne dans la traditionnelle Bretagne. Une rivalité déjà ancienne oppose Paul Hutin, dit Hutin-Desgrées, à François Desgrées du Lou : celle-ci eut son épilogue devant les tribunaux. Le premier, qui fut le directeur général du journal pendant plus de vingt ans, a été remplacé par Louis Estrangin que seconde F.-R. Hutin. A la tête de la rédaction se trouvent Yves Le Dantec, rédacteur en chef, et René Fève, secrétaire général. Depuis sa création *Ouest-France* a connu une ascension exceptionnelle : il tirait à 386 000 exemplaires en 1945 ; dix ans plus tard il atteignait 532 000, et en 1965 (dernier contrôle O.J.D.), il dépassait 672 000 exemplaires. Sa diffusion s'étend du Calvados à la Vendée en passant par les Côtes-du-Nord, le Finistère, l'Ille-et-Vilaine, la Loire-Atlantique, le Maine-et-Loire, la Manche, la Mayenne, le Morbihan, l'Orne et la Sarthe. (38, rue du Pré-Botté, Rennes).

OUEST-MATIN.

Quotidien communiste de Rennes. Parut pendant quelques années, après la Libération.

OUEST-NORMANDIE.

Hebdomadaire modéré fondé en 1950 et dirigé par Charles Corlet. Ses 9 000 exemplaires sont diffusés dans le Calvados et l'Orne (22 à 26, rue de Vire, Condé-sur-Noireau, Calvados).

OURS (Henry, Antoine).

Industriel, né à Orange (Vaucluse), le 31 décembre 1902. Représentant en articles de sport et coureur cycliste. Directeur - propriétaire de la firme *Henry Ours* (vêtements, chaussures et articles de sport). Fonda en février 1941 le *Parti Français,* qui entendait adapter à la France quelques unes des idées de l'époque et qui disparut l'année suivante. Collabora également à *L'Atelier* (1943).

OURY.

Président de la *Coopérative laitière de Troyes,* nommé le 23 janvier 1941 membre du *Conseil national* (voir à ce nom).

OUSSET (Jean).

Ecrivain, né à Porto (Portugal), le 28 juillet 1914. Passa son enfance dans le bas Quercy. Ancien prisonnier de guerre. Est l'un des principaux *leaders* du mouvement traditionaliste chrétien. Anima *La Cité catholique,* que présidait le comte Amédée d'Andigné. Préside depuis quelques années l'*Office International des Œuvres de formation civique et d'Action doctrinale selon le Droit naturel et chrétien,* qui a organisé les congrès de Sion (sur le thème : « *L'Homme face au totalitarisme moderne* », 1964), de Lausanne (sur le thème : « *L'Information* », 1965), et de Lausanne (sur le thème : « *Les Laïcs dans la Cité* », 1966). Est l'auteur de plusieurs ouvrages : « *Pour qu'Il règne* », « *Le Marxisme-Léninisme* », « *Le Travail* », « *Pour une doctrine de l'action politique et sociale* » et « *Rétablir le pouvoir temporel chrétien du laïcat* ».

OZANAM (Antoine-Frédéric).

Professeur, né à Milan en 1813, mort à Marseille en 1853. Catholique libéral, auteur de divers ouvrages sur Dante et sur les poètes franciscains, il fut le fondateur des Conférences de Saint Vincent de Paul. Les chrétiens sociaux le considèrent comme leur modèle.

P

PACIFISME.

Doctrine de ceux qui considèrent que la paix, même à tout prix, est préférable à la guerre. Les pacifistes estiment que la guerre ne résout jamais mieux les différends entre états que la négociation. Au début du xxᵉ siècle, les pacifistes se recrutaient parmi les hommes de gauche. Après le triomphe du national-socialisme en Allemagne, la guerre d'Ethiopie, la guerre civile espagnole et surtout les accords de Munich, seule une petite minorité de socialistes, de radicaux et d'anarchistes resta attachée au pacifisme de Jaurès et de Briand. Après l'écrasement du fascisme, la Gauche redevint pacifiste ; elle s'éleva contre les guerres de Corée, d'Indochine et d'Algérie ; aujourd'hui elle se prononce pour la paix au Vietnam.

PACIFISTE (Le).

Journal publié à Paris avant la guerre de 1914 par un petit groupe s'intitulant le *Parti de la Paix*.

PADO (Dominique PADOVANI, dit).

Journaliste, né à Oletta (Corse), le 24 mai 1922. Débuta à vingt ans dans le journalisme et fut rédacteur à *L'Auto* (1942-1943). Collabora, après la Libération, a divers journaux, aujourd'hui disparus, comme *Le gros Lot*, *Forces Françaises*, *Le Tocquard déchaîné*, puis à *L'Aurore*, dont il devint rédacteur en chef après le départ d'André Guérin, en novembre 1955 (a conservé le poste après le retour de ce dernier). Fut également l'un des collaborateurs de la *R.T.F.* (« *Tribune de Paris* »), de Radio-Luxembourg (« *Face à la presse* »), de plusieurs journaux : *Daily Mail*, *Journal du Parlement* et appartint au comité de direction de *Minute* il y a quelques années. Fut candidat sous une étiquette radicale en 1955, dans le 15ᵉ arrondissement : non élu. Après le retour au pouvoir du général De Gaulle, fit voter « *oui* » en septembre 1958 ; fut néanmoins battu en 1958, dans le 18ᵉ arrondissement, malgré l'investiture de l'*U.N.R.* Se fit élire conseiller municipal de Paris et conseiller général de la Seine sous l'égide de l'*U.N.R.* en 1959 ; fut également sénateur suppléant et vice-président du Conseil municipal. Rompit avec le gaullisme en 1961, lorsqu'il s'aperçut que l'*U.N.R.* et son chef « abandonneraient l'Algérie », et rallia le nouveau *Groupe d'Action municipale*. Candidat aux élections législatives dans le 18ᵉ arrondissement contre le député sortant, Michel Sy, du *Centre national des Indépendants et Paysans* (ce dernier ne retourna pas au Palais-Bourbon et Dominique Pado ne fut pas élu : c'est Alexandre Sanguinetti, candidat de l'*U.N.R.*, qui prit le siège). Auteur de : « *Trois procès (Maurras, Béraud, Brasillach)* », « *Russie de Staline* », « *13 mai, histoire secrète d'une Révolution* ». Lauréat du *Prix Albert Londres 1950*.

PAIX (La).

Revue bimestrielle paraissant entre

les deux guerres sous la direction d'Edouard Plantagenet (Engel), principal dirigeant de la *Ligue Internationale des Francs-Maçons*. Y collaborèrent : Stresemann, ministre allemand, Edouard Benès, Henri Barbusse, Anatole de Monzie, Lucien Le Foyer, Grand Maître de la Grande Loge de France, Henry Bérenger, sénateur, etc.

PAIX ET LIBERTÉ.

Bi-mensuel fondé en 1935. Pacifiste et antifasciste. Dirigé par D. Rabaté. (Ne pas confondre avec l'organisme *Paix et Liberté* de J.-P. David, ci-dessous.)

PAIX ET LIBERTÉ.

Organisme de propagande anti-communiste (des années 1950), animé par Jean-Paul David, ancien député de Seine-et-Oise et secrétaire général du *R.G.R.* Disposant de fonds considérables, couvrit la France d'affiches illustrées, parfois fort bien venues, souvent tapageuses, qui rappelaient celles du *Centre des Républicains Nationaux*, de Kérillis. Publiait *Défendre la Vérité*, brochure mensuelle, puis *Démocratie Française*, éditée par l'*Office National d'Information pour la Démocratie Française*.

PAIX SOCIALE (La).

Hebdomadaire paraissant à Paris avant la guerre mondiale sous l'égide de l'*Alliance Républicaine Démocratique*.

PALMERO (Francis).

Homme politique, né à Nice (A.-M.), le 8 décembre 1917. Maire de Menton (depuis 1954). Conseiller général des Alpes-Maritimes (depuis 1958). Président du Conseil général des Alpes-Maritimes (1961). Ancien secrétaire général de la mairie de Nice. Elu député des Alpes-Maritimes (4e circ.) le 23 novembre 1958. Réélu le 25 novembre 1962 contre le candidat gaulliste et le candidat communiste Vanco. Inscrit au groupe de l'*Entente Démocratique*. Réélu en 1967.

PALAIS BOURBON (voir : **Assemblée Nationale**).

PALEWSKI (Gaston).

Homme politique, né à Paris, le 20 mars 1901. Ascendances juives polonaises par son père. Apparenté aux cinéastes Diamant-Berger par sa mère. Ancien collaborateur du maréchal Lyautey au Maroc (1924-1925). Chef de cabinet, puis directeur de cabinet de Paul Reynaud, ministre des Colonies, puis des Finances (1931, 1938-1940). Membre de la délégation française à la Conférence du Désarmement à Genève. Mobilisé dans l'Armée de l'Air (mars-juillet 1940). Rejoignit le général De Gaulle à Londres où il remplit les fonctions de directeur des Affaires politiques de la France libre (1940). Commandant des *F.F.L.* dans l'Est Africain (1941-1942). Directeur du cabinet du général De Gaulle (1942-1946). Membre de la direction du *R.P.F.* (1947), fut élu député de ce Parti dans la 6e circonscription de la Seine en juin 1951. Vice-président de l'Assemblée nationale (1953-1955). Ministre délégué à la présidence du Conseil (gouvernement Faure, 1955). Non réélu député en 1956, fut nommé ambassadeur de France à Rome l'année suivante. Ministre d'Etat chargé de la Recherche scientifique et des questions atomiques et spatiales (cabinets Pompidou, 1962-1965). Président du Conseil constitutionnel.

PALEWSKI (Jean-Paul).

Avocat, né à Paris le 19 juillet 1898. Frère du précédent. Elu député *M.R.P.* de Seine-et-Oise en 1946, réélu en 1951 sous l'étiquette *R.P.F.*, en 1956 comme *républicain social*, en 1958 et en 1962 comme *U.N.R.* Président du Conseil supérieur de la propriété industrielle, de la commision des Finances de l'Assemblée (1962), de la délégation parlementaire française auprès de l'*O.T.A.N.*, du groupe d'*Amitié France-Amérique latine*, du groupe d'*Amitié France-Pologne*, et vice-président du groupe d'*Amitié France-Etats-Unis*. Réélu député (Les Yvelines, 2e circ.) en 1967.

PAMS (Gaston).

Propriétaire-exploitant, né à Port-Vendres (P.-O.), le 22 novembre 1918. Viticulteur, maire d'Argelès-sur-Mer et conseiller général du canton, sénateur des Pyrénées-Orientales depuis 1959. Membre du groupe de la *Gauche démocratique du Sénat*.

PAQUIS (Jean-Hérold) (voir : **Jean HEROLD-PAQUIS**).

PAQUET (Aimé).

Agriculteur, né à Saint-Vincent-de-Mercuze (Isère), le 10 mai 1918. Maire de Saint-Vincent-de-Mercuze (depuis 1947). Conseiller général de l'Isère (depuis 1945). Président de l'habitat rural. Anc. militant du *P.S.F.* (du lt-colonel de La Rocque). Anc. rédacteur au *Flambeau*. Elu député de la *Réconciliation Française* (parti des fidèles de La Rocque) le 17 juin 1951. Réélu sous l'égide du *Centre National des Indépendants* le 2 janvier 1956 et le 30 novembre 1958. Réélu député républicain indép. en 1962 et 1967. Membre de l'*Alliance France-Israël*.

PARAF (Pierre).

Hommes de lettres, journaliste, né à Paris, le 6 décembre 1893. Etait, avant la guerre, l'un des animateurs de la *Ligue Internationale contre l'Antisémitisme* (L.I.C.A.) en même temps que le directeur littéraire du quotidien radical *La République*. Préside le *Mouvement contre l'Antisémitisme, le Racisme, pour la Paix*, né d'une scission provoquée par les communistes à la *L.I.C.A.* Appartient au C.C. de la *Ligue des Droits de l'Homme*, à la direction de *La Démocratie Combattante* et au comité d'honneur de l'*A.R.A.C.* Préside également les *Amis d'Henri Barbusse* et dirige *Amitiés France-Israël*. Collabore ou a collaboré aux publication suivantes : *Combat, Nouvelles Littéraires, Revue Politique et Parlementaire, Europe, Lettres françaises*, etc. Rédacteur en chef à l'*O.R.T.F.* Auteur de : « *Clarté d'Europe* », « *Israël dans le Monde* », « *Rendez-vous africains* », « *L'Ascension des peuples noirs* », « *L'Etat d'Israël* », « *Les Démocraties populaires* », « *Le Racisme dans le monde* ».

PARAF-JAVAL.

Militant anarchiste, né à Paris en 1858, mort à Montluçon en 1942. Co-fondateur de la *Ligue antimilitariste*. Collaborateur du *Libertaire*. Nettement hostile au syndicat qui, en améliorant le sort de l'ouvrier et lui rendant la vie plus supportable, lui enlève l'envie de se révolter et prolonge ainsi l'existence du système capitaliste : « *Qu'est-ce qu'un syndicat ? écrivait-il dans Le Libertaire (2-4-1904), c'est un groupement où les abrutis se classent par métiers, pour essayer de rendre moins intolérables les rapports entre patrons et ouvriers. De deux choses l'une : ou ils ne réussissent pas, alors la besogne syndicale est inutile ; ou ils réussissent, alors la besogne syndicale est nuisible, car un groupe d'hommes aura rendu sa situation moins intolérable et aura, par suite, fait durer la société actuelle...* » Auteur de : « *L'absurdité de la Politique* », « *L'absurdité de la Propriété* », « *L'absurdité des soi-disant libres-penseurs* », « *Les faux droits de l'Homme* », etc.

PARAZ (Albert).

Ecrivain, né à Constantine (Algérie), le 10 décembre 1899, mort à Vence (A.-M.) le 2 septembre 1957. Combattant des deux guerres : mobilisé en avril 1918 ; mobilisé en 1939 ; réformé 100 % en février 1940 et 120 % en mars 1949. (Son état avait, en effet, empiré après la guerre : mourant, il fut sauvé alors par la streptomycine que lui avait envoyée, des Etats-Unis, une institutrice). Collabora régulièrement à *Rivarol* jusqu'à sa mort. Ami de Paul Rassinier, préfaça la première édition du fameux « *Mensonge d'Ulysse* ». Auteur de nombreux ouvrages : « *Bitru* », « *Les repues franches* », « *Le roi tout nu* », « *Le couteau de Jeannot* », « *Le lac des songes* », « *Remous* », « *Le poète écartelé* », « *Vertiges* », « *Le gala des vaches* », « *Valsez saucisses* », « *Une fille du Tonnerre* », « *Villa Grand Siècle* », etc. Une association des *Amis d'Albert Paraz* a été créée après la mort de l'écrivain (siège : villa Grand Siècle, à Vence, A.-M.). C'est sous son égide que parut, en 1959, « *Le Menuet du haricot* », œuvre posthume d'Albert Paraz.

PARIS (Henri, Robert, Ferdinand, Marie, Louis-Philippe d'ORLEANS, comte de).

Prétendant monarchique au trône de France. Né à Nouvion-en-Thiérache (Aisne), le 5 juillet 1908. Fils de Jean d'Orléans, duc de Guise (descendant de Louis-Philippe Ier par le duc de Chartres) et de la duchesse Isabelle d'Orléans, sa cousine. Enfance partagée entre Nouvion, Larache (Maroc espagnol) et Paris. Etudes secondaires au Collège Stanislas jusqu'au 28 mars 1926, date à laquelle la mort du prétendant de l'époque, le duc d'Orléans, sans postérité (1926), et l'acceptation par le duc de Guise de sa succession l'obligeant à l'exil — au manoir d'Anjou, près de Bruxelles —, il s'inscrivit comme étudiant en droit, en sciences naturelles et en agronomie à l'Université catholique de Louvain. Le 5 juillet, à sa majorité, il reçut de son père le titre de comte de Paris. Il a eu pour précepteurs : Raphaël Alibert, futur Garde des Sceaux du maréchal Pétain, Ernest Perrot et l'abbé Thomas ; puis, en 1929, Charles Benoist, membre de l'Institut, ambassadeur de France et professeur à l'Ecole des Sciences Politiques, spécialiste fervent de Machiavel (auquel il a consacré plusieurs ouvrages) et récemment rallié à la cause monarchique, qui eut une forte influence sur son élève en « machiavélisme perpétuel ».

Le 8 avril 1931, le comte de Paris épousait à Palerme sa cousine Isabelle d'Orléans-Bragance, comtesse d'Eu, dont il a eu onze enfants. Peu après, le duc de Guise en faisait son fondé de pouvoir, c'est-à-dire le véritable prétendant. Impatient de prendre la direction du mouvement monarchiste en plein essor grâce au « royalisme de raison » développé par Charles Maurras dans « *L'Enquête sur la Monarchie* » et au rayonnement de *L'Action Française* (malgré la condamnation de sa doctrine par le Vatican en décembre 1926), encouragé par Pierre et Edouard de La Rocque, frères du colonel François de La Rocque des *Croix de Feu* et transfuges de *L'Action Française*, le comte de Paris reprocha aux dirigeants du journal de ne pas avoir profité du 6 février 1934 pour s'emparer du pouvoir.

Déjà, en 1933, il avait fondé une revue sous son seul contrôle, *Questions du Jour* (cahiers trimestriels), avec Edouard de La Rocque comme directeur, puis, le 10 décembre 1934, *Courrier royal*, d'abord mensuel, devenu hebdomadaire en 1935, avec un réseau de diffusion autonome, la *Propagande monarchiste*, entièrement dévoué à sa cause. *Courrier royal* allait lui servir à ce que nous appellerions de nos jours ses relations publiques, en le présentant sous les jours susceptibles de populariser son « image de marque ». Jusqu'alors, il avait conservé l'appui actif de *L'Action Française* (croisière du « Campana », septembre 1934), qui ne pouvait renier le prétendant sans se renier elle-même. En 1936, il publia « *Faillite d'un Régime — Essai sur le Gouvernement de demain* », qui reprend les arguments de « *L'Enquête sur la Monarchie* » de Maurras, mais présentés à l'usage du grand public. En même temps, il créa une organisation, les *Métiers français*, confiée à Edouard de La Rocque, qui cherchait à contrôler les groupes de militants. Contre-attaque de *L'Action Française* qui, en quelques mois, fait perdre à *Courrier royal* plus de la moitié de ses abonnés. Mais en novembre 1937, un « *Manifeste aux Français* », signé du duc de Guise, désavoua *L'Action Française* et scella la rupture définitive. Désormais, le comte de Paris se lança dans une aventure personnelle pour la conquête non plus du royaume, mais du pouvoir, modifiant son « image » dans le sens libéral et démocrate : il se présentera dorénavant comme un « arbitre » désintéressé à la disposition

Monseigneur le Comte de Paris
Madame la Comtesse de Paris

invitent

Monsieur le Président

à assister au mariage de
Son Altesse Royale le Prince Henri de France
avec Son Altesse Royale la Duchesse Marie-Thérèse de Wurtemberg
qui sera célébré à Dreux, en la Chapelle Royale Saint-Louis,
le Vendredi 5 Juillet 1957 à midi

Cette carte
era demandée à l'entrée de la Chapelle
heure limite d'arrivée 11 heures 30

R.S.V.P.
Secrétariat de Mgr le Comte de Paris
9 rue de Constantine, Paris, 7e

permanente des Français. En 1937, publication de son livre « *Le Prolétariat* », qui reprenait les idées du corporatisme. L'année suivante, le comte de Paris aurait essayé sans succès de prendre le contrôle de *Je suis partout*. Dès la déclaration de guerre de 1939, il voulut s'engager dans l'armée française, puis dans l'armée anglaise et dans l'armée belge, mais se heurta partout à un refus. Par contre, le 2e Bureau français lui confia une série de « missions d'information » — il parlait sept langues et possédait de nombreux « contacts » tant chez les Alliés que chez les ennemis — à Rome, Athènes, Belgrade, Sofia. En mai 1940, il obtint l'autorisation de s'engager dans la Légion comme simple soldat à titre étranger sous le nom de d'Orliac. Démobilisé le 15 août à Marseille, il revint à Larache pour assister aux derniers moments de son père, le duc de Guise. Rallié au maréchal Pétain, dont le gouvernement comptait de nombreux royalistes — dont Alibert, son ancien professeur de droit —, il lança plusieurs proclamations pour inciter les Français à se grouper autour du Maréchal (en particulier : « *Aux jeunes Français* », mai 1941, et « *Aux paysans et ouvriers français* », juin 1941). Mais désireux de ne pas apparaître comme *l'homme d'un parti* — celui de Vichy —, il se mit en rapport avec l'opposition. C'est ainsi qu'il eut des contacts avec la Franc-Maçonnerie. Réfugiée dans la clandestinité — encore qu'il y eut probablement autant de maçons *européens* et *collaborationnistes* que de maçons *résistants* —, n'était-elle pas à ses yeux le ciment de la gauche ? Le premier Convent du *Grand Orient de France* qui se tint après la Libération donne quelques détails sur ces rencontres : « *Votre Conseil de l'Ordre clandestin*, déclara le frère Zaborowski, *a été mêlé à deux événements politiques importants.* » Il s'agissait de contacts entre la Franc-Maçonnerie d'une part, et le comte de Paris ou l'épiscopat, d'autre part. « *Dès l'automne de 1940*, affirma le haut dignitaire du Grand Orient, *le prétendant nous a envoyé un émissaire. C'est moi qui l'ai reçu. Je suppose que ses informations étaient venues par Londres, avec laquelle nous étions en communications dès la fin d'octobre. Il nous a dit que le Maréchal lui avait envoyé un messager pour lui faire des propositions, que ces propositions étaient tellement conservatrices qu'il les avait refusées et que ses intentions, s'il prenait le pouvoir, étaient celles-ci : il rétablirait la monarchie constitutionnelle, avec Chambre des députés et Sénat ; les organisations politiques seraient reconstituées, Ligue des Droits de l'Homme, Ligue de l'Enseignement, Parti communiste, Franc-Maçonnerie ; seul le statut des Juifs serait conservé, avec quelques amodiations. Et il venait me demander qu'elle serait l'attitude de la Franc-Maçonnerie. J'ai répondu que la Franc-Maçonnerie ne se réunissait pas et que, si l'on voulait la consulter, il fallait consulter les Loges et un Convent. J'ai ajouté : les Francs-Maçons étudient toutes les questions et si on leur démontre que le prétendant est un génie politique capable de nous tirer de l'embarras dans lequel nous sommes, ils seront prêts à lui faire confiance. Mais il y a une chose qu'ils n'accepteront jamais, c'est le principe de l'hérédité. Il est parti en disant qu'il reviendrait. Mais j'ai su ensuite qu'il avait quitté brusquement la France pour l'Espagne et l'Amérique.* » (Compte rendu du Convent du *Grand Orient de France*, 17-20 octobre 1945, page 218.) Le prince posait, en quelque sorte, sa candidature à la succession du maréchal Pétain. Du côté de Vichy, elle fut assez mal accueillie. Aussi le prétendant, qui était en liaison avec le « *Groupe des Cinq* » et en contact avec les gaullistes d'Alger, se rendit-il dans la capitale de l'Algérie, le 9 décembre 1942, pour tenter de devenir Haut-Commissaire en Afrique française. Il s'y trouvait encore le 24 décembre, jour où l'amiral Darlan fut assassiné par Bonnier de la Chapelle. Ayant été mis en cause, au cours de l'enquête qui suivit, par le commissaire aux Renseignements généraux Achiari (cf. sa déposition du 9 janvier 1943), le comte de Paris fut prié de quitter Alger par le général Giraud, ce qu'il fit le 10 janvier : il retourna au Maroc. Après trois ans et demi de silence, il fit sa rentrée politique, le 23 juillet 1946 : « *Il faut vivre avec son époque* » fut le slogan de sa propagande, repris avec la fondation d'*Ici France*, périodique placé sous le contrôle de son secrétariat. En 1947, il publia « *Entre Français* », dans lequel il lança l'idée d'un parti travailliste français, groupant les libéraux, les radicaux et les socialistes, qui le porterait au pouvoir où il se montrerait l'arbitre des partis. Thèse précisée dans « *L'Esquisse d'une constitution monarchique et démocratique* », qu'il publia en 1948. Et le 15 novembre 1949, il affirmait dans *Ici France* qu'il renonçait à « *organiser les monarchistes français* », ce qui achevait sa séparation des groupes royalistes. Cette décision du prince fut un soulagement pour les cercles officiels. Aux yeux du gouvernement, le comte de Paris cessait d'être le prétendant traditionnel rêvant de s'imposer un jour grâce au fameux « *coup de force* », dont Charles Maurras avait menacé la République. Dès lors, la loi du 23 juin 1886 exilant les chefs de familles ayant régné en France et leurs héritiers directs n'avait plus d'objet : elle fut abrogée le 24 juin 1950, permettant au prince de rentrer en France, au manoir du « Cœur Volant », près de Paris. Il fit diffuser plus largement le *Bulletin du Secrétariat politique de Mgr de comte de Paris*, prit de nombreux contacts avec les personnalités du monde politique, du journalisme et des affaires, rendit visite à diverses autorités régionales et locales, reçut à sa table des ministres et des ministrables du centre et de gauche, etc. A la Foire de Lyon de 1952, il figurait même à la tribune officielle en compagnie d'Edouard Herriot, député-maire, et du cardinal Gerlier, archevêque et primat des Gaules. Certains républicains s'émurent et, au Convent du *Grand Orient* de 1952, la loge *Pierre-Brossolette* émit un vœu qui parut fort embarrasser la direction de l'obédience maçonnique. Voici comment le compte rendu du Convent relate l'incident :

F∴ Philippe. — Voici un vœu de la R∴L∴ « Pierre-Brossolette », Or∴ de Paris : « Le comte de Paris commence un campagne de voyages destinée, dit-il, à mieux connaître son pays. Son secrétariat politique rédige un bulletin périodique sur les événements. Il est, d'autre part, reçu à titre officiel dans un certain nombre de mairies. Cet ensemble de faits montre que le comte de Paris, auquel la IVᵉ République a permis le retour en France, a nullement renoncé à ses prétentions dynastiques. En conséquence, la R∴L∴ « Pierre-Brossolette » demande qu'il soit rappelé aux autorités républicaines que le comte de Paris est un citoyen comme les autres, sans aucune prérogative attachée à son nom ou à sa naissance.

En ce qui concerne ce vœu, venant après celui de « La Parfaite Harmonie », votre commission a pensé que, peut-être, il n'était pas opportun de demander qu'on mette un terme à l'activité du comte de Paris au moment où celui-ci ne cache pas son hostilité aux thèses développées par Charles Maurras et sa presse. Je crois que vous suivrez votre commission en acceptant de passer à l'ordre du jour sur ce vœu.

Le Président. — Je mets aux voix le passage à l'ordre du jour.

Sur conclusions favorables du F∴ Orateur, le passage à l'ordre du jour est décidé à l'unanimité moins sept voix. » (Compte rendu du Convent du *Grand Orient de France*, 15-18 septembre 1952, page 62.) Les cérémonies du mariage du

comte de Clermont, fils aîné du prince, furent l'occasion de nouvelles manifestations (1957) au cours desquelles les partisans royalistes côtoyèrent les hommes politiques de la IVᵉ République à la recherche d'une bouée de sauvetage. La fin du régime était proche : les craquements annonciateurs de l'effondrement incitaient les politiciens soucieux de ménager l'avenir à se rapprocher de celui qui apparaissait à beaucoup comme *l'espoir suprême, la suprême pensée...* Le retour de *l'homme du 18 juin* brisa net l'élan des *supporters* du descendant de Louis-Philippe. Dès lors, il ne restait plus au comte de Paris qu'à prendre position pour ou contre le Général et sa politique. Il fut *pour* et fit voter OUI en septembre 1958. Par la suite, il calqua constamment sa politique sur celle du général De Gaulle : ardent Algérie française encore en mai 1958, il se déclarait partisan de l'autodétermination en septembre 1959 et approuvait le référendum de 1962 consacrant l'abandon de l'Algérie. Il soutint dans son *Bulletin mensuel d'information* toutes les grandes options du président de la République aussi bien dans le domaine de la politique étrangère que dans celui de la politique intérieure. Cette attitude surprit d'autant plus les fidèles que les Orléans avaient présidé à la conquête de l'Algérie et que l'un des fils du comte de Paris venait de perdre la vie en défendant les départements français d'Afrique du Nord. On attribua cette prise de position à certaines promesses que le président De Gaulle aurait faites au sujet de sa succession. « *Paris vaut bien une messe* », avait dit l'ancêtre. L'approbation constante de la politique du Général par le prétendant aurait ainsi une explication susceptible de satisfaire les plus inquiets de ses partisans.

PARIS-CENTRE.

Quotidien national fondé à Nevers en 1909. Dirigé avant la guerre par le marquis de Tracy. Son tirage dépassait 60 000 exemplaires diffusés dans la Nièvre, le Cher, le Loiret, l'Allier, la Saône-et-Loire et la Côte-d'Or (cinq éditions). Disparu en 1944. Ses installations sont utilisées par *Le Journal du Centre*, fondé par des résistants.

PARIS-JOUR.

Quotidien parisien fondé sous le nom de *Franc-Tireur* dans la clandestinité (décembre 1941). Parut au grand jour à la Libération. Pour sa publication, une S.A.R.L. fut constituée le 13 février 1945. Les associés fondateurs étaient : Albert Bayet, professeur à l'Université, Jean-Pierre Lévy, représentant de commerce,

Elie Péju, entrepreneur de transports, Jean-Jacques Soudeille, journaliste, Eugène Petit, dit Claudius Petit, Georges Vallois, administrateur de journaux, Auguste Pinton, professeur, Georges Altman, journaliste, Marcel Fourrier, avocat, Antoine Avinin, industriel, etc. auxquels vint s'ajouter, un peu plus tard, Léon Boutbien. Le journal fut longtemps considéré comme sympathisant communiste, jusqu'au jour où Vallois et Fourrier le quittèrent pour rejoindre *Libération*. Avant leur départ, ils avaient proposé à leurs associés de faire fusionner *Franc-Tireur* avec le quotidien progressiste d'Emmanuel d'Astier de la Vigerie, mais leur projet fut rejeté. La situation financière du journal fut si mauvaise en mars 1949 que Georges Altman tenta d'obtenir l'aide de certains syndicats américains, mais sans succès, semble-t-il. Le journal était alors dirigé par Elie Péju que secondaient Daniel Ungemach, dit Benedite, administrateur, R. Lespagnols, secrétaire général et, pour la rédaction, Georges Altman et R. Tréno. La rédaction comprenait alors, outre certains associés : Charles Ronsac, Jean Ferniot, Bernard Lefort, Jean Rous, Alexis Danan, R. Savreux, Henri Monier, R. Cabrol, Curry, Lap. Malgré ce brillant état-major, *Franc-Tireur* connut une baisse de tirage inquiétante : de 370 000 exemplaires en 1948, il était tombé à 300 000 en 1949, à 240 000 en 1950, à 135 000 en 1953, et, enfin, à 107 000 en 1957. Pour survivre, le journal avait dû faire appel à la bourse de l'éditeur Cino Del Duca qui, devenu gros créancier, en fut bientôt le maître. En 1957, Del Duca transforma *Franc-Tireur* en *Paris-Journal*. Le nouveau quotidien parut le 18 novembre. Entre temps R. Tréno avait quitté la rédaction pour prendre le poste qu'il occupe aujourd'hui au *Canard enchaîné*, et Ch. Ronsac était devenu le second rédacteur en chef. La tendance progressiste de *Franc-Tireur* s'estompa peu à peu ; si bien que ses anciens lecteurs l'abandonnèrent et qu'il ne trouva pas suffisamment de lecteurs nouveaux pour lui permettre de subsister. Le 22 septembre 1959, *Paris-Journal* annonçait sa transformation en même temps que son changement de titre. Devenu *Paris-Jour*, il parut sur format *tabloïd* avec un tirage de départ de 150 000 exemplaires. Son état-major était sérieusement remanié. Autour de Cino Del Duca, directeur général, figuraient : Philippe Boegner, directeur délégué, Daniel Morgenstein dit Morgaine, rédacteur en chef et secrétaire général, Bernard Lefort, rédacteur en chef pour la politique intérieure, Robert Aeschelmann et Michel Eberhardt,

rédacteurs en chef pour la politique extérieure, Dominique Lapierre, pour le service « News », Jacques Friedman pour le service « Features ». L'équipe du journal fut plusieurs fois remaniée. En 1965, elle se composait principalement de : François M. Benvenga, homme de confiance de Cino Del Duca, président-directeur général, président-directeur général ; Roger de Lafforest, ancien rédacteur à *La Liberté*, de Jacques Doriot, directeur délégué ; Jacques Frémontier, directeur-rédacteur en chef ; Bernard Lefort, directeur politique ; François Crouzet, Antoine Moulinier et Pierre Nadler, rédacteurs en chef. Depuis quelques années, *Paris-Jour* est le quotidien officieux du gaullisme, son directeur politique défendant avec opiniâtreté le point de vue gouvernemental. Avec un tirage de plus de 285 000 exemplaires et une diffusion de 208 000, le journal de Cino Del Duca occupe la septième place dans la presse quotidienne parisienne (37, rue du Louvre, Paris 2e).

PARIS-JOURNAL.

Quotidien fondé en 1888, dirigé tour à tour par le fameux pamphlétaire révolutionnaire (assagi) Gérault Richard, puis par François Deloncle, alors député de la Cochinchine. Disparu en 1914.

PARIS-MATCH.

Magazine hebdomadaire fondé le 24 mars 1949, par l'industriel Jean Prouvost, qui publiait avant la guerre le magazine *Match* en même temps que *Paris-Soir* et *Paris-Midi*. La publication de *Paris-Match* provoqua des remous, la presse issue de la Résistance reprochant à Prouvost d'avoir poursuivi la publication de *Paris-Soir* en zone Sud pendant la guerre. Aidé de Philippe Boegner et Gaston Bonheur, tous deux de l'ancien *Paris-Soir*, de Raymond Castans, Georges Pernoud et Roger Thérond, rédacteurs en chef, de Pierre Comert, précédemment au Quai d'Orsay, Claude Martial et Raymond Cartier, le « roi de la laine » tint tête à l'assaut et, en novembre 1950, *Paris-Match* franchissait le cap des 370 000 exemplaires. Son tirage atteint aujourd'hui 1 400 000 exemplaires, avec une vente moyenne de 1 200 000. Jean Prouvost, le « patron », qui prend le titre de « président-rédacteur en chef », est entouré de : Roger Thérond, directeur de la rédaction, qu'assistent Jean Farran, André Lacaze, Jean Merlin, Jean-Raymond Tournoux, directeur des services politiques, Victor Laville, secrétaire général de la rédaction, Raymond Castans, secrétaire général, André-Louis Dubois, ancien préfet de police, et Jean

Hamelin, administrateurs généraux ; Hervé Mille, Raymond Cartier, Arnold de Contades, Gaston Bonheur, René Cartier, du conseil des directeurs. Principaux collaborateurs : René Dabernat, Robert de Saint-Jean, Henriette Chandet, Dominique Lapierre, Claude Azoulay, Michel Le Tac, Jean-Michel Grunebaum, etc. Très indépendant du pouvoir sous la IVe République, *Paris-Match* s'est peu à peu rapproché du gouvernement sous la Ve. Le sérieux de ses informations politiques a été bien souvent mis en doute, la dernière fois en juin 1966 lorsqu'il publia un article sur la renaissance du nazisme en Allemagne accompagné de photographies. On découvrit qu'il s'agissait là d'une affabulation : la bonne foi du journal paraît avoir été surprise, car le reportage photographique relevait d'une savante mise en scène (cf. la presse de fin juin-début juillet 1966, notamment *Le Monde*, 6-7-1966). Les milieux « européens » regrettèrent d'autant plus la publication de cet article et de ces photos que les relations franco-allemandes, ou plus exactement entre le général De Gaulle et le chancelier Erhard, s'aigrissaient déjà fortement (51, rue Pierre-Charron, Paris 8e).

PARIS-MIDI.

Quotidien fondé en 1912. A ses débuts, était conservateur et hippique, comme il se devait alors pour un journal acheté principalement par des turfistes. Son animateur était Maurice Kartuyvels, dit de Waleffe, futur organisateur de concours de beauté féminine. Par la suite, une revue de la presse soignée lui attira d'autres lecteurs que les passionnés du cheval. Après la Première Guerre mondiale, Jean Prouvost en devint le propriétaire et Lucien Romier, puis Marcel Lucain, les principaux rédacteurs. Lorsque Prouvost eut racheté et développé *Paris-soir*, *Paris-Midi* ne fut plus que l'annexe du grand quotidien vespéral. Ayant paru pendant l'occupation, fut suspendu à la Libération.

PARIS-NORMANDIE.

Quotidien de gauche publié à Rouen. Fut créé le 1er septembre 1944, sous le nom de *Normandie* par une équipe de journalistes dirigée par un ancien collaborateur du *Journal de Rouen*, Charles Vilain, qui avait obtenu l' « autorisation préalable » (instituée par l'ordonnance du général De Gaulle datée du 22 juin 1944). Au début de 1945, Vilain fut évincé au profit de Pierre-René Wolf, imprimeur de profession et homme de lettres par vocation. Des procès retentissants ne modifièrent pas cette situation en dépit de la manière contestable employée contre le fondateur. Parmi les dirigeants de la nouvelle équipe, groupés autour de P.-R. Wolf, figuraient : Jean Allain, imprimeur, représentant avant la guerre la tendance du *Parti Démocrate Populaire* ; René Boutry, instituteur, militant socialiste *S.F.I.O.* ; Max Canu, transitaire, président de *Ceux de la Résistance* et principal animateur du *Comité Départemental de Libération* ; Jean Capdeville, socialiste et maçon actif, qui devait entrer au Palais-Bourbon avant de défrayer la chronique judiciaire et de disparaître de la scène politique ; et Georges Lanfry, entrepreneur de travaux publics, militant de *La Jeune République* et membre influent du *Comité de Libération*. Parmi les associés de la S.A.R.L. qui fut constituée pour l'édition du journal — la *Société Normande de Presse Républicaine* — outre les cinq dirigeants qui viennent d'être cités, figuraient : Mme Simon, transitaire, présidente des *Femmes Chefs d'Entreprises* ; Henri Ribière, ancien chef de la *D.S.T.*, député de Paris ; Emilien Tate, ancien adjoint au maire de Rouen ; Georges Brutelle, instituteur, militant *S.F.I.O.* ; Raoul Leprettre, ancien député ; Roger Foubert, chef de travaux ; Marcel Frémaux, industriel ; Roger Foursin, ingénieur-conseil ; Albert Candelier, directeur régional des Contributions Indirectes ; le Dr R. Assire ; Marceau Cauchy, bijoutier ; l'abbé Robert Hue ; Lucien Legrand, directeur commercial ; Paul Verneyras, député ; Robert Petit, adjoint au maire de Dieppe ; Georges Pelluet, ingénieur ; Pierre Renoult, cafetier ; Jean Texcier, journaliste ; le Dr Paul Bonvoisin ; Henri Paumelle, sénateur ; Louis Siefridt, directeur de la Caisse Mutualiste ; René Lecourt, architecte, frère du ministre *M.R.P.* ; Bernard Lecoge, directeur du Comité d'Organisation ; Alfred Buzevetre, archiviste ; René Millot, directeur honoraire des P.T.T. Chacun des associés possédait dix parts (1 000 000 de F) et les gérants, Wolf et Lanfry, cinq parts supplémentaires. En raison de leur nombre, les socialistes, dès le début, dominèrent nettement, ce qui permit au *Centre International de Presse*, dépendant de l'Internationale Socialiste, de classer *Paris-Normandie* parmi les vingt-deux quotidiens adhérents et sympathisants (cf. « *La Presse Socialiste en France* », 1959. Druk N.V. De Arbeiderspres Amsterdam Holland, pp. 30 et 31). La *Société Normande de Presse Républicaine*, qui est, depuis 1966, au capital de 2 019 600 F a pour gérants Pierre-René Wolf et Georges-Jean-Joseph Lanfry, secondés par un conseil de surveillance composé de : Georges Albert Pelluet, Isidore Pierre Renoult, Jean-Marie Allain, René Prosper Bourty, Max Henri Canu, Roger Henri Poursin, Raoul Marie Leprettre, Bernard Vaudour, ce dernier directeur administratif. L'équipe actuelle du journal, dirigée par Pierre-René Wolf, qui fut, ces dernières années président de la *Fédération Nationale de la Presse Française*, comprend essentiellement Ralph Canu, secrétaire général, Jacques Chopart, rédacteur en chef, Bernard Wolf, directeur des services politiques et des bureaux parisiens, Annie Guilbert et Jacques Brenner, chroniqueurs littéraires, J.-C. Jaubert, critique dramatique, Raoul Leprettre, directeur de la publicité, assisté de Bernard Catelas, et Charles Drugeon, directeur des ventes. Ses 148 000 exemplaires vendus quotidiennement sont diffusés principalement dans la Seine-Maritime ; 22 % sont lus dans le Calvados, l'Eure et les autres départements normands (19, place du général De Gaulle, Rouen).

PARIS-PRESSE-L'INTRANSIGEANT.

Quotidien parisien fondé le 13 novembre 1944, sous la direction de Philippe Barrès, fils du doctrinaire nationaliste, qui avait créé pour son exploitation une S.A.R.L., la société *Philippe Barrès et Cie*, en association avec Henri Massot. Le premier avait 90 % du capital social et le second 10 %. La gérance de la société fut, au début, assurée conjointement par Philippe Barrès et Eve Curie, fille de Pierre et Marie Curie. L'équipe rédactionnelle comprenait principalement : Gerville-Reache, transfuge du *Matin*, Edouard Helsey, ancien rédacteur au *Journal*, Jérôme et Jean Tharaud, Gérard Bauer, Merry Bromberger, Henri Frenay, Michel Rapaport, dit Gordey, Bernard Zimmer, etc. Le tirage monta en flèche : 200 000 exemplaires en 1944, 430 000 en mars 1947, 675 000 en juillet 1948. Max Favalelli, Gaston Bonheur, Jacques Bloch-Morhange avaient renforcé la rédaction. Mais en 1948, la situation financière devint critique et *Paris-Presse* se rapprocha de son principal concurrent *France-Soir*, avec lequel il créa une société de gérance commune. A la même époque, *Paris-Presse* absorba le vieil *Intransigeant*, fondé en 1880 par Rochefort et qui reparaissait depuis 1947. Malgré ces accords, la situation ne s'améliora pas, et Philippe Barrès dut s'effacer devant Henri Massot (1949). Deux ans plus tard, *Paris-Presse-L'Intransigeant* entra dans une nouvelle société constituée en 1951, la *Franpar* (*FRANce-Soir-PARis-Presse*) où la mai-

son *Hachette* possédait la majorité. Ce nouveau départ ne fut qu'un feu de paille : l'année suivante la *Franpar* constituait avec l'industriel de l'aéronautique Marcel Dassault la *Compagnie nouvelle de Paris-Presse* chargée de l'exploitation du journal : 50 % du capital social (20 millions) au groupe Dassault et 50 % au groupe *Franpar*. Un nouveau ballon d'oxygène revigora *Paris-Presse-L'Intransigeant* en 1956 lorsque le capital de la société d'exploitation fut porté de 20 à 220 millions par un versement de 100 millions de l'*Immobilière Marcel Dassault* et de 100 millions de la *Franpar*. Les résultats obtenus n'étant guère satisfaisants, Marcel Dassault se retira en novembre 1959, et le groupe Hachette se retrouva seul maître du journal. Depuis le 14 juin 1965, *Paris-Presse* n'est plus qu'une « jaquette » dans laquelle vient s'encarter le numéro du jour de *France-Soir*. La « jaquette » de quatre pages porte la mention *Paris-Presse-L'Intransigeant-France-Soir*. Avant cette dernière modification, le tirage du journal était tombé à 99 000 avec une diffusion moyenne de 65 000 exemplaires seulement. Aucun nouveau contrôle de l'*O.J.D.* n'a eu lieu depuis le 2 avril 1965. Gaulliste à sa création avec Philippe Barrès, le quotidien n'a pas changé de tendance malgré ses avatars : Marcel Dassault, tout comme Pierre Lazareff, qui supervise la rédaction pour le compte du groupe *Hachette*, l'ont maintenu dans la même ligne (100, rue Réaumur, Paris 2e).

PARIS-SOIR.

Ce titre fut d'abord celui d'un quotidien éphémère lancé en 1912. Puis, en 1923, Eugène Merle, ancien collaborateur de *La Guerre Sociale*, qui venait d'obtenir un assez joli succès avec *Le Merle blanc* — « *le merle siffle et persifle tous les jeudis* » —, fonda ce quotidien qui devait être l'organe vespéral du *Cartel des Gauches*. Les lecteurs socialistes communistes n'avaient plus de journal du soir. Coup sur coup, *L'Internationale* communiste avait disparu et *Le Populaire*, devenu le porte-parole officiel de la *S.F.I.O.* après la scission de Tours, avait cessé d'être feuille vespérale pour devenir journal du matin. Prodigieux animateur, et fort peu scrupuleux sur le choix des moyens, Merle s'adressa d'abord aux amis politiques. L'envoi aux loges maçonniques d'un numéro spécialement rédigé et imprimé à l'intention

---

NE MANQUEZ PAS DE NOUS SIGNALER LES ERREURS ET LES OMISSIONS QUE VOUS AUREZ REMARQUÉES DANS CE « DICTIONNAIRE ». NOUS VOUS EN SERONS RECONNAISSANTS.

des adeptes du *Grand Orient*, de la *Grande Loge* et du *Droit Humain* (1), l'appui généreux et total des dirigeants du *Cartel* — Edouard Herriot et Paul-Prudent Painlevé signèrent même un appel pressant en sa faveur —, le dévouement des militants républicains et démocrates, les gros sous des petits bourgeois et des fonctionnaires sympathisants, la collaboration de journalistes éminents — L.-O. Frossard, Lucien Van Costen, Georges Pioch, Victor Méric, Bernard Lecache, Paul Reboux, Robert Tourly, Paul-Louis —, ne suffirent pas à faire de *Paris-soir* un grand journal. L'organe végéta, puis commença de sombrer. Eugène Merle quitta le navire en perdition : il céda ses actions à un nouveau groupe, patronné par *Le Journal*, qui renfloua la feuille et tranforma sa rédaction. Le ton devint *Union Nationale* et poincariste. Les collaborateurs de gauche avaient, entre temps, abandonné *Paris-soir* et fondé, avec Alexis Caille, un nouveau quotidien cartelliste : *Le Soir*. De l'ancienne équipe, il ne restait que Paul Reboux, qui devint directeur général, Lucien Van Costen, qui prit la rédaction en chef, et quelques rédacteurs auxquels vinrent se joindre Elie Richard, Alexis Danan, Maurice Verne, Pierre Dominique, Michel Georges-Michel, Séverine, Raymond Archambault. Malgré une trésorerie plus à l'aise, *Paris-soir* n'obtenait guère de succès. Ce n'est qu'à partir de 1930, date de sa prise en main par Jean Prouvost, déjà propriétaire de *Paris-Midi*, que la feuille connut un essor prodigieux. La concurrence de *L'Ami du Peuple du soir*, de *La Liberté*, de Camille Aymard, et de *L'Intransigeant*, de Léon Bailby, ne gêna pas l'ascension de *Paris-soir :* il franchit allègrement les étapes. En 1930, il tirait péniblement à 60 000 exemplaires ; en 1934, il atteignit le million ; en 1939, il dépassa 1 800 000. Ce succès surprenant, il le dut à une formule nouvelle en France, importée d'Amérique par Jean Prouvost qui l'adapta à la mentalité française : l'information illustrée, les gros titres, le côté pittoresque des choses. L'actualité n'était plus prise de face ou de côté, comme chez les confrères, mais photographiée *sous les jupes* si l'on nous permet cette image. Un service de vente merveilleu-

(1) Ce numéro parut en avril 1924. Il contenait un appel aux maçons les incitant à soutenir le journal « *à la veille de la grande bataille électorale que nous allons livrer* ». L'appel était signé par les *frères* : C. Mahieux, 30e degré, président du Conseil de surveillance de la S.E.P.T. (Société éditant *Paris-Soir*), M. Galliano, de la loge *La Raison*, A. Bontemps, de la loge *La Fidélité*, et R. Darcy, de la loge *Ernest-Renan*.

sement organisé permit d'atteindre la clientèle des départements, alors que *L'Intransigeant* et les autres journaux du soir ne dépassaient guère la région parisienne. Grâce à des éditions spécialement composées pour le public de province, *Paris-soir* concurrença la presse régionale et, très avantageusement, les grands quotidiens du matin. Une équipe de techniciens, judicieusement choisie par Jean Prouvost et qui comprenait des journalistes habiles et des collaborateurs de marque : Pierre Lazareff, Georges Gombault — qui venait de *La Lumière* — Jules Sauerwein, les frères Tharaud, Pierre Mac Orlan, Paul Claudel, Saint-Exupéry, Jean Cocteau, André Maurois, Henry Bordeaux, François Mauriac, Georges Simenon, Léon Blum, Joseph Caillaux, Paul Reynaud, P.-E. Flandin, Paul Faure, etc., donna au journal une tenue que la vulgarité de certaines photos et le goût du « scandale avant tout » ne parvinrent pas à lui faire perdre. A la veille de la guerre, *Paris-soir* était devenu le plus grand quotidien français. Il occupait donc une place trop importante pour que sa résurrection ne fût pas décidée après la suspension de 1940. En l'absence de Jean Prouvost, réfugié en zone libre (où il publia son *Paris-soir*), et de Pierre Lazareff, réfugié aux Etats-Unis, le journal reparut quelques jours avant l'armistice dans la capitale. Cette publication s'opéra sous la direction, d'ailleurs provisoire, d'un ancien employé de la maison, l'Alsacien Schiessle, qui, faute de mieux, en confia la confection à un ancien rédacteur de *L'Auto*, François Janson. L'armistice signé, Roger Capgras, mandataire aux Halles (de profession) et directeur de théâtre (par vocation) en prit la direction effective. Henri Jeanson — qui signait XXX des articles ironiques et mordants, fort peu « vichyssois » ou « lavalistes » —, Albert Nad, Henry Coston, Jean Drault, René Saint-Serge (R. de Maintenon), André Margot y collaborèrent quelques semaines, en même temps que Suzy Mathis — « tante Suzy » de la radio —, Yvonne Jeanne, une sportive, Andrée Morane, Georges Forestier, Françoise Holbane, Jean Alloucherie, Max Roussel, puis Georges de La Fouchardière, qui signait Jean Chatel, André-Charles Morice, Max Roussel, Yann Lorenz, etc. Marcel Berger, J.-J. Renaud, H.-J. Magog, José Germain donnèrent des contes. Peu à peu, l'équipe fut remaniée par Eugène Gerber, auteur dramatique à ses heures, qui en prit la direction : Marc Hély, le chansonnier franciste, Robert Pecquery, dit Jacques La Brède, un ancien de *Paris-soir* (auquel on reprocha bientôt son appartenance à la maçonnerie), P.-A. Cousteau, de *Je suis partout*, J. Vidal de la Blache, futur directeur de *France-Dimanche*, Carmen Tessier, l'actuelle commère de *France-Soir*, Henry Jannières, René Martel, un professeur de lycée de gauche rallié à la politique de collaboration, Maxime Ber, Lucien Mignoton, Jacques Marcy, E. Laut, tous journalistes de talent, qui redonnèrent à *Paris-soir* — d'ailleurs contre la volonté de son propriétaire Jean Prouvost — la vogue qu'il avait connue auparavant. Puis vint 1944 et la Libération. Le journal disparut. Sa formule fut toutefois reprise par *France-Soir* : elle a fait aussi son succès.

PARISIEN LIBERE (Le).

Quotidien fondé le 22 août 1944. Ses premiers numéros portaient en manchette : « *Ce journal continue le combat mené sous l'oppression par l'O.C.M. Organisation Civile et Militaire, et par ses revues et journaux : Cahiers, Etudes pour une nouvelle révolution française, l'Avenir, l'Essor.* » Le 12 avril 1945, Maxime Blocq-Mascart, l'un des dirigeants de la clandestine O.C.M. pendant l'occupation, déposa les statuts d'une société coopérative ouvrière de production, au capital de 1 200 000 F divisé en 12 000 parts d'intérêts. Parmi les membres fondateurs et porteurs de parts de la société *Le Parisien libéré* figuraient : Emilien Amaury, Maxime Blocq-Mascart, Claude Bellanger, Jean-Luc Bellanger, Maurice Bigot, Marc Blancpain, René Capitant, Roger Dusseaux, Jean Forgue, Georges Izard, Paul Joly, Robert Lacoste, Pierre Lefaucheux, Maurice Manguy, Germaine Malaterre-Sellier, René Millienne, Jacques Piete, l'O.C.M. (pour 4 000 parts), Jacques Rebeyrol (alors directeur politique du journal), Jean Teyssou, Marcel Verrière. Par la suite, la société éditrice du journal s'est transformée en société anonyme. Son conseil d'administration est composé de : Marcel Paul Verrière, président-directeur général (décédé au cours de la composition de cet ouvrage), Claude Bellanger, Charles Giron, Maurice Mainguy, Mme Hélène Millienne, née Dupont et Emilien Amaury, qui est considéré comme le « grand patron » du groupe. Quant à l'équipe rédactionnelle, dirigée par Claude Bellanger, elle comprend : Claude Desjardins, Félix Lévitan, Raymond Magne (décédé au cours de la composition de cet ouvrage), rédacteurs en chef, Paul Colin, secrétaire général, André-J. Mutterer, Bernard Cabanes, pour la politique étrangère, Jean Braude, Gérard Badel, pour la politique intérieure, Georges Yovanovitch, Marcel

Roels, aux informations, etc. Son tirage, qui était de 205 000 en 1944, est passé à 357 000 en 1946, 427 000 en 1949, 546 000 en 1952, 807 000 en 1956, et à 837 000 en mars 1965. C'est le plus fort tirage des journaux du matin. Le *Groupe Amaury* — c'est ainsi que l'on désigne, dans les milieux de presse, *Le Parisien libéré* et ses annexes et filiales — comprend également : *L'Oise-Matin, Seine-et-Marne-Matin, Carrefour, Marie-France, Point de Vue-Images du Monde, Le Courrier de l'Ouest, Le Maine libre* et possède des intérêts importants dans *La France Agricole, But et Club, Ouest-France* et quelques autres. *La Liberté* de Clermont-Ferrand, disparue il y a quelques années, était également sans sa sphère d'influence. A l'origine le *Parisien libéré* était installé dans l'immeuble de l'ancien *Petit Parisien*, 18, rue d'Enghien. En 1946, il transféra son siège 124, rue Réaumur, dans l'immeuble que possédait avant la guerre le journal *L'Information*.

PARISOT (Henri, Paul).

Négociant, né à Mirecourt (Vosges), le 5 septembre 1895. Sénateur des Vosges (depuis 1952). Membre du groupe des *Républicains Indépendants*. Conseiller général et maire de Mirecourt (depuis 1947).

PARLEMENT.

Ensemble des chambres ou assemblées législatives : les députés et les sénateurs sont des *parlementaires* (voir : *Assemblée nationale, député, Sénat*).

PARLEMENTARISME.

Régime représentatif dans lequel, en dehors du pouvoir législatif, le parlement participe au pouvoir gouvernemental en agréant ou en renversant le cabinet, dont les membres sont responsables devant lui. Ses adversaires lui reprochent de donner l'illusion de la souveraineté nationale, de nuire à la stabilité du gouvernement et de le placer sous le contrôle des groupes de pression (financiers ou autres) dont certains parlementaires sont les instruments.

PARODI (Louis).

Conseil juridique, né à Paris le 16 janvier 1899. Fondateur en 1945 de *L'Indépendance française* (avec Marcel Justinien), sans autorisation préalable, ce qui valut au gérant du journal un mois

NE MANQUEZ PAS DE NOUS SIGNALER LES ERREURS ET LES OMISSIONS QUE VOUS AUREZ REMARQUÉES DANS CE « DICTIONNAIRE ». NOUS VOUS EN SERONS RECONNAISSANTS.

d'incarcération. Délégué du *Comité T.V.* pour le 8ᵉ arrondissement de Paris (1965) et délégué de l'*Alliance Républicaine pour les Libertés et le Progrès* pour le même arrondissement.

PAROLES FRANÇAISES.

Hebdomadaire fondé en 1946 pour servir d'organe au *Parti Républicain de la Liberté* (P.R.L.). Dès le début, il devint le défenseur des épurés et des prisonniers politiques en faveur desquels son directeur, le député Albert Mutter, un résistant authentique, réclamait l'amnistie. Cet hebdomadaire, agressif de ton et classique d'allure, connut un large succès dans les milieux « pétainistes ». Il tirait en 1947-1948 à plus de 100 000 exemplaires. Les procès qui s'abattirent sur lui de tous côtés tarirent un beau jour la caisse de la société qui le publiait. Le journal fut cédé à une société d'exploitation, la *Société de Gérance de Paroles Françaises,* qui prit la suite (en 1949) de la *Société Paroles Françaises* (créée en 1947), fondateurs : Mme Antoine Brun, René Château, l'ancien député socialiste épuré, auteur de « *L'âge de Caïn* », et Xavier Leurquin. Ces derniers, qui étaient gérants de la société, furent remplacés en 1950 par André Senterre dit Roubaud, auquel succédèrent Pierre Borely, puis Robert Janiaud. Un peu plus tard, Paul Estèbe, conseiller de l'Union française, que les nationaux de la Gironde envoyèrent siéger au parlement, en assuma la direction. Principaux rédacteurs : Saint-Méran, Claude Jamet, André Thérive, Marcel Espiau, ancien rédacteur à *L'Ami du Peuple*, Pierre Dominique, Daniel Berry, E. Beau de Loménie, Pierre Ducastel, Pierre Hamp, François Sauvage, J.-A. Foëx, René Gillouin, Roger Paret, André du Dognon, Adolphe de Falgairolle, Julien Guernec, F. de Romainville, Philippe Saint-Germain, Jean Ebstein, Robert Pernot, Maurice Heim, Ange Pitou (Louis Truc), M.-H. Bourquin, Jacques Baulmier, Henri Bonifacio (Antona), Mauloy, Francis V. Féraud, André de La Far, etc. Les abonnés du journal étaient groupés au sein des *Amis de Paroles Françaises,* dont le secrétaire général, S. Vincent, jouant les Ravachol et les Vaillant, devait, quelques années plus tard, jeter la panique au Palais Bourbon, un jour de séance, en tirant des coups de revolver (à blanc), Le journal fusionna avec *Réalisme* et devint *France Réelle* en novembre 1951.

PARPAIS (Paul).

Journaliste, né à Issoudun (Indre), le 9 mars 1916, de parents instituteurs. Instituteur lui-même jusqu'en 1939, participa à la Résistance et devint à la Libération : rédacteur, puis rédacteur en chef du *Populaire de Paris*, quotidien national de la *S.F.I.O.*, chef de cabinet de Guy Mollet (président du Conseil en 1956-57, puis en 1958) et administrateur en chef à l'*Organisation Commune des Régions Sahariennes*. Militant socialiste depuis 1932, d'abord aux *Jeunesses Socialistes,* puis à la *S.F.I.O.,* il est secrétaire général adjoint de la Fédération de la Seine de son Parti. Membre influent de la *C.G.T.-F.O.*

PARTI.

Si l'on en croyait le « *Larousse Universel* », un parti serait l' « *union de plusieurs personnes contre d'autres qui ont un intérêt opposé* », ce qui tendrait à établir qu'un *parti* politique serait, par définition, une formation de combat pour l'attaque ou pour la défense. Pareille conception semble exagérée, à moins de ne concevoir le *parti* que comme une machine de guerre pour la conquête du pouvoir ; mais ceci serait en restreindre le sens et attribuer à tout groupement politique une intention trop nettement intéressée. Il paraît plus judicieux de définir le *parti* comme un groupement de personnes destiné à faire connaître, à soutenir et à défendre une doctrine ou un système politique. On notera que, étymologiquement, *parti* venant de l'ancien verbe français partir, c'est-à-dire partager, il est difficile de justifier l'expression *parti unique*. De toute manière, on entend ainsi dans la terminologie communiste que l'opinion politique doit être conforme à la doctrine orthodoxe du gouvernement, seule admise.

PARTI AGRAIRE ET PAYSAN FRANÇAIS.

Mouvement paysan animé entre les deux guerres par Fleurant-Agricola (voir : Henri *Dorgères*).

PARTI COMMUNISTE FRANÇAIS.

Parti se réclamant de Karl Marx et de Lénine, issu de la scission de la *S.F.I.O.* survenue en 1920 au congrès de Tours (voir : *Parti socialiste S.F.I.O.*). La majorité du parti vota le rattachement à la IIIᵉ Internationale fondée à Moscou par les bolchevicks et prit le nom de *Parti Communiste S.F.I.C.,* c'est-à-dire *Section Française de l'Internationale Communiste.* (Ce n'est que plus tard, après la dissolution de l'Internationale Communiste ou *Komintern,* par Staline, à la demande de ses alliés occidentaux, que le parti s'appela *Parti Communiste Fran-*

Les 21 conditions de l'Internationale communiste

En raison de l'importance du document, véritable charte du Communisme mondial, nous le reproduisons intégralement, d'après « Manifestes, thèses et résolutions des quatre premiers Congrès mondiaux de l'Internationale communiste » :

1° La propagande et l'agitation quotidienne doivent avoir un caractère effectivement communiste et se conformer au programme et aux décisions de la IIIe Internationale. Tous les organes de la presse du parti doivent être rédigés par des communistes sûrs, ayant prouvé leur dévouement à la cause du prolétariat. Il ne convient pas de parler de la dictature prolétarienne comme d'une formule apprise et courante ; la propagande doit être faite de manière que la nécessité en ressorte pour tout travailleur, pour toute ouvrière, pour tout soldat, pour tout paysan, des faits mêmes de la vie quotidienne, systématiquement notés par notre presse. La presse périodique ou autre et tous les services d'éditions doivent être entièrement soumis au Comité central du parti, que ce dernier soit légal ou illégal. Il est inadmissible que les organes de publicité mésusent de l'autonomie pour mener une politique non conforme à celle du parti. Dans les colonnes de la presse, dans les réunions publiques, dans les syndicats, dans les coopératives, partout où les partisans de la IIIe Internationale auront accès, ils auront à flétrir systématiquement et impitoyablement non seulement la bourgeoisie, mais aussi ses complices, réformistes de toutes nuances ;

2° Toute organisation désireuse d'adhérer à l'Internationale communiste doit régulièrement et systématiquement écarter des postes impliquant tant soit peu de responsabilité dans le mouvement ouvrier (organisations de parti, rédactions, syndicats, fractions parlementaires, coopératives, municipalités) les réformistes et les « centristes » et les remplacer par des communistes éprouvés, sans craindre d'avoir à remplacer, surtout au début, des militants expérimentés par des travailleurs sortis du rang ;

3° Dans presque tous les pays de l'Europe et de l'Amérique, la lutte de classes entre dans la période de guerre civile. Les communistes ne peuvent dans ces conditions se fier à la légalité bourgeoise. Il est de leur devoir de créer partout, parallèlement à l'organisation légale, un organisme clandestin, capable de remplir au moment décisif son devoir envers la révolution. Dans tous les pays, où, par suite de l'état de siège ou de loi d'exception, les communistes n'ont pas la possibilité de développer légalement toute leur action, la concomitance de l'action égale et de l'action illégale est indubitablement nécessaire ;

4° Le devoir de propager les idées communistes implique la nécessité absolue de mener une propagande et une agitation systématiques et persévérantes parmi les troupes. Là où la propagande ouverte est difficile par suite de lois d'exception, elle doit être menée illégalement ; s'y refuser serait une trahison à l'égard du devoir révolutionnaire et par conséquent incompatible avec l'affiliation à la IIIe Internationale ;

5° Une agitation rationnelle et systématique dans les campagnes est nécessaire. La classe ouvrière ne peut vaincre si elle n'est pas soutenue

(suite page 786)

cais). La majorité de la *S.F.I.O.*, qui ral-
liait ainsi le communisme d'obédience
soviétique, avait accepté les fameuses
vingt et une conditions qui constituaient
la base de l'organisation communiste
mondiale (voir pages 784, 786, 788 et 790
le texte de ces *21 conditions de l'Internationale Communiste*). Après la scission,
les majoritaires élirent la nouvelle direction du Parti : Alexandre Blanc, Boyet,
R. Bureau, Marcel Cachin, Cartier, Antonio Coën, futur Grand Maître adjoint de
la *Grande Loge de France*, Amédée Dunois, Dondicol, A. Fournier, L.-O. Frossard, Gourdeaux, Ker, Georges Lévy,
Fernand Loriot, Paul-Louis (Lévy), Lucie Leiciague, Victor Méric, Charles Rappoport, Daniel Renoult, Louis Sellier,
Servantier, Boris Souvarine, Treint, Vaillant-Couturier, plus huit membres suppléants. Frossard y fut ensuite nommé
secrétaire général ; Loriot — toujours
en prison — secrétaire international ;
Antonio Coën, secrétaire adjoint, et Dondicol, trésorier. A la Chambre, le groupe
communiste ne compta cependant que
treize membres : André Berthon, le
grand avocat, Pierre Dormoy, P. Vaillant-Couturier, Marcel Cachin, Philbois,
Ernest Lafont, Georges Lévy, Aussoleil,
Maurel, Morucci, Renaud Jean, Alexandre Blanc et Charles Baron. D'autre part,
le groupe du parti se trouva réduit à
six membres au Conseil municipal de
Paris et à dix au Conseil général de la
Seine. Mais *L'Humanité* resta sous la direction de Marcel Cachin, qu'assistaient
Amédée Dunois, secrétaire général, et
Paul Vaillant-Couturier, rédacteur en
chef. Tous les collaborateurs antibolche-
vistes ayant démissionné, une nouvelle
équipe se constitua autour d'eux : Victor
Méric, Souvarine, Noël Garnier, André
Gybal, Charles Lussy, Robert Pelletier,
Stéphane Manier, Guy Tourette, Armand
Salacrou, Georges Pioch, Georges Chen-
nevière, le critique d'art Jacques Mesnil,
le dessinateur H.P. Gassier, l'historien
C. Em. Labrousse, Gabriel Reuillard,
Marcel Martinet, Alzir Hella, dit Parija-
nine, etc. Bernard Lecache, l'actuel leader de la *L.I.C.A.* et futur directeur du
Journal du Dimanche (édition dominicale de *France-Soir*), tint pendant quelque temps la rubrique anti-militariste
(les « gueules de vache ») et le professeur Albert Mathiez, une sorte de chronique politico-historique, tandis que
Henry Torrès exerçait sa verve contre la
bourgeoisie française dans des *Billets*
caustiques ou violents. Aux rédacteurs
de *L'Humanité*, Trotzky alors chargé de
surveiller l'activité du *P.C.* français recommandait de mettre en valeur le sens
et la portée générale de ce que disaient

amis et adversaires afin d'être parfaitement compris des lecteurs : « *Il faut,*
leur écrivait-il, *répéter, souligner, insister, encore une fois répéter, encore une
fois souligner et non papillonner aima-
blement autour des discussions.* » Il
reprochait aux écrivains qui collaboraient à *L'Humanité* de faire du journalisme boulevardier, autrement dit de
faire rire le lecteur sans le convaincre
ou l'éduquer politiquement. (Ce reproche pourrait être adressé, aujourd'hui, à
plusieurs journaux politiques de droite
et de gauche.) Le *Parti Communiste*
connut, dès le printemps 1921, des luttes
intestines que révélaient les prises de
positions de certains de ses membres
connus dans divers journaux révolutionnaires, notamment dans *Le Journal du
Peuple* de Henri Fabre. Ces mécontents
mettaient principalement Moscou en
cause, sa « tyrannie » et son « despotisme ». Fabre allait même jusqu'à écrire
que « *tout communiste doit garder et
défendre sinon sa liberté d'action, tout
au moins sa liberté d'expression* ». L'Internationale, dans son III° Congrès, devait le rappeler à l'ordre, en même temps
qu'elle le faisait pour Brizon. Le « *despotisme* » de Moscou ou l' « *opportunisme* » de certains furent d'ailleurs à
l'origine des scissions nombreuses qui
eurent lieu entre 1921 et 1939 et qui provoquèrent le départ volontaire ou l'exclusion de tant d'hommes qui firent,
ensuite, leur chemin dans la politique
française, de Frossard à Gitton en passant par Souvarine, Morizet, Lussy, Victor Méric, Georges Pioch, Henry Torrès,
Lecache, Gassier, Louis Sellier, Barbé,
Célor, Doriot, Capron et Clamamus.
Les crises intérieures, qui secouèrent
le parti, expliquent la diminution de ses
effectifs entre 1921 et 1931. En 1922, il
perdit 50 000 membres, et en 1923,
15 000. En 1924, les adhérents ne sont
plus que 57 000. Les effectifs remontent
à 76 000 en 1925, fléchissent à 55 000 en
1926, et 64 000 en 1927, puis passent successivement à 52 000 en 1928, 25 000 en
1929, 38 000 en 1930, 29 000 en 1931,
32 000 en 1932, 30 000 en 1933 et 40 000
en 1934. La scission du mouvement syndical n'avait pas été aussi importante :
Jouhaux et Dumoulin avaient fait rejeter
par la *C.G.T.* les thèses communistes de
Monmousseau, qui créa la *C.G.T.U.* avec
les syndiqués ralliés au *P.C.* Au parlement, le groupe communiste fort de
treize membres en 1921, passa à vingt-
cinq en 1924 : quinze dans la région
parisienne, trois dans le Nord et en
Seine-et-Oise et un dans chacun des départements suivants : Seine-Inférieure,
Cher, Lot-et-Garonne et Bas-Rhin. Parmi

(suite de la page 784)

tout au moins par une partie des travailleurs des campagnes (journaliers agricoles et paysans les plus pauvres) et si elle n'a pas neutralisé par sa politique tout au moins une partie de la campagne arriérée. L'action communiste dans les campagnes acquiert en ce moment une importance capitale. Elle doit être principalement le fait des ouvriers communistes en contact avec la campagne. Se refuser à l'accomplir ou la confier à des demi-réformistes douteux, c'est renoncer à la révolution prolétarienne ;

6° Tout parti désireux d'appartenir à la IIIe Internationale a pour devoir de dénoncer autant que le social-patriotisme avoué le social-pacifisme hypocrite et faux ; il s'agit de démontrer systématiquement aux travailleurs que, sans le renversement révolutionnaire du capitalisme, nul tribunal arbitral international, nul débat sur la réduction des armements, nulle réorganisation « démocratique » de la Ligue des nations ne peuvent préserver l'humanité des guerres impérialistes ;

7° Les partis désireux d'appartenir à l'Internationale communiste ont pour devoir de reconnaître la nécessité d'une rupture complète et définitive avec le réformisme et la politique du centre et de préconiser cette rupture parmi les membres des organisations. L'action communiste conséquente n'est possible qu'à ce prix.

L'Internationale communiste exige impérativement et sans discussion cette rupture qui doit être consommée dans le plus bref délai. L'Internationale communiste ne peut admettre que des réformistes avérés, tel que Turati, Kautsky, Hilferding, Longuet, Mac Donald, Modigliani et autres, aient le droit de se considérer comme des membres de la IIIe et qu'ils y soient représentées. Un pareil état de choses ferait ressembler par trop la IIIe Internationale à la IIe.

8° Dans la question des colonies et des nationalités opprimées, les partis des pays dont la bourgeoisie possède des colonies ou opprime des nations doivent avoir une ligne de conduite particulièrement claire et et nette. Tout parti appartenant à la IIIe Internationale a pour devoir de dévoiler impitoyablement les prouesses de « ses » impérialistes aux colonies, de soutenir, non en paroles mais en fait, tout mouvement d'émancipation dans les colonies, d'exiger l'expulsion des colonies des impérialistes de la métropole, de nourrir au cœur des travailleurs du pays des sentiments véritablement fraternels vis-à-vis de la population laborieuse des colonies et des nationalités opprimées et d'entretenir parmi les troupes de la métropole une agitation continue contre toute oppression des peuples coloniaux ;

9° Tout parti désireux d'appartenir à l'Internationale communiste doit poursuivre une propagande persévérante et systématique au sein des syndicats, coopératives et autres organisations des masses ouvrières. Des noyaux communistes doivent être formés dont le travail opiniâtre et constant conquerra les syndicats au communisme. Leur devoir sera de révéler à tout instant la trahison des social-patriotes et les hésitations du « centre ». Ces noyaux communistes doivent être complètement subordonnés à l'ensemble du parti ;

10° Tout parti appartenant à l'Internationale communiste a pour devoir de combattre avec énergie et ténacité l' « Internationale » des syndicats jaunes fondés à Amsterdam. Il doit répandre avec ténacité au sein des syndicats ouvriers l'idée de la nécessité de la rupture avec l'Internationale jaune d'Amsterdam. Il doit, par contre, concourir de tout son pouvoir à l'union internationale des syndicats rouges adhérant à l'Internationale communiste ;

(suite page 788)

es nouveaux députés communistes figurait le secrétaire général des *Jeunesses
Communistes*, dont *L'Humanité* brossait,
le 24 avril 1924, le portrait suivant :
« *Un grand, fort garçon brun, à la figure
mâle, aux yeux francs. Ses gestes sont
sobres et précis comme sa parole. Tout
en lui respire l'énergie et la volonté.* »
Il s'agissait de Jacques Doriot que les
électeurs de Saint-Denis avaient tiré de
prison en l'élisant député. Doriot, qui
fut, un quart de siècle plus tard, le chef
d'un parti ouvertement fasciste, avait été
condamné deux jours avant le scrutin, à
six mois de prison, venus s'ajouter aux
deux années « écopées » auparavant
pour ses articles dans *Le Conscrit*.
105 590 électeurs avaient voté pour lui.
Ce fut l'une des plus belles victoires
électorales du *P.C.* La route du parti fut,
dès lors et jusqu'en 1934, jalonnée de
petits succès et de cuisants échecs. Pour
une manifestation réussie (Sacco et Vanzetti) — d'ailleurs organisée par les
« anars » sur l'initiative de Lecoin — et
une augmentation de suffrages (élections
de 1928 : 1 060 334 voix), combien d'actions sans résultats (guerre du Maroc,
propagande anti-colonialiste, agitation
anti-militariste), combien de crises, de
schismes, de scissions. La baisse des
effectifs dont nous avons parlé, mais
aussi les pertes de sièges et l'affaiblissement de la presse en furent les conséquences. A la veille de la victoire électorale du *Front Populaire* de 1936 et la
« menace fasciste », *L'Humanité* ne tire
qu'à 160 000 exemplaires. Le parti est
isolé, sans influence sur la masse des
électeurs de gauche malgré les 1 066 000
suffrages recueillis par ses candidats en
1932. Après les journées de février 1934
et bien que Marty eût été agressif dans
L'Humanité — « *On ne peut pas lutter
contre le fascisme sans lutter aussi contre la social-démocratie* » — des contacts
furent pris entre la *S.F.I.O.* et le *P.C.* Des
délégués socialistes rencontrèrent Marty
et Vaillant-Couturier au siège de *L'Humanité*, dans la nuit du 6 au 7 ; il s'agissait d'organiser une manifestation commune. Ces démarches socialistes n'eurent
d'abord aucun résultat. Seuls les cégétistes, les néo-socialistes et les ligueurs
de Victor Basch y répondirent favorablement. Les communistes organisèrent
leur propre manifestation le 9 février, à
laquelle participèrent, d'ailleurs, de forts
groupes de *Jeunesses socialistes* accueillis au cri de « *Unité d'Action !* ». Le
12 février, socialistes et communistes
manifestèrent ensemble de Vincennes à
la Nation. Le premier pas vers l'unité
d'action était fait. Sans doute Jacques
Duclos précisait-il dans les *Cahiers du*

Bolchevisme que « *jamais le front unique ne peut signifier le silence sur la
politique qui conduit le prolétariat à la
défaite* » (15-2-1934) ; sans doute le Conseil National de la *S.F.I.O.* proclamait-il
que « *la lutte contre le fascisme ne peut
être conduite que sous l'action socialiste* » (11-3-1934) ; mais à la base l'accord se faisait dans les esprits. Peu
après, un début d'union était réalisé sous
le signe du *Comité Amsterdam-Pleyel*,
qui organisa le 20 avril 1934 une manifestation commune aux deux partis.
Après des hauts et des bas dans les rapports entre socialistes et communistes,
l'entente fut réalisée. Le 27 juillet, au
restaurant Bonvalet, boulevard du Temple, Thorez, Duclos et leurs amis signaient le pacte d'action commune avec
les délégués socialistes Zyromski, Séverac, Lebas, Blumel, Just, Lagorgette et
Descourtieux. Maurice Thorez, se félicitant de ce premier succès, a dit qu'il
n'était pas une fin, mais un commencement : « *Nous avions posé les bases de
l'unité de la classe ouvrière, mais il était
nécessaire d'élargir notre alliance, de
l'étendre aux classes moyennes, afin d'assurer la défaite du fascisme. Cela signi-
fiait l'alliance avec les masses radicales
et le Parti Radical lui-même.* » (M. Thorez, « *Fils du peuple* »).

Cette peur du « fascisme », représenté
par les *Croix de feu* et les *Camelots du
Roi*, justifiait-elle ce revirement ? Pour
les masses ouvrières, certainement. Mais
pour les chefs ? On ne peut s'empêcher
de faire un rapprochement avec deux
faits importants : un acte socialiste, une
déclaration soviétique. Pour la première
fois depuis la guerre de 1914-1918, le
groupe socialiste, Léon Blum en tête,
avait voté en 1933 les crédits militaires ;
pour la première fois aussi, par la plume
d'un de ses dirigeants, l'U.R.S.S. reconnaissait qu'un conflit franco-allemand
ferait bien ses affaires. C'est, en effet, en
mai 1933 que l'on apprit la décision de
la *S.F.I.O.* de voter le budget du ministère de la guerre qu'elle rejetait régulièrement en raison de ses traditions anti-
militaristes. Et c'est le 22 janvier 1934,
que le beau-frère de Staline, L. M. Kaga-
novitch, membre du Parti bolchevik
depuis 1911, secrétaire et membre du
Bureau d'organisation du Comité Central du Parti Pansoviétique Communiste
des Bolchevistes, écrivait dans les *Izves-
tia* : « *Le conflit entre l'Allemagne et la
France renforce notre situation en Europe... Il faut approfondir les divergences entre les divers Etats européens.* »
La lutte contre l'Allemagne, considérée
comme le champion du fascisme et de
l'antisémitisme abhorrés, fut dès lors la

(suite de la page 786)

11° Les partis désireux d'appartenir à l'Internationale communiste ont pour devoir de reviser la composition de leurs fractions parlementaires, d'en écarter les éléments douteux, de les soumettre, non en paroles, mais en fait, au Comité central du parti, d'exiger de tout député communiste la subordination de toute son activité aux intérêts véritables de la propagande révolutionnaire et de l'agitation ;

12° Les partis appartenant à l'Internationale communiste doivent être édifiés sur le principe de la centralisation démocratique. A l'époque actuelle de guerre civile acharnée, le parti communiste ne pourra remplir son rôle que s'il est organisé de la façon la plus centralisée, si une discipline de fer confinant à la discipline militaire y est admise et si son organisme est muni de larges pouvoirs, exerce une autorité incontestée, bénéficie de la confiance unanime des militants ;

13° Les partis communistes des pays où les communistes militent légalement doivent procéder à des épurations périodiques de leurs organisations, afin d'en écarter les éléments intéressés et petit-bourgeois ;

14° Les partis désireux d'appartenir à l'Internationale communiste doivent soutenir sans réserve toutes les républiques soviétiques dans leurs luttes avec la contre-révolution. Ils doivent préconiser inlassablement le refus des travailleurs de transporter les munitions et les équipements destinés aux ennemis des républiques soviétiques et poursuivre, soit légalement, soit illégalement, la propagande parmi les troupes envoyées contre les républiques soviétiques.

15° Les partis qui conservent jusqu'à ce jour les anciens programmes social-démocrates ont pour devoir de les reviser sans retard et d'élaborer un nouveau programme communiste adapté aux conditions spéciales de leur pays et conçu dans l'esprit de l'Internationale communiste. Il est de règle que les programmes des partis affiliés à l'Internationale communiste soient confirmés par le Congrès international ou par le Comité exécutif. Au cas où ce dernier refuserait sa sanction à un parti, celui-ci aurait le droit d'en appeler au Congrès de l'Internationale communiste.

16° Toutes les décisions des Congrès de l'Internationale communiste, de même que celles du Comité exécutif, sont obligatoires pour tous les partis affiliés à l'Internationale communiste. Agissant en période de guerre civile acharnée, l'Internationale communiste et son Comité exécutif doivent tenir compte des conditions de lutte si variées dans les différents pays et n'adopter de résolutions générales et obligatoires que dans les questions où elles sont possibles ;

17° Conformément à tout ce qui précède, tous les partis adhérant à l'Internationale communiste doivent modifier leur appellation. Tout parti désireux d'adhérer à l'Internationale communiste doit s'intituler : Parti communiste de ... (section de la III° Internationale communiste). Cette question d'appellation n'est pas une simple formalité : elle a aussi une importance politique considérable. L'Internationale communiste a déclaré une guerre sans merci au vieux monde bourgeois tout entier et à tous les vieux partis social-démocrates jaunes. Il importe que la différence entre les partis communistes et les vieux partis « social-démocrates » ou « socialistes » officiels qui ont vendu le drapeau de la classe ouvrière soit plus nette aux yeux de tout travailleur ;

18° Tous les organes dirigeants de la presse des partis de tous les pays sont obligés d'imprimer les documents officiels importants du Comité exécutif de l'Internationale communiste ;

(suite page 790)

préoccupation essentielle des nouveaux alliés. Qu'on regrette les conséquences directes de la guerre (défaite de 1940, occupation de la France pendant quatre ans, déportations et représailles) ou qu'on se réjouisse de ses conséquences indirectes (libération soviétique de l'Est européen, création des républiques populaires de Pologne, Roumanie, Hongrie, Bulgarie, Tchécoslovaquie, Yougoslavie, Albanie, effondrement du colonialisme et réveil des continents africains et asiatiques), il faut bien reconnaître que l'action socialo-communiste (1) des années 1934-1939 a prodigieusement hâté l'éclatement du conflit souhaité par l'éminence grise du Kremlin et rendu inévitable par les agissements de Hitler. La guerre, qui fit périr des millions de combattants et des millions de civils — parmi lesquels une importante fraction du peuple d'Israël — eut au moins pour résultat de faire avancer à pas de géant l'humanité sur la route qui conduit à l'ère communiste...

Le Front Populaire — ou, plus exactement, le *Rassemblement Populaire*, dont Victor Basch était le principal dirigeant officiel — fut constitué l'année suivante avec les radicaux. Trois semaines après la réunion communiste de la Mutualité (15-6-1935), au cours de laquelle le leader du Parti Radical-Socialiste Daladier vint assurer les communistes de son attachement indéfectible, dix mille délégués représentant soixante-neuf partis, groupements et organisations réunis à Buffalo en « *Assises de la Paix et de la Liberté* » (14-7-1935) jurèrent solennellement « *de rester unis pour désarmer et dissoudre les ligues factieuses, pour défendre et développer les libertés démocratiques et pour assurer la grande paix humaine* ». Le *Front Populaire* permit au *P.C.* de faire élire soixante-douze députés et d'exercer, du moins au début, une forte pression sur le gouvernement Léon Blum qu'il soutenait au parlement et dans le pays. Ce résultat inespéré était le fruit de l'habile propagande que les communistes faisaient dans tous les milieux, y compris dans les milieux catholiques. La tactique de « *la main tendue* » — « *nous te tendons la main, catholique !* » avait dit Thorez parlant pour la première fois au micro de Radio-Paris (17-4-1936) — était « payante », malgré la mise en garde de l'Episcopat français. Des intellectuels catholiques organisèrent des colloques avec des communistes. Sous la présidence d'André Malraux, membre de

L'action de l'Union Soviétiq par le pacte de non-agression avec l'Allema
CONCOURT A RAFFERM LA PAIX GÉNÉRALE

Elle jette le désarroi dans le camp fasciste et transfo heureusement la situation en Extrême-Orient

A Paris et à Londres de conclure l'accord avec l'U.R.S.S. pour organiser la résistance commune à l'agresseur !

l'*Association des Ecrivains et Artistes Révolutionnaires*, président du *Comité de Libération de Thaelmann* et collaborateur de *L'Humanité*, Jacques Madaule et Louis Martin-Chauffier prirent la parole à la Maison de la Culture avec les communistes Vaillant-Couturier et Paul Nizan (2-7-1936). A l'*Union pour la Vérité*, Honnert, Madaule et le comte Jean de Pange confrontèrent leurs idées avec celles d'Aragon et de Vaillant-Couturier (7-11-1936). Il fallut rien moins qu'une nouvelle encyclique (*Divinis Redemptoris*, 19-3-1937) pour rappeler à certains catholiques que « *le communisme est intrinsèquement pervers* », aux yeux de l'Eglise, et que « *l'on ne peut admettre sur aucun terrain la collaboration avec lui* ».

Après que les patrons eurent accordé aux ouvriers les avantages que le *Front Populaire* leur avait promis (1), — les occupations d'usines avaient affolé la plupart des petits industriels — la lutte contre le fascisme s'orienta vers la péninsule ibérique où, au dire des communistes, Hitler établissait une tête de pont avec l'aide de son ami Franco. Réuni le 13 août 1936 pour examiner la situation créée par la guerre civile d'Espagne déclenchée quelques semaines plus tôt, le Bureau politique du Parti constatait qu'en aidant les nationalistes espagnols, les fascismes italiens et allemands « *poursuivaient systématiquement leur*

---

(1) A la *S.F.I.O.*, notamment chez Paul Faure et les instituteurs, l'antifascisme était tempéré par un pacifisme ardent.

(1) On lira avec profit dans *Le retour des « 200 Familles* », par Henry Coston (Paris, 1960), les chapitres consacrés à la politique du grand patronat français au cours des années 1935-1938. Le lecteur sera surpris d'apprendre que la « capitulation » des dirigeants de la grande industrie ne fut pas tout à fait ce qu'on en a dit.

(suite de la page 788)

19° Tous les partis appartenant à l'Internationale communiste ou sollicitant leur adhésion sont obligés de convoquer aussi vite que possible — dans un délai de quatre mois après le 2ᵉ Congrès de l'Internationale communiste au plus tard — un Congrès extraordinaire, afin de se prononcer sur ces conditions. Les Comités centraux doivent veiller à ce que les décisions du 2ᵉ Congrès de l'Internationale communiste soient connues de toutes les organisations locales ;

20° Les partis qui voudraient maintenant adhérer à la IIIᵉ Internationale, mais qui n'ont pas encore modifié radicalement leur ancienne tactique, doivent préalablement veiller à ce que les deux tiers des membres de leur Comité central et des institutions centrales les plus importantes soient composés de camarades qui, déjà avant le 2ᵉ Congrès, s'étaient ouvertement prononcés pour l'adhésion du parti à la IIIᵉ Internationale. Des exceptions peuvent être faites avec l'approbation du Comité exécutif de l'Internationale communiste. Le Comité exécutif se réserve de faire des exceptions pour les représentants de la tendance centriste mentionnés dans le paragraphe 7.

21° Les adhérents au parti qui rejettent les conditions et les thèses établies par l'Internationale communiste doivent être exclus du parti. Il en est de même des délégués au Congrès extraordinaire.

plan d'encerclement de la France » et protestait contre le « blocus de fait » que le gouvernement provoquait en refusant de livrer des armes aux Républicains. Le *P.C.* s'employa, dès lors, d'une part, à faire pression sur le gouvernement pour l'amener à soutenir le gouvernement républicain espagnol — Pierre Cot, ministre de l'air, lui était, dit-on, tout acquis — et, d'autre part, à aider directement les révolutionnaires marxistes. D'où sa participation active à la création et à la direction du bataillon français des Brigades Internationales auxquelles appartenaient André Malraux, Charles Tillon, futur organisateur des *F.T.P.*, Rol-Tanguy et Fabien, chefs des *F.F.I.* parisiens en août 1944, Vital Gayman, ancien secrétaire général de *L'Humanité*, instructeur à l'école d'Albacete sous le nom de « commandant Vidal », avec André Marty.

Tenus en échec par Franco, les communistes ne s'avouèrent cependant pas battus par le fascisme. La dure leçon espagnole les incita à se montrer moins agressifs envers « *les hommes de bonnes volontés* » (1), c'est-à-dire les patriotes avec lesquels ils voulaient collaborer. L'Anschluss de l'Autriche, la « capitulation de Munich », l'annexion de la Tché-

coslovaquie étaient autant de menaces sur lesquelles le *P.C.F.* comptait pour rallier à la défense antifasciste les centristes et les modérés qu'avaient effrayés, jusqu'ici, l'ogre moscovite. La IIIᵉ Internationale, par la voix de son secrétaire général Dimitrov, n'avait-elle pas invité les partis communistes à exercer une « *pression (...) sur les gouvernements démocratiques bourgeois, afin que ces gouvernements poursuivent une politique ferme à l'égard des agresseurs* » ? (Rapport de Dimitrov au VIIᵉ Congrès de l'Internationale Communiste, *Cahiers du Bolchevisme*, avril 1938). On connaît la suite. Au moment où l'affaire de Dantzig s'aigrit, où la guerre menace de plus en plus, on apprend brusquement que le ministre des Affaires étrangères de Hitler, von Ribbentrop, a signé à Moscou un pacte de non-agression avec les Soviets.

Pierre-Laurent Darnar, rédacteur en chef de *L'Humanité*, salua l'événement comme une victoire de la paix, comme « *la politique à la fois énergique et intelligente, seule conforme à la cause de la Paix* » (24-8-1939). Le *P.C.* déclarait à son tour, le 25 août, que « *l'U.R.S.S. vient de rendre un inoubliable service à la cause de la paix, à la sécurité des peuples menacés et de la France en particulier* ». Le soir même, on apprenait que le gouvernement Daladier interdisait *L'Humanité* et son succédané vespéral *Ce*

---

(1) *L'Humanité* a employé cette expression dans son numéro du 13 mars 1938.

Soir, que dirigeaient Louis Aragon, le poète surréaliste converti au communisme, et l'écrivain Jean-Richard Bloch. Un mois plus tard, le 26 septembre, un décret prononçait la dissolution du *P.C.F.*, et de « *toute association, toute organisation ou tout groupement de fait qui s'y rattachent et tous ceux qui, affiliés ou non à ce Parti, se conforment, dans l'exercice de leur activité, à des mots d'ordre relevant de la III⁰ Internationale Communiste* ». Etaient interdites la publication et la diffusion des périodiques et imprimés propageant des mots d'ordre de la III⁰ Internationale sous peine d'emprisonnement (1 à 5 ans) et d'amende (100 à 5 000 francs). Les biens des organisations communistes étaient, en outre, confisqués. Les alliés des communistes au sein du Front Populaire étaient naturellement consternés par cette « *volte-face qui a rapproché les dirigeants de l'U.R.S.S. des dirigeants des nazis* ». (Manifeste de l'*Union des Intellectuels français* (antifascistes) dont Irène Joliot-Curie, Paul Langevin, Jean Perrin, Frédéric Joliot-Curie, Victor Basch, Albert Bayet, Jacques Soustelle, etc. étaient les dirigeants.)

Etienne Fajon, qui avait été chargé par la direction du *P.C.*, de protester du haut de la tribune de la Chambre contre la proscription des élus communistes, s'acquitta non sans mal et avec quelque courage de cette tâche ingrate. La déchéance des députés français de la III⁰ Internationale n'en fut pas moins votée par 522 voix contre 2, celles de Fajon et de son collègue communiste Mouton. Un peu plus tard, 35 députés demeurés fidèles à la politique de Moscou étaient traduits devant la justice militaire et condamnés à des peines de prison de deux à cinq ans. Thorez, Duclos, Péri, Ramette, Tillon, Monmousseau, Catelas, Rigal et Dutilleul, qui s'étaient enfuis, étaient jugés par contumace. Par contre, de nombreux députés communistes répudièrent le « Parti de Moscou ». Parmi eux : Marcel Brout (Paris), Emile Fouchard (Seine-et-Marne), Gilbert Declercq (Nord), Sulpice Dewez (Nord), René Nicod (Ain), Lucien Raux (Nord), Marcel Capron (Seine), Marcel Gitton (Seine), Gustave Saussot (Dordogne), etc. Le sénateur Clamamus les imita. Quelques-uns formèrent le groupe de l'*Union Populaire Française*. Gitton, ex-secrétaire du Parti, rejoignit Doriot en 1940. Avec Capron, il fonda un *Parti Ouvrier et Paysan* qui, pendant l'occupation, publia en affiche le fameux appel de Marcel Cachin contre les attentats terroristes de la Résistance. Ainsi s'achevait, pour plusieurs années, l'activité publique du parti le plus actif et le plus dynamique de France.

Jusqu'à la signature du pacte germano-soviétique, le 23 août 1939, le *P.C.F.* n'avait cessé d'appeler ses adhérents et tous les Français à la résistance contre le fascisme hitlérien et ses visées impérialistes. Il avait même approuvé (affiche : *Staline a raison*) le chef de la Russie soviétique lorsque celui-ci avait assuré à Pierre Laval, en 1935, qu'il approuvait « *la politique de défense nationale faite par la France* ». Et lorsque von Ribbentrop, quelques mois avant d'aller signer à Moscou le pacte avec Staline, était venu à Paris, *L'Humanité* avait ouvertement accusé le gouvernement de vouloir « *réhabiliter les assassins et les incendiaires du troisième Reich* » (25-11-1938). Elle s'était d'ailleurs élevée avec vigueur contre la « *honte de Munich* », comme elle s'insurgea contre l'abandon de la Pologne : « *Alerte !* s'exclama son rédacteur Magnien, *on veut encore trahir la France en sacrifiant la Pologne !* » (17-8-1939). Et puis, brusquement, la sainte croisade des démocraties contre les Fascismes devint, par la seule vertu du pacte Staline-Hitler, une abominable guerre impérialiste : « *La rage des impérialistes français et de leurs valets S.F.I.O. est compréhensible*, écrivait *Le Monde*, organe de l'Internationale Communiste, publié en Belgique, *en exprimant le désir unanime de la paix du peuple français, nos amis communistes démasquent les plans de carnage des 200 familles qui veulent continuer la guerre impérialiste à tout prix.* » (N° 4 — 7 octobre 1939.) Lorsque les Allemands, provisoirement vainqueurs, contraignirent le gouvernement français à signer l'armistice, Thorez et Duclos écrivirent à leurs militants : « *Pendant la première guerre impérialiste, ce fut seulement au bout de plus de trois ans de guerre que se rompit le front de l'impérialisme et que la classe ouvrière prit le pouvoir sur un sixième du globe. Nous sommes au quatorzième mois de la deuxième guerre impérialiste en Europe et nous avons sous les yeux le bilan suivant : un puissant impérialisme a été battu ; ceux qui avaient l'habitude de faire la guerre par procuration sont obligés de se battre directement.* » (Lettre diffusée par tracts en novembre 1940 et reproduite dans les *Cahiers du Bolchevisme*, 1er trimestre, 1941, p. 6-10.) Après la signature du pacte Berlin-Moscou, la tactique du *P.C.F.* avait donc complètement changé. Au point que le parti n'hésita pas à mandater deux de ses militants pour solliciter des occupants l'autorisation de faire

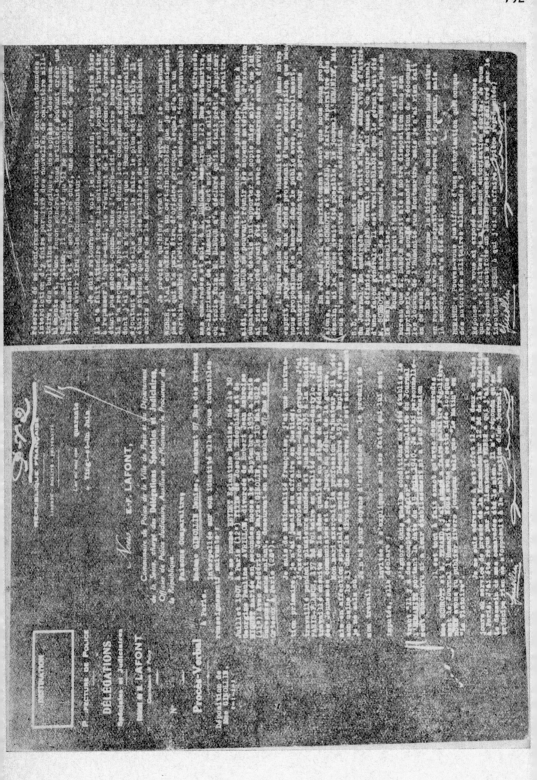

reparaître *L'Humanité* officiellement. Quelques jours après l'entrée des Allemands à Paris, Denise Ginollin, futur député communiste de la Seine (après la Libération), et Maurice Tréand, l'un des chefs de l'appareil illégal du *P.C.F.*, s'abouchaient avec les services de presse des vainqueurs et leur exposaient les intentions de leurs camarades de publier un journal communiste. Le 20 juin l'autorisation leur était accordée, avec invitation de faire reparaître *L'Humanité* le plus tôt possible. L'ancien imprimeur du quotidien communiste, Georges Dangon, était d'accord pour en assurer la fabrication. Le n° 1 de la nouvelle *Humanité* devait paraître le 23 vers midi. La police française, sur l'ordre de Vichy, intervint entre temps : elle arrêta Mme Ginollin, Tréant et quelques autres militants le 20, dans la soirée, en vertu d'un décret-loi du 26 septembre 1939 qui interdisait le quotidien du *P.C.F.* Interrogée par la police, Denise Ginollin reconnaissait formellement avoir *songé à faire paraître régulièrement le journal « L'Humanité »* en accord avec ses amis Tréand et Mme Schrott :

« Je me suis adressée à cet effet il y a deux ou trois jours au service de presse de la Kommandantur, 12, boulevard de la Madeleine, à Paris. J'ai été reçue par le lieutenant Weber à qui j'ai exposé le dessein de mes camarades et le mien. Il m'a répondu qu'en principe, rien ne s'opposait à la publication d'un journal, sous réserves de se conformer aux instructions qui seraient données. (...) Il a ajouté qu'il ne pouvait se prononcer immédiatement et de son propre chef, une conférence de presse devant avoir lieu à la Kommandantur. Je suis retournée le voir le lendemain, c'est-à-dire hier. Il m'a fait attendre toute la matinée et s'est borné à m'inviter à repasser l'après-midi, le résultat de la conférence de presse n'étant pas encore connu. Dans l'après-midi, à quatre heures environ, il m'a reçue et après m'avoir donné les consignes générales dont j'ai parlé, il m'a déclaré que « L'Humanité » pouvait paraître, ajoutant même qu'elle devait le faire le plus tôt possible. Il était entendu que tous les articles devaient être préalablement soumis à la censure de la Kommandantur. » (Extrait de l'interrogatoire de Mme Denise Ginollin, née Reydet, par le commissaire E.-F. Lafont, des Délégations spéciales et judiciaires, le 21-6-1940. Cf. photocopie publiée dans *« Quatre ans d'histoire de la Presse française »*, par Noël Jacquemart, Paris, 1947, et reproduite ici, page 792).

Denise Ginollin et Maurice Tréant furent, peu après, remis en liberté *« sur l'ordre de M. le Dr Fritz, conseiller supérieur près le chef de l'Administration supérieure allemande »*. A peine libéré, Maurice Tréand fit une seconde tentative auprès des autorités allemandes. Il était accompagné dans sa démarche par le député communiste Jean Catelas — qui sera guillotiné un an plus tard, après sa condamnation par le tribunal d'Etat — et de l'avocat de l'ambassade soviétique, Me Foissin. Mais les Allemands ne donnèrent pas suite au projet. *L'Humanité* parut donc clandestinement. Elle fut à la fois anti-maréchaliste et anti-gaulliste, pacifiste et anglophobe. Le 1er juillet 1940, elle publiait une courte note ainsi conçue : *« Le général De Gaulle et autres agents de la finance anglaise voudraient faire battre les Français pour la City et ils s'efforcent d'entraîner les peuples coloniaux dans la guerre. »* Le 1er mai 1941, elle flétrit d'un même élan, les Etats-Unis, l'Angleterre et De Gaulle qualifiés de *« ploutocrates »*, d' *« impérialistes »*, de *« réactionnaires »*. Tout en affirmant hautement que *« le nazisme n'est pas le socialisme »* (Gabriel Péri, avril 1941), les communistes, qui s'en prirent volontiers à Déat et à Doriot, ménagèrent les Allemands. Ceux-ci, d'ailleurs, ne les pourchassèrent pas. La répression exercée contre les militants communistes était le fait du gouvernement Pétain, qui poursuivait l'œuvre du gouvernement Daladier. Les fameuses brigades anti-communistes, qui se distinguèrent dans la lutte contre la propagande du *P.C.* clandestin, avaient été créées par Daladier ; sous le Maréchal, elles ne firent que continuer le travail commencé sous la IIIe République. En 1940-1941, près de 6 000 communistes furent ainsi arrêtés. Fernand Grenier, Léon Mauvais, Charles Michels, Guy Môquet, Timbault, arrêtés avec trois cents autres militants, furent emprisonnés à Clairvaux, puis à Châteaubriant. Les Allemands n'y furent pour rien. Mais tout changea brusquement en juin 1941, quand les armées de Hitler envahirent la Russie. Dès lors, l'Allemagne, le Nazisme, le Fascisme redevinrent l'ennemi. Et, pour vaincre, le *P.C.F.* clandestin s'allia avec ceux qu'il insultait la veille. On sait la suite et le rôle important qu'ont joué dans la Résistance les *F.T. P.F.* communistes...

Le 31 avril 1944, le Comité central du *P.C.F.* se réunissait à Paris, libéré des Allemands depuis quelques jours. Les décisions adoptées tendaient naturellement à la prise du pouvoir à la faveur de la Libération. Pourquoi les communistes, qui étaient alors les plus nombreux, les mieux organisés, les plus dynamiques ne firent-ils pas ce qu'ils annonçaient depuis si longtemps ? Pourquoi ne s'emparèrent-ils pas d'un gouvernement dont ils contrôlaient presque tous les rouages ? On a dit et écrit beaucoup de choses à ce propos. Il est vraisemblable que les accords américano-soviétiques, qui avaient partagé l'Europe en deux zones d'influence, auraient autorisé, le cas échéant, les Américains à intervenir en France contre les communistes si ceux-ci avaient mis leur plan à exécution. Il est certain, en tout cas, que Moscou, qui ménageait alors Washington, donna des conseils de modération aux camarades du *P.C.F.* La grâce amnistiante de Maurice Thorez, signée par le général De Gaulle ne fut pas seulement un geste d'apaisement, mais un geste d'une grande portée politique : en rentrant à Paris, le premier soin du secrétaire général du *P.C.F.* fut de calmer les plus excités de ses amis et de dissoudre les *milices patriotiques,* c'est-à-dire d'écarter la menace que les communistes faisaient alors directement peser sur le Pouvoir. A l'assaut brutal et gros de conséquences, Thorez substitua la tactique du cheval de Troie. C'est de l'intérieur du gouvernement qu'il espérait agir, comme devaient le faire ses amis tchèques. De Gaulle et ses successeurs n'eurent cependant pas le sort de Benès et de Masaryk : ils firent bien entrer une demi-douzaine de chefs communistes dans leur ministère, mais ils ne furent pas évincés par eux. Le parti, officiellement reconstitué, s'organisa dans tout le pays. Il tenta aussitôt de réaliser la fusion avec le *Parti Socialiste,* à l'instar de celui de 1934. Puis, au Xe Congrès du *P.C.F.* (juin 1945), Thorez proposa l'union au sein d'un Parti ouvrier français ainsi que le firent les communistes des pays d'Europe centrale et orientale. Mais la *S.F.I.O.* refusa la fusion au congrès d'août 1945 : c'est Léon Blum qui torpilla le projet, à son retour de déportation (voir : *Parti Socialiste*). Le *P.C.F.* enregistra, sur le plan électoral, un succès sans précédent dans son histoire. Usant habilement de l'étiquette d'*Union patriotique républicaine anti-fasciste,* il enleva 1 413 municipalités aux élections communales des 28 avril et 13 mai 1945. Aux élections générales suivantes (pour la Constituante), il recueillit 5 004 000 voix (26 % des suffrages) et eut 152 élus sur 545. Il se proclama dès lors « le premier parti de France ». Poursuivant son effort de propagande, le Parti obtint, aux élections du 2 juin 1946 (2e Constituante), 5 199 000 voix (26,2 % des suffrages) et 146 sièges sur 522, et à celles du 10 novembre 1946, 5 475 000 voix

(28,2 %) et 166 sièges sur 544. Ces résultats incitèrent le *P.C.F.* à demander les responsabilités du pouvoir pour son chef, Maurice Thorez, qui posa sa candidature à la Présidence du Conseil, le 4 décembre 1946. Il n'obtint que 259 voix. La voie légale de la prise du pouvoir était donc fermée aux communistes ; la participation ministérielle leur fut même refusée quelques mois plus tard par Ramadier qui les chassa de son gouvernement. Le *P.C.* en revint donc à la tactique habituelle : celle de la violence. Il s'y tiendra jusqu'en 1953. Entre temps (1947), il avait brisé l'unité syndicale pour y mieux réussir. C'était l'époque des revendications ouvrières, des campagnes anti-américaines, des manifestations anti-colonialistes. Sans doute le ministre socialiste Jules Moch brisat-il les grèves à caractère insurrectionnel que les cégétistes avaient déclenchées à l'instigation du *P.C.F.* Mais « l'occupation américaine », les « revanchards de Bonn », les « guerres impérialistes » fournirent aux communistes l'occasion de fomenter des troubles parfois sanglants. Il s'agissait alors non seulement de « *travailler à la défaite de l'armée française en Corée, au Viet-Nam, en Tunisie* » (cf. carnet pris sur Jacques Duclos, le 28 mai 1952, et autres documents saisis dans diverses organisations communistes. *Journal Officiel,* A. N., 21-10-1952, annexe 4415), mais de rendre impossible la constitution d'une force européenne destinée à contenir la poussée russe vers l'Ouest. Tout en prêchant l'Union Nationale contre le réarmement allemand qui inquiétait Moscou, le parti proposait aux socialistes un « *front unique prolétarien* » (XIIIe congrès, 3/7-6-1954) et rejetait toute entente avec les démocrates-chrétiens du *M.R.P.* et de la *C.F.T.C.* « *foncièrement réactionnaires, anti-laïques, anti-républicains et anti-nationaux* » et, surtout, favorables, dans leur ensemble, à cette Communauté Européenne de Défense dont l'U.R.S.S. ne voulait à aucun prix. Il s'agissait donc, d'une part, d'en finir avec la guerre d'Indochine — « *la sale guerre* » — et, d'autre part, de rejeter la C.E.D. Pierre Mendès-France, qui avait les mêmes objectifs, fut naturellement soutenu par les communistes qui, pour la première fois depuis 1947, votèrent l'investiture du président du Conseil, puis le rejet de la C.E.D., après une campagne à laquelle participèrent de nombreux *leaders* gaullistes, prenant la parole dans des réunions communes avec des orateurs du *P.C.F.*

Entre-temps, des *purges* avaient frappé un grand nombre de militants connus du parti. Au XIIe congrès (août 1950) il y avait eu, dit Auguste Lecœur, « *une véritable hécatombe de résistants* » : « *Leur liquidation au sein du Comité central fut massive. Entre autres éliminés citons : Bossus, Chaintron, Chaumeil, Prenant, Marc Dupuy, Lallemand, Signor, Ballanger, Havez, Vittori, etc.* » Puis, le tour d'André Marty, Auguste Lecœur, Pierre Hervé, trois grands personnages du communisme français, était venu. A la même époque, deux autres chefs communistes, Henaff, secrétaire de la *C.G.T.* pour la région parisienne, et Guinguoin, le sanglant épurateur de la Haute-Vienne, furent limogés.

Pendant huit ans, la guerre d'Algérie fournit aux communistes l'occasion d'amplifier leur propagande. Un moment surpris par le retour au pouvoir du général De Gaulle — dont les partisans faisaient campagne pour le *oui* (septembre 1958) en multipliant leur offensive contre le *P.C.F.*, partisan du *non* — les communistes furent rassurés lorsqu'ils comprirent qu'il était dans les intentions du Général d'accorder l'indépendance à l'Algérie et de se rapprocher de Moscou. Les militants de base n'en furent pas moins ulcérés de constater une baisse importante des suffrages recueillis par leur parti (3 882 000 voix et une dizaine d'élus en novembre 1958, 3 992 000 voix et une quarantaine d'élus en novembre 1962). Pour la trésorerie du *P.C.F.*, la diminution considérable du nombre des députés (qui abandonnent une fraction importante de leur indemnité parlementaire à leur parti) était un coup assez rude. Commentant, au lendemain des élections de 1951, le relèvement des cotisations des membres du *P.C.F.*, Georges Gosnat avait écrit dans *France Nouvelle* que cette mesure était nécessaire en raison de « *la diminution sensible des ressources du Comité central par suite du vol de 80 sièges opéré par le parti américain grâce au truquage de l'apparentement.* » (3-11-1951.) Aussi la perte de plus de cent vingt sièges en 1958 et de quatre-vingt-dix en 1962 eût-elle sur les finances du *P.C.F.* de graves répercussions, d'autant plus que non seulement les rentrées sont considérablement réduites, mais qu'il faut aussi caser les parlementaires battus qui ne retournent pas à leur ancien métier. Ces échecs eurent donc une influence directe sur l'activité du parti. Pour sortir de son isolement et reconquérir la place qu'il occupait, il doit, coûte que coûte, recourir à la tactique du *Front Populaire* qui seule s'est révélée payante. L'entente qu'il veut sceller avec la *Fédération de la Gauche démocrate et socialiste* est un premier pas.

C'est probablement en vue de l'après-gaullisme que cette alliance est particulièrement nécessaire. Pour l'instant, les nécessités de la politique étrangère inspirent à la direction du *P.C.F.* une attitude double qui ne doit pas faciliter sa tâche auprès des militants : on approuve le rapprochement franco-soviétique, on applaudit à l'attitude anti-américaine et anti-« européenne » de l'Elysée, mais on doit, en même temps, condamner le « *pouvoir personnel* » et les « *mesures antisociales du gouvernement* ». La dissidence pro-chinoise (voir : *Mouvement Communiste Français*) est également une source d'inquiétude. Aussi le Bureau politique du parti ne fut-il pas fâché, en se ralliant à la candidature de François Mitterrand en décembre 1965, de ne pas avoir à compter ses amis dans un type d'élection qui ne lui aurait guère été favorable. En s'alliant, pour le second tour, avec la *Fédération* de François Mitterrand (selon la proposition du Bureau politique rendue publique le 18 février 1966), le *Parti Communiste Français* sort du ghetto où l'avait enfermé la gauche au lendemain des événements sanglants de Budapest. Si l'entourage de François Mitterrand, en particulier les *leaders* des Clubs, espère tirer quelque avantage de cette entente, la direction du *P.C.F.* sait qu'elle lui sera favorable dans l'immédiat et, probablement, dans les années qui viennent.

Le chiffre des adhérents du *Parti Communiste* est devenu un secret. Il était de 328 000 cotisants en 1937. Au lendemain de la Libération, Maurice Thorez parla un jour de 1 000 000 d'adhérents. On sait que le *P.C.F.* comptait 804 000 membres en 1946, et 36 000 cellules. Mais, depuis plusieurs lustres, la direction du parti ne fait plus connaître que le nombre de cartes commandées (et pas nécessairement placées) : 420 000 en 1964. Les estimations varient entre 250 000 et 280 000 adhérents, un assez joli chiffre, qui fait toujours du *P.C.F.* le premier parti de France. Sa presse n'est plus ce qu'elle était au lendemain de la Libération :

« *Par différents moyens, la réaction est parvenue à faire disparaître nombre de journaux communistes ou démocratiques. C'est ainsi que la presse communiste et démocratique, qui comptait encore en 1947, trente et un quotidiens, ne compte plus aujourd'hui, avec L'Humanité, que* sept *quotidiens de province, communistes ou démocratiques à direction communiste, desservant vingt-trois départements sur quatre-vingt-dix.* » (Cf. *Nouvelle Revue Internationale*, décembre 1958).

Dans son rapport à la Conférence Nationale, réunie à Villejuif (6-7 février 1965) sur « *les problèmes de* L'Humanité *et de la presse quotidienne du Parti,* » Etienne Fajon, membre du Bureau politique, directeur de *L'Humanité,* a donné, sur la presse quotidienne du *P.C.F.,* des informations qui montrent que la décadence, quoique sur un rythme ralenti, s'est poursuivie depuis 1958. Le *P.C.F.* dispose aujourd'hui, outre de nombreux hebdomadaires départementaux, de six quotidiens, un à Paris, *L'Humanité,* les cinq autres en province : *Liberté,* diffusée dans le Nord et le Pas-de-Calais ; *L'Echo du Centre,* diffusé dans la Haute-Vienne, la Corrèze, la Creuse, l'Indre, la Dordogne et une partie de l'Allier ; *La Marseillaise,* diffusée dans les Bouches-du-Rhône, le Vaucluse, le Gard, l'Hérault et les Basses-Alpes ; *Le Petit Varois,* diffusé dans le Var ; et *Le Patriote de Nice,* diffusé dans les Alpes-Maritimes. La presse communiste ne fait pas ses frais. Parlant de la seule *Humanité,* Fajon explique que « *les pertes financières inéluctables des autres jours* » sont compensées partiellement par la vente à la criée de *L'Humanité-Dimanche.* Celle-ci a été tirée en moyenne à 475 000 exemplaires en janvier 1965, « *chiffre légèrement supérieur à celui de janvier* 1955 », ce qui constitue, aux yeux de Fajon, un exemple remarquable de stabilité. Mais pour réduire le déficit, la direction du journal a mené « *une action persévérante pour augmenter les ressources en publicité* », et cela, a précisé Fajon, « *en appelant ouvertement les lecteurs à boycotter les firmes qui nous refusent leurs annonces.* » Grâce à cette pression, le chiffre d'affaires de la publicité de *L'Humanité* s'élève à « 635 *millions d'anciens francs, soit six fois plus qu'il y a sept ans.* » (Rapport d'Etienne Fajon, *L'Humanité,* 8-2-1965).

Les filiales et annexes du *Parti Communiste* sont trop nombreuses pour que nous en fassions ici l'inventaire complet. Bornons-nous à citer les plus importantes : la *C.G.T.,* l'*Union des Femmes Françaises,* le *Mouvement de la Jeunesse Communiste de France,* l'*Union des Etudiants Communistes,* le *Secours Populaire Français,* etc. auxquelles il faut ajouter les organisations parallèles — non communistes officiellement mais tenues solidement par les hommes de confiance du parti — telles que : la *Fédération des locataires,* le *Comité National des Ecrivains,* le *Mouvement de la Paix,* l'*Association Républicaine des Anciens Combattants,* le *M.R.A.P.* (*Mouvement contre le Racisme, l'Antisémitisme, pour la Paix*) et *France-U.R.S.S.* Le parti contrôle, d'autre part, des dizaines d'en-treprises de presse, de publicité et d'édition, depuis l'*Union Française d'Information* jusqu'aux *Editeurs Français Réunis,* en passant par le *Centre de Diffusion du Livre et de la Presse,* qui fournit les cellules, les sections et les municipalités communistes ainsi que des sociétés immobilières et des affaires commerciales. L'Etat--Major du *P.C.F.* est ainsi composé :

Bureau politique : Waldeck-Rochet, secrétaire général, Roland Leroy, Georges Marchais, René Piquet, Gaston Plissonnier, André Vieuget, secrétaires ; Gustave Ansart, François Billoux, Jacques Duclos, Etienne Fajon, Benoît Frachon, Georges Frischmann, Roger Garaudy, Raymond Guyot, Henri Krasucki, Paul Laurent, Georges Séguy, Jeannette Thorez-Vermeersch, Guy Besse (ce dernier membre suppléant, avec André Vieuguet).

Comité central : René Andrieu ; Gustave Ansart ; Louis Aragon ; Robert Ballanger ; Guy Besse ; François Billoux ; Gérard Bordu ; Jean Brun ; Auguste Brunet ; Arthur Buchmann ; Jean Burles ; Oswald Calvetti ; Jean Capievic ; Jacques Chambaz ; Paul Chastellain ; Fernand Clavaud ; Paul Courtieu ; Jacques Denis ; Jacques Duclos ; Raymond Dumont ; Yvonne Dumont ; André Faivre ; Etienne Fajon ; Léon Feix ; Léo Figuères ; Benoît Frachon ; Georges Frischmann ; Roger Garaudy ; Georges Gosnat ; Raymond Guyot ; Victor Joannès ; Henri Jourdain ; Pierre Juquin ; Jean Kanapa ; Henri Krasucki ; Robert Lakota ; Lucien Lanternier ; Paul Laurent ; Georges Lazzarino ; Roger Leclerc ; Roland Leroy ; Jean Lespiau ; Léon Leschaeve ; Georges Marchais ; Henri Martin ; Lucien Mathey ; Léon Mauvais ; André Merlot ; Jean Ooghe ; Serge Paganelli ; Yves Péron ; René Piquet ; Gaston Plissonnier ; Pierre Pranchère ; Jean Rieu ; Marcel Rigout ; Jacques Rimbaud ; Waldeck Rochet ; Rol-Tanguy ; Marcel Rosette ; Joseph Sanguedolce ; Georges Séguy ; Lucien Sève ; André Souquière ; André Stil ; Jean Suret-Canale ; Jeannette Thorez-Vermeersch ; Marie-Claude Vaillant-Couturier ; Fernande Valignat ; Camille Vallin ; André Vieuguet ; Pierre Villon ; Madeleine Vincent ; Marcel Zaidner. — Suppléants : Gabriel Duc, Serge Gaillard, Jacqueline Gelly, Armand Guillemot, Cécile Hugel, Julien Lauprêtre, Paul Le Gall, Roger Loubet, Jacques Roux, Michel Simon, Madeleine Vignes, Marius Bertou, Robert Boules, Georges Chirio, Jean Dréant, Jean Fabre, Henri Fiszbin, Guy Hermier, François Hilsum, Maurice Martin, Claude Poperen, Yann Viens.

Commission centrale de contrôle finan-

ier : Pierre Doize, Jean Tricart, Michel
Fandel, Théo Vial et Marcel Longuet.

*Commission centrale de contrôle poli-
tique :* Etienne Fajon (président), Auguste Brunet, Paul Chastellain, Raymond
Dumont, Henri Fiszbin, Robert Lakota,
Georges Lazzarino, Paul Le Gall, Yves
Péron et Fernande Valignat. (Siège : 44,
rue Le Peletier, Paris 9ᵉ).

PARTI COMMUNISTE INDEPENDANT.

Fondé en 1932. Provenait de la fusion
de la *Fédération Communiste Indépendante* de l'Est, dirigée par Paul Rassinier
et divers dissidents du *P.C.*, et le *Cercle
Communiste* de Boris Souvarine. Publiait
Le Travailleur (ex-*Travailleur de l'Est*);
principaux collaborateurs : Paul Rassinier, Paul Benichou, inspecteur primaire,
Jean Bernier, Louis Bouët, J. Carrez,
instituteur, René Coulon, Jean Rabaud
(alias Rabbinovitch), aujourd'hui à l'O.R.
T.F., Maurice Dommanget, historien,
Marcel Ducret, instituteur, E. Ferrand,
sec. de la Féd. des Métaux, Ed. Lienert,
E. Mourlot, Jean Prader, Jean Perdu,
Ch. Rosen (alias Rosenthal), agent de
publicité, J. Rollo (mort en déportation),
Gilbert Serret, de la Féd. Unitaire de
l'Enseignement, Louis Renard, Boris
Souvarine (alias Lipchitz), ancien rédacteur à *L'Humanité*, Daudé-Bancel, Simone
Weil, Lucien Erard, Maurice et Madeleine Paz, ainsi que Henri Jacob, ancien
délégué de la IIIᵉ Internationale, et René
Plard, maire de Troyes, directeur du
quotidien *La Dépêche de l'Aube*, qui
quittèrent bientôt le *P.C.I.* pour conserver l'autonomie à leur *Fédération Communiste Indépendante* de l'Aube.

PARTI COMMUNISTE INTERNATIONA-
LISTE.

Organisation trotskyste, animée par
Pierre Frank et constituant la Section
Française de la IVᵉ Internationale. Publie
un journal *La Quatrième Internationale*.
S'oppose au *Parti Communiste Révolutionnaire*, également trotskyste, qui se
réclame lui aussi de la IVᵉ Internationale (voir : *Quatrième Internationale*).

PARTI COMMUNISTE REVOLUTION-
NAIRE.

Organisation trotskyste se proclamant
*Section Française de la IVᵉ Internatio-
nale*, mais en conflit avec le *Parti Communiste Internationaliste* (voir à ce nom),
également trotskyste. Animé par J. Posa-
das, qui publie un périodique, *Lutte communiste* (adresse postale : 21, avenue du
Président-Wilson, La Plaine Saint-Denis,
Seine).

PARTI COMMUNISTE REVOLUTION-
NAIRE DE FRANCE.

Mouvement « *marxiste-léniniste-stali-
nien* » publiant depuis janvier 1967 les
Cahiers du Communisme révolutionnaire
(B.P. 4-19, Paris 19ᵉ).

PARTI DEMOCRATE POPULAIRE.

Constitué en novembre 1924 par des
démocrates-chrétiens. Principaux animateurs : Raymond-Laurent, conseiller municipal de Paris, A. Champetier de Ribes,
le chanoine Desgranges, Camille Bilger,
etc. Possédait de puissantes fédérations
dans le Nord, le Pas-de-Calais, l'Isère, la
Loire, le Tarn, en Bretagne et dans la
Région Parisienne. Lié à l'*U.P.B.* d'Alsace.
Comptait en 1939 une quinzaine de députés. Publiait *Le Petit Démocrate* (directeur : R. Cornilleau). Journaux amis :
L'aube (quot.) et *La Vie Catholique*.
(Voir : *Mouvement Républicain Populaire*).

PARTI FASCISTE REVOLUTIONNAIRE.

Dernier bastion du *Faisceau* (de Georges Valois), animé par le Dr Pierre Winter, Etienne d'Eaubonne et Maurice de
Barral, dont *La Révolution Fasciste* était
l'organe, et Philippe Lamour, l'un des
doctrinaires. Fondé en 1928, il fut mis
en sommeil à partir de 1930.

PARTI FRANÇAIS (Le).

Le *Parti Français*, dont la presse annonça la création en février 1941, avait
pour chef Henri Ours, un industriel de
banlieue-Nord, que le fascisme à la française attirait. Installé rue de Richelieu,
il n'eut jamais beaucoup d'adhérents et
cessa toute activité l'année suivante.

PARTI FRANÇAIS NATIONAL-COLLEC-
TIVISTE.

Fondé au lendemain du 6 février 1934
par Pierre Clémenti, alors rédacteur
sportif du quotidien radical *La République*, que secondaient un publicitaire,
Maurice Maurer, qui rallia le *Francisme*
de Marcel Bucard en 1935, et Mathieu
Degeilh, un ancien postier communiste,
futur rédacteur à *La Libre Parole*. Le
mouvement s'appelait alors *Parti Français National-Communiste ;* il modifia
son titre après l'armistice de 1940. A partir de 1936, le parti publia un journal à
périodicité irrégulière intermittente, *Le
Pays Libre*, auquel collaboraient : René-
Louis Jolivet, Guillain de Bénouville, futur député gaulliste, aujourd'hui directeur de *Jours de France*, Robert Vallery-
Radot, écrivain catholique, rédacteur en

DEUXIÈME ANNÉE N° 14 — 5 MAI 1937   0 fr. 75   PARAIT LES 5 ET 20 DE

SPÉCIMEN

✠ LE PAYS LIBRE

ORGANE DU PARTI FRA...

L'EXPOSITION "Fête Juive"

Le Parti
National-Co...
est le parti d...
munauté P...

FAITES PAYER LES JUIFS

Peuple, où es-tu?
par Robert VALLERY-RADOT

CHRONIQUE
Défense de la Personne Humaine
par GUILLAIN DE BÉNOUVILLE

La questio...
en Rus...
et en F...
par Georges

Un titre remarqué de l'organe du Parti Français National-Communiste, à la veille de la guerre

chef pendant la guerre des *Documents maçonniques*, beau-père de Max Brusset — le collaborateur de Georges Mandel, futur député de Charente-Maritime — et Georges Batault, auteur d'un livre sur « le Problème Juif ». En 1939, *Le Pays Libre* dut suspendre sa publication, qui fut reprise en 1940, toujours sous la direction de Clémenti. Il servait d'organe aux divers groupes gravitant autour du P.F.N.C. et transmettait ses mots d'ordre aux militants de base, peu nombreux, et aux acheteurs au numéro. Ces mots d'ordre étaient principalement anti-démocratiques, anti-maçonniques et antisémites. Avant la guerre, lorsque le futur général Guillain de Bénouville y collaborait assidûment, *Le Pays Libre* réclamait la confiscation des fortunes israélites : « *Faites payer les Juifs!* » portait sa manchette. En 1941, il demandait, sous la plume d'un futur vice-président gaulliste du Conseil municipal de Paris, Jacques Dursort, l'élimination de la « *gangrène juive* » : « *Il faut exterminer les Juifs fossoyeurs de la France* », préconisait le bouillant rédacteur en chef du journal national-collectiviste (12 avril 1941). Considérant que la défaite française de 1940 était le résultat de la politique extravagante des gouvernements

qui s'étaient succédé de 1936 à 194... Dursort, au nom de son parti, exigeai... un « *châtiment* » qui ne soit pas « *une parodie de justice* ».

Lors de la constitution de la *Légion des volontaires Français contre le Bolchevisme* (L.V.F.), Clémenti fut l'un des dirigeants du comité de Paris. Puis il s'engagea dans cette formation militaire en même temps que plusieurs de ses amis, notamment de Pierre Vigouroux (réfugié au Venezuela après la guerre, auteur de : « *Il reste le drapeau noir et les copains* », sous le pseudonyme de Mathieu Laurier). A partir de 1942, *Le Pays Libre* fut édité à Lyon, il disparut en 1944, ainsi que le parti dont il était l'organe.

PARTI FRANÇAIS NATIONAL-COMMUNISTE (voir : Parti Français National-Collectiviste).

PARTI FRANCISTE.

Fondé en septembre 1933 par Marcel Bucard (voir à ce nom), un glorieux combattant de la guerre de 1914-1918, dont Gustave Hervé avait fait son bras droit à la *Milice Socialiste Nationale*, dont il était le chef. Aux côtés de Bucard,

deux autres anciens collaborateurs de
Gustave Hervé, Paul Lafitte et J.-B. Lhérault, occupaient des postes de direction au parti. Ils étaient, avec leur chef,
les trois premiers signataires du manifeste que publia, le 11 novembre 1933,
Le Francisme qui servit d'organe officiel
au nouveau parti (il s'appela à partir du
n° 2, *Le Franciste*). Parmi les autres signataires, on remarquait : le capitaine
Creveau ; Armand Grégoire, avocat ;
quelques journalistes : Bontoux, Négrier,
Peyrieux, Motte ; des étudiants : Ger-
naix, Peter, Lévi, Thierry, La Fonta,
Challe, Morel, Cros, Régnier ; des commerçants et des industriels : Leriche,
Thibaurenq, Joret, Gérald, Léon Husson,
président des *Phalanges Françaises ;*
Claude Planson, le petit-fils de Rénier,
président de l'*Agence Havas ;* Mathieu
Degeilh, fonctionnaire du P.T.T., ex-
communiste ; un propriétaire terrien de
Castellane ; des ingénieurs, des artisans,
des artistes, des ouvriers, des paysans.
Il y avait parmi les signataires du manifeste, plusieurs israélites, dont deux :
Diamant-Berger et Susfeld ont, semble-
-il, fait leur chemin depuis. Le mouvement de Marcel Bucard n'était pas antisémite, à l'origine, et il eut, même fin
1933 et début 1934, de violents accrochages avec le groupe de *La Libre Parole* qui avait fondé, quelques semaines
avant lui, *Les Francistes (Front National
Ouvrier et Paysan).* Le *Parti Franciste*
ne prit position contre « *l'emprise
juive* » qu'au début de 1936, en raison
de l'hostilité que lui marquèrent les
communautés israélites de Paris et de
Strasbourg, puis de l'avènement de Léon
Blum au pouvoir. Il fit alors paraître,
sous le titre : « *Si 400 000 Chinois...* »,
une brochure qui attirait l'attention du
lecteur sur le danger que représentait
alors pour la paix mondiale et la tranquillité des Français, l'arrivée de 400 000
juifs fuyant l'Allemagne hitlérienne.
L'auteur, Maurer, était un publiciste
averti, ancien camarade de jeunesse de
Jean Anouilh et de Pierre Clementi, qui
avait été quelque temps rédacteur à *La
Libre Parole.* Il entendait démontrer que
les Français, qui auraient probablement
réagi devant « l'invasion » de 400 000
Chinois, devaient s'insurger contre « la
colonisation » de la France par 400 000
juifs. Le journal du *Parti Franciste,*
devenu hebdomadaire le 17 mai 1934,
était dirigé par Marcel Bucard lui-même.
Ses principaux rédacteurs, les plus réguliers, étaient naturellement des membres
du parti : l'avocat Grégoire, qui faisait
la politique étrangère, signait Grégoire
Le Franc ; Léon Husson s'occupait des
anciens combattants et Claude Planson

des jeunes ; Jean Leprince dessinait,
bientôt relayé par Daix, le créateur du
« Professeur Nimbus ». Il y avait aussi
des militants : Paul Lefèvre, M. Rouaix,
Maurice Larroux, R. Christian-Frogé,
J.-M. Aimot, petit-fils de condamné à
mort de la Commune, Bertrand Motte
(de la famille des grands industriels du
Nord) qui a fait carrière aujourd'hui,
Henri Davoust, Marc Pobanz (futur Marc
Marceau du *Monde*), Italo Sulliotti, directeur de *L'Italie Nouvelle,* de Paris, Robert Souvay, Léon Dargouge, Georges
Villiers (un homonyme de l'ancien président du *C.N.P.F.*), Jean Peter, François
Laroche, et le chansonnier Marc Hély,
président de *l'Union professionnelle des
auteurs et compositeurs de musique.*
Un peu plus tard, le parti s'enrichit de
nouvelles recrues. Plusieurs d'entre elles
ont laissé un nom dans les annales de
la politique. Félix Antona dit Henri de
Bonifacio venait du bonapartisme et
avait milité dans divers mouvements de
droite ; Roger Vauquelin, qui fonda plus
tard les *Comités de Rassemblement Anti-
Soviétique (C.R.A.S.),* fut l'un des dirigeants du P.P.F. ; Paul Guiraud, professeur de philosophie, était le fils de Jean
Guiraud, rédacteur en chef de *La Croix*
et le neveu de Mgr Petit de Julleville,
archevêque de Rouen et du professeur
Audollent, de la Faculté des lettres de
Clermont-Ferrand ; Georges Souchères,
journaliste, fut candidat dans le XVIe
arrondissement en 1935 ; Philippe Sape,
dit Dreux, dirigea *L'Union Française* de
Lyon ; Charles Vaumousse, chansonnier
à ses heures et marchand de tableaux,
collaborait à la presse nationale, tantôt
sous son nom, tantôt sous le pseudonyme
de Charvau ; Jacques Brécard, fils du
général Brécard, Grand Chancelier de la
Légion d'honneur, remplit des fonctions
sous Vichy ; Me Jacques Ditte venait de
la Solidarité Française et collabora à
L'Ami du Peuple et à *La Libre Parole.*
Dès 1935, le Parti avait adhéré à ce que
la presse communiste appelait « *l'Internationale fasciste* ». En septembre, Marcel Bucard et ses amis participèrent aux
travaux de la Commission permanente
pour l'Entente du Fascisme universel, à
Montreux en Suisse. « *L'Union des fascismes,* affirmait le mouvement, *fera la
paix du monde.* » Peu après, Bucard
était reçu par Mussolini à Rome. L'année
suivante le parti fut brusquement dissous
par le gouvernement Blum (18 juin 1936).
Au cours de l'été, les locaux du journal
Le Franciste furent perquisitionnés, et
son rédacteur en chef, Paul Guiraud, fut
arrêté. Les poursuites gouvernementales
aboutirent à la condamnation de Bucard
à six mois de prison (avec sursis, « en

raison de son passé militaire ») et de Roger Ramelot, gérant du journal, à un mois ferme. Après une tentative de reconstitution de son parti sous le nom d'*Amis du Francisme*, Marcel Bucard créa le 11 novembre 1938 le *Parti Unitaire Français d'Action socialiste nationale*, dont *L'Unitaire Français* fut l'organe central. Le *slogan* du nouveau mouvement résumait assez bien les conceptions de son fondateur : « *Ni à droite, ni à gauche, En avant !* » Le *P.U.F.* répudiait toute classification traditionnelle : il est, écrivait Marcel Bucard, « *un parti qui ne se situe ni à droite, ni à gauche, mais qui prend résolument sa place légale de combat politique à la fois contre la réaction ploutocratique et contre le judéo-marxisme. Un parti qui ne fera jamais le jeu des droites conservatrices contre le peuple travailleur. Un parti qui n'identifiera point le peuple avec les mouvements internationalistes négateurs de la patrie* » (*L'Unitaire Français*, 11-11-1938). En mai 1939, le décret-loi Marchandeau interdisant toutes attaques contre les israélites, le *Parti Unitaire Français* fut perquisitionné en même temps que plusieurs groupements et journaux antisémites. Son activité, fort réduite dès lors, fut pratiquement interrompue pendant « la drôle de guerre ». Au début de 1941, après une assez courte captivité en Suisse où il avait été interné avec son bataillon en juin 1940, Bucard reprit la tête du *Parti Franciste* ressuscité. Il reçut les encouragements du chef de l'Etat français : « *J'adresse mon remerciement aux Francistes*, écrivait le maréchal Pétain en 1941, *pour leur courage civique et leur dévouement patriotique ; je compte sur eux comme sur tous les ouvriers pour m'aider à faire la Révolution.* » L'état-major du Parti s'était beaucoup modifié. Paul Lafitte, Vauquelin, Aimot avaient rallié le P.P.F. de Doriot. D'autres francistes d'avant-guerre s'étaient retirés de la politique active ou avaient rejoint la Résistance. Au congrès de juillet 1943, qui marqua l'apogée du mouvement, le *Parti Franciste* avait pour principaux dirigeants, outre son chef Marcel Bucard : Paul Guiraud, principal collaborateur du *Franciste* et l'orateur véhément des réunions du mouvement ; Maurice Maurer, qui dirigeait la propagande (et qui mourut accidentellement en 1944) ; Maurice Kœnig ; Louis Tessier, commissaire à l'Action Sociale du Parti ; le Dr de La Füye ; Jean-Marie Leduc ; le Dr Martineaud, de Bordeaux ; Henri Bonifacio (Félix Antonia), rédacteur en chef du *Franciste* de zone sud ; le Dr André Rainsart, chef des groupes de choc,

passé à la *Milice Française* en 1944 ; Dupont, qui était chargé des questions ouvrières ; Pierre Hardouin, trésorier des *Jeunesses Francistes ;* Raymond Boisney, ancien membre des *Jeunesses Nationales Populaires* de Déat, chef des *Cadets Francistes* (donc Marc Pobanz, dit Marceau, avait été l'organisateur en 1934) ; Lamour, chef de la Propagande des *Jeunesses Francistes ;* Deletang, directeur, et Puzin, professeur à l'école des Cadres du Francisme à Versailles (avec Paul Guiraud, le commandant Broussaud, le boxeur Francis Rutz, le Dr Zaepfel, tué par les F.T.P. en 1943 ; Antonin Coulandon et Claude Planson, un fidèle (adhérent depuis 1933), qui réclamait, avec « *l'épuration de l'Université* », « *les châtiments les plus sévères* » pour « *ceux qui voudraient détourner la jeunesse de l'Ordre Nouveau* ». Ce dernier était alors le chef des *Jeunesses Francistes*. Tombé malade en 1944, il fut remplacé par Robert Poïmiroo. Depuis la Libération, devenu le mari de Françoise Spira (directrice de l'*Athénée*, qui porta à la scène « *Le Vicaire* » et se suicida en 1965), il fit carrière dans le théâtre officiel, au *T.N.P.* et au *Théâtre des Nations*. A la Libération, l'épuration décima les cadres du parti et ses meilleurs militants furent emprisonnés. Marcel Bucard fut condamné à la peine capitale par la Cour de Justice de la Seine et fusillé le 19 mars 1946.

PARTI FRONTISTE (Voir **Front Social**).

PARTI LIBERAL EUROPEEN.

Groupement libéral fondé en 1963 par Jean-Paul David (voir à ce nom). Organisa les 24 et 25 avril 1965 une *Convention Nationale Libérale* réunie à Issy-les-Moulineaux pour la désignation d'un candidat à l'élection présidentielle de décembre 1965. Les congressistes désignèrent Pierre Henri Marcilhacy qui fut effectivement candidat. Jean-Paul David est secondé dans sa tâche par Jean Quiminal, Gérard Heuchon, Raymond Courtot, Christian Orengo, Pierre Souquet, le Dr Veyrune, Jean Bermond, etc. *Le Libéral de France* est l'organe du parti. (286, boulevard Saint-Germain, Paris 7e).

PARTI NATIONAL FRANÇAIS.

Fondé en 1949 par Jean Roy (Georges Villaret), ancien commissaire de police « épuré », qui avait appartenu quelque temps au *R.P.F.* où il était chargé des Comités de diffusion de *Rassemblement*. Principaux dirigeants : capitaine André

Moulinier, Jean-Michel Sorel, René Guillemette, Pierre H. Schaeffer, fils d'un professeur d'Histoire. Journal : *La Liberté du Peuple.*

PARTI NATIONAL POPULAIRE.

Fondé en 1930 par le Dr Molle, député-maire d'Oran, Jacques Ploncard, Armand Bernardini, Henry Coston, Maurice-Christian Dubernard. Organe: *La Libre Parole.* A la mort du Dr Molle (février 1931), le parti fit paraître un autre journal, *L'Indépendance Française,* auquel collaborèrent Dubernard, Bernardini, Henri de Bonifacio, André Chaumet, Raymond Batardy, Fernand George, Géo Delcamp et Ch. Grampex. Le *P.N.P.* devint en octobre 1931 la *Ligue Nationale Populaire* (voir à ce nom).

PARTI NATIONAL POPULAIRE.

Organisation politique fondée en 1935 et dirigée par Pierre Taittinger. (Voir : *Jeunesses Patriotes* et *Parti Républicain National et Social.*)

PARTI NATIONAL-PROLETARIEN.

Créé en 1935 par Eugène-Napoléon Bey, président d'un syndicat de Gens de Maison. Antisémite, anti-maçonnique, pour l'union européenne. Organe : *Le Gant d'Acier.*

PARTI NATIONAL-SOCIALISTE FRANÇAIS.

Fondé en 1940 par Christian Message, un ancien séminariste partagé entre le désir, fort légitime, de réussir et celui, non moins légitime, de sauver le pays. Il avait été, avant la guerre, le secrétaire d'un syndicat de limonadiers et, en 1939-1940, le directeur d'un journal intitulé *La Défense Passive.* Installé d'abord au restaurant *Le Tyrol,* aux Champs-Elysées, puis rue Saint-Georges, dans les locaux du Consistoire israélite, le *Parti national-socialiste français* n'eut que peu d'adhérents et cessa bientôt toute activité.

PARTI NATIONAL-SYNDICALISTE FRANÇAIS.

Créé le 19 juin 1959, ce groupement succéda au *Mouvement de la Jeunesse Combattante et Syndicaliste* constitué le 9 février précédent. Fortement influencé par le national-syndicalisme de José Antonio Primo de Rivera, le *P.N.S.F.* a repris les grands thèmes phalangistes : hostilité au marxisme et au capitalisme, primauté de la nation et de la famille, respect de la personne humaine et de la liberté. A l'origine, une sorte de triumvirat dirigeait le mouvement : Roger Bru, ancien militant cégétiste, Lucien Boer, journaliste, et Liliane Ernout, jeune comédienne, secrétaire général du parti, formaient le bureau du comité exécutif. Au cours des années 1960-1962, Liliane Ernout, qui avait pris la direction effective du groupement, subit diverses perquisitions policières en raison de ses sympathies « Algérie française ». La *Révolution syndicaliste,* organe du groupe, a fait une propagande intensive dans les milieux ouvriers et auprès des agriculteurs : Henry Dorgères, le *leader* paysan, signait souvent l'article de tête du journal. Depuis son mariage avec le journaliste Mermoz, de *Rivarol,* Liliane Ernoult utilise principalement la tribune des journaux amis pour diffuser les idées de son groupe. A l'élection présidentielle de décembre 1965, elle soutint la candidature de Marcel Barbu, et s'intéressa ensuite à son entreprise (14, boulevard de Courcelles, Paris 17e).

PARTI NATIONALISTE (voir : Jeune Nation).

PARTI NEO-SOCIALISTE DE FRANCE.

Créé par Adrien Marquet après la fusion du *Parti Socialiste de France* au sein de l'*Union Socialiste et Républicaine.*

PARTI OUVRIER FRANÇAIS.

L'un des premiers partis socialistes qui s'organisa après les congrès ouvriers de Paris (1876), de Lyon (1878), de Marseille (1879) et de Paris (1880), sous l'impulsion de Jules Guesde et de Lafargue. Les principaux militants furent : Deville, qui quitta le socialisme un peu plus tard, Carrette, Jean Dormoy, Dereure, le Dr Bach, conseiller municipal de Toulouse, Chabry, Aline Valette, Marouck, Massard, qui évolua ensuite vers la droite, Labusquière, J.-B. Benezech, député de l'Hérault, Ch. Brunellière, conseiller municipal de Nantes, René Chauvin, G. Delory, maire de Lille, Fiévet, Compère-Morel, futur administrateur du *Populaire,* A. Dormoy, Mistral, Lagrosillère, Charles Rappoport, L. Deslinières, Ferrero, député du Var, Ferroul, député de l'Aude, Ed. Fortin, Krauss, député du Rhône, H. Légitimus, député de la Guadeloupe, Pastre, député du Gard, Roussel, maire d'Ivry. Alexandre Zévaès, Marcel Cachin, Bedouce. Il compta jusqu'à six cents groupes et dix-neuf fédérations, surtout agissants dans le Nord, le Rhône, l'Allier, l'Aube, la Marne, la Gironde, l'Isère et le Gard. Il possédait deux quotidiens : *Le Réveil du*

Nord et *Le Droit du Peuple* (Grenoble) et une vingtaine d'hebdomadaires, dont *Le Socialiste*, organe officiel du parti. Son programme fut établi par Jules Guesde (voir à ce nom) et Paul Lafargue. En 1901, il se fondit, avec d'autres groupes révolutionnaires, au sein du *Parti Socialiste de France*.

PARTI OUVRIER SOCIALISTE REVOLUTIONNAIRE.

Issu d'une scission survenue à Chatellerault en 1890 à la *Fédération des Travailleurs socialistes.* La thèse de la lutte de classes était à la base de sa doctrine et la grève générale, l'un des moyens qu'il préconisait pour la conquête du pouvoir. Il marquait, en effet, une réelle répugnance à l'endroit de l'action parlementaire qu'il considérait plutôt comme un instrument de propagande. La rigueur de sa discipline n'eut de comparable, dans le mouvement ouvrier, que celle du *Parti Communiste*. Il était dirigé par Jean Allemane, J.-B. Clément, Lavaud, Faberot et Chabert. *Parti Ouvrier,* son journal, développait sa doctrine et exposait ses vues. Surtout implanté à Paris, le *P.O.S.R.* comptait néanmoins six fédérations régionales.

PARTI PATRIOTE REVOLUTIONNAIRE.

Fondé au cours de l'hiver 1957-1958 par l'avocat J.-B. Biaggi, naguère collaborateur de Henry Torrès, ancien combattant de 1939-1945, médaillé de la Résistance. Entendait faire l'union des « pétainistes » et des « gaullistes » réconciliés sous le signe de l'Algérie française. Publiait un journal *La France au Pouvoir*, dont les principaux rédacteurs étaient ses dirigeants : Biaggi, Michel Trécourt, G. Ferrière, Pierre Maraval, etc. Après le retour au pouvoir du général De Gaulle, le Parti disparut. Son chef, Biaggi, a été élu député de Paris sous l'étiquette de l'*U.N.R.* à laquelle il avait adhéré et dont il fut exclu un an plus tard en raison de son attitude pro-« Algérie Française ».

PARTI POPULAIRE FRANÇAIS.

Parti fondé à Saint-Denis, le 28 juin 1936, par Jacques Doriot (voir à ce nom) en présence de 450 délégués des organisations de l'ex-Rayon communiste (majoritaire) et de quinze cents invités de tendances diverses : « *Parce que nos dirigeants ont été aussi peu actifs à l'extérieur que conservateurs à l'intérieur*, déclarait-il, *ils nous ont mis dans une situation catastrophique et notre pays est doublement* menacé de la révolution soviétique et de la guerre. C'est pour tenter de sortir de cette situation que nous entrons en lutte et que nous formons notre parti. Notre parti aura donc deux ennemis : la conservation sociale et son esprit routinier, le parti de Staline et son esprit de perversion nationale. » (Cf. *L'Emancipation Nationale*, numéro spécial, juin 1936). A peine constitué, le *P.P.F.* diffusa un manifeste dans lequel il précisait qu'il lutterait pour obtenir :

1. — *La réforme de l'Etat républicain, de ses institutions et de son administration, en vue d'en faire l'instrument indépendant et fort des transformations économiques et sociales qui sont à l'ordre du jour du pays.*

2. — *La création d'un pouvoir exécutif, stable et durable, capable d'assurer une direction politique ferme au pays et de réaliser pleinement son rôle d'arbitre des conflits sociaux.*

3. — *L'institution d'assemblées économiques fondées sur la représentation des professions organisées, du syndicalisme des ouvriers et de celui des techniciens qui devront s'employer à équilibrer périodiquement et dans le sens de leur développement, la production et la consommation selon des plans établis pour chaque branche industrielle, agricole, commerciale, nationalement et régionalement. Cette institution permettra de régler plus rapidement les problèmes sociaux posés par la production.*

4. — *La réalisation des conditions d'indépendance du Gouvernement, du Parlement, de la Justice, de l'Administration, de la Presse et de toute la vie sociale et économique vis-à-vis des puissances financières.*

5. — *Le maintien et la défense de toutes les activités moyennes, paysannes, artisanales, commerciales et industrielles, qui constituent l'essence même de la Nation.*

6. — *La formation, dans les colonies, d'une économie complémentaire de celle de la Métropole, qui permettra de susciter un vaste courant d'échange, entre la France métropolitaine et ses colonies et d'élever sans cesse le niveau d'existence des cent millions d'habitants qui vivent à l'abri des institutions de la République.*

7. — *Le développement cohérent et simultané à la ville et à la campagne de l'enseignement public et spécialement de l'enseignement professionnel, des sports, des transports, de l'urbanisme, de l'hygiène générale, des habitations saines et à bon marché, de façon à engendrer une race plus forte, plus saine, et qui connaîtra dans l'ensemble de la commu-*

nauté française une vie nouvelle, physiquement et moralement meilleure que celle des ouvriers et des paysans d'hier et d'aujourd'hui. La refonte des lois régissant les pouvoirs des communes, en vue de leur donner plus d'initiative, notamment dans la réalisation de leur politique sociale. L'organisation rationnelle des loisirs des masses populaires.

8. — La résurrection d'une France capable de reprendre, dans l'ordre extérieur, sa mission traditionnelle d'influencer dans le sens du progrès humain, de la justice et de la paix, capable surtout de réconcilier et d'unir tous les peuples. (Ibid.).

Ayant approuvé ce programme, les « doriotistes » assemblés à Saint-Denis se donnaient des chefs : Doriot, d'abord, et aussi, formant avec lui le bureau provisoire du Parti : Henri Barbé (secrétaire général), Jules Teulade et Alexandre Abremski (secrétaires), Marcel Marschall (trésorier), Victor Arrighi et Paul Marion. Bien qu'exclu du *Parti Communiste* en juin 1934, Jacques Doriot n'en avait pas moins conservé une grande influence chez les communistes de Saint-Denis. Maire de la cité royale depuis trois ans, il jouissait d'une réputation d'administrateur qui lui valait la sympathie de la grande majorité de ses administrés. Aussi, lorsqu'il avait fondé *L'Emancipation*, destinée à devenir sa principale tribune, avait-il reçu l'appui de la majorité du Rayon communiste de Saint-Denis. Ce sont les cadres du dit « rayon majoritaire » qui fournirent au jeune *Parti Populaire Français* ses premiers militants et les plus dynamiques. Le bras droit de Doriot à la direction du *P.P.F.* était un de ses vieux compagnons de lutte, Henri Barbé, ancien ouvrier métallurgiste, comme lui, et ex-dirigeant du *P.C.*, éliminé plusieurs années auparavant. Cet ancien secrétaire de la IIIe Internationale était devenu le collaborateur intime du « grand Jacques ». Les deux adjoints de Barbé, Jules Teulade et Alexandre Abremski, venaient également de l'extrême-gauche. Le premier, ouvrier du bâtiment, avait milité dans sa jeunesse dans les rangs anarcho-syndicalistes ; il était devenu conseiller prud'homme et secrétaire de la *Confédération Nationale des Ouvriers du Bâtiment* (*C.G.T.*). Le second, ancien ouvrier maçon, avait été secrétaire de la *Bellevilloise*, puis d'un groupe du Comité Amsterdam-Pleyel (anti-fasciste et anti-nazi). Le trésorier, Marcel Marschall, compagnon de travail de Doriot aux usines *Aster*, luttait depuis plusieurs années au côté de son camarade. Adjoint au maire de Saint-Denis, il en devint plus tard le

maire lorsque Marx Dormoy révoqua Doriot ; il le restera jusqu'en 1944. Victor Arrighi, qui avait dirigé dans sa jeunesse la cellule des *Galeries Lafayette*, venait également du *Parti Communiste*, qu'il avait quitté en 1929, après y avoir exercé les fonctions de secrétaire administratif. Ancien directeur de la *Banque Ouvrière et Paysanne* — annexe du *P.C.* —, responsable des services sociaux de Courbevoie, il avait également assuré le secrétariat politique de l'ancien ambassadeur Hennessy (du *Cognac Hennessy*), fondateur de l'éphémère *Parti Social National* au lendemain du 6 février 1934. Quant à Paul Marion, considéré comme l'intellectuel de l'équipe, il avait milité aux *Jeunesses Communistes,* puis au *Parti Socialiste* et avait suivi Marcel Déat et Barthélémy Montagnon lors de la cession « néo-socialiste » de 1933. Au congrès qui suivit, le premier, tenu les 9, 10 et 11 novembre 1936 au théâtre municipal de Saint-Denis, le bureau provisoire fut reconduit : il prit le titre de Bureau Politique, et s'augmenta d'un membre, Yves Paringaux, un ingénieur qui venait des Volontaires Nationaux (Croix de Feu) et avait appartenu au groupe *Travail et Nation* (avec Coutrot, Marion, de Jouvenel et Pucheu). Il était l'émanation du Comité Central du *P.P.F.* auquel appartenaient les huit membres du Bureau Politique. Ce Comité Central se composait de :

Bertrand de Maud'huy, fils du général, ancien dirigeant des *Volontaires Nationaux* (aujourd'hui président ou administrateur de sociétés industrielles et financières) ; Mathurin Boloré, secrétaire de la Fédération Paris-Ville ; Parra, responsable de Paris-Nord ; Frézia, responsable de la région Paris-Ouest ; Yves Malo, secrétaire de l'importante section de Saint-Denis ; Maurice Touzé, l'un des délégués à la Propagande ; Pierre Dutilleul, ancien communiste, secrétaire de la commission de discipline ; Revier, délégué à

la propagande paysanne ; Falasse, responsable du Service d'ordre ; Simon Sabiani, ancien député, secrétaire de la Fédération marseillaise ; Le Can, entrepreneur, secrétaire de la Fédération bordelaise ; Albert Beugras, secrétaire de la Fédération lyonnaise ; Philip (le père de l'acteur Gérard Philipe), secrétaire de la Fédération de Cannes ; Asquier, responsable de la section de Grasse ; Victor Barthélémy, secrétaire de la Fédération de Nice ; Pranchère, responsable de la Fédération du Puy-de-Dôme ; Frantz, secrétaire de la Fédération lorraine ; Heck, secrétaire de la Fédération d'Alsace ; Jean Fossati, ancien responsable des *Volontaires Nationaux* à Alger, secrétaire de la Fédération algérienne ; le Dr Ben Tami, représentant les musulmans du parti ; Lascol, secrétaire de la Fédération Toulousaine ; le Dr Jolicœur, de Reims, secrétaire de la Fédération champenoise (assassiné pendant la guerre) ; Henri Lebre, journaliste (futur directeur du *Cri du Peuple* et rédacteur à *Rivarol*) ; Conte, responsable de la Fédération des Alpes ; François Gaucher, docteur en droit, représentant les sections du Centre (futur directeur de cabinet de Paul Marion, puis de Darnand à Vichy) ; Drieu La Rochelle, homme de lettres, auteur de « *Socialisme fasciste* » ; Bertrand de Jouvenel, chef adjoint des services politiques du *Petit Journal*, ancien directeur de *La Lutte des Jeunes* (avec Sammy Béracha) ; Camille Fégy, journaliste, ancien rédacteur à *L'Humanité* (plus tard rédacteur en chef de *La Gerbe*, puis de *Fraternité Française*) ; Claude Jeantet, ancien dirigeant des *Etudiants d'Action Française*, rédacteur de politique étrangère au *Petit Journal* et à *Je suis partout* ; Paul Guitard, journaliste ; Maurice Lebrun (Serre), ancien collaborateur de *L'Humanité*, futur rédacteur à *Fraternité Française* ; Claude Popelin, ancien employé de banque, avocat, ancien dirigeant du mouvement des *Croix de Feu et Volontaires Nationaux* (futur collaborateur du général Giraud à Alger, puis agent publicitaire et rapporteur à la Commission des Relations Economiques Internationales du *C.N.P.F.*) ; Copperie, médecin ; Robert Lousteau, ingénieur ; le comte Bernard de Plas, directeur de l'agence de publicité de Plas (aujourd'hui partisan actif du rapprochement avec Moscou) ; Georges Deshaires, ouvrier métallurgiste, ancien membre des *Jeunesses Communistes*, secrétaire général de l'*Union Populaire de la Jeunesse Française* (jeunes du *P.P.F.*) ; Johannès Tête, délégué adjoint à la propagande ; Mᵉ Martin-Sanné, du secteur Paris-Ville ; Vidal, secrétaire de la Fédération d'Oran ; Marius Paquereaux, ancien communiste, du secteur de Paris-Sud.

Par la suite, le Comité Central s'appela *Conseil National*. En 1938, à l'issue du 2ᵉ Congrès du *P.P.F.*, il comprenait, outre Barbé, Marion, Marshall, Arrighi, Teulade, Lousteau, Paringaux, Popelin, Touzé, Dutilleul, Drieu La Rochelle, Fégy, de Jouvenel, Guitard, Jeantet, Lebrun et Malo, les personnalités et militants politiques suivants : Emile Masson, trésorier du Parti ; Jean Fontenoy, journaliste, ancien communiste ; Pierre Pucheu, du *Comptoir Sidérurgique*, futur ministre du maréchal Pétain (fusillé en 1943) ; Ramon Fernandez, homme de lettres, venu de l'extrême-gauche ; Pinault, responsable du secrétariat des classes moyennes ; Mme Suzanne Grandy (qui succédait à Mme Guillaume), responsable du secrétariat féminin ; Aimot, journaliste, ancien franciste, responsable du mouvement d'enfants ; et les responsables du secrétariat corporatif, du secrétariat à la propagande, du secrétariat paysan, des Phalanges, des Unions Sportives, de la Documentation et, naturellement, de l'U.P.J.F.

L'*Union Populaire de la Jeunesse Française* groupait les jeunes doriotistes qui venaient de tous les horizons politiques. Son comité de direction, en 1937, comprenait : G. Deshaires, secrétaire général (ancien communiste) ; R. Grandjean, trésorier (ancien communiste) ; Robert Michard, secrétaire ; Maurice Duverger, responsable bordelais (futur rédacteur politique du *Monde*) ; Laneyrie, de Lyon ; d'Albrey, de Marseille ; Elie Dilain, responsable du secteur Nord-Parisien ; Chazelle, de Berck ; Chavet, d'Oran ; et Hélène Milon, responsable féminine. Les idées des jeunes *doriotistes* n'étaient pas moins affirmées que celles de leurs aînés : « *Si tant de jeunes ouvriers,* s'écriait Maurice Duverger au congrès de l'U.P.J.F. de 1937, *si tant de nos camarades se sont détournés de la Patrie, c'est parce qu'ils n'ont vu d'elle que ce masque posé sur son visage et qui la défigure : le régime capitaliste ! Mais ce masque, nous l'arracherons. Et la France pourra reprendre son vrai visage. Nous ne supprimerons pas le capital ; mais nous supprimerons le capitalisme, c'est-à-dire la domination du capital. (...) Jeune de ce pays, à qui les hommes aujourd'hui au pouvoir offrent un avenir gris, un avenir miteux, un avenir lymphatique, à qui ils essaient de forger une âme de rond de cuir... regarde l'Empire Français que nous allons bâtir. A ces peuples de toutes races et de toutes couleurs, nous allons apporter la civilisation. D'abord notre civilisation maté-*

C'est au Gaumont que se tint, en novembre 1942, le dernier grand congrès
du Parti Populaire Français

*ielle, nous bâtirons des routes, des
ponts, des villes, nous développerons les
industries et les cultures, et nous leur
apporterons aussi notre civilisation spirituelle (...) Jeune de ce pays, voilà
idéal que t'apporte le Parti Populaire
Français, voilà l'œuvre immense qu'avec
oi et pour toi il a juré d'accomplir jus-
u'au bout ! (...) Autour de Jacques Do-
iot, nous réaliserons l'unité de la jeu-
esse française ! »* Cf. *Jeunesse de
rance,* 30 mai 1937, p. 4. Organe de
U.P.J.F., Jeunesse de France paraissait
eux fois par mois, puis toutes les se-
aines. Son équipe était ainsi compo-
ée : directeur politique : G. Deshaires ;
dministrateur : Grandjean ; rédacteur
n chef : Maurice-Yvan Sicard, alors

chef des informations de *La Liberté* ;
rédacteurs : Armand Lanoux, reporter à
La Liberté (futur « *Prix Interallié* », aujourd'hui sympathisant communiste) ;
R. Michard, Foubert, Benedetti, Hélène
Milon, André Avisse, rédacteur à *La
Liberté,* J. Bedin, Tony Guedel, journaliste, et Jacques Dursort, du bureau fédéral *U.P.J.F.* de Paris (futur vice-président *U.N.R.* du Conseil municipal de
Paris). Au début, la presse du parti se
limitait à *L'Emancipation nationale.* Mais
elle se développa rapidement et compta
bientôt plusieurs journaux régionaux :
Marseille Libre, l'hebdomadaire de Simon Sabiani et Philibert Géraud ; *L'Attaque,* de Lyon, dirigée par Albert Beugras et doublée par *L'Attaque Paysanne,*

dirigée par Henri Mounier (tué par les F.T.P. en 1944) ; *Le Libérateur du Sud-Ouest,* qui paraissait à Bordeaux sous la direction de Gérard Molis, assisté de Maurice Duverger ; *Le Cri Populaire Français,* de Toulon ; *L'Essor,* de Neuilly ; *La Paix Sociale,* de Clermont-Ferrand ; etc. Par la suite, sous la direction de Maurice-Yvan Sicard, chef du *Bureau Central de Presse, d'Information et de Publication* du parti, d'autres journaux doriotistes furent créés. « *Il faut souligner,* déclarera Sicard, *que le P.P.F. est le seul parti politique qui, de Lille à Dakar, ait un appareil de presse cohérent, obéissant centralement à des directives précises. Dans cette zone,* Le Cri du Peuple, L'Assaut, *à Bordeaux,* Le Journal de Pau, La Relève, *à Angers,* Révolution, *l'organe des J.P.F., et* L'Effort Breton, *qui va paraître à Lorient, sont épaulés par de nombreux journaux sympathisants, comme* La Liaison *à Senlis,* L'Atlantique, *de notre excellent camarade Pierre Bonardi, à La Rochelle, etc. En zone non occupée,* L'Emancipation Nationale *reste l'organe central du Parti, il mène un combat très difficile, mais on peut constater qu'il est actuellement l'hebdomadaire politique ayant le plus grand nombre d'abonnés. Des journaux sympathisants comme* Le Petit Vauclusien *et l'important* Midi Libre, *de notre ami Philibert Géraud, nous aident fortement. En Afrique du Nord,* Le Pionnier *lutte seul pour défendre les idées de la Révolution nationale et européenne. Enfin, dans les deux zones circulent les* Cahiers *de l'Emancipation Nationale, organe de combat et de doctrine du P.P.F. »* (*Le Cri du Peuple,* 29 octobre 1942.) A partir du 24 mai 1937, le parti eut un quotidien (du soir), *La Liberté,* dont Doriot et ses amis avaient pris le contrôle au moment où l'ancien journal de Camille Aymard battait de l'aile. Sous la direction politique du chef du P.P.F., *La Liberté* était confectionnée et rédigée par une équipe composée de Marion et Fégy, rédacteurs en chef, Maurice Lebrun, secrétaire général, Claude Jeantet (politique étrangère), de Jouvenel et Paul Guitard (grandes enquêtes), Drieu La Rochelle, Alfred Fabre-Luce, Jean Fayard, Georges Suarez, Georges Blond, Alain Laubreaux, Georges Roux, le sénateur Lémery, Marcel Espiau, André Salmon, Gaëtan Sanvoisin, Robert Kemp, Chamine, M.-Y. Sicard, Lagarigue, Aimot, Avisse, Hervé de Kerillis, Massiani, F. Hulot, P. Fort, de Ponchalon, P. Manonni, Dumas-Vorzet, P.-A. Girard, Labergerie, Armand Lanoux, Marius Richard, etc.

Le *P.P.F.* comptait alors 150 000 adhérents. Ses sympathisants étaient nombreux dans tous les milieux. Il était considéré, avec le *P.S.F.* du colonel de La Rocque, comme le parti national le plus puissant, le mieux organisé. Grâce au *Front de la Liberté,* rassemblement de mouvements anticommunistes dont Jacques Doriot était l'animateur, il exerçait sur beaucoup d'organisations une influence non négligeable. Ses moyens financiers étaient importants et sa propagande efficace.

Les accords du Munich reculèrent la guerre de près d'un an, provoquèrent un éclatement interne au *P.P.F.* comme dans les autres formations politiques. « *Il y a* a dit Henri Lebre, *des munichois dans tous les partis, de la Droite à la Gauche chez les modérés, chez les radicaux, chez les socialistes et même chez les communistes. Mais ces derniers ne se révéleront que sous l'occupation. Les scissions, les démissions ou les exclusions pleuvent* Au conseil national du P.P.F., les 15 et 16 octobre, Bertrand de Jouvenel lance un véhément réquisitoire contre la politique de Munich. Il est soutenu par Pucheu qui, au début de 1939, quittera le parti de Jacques Doriot, entraînant avec lui Paul Marion, Arrighi, Paringaux... Chez les socialistes, les « munichois » se groupent autour de Paul Faure, les « antimunichois » autour de Léon Blum. Les instituteurs socialistes sont plutôt « munichois », tandis que les professeurs de lycée et d'Université sont contre l'esprit de Munich.* » (In *Lectures Françaises,* numéro spécial de juin 1957 sur « *Les origines secrètes de la guerre* ». Bertrand de Jouvenel quitta effectivement le Parti : ami de Bénès, il ne pouvait accepter la position « munichoise » du pacifiste Doriot, qui condamnait à mort la Tchécoslovaquie. Cette défection aurait été sans grande portée si Pierre Pucheu, Victor Arrighi et leurs amis n'avaient pas, à leur tour, démissionné du parti, provoquant ainsi non seulement la disparition du « *brillant état-major* » dont il pouvait sans doute se passer — les intellectuels sont rarement de bons militants et ils sont presque toujours des cadres médiocres —, mais aussi, ce qui était grave, le tarissement subit de la source qui alimentait la caisse doriotiste Pierre Pucheu représentait, en effet, l'industrie lourde, et Claude Popelin, B. de Plas et B. de Maud'huy avaient des relations avec le monde des affaires. Du jour au lendemain, la caisse fut à sec. Le P.P.F. connut les pires difficultés : les responsables et les employés du siège étaient payés avec retard ; des coupes sombres réduisirent singulièrement ses vices et personnel. *L'Emancipation Nationale* se réfugia dans une imprimerie de Saint-Denis, en attendant d'être prise en charge par l'imprimeur Georges Lang qui, bien qu'israélite, manifestait de la sympathie pour Doriot et ses amis. De la remarquable équipe rédactionnelle des années 1936-1938, *L'Emancipation Nationale* ne conservait que les membres du parti restés fidèles à leur chef. *Jeunesse de France* était, entre temps, devenu une page de *L'Emancipation*. Quant à *La Liberté*, elle cessa bientôt de paraître. Lorsque la guerre éclata, Jacques Doriot partit aux armées. Il laissa pratiquement à Henri Barbé la direction du parti. Pas pour longtemps puisque, peu après, Barbé quittait le secrétariat général du *P.P.F.* et créait, rue Tronchet, un organisme anti-communiste, le *Bureau d'Etudes Sociales*. En même temps que lui, Paringaux et Grandjean démissionnaient. En janvier 1940, Victor Barthélémy fut nommé secrétaire général. Après l'armistice de 1940, le *Parti Populaire Français* reprit son activité. La poignée de fidèles s'augmenta d'éléments nouveaux. Un quotidien, *Le Cri du Peuple* — qui se serait, sans doute appelé *L'Humanité Nouvelle* si Doriot avait été autorisé à le faire — fut lancé à Paris, le 19 octobre 1940. Les fonds avaient été fournis par le cabinet du maréchal Pétain. C'était d'ailleurs l'époque où Doriot s'affirmait comme un « homme du maréchal ». En manchette, le nouveau journal portrait, entre autres cette citation de Doriot : « *Au travail, sa place. Toute sa place. Au capital, sa place. Rien que sa place.* » Le premier numéro dressait la liste des journalistes et des écrivains qui avaient promis leur collaboration. Parmi eux, Drieu La Rochelle, — qui était revenu au *P.P.F.* et qui le quittera un peu plus tard —, Ramon Fernandez, Benoist-Méchin, Alphonse de Châteaubriant, Abel Bonnard, Alphonse Séché, La Varende, Bernard Grasset. Henri Lebre en assumait la direction. Albert Clément, qui sera assassiné le 2 juin 1942 par des communistes, en était le rédacteur en chef, et J.-M. Aimot, le rédacteur en chef adjoint. Les signatures des collaborateurs du journal étaient connues du monde politique : Clamamus, Marcel Gitton (assassiné en 1942) venaient du *Parti Communiste*, qu'ils avaient quitté à la suite du pacte germano-soviétique ; Dorsay (Pierre Villette), Charles Lesca, Alain Laubreaux, Lucien Rebatet appartenaient à l'équipe de *Je suis partout ;* Serge Jeanneret, ancien animateur de l'*Union Corporative des Instituteurs*, le colonel G. Larpent (décédé en 1942), Firmin Bacconnier, Pierre Lucius, Hervé Le Grand étaient

monarchistes ; Henri Renaut (H. Jacob) avait été délégué de l'Internationale communiste. Il y avait aussi Henri Poulain, Georges Champeaux, qui écrivit un peu plus tard « *La Croisade des Démocraties* », les dessinateurs Dubosc (avant la guerre à *L'Humanité*) et Ralph Soupault (du *Charivari*, de *L'Action Française*, de la *France enchaînée*). Il y eut enfin Etienne Rouchon, Jean Lagarigue, ancien communiste, qui venait du *Courrier Royal* où il rédigeait la chronique agricole, et Tony Guedel, un jeune rédacteur de la presse *U.P.J.F.* En zone Sud, après l'échec de la tentative de parti unique, le *P.P.F.*, qui ne pouvait fonctionner ouvertement comme tel puisque les partis n'étaient pas autorisés, avait fait reparaître *L'Emancipation Nationale* dont M.-Y. Sicard avait la direction effective. Victor Barthélemy, secrétaire général du Parti, s'était installé à Marseille pour regrouper les doriotistes de la zone au sein des *Amis de l'Emancipation Nationale* et organiser cette association. Peu de semaines après le congrès de la zone Nord réuni à Paris, les doriotistes de la zone Sud tinrent leur congrès à Villeurbanne. C'était les 20, 21 et 22 juin 1941. La dernière séance était à peine commencée lorsqu'éclata, comme un coup de tonnerre, la nouvelle entrée des troupes allemandes en Russie soviétique. Le discours de clôture de Doriot fut, tout entier, axé sur cet événement. En tirant les conclusions que lui dictait la haine du bolchevisme, il préconisa la création de la *Légion des Volontaires Français* (L.V.F.) et annonça son départ prochain sur le front de l'Est. « *Au cours de ces deux importantes manifestations,* — écrivait peu après Victor Barthélémy —, *notre parti se déclare plus décidé que jamais à réaliser les buts qui, depuis cinq ans, étaient les siens, c'est-à-dire le rassemblement des nouvelles forces jeunes, nationales et sociales de ce Pays. Pour une politique intérieure anti-parlementaire, anti-démocratique, anti-juive, anti-maçonnique, hardiment socialiste, dans le cadre d'un Etat totalitaire, pour une politique extérieure de reconstruction européenne par la réconciliation franco-allemande et la collaboration avec tous les Etats de l'Europe.* » *Cahiers de l'Emancipation Nationale*, août 1942. La L.V.F. fut, effectivement constituée avec les autres partis (*R.N.P.*, *M.S.R.*, *Ligue Française*, etc.) et, après avoir réunifié son mouvement jusque-là divisé en deux zones, et rappelé à Paris Victor Barthélémy, Doriot partit avec ses camarades de la *L.V.F.* combattre les bolchevicks (août 1941). Le Bureau politique du parti comprenait alors : V. Barthélémy, Jean

Fossati, Janvier, Rey, Beugras, Jeantet, Lebrun, Marshall, P. Dutilleul, Teulade, Fernandez, Sicard, Beau, Sabiani, Thurotte, Lesieur, Vauquelin, Giraud, Ben Tami et Lebre. Au début de novembre 1942, le congrès du *P.P.F.* se tint à Paris. Malgré les pressions du gouvernement Laval, qui refusa les autorisations nécessaires à de nombreux délégués d'Afrique du Nord, 1 198 congressistes y participèrent les 4, 5, 6, 7 et 8 novembre. C'est au congrès, alors qu'il venait d'apprendre le débarquement anglo-américain en Afrique du Nord, que le Dr Djillali Ben Tami, prenant la parole au nom des musulmans du parti, prononça ces paroles lourdes de sens : « *Cruellement frappé par le destin, je ne suis pas sûr d'aller avec vous jusqu'au bout du chemin que nous avons juré de parcourir ensemble.* » (*Cahiers de l'Emancipation Nationale* (numéro sur le congrès, Paris, 1943). Le Dr Ben Tami, qui devint président du Croissant Rouge — équivalent de la Croix-Rouge — du *F.L.N.* à Genève, avait déclaré quelques heures avant : « *On parle de l'Empire parce que nous en avons nous-mêmes parlé depuis 1936. ... Nous disons avec force, et sans équivoque, que nous sommes décidés à défendre l'Empire contre les Anglais, contre les Américains, contre les Juifs...* » (*Ibid.*) Roger Nicolas, de son côté, avait rappelé que « *le principe* (du *P.P.F.*) *a été de longue date posé que, dans le futur, les droits des Français Musulmans seront les mêmes que ceux des Français d'origine. Ce qui est vrai aujourd'hui dans le P.P.F., où l'on ne distingue pas entre chrétiens et musulmans, le sera également demain dans l'Etat Populaire Français* ». Parmi les congressistes, présentant des rapports, prenant la parole dans les commissions ou intervenant dans les débats, les *Cahiers de l'Emancipation Nationale* notèrent : Jean Vellave, Henri Mounier (paysannerie), M.-I. Sicard (presse), Yves Dautun, Gaston Denizot, Raoul Courtois, Tony Guedel, Emile Bougère, Albert Mamberti, J. Phialy, de *Gringoire* (assassiné en 1943), Jean Nicolaï, le Dr Ch.-E. Boursat (santé, ethnie), Jacques Boulenger, Serge André, le frère du futur président des pétroliers, Henri Queyrat, d'Oran, Emile Nédélec, ancien vice-président de l'*Association Républicaine des Anciens Combattants*, de Briançon, le baron de Plinval, Pierre Bonardi, Robert Duquenoy (jeunesse), etc. La situation créée par l'occupation de la zone Sud à la suite du débarquement allié en Afrique du Nord, amena un durcissement de l'attitude du *P.P.F.* à l'égard du président Laval. Doriot repartit pour le front de l'Est. Avant son départ, il réunit ses

militants parisiens à la Mutualité le 21 mars 1943 et leur annonça qu'en son absence la conduite du mouvement serait confiée à un *directoire* composé de Barthélémy, Sabiani, Fossati, Lebre, Beugras, Marschall, Sicard, Lesueur et Vauquelin.

Pendant l'absence de Doriot se produisit ce que l'on a appelé « *l'incident du F.N.R.* » Cédant à diverses pressions, le *R.N.P.*, le *M.S.R.*, les *Francistes* et quelques autres groupes avaient créé le *Front National Révolutionnaire* (voir à ce nom). Contacté par les représentants de ces partis, Jean Fossati, qui était plus particulièrement chargé au *P.P.F.* de ce que nous appelons aujourd'hui les « *relations publiques* », eut avec eux plusieurs entretiens. Engagea-t-il trop loin le parti ? Toujours est-il que Doriot, averti par l'un ou l'autre de ses collaborateurs, revint inopinément à Paris et, au cours d'une réunion tenue en juillet, à Paris, « démissionna » purement et simplement Fossati, rendu responsable des « imprudences » commises. A la même époque, quatre militants firent leur entrée au Bureau Politique : Yves Dautun, rédacteur à l'*Emancipation Nationale* depuis 1938, Roger Nicolas, également journaliste, Henri Mounier, agriculteur, responsable des questions paysannes, et Larabi Fodil, un musulman de Kabylie, qui avait participé à la fondation de l'*Etoile Nord-Africaine* avec Messali Hadj, et qui participa à celle de l'*Etoile du soir*, avec Henri d'Astier de la Vigerie à la Libération. Au début de l'été 1943, le *P.P.F.* transformait son Service d'Ordre, dont Henri Souville était le responsable national, en *Gardes Françaises*. Le 8 août suivant, plusieurs milliers de ces *G.F.* en chemises bleu foncé, défilaient aux Champs-Elysées devant leur chef, qui repartait aussitôt sur le front germano-soviétique. Il n'en revint qu'au début de 1944, pour donner son accord à la création, en marge du Parti, des *Groupes d'Action* chargés d'assurer la défense des militants du parti, fortement éprouvés, et de combattre ce que l'on appelait alors « les terroristes », c'est-à-dire les *F.F.I.* les *F.T.P.* et les autres groupes de la Résistance. A la Libération, le *P.P.F.* ainsi que les autres groupements vichyssois, révolutionnaires nationaux ou collaborationnistes furent interdits par l'ordonnance du 9 août 1944 (*J.O.*, 15-8-1944), qui punissait d'un emprisonnement de un à cinq ans et à une amende de 1 000 à 100 000 F quiconque participerait, directement *ou indirectement* au maintien ou à la reconstitution de mouvements dissous. Une dizaine de milliers de membres du parti, réfugiés en Allemagne ou y travaillant au titre du *S.T.O.*, poursuivirent jusqu'en avril 1945 leur activité politique (cf. Saint-Paulien, « *Histoire de la collaboration* », Paris 1964 ; André Brissaud, « *Pétain à Sigmaringen* », Paris, 1966). L'effondrement des pays fascistes sonna le glas du parti, que la mort de Doriot avait condamné. Les dirigeants et les membres du *P.P.F.*, traqués par la police alliée, se réfugièrent dans la clandestinité. Certains, très peu nombreux, parvinrent à s'échapper : ils vivent depuis plus de vingt ans à l'étranger. D'autres furent arrêtés ou se livrèrent à la justice de leur pays : ils furent emprisonnés et condamnés, le plus souvent, à de très lourdes peines.

PARTI PROLETARIEN NATIONAL-SOCIALISTE.

Groupe raciste animé par Jean-Claude Monet. Se réclame d'une « *Internationale Nordique Prolétarienne* ». Publie épisodiquement *Le Viking*.

PARTI RADICAL FRANÇAIS.

Fondée en 1936, par des candidats radicaux modérés non-élus en 1936. Assistaient au 1er Conseil national du Parti (déc. 1938) : Milliès-Lacroix, sénateur, Gaston-Gérard, ancien ministre, Coquillaud, député, Millot, maire de Valenciennes, Delzangles, député, Dumoret, ancien député de Loir-et-Cher, Dr Casalis, conseiller général de la Seine, etc. Comité : A. Grisoni, président ; Edouard Pfeiffer, anc. secrétaire général du *Parti Radical-Socialiste*, Dr Casalis, Portalier, de l'Union Féd. des Employés, Mme Charlotte Charpentier, Dupras, vice-présidents ; René Auscher, Victor Segouin, Jean Baert, Dominique Follacci, Gélinet, Jacques Fieschi, Jean Goldsky, Pierre Mouton, futur directeur de *Paris-soir* (1941-1943), G. Morinaud, Adolphe Chéron, etc.

PARTI RADICAL INDEPENDANT.

Fondé en 1934. Président : Pierre Cathala, ancien ministre ; secrétaire général : André Grisoni.

PARTI RADICAL-SOCIALISTE.

Nom adopté par l'organisation fondée par les dissidents du *Parti Républicain Radical et Radical-Socialiste* après que Mendès-France eût pris la direction du vieux parti de la rue de Valois. Ce parti, animé par André Morice et le Dr B. Lafay, anciens ministres, est aujourd'hui connu sous le nom de *Centre Républicain* (voir à ce nom). Dans le langage courant « *Parti Radical-Socialiste* » désigne le *Parti Républicain Radical et Radical-Socialiste,* dit « *Valoisien* ».

PARTI RADICAL-SOCIALISTE CAMILLE PELLETAN.

Fondé en 1935 par Gabriel Cudenet, dissident du *Parti Radical et Radical-Socialiste*. Faisait partie du *Rassemblement Populaire* (Front populaire). Eut un élu en 1936 : René Chateau, futur directeur de *La France Socialiste* (pendant la guerre). Cudenet finit sa carrière comme président du *Rassemblement des Gauches Républicaines.*

PARTI DE LA RENOVATION REPUBLICAINE.

Formation modérée animée par André Mutter (1945) et dont *La France Libre* était la tribune au moment des élections générales d'octobre 1945.

PARTI REPUBLICAIN CONSERVATEUR.

Organisme ayant surtout manifesté son existence à l'occasion des élections générales de novembre 1958, dans la 2e circonscription de la Seine.

PARTI REPUBLICAIN DEMOCRATIQUE ET SOCIAL.

Ex-*Alliance républicaine démocratique,* constituée en 1920 par les dirigeants de cette association auxquels s'étaient joints des radicaux du *Comité Républicain du Commerce et de l'Industrie* (dit Comité Mascuraud). Parti bourgeois résolument hostile à « *la réaction monarchiste et cléricale* » autant qu'au socialisme. Principaux dirigeants : Mascuraud, André-François Poncet, Louis Barthou, Léon Bérard, Victor Boret, Raoul Peret, Charles Reibel, Henry Chéron, Paul Doumer, J. Noulens, J. de Selves, Charles Chaumet, tous parlementaires connus. Journal : *La République démocratique,* hebdomadaire.

PARTI REPUBLICAIN DE LA LIBERTE.

Fondé en décembre 1945 sur l'initiative de divers membres de l'*Unité Républicaine*. Personnalités dirigeantes : André Mutter, ex-*P.S.F.*, membre du *Comité de Libération* et du *Conseil National de la Résistance*, ancien président de *Ceux de Libération-Vengeance*, Joseph Laniel, J. Ramarony, Frédéric-Dupont, Pierre Henault, Charles Vallin, Georges Pernot, Robert Bruyneel, Georges Riond, Mme Devaud, Maurice Dardelle, Michel Clemenceau (fils du « Tigre »), etc. Appartenaient également à son groupe parlementaire : Philippe Thierry d'Argenlieu, Armand de Baudry d'Asson, J.-M. Bouvier-O'Cottereau, Joseph Denais, Jean Legendre, le marquis de Moustier, Mme Hélène de Suzannet, Christian Vieljeux et, comme apparentés : Louis Dumat et Louis Jacquinot. Organe : *L'Echo Républicain de la Liberté*. Après la création du *Centre National des Indépendants et Paysans*, le Parti fut progressivement absorbé par ce groupement.

PARTI REPUBLICAIN NATIONAL ET SOCIAL.

Après la dissolution des ligues, les dirigeants des *Jeunesses Patriotes*, sous la conduite de Pierre Taittinger, député national de Paris, créèrent le *Parti National Populaire* (11 novembre 1935), qui fut interdit l'année suivante (juin 1936). Un nouveau groupement, le *Parti Républicain National et Social* fut alors constitué. A vrai dire, le titre du *Parti Républicain National et Social* n'était pas nouveau : en 1930, Taittinger l'avait régulièrement déposé avec quelques amis, mais il ne l'avait pas utilisé. Comme le *P.R.N.S.* existait (sur le papier) depuis six ans, il était difficile de l'incriminer, donc de le dissoudre. C'est pourquoi les dirigeants des *J.P.* et du *P.R.N.* dissous l'utilisèrent pour regrouper leurs amis. Le *P.R.N.S.* reprenait les thèmes des deux groupements précédents, mais accentuait la note « sociale », préconisant la « *lutte contre l'oppression du capitalisme international et la dictature des trusts* » et réclamant, avec « *l'établissement d'une Charte sociale du travail* », la « *réforme des sociétés anonymes* ». L'état-major du parti groupait une fraction importante de l'élément représentatif de la droite d'alors : président : Pierre Taittinger ; vice-présidents : Charles des Isnards, député et conseiller municipal de Paris, Philippe Henriot, député de la Gironde, Louis Brunesseaux, vice-président du Conseil municipal de Paris, Michel Decazes ; président d'honneur : le pasteur Edouard Soulier, député et conseiller municipal de Paris ; secrétaire général : Charles Abeille ; trésorier général : Jean-Paul Besançon ; membres : Xavier Vallat, député de l'Ardèche, Joseph Denais, député de Paris, ancien directeur de *La Libre Parole*, Dutertre de la Coudre, député de la Loire-Inférieure, Francis d'Azambuja, président de la Fédération du Sud-Est, Charles Trochu, conseiller municipal de Paris et secrétaire général du *Front National*, François de Gouvion Saint-Cyr, le colonel Floquet, Fernand Allaire, délégué à la Propagande, le commandant Maurice Brunet, le colonel de Massignac, Marie-Thérèse Moreau, avocate, présidente de sections féminines, René Richard, délégué général du parti et membre du C.D. du *Front National*, Jacques Kahn, industriel, Michel Parès, ancien député d'Oran, Emmanuel Evain, ancien député de Paris, et Roger de Saivre, rédacteur en chef du *National*. Ce dernier présidait, en outre, les *Jeunesses Nationales et Sociales*, avec Robert Thielland, aujourd'hui avoué à Paris. Ce groupe des jeunes du *Parti Républicain National et Social* fut, par la suite, présidé par Pierre Picherie, puis par Jacques Schweizer, que secondaient B. Gaubert d'Aubagnat, Charles Moschetti, P. Allard et Marcel Bonisol. Le *P.R.N.S.* cessa pratiquement d'exister après la déclaration de guerre et n'eut aucune activité sous l'occupation. Mais plusieurs de ses dirigeants, ralliés au gouvernement Pétain, occupèrent dans l'Etat Français d'importantes fonctions : Pierre Taittinger présida le Conseil municipal de Paris, Philippe Henriot (assassiné en 1944) et Xavier Vallat furent ministres, Roger de Saivre assura le secrétariat du Maréchal, et le colonel Floquet fut maire du IXe arrondissement de Paris. Retiré de la vie publique après la Libération, Pierre Taittinger se consacra dès lors aux affaires.

PARTI REPUBLICAIN RADICAL ET RADICAL-SOCIALISTE.

Si on en croit le « *Petit Larousse* », un radical serait celui « *qui veut des réformes absolues en politique* ». Et le « *Larousse universel* » définit le radicalisme : « *Système politique qui tend à une réorganisation complète et démocratique de l'Etat.* » En fait, le mot radicalisme apparut dans le vocabulaire politique français sous Louis-Philippe. Les radicaux étaient « *les partisans de l'extension des droits électoraux et de la soumission du pouvoir exécutif à la volonté nationale.* » (J. Carrère et G. Bourgin, « *Manuel des Partis politiques en France* », Paris 1921.) Armand Marrast et Ledru-Rollin furent radicaux sous la monarchie de Juillet, Jules Simon sous le Second Empire. C'est à lui qu'on doit la définition, en 1868, de la doctrine et du programme du radicalisme dans son ouvrage « *La Politique radicale* » ; l'année suivante, Gambetta, candidat dans la 1re circonscription de la Seine, acceptait le programme démocratique-radical, dit « programme de Belleville », que lui présentaient 1 500 électeurs, base des programmes radicaux ultérieurs. Il prévoyait :

Liberté entière de la presse, de réunions et d'associations ; application intégrale et loyale du suffrage universel ; séparation des Eglises et de l'Etat. — Election des magistrats. — Réforme fiscale tendant à l'institution d'un impôt unique. — Autonomie des communes. — Instruction primaire laïque, gratuite et obligatoire, avec concours entre les intelligences d'élite pour l'admission aux cours supérieurs, également gratuits. — Suppression des armées permanentes.

La solution du problème social y était « *subordonnée à la transformation politique.* » C'est après le vote des lois constitutionnelles de 1875 que le parti radical s'organisa. Uni aux autres partis républicains pour lutter contre les tenants de la Restauration monarchique, il se groupa autour de Clemenceau et de Camille Pelletan — qui venaient de fonder le quotidien *La Justice* — pour combattre les opportunistes Gambetta et Jules Ferry alors au pouvoir. Déjà, certains radicaux avaient ajouté à leur programme diverses réformes sociales et s'intitulaient radicaux-socialistes. Aux élections de 1898, les radicaux triomphèrent des opportunistes en mettant l'accent sur trois revendications principales: l'impôt progressif et global sur le revenu, la séparation des Eglises et de l'Etat et la révision de la Constitution. Les 21, 22 et 23 juin 1901, un *Comité d'action pour les réformes républicaines* réunit un congrès à Paris, sous la présidence de Léon Bourgeois, Mesureur, René Goblet et Henri Brisson, à l'issue duquel fut constitué le *Parti Républicain Radical et Radical-Socialiste*. Le titre même souligne l'existence de deux tendances principales : une majorité « bourgeoise » et une forte minorité, dite « Gauche radicale », favorable à une politique commune avec les socialistes. Nombreux étaient les membres du parti appartenant à la Franc-Maçonnerie ; on a prétendu que plus de la moitié étaient sous l'obédience du Grand Orient. Aussi le parti eut-il à sa disposition un groupe important de journaux de province dont les loges s'étaient assuré le contrôle dès les débuts de la IIIᵉ République. Soutenu par cette presse, le parti put poursuivre contre le catholicisme la guerre déclarée par Gambetta (« Le cléricalisme, voilà l'ennemi ») et qui se traduisit par l'expulsion des congrégations et, le 9 décembre 1905, par la loi de Séparation des Eglises et de l'Etat, sous le ministère Emile Combes, ainsi que par l'Affaire des fiches dans l'Armée. Toutefois, en 1903, lors de l'Affaire Boulanger, le parti s'était scindé en ses deux fractions radicale et radicale-socialiste. Le « programme de Nan-

cy » précisait en 1907 la position du parti : républicain et laïque, « *il ne fixe point, cependant, de limites étroites à son œuvre. Il ne reconnaît aucun dogme. De même, il n'anathématise personne. S'il combat tous les abus et veut supprimer tous les privilèges, il se refuse à établir, même théoriquement, entre les citoyens des classes en lutte les unes contre les autres. Parti d'action sociale parlementaire, il réprouve toute manifestation violente que ne justifierait pas une atteinte grave à la Constitution républicaine et aux volontés de la nation.* » Par sa situation entre le centre gauche et les socialistes, il constituait une sorte de « parti charnière » qui lui permettait de participer à toutes les combinaisons gouvernementales. C'est ainsi que, dès la déclaration de guerre de 1914, il n'hésita pas à s'engager dans l' « Union sacrée ». Mais les élections de 1919 furent un échec sensible pour les radicaux. De 260 sièges en 1910, ils tombèrent à 85 dans la « Chambre Bleu-horizon ». C'est que les électeurs, galvanisés par la victoire, leur reprochèrent les imprudences — les trahisons, aux dires de certains — de tels de leurs chefs, Malvy, ancien ministre de l'Intérieur, et Caillaux, ancien président du Conseil, condamnés en Haute-Cour. Tirant la leçon de leur insuccès, Edouard Herriot commença par rétablir l'unité du parti puis, aux élections de 1924, il s'allia aux socialistes *S.F.I.O.* et à divers groupes républicains en un *Cartel des Gauches*, qui enleva la majorité. Herriot, devenu président du Conseil, procéda à un vaste remaniement administratif, reconnut le gouvernement communiste d'U.R.S.S. et échangea avec lui des ambassadeurs, évacua la Ruhr, proclama l'amnistie des mutinés de la mer Noire et des deux condamnés de la Haute Cour, des journalistes du *Bonnet Rouge* et même de Cottin, qui avait tenté d'assassiner Clemenceau. En septembre 1924, conformément à sa déclaration ministérielle du 17 juin, il rompit les relations diplomatiques avec le Vatican. Mais déjà des remous agitaient le parti et plus spécialement « la guerre des deux Edouard » qui opposait les partisans d'Edouard Herriot à ceux d'Edouard Daladier. En 1926, la gestion financière du gouvernement Herriot frôla la faillite : des manifestations risquaient de mettre « la République en danger .» Herriot démissionna et l'on dut faire appel au « sauveur du franc », l'ex-président de la République Raymond Poincaré, qui constitua un ministère d'*Union Nationale*. Pour y prendre part, le parti radical rompit avec les socialistes. Les élections de 1928 ayant vu le triomphe des centristes, au congrès radical suivant, le parti exigea d'Herriot et de ses collègues radicaux leur démission collective du gouvernement, mettant fin ainsi à l'expérience Poincaré.

En vue des élections de 1932, la Franc-Maçonnerie s'occupa de rapprocher radicaux et socialistes dont nombre de membres des deux partis étaient ses affiliés. « *Nous savons*, avait-on dit au convent du Grand Orient à la veille des élections, *que l'un des premiers résultats matériels du mal est la rivalité des partis de gauche. Que les républicains soient unis, ils seront victorieux... L'idée directrice : la Franc-Maçonnerie devenant l'arbitre moral des partis de gauche, pour assurer un agrégat loyal des forces républicaines et leur donner la victoire en 1932, cette idée n'a pas été perdue de vue un seul instant. Il faut cette première victoire pour obtenir les autres.* »

Groupés sous l'étiquette de *Bloc des Gauches*, les radicaux et les socialistes obtinrent la majorité et le radical Chautemps forma le gouvernement. Mais fin 1933, éclatait le scandale Stavisky, dans lequel se trouvaient compromis les radicaux : Dalimier, ancien ministre des Finances, les députés Louis Proust, Garat, Bonnaure, René Renoult. Et ce furent les sanglantes journées de février 1934 qui emportèrent le gouvernement du radical Daladier. Le président de la République, Albert Lebrun, fit alors appel à l'ex-président Gaston Doumergue, radical et franc-maçon, qui remit de l'ordre tout en sauvegardant l'esprit radical. En 1935, par peur des « fascistes » qui menaçaient la République, les radicaux s'unirent aux partis de gauche et d'extrême-gauche pour créer le *Front Populaire*. Son succès aux élections législatives de 1936 amena au pouvoir le gouvernement Léon Blum où les radicaux reçurent les portefeuilles de la Défense nationale, de l'Air, de la Marine, de la Justice et de l'Education nationale ; mais de graves troubles sociaux, en désorganisant l'économie du pays, vidèrent rapidement les caisses de l'Etat, en dépit d'une dévaluation du franc de 60 % décidée par Vincent Auriol, ministre socialiste des Finances. Lâchant de nouveau les socialistes, les radicaux, effrayés par le désordre de la Nation, s'unirent aux centristes pour prendre le pouvoir : ils le conservèrent jusqu'en 1939, sauf le petit intermède en 1938 du second gouvernement Blum. La situation politique intérieure et extérieure divisa le parti en « pacifistes » (partisans de Munich) et « bellicistes » (adversaires de Munich), mais le gouvernement radical de Daladier mit le communisme hors-la-loi après

le pacte germano-soviétique. A la débâcle de 1940, l'opinion publique rejeta plus spécialement la faute du désastre sur un parti qui, depuis quinze ans, avait participé au gouvernement ou l'avait soutenu. Bien qu'Herriot et le président radical du Sénat, Jeanneney, se fussent ralliés en parole au gouvernement du maréchal Pétain en juillet 1940, la dissolution de la Franc-Maçonnerie et l'éviction administrative et politique de ses membres frappèrent durement les cadres radicaux. Le parti se scinda en propétainistes et résistants. Mais trop « bourgeois » pour s'allier aux résistants communistes et trop anticléricaux pour se rapprocher des démocrates-chrétiens, les radicaux ne prirent qu'une part assez modeste dans l'opposition aux gouvernements Laval et Darlan et dans la lutte contre l'occupant.

A la Libération, le parti, fidèle à sa tradition, tenta en vain de séparer les socialo-communistes des *M.R.P.* sur la laïcité ; le rapprochement avec les communistes n'eut pas plus de succès. Le résultat de ces manœuvres fut qu'aux élections de 1945, les radicaux n'obtinrent que 29 sièges. Ce qui ne les empêcha pas de prendre place au gouvernement à diverses reprises, et surtout après 1951 où, grâce aux apparentements avec des non-radicaux du *R.G.R.* et de l'*U.D.S.R,*. ils obtinrent 67 sièges. On eut, en effet, des gouvernements présidés par les radicaux André Marie, Henri Queuille, Edgar Faure, René Mayer, Mendès-France, Bourgès-Maunoury, Félix Gaillard ; furent ministres ou sous-secrétaires d'Etat : Yvon Delbos, André Maroselli, André Morice, Bernard Lafay, Tony Révillon, etc. C'est alors qu'éclata une querelle intestine : la rivalité entre Mendès-France, d'une part, et Edgar Faure-René Mayer d'autre part, en dépit des objurgations du vieil Herriot qui devait mourir en 1957. Mendès-France gagna la première manche et introduisit des jeunes dans le parti, cependant que les « caciques », André Morice en tête, rompaient avec la rue de Valois et formaient un nouveau parti. René Mayer, lui, abandonna la politique et reprit sa place dans le giron des Rothschild. Mais ses amis et ceux de Faure réagirent ; ils réussirent à évincer Mendès-France dont les partisans rejoignirent d'autres formations. Finalement, Félix Gaillard n'eut plus à présider qu'un parti réduit à l'état de squelette. A la veille des élections de novembre 1958, fut publiée dans *L'Information Radicale-socialiste* une déclaration-programme qui précisait : « *Le Parti Radical qui avait repoussé la Constitution de 1946, dont il n'avait cessé*

*de demander la révision notamment dans
le sens du renforcement du pouvoir exécutif, a approuvé le texte de la Constitution élaborée par le gouvernement du
général De Gaulle. Il est résolu à tout
mettre en œuvre pour que les institutions
nouvelles assurent la stabilité gouvernementale, réclamée avec insistance par les
Présidents du Conseil et ministres radicaux, sans laquelle aucune œuvre de longue haleine, de quelque nature que ce
soit, n'est possible. Le Parti Radical, qui
n'avait cessé de combattre la proportionnelle et de réclamer le scrutin uninominal à deux tours, est heureux d'enregistrer
la décision gouvernementale qui rétablit
ce mode de scrutin. Le Parlement, et notamment l'Assemblée Nationale directement issue du suffrage universel, doit
pouvoir remplir conformément à la
Constitution le double rôle qui lui appartient de contrôle de l'action gouvernementale et d'élaboration des lois. »*
Fermement attaché à l'Alliance atlantique, à l'Europe unie, à la Communauté
franco-africaine, il demande pour l'Algérie de « *restituer aussi rapidement que
possible les tâches d'administration aux
fonctionnaires civils, afin de libérer l'armée des tâches qui ne sont pas les siennes, de poursuivre l'installation de collectivités locales librement élues. Le Parti Radical estime, enfin, que parallèlement à la construction de l'Algérie Nouvelle qui doit être poursuivie sans relâche, toute occasion d'aboutir à un cessez-
le-feu doit être recherchée et saisie.* »
Et sur le plan financier, économique et
social, « *Le Parti Radical défendra une
position d'équilibre des finances publiques ; une politique de réorganisation et
de développement systématique de notre
commerce extérieur. L'assurance chômage sera défendue par le Parti Radical.
La participation des travailleurs à la
prospérité des entreprises sera recherchée par l'établissement d'accords de
salaire du type « accords Renault ». Le
système de Sécurité sociale devra permettre un remboursement plus complet
des frais effectifs de la maladie sans porter atteinte au caractère libéral des professions médicales.* »
Le résultat en fut désastreux : bien
que s'étant ralliés, en majorité (716 mandats contre 544 — congrès de 1958) au
général De Gaulle et à sa constitution,
les radicaux n'obtinrent que treize sièges
à l'Assemblée nationale. Par la suite, la
grande majorité d'entre eux rejoignirent
l'opposition. Sous la direction de Maurice Faure, ils firent partie du *Cartel des
non* (1962), puis sous celle de Billères,
l'actuel président du *Parti Républicain
Radical et Radical-Socialiste*, ils soutinrent la candidature de François Mitterrand (1965) à l'élection présidentielle et
adhérèrent à la *Fédération de la Gauche
démocrate et socialiste* (1966). A son dernier congrès, le parti s'est prononcé formellement contre l'alliance électorale
avec les communistes, mais il ne semble
pas que sa direction ait pris ce désir en
considération puisque la *Fédération*,
dont les radicaux font partie, René Billères en tête, vient de signer un accord
avec le *P.C.F.* (décembre 1966).

L'Etat-Major du parti se composait, au
milieu de 1966, des personnalités radicales suivantes : Edouard Daladier, Henri Queuille, Gaston Monnerville et Emile
Roche, présidents d'honneur ; Maurice
Faure et Félix Gaillard, anciens présidents; Emile Claparède, Suzanne Schrei-
ber-Crémieux, Hippolyte Ducos, André
Dulin, Camille Heline, André Maroselli,
Marcel Perrin, vice-présidents d'honneur;
René Billères, président ; Dr Bertran,
Raymond Dubreuil, Robert Fabre, Augustin Pinton, Michel Soulié, Jacqueline
Thome-Patenôtre, vice-présidents ; Fran-
çois Giaccobbi et Pierre Brousse, secré-
taires généraux ; Emile Hugues, trésorier
général ; Auguste Billiemaz, Dr Charlin,
Alexis Fabre, Richard Mazaudet, Guy
Pascaud, Gabriel Peronnet, secrétaires ;
Guy Benoît, Georges Bérard-Quélin, Mau-
rice Bourgès-Maunoury, Gabriel Bouthière, Paul Chemin, Georges Cuille, Robert
Etellin, Léon Fricher, Gilbert Jeandet,
Jean Lacaze, Pierre de La Gontrie, Victor Lorenzi, Dr Marin, Robert Morlevat,
Annet Perrin, André Pourny, Paul Trarieux, Georges Treille, Antonin Ver, Robert Vivier, auxquels il faut ajouter les
leaders départementaux, tels que Edmond Desouches, Gaston Pams, Marcel
Pellenc, André Cellard, le Dr Boulz, etc.
Outre de grands journaux de province,
comme *La Dépêche du Midi,* le parti dispose d'une presse officielle, réduite mais
assez vivante : *A.I.R.S.*, bulletin hebdomadaire de l'*Agence d'Information Radicale-Socialiste,* auquel collaborent : Joseph Barsalou, Raoul Aubaud, Emile
Roche, Gaston Joseph, Ed. Desouches,
Et. Ponseille, René Mayer, André Cellard,
Marcel Pellenc, Francis Bénard, etc. ;
B.I.R.S., bulletin mensuel d'information
radical-socialiste (ex-*La Dépêche de Paris*), dirigé par André Schmidt ; *Nous
les femmes,* bulletin mensuel de l'*Union
Féminine du Rassemblement Démocratique* (femmes radicales), dirigé par Jacqueline Thome-Patenôtre et Marthe Réel;
L'Etudiant radical, bulletin mensuel de
la *Fédération des Etudiants radicaux,*
dirigé par Monique Luchaire, secrétaire
générale de la fédération. (1, place de
Valois, Paris 1er.)

PARTI REPUBLICAIN DE REORGANI-SATION NATIONALE.

Créé en 1919 par André de Fels, futur député de Seine-et-Oise, et Jean de Goïtisolo. S'appelait aussi *La IVᵉ République*, titre que portait également son journal hebdomadaire. Principaux dirigeants : Joseph Barthélémy, Jean Fabry, François-Marsal, Marcel Gounouilhou, de Lasteyrie, Guy de Montjou, colonel Picot, Le Provost de Launay, Pierre Taittinger, Pierre Valude, Ed. de Warren, Charles Bertrand, Ernest Pezet, etc.

PARTI REPUBLICAIN ET SOCIAL DE LA RECONCILIATION FRANÇAISE.

Les partisans du lieutenant-colonel de La Rocque, ancien chef des *Croix de Feu* et du *Parti social Français,* fondèrent ce groupement après la Libération. Ils avaient, tout d'abord, tenté de ressusciter le *P.S.F.*, mais ils s'étaient heurté à une décision gouvernementale, guidée par des motifs qui, peut-être, n'étaient pas inspirés par le seul amour de la justice : « *En vertu des lois de la République et de décisions judiciaires définitives prononcées avant le début de la guerre actuelle, le P.S.F. est et demeure dissous* », avait-on déclaré en haut lieu (déclaration du ministre de l'Information Teitgen à l'issue du Conseil des ministres présidé par le général De Gaulle, 9 mars 1945). Les dirigeants du Parti demeurés libres avaient pris contact avec les cadres restés fidèles et préparaient un congrès national, en l'absence de La Rocque, pour le 9 mars et les jours suivants, lorsque le Gouvernement provisoire prit cette décision. Il est curieux de constater qu'une semaine plus tôt, à la tribune de l'Assemblée nationale, Jacques Duclos, porte-parole du *P.C.F.*, avait réclamé la dissolution du *P.S.F.*, ce « parti hitlérien »... En fait, l'*Union interfédérale du P.S.F.* avait déjà été dissoute par le général Oberg, le 2 novembre 1942. Comme il était impossible aux dirigeants de se pourvoir devant le Conseil d'Etat contre ce qui n'était qu'une déclaration sans valeur juridique, ils organisèrent une réunion à Montreuil-sous-Bois, au siège de la permanence locale du parti. La police intervint et arrêta le chef de section, Demole, qu'une ordonnance de non-lieu (22 mai 1946) devait relaxer. Les anciens du *P.S.F.* créèrent donc, en août 1945, le *Parti républicain et social de la Réconciliation française.* Les militants de l'ancien parti y adhérèrent en nombre. Au congrès qui suivit, André Portier, expert près le tribunal civil, qui assumait déjà la direction de l'*Union Interfédérale du P.S.F.,* alors installée 3 *bis,* rue Dumont-Durville, fut élu président. Joseph Levet, administrateur du *Petit Journal,* et André Voisin occupèrent la vice-présidence, et Gilles de La Rocque, fils du colonel, et Jean Ybarnegaray, ancien député (inéligible) entrèrent au Comité exécutif. « *Le relèvement de la France,* déclaraient les dirigeants de la *R.F., ne sera obtenue que dans la réconciliation préalable de nos concitoyens* » (alors divisés en pétainistes et gaullistes). Le *Parti de la Réconciliation Française* conviait « *tous les Français et Françaises, refusant d'abdiquer devant la démagogie, devant la subversion, devant la réaction comme devant toutes tentatives séditieuses ou fascistes à s'accorder sur des principes rénovateurs du pays* ». Aux élections de juin 1951, le parti présenta ou soutint des candidats, à Paris : Ch. Goutry, Pierre de Leotard, René Marchand, G. Roger, Crambes, Paul Pernin, presque tous sur des listes du *R.G.R.* auquel la *Réconciliation française* avait adhéré, et en province : Paquet (Isère), J. Lefèvre (Pas-de-Calais), Edmond Lefèvre (Nord), R. Tamarelle (Seine-Inférieure), P. Olmi (Alpes-Maritimes), G. Petit (Basses-Pyrénées), Pebellier père (Haute-Loire), J. Dixmier (Puy-de-Dôme), Pourtout (Seine-et-Oise), etc. présentés sous diverses étiquettes. Plusieurs furent élus : Aimé Paquet, Guy Petit, Ph. Olmi, de Léotard, Joseph Dixmier, etc., ainsi que des sympathisants, comme le docteur Lafay, qui prit peu après la parole a une réunion de la *R.F.* (Mutualité, 6 juillet 1951) et y évoqua avec émotion le souvenir et l'exemple du colonel de La Rocque. La direction du mouvement était alors assurée par André Portier, président, de Léotard, A. Voisin, Paul Pernin, Joseph Levet (de Nice), J. Nicol (de Lyon), etc. A quelque temps de là, *Le Flambeau,* ressuscité suspendit sa publication et fut remplacé par des *Notes d'actualité politique.* Après le ralliement du parti au général De Gaulle en 1958, au nom de la défense de l'Algérie Française, les adhérents se dispersèrent, les uns rejoignant le *C.N.I.P.* ou y demeurant, les autres faisant cause commune avec les *Républicains indépendants* ou même l'*U.N.R.* Aujourd'hui, la *Réconciliation française* n'a plus d'activité politique proprement dite (n'étant plus parti depuis 1963). Cependant, la secrétaire générale du groupe, Mlle Renée Binet, l'ancienne secrétaire de La Rocque, assure la liaison avec les fidèles du colonel sous la présidence d'André Voisin (52, rue Taitbout, Paris 9ᵉ).

PARTI SIONISTE SOCIALISTE.

Ne groupe que des israélites à la fois marxistes et sionistes. N'a que très peu d'activité publique. S'est manifesté cependant lors des obsèques de Léon Jouhaux.

PARTI SOCIAL FRANÇAIS.

Après la dissolution des *Croix de Feu* (18 juin 1936), la plupart des dirigeants et des cadres du mouvement — à l'exception du duc Pozzo di Borgo, Stanislas Sicé, de B. de Maud'huy, de Claude Popelin, de Paringaux et de quelques vieux militants — suivirent le colonel de La Rocque au *Parti Social Français,* constitué le 11 juillet 1936 pour regrouper leurs partisans. Le 5 avril 1937, on apprit que les membres du Comité directeur du nouveau parti étaient traduits en correctionnelle : La Rocque, Ybarnégaray, Riché, Vallin, Ottavi et Verdier, l'action publique étant éteinte en ce qui concernait Jean Mermoz, le héros de l'Atlantique-Sud, disparu quelques mois plus tôt au cours d'un raid. Quant aux autres dirigeants Heibig, Cessens et Sépulchre, ils bénéficiaient d'une ordonnance de non-lieu. A quelques temps de là, la 14ᵉ Chambre correctionnelle de la Seine, présidée par un futur magistrat de l'épuration, le président Gaché, condamnait La Rocque à 3 000 F d'amende, Riché, Vallin, Ybarnégaray, Verdier et Ottavi chacun à 1 000 F pour « *participation au maintien ou à la reconstitution d'associations dissoutes* ». L'organe du *P.S.F.* était *Le Flambeau,* précédemment journal officiel des *Croix de Feu.* Son excellente équipe rédactionnelle comptait des journalistes connus et des écrivains en renom : Saint-Brice, Gilles Marguerin, Francis Georges, Louis Truc, Jacques Defer, Pierre Forest, Jacques de Lacretelle, prof. Sergent, Dr Philippe Encausse, Jean Naureuil, J. Cathelineau, Jean Murols, Louis Berger, Jacques Mirbelle, André Delacour, Gabriel Boissy — auteur du *Chant des Croix de Feu* dont Claude Delvincourt écrivit la musique —, Henry Malherbe, Gaston Rageot, Jean-Pierre Liausu, Maurice Muret, Maurice Constantin-Weyer, André Maurois, André Thérive, Marc Chadourne, André Demaison, Henry de Monfreid, le général Duval, Habib, Claude Farrère, Marcelle Tinayre, Paul Morand, Auguste Bailly, Jean Vignaud, Georges Lecomte, Henri Pourrat, Alfred Silbert, etc. En province, d'autres journaux défendaient le point de vue *P.S.F.* : *Le Flambeau Normand, Le Volontaire de l'Ouest, La Flamme d'Alger, La Volonté Bretonne, Le Flambeau de l'Est, Le Volontaire 36,* de Lyon, *Le Ralliement,* de Lille, *L'Heure Française,* de Marseille, *La Volonté du Centre, Le Flambeau du Gard, La Flamme Catalane,* etc. Mais ces journaux ne s'adressaient qu'à des adhérents. Il importait donc de doter ce grand mouvement (d'un demi-million de militants) d'un quotidien digne de lui. En créer un était une entreprise trop risquée pour que le prudent La Rocque s'y décidât. On rechercha un quotidien existant, qui serait à vendre : *Le Petit Journal,* qui avait coûté des millions aux héritiers Loucheur et à Raymond Patenôtre, fit l'affaire. Une société fut constituée pour son exploitation. C'est ainsi que le vieux quotidien fondé en 1863 devint l'organe central du *Parti Social Français* (voir : *Petit Journal*). A la fondation, le *P.S.F.* était dirigé par un comité provisoire composé de La Rocque, président, Ybarnegaray, Mermoz, Riché, Vallin, chef de la propagande et Verdier, secrétaire général. Le congrès des 18, 19 et 20 décembre 1936 nomma le Comité exécutif : président : La Rocque ; vice-présidents : Mermoz, Noël Ottavi, Ybarnégaray ; membres : Arnoult, Barrachin, directeur du Bureau politique, Bonnardel, Causaert, Cliquot de Mentque, Faivre, Gas, le général Grollmund, Horaist, Joseph Levet, Gabriel Olivier, Olivier-Martin, Riché, Rouillon, Texenas, Vallin, Varin, chef des Equipes Volantes de Propagande, que secondèrent : Charles de Bailliencourt, André Blaisot, Maurice de Bouillanne, Jean Brumeaux, Pierre Couillard, Philippe Cruse, Louis Dejean, Jean Delage, Marcel Delaunay, Maurice Elie, Henri Grimm, Emile Harlé, Dr Georges Lataix, Louis Lecoconier dit Lecoc, colonel de Saint-Quantin, Jean Sepulchre, Christian Sorrensen, Dr Lucien Vazeux, André Voisin, André de Bonduwe, Georges Savouret, Emile Schweitzer, etc. Le programme du *P.S.F.* était celui des *Croix de Feu.* La Rocque en avait seulement accentué le côté politique : défense nationale, défense du peuple, défense de l'Etat. Bien que se déclarant républicain et possédant un groupe de députés à la Chambre (Ybarnegaray, Pebellier, Devaud, — le mari de la future militante *U.N.R.* —, Creyssel, Peter, Robbe, de Polignac, Foucauld, de Pavant, etc.) la tendance était toujours aussi antiparlementaire. Pendant l'occupation, le *P.S.F.* ne put fonctionner officiellement en zone Nord, mais il fut toléré en zone Sud : il prit le nom de *Progrès Social Français* (voir à ce nom). Après la Libération, il se reconstitua en 1946 sous le nom de *Parti républi-*

cain et social de la *Réconciliation Française* (voir à ce nom). Son chef, La Rocque, venait de mourir à Croissy où les épurateurs l'avaient assigné à résidence après son retour de déportation et un séjour assez long dans les geôles françaises.

PARTI SOCIAL NATIONAL.

Fondé par Jean Hennessy, ambassadeur de France, ancien ministre du Cartel (l'un des « patrons » du Cognac Hennessy), commanditaire du *Quotidien.* Organe officiel : *Six Février,* puis *A nous, Français,* dirigé par Roger Dutilh.

PARTI SOCIALISTE (S. F. I. O.).

Né de la fusion de diverses tendances du socialisme français au lendemain du Congrès international socialiste d'Amsterdam (14-20 août 1904), le *Parti Socialiste,* Section Française de l'Internationale Ouvrière date de 1905. Jusque là, les socialistes étaient divisés en allémanistes, guesdistes, jaurèsistes, possibilistes, etc. et répartis dans plusieurs organisations distinctes et rivales : *Parti Socialiste Ouvrier Révolutionnaire, Parti Socialiste Révolutionnaire, Parti Socialiste Français, Parti Socialiste de France* ou, tout simplement, *Fédération Départementale* (ou régionale) *Autonome.*

Au Congrès d'Amsterdam, une motion visant plus particulièrement la situation des socialistes en France avait été proposée par Bebel, Kaustsky, Enrico Ferri, Adler et Vandervelde : « *Il ne doit y avoir qu'un Parti Socialiste comme il n'y a qu'une prolétariat* », disait-elle. « *Tous les militants, fractions ou organisations qui se réclament du Socialisme, (doivent) travailler de toutes leurs forces à la réalisation de l'unité socialiste sur la base des principes établis par les Congrès internationaux.* » Une *commission,* nommée le 27 novembre 1904, fut chargée de préparer l'unification. Elle se composait principalement de : Bracke, Cheradame, Constans, Dubreuilh, Hubert Lagardelle, etc., pour le *Parti Socialiste de France ;* Allemane, Bernard, A. Hervé, Lavaud, pour le *Parti Socialiste Révolutionnaire ;* A. Briand, J. Jaurès, Longuet, Orry, de Pressensé, Renaudel, pour le *Parti Socialiste Français ;* Brunetière (Bretagne), Cadenat (Bouches-du-Rhône), Decamps (Somme), Desmons (Nord), Ferrero (Var), Gustave Hervé (Yonne), Willm (Hérault), pour les Fédérations autonomes. Les 23, 24 et 25 avril 1905, à la salle du Globe, le *Congrès d'Unification des Forces Socialistes Françaises* adopta à l'unanimité le règlement du nouveau parti dont l'article 1er disait : « *Le Parti socialiste est fondé sur les principes suivants : En-*

tente et action internationale des travailleurs ; organisation politique et économique du prolétariat en parti de classe pour la conquête du pouvoir et la socialisation des moyens de production et d'échange, c'est-à-dire la transformation de la société capitaliste en une société collectiviste ou communiste. »

La fusion des diverses tendances au sein d'un seul parti dominé par les disciples de l'auteur du « *Capital* » marquait le triomphe du marxisme considéré comme « socialisme scientifique », sur le socialisme français de Saint-Simon, Proudhon, Cabot et Louis Blanc, tenus désormais pour « utopique ». Au congrès de Châlons, tenu le 29 octobre 1905, la *S.F.I.O.* annonçait 34 688 adhérents. Elle contrôlait deux quotidiens : *L'Humanité* et *Le Droit du Peuple* (Grenoble), trois bi-hebdomadaires (*Le Socialiste du Centre,* à Limoges, *Le Socialiste de l'Ouest,* à Niort, *Le Travailleur,* à Lille) et trente-six hebdomadaires. L'année suivante, aux élections législatives, ses candidats obtinrent 878 000 voix et cinquante et un d'entre eux furent élus. A la veille de la Première Guerre mondiale (1913) elle comptait 72 765 membres, obtenait 1 398 000 suffrages et avait cent trois députés. Le nombre de ses journaux avait sensiblement augmenté : outre les deux quotidiens déjà mentionnés, elle possédait : *Le Populaire du Centre,* à Limoges, *Le Midi Socialiste,* à Toulouse, également quotidiens ; trois revues : *La Revue Socialiste,* animée par Albert Thomas, *Le Socialisme,* dirigé par Jules Guesde, et *Le Mouvement Socialiste,* d'Hubert Lagardelle, plus une soixantaine d'hebdomadaires, dont un à gros tirage : *La Guerre Sociale,* de Gustave Hervé.

Les luttes d'influence n'avaient pas cessé après l'unification. Les congrès socialistes étaient l'occasion d'affrontements entre les diverses tendances. C'est ainsi, notamment, que maçons et anti-maçons se heurtèrent assez violemment. L'appartenance simultanée au parti et à une loge fit l'objet d'un débat passionné au sein du parti. La question fut portée au congrès de Limoges (1906) par les fédérations de l'Hérault et de Saône-et-Loire, qui demandèrent d'interdire aux membres de la *S.F.I.O.* d'adhérer à la Franc-Maçonnerie. La discussion fut close par l'ordre du jour pur et simple voté par cent cinquante mandats contre cent vingt-neuf et trois abstentions (il y avait, en outre, trois absents). Au congrès de Lyon (1912), la fédération de la Seine proposa que l'on invitât « *les membres francs-maçons du Parti* (à) *démissionner de cette organisation dans un laps de temps de six mois au maximum* » ; elle

Les journaux socia-
listes S.F.I.O. de la
« Belle Epoque »

n'obtint que cent trois mandats. *Partici-pationnistes* et *antiparticipationnistes* s'affrontèrent également : on ne pardonnait pas à un Millerand, par exemple, d'être entré dans le cabinet Waldeck-Rousseau, et Briand fut longtemps considéré comme un traître parce qu'il avait accepté un portefeuille dans le cabinet bourgeois de Sarrien ou de Clemenceau. Il faudra attendre la guerre pour que la participation au gouvernement soit acceptée par les militants du parti. La volonté de paix des socialistes, qui conduisit Jaurès à de si grandes illusions et dont il fut finalement la victime, était si fortement enracinée chez eux que l'unité du parti ne souffrit jamais beaucoup des rivalités de doctrines, de clans ou de personnes. Lorsque la guerre, rendue possible par l'assentiment de la sociale-démocratie allemande qui avait si lamentablement trompé Jaurès, se déchaîna en Europe, les socialistes Jules Guesde, Marcel Sembat et Albert Thomas entrèrent au gouvernement. Le 4 août, le lendemain de la déclaration de guerre de l'Allemagne à la France, les mesures de guerre nécessaires (vote des crédits militaires, état de siège, suppression des libertés de presse et de réunions, etc.), furent votées à l'unanimité par les élus du parti socialiste, le blanquiste Vaillant en tête. Jusqu'en octobre 1914, ce dernier se prodigua même, dans la presse socialiste, en articles jugés si violemment anti-pacifistes, anti-tolstoïens, militaristes et chauvins, que Renaudel lui-même en fut effrayé et l'écarta progressivement de la rédaction de *L'Humanité*. Dans *La Guerre Sociale*, Gustave Hervé, qui allait bientôt fonder *La Victoire*, rivalisa d'émulation avec lui. Quant à *La Bataille Syndicaliste* (C.G.T.), devenue *La Bataille* tout court, elle s'était également ralliée à l'Union Sacrée, et ses collaborateurs : Léon Jouhaux, Pierre Laval, Henry Prété, Marcel Bidegarray, Louis Grandidier, Charles Albert, Francis Delaisi et Victor Bled, poursuivaient leur action de défense ouvrière sous le signe de la défense nationale. Le gros des troupes suivit, mais l'unité, sérieusement ébranlée, devait se rompre peu après. A partir de mai 1915, la tendance pacifiste du parti reprit quelque vigueur. Dans certaines sections on invitait les dirigeants *S.F.I.O.* à « *prêter une oreille attentive à toute proposition de paix d'où qu'elle vienne* ». C'était l'époque des tractations avec l'Autriche-Hongrie, auxquelles fut intimement mêlé le prince Sixte de Bourbon-Parme, beau-frère de l'Empereur Charles, successeur de François-Joseph. (On sait que les loges maçonniques, réunies en congrès international en 1917, firent échouer les pourparlers pour sauver les jeunes républiques qui allaient naître du morcellement de l'Empire des Habsbourg; celles-ci furent à l'origine du dernier conflit. Sauf l'Autriche neutraliste et la Yougoslavie titiste, elles sont aujourd'hui de l'autre côté du rideau de fer.)

Cette tendance pacifiste avait son centre à Limoges. Pressemane, Betoulle, Valière et Parvy en étaient les animateurs ; les Fédérations du Rhône et de l'Isère les soutinrent ainsi que Jean Longuet. Ce dernier, accompagné de Renaudel, rencontra à Berne, le 11 août 1915, un social-démocrate allemand. Puis ce furent les colloques (comme on dirait aujourd'hui) de Zimmerwald et de Kienthal (1915 et 1916). Au congrès *S.F.I.O.* de décembre 1916, la tendance dite Zimmerwald-Kienthal avait progressé. Si bien que la politique parlementaire du parti ne fut approuvé que par 1 595 voix contre 233 et qu'il y eut 1 104 abstentions. 1 372 mandats se prononcèrent contre la participation laquelle n'obtint plus que

1 637 voix. Le ministère Painlevé, qui succéda en septembre 1917 au cabinet Ribot, ne comprit aucun socialiste. Au congrès de Bordeaux (octobre 1917) la reprise des relations internationales au niveau socialiste fut décidée ainsi que la tenue, sans délai, du Congrès Socialiste International de Stockholm, dont l'idée avait été lancée au printemps par les socialistes scandinaves. La délégation à ce congrès fut même désignée (s'il avait eu lieu, Pierre Laval devait en faire partie). Les 29 et 30 juillet 1918, un Conseil National consacra le triomphe définitif des pacifistes : 1 596 voix contre 1 172 seulement. Les minoritaires étaient devenus majoritaires. A Pierre Brizon, Alexandre Blanc, Raffin-Dugens, Adrien Pressemane, J. Parvy, Jean Longuet et S. Valière s'étaient joints Mistral, député-maire de Grenoble, F. Morin, député de Tours, Barthélemy Mayeras, Paul Poncet, Paul Dormoy, représentants de la Seine, et Paul Faure, futur secrétaire général. Ludovic-Oscar Frossard devint secrétaire général, et Marcel Cachin prit la tête de la rédaction de *L'Humanité*. Les ex-majoritaires se regroupèrent autour de *La France Libre*, dont le premier numéro avait paru le 2 juillet 1918. Avec Compère-Morel, député du Gard, Haut-Commissaire à l'Agriculture, Arthur Rozier, député de Paris, et Adrien Veber, député de la Seine, tous trois directeurs, on retrouvait à sa rédaction des hommes comme Jean Lebas, député du Nord, futur ministre du Travail et des P.T.T., André Lebey, député de Seine-et-Oise, futur secrétaire du Grand Collège des Rites du Grand Orient, Frédéric Brunet, député du XVIIe qui fut président du Conseil général de la Seine et sous-secrétaire d'Etat dans un cabinet Steeg, Aristide Jobert, député de l'Yonne, ancien hervéiste, non-conformiste impénitent, Georges Renard, du Collège de France, Hubert Bourgin, Jean Ajalbert, les deux Rosny et un journaliste italien, dont on entendit beaucoup parler par la suite, Benito Mussolini. Entre temps, la Révolution russe avait jeté bas le tsarisme et abandonné la cause alliée.

Un peu partout en France, s'étaient constitués des *Comités pour la IIIe Internationale*, c'est-à-dire pour la nouvelle Internationale que les bolchevicks venaient de constituer. Au sein de la *S.F. I.O.* le courant pro-communiste grossit rapidement. Au congrès socialiste de 1919, l'adhésion à cette IIIe Internationale se trouva posée par les circonstances : le parti italien avait quitté la IIe en mars, le parti suisse annonçait son départ pour août, et au congrès de Leipzig, la plus grande partie des sociaux-démocrates allemands (Kautzky, Bernstein, etc.) étaient partis en claquant les portes. Finalement les congressistes décidèrent que, pour le moment, le *Parti Socialiste* maintiendrait son adhésion à la IIᵉ Internationale, mais qu'il entendait entretenir des « *relations fraternelles avec l'organisation de Moscou* ». A un autre congrès, qui eut lieu la même année, à la Grange-aux-Belles (11-14 septembre), on décida, sur l'initiative de Bracke, de refuser toutes alliances avec les partis démocratiques bourgeois aux élections législatives qui allaient avoir lieu. C'est au congrès suivant, celui de Strasbourg (février 1920) que fut décidé le retrait de la IIᵉ Internationale : sur proposition de la Fédération du Nord et par 4 330 mandats contre 337. Mais par 3 000 mandats contre 1 600, l'adhésion à la IIIᵉ Internationale fut écartée ; on convint qu'une délégation serait envoyée, au préalable, à Moscou. Partie en juin, la délégation en rapporta les vingt et une conditions qui furent le centre des discussions du congrès de Tours (20-24 décembre 1920). Entre juin et décembre, Cachin et Frossard avaient fait, dans les fédérations, une propagande méthodique en faveur de l'acceptation desdites conditions et de l'adhésion, qui fut décidée. Le résultat étant acquis, la scission entre les deux tendances ne fut effective qu'à la suite d'un télégramme de Zinoviev qui annonçait l'exclusion des centristes (Longuet-Paul Faure) et des droitiers. Le parti se scinda alors en trois fractions qui devinrent elles-mêmes des partis : d'un côté, les majoritaires de Tours qui formèrent le *Parti Communiste* (S.F.I.C.); d'un autre, les centristes, qui conservèrent l'ancienne appellation de *Parti Socialiste* (S.F.I.O.) ; d'un troisième côté, les droitiers qui constituèrent le *Parti Socialiste Français*. Les premiers gardèrent *L'Humanité* et l'appareil du parti. Les seconds conservèrent la majorité du groupe parlementaire socialiste et firent du *Populaire* l'organe de leur parti. Léon Blum prit la direction politique du journal ; Compère-Morel, l'administration ; Paul Faure, la rédaction en chef. Ce dernier, Longuet, Léon Blum, Bracke, Renaudel, Compère-Morel et leurs amis s'attachèrent à la reconstruction de la S.F.I.O. en s'appuyant sur les Fédérations du Nord, du Pas-de-Calais et du Centre de la France qui les avaient suivis. Leurs efforts portèrent leurs fruits et, au congrès de Grenoble (février 1925), la S.F. I.O. avait récupéré une bonne partie de ses forces : elle comptait 73 000 membres, avait 104 députés (élus sur les listes du *Cartel des gauches* en 1924) et 6 sénateurs. A celui de Paris, tenu en 1933,

elle pouvait se flatter d'avoir recueilli aux élections précédentes (1932) un million 975 000 voix, de compter 129 élus à la Chambre, de grouper 137 749 adhérents et de contrôler six quotidiens (*Le Populaire, Le Midi socialiste*, de Toulouse, *La Presse libre*, de Strasbourg, *Le Républicain*, de Mulhouse, *Tunis socialiste, Le Populaire du Centre*, de Limoges), quatre-vingt-trois hebdomadaires. Une crise, la plus grave depuis 1920, secoua la *S.F.I.O.* en 1933 : c'est cette année-là, en effet, que les néo-socialistes firent scission.

Le départ d'Adrien Marquet, Marcel Déat, Eugène Frot, Barthélémy Montagnon, Paul Perrin et de centaines d'autres cadres du parti porta un coup très dur à la *S.F.I.O.* La « *menace fasciste* », tant extérieure (Hitler) qu'intérieure (les ligues) poussa le parti à s'allier avec le *P.C.* : un pacte d'*unité d'action* fut signé en 1934 : il était le prélude au *Front populaire*, que la *S.F.I.O.* créa, l'année suivante, avec les autres partis de gauche et les communistes (voir : *Rassemblement populaire*). Cette alliance permit à la gauche de triompher aux élections de 1936 et aux socialistes de poster l'un des leurs, Léon Blum, au pouvoir. Le gouvernement constitué par ce dernier avec le concours des radicaux et des socialistes indépendants, et avec l'appui du *P.C.* comptait près de la moitié de ministres socialistes. Au congrès de Marseille (mai 1937), la *S.F.I.O.* annonçait 202 000 membres, plus 40 000 *jeunesses socialistes* et faisait état, non sans fierté de ses 1 922 000 voix et de ses 146 élus. A la veille de la guerre, tant en raison des échecs subis sur le plan gouvernemental que des menaces qui pesaient sur la paix, les divisions s'accentuèrent au sein du parti. Marceau Pivert et Weil-Curiel, représentant l'aile gauche, avaient quitté le parti pour fonder le *Parti Socialiste Ouvrier et Paysan*, tandis que les pacifistes reprochaient à la majorité d'être devenue « belliciste ». Après Munich (septembre 1938) la coexistence des deux tendances au sein de la *S.F.I.O.* devint à peu près impossible ; l'unité n'était plus que virtuelle. C'est au Conseil national de cette année-là (décembre) que Ludovic Zoretti excédé s'écria : « *On ne va tout de même pas faire la guerre pour 100 000 Juifs polonais ?* » Les deux tendances s'accusaient dans la coulisse de faire l'une le jeu de Moscou, l'autre celui des partis de droite (dont les tendances anti-bellicistes étaient nettement affichées) et, par voie de conséquence, de faire le jeu de Hitler.

Après l'effondrement de juin 1940, la grande majorité des parlementaires socialistes firent confiance au maréchal Pétain. Plusieurs d'entre eux soutinrent même son gouvernement. Mais beaucoup rejoignirent la Résistance ou se réfugièrent dans une neutralité hostile. Au congrès de décembre 1944, des hommes comme Daniel Mayer, Robert Verdier, Deschezelles, etc., qui avaient reconstitué le parti sous l'occupation, envisagèrent la fusion organique des socialistes et des communistes français dans un seul parti — comme dans les pays d'Europe centrale livrés à la Russie par la politique de Yalta. Ils échouèrent dans leur entreprise lorsque Léon Blum revint de Buchenwald l'année suivante et s'y opposa. Le congrès de décembre 1944 prononça l'exclusion de 94 parlementaires — Paul Faure en tête — qui n'avaient pas participé à la Résistance, qui avaient pour la plupart été « munichois » en 1938, et qui, le 10 juillet 1940, avaient été favorables au maréchal Pétain sur adjuration d'Edouard Herriot, président de la Chambre, et de Jules Jeanneney, président du Sénat, ou, ont affirmé certains d'entre eux (dont Marcel Rivière, Jean Castagnez et André Février) en se fondant sur l'attitude évasive de Léon Blum lui-même qui avait approuvé l'armistice. Le parti avait été envahi, depuis la Libération, par une multitude de nouveaux adhérents, jeunes pour la plupart (des assujettis au S.T.O. qui avaient pris le maquis) et dont aucun n'avait pris contact avec le socialisme autrement que par la Résistance. Ceci explique pourquoi l'entrée du congrès avait été refusée à tous les représentants des anciennes fédérations que les organisations de Résistance reconnues n'avaient pas habilités et à ceux qui figuraient parmi les futurs exclus. Marceau Pivert, qui avait passé la guerre en Amérique latine et qui avait sollicité sa réintégration, ne l'obtint qu'après un débat pénible. Charles Lussy et Robert Lazurick eux-mêmes furent très discutés, à tel point que, réadmis, le second démissionna dédaigneusement, tandis que le premier reprenait timidement sa place dans le rang, affligé d'une peine de suspension de délégation pour cinq ans (ce qui ne l'empêcha pas d'être, plus tard, président du groupe parlementaire socialiste). Puis ce fut le tripartisme et la participation socialiste à tous les gouvernements ou presque, y compris à celui du général De Gaulle en 1958. Il serait vain de suivre, congrès par congrès, les fluctuations des effectifs de la S.F.I.O. depuis ces événements. Aussi bien, les rapports des congrès ne donnent plus que des évaluations approximatives. La politique du parti n'étant plus la même, la clientèle a aussi changé;

elle n'est constituée aujourd'hui que par « les parties prenantes de la nation » (fonctionnaires, professions libérales, agriculteurs), la classe ouvrière donnant, dans son écrasante majorité, la préférence au *Parti Communiste*. Bien plus que les fluctuations de l'importance numérique des adhérents, sont significatifs les résultats des élections, car ils donnent la mesure de l'influence de la *S.F.I.O.* sur l'opinion et son évolution. On les trouvera ci-dessous comparés à ceux des dernières élections législatives de l'entre-deux-guerres, c'est-à-dire celles de 1936 :

	voix	élus
1936 (avril-mai)	1 927 654	146
1945 (octobre)	4 561 411	146
1946 (juin)	4 187 818	127
1946 (novembre)	3 431 954	102
1951 (mai)	2 744 842	96
1956 (janvier)	3 180 656	88
1958 (novembre)	3 167 354	43
1962 (novembre)	2 319 662	68

Ce tableau n'appelle qu'un seul commentaire : l'augmentation du nombre des suffrages recueillis est dû à l'introduction du vote des femmes dans la vie politique française. Pour le reste, le lecteur pourra dresser lui-même la courbe ; il est seulement demandé de retenir que le *Parti Socialiste* est loin d'avoir retrouvé son influence d'avant guerre sur le corps électoral. La retrouvera-t-il ? La doctrine socialiste n'étant plus qu'une politique et cette politique « *un opportunisme électoral* », ainsi que le prétend le socialiste unifié Badiou, c'est possible. Après le départ des Bloncourt, des Deschezelles, des Daniel Mayer, des Depreux, fondateur du *P.S.U.* avec d'autres dissidents, la tendance *modérée*, « européenne », semble l'avoir emporté. Mais il se pourrait que, sous la poussée d'éléments plus jeunes — en particulier des socialistes de gauche groupés dans les clubs, et des éléments les plus dynamiques du *Mouvement de la Jeunesse Socialiste* — la direction actuelle de la *S.F.I.O.* soit amenée, progressivement, à se rapprocher du *P.C.F.*, qu'elle vomissait au lendemain de Budapest (1956). Simple tactique, peut-être, destinée à tirer quelques marrons du feu au second tour des élections ? En tout cas, l'anti-communiste Guy Mollet est l'un de ceux qui ont poussé le plus vigoureusement la *Fédération de la Gauche démocrate et socialiste* et François Mitterrand à conclure un accord avec les communistes en décembre 1966. Il est vrai qu'il fut aussi celui qui facilita le retour au pouvoir du général De Gaulle en 1958 et qui — d'accord pour une fois avec Gaston Defferre —

rallia la Gauche à la Constitution proposée par ce dernier et si vivement critiquée aujourd'hui par la majorité des socialistes. En 1962, le *Parti Socialiste* participa activement à la campagne contre ce qu'il considère comme une aggravation du pouvoir personnel et, après avoir fait voter *oui* aux précédents référendums — notamment ceux qui consacrèrent l'abandon progressif de l'Algérie — il fit voter *non* à l'élection du président de la République par le corps électoral. Affaiblie sans doute, la *S.F.I.O.* demeure néanmoins l'une des premières grandes forces politiques de notre pays. Son implantation demeure solide et elle dispose d'amis nombreux dans les avenues du pouvoir, dans la haute administration et aux rouages essentiels de l'Etat. Son opposition n'est donc pas négligeable et, sauf imprévu, ses dirigeants joueront un rôle important dans les années à venir.

Ces dirigeants, quels sont-ils ? Tout le monde connaît Guy Mollet, la tête du parti, ancien président du Conseil et plusieurs fois ministre. Au Comité directeur de la *S.F.I.O.*, il est entouré de : Joseph Begarra, André Bidet, Georges Brutelle, Christian Caillieret, René Cassagne, Ernest Cazelles, Marcel Champeix, André Chandernagor, André Cluzeau, Maurice Cormier, Jean Courtois, Gaston Defferre, Roger Fajardie, Roger Faraud, Léon Fatous, Claude Fuzier, Honoré Gazagnes, Albert Gazier, Jacques Germain, Georges Guille, Pierre Herbaut, Gérard Jaquet, Roger Lagrange, Augustin Laurent, Francis Leenhardt, André Le Floch, Emile Loo, Kléber Loustau, Pierre Mauroy, Jules Moch, Emile Muller, Arthur Notebart, Jean Palmero, Maurice Pic, Jacques Piette, Christian Pineau, Robert Pontillon, Victor Provo, Roger Quilliot, Maurice Rabier, André Raust, André Routier-Preuvost, René Schmitt et Pierre Thibault, auxquels s'ajoutent les *membres honoraires* du Comité : Maurice Deixonne, Camille Delabre, Urbain Martet, Pierre Métayer, Jean Minjoz, Emilienne Moreau, Etienne Weill-Raynal

La presse du parti, qui a subi une baisse de tirage importante, compte une dizaine de quotidiens (dont *Le Populaire de Paris*, *Nord-Matin*, *Le Provençal*, *Le Populaire du Centre*), quelques mensuels (comme la vieille *Revue Socialiste*) et de nombreux hebdomadaires locaux. En outre, le *Parti Socialiste* possède des organismes spécialisés chargés de la presse et de la propagande. Ces services comprennent un Bureau National de Propagande qui organise des manifestations publiques, des réunions et des meetings ; un Bureau de Documentation et d'Information qui publie un *Bulletin intérieur* et *La Documentation socialiste*, destinés aux responsables du parti et aux élus, ainsi qu'une brochure mensuelle, *Arguments et Ripostes*, petits dossiers sur les grandes questions à l'ordre du jour ; un Bureau central de presse, qui assure la liaison avec les journaux socialistes et socialisants, la presse, la radio, la télévision, et qui diffuse les communiqués du Comité directeur ; un service cinématographique et un département *Editions* chargé de la publication des tracts, des brochures et des affiches. Enfin la *S.F.I.O.* dispose d'une agence de presse, l'*Agence de Presse de la Liberté* qui publie un bulletin d'information hebdomadaire, dans lequel les journaux socialistes de province puisent une partie de leurs articles de fond et des informations politiques, et d'une librairie, la *Librairie-Papeterie des Municipalités* (7, rue Frochot, Paris) qui fournit aux militants, aux sections et aux élus, les livres politiques, mais aussi les livres scolaires, la papeterie, les articles de bureau, les drapeaux, cravates et insignes, voire même les bustes de la République et des grands hommes du socialisme marxiste (12, cité Malesherbes, Paris 9e).

PARTI SOCIALISTE AUTONOME.

Organisation fondée en 1958 par des membres de la *S.F.I.O.* mécontents de la politique suivie par la direction de leur parti. Les « *durs* » (minoritaires) reprochaient aux « *mous* » (majoritaires) leur ralliement au général De Gaulle après le 13 mai. A vrai dire, le torchon brûlait, comme on dit, entre les deux tendances depuis quelque temps déjà. Le comité directeur de la *S.F.I.O.*, sous l'impulsion de Guy Mollet, qui voulait alors maintenir l'Algérie dans la République française, avait interdit, en 1957, le *Comité d'Etudes et d'Action pour la Paix en Algérie* que l'aile gauche du parti venait de créer. Plusieurs membres de la *S.F.I.O.*, jugés trop encombrants — comme André Philip, aujourd'hui gaulliste de gauche — avaient même été exclus. Mais les *anti-molletistes* ne s'étaient pas estimés battus : ils avaient lancé un petit journal, *Tribune du Socialisme*, initiative approuvée par le fils de Léon Blum et par l'ancien président socialiste de la IVe République, Vincent Auriol. Y collaboraient les personnalités les plus marquantes de la fraction *dure* : Edouard Depreux, André Hauriou, Maurice Klein, Henri Laugier, Badiou, Daniel Mayer, André Philip, Marceau Pivert, Oreste Rosenfeld, Jean Rous, Camille Titeux et Robert Verdier. La direction de la *S.F.*

I.O., qui avait fort mal pris la chose, avait envoyé aux secrétaires fédéraux et aux parlementaires une lettre-circulaire annonçant qu'elle avait décidé d'interdire la publication de *Tribune du Socialisme* et d'inviter les membres du parti à ne pas collaborer à cet organe.

Les animateurs de *Tribune du Socialisme* dans cette feuille, avaient réagi contre la décision du Comité directeur : « *Il serait interdit — s'indignaient-ils — de faire connaître dans une Tribune loyale, ouverte et franche, les opinions de socialistes qui réfléchissent, dans le cadre du socialisme, aux graves et difficiles problèmes de l'heure ? L'échange des idées ne serait licite qu'à des dates et dans des formes prescrites ? Dans notre Parti socialiste, nous ne pouvons ni le penser, ni l'admettre. Et ceux qui ne le pensent, ni ne l'admettent ont rédigé une sorte de manifeste pour protester contre la décision de la S.F.I.O. et pour réclamer* « la liberté de la pensée et de l'expression » *et* « le maintien d'un journal permettant de larges confrontations entre militants du Parti. » Leur déclaration avait reçu l'approbation des personnalités suivantes, dont la liste figurait au bas du document (cf. *Tribune du Socialisme*, nº 3, 15 mars 1958) : Alduy Paul, Arbeltier René, députés ; Auriol Vincent ; Badiou Raymond, maire de Toulouse ; Baurens Alexandre, Berthet Alix, Binot Jean, députés ; Blum Robert ; Boncour Paul ; Briffod Henri, député ; Carcassonne Roger, sénateur ; Cartier Marcel, député ; Defferre Gaston, maire de Marseille ; Depreux Edouard, Desson Guy, députés ; Detraves Guillaume, Conseiller de l'Union Française ; Doutrellot Pierre, député ; Eeckhoutte, conseiller général de la Haute-Garonne ; Gombault Georges, journaliste ; Gourdon Robert, député ; Hauriou André, professeur ; Joublot André, conseiller municipal de Paris ; Julien Ch.-A., conseiller de l'Union Française ; Labrousse Ernest, professeur ; Lapie Pierre-Olivier, député ; Laugier Henri, professeur ; Léo Lagrange Madeleine ; Lussy Charles, Mabrut Adrien, Margueritte Charles, députés ; Martet Urbain, du Comité directeur ; Mayer Daniel, Mazier Antoine, Moch Jules, Montel Eugène, députés ; Osmin Mireille, du Comité directeur ; Palmero Jean, député ; Perrin Francis, professeur, Priou-Valjean, conseiller municipal de Paris ; Rapuzzi Irma, sénateur ; Rosenfeld Oreste, conseiller de l'Union Française ; Rous Jean, Rousseau Marcel, journalistes ; Savary Alain, Thoral, Titeux Camille, Verdier Robert, députés. Le retour au pouvoir du général De Gaulle, provoqué par ce qu'ils appelaient une *émeute fasciste,* fut le signal de la rupture des dirigeants de *Tribune du Socialisme* avec la *S.F.I.O.* Mais tous les signataires de la déclaration ne quitèrent pas le parti de Jaurès, malgré leur désaccord avec Guy Mollet et ses amis. La scission eut lieu au congrès national de la *S.F.I.O.* réuni à Issy-les-Moulineaux en septembre 1958. Lorsque la majorité des délégués se furent prononcés en faveur de Guy Mollet et qu'un vote de confiance eût approuvé sa politique passée et sa conduite présente au sein du gouvernement De Gaulle, Edouard Depreux monta à la tribune et lut une déclaration dans laquelle était stigmatisée l'attitude de ceux qui « *se rangeaient aux côtés des vainqueurs du 13 mai* » et qui annonçait que ses amis et lui « *certains de rester fidèles à l'idéal de Jean Jaurès et de Léon Blum* » défendraient « *la République et ses libertés* ». Cette déclaration était signée par : Depreux, député (Seine) ; Arbeltier, député (Seine-et-Marne), Artre (Calvados), Badiou, maire de Toulouse ; Bethery (Aube) ; Blanc Marcel (Gironde) ; Bouyeux (Seine) ; Briffod, député (Haute-Savoie) ; Mme Brossolette Gilberte (Seine) ; Cartayrade (Lot-et-Garonne) ; Fabre, Raymond (Rhône) ; Florian (Seine-et-Oise) ; Gouin Félix, député (Bouches-du-Rhône); Granier (Aveyron) ; Humblot (Marane) ; Karila Jacques (Rhône) ; Imbert (Ain) ; Joublot, conseiller municipal de Paris ; Julien Ch.-A., ex-conseiller Union Française (Dordogne) ; Lamarque, secrétaire fédéral (Haute-Marne); Lancelle (Seine); Laval (Seine) ; Lavoquer (Aube) ; Le Merle (Côtes-du-Nord) ; Lévy Robert (Doubs) ; Lussy Charles, député (Vaucluse) ; Mazier, député (Côtes-du-Nord) ; Mayer Daniel, président de la Ligue des Droits de l'Homme ; Mme Osmin Mireille (Seine) ; Palmero, député (Ardèche) ; Priou-Valjean, conseiller municipal de Paris (Seine) ; Rosenfeld, ex-conseiller de l'Union Française (Seine) ; Rous Jean (Seine) ; Savary Alain, député ; Suant, maire d'Antony (Seine) ; Tanguy-Prigent, député (Finistère) ; Verdier, député (Seine) (cf. *Tribune du Socialisme*, nº 9, septembre 1958). Les minoritaires, ayant aussitôt quitté la salle du congrès, se réunirent dans un café voisin et fondèrent le *Parti Socialiste Autonome* dont Edouard Depreux fut nommé secrétaire général : c'était le 13 septembre 1958. Le premier congrès du *P.S.A.* se réunit à Montrouge les 1er, 2 et 3 mai 1959. Quatre mois plus tard, ces dissidents du *Parti Socialiste S.F.I.O.* recevaient l'adhésion des dissidents du *Parti Radical-Socialiste* groupés au sein du *Centre d'Action Démocratique*, c'est-à-dire de Charles Hernu, Brigitte Grosz (née Servan-Schreiber), Hovnanian, Paul Anxionnaz et de quelques centaines d'autres personnalités ex-radicales, dont Pierre Mendès-France qui s'était rallié au socialisme le 20 juin 1959, par un discours retentissant sur Jean Jaurès. L'année suivante, le *P.S.A.* fusionnait avec l'*U.G.S.* et *Tribune du Communisme* pour créer le *Parti Socialiste Unifié.*

PARTI SOCIALISTE DEMOCRATIQUE.

Groupement créé au lendemain de la Libération par les parlementaires et les militants de la *S.F.I.O.* épurés en 1944-1945 en raison de leur fidélité au maréchal Pétain. A l'issue de son Conseil national tenu à Paris, le 28 avril 1946, le *Parti Socialiste Démocratique* prit position contre la Constitution proposée le 5 mai 1946. Une affiche placardée sur les murs de Paris et des grandes villes de France invitait les électeurs à voter *non* : « *Non à la dictature des partis, non à la bolchevisation de la France, non aux ennemis de la liberté, non à la justice des clans, non à la justice des incapables et des prébendiers, non à ceux qui menacent la civilisation occidentale et ce qu'elle représente pour nous, Français de France, d'espérances et de salut.* » Avaient signé cette affiche, les anciens de la *S.F.I.O.* dont les noms suivent : Paul Faure, ancien ministre, et J.-B. Severac, professeur, secrétaires généraux ; André Chatignon, trésorier général ; Ferdinand Morin, ancien vice-président de la Chambre des députés, ancien maire de Tours ; A. Bedouce, ancien député et maire de Toulouse, ancien ministre ; Henri Salengro, Berlia, Lheveder, Beltremieux, Castagnez, Dupont, Mennecier, Baron, Basquin, Garchery, Dubosc, Le Maux, Villedieu, Nouelle, Burtin, Levasseur, Deudon, Dubois, Le Roux, Maffray, Théo Bretin, Sixte-Quenin, anciens députés ; Georges Boully, ancien sénateur ; Robert Bos, ancien président du Conseil général de la Seine ; Louise Saumoneau, Madeleine Finidori, Marcelle Pommera, du *Comité National des Femmes Socialistes ;* Robert Vielle, secrétaire de la Fédération de la Gironde ; Julien Satonnet, maire de Chalon-sur-Saône, conseiller général, secrétaire de la Fédération de Saône-et-Loire ; Gendre et Devaux, secrétaires de la Fédération du Rhône ; Prieur, ancien maire de Nantes, secrétaire de la Fédération départementale de la Loire-Inférieure ; Serbuisson et Lafort, secrétaires de la Fédération de la Charente ; Jules Masquere, conseiller général, secrétaire de la Fédération de la Seine ; Jules Mallarte, secrétaire à la propagande de la Fédération de la Sei-

ne ; Magnien, ancien délégué permanent du Parti *S.F.I.O.* Dans l'impossibilité de développer sa propagande puisque la plupart de ses *leaders* étaient frappés d'inégibilité par les lois de l'épuration, le parti agit principalement au sein du *Rassemblement des Gauches Républicaines* dont il était l'un des fondateurs et ses dirigeants concentrèrent leurs efforts sur *La République libre*, l'hebdomadaire de leur groupe. Fondée en 1949, *La République libre* avait pour directeur-gérant Jean Rousseau et pour directeur politique Paul Faure, qui fut vingt années durant secrétaire général de la *S.F.I.O.* et dont le nom figure parmi les fondateurs du *Populaire*. Pour la publication de cet hebdomadaire avait été créée la S.A. *Les Publications de la République libre* que présidait Paul Faure et au conseil d'administration de laquelle figuraient Pierre Burgeot, Pierre Cauchoix, J.-L. Geurie, Noël Pinelli, Georges Piot, Charles Thonon, assistés de trois conseillers techniques, André Berthon, Jean Castagnez et Alexandre Cathrine. Le journal a disparu peu après la mort de Paul Faure (voir à ce nom) et le parti a été mis en sommeil.

PARTI SOCIALISTE FRANÇAIS.

Créé en 1901 par la *Fédération des Travailleurs socialistes*, le *Parti Ouvrier socialiste révolutionnaire*, la *Confédération des Socialistes indépendants* et diverses fédérations départementales autonomes qui fusionnèrent. Au Congrès international d'Amsterdam (1904), le *P.S.F.* annonçait un effectif de 10 000 membres répartis dans un millier de groupes. Il comptait 22 journaux de province (*L'Humanité*, fondée en 1904, n'était pas la propriété du mouvement socialiste) et avait une trentaine d'élus à la Chambre. Ses *leaders* s'appelaient : Aristide Briand, Gabriel Deville, Jean Jaurès, Poulain, Gustave Rouanet, René Viviani, Camelinat, Francis de Pressensé, Revelin, Ringuier, Cipriani, A. Varenne, B. Cadenat, Goude, Nadi, Renaudel, Cleuet et Jean Longuet.

PARTI SOCIALISTE FRANÇAIS.

Né d'une scission qui se forma, en novembre 1919, au sein du *Parti Socialiste S.F.I.O.* Se réclamait des vieilles traditions du socialisme français et de Benoît Malon, Paul Brousse, Jules Joffrin et Edouard Vaillant. Principaux membres : Jean Bon, Arthur Levasseur, Jérôme Lévy, André Lebey, vice-amiral Jaurès, Copigneaux, Aubriot, Frédéric Brunet, Anatole de Monzie, etc. S'est uni en 1926 au *Parti Républicain-Socialiste*, puis a fusionné avec ce dernier et le *Parti Socialiste de France*, pour constituer l'*Union Socialiste et Républicaine*. Publiait *La France Libre*, quotidien.

PARTI SOCIALISTE DE FRANCE.

Dénomination adoptée par l'organisation créée en 1901 et comprenant le *Parti Socialiste Révolutionnaire*, le *Parti Ouvrier Français*, l'*Alliance Communiste Révolutionnaire*, le groupe central du XIe arrondissement de Paris, et diverses fédérations socialistes autonomes (Deux-Sèvres, Vendée, Doubs, Haute-Saône, Haut-Rhin, Seine-et-Oise, Yonne). En 1904, selon un rapport de son secrétariat au Congrès international, le *Parti Socialiste de France* comptait 17 694 cotisants répartis en 800 groupes de 46 fédérations. Il avait, en outre, 12 députés : Maurice Allard (Var), Bouveri (S.-et-L.), Paul Constans (Allier), J. Coutant (Seine), Dejeante (Seine), G.-E. Delory (Nord), Jacques Dufour (Indre), Marcel Sembat (Seine), Léon Thivrier (Allier), Edouard Vaillant (Seine) et Walter (Seine). Il possédait, outre son organe central hebdomadaire, *Le Socialiste* (4 000 ex.), un quotidien à Grenoble : *Le Droit du Peuple*, trois bi-hebdomadaires, quatorze hebdomadaires, un bi-mensuel, deux mensuels.

PARTI SOCIALISTE DE FRANCE (UNION JEAN JAURES).

Formé en 1933 par des dissidents du *Parti Socialiste S.F.I.O.*, dits néo-socialistes : Adrien Marquet, Marcel Déat, Barthélemy Montagnon, Paul Perrin, René Gounin, Paul Ramadier, Renaudel, Alexandre Varenne, Dherbécourt, Max Hymans, etc. Journal : *Le Front*, soustitre : « *socialiste, républicain, français* ».

PARTI SOCIALISTE NATIONAL DE FRANCE.

Mouvement fasciste et antisémite fondé par Maurice-Christian Dubernard. Dirigeants : Raymond Franssen, Jean Boissel, Maurice Herblay (Piot), docteur A. Chariou des Diguières, L. Bonnet, Taphanel, Ansaldy, Miguel Mignot, etc. Organe : *Le Siècle nouveau* (1934-1936).

PARTI SOCIALISTE OUVRIER-PAYSAN.

Fondé en 1937 par Marceau Pivert, André Weil-Curiel et autres membres dissidents de la *S.F.I.O.*, de tendance trotskyste. Organe : *Juin 1936*, hebdomadaire.

PARTI SOCIALISTE REVOLUTION-NAIRE.

Mouvement issu du *Comité Révolutionnaire Central*, fondé en 1881 par les disciples de Blanqui (mort l'année précédente), ayant à leur tête Edouard Vaillant. Au début, le *C.R.C.* s'assura l'appui de Rochefort et de son *Intransigeant*, qui était alors le quotidien le plus lu dans les milieux ouvriers avancés ; puis il eut à sa disposition *Le Cri du Peuple* et *L'Homme Libre*. C'est à partir du 1er juillet 1898 que le *C.R.C.*, ne désignant plus que le comité central du mouvement, céda la place au *Parti Socialiste Révolutionnaire*. Se réclamant de Babeuf et de Blanqui, ses dirigeants s'affirmaient républicains, athées, communistes et internationalistes et partisans de la lutte des classes. A côté de Vaillant, militèrent dans le parti : Paule Mink, Paul Argyriadès, Albert Tanger, Sembat, Renaudel, Paul Louis, H. de La Porte, Vaillandet, Léon Thivrier et les députés Allard (Var), J.-L. Breton (Cher), Chauvière (Seine), S. Létand (Allier), Walter (Seine), etc. Fusionna, avec d'autres mouvements, au sein du *Parti Socialiste de France* (1901).

PARTI SOCIALISTE UNIFIE (P. S. U.).

Parti né de la fusion de l'*Union de la Gauche Socialiste* (U.G.S.), du *Parti Socialiste Autonome* (P.S.A.) et du groupe *Tribune du Communisme* (voir à ces noms), opérée à Issy-les-Moulineaux, le 3 avril 1960, en présence d'environ 1 200 délégués et militants et de quelques centaines d'invités. La séance de ce congrès d'unification fut présidée par le professeur Laurent Schwartz, petit-fils du rabbin Debré et cousin germain du Premier ministre d'alors, l'un des animateurs du *Comité Maurice Audin*. L'ancien ministre de l'Intérieur Edouard Depreux fut aussitôt élu secrétaire général du *P.S.U.* Confirmant les tendances du nouveau parti, il appela les militants à « *construire la VIe République ou la Première République Socialiste* ». L'union de la gauche et l'unité d'action sont les objectifs essentiels du mouvement. Son programme, a écrit Guy Nania, « est un programme de transition : le parti semble avoir réservé pour une période ultérieure l'édification de la société socialiste et vouloir instaurer, dans l'immédiat, un régime socialisant, état provisoire mais nécessaire, aux yeux de ses membres, pour passer à la réalisation du socialisme » (« *Un parti de la gauche : le P.S.U.* », par Guy Nania, Paris, 1966). Avec Edouard Depreux, animateur du *Parti Socialiste Autonome*, deux membres de l'*U.G.S.* furent nommés au secrétariat du parti : Gilles Martinet, alors co-directeur de *France-Observateur*, et Henri Longeot. Le *Comité politique national*, organe exécutif du *P.S.U.*, constitué à la fondation, comprenait : 25 membres du *P.S.A.*, 25 membres de l'*U.G.S.* et 5 membres du groupe *Tribune du Communisme*. Depreux, Savary, Verdier, Klein, Daniel Mayer, président de la *Ligue des Droits de l'Homme*, Binot, Badiou, Tanguy-Prigent, Seurat, Rous, Desson, Mme Osmin, Charles Lussy, Charles Hernu, Cheramy, Roubault, Florian, Hauriou, Fallas, Laval, André Philip, Moschetti, Joublot, Suffert et Humblot venaient du premier ; Guéry, Bourdet, Montariol, Barthod, Belleville, Serratrice, Longeot, Martinet, Tamburini, Smagghe, Garnier, Verlhac, Filiâtre, Arthuys, Moussay, Naville, Viaud, Craipeau, Beaunez, Remy, Servent, Delaville, Picand, Stibbe, Dechézelles appartenaient au second de ces partis ; et Serge Mallet, Ludovic Marcus, Penin, Poperen et O. Revault d'Allones étaient les représentants de la troisième tendance. Dans les années qui suivirent, la composition du *Comité politique national* subit quelques modifications. Au moment où ces lignes sont écrites, il se compose des militants suivants : Jean Arthuys, fils de l'un des fondateurs du *Faisceau* ; André Barrieu ; Jean Bars ; André Barthélémy, professeur, un ancien de la *Nouvelle Gauche* ; Pierre Bassan, membre du *Club des Jacobins* (1954), animateur du *Club de la Libre Expression* ; Pierre Belleville, militant en vue de l'ancien *Mouvement de Libération du Peuple* ; Pierre Beregovoy, ex-*S.F.I.O.* ; Paul Bosc ; Michel Boucher ; Claude Bourdet, ancien directeur de *France-Observateur*, directeur de *L'Action* ; Alain Brisset ; Fernand Cavaroz, le seul ouvrier du Comité ; Achille Chassot ; Maurice Combes, ancien *S.F.I.O.* ; Jacques Compère ; Gérard Constant, président du *Club des Jacobins* de Lyon ; Richard Dartigues ; Gérard Denecker, professeur, ancien adjoint au maire de Brive ; Edouard Depreux ; Guy Desson, ancien député *S.F.I.O.* ; Claude Dubois, Jean-Marie Faivre, professeur ; Victor Fay, ex-militant *S.F.I.O.* ; Clément Fleurus ; Michel Fontès ; Louis Fouilleron ; André Garnier ; Pierre Girod, Georges Gontcharoff, venu de *La Jeune République* ; Christian Guerche ; Marc Heurgon ; le professeur Michel Hollard, de la faculté de médecine de Grenoble ; Henri Janodet ; Jacques Kergoat ; Jean-François Kestler ; Pierre Le Goadic ; Alain Le Disloquer ; Marcel Leforestier ; Henri Longeot, ancien dirigeant du *Mouvement de Libération du Peuple* ; Michel Lucas ; Serge Mallet, ancien membre du *P.C.F.* (de 1944 à 1958) ; Jean Manin ; Pierre Marchi, fonctionnaire de l'E.D.F. ; Gilles Martinet, ancien de l'*Union Progressiste* ; Maurice Milpied ; Alexandre Montariol,

instituteur, venu de la *Nouvelle Gauche* ; Chistiane Mora ; Pierre Naville ; Claude Nery ; Roger Noulé ; Michel Oriol ; Jeannine Parent ; Marcel Penin, qui milita au *Parti Communiste* de 1929 à 1959 ; Marcel Pennetier ; Jean Petit ; Jean Poperen, assistant à la Sorbonne, ancien communiste (1943-1959) ; Tanguy-Prigent, le seul député *P.S.U.* (avant 1965), ancien animateur de la fraction gauchiste de la *S.F.I.O.* ; Harris Puisais, ancien membre du Bureau National du *Parti Radical-Socialiste*, ancien membre du *Club des Jacobins*, directeur de *Tribune Socialiste* ; Xavier Rousset ; Jacques Roynette ; René Schulbaum ; Roger Sécher ; Georges Servent ; Georges Servet ; Pierre Stibbe, ancien collaborateur des *Cahiers Internationaux* ; Yves Tavernier ; Jean Verlhac ; Jean-Marie Vincent, tous deux ex-*U.G.S.* ; Lucien Weitz, exclu de la *S.F.I.O.* en 1956. Les personnalités marquantes du parti, une demi-douzaine d'entre elles mises à part, ne font pas partie de sa direction. Ni Pierre Mendès-France, ni Daniel Mayer, qui se consacre à la *Ligue des Droits de l'Homme*, ne participent à la vie du parti. La faiblesse de ses effectifs, d'un part, et l'absence de ressources financières, d'autre part, ne permettent pas au *P.S.U.* d'avoir, à sa disposition, de grands journaux. Tant que Claude Bourdet et Gilles Martinet dirigeaient *France-Observateur*, ce journal socialiste de gauche était l'une des tribunes du parti. Mais depuis que Claude Perdriel, ancien collaborateur du baron Edmond de Rothschild, a pris la direction de cet hebdomadaire et en a fait *Le Nouvel Observateur*, le *P.S.U.* ne peut guère compter que sur son organe officiel, *Tribune socialiste* (voir à ce nom), qui paraît chaque semaine, sur *Le Socialiste* (Finistère), *La Tribune d'Auvergne*, *L'Action Socialiste* (Haute-Garonne), *Etudes Socialistes* (Seine-et-Oise), *Notre Combat Socialiste* (Corrèze), *L'Espoir Socialiste* (Isère), *Confluent du Socialisme* (Alfortville), *Tribune Etudiante*, journal des étudiants unifiés, *Jeunesse Action*, mensuel des jeunes du parti, auxquels il faut ajouter de nombreux bulletins, généralement polycopiés, des sections locales et des groupes d'entreprises, et diverses publications marginales, dirigées ou lues presque exclusivement par des membres du parti, comme *L'Action*, de Claude Bourdet, et *Perspectives socialistes*. L'activité du *P.S.U.*, malgré l'importance modeste du nombre de ses militants, fut assez considérable lors de la guerre d'Algérie. On retrouve ses membres dans la plupart des organisations ou des manifestations favorables à l'indépendance des départements d'Afrique du Nord et dans plusieurs de ces comités créés pour défendre les victimes de la guerre d'Algérie, ou plus exactement celles de la lutte contre la rébellion (les victimes du terrorisme *F.L.N.* étant exclues de leurs préoccupations). Le premier président du *Comité Maurice Audin,* le doyen Albert Châtelet, et l'un de ses animateurs, le professeur Laurent Schwartz, figurent parmi les fondateurs du *P.S.U.* Jacques Boisgontier, condamné à huit mois de prison pour sa participation à l'*Action Civique non-violente* qui encourageait l'insoumission des jeunes soldats envoyés en Algérie, était également du *P.S.U.* Le parti eut aussi un rôle de premier plan dans la création et l'organisation des *G.A.R.* (*Groupes d'Action et de Résistance*) qui luttèrent contre l'*O.A.S.* par le *contre-terrorisme* et la *dénonciation* (voir : *G.A.R.*). Il fut, en 1961, le groupe-charnière qui permit l'union des activistes de gauche et d'extrême-gauche en vue d'une action limitée mais parfois spectaculaire contre l'organisation secrète des partisans de l'Algérie française. Mais il ne semble pas qu'il puisse jouer, en 1966-1967, un rôle analogue contre le « pouvoir personnel ». L'union avec les communistes, qu'il préconise en vue des élections générales de 1967, sur un programme gouvernemental qu'adopterait également la *Fédération de la Gauche Démocrate et Socialiste,* paraît fort difficile à réaliser. (Siège : 81, rue Mademoiselle, Paris 15ᵉ.)

PARTI SOCIALISTE UNITAIRE.

Créé en septembre 1948. Né du *Mouvement Socialiste Unitaire et Démocratique,* lui-même issu, au début de la même année, de la tendance *Bataille Socialiste* et d'une scission au sein de la *S.F.I.O.* Il avait eu l'intention de constituer avec le *Parti Communiste* et la *C.G.T.* un *Front Démocratique* dont il aurait été le centre. En fait, il ne fut qu'une annexe communiste. Lors du 2ᵉ Congrès national (décembre 1949), plusieurs de ses dirigeants et militants s'élevèrent contre la condamnation portée contre Tito par le Kominform, ce qui leur valut un rappel à l'ordre de Raymond Guyot, dans *L'Humanité. Le Parti Socialiste Unitaire* était animé par Maurice Pressouyre, du *Secours populaire* (annexe du *P.C.F.*), J.-M. Hermann et Marcel Fourrier, rédacteurs à *Libération,* Elie Bloncourt, et trois cégétistes : Alain Le Léap, co-secrétaire général (avec Benoît Frachon), Duchat et Jayat. Le parti fusionna avec d'autres mouvements pour former, en 1950, l'*Union Progressiste* (voir à ce nom).

PARTI UNITAIRE FRANÇAIS D'ACTION SOCIALISTE NATIONALE (voir : Francisme).

PARTI D'UNITE PROLETARIENNE

Fondé en 1929 par des dissidents du Parti communiste : Louis Sellier, Garchery, Castellaz, Joly, Gélis et Camille Renault. S'appela d'abord *Parti ouvrier et paysan.* En 1932, le *P.U.P.* eut 9 députés au Parlement. Son secrétaire général était alors Paul-Louis (Lévy). Au moment du *Front populaire,* les *pupistes* s'intégrèrent à la *S.F.I.O.*

PARTISANS.

Revue marxiste pro-chinoise, fondée en 1964 par l'éditeur François Maspero qui la dirige. Principaux collaborateurs : Émile Copfermann, secrétaire de rédaction, Bruno Adamain, F.-Nils Anderson, Gérard Chaliand, Georges Dupré, Maurice Maschino, J.-Ph. Talbo, Pierre Vidal-Naquet, Françoise Kourilsky, Jean-Claude Bernardet (1, rue Paul-Painlevé, Paris 5ᵉ).

PASCAL (Rév. Père de)

Théologien et homme de lettres (1836-1917). Mêlé au mouvement des chrétiens-sociaux de la fin du xixᵉ siècle et disciple de La Tour du Pin, il rallia le groupe maurrassien, et donna des cours à l'*Institut d'Action française.*

PASCAUD (Guy).

Industriel, né à Chasseneuil (Charente), le 11 septembre 1904. Militant républicain et résistant, fut élu sénateur en 1948 et constamment réélu depuis. Membre du groupe de la *Gauche démocratique,* président du Conseil général de la Charente. Maire de Chasseneuil.

PASQUINI (Pierre, Emile, Joseph).

Avocat, né à Sétif (Algérie), le 16 février 1921. Fils de Philippe PASQUINI, procureur de la République, et de Mme, née Clotilde TABET (d'une famille de la bourgeoisie israélite du Constantinois). Anc. adm. des Territoires d'outre-mer. Membre de l'*Alliance France-Israël.* Conseiller municipal, puis adjoint au maire de Nice. Député *U.N.R.* des Alpes-Maritimes (1ʳᵉ circ.) de 1958 à 1967. Auteur de « *Virginie* », « *Le Guérisseur* » (comédies) et « *Elle a parlé* ».

PASSY (André, Lucien, Charles, Daniel DEVAWRIN, dit).

Administrateur de sociétés, né à Paris

le 9 juin 1911. Au côté du général De Gaulle dès 1940, dirigea sous le nom de *colonel Passy* le *B.C.R.A.*, organisme de renseignements chargé de l'action anti-allemande et anti-gouvernementale en France pendant l'occupation. Compagnon de la Libération. Fut ensuite à l'É.M. du général Kœnig. Ingénieur-conseil de la banque *Worms,* administrateur du *Bon Marché* et des *Etablissements Japy Frères.* Œuvres : « *Deuxième bureau-Londres* », « *10 Duke Street-Londres* », « *Missions secrètes en France* ».

PATENOTRE (Groupe).

Nom donné avant la guerre, au groupe de presse dont Raymond Patenôtre (voir ci-dessous) était le propriétaire et qui comprit une dizaine de journaux, dont *Le Petit Journal* (cédé aux amis de La Rocque), *Marianne* (racheté à Gallimard), *Le Petit Niçois, La Sarthe, La Gazette de Seine-et-Oise, Lyon Républicain, L'Express de l'Est,* etc.

PATENOTRE (François, Prosper, Maurice).

Agriculteur, né à Troyes (Aube), le 5 avril 1908. Sénateur républicain indépendant de l'Aube depuis 1948. Ancien président de la Chambre d'agriculture de l'Aube.

PATENOTRE (Raymond).

Homme politique, né à Atlantic City (U.S.A.), le 31 juillet 1900. Fils de Jules Patenôtre, ambassadeur de France à Washington. Marié avec Jacqueline Thome, présentement sénateur-maire de Rambouillet. Remarié, après divorce, avec Dolorès-Jacqueline-Paule Delépine, l'actuelle Mme Félix Gaillard. Elu à vingt-huit ans député de Rambouillet (1928) et constamment réélu jusqu'à la chute de la IIIᵉ République. Sous-secrétaire d'Etat à l'Economie Nationale en 1932, dans le troisième cabinet Edouard Herriot, conserva ces mêmes fonctions dans les cabinets suivants (Paul-Boncour, Edouard Daladier, Camille Chautemps, deuxième cabinet E. Daladier) et fut ensuite ministre de l'Economie Nationale (troisième cabinet E. Daladier) en 1938. Très fortuné (intérêts considérables dans des mines d'argent), commanditait alors de nombreux organes de gauche et possédait son propre groupe de presse (*Le Petit Journal, Marianne,* et divers quotidiens radicaux de province) ; entreprit dans ces journaux une campagne sous le titre « *Sommes-nous défendus ?* », où il demandait le renforcement de notre dispositif militaire et de notre armement, mais ne fut pas écouté de ses propres amis politiques. Après l'armistice de 1940, n'ayant pas voulu s'associer au vote du maréchal Pétain, vécut hors de la politique. Ses journaux (voir : groupe *Patenôtre*) ont été placés sous séquestre à la Libération et leur directeur, A. Lejeune, fut exécuté. Retiré de la politique, il mourut le 19 juin 1951. Sa première femme, Mme Thome-Patenôtre, a pris sa succession politique en Seine-et-Oise. Auteur de : « *La crise et le drame monétaire* », « *Voulons-nous sortir de la crise ?* » et « *Vers le bien-être par la réforme de la monnaie et du crédit* ».

PATRIE.

Terre des pères. Pays dont on est citoyen. L'exaltation de l'esprit national s'est traduite par la notion de *patrie* qui implique l'idée d'un attachement sentimental pour une communauté politique et dont la déviation conduit au *chauvinisme.*

PATRIE (La).

Quotidien fondé en 1840. Fut, sous la IIIᵉ République, l'un des plus gros tirages des journaux du soir. Le conseiller municipal de Paris, Emile Massard, dirigea sa rédaction, et Henri Rochefort, Lucien Millevoye, Marcel Habert, Pugliesi-Conti y collaborèrent. Disparu en 1914.

PATRIE HUMAINE (La).

Hebdomadaire pacifiste fondé en 1931 et disparu en 1939. Fondateur : Victor Méric ; directeur-rédacteur en chef : Robert Tourly ; administrateur : Roger Monclin ; secrétaire général : Louis Loréal. Conseil de rédaction : Félicien Challaye, Gérard de Lacaze-Duthiers, Georges Yvetot. Collaborateurs (plus ou moins réguliers) : Jean Giono, Alfred Crouzet, Pierre Gignac, Louis Alombre, Robert Jospin, Francis Pichon, Madeleine Vernet, Gabriel Gobron, etc. Approuva, en septembre 1938, « *le geste de M. Chamberlain, prenant l'avion pour la première fois, à 70 ans, afin de tenter l'effort suprême pour sauver la paix* » et accusa le *P.C.F.* de n'avoir « *d'autre préoccupation que de mettre le feu aux quatre coins de l'Europe* » et les dirigeants des grands partis de gauche de s'être « *mués en chauvins exaltés* » et de « *pousser à la guerre* ».

PATRIE ET PROGRES.

Club fondé en mai 1958. Avait pour animateurs deux jeunes technocrates gauchisants et « Algérie française », Philippe Rossillon et Jacques Gagliardi, anciens de l'E.N.A. En raison de leurs relations personnelles et familiales — Rossillon est apparenté par sa femme, à la H.S.P. (Haute Société Protestante) —, leur association fit parler d'elle dans la presse ; mais elle n'eut jamais que quelques centaines d'adhérents. Le 25 septembre 1964, à la demande de Rossillon, Gagliardi, François de Montera et Jean Pascal, *Patrie et Progrès* adopta le nom de *La Nouvelle Ecole* dont Yann Berruet, Marc Cadiot et Pierre Paolini furent les dirigeants. Le groupe est aujourd'hui entré en léthargie. On apprit par la suite que Philippe Rossillon était nommé rapporteur d'un organisme gouvernemental et administrateur de première classe au ministère des Finances par Michel Debré.

PATRIOTE (Le).

Quotidien du *Front National* (contrôlé par le *P.C.F.*) fondé à Ajaccio à la Libération et dirigé par le député communiste Arthur Giovoni. De faible tirage, disparut après quelques années de publication.

PATRIOTE (Le).

Quotidien communiste de Saint-Etienne fondé à la Libération et disparu dans les dernières années de la IVe République.

PATRIOTE DE NICE ET DU SUD-EST (Le).

Quotidien communiste fondé en 1944 dans les locaux de *L'Eclaireur,* frappé d'interdiction. Se réclame du *Patriote niçois* paru dans la clandestinité (1943-1944). Dirigé par l'ancien député Virgile Barel. Diffusion moyenne : 21 500 exemplaires (35, rue Pastorelli, Nice).

PATRIOTE DES PYRENEES (Le).

Quotidien centriste de Pau. Créé en 1895 et disparu pendant la guerre. *L'Eclair des Pyrénées,* devenu *Eclair-Pyrénées,* s'installa à la Libération dans ses locaux.

PATRIOTE DU SUD-OUEST (Le).

Quotidien toulousain fondé en 1944 sous l'égide du *Front National.* Fut dirigé quelque temps par André Würmser. Devint officiellement communiste avant de disparaître, faute d'un nombre suffisant de lecteurs.

PATY DE CLAM (du).

Officier (1853-1916). Fils du général du Paty de Clam, petit-fils d'Emmanuel Dupaty, le prédécesseur d'Alfred de Musset à l'Académie française, arrière-petit-fils du président du Paty, l'ami de Voltaire, l'auteur des *Lettres sur l'Italie.* Entré à Saint-Cyr en 1870, prit part à la guerre de 1870-1871, fit de nombreuses campagnes en Algérie et en Tunisie, et fut affecté au 3e Bureau (opérations militaires). Son intervention lors de la deuxième révision du procès Dreyfus (1904), le fit exiler de l'Armée ; ne fut réintégré qu'en 1912. Colonel en 1914, s'engagea comme chasseur de 2e classe au 16e bataillon pour pouvoir être en premières lignes. Blessé, dut abandonner le champ de bataille et mourut peu après en 1916.

PAUL (Marcel).

Syndicaliste, né à Paris le 12 juillet 1900. Militant communiste assez obscur avant la guerre, Marcel Paul passa dans la clandestinité à la déclaration de guerre et participa à la propagande défaitiste de son parti. Arrêté par la police française, il fut plus tard (1941) tiré de sa prison par les Allemands et déporté à Buchenwald. Grâce aux communistes allemands qui formaient, depuis huit ans, les cadres administratifs intérieurs des camps de concentration, il devint *l'homme de confiance* au bureau des statistiques et des transports. Ces fonctions lui valurent de très graves reproches, après la Libération, de la part d'un grand nombre de déportés, parmi lesquels le professeur Charles Richet ; certains de ses camarades polonais et yougoslaves, anciens déportés, portèrent contre lui de sérieuses accusations au cours de congrès internationaux de déportés. Il n'en fut pas moins accrédité comme représentant des déportés à l'Assemblée consultative, puis député et même ministre de la Production industrielle (1945). Ses adversaires ont affirmé qu'il usa de son influence pour faire obtenir des avantages aux amis du Parti (bons de textiles, de pneumatiques, etc.). Marcel Paul quitta la Production industrielle en novembre 1946, avec les autres ministres du cabinet démissionnaire, mais il ne fit plus partie d'aucun ministère : on pensait, à l'époque, que les révélations du quotidien socialiste de Limoges, *Le Populaire du Centre* (20-6-1946), reprises par *L'aube* (21-6-46) et *L'Epoque* (24-6-46), n'étaient pas étrangères à cette mise en quarantaine. En quittant la Production industrielle, M. Paul entra à la Fédération (cégétiste) de l'Eclairage et des Forces motrices et présida le Comité des œuvres sociales de l'Electricité de France. La gestion de ce dernier organisme souleva de telles protestations que le gouvernement révoqua son président et liquida le Comité lui-même.

PAUL-BONCOUR (Joseph).

Homme politique, né à Saint-Aignan (L.-et-C.) le 4 août 1873. Docteur ès lettres. Avocat. Ancien collaborateur de Waldeck-Rousseau et Viviani (1899 et 1906-1909). Elu en 1909 député républicain socialiste du Loir-et-Cher. Ministre du Travail (1911). Battu aux élections législatives de 1914, prit part à la guerre (croix de guerre avec palme et Légion d'honneur). Candidat de la *S.F.I.O.* aux élections générales de 1919 sur la liste de Léon Blum. Rentra au parlement comme député de Carmaux en 1924. Elu sénateur de Loir-et-Cher (1931), quitta le *Parti socialiste* la même année (et n'y revint qu'en 1945). Ministre de la Guerre dans le cabinet Herriot (1932), président du Conseil et ministre des Affaires étrangères (décembre 1932-janvier 1933), ministre des Affaires étrangères (cabinets Daladier, Sarraut, Chautemps, janvier 1933-février 1934), délégué adjoint de la France à la Société des Nations (1924-1926). Délégué permanent (1932-1936), ministre d'Etat (cabinets Blum 1936-1837). Fonda, avec les néo-socialistes Marquet et Déat, l'*Union Socialiste et Républicaine* qu'il présida plusieurs années. Lors du vote sur les pouvoirs constituants, le 10 juillet 1940, fut parmi les quatre-vingts parlementaires qui refusèrent le texte proposé et finalement adopté. Sa démarche auprès du maréchal Pétain, le 6 juillet 1940, montre qu'il avait alors des conceptions particulières sur le rôle que devait jouer le maréchal Pétain (voir : *Jean Taurines*). Délégué à l'Assemblée consultative (1944), conseiller de la République (1946-1948). Auteur de : « *Un débat nouveau sur la République et la décentralisation* » (1904), « *Les Syndicats de fonctionnaires* » (1906), « *Entre deux guerres, souvenirs sur la IIIe République* » (1946), etc.

PAULHAN (Jean).

Homme de lettres, né à Nîmes le 2 décembre 1884. Fils du philosophe Frédéric Paulhan. Fut professeur au lycée de Tananarive (1907), puis colon et chercheur d'or à Madagascar. Revenu en France (1912), enseigna la langue malgache à l'Ecole nationale des langues orientales vivantes (1912-1914). Secrétaire, puis directeur de *La Nouvelle Revue Française* (*N.R.F.*) (1919 - 1940). Fondateur (1941) avec Jacques Decour (fusillé par les Allemands), de l'hebdomadaire *Les Lettres françaises* qu'il abandonna lorsque les communistes en furent maîtres. Quitta, pour la même raison, le *C.N.E.* À publié un pamphlet : « *Lettre aux directeurs de la Résistance* » pour protester contre les abus de l'épuration et justifier l'attitude de ses adversaires des heures sombres. Est actuellement directeur, aux Editions Gallimard, de la *Bibliothèque de la Pléiade*. Elu à l'Académie française (au fauteuil de Pierre Benoit) en janvier 1963. Auteur de : « *La Guérison sévère* » (1925), « *Le Guerrier appliqué* » (1930), « *Les Fleurs de Tarbes ou la Terreur dans les lettres* » (1941), « *Clef de la poésie* » (1944), « *Entretien sur les faits divers* » (1945), « *Guide d'un petit voyage en Suisse* » (1947), « *les Causes célèbres* » (1949), « *Braque le patron* » (1952), « *l'Aveuglette* » (1953), « *Fautrier l'enragé* » (1962), etc.

PAULIN (Albert, Arthur, Raphaël).

Publiciste, né à Levet (Cher), le 21 novembre 1881, mort à Sayat (Puy-de-Dôme), le 30 octobre 1955. Fils de tailleur, fut lui-même coupeur-tailleur avant de devenir journaliste pour défendre ses idées. Militant socialiste, représenta dès 1906 la section *S.F.I.O.* de Brassac-les-Mines dans les congrès du parti, et fut le candidat du socialisme aux élections législatives de 1910 et 1919. Elu député du Puy-de-Dôme en 1924, le resta jusqu'à la fin de la IIIe République. Vota en 1940 les pouvoirs constituants au maréchal Pétain et fut nommé, le 23 janvier 1941, membre du Conseil national.

PAULY (Paul).

Né à Aubusson (Creuse), le 22 juillet 1901. Sénateur socialiste de la Creuse (depuis 1946), président du Conseil général de la Creuse et maire d'Aubusson.

PAVIN DE LAFARGUE (Henri).

Sénateur de l'Ardèche, industriel, nommé le 23 janvier 1941 membre du *Conseil national* (voir à ce nom).

PAVOT (Narcisse).

Membre de l'enseignement, né à Vertain (Nord), le 28 décembre 1895. Instituteur en retraite. Participa à la résistance. Maire de Viesly. Conseiller général du canton de Solesmes depuis septembre 1945. Candidat *S.F.I.O.* dans le Nord (3e) le 2 janvier 1958, avec l'investiture de *L'Express* (battu). Député socialiste du Nord (17e circ.) de 1958 à 1967.

PAYS (Le).

Quotidien fondé le 24 avril 1945. Dirigé par le comte Pierre de Chevigné, député *M.R.P.* des Basses-Pyrénées. Fusionna avec *Ce Matin* (voir à ce nom).

PAYS BRETON (Le).

Journal mensuel fondé en 1956, publié par l'*Union des Sociétés Bretonnes de l'Ile-de-France*, qui fut présidée par Marcel Cachin. D'obédience communiste (19, rue du Départ, Paris 14ᵉ).

PAYS LIBRE (LE) (voir : Parti Français National-Collectiviste).

PAYS MELLOIS (Le).

Hebdomadaire national et indépendant fondé en 1954 et poursuivant l'œuvre de son devancier *Le Mellois* (1852-1944), sous la direction de Paul Montazeau (Grande rue, Melle, Deux-Sèvres).

PAYSAN DU SUD-OUEST (Le).

Hebdomadaire catholique et nationaliste fondé en 1890 et paraissant jusqu'à la dernière guerre. Publié à Tonneins (Lot-et-Garonne). Eut comme principal animateur, entre les deux guerres, Georges Audebez, militant d'*Action Française*, qui en fit l'organe des monarchistes du département.

PEBELLIER (Eugène-Gaston).

Ingénieur, né au Puy le 3 novembre 1897. Membre du *P.S.F.* (La Rocque). Elu député de la Haute-Loire en 1936. Inéligible après la Libération, fit élire son père à l'Assemblée nationale, puis revint au Palais-Bourbon de 1953 à 1958, après l'amnistie partielle, et entra au conseil général de la Haute-Loire.

PEGUY (Charles).

Ecrivain (1873-1914). Issu du peuple — son père était ébéniste et sa mère, rempailleuse de chaises —, il fut reçu 3ᵉ à l'Ecole normale supérieure et y eut pour maître, Henri Bergson. Il se réclamera jusqu'à sa mort de l'enseignement de l'auteur de « *L'Evolution créatrice* ». Mais le premier éducateur de Péguy fut Boitier, un maréchal-ferrant autodidacte, anticlérical, disciple de Proudhon et de Blanqui. A sa sortie de Normale, il devint l'ami de Jaurès et prit la direction de la *Société nouvelle de librairie et d'éditions socialistes*, avec Lucien Herr, Léon Blum et Mario Roques. Il y édita les œuvres de Romain Rolland, Benda, Tharaud et « *Les Etudes socialistes* » de Jaurès, pour lesquelles il rédigea un *avertissement* : « *Nous sommes irréligieux de toutes les irréligions, athées de tous les Dieux...* » Ardent dreyfusiste, il fut arrêté lors du procès Zola, mais ne cessa de lutter pour la réhabilitation, fustigeant les guesdistes qui avaient proclamé, au début, que l'Affaire « *n'est qu'un règlement de comptes entre bourgeois* ». En 1897, il publia sa première « *Jeanne d'Arc* », dédiée « *à tous ceux qui ont vécu pour la république socialiste et universelle* ». Mais lors de la publication, en 1900, des premiers *Cahiers*, financés avec la dot de sa femme, il s'attira le désaveu de ses compagnons : « *Vous êtes venu trop tard ou trop tôt* », lui lança Léon Blum. Péguy rompit dès lors les ponts avec le *Parti Socialiste*, proclama que « *quiconque ne gueule pas la vérité quand il sait la vérité, se fait le complice des menteurs et des faussaires* ». Il prit à partie Jaurès « *ce Mac Mahon de l'éloquence* », dont l'objectif ne vise qu'à « *entraîner les ouvriers à devenir de sales bourgeois* ». Envers et contre tous, il poursuivit la publication de ses *Cahiers* pendant quinze ans, condamna son époque pervertie, jeta l'anathème contre l'Argent, la Gloire, la Puissance temporelle, les Honneurs. « *La Révolution*, proclamait-il, *sera morale ou ne sera pas.* » En 1905, il s'affirma résolument et irréductiblement patriote chrétien. Mais son christianisme et son patriotisme se refusaient à tous les accommodements, à toutes les concessions. « *C'est un inspiré* », disait de lui Claudel. « *Nous travaillons tous les deux dans le sacré*, répliquait Péguy : *vous sur les sommets, moi dans la plaine.* » Péguy ne concevait sa mission que comme un combat sans merci contre les mystifications sociales ou religieuses : « *Tous les membres de la famille humaine jouissent d'une essentielle égalité devant Dieu* », écrivait-il. « *Le postulat de la Sainteté n'est pas le privilège d'une religion.* » Mais s'il ne cesse de tourner contre les *mauvais prêtres* et le *matérialisme avide* des classes bourgeoises, s'il magnifie les patriotes-communards de 1870, il repousse d'un même élan les mesures anticléricales du gouvernement Combes. Longtemps, jusqu'à la veille de la dernière guerre, les manuels de littérature, l'ont, à quelques rares exceptions près, délibérément ignoré. Aujourd'hui tous les groupes s'en réclamant, le revendiquent ou l'annexent. Des frères Tharaud (« *Notre cher Péguy* ») et Daniel-Rops (« *Péguy* ») à Roger Secretain (« *Peguy, soldat de la vérité* »), à Michel Ragon (« *Les écrivains du peu-*

ple »), en passant par Ramon Fernandez (« *Itinéraire français* »), Henri Massis (« *Evocations* »), Jean Rouxel (« *Mesure de Péguy* »), nombre d'écrivains ont rendu un hommage mérité à celui qui, avant de tomber en héros dans les premiers jours de l'autre guerre, avait écrit : « *Heureux ceux qui sont morts pour une juste cause.* »

PEISSEL (François, Marius).

Négociant en soieries, né à Lyon le 22 mai 1879. Député modéré du Rhône (1928-1942). Inscrit à l'*Union Républicaine Démocratique*. Vota les pouvoirs constituants au maréchal Pétain en juillet 1940. Nommé le 23 janvier 1941 membre du *Conseil National*.

PELADAN (Adrien).

Journaliste, né au Vigan en 1815, mort à Nîmes en 1890. Catholique ardent, légitimiste enthousiaste, il fonda successivement pour la défense de ses idées : *L'Etoile du Midi, La Vraie France, Le Châtiment, L'Extrême-Droite.* On lui doit également la première *Semaine Religieuse,* parue à Lyon. Auteur de plusieurs ouvrages, dont « *La France à Jérusalem* », « *La Russie au ban de l'Univers* ». Fidèle à ses convictions, il refusa, sous le Second Empire, la direction de *L'Officiel* que lui avait offerte le duc de Morny.

PELADAN (Joséphin).

Homme de lettres, né à Lyon en 1858, mort à Neuilly-sur-Seine en 1918. Fils du précédent. Auteur d'une vaste Ethopée romanesque en 18 volumes, « *La Décadence Latine* », d'un « *Amphithéâtre des Sciences Mortes* », et de plusieurs tragédies dont certaines furent jouées avec succès aux arènes de Nîmes, il conjugua, selon Barbey d'Aurévilly, « *les trois choses les plus haïes du temps présent : l'aristocratie, le catholicisme et l'originalité* ». Ultramontain, monarchiste, antimilitariste, défenseur véhément de la tradition, en religion, en politique et en art, ses œuvres valent à la fois par la profondeur de la pensée, l'imagination et l'éclat de la langue. Il s'éleva avec fougue contre la politique de ralliement à la République poursuivie par Léon XIII, et rêva d'un christianisme entièrement dégagé de l'Ancien Testament. Citons, parmi ses romans : « *Le Vice Suprême* » (préfacé par Barbey d'Aurévilly), « *Le Dernier Bourbon* », « *Finis Latinorum* », « *Modestie et Vanité* » (préfacé par Camille Mauclair), et, parmi ses œuvres philosophiques : « *Comment on devient Mage* », « *Le Livre du Sceptre* », « *La Terre du Christ* », « *L'Art*

Idéaliste et Mystique »... Fondateur, en 1891, de l'Ordre de la Rose-Croix catholique, du Temple et du Graal, et des Salons de la Rose-Croix.

PELLENC (Marcel).

Inspecteur général des postes, né à Marseille (B.-du-R.) le 18 mars 1897. Docteur en médecine, licencié en droit, ancien élève de l'Ecole polytechnique, ingénieur de l'Ecole supérieure d'Electricité, fut tout d'abord directeur à la Radiodiffusion nationale (1922-1936), puis inspecteur général (1932) avant d'enseigner à l'Ecole supérieure d'électricité et à l'Ecole supérieure des postes (1932-1939) et d'entrer au cabinet de Georges Mandel (ministre des Colonies, 1939, et de l'Intérieur, 1940). Après la Libération : sénateur du Vaucluse (depuis 1948), inscrit au groupe de la Gauche démocratique. Ses interventions et ses rapports relatifs à la gestion des entreprises nationalisées ont été particulièrement remarquées. Maire de Rustrel. Auteur de : « *La France le dos au mur* » (1956), « *Les conditions d'un redressement français* » (1958).

PELLERAY (Paul).

Eleveur, né à Condeau (Orne), le 12 juillet 1895. Maire de Condé-sur-Huisne (avant la guerre et depuis 1952), président d'honneur de la Fédération départementale des syndicats d'exploitants agricoles. Député indépendant de l'Orne (1951-1958), puis sénateur républicain indépendant du département depuis 1959.

PEMJEAN (Lucien) (voir : Le Grand Occident.

PENIN (Maurice, André).

Administrateur de sociétés, né à Paris le 31 janvier 1908. Ancien chef de cabinet de préfet. Secrétaire général de l'*Intransigeant* (direction Louis-Dreyfus, 1935-1937). Président de *Radio-Cité* (1939-1946). Directeur de *Point de Vue-Images du Monde* (1946-1951). Administrateur de *France-Soir* (1947-1949). L'un des proches collaborateurs de Marcel Bleustein-Blanchet, le « roi de la publicité » : administrateur directeur général de *Publicis* (1944-1961), président de *Régie-Presse*, vice-président de la *Régie Publicitaire des Transports Parisiens,* administrateur de *Cinéma et Publicité*.

PERIDIER (Jean, Emile).

Avocat, né à Montpellier, le 2 avril 1909. Inscrit au barreau de Montpellier depuis 1936. Militant du *Parti Socialiste S.F.I.O.* Sénateur de l'Hérault (depuis 1949) et conseiller général de ce département (1945-1949, et depuis 1963), vice-président du groupe socialiste du Sénat. Maire du Pouget (depuis 1953).

PENSEE (La).

Revue fondée par le professeur Paul Langevin et Georges Cogniot en 1939. Interrompue pendant la guerre, sa publication reprit après la Libération sous contrôle communiste. Avait pour dirigeants, outre Langevin : les professeurs Joliot-Curie, Wallon, Prenant, Teissier, Francis Jourdain, et René Maublanc. Elle paraît aujourd'hui sous la direction d'un comité composé de : G. Cogniot, Georges Teissier, professeur à la Sorbonne, Jean Orcel, membre de l'Institut, Paul Laberenne, et Hélène Langevin-Joliot-Curie, maître de recherches au *C.N.R.S.*, et avec un comité de patronage comprenant notamment : Pierre Abraham, Louis Aragon, les professeurs Eugène Aubel, Charles Bruneau et André Cholley, Marcel Cohen, de l'Ecole de l'Ecole des Hautes Etudes, Pierre Cot, le cinéaste Louis Daquin, les professeurs Henri Desoille et Jean Dresch, Daniel Florentin, président de l'*U.N.I. T.E.C.*, les professeurs Pierre George, Ernest Kahane, H.-Pierre Klotz, Jeanne Levy et Georges Petit, Elsa Triolet, le compositeur Jean Wiener et le professeur Jean Wyart (168, rue du Temple, Paris 3e).

PENSEE CATHOLIQUE (La).

Revue bimestrielle, fondée en 1950, publiée par les *Editions du Cèdre* et dirigée par l'abbé Luc-J. Lefèvre. Appartient à la fraction traditionaliste du mouvement catholique, ce qui la fait taxer d' « *intégrisme* » par les catholiques de gauche. Gérant : Jean Lefèvre-Pontalis. Principaux collaborateurs : Etienne Catta, V.-A. Berto, L.-A. Maugendre, Marie Carré, Henriette Charasson, Albert Garreau, Dr Jean Joublin, etc. (Siège : 13, rue Mazarine, Paris VIe.)

PERCHE LIBERE (Le).

Hebdomadaire républicain de centre gauche fondé en 1944 et dirigé par Raymond Danguy. Tirage moyen : 9 700 exemplaires (24, place de la République, Mortagne, Orne).

PERDRIEL (Claude, Jean, Marcel).

Hommes d'affaires et directeur de journal, né au Havre (Seine-Inférieure), le 25 octobre 1926. Fils de Marcel Perdriel,

entrepreneur de voilerie, et de Raymonde Loloum. Beau-fils d'Anatole Bucquet, haut employé de la maison *Worms*. Marié en premières noces (9-10-1950) avec Michèle-Martine Bancilhon, dont i a divorcé (4-5-1961) et qui est devenue Mme Jean-Daniel Bensaïd (femme du ré dacteur en chef du *Nouvel Observateur*) Ancien polytechnicien, patronné par son beau-père dans les affaires *Worms*, i devint le président de la *Société Fran çaise d'Assainissement*, le président-di recteur général de la *Cie Valoisienne de Constructions Industrielles*, directeur gé néral adjoint de *Cogi-Alu*, la grande so ciété immobilière du baron Edmond de Rothschild (1964-1965). Ancien directeu des *Cahiers des Saisons* (1954-1958), i devint le principal actionnaire de la société éditrice de *France-Observateur* puis le président directeur général du *Nouvel Observateur* (depuis 1964) (voir à ce nom).

PERI (Gabriel).

Journaliste, né à Toulon, le 9 février 1902, mort à Paris en 1941. Bachelier à dix-sept ans, il adhéra au *Parti Socia liste* la même année (1918) et participa aux manifestations ouvrières du 1er mars 1919. A dix-neuf ans, il fut emprisonné pour son action politique (1921). L'an née suivante, ayant suivi les partisans de la IIIe Internationale à la scission de Tours, il était nommé secrétaire natio nal des *Jeunesses Communistes* (1922) et deux ans plus tard, il entrait au Comité central du *Parti Communiste* (1924) et devenait le chef des services de politique étrangère de *L'Humanité*. Entre temps, il avait collaboré à *Clarté* (de Barbusse). A trente ans, il devint député de Seine-et-Oise et le resta jus qu'à sa déchéance, prononcée au débu de la guerre par la Chambre à la de mande du gouvernement Daladier. Entré dans la clandestinité, il fut un des rares communistes qui prirent ouvertemen position contre l'occupant avant le dé clenchement des hostilités germano-soviétiques. L'un des écrits clandes tins les plus importants de Péri date d'avril 1941, quelques semaines avan son arrestation : « *L'Europe nazie*, y affirmait-il, *serait un immense péniten cier dont les travailleurs allemands se raient condamnés à être les geôliers.* » Et il ajoutait : « *Les communistes lut tent pour libérer le sol de la patrie de l'occupation nazie et pour l'amélioration du sort des masses populaires.* » (Cf « *Souvenirs* » de Jean Chaintron, in *Le Débat Communiste*, 15 mai 1965.) Les lignes suivantes, qui dénoncent le « *culte de la personnalité* », semblent bien indiquer que Péri n'était pas tout à fait dans « *la ligne* » : « *Le chef communiste,* écrivait-il en avril 1941, *à la différence des führers, ne jouit d'aucun privilège ou plus exactement son seul privilège est de se voir confier les tâches les plus difficiles, les plus périlleuses. Le Parti communiste ne dit point au peuple de France de se fier au génie ou à la puissance de quelques hommes. Il l'appelle à façonner son propre destin.* » (*Ibid.*) Sur dénonciation, il fut arrêté en mai 1941, soit un mois avant l'entrée en guerre des Allemands contre l'U.R.S.S. *Le Figaro* a maintes fois affirmé qu'il fut pris lors d'un rendez-vous avec l'un des principaux dirigeants du *P.C.* clandestin. Mais, à condition que ce *contact* ait bien existé rien ne prouve que le chef communiste incriminé soit directement ou indirectement responsable de la dénonciation qui entraîna l'arrestation de Gabriel Péri. Le 15 décembre 1941, il fut fusillé par les Allemands, avec d'autres otages. « *Gabriel Péri,* écrit encore Jean Chaintron, *avait un profond respect de ses auditeurs et de ses lecteurs. Il ne se livrait pas à de hasardeuses improvisations. Quand il traitait d'un sujet, c'est qu'il en avait la pleine connaissance et l'avait médité.* » (*Op. cit.*) Après la Libération, des démarches furent entreprises pour l'érection d'un monument à l'ancien journaliste communiste, dans la capitale même. Cette initiative avait reçu l'appui de personnalités de diverses tendances (Herriot, Gouin, Maurice Schumann, Emile Buré, Saillant, Pierre Cot, Georges Duhamel, E. d'Astier de la Vigerie, etc.). Mais la direction du *P.C.F.* mit peu d'empressement à soutenir ce projet, qui n'a jamais abouti. La veuve de Gabriel Péri, Mathilde (née au Canet, dans les Pyrénées-Orientales, le 7 juin 1902), qui fut membre de l'Assemblée consultative et des deux constituantes, puis député communiste de Seine-et-Oise de 1946 à 1958, préside l'*Association Nationale des familles de fusillés et massacrés de la Résistance française.*

PERIDIER (Jean, Emile).

Avocat, né à Montpellier (Hérault), le 2 avril 1909. Conseiller général et sénateur socialiste de l'Hérault (siège au Conseil de la République devenu le Sénat, depuis 1949).

PERIER (Jacques, Albert, Casimir).

Secrétaire de chambre syndicale, né à Paris, le 19 novembre 1904. Membre de la famille Casimir-Périer. Ancien secrétaire général de la Confédération géné-

rale des cadres et du Conseil national de l'Ordre des pharmaciens. Conseiller de l'Union française (1947-1958), secrétaire général du groupe de l'*Union des Gauches Républicaines,* questeur de l'Assemblée de l'Union française (1951-1952). Sous-secrétaire d'Etat à la Présidence du Conseil (cabinet M. Bourgès-Maunoury, 1957). Secrétaire général de la Chambre syndicale nationale des industries et de la répartition pharmaceutique et vétérinaire.

PERONNET (Gabriel).

Vétérinaire, né au Vernet (Allier), le 31 octobre 1919. Secrétaire du bureau national du *Parti Radical-Socialiste.* Président de la Fédération radicale-socialiste de l'Allier. Conseiller général du canton de Cusset depuis 1952. Elu député radical de l'Allier (4e cir.) le 25 novembre 1962. Est en outre membre du Comité directeur du *Rassemblement démocratique,* directeur du *Bourbonnais républicain* et président de *France-Thaïlande* et de *France-Ouganda.*

PERETTI (Achille).

Homme politique, né à Ajaccio (Corse) le 13 juin 1911. Ancien commissaire de police (1938-1942). Anc. chef du réseau de résistance « Ajax ». Directeur général adjoint de la Sûreté nationale à Alger (mai 1944). Maire de Neuilly. Président de la *Sté minière de l'Est-Oubangui* (1947). Président de la *Cie Fse du Haut et Bas-Congo* (1949). Anc. adm. de la *S.A. L'Intransigeant* (1947) et de la *Sté Générale Foncière* (1946). Ancien conseiller général et vice-président du Conseil général de la Corse (1945-1951). Maire de Neuilly depuis 1947. Conseiller de l'Union française, désigné par le groupe *R.P.F.* de l'Assemblée Nationale (1952). Député *U.N.R.* de la Seine (34ᵉ circ.) depuis novembre 1958.

PERNOT (Auguste, Alain, Georges).

Avocat, né à Besançon le 6 novembre 1879, mort dans cette ville le 14 septembre 1962. Député (1924-1935), puis sénateur du Doubs (1935-1942). Membre de la *Fédération Républicaine*. Nommé le 2 novembre 1941 membre du *Conseil National*.

PERREAU-PRADIER (Pierre).

Préfet, né à Auxerre (Yonne) le 5 juillet 1885. Fils de François Perreau-Pradier, député (1910-1912). Père du préfet Jean Perreau-Pradier. Député républicain radical de l'Yonne (1912-1942). Conseiller général. Collaborateur de Paul Doumer. Secrétaire d'Etat aux Finances (cabinet André Tardieu 1932), à la présidence du Conseil (cabinet P.-Etienne Flandin, 1934-1935). Membre du Conseil National (1941). Auteur de divers ouvrages, dont : « *Nos ressources coloniales* », « *La Guerre économique dans nos colonies* », « *Questions d'hier et de demain* », « *L'Afrique du Nord et la guerre* », etc.

PERRET (Jacques).

Homme de lettres, né à Trappes (S.-et-O.) le 8 septembre 1901. Se destinait à l'Ecole navale mais, inapte aux mathématiques, prépara en Sorbonne les licences d'histoire et de philosophie. Service militaire au Maroc sur sa demande. Passionné de voyages, fut tour à tour répétiteur en Suède et au Danemark, bûcheron en Laponie. Revint à Paris et collabora au *Rappel*. Partit pour Constantinople, fut rédacteur au *Journal* à Paris, alla au Honduras (où il participa à la tentative révolutionnaire malheureuse du général Petro Sandrino), fut docker à Vera Cruz, alla aux Etats-Unis, au Canada, aux Antilles, puis à la Guyane où il tenta sans succès la recherche de l'or. Revint se marier en France où il essaya « le retour à la terre » près de Montrichard. Après cette expérience malheureuse, rentra au *Journal* comme reporter (guerre civile espagnole, Albanie, Tchécoslovaquie) et se lia avec Pierre-Antoine Cousteau, également rédacteur du quotidien de Guimier. Mobilisé en 1939-1940 dans les corps francs, y gagna la croix de guerre et la médaille militaire — décoration rarement attribuée à un caporal —, fut fait prisonnier, réussit son évasion à la quatrième tentative et se réfugia dans une entreprise forestière du Dauphiné, puis gagna le maquis de l'Ain où il resta deux ans. Après la Libération, écrivit dans différents journaux non-conformistes, *Aspects de la France, Bulletin de Paris, Artaban,* etc. Condamné pour offenses à la Légion d'honneur et au chef de l'Etat en 1962, fut radié de la médaille militaire en 1963, sur demande « pressante » de certains adversaires gaullistes, malgré les protestations de divers journaux ou organismes de toutes tendances, en particulier du *Club Rochefort* et du *Petit Crapouillot*. A écrit une œuvre littéraire importante, pour beaucoup à base de souvenirs autobiographiques : « *Roucou* » (inspiré de son voyage en Guyane), « *Le Caporal épinglé* », « *Objets perdus* », « *La Bête mahousse* », « *Bande à part* » (sur son expérience du maquis — Prix Interallié 1951), « *La Composition de Calcul* » (prix Italia 1956), « *Le Général qui passe* », « *L'Oiseau rare* », « *Le Vent dans les Voiles* », « *Les Biffins de Gonesse* », etc. Non-conformiste par conviction et par goût d'indépendance, a obtenu le Grand prix littéraire de Monaco en 1956 pour l'ensemble de son œuvre. Son fils, Jean-Loup, militant de l'Algérie Française, fut condamné (1962), à dix ans de détention criminelle ; l'écrivain vint courageusement le défendre en réclamant l'entière responsabilité morale de l'acte de l'accusé.

PERRIN (Francis, Hervé, Jean).

Universitaire, né à Paris le 17 août 1901. Fils du professeur Jean Perrin, animateur des Intellectuels antifascistes avant la guerre. Membre de l'Institut, professeur au Collège de France, membre de l'Académie d'agriculture et du Comité d'action scientifique de Défense nationale. Président de la Société Européenne de l'Energie atomique. Membre du bureau de l'*Union des Forces Démocratiques* (dont Pierre Mendès-France était le *leader*). Signa le manifeste des socialistes protestant contre les décisions de la *S.F.I.O.* interdisant en 1958 le journal *Tribune du Socialisme* (autour duquel s'étaient groupés les futurs dirigeants du *P.S.U.*) Après le 13 mai 1958, participa à la manifestation des Gauches sous les calicots : « *Vive la République ! A bas le fascisme ! Non à De Gaulle !* ». *L'Humanité* a noté sa présence aux réceptions de l'ambassade soviétique parmi les amis de l'U.R.S.S. Nommé haut-commissaire à l'Energie atomique en 1951, faillit être limogé de son poste en raison de son hostilité à la fabrication de la bombe en 1957. Maintenu dans ses fonctions sous la Ve République, fit cette réponse en juin 1966 au député Teariki (de Polynésie française), qui avait exprimé ses craintes au sujet des essais atomiques de Mururoa : « *Il est probable que l'organisation des essais en Polynésie accroîtra l'irradiation de la population de Tahiti bien plus par l'augmentation du nombre des* montres *à cadran lumineux qui résultera de l'élévation du niveau de vie des travailleurs et des employés du C.E.P. que par les retombées radio-actives provenant des explosions de Mururoa.* »

PERRIN (Joseph).

Membre de l'enseignement, né à Remiremont (Vosges), le 30 décembre 1910. Principal de collège. Adjoint au maire d'Altkirch. Conseiller général du Haut-Rhin (1949). Député *U.N.R.* du Haut-Rhin (3e circ.) de 1958 à 1967. Membre du groupe parlementaire de la *LICA*.

PERROT (Gaston, Ernest).

Homme politique, né à Sens (Yonne), le 28 septembre 1898. Maire de Sens (depuis 1947). Ancien conseiller général de l'Yonne (1955-1961). Député *U.N.R.* de l'Yonne (3e circ.) depuis 1958.

PERROT (Jean, Marie).

Ecclésiastique (1887-1943). Considéré, à juste titre comme un « père de la patrie » bretonne, ce prêtre qui fut successivement vicaire à Saint-Vougay (1904-1914), à Plouguerneau (1920-1930) et recteur de Scrignac, anima pendant une trentaine d'années le mouvement fédéraliste breton. Il fut, à partir de 1902, l'un des principaux collaborateurs de la revue *Feiz ha Breiz*, puis son directeur à partir de 1911, où il combattit pour le maintien de la langue et des traditions bretonnes. Dans une lettre à son évêque, Mgr Duparc, il écrivait le 12 décembre 1923 : « *Le* Feiz ha Breiz *n'a jamais voulu aller, ni ouvertement, ni encore moins secrètement, à l'encontre des directives que vous avez bien voulu me tracer, l'an dernier, au sujet du* « Séparatisme » (...) *Au premier de l'an dernier, j'ai exposé le plus clairement possible la théorie de la question bretonne ; j'ai parlé de la France comme étant une fédération de patries, s'étendant depuis Dunkerque jusqu'au sud de l'Afrique, et depuis Brest au fond des Indes, toutes ayant chacune sa vie propre, et toutes étant reliées entre elles par une chaîne inusable...* » (cf. *L'abbé Jean-Marie Perrot* », par l'abbé Henri Poisson, Rennes 1955). Principal dirigeant des *Bleun-Brug*, fondés avant la guerre de 1914-1918, il fit partie du Comité consultatif de Bretagne, créé par le gouvernement du maréchal Pétain en 1940 et qui siégeait à la préfecture de Rennes. Le dimanche 12 décembre 1943, alors qu'il venait de parler, dans son sermon, des deux prêtres qui avaient été tués à Scrignac, sa paroisse, pendant la Révolution, il fut assassiné dans un chemin creux, non loin de son église, par des inconnus qui agissaient au nom de la Résistance. Dans certains milieux, on ne pardonnait pas à l'abbé Perrot son pacifisme et on lui attribuait des sentiments pro-nazis qu'il n'avait pas (cf. sa lettre manuscrite, datée du 29 septembre 1943, qui condamnait les Nazis, ces « *néo-païens dont il faut rejeter les doctrines parce que destructives de tout l'ordre chrétien* », dont le fac-similé est reproduit dans le livre de l'abbé Poisson, déjà cité). Il a laissé un grand nombre d'œuvres théâtrales en langue bretonne (voir : *Autonomisme*).

PERROUX (François).

Universitaire, né à Lyon (Rhône), le 19 décembre 1903. Fils de commerçants. Ancien élève des Maristes de Lyon. Professeur d'économie politique à la Faculté de droit de Lyon (1929-1938), puis à la Faculté de droit de Paris (1939-1945). Entre temps, dirigea avec Jacques Madaule *La Communauté Française*, revue maréchaliste publiée à Paris en 1941-1942 et collabora, à la même époque, à *Idées*, « revue de la Révolution nationale ». Remplit également diverses missions à l'étranger (notamment au Portugal). Fut l'un des penseurs les plus appréciés de l'Etat français. Professeur à l'Ecole des Cadres du Mayet-de-Montagne, publia, avec Gustave Thibon, Louis Cardet et Gaston Bardet : « *Caractères de la Communauté* », rédigea avec Yves Urvoy plusieurs fascicules de doctrine qui faisaient autorité entre 1942 et 1944 : « *La Charte du travail* », « *Economie planiste* », « *Esprit du nouvel ordre politique* », « *Grandeur de la politique* »,

« *Ordre communautaire* », « *Syndicalisme et communauté de travail* », « *La Révolution en marche* » (Révolution nationale), etc., et, seul, de nombreux ouvrages : « *Autarcie et expansion* », « *Communauté* », « *Communauté et société* », « *Le Prolétariat dans la nation* », « *Le sens du nouveau droit au travail* », « *Théorie de la communauté* », etc. L'un des ouvrages connus signé François Perroux, « *Le Capitalisme* », paru en 1948, porte le titre d'un ouvrage signé, en 1945 : François Perroux et Yves Urvoy. Ce dernier fut exécuté sommairement par des maquisards après la Libération. Depuis la guerre : professeur au Collège de France, à l'Institut d'études politiques de Paris (1946-1952), directeur de l'Institut de Science économique appliquée (qu'il fonda en 1944) et de l'Institut d'études et de développement économique et social (depuis 1960). Appartint, au cours des années 1957-1960 à la rédaction des *Cahiers de la République* (de Pierre Mendès-France). Nommé membre du Conseil économique et social (depuis 1959). Est également l'auteur de : « *Capitalisme et Communauté du travail* », « *Syndicalisme et Capitalisme* », « *L'Europe allemande* », « *Les Comptes de la Nation* », « *La Coexistence pacifique* », « *La Théorie du progrès économique* », « *L'Economie du XXᵉ siècle* », « *Le IVᵉ Plan français 1962-1965* », « *Industrie et création collective* », etc.

PERSONA GRATA.

Expression latine signifiant « personne bienvenue », utilisée en langage diplomatique pour indiquer qu'un Etat donne son accord à la venue d'une personnalité accréditée auprès de lui. Un ambassadeur désigné ne rejoint son poste qu'après avoir été déclaré *persona grata* par la puissance intéressée. Par extension, s'applique à tout individu en relation avec un groupement ou une personnalité, avec le sens de « bien en cour auprès de » (ex. : Bidault n'est pas *persona grata* pour De Gaulle).

PERSPECTIVES ET REALITES.

Clubs liés à la *Fédération nationale des républicains indépendants* (voir à ce nom). Animés par Philippe Covillard, président ; Noël Hardy, secrétaire général ; le Dr Jacques Marino, trésorier ; Jean-Jacques Descamps, A. Alauzen, Xavier de La Fournière, Jacques Dominati, Jean-François Lemaire, Santoni, Yves Perren, Renaudin.

PESCHAUD (Hector).

Médecin, né à Murat (Cantal), le 7 décembre 1895. Sénateur du Cantal depuis 1946. Président du groupe sénatorial du *Centre républicain d'action rurale et sociale*, Président du Conseil général du Cantal et maire de Murat.

PESTOUR (Albert).

Poète (1892-1966). Originaire du Limousin auquel il consacra ses premiers vers. Disciple de Charles Maurras, fut de longues années rédacteur littéraire à *L'Action Française* sous le pseudonyme d'Orion. Obtint pour ses œuvres le Prix *Fabien Artigue* aux Jeux Floraux de Toulouse (le « Goncourt » de la poésie méridionale). Auteur de poésies politiques : « *Poèmes civiques* », « *L'Appel au Roi* » (avant la guerre), et « *L'Aube sur les ruines* » et « *La Flamme qui vole* » (pendant l'occupation).

PETAIN (Henri, Philippe, Benoni, Omer, Joseph).

Maréchal de France, né à Cauchy-à-la-Tour (Pas-de-Calais), le 24 avril 1856. Il était le quatrième enfant d'une famille de paysans attachés à la glèbe depuis des générations. On retrouve trace d'un Pétain dans un acte notarié de la fin du XVIIᵉ siècle : il s'agit d'un constat fait par quatre habitants de Floringhen en Artois à la demande d'Estienne-François Pétain, au sujet des dommages causés par les « *pasturaiges de bestiaux à un quartier de terre, sis à Cauchy-à-la-Tour et advestie de dravière ou vesche* ». Le jeune Philippe avait deux mois à peine lorsque sa mère mourut. C'est sa grand-mère maternelle qui eut la charge de l'élever. Son oncle, l'abbé Jean-Baptiste Legrand, curé de Bomy, un village voisin, dirigea ses premières études ; puis l'enfant fut admis au collège Saint-Bertin, de Saint-Omer, en 1867. A seize ans, il entra chez les dominicains d'Arcueil pour y préparer Saint-Cyr, car Philippe Pétain voulait être soldat. Il entra à Saint-Cyr à vingt ans (1876). Il en sortit officier deux ans plus tard (1878) et tint garnison à Villefranche, en qualité de sous-lieutenant au 24ᵉ bataillon de Chasseurs. Promu lieutenant en 1883, affecté au 3ᵉ bataillon de Chasseurs à Besançon, il entra à l'Ecole Supérieure de Guerre en 1888. Nommé capitaine en 1890, alla faire un stage à l'E.-M. du 15ᵉ corps d'armée, puis fut affecté au 20ᵉ Chasseurs. L'année suivante, le général Zurlinden, gouverneur de Paris, le prit dans son E.-M. : il fut son officier d'ordonnance, puis celui du général Brugère,

4e Année — AVRIL 1939   LE   MENSUEL — N° 43 — 50 cent

GRAND OCCIDENT

Directeur : **Bur.**: 13, r. de la Cité-Univ., Paris-XIVe **LE JUDÉO-MAÇON, VOILA L'ENNEMI !**
L. PEMJEAN **Abon.** annuel : France 10 frs; Etr. 15 frs C. Ch. P.: L. Pemj. 1282-41 Paris

PÉTAIN AU POUVOIR !

Depuis le dernier coup de force d'Hitler en Europe centrale, il n'y a plus un seul Français, même parmi les plus ardents partisans du rapprochement franco-allemand, qui puisse s'illusionner sur le sort plus ou moins lointain qui menace notre pays.

qui, après avoir collaboré au mauvais traité de Versailles, lequel démembrait l'Autriche et respectait l'unité germanique, ont d'abord fait grâce au vaincu des milliards qu'il nous devait comme réparations de guerre, puis ont fermé les yeux sur son formidable réarme-

ritoire et de son empire, rien de plus naturel et de plus légitime, et nous sommes de ceux qui pensent que les pleins pouvoirs conférés à un ministère aussi hétéroclite et suspect que le ministère Daladier sont dérisoirement insuffisants pour nous mettre à l'abri de toute

Sentant venir son heure, les fourbes qui nous gouvernent l'ont, sous un habile mais fallacieux prétexte, envoyé en exil, comme le dit plus loin notre ami Clovis, « limogé » à Burgos.

Eh ! bien, qu'on le rappelle. Qu'on le remplace, sans que l'Espa-

lorsque ce dernier devint, à son tour, gouverneur de Paris. Avant d'être nommé commandant (1900), Philippe Pétain fit un stage au 8e bataillon de Chasseurs à Amiens, et un peu plus tard, fut instructeur à l'Ecole Normale de Tir. Sa prise de position contre la doctrine professée alors quant à l'instruction individuelle des tireurs, lui valut d'être rappelé par le ministre et affecté au 5e R.I., à Paris où il resta six mois. Son ancien professeur à l'Ecole Supérieure de Guerre, le général Bonnal, le réclama et le fit affecter comme professeur-adjoint d'Infanterie à ladite école où ses cours furent remarqués. En 1905, il fut inscrit au tableau d'avancement. Promu lieutenant-colonel en 1907, il rejoignit aussitôt le 118e R.I. à Quimper. Le général Maunoury réclama bientôt Philippe Pétain et lui confia, comme titulaire cette fois, le cours d'Infanterie à l'Ecole de Guerre. Le général Foch, qui succéda au général Maunoury à la tête de l'Ecole de Guerre, porta ce jugement sur son subordonné : « *Professeur des plus distingués par la valeur de son esprit et de son caractère, sa conscience et son amour de son arme, la droiture de ses relations, son activité et ses aptitudes remarquables sur le terrain. Fait un officier supérieur d'Infanterie de tout premier ordre. A nommer sans retard au grade de colonel.* »

Trois ans après avoir été promu lieutenant-colonel, Philippe Pétain devint colonel (1910) et fut affecté au commandement du 33e R.I. à Arras ; mais avant de rejoindre son régiment, il suivit les travaux du Centre des Hautes Etudes Militaires et fut chargé du cours de tac-

tique générale à l'Ecole de Cavalerie de Saumur. Ce n'est que fin 1912 que le colonel Pétain prit la tête de son régiment. En 1914, le commandement (par intérim) de la 4e Brigade d'Infanterie à Saint-Omer lui fut confié. Lorsque la guerre éclata, le colonel Pétain qui commandait la 4e Brigade, participa à la retraite, puis à la contre-offensive qui suivit, comme commandant p.i. de la 6e Division ; le 31 août, il avait été nommé général de brigade. Dès lors son nom fut intimement lié à l'histoire de la première guerre mondiale. Général de division, commandant de la IIe Armée et responsable du secteur de Verdun, il lança alors son premier ordre : *Enrayer à tout prix les attaques de l'ennemi ; reprendre immédiatement toute parcelle de terrain enlevée par lui.* De février à mai 1916, avec la IIe Armée qui vit passer dans ses rangs les 9/10e des forces françaises, il défendit avec acharnement Verdun, où attaques et contre-attaques se succédaient. Douaumont fut repris à l'ennemi et, le fort de Vaux, réoccupé. La IIe armée, sous les ordres du général Pétain, récupéra tout le terrain que l'ennemi avait conquis depuis le 21 février 1916. Après l'échec de l'offensive Nivelle, le commandement en chef passa au général Pétain. Le moral des *poilus* était alors au plus bas. Les combattants avaient le sentiment qu'on ne viendrait jamais à bout de l'ennemi. Des mutineries se produisirent dans cent dix corps appartenant à cinquante-quatre divisions : plus de la moitié de l'Armée française était en effervescence. Il s'agissait donc, en premier lieu, d'enrayer le

Proclamation du maréchal Pétain du 18 août 1944

FRANÇAIS !

Au moment où ce message vous parviendra, je ne serai plus libre. Dans cette extrémité où je suis réduit, je n'ai rien à vous révéler qui ne soit la simple confirmation de tout ce qui, jusqu'ici, m'a dicté ma conduite. Pendant plus de quatre ans, décidé à rester au milieu de vous, j'ai chaque jour cherché ce qui était le plus propre à servir les intérêts permanents de la France, mais sans compromis. Je n'ai eu qu'un seul but : « vous protéger du pire ».

Et tout ce qui a été fait par moi, tout ce que j'ai accepté, consenti, subi, que ce fut de gré ou de force, ne l'a été que pour votre sauvegarde. Car si je ne pouvais plus être votre épée, j'ai voulu rester votre bouclier.

En certaines circonstances, mes paroles ou mes actes ont pu vous surprendre. Sachez enfin qu'ils m'ont alors fait plus de mal que vous n'en avez vous-même ressenti. J'ai souffert pour vous, avec vous. Mais je n'ai jamais cessé de m'élever de toutes mes forces contre ce qui vous menaçait. J'ai écarté de vous des périls certains ; il y en a eu, hélas ! auxquels je n'ai pu vous soustraire. Ma conscience m'est témoin que nul, à quelque camp qu'il appartienne, ne pourra là-dessus me contredire.

Ce que nos adversaires veulent aujourd'hui, c'est m'arracher à vous. Je n'ai pas à me justifier à leurs yeux. Je n'ai souci que des Français. Pour vous comme pour moi, il n'y a qu'une France, celle de nos ancêtres. Aussi, une fois encore, je vous adjure de vous unir. Il n'est pas difficile de faire son devoir s'il est parfois malaisé de le connaître. Le vôtre est simple : vous grouper autour de ceux qui vous donneront la garantie de vous conduire sur le chemin de l'honneur et dans les voies de l'ordre.

L'ordre doit régner, et parce que je le représente légitimement, je suis et je reste votre chef. Obéissez-moi et obéissez à ceux qui vous apporteront des paroles de paix sociale, sans quoi nul ordre ne s'aurait s'établir. Ceux qui vous tiendront un langage propre à vous conduire vers la réconciliation et la rénovation de la France, par le pardon réciproque des injures et l'amour de tous les nôtres, ceux-là sont des chefs français. Ils continuent mon œuvre et suivent mes disciplines. Soyez à leurs côtés.

Pour moi, je suis séparé de vous, mais je ne vous quitte pas, et j'espère tout de vous et de votre dévouement à la France, dont vous allez, Dieu aidant, restaurer la grandeur.

C'est le moment où le destin m'éloigne. Je subis la plus grande contrainte qu'il puisse être donné à un homme de souffrir. C'est avec joie que je l'accepte, si elle est la condition de notre salut, si devant l'étranger, fût-il allié, vous savez être fidèles au vrai patriotisme, à celui qui ne pense qu'aux vrais intérêts de la France, et si mon sacrifice vous fait retrouver la voie de l'union sacrée pour la renaissance de la Patrie.

Philippe PETAIN.

défaitisme qui gagnait du terrain aux armées comme à l'arrière. Il réprima les actes d'indiscipline collective, sanctionna les fautes et les faiblesses de certains officiers et fit assurer un contrôle sévère de la correspondance; il recherche aussi les causes des désordres et y porta remède : renoncer aux folles offensives, assurer aux poilus une détente après la bataille, surveiller le régime des permissions en même temps que l'alimentation. Le général Pétain fut appuyé par Painlevé et par Clemenceau qu'inquiétaient le défaitisme et la propagande ennemie à l'intérieur. Sous le commandement de Foch, devenu chef unique et généralissime des armées alliées, le général Pétain prit part, en 1918, à la défensive contre la grande opération conduite par le Prince impérial et le Kronprinz de Bavière, et sauva l'Armée anglaise du désastre, sur la Somme, en mars. Puis ce fut l'offensive qui aboutit à la victoire du 11 novembre. Sur la proposition de Foch, le général Pétain reçut le bâton de maréchal de France. Il entra l'année suivante à l'Académie des Sciences Morales et Politiques. Conservant jusqu'à la signature de la Paix son titre et ses prérogatives de *commandant en chef,* le maréchal Pétain jeta les bases de la réorganisation de l'armée et veilla, comme vice-président du Conseil Supérieur de la Guerre et Inspecteur général de l'Armée, à l'amélioration du recrutement et de l'instruction des cadres et au moral de la troupe. En 1925-1926, il fut chargé de rétablir la situation de nos armes compromises au Maroc par le soulèvement des Rifains sous la conduite d'Abd el-Krim. Il succéda au maréchal Foch à l'Académie française, en 1929 et, deux ans plus tard, il abandonna au général Weygand ses fonctions de vice-président du Conseil Supérieur de la Guerre et d'Inspecteur général de l'Armée, se réservant l'Inspection générale d'une défense aérienne dont il souligna dans son rapport du 22 juin 1931 les insuffisances. S'il ne parvint pas à faire procéder à une réorganisation, du moins réussit-il à faire accepter son *Instruction sur la Défense Passive* du 25 novembre 1931, qui sera longtemps la charte de la défense anti-aérienne des populations et industries. Au lendemain des fusillades du 6 février 1934, le président Doumergue, appelé pour consolider la République et apaiser les esprits, confia au maréchal Pétain le portefeuille de la guerre. Voulant renforcer la position de l'Armée dans la Nation, il fit voter par les Chambres pour 1 275 millions de *crédits spéciaux* ainsi que la création d'un *compte spécial d'armement.* Après la

chute du cabinet Gaston Doumergue, le maréchal se retira, mais le nouveau gouvernement le nomma membre du Conseil Supérieur de la Défense nationale, avec voix délibérative, c'est-à-dire pratiquement avec rang de ministre. Dans un article qu'il écrivit, l'année suivante, dans la *Revue des Deux Mondes* (1-3-1933), il ne fit pas mystère de ses appréhensions : « *La France qui ne veut pas courir le risque d'une nouvelle invasion, saura consentir avec courage un accroissement de ses obligations militaires. La loi de deux ans peut assurer au peuple français la quiétude, donner confiance à nos Alliés, décourager l'adversaire et procurer à la paix européenne la plus grande chance de stabilité.* » Le 16 mars 1939, le maréchal Pétain fut envoyé en qualité d'ambassadeur extraordinaire auprès du général Franco, dont il était l'ami personnel. La neutralité de Madrid était alors recherchée par Daladier qui redoutait que l'attitude anti-franquiste des gouvernements de Front Populaire de Paris eût trop fortement indisposé le nouveau chef de l'Espagne. Sa mission fut couronnée de succès.

Lorsque les Allemands rompirent notre front à Sedan, le 18 mai 1940, et commencèrent leur manœuvre d'encerclement contre les armées françaises, le président du Conseil Paul Reynaud se rendit brusquement compte de la gravité de la situation. Il fit appel au maréchal Pétain et le conjura d'accepter un portefeuille dans son cabinet. Quand tout allait mal, c'est à lui que l'on pensait. Comme en 1934, il accepta d'entrer dans le gouvernement. Mais il était bien tard : les divisions blindées allemandes, soutenues par les Stukas, déferlaient sur nos provinces du Nord. Après la bataille de la Somme, Paris fut directement menacé. Le 11 juin, une conférence réunit au château du Muguet, près de Briare, le président Paul Reynaud, le maréchal Pétain, le général Weygand, avec les dirigeants bitanniques, Churchill et Eden. Les chefs militaires ne cachèrent pas la situation : elle était tragique. On demandait : *Que peuvent faire les Anglais pour nous aider?* Le Premier britannique fut net : rien pour l'instant. Mais si l'on tenait jusqu'en septembre, quelques divisions anglaises seraient envoyées. Le 13, alors que la Wehrmacht était aux portes de Paris, le Conseil des ministres se réunit au château de Nitray. Au cours de la réunion, le Maréchal déclara que,

NE MANQUEZ PAS DE NOUS SIGNALER LES ERREURS ET LES OMISSIONS QUE VOUS AUREZ REMARQUÉES DANS CE « DICTIONNAIRE ». NOUS VOUS EN SERONS RECONNAISSANTS.

Extraits de messages du maréchal Pétain

Pour des raisons de tous ordres et d'une extrême complexité, la France est entrée dans une des grandes crises de son histoire. Voilà le fait qui domine et commande toute la Révolution nationale.

... La Révolution nationale signifie la volonté de renaître, affirmée soudain du fond de notre être, un jour d'épouvante et de remords ; elle marque la résolution ardente de rassembler tous les éléments du passé et du présent qui sont sains et de bonne volonté pour faire un état fort, de recomposer l'âme nationale dissoute par la discorde des partis et de lui rendre la confiance aiguë et lucide des grandes générations privilégiées de notre histoire qui furent souvent des générations du lendemain de guerres civiles ou de guerres étrangères.

... Ne nous contentons pas d'abroger ce qui fut nocif et qui est mort. Faisons du neuf avec des valeurs concrètes et permanentes que le pays garde et met à notre disposition.

La grandeur de notre tâche doit nous donner le courage de surmonter les difficultés qu'elle comporte.

Le salut de la Patrie étant la suprême loi, c'est sur elle que se fonde la légitimité de la Révolution nationale.

(Cf. « PETAIN TOUJOURS PRESENT », Paris 1965)

désormais la lutte était impossible et qu'il fallait conclure un armistice. Le président Paul Reynaud et De Gaulle (1), nommé général à titre temporaire et sous-secrétaire d'Etat, étaient partisans d'une solution consistant à abandonner la métropole et à se replier en Afrique du Nord pour y poursuivre le combat. Le général Héring a expliqué dans *Paris-Match* pourquoi cette solution n'était pas réalisable : « *Les Allemands, opérant avec des avant-gardes motorisées, auraient atteint la Méditerranée avant nous. Grâce à leur supériorité écrasante en aviation, ils auraient coulé la flotte de transport (en supposant qu'on ait pu réunir cette flotte, alors que les Britanniques nous refusaient leur aide) avant même l'embarquement des troupes. Si l'on admet qu'une partie des forces françaises, échappant à l'étreinte des Alle-*

mands, eût réussi à gagner l'Afrique du Nord, elle aurait été incapable de faire tête à une attaque allemande par l'Espagne, attendu que, du fait des prélèvements qu'on avait dû faire sur nos garnisons et nos établissements au profit de l'Armée métropolitaine, l'Afrique du Nord se trouvait démunie de troupes et de moyens de ravitaillement. »

L'armistice restait donc la seule solution possible. Le Maréchal dit pourquoi il se refusait à quitter la France : « *Il est impossible au gouvernement, sans émigrer, sans déserter, d'abandonner le territoire français. Le devoir du gouvernement est, quoi qu'il arrive, de rester dans le pays, sous peine de n'être plus reconnu comme tel. Priver la France de ses défenseurs naturels dans une période de désarroi général, c'est la livrer à l'ennemi, c'est tuer l'âme de la France ; c'est, par conséquent, rendre impossible sa renaissance. (...) Je suis donc d'avis de ne pas abandonner le sol français et d'accepter la souffrance, qui sera imposée à la Patrie et à ses fils. La Renaissance française sera le fruit de cette*

(1) Dans son livre « *Vers l'armée de métier* », De Gaulle avait cependant écrit, page 14 : « *Chaque fois qu'au dernier siècle Paris fut pris, la résistance de la France ne se prolongea point d'une heure. Notre défense nationale est, par essence, celle de Paris.* »

souffrance. *Ainsi la question qui se pose en ce moment n'est pas de savoir si le gouvernement français demande ou ne demande pas l'armistice, elle est de savoir si le gouvernement français demande l'armistice ou s'il accepte de quitter la France métropolitaine. Je déclare, en ce qui me concerne, que, hors du gouvernement, s'il le faut, je me refuserai à quitter le sol métropolitain. Je resterai parmi le peuple français pour partager ses peines et ses misères. L'armistice est à mes yeux la condition nécessaire de la pérennité de la France éternelle.* » Le lendemain, faisant une dernière tentative pour se maintenir au gouvernement, le président Reynaud adressa un appel à Roosevelt : « *A partir de ce moment, la France ne peut continuer la lutte que si l'intervention des Etats-Unis renverse la situation en rendant une victoire alliée certaine. La seule chance de sauver la nation française, avant-garde des démocraties, et, par elle, de sauver l'Angleterre, aux côtés de laquelle la France pourrait demeurer avec sa puissante marine, est de jeter aujourd'hui même dans la balance le poids de la puissance américaine.* » C'était le 14 juin 1940. L'aide américaine ne vint pas, et Paul Raynaud laissa la barre au vieux soldat. « *Je ne demandais, ni ne désirais rien,* déclarera cinq années plus tard, à son procès, Philippe Pétain. *On m'a supplié de venir : je suis venu. Je devenais ainsi l'héritier d'une catastrophe dont je n'étais pas l'auteur ; les vrais responsables s'abritaient derrière moi, pour écarter la colère du peuple.* » Aussitôt nommé chef du gouvernement par le président Albert Lebrun, le Maréchal demanda l'armistice aux Allemands. Lorsqu'il déclara aux Français qu'il venait de s'adresser « *à l'adversaire pour lui demander s'il était prêt à rechercher avec nous, entre soldats, après la lutte et dans l'honneur, les moyens de mettre un terme aux hostilités* », ce fut dans toute la France, on l'a peut-être oublié, un immense soulagement. Dans un second message au Peuple français, le Maréchal exposa les raisons qui l'avaient amené à demander l'armistice. Nul ne songe alors à lui reprocher cette « capitulation ». François Mauriac fut l'un des premiers à l'approuver : « *Les paroles du maréchal Pétain, le soir du 25 juin,* écrit-il quelques jours après, *rendaient un son presque intemporel ; ce n'était pas un homme qui nous parlait, mais du plus profond de notre Histoire, nous entendions monter l'appel de la grande nation humiliée.* » (*Le Figaro*, 3-7-1940). Du côté allemand, cet armistice sera sévè-

rement jugé par les accusés de Nuremberg. Sans l'armistice, dira Gœring à ses juges, l'Allemagne occupait l'Afrique du Nord, fermait l'ouest de la Méditerranée, contrôlait les convois de l'Atlantique, prenait l'Amérique de flanc. « Ah ! s'exclamera Keitel, *l'Histoire aurait été différente si le Führer n'avait pas laissé à la France sa marine, ses troupes coloniales et ses colonies.* » Plus catégorique encore, Renthe-Fink, qui représentait le Reich à Vichy, affirmera que « *le Führer, le plus grand des hommes vivants, a commis en juin 1940, une faute inconcevable, en concluant un armistice avec la France, au lieu d'occuper immédiatement tout le territoire français, et après avoir traversé l'Espagne, l'Afrique du Nord.* » Churchill reconnaîtra, de son côté, qu'il n'a « *jamais blâmé la nation française d'avoir cédé à cette cruelle nécessité* » (l'armistice). Aux Communes, le 28 septembre 1944, il rappellera même que Londres n'aurait adressé « *aucun reproche* » à la France si son gouvernement avait dû « *négocier une paix séparée dans les tristes circonstances de juin 1940, à condition qu'il mette sa flotte hors d'atteinte des Allemands* ». « *L'Armistice,* dira-t-il au général Georges, qui rapporta ses paroles devant la Haute Cour, *nous a en somme rendu service. Hitler a commis une faute en l'accordant.* » Quelques jours après que le général De Gaulle eût, dans son allocution du 28 juin 1940 (à la radio de Londres), déclaré que « *cet armistice est déshonorant* » et fait allusion à « *notre flotte, nos avions à livrer intacts pour que l'adversaire puisse s'en servir contre nos propres alliés* », ce fut Mers el-Kébir (3 juillet 1940), qui coûta la vie à près de deux mille marins français désarmés. « *En ces derniers jours,* dit le maréchal Pétain dans son message du 10 juillet, *une épreuve nouvelle a été infligée à la France. L'Angleterre, rompant une longue alliance, a attaqué à l'improviste et détruit des navires français immobilisés dans nos ports et partiellement désarmés. Rien ne laissait prévoir une telle agression. Rien ne la justifie. Le gouvernement anglais a-t-il cru que nous accepterions de livrer à l'Allemagne et à l'Italie notre flotte de guerre ? S'il l'a cru, il s'est trompé. Mais il s'est trompé aussi, quand il a pensé que, cédant à la menace, nous manquerions aux engagements pris à l'égard de nos adversaires. Ordre a été donné à la marine française de se défendre, et, malgré l'inégalité du combat, elle l'a exécuté avec résolution et vaillance. La France vaincue dans des combats héroïques, abandonnée hier, attaquée aujour-*

d'hui par l'*Angleterre* à qui elle avait consenti de si nombreux et si durs sacrifices, demeure seule en face de son destin. *Elle y trouvera une raison nouvelle de tremper son courage, en conservant toute sa foi dans son avenir.* » Au professeur Louis Rougier, venu tout spécialement à Londres pour y signer un accord au nom du Maréchal (1), Churchill déclara le 24 octobre 1940 : « *Mers el-Kébir fut une nécessité de ma politique intérieure. C'est Mers el-Kébir qui a fait comprendre au peuple britannique, à ce peuple tellement pacifique, que je voulais le transformer en une énorme machine de guerre et mener la lutte jusqu'au bout.* » Convoqués en Assemblée Nationale, les sénateurs et les députés approuvèrent, le 10 juillet 1940, par 569 voix contre 80 (voir documents photographiques p. 368, 370 et 371), la loi donnant les pouvoirs constituants au vainqueur de Verdun. Désormais chef de l'Etat, le maréchal Pétain eut pour tâche de préserver la patrie blessée du sort que connurent certains pays occupés par les Allemands — qui n'avaient pas de gouvernement sur place —, de remettre de l'ordre dans le pays et d'assurer l'existence de ses habitants. Pour ses partisans, Pétain a tout fait pour conserver les Français à la France et la France aux Français. Pour ses adversaires, il a trahi. Laissons aux historiens de l'avenir, qui n'auront pas été personnellement mêlés à ces douloureux événements, le soin de comprendre et d'expliquer le comportement du Maréchal pendant les années sombres de l'occupation.

Le 6 juin 1944, les Alliés débarquèrent en Normandie. De critique après la percée des blindés de Patton, la situation de la Wehrmacht devint désespérée en août. Les Allemands allaient quitter le sol français, mais ils ne voulaient pas le faire en laissant le gouvernement légal de la France derrière eux. Le maréchal Pétain, qui incarnait la légitimité, devait les suivre. Le 20 août 1944, à 6 h 40 du matin, l'Hôtel du Parc, où résidait le chef de l'Etat, fut occupé par la troupe allemande qui s'était introduite par effraction. Le Maréchal fut contraint par la force de quitter la France. Les circonstances de cet enlèvement ont été évoquées par l'amiral Bléhaut devant la Haute Cour et confirmées par un témoin,

l'ambassadeur suisse Stucki. Le Maréchal fut d'abord transféré à Belfort. Ayant refusé de remplir désormais ses fonctions de chef de l'Etat, il adressa aux Français une dernière proclamation au moment de quitter, contraint et forcé, le sol de la patrie (voir texte page 838). Après un court séjour au château de Morvillars, sous la garde de la Wehrmacht, il fut conduit au château de Sigmaringen qui sera son lieu de résidence forcée et celui de ses ministres. Avec sa femme et son entourage, il se confinera au septième étage du château. Au diplomate von Renthe-Fink, qui l'avait suivi de Vichy à Sigmaringen, succédera en décembre 1944 un jeune conseiller d'ambassade nommé Taungstein, correct et même respectueux, chargé de la liaison entre les autorités allemandes et l'ancien chef de l'Etat Français. Pendant ce temps, les partisans de Pétain et les fonctionnaires qui avaient servi sous son gouvernement étaient poursuivis : ceux qui avaient échappé aux exécutions sommaires furent arrêtés, parqués dans des camps ou jetés en prison, traduits devant des Tribunaux d'exception (voir : *Epuration*). D'autre part, le chef de l'*Etat Français* et ses ministres furent mis en accusation. La radio ayant annoncé le 5 avril 1945 que Philippe Pétain serait jugé par contumace le 24, celui-ci écrivit aussitôt à Hitler pour lui demander de lui permettre de rentrer en France : « *Je ne puis, sans forfaire à l'honneur, laisser croire, comme certaines propagandes tendancieuses l'insinuent, que j'ai cherché refuge en terre étrangère pour me soustraire à mes responsabilités. C'est en France seulement que je peux répondre de mes actes, et je suis seul juge des risques que cette attitude peut comporter. J'ai donc l'honneur de demander instamment à Votre Excellence de me donner cette possibilité. Vous comprendrez certainement la décision que j'ai prise de défendre mon honneur de Chef et de protéger par ma présence tous ceux qui m'ont suivi. C'est mon seul but. Aucun argument ne saurait me faire renoncer à ce projet. A mon âge, on ne craint plus qu'une chose, c'est de n'avoir pas fait tout son devoir, et je veux faire le mien.* » Encerclé par ses ennemis qui avancent de toutes parts et qui, déjà, menacent Ulm, c'est-à-dire la région où l'ancien chef de l'Etat français résidait, Hitler répondit par un ordre de transfert de Philippe Pétain dans une bourgade plus éloignée du front. Le Maréchal fut effectivement transporté, avec sa suite, à Wangen. De là, un nouvel ordre arriva : le Maréchal devait être dirigé sur Zell. Mais il refusa.

---

(1) Il s'agit des *gentlemen's agreement* négocié les 24-28 octobre 1940 entre Vichy et Londres, dont Louis Rougier publie le texte dans son livre « *Mission à Londres* » Genève, 1946) et qui fit l'objet, au procès Flandin, d'un exposé de l'accusé et d'une déposition du témoin Randolph Churchill, fils du Premier britannique.

Le jeune diplomate allemand, dépassé par les événements et désireux de se débarrasser au plus tôt de son prisonnier, finit par solliciter du consul de Suisse à Bregenz le visa de transit du Maréchal à travers le territoire helvétique. L'autorisation fut accordée. C'est ainsi que le vainqueur de Verdun et sa femme regagnèrent la France, le 26 avril. Ils furent accueillis à Vallorbe, non par un officier de police, mais par un officier général de l'Armée française qui appliqua, nous dit le général Héring, « *ses consignes avec la rigidité d'un geôlier prenant en charge des condamnés de droit commun* ». Après une instruction rapide, Philippe Pétain fut traduit devant la Haute Cour, le 22 juillet 1945, promptement jugé et condamné à mort pour trahison, malgré la poignante plaidoirie de ses défenseurs, Mes Jacques Isorni et Jean Lemaire. L'émotion soulevée par le verdict fut telle dans certains milieux, surtout parmi les anciens combattants, que le général De Gaulle, qui avait été son protégé, commua sa peine en celle de détention perpétuelle (15.8.1945). Du fort de Montrouge où il était emprisonné, le Maréchal fut transféré au Pourtalet, puis, en novembre de la même année, à l'île d'Yeu. Il ne quittera sa geôle qu'en 1951 lorsque l'Administration pénitentiaire le fera transférer *in extremis,* avec l'autorisation du Gouvernement, dans la maison qu'un ancien conseiller général de l'île d'Yeu, mettait à sa disposition (1). Il y mourra peu de temps après.

Du « *Véritable Procès Pétain* », de l'ancien président de la Haute Cour, documenté et accusateur, au « *Pétain, toujours présent* », de *Lectures Françaises,* contenant, classés par sujet, les textes politiques du Maréchal, c'est par centaines qu'ont été publiées depuis près d'un quart de siècle les brochures, opuscules et livres sur la personne de l'ancien chef de l'Etat français, sur son comportement et sur ses idées. Nous renonçons à en dresser la liste. Quant aux œuvres du Maréchal lui-même, nous nous bornerons à mentionner celles-ci : « *Pourquoi nous nous battons* » (ouvrage collectif, 1917), « *La bataille de Verdun* » (1929), « *La politique sociale de la France* » (introduction de Jacques Bardoux, 1941).

PETIT (Ernest, Emile).

Général, né à Paimbœuf (Loire-Infé-

rieure), le 20 février 1888. Professeur de tactique à l'Ecole de liaison et transmissions (1936-1938), chef de mission militaire au Paraguay (1938-1940). Rejoignit le général De Gaulle à Londres (1940) et fut son chef d'E.-M. (1941), puis dirigea la mission militaire du Comité Français de Londres en U.R.S.S. (1942). Après la Libération, directeur du cabinet militaire de F. Billoux, ministre communiste de la Défense Nationale (1947), puis sénateur progressiste de la Seine (depuis 1948), apparenté au groupe communiste du *Sénat*. Président de la *Fédération des Officiers de Réserve Républicains*, de l'*Association France-U.R.S.S.* et de l'*Association France-Hongrie*. Décoré de l'Ordre du Drapeau rouge soviétique.

PETIT (Guy).

Avocat, né à Biarritz (B.-P.), le 23 novembre 1905. Inscrit au barreau de Bayonne, puis à la cour d'appel de Paris (1957) et, à nouveau, au barreau de Bayonne (depuis 1963). Membre de la 2e assemblée constituante (1946). Maire de Biarritz (depuis 1945), député indépendant des Basses-Pyrénées (1946-1958), fut secrétaire d'Etat à la présidence du Conseil (cabinet Pinay, 1952), secrétaire d'Etat à l'Agriculture (cabinet René Mayer, 1953), ministre du Commerce (même cabinet, 1953), est sénateur indépendant des Basses-Pyrénées, depuis 1959, président de l'Association nationale des maires de stations classées.

PETIT ARDENNAIS (Le).

Quotidien radical-socialiste, fondé en 1880, à Charleville et dirigé par Georges Corneau, ancien président du *Grand Orient de France* (décédé en 1934), puis par André Corneau, jusqu'en 1940, et ensuite par Henri Balteau, ancien rédacteur en chef du journal. En raison de sa publication pendant l'occupation, *Le Petit Ardennais* fut interdit à la Libération (et l'un de ses rédacteurs, Pierre Bruneel fut condamné à mort). *L'Ardennais* prit sa place le 4 septembre 1944.

PETIT BARA (Le).

Hebdomadaire fondé en 1932. « Le Petit Bara crie *Vive la République ! face à tous les chouans.* » Favorable à l'union des gauches. Dirigé par Georges Vincent et Charles Bélino.

PETIT BASTIAIS (Le).

Quotidien républicain fondé sous la IIIe République — en 1875 ou en 1894, selon les sources consultées — dirigé

---

(1) En 1945, l'appartement parisien du Maréchal (8, square de La Tour Maubourg) avait été réquisitionné au profit de René Capitant.

par Paul Fieschi, également directeur du *Journal de la Corse*. Tirage moyen : 13 000 exemplaires (8, boulevard Paoli, Bastia).

PETIT BLEU (Le).

Quotidien fondé en 1902 et disparu pendant la « drôle de guerre ». Eut longtemps pour « patron », un journaliste plein de ressource, Alfred Oulmann. A la veille de la Seconde Guerre mondiale, la rédaction était animée par Georges de Marsilly et Roger Deleplanque. Son tirage, fort modeste, ne l'empêchait pas d'être régulièrement cité dans les revues de presse en raison de ses liens avec certains milieux d'affaires dont il était sensé refléter les opinions.

PETIT BLEU DE L'AGENAIS (Le).

Quotidien d'information fondé en 1945 sous le titre de : *Quarante-quatre*. Prit en 1952 le nom qu'il a aujourd'hui et qui était bien connu des Agenais puisqu'il fut, durant un quart de siècle, le titre d'un petit journal du soir créé au début de la Première Guerre mondiale, par Paul Arjo, pour porter rapidement à la connaissance du public le communiqué quotidien du G.Q.G. Directeur : Albert Drozin ; rédacteurs : Michel Ripoll, Gaston Capgras et Gisèle Piquemal. Tirage : 12 000 exemplaires (43, rue Voltaire, Agen).

PETIT BLEU DES COTES-DU-NORD (Le).

Hebdomadaire de centre gauche fondé en 1946 et dirigé par René Pleven, député, ancien leader de l'*U.D.S.R.* Son tirage est proche de 10 000 exemplaires. Lu principalement dans les milieux politiques. Imprimé sur les presses de l'ancienne *Union libérale* de V. Peigné, à Dinan (administration : Imprimerie Peigné, à Dinan ; direction : 8, avenue de la Libération, Saint-Brieuc).

PETIT CALAISIEN (Le).

Quotidien radical de Calais, fondé en 1887 et disparu pendant la guerre.

PETIT CHAMPENOIS (Le).

Quotidien modéré fondé en 1883. Absorba pendant la guerre *La Haute Marne nouvelle*, de Langres, et disparut à la Libération. Ses installations furent occupées par *La Haute-Marne libérée*.

PETIT-CLAMART (attentat du).

Attentat politique dirigé contre la personne du général De Gaulle et ayant eu lieu le 22 août 1962, sur la route du Petit-Clamart. Heureusement, personne ne fut atteint par les balles des conjurés. L'organisateur de l'entreprise, Jean-Marie Bastien-Thiry (voir à ce nom) était un ingénieur militaire de valeur que l'attitude et la politique du président de la République avaient profondément ulcéré. « *Nous ne sommes ni des fascistes, ni des factieux*, déclara Bastien-Thiry devant ses juges, *mais des Français nationaux, Français de souche et Français de cœur, et ce sont les malheurs de la patrie qui nous ont conduits sur ces bancs. Je suis le chef de ceux qui sont ici. J'assume, à ce titre, toutes mes responsabilités.* » Le procès des auteurs de l'attentat dura vingt-six journées (28 janvier-4 mars 1963). Au cours du procès, les accusés affirmèrent qu'ils avaient voulu, non tuer le chef de l'Etat, mais l'enlever. La Cour Militaire de Justice, présidée par le général Gardet, sur réquisitoire de l'avocat général Gerthoffer, condamna à mort Bastien-Thiry, le lieutenant Alain-Max Bougrenet de la Tocnaye et Jacques Prévost, et à de lourdes peines de prison leurs complices : Gérard Buisines (réclusion criminelle à perpétuité), Pierre Magade (15 ans), Pascal Bertin (15 ans), Laszlo Varga (10 ans), Alphonse-André Constantin (7 ans) et Etienne Ducasse (3 ans). Par contumace, Georges Watin, Serge Bernier et Lajos Marton furent condamnés à mort, et Louis de Condé et Jean-Pierre Naudin, à la réclusion perpétuelle. Le commandant Henri Niaux, qui fut présenté comme le principal instigateur de la conjuration, avait été trouvé pendu dans une cellule du dépôt, le 15 septembre 1962. Seul des condamnés à mort, Bastien-Thiry fut fusillé, sa grâce ayant été rejetée par le général De Gaulle.

PETIT COMTOIS (Le).

Quotidien radical fondé à Besançon, le 1er avril 1833. Il exerça, durant plus de soixante ans, une influence considérable dans le Doubs et les départements limitrophes. Selon l'historien Roger Marlin, auteur d'une « *Courte histoire de la Presse politique du Doubs* » et de « *L'évolution politique dans le département du Doubs sous la IIIᵉ République* », *Le Petit Comtois* fut la réalisation d'un projet de l'avocat bisontain Louis-Jules Gros, vénérable de la loge maçonnique, ancien

NE MANQUEZ PAS DE NOUS SIGNALER LES ERREURS ET LES OMISSIONS QUE VOUS AUREZ REMARQUÉES DANS CE « DICTIONNAIRE ». NOUS VOUS EN SERONS RECONNAISSANTS.

sous-préfet et futur député, qui formait équipe avec son cousin Victor Delavelle, notaire et maire de Besançon, le professeur Alfred Rambaud, les industriels protestants Savoye et Bersot, le peintre Fanart et le docteur Perron. Gros et ses amis confièrent la rédaction de leur journal à deux jeunes typographes de l'imprimerie Jacquin, Jean et Georges Millot, originaires de Presles en Haute-Saône. D'abord installé au 7 du square Saint-Amour, le journal qui ne s'avouait pas encore radical, mais seulement libéral et démocrate, ne tirait qu'à 5 000 exemplaires. Il devait lutter, nous dit le professeur Marlin, contre *La Petite France de l'Est,* publiée à Dijon, qui s'ouvrait « *le marché franc-comtois par des procédés d'acrobates américains au moyen d'une horde de camelots soudoyés par M. Wilson qui lui coûtaient environ mille « pour cent » et qui vendaient deux journaux pour le prix d'un seul* ». Ce Wilson était le fameux Daniel Wilson, gendre du Président Grévy et trafiquant de Légion d'honneur — « *Ah ! quel malheur d'avoir un gendre !* » — ; il avait créé un groupe de journaux républicains, dont *La Petite France de l'Est* faisait partie. Une violente polémique opposa quelque temps Jules Gros et Wilson. Puis, un jour, ils firent la paix et créèrent ensemble une société au capital de 40 000 F dont les frères Millot furent les gérants et Wilson et un certain Stahl, les associés-commanditaires. Ceci se passait en 1886. La même année, le gendre de Grévy acheta, rue Gambetta, le terrain sur lequel il fit édifier l'immeuble où *Le Petit Comtois* abrita sa rédaction, ses bureaux et son imprimerie. Après la mort de Georges en 1903, Jean Millot racheta peu à peu toutes les parts et devint ainsi, précise le professeur Roger Marlin, le propriétaire de l'entreprise qu'il confia à ses fils, Louis et Paul, en 1913. Tandis que le second dirigeait l'administration, le premier, qui se fit une réputation de journaliste dans la presse régionale sous le pseudonyme de Jean Turquis, assumait les fonctions de rédacteur en chef qu'avait occupées avant lui Jules Gros. Le journal fut assez prudent pendant l'affaire Dreyfus, mais il manifestait bruyamment son hostilité à l'endroit du clergé. Outre les parlementaires Julien Durand, haut dignitaire du *Grand Orient* (30ᵉ degré, loge *Sincérité, Parfaite Union et Constante Amitié Réunies*), Charles Beauquier (même loge), Charles Dumont (loge *La Prudente Amitié*), participaient à la campagne anticléricale dans *Le Petit Comtois,* les pasteurs Cadix et Cordelier et le protestant Reville, dreyfusiste ardent. « *Nous n'éton-*

nerons personne, écrivit un jour Cadix, *en déclarant qu'il y a incompatibilité absolue entre le catholicisme et l'état mental de la société moderne* » (*Le Petit Comtois,* 8-1-1900). La riposte de l'évêché vint beaucoup plus tard : c'est le 25 février 1913 que Mgr Gauthey jeta l'anathème sur le journal radical. À la veille de la guerre de 1939, *Le Petit Comtois* et son imprimerie appartenaient à une société en nom collectif composée de Louis et Paul Millot et de Jean et André Millot, fils de Louis. Le 15 juin 1940, le quotidien, qui tirait alors à 40 000 exemplaires, suspendait sa publication devant l'avance allemande. Il reparut le 27 juin, mais ses rapports avec la censure allemande furent des plus tendus et, à plusieurs reprises, ses propriétaires eurent maille à partir avec l'occupant. À la Libération, l'administrateur judiciaire nommé pour gérer l'imprimerie fonda une nouvelle société qui publia un nouveau journal de tendance marxiste, *Le Comtois ;* celui-ci prit purement et simplement la place du radical *Petit Comtois* que les Allemands avaient interdit au printemps 1944. Bien qu'ils n'eussent jamais failli à leur devoir, ni jamais renié leurs convictions, les Millot étaient ainsi dépossédés de leur journal. Ce scandale fut dénoncé en vain au Palais-Bourbon (cf. *Journal Officiel,* débats de l'Assemblée constituante du 13 mars 1946).

PETIT COURRIER (Le).

Quotidien national fondé à Angers en 1883. Etait dirigé avant et pendant la guerre par le sénateur de droite Anatole Manceau. Son tirage atteignait 60 000 exemplaires. Il fut interdit à la Libération parce qu'il avait continué sa publication pendant l'occupation : « *M. Manceau a cru préférable de ne pas saborder son journal au moment de l'occupation,* a déclaré Dom Sortais, qui fut membre du *Comité de Libération* du Maine-et-Loire. *S'était-il trompé ? Avec le recul du temps, je crois que l'on peut dire non et que notre Anjou a eu l'avantage de conserver pendant toute l'occupation un journal qui jamais n'induisit en erreur le patriotisme de ses lecteurs.* » (Cf. Georges Hisard, « *Histoire de la spoliation de la Presse française* », Paris 1955, pages 87 et 88.)

PETIT DAUPHINOIS (Le).

Quotidien régional de Grenoble fondé en 1878 et interdit à la Libération. De tendance radicale modérée, il rayonnait sur huit départements et tirait à plus de 200 000 exemplaires.

PETIT DEMOCRATE (Le).

Journal démocrate-chrétien fondé en 1905. Dirigé (avant-guerre) par Robert Cornilleau, assisté de Raymond Laurent, ancien président du Conseil municipal de Paris. Principaux collaborateurs : A. Champetier de Ribes, Ernest Pezet, député, Robert Schuman, Georges Bidault, Georges Hourdin, Jean Letourneau, Paul Archambault, François Ribadeau-Dumas (qui devint maçon), A.L. Pagès, etc.

PETIT GERSOIS (Le).

Hebdomadaire démocrate (centre gauche), lié avec *L'Echo de Condom et de l'Armagnac*, *Le Petit Lombézien*, *Le Messager de Lectoure*, *Le Réveil Mirandais* et *Le Libre Condomois* (6, rue Louis-Aucoin, Auch).

PETIT HAUT-MARNAIS (Le).

Quotidien radical fondé à Chaumont en 1903 et qui eut pour dirigeants, sous la III° République, un ministre de l'Agriculture, Léon Mougeot, un président de la *Ligue de l'Enseignement*, A. Dessoye, et un député, Georges Lévy-Alphandéry. Animé avant et pendant la guerre par Maurice Michaut, que secondaient pour la rédaction Ch. Gascard et G. Bletner. Ce dernier fut plus tard directeur-rédacteur en chef de *La Haute-Marne libérée* (installée dans l'hôtel du *Petit Champenois* interdit en 1944), qui absorba, en 1962, *Le Haut-Marnais Républicain*, dont les services avaient occupé, après la Libération, l'imprimerie et les locaux du *Petit Haut-Marnais*.

PETIT HAVRE (Le).

Quotidien radical fondé en 1880 et disparu en 1944. Dirigé par René Randolet, il diffusait chaque matin dans la région du Havre 26 000 exemplaires et possédait trois annexes : *Le Journal du Havre*, quotidien du soir, *L'Echo Libéral*, hebdomadaire de Pont-Audemer, et une édition de ce journal pour Le Havre, Bolbec, Fécamp, etc. Le futur président de la République René Coty fut l'un de ses administrateurs. Dans ses locaux s'installa, après la Libération, *Le Havre libre*, organe du Comité National de la Résistance, puis *Le Havre*, qui absorba *Havre-Eclair*. Poursuivi à la Libération, *Le Petit Havre* avait été acquitté et avait obtenu, le 2 juin 1948, par une ordonnance de référé du Tribunal Civil, l'expulsion du *Havre Libre* « *occupant sans droit ni titre* » son immeuble.

PETIT JOURNAL (Le).

Quotidien d'information fondé en 1863. Changea plusieurs fois de main. Entre les deux guerres, il eut pour « patrons » successifs : Louis Loucheur, ancien ministre ; Sarrade, son gendre ; Raymond Patenôtre, secondé par Albert Lejeune et Alfred Mallet et, pendant quelques temps, par l'ex-administrateur du *Populaire*, Compère-Morel. En 1937, il fut repris par des amis de La Rocque, chef du *P.S.F.*, qui créèrent pour son exploitation la *Société Indépendante de Presse* dont les personnalités suivantes furent les actionnaires : Jean Schwob d'Héricourt, industriel, Léon Sternberg de Armélia (aujourd'hui Bernard Léon Dupérier, ancien député), Richard-Henri Pélissier, André Portier, Mlle Germaine Richelot, Philippe Cruse, banquier, Fernand Javal, industriel (*Houbigant*), Léon Roland-Gosselin, industriel, Marcel Bertolus, industriel, Henri-Louis de Nalèche, du *Journal des Débats*, auxquels se joignirent ensuite : Gérard Fontana, joaillier, Charles Labourdette, le colonel François Secretaine, André Bachy, Jean Kremp, industriel, Gérard de Vienne, industriel, Charles Thienot, directeur de société, Marcel Brosse, orfèvre, Pierre Fournier, industriel, Robert Beaufort. Y collaboraient, outre les *leaders du P.S.F.* : Gabriel Hanotaux, Louis Madelin, André Siegfried, le duc de La Force, Jérôme et Jean Tharaud, Jacques de Lacretelle, — futur administrateur du *Figaro*, auteur de « *Qui est La Rocque ?* » —, Edmond Jaloux, Léo Larguier, Charles Roux, le comte de Saint-Aulaire, Henry Bordeaux, Maurice Constantin-Weyer, les professeurs Richet et Sergent, etc. *Le Petit Journal* avait demandé à rentrer à Paris fin 1940. Son directeur avait fait présenter aux services de l'ambassade d'Allemagne la demande réglementaire de retour à Paris exigée de tous les journaux *repliés*. Mais les conditions posées, de part et d'autres, étaient incompatibles avec ce projet. Et *Le Petit Journal* était resté à Clermont où il reçut, chaque mois, une subvention de Vichy. Il était administré par un conseil de neuf membres : La Rocque, président-directeur général ; André Portier, vice-président ; Georges Bonnardel, Louis Gas, Antonin Thiollier, René Tual, Joseph Levet, Christian Melchior-Bonnet, l'actuel directeur de la revue *Historia*, et J. Saulnier-Blache, administrateurs. Il disparut en 1944.

PETIT MERIDIONAL (Le).

Quotidien publié à Montpellier de 1876 à 1944 et rayonnant sur les départements du midi. Fondé par Seréno, il fut dirigé jusqu'en 1913 par Jules Gariel. Au moment du Seize-Mai, il fut sévèrement condamné (23 fois !) et dût suspendre sa publication : il pût la reprendre, huit jours plus tard, grâce à une souscription populaire organisée dans les cercles républicains et dans les loges maçonniques. Organe des gauches, il soutint — avec des nuances, parfois — la politique de Combes, au début du siècle, et celles d'Herriot et de Blum entre les deux guerres. Passé depuis plusieurs années sous la direction de Georges Soustelle, il poursuivit sa publication pendant l'occupation. A la Libération, il fut interdit et les communistes utilisèrent ses installations pour y faire paraître l'éphémère *Voix de la Patrie*.

PETIT PARISIEN (Le).

Quotidien politique « à un sou », fondé le 16 octobre 1876, par Louis Andrieu, député franc-maçon et futur préfet de Police de Paris. Tendance radicale et violemment anticléricale. Tirage à 15 000 exemplaires. Son déficit chronique amena Andrieux à le vendre, et en huit mois, le journal changea trois fois de propriétaires et de rédacteur en chef. Au début de l'année 1879, le nouveau propriétaire, Charles Laisant, député radical, et le directeur-gérant Paul Piégu, mettaient l'accent sur le sensationnel et le scandaleux ; mais, en même temps, ils installaient un correspondant permanent à Londres et à Alger, et inauguraient la vente à la criée. Menacé de faillite, Piégu s'adressa à Jean Dupuy, alors huissier à Paris (voir : *Jean Dupuy*), qui lui fit avancer des capitaux par son ami, le banquier Lucien Claude - Lafontaine. Finalement Jean Dupuy, gros actionnaire, devint propriétaire-directeur du journal en 1888. Avec lui, le ton du journal allait changer : mettant une sourdine à l'aspect politique — sans toutefois la négliger sous une étiquette opportuniste —, le nouveau propriétaire l'orienta vers l'information générale, avec reportages, envoyés spéciaux, nombreux correspondants étrangers. Mot d'ordre : *jamais de polémique*. Sénateur des Hautes-Pyrénées en 1891 et constamment réélu jusqu'à sa mort en 1919, inscrit au groupe de la *Gauche républicaine*, Jean Dupuy, plusieurs fois ministre, se servit de son journal pour mener à pas feutrés *sa* politique modérée, mais plus que jamais opportuniste, et influencer les divers gouvernements au point d'avoir été appelé l' « éminence grise » de la IIIᵉ République. *Le Petit Parisien*

atteignit, jusqu'en 1940, un tirage moyen de 1 320 000 exemplaires, avec des pointes voisines de 3 000 000 (3 031 312 le 11 novembre 1918). Après l'armistice de 1940, *Le Petit Parisien* reparut à Paris : le premier numéro de cette nouvelle série fut mis en vente le 8 octobre. Sous la direction de Joseph-Elie Bois, il avait été, de 1933 à 1939, l'un des plus fermes soutiens de la politique anti-hitlérienne et pro-soviétique. Sans changer de propriétaires (les Dupuy) il devint, avec une autre équipe rédactionnelle, le plus chaud partisan de l'Europe nouvelle. Le retour du *Petit Parisien* avait posé quelques problèmes : l'occupant ne semblait pas, tout d'abord, décidé à passer l'éponge sur les campagnes de naguère. Finalement Adrien Marquet, ministre de l'Intérieur, réussit à convaincre l'occupant. Il était temps, déjà les services allemands s'apprêtaient à mettre la main sur l'imprimerie et l'immeuble du journal. Le responsable du quotidien fut Marcel Lemonon, nommé par Pierre Dupuy gérant unique de la *Société du Petit Parisien*. Ce dernier, confia la direction de l'équipe rédactionnelle à un ancien chef de cabinet d'Adrien Marquet, Paul-Edmond Decharme, qui eut deux adjoints : Raymond de Nys et Claude Jeantet (voir à ce nom). Les rédacteurs et collaborateurs réguliers ou intermittents du *Petit Parisien* étaient nombreux. Il y avait d'abord des amis de Jeantet : Alain Laubreaux, Georges Blond, François Vinneuil (Lucien Rebatet), Henri Poulain, Robert Brasillach, le dessinateur Ralph Soupault. Il y avait également André Salmon, Maurice Prax, Yves Dartois, O.P. Gilbert, Jules Rivet (du *Canard Enchaîné*), les caricaturistes Chas-Laborde, Elsen, Dubosc (de *L'Humanité*), Jean Pruvost. Il y avait enfin des collaborateurs politiques ou littéraires très connus : Colette, L.-P. Fargue, La Varende, Abel Bonnard, André Demaison, Abel Hermant, André Thérive, Sacha Guitry, Claude Farrère, René Benjamin, Pierre Daye, Pierre Benoit ; des historiens comme Octave Aubry, des chansonniers comme Georgius, des juristes comme Le Fur. Un peu plus tard, Jacques Roujon et André Algarron se joignirent à l'équipe, avec G.-Ch. Véran, Pierre Vitoux et quelques autres journalistes connus. *Le Petit Parisien* cessa sa publication en août 1944. Mais une édition destinée aux travailleurs français en Allemagne parut à Constance pendant l'hiver 1944-1945, en même temps que le quotidien *La France,* créé à Sigmaringen par Jean Luchaire.

PETIT SOU (Le).

Journal quotidien socialiste lancé sous le ministère Waldeck-Rousseau par des socialistes hostiles au gouvernement et ne trouvant pas à *La Petite République*, également socialiste, l'hospitalité suffisante pour donner de la publicité à leur politique. Dans « *l'Histoire des Partis Socialistes en France* » (tome VIII), il est précisé que *Le Petit Sou* fut fondé en 1900 par Alfred Edwards, ancien directeur du *Matin* et beau-frère de Waldeck-Rousseau, « *dans l'unique but de combattre le président du Conseil avec lequel il avait eu des différends d'ordre privé. Il rechercha des collaborateurs parmi les guesdistes, les blanquistes et les allemanistes. Cet organe disparut en 1902, peu après la démission du cabinet.* »

PETIT TROYEN (Le).

Quotidien radical fondé à Troyes en 1881 et disparu pendant la guerre. Eut pour directeur politique, autour de 1930, le sénateur Alexandre Israël, puis l'ancien ministre Fernand Gentin, qui le resta après l'armistice.

PETIT VAR (Le).

Quotidien républicain socialiste à direction radicale fondé à Toulon en 1880 et passé, quelques années avant 1939, sous le contrôle de Raymond Patenôtre. Tirage : 30 000 exemplaires. Publiait une édition du soir sous le titre de : *La République du Var*. A la Libération, les services du *Petit Varois* communiste s'installèrent dans son immeuble et, en 1946, le quotidien socialiste *République,* annexe du *Provençal* s'y établit également.

PETIT VAROIS (Le).

Quotidien communiste fondé à Toulon en 1946, dans les locaux du *Petit Var* disparu. Relié à *La Marseillaise,* quotidien communiste de la cité phocéenne. Ses quatre éditions ont un tirage moyen de 23 000 exemplaires. (10, rue Truguet, Toulon.)

PETITE CHARENTE (La).

(Voir : *L'Echo.*)

PETITE GIRONDE (La).

Grand quotidien régional fondé à Bordeaux en 1872 par Gustave Gounouilhou. De nuance modérée, son influence était grande dans tout le Sud-Ouest où se vendaient chaque jour les 300 000 exemplaires de ses 24 éditions. A la veille de la guerre, son état-major comprenait : Richard Chapon, directeur ; Michel Chapon, secrétaire général ; Jacques Lemoine, rédacteur en chef. Ayant poursuivi sa publication pendant l'occupation, la *Petite Gironde* fut interdite à la Libération, ses installations et ses bureaux furent occupés par *Sud-Ouest,* et son ancien rédacteur en chef (d'avant 1940), Jacques Lemoine, devint le rédacteur en chef et le directeur de ce nouveau journal.

PETITE REPUBLIQUE (La).

Ex-*Petite République Française,* ce quotidien fut, sous l'impulsion d'Alexandre Millerand, l'un des premiers grands quotidiens socialistes. Etait l'organe de liaison des divers groupes socialistes. Y collaboraient : Jaurès, qui en fut l'animateur, Viviani, Gérault-Richard, Alexandre Zevaès, Jules Guesde, Ed. Vaillant, Paul Brousse.

PETSCHE (Maurice).

Homme politique (1893-1951). Epousa Simone Lazard (héritière du banquier et associée de la banque qui porte son nom) laquelle, devenue veuve, s'unit à Louis Jacquinot, député et ministre. Conseiller référendaire à la Cour des comptes, passait, avant la guerre, pour être l'un des fidei-commissaires de la banque *de Rothschild frères.* Administrait plusieurs sociétés, principalement d'électricité. Elu député des Basses-Alpes en 1925, s'inscrivit au groupe des Républicains de gauche. Fut constamment réélu. Après la Libération, fut plusieurs fois ministre des Finances.

PEUGEOT (François, Pierre).

Industriel, né à Hérimoncourt (Doubs), le 31 mai 1901. De la famille protestante des grands industriels du cycle et de l'automobile. Député radical indépendant du Doubs (1936-1942). Président de la *Compagnie de transmissions mécaniques* (*Sedis*). Administrateur de la *Société anonyme des Automobiles Peugeot,* de *Peugeot et Cie,* de la S.A. *Les Fils de Peugeot Frères.* Membre du Comité économique et social de la Communauté économique européenne (1958). Membre du Conseil supérieur du Plan (1961).

PEUPLE (Le).

Journal syndicaliste fondé en 1920. Etait quodtien avant la guerre sous la direction de Francis Million. Principaux collaborateurs : Raymond Manevy, secré-

LA PETITE RÉPUBLIQUE

Journal de Grande Information
POLITIQUE - LITTÉRAIRE

France et Espagne AU MAROC

LE CAS de M. Edouard Sené
DÉTENU A LA SANTÉ POUR DÉLIT DE PRESSE

«Je vais vous trouver un refuge»
AVAIT DIT M. COCHON A DEUX FAMILLES SANS ABRI

LE VOYAGE DE M. POINCARÉ
LE PRÉSIDENT DE LA RÉPUBLIQUE A CONSACRÉ SA MATINÉE AUX FRANÇAIS DE MADRID

CALMEZ-VOUS

Échos et Potins

La Libération de la classe

Le premier
grand journal
des socialistes

taire de rédaction, Maurice Harmel, Raymond Figeac, Eugène Morel, Gaston Vaillant, Marcel Lapierre, etc. Sabordé en mai 1940. Reparut après la Libération (16 septembre 1944) avec la périodicité hebdomadaire et comme organe officiel de la *C.G.T.*, sous la direction d'A. Bouzanquet, secondé par R. Viguier. Est actuellement bi-mensuel. Débarrassée des éléments socialistes, la *C.G.T.* en a fait un journal nettement communiste (213, rue Lafayette, Paris 10e).

PEYREFITTE (Alain, Antoine).

Diplomate, né à Najac (Aveyron), le 26 août 1925. Cousin de l'écrivain Roger Peyrefitte. Ancien élève de l'Ecole Normale Supérieure et de l'E.N.A. Membre d'un réseau de Résistance (juin-octobre 1944). Entra à l'Administration centrale des Affaires étrangères (septembre 1947). Affecté au Commissariat général aux Affaires allemandes et autrichiennes (1949 - 1952). Secrétaire des Affaires étrangères (1951). Sous-directeur chargé de l'Organisation européenne à la Direction Europe des Affaires politiques (1956). Conseiller des Affaires étrangères (juillet 1958). Elu député *U.N.R.* de Seine-et-Marne (novembre 1958). Membre de l'Assemblée Parlementaire Européenne (1959). Collaborateur régulier du journal financier *La Vie française* où il publia une série d'articles favorables au partage de l'Algérie, puis un livre sur le même sujet. Secrétaire d'Etat chargé de l'Information (premier cabinet Pompidou, avril 1962), ministre des Rapatriés (premier cabinet Pompidou, septembre 1962), puis ministre de l'Information (deuxième cabinet Pompidou, décembre 1962), et ministre délégué chargé de la Recherche scientifique et des questions atomiques et spatiales (troisième cabinet Pompidou, 1966). Réélu, entre temps, député *U.N.R.-U.D.T.* de Seine-et-Marne (25 novembre 1962). Réélu, à nouveau, en 1967.

PEYREFITTE (Roger, Pierre).

Ecrivain, né à Castres (Tarn), le 17 août 1907. D'abord dans la diplomatie, fut secrétaire d'ambassade à Athènes (1933-1938), puis au ministère des Affaires étrangères (1938-1940, 1943-1945). Révoqué après la Libération (décision annulée par le Tribunal administratif et le Conseil d'Etat). Evoque son passage au quai d'Orsay et à Vichy dans « *Les Ambassades* » et « *La Fin des Ambassades* ». Dans plusieurs ouvrages à sensation, ce génial mystificateur s'est moqué à la fois de ceux dont il parle et de ceux qui le lisent (« *Les Clés de saint Pierre* », « *Les Fils de la Lumière* », « *Les Juifs* », etc.) mêlant le faux, le plausible et le vrai avec beaucoup d'habileté et un incontestable talent.

PEYRET (Claude-Maurice-Edmond).

Médecin, né à Hussein-Dey (Algérie), le 18 juillet 1925. Maire de Brigueil-le-Chantre. Conseiller général du canton de la Trimoille. Député *U.N.R.* de la Vienne (3ᵉ circ.) depuis 1958.

PEZE (Edmond).

Commerçant, né à Paris, le 18 février 1897. Négociant en tissus. Ancien conseiller de la Seine. Ancien vice-président de cette assemblée (1953-1954). Ancien conseiller municipal et ancien adjoint au maire de Neuilly (1953-1959). Premier vice-président de la *Chambre syndicale des négociants en draperies et doublures* de Paris (depuis 1943). Ancien membre du Comité directeur du *Parti Républicain de la Liberté* (P.R.L.) (1945). Membre de l'*Alliance France-Israël*. Député *U.N.R.* de la Seine (35ᵉ circ.) (1958-1967).

PEZET (Ernest, Amans).

Journaliste, écrivain et homme politique, né à Rignac (Aveyron), le 6 décembre 1887, d'un père amouleur, c'est-à-dire monteur de moulins à eau. Dès le collège, — il fut d'abord l'élève turbulent de l'école Saint-Joseph de Rignac, puis celui du collège Saint-Pierre de Rodez —, il milita au *Sillon,* de Marc Sangnier, dont il demeura le fidèle disciple ; à la *Jeune République,* le mouvement qui succéda au *Sillon* condamné par Rome, il devint l'un des membres du Conseil national (1912). Pendant la guerre de 1914-1918, il anima le journal *L'Ame française,* créé pour maintenir la liaison entre les démocrates-chrétiens et les anciens sillonnistes dispersés par le conflit. A la création de la *Fédération Nationale Catholique,* il fut chargé du service de presse du mouvement et conserva ce poste jusqu'en 1928, date de son élection à la Chambre. Député du Morbihan de 1928 à 1942, il appartint au groupe démocrate populaire. Pendant la guerre, il fit partie du « *Groupe Lille* », qu'animaient Emilien Amaury, Robert Buron, Georges Hourdin, Jean Sangnier, Louis Terrenoire et Gilbert de Véricourt. Elu député de la première Constituante (1945-1946), il fut délégué par la France à la Conférence de la Paix (1946) et représenta le Gouvernement Provisoire aux Nations Unies. Sénateur des Français de l'étranger (1946-1959), il occupa le fauteuil de vice-président du Conseil de la République (Sénat) de 1952 à 1959 ; il présida entre-temps le groupe sénatorial du *M.R.P.,* l'Assemblée de l'Union de l'Europe Occidentale, l'Union des Français de l'Etranger et la Commission européenne d'enquête sur les enlèvements politiques, et figure parmi les fondateurs de l'*Union Nationale des Combattants.* Sa carrière de journaliste n'est pas moins remplie : il fonda *La Voix du Combattant, Le Nord-Est, Le Télégramme,* collabora au *Petit Démocrate* et au *Petit Journal,* présida l'*Association de la Presse Républicaine* et appartint à diverses autres associations de journalistes et d'écrivains. Il est l'auteur d'une vingtaine d'ouvrages politiques, dont « *Chrétiens au service de la Cité* », qui est une histoire du mouvement démocrate-chrétien « *de Léon XIII au Sillon et au M.R.P.* », embrassant trois quarts de siècle (Paris, 1965).

PEZOUT (Roger).

Agriculteur, né à Morigny-Champigny (S.-et-O.), le 16 juillet 1917. Maire de Montereau. Suppléant d'Alain Peyrefitte aux élections législatives du 18 novembre 1962. A été proclamé député de Seine-et-Marne, le 7 janvier 1963, lorsque ce dernier est devenu membre du gouvernement. Inscrit au groupe *U.N.R.*

PFEIFFER (Edouard).

Homme politique, né à Paris en 1890, mort à Laplume (Lot-et-Garonne) en 1966. Dans l'entre-deux-guerres, avait milité au *Parti Radical et Radical-Socialiste*, dont il fut successivement le secrétaire général et le vice-président. Approuva, en 1936, la fondation du *Parti Radical Français*, créé par des radicaux hostiles au Front populaire. Fut également le collaborateur d'Edouard Daladier, pour les questions de politique étrangère, et d'Emile Roche, au journal *La République*.

PFLIMLIN (Pierre).

Homme politique, né à Roubaix (Nord), le 5 février 1907. Avocat à la Cour d'Appel de Strasbourg. Délégué de l'*Union Populaire Républicaine* (avant la guerre). Ancien dirigeant de l'*Union Paysanne d'Alsace et de Lorraine* (avec Joseph Bilger) et du *Comité de coordination des mouvements anti-marxistes* (avec Jean Ebstein). Militant de la Fédération alsacienne du *Parti Républicain National et Social*, ex-*Jeunesses Patriotes* (présidt : Pierre Taittinger). Selon Simon Arbellot (« La Presse repliée sous l'occupation », in *Echo de la Presse*, 10-5-1951), était attaché de presse à Vichy, au Ravitaillement. Conseiller municipal de Strasbourg (depuis 1945) et maire (15 mars 1959). Conseiller général du canton de Haguenau (depuis 1945). Ancien président du Conseil général du Bas-Rhin (1951-1960). Membre d'honneur du *Rotary*. Membre des deux Assemblées constituantes (1945-1946) et président de la Commission des Affaires économiques de ces Assemblées. Elu député *M.R.P.* du Bas-Rhin à la première Assemblée nationale, le 10 novembre 1946. Sous-secrétaire d'Etat à la Santé publique (gouv. Gouin, 1946). Sous-secrétaire à l'Economie Nationale (gouv. prov. Bidault, 1946). Ministre de l'Agriculture (cabinet Schuman, 1947-1948 ; André Marie, 1948 ; Schuman, 1948 ; Queuille, 1948-1949 ; Bidault, 1949, se démet en décembre 1949). Ministre de l'Agriculture (cabinet Queuille, 1950 ; Pleven, 1950-1951 ; Queuille, 1951). Réélu député le 17 juin 1951. Ministre du Commerce et des Relations économiques extérieures (cabinet Pleven, 1951-1952). Ministre d'Etat chargé du Conseil de l'Europe (cabinet Edgar Faure, 1952). Ministre de la France d'Outre-Mer (cabinet Pinay, 1952). Président du Conseil désigné le 10 février 1955, renonce le 14 février à constituer le cabinet. Ministre des Finances et des Affaires Economiques (2e cabinet Edgar Faure, 1955-1956). Réélu député le 2 janvier 1956. Président national du *M.R.P.* (1956-1959). Ministre des Finances, des Affaires économiques et du plan (cabinet Félix Gaillard, 1957-1958). Président du Conseil désigné le 10 mai 1958, investi le 13 mai par 274 voix contre 129 ; démissionnaire le 31 mai 1958. Se rallia au général De Gaulle. Ministre d'Etat (cabinet De Gaulle, 1958-1959). Fit campagne pour le OUI. Réélu député du Bas-Rhin le 23 novembre 1958. Membre du C.A. du *Port autonome de Strasbourg* (8 mars 1962). Ministre d'Etat chargé de la Coopération (cabinet Pompidou, 1962, démissionnaire). Réélu député le 18 novembre 1962. Président du groupe du *Centre Démocratique* de l'Assemblée (décembre 1962). Ne se prononça pas au référendum d'octobre 1962 et ne fit que mollement campagne pour Jean Lecanuet à l'élection présidentielle de 1965.

PHARE DE CALAIS (Le).

Quotidien modéré fondé à Calais en 1895 par Jules Peumery et disparu pendant la dernière guerre.

PHARE DE LA LOIRE (Le).

Quotidien fondé à Nantes en 1815. De nuance centriste, il était lu dans la Loire - Inférieure et les départements limitrophes (90 000 exemplaires). Ayant continué à paraître pendant l'occupation, il fut suspendu en 1944.

PHILIBERT (Louis).

Fonctionnaire, né à Pertuis (Vaucluse), le 12 juillet 1912. Cantonnier, puis conducteur de travaux aux Ponts et Chaussées. Maire de Puy - Sainte - Réparade (1953). Conseiller général du canton de Peyrolles (1955). Vice-président du Conseil général (1962). Elu député *S.F.I.O.* des Bouches-du-Rhône (9e circ.), le 25 novembre 1962, contre le député sortant Hostache. Réélu en 1967.

PHILIP (André).

Universitaire, né à Pont-Saint-Esprit, le 28 juin 1902. Milita à la *S.F.I.O.* dans les années qui suivirent la première guerre mondiale et fut professeur d'économie politique à l'université de Lyon (1926). Socialiste de gauche et chrétien pratiquant, fut de cette phalange de jeunes Français qui voulaient, dès 1934, réconcilier Jésus-Christ et Karl Marx. Fut alors le vice-président de la *Fédération des Socialistes Chrétiens*, qui publiait, en 1935, une revue, *Terre Nouvelle*, arborant sur sa couverture la croix, la faucille et le marteau. Elu député du Rhône sous le signe du *Front Populaire* en 1936 ; inscrit au groupe socialiste de la Chambre et l'un des animateurs du *Comité de Vigilance des Intellectuels Antifascistes*. Fut parmi les quatre-vingts qui refusèrent de voter les pouvoirs constituants au maréchal Pétain. Ayant rejoint le général De Gaulle, appartint à l'Assemblée consultative, fut chargé de l'Intérieur au Comité Français de Libération nationale (1942-1944) et nommé ministre des Finances dans l'éphémère gouvernement Blum (1946-1947). Fit partie, au début, de l'*U.D.S.R.* (1945). Partisan de l'unité européenne, fut le délégué général du *Mouvement européen* et le président du *Mouvement socialiste pour les Etats-Unis d'Europe*. Exclu de la *S.F.I.O.* ; mendésiste ardent et rédacteur au *Courrier de la République* (du *Centre d'Action Démocratique*), membre dirigeant de la *Ligue des Droits de l'Homme*, et du *Centre d'Information et de Coordination pour la Défense des Libertés et de la Paix* ; partisan actif de l'indépendance de l'Algérie ; fut l'un des principaux membres du Comité politique national du *Parti Socialiste Unifié* (d'avril 1960 à juin 1962) ; puis démissionna du parti pour se rapprocher du gaullisme, en particulier des dirigeants de *Notre République*. Signa le « manifeste des vingt-neuf » (1966). Œuvres : « *Christianisme et Socialisme* », « *Henri de Man et la Crise doctrinale du Socialisme* », « *L'Europe Unie* », « *Le Socialisme trahi* », « *Pour un socialisme humaniste* », « *Histoire des faits économiques et sociaux de 1800 à nos jours* », etc.

PHILIPPON (Gustave, François, Pierre).

Avocat, né à Limoges (H.-V.), le 19 septembre 1900. Conseiller municipal de Limoges avant la guerre, puis après la Libération : conseiller général du canton Est de Limoges (1946-1964). Adjoint au maire de Limoges (1947), ancien vice-président du Conseil général. Est sénateur socialiste de la Haute-Vienne depuis 1959.

PIALES (Paul).

Industriel, né à Aurillac (Cantal), le 12 novembre 1895. Dans l'industrie de la bonneterie. Présida la Chambre de commerce et d'industrie d'Aurillac et du Cantal (1942). Est sénateur du Cantal depuis 1948 et appartient au groupe sénatorial du *Centre républicain d'action rurale et sociale*.

PIANTA (Georges).

Homme politique, né à Thonon (Haute-Savoie), le 2 mars 1912. Maire de Tho-

non-les-Bains (depuis 1944). Conseiller général du canton de Thonon (1949). Vice-Président du Conseil général. Membre de l'*Alliance France-Israël*. Elu député indépendant paysan de la Haute-Savoie, le 2 janvier 1956 ; réélu en 1958 et 1962. Inscrit au groupe des *Républicains Indépendants*. Membre du Parlement Européen (décembre 1962). Bien qu'ayant voté la censure, avait fait campagne pour le OUI et rallia le camp gaulliste. Réélu député en 1967.

PIC (Maurice).

Universitaire, né à Saint-Christol (Vaucluse), le 15 février 1913. Professeur. Membre du Comité directeur de la *S.F.I.O.* Conseiller général du canton de Montélimar (1945). Président du Conseil général (1957). Elu sénateur de la Drôme le 7 novembre 1948, réélu le 19 juin 1955. Ancien maire de Châteauneuf-du-Rhône. Secrétaire d'Etat à l'Intérieur (cabinet Guy Mollet, 1956-1957 ; cabinet Bourgès-Maunoury, 1957 ; cabinet Félix Gaillard, 1957-1958). Elu député de la Drôme (2e circ.) le 30 novembre 1958 et maire de Montélimar le 29 mars 1959. Vice-président du groupe des députés-maires (janv. 1959). Réélu député socialiste en 1962 et 1967. Représentant de la France à l'Assemblée consultative du Conseil de l'Europe.

PICARD (André, Charles).

Agriculteur, né à Marcigny-sous-Thil (C.-d'Or), le 22 juin 1899. Maire de Marcigny-sous-Thil (depuis 1935). Conseiller général du canton de Précy. Dirigeant de la *Fédération des Syndicats d'exploitants agricoles* de la Côte-d'Or. Sénateur indépendant de la Côte-d'or (depuis 1962).

PICHARD (Joseph, Marie, Jules, Adrien).

Avoué, magistrat municipal, né à Chauny (Aisne), le 14 juillet 1907. Avocat stagiaire (1935-1936), avoué près le Tribunal de grande instance de Chartres (depuis 1936). Participa à la Résistance. Après la Libération, fut successivement élu conseiller municipal (1945), adjoint au maire (1946), puis maire de Chartres (1955). Conseiller général du canton de Chartres-sud (1962).

PICQUOT (André, Léon).

Agriculteur, né à Lucey (M.-et-M.), le 24 avril 1908. Ancien président des Syndicats viticoles du Toulois (1942) et des Chambres d'Agriculture de l'Est. Prési-

dent de la Mutualité Sociale agricole
de Meurthe-et-Moselle. Membre du C.A
de la F.N.S.E.A. Bien que nommé maire
de Lucey en 1942, fut réélu en 1945.
Candidat indépendant-paysan aux élections législatives de 1956 sur la liste de
Pierre André (battu). Membre de l'*Alliance France-Israël*. Proclamé le 29 septembre 1961 député de Meurthe-et-Moselle (5e circ. Toul) en remplacement de
François Valentin, décédé le 24 septembre 1961. A conversé le siège depuis et est
inscrit au groupe des *Républicains Indépendants*.

PIERRE-BLOCH (Pierre, Jean BLOCH, dit).

Publicitaire, né à Paris, le 14 avril
1905. Fut, dans sa jeunesse, l'un des
principaux animateurs des *Etudiants
Plébiscitaires* (bonapartistes) sous le
nom de Pierre Bloch d'Aboucaya.
D'abord employé de commerce, puis sur
la recommandation d'un ami de Léon
Blum, entra au *Populaire*, où Paul Faure,
responsable de la rédaction, lui confia
les faits divers, puis l'inspection des
ventes. Parallèlement à son ascension
dans le *Parti Socialiste*, fit carrière dans
la Maçonnerie à laquelle il s'affilia (initié à la loge *Liberté*, le 10 février 1929) :
tandis qu'il devenait conseiller général
socialiste, puis adjoint au maire de Laon
et député de l'Aisne, il gravissait les
échelons de la hiérarchie maçonnique :
orateur adjoint, vénérable de loge, membre du Conseil du *Droit Humain* (après
la guerre, sera président de la loge israélite des *B'naï B'rith*). Collabora également, avant la guerre, à *Marianne*, au
Droit de vivre, etc. En janvier 1940, se
prononça pour la déchéance des députés
communistes, mais ne prit pas part au
vote sur les pleins pouvoirs au maréchal
Pétain. Participa à la Résistance en zone
non occupée, fut arrêté quelque temps
et s'évada de France. Ayant gagné Londres, s'engagea dans les Forces Françaises Libres et fut aussitôt affecté à
l'Etat-Major particulier du général De
Gaulle ; s'occupa plus particulièrement
des services politiques (épuration, lutte
contre les pétainistes, etc...) du *B.C.R.A.*
(services secrets de la France Libre).
Nommé membre de l'Assemblée consultative en novembre 1943, fit rétablir,
avec l'aide de ses collègues communistes,
le décret Crémieux, abrogé par Vichy, et
exigea la condamnation de Pucheu.
Comme délégué général à l'Intérieur du
Comité d'Alger, poursuit l'épuration des
pétainistes et fait libérer Ferhat Abbas.
Elu député à la première Constituante,
ses collègues le nomment juré à la Haute

Cour qui condamnera le maréchal
Pétain. Fut, peu après, désigné par le
gouvernement pour présider la *S.N.E.P.*
chargée d'administrer et de liquider les
biens de presse (locaux et imprimeries
de journaux) saisis ou confisqués aux
pétainistes. A la suite d'un rapport d'expert (que publia *L'Echo de la Presse*),
un remplaçant fut nommé à la tête de
la *S.N.E.P.* (1953). Reprit alors son activité politique, mais fut constamment
battu, bien qu'ayant eu la sagesse de se
placer dans le courant (mendésiste en
1956, gaulliste de gauche en 1958,
S.F.I.O.-F.G.D.S. en 1967). Anc. prés. du
Comité d'Action de la Résistance. A
fondé et dirigé, depuis une douzaine
d'années, une agence de publicité chargée de la distribution du budget d'Israël.

PIERRE-BROSSOLETTE (voir : Brosso-lette).

PIERREBOURG (Olivier de) (voir : HARTY de PIERREBOURG).

PIETRI (François).

Homme politique et historien, né à
Bastia (Corse) le 10 août 1882. Inspecteur des Finances, chef de cabinet de
Joseph Caillaux (président du Conseil,
1911-1912), directeur général des Finances au Maroc (1917-1924), il fut élu député
de la Corse en 1924 et constamment
réélu jusqu'à la guerre de 1939. Il faisait
partie du Groupe des Républicains de
gauche. Il appartint à plusieurs gouvernements à partir de 1926 : tour à tour
sous-secrétaire d'Etat aux Finances
(1926), ministre des Colonies (1929-1930),
ministre du Budget (1931-1932), de la
Défense nationale (1932), des Colonies
(1933), de la Marine (1934-1936), des Travaux publics et des Postes (1940). Il vota
pour le maréchal Pétain le 10 juillet
1940 et fut nommé ambassadeur en
Espagne peu après. En 1944, en raison
de l'hostilité du gouvernement provisoire, il resta à l'étranger et ne rentra
que plusieurs années après. Retiré de la
politique, François Pietri publie des
livres. Les plus récents, « *Napoléon et
le Parlement* », « *l'Espagne du Siècle
d'or* », « *Chronique de Charles le Mauvais* » et « *Napoléon et les Juifs* », où il
présente, assez paradoxalement, l'Empereur comme un ardent philosémite, ont
reçu un accueil sympathique de la critique.

PILLET (Paul-François).

Agent d'affaires, né à Roanne (Loire),
le 1er avril 1907. Gérant d'immeubles.
Directeur du journal *L'Espoir* de Saint-

Etienne. Adjoint au maire, puis maire de Roanne (1959). Conseiller général de Roanne (1951). Ancien attaché de cabinet d'Eugène Claudius-Petit, ministre de la Reconstruction et de l'Urbanisme (1949). Candidat *U.D.S.R.* aux élections de 1956 sur la liste Claudius-Petit (battu). A nouveau candidat en 1958 : élu député dans la 5ᵉ circ. de la Loire, le 30 novembre. Réélu le 25 novembre 1962 (centriste), mais battu le 12 mars 1967.

PILORI (Au).

En 1938, un ancien collaborateur de *La Libre Parole*, Henri-Robert Petit, fondait une revue mensuelle : *Le Pilori*, qui n'eut que quelques numéros : il suspendit sa publication après l'entrée en vigueur du décret-loi Marchandeau, d'avril 1939, réprimant l'antisémitisme. Après l'armistice, Petit fit reparaître ce périodique, mais il fut évincé par Lestandi de Villani, animateur du cercle *Le Grand Pavois*, qui en prit la direction et l'appela *Au Pilori*. Un peu plus tard, Robert Pierret, puis Jean Drault en furent directeurs. Y collaborèrent, plus ou moins régulièrement : Lucien Pemjean, Urbain Gohier, Robert-Julien Courtine, J. de Feraudy, le colonel Labonne, J. Marquès-Rivière, Henri Labroue, ancien député, professeur à la Sorbonne, Henri Carré, l'historien, Louis Thomas, directeur des Editions C.L. (*Aux Armes de France*, ex-Calmann-Lévy « aryanisées »), Paul Mathiex, Pierre Vigouroux, Sylvain Bonmariage, Vinceguide (comte de Gueydon), Paul Riche. En 1943, Lestandi de Villani se retira tout à fait du journal, qui disparut en août 1944.

PILOTE DE LA SOMME (Le).

Hebdomadaire républicain paraissant à Abbeville, fondé en 1812. Sous la direction de Marcel Lafosse, son tirage atteignit 12 000 exemplaires. *Abbeville-libre* lui succéda en 1944.

PIMONT (Louis, Marcel).

Préfet, né à Laguenne (Corrèze), le 20 février 1905. Ancien rédacteur, puis chef de bureau de préfecture. Chef de cabinet intérimaire du préfet de la Corrèze (1ᵉʳ octobre 1940). Chef de division à la préfecture de la Corrèze, et délégué dans les fonctions de préfet de la Corrèze à la Libération (16 août 1944). Secrétaire général de la Dordogne (2ᵉ cl.) (1ᵉʳ février 1945). Sous-préfet de Parthenay (1946), de Bergerac (1949). Chef adjoint (10 février 1956), puis chef de cabinet à Paris de Robert Lacoste, ministre résident en Algérie (1957). Nommé préfet et mis à la disposition du minis-

tre de l'Algérie (27 janvier 1958). Conseiller technique au cabinet de Robert Lacoste, ministre de l'Algérie (1957-1958). Préfet en congé spécial (19 décembre 1961). Elu député *S.F.I.O.* de la Dordogne (2ᵉ circ.) en 1962. Réélu en 1967.

PINATEL (Pierre).

Caricaturiste, né à Apt (Vaucluse), le 9 octobre 1929, dans une famille de vignerons réputés. Dessinateur engagé, fit ses débuts à *Dimanche-Matin*, puis collabora à : *Combat, Aux Ecoutes, Le Charivari*, à la presse de Tixier-Vignancour. Illustra plusieurs ouvrages de son ami André Figueras ainsi que « *Le Trombinoscope de la Vᵉ bis* », publié par *Lectures Françaises*. Depuis 1961, dirige et illustre *Le Trait*, revue non-conformiste et d'opposition, dont il est le fondateur, et qui lui valut des poursuites judiciaires pour ses dessins irrévérencieux à l'égard du général De Gaulle. Collabore au *Monde et la Vie*.

PINAY (Antoine).

Industriel, né à Saint-Symphorien-sur-Coise (Rhône), le 30 décembre 1891. Fils de fabricant de chapeaux, petit-fils de l'introducteur en France de la fabrication des chapeaux de paille, industrie qui venait d'Italie. Gendre du tanneur Fouletier. Maire de Saint-Chamond (depuis 1929). Conseiller général de la Loire (depuis 1949). Député modéré (1936-1938), puis sénateur de la Loire (1938-1940). Vota pour le maréchal Pétain (le 10 juillet 1940) et appartint à son *Conseil National* (1941). Sénateur de la Loire (1938-1940). Membre de la deuxième Assemblée constituante (1946). Député de la Loire (1946-1958). Président d'honneur du *Centre national des indépendants et paysans* (1953), président du Groupe des indépendants et paysans d'action sociale de l'Assemblée nationale (1956-1958) et du *Mouvement national des élus locaux*. Secrétaire d'Etat aux affaires économiques (cabinet Henri Queuille, 1949), ministre des Travaux publics (cabinets René Pleven, 1950-1951 ; Henri Queuille, 1951 ; Edgar Faure, 1952). Président du Conseil et ministre des Finances (6 mars-23 décembre 1952), président du Conseil désigné le 6 février 1953 (renonça le 10 février à constituer le cabinet), ministre des Affaires étrangères (cabinet Edgar Faure, 23 février 1955-24 janvier 1956), président du Conseil désigné (non investi par l'Assemblée nationale, octobre 1957). Fut l'un des hommes politiques qui facilitèrent le retour au pouvoir du général De Gaulle en mai 1958. Ministre des Finances (cabinet Charles De

Gaulle, 1958-1959). Réélu député de la Loire (1958). Ministre des Finances (cabinet M. Debré, 1959-1960). Effectua plusieurs missions à l'étranger pour le compte d'importants groupes industriels et financiers et évita de se prononcer ouvertement lors des derniers référendums. Fit annoncer par ses amis, sa candidature à l'élection présidentielle de décembre 1965 et démentit ensuite.

PINEAU (Christian).

Economiste, né à Chaumont-en-Bassigny (Haute-Marne), le 14 octobre 1904. Reçu n° 1 au concours de la *Banque de France,* entra ensuite à la *Banque de Paris et des Pays-Bas* (1931). Fut l'un des fondateurs du *Club de Février* (avec Robert Aron), de la revue *Banque et Bourse* (avec A. Dauphin-Meunier) et le secrétaire général de la *Fédération des Employés de Bourse et de Banque C.G.T.* Quitta la *Banque de Paris et des Pays-Bas* en 1938 pour devenir secrétaire du Conseil Economique de la *C.G.T.* et rédacteur au *Peuple,* à *Messidor* et à *Syndicats.* Fit partie de l'*Atelier 38,* groupe de fonctionnaires créé par Edouard Chaux (futur président-fondateur du *Cercle Européen* en 1941). Chef du cabinet de Jean Giraudoux, son beau-père, au Commissariat à l'Information, et fondateur du *Bulletin d'Information Ouvrière* (1939). Occupa jusqu'en septembre 1942 de hautes fonctions au ministère du Ravitaillement et travailla, avec Detœuf et Guillaume de Tarde, au sein du *Comité d'Etudes Economiques et Sociales* et du *Comité d'Etudes pour la France,* tout en militant dans la Résistance (fondation de *Libération Nord,* rédaction du journal *Libération,* direction du réseau *Phalanx*). Arrêté en septembre 1942, échappa à ses gardiens deux mois plus tard, fit un voyage à Londres et fut de nouveau arrêté à Lyon, cette fois par les Allemands qui le déportèrent à Buchenwald. Libéré par les Alliés en avril 1945, devint ministre du Ravitaillement aussitôt (gouvernement De Gaulle) et fut élu aux deux Constituantes (1945-1946) puis à l'Assemblée Nationale (député de la Sarthe, 1946-1958). Appartint à plusieurs gouvernements de la IVᵉ République (cabinets Schumann, Marie, Queuille, Bidault, Mollet, Bourgès-Maunoury, Gaillard). Fut même désigné comme président du Conseil (14 février 1955), mais n'obtint pas l'investiture. Etait ministre des Affaires étrangères lors de la « folle équipée de Suez » (1956). Membre du Comité directeur de la *S.F.I.O.,* a été élu conseiller général de la Sarthe en 1955 et réélu

Pinatel, vu par Pinatel

en 1961. Président-directeur général de *France-Villages* et de *France-Motels.* Auteur de : « *La S.N.C.F. et les chemins de fer français* », « *Plume et le Saumon* », « *L'Ourse aux pattons verts* », « *Histoire de la forêt de Bercé* », « *La Planète aux enfants perdus* », « *Mon cher Député* », « *La Simple vérité, 1940-45* », etc.

PINELLI (Noël).

Commissaire de la Marine, né à Clermont-Ferrand, le 31 mai 1881. Avocat au barreau d'Ajaccio (1900-1901), Commissaire en chef de la Marine (1901-1924), Député national de la Seine (1936-1942), Conseiller municipal de Paris, Conseiller général de la Seine (1929-1944), Vice-président du Conseil municipal de Paris (1933-1934), Sous-secrétaire d'Etat à la Marine marchande (1940). Membre du *Conseil National* (1941). Collabora à la presse d'opposition, notamment à *La République Libre,* de Paul Faure. Membre de l'*Association pour défendre la mémoire du maréchal Pétain* et de l'*Union des Intellectuels Indépendants.*

PINOTEAU (Roger).

Médecin, né à Reuilly (Indre), le 2 avril 1910. D'ascendance à la fois berrichonne et aveyronnaise. Conseiller municipal du quartier de Belleville, à Paris et conseiller général de la Seine (1953-1965), député de la Seine (1958-1962), vice-président du Conseil municipal de Paris (1959), membre du Comité directeur du *C.N.I.P.*, sénateur de la Communauté (1958-1960), président du groupe parlementaire France-Liban.

PINTON (Auguste).

Universitaire, né à Lyon (Rhône), le 25 août 1901. Militant radical dans l'entre-deux-guerres, participa à la Résistance. Sénateur radical du Rhône (depuis 1946), ancien conseiller municipal de Lyon et premier adjoint d'Edouard Herriot à la mairie de Lyon (1944-1953). Maire de Thizy. Secrétaire d'Etat aux Travaux publics, aux Transports et au Tourisme (cabinet Guy Mollet, 1956-1957). Président de la Fédération du Rhône du *Parti Radical-Socialiste*.

PIOU (Jacques).

Homme politique, né à Angers en 1838, mort à Paris en 1932. Avocat à Toulouse, son opposition à l'Empire le désigna à ses amis monarchistes comme un chef courageux et habile. Il fut élu député royaliste de Haute-Garonne en 1885, mais contrairement à beaucoup de monarchistes, il refusa de s'engager dans l'aventure boulangiste. Réélu député en 1889, il manifesta bientôt des opinions libérales qui déplurent à nombre de ses partisans. Un voyage à Rome le persuada que le pape approuvait son action : quelques années plus tard, le Ralliement préconisé par Léon XIII l'incita à fonder un nouveau parti catholique, l'*Action Libérale Populaire*, qui se proclama

Jacques Piou
chef
des « ralliés »

républicain. Son parti contribua à détacher les masses électorales catholiques de la Droite monarchiste : celle-ci lui reprocha avec véhémence, pendant quarante ans, d'avoir désorganisé le mouvement national et ouvert toute grande la porte aux démocrates-chrétiens et à la gauche. Il fut, en 1919, l'un des fondateurs du *Bloc National* dont il rédigea, d'accord avec Mgr Amette, le passage du programme relatif au « *fait de la laïcité* » qui emporta l'adhésion de la gauche modérée, mais hérissa la droite catholique.

PISANI (Edgard, Edouard, Marie, Victor).

Homme politique, né à Tunis, le 9 octobre 1918 de parents étrangers. Marié en premières noces avec la fille d'André Le Troquer et en secondes noces avec la fille d'Abel Ferry. Débuta officiellement dans la politique en participant à l'équipée du « *Massilia* » (1940). Dans le sillage de son premier beau-père, fut nommé sous-préfet, chef de cabinet du préfet de Police le 18-8-1944. Directeur adjoint du cabinet du même préfet (1945). Directeur du cabinet d'André Le Troquer, ministre de l'Intérieur (1946), puis ministre de la Défense nationale (1946-47). Nommé préfet par intérim de la Haute-Loire (1946), puis préfet en titre (1947) ; préfet de la Haute-Marne (1947). Sénateur *R.G.R.* de la Haute-Marne (1954-1961). Membre du Haut Conseil de l'Aménagement du Territoire (1947), ministre de l'Agriculture (gouvernement Debré, août 1961, premier et deuxième gouvernements Pompidou, 1962) et ministre de la Reconstruction (troisième gouvernement Pompidou, 1966).

PITTI-FERRANDI.

Docteur en médecine, sénateur de la Corse, nommé le 23 janvier 1941 membre du *Conseil National* (voir à ce nom).

PLAIT (André, Marie).

Médecin, né à Auxerre (Yonne), le 8 juillet 1892. Sénateur indépendant de l'Yonne (depuis 1947), président du Groupe des sénateurs anciens déportés.

PLANEIX (Joseph).

Entrepreneur, né à Aydat (Puy-de-Dôme), le 8 avril 1915. Entrepreneur des travaux publics et des transports. Maire de Parent. Conseiller général de Vic-le-Comte (1945). Elu député socialiste du Puy-de-Dôme (3e circ.) le 25 novembre 1962. Réélu en 1967.

PLANES (Louis, Georges).

Journaliste, né à Bordeaux, le 26 sep-

tembre 1891. Sous son nom ou sous les
pseudonymes de Planes - Burgade et
Louis-Georges, collabore à la presse bordelaise depuis plus de quarante ans.
Avant la guerre, était avec Louis Cadars
et Rémy Aurélien, l'un des principaux
rédacteurs du quotidien bordelais *La
Liberté du Sud-Ouest ;* après l'armistice
de 1940, fut le rédacteur en chef du
journal. Actuellement, rédacteur politique et critique littéraire de *L'Indépendant du Sud-Ouest,* de Bordeaux. Membre et ancien Président de l'Académie
nationale des Sciences, Belles Lettres et
Arts de Bordeaux, fondateur et directeur des *Jeudis et Samedis Littéraires*
de Bordeaux. Auteur de nombreux ouvrages, en particulier sur la cité bordelaise et son histoire (« *Bordeaux* », préfacé par François Mauriac, « *Bordeaux,
capitale tragique,* en collaboration avec
R. Dufourg, couronnés par l'Académie
française, etc.), ainsi que : « *Rouge et
or* » (sur l'Espagne de Franco), « *Francis Jammes à Bordeaux* », « *Paul-Jean
Toulet* », « *Autour de trois poèmes de
Charles Maurras* », etc.

PLANSON (Claude).

Directeur de théâtre (voir : *Parti Franciste*).

PLARD (René).

Militant politique et ancien maire de
Troyes (voir : *La Dépêche de l'Aube*).

PLATEAU (Marius).

Ingénieur, né à Paris le 8 juillet 1886.
L'un des fondateurs des *Camelots du Roi,*
organisation chargée de vendre dans la
rue, à la criée, le journal *L'Action française.* Grièvement blessé, cité à l'ordre
de l'Armée, pendant la guerre de 1914-
1918, fut nommé secrétaire général de la
Ligue d'Action française à son retour du
front. Abattu à son bureau par la militante anarchiste Germaine Berton, le
22 janvier 1923. Son nom a été donné à
l'*Association des Anciens Combattants
d'Action française* toujours en activité.

PLATON (Charles, Guillaume).

Amiral, né à Bordeaux, le 19 septembre 1886, mort le 19 août 1944. Issu
d'une famille protestante. Officier diplômé de l'Ecole Supérieure de la Marine, spécialiste des unités légères, fut
chargé du contrôle du blocus de l'Espagne (zone Nord) lors de la guerre civile.
Se fit « rappeler à l'ordre » par le gouvernement pour avoir salué un navire
nationaliste. Commandant le port de
Dunkerque, participa à une expédition
en 1940 contre les Allemands dans la
région de Flessingue et Zeebrugge, puis
organisa la résistance à Dunkerque. Fut,
quelque temps, chargé d'organiser le
« réduit breton ». Fut secrétaire d'Etat
aux Colonies du gouvernement Pétain
(1940-1942), puis secrétaire d'Etat auprès
du chef du gouvernement (1942-1943).
Contrôla, à ce moment-là, le service des
Sociétés secrètes de Vichy. En désaccord
avec Pierre Laval, quitta le gouvernement et, après son refus d'un poste diplomatique en Turquie ou en Suisse, rentra
dans le rang. Le maréchal Pétain l'ayant
chargé de mission, son différend avec
le président Laval s'envenima au point
que ce dernier l'assigna à résidence surveillée à Pujol-sur-Dordogne, dans une
région où le maquis était particulièrement fort et agissant. Après avoir été
enlevé et retenu prisonier par l'*A.S.,* puis
par les *F.T.P.,* pendant près d'un mois,
fut abattu d'une balle dans la nuque, au
château de la Queirerie, près de Monti-
gnac. *Compagnons* (voir à ce nom), le
journal de la révolution nationale, l'avait
compté au nombre de ses collaborateurs.

PLAS (Bernard, Yves, Gaston de ROBINET de).

Agent de publicité, né à Saint-Quentin
(Aisne), le 20 août 1901. Fils et frère
d'officier, lui-même officier des Affaires
indigènes au Maroc (1922-1926), il entra
dans la publicité en 1929, chez son oncle

Alexandre de Plas, qui était l'un des dirigeants de la *Chambre syndicale de la Publicité*. Il suivait alors — de loin — l'activité des mouvements de droite. L'avènement au pouvoir de Léon Blum le jeta dans la bagarre politique : il devint alors l'un des membres du Bureau Politique du *P.P.F.* de Jacques Doriot. Il exprimait ses idées dans la revue *Travail et Nation* et écrivait qu'il ne voulait pas « *laisser le Parti Communiste faire en France la politique étrangère de la Russie* » (1er novembre 1936). Après Munich, il quitta le parti, en même temps que ses amis Claude Popelin, Bertrand de Maud'huy et Pierre Pucheu. Au retour de la « drôle de guerre », au cours de laquelle il fut blessé, il reprit ses activités professionnelles et appartint au *Comité d'organisation des Professions de la Publicité*, créé par Vichy et dont les membres étaient nommés par le gouvernement du maréchal Pétain (*J.O.*, 16-7-1942). Il était à cette époque président du *Syndicat des Agents de Publicité* et membre de la *Fédération Française de la Publicité*. Vers 1942, il entra dans l'opposition et milita dans les organisations antifascistes de la Résistance, notamment à *Libération-Nord*. Porté à la présidence de la *Fédération Française de la Publicité*, épurée de ses éléments pétainistes, il fut, au cours des années 1950, l'un des artisans les plus actifs du rapprochement avec les pays de l'Est. Ses contacts avec Moscou — il se rendit dans la capitale soviétique en 1952 et, au lendemain des massacres de Budapest, il assistait à la réception de l'ambassade soviétique à Paris (cf. *L'Humanité*, 11-11-1956) — puis avec Pékin, où il fut reçu, font de lui le grand intermédiaire des tractations entre le monde communiste et le monde des affaires. Mais au retour de sa visite au pays des Soviets, ses confrères de la publicité lui avaient tenu rigueur de son attitude : accusé de crypto-communisme par ses pairs de la *Fédération Française de la Publicité*, il avait dû abandonner la présidence de celle-ci pour éviter des incidents désagréables. Ce n'est que douze ans plus tard, lorsque l'exemple venu de très haut montra aux publicitaires que le comte de Plas était un précurseur, que celui-ci reprit son poste à la tête de la *Fédération* (1964). Entre temps, sous l'étiquette d'*indépendant de gauche*, il s'était fait élire conseiller général de la Charente (1956), puis en avait démissionné à la suite d'incidents locaux mineurs. Entré au conseil municipal de la commune des Essards, il vient d'être élu, à nouveau, conseiller général de la Charente, cette fois « *sans étiquette* ».

PLEBISCITE.

Chez les anciens Romains, le *plébiscite* était un décret voté par le peuple convoqué par tribu. Plus tard, il devint une décision, de quelque ordre qu'elle fût, votée par l'assemblée de la plèbe (*plebis concilium*). En France, le *plébiscite* est la pratique qui consiste à soumettre directement à l'approbation des citoyens une constitution ou un acte constitutionnel, le vote s'exprimant uniquement par *oui* ou par *non*. Le souvenir des plébiscites du Second Empire (1852 et 1870) fait que, de nos jours, le terme implique en sous-entendu une notion de césarisme, si bien qu'on lui substitue de préférence le terme de *référendum* (voir à ce mot).

PLEVEN (René).

Homme politique, né à Rennes (I.-et-V.), le 15 avril 1901. Fils du colonel Jules Pleven. Gendre de l'ancien député radical de la Seine, Raoul Bompard. Frère d'Henri Pleven, mort à la prison de Fresnes où il était écroué en raison de ses fonctions à Vichy pendant la guerre (René Pleven était alors ministre du gouvernement De Gaulle). Selon *Samedi-Soir* (16-8-1952), son grand-père participa à la fameuse « campagne des banquets » qui prépara la révolution de 1848. Un autre de ses ancêtres, Libéral Préauchat, fut maire de Morlaix sous la Convention ; ses sentiments jacobins étaient si vifs qu'il faisait, dit-on, teindre ses cheveux en bleu, blanc et rouge. Docteur en droit à vingt ans, René Pleven appartenait, au Quartier Latin, aux *Etudiants d'Action Française* et avait pour ami, un jeune agrégé de droit, son aîné de six ans, comme lui catholique et royaliste, nommé Pierre Cot. A vingt-deux ans, il passa le redoutable concours de l'inspection des finances : reçu premier à l'écrit, il échoua à l'oral et refusa de se représenter. Jean Monnet, le futur « père de l'Europe » (avec — ou sous le couvert de — Robert Schuman) lui trouva une situation dans une firme américaine. C'est ainsi que René Pleven fut directeur de l'*Anglo-Canadian Telephone*, de l'*Automatic Electric C°*, de l'*Automatic Telephone and Electric Corporation* (contrôlée par la banque *Lazard Brothers*) et de l'*International General Electric C°* et secrétaire du C.A. de la *Cie Franco-Américaine pour l'Electricité et l'Industrie*. Demeuré dans le sillage de Jean Monnet, il fut successivement chef adjoint de mission française de l'Air aux Etats-Unis (1939), secrétaire général de l'Afrique Equatoriale Française après son ralliement au général De Gaulle (8-7-

1940), chargé des Affaires étrangères, des Colonies et des Finances au Comité français de Londres (1941), puis chargé des Colonies et de la Marine marchande au Comité d'Alger (septembre 1943) et président de la Conférence Africaine de Brazzaville (février 1944). Après la Libération de Paris, il devint ministre des Colonies du général De Gaulle (septembre 1944), puis son ministre des Finances (1944-1945), son ministre de l'Economie nationale (avril-novembre 1945) et, à nouveau, son ministre des Finances (1945-1946). Le *Dictionnaire des Contemporains*, de Galtier-Boissière, note qu'il se fit remarquer par son fameux « *impôt de solidarité* ». Dès lors, il fut l'un des grands personnages de la IVe République, ainsi qu'en témoigne ce *curriculum vitae* succinct : Membre de la première Assemblée Constituante (1945-46), président de la Commission du plan de modernisation et d'équipement des territoires d'outre-mer, président de la Caisse autonome de la Reconstruction (1946), président de la Commission de contrôle des industries nationalisées (1946), député des Côtes-du-Nord depuis 1946, président de l'*U.D.S.R.* (1946-1953), président de l'intergroupe du *R.G.R.* (1946-1947), ministre de la Défense Nationale (cabinets Bidault, 1949-1950 ; Queuille, 1950), président du Conseil (1950-1951), vice-président du Conseil (cabinet Queuille, 1951) et, à nouveau, président du Conseil (1951-1952). Ministre de la Défense nationale et des Forces armées (cabinet Antoine Pinay, 1952 ; René Mayer, 1953 ; Laniel, 1953-1954). On critique beaucoup, dans les milieux parlementaires, sa signature, le 23 avril 1953, au nom du Gouvernement, d'un contrat *off shore* (86 540 000 dollars = 43 milliards 270 000 000 d'A.F.) pour des avions de chasse *Mystère Mark 4* fournis par l'industriel et parlementaire gaulliste Marcel Dassault. A partir de 1958, son étoile pâlit légèrement : désigné par le président Coty pour constituer le gouvernement (29-4-1958), il renonça à se présenter à l'investiture et n'occupa plus que quelques jours (du 14 au 31 mai 1958) un fauteuil ministériel : celui des Affaires étrangères dans l'éphémère cabinet Pflimlin. Son ralliement au général De Gaulle — dont il avait été jadis un fidèle, mais qu'il avait abandonné, en même temps que Jean Monnet, dix ans auparavant —, lui permit de conserver son siège de député, sans plus. Brouillé avec François Mitterrand, il abandonna l'*U.D.S.R.* le 13 octobre 1958 et fonda avec ses amis une *Union Démocratique* (14 juin 1959) qui n'eut guère de succès. Depuis plusieurs années, borne son activité politique à la publication dans son journal *Le Petit Bleu*, de Saint-Brieuc, d'éditoriaux souvent instructifs, parfois assez critiques, que citent pieusement quelques journaux français et étrangers. Il exerce une influence discrète, mais certaine, sur la direction d'*Entreprise*, comme gros actionnaire de la *Sté d'Etudes et de Publications Economiques* qui édite cette revue. Bien que favorable à l'unité européenne combattue par les gaullistes, Pleven s'est prononcé pour le général De Gaulle, au second tour de l'élection présidentielle (1965).

PLEYBER (**Jean**) (Voir **Emile Grandjean**).

PLONCARD D'ASSAC (Jacques).

Homme de lettres, né à Chalon-sur-Saône, le 13 mars 1910. Lancé très jeune dans l'action politique, il adhéra à *L'Action Française* à seize ans, fonda *La Lutte* en 1927 et participa à la renaissance de *La Libre Parole* peu après. Il fut l'un des principaux collaborateurs du Dr Molle, député-maire d'Oran et président du *Parti National Populaire* (1930-1931). Son intérêt se portant particulièrement vers les problèmes européens, il donna des articles de politique étrangère à *L'Intransigeant*, *La Liberté*, *Paris-Midi* et *Courrier royal*. En 1936, il adhéra au *Parti Populaire Français* que Doriot venait de fonder. Après la guerre de 1939, qu'il fit comme officier de réserve, il soutint la politique du maréchal Pétain qui lui décerna la décoration de la Francisque. Exilé depuis 1944, Jacques Ploncard d'Assac est actuellement rédacteur diplomatique au *Diario da Manha*, le quotidien du président Salazar, et l'éditorialiste de *La Voix de l'Occident*, émission en plusieurs langues du poste Radio-Lisbonne (depuis sa création en 1961). Ses collaborations nombreuses à la presse française et étrangère en font l'auteur le plus lu du mouvement traditionaliste et anti-marxiste européen. Il est considéré comme l'un des principaux doctrinaires du nationalisme français. Ses éditoriaux et plusieurs de ses écrits sont traduits en diverses langues et diffusés dans le monde entier. Parmi les nombreux ouvrages, citons son œuvre capitale : « *Doctrines du nationalisme* » (1959, réédité en 1965), « *L'Eglise et la Révolution* » (1963), « *La Nation, l'Europe et la Chrétienté* » (1964) « *Critique nationaliste* » (1965) et « *Le poids des clés de Saint-Pierre* » (1966).

PLOUTOCRATIE.

Gouvernement des puissances d'argent,

des grands financiers, de la grande bourgeoisie d'affaires (voir : *bourgeoisie*). Au siècle dernier, Edgar Quinet écrivait : « *La ploutocratie ne sourit jamais à personne. Elle se tait ou menace. Née du peuple elle déteste le peuple ; elle l'injurie, croyant par là s'en distinguer, dure, aveugle, inexorable. Elle sait se faire haïr et ne peut se faire craindre. Il est dans sa nature de faire peser tous les impôts sur les masses. La misère du peuple ne lui déplaît pas, elle en vit. Le parvenu croit grandir de la ruine de tous !* »

PLOUX (Suzanne, Juliette VALENTIN, épouse).

Née à Rochefort-sur-Mer (Charente-Maritime), le 2 mars 1908. Maire de Pont-en-Buis. Ancienne du réseau *Johny* dans la Résistance. Conseiller général du canton du Faou (1955). Elue député *U.N.R.* du Finistère (6ᵉ circ.) le 25 novembre 1962. Réélue en 1967.

POHER (Alain, Emile, Louis, Marie).

Ingénieur des mines, né à Ablon-sur-Seine (S.-et-O.), le 17 avril 1909. Administrateur civil au ministère des Finances, entra dans la politique après la Libération. Après avoir été le chef de cabinet de Robert Schuman, ministre des Finances (juin-novembre 1946), fut élu sénateur *M.R.P.* de Seine-et-Oise, puis devint secrétaire d'Etat aux Finances (ministère Schuman, 1948) et au Budget (ministère Queuille, 1948). Président du Conseil supérieur du commerce en 1953, présida à deux reprises le groupe sénatorial du *M.R.P.* et fut secrétaire d'Etat aux Forces armées (marine - ministère Félix Gaillard, 1957-1958). « Européen » convaincu, occupa des fonctions importantes dans les organismes de la Communauté : président de la Commission des transports de l'Assemblée commune du pool charbonacier, président de la Commission gouvernementale franco-allemande pour la canalisation de la Moselle, membre de l'Assemblée commune puis du Parlement européen, président du Groupe démocrate chrétien de cette Assemblée et rapporteur au Congrès du Conseil des Communes d'Europe. Maire de sa ville natale, dirigeant de l'*Association des maires de France*, appartient également aux cadres du *M.R.P.*, au Bureau national duquel il siégea plusieurs années (1959-1962).

POILVET (Jean, Constant, Pierre).

Journaliste, directeur de publication, né à Landehen (C.-du-N.), le 3 août 1927. Fils d'un officier de police. Depuis la Libération : rédacteur au *Maine-Libre* (1945-1946), rédacteur en chef du *Nouveau Journal*, de *Paris-Banlieue* (1946-1947), de *Espoir* (1947), directeur du *Journal de Seine-et-Oise* et de *La Gazette de l'Ile-de-France* (1948-1959), de la *Tribune républicaine* (1950-1953), président-directeur général du *Moniteur* (depuis 1958), directeur-gérant de *Notre République* (1959 - 1960), de *l'Avenir de l'Ile-de-France-sud* (1960-1961), directeur de la société anonyme « *Les Presses bretonnes* » (1962-1963), rédacteur en chef de *Information-Service* (1961-1962), conseiller de direction puis directeur de *Seine-et-Oise* (depuis 1963) et de l'hebdomadaire *Côtes d'Armor*, président de la *Société anonyme de presse, d'édition, de publicité et d'informations générales* (Sapepig), rédacteur en chef de *La Vie bretonne*. Cet ancien collaborateur d'Etienne de Raulin-Laboureur fut l'un des dirigeants des Jeunes du *R.P.F.* et, plus tard, fit partie du comité directeur de l'*Union Démocratique du Travail* (U.D.T.). Est, en outre, président de la section française de l'*Allianza internationale dei giornalisti e scrittori latini* et de l'*Union bretonne*.

POINCARE (Raymond).

Avocat et homme d'Etat, né à Bar-le-Duc (Meuse) en 1860, mort à Paris en 1934. « *Du 20 août 1860, et à cinq heures de relevée, naissance de Poincaré, Raymond-Nicolas-Landry, fils de Poincaré, Nicolas-Antoni-Hélène, trente-cinq ans, ingénieur des ponts et chaussées, et de Ficatier, Nanine-Marie, son épouse, vingt-deux ans, tous deux demeurant rue des Tanneurs, 35.* » Telle est, extraite du registre de l'état-civil de Bar-le-Duc pour l'année 1860, la formule constatant la naissance du futur président. Les grands-parents paternels de Raymond Poincaré étaient tous deux originaires de Neufchâteau, dans les Vosges. Un ancêtre, que Beurnonville, l'un des chefs militaires de la Révolution, appelait « le vieux Poincaré », commandait le 4ᵉ bataillon de volontaires de la Meurthe et mourut en l'an IX, au service de la République. Le Premier Consul recommanda plus tard, à son ministre de la Guerre, le fils du commandant Poincaré qui avait « *perdu une jambe et une cuisse dans une des dernières batailles qui ont illustré la campagne du Rhin* ». Un autre Poincaré, grand-oncle du futur président, s'était distingué comme officier dans les armées de la République et de l'Empire (cf. Discours de Frédéric Masson à l'Académie française, le 28 juin 1909). Raymond Poincaré était le cousin de l'académicien Henri Poincaré (1854-1912), qui fut un des plus grands mathématiciens de tous les temps, et le neveu du professeur Léon Poincaré, de la Faculté de médecine de Nancy. Du côté maternel, il appartenait également à une famille de la bourgeoisie libérale : le grand-père de sa mère, Jean-Landry Gillon, conseiller à la Cour de cassation, fut député de la Meuse de 1830 à 1848 ; son grand-oncle, Paulin Gillon, siégea également dans les assemblées délibérantes : maire de Bar-le-Duc, il appartint à l'Assemblée Constituante de 1848 et, l'année suivante, à l'Assemblée législative, et après la chute de Napoléon III, fut député à l'Assemblée nationale. Le jour de sa naissance, le médecin accoucheur, ami de la famille, aurait dit, en élevant l'enfant au-dessus de sa tête : « C'est un futur député ! » Cette prédiction se réalisa vingt-sept ans plus tard. En attendant de ceindre l'écharpe de député, le jeune Raymond Poincaré fit ses études au lycée de Bar [1]. C'est un matin de 1870, devant cet établissement occupé la veille par les Prussiens, que l'enfant prit contact, si l'on peut dire, avec ceux qu'il devait, par la suite, considérer toujours comme des ennemis. Les enseignements que le futur président reçut du vénérable abbé Landmann — un prêtre alsacien réfugié, devenu l'aumônier du lycée, qui le prépara à sa première communion — ne devaient avoir aucunes conséquences du point de vue religieux, mais en eurent de considérables sur le plan patriotiques : ils contribuèrent puissamment à lui inspirer l'horreur de l'envahisseur, la crainte de l'armée prussienne et la haine de l'Allemagne. Venu étudier le droit au Quartier latin, Raymond Poincaré prenait ses repas, avec son cousin Henri, dans une pension alors renommée, où trônait « tante Rose », celle que Gambetta appelait « la statue grecque » : la Pension Laveur, qui s'enorgueillissait d'avoir eu comme clients, outre Gambetta, des célébrités comme Paschal Grousset,

Jules Vallès, Alphonse Daudet, François Coppée, Emile Loubet et Alexandre Millerand. Inscrit au barreau de Paris en 1880, il collabora au XIXᵉ Siècle, d'Edmond About, et au Voltaire, avec son ami Paul Strauss. Ardent républicain et, plus modérément mais fermement anticlérical, Poincaré se fit élire au Conseil général de la Meuse contre le comte de Nettancourt-Vaubécourt, et, deux mois plus tard, à une élection partielle, député du département, par 34 796 voix contre 3 705 à Hurel, 1 145 au général Boulanger et 1 583 au monarchiste Gérardin (juillet 1887). Aux élections générales suivantes il fut réélu à Commercy (au scrutin d'arrondissement), par 9 644 voix contre 7 297 à son concurrent Gérardin (août 1889) et, quelques années après, il occupa le fauteuil de président du Conseil général de la Meuse, en remplacement de Louis Develle, frère du ministre dont il avait été, entre temps, le chef de cabinet. Son intelligence, son talent et son sérieux, le firent remarquer par ses collègues. Très vite, il devint l'un des chefs de la majorité républicaine. Il avait trente-trois ans lorsque Dupuy lui confia, dans son cabinet, le ministère de l'Instruction publique. Il fut appelé en 1899 à constituer un gouvernement, mais dut y renoncer en raison des exclusives radicales. La gauche lui reprochait son attitude neutraliste dans l'affaire Dreyfus et la droite, de faire preuve, devant les responsabilités, d'une prudence excessive : « Il court s'abstenir ! » disait-on de lui. Il resta hors du gouvernement de longues années, se consacrant à sa profession d'avocat où il acquit une grande réputation. En 1903, il quitta la Chambre pour le Sénat, et, trois ans plus tard, revint au pouvoir, dans le cabinet Sarrien (1906). L'Académie française, voulant honorer l'orateur, l'accueillit dans son sein en 1909. Connu pour sa fermeté à l'égard de l'Allemagne, on fit tout naturellement appel à lui lorsque la crise d'Agadir, qui avait failli déclencher la guerre, menaça d'être réglée au détriment de la France. Président du Conseil et ministre des Affaires étrangères, il engagea le pays dans une voie qui, au dire de ses adversaires, devait immanquablement conduire au conflit avec l'Allemagne, mais qui, ses amis l'ont souligné, permit le resserrement de l'alliance avec la Russie. Le surnom de « Poincaré-la-Guerre », qui lui fut donné par la gauche, date de cette époque. Sa politique étrangère s'opposait à celle de Joseph Caillaux et de Jean Jaurès, pour qui la paix européenne passait par l'entente franco-allemande. La réputation de

(1) On a dit que, dans sa jeunesse, Raymond Poincaré souffrit de son nom de famille. « On n'imagine pas un point carré, disait-il, notre nom devrait être « Pont carré. » Un savant philologue, Antoine Thomas, de l'Institut, a découvert un Jehan Poingquarré, attaché au secrétariat d'Isabeau de Bavière et de Jean sans Peur. En classe, le jeune Raymond était appelé tantôt Poin... rond, Point... tu, quand il était désagréable. Excédé, il répondait parfois par un jeu de mots : « Cicéron, ce n'est... Poincaré ! » (cf. « Raymond Poincaré », par Henry Girard, Paris 1913).

patriote et d'anti-allemand lui permit d'accéder à l'Elysée : le 17 janvier 1913, il fut élu président de la République malgré l'hostilité de la majeure partie de la gauche et de Clemenceau qui votèrent pour Pams. L'historien Maurice Reclus a écrit que « *les premiers temps du Poincarisme furent caractérisés par un véritable renouveau du prestige gouvernemental* ». Il n'empêche que la tyrannie démagogique et les zizanies partisanes battaient leur plein dans le temps même où Jules Cambon, ambassadeur de France notait dans un rapport circonstancié : « *L'hostilité contre nous s'accentue et l'empereur a cessé d'être partisan de la paix. Nous devons tenir notre poudre sèche.* » Insouciants, les parlementaires interpellaient à propos de tout et de rien, se perdaient dans d'inextricables débats byzantins et, même en pleine guerre, renversaient gouvernement sur gouvernement. En légiste scrupuleux, le nouveau président de la République s'appliquait à résoudre les crises ministérielles dans l'esprit de la Constitution, appelait Briand, puis Barthou, puis Doumergue, puis Ribot, puis Viviani, puis encore Briand, puis à nouveau Ribot... Un ministère Painlevé, qui dura deux mois, mit un point final à ce jeu de massacre. Lorsque Poincaré se résigna, en novembre 1917, à appeler Clemenceau, son mortel ennemi, la Première Guerre mondiale se poursuivait depuis quarante mois. La situation était inquiétante : l'expédition franco-anglaise des Dardanelles avait avorté, les Autrichiens occupaient la Serbie, la Roumanie était conquise par les Allemands, les Italiens avaient subi la défaite de Caporetto, et le front russe s'était effondré. Le fameux *rouleau compresseur* russe, sur lequel Poincaré avait basé une partie de sa politique étrangère, embourbé dans le marais révolutionnaire, était hors de combat : les successeurs de Nicolas II avaient signé avec les Empires centraux une paix séparée. Le redressement opéré sous la poigne du « Tigre » ne fut possible que grâce au président Poincaré qui appuya dès lors, à fond, l'homme qu'il détestait et qui le détestait (1). Dans

quelle mesure cette animosité provoquat-elle l'échec de Clemenceau à l'élection présidentielle de 1920 ? Toujours est-il que ce n'est pas « le Père-la-Victoire » qui fut élu, mais l'élégant Paul Deschanel, dont les excentricités firent pendant quelques mois la joie des chansonniers et des échotiers. Poursuivant une carrière rehaussée d'un prestige que nul ne songeait à lui contester, hormis l'extrême-gauche alors pacifiste, Poincaré fut réélu sénateur de la Meuse et rappelé au pouvoir, en 1922, par son ancien camarade du Quartier latin, Millerand, qui avait succédé à Deschanel. A la fois président du Conseil et ministre des Affaires étrangères, il entendit contraindre les vaincus à respecter les clauses du traité qui leur avait été imposé à Versailles. Appuyé par la *Chambre bleu horizon* élue au lendemain de la victoire, il n'hésita pas à faire occuper militairement la Ruhr. Cette décision, qui déchaîna la gauche contre lui, aurait-elle eu les résultats qu'il en attendait ? On ne le saura jamais car, le 11 mai 1924, le triomphe du *Cartel des Gauches*, en amenant au parlement une majorité hostile à sa politique, l'obligea à démissionner et mit pratiquement un terme à sa politique étrangère. Il est certain, en tout cas, que l'occupation de la Ruhr ne fut pas étrangère à la renaissance du chauvinisme germanique et que l'évacuation des troupes françaises du territoire allemand devint l'un des thèmes les plus populaires du mouvement hitlérien. A l'écart du pouvoir pendant deux ans, Poincaré se consacra à la publication de livres expliquant et justifiant sa politique des neuf précédentes années. La chute du franc, et la crise politique qu'elle entraîna obligèrent la majorité parlementaire centriste à faire appel à ses compétences et surtout à utiliser la confiance que Raymond Poincaré inspirait au bas de *laine français* et à beaucoup de ses concitoyens de tous les bords. Ayant été deux fois ministre des Finances (1894 et 1906), il apparaissait également comme *le technicien*, d'autant plus sûr qu'il avait jadis fort bien réussi. On le savait également fort bien vu d'une certaine finance, des Rothschild en particulier, contre lesquels, étant avocat, il n'avait jamais voulu plaider. Le franc fut stabilisé : pour ce faire, on l'amputa des quatre cinquièmes de sa valeur. Du fond de sa retraite, le *Tigre* gronda : « *Je trouve ça complètement fou. Puis-*

(1) Charles Maurras a expliqué comment, à la demande de Poincaré, qui avait chargé Maurice Barrès de cette demande, *L'Action Française* avait attaqué Almereyda, du *Bonnet rouge*, à son retour d'un mystérieux voyage en Espagne où il y avait rencontré, assurait l'Elysée, des espions allemands. Ce qui explique sa satisfaction lorsque Clemenceau fit arrêter les dirigeants du *Bonnet rouge* accusé de trahison. « Le fait est, écrivait Maurras, que M. Poincaré a aidé, a poussé à la dénonciation des coupables. La démarche insolite de Barrès auprès de moi montre quelle importance le président de la République avait attachée à leur châtiment. » (*L'Ac-*

tion française, 8-8-1928.) On a prétendu que les relations entre Poincaré et Maurras étaient fréquentes et étroites, mais le directeur de *l'Action française* l'a nié, ne parlant que de trois rencontres (cf. *L'Action française*, 3-9-1932).

que le franc est à quatre sous et qu'on n'a rien fait pour l'empêcher de tomber à quatre sous, eh bien, qu'on n'en parle plus ! Pourquoi diable éprouver le besoin de crier : « Vous savez, nous avons fait faillite des quatre cinquièmes. » (cf. Jean Martet : « Clemenceau peint par lui-même. » Dans un autre ouvrage, le confident de Clemenceau a enregistré ce jugement : « Il y a des jours où je me demandais lequel était le plus coupable, de Briand ou de Poincaré. Je ne me le demande plus. C'est Poincaré (...) Il a entendu parler d'une espèce de chose qui s'appelle la France. Tout cela n'a donné que du néant, un néant grinçant et glacé. » Le vieil adversaire de Poincaré était injuste à son égard. Sans la stabilisation de 1926 et le redressement financier opéré dans les années qui avaient suivi, le régime républicain eut été très gravement menacé. La Gauche qui consentit, en 1926-1928, à gouverner avec lui au sein d'un cabinet d'Union Nationale avait fort bien vu le danger. C'était l'époque où l'Action Française et les Jeunesses Patriotes mobilisaient des dizaines de milliers d'hommes résolus et où le Faisceau réunissait près de cent mille chemises bleues à Reims. Au petit convent que la Grande Loge de France avait tenu, au début de l'été 1926, l'élite maçonnique n'avait-elle pas fait comprendre aux républicains que, cette fois, la République était vraiment en danger ? En écartant le spectre de la faillite, Poincaré avait écarté, du même coup, le « péril fasciste » et sauvé le Régime. Le président du Conseil venait de faire approuver sa politique par le pays aux élections générales de 1928 et paraissait devoir conserver le pouvoir pendant toute la législature lorsqu'un grave accident de santé l'obligea à interrompre son activité politique (juin 1929). Il fut élu bâtonnier du barreau de Paris (1931), et poursuivit la rédaction de ses mémoires : « Au service de la France » (dix tomes). On lui doit également une « Histoire politique » en quatre volumes.

POINT DE VUE - IMAGES DU MONDE.

Magazine hebdomadaire datant de 1948. Provient de la fusion de deux publications : Images du Monde et Point de Vue. Son directeur général de presse est Charles Giron. Il appartient au groupe de presse Amaury (Parisien libéré). Sa diffusion moyenne, d'après l'O.J.D., est de 168 000 exemplaires (7, rue des Petites-Ecuries, Paris 10e).

POITIERS-SOIR.

Edition vespérale du quotidien natio-nal disparu Centre et Ouest (voir à ce nom).

POITOU-DUPLESSY (Jacques).

Journaliste, né à Paris, le 5 janvier 1885. Directeur du Réveil Charentais. Député national de la Charente de 1919 à 1928 et de 1936 à 1942. Avait, en quelque sorte, succédé à son proche parent, Marie-Joseph Poitou-Duplessy, député bonapartiste de la Charente avant la guerre de 1914-1918.

POLDES (Léopold SESZLER, dit Léo).

Homme de lettres, né à Paris le 2 décembre 1891. Ancien consul de la République de l'Uruguay, membre (après la Libération) du Mouvement de la Libération Nationale et de l'Association des Français Libres. Créateur et animateur de cette extraordinaire tribune qu'est, depuis quarante ans, le Club du Faubourg, cet homme de gauche fut l'un de ceux qui, entre les deux guerres, ont le plus contribué à faire connaître au grand public de jeunes orateurs de toutes nuances.

POLICE.

Administration chargée du maintien de l'ordre et de faire respecter la loi. La police politique est plus particulièrement chargée de surveiller les activités des opposants et d'organiser leur répression (voir aussi : barbouze).

POLIGNAC (prince François, Marie, Joseph, Sosthène de).

Agriculteur, né à Paris, le 4 octobre 1887. Descendant du cardinal Melchior de Polignac (1661-1741), du prince Jules de Polignac (1780-1847), ministre des Affaires étrangères de Charles X. Conseiller général de Maine-et-Loire (1922-1945), député modéré de Maine-et-Loire (1928-1942), membre des Croix-de-Feu, puis du P.S.F., maire de la Jumellière (depuis 1919).

POLIMANN (Angèle, Emile, Lucien).

Ecclésiastique, né à Dainville en 1890, mort en 1963. Lieutenant au 137e R.I. pendant la Première Guerre mondiale, fut l'un des héros de la « Tranchée des baïonnettes » (1916) et fut cité à l'ordre de l'Armée. Commanda le 3e bataillon du 294e R.I. en 1939-1940, et fut cité à nouveau. Entre temps fut vicaire général du diocèse de Verdun et chanoine, ainsi que député de la Meuse (1933-1942) : fidèle au maréchal Pétain, conseiller national et directeur de La Croix meusienne pendant l'occupation, fut arrêté à la Libération et, malgré les témoignages prouvant ses interventions en faveur de plus de deux cent cinquante de ses concitoyens, demeura en prison pendant trois ans (il avait été condamné à cinq ans de réclusion et à la dégradation le privant de ses décorations de guerre et de la Légion d'honneur). Amnistié par la loi de 1953 — qui ne lui restituait pas ses décorations d'ancien combattant ce dont il ne se consola jamais —, finit ses jours, dix ans plus tard, à Dainville-Bertheville, dont il était curé. Un *Comité National* (dont faisaient partie Edmond Bloch, le R.P. Ferrand, de la *D.R.A.C.*, le chanoine Gremet, président des *P.A.C.*, Pierre Taittinger, Xavier Vallat, etc.), a érigé un monument funéraire sur la tombe du chanoine Polimann en présence de : M. Voillaume, maire de Dainville, Mgr Fuchs, vicaire général représentant l'évêque de Verdun, Georges Rivollet, ancien ministre des Pensions, Gaillemin, directeur du *Meusien*, Henry-Haye, ambassadeur de France, Housselot, député, Pierre Henry, Alexandre Cathrine, Alfred Munck, président des *Croix de guerre*, Graindorge, de « *Ceux de Verdun* », et plusieurs centaines d'autres personnalités de l'Eglise, de la politique et de la presse.

POLITICIEN.

Terme péjoratif pour désigner un homme politique ou une personne qui fait de la politique.

POLITIQUE-ECLAIR.

Hebdomadaire fondé en 1960 et dirigé par Jean-Etienne Battini. N'est vendu que par abonnement en raison de son caractère confidentiel. Spécialisé dans l'information sur le communisme et ses alliés. Nettement anti-marxiste, est suivi depuis six ans par un public fidèle (4, rue Saulnier, Paris 9e).

POLITZER (Georges).

Universitaire (1903-1942). Professeur au lycée d'Evreux. Militant du *Parti Communiste*. Chargé de cours à l'école d'orateurs du *P.C.*, professeur de philosophie à l'Université Ouvrière et au cours de marxisme. Collaborateur de *L'Humanité*. Participa à l'organisation de la Résistance dans les milieux universitaires. Arrêté et fusillé par les Allemands au Mont-Valérien.

POMARET (Charles).

Administrateur de sociétés, né à Montpellier, le 16 août 1897. Auditeur au Conseil d'Etat (1920-1928). Député républicain socialiste de la Lozère (1928-1942), maire de Pont-de-Montvert, conseiller général (1928-1944). Sous-secrétaire d'Etat à l'Instruction publique (1931-1932), directeur de *La Renaissance Politique* (avant la guerre). Ministre du Travail (cabinet Daladier, 1938-1940 et cabinet Paul Reynaud, mars-juin 1940), ministre de l'Intérieur (cabinet Philippe Pétain, 16 juin-11 juillet 1940). Vota le 10 juillet 1940 les pouvoirs constituants au maréchal Pétain. Avocat jusqu'en 1952, maître des requêtes honoraire au Conseil d'Etat (depuis 1930), administrateur de la *Compagnie d'Assurances générales*, de *Vilmorin-Andrieux,* de la *Société de l'Hôtel Negresco,* de la *Société Messier*. Auteur de :« *L'Amérique à la conquête de l'Europe* » (1931), « *Monsieur Thiers et son temps* » (1948).

POMPIDOU (Georges).

Universitaire, banquier, né à Montboudif (Cantal), le 5 juillet 1911. Ancien élève de l'Ecole Normale supérieure et de l'Ecole des Sciences Politiques. Il militait alors dans les groupements de gauche (aux *Jeunesses Socialistes*, a-t-on dit). Agrégé de l'Université, il fut professeur au lycée de Marseille et au lycée Henri IV. Bien que dans la famille Pompidou personne n'ait milité dans la Résistance — son oncle, le frère de son père, fut au contraire un pétainiste actif, officier dans la *L.V.F.* —, Georges Pompidou entra au cabinet du général De Gaulle en 1944 (sur la recommandation de René Brouillet, son ancien condisciple, collaborateur du président du Gouvernement provisoire) et demeura son conseiller. En 1946, il fut nommé maître des Requêtes au Conseil d'Etat et se fit placer dans la position « hors cadre » pour entrer à la banque *de Rothschild frères* où il remplaça bientôt le fondé de pouvoir, René Fillon, trésorier du *R.P.F.* (gaulliste), nommé sénateur. Le titre de directeur général de la banque fut créé spécialement pour lui. Lorsque le général, *l'homme du 18 juin*, fut ramené au pouvoir par les partisans de l'Algérie française, Georges Pompidou devint son directeur de cabinet jusqu'à l'élection de De Gaulle à la présidence de la République. Sans cesser d'être son conseiller écouté — pas le seul conseiller, mais le seul vraiment écouté —, il revint à la banque *de Rothschild frères* qui l'avait, officiellement sinon réellement, mis en congé et il reprit la direction générale qui n'avait évidemment pas eu d'autre titulaire. Les adversaires de Georges Pompidou affirment que c'est beaucoup

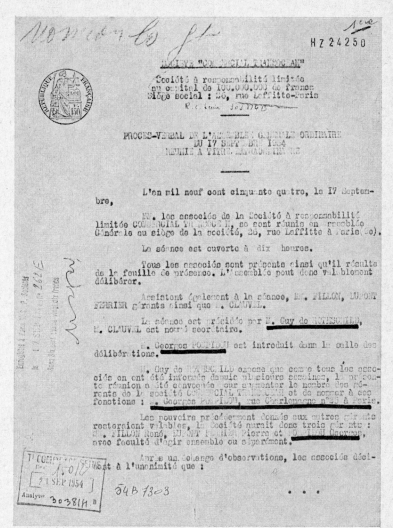

Le futur Premier ministre fait son entrée dans les affaires Rothschild...

moins l'ancien professeur ou le maître des Requêtes au Conseil d'Etat que l'homme de confiance de la banque *de Rothschild frères* que le général nomma d'abord au Conseil Constitutionnel, puis à la tête du gouvernement, après l'avoir chargé de prendre secrètement langue avec le *F.L.N.* pour un cessez-le-feu. Son accession au pouvoir fut saluée dans la presse d'opposition par des sarcasmes. « *Ce n'est pas un gouvernement,* a dit quelqu'un, *c'est un conseil d'administration. — Tout au plus un cabinet d'affaires* », affirma *Le Canard Enchaîné.* On rappela ces paroles d'un prédécesseur du général De Gaulle à l'Elysée, Alexandre Millerand : « *Les ministres ne sont que des commis chargés d'exécuter les ordres des grands banquiers, des pantins dont la Haute Banque tire les ficelles.* » Et on cita cette exclamation de Jules Guesde : « *La République a un roi : c'est Rothschild !* » La presse humoristique insinua que les lettres *R.F.* gravées au fronton des édifices publics signifiaient : *Rothschild frères.* Au parlement même, on s'étonna de cette nomination : le nouveau Premier ministre n'était, en effet, ni un ancien ministre, ni même un parlementaire. Le député de l'Oise, Jean Legendre, faisant allusion au livre du précédent chef du gouvernement (« *Ces Princes qui nous gouvernent* », par Michel Debré), s'écria à la tribune de l'Assemblée : « *Le règne des princes est terminé, celui des barons commence* » (séance du 26 avril 1962). Bien que renversé par un vote de censure des députés le 5 octobre 1962, il fut maintenu pratiquement en fonction par le Président de la République, qui le nomma à nouveau Premier ministre ((29-11-1962). Il l'est encore. Ajoutons, pour terminer que Georges Pompidou administra pour le compte de la banque *de Rothschild frères* un certain nombre de sociétés, dont *Société Minière et Métallurgique de Penarroya, Société Anonyme de Gérance et d'Armement, Compagnie Africaine d'Entreprises Maritimes, Chemin de fer du Nord, Chemin de fer de Paris à Orléans, Société de Participations Nord-Orléans, Compagnie Européenne des Céréales, Société Navale de la Sanaga, Banque de l'Afrique Occidentale, Francarep, Rateau*, et qu'il est l'auteur d'études sur « Britannicus » (1944), sur Taine (1947), sur André Malraux ainsi que d'une « *Anthologie de la poésie française* » (1961).

PONCELET (Christian).

Fonctionnaire, né à Blaise (Ardennes), le 24 mars 1928. Contrôleur des Télécommunications. Membre de l'*U.D.T.* Elu député des Vosges (3e circ.) le 25 novembre 1962, à la place du député sortant Grenier, élu sous l'étiquette *U.N.R.*, qui ne se représentait pas. Réélu en 1967.

PONCINS (Léon de MONTAIGNE, comte de).

Exploitant agricole, né à Civens (Loire), le 3 novembre 1897. Spécialisé dans l'étude des mouvements révolutionnaires contemporains, et convaincu que les grands bouleversements politiques et sociaux sont provoqués par les sociétés secrètes. L. de Poncins a consacré à ce problème plusieurs ouvrages qui eurent un certain retentissement à l'étranger où ils furent traduits en plusieurs langues (anglais, allemand, portugais, espagnol, italien, etc.). Le premier parut en 1928 sous le titre : « *Les forces secrètes de la Révolution* » et fut réédité. Vinrent ensuite une quinzaine de livres, dont : « *Tempête sur le monde* » (1934), « *La Franc-Maçonnerie d'après ses documents secrets* » (1934), « *La mystérieuse internationale juive* » (1936), « *Histoire secrète de la Révolution Espagnole* » (1937), « *L'énigme communiste* » (1942), « *Les forces occultes dans le monde moderne* » (1943), « *Espions soviétiques dans le monde* » (1961). Dans l'entre-deux-guerres, L. de Poncins dirigea une revue internationale : *Contre-Révolution* (1937-1939) et collabora à divers journaux : *Le Jour, Le Figaro, L'Ami du Peuple,*

Le Nouvelliste de Lyon, etc. ainsi qu'à des revues françaises et étrangères. Les documents publiés dans ses livres et ses articles ont suscité des interpellations parlementaires en Roumanie et en Suisse, et furent à l'origine de mesures d'ordre public prises au Portugal. En octobre 1965, L. de Poncins intervint personnellement au Concile au sujet du fameux vote sur la question juive. Il fit paraître sous sa signature une brochure dont les exemplaires, imprimés en français et en italien, furent distribués à Rome même, aux Pères conciliaires.

PONSEILLE (Etienne).

Médecin, né à Brassac (Tarn), le 16 avril 1915. Ancien vice-président de l'*U.N.E.F.* Conseiller municipal de Montpellier (depuis 1945). Ancien adjoint au maire (1953-1962). Conseiller général du 2e canton de Montpellier (1955). Vice-président du Conseil général (1960). Elu député radical-socialiste de l'Hérault (1re circ.) le 25 novembre 1962. Inscrit au groupe du *Rassemblement Démocratique.* Réélu en 1967.

POPELIN (Claude, Anne, Armand).

Conseiller en relations publiques, né à Paris, le 7 avril 1899. Fils du peintre Gustave Popelin, grand prix de Rome. Attaché au *Crédit Lyonnais* (1924), avocat à la cour d'Appel de Paris (1934). Animateur des *Volontaires Nationaux* et membre du comité directeur des *Croix de Feu* (1934), qu'il quitta pour rejoindre le *P.P.F.*, de Doriot (1936), dont il fut l'un des dirigeants jusqu'à fin 1938 (quitta le parti de Doriot en même temps que Pierre Pucheu). A cette époque, collaborait au *Temps*, à *La République*, à *Vu* et à *La Liberté*. Attaché de presse à l'ambassade de France à Madrid lorsque le maréchal Pétain fut le représentant diplomatique de la République Française auprès du général Franco (1939), puis à l'E.-M. du général Giraud (1940), occupa un poste de chargé de mission au cabinet de François Lehideux, ministre du Maréchal à Vichy (1940-1942) ; puis, ayant gagné Alger, fut le collaborateur du général Giraud (1943). Depuis la Libération, successivement : chargé des relations publiques de *Ford S.A.F.* (1951-1953), conseiller technique du *C.N.P.F.* (1954). Auteur d'ouvrages sur la tauromachie.

POPOT (Jean, Henri, Emile).

Ecclésiastique, né à Charenton (Seine), le 30 avril 1905. Ordonné prêtre en 1931, fut successivement : vicaire au Perreux et à Paris, aumônier des prisons de

Fresnes au temps de l'épuration, curé de la paroisse de Fresnes et, depuis 1964, curé de la Madeleine à Paris. Chanoine honoraire de Paris. Bien que n'ayant pas fait de politique, est considéré, encore actuellement, par les anciens partisans du maréchal Pétain, comme leur « aumônier ». A publié ses souvenirs sous le titre : « J'étais aumônier à Fresnes ».

POPULAIRE DU CENTRE (Le).

Quotidien socialiste fondé à Limoges, le 29 octobre 1905. Son animateur était le sénateur socialiste Léon Betoulle, qui fut maire de Limoges. Le journal était édité, avant la Première Guerre mondiale par la S.A. Imprimerie nouvelle ; son tirage n'était que de quelques milliers d'exemplaires. En 1916, le député socialiste Pressemane rédigea avec ses amis un manifeste, connu sous le nom de « Manifeste de la Haute-Vienne », qui fut le point de départ d'une annexe hebdomadaire du Populaire du Centre, publiée sous le titre de Populaire (rédacteur en chef : Paul Faure) et qui devait devenir, quatre ans plus tard, Le Populaire de Paris (voir à ce nom). A la veille de la Deuxième Guerre mondiale, Le Populaire du Centre tirait à 15 000 exemplaires. Il poursuivit sa publication jusqu'en janvier 1941. Il fut alors remplacé par L'Appel du Centre, publié par la même société Imprimerie Nouvelle qui parut jusqu'au 17 août 1944, date à laquelle il suspendit sa publication, frappé d'interdiction. Deux mois plus tard, Le Populaire du Centre reparut. Toujours installé dans les locaux de la société Imprimerie Nouvelle, il fut cependant publié par une nouvelle entreprise, la Société des Editions Ouvrières et Socialistes (S.E.O.S.C.). L'ancienne société ayant pu récupérer ses biens placés sous séquestre en 1944, le quotidien limousin redevint alors sa propriété. L'intérimaire avait connu de graves difficultés financières : ses dirigeants furent heureux de pouvoir passer la main... Sous la direction de Jean Le Bail, député socialiste de la Haute-Vienne, et avec la collaboration du sénateur Georges Lamousse, Le Populaire du Centre entreprit une ardente campagne contre les auteurs de crimes commis en 1944 et 1945 sous le couvert de la Résistance, en particulier contre les meurtriers communistes du maire socialiste de Chamberet, Buisson, et de trois officiers de l'Armée Secrète, le capitaine Monteil, les lieutenants Villeneuve et Cervoni. Le tirage du journal augmenta progressivement : il atteint aujourd'hui 58 000 exemplaires. La direction de la société éditrice du quotidien socialiste est assurée par Jean Clavaud, par ailleurs directeur général du Limousin, et par Raymond Brouillaud, respectivement président-directeur général et directeur général adjoint. Un accord publicitaire lie, depuis 1966, Le Populaire du Centre à deux autres quotidiens de même tendance : La Montagne, de Clermont-Ferrand, et Centre-Presse, de Montluçon (9, place Fontaine-des-Barres, Limoges).

POPULAIRE DE NANTES (Le).

Quotidien fondé le 5 décembre 1873. Fut, sous la IIIe République, l'un des journaux les plus influents de la gauche nantaise. Dans l'entre-deux-guerres, sous la direction de Gaston Veil, sa rédaction s'honorait des collaborations les plus flatteuses : Albert Bayet, Jean Cazevitz, Victor Basch, Jacques Kayser, Georges Pioch, etc. Suspendit sa publication sous l'occupation. Reparut, après la Libération, sous la direction de Gaston Veil, assisté d'A. Caron, sous le titre : Le Populaire de l'Ouest, puis devint L'Eclair (voir à ce nom).

POPULAIRE DE PARIS (Le).

Journal fondé à Limoges en 1916 sous l'égide du Populaire du Centre. D'abord hebdomadaire, il devint quotidien lorsqu'il fut transféré à Paris. Son fondateur n'est pas Léon Blum, mais un groupe de militants socialistes, dont Paul Faure. Ce dernier était alors le rédacteur en chef du Populaire du Centre, quotidien socialiste publié à Limoges, lorsque la guerre éclata. Il occupait ces fonctions — qu'avait assumées avant lui Marcel Cachin — depuis le 1er janvier 1914. Mobilisé dans l'auxiliaire, Paul Faure continua d'écrire dans le journal et de militer au sein de la Fédération socialiste de la Haute-Vienne. L'un des leaders de cette fédération, le député Pressemane, qui avait été mobilisé, vint en permission à Limoges vers la fin de 1915. Questionné par ses camarades du parti, il fit un exposé sur la conduite de la guerre et sur la situation du poilu qui consterna et révolta les militants socialistes limousins. La Fédération — ou une partie de celle-ci — rédigea un manifeste, connu sous le nom de « manifeste de la Haute-Vienne », qu'elle adressa aux sections de la S.F.I.O. Cette manifestation eut un très grand retentissement dans ceux des groupes socialistes qui approuvaient les conclusions de Pressemane, de Paul Faure et de leurs amis. Pour défendre leurs tendances, ceux-ci fondèrent alors — sous l'égide du Populaire du Centre — un hebdomadaire qui prit le titre de *Populaire*, sans autre indication. Le rédacteur en chef en fut Paul Faure, sous le pseudonyme de Brotteaux (comme la gare lyonnaise, ce qui provoqua les sarcasmes de *l'Action Française*). Le siège du nouveau journal était dans les locaux mêmes du quotidien de Limoges, qui le tirait sur ses presses. Dans toutes les fédérations socialistes, les « minoritaires » comme on les appelait, appuyaient *Le Populaire* hebdomadaire. Des personnalités socialistes approuvaient ses campagnes. L'une d'elles, Jean Longuet, député de la Seine, qui jouissait dans le parti d'une grande considération en raison de sa scrupuleuse honnêteté et de sa parenté avec Karl Marx — il était son petit-fils —, trouva les fonds pour transporter *Le Populaire* à Paris et pour le faire paraître tous les jours. Le premier numéro du *Populaire de Paris*, « journal socialiste du soir », parut le 11 avril 1918. Jean Longuet en était le directeur politique, Henri Barbusse, le directeur littéraire, Paul Faure, le rédacteur en chef, A. Pressemane, une sorte d'administrateur, et Maurice Maurin, le gérant. *Le Populaire de Paris* reçut les encouragements de Romain Rolland, Paul Mistral, Sixte-Quenin, Lucien Voilin, Arthur Levasseur, Ernest Lafont, Alexandre Blanc, qui lui apportèrent leur concours. Y collaborèrent également : Georges de La Fouchardière, Ludovic Zoretti, L.-O. Frossard, A. Charpentier, Fanny Clar, Jean-Michel Renaitour, Raoul Verfeuil, Henri Sellier, Raymond Lefebvre, alors secrétaire de *l'A.R.A.C.*, Guy Patin, Eugène Gaillard, Amédée Dunois, Georges Mauranges, Célestin Demblon, parlementaire belge, C. Naine, député au Conseil National Suisse, René Wisner, Jean Dorsène, Paul Cuminal, Marcel Berger, etc. Dès les premiers numéros, *Le Populaire de Paris* attaqua avec violence et acharnement Clemenceau et Albert Thomas. Le « tigre » fit preuve de plus de mansuétude que ses prédécesseurs (lesquels avaient saisi la correspondance du *Populaire* hebdomadaire en 1916). Longuet n'était-il pas son filleul ? Quant au futur président du Bureau International du Travail, il sut se souvenir qu'il avait été le compagnon de ce Paul Faure au sein du mouvement socialiste. Mais *L'Action Française* était infiniment moins bienveillante. Chaque matin Maurras et Daudet s'en prenaient au petit-fils de Karl Marx qu'ils appelaient « Quart-de-Boche ». *Le Populaire de Paris*, « journal socialiste du matin », parut à partir du 9 avril 1921 ; il portait en manchette, sous le titre, cette phrase de Jaurès : « *Seul le socialisme fera de chaque na-*

tion, enfin réconciliée avec elle-même, une parcelle d'humanité. » Léon Blum et Jean Longuet en étaient les directeurs politiques, D. Paoli, l'administrateur-délégué, et Sixte-Quenin, le secrétaire général. L'équipe rédactionnelle comprenait notamment, outre les principaux collaborateurs du *Populaire* vespéral : Bracke, Compère-Morel, P. Renaudel, J. Paul-Boncour, Marcel Sembat. A. Bedouce, Vincent Auriol, le Dr Claussat (beau-frère de Pierre Laval), Augustin Hamon, J.-B. Séverac, André Le Troquer, Marius Moutet, Adrien Marquet, Paul Ramadier, Roger Salengro, Jules Urhy, Alexandre Varenne, Henry Bataille, Tristan Bernard, Roland Dorgelès, Georges Duhamel, Pierre Hamp, J.-H. Rosny jeune, Ch.-H. Hirsch, Arnold Bontemps, Blumenfeld, F. Crucy, Maurice Delépine, Eugène Frot, Salomon Grumbach, Louis Lévy, Gustave Rouannet, Victor Snell, le dessinateur Pedro, etc. Une société fut constituée pour l'édition de l'organe officiel de la *S.F.I.O.* : la *Société Nouvelle du journal quotidien du matin Le Populaire de Paris*, société anonyme au capital de 400 000 francs. Les principaux actionnaires étaient : Léon Blum, Jean Longuet, Paul Faure, Zyromski, Alice Jouenne, Sixte-Quenin, Eugène Gaillard, A. Le Troquer, Ch. Saint-Venant, Jean Texcier, Jules Guesde, Emile Berlia, René Valfort, O. Deguise, Ludovic Zoretti, Marx Dormoy, G. Nouelle, Bracke, G. Lévy, etc. La société avait également émis des obligations généralement souscrites par les sections et les coopératives socialistes. Mais si la majorité des parlementaires étaient restés fidèles, après le congrès de Tours, à la *S.F.I.O.*, celle-ci ne comptait guère alors que 20 000 membres, parmi lesquels se recrutaient un nombre restreint d'abonnés. La trésorerie du journal s'en ressentit bientôt. Le 13 avril, une souscription fut ouverte pour venir en aide au journal. Le premier nom de la première liste fut celui de Vincent Auriol, qui versait cinq francs. Un peu plus tard, le journal ne parut que sur deux pages ; puis, après les élections de 1924, il cessa d'être quotidien. Il fut alors l'organe mensuel de liaison des fédérations socialistes. Deux ans plus tard, Compère-Morel, homme habile — c'est lui qui eut l'idée de lancer « Le Popu », apéritif socialiste, dont les bénéfices devaient alimenter la caisse du journal —, trouva des fonds. *Le Populaire* redevint quotidien sous l'impulsion de cet étonnant administrateur. L'éditorial de Léon Blum, cité régulièrement dans la presse, donna au *leader* socialiste une grande notoriété. A la veille de la seconde guerre, *Le Populaire*, toujours dirigé par Léon Blum, avait pour administrateur Eugène Gaillard. La tendance anti-belliciste du parti s'exprimait dans l'hebdomadaire *Le Pays Socialiste*, que dirigeait Paul Faure. Ce dernier néanmoins écrivait régulièrement dans *Le Populaire* aux côtés de Jean-Maurice Hermann, J.-B. Séverac, Pierre Brossolette, Amédée Dunois, Betty Brunschwicg, et quelques autres militants socialistes. *Le Populaire* était alors, avec *L'Action Française* et *L'Humanité*, le type du grand journal d'opinion.

Après l'armistice de 1940, replié en zone sud, à Clermont-Ferrand, il allait être mis en vente, pour la première fois, le matin du 2 juillet, mais il fut saisi par la police bien que le numéro eût été visé par la censure. Malgré les protestations de ses dirigeants, il dut cesser sa publication. Du moins sa publication légale, puisque certains de ses rédacteurs, sous l'impulsion de Daniel Mayer, le firent paraître clandestinement sous l'occupation. Il sortit de l'ombre le 22 août 1944, arborant fièrement sur sa manchette le nom de son directeur politique — alors détenu en Allemagne — le président Léon Blum. Ses dirigeants l'installèrent dans les locaux du journal *Le Matin* frappé d'interdiction. Dès lors des signatures connues apparurent. Des « anciens », tels : Bracke, Vincent Auriol, Maurice Delépine, Louis Lévy, et des « nouveaux » : Edouard Depreux, André Philip, Félix Gouin, Daniel Mayer, Jean Guehenno, Jean Marin, Elie Bloncourt, Ernest Labrousse, Serge Moati, J.-G. Vergnolle, Guy Desson, René Lalou, Marcel-Edmond Naegelen, C.-A. Julien, etc. Des personnalités amies du parti apportèrent également leur collaboration au journal socialiste (Madeleine Lagrange, Emile Kahn, l'animateur de la *Ligue des Droits de l'Homme*). Jean Pierre-Bloch, qui avait débuté au *Populaire* autour de 1930 comme inspecteur des kiosques, publia un article très commenté où il réclamait une épuration exemplaire de la presse algérienne. Le tirage du quotidien socialiste atteignit 235 000 exemplaires fin 1944. Le 15 mars 1947, il fléchit à 150 000 et le 15 janvier 1949, il tomba à 85 000. Le congrès national de la *S.F.I.O.*, tenu à Paris en mai 1950, décida d'intensifier la propagande par la presse. Des dispositions furent prises en vue d'étendre la diffusion du *Populaire-Dimanche*, édition hebdomadaire de l'organe officiel dirigée par Oreste Rosenfeld. Mais, pour cela, il fallait de l'argent. Une souscription publique permit à l'administrateur de réunir 20 millions d'argent frais : 25 000 dollars avaient été fournis par le Syndicat américain du vêtement, dirigé par David Dubensky (cf. photocopie du document de *Justice*, organe du Syndicat du vêtement (américain) publié par *La Marseillaise*, 16-5-1952). Ce ballon d'oxygène parut redonner force et vigueur au journal socialiste : sa présentation fut meilleure et le nombre de ses pages augmenta. On avait fait appel à un conseiller technique éminent, Bernard Lecache, un ancien collaborateur d'Albert Dubarry à *La Volonté*, qui venait de quitter *Point de Vue-Images du Monde*. Tout le savoir-faire de ce journaliste chevronné ne put empêcher le tirage de s'effondrer. Au cours de l'été 1951, on parla ouvertement de la disparition du *Populaire*, et l'organe professionnel et technique *L'Echo de la Presse* annonça (10 juillet 1951) que des collaborateurs du journal avaient reçu leur lettre de licenciement. Ce ne fut qu'une alerte ; le journal survécut. Mais il parut sur un format réduit et en interrompant sa publication au moment des vacances.

A la veille de la guerre, le conseil d'administration comprenait un certain nombre de membres qui, ayant voté pour le maréchal Pétain ou accepté sa politique, furent jugés indésirables après la Libération. On les expulsa de la société sans tenir compte des intérêts importants qu'ils possédaient dans le journal. Le dernier administrateur du *Populaire de Paris*, Eugène Gaillard, fut même dénoncé, dès le premier numéro du nouveau *Populaire* (août 1944) « *comme s'étant réfugié dans la trahison* ». Eugène Gaillard protesta : « *Je suis*, dit-il, *le représentant* (du journal) *au regard de la loi, de tout le parti socialiste, et de l'assemblée générale.* » Mais à la Libération, on avait d'autres préoccupations que celle d'un respect trop grand de la légalité. D'ailleurs, « *les faits commandaient* »... Eugène Gaillard et ses amis furent donc assez brutalement exclus, non seulement de la société, mais aussi de la *S.F.I.O.* Le 10 novembre 1944, le congrès du *Parti Socialiste* confia officiellement les fonctions de rédacteur en chef à Marcel Bidoux, et nomma Vincent Auriol secrétaire à la Commission de la Presse, chargé de la liaison avec la direction du *Populaire* (en compagnie de Daniel Mayer) et Paul Favier, administrateur. Mais il fallut bien régulariser la situation : le paquet d'actions détenu par la nouvelle direction de la *S.F.I.O.* ne permettait pas de tenir valablement une assemblée générale de la *Société Nouvelle du journal quotidien du matin Le Populaire de Paris*. Coûte que coûte, les actions possédées par les exclus devaient être récupérées. En 1948, Maurice Delépine, juriste éminent et astucieux, fit intervenir le Tribunal civil de la Seine, lequel chargea un administrateur judiciaire, M. Wiel, de prendre possession de tout ce qui appartenait à la société. Eugène Gaillard, administrateur délégué légal, rendit les fonds dont il était encore dépositaire, ainsi que les archives du *Populaire*. L'administrateur judiciaire réclama également les actions en possession de Paul Faure, J.-B. Séverac et Eugène Gaillard, que la *S.F.I.O.* avait exclus. A eux trois, ces anciens dirigeants du journal détenaient 2 400 actions, et leurs amis en possédaient 1 500 autres. C'était plus de la moitié du capital. M. Wiel, qui agissait au nom de la loi — et, à la Libération, il ne fallait pas plaisanter dans ce domaine — sut se montrer convainquant : les 2 400 actions « *qui appartenaient au Parti* » furent remises à l'administrateur judiciaire, qui les donna à la *S.F.I.O.* représentée en l'occurrence par Maurice Delépine. Grâce à ces 2 400 actions, à celles que possédaient Léon Blum et Grandvallet, ancien trésorier du Parti, et à 616 autres en possession de membres non épurés du parti, on put enfin tenir une assemblée générale : « *L'assemblée réunissant ainsi plus des deux tiers du capital social est régulièrement constituée et peut délibérer valablement* », a-t-on consigné au procès-verbal. Le président de l'Assemblée générale, René Naegelen, était l'administrateur du *Populaire*. C'est lui qui fit connaître aux actionnaires réunis le 12 juillet 1948, que l'exercice se soldait par une perte totale de 13 130 000 F. Le déficit depuis n'a fait que grandir, et sans le sacrifice de ses membres, la *S.F.I.O.* n'aurait plus, depuis longtemps déjà, de journal quotidien. Pour réduire les frais, après une suspension d'un mois annoncée par Claude Fuzier, rédacteur en chef, le *Parti Socialiste* dut provoquer en avril 1966, la fusion de l'hebdomadaire *Démocratie 66*, fondé en 1959, avec *Le Populaire*. Font ou ont fait partie du conseil d'administration de la société éditrice du *Populaire*, au cours de ces vingt dernières années : René Gaston Naegelen, Renée Louise Blum, Robert Jean Verdier, André Morel, dit Ferrat, René Ribière, Jacques Arrès-Lapoque, Jean Capdeville, Augustin Laurent, Daniel Mayer, Léon Tellier, Jean Texcier, Gustave Crépin dit Robert, Pierre Adrien Commin, Henry Jean-Baptiste Malacrida, Roger Auguste Fouquet, Paul Eugène Mazurier, Edouard Gustave Depreux, Robert Henri Coutant, Pierre Marcel Herbaut, Gérard Jaquet et Raymond Ernest Victor Cazes (un certain nombre de ces administrateurs

ont, depuis, quitté le *Parti Socialiste* et ont résilié leurs fonctions d'administrateur) (86, rue de Lille, Paris 7e).

PORC-EPIC (Le).

Hebdomadaire (1934-1935). Nationaliste, antisémite, anti-maçonnique. Principaux collaborateurs : François Hulot, Delongray-Montier, futur chef de la propagande du comte de Paris, etc.

POROI (Alfred).

Magistrat municipal, né à Mataiea (Tahiti), le 3 mars 1906. Propriétaire d'agence commerciale, membre de l'Assemblée territoriale de la Polynésie française. Maire de Papeete. Elu sénateur de Tahiti en 1962 ; apparenté au groupe *U.N.R.* du Sénat.

PORTE-PAROLE.

Etymologiquement, le *porte-parole* est celui qui parle au nom d'une personne ou d'un groupe de personnes. En politique intérieure, comme en politique internationale, le *porte-parole* est un personnage qui est censé relater l'opinion générale ou les décisions d'un parti, d'un gouvernement, etc. La pratique du *porte-parole* offre le double avantage d'assurer un certain anonymat sur l'origine et les modalités de la décision ou de l'opinion qu'il exprime, et de se prêter à tous démentis sans mettre en cause d'autres responsabilités que la sienne propre.

PORTMANN (Georges).

Professeur, né à Saint-Jean-de-Maurienne (Savoie), le 1er juillet 1890. Doyen de la faculté de médecine de Bordeaux, membre de l'Académie nationale de médecine. Sénateur de la Gironde (1932-1942). Secrétaire d'Etat à l'Information (1941), à nouveau sénateur de la Gironde (1955, réélu en 1959 et 1962). Membre du Comité directeur du *Centre des Indépendants et Paysans*, président de l'*Alliance démocratique* (1959). Maire de Sainte-Eulalie (Gironde). Auteur de : « *Le Crépuscule de la paix* » (1955), « *Réflexions sur un monde déréglé* » (1962), etc.

PORTRAIT PARLEMENTAIRE.

(Voir : *Le Censeur*.)

POSITION-CLE.

Expression empruntée au langage militaire : la *position-clé* est un emplacement dont les caractéristiques commandent l'évolution d'un combat, d'une défense, etc. Transposée en politique, elle définit l'attitude ou la situation sur lesquelles s'appuie l'activité d'un parti ou d'un gouvernement. Sous la IIIe Républi-que, l'anticléricalisme était la *position-clé* du *Parti Radical-Socialiste*.

POSSIBILISME.

Doctrine socialiste de Paul Brousse et de sa *Fédération des Travailleurs socialistes*.

POTTIER (Eugène).

Chansonnier (1816-1887). Issu d'une famille ouvrière, dut travailler très jeune et fut successivement emballeur, surveillant d'internat, commis papetier et dessinateur sur étoffes. Ecrivit sa pre-mière chanson « *Vive la Liberté !* » à quatorze ans et se lança, peu à peu, dans le mouvement révolutionnaire, notamment aux côtés des fouriéristes. Sa participation aux journées de juin 1848 faillit lui être fatale. Adhéra en-suite à la Première Internationale et fut membre du Conseil de la Commune (1871). Echappa de justesse à la répres-sion en se réfugiant en Angleterre, puis aux Etats-Unis. Rentré en France après l'amnistie de 1880, mourut sept ans plus tard. Ses obsèques furent l'occasion d'une grande manifestation : par mil-liers, d'anciens communards et de jeu-nes militants révolutionnaires avaient voulu rendre hommage à l'auteur de « *L'Internationale* », écrite en juin 1871, et devenue le chant des socialistes inter-nationalistes.

POTUT (Georges).

Journaliste, conférencier et homme politique français, né à Paris, le 25 juin 1900. Rédacteur à *Le Pour et le Contre* (1920-1922 et 1947-1957), à *L'Information* (1924-1940). Rédacteur en chef de *L'Echo de la Nièvre* (1934-1940). Directeur poli-tique de *La Nièvre Républicaine* (depuis 1951). Directeur général de la *Revue Politique et Parlementaire* (1957-1961). Directeur-rédacteur en chef de la revue *Banque* (depuis 1946). Député de la Niè-vre (législatures 1932 et 1936), conseiller général de la Nièvre (1934-1945), maire de Decize (1934-1941) et conseiller mu-nicipal de Decize (1953-1959), préfet de la Loire (1941-1943). Commissaire géné-ral au ministère de la Production indus-trielle (1943-1944), président du groupe Waldeck-Rousseau pour la défense des classes moyennes (1934-1945) et de la Confédération nationale des Associations de Classes moyennes (1937-1945). Mem-bre du Bureau national et du Comité di-recteur du Mouvement national des Elus locaux. A publié : « *Finances de la Paix* » (1929), « *Histoire de la Banque de France* » (1961).

POUDEVIGNE (Jean).

Viticulteur, né à Avignon (Vaucluse), le 3 avril 1922. Conseil en relations pu-bliques. Sous-directeur des relations pu-bliques de l'*Union des chambres syndi-cales des industries du pétrole*. Maire de Domazan. Elu député Indépendant-Pay-san du Gard (2e circ.) le 30 novembre 1958. Battu en novembre 1962. « Entre le premier et le second tour, M. Poudevi-gne (Centre des Indépendants et Pay-sans), qui se représentait dans la 2e cir-conscription du Gard, a sollicité le label de l'*Association pour la Ve République* qui lui a été accordé. Malgré cette conces-sion faite au gaullisme par le député sortant, le candidat *U.N.R.*, M. Gavard, a été maintenu, ce qui a provoqué le succès de la candidate communiste. » (*Aspects de la France*, 29-11-1962.) Elec-tion annulée. Nouveau scrutin en mai 1953 : élu, cette fois, avec 31 398 voix contre 25 011 à Mme Roca. Réélu en 1967.

POUJADE (Pierre, Marie, Raymond).

Commerçant, directeur de journal, né à Saint-Céré (Lot), le 1er décembre 1920. Il passa son enfance à Aurillac, où son père milita quelque peu à l'*Action fran-çaise*. Obligé de gagner tôt sa vie, il devint typographe ; c'est alors qu'il adhéra aux *J.P.F.* (jeunes du *P.P.F.* de Doriot, dont Maurice Duverger était alors l'un des prestigieux orateurs). Après la défaite de 1940, il fit un stage aux *Com-pagnons de France*, puis il passa en Espagne, y fut interné quelque temps, et gagna finalement Alger. C'est là qu'il rencontra celle qui devint sa femme. Il partit aussitôt pour l'Angleterre, où il servit dans la R.A.F. A vingt-cinq ans, démobilisé, il rentra en France et s'ins-talla à Saint-Céré. Après avoir fait de la représentation, il tint avec sa femme une petite librairie-papeterie dans ce chef-lieu de canton du Lot. En 1953, il se fit élire conseiller municipal de sa petite ville sur la liste gaulliste. Peu après, avec le forgeron communiste Frégeac, il lança le mouvement qui devait devenir l'*U.D. C.A.* Dès lors sa vie se confondit avec celle de son organisation. En janvier 1956, une cinquantaine de ses amis furent élus au parlement. Ce pouvait être le début d'un nouveau saut en avant ; ce fut le commencement de la décadence du mouvement. Candidat à une élection par-tielle à Paris (1956), Pierre Poujade fut assez piteusement battu, et les uns après les autres, ses principaux lieutenants, ses meilleurs collaborateurs, de Léon Du-pont, le *leader* des paysans poujadistes, à David, l'animateur des organisations professionnelles de Rodez, le quittèrent. Sa prise de position officiellement et agressivement anti-gaulliste, en septembre 1958, survenant quelques mois après l'appel qu'il avait adressé à l'hôte illustre de Colombey et au maréchal Juin, lui aliéna la plus grande partie des électeurs qui avaient voté pour les poujadistes deux ans auparavant. Il est vrai que son jeu trop subtil avait quelque peu déboussolé les militants de l'*U.D.C.A.* : on devine la perplexité du militant du mouvement qui reçut, le lendemain de l'allocution radiotélévisée de Pierre Poujade préconisant le « *Non à De Gaulle* », un numéro de *France-Référendum* favorable au « *Oui* », qui lui était expédié sous une bande confectionnée par l'administration de *Fraternité Française* à l'aide de la plaque-adresse qui sert à l'envoi du journal poujadiste. Sa campagne vigoureuse en faveur de l'Algérie française, surtout lorsque les intentions du général De Gaulle furent plus claires parut lui rallier de nouveaux militants. Des collaborateurs de talent, connus et estimés, en particulier le journaliste André Figueras et l'historien Beau de Loménie, donnèrent de l'éclat à un journal qui vivait sur la lancée de 1956. L'antigaullisme virulent de Pierre Poujade lui attira quelques sympathies chez les nationaux, mais son action sinueuse et prudente, au temps de l'*O.A.S.*, si elle lui évita les graves ennuis que connurent beaucoup d'opposants au régime, déplut au plus grand nombre. Sa prise de position au référendum de 1961 — il demanda à ses amis de s'abstenir, au lieu de voter *non* comme les y incitaient les journaux d'opposition nationale — surprit ses militants et les troubla d'autant plus qu'ils apprirent bientôt que c'est dans la propre imprimerie du mouvement, récemment acquise à Limoges par Poujade et ses amis, que les dirigeants gaullistes avaient fait tirer quelques millions d'exemplaires de leur *France-Référendum*. La dernière élection présidentielle lui fit perdre encore quelques amis. Tout d'abord favorable à une candidature d'opposition libérale — il participa à la Convention nationale libérale d'Issy-les-Moulineaux en 1965 — il se prononça un peu plus tard pour celle de Paul Antier, puis brusquement il rallia le camp de Jean Lecanuet, amenant ainsi le *leader* paysan à se retirer au profit du candidat libéral. Après la réélection du général De Gaulle, son attitude fut si peu claire que plusieurs collaborateurs de *Fraternité Française* l'abandonnèrent : Beau de Loménie, André Figuéras, Pauty, ne goûtant guère les éloges décernés à Michel Debré et à Edgar Faure et les combinaisons électo-

rales de Libourne, cessèrent d'écrire dans le journal poujadiste. Nul ne peut savoir, aujourd'hui, ce que fera Pierre Poujade. Cet homme habile, qui ne manque pas d'idées ni de charme, pourrait encore faire parler de lui à la première page des quotidiens. Mais son indécision et son attitude équivoque autant que son absence d'égards a lassé ceux qui furent ses plus fidèles soutiens : il est donc peu probable qu'il puisse désormais jouer un rôle comparable à celui qui fut le sien, il y a dix ans, lorsqu'il apparut comme le « *Jouhaux des classes moyennes* ».

POUJADE (Mouvement).

Sous le nom de *Mouvement Poujade* sont réunies les diverses associations professionnelles et politiques que Pierre Poujade a créées et animées depuis quatorze ans. Le mouvement naquit en 1953 à la suite de tracasseries fiscales. A l'annonce d'une série de contrôles des Contributions chez les commerçants de Saint-Céré, dans le Lot, fut créé un Comité de Défense sous la présidence de Pierre Poujade. C'est un militant communiste, le conseiller municipal Fréjac, qui fut à l'origine de ce comité. Ceci se passait le 22 juillet 1953. Moins de deux mois plus tard, le 19 octobre 1953, à Gramat, un *Syndicat Indépendant de Défense professionnelle* des commerçants et artisans fut constitué. Pierre Poujade en fut également nommé président. Un programme en huit points mettait l'accent sur : 1° l'égalité devant l'impôt et les patentes avec les trusts, magasins à succursales multiples et coopératives ; 2° les impositions uniques à la base ; 3° l'égalité pour les droits sociaux. Les poujadistes reprochaient alors au régime de favoriser outrageusement les « gros » au détriment des « petits ». En ce qui concerne l'impôt à la base, ils devaient un peu plus tard (congrès de juillet 1955) rejeter « *l'impôt sur l'énergie* » que préconisait Eugène Schueller, ancien animateur du *M.S.R.* avec Eugène Deloncle et beau-père du ministre Bettencourt. Au congrès du 29 novembre 1953, tenu à Cahors, le *syndicat* prit le nom d'*Union de Défense des Commerçants et Artisans (U.D.C.A.)* et décida la création d'un journal, *L'Union*. Quelques jours plus tard, aux élections à la chambre de Commerce du Lot, l'*U.D.C.A.* obtint un premier grand succès. Au cours de 1954, le mouvement s'étendit, gagna les départements voisins et se renforça considérablement. L'ennemi de l'*U.D.C.A.* était alors le ministre des Finances Edgar Faure, accusé de faire le jeu des trusts contre les petites entreprises. Autour de Poujade, composaient alors l'Etat-Major du mouvement : Alex Rozière, négociant en vins à Capdenac, qui venait de l'extrême-droite ; Bos, un carrossier du Cantal ; Martial David, opticien à Saint-Affrique, président de la chambre des Métiers de Rodez ; Henri Bonnaud, agent immobilier, et Thinières, restaurateur, qui ont, tous, les uns après les autres et pour des motifs divers, quitté le mouvement. *Fraternité Française*, journal personnel de Pierre Poujade, fut créé fin 1954. Le *Parti Communiste Français* qui avait, semble-t-il, tenté d'accaparer l'*U.D.C.A* ou, en tout cas, de la noyauter, fut progressivement rejeté. A partir de 1955, la presse de gauche et d'extrême-gauche commença ses attaques contre le poujadisme. La réunion du Palais des Exposition de la Porte de Versailles, à laquelle prirent part plus de 100 000 personnes — 200 000, selon « *Notes et essais sur le Poujadisme* », cahier n° 1 — fut à l'origine de cette campagne de dénigrement systématique qui rejeta Poujade et ses amis vers la doite. Les élections brusquées de janvier 1956 permirent au mouvement, qui présentait des listes un peu partout, tantôt sous l'égide d'*Union et Fraternité Française,* tantôt sous celles de groupements d'action paysanne ou de défense des consommateurs, de remporter un succès exceptionnel et inattendu (2 600 000 voix), grâce à l'appui des nationaux qui plaçaient leurs espérances dans le poujadisme. Le groupe parlementaire poujadiste, aussitôt constitué comprenait une cinquantaine d'élus (dont un tiers fut invalidé peu après) : Louis Alloin, ex-socialiste et ex-*R.P.F.* qui rejoignit en 1958 le *R.G.R.* ; Jean Berthommier et Marcel Bouyer, militants Algérie française ; René Couturaud, trésorier de l'*U.D.C.A.* ; Jean Damasio, ancien candidat *S.F.I.O.* en 1954 ; Jean-Maurice Demarquet ; Jean Dides ; Duchoud, président de syndicat ; André Gayrard ; Pierre Charles ; Guignard, directeur du *Coq libre* d'Amboise ; Jean-Marie Le Pen, futur député *C.N.I.* et *supporter* de la candidature *T.-V.* (1965) ; Paul Vahé ; Joseph Vignal ; Emile Luciani, aujourd'hui député *U. N.R.* ; Louis Reoyo, président du dit groupe parlementaire poujadiste, etc.

Après cette victoire, l'offensive contre le mouvement prit de l'ampleur. On ouvrit des dossiers. On découvrit que Pierre Poujade était le fils d'un ancien membre de l'*Action Française*, on affirma qu'il avait appartenu aux jeunes du parti de Doriot, on l'accusa de néo-nazisme. Un journal britannique l'appela *Poujadolf*. Le *Droit de vivre* et *Le Canard enchaîné* accusèrent son *U.D.C.A.* de

menées subversives fascistes et racistes. Les syndicats alertèrent les travailleurs et J. Pierre-Bloch, ancien député *S.F.I.O.* et dirigeant de la loge des *B'nai B'rith*, incita ses coreligionnaires commerçants et artisans, membres de l'*U.D.C.A.*, à quitter l'organisation qualifiée d'antisémite Jusque-là groupement professionnel, le *Mouvement Poujade* devint parti politique : on ne parla plus guère de l'*U. D.C.A.*, on mit en avant l'*U.F.F.* (*Union et Fraternité Françaises*). Le poujadisme était à son apogée : dès lors, ce fut la stagnation, puis la chute. Ses éléments les plus dynamiques l'abandonnèrent progressivement : les uns furent exclus, les autres démissionnèrent. Le retour du général De Gaulle au pouvoir, en 1958, devait être le signal de la débandade : 90 % des poujadistes approuvèrent le nouveau régime bien que leur chef eût été l'un des rares à dire « *Non à De Gaulle* » en septembre 1958 ; les seuls députés poujadistes réélus furent ceux qui avaient abandonné le mouvement au cours des années précédentes : Le Pen et Luciani. La fin de la IVe République était proche. Poujade qui la sentait venir et qui redoutait l'effritement de son groupement — le départ de Léon Dupont, leader des paysans poujadistes, de Paul Chevallet, directeur de *Fraternité Française*, de Serge Jeanneret, Camille Fégy, René Dargilat, qui confectionnaient le journal avec la collaboration de Claude Jeantet, l'avait affaibli considérablement —, adressa un appel public au général Juin, qui restait à l'écart de la vie politique, et au général De Gaulle, qui préparait avec soin son retour au pouvoir. Au moment du 13 mai 1958, le mouvement poujadiste était au premier rang. Il participa à Alger comme en France au regroupement des nationaux. Mais l'arrivée au pouvoir du Général provoqua une grave querelle entre le groupe parlementaire *U.F.F.* et le chef du mouvement. Poujade comptait sur l'action de ses députés, pour exercer une pression dans le sens favorable à l'*U.D.C.A.* La tactique adoptée par le groupe parlementaire poujadiste fut, paraît-il, néfaste aux visées de la direction du mouvement : Poujade reprochera à Reoyo d'avoir compromis les parlementaires poujadistes avec le « Système » et d'être la cause de son échec : « *Si le groupe U.F.F. avait été solide, écrira-t-il, j'aurais été ministre, avec, peut-être, plusieurs de nos amis.* » En juin 1958, un congrès extraordinaire réunit un millier de délégués pour arbitrer le conflit députés-Poujade. Par 83 voix contre 2, la dissolution du groupe *U.F.F.* fut décidée. Une motion votée à l'unanimité, motion modifiant les statuts, accorda les pleins pouvoirs à Pierre Poujade, président national, pour faire participer le mouvement à un *Comité National de Salut Public*. Les anciens députés *U.F.F.*, rejetés par l'*U.D.C.A.*, créèrent un groupe d'*Union et Action Libérale et Sociale*. C'est sous ce titre que trente ex-*U.F.F.* votèrent l'investiture du général De Gaulle, les pleins pouvoirs et le projet de révision constitutionnelle, contrairement aux consignes de Poujade. C'est également au titre d'*U.A.L.S.* qu'ils firent campagne pour le *oui* au référendum de septembre 1958, tandis que Poujade recommanda à ses amis de voter *non*. Le chef de l'*U.D.C.A.* nourrissait-il encore quelques secrètes espérances à l'endroit du parti gaulliste ? Des émissaires de Michel Debré l'auraient-ils circonvenu au point de lui faire croire que, malgré son opposition ouverte au nouveau régime, il pouvait encore y avoir des accommodements avec le ciel ? Toujours est-il que les plaques-adresses de *Fraternité Française* furent utilisées pour l'envoi aux abonnés du journal poujadiste de la feuille de propagande du Général, *France-Référendum*. La confusion qui s'ensuivit explique probablement le vote massif des militants et sympathisants de l'*U.D.C.A.* en faveur du *oui* : ils sont bien excusables ceux qui crurent alors que les consignes officielles de Pierre Poujade ne devaient pas être prises au pied de la lettre... Le raz-de-marée gaulliste qui suivit, en novembre 1958, élimina totalement la représentation parlementaire poujadiste : avec 600 000 suffrages, les candidats de l'*U.D.C.A.* qui se présentaient sous l'étiquette *Défense des libertés* n'eurent aucun élu. L'amertume de Pierre Poujade, trompé sur toute la ligne dans ses espérances, se transforma bientôt en rancœur. S'étant fait le héraut et le champion des classes moyennes pendant cinq ans, il était en droit d'espérer plus de reconnaissance de leur part. Dès lors, il s'intéressa beaucoup moins à la défense professionnelle et beaucoup plus à la politique : « *De 1953 à 1958, j'ai œuvré avec un seul but : la défense des commerçants et des artisans ; aujourd'hui, seuls m'intéressent les poujadistes, à quelque classe qu'ils appartiennent.* » (*Fraternité Française*, 20-12-1958). En fait, le mouvement se lança à corps perdu dans la bataille pour « l'Algérie française ». La majorité entrée au Parlement ne venait-elle pas d'être élue sur un programme de défense des départements français d'Afrique du Nord ? Mais si Poujade était armé pour jouer les « Jouhaux (1) des classes moyennes », il ne l'était pas suffisamment pour le rôle de chef du parti de l'opposition nationale qu'il rêvait de tenir. D'année en année, de congrès en congrès, les forces de son groupement s'affaiblirent. L'achat d'une importante imprimerie à Limoges, qui aurait été, quelques années plus tôt, une excellente opération politique devint assez vite un boulet : les quarante millions d'acompte versés au moment de l'acquisition demeurèrent insuffisants lorsque les commandes se firent plus rares. On eut beau faire paraître *Fraternité Française* chaque matin, dans l'espoir de conquérir un public national privé de quotidien, l'exploitation se révéla bientôt difficile. Achetée pour aider au développement du mouvement Poujade et à la diffusion de ses idées, ladite imprimerie devint une charge si lourde que l'on dût faire appel à ceux-là même que l'on combattait pour joindre les deux bouts. C'est, du moins, ce que beaucoup de militants poujadistes ont pensé lorsqu'ils apprirent que leur imprimerie recevait d'importantes commandes du parti gaulliste au moment des élections et des référendums (2). Le mouvement n'en parut pas moins très ferme dans sa position anti-gaulliste jusqu'à la fin de 1965. Aux divers référendums, il avait tantôt préconisé le *non*, tantôt recommandé l'abstention. A l'élection présidentielle de décembre 1965, après avoir suscité la candidature de Paul Antier, ancien ministre, Poujade rallia brusquement la candidature Lecanuet et amena le *leader* paysan à se retirer en faveur du *leader* centriste. Cette subtile manœuvre n'eut aucune suite heureuse : non seulement le candidat soutenu par l'*U.D.C.A.* ne fut pas élu, mais il ne sut aucun gré au mouvement de l'avoir aidé. Les accords conclus en vue de l'entrée de militants poujadistes au *Centre* de J. Lecanuet ne furent probablement pas respectés. D'autre part, les nationaux qui avaient suivi Tixier-Vignancour en voulurent beaucoup à Poujade de n'avoir pas appuyé la candidature de l'avocat du général Salan. Déçu par le Centre, brouillé avec la Droite, le chef de l'*U.D.C.A.* se replia quelque temps sur lui-même. Puis, résolu à agir, il fit un premier pas vers la majorité.

_____

(1) Léon Jouhaux, leader de la classe ouvrière.
(2) Pierre Poujade répondait alors que son imprimerie était une imprimerie commerciale comme les autres.

L'élection partielle de Libourne (début 1966), au cours de laquelle l'*U.D.C.A.* soutint le ministre *U.N.R.* Boulin contre les candidats de l'opposition, marqua le début d'une évolution qui se poursuit, lentement mais sûrement. Des articles conciliants, voire même favorables à l'égard du gouvernement, provoquèrent quelque stupeur (cf. *Fraternité Française*, 14 et 21 janvier 1966, et les numéros suivants). Les derniers rédacteurs connus de *Fraternité Française* ne s'expliquant pas ce changement d'attitude du journal, cessèrent brusquement leur collaboration à l'hebdomadaire de Pierre Poujade. Par la suite, le « virage » dont parle Pierre Poujade (in *Fraternité Française*, 9-12-1966) s'est précisé. Non seulement à l'égard du gouvernement et de l'Elysée, mais aussi à l'endroit de l'*U.R. S.S.* et des Etats communistes et du « gros argent », que le journal poujadiste dénonçait, la veille encore, avec vigueur :

« *Les conquêtes modernes* — écrit le chef de l'*U.D.C.A.* — *sont affaires de marché où les banques sont plus efficaces que les armées. Le Pouvoir d'aujourd'hui est question de leviers de commande où les discussions sont plus sûres que les mouvements de Forum. Ceux qui n'ont pas compris cette évolution sont en retard d'une guerre et leur bonne foi, leur courage et même leurs sacrifices ne serviront à rien d'autre qu'agiter cette petite frange de l'humanité à la recherche permanente des causes perdues. La négociation donc est la seule et dernière carte à jouer. (...) A moins d'être inféodé, donc de trahir la cause, le sentimentalisme déplacé n'a pas raison d'être. Je veux dire qu'il est préférable de négocier avec un Pouvoir que l'on n'aime pas particulièrement plutôt que s'engager avec des éléments que l'on aime mais qui n'arriveront jamais au Pouvoir. La religion elle-même canonisera ses martyrs mais n'hésitera pas à négocier avec leurs bourreaux... C'est pourquoi elle est éternelle.* » (Ibid.) Justifiant le rapprochement franco-soviétique, il ajoutait : « *Que l'on ne vienne pas me faire valoir la présence de M. Kossyguine à Paris pour justifier des réactions inconséquentes. Ne mélangeons pas les problèmes. Permettez-moi de dire qu'un roi de France très chrétien n'hésitait pas à s'allier avec le Turc infidèle lorsque l'intérêt de la politique extérieure de la France était en jeu sans pour autant compromettre le rôle traditionnel de la fille aînée de l'Eglise...* » Et balayant les objections de ses amis, qui lui faisaient observer que le royaume de François Ier ne comptait pas 20 % de sujets dépendant du Grand Turc, ni une cohorte de janissaires groupant quelques centaines de milliers de membres, Pierre Poujade concluait : « *Il ne reste donc qu'une seule et ultime chance qui est celle que j'ai saisie sans illusion mais aussi sans complexe. Elle sera ce que nous serons capables d'en faire, mais elle offre au moins la possibilité pour la première fois de nous permettre d'entrer dans le jeu des responsabilités positives.* » (Ibid.)

Il est difficile de prévoir quelle sera la route qu'empruntera, demain, le convoi poujadiste. Mais il est prévisible qu'elle ne sera pas de tout repos pour le conducteur et que maints traînards, la jugeant impraticable, abandonneront avant la première halte ou le premier relai. En 1960, le *Mouvement Poujade* avait une presse importante : *Fraternité-Matin, Fraternité Française, Fraternité Paysanne, Fraternité Ouvrière, Ouest-Information, Auvergne-Information, Aube-Information, Roussillon - Information, Seine-Maritime-Information, Drôme-Information, Quercy-Information, Information-Centre, Paris-Information, Information-Champagne, Information-Marne, Information-Haute-Marne, Information-Vivarais, Information-Côte d'Azur*, etc. En 1966, après le tournant que nous venons de signaler, *Fraternité Française* demeure le seul porte-parole officiel et public du poujadisme et il n'est plus le grand hebdomadaire aux 200 000 abonnés d'il y a dix ans. Quant à sa rédaction, réduite à sa plus simple expression depuis qu'Emmanuel Beau de Loménie et André Figueras l'ont désertée, elle comprend essentiellement son directeur, qui écrit l'article de tête, et son rédacteur en chef, Maurice Lebrun. La « copie » qui encadre leurs articles provient soit d'emprunts plus ou moins autorisés à d'autres revues, soit des cadres de l'*U.D.C.A.* Ces derniers, vieux militants qu'aucune avanie ne décourage, derniers fidèles d'une garde qui meurt et ne se rend pas, occupent des postes souvent importants dans l'administration consulaire, celle des chambres de commerce et des chambres des métiers. Le Comité directeur du mouvement est ainsi composé : Julien Coudy, avocat ancien dirigeant du *Rassemblement National*, Eugène Guérin, maire de Bray-sur-Seine, André Allain, secrétaire de la Chambre de Commerce de Rouen, Robert Grapperon (Seine-et-Marne), Félix Michel, ancien membre de la Chambre de Commerce de Marseille, Charles Thorin, conseiller municipal de Pissy-Paville, Jean Berusse, Georges Monin, membre de la Chambre de Commerce de Lyon, René Orliac, ancien membre de la Chambre de Commerce de Paris, Henri Deguet, administrateur à la Caisse d'Allocations familiales de l'Allier, Roger Magne, ancien membre de la Chambre de Commerce de Marseille, Paul Vahé, ex-président du groupe parlementaire *U.F.F.*, André Perinet, délégué consulaire, André Monteil (Haut-Rhin), André Blancan (Paris), André Mallet, administrateur à la Caisse d'Allocations familiales, administrateur U.R.S.S.A.F., Jean Martin, membre de la Chambre de Commerce de l'Oise, président du groupement d'achats U.D.E.C.E.R.A.M., Christian Touchain (Loir-et-Cher), Guy Bonneau, maire de Lavausseau, secrétaire de la Chambre de Commerce de la Vienne, secrétaire de la Caisse d'Allocations familiales de la Vienne, Jacques Tauran, président-directeur général de la S.I.E.C., Jean Soupa, président de la Chambre de Commerce et d'Industrie de Montauban, vice-président U.R.S.S.A.F. du Tarn-et-Garonne, président de la foire-exposition de Montauban, Louis Bouvet, membre de la Chambre de Commerce de la Mayenne, président du groupement d'achat S.A.D.I. R.A.M., Christian Ourcival (Paris), Julien Petel (Seine-Maritime), René Couturaud (Savoie), Gaston Leblond (Nord), Henri Deguet (Allier), Tamisier (Bouches-du-Rhône), Paul Cresson (Pas-de-Calais), René Laubressac (Saône-et-Loire), Robert Schilis (Haute-Marne), André Guillemin (Côte-d'Or), Francis Catherin (Saône-et-Loire), Pierre Reveret (Aveyron), Robert Gruaz (Gard), Robert Larrieu (Gers). (Siège : 29, rue François-Cherieux, Limoges.)

POULAILLE (Groupe).

L'écrivain Henry Poulaille, auteur de « *Nouvel âge littéraire* », du « *Pain quotidien* » et des « *Damnés de la terre* », est considéré comme le chef du mouvement littéraire dit « prolétarien » qui a rallié des écrivains et des artistes comme Edouard Peisson, Cresson, Lucien Gachon, Ludovic Massé, Léon Gerbe, Guillaumin, Lucien Bourgeois, Jacques Reboul, Constant Malva, Louis Gérin, René Bonnet, Tristan Rémy, Marc Bernard, Eugène Dabit, Jean Giono (ces quatre derniers ont rallié ensuite l'*A.E.A.R.* et *Commune*).

POULPIQUET de BRESCANVEL (comte Gabriel de).

Propriétaire, né à Milizac (Finistère), le 25 octobre 1914. S'enorgueillit d'appartenir à une famille de la noblesse bretonne remontant au XIVe siècle. Maire de Coat-Méal. Conseiller général du canton de Plabennec depuis septembre 1945.

Candidat indépendant-paysan en janvier 1956 (battu). Elu député *U.N.R.* du Finistère (3e circ.), le 30 novembre 1962.

POUR LA Ve REPUBLIQUE.

Comité gaulliste présidé par André Malraux, donnant l'investiture aux candidats favorables à la politique du général De Gaulle. Les associations suivantes ont participé à la fondation de ce comité électoral : *Association Nationale pour la Défense du Suffrage Universel, Association pour le soutien de l'action du général De Gaulle, Comité national des élus locaux pour l'élection du Président de la République au suffrage universel, Mouvement pour la Communauté, Union Démocratique du Travail, Union pour la Nouvelle République.*

POUR LE LIVRE.

Groupement d'éditeurs résistants constitué au lendemain de la Libération pour donner une impulsion nouvelle à l'édition française — en même temps qu'une orientation politique plus conforme aux espérances des initiateurs de l'association : Bourrelier, Corréa, *Editions du Cerf*, Durant-Auzias, *Editions du Seuil*, Hartmann, *Horizons de France, Je Sers, L'Amitié* (G. Rageot), Rouart-Lerolle, Pierre Seghers, J. Susse et *Editions de Minuit* (le siège fut installé dans les locaux de celles-ci), éditeurs dont le catalogue, assurait *Le Parisien libéré* (17-12-1944) est intact des compromissions avec Vichy ou l'hitlérisme. Dans leur manifeste, les fondateurs de *Pour le livre* déclaraient : « *Les éditeurs sont responsables : placés à la source du rayonnement spirituel de la France, ils ne doivent pas oublier que leur rôle dépasse souvent les intérêts de leur commerce. C'est avec ce souci de la responsabilité qu'un groupe d'éditeurs vient de se constituer. Passant du plan professionnel au plan moral et à la conscience de leur rôle, ces éditeurs, groupés sous le nom de « Pour le livre », se proposent de défendre notre patrimoine littéraire, scientifique et artistique ; de poursuivre, par leurs livres, une œuvre d'éducation et de formation d'une pensée libre ; de s'attacher au développement de la lecture publique. Trop d'éditeurs, durant ces cinq années, ont failli aux devoirs de leur charge et accepté ou propagé les théories de l'occupant. Il s'agit à présent, pour l'édition française demeurée nette, d'affirmer sa présence et de défendre les valeurs humaines qui sont celles de notre pays.* » Cela se traduisit surtout par l'élimination de plusieurs petits concurrents au profit de quelques gros.

POUR QUE VIVE LA FRANCE.

Fondé en 1952 par André de Fouge-rolles, Odette Moreau, André Moulinier, Roger Palmieri, Ernest Pérou, Philippe Piétri, secrétaire général du *Syndicat National des Paysans*, Philippe Saint-Germain, le colonel Maurice Teze, Gaston Tison, etc. Hostile au dirigisme, au marxisme, à l'épuration de 1944.

POUVOIR PERSONNEL.

En régime démocratique, on appelle *pouvoir personnel* l'exercice de l'autorité par un haut magistrat (président de la République, premier ministre) suivant ses opinions personnelles, en imposant ses vues aux représentants du peuple par un moyen quelconque (dissolution, plébiscite, référendum, majorité « incon-ditionnelle », etc.) ou en les astreignant à les entériner. Mac Mahon fut accusé de pouvoir *personnel* pour avoir dissous la Chambre des Députés hostile à sa poli-tique.

POUVOIRS CONSTITUANTS.

L'Assemblée Nationale, composée des députés et sénateurs présents à Vichy le 10 juillet 1940, délégua les *pouvoirs constituants* au maréchal Pétain. Le pré-sident Edouard Herriot, qui avait pré-sidé la veille la séance de la Chambre, avait lancé cet appel aux députés :

« *Au lendemain des grands désastres, on cherche des responsabilités. Elles sont de divers ordres. Elles se dégage-ront. L'heure de la Justice viendra. La France la voudra sévère, exacte, impar-tiale. Cette heure-ci n'est pas l'heure de la justice : elle est celle du deuil. Elle doit être celle de la réflexion, de la pru-dence. Autour de M. le maréchal Pétain, dans la vénération que son nom inspire à tous, notre nation s'est groupée en sa détresse. Prenons garde à ne pas trou-bler l'accord qui s'est établi sous son autorité.* » (Cf. *Annales de la Chambre des Députés, 16e législature, Débats par-lementaires*, 1940, p. 814.)

Les sénateurs et députés réunis eurent à se prononcer sur ce projet de loi :

« *L'Assemblée nationale donne tous pouvoirs au Gouvernement de la Répu-blique, sous l'autorité et la signature du maréchal Pétain, à l'effet de promulguer par un ou plusieurs articles une nouvelle constitution de l'Etat français. Cette constitution devra garantir les droits du travail, de la famille et de la patrie. Elle sera ratifiée par la nation et appliquée par les Assemblées qu'elle aura créées.* »

Le résultat du scrutin fut le suivant :

Nombre de votants : 649.
Majorité absolue : 325.
Pour l'adoption : 569.
Contre : 80.
(Voir documents photographiques pu-bliées en pages 368, 370 et 372.)

POUVOIRS PUBLICS

L'autorité gouvernementale.

POZZO DI BORGO (duc Joseph).

Propriétaire terrien, né à Paris, le 10 novembre 1890, mort à Paris, le 12 mai 1966. Issu d'une famille illustrée par le fameux adversaire de Napoléon, Charles-André Pozzo di Borgo, qui était à la fois comte russe, comte et pair français, et dont le neveu fut fait duc par le roi des Deux-Siciles, en 1852. (Le duc comptait également parmi ses ancêtres : Mme de Montesquiou, gouvernante du roi de Rome, d'Artagnan, le mousque-taire immortalisé par Alexandre Dumas, et le socialiste Louis Blanc.) Fils de l'an-cien député de Sartène, licencié en droit et diplômé des sciences politiques, le duc Joseph Pozzo di Borgo préparait la carrière diplomatique lorsque la guerre éclata. D'abord sous-officier, puis officier au 2e cuirassiers et au 23e dragons, il fut versé dans l'aviation en 1915 et finit la guerre lieutenant-pilote de chasse (plu-sieurs fois cité et décoré de la Légion d'honneur), mais dans un camp de pri-sonniers en Allemagne, son avion ayant été abattu dans les lignes ennemies en mars 1918. Libéré, il assuma quelques mois les fonctions de secrétaire d'ambas-sade à Copenhague, puis se consacra à l'action sociale et politique. Comme an-cien combattant, le duc Pozzo di Borgo participa à la création des *Croix de Feu* (1927) et fut l'un de leurs dirigeants. Il joua un rôle important dans le mouve-ment national au moment du Front popu-laire. Adjoint du général Duseigneur à la tête de l'*Union des Comités d'Action Défensive (U.C.A.D.)*, il fut impliqué dans « l'affaire de la Cagoule » et incarcéré à la Santé, où il resta cent jours au régime du « droit commun », avant d'obtenir un non-lieu. Il avait, peu auparavant, quitté avec éclat le comité directeur des *Croix de feu*, portant contre son prési-dent des accusations d'une exception-nelle gravité (cf. son livre : « *La Rocque, fantôme à vendre* ») ; d'où deux procès retentissants. Fort lié avec François Coty, au temps de ses campagnes anti-communistes, il avait présidé l'*Institut Anti-Marxiste de Paris* (secrétaire géné-ral : Flavien Brenier de Saint-Christo). C'est Pozzo di Borgo, fidèle abonné et bienfaiteur de la très antimaçonnique

Libre Parole, qui avait affirmé à la Commission d'enquête parlementaire du 6 février que le président Chautemps était, dans la maçonnerie, « *Sublime Prince du Royal Secret* » (en fait, l'homme politique radical n'était que Chevalier Kadosch). Il devait, par la suite, participer à diverses manifestations et prendre la parole à des réunions de l'*Union Antimaçonnique de France* et du *Rassemblement Anti-Juif* (1937-1938). Il menait également son action politique dans la presse : au *Flambeau,* au *Jour,* à *La Revue de Paris,* à *Choc* et au *Courrier de la Corse,* qu'il contribua à fonder et qui n'eut qu'une vie éphémère. Il était, depuis quelques années, l'un des vice-présidents du *Centre d'Etudes Politiques et Civiques* (C.E.P.E.C.).

PRADEL (Louis).

Magistrat municipal, né à Lyon (Rhône), le 5 décembre 1906. Expert en automobile. Fut, de longues années, l'adjoint d'Edouard Herriot, maire de Lyon (1944-1957), réélu en 1959. Elu, à son tour, maire de Lyon en 1957 et réélu en 1959. Conseiller général du Rhône. Adversaire du gaullisme, a fait battre plusieurs personnalités se réclamant de l'*U.N.R.* Animateur du « parti des maires » opposé au gouvernement.

PRADELLE (Marc, Maurice, Marie Joseph).

Journaliste, né à Paris 1er, le 12 mai 1904. Directeur du quotidien national et catholique *L'Avenir du Loir-et-Cher,* dans l'entre-deux-guerres, co-fondateur en 1937 de l'agence de presse *Inter-France,* dont il fut l'un des dirigeants. Secrétaire général du *Centre d'Etudes Politiques et Civiques* (C.E.P.E.C.). Principal animateur de l'*Agence Coopérative Interrégionale de Presse* et directeur général de l'*Omnium d'Impression et de Publicité.*

PREAUMONT (Jean, Franck de).

Avocat, né à Murat (Cantal), le 8 juin 1922. Bien qu'illustrée de nos jours par le comte Xavier-Franck de Préaumont (et Mme, née Rosengart), Georges de Préaumont (président des *Forges de Valenciennes,* de la *Société des Produits Réfractaires de Cambrai* et de *Longométal*) et le comte Xavier-Charles de Préaumont (administrateur des *Malteries Franco-Belges,* des *Moulins de Prouvy* et des *Faïenceries du Moulin des Loups*), la famille de Préaumont ne figure pas au *Catalogue de la Noblesse Contemporaine* (1959). Inscrit au barreau de Paris. Attaché au cabinet du gouverneur du Palatinat et de la Hesse-Rhénanie (octobre 1945-octobre 1946). Maire adjoint du XVIIe arrondissement (1959-1961). Attaché parlementaire au cabinet de Maurice Couve de Murville, ministre des Affaires étrangères (12 avril 1960). Suppléant de F. Missoffe, fut proclamé député de la 24e circ. le 25 septembre 1961, ce dernier étant devenu membre du Gouvernement. Réélu député dans la 23e circ. de Paris en 1962 et 1967.

PREAUX (Claude).

Journaliste, né à Rouen, le 16 juillet 1915. Rédacteur à *La Dépêche de Rouen* (1936-1939), à *Paris-Normandie* (30 août 1944-31 décembre 1964), à *Liberté-Dimanche* (depuis 1948) et au quotidien *Le Havre* (depuis le 1er janvier 1965). Dirige ce dernier. Membre du *Club Henri-Rochefort.*

PRELOT (Marcel).

Universitaire, né à Janville (E.-et-L.), le 30 octobre 1898. Enseigna le droit et les sciences politiques à Lille, Strasbourg, Montpellier et Paris. Membre du comité exécutif du *R.P.F.,* fut député gaulliste du Doubs (1951-1956). Sénateur *U.N.R.* de ce département (depuis 1959). Dirige la Bibliothèque de la science politique ainsi que la revue *Politique.* Auteur de : « *L'Empire fasciste* », « *L'Evolution politique du socialisme français* », « *Institutions politiques et Droit Constitutionnel* », « *Histoire des Idées politiques* », etc.

PRELUDE.

Revue fasciste révolutionnaire (1933-1934); organe du Comité central d'Action régionaliste et syndicaliste, dirigé par le Dr P. Winter. Collaborateurs : Le Corbusier, F. de Pierrefeu, H. Lagardelle, et divers éléments de l'ancien *Faisceau* de G. Valois.

PRENANT (Eugène, Marcel).

Universitaire, né à Champigneulles (M.-et-M.), le 25 janvier 1893. Fils du professeur Auguste Prenant, membre de l'Académie de Médecine. Professeur à la Faculté des Sciences de Paris (1928-1966). Chef d'E.-M. des Francs-Tireurs et Partisans (F.T.P.) de 1942 à son arrestation en 1944. Déporté en Allemagne (1944-1945). Député communiste à la première Constituante (1945-1946). Membre du Comité Central du Parti Communiste Français (1945-1950). Est aujourd'hui, en dehors du parti, l'un des leaders du mouvement communiste. Directeur de la revue *Le Débat communiste.*

PRESSE.

Bien que la radio et la télévision aient une importance grandissante, qu'elles remplacent au foyer de millions de Français le journal de jadis et se soient substituées à lui comme directeur de conscience, la presse n'en conserve pas moins une influence considérable. S'il n'est plus tout à fait vrai de dire, comme le faisait il y a trente ans Henri de Kérillis, que *les Français en immense majorité voient, apprennent, comprennent et pensent par leur journal*, il n'en conserve pas moins une place de choix.

Au siècle dernier, Alfred de Vigny avait déjà souligné l'influence naissante de la presse : « *Tout Français* — a-t-il écrit — *a un ami intime qui le flatte, le conseille en toute occasion, lui est plus fidèle et plus indispensable que sa femme et tous ses parents, sans lequel il ne peut, ne décide, ne sait rien, comme un homme privé de son cerveau. Chaque matin cet ami lui arrive à l'heure du chocolat, et le fournit d'opinions et de nouvelles pour la journée. C'est son journal.* » Le journal se substitue souvent au libre arbitre de ceux qui le lisent : flattant la paresse de leur volonté, il les dispense de vouloir et de choisir. Selon le mot pittoresque d'Edouard Drumont, le fondateur de *La Libre Parole,* il leur fait « *un cerveau de papier* ».

Pour Lénine, le journal était « *l'organisateur collectif* » : « *Sans le journal* — disait-il — *toute propagande, toute agitation, systématique, variée et fidèle aux principes, est impossible, et c'est pourtant là la tâche principale et constante.* » Dans la politique, la puissance de la presse est telle que Lucien Romier a pu dire qu'elle « *est une véritable gangue qui enveloppe toute la personnalité de l'homme public* ». Le directeur de journal est un authentique potentat, devant qui s'inclinent les derniers souverains de l'Europe.

« *Mon fauteuil vaut trois trônes* », disait Maurice Bunau-Varilla, directeur-propriétaire du *Matin.* Et ce fut vrai pendant de longues années. *Sa Majesté la Presse* est d'autant plus influente qu'elle n'est pas inerte comme le livre. Le journal a des pieds, le journal a des ailes ; il va à domicile, il pénètre dans le foyer ; il est le directeur de conscience de toute la maisonnée. La toute-puissance de la presse inquiète, depuis longtemps, ceux qui redoutent l'omnipotence de ce quatrième pouvoir. Ce qui explique leurs diatribes trop souvent justifiées. Il y a quelque cent ans, Musset lançait l'anathème contre

« *... Ce fléau qui nous rend tous malades*
Le Seigneur journalisme et ses pantalon-
                                      [*nades,*
Le droit quotidien qu'un sot a de berner
Trois ou quatre milliers de sots à déjeu-
                                      [*ner* »

Tandis que Balzac portait ce jugement excessif sur le journal qui, de sacerdoce est devenu un « *moyen pour les partis* » : « *De moyen, il s'est fait commerce ; et comme tous les commerces, il est sans foi ni loi. Tout journal est une boutique où l'on vend au public des paroles de la couleur dont il les veut. S'il existait un journal des bossus, il prouverait soir et matin, la beauté, la bonté, la nécessité des bossus. Un journal n'est plus fait pour éclairer, mais pour flatter les opinions. Ainsi tous les journaux seront, dans un temps donné, lâches, hypocrites, infâmes, menteurs, assassins ; ils tueront les idées, les systèmes, les hommes, et fleuriront par cela même.* »

Ce qui les rend plus redoutables encore, c'est que, depuis Emile de Girardin, les journaux se vendent moins cher qu'ils ne coûtent. Sur les trente centimes que vous donnez au kiosque, l'administration de votre quotidien ne reçoit que seize ou dix-huit centimes, mais la fabrication de ces huit, dix ou seize pages lui revient à soixante-dix centimes, parfois beaucoup plus. Elle perd donc au moins quarante centimes par exemplaire. Si vous multipliez ces quarante centimes par le total des exemplaires vendus, c'est par millions que se chiffreraient les pertes, si... Connaissez-vous beaucoup d'entreprises qui puissent vendre régulièrement à perte leurs produits ? Certainement pas. Il faut donc que les journaux aient des ressources autres que celles que lui procurent la vente et les abonnements. Autrement dit, chaque fois que vous donnez trente centimes au marchand de journaux, il faut que quelqu'un verse directement à l'administration du journal les quarante centimes qui lui manquent.

— *Mais, allez-vous dire, c'est la publicité, ce sont les annonces qui fournissent ces milliards...*

C'est exact, — du moins dans 80 à 90 % des cas. Les placards publicitaires qui s'étalent dans les colonnes de votre journal favori sont payés très cher : ils sont, pour son administration, une importante source de profit. Sans les ressources que lui procure la publicité, aucun quotidien, aucun grand hebdomadaire ne pourrait exister. Mais si ces « rentrées » permettent au journal de combler le déficit de la vente, elles lui

3, place de la Sorbonne, Paris

QUINZE FRANCS

CRAPOUILLOT

HISTOIRE
DE LA
PRESSE

par JEAN GALTIER-BOISSIÈRE et RENÉ LEFEBVRE

La couverture de ce numéro du célèbre Crapouillot présentait les principaux journaux
de la Troisième République, de l'aube à La Victoire

imposent des obligations impératives.
Sous peine de voir tarir ces importantes
sources de profit, le journal doit taire
ce qui est désagréable aux annonceurs.
Donc votre journal n'est pas libre. Nombre de sujets lui sont interdits. Aussi
cache-t-il certains faits, s'abstient-il de
commenter ou même de signaler certains
événements qui vous ouvriraient les
yeux. Dire la vérité, toute la vérité, ce
serait se condamner à mort. Sans appel.
Ne lui demandez pas d'être héroïque
jusqu'au sacrifice suprême. Ni son propriétaire, ni ses dirigeants, ni les journalistes, même ceux qui le rédigent, ni les
ouvriers qui le composent et l'impriment
ne se feront *hara kiri* pour le seul plaisir de vous dire la vérité.

— *Pourquoi donc les gros annonceurs
empêcheraient-ils la presse de nous dire
la vérité ?*

Quand il s'agit de la vie privée d'une
vedette, des frasques d'un écrivain, d'un
scandale judiciaire, d'un incident politique mineur, votre journal est libre, entièrement libre de publier ce qu'il veut.
Mais s'il s'agit d'expliquer les raisons
profondes de la crise qui secoue notre
pays, donc de mettre en cause les forces
obscures qui provoquent ou favorisent le
malaise dont nous souffrons, votre journal n'est plus libre. Car ces forces sont
précisément celles qui, par leurs largesses publicitaires, permettent à votre
journal de vivre et de prospérer. Ce n'est
pas le médecin, le pharmacien, l'avocat
voire même le notaire qui fournissent le
principal des ressources publicitaires de
votre journal. Ce n'est pas non plus l'épicier du coin, ni le boucher, ni le char-
cutier. Et le marchand de chaussures ou
de confection ne donne qu'une publicité
locale d'importance réduite. Les gros
annonceurs de votre journal, ceux dont
la publicité occupe la place de choix
dans ses colonnes, ne sont ni des ouvriers, ni des employés, ni des fonctionnaires ; ils n'appartiennent ni aux petites et moyennes entreprises, ni aux
professions libérales ; ce ne sont pas des
artisans, des boutiquiers ou des labou-
reurs. Ce sont les grandes sociétés industrielles, commerciales et financières.

Votre journal, qu'il soit de droite, de
gauche ou du centre, est donc tenu, sous
peine de mort, à ne faire nulle peine,
même légère, aux banques et aux trusts
qui lui versent régulièrement les millions
indispensables à son existence. Il est
même tenu, la plupart du temps, à faire
leur politique, c'est-à-dire à prendre la
défense de leurs intérêts. Même contre
vous. Il existe naturellement des journaux honnêtes, auxquels le distributeur
de publicité ne fait pas la loi, qui n'acceptent pas les suggestions des grands
annonceurs. Mais ceux-là sont l'exception qui confirme la règle.

PRESSE (La).

Quotidien fondé par Emile de Girardin en 1836, auquel collaborèrent, au
temps du boulangisme : Alfred Naquet,
Laisant, Laguerre. Dans l'entre-deux-
guerres, elle disparut, puis reparut quelque temps pour redisparaître. Après la
Libération, le groupe Ventillard publia,
sous ce nom, un hebdomadaire dont
André Marie fut le directeur politique,
et Paul Campargue, le directeur général
(absorbé, il y a quelques années, par
Le Hérisson).

PRESSE ACTUALITE.

Revue bimestrielle faisant suite à *La
Croisade de la Presse* et paraissant, sous
cette forme, depuis 1956. Editée par *La
Bonne Presse*, cette revue catholique publie des nouvelles et des études sur les
journaux et les revues. Elle est animée
par un comité de rédaction composé
de : Robert Baguet, Jean Boissonnat,
Jacques Boué, Noël Copin, Jacques Du-
quesne, Lucien Guissard, Roger Lavialle, Yves L'Her (5, rue Bayard, Paris 8e).

PRESSE-INFORMATIONS.

Agence de presse fournissant, pendant la guerre, des informations à la
presse de province de zone Nord (Direction : Morancé).

PRESSE LIBRE (La).

Quotidien socialiste fondé en 1897 à
Strasbourg et disparu il y a quelques
années.

PRESSE DE LA MANCHE (La).

Quotidien de gauche fondé le 3 juillet
1944 sous le titre : *La Presse Cherbour-
geoise*. Reprit la clientèle de *Cherbourg-
Eclair* interdit à la Libération. Actuellement dirigé par Marc Giustiniani,
assisté de Maurice Hamel, ancien directeur-gérant de *Cherbourg-Eclair*, et de
Mme J.-P. Biard, proche parente de
l'ancien directeur général de ce dernier
journal (14, rue Gambetta, Cherbourg).

PRESSE NOUVELLE (La) (NAIE PRESSE).

Journal en langue yiddisch, fondé à
Paris en janvier 1934. Quotidien d'obé-
dience communiste (14, rue du Paradis,
Paris-10e).

PRESSE-OCEAN.

Quotidien ayant remplacé *La Résistance de l'Ouest* fondée à la Libération par des éléments de gauche, se réclamant par la suite de l'*U.D.S.R.* Tirage : 75 000 exemplaires. (7 et 8, allée Duguay-Trouin, Nantes.)

PRESSE REGIONALE (La).

Organisme fondé le 1er août 1905 sous forme de société anonyme, *« en vue d'acquérir ou de fonder en certains centres, spécialement désignés par leur situation géographie ou politique, les journaux quotidiens régionaux à grands tirage, pour en faire des instruments d'information et de pénétration catholique, sociale et patriotique »*. Avant la guerre, y étaient affiliés : *La Liberté du Sud-Ouest* (Bordeaux), *L'Eclair de l'Est* (Nancy), *La République du Sud-Est* (Grenoble), *Le Nouvelliste* (Rennes), *Le Courrier du Pas-de-Calais* (Arras), *L'Echo de la Loire* (Nantes), *Le Télégramme des Vosges* (Epinal), *Le Journal d'Amiens*, *L'Eclair Comtois* (Besançon), *Le Nouvelliste* (Vesoul), et de nombreux hebdomadaires départementaux (*La France Rurale*, *La Voix Sociale*, *La Voix des Familles*, *Le Petit Lorrain*, *Le Progrès des Côtes-du-Nord*, *Les Croix du Midi*, *La Croix de Lyon*, etc.). Pendant la guerre, *La Presse Régionale* poursuivit ses activités, sous la direction de Jules Dassonville, qui la dirigeait depuis plusieurs années. *Le Nouvelliste de Bretagne*, *La Liberté du Sud-Ouest*, *Le Courrier du Pas-de-Calais*, *Le Journal d'Amiens*, *L'Express du Dimanche* (Nantes), *Le Nouvelliste de Vannes*, *L'Echo d'Indre-et-Loire*, etc. y étaient affiliés. A la Libération, ces journaux furent frappés d'interdit (voir : *Epuration*). *La Presse Régionale*, qui alimente en informations et articles divers les journaux amis, est actuellement dirigée par Roger Lepoutre-Lepoutre qui préside le conseil d'administration auquel appartiennent ou ont appartenu : Jean Tiberghien-Gaulliez, de Tourcoing, Louis Tiberghien-Delesalle, Jean Tiberghien-Salmon, Gaston Dufour-Dufour, Marcel Lepoutre-Toulemonde, Raphaël Lepoutre-Sion (remplaçant Lepoutre-Motte, décédé), Louis Jammes et Dominique Lepoutre-Faucon. A la direction, Roger Lepoutre-Lepoutre est secondé par Marguerite Kiehl (43, rue de Trévise, Paris 9e).

PRESSEMANE (Adrien).

Ouvrier, puis directeur de journal, né à Limoges, le 31 janvier 1879, mort dans cette même ville, le 25 janvier 1929. Quitta l'école à douze ans et devint ouvrier peintre sur porcelaine. Dès l'âge de dix-huit ans, milita dans le mouvement socialiste en Haute-Vienne. Dirigea *Le Socialiste du Centre*, puis anima la rédaction du *Populaire du Centre*. Fut conseiller général de son département et conseiller municipal de Saint-Léonard, mais ne réussit pas à entrer au parlement. Appartint à la direction de la *S.F.I.O.* et fut l'un de ceux qui façonnèrent le mouvement socialiste limousin.

PRESSENSE (Francis DEHAUT de).

Homme politique (1853-1914). Fils d'un pasteur protestant, parlementaire sous la IIIe République, et d'une femme de lettres. Collaborateur de *La République Française*, de Gambetta, du *Temps*, de *L'Aurore*, se lança dans la mêlée politique lors de l'affaire Dreyfus et batailla dans les rangs de la gauche. Fonda et présida la *Ligue des Droits de l'Homme*, donna quelques années plus tard son adhésion au *Parti Socialiste Français* et rallia la *S.F.I.O.* avec son organisation. Elu député de Lyon en 1902, siégea au groupe socialiste jusqu'en 1910, date à laquelle il fut battu. Ses adversaires l'appelaient « le vidame de Haut de Pressensé » parce qu'il descendaient, assuraient-ils, d'un personnage ayant eu cette dignité sous l'Ancien Régime.

PRESSES UNIVERSITAIRES DE FRANCE.

Créées en 1921, les *Presses Universitaires de France*, qui se sont donné pour mission *« de répandre la culture française tant en France qu'à l'étranger, et de transmettre la connaissance à tous les degrés, sous toutes formes matérielles »*, sont l'une des plus importantes maisons d'édition françaises et probablement celle qui publie — avec la *Librairie Armand Colin* — le plus d'ouvrages pouvant aider à l'information et à la documentation politiques. Pour marquer leur volonté de participer à une œuvre culturelle, ses fondateurs ont donné à la société la forme coopérative, limitant statutairement à 6 % la rétribution du capital et consacrant l'excédent à la publication *« d'œuvres d'intérêt général visant la culture intellectuelle. »* Les *P.U.F.* ont peu à peu absorbé un certain nombre de maisons d'édition — dont Alcan, Ernest Leroux, Rieder, *Jeunes Presses*, Seguin et Victor Attinger — et créé ou repris diverses publications importantes telles que : *La Revue philosophique*, le *Journal de Psychologie*, le *Travail humain*, les *Etudes philosophiques*, *L'Année sociologique*, les *Carnets internatio-*

naux de Sociologie, la Revue de l'Histoire des Religions, la Revue historique, la Revue d'histoire moderne et contemporaine, la Revue d'Histoire de la deuxième guerre mondiale, Etude et Conjoncture, Economie appliquée, la Revue Française de Science politique, L'Année politique. Elles ont édité, en outre, de grands ouvrages : « Histoire Générale des Civilisations », « Histoire Générale du Protestantisme », « Histoire de la Philosophie », « Dictionnaire des Sciences Economiques », etc., et possèdent plusieurs collections de renommée mondiale comme : la « Bibliothèque de Philosophie contemporaine », « Sinaï », « Peuples et Civilisations », « Clio », « Esprit de la Résistance », « Bibliothèque de la Science politique », « Bibliothèque de la Science économique », « Publications des grands organismes nationaux et internationaux », « Que sais-je ? », etc. Parmi ses grands auteurs figurent : Henri Bergson, Alain, Maurice Blondel, Léon Brunschvicg, Emile Durkheim, Maurice Duverger, Louis Halphen, Frédéric Joliot-Curie, Lucien Lévy-Bruhl, Maurice Merleau-Ponty, François Perroux, etc... La société des Presses Universitaires de France, S.A. coopérative, au capital de 90 000 F, est administrée par : Paul Angoulvent, président-directeur général, Etienne Crémieu-Alcan, Gaston Prache, Gaston Defosse, Roger Blais, Jacques Branger, les professeurs Henri Laugier, Charles Picard, François Perroux et Henri-Charles Puech. (Siège social : 17, rue Soufflot, Paris 5e).

PRETENDANT.

En général, prince qui revendique les droits à un trône occupé par un autre (ex. : don Carlos de Bourbon qui essaya d'enlever la couronne d'Espagne à sa nièce Isabelle II). Actuellement en France, chef d'une dynastie ayant régné sous l'Ancien Régime, la Monarchie de Juillet ou sous l'Empire, qui revendique ses droits au trône.

PREUVES.

Fondée en 1951 sous les auspices du Congrès pour la Liberté de la Culture, organisation de gauche non-communiste. Dirigée par François Bondy et Jean Bloch-Michel. Y ont collaboré, au cours de ces dernières années : Raymond Aron, Pierre Emmanuel, L. Martin-Chauffier, André Philip, Denis de Rougemont, Boris Souvarine, Germaine Tillion, Gilbert Sigaux, etc. (18, avenue de l'Opéra, Paris 1er).

PRIMA-PRESSE.

Agence de presse fondée le 29 septembre 1936 par Pierre Mouton, Suzanne-Juliette Hanin et Jean Maestracci. Reprit, en quelque sorte, l'agence Prima, créée quelques années auparavant par Paul Ferdonnet. Par la suite, Mlle Hanin ayant cédé ses parts à Georges Tetard, pharmacien à Beauvais, et Jacques Pallu étant entré dans la société lors d'une augmentation de capital (1937), les associés furent au nombre de quatre : Maestracci, Tetard, Pallu et Mouton. Ce dernier fut, quelques années plus tard (1941-1942), directeur de Paris-soir, à Paris. Ce journaliste expérimenté avait dirigé, en 1933-1934, L'Action nouvelle avec Jacques Debû-Bridel.

PRIN (Mme Jeannette DESPRETZ, épouse).

Fonctionnaire, née à Auchy-les-Mines (P.-de-C.), le 8 juin 1907. Employée des P.T.T. Participa à la Résistance. Ancien maire adjoint d'Auchy-les-Mines (1947-53). Secrétaire de la Fédération communiste du Pas-de-Calais. Elue député du Pas-de-Calais (2e circ.) le 17 juin 1951 ; réélue en 1956, mais battue en 1958. Elue à nouveau député communiste de la 11e circ. le 25 novembre 1962. Réélu en 1967.

PRINGOLIET (André).

Agriculteur, né à Ugine, le 23 janvier 1879. Militant socialiste et membre de la loge L'Avenir des Alpes, d'Albertville (initié le 27 avril 1924). Elu député de la Savoie en 1932. Réélu en 1936.

PRIOURET (Roger, Auguste).

Journaliste, né au Puy (Haute-Loire), le 15 septembre 1913. Fut d'abord avoué dans sa ville natale (1939-1944), puis s'installa à Paris et y fit du journalisme. Débuta dans la presse comme rédacteur parlementaire du quotidien (sous contrôle communiste) Front National (1944-1945), puis passa à Paris-Presse, de Philippe Barrès (1945-1947) et à L'Intransigeant, reparu après une longue éclipse. Entra ensuite à France-Soir (1948) dont il devint chef du service économique. Collabora également au de vivre. Rédacteur à L'Express (depuis 1966). Auteur de : « La République des partis », « La Franc-Maçonnerie sous les Lys », « La République des députés », « Origine du patronat français », etc.

PRIOUX (Gérard).

Sous-préfet, né à Couhé-Verac (Vienne) le 9 juillet 1922. Rédacteur temporaire au service général de l'Information au Maroc (1er juin 1953). Elève à l'E.N.A. (1er janvier 1954 — promotion Guy Delbos). Entra en 1956 dans l'administration préfectorale et y fit carrière : fut nommé sous-préfet de 1re classe à Bonneville en 1960. Puis fut le collaborateur de Roger Frey et devint député U.N.R. de la 18e circ. (Mantes) de Seine-et-Oise le 25 novembre 1962. Battu en 1967.

PRIVAT (Charles-Raymond).

Membre de l'enseignement, né à Saint-Maurice-de-Cazevieille (Gard), le 8 juin 1914. Instituteur. Maire et conseiller général d'Arles. Député S.F.I.O. des Bouches-du-Rhône (11e circ.) depuis 1958.

PROGRAMME COMMUNISTE.

Revue du Parti Communiste International dont un récent éditorial résume assez bien les tendances : « Mort aux Nations ! A bas l'Europe ! Vive la dictature internationale du Parti prolétarien mondial ! ». Fondée en janvier 1959 par un groupe de communistes se proclamant seuls léninistes purs, « entièrement rédigée, composée, administrée par des travailleurs salariés, à l'exclusion de toute collaboration de professionels ou de permanents rétribués ». Directeur : F. Gambini. Liée au journal Le Prolétaire (B.P. 375, Marseille-Colbert).

PROGRES (Le).

Quotidien du matin et du soir, publié à Lyon. Fondé en 1859 par le maître-imprimeur Chanoine. Le journal eut sous le Second Empire quelques démêlés avec l'Administration et fut également poursuivi au début de la IIIe République, en raison de son attitude radicale. Il ne tarda pas à apparaître comme l'un des champions de l'idée démocratique et laïque, et fut considéré par ses adversaires comme le porte-parole de la maçonnerie lyonnaise. Il fit campagne contre le général Boulanger, pour le capitaine Dreyfus, puis, après la guerre, pour le Cartel des Gauches, en 1924, et le Front Populaire en 1936. Il poursuivit sa publication après l'armistice et eut, par deux fois, maille à partir avec la censure. Il est vrai qu'il avait alors, parmi ses principaux collaborateurs, le journaliste Yves Farge, qui était déjà le commissaire (clandestin) de la République pour la région Rhône-Alpes, et publiait dans Le Progrès des articles de politique étrangère « subtilement alambiqués ». Lorsque la Wehrmacht occupa la zone Sud, le journal se saborda. Il reparut le vendredi 8 septembre 1944. Le Progrès se

flatte d'avoir eu pour collaborateurs, en un siècle : Louis Blanc, Léon Gambetta, Francisque Sarcey, Emile Zola, Jean Jaurès, Henri Brisson, Francis de Pressensé, Henri Barbusse, Victor Basch, Edouard Herriot et même un rédacteur non conformiste, dont les idées s'alliaient fort mal avec celles de ses dirigeants : Camille Mauclair. Ce quotidien est édité par la société Delaroche et Cie, constituée le 12 octobre 1903 par Henri Jules Hippolyte Delaroche, Léon Henri Hippolyte Delaroche et Mme Veuve Paul Hippolyte Delaroche. Les deux premiers faisaient apport du journal Le Progrès et de son supplément littéraire, de l'hebdomadaire Le Progrès illustré, de l'imprimerie de la rue Bellecordière et de l'immeuble des rues Bellecordière et de la République, à Lyon. A sa mort, en 1936, Henri Delaroche légua ses droits dans la société éditrice du Progrès à son frère Léon, qui resta seul associé avec Mme Veuve Henri Delaroche, née Louise Schofs. Léon Delaroche mourut au début de la guerre, le 8 avril 1940. Mme Vve Henri Delaroche partagea alors la responsabilité de l'entreprise avec ses nièces, Mme Emile Bremond, née Hélène, Mathilde, Laure Delaroche, et Mme Jean Lignel, née Louise Delaroche, et avec Emile Félicien Brémond, directeur. En 1964, l'assemblée des associés comprenait : Mme Hélène Brémond, Mme Louise Lignel, Mme Vve Henri Delaroche, Mlle Claudine Jeanne Lucy Lignel et Jean Brémond, qui détiennent le capital social minime de 31 000 francs. Le contrôle O.J.D. du 1er mars 1965 indique que Le Progrès a un tirage moyen de 562 000 exemplaires et une diffusion de 469 000. Son premier numéro avait été tiré à 1 000 exemplaires et lorsque Léon Delaroche racheta l'entreprise, vingt ans plus tard, il plafonnait à 5 000 exemplaires. Son nouveau propriétaire ayant ramené le prix de vente de 10 à 5 centimes et bénéficiant de l'appui des comités républicains et des loges maçonniques de la région lyonnaise, Le Progrès passa en trois mois à 50 000 exemplaires. Lorsqu'il fêta son cinquantenaire, il tirait déjà à plus de 200 000 et, à la veille de la dernière guerre, il atteignait les 300 000. A la Libération, les accords avec les autres journaux lyonnais et la pénurie de papier ramenèrent le tirage à 60 000 exemplaires. En 1946, il remontait à 150 000 exemplaires avec dix éditions, en 1950 à 275 000 avec dix-sept éditions, en 1954 à 310 000 avec vingt-deux éditions. Au moment du retour du général De Gaulle au pouvoir, le tirage moyen du Progrès était de 375 000, dont 338 000 exemplaires vendus. Entre temps, le groupe Delaroche acquit des intérêts majoritaires dans plusieurs journaux importants : *La Tribune* et *L'Espoir,* de Saint-Etienne, *Le Petit Maconnais* et, en 1966, *Le Méridional,* de Marseille. Etendant son influence dans le Sud-Est (octobre 1966), *Le Progrès* a conclu un accord dit « technique et publicitaire », qui ressemble beaucoup à une absorption, avec le groupe du *Dauphiné libéré,* de Grenoble, qui comprend : *Le Dauphiné libéré, Dernière Heure Lyonnaise, L'Echo-Liberté,* de Lyon, et *La Dépêche* de Saint-Etienne. Les 47 éditions du *Progrès* (avec *L'Espoir* et *La Tribune*) sont diffusées dans le Rhône, l'Ain, la Drôme, l'Ardèche, l'Isère, le Jura, la Savoie, la Haute-Savoie, la Saône-et-Loire, la Loire, la Haute-Loire, l'Allier et même le canton de Genève. J.-R. Tournoux et Albert Mousset donnent régulièrement leur collaboration au *Progrès,* dont l'éditorialiste de politique étrangère, Claude Martial, dirige le bureau parisien avec Roger Dutilh et Jacques Fourneyron. (85, rue de la République, Lyon.)

PROGRES AGRICOLE DE FRANCE (Le).

Hebdomadaire fondé en 1886 par Georges Raquet et dirigé par son fils, Maurice-Georges Raquet, depuis 1919. Ce journal est certainement l'un des plus importants journaux agricoles actuels. Lu dans toute la France en raison de ses informations et de sa documentation toujours remarquable, il prend résolument position et son directeur-rédacteur en chef n'hésite pas à descendre dans l'arène politique pour défendre à la fois la liberté de la presse et les intérêts des agriculteurs. Ses articles contre les « politiciens », les « technocrates », les « vampires de la Finance » sont de véritables pamphlets. Avec ses 35 000 abonnés, sa rédaction politique et technique — Firmin Bacconnier, ancien rédacteur en chef de la *Production Française,* fut parmi ses collaborateurs — *Le Progrès Agricole* est, certainement, l'un des organes les plus influents dans les milieux ruraux. (Administration : 38-40, rue des Jacobins, Amiens, Somme.)

PROGRES DE L'ALLIER (Le).

Quotidien de nuance radicale modérée fondé à Moulins en 1908. Dirigé avant et pendant la guerre par Marcel Régnier, secondé par Pierre-Paul Manouvrier, directeur technique, et, à la rédaction par Roger Barthe, puis Gaétan Sanvoisin. Disparu en 1944.

PROGRES CIVIQUE (Le).

Revue d'union des gauches fondée en 1922 par Henri Dumay, qui venait du *Petit Parisien* et dirigeait *Nos Loisirs,* le professeur Aulard, Ferdinand Buisson et Pierre Renaudel. Fut à l'origine du *Quotidien* et du *Cartel des Gauches.* Etait considéré en 1924 comme l'organe officieux du *Grand Orient.*

PROGRES DE LA COTE D'OR (Le).

Quotidien républicain fondé en 1869. Etait animé avant la guerre par E. Gauthrin, rédacteur en chef, et André Tainturier, chargé des services techniques. Ayant paru pendant l'occupation, fut interdit à la Libération. Ses locaux furent occupés par *Les Dernières Dépêches,* puis attribuées à *La Bourgogne Républicaine,* devenue *Les Dépêches* (*Journal Officiel,* 3-2-1955).

PROGRES DE FECAMP (Le).

Quotidien radical-socialiste paru à la Libération et se réclamant d'un journal fondé en 1876. Fut absorbé par le quotidien *Le Havre,* dont il est aujourd'hui l'édition fécampoise.

PROGRES DE L'OISE (Le).

Journal tri-hebdomadaire, puis bi-hebdomadaire fondé à Compiègne, en 1817. Absorba en 1938 *Le Courrier de l'Oise* (créé à Senlis en 1829). Etait alors dirigé par R. Terrier. Après une suspension de trois ans et demi (1941-1944), reparut sous le titre de *Progrès libéré de l'Oise* le 1er octobre 1944 avec la même direction et fut, dans le département, le porte-parole du *Parti Républicain de la Liberté* en 1946-1948. Absorba en 1947 *L'Oise Républicaine.* Avec un tirage voisin de 18 000 exemplaires, *Le Progrès de l'Oise,* aujourd'hui dirigé par le comte de Grammont-Crillon, est le grand journal national du département (17, rue Pierre-Sauvage, Compiègne).

PROGRES DE SAONE-ET-LOIRE (Le).

Quotidien de gauche fondé à Chalon en 1866. Sous la IIIe République, fut longtemps le plus fort tirage des journaux du département, et son influence était souvent déterminante dans les élections. Avant et pendant l'occupation, était dirigé par le Dr Ph. Josserand. Interdit à la Libération, *La Tribune de Saône-et-Loire* s'installa dans ses locaux.

PROGRES SOCIAL FRANÇAIS.

Nom adopté en zone Sud par le *Parti Social Français* après l'armistice de 1940. Son chef, La Rocque, le maintint dans une position assez inconfortable : à la fois pétainiste et hostile à la politique de collaboration, partisan de la « Révolution nationale » et adversaire des mesures et des réformes qu'elle préconisait, le *P.S.F.* eut une existence difficile. Son quotidien, *Le Petit Journal,* replié à Clermont-Ferrand, parut cependant et bénéficia d'une subvention mensuelle du gouvernement. De son côté, La Rocque avait pris contact avec Londres et menait une action discrète, mais efficace contre l'Allemagne (voir : *La Rocque*). Les adhérents du *P.S.F.* furent déroutés par ce subtil double jeu qu'ils connaissaient ou devinaient, Beaucoup adoptèrent l'un des deux camps, imitant ainsi Creyssel, devenu collaborateur du Maréchal à l'Information, et Charles Vallin, autre dirigeant *P.S.F.*, qui s'était placé sous les ordres du général De Gaulle à Londres. D'autres militants *P.S.F.* se tinrent cois. Après la Libération, ils tentèrent de reconstituer leur parti (voir : *Parti républicain et social de la Réconciliation française*).

PROGRES DE LA SOMME (Le).

Quotidien radical fondé en 1869. Ce journal prit une extension considérable entre les deux guerres : son tirage, qui ne dépassait pas 18 000 exemplaires en 1914, atteignit 83 000 exemplaires en 1939. Ayant continué à paraître après l'armistice de 1940, *Le Progrès de la Somme* fut interdit en 1944. Même les protestations de Marc Rucart, ancien ministre de la IIIᵉ République et parlementaire radical de la IVᵉ, n'évitèrent pas de graves ennuis à Maurice Hisler, le directeur, et à Anatole Jovelet, député (1914-1923) puis sénateur du département (1923-1942), président de la société éditrice. L'ordonnance du Tribunal civil d'Amiens du 28 mars 1946, qui remettait à la disposition de la dite société les biens n'ayant pas servi à la publication du journal resta lettre morte, les ministres *M.R.P.* Bichet et Abelin ayant signé des arrêtés « de dévolution » (26-11-1946 et 12-3-1948) qui ne tenaient aucun compte des décisions de la justice.

PROGRESSISTE.

Partisan du progrès. A la fin du xixᵉ siècle et au début du xxᵉ, on appelait *progressistes* les républicains modérés. Il y en eut 254 d'élus aux élections de 1898 et 127 à celles de 1902. En 1906 ils n'étaient plus que 66 et en 1910 que 60. En 1914, aucun groupe parlementaire ne portait ce nom. Ce n'est qu'après la seconde guerre mondiale que le mot reparut pour désigner cette fois des hommes

d'extrême-gauche, élus avec l'appui du *P.C.F.* et liés à lui. Leur tendance était représentée au parlement par Emmanuel d'Astier de la Vigerie et Pierre Cot, et *Libération* était leur journal. Il y eut successivement ou simultanément : l'*Union des Républicains Progressistes,* l'*Union des Chrétiens Progressistes,* le *Parti Socialiste Unitaire,* le *Mouvement Socialiste Unitaire et Démocratique,* l'*Union Républicaine et Résistante.* La plupart des membres de ces groupes se rejoignirent en décembre 1950 au sein de l'*Union Progressiste,* qui se tenait à la lisière du *Parti Communiste Français,* faisait alliance avec lui aux élections législatives et défendant, avec quelques nuances, les grandes lignes de sa politique. (Voir : *Parti Socialiste Unitaire, Union Progressiste, Union des Républicains Progressistes, Union des Chrétiens Progressistes.*)

PROLETAIRE (Le).

Journal socialiste qui parut dans les premières années de la IIIᵉ République consolidée. L'un des fondateurs, Charles-Edme Chabert, ouvrier graveur, avait été, sous l'Empire, l'un des militants de l'*Association Internationale des Travailleurs,* et après la répression de la Commune, il avait participé à la réorganisation du mouvement ouvrier et syndical et à l'organisation du premier congrès ouvrier à Paris, le 2 octobre 1876. *Le Prolétaire* s'appela *Le Prolétariat* à partir de 1884. Un journal mensuel communiste internationaliste a pris le titre de *Prolétaire* en juillet 1963.

PROLETARIAT.

Chez les Romains, le *prolétariat* se composait de la population pauvre dont la seule utilité reconnue était la procréation. De nos jours, classe sociale qui ne vit que des produits de son travail. Cette notion, inconnue sous le régime des corporations, a été introduite par Karl Marx pour caractériser la classe ouvrière née de l'industrialisation, par opposition à la classe possédante ou bourgeoisie (voir à ce mot).

PROPAGANDE.

Action organisée en vue de répandre des idées, de faire triompher un parti ou un candidat, de renforcer le pouvoir du gouvernement, etc. La *propagande politique,* à laquelle Jean-Marie Domenach a consacré un petit ouvrage (Paris 1950), est à l'origine des grands bouleversements de notre époque. Les révolutions communiste et fasciste, le retour du général De Gaulle et son maintien

au pouvoir n'auraient pas été conceva-
bles sans elle. Hitler affirmait que la propagande lui avait permis de conserver
le pouvoir. Avant lui, Lénine avait dit :
« *Le principal, c'est l'agitation et la propagande dans toutes les couches du peuple.* » La propagande se fait par la
parole (simple conversation, meeting,
radio, disque), par l'imprimé (affiche,
tract, journal), par l'image (illustration,
caricature, télévision) et par le spectacle (manifestation de masses organisée,
défilé, pièce de théâtre, film). La propagande coûte cher : les personnalités
politiques peu fortunées, les petits groupements insuffisamment aidés financièrement ne peuvent s'y livrer que très
modérément, tandis que leurs adversaires, disposant de subsides importants,
fournis soit par le gouvernement (fonds
secrets), soit par un état étranger, soit
par un nombre important d'adhérents,
soit par des intérêts économiques, ont
au contraire la possibilité de développer
considérablement la leur.

PROTESTANTS.

Bien que leur masse soit numériquement très faible, les protestants ont eu
et ont toujours un rôle non négligeable
dans la politique française. Ils furent
nombreux, proportionnellement plus
nombreux que les catholiques, dans le
parti républicain des années 1870-1900.
La persécution qu'ils avaient subie aux
XVIe, XVIIe et XVIIIe siècles les disposait
fort mal à l'égard d'un régime — la
monarchie — qu'il rendait responsable
de leurs malheurs. Les catholiques, au
contraire, ne pouvaient que regretter le
temps où la France était, sous un roi
« *très chrétien* », la « *fille aînée de
l'Eglise* ». D'où, par extension, explique
André Siegfried, « *dans le protestantisme
français, une méfiance profonde des régimes politiques autoritaires ou antilibé-
raux, une condamnation spontanée et
sincère de toutes les persécutions, quelles qu'elles soient, une défense instinc-
tive du droit des minorités. De là aussi,
et l'observation n'est pas moins essentielle, un attachement passionné aux
principes de 1789, en tant qu'ils expriment une liberté politique dont les protestants savent bien qu'elle est la garantie indispensable de la liberté religieuse.
Le protestantisme français ne se définit
donc pas seulement par son caractère
religieux, certain aspect politique en est
manifestement inséparable* » (« *Les forces religieuses en France* », par André
Siegfried, Paris 1951).

----

(1) Pour les catholiques, qui forment la majorité en France, voir les divers partis.

Les catholiques conservateurs français
ont rendu responsables à la fois les protestants, les juifs et les maçons de la
séparation de l'Eglise et de l'Etat en
1905 et des mesures prises, auparavant,
contre les congrégations. C'est, sans
doute, cela qui avait incité Maurras à
parler de « *confédérés* » et, d'autres, de
« *complicité* » entre ces trois groupes.
Leurs adversaires, — je veux dire ceux
qui se trouvaient du côté de la République naissante contre les nostalgiques
de la Royauté catholique — leur répli-
quaient qu'il était bien naturel que les
persécutés fussent unis contre leurs persécuteurs — ou anciens persécuteurs. Il
n'y avait pas si longtemps que les Juifs
avaient obtenu leurs droits de citoyens
en France, et si des princes d'Orléans
avaient protégé les loges, l'Eglise, dont
leurs descendants se réclamaient volontiers — surtout depuis la mort du comte
de Chambord qui faisaient d'eux les
héritiers du trône, aux yeux de l'immense majorité des royalistes — n'était,
et n'est toujours pas revenue, sur la
condamnation formelle portée contre les
francs-maçons.

En ce qui concerne les protestants,
André Siegfried, qui est des leurs, reconnaît d'ailleurs que « *le régime de la
séparation est bien davantage dans l'esprit véritable de la Réforme française* ».
Il ajoute : « *Celle-ci, qui déjà a accepté
avec conviction la IIIe République et
l'Ecole laïque, s'accommode parfaitement du statut nouveau de 1905.* » Et,
plus loin, il souligne avec satisfaction
qu'au XIXe siècle, « *une sorte de marée
soulève le protestantisme, qui paraît
mieux convenir qu'un catholicisme du
Syllabus aux besoins d'une époque de
libéralisme et de progrès technique* ».

« *On dit souvent en France que le protestantisme est de gauche* », remarquait
le pasteur Albert Finet, directeur de *La
Réforme*, dans *Le Monde* (2 février 1957).
Et les auteurs d'un livre récent expliquaient ce stéréotype en écrivant que le
protestant, « *dans la mesure où il fonde
sa conduite sur l'Ecriture Sainte, est
généralement doué d'esprit critique et
par conséquent plus orienté à gauche que
d'autres* ». (« *Les forces religieuses dans
la société française* », par A. Coutrot et
F. Dreyfus, Paris 1965). Michelet, qui eut
une si grande influence sur toute une
génération de Français, Edgar Quinet,
George Sand étaient « *de sympathie protestante ou même effectivement protestants* ». Taine, autre historien influent
dans les milieux universitaires, se fit
enterrer protestant par le pasteur Hollard. Sur le plan strictement politique,
« *plusieurs des inspirateurs de Jules*

Ferry, dans sa grande œuvre scolaire, les Steeg, les Buisson, les Pécaut, sont d'origine réformée... » Tout comme le conservateur dreyfusard C. de Witt, le ministre d'origine israélite Léon Say, Ch. de Freycinet, et plus tard, Théodore Steeg, Joseph de Selves et Gaston Doumergue.

Aujourd'hui, il ne semble pas que le protestantisme soit d'un seul côté : il y a, assurément, comme l'écrivaient les auteurs dont nous parlions tout à l'heure, des conservateurs et des radicaux, et bien entendu des progressistes ; mais il y a également des « réactionnaires » et des « fascistes ». Sans doute ne sont-ils qu'une minorité, mais ils existent. C'est que, de nos jours, les protestants n'ont plus cette crainte qui les faisait, naguère, préférer la gauche à la droite et, fussent-ils membres de la fameuse *H.S.P.* (Haute Société Protestante), se jeter dans les bras des pires adversaires de leur Dieu et de leurs biens. « *Il semble bien désormais,* écrivent Coutrot et Dreyfus, *que les protestants, même quand ils ne votent pas systématiquement à droite, abandonnent le vote à gauche quitte à s'abstenir davantage. Une étude des résultats électoraux du Gard, de l'Ardèche et de l'Alsace confirme une telle évolution.* »

Dès avant la dernière guerre, on avait enregistré cette évolution. Un Maurice Harlé, une baronne Hottinguer militaient à *l'Action Française,* et avec eux une pléiade de protestants de l'Est et du Midi groupés autour du pasteur Noël Vesper au sein de l'*Association Sully*. La baronne Ernest Mallet, femme du banquier, suivait avec assiduité les réunions de la *R.I.S.S.* anti-judéo-maçonnique, et Philippe Cruse, fondait, avec le colonel de La Rocque et ses amis, la société chargée d'éditer *Le Petit Journal*. Les Japy et les Peugeot passaient pour commanditer la droite. L'industriel des Vosges, Georges-René Laederich, l'actuel président du *C.E.P.E.C.,* était déjà l'un des animateurs de la presse nationale. Ce ne sont là que des exemples, qu'il faut multiplier par mille pour avoir un ordre d'importance. On a même connu — et ils étaient, paraît-il, assez nombreux — des protestants ouvertement fascistes et endossant la chemise bleue du *Faisceau*. C'était en 1925-1926. Georges Valois, chef du *Faisceau,* donnait des conférences dans certains cercles protestants, en particulier à l'*Association des Étudiants protestants*. Les pasteurs Albert Finet et Morin, convaincus par les arguments de l'orateur, avaient adhéré au mouvement fasciste ; le second devait même rédiger une chronique protestante dans *Le Nouveau siècle* (projet abandonné).

Depuis la guerre, la poussée vers la droite s'est singulièrement ralentie. Mais l'ancienne méfiance n'y est pour rien ; c'est la politique d'épuration qu'il faut incriminer : en décapitant les mouvements nationaux, elle a détourné d'eux les gens prudents. Ceux-ci se retrouvent plus volontiers dans le mouvement gaulliste (Couve de Murville, Debû-Bridel, Boegner) — et même dans les conseils gouvernementaux : le général De Gaulle eut plus de ministres protestants (Couve de Murville, Baumgartner. etc.) que le maréchal Pétain (amiral Platon). — Cependant, les huguenots nationalistes, qui publient depuis plusieurs années le mensuel *Tant qu'il fait jour,* sont actifs. Le plus connu, Roland Laudenbach, le neveu de l'acteur Pierre Fresnay — un acteur de droite, qui ne craignit pas d'enregistrer « *Les poèmes de Fresnes* » de Robert Brasillach — est l'animateur des *Editions de la Table Ronde* et le collaborateur de diverses revues sous le pseudonyme de Michel Brassart. Avec ses amis O. Beigbeder, Philippe Brissaud, H. Engelhard, Raymond Haurie, R. de Lignerolles et Claude Chopy, l'éditeur et journaliste Laudenbach s'oppose à *Réforme,* du pasteur Albert Finet, qui a rallié depuis fort longtemps le camp démocratique, et à *Cité nouvelle,* le journal des protestants socialistes, dont les sympathies pour le député-maire de Marseille, également protestant, sont à peine voilées.

L'attitude des protestants à l'égard de la franc-maçonnerie s'est également modifiée depuis l'époque où le pasteur Desmons présidait le conseil de l'Ordre du Grand Orient, c'est-à-dire au début du siècle. Si, comme le pensait Charles Maurras, il y avait alors collusion entre un certain protestantisme politique et la franc-maçonnerie — ce qui est encore courant dans les pays anglo-saxons —, il serait pour le moins hasardeux de le prétendre aujourd'hui. Ce n'est pas Roland Laudenbach qui l'affirme, mais la très officieuse *Réforme* qui nous le prouve. Dans son numéro du 25 avril 1959, aux questions : « *Que pensent les églises de la franc-maçonnerie ? Un chrétien évangélique peut-il sans inconvénient en faire partie ?* », l'hebdomadaire du protestantisme français a fait cette réponse : « *En France, à l'heure présente, les positions philosophiques de la franc-maçonnerie (Grand Orient), autant qu'on peut les connaître, la manière dont cette « société » envisage l'action politique, le caractère occulte de son action et l'obéissance exigée de ses membres, nous paraissent incompatibles avec la foi réformée ou, pour reprendre la formule*

de notre correspondant, avec la condition d'un chrétien évangélique. » C'est,
évidemment, sans équivoque. (Ouvrages
à consulter : « *Les Forces religieuses et
la vie politique* », par A. Latreille et
A. Siegfried, Paris 1951 ; « *Forces religieuses et attitudes politiques* », par René
Rémond, Paris 1965 ; « *Protestantism
and Politics in France* », Alençon 1954.)

PROTOT (Eugène).

Avocat, né à Carisey (Yonne), le 27 janvier 1839, mort à Paris le 18 février 1921.
Issu d'une famille pauvre, il parvint
néanmoins à faire ses études de droit et
il s'inscrivit au barreau de Paris. Ardent
militant blanquiste, il collabora à *La Rive
Gauche* et à *Candide* et fut plusieurs fois
incarcéré. Ayant reproché à la section
française de l'Internationale, au congrès
de Genève (1866), sa trop grande modération à l'endroit du Gouvernement impérial, il fut désavoué par Blanqui et dut
s'expliquer devant Tridon et les principaux membres du mouvement, au café
de la Renaissance. La police intervint et
les assistants furent condamnés, après le
procès dit « *de la Renaissance* ». Chef
de bataillon pendant le siège de Paris
(1870-1871), il participa à la Commune
et fut nommé délégué à la Justice. Après
l'écrasement de l'insurrection, il parvint
à gagner la Suisse, puis l'Angleterre.
Après l'amnistie, il reprit son activité
politique en France et se présenta sans
succès à diverses élections. Patriote farouche, il s'opposa à l'introduction du
marxisme en France et accusa l'Etat-
Major prussien de vouloir se servir du
communisme pour affaiblir les nations
voisines (Cf. son livre « *Le Grand Etat-
Major et la démocratie allemande* »,
1895). Il ne cachait pas, alors, ses sympathies pour Edouard Drumont. En 1909,
il imagina une habitation à bon marché
fort ingénieuse, le *Protodome,* qui fut
présentée dans une plaquette intitulée
« *Une révolution dans l'habitation, un
foyer pour tous* ». Ayant été rayé de
l'ordre des avocats en raison de son non-
conformisme agressif, il mourut dans un
état voisin de la misère.

PROUDHON (Cercle) (Voir : **Cercle Proudhon**).

PROUDHON (Pierre-Joseph).

Né à Besançon, le 15 janvier 1809, de
parents pauvres de souche paysanne,
Proudhon passa son enfance à la campagne. Tout près de la nature. Jusqu'à
douze ans, il eut « *une vie de petit sauvage, contemplatif et réfléchi* ». Grâce
à une bourse d'externe, il fut ensuite

envoyé au collège de Besançon, où il
étudia avec passion. A dix-neuf ans, il
quitta la classe pour l'atelier et devint
imprimeur à Besançon, puis correcteur
d'imprimerie. Avide de connaissances,
il lut tout ce qui lui tombait sous la
main. Il étudia la théologie et apprit
l'hébreu ; puis il fit son *tour de France.*
Il connut le chômage et la gêne et découvrit ce qu'il y avait d'injuste dans la
société. C'est alors qu'il devint républicain. Bien que connaissant l'œuvre de
Fourier et partageant une partie des
idées phalanstériennes, il conserva son
indépendance. Après un second *tour de
France* (1833), il fonda à Besançon une
petite imprimerie qui périclita et ferma
ses portes l'année suivante (1837). La
pension Suard, fondation de l'Académie
de Besançon, lui échut heureusement :
avec cette rente de 1 500 francs, il put
s'installer à Paris où il écrivit, pour cette
académie, deux ouvrages : un « *Essai de
grammaire générale* » et un petit volume
sur « *L'utilité de la célébration du dimanche* ». Il suivit les cours des économistes, lut leurs livres et ceux de leurs
devanciers, puis s'intéressa aux œuvres
des socialistes de diverses écoles et
publia deux volumes où il exposait ses
idées propres : « *Qu'est-ce que la propriété ?* » (1840) et « *Lettre à M. Blanqui,
professeur d'économie politique* » (1841).
Ces deux livres passèrent à peu près ina-

perçus, mais une brochure intitulée « *Avertissement aux propriétaires* », parue en 1842, déchaîna le parquet contre lui. Traduit en cour d'assises, il fut acquitté. Loin de le décourager, ces poursuites l'excitèrent. Tout en assurant un travail absorbant dans une entreprise de transports fluviaux à Lyon, qui le familiarisa avec les méthodes commerciales et bancaires, il continua d'écrire et fit paraître coup sur coup : « *La création de l'Ordre dans l'humanisme* » (1843), « *Les chemins de fer et les voies navigables* » (1845), et « *Système des contradictions économiques ou Philosophie de la misère* » (1846). Pour répandre plus largement ses idées, il décida de fonder un journal où il aborderait les grands problèmes économiques et sociaux. Ce fut, tout d'abord, *Le Représentant du Peuple* (1843), puis *Le Peuple* (1848-1849), *La Voix du Peuple* (1849-1850) et, à nouveau, *Le Peuple* (1850), tour à tour écrasés sous le poids des amendes. Entre-temps, il avait publié plusieurs brochures : « *Solution du problème social* », « *Organisation du Crédit* » et « *Résumé de la question sociale* », et s'était fait élire député de la Seine à l'Assemblée nationale, par 77 000 voix. Il s'employait à constituer un véritable parti socialiste lorsqu'il fut condamné pour avoir outragé le président de la République. Dans sa prison de Sainte-Pélagie, il convola en justes noces avec Euphrasie Piegard, une ouvrière modeste et dévouée, qui devait lui procurer les joies profondes d'une vie familiale — dont un tableau célèbre donne le témoignage (« *Proudhon et ses filles* », par le peintre Gustave Courbet) — et il écrivit plusieurs ouvrages qui eurent, pour l'époque, un très gros tirage (« *Idées révolutionnaires* », « *Confessions d'un révolutionnaire* » parues en 1849, et « *Idée générale de la Révolution du XIXᵉ siècle* » en 1851). Libéré en 1852, Proudhon rédigea, à l'intention du Prince-Président, qui professait dans sa jeunesse des idées généreuses, « *La Révolution sociale démontrée par le coup d'Etat du 2 décembre* », où il lui demandait de réaliser son programme social. A peine déçu par l'attitude de l'ancien carbonaro qui allait devenir empereur des Français, conscient de l'inutilité de ses efforts et de la vanité de toute action socialiste, Proudhon s'employa dès lors à l'édification de son œuvre positive : après sa « *Philosophie du progrès* » (1853), qui sert d'introduction à ses écrits doctrinaux, il fit paraître « *De la Justice dans la Révolution et dans l'Eglise* » (3 vol., 1858), en quelque sorte riposte du franc-maçon à l'archevêque de Besançon qui l'avait pris à partie. De

Bruxelles, où il s'était réfugié après une condamnation prononcée contre lui par les juges impériaux pour ce livre — trois ans de prison et 4 000 francs d'amende pour « *outrage à la religion et à la morale* » — il publia : « *La guerre et la paix* » (1861), « *Théorie de l'impôt* » (1861), « *Les majorats littéraires* » (1862), « *La fédération et l'Unité de l'Italie* » (1862), et « *Du principe fédératif et de la nécessité de reconstituer le parti de la révolution* » (1863). Il mourut le 16 janvier 1865, laissant inachevés de nombreux ouvrages, lesquels furent publiés entre 1866 et 1875, notamment : « *Théorie de la propriété* », « *Proudhon expliqué par lui-même* », « *Théorie du mouvement constitutionnel au XIXᵉ siècle* », « *Du principe de l'art et de sa destination sociale* », « *Césarisme et christianisme* », « *Napoléon III* ». Son abondante correspondance, recueillie en 14 volumes par J.-A. Langlois, parut en 1875.

L'influence de Proudhon fut grande dans le mouvement socialiste du XIXᵉ siècle. C'est que les fruits de ses réflexions, contrairement à Marx, « *Proudhon les a cueillies à l'arbre de la vie* » (Henri Arvon). Il est un des rares théoriciens à n'avoir jamais négligé le côté pratique de la doctrine. On ne trouve pas chez lui ce nihilisme aveugle, négateur de toutes les valeurs, commun à tant de révolutionnaires de son temps. « *Au contraire*, note Henri Arvon, *c'est pour défendre les anciennes valeurs morales chères au petit peuple de France et menacée par la corruption de la société moderne qu'il arbore le drapeau de l'insoumission. Ainsi s'explique le double caractère si surprenant de sa doctrine qui est traditionaliste et révolutionnaire à la fois. Tout comme Hégel, Proudhon a fait naître deux écoles : une droite et une gauche. Il y a des athées aussi bien que des chrétiens, des fascistes aussi bien que des syndicalistes qui, avec intérêt sinon avec amour, se penchent sur ce Protée apparent que fut Proudhon.* » (« *L'Anarchisme* », Paris 1964.) Cela explique pourquoi, dans l'idée de Proudhon, le Parti démocratique et socialiste projeté vers 1860 devait naître de « *l'union de la petite bourgeoisie, voisine du prolétariat et peu à peu confondue en lui, avec la partie supérieure du prolétariat ; c'est à cette classe nouvelle qu'il destinait ses théories révisées et accommodées à une application immédiate.* » (« *Proudhon* », par Hubert Bourgin, *Bibliothèque socialiste*, Paris 1901). Les théories que Proudhon a exposées dans ses ouvrages, surtout les derniers, étaient faites pour l'action. Ses idées fédéralistes furent accueillies avec sympathie par ceux qui s'effrayaient d'une centralisation excessive. Proudhon séduisait les socialistes du XIXᵉ siècle tant pour sa critique des théories économiques et sociales des conservateurs que pour celle des diverses doctrines socialistes. Cet adversaire de la propriété — « *principe vicieux en soi et anti-social, mais destiné à devenir, par sa généralisation même et le concours d'autres institutions, le pivot et le grand ressort de tout le système social* » (« *Théorie de la propriété* », p. 208) — n'admettait pas la suppression de l'héritage, estimant que l'hérédité était nécessaire à la conservation de la famille. Ce révolutionnaire était un défenseur déterminé de la famille, de la sainteté du mariage et de la pureté des mœurs. Il déclarait que « *tout attentat à la famille est une profanation de la justice, une trahison envers le peuple et la liberté, une insulte à la révolution* ». Il reprochait à la bourgeoisie de détruire la famille en la dépouillant de la « *foi conjugale* ». Son amour de la justice lui faisait rejeter la révolution violente. Anti-étatiste, opposant la liberté à la contrainte, il était résolument hostile au communisme sous toutes ses formes, lui reprochant plus particulièrement de vouloir fonder par la révolution cette solidarité humaine qui doit être cultivée dans les cœurs si l'on veut rendre possible et bienfaisante la révolution. La métaphysique de Fourier ne comptait pas pour lui et il considérait l'organisation phalanstérienne comme impossible. C'est néanmoins à Fourier qu'il emprunta cette critique acerbe de la féodalité industrielle dont il devait, à son tour, expliquer la formation, la puissance et les abus ; et sa *mutualité* ou fédération agricole et industrielle doit beaucoup à l'*association* prônée par Fourier. De même, la commune, fondement du système fédératif proudhonien, était l'élément de base de la reconstruction sociale fouriériste.

Le protagoniste du socialisme en Europe, celui qui donna sa première doctrine au socialisme français, c'était Proudhon. Il n'y avait pas, quand celui-ci mourut, trois douzaines de Français qui avaient lu Marx. La renommée du premier portait-elle ombrage au second ? Toujours est-il que, dès 1847, Karl Marx publia une violente diatribe contre Proudhon (« *Das Elend der Philosophie* » — « *Misère de la Philosophie* ») à laquelle l'intéressé, si prompt cependant à la riposte, négligea de répondre. A peine Proudhon disparu, Marx fit publier par le *Sozial Democrat* (24 janvier 1965) une lettre presque injurieuse contre le défunt. Par la suite, soit que les disciples

et les coréligionnaires de Marx fussent de meilleurs propagandistes que ceux de Proudhon, soit que le socialisme allemand eut une montée plus rapide en Europe que le socialisme français, l'auteur du « *Manifeste communiste* » supplanta celui du « *Principe fédératif* ». Aujourd'hui, Proudhon est qualifié d'*utopiste* par les militants les plus actifs de la Révolution et, par crainte d'on ne sait quelles représailles, ses éditeurs habituels n'osent même plus rééditer certaines de ses œuvres.

PROUVOST (Jean).

Industriel et directeur de journaux, né à Roubaix le 24 avril 1885, dans une vieille famille de lainiers illustrée par son grand-père, Amédée Prouvost, fondateur au milieu du siècle dernier de la firme qui porte son nom. Ancien élève des jésuites à Boulogne-sur-Mer, Jean Prouvost, que le journalisme tentait, acquit, en 1924, *Paris-Midi* dont il fit un journal à grand tirage ; puis il racheta *Paris-soir*, en avril 1930, et transforma cette petite feuille de gauche, fondée avec l'appui des loges maçonniques, en grand quotidien d'information, le plus lu des journaux français. Quelques années avant la guerre, il lança *Match* et *Marie-Claire*, qui furent également deux belles réussites. Bien que ses adversaires eussent traité son groupe de « *pourrissoir* », Prouvost jouissait dans la presse d'une réputation solide, et les « tribunes libres » de son quotidien du soir lui permettaient d'entretenir des relations amicales avec Léon Blum aussi bien qu'avec Paul Reynaud. Ce dernier en fit, en avril 1940, son ministre de l'Information. Lorsque la défaite parut inévitable, il fut — au dire de *Pertinax* (cf. son livre « *Les Fossoyeurs* ») — l'un de ceux qui se rangèrent derrière le maréchal Pétain et le général Weygand pour préconiser l'armistice. Tandis que son imprimerie de Paris tombait aux mains des Allemands et que son ancien employé Schiessle faisait reparaître dans la capitale un nouveau *Paris-soir*, Jean Prouvost publiait de son côté, en zone Sud, des éditions du grand journal vespéral. Le *Paris-soir*, de Paris (sans Prouvost), parut jusqu'en août 1944, mais le *Paris-soir* de Lyon (avec Prouvost) se saborda une première fois le 11 novembre 1942, lorsque les Allemands envahirent la zone Sud, puis il reparut quelques mois et se saborda, une seconde fois, le 25 mai 1943. (L'édition toulousaine suspendit sa publication à la fin de la même année.) Au cours des mois qui suivirent, Jean Prouvost accentua son opposition à Vichy : le 31 décembre 1943, son imprimerie lyonnaise publia même un faux numéro du *Nouvelliste*, rédigé par Pierre Scize et Marcel Grancher, qui attaquait violemment les Allemands et les collaborationnistes. Pendant la guerre, Prouvost publia également *Sept jours*, un hebdomadaire tiré à plus d'un demi-million d'exemplaires, dont le rédacteur en chef était Raymond Cartier. A la Libération, l'immeuble parisien de *France-soir* fut occupé par les communistes, et une information judiciaire fut ouverte contre les deux sociétés propriétaires et éditrices de *Paris-soir*. Le 17 avril 1947, le commissaire du gouvernement Thomas, de la Cour de Justice de Lyon, classait l'affaire, après avoir rendu hommage au résistant Prouvost, dont les presses avaient servi à l'impression de fausses cartes d'identité, de titres de circulation, d'*ausweiss*, etc., et qui avait, personnellement, dépensé des « *sommes considérables* » pour la propagande anti-allemande, « *sans compter les risques très graves* » encourus. Ce n'est, cependant, qu'en 1950 que Jean Prouvost reparut dans la presse, lorsqu'il prit le contrôle de la société propriétaire du *Figaro* et du *Figaro littéraire*. L'année suivante, il lançait *Paris-Match* (1951), faisait reparaître, deux ans plus tard, son magazine féminin *Marie-Claire* (1953), et, plus récemment, fondait un hebdomadaire pour les téléspectateurs, *Télé 7 jours* (1964). Il est, aujourd'hui, le « patron » de l'un de nos plus importants groupes de presse en même que de *Radio-Luxembourg*.

PROVENÇAL (Le).

Quotidien régional socialiste fondé le 23 août 1944 dans l'immeuble du *Petit Provençal*, suspendu à la Libération. Publié par la société anonyme Le Provençal, constituée le 27 février 1945 par : Gaston Defferre (27 actions), André Cordesse (27), Horace Manicacci (27), Francis Leenhardt (27), Mme André Boyer, née Suzanne Garsin (22), Léon Bancal (22), Félix Gouin (22), Pierre Malafosse, avocat à Béziers (22), Max Juvenal (22), Paul Trompette, meunier (22), Joseph Feraud, contrôleur des C.I. (10), Gabriel Séréno, commerçant (10), Clément Contamin (10), André Tiran (10), Henri Fluchère, professeur (5), Fernand Margaillon, directeur de coopérative (5), J. Constant Charlot, garagiste (5), Paul-Maurice Faraud (5). Son conseil d'administration comprend : Gaston Defferre, président ; Francis Leenhardt, directeur général ; Manicacci et André Cordesse. André Poitevin et Jean Perrier sont les directeurs généraux adjoints du groupe qui comprend *Le Provençal* et *Le Soir*. Le groupe contrôle *La République* de Toulon, dont Francis Leenhardt est le président-directeur général. Léon Bancal, ancien président du *Cercle Jacques Bainville*, de Marseille (organisation d'Action Française), qui fut rédacteur en chef du quotidien national *Le Petit Marseillais* (avant la guerre) et rédacteur du *Lyon Républicain* (sous l'occupation), fut longtemps le rédacteur en chef du *Provençal*. Jean de Benedetti est le directeur des services parisiens du journal en même temps que celui de l'*Agence Centrale Parisienne de Presse*, dans laquelle *Le Provençal* est intéressé (cf. étude sur *Le Provençal* in *Lectures Françaises*, février, mars, avril 1964). Le groupe *Provençal-Soir-République* a un tirage moyen de 330 000 ex. principalement diffusés dans les Bouches-du-Rhône, le Var, la Corse, le Vaucluse, le Gard, et les Basses-Alpes. (75, rue Francis-Davso, Marseille 1er.)

PROVENCE LIBEREE (La).

Hebdomadaire fondé à Aix par le *M.L.N.*, le 21 août 1944. L'un des journaux modérés indépendants les plus répandus de la région (1, place Forbin, Aix-en-Provence).

PROVINCE (La).

Bi-hebdomadaire catholique et nationaliste fondé à Rennes, en 1927, par Eugène Delahaye, ancien rédacteur au *Nouvelliste de Bretagne* ; interdit en 1945, il reparut en 1949 et disparut définitivement deux ans plus tard.

PROVOCATEUR.

Le *Larousse universel* définit l'agent provocateur : individu qui a pour mission de pousser les gens à commettre certains délits. Définition trop restrictive en politique, où l'agent provocateur est celui qui, par ses menées souterraines, incite le groupe qu'il « manipule » — comme on dit de nos jours — à agir dans le sens favorable à son mandant (délictueux ou non). Un exemple typique d'agent provocateur est celui de Laclos, l'auteur des « *Liaisons dangereuses* », qui, d'un côté, « intoxiquait » Philippe-Egalité et, d'un autre côté, dirigeait et animait une légion d'agitateurs au Palais-Royal, subventionnait avec l'argent de son maître divers journaux extrémistes — dont *L'Ami du Peuple* de Marat, — et n'hésitait pas à participer lui-même aux « journées » révolutionnaires, en particulier aux émeutes d'octobre 1789. « *Au moment où la première troupe de brigands traversa les cours*, écrivait Montjoie dans « *L'Histoire de la Conjuration de Louis-Philippe-Joseph d'Orléans, sur-nommé Egalité* », « *des conjurés habillés en femmes se répandaient les uns parmi les soldats du régiment de Flandre, les autres parmi le peuple (...) Parmi les conjurés ainsi travestis, plusieurs té-moins ont déposé, sous la foi du serment, avoir reconnu Mirabeau, Barnave, Lecha-pelier, Pétion, Laclos, le duc d'Aiguillon, les deux frères Lameth.* » Et le Dr Cabanès cite, dans une note de son livre « *La Princesse de Lamballe intime* », une lettre de Laclos au duc d'Orléans en date du 17 juin 1790 : « *Je fais beugler Marat ; tous les jours sa feuille, à la vé-rité très bien payée, annonce que le 14 juillet prochain sera l'époque d'une grande révolution dans le système actuel. Je fais crier parce qu'il ne faut pas rester en arrière et un parti qui se tait est ordi-nairement à moitié battu (...) Permettez-moi de vous recommander de veiller exactement à ce que les finances ne man-quent pas...* » Les gouvernements ont de tout temps utilisé les agents provocateurs qui s'insinuent dans les groupes d'oppo-sition et les poussent à des actes qui per-mettent aux dirigeants de sévir contre eux.

P. S. A. (voir : Parti Socialiste Auto-nome).

PSEUDONYME.

Nom d'emprunt utilisé par un écrivain, un journaliste, un artiste, un homme po-litique, etc. Fort courant dans la presse, le *pseudonyme* est plus rare dans la politique, où par contre le *changement de nom* est plus fréquent (voir : *change-ment de nom*). Un « *Dictionnaire des pseudonymes* » (Paris 1965) donne un grand nombre de pseudonymes de la politique, de la presse et de la littérature.

P. S. U. (voir : Parti Socialiste Unifié).

PUBLICATEUR LIBRE (Le).

Hebdomadaire fondé par les groupes de Résistance de Domfront (Orne) en février 1945. Directeur : Pierre Nez (rue Clément-Bigot, Domfront).

PUBLICATEUR DE L'ORNE (Le)

Hebdomadaire national fondé à Dom-front en 1849. Dirigé avant la guerre et après l'armistice de 1940 par Jacques Bienaimé. Tirage : 8 000 exemplaires. Disparu en 1944.

PUBLICATIONS ZED.

Maison d'édition au capital de 104 025 F, fondée en 1928 et placée, de-puis 1937 au moins, sous la présidence de l'éditeur Gaston Gallimard, associé dans cette entreprise avec Louis-Daniel Hirsch, Charles Dupont et Emmanuel Couvreux. A ces trois dirigeants, se joi-gnirent après la guerre : Michel Galli-mard, Claude Gallimard et Raymond Gallimard, puis beaucoup plus tard Bernard Huguenin, l'actuel président de la société. Les *Publications Zed* contrô-lent les *Editions Denoël* et, par celles-ci, exercent une influence réelle, bien que discrète, sur les maisons d'éditions dont la production est diffusée par cette dernière.

PUBLICIS.

Agence de publicité fonctionnant sous la forme d'une société anonyme fondée le 11 mai 1939 par la première société *Publicis* (Bleustein) et la société *Radio-Variétés* (Lévitan), apporteurs, et par sept autres actionnaires dont Marcel Bleustein (30 000 F) et Edward-Michael Behrens, fondé de pouvoir de banque, lié aux Rothschild de Londres (250 000 F). Distributrice du budget de publicité des plus grandes firmes commerciales et industrielles. L'état-major de *Publicis* comprend outre Marcel Bleustein-Blan-chet, Gilbert Cahen-Salvador, ancien directeur de *France-Illustration*, Claude Marcus, neveu de Bleustein-Blanchet, Maurice Penin, ancien administrateur de *France-soir*, Lazare Rachline, dit Lucien Rachet, administrateur de la Société édi-trice de *L'Express*, et Jacques Zadock, l'animateur de *Cinéma et Publicité*. *Publicis* possède une filiale *Régie-Presse* qui contrôle la publicité de nombreux quotidiens, hebdomadaires et périodiques (voir : *Régie-Presse*).

PUBLICITE.

Depuis qu'Emile de Girardin a rendu la presse tributaire de la réclame, les journaux quotidiens et une grande partie des hebdomadaires et des périodiques ne pourraient pas vivre sans les fonds que la publicité leur procure. Il s'ensuit que la presse — tout comme la radio privée — n'est pas entièrement libre et qu'elle dépend de ses annonceurs. A ce titre, la publicité joue un rôle considérable dans la politique (voir : *Presse*).

PUBLICO.

Librairie anarchiste liée au *Monde libertaire* (voir à ce nom).

PUBLIPRINT.

Agence de publicité du groupe *Hersant* (voir à ce nom).

PUCHEU (Pierre, Firmin).

Administrateur de sociétés, né à Beaumont-sur-Oise (S.-et-O.), le 27 juin 1899, de parents béarnais, fusillé sur l'hippodrome d'Alger (Hussein-Dey), le 20 mars 1944. Fils d'artisan. Etudes : école communale de Beaumont, lycée de Beauvais, lycée Carnot, puis préparation de Normale-Lettres au lycée Louis-le-Grand, comme boursier. Licencié ès lettres (1918). Mobilisé, professeur au Lycée français de Mayence (1919). Reçu à l'Ecole normale (1919). Y eut pour condisciples : les RR. PP. Festugière et Avril, Marcel Déat, Lheveder, Max Bonnafous, André Guérin, rédacteur en chef de *L'Œuvre*, et Gabriel Perreux, rédacteur en chef de *Paris-Midi*. Peu disposé à l'enseignement, entra à la *Société de Pont-à-Mousson* comme attaché de direction, puis aux *Aciéries de Micheville*, dirigea le Cartel de l'Acier, services d'exportation du *Comptoir Sidérurgique de France* (1926-1938). Ecrivit des articles dans *Travail et Nation* et dans *Bulletin du Centre polytechnicien d'Etudes économiques*. Administrateur délégué, puis président des *Ets Japy frères* (liés à la banque *Worms*) jusqu'en août 1939. Dans les années qui précédèrent la guerre, joua un rôle important dans les milieux nationaux, d'abord aux *Volontaires nationaux* (du colonel de La Rocque),

puis au *P.P.F.* (de Jacques Doriot) qu'il quitta après Munich, lorsque l'industrie lourde commença à redouter des entreprises hitlériennes. Mobilisé, fut renvoyé à la direction de son entreprise. Appelé au gouvernement par l'amiral Darlan comme ministre de la Production (février-juillet 1941), puis ministre de l'Intérieur (11 août 1941-18 avril 1942). Refusa le poste de ministre de l'Economie nationale proposé par Laval à son deuxième ministère. Devenu suspect tant à la Gestapo qu'à la police politique de Vichy, se réfugia, avec l'accord du Maréchal, en Espagne d'où il écrivit au général Giraud, devenu après la mort de l'amiral Darlan, commandant en chef civil et militaire, pour se mettre à sa disposition en tant qu'officier combattant. Sur accord de Giraud (« *A bientôt j'espère...* »), débarqua à Casablanca le 6 mai 1942 et fut presque aussitôt placé en résidence surveillée à Ksar-es-Souk (Sud-marocain) sur ordre de Giraud, transféré à la prison civile de Meknès sur ordre (?) de De Gaulle où il fut inculpé de « *trahison et arrestations illégales* » devant le Tribunal militaire de la ville. Transféré une fois de plus à la prison militaire d'Alger et mis en accusation, défendu par le bâtonnier de Meknès, Me Paul Buttin, et par Me Gouttenoire et Me Trappe d'Alger, il fut traduit devant le Tribunal d'Armée d'Alger du 4 au 11 mars 1944, et condamné à mort au cours d'un procès où le général Giraud fit pâle figure (voir à ce sujet « *Toute la vérité sur le procès Pucheu* », par le général Schmitt, qui fut un des juges) ; puis les juges décidèrent de demander au général De Gaulle « *que la peine ne soit pas exécutée* ». Le 17 mars, le tribunal militaire de cassation rejetait le pourvoi et, le 19 mars, De Gaulle refusait la grâce en invoquant la « *raison d'Etat* ». Pucheu a écrit en prison « *Ma Vie* », mémoires où il présente sa justification. Publié seulement en 1948, le texte, qui s'arrête au 27 février 1944, fut copié en trois exemplaires et connu des juges avant le verdict (général Schmitt). Au cours des années 1940-1941, Pucheu passait pour être membre de cette fameuse synarchie que le rapport Chavin avait fait connaître au gouvernement : son nom était cité comme *synarque* dans le document. Mais cela ne fut jamais formellement établi.

PUJO (Maurice).

Journaliste. Né le 26 janvier 1872 à Lorrez-le-Bocage (Seine-et-Marne), il tenait du Béarn par l'ascendance lointaine de son père, magistrat, puis avocat à la

Cour de Paris ; par sa mère, il appartenait au Rouergue et se trouvait arrière-petit-neveu de sainte Emilie de Rodat et parent du poète rouergat, Charles de Pomairols. Après ses études au lycée d'Orléans, — où il fut le condisciple de Charles Péguy, de Georges Goyau et de Maurice Viollette, futur député-maire de Dreux, — et à la Sorbonne, il se lança dans la littérature et le journalisme. A dix-huit ans, il publia un « *Mémoire sur la morale de Spinoza* », qui fut couronné par l'académie des Sciences morales et politiques, et lança une revue *L'Art et la Vie*. Un peu plus tard, il fit paraître « *La Crise morale* » et « *Le Règne de la Grâce* ». C'est à l'*Union pour l'Action Morale*, groupement anarchisant auquel il appartenait, qu'il fit la connaissance de Henri Vaugeois. L'affaire Dreyfus les rejeta, l'un et l'autre, vers le nationalisme. Ayant quitté l'*Union*, dont il était devenu le secrétaire, Pujo publia, le 19 décembre 1898, dans *L'Eclair,* quotidien de droite, un article vigoureux où il préconisait une « action française » — le mot y était — pour réorganiser l'Etat et reconstituer la force de la Patrie. Il fréquentait, avec Vaugeois, un cercle de jeunes nationalistes : Léon de Montesquiou, Lucien Moreau, Jacques Bainville et Charles Maurras, qui publièrent quelques années plus tard *La Revue d'Action française*. Après plusieurs semestres de discussions, Pujo et ses amis, sous l'influence de Maurras, postulaient la Monarchie. Le 21 mars 1908, il lançait avec le futur maître du nationalisme intégral, Bainville, Vaugeois et Léon Daudet, *L'Action française* quotidienne ; ces deux derniers en furent respectivement le directeur et le rédacteur en chef. Pour diffuser le journal, des équipes de vendeurs bénévoles furent constituées : c'étaient les *camelots du roi,* dont Pujo prit la direction politique. Ces jeunes royalistes participèrent, dès 1908, à toutes les bagarres politiques du Quartier Latin, et, après des luttes sanglantes, qui durèrent plusieurs années, ils imposèrent le culte public de Jeanne d'Arc. Pujo n'avait cessé d'être à leur tête dans les combats de rue, contre leurs adversaires politiques ou contre la police. Après la guerre de 1914-1918, qu'il fit comme simple soldat dans l'infanterie, il reprit son labeur de journaliste, puis reçut la direction de l'équipe rédactionnelle de l'*Action française* (1922). Ses campagnes contre Aristide Briand et le réarmement allemand, contre les hommes politiques compromis dans les scandales, contre le ministère Blum et contre la Cagoule sont célèbres dans les annales de la presse de droite. Devenu co-directeur de *L'Action française* à la mort de Léon Daudet (1942), il poursuivit son action journalistique et politique à Lyon où le quotidien monarchiste s'était replié en 1940. Pétainiste, mais foncièrement hostile au Reich, il ne tarda pas à attirer l'attention des Allemands qui occupaient la zone Sud depuis novembre 1942. Le 22 juin 1944, la police de l'occupant l'arrêtait, en même temps que son ami et collaborateur Georges Calzant, et l'emprisonnait au Fort Montluc où étaient internés des résistants. Libéré à l'approche des armées alliées, il fut arrêté à nouveau, cette fois par les représentants du Gouvernement provisoire à Lyon, en compagnie de Charles Maurras, et condamné avec lui. A peine sorti de prison, il reprit la plume et fut l'un des collaborateurs prestigieux d'*Aspects de la France,* qui poursuit depuis 1947 la politique de *L'Action française*. Il présidait les Comité directeurs de l'*Action française* et les « *Amis de Charles Maurras* » et était le directeur politique d'*Aspects*. Maurice Pujo est mort le 6 septembre 1955. Il avait épousé en 1928, Mlle Elisabeth Bernard dont il eut deux enfants, Pierre et Marie-Gabrielle. Il est l'auteur de plusieurs ouvrages politiques, notamment « *Les Camelots du Roi* », « *La Guerre et l'Homme* », et « *Comment Rome est trompée* ».

PUJO (Pierre).

Journaliste, né à Boulogne-sur-Seine, le 19 novembre 1929. Fils du précédent. Attaché au *Crédit Lyonnais,* puis directeur d'*Amitiés Françaises Universitaires* (depuis juin 1962) et d'*Aspects de la France* (depuis février 1966). Secrétaire général adjoint des *Cahiers Charles Maurras*.

Q

QUARANTE-QUATRE.

Quotidien fondé à Agen le 25 août 1945 sous le signe de la Résistance, sous la direction d'A. Drozin. Prit ensuite le titre de : *Le Petit Bleu de l'Agenais* (voir à ce nom).

QUATRE-VINGT-TREIZE.

Journal mensuel national et anti-marxiste, fondé en 1955 sous le nom de *Le Dionysien*. Dirigé par Jean Destrée. Collaborateurs : Thierry Maulnier, Pierre Pauty, Delphin Bressy, etc. Diffusé dans tout le nouveau département de la Seine Saint-Denis. (10, rue Catulienne, Saint-Denis).

QUATRIEME INTERNATIONALE.

Revue trimestrielle publiée par le *Comité Exécutif International de la IV° Internationale*, sous la direction de Pierre Frank. Y collaborent des militants trotskystes, notamment E. Germain, Henri Vallin et Fernand Charlier. Sous son égide ont paru divers ouvrages dont : les « Ecrits » *de Trotsky* (1928-1940), et le compte rendu des congrès mondiaux tenus par les trotskystes en 1957, 1961, 1963 et 1965. (21, rue d'Aboukir, Paris 2°.)

QUATRIEME INTERNATIONALE (La).

Journal mensuel paraissant concomitamment avec la revue *Quatrième Internationale*. Organe du *Parti Communiste Internationaliste*, Section Française de la Quatrième Internationale, il est dirigé par Pierre Frank. Y collaborent : J. Devaux, Antoine Vallon, Serge Nithou, F. Charlier, L. Nattier, J. Toubert, Michel Lequerre, etc. (21, rue d'Aboukir, Paris 2°).

QUENTIER (René).

Officier ministériel, né à Chambly (Oise), le 20 juin 1903. Ancien notaire. Participa à la Résistance. Maire de Chambly. Conseiller général de Neuilly-en-Thelle (1945). Député *U.N.R.* de l'Oise (4° circ.) depuis 1958.

QUEUILLE (Henri).

Médecin et homme d'Etat. Maire d'Ussel depuis 1912, conseiller général de la Corrèze de 1913 à 1961, député de 1914 à 1935, puis sénateur de ce département de 1935 à 1940 et, à nouveau, député de la Corrèze de 1946 à 1958. Fut seize fois sous-secrétaire d'Etat ou ministre sous la III° République, douze fois ministre ou chef de gouvernement sous la IV°. Exerça, en outre, les fonctions de commissaire d'Etat du Comité de Libération et, par intérim, celles de président du Gouvernement provisoire. Appartint pendant un demi-siècle au *Parti Radical-Socialiste*.

QUILLET (Aristide, Ambroise).

Editeur (1880-1955). Fils d'un cultivateur de Villiers-Adam, orphelin très jeune, il fut mis en apprentissage, après son certificat d'études, chez un menuisier. Puis il fut commis d'un de ses oncles, libraire à Bessancourt (S.-et-O.). Il lisait tout ce qui lui tombait sous la main. Un peu plus tard, il fut garçon de courses, vendeur, aide-comptable. A dix-huit ans, émancipé par sa famille, il s'associa avec un ami pour créer une petite affaire d'édition de cartes postales illustrées. A vingt-deux, il fonda la firme *Aristide Quillet et Cie*, rue d'Hauteville. Après quelques ouvrages de vulgarisation, sa maison publia « *L'Homme et la Terre* » d'Elisée Reclus, « *Mon Docteur* » (sic), « *Mon Professeur* », « *L'Histoire Universelle illustrée des Pays et des Peuples* » (en 8 volumes), dont il confia la direction à Edouard Petit, inspecteur général de l'Instruction Publique. Les idées de Reclus et celles de Petit n'étaient pas étrangères à ce choix : depuis quelques années déjà, Aristide Quillet était membre de la Franc-Maçonnerie et c'est dans une loge qu'il avait fait la connaissance d'Edouard Petit, lui aussi franc-maçon. (Plus tard, l'éditeur appartint à la loge *Le Temple de l'Honneur et de l'Union*.) Pendant la guerre, Aristide Quillet fut mobilisé : il devint assez rapidement sous-lieutenant et fut affecté au Musée du Val-de-Grâce que dirigeait le médecin-inspecteur général Jacob. Poursuivant ses activités d'éditeur, il publia plusieurs ouvrages dont l' « *Histoire de la Guerre de Droit* » qui eut un succès d'autant plus vif qu'elle était prônée officieusement par les services de propagande français. Après la guerre de 1914-1918, il fonda *Floréal*, journal de gauche, prit le contrôle des *Dernières Nouvelles de Strasbourg* et développa considérablement sa maison. Coup sur coup parurent sous sa firme : « *La grande guerre vécue, racontée, illustrée par les combattants* », « *L'Histoire Universelle Quillet* », « *Le Dictionnaire encyclopédique Quillet* », « *L'Encyclopédie des inventions nouvelles* » et une bibliothèque de grands littérateurs et penseurs, choisis principalement parmi les amis politiques du fondateur de la maison : « *Les Grands Classiques Quillet* ». A ce moment-là, la maison Quillet contrôlait un certain nombre de firmes d'édition en France, notamment la maison *Maloine*, ainsi qu'à l'étranger. Son importance grandit encore et les ouvrages qu'elle édita concurrencèrent avec succès les grands livres de ses confrères. Une « *Histoire Générale de l'Art* », une « *Histoire Générale des Religions* », un « *Dictionnaire de la Langue Française* » et, après la Libération, l' « *Histoire générale de la Deuxième Guerre mondiale* », préfacée par Edouard Herriot, Louis Marin et Gaston Monner-

ville. Depuis sa mort, la *Librairie Aristide Quillet* poursuit l'œuvre entreprise par son fondateur, sous la direction du gendre de celui-ci, Jean Rocaut. (278, boulevard Saint-Germain, Paris 7e.)

QUINSON (Aimé, Henri).

Contrôleur des postes, né à Douvres (Ain), le 20 avril 1901, mort à Brégnier-Cordon (Ain), le 18 août 1944. Fils d'un cordonnier et d'une couturière. Militant socialiste et syndicaliste, élu député de l'Ain en 1936. Vota les pouvoirs constituants au maréchal Pétain, le 10 juillet 1940. Assassiné à la Libération.

QUINSON (Antoine).

Ingénieur des Ponts et chaussées (1904-1965). Elu député *R.P.F.* en 1951, rallié ensuite au *R.G.R.* et au *Centre National des Indépendants et Paysans*, demeura au parlement jusqu'en 1962. Sous-secrétaire d'Etat aux Anciens Combattants (cabinet Bourgès-Maunoury, 1957), ministre des Anciens Combattants (cabinet F. Gaillard, 1957-1958). Maire de Vincennes (de 1947 à sa mort). Membre du comité directeur de l'Association des maires de France et dirigeant d'organisations favorables à l'Algérie Française.

QUINZAINE POLITIQUE (La).

Bulletin bi-mensuel fondé par le général Pierre Boyer de Latour le 1er juin 1965. Directeur de la publication : J. Pochez (siège : 15, rue Pergolèse, Paris, 16e).

QUOTIDIEN (Le).

Journal paraissant entre les deux guerres, fondé (1923) « *pour défendre et perfectionner les Institutions républicaines* » par Henri Dumay, aidé et conseillé par le professeur Aulard, F. Buisson, Herriot et Renaudel. Fut d'abord l'organe officieux du *Cartel des Gauches*, avec comme rédacteur en chef Pierre Bertrand, et comme secrétaires généraux Caspar-Jordan et Georges Boris, futur collaborateur du financier belge Lœwenstein et de Mendès-France. D'anciens collaborateurs de *l'Humanité* : André Gybal, Noël Garnier, des journalistes socialistes ou de gauche : Henri Danjou, Pierre Scize, Marius Larrique, Louis Perceau, Pierre Brossolette, etc., composaient la rédaction.

R

RABOUIN (Etienne).

Notaire, né à Seiches-sur-le-Loir (M.-et-L.), le 20 novembre 1895. Arrière-petit-neveu du maréchal Ney. Ancien conseiller général de Seiche-sur-le-Loir. Sénateur de Maine-et-Loire (depuis 1948). Membre du groupe de l'*Union pour la Nouvelle République*.

RABOURDIN (Guy).

Directeur de société, né à Thiais (Seine), le 20 avril 1918. Maire de Chelles (1959). Elu député *U.N.R.* de Seine-et-Marne (2ᵉ circ.) le 25 novembre 1962. Représentant suppléant de la France à l'Assemblée Consultative du Conseil de l'Europe (déc. 1962). Membre de l'*Alliance France-Israël*.

RACAMOND (Julien).

Syndicaliste, né le 29 mai 1885 à Dijon, décédé le 30 janvier 1966. Issu d'une famille d'agriculteurs, ouvrier boulanger, il milita jeune dans les milieux syndicalistes et fut secrétaire du syndicat des boulangers de la *C.G.T.* A la fin de la 1ʳᵉ Guerre mondiale, il appartint au groupe Monmousseau-Sémard, qui rejoignit la *C.G.T.U.* Il adhéra alors au *Parti Communiste* et, gravissant les échelons, fut bientôt le secrétaire général de cette centrale syndicale et membre du comité central du *P.C.* Il représenta la *C.G.T.U.* au *Comité Amsterdam-Pleyel* (antifasciste) au moment où s'amorça, sous couvert d'antifascisme, la campagne belliciste de l'extrême-gauche. En 1935, après l'absorption de la *C.G.T.U.* par la *C.G.T.*, il devint le secré-

taire adjoint de cette dernière et, à ce titre, entra au comité de *Rassemblement Populaire*. Arrêté avec d'autres chefs communistes en 1939, il finit par désavouer le pacte germano-soviétique au début de la guerre et bénéficia d'un non-lieu. Mais considéré comme suspect, il fut interné au camp de Rouillé, où il resta deux ans, puis à Clairvaux. Les *Kapos* communistes du camp de Clairvaux, qui tenaient l'administration intérieure du camp et faisaient la guerre aux *renégats*, le mirent à l'index : soumis à une implacable quarantaine, il était fort mal en point lorsque, sur l'intervention des siens auprès du colonel Bœmelburg, chef de la police allemande, il fut remis en liberté après avoir signé une déclaration condamnant les attentats contre les soldats allemands. *La vie ouvrière* clandestine, sans tenir compte des circonstances qui l'avaient amené, après avoir maigri de 42 kg, à renier le *P.C.F.*, imprima à l'époque qu'*il n'était plus digne que du mépris de la classe ouvrière*. Un tract signé : « *Le Parti Communiste Français* », allant plus loin, le qualifiait de « *lâche* » affirmant qu'il s'était « *abaissé à payer sa liberté d'un reniement et d'une trahison* ». Il se racheta, un peu plus tard, en laissant exécuter par des tueurs du *P.C.F.* son ancien camarade Ambrogelly, de la *Fédération* cégétiste de l'alimentation, qui l'avait reçu à sa sortie de prison et avait organisé une collecte en sa faveur. Redevenu secrétaire-adjoint de la *C.G.T.* après la Libération (1944-1953), il fut quelque temps administrateur de la *B.N.C.I.* au titre de représentant des syndicats.

RACHET (Lazare RACHLINE, dit Lucien).

Industriel, né à Gorky (Russie), le 25 décembre 1905. Naturalisé français le 18 février 1938 (décret n° 23297 X 33). Fondateur (avant la guerre) de la *Ligue Internationale contre l'Antisémitisme* (avec Bernard Lecache) et de la Loge *L'Abbé Grégoire* dépendant de la *Grande Loge de France* (avec le même) ; est depuis plus de dix ans administrateur de la société éditrice de *L'Express* (*Presse-Union*) et de l'agence de publicité *Publicis* et de son annexe *Régie-Presse* (groupe Bleustein-Blanchet). Résistant dès 1940, fut nommé à la Libération commissaire de la République et participa à la création de diverses sociétés de presse (*Point de vue, Le Clou, La Femme nouvelle, O.K.*, etc.). Préside les *Usines métallurgiques de literie*, de Saint-Denis (qui produisent les matelas *Rachet*). Mendésiste en 1955, gaulliste en 1958, fut parmi les principaux animateurs de l'éphémère *Comité Républicain et Démocrate* créé en 1958 par des hommes de gauche faisant campagne pour le général De Gaulle. Appartient au *Comité d'Action de Défense Républicaine*, à l'*Alliance France-Israël*, et à la *L.I.C.A.*, dont il est l'un des dirigeants.

RACISME.

Théorie qui attribue à une race une supériorité sur les autres. C'est Arthur de Gobineau qui, le premier, a attiré l'attention sur certains des problèmes soulevés par l'existnce des races humaines. Il affirma, dans son « *Essai sur l'inégalité des races humaines* », paru en 1854 et 1884, que la race blanche pure, la race aryenne, est supérieure aux autres. Sa doctrine fut moins remarquée en France qu'en Allemagne, où Wagner et Nietzsche s'y intéressèrent. Elle fut à la base du national-socialisme allemand : la supériorité de la race germanique, seule race blanche pure aux yeux des nationaux-socialistes allemands, justifiait le pangermanisme exalté par Hitler. Gobineau se rattache au *racisme littéraire :* son *aryen* est, sans doute, assez proche « *du type révélé par les connaissances scientifiques comme ayant fourni son caractère à l'Occident européen, mais ce n'est qu'une création de l'esprit* » (« *Théorie du racisme*, par René Binet, Paris 1950). Houston Stewart Chamberlain (1855-1927), Anglais naturalisé Allemand, admirateur et gendre de Wagner, se rattache à Gobineau, bien qu'il tente de donner à ses écrits une justification scientifique, en particulier dans ses « *Assises du dix-neuvième siècle* » (1899). C'est avec Vacher de Lapouge qu'apparaît ce que Binet (*op. cit.*) appelle le « *racisme scientifique* » : « *Joignant à la qualité de professeur d'anthropologie celle de membre du parti ouvrier, (il) jeta les bases d'une étude raciste de l'histoire* ». Vacher de Lapouge affirmait : « *L'Homme n'est pas un être à part, ses actions sont soumises au déterminisme de l'Univers.* » « *On n'entre par décret ni dans une famille, ni dans une nation,* ajoutait-il. *Le sang que l'on apporte dans ses veines en naissant, on le garde toute sa vie. L'individu est écrasé par sa race et n'est rien. La race. la Nation sont tout...* » L'Allemand Alfred Rosenberg, le Français René Martial, le Suisse George Montandon développèrent des théories voisines. Depuis vingt ans, le *racisme* est presque unanimement condamné. Mais si le mot est banni, la chose ne paraît pas avoir disparu puisque la presse mondiale signale en Amérique, en Afrique, en Europe et même en Israël (voir : *apartheid, sionisme*) les manifestations indiscutables d'un racisme larvé.

RADIO-ANDORRE.

Poste radiophonique privé créé à la veille de la Seconde Guerre mondiale. Interrompues en septembre 1939, ses émissions reprirent en avril 1940, avec l'autorisation du gouvernement Daladier. A la Libération, les dirigeants de la station, Trémoulet et Kierskowski, furent l'objet de poursuites judiciaires : condamnés à mort par les tribunaux de l'épuration, ils furent ensuite acquittés. Cependant le gouvernement français continua à s'opposer à *Radio-Andorre*, dont les émissions furent l'objet de brouillages fréquents. Le conflit dura de longues années. La situation des émetteurs andorrans fut réglée au printemps 1961 par un accord signé par les deux co-princes d'Andorre, le président de la République française et l'Evêque espagnol d'Urgel. En vertu de cette entente, l'existence de deux émetteurs est reconnue par le gouvernement. *Radio-Andorre* et son concurrent *Andorradio* (voir à ce nom) doivent verser au Conseil général une redevance annuelle de 10 % et sont autorisés à émettre en français, en espagnol et en catalan (Andorra la Vieja, Andorre).

RADIO-LUXEMBOURG.

Poste radiophonique privé créé en 1930. A cette date, le gouvernement du Grand-Duché accorda la concession de la radiodiffusion au Luxembourg à la *Cie Luxembourgeoise de Radiodiffusion,* devenue par la suite *Cie Luxembourgeoise de Télédiffusion* (laquelle contrôle également : *Télé-Luxembourg,* mis en service en 1955). Celle-ci était administrée jusqu'en 1966 par Robert Tabouis, vice-président de *Radio-France* et administrateur-directeur général de *Radio-Orient,* mari de Geneviève Tabouis, l'une des éditorialistes du poste. Il a été remplacé par Jean Prouvost, ancien patron de *Paris-soir,* président-rédacteur en chef de *Paris-Match,* principal actionnaire du *Figaro.* Sous sa direction, l'équipe rédactionnelle de *Radio-Luxembourg* a subi une transformation complète en octobre 1966. Auparavant l'Etat-Major comprenait principalement : Michel Moyne, ancien rédacteur à l'*Union Française* et co-auteur du « *Mythe bolchevique* », directeur des services d'informations, secondé par Jean Carlier, Jean-Pierre Farkas, Jacques Alba, Yves Courrière, Pierre Bainville, Dominique Rémy, Raymond Thévenin, Georges Walter, etc. Jean Prouvost a imposé à la rédaction un nouveau venu, Jean Farran, naguère producteur à l'*O.R.T.F.* et rédacteur en chef de *Paris-Match.* Ce dernier a donné un net coup de barre à gauche : l'éviction du chansonnier Pierre-Jean Vaillard en fut la manifestation la plus visible. Auprès de lui, il appela deux de ses anciens collaborateurs à *Paris-Match,* Raymond Castans, pour le programme de variétés, et Robert Barrat, pour les informations et la politique. Ce dernier est connu pour ses idées progressistes ; alors qu'il était rédacteur à *Témoignage Chrétien,* il signa le fameux *Manifeste des* 121 et fut arrêté le 31 septembre 1960 sous l'inculpation de provocation à l'insoumission et à la désertion et de provocation de militaires à la désobéissance. C'est dans les bureaux de la revue *Esprit,* — où se tenait la réunion du comité de direction de la publication *Vérité-Liberté,* favorable à l'indépendance de l'Algérie et au *F.L.N.,* — que la police l'appréhenda ; les protestations de la presse de gauche, notamment de *France-Observateur,* où il comptait de nombreux amis, provoquèrent sa mise en liberté provisoire (15 octobre 1960). Il était en outre l'un des dirigeants de la *Jeune République,* de *Témoignages et Documents,* et du *Centre d'Information et de Coordination pour la Défense des Libertés et de la Paix.* Il avait assisté Farran lorsque celui-ci dirigeait l'émission « *Face à Face* » à l'*O.R.T.F.,* émission qui provoqua des remous dans tous les milieux en raison de son absence d'impartialité. Depuis que Robert Barrat est le conseiller politique de *Radio-Luxembourg,* nombreux sont les collaborateurs de *France-Observateur,* devenu *Le Nouvel Observateur,* qui sont appelés au micro : Héléna de la Souchère a commenté les événements d'Espagne; A.-P. Lentin également, et les affaires chinoises ont été présentées par Claude Estier. Le « virage » de *Radio-Luxembourg* avait déjà été amorcé il y a quelques années, notamment lorsque l'éditorialiste Jean Grandmougin, connu pour ses idées nationales, fut renvoyé (1962). *Le Monde* a, d'autre part, fait état, en novembre 1965, d'un « *malaise au sein de la rédaction de Radio-Luxembourg* », après les « *directives* » données par le gouvernement aux postes radiophoniques :

« Si Radio-Monte-Carlo — où l'Etat détient la majeure partie des actions par l'intermédiaire de la *Sofirad* — a accepté ces « recommandations », *Europe I* — où la *Sofirad* est minoritaire — et surtout *Radio-Luxembourg* ont fait de serves; aucune décision définitive n'a été prise par les deux stations. A *Europe I.* M. Maurice Siegel a déclaré samedi, lors du journal parlé Europe-midi, qu'il espérait « *que les journalistes pourraient, sur l'antenne, accomplir normalement leur métier et informer totalement les auditeurs.* » A *Radio-Luxembourg,* une discussion a opposé la direction à la rédaction. En effet, vendredi après-midi, celle-ci recevait l'ordre de ne pas diffuser une interview de M. Tixier-Vignancour recueillie à Saint-Pol-de-Léon. Cette décision, que nos confrères de *Radio-Luxembourg* ont considéré comme une atteinte à la liberté de l'information, a provoqué une vive émotion parmi eux. Ils se sont réunis et ont demandé à leur directeur de préciser par écrit les consignes. » (21-22 novembre 1965.) Les rédacteurs menacèrent même de faire grève. Le gouvernement français a une forte participation dans la *Compagnie Luxembourgeoise de Télédiffusion.* Le groupe financier de Launoit (*Brufina-Cofinindus-Banque de Bruxelles*) et la *Banque Internationale* dont le siège est à Luxembourg, détiennent également un gros paquet d'actions. Depuis avril 1966 d'autre part, le groupe de presse constitué pour la publication du magazine *Télé-7 jours* par Jean Prouvost et le groupe *Hachette* a racheté 12,8 % des actions de la compagnie. Bien qu'il ait perdu une grande partie de ses auditeurs français, *Radio-Luxembourg* est encore très écouté et il peut être classé au premier rang de « ceux qui fabriquent l'opinion ». (Bureaux : 22, rue Bayard, Paris 8ᵉ ; siège social : Villa Louvigny, à Luxembourg, Grand-Duché.)

RADIO-MONTE-CARLO.

Poste radiophonique privé fondé en 1942 par un groupe franco-germano-italien. La *Sofirad* (voir à ce nom) racheta l'ensemble de la participation française et, après la Libération, une partie de la participation étrangère, le gouvernement monégasque conservant 17 % des actions. Les premières émissions de *Radio-Monte-Carlo* remontent à juillet 1943. Elles cessèrent en 1944, après le débarquement allié en Provence et ne reprirent que le 23 juin 1945. L'Etat-Major de *Radio-Monte-Carlo* se compose de : César Solanito, président-directeur général ; Jean Beliard, directeur général ; Philippe Fontana, chef des informations ; Georges Drouet, directeur des programmes ; Adrien Sani-Marchal, rédacteur en chef, Robert-Henri Dogor, directeur commercial, et Jacques Debû-Bridel, chef des informations. Véritable commissaire politique du poste, cet ancien dirigeant de l'*Union Démocratique du Travail*, devenu l'un des leaders de l'*U.N.R.-U.D.T.*, en même temps que membre du comité de *Notre République*, supervise les grandes émissions du poste en accord avec le nouveau directeur, Jacques Maziol, ancien ministre du général De Gaulle. (12, rue Magellan, Paris 8° et Bd Princesse-Charlotte, Monte-Carlo.)

RADIO-TELEVISION.

La puissance de la radio est immense : le général De Gaulle a montré en 1940-1944 comment on transformait quarante millions de pétainistes en quarante millions de résistants avec un micro et, un peu moins d'un quart de siècle plus tard, ses anciens amis devenus ses adversaires ont fait la preuve qu'on pouvait retourner contre lui, avec la radio (et, il est vrai, la télévision), une partie de ceux qui avaient jusque là soutenu sa politique. De nos jours, la radio et la télévision sont devenues pour la grande majorité de nos concitoyens un aliment dont ils ne peuvent plus se passer. Elles sont, avec la presse, ce quatrième pouvoir dominateur qui les façonne à son gré. « *Hier soir, qui était un samedi, Mlle Yvonne Brothier, de l'Opéra-Comique, dînait chez des amis à Melun, quand elle s'aperçut que, le soir même, avait lieu, à Paris, un concert auquel elle avait promis son concours. L'heure tardive ne permettait guère de réparer autrement cet oubli, Mlle Brothier s'est rendue à la station de téléphonie sans fil de Sainte-Assise et a pu, en chantant dans le cornet émetteur de ce poste, se faire entendre à l'heure promise à Paris.* » Ainsi s'exprimait un journaliste le lendemain de la première émission radio-téléphonée qui « *passa sur les ondes* » le 26 novembre 1921. La radiodiffusion française venait de naître. En 1922, le 6 février exactement, commencèrent les premières émissions régulières de *Paris-P.T.T.* et, en décembre, celles de *Lyon-la-Doua*. L'année suivante, ce fut la construction de *Radio-Toulouse* et de *Radio-Riviera* à Nice. En 1924, le *Poste Parisien* — poste privé que dirigèrent ensuite Grunebaum et Maurice Bourdet — *Radio-Lyon, Bordeaux-Sud-Ouest, Radio-Agen, Radio-Béziers* furent créés, et en 1925, le 11 novembre, un opéra fut retransmis pour la première fois en France. C'est cette année-là que Maurice Privat fut autorisé à faire son *Journal parlé* par T.S.F. En 1926, un décret-loi fixa le statut de la radio-diffusion en France. *Radio-Paris* fut installé en 1927, *Radio-Alger*, en 1928, et l'on construisit *Strasbourg-Brumalh* en 1929. On inaugura *Radio-Saigon* en 1930. A la veille de la guerre, les postes privés avaient pris un développement considérable. Le vieux poste d'émission fondé par Lucien Lévi, *Radio-L.L.*, repris par Marcel Bleustein (le futur Bleustein-Blanchet), avec le concours financier de François Louis-Dreyfus, était devenu un poste moderne, très suivi, sous le nom de *Radio-Cité*. Il y avait aussi *Radio 37* et *Radio-Normandie* que Bleustein contrôlait également. En 1938, la puissance totale du réseau français atteignait 2 250 kw, et 4 millions 377 283 postes récepteurs déclarés étaient en service. La guerre des ondes mit aux prises, pendant quatre ans, l'équipe londonienne de la *B.B.C.* (de Maurice Schumann, André Gillois, Jean Oberlé, Jacques Duchesne, Jean Marin et quelques autres) et celles de *Radio-Paris* (René-Louis Jolivet, puis Jean Hérold-Paquis) et de Vichy (Philippe Henriot). Dans la clandestinité, il avait été décidé que la radio serait nationalisée : elle le fut à la Libération. Jean Guignebert, qui avait défendu ce monopole, obtint la direction générale de la radio. Wladimir Porché le remplaça, et d'autres suivirent... Puis vinrent la télévision et ce fameux *Journal télévisé* que Pierre Sabbagh organisa en 1948. On sait la suite. Aujourd'hui, à côté de la radio officielle (voir : O.R.T.F.), existent quelques postes dits périphériques (voir : *Radio-Luxembourg, Télé-Luxembourg, Europe N° 1, Radio-Monte-Carlo, Télé-Monte-Carlo, Radio-Andorre, Andorra-dio*) qui ont un rôle politique si considérable qu'un humoriste pourrait dire qu'ils sont devenus les mentors de vingt-huit millions d'électeurs inconscients et inorganisés...

RADIO DES VALLEES (voir : Andor-radio).

RADIUS (René).

Ingénieur, né à Strasbourg (Bas-Rhin) le 13 octobre 1907. Professeur de l'Enseignement technique. Déporté résistant. Adjoint au maire de Strasbourg. Président de l'Union internationale pour le développement de l'habitat. Anc. sénateur *R.P.F.* (1948-1958). Député *U.N.R.* du Bas-Rhin (1re circ.) depuis 1958. Membre de l'Assemblée consultative du Conseil de l'Europe (janvier 1959), de l'*Alliance France-Israël*, et du groupe parlementaire de la *L.I.C.A.*

RAFFIER (Marcel).

Fonctionnaire, né à Coubon (Haute-Loire) le 25 février 1923. Comptable à la direction départementale des services vétérinaires de la Haute-Loire. Adjoint au maire du Puy. Vice-président de la Fédération *U.N.R.* de la Haute-Loire. Membre de l'*Alliance France-Israël*. Elu député de la Haute-Loire (2e circ.) le 25 novembre 1962 (contre le député paysan sortant Deshors, arrivé en tête au premier tour). Non réélu en 1967.

RALLIEMENT.

Politique préconisée par Rome qui incita, en 1892, les catholiques français, demeurés fidèles à la Monarchie, à se *rallier* à la République.

RALLIES.

A la fin du xixe siècle, on appelait *ralliés* les catholiques qui, à la suite du cardinal Lavigerie, avaient abandonné le parti royaliste pour le parti de la République (voir : *Ralliement*). On a donné aussi, plus rarement il est vrai, le nom de *ralliés* à ceux qui, au cours des années 1940-1945, ont assez brusquement changé de camp. Après l'armistice de 1940, nombreux furent, en effet, les républicains, les radicaux, les socialistes, les communistes qui rallièrent la Révolution nationale. Beaucoup le firent par conviction, d'autres par opportunisme ou par crainte. On vit même d'anciens militants de la *Ligue Internationale contre l'Antisémitisme* (L.I.C.A.) devenir de furieux contempteurs d'Israël. A la Libération, ou dans les derniers mois de l'occupation, de farouches partisans du maréchal Pétain rallièrent avec autant d'empressement le camp du général De Gaulle. Les exemples de miliciens passés dans la Résistance lorsque la victoire des Alliés parut probable ne sont pas rares. Après le 13 mai, le gaullisme enregistra des ralliements assez spectaculaires : 80 % (au moins) des fidèles du maréchal Pétain dirent « *Oui à De Gaulle* » en septembre 1958 et, parmi eux, la maréchale Pétain et le général Weygand. D'autres, plus tardifs, ne se sont produits qu'en 1965. Mais il s'agit peut-être là de cas plus particuliers, relevant du « girouettisme » politique.

RAMADIER (Paul).

Avocat et homme politique (1888-1961). Inscrit au barreau de Paris jusqu'en 1936. Milita dans le mouvement socialiste dès l'âge de seize ans. Quitta la *S.F.I.O.* avec Marquet, Déat et Renaudel en 1933 et constitua avec eux l'*Union Socialiste et Républicaine*. Revint à la *S.F.I.O.* après la guerre. Fut également maçon durant un demi-siècle (avec seulement une éclipse de quelques années dans l'entre-deux-guerres) : avait été initié à la loge *La Parfaite Union*, de Rodez, le 22 février 1913. Elu maire de Decazeville en 1919, entra à la Chambre en 1928 et fut réélu député de l'Aveyron en 1932 et 1936. Puis fut membre des deux Constituantes (1945-1946), et, à nouveau, député de l'Aveyron (1946-1951). Vota contre le maréchal Pétain en juillet 1940. Occupa un poste ministériel quatre fois sous la IIIe République et trois fois dans le gouvernement provisoire ou sous la IVe République dont il présida d'ailleurs le premier cabinet en 1947, expulsant bientôt les communistes du gouvernement où les avait introduits le général De Gaulle. Battu dans l'Aveyron (1951) et dans le Lot (1952), se consacra dès lors au *Bureau International du Travail* dont il était le président.

RAMETTE (Arthur).

Homme politique, né à Caudry (Nord) le 12 octobre 1897. Son fils, ancien F.T.P., officier en Indochine, démissionna de l'armée sur son injonction en 1950. (Cf. *Liberté*, organe de la Féd. communiste du Nord, 14-5-1954.) Débuta comme ouvrier mécanicien. Membre du Comité central du *Parti Communiste Français*. Secrétaire de la Fédération du Nord du parti. Directeur politique du journal *Liberté* de Lille. Ancien conseiller général du canton sud de Douai. Conseiller municipal de Lille. Ancien député communiste de Douai (2e circ.) (1932-1940). Fut président du groupe parlementaire ouvrier-paysan qui se constitua en 1939, après la dissolution du *Parti Communiste*. Signataire de la lettre au Président Herriot, demandant la « paix immédiate » avec Hitler (1-10-1939). A suivi M. Thorez à Moscou, après la désertion du chef communiste, et passa toute la durée de la guerre en U.R.S.S.

RAPATRIEMENT.

Retour ou renvoi d'un individu ou d'un groupe d'individus à sa patrie d'origine. Le retour est généralement spontané. Le renvoi peut être la suite d'un « refoulement aux frontières » par les autorités du pays étranger, d'une demande du pays d'origine ou d'une action normale des autorités consulaires (ex. : renvoi dans sa patrie d'un marin soigné dans un hôpital d'un pays étranger). L'indépendance des pays d'Afrique du Nord a donné une acuité singulière au problème du *rapatriement :* se considèrent comme rapatriés d'Algérie tous ceux qui, jouissant de la citoyenneté française, se sont repliés en métropole.

RAPPEL (Le).

Quotidien fondé en 1869 par Auguste Vacquerie. Fut, à la fin du Second Empire, l'un des journaux les plus agressifs de l'opposition républicaine. Victor Hugo y écrivait. Radical-socialiste avant 1914, radical modéré après, eut pendant de longues années pour rédacteur en chef un grand journaliste, Edmond du Mesnil.

RAQUET (Maurice-Georges).

Journaliste et éleveur, né à Bettencourt-Rivière (Somme), le 9 mai 1889. Fils de Georges Raquet, fondateur du *Progrès Agricole* ; petit-fils d'Hémir Constantin Raquet, professeur départem. d'Agriculture, sénateur de la Somme en 1901-1909. Membre de nombreuses associations et de syndicats d'élevage. Dans la presse agricole depuis l'âge de seize ans, a succédé à son père, décédé après sa démobilisation en 1919, à la direction du *Progrès Agricole* d'Amiens, l'un des hebdomadaires les plus importants de France. Y mène, sous le pseudonyme de Brutus, une ardente campagne en faveur des traditions paysannes et françaises, contre la technocratie, la haute-finance et le marxisme.

RASSEMBLEMENT (Le).

Hebdomadaire du *Rassemblement du Peuple Français (R.P.F.),* du général De Gaulle, propriété de la société *Journal, Publication et Edition Rassemblement* constituée le 27 mai 1948. Le capital social de cette S.A.R.L. (100 000 F) est réparti entre : Albert Beuret, éditeur ; Alain Bozel, ingénieur ; Diomède Catroux, conseiller juridique ; Tristan Catroux, expert ; Xavier de Lignac, publiciste ; André Malraux, écrivain ; Albert Ollivier, directeur politique de *Rassemblement* ; Pascal Pia, journaliste ; Jacques Soustelle, agrégé de philosophie ; Jacques Baumel, publiciste (cf. *Lectures Françaises,* août-septembre 1961). Chacun d'entre eux détenait 10 % du capital. Animé par Albert Ollivier et Jacques Baumel, l'organe officiel du *R.P.F.* avait pour principaux collaborateurs : Jacques Soustelle, Pascal Pia, Jean Nocher, Paul Bodin et un ancien camelot du roi, Raymond Massiet, qui avait débuté dans la presse comme rédacteur à *La Libre Parole* (1928-1929) sous le pseudonyme de Raymond Durand-Massiet.

RASSEMBLEMENT POUR L'ALGERIE FRANÇAISE (R. A. F.).

Groupement disparu, fondé par Jacques Soustelle et ses amis en 1959, et installé dans l'immeuble de l'*U.S.R.A.F.,* mais totalement indépendant d'elle.

RASSEMBLEMENT ANTIJUIF.

Groupement antisémite fondé en 1937 par Louis Darquier de Pellepoix. Ce dernier, originaire du Lot et ami d'Anatole de Monzie, avait participé aux émeutes du 6 février et présidait l'association des militants blessés au cours de cette soirée sanglante. Secrétaire général du quotidien *Le Jour,* il se fit élire conseiller municipal de Paris et conseiller général de la Seine en 1935 et créa aussitôt, le *Club National,* organisation politique de droite exclusivement parisienne. Venu à l'antisémitisme après l'accession de Léon Blum au gouvernement, il créa le *R.A.* Pendant l'occupation, il succéda à Xavier Vallat au Commissariat général aux questions juives et fut remplacé, deux ans plus tard, parce que jugé trop mou par les occupants. Réfugié en Espagne depuis la Libération, il a renoncé à toute activité politique. Le *Rassemblement antijuif* organisa à Paris et en province diverses manifestations au cours desquelles prirent la parole Darquier de Pellepoix, le duc Pozzo di Borgo, etc. *La France Enchaînée* (1938-1939) était l'organe bimensuel du groupement.

RASSEMBLEMENT DEMOCRATIQUE.

Créé au lendemain des élections législatives de novembre 1962, ce groupe réunit, sous la présidence de Maurice Faure, 35 députés membres et 4 *apparentés,* radicaux-socialistes, socialistes indépendants, élus du centre démocratique, du *C.N.I.P.* Ont donné leur adhésion à ce groupe les députés Alduy, Berthouin, Billères, Georges Bonnet, Bouthière, Daviaud, Desouches, Ducos, Duhamel, Duraffour, Guy Ebrard, Robert Fabre, Maurice Faure, Fouet, de Fraissinette, François-Bernard, Félix Gaillard, Gauthier, Grenet, Hersant, Juskiewenski, Massot, Mitterrand, de Montesquiou, Morlevat, Peronnet, de Pierrebourg, Ponseille, Rossi, Sablé, Schloesing, Séramy, Mme Jacqueline Thome-Patenôtre, M. Antonin Ver, Zuccarelli. Y sont *apparentés* (art. 19 du règlement) : Achille-Fould, Barrière, Cazenave, Kir. Les dirigeants de ce Groupe et leurs amis tinrent un congrès à Arcachon fin septembre 1964, sous la présidence de Gaston Monnerville en présence de Maurice Faure, Edouard Bonnefous, André Morice et François Mitterrand dans l'espoir d'aboutir à une fusion du *Parti Radical-Socialiste,* de l'*U.D.S.R.* et du *Centre Républicain.* Mais cette tentative échoua.

RASSEMBLEMENT DEMOCRATIQUE ET REVOLUTIONNAIRE.

Mouvement éphémère fondé quelques années après la Libération et animé par J.-P. Sartre, David Rousset et Gérard Rosenthal, et dont *La Gauche* était l'organe.

RASSEMBLEMENT DE L'ESPRIT PUBLIC

(Voir : **Esprit public**).

RASSEMBLEMENT DES FORCES DEMO-CRATIQUES.

Une centaine de militants politiques et syndicalistes de tendance démocrate-chrétienne réunis à Paris le 18 janvier 1959 jetèrent les bases de ce rassemblement, auquel R. Simonnet, secrétaire du *M.R.P.,* ne cacha pas ses sympathies, dans le rapport politique qu'il présenta au Congrès républicain populaire tenu début février 1959. L'un des congressistes, Bernard Lambert, député de la Loire-Atlantique, qui fait partie du groupe fondateur du Rassemblement, a exposé les conceptions de la nouvelle organisation à laquelle, d'autre part, adhérèrent plusieurs parlementaires dont Claudius-Petit (ex-*U.D.S.R.*), Maurice Faure (Radical), Jehan Faulquier (*U.N.R.*), Renouard (non inscrit), Szigeti (non inscrit), Rombeaut (*M.R.P.*), Rémy Montagne et Lambert (déjà cité) (*M.R.P.*).

RASSEMBLEMENT DES GAUCHES REPUBLICAINES.

Regroupement centriste opéré en mars 1946, où se retrouvaient des hommes aussi différents d'opinion que Pierre Bourdan, Yves Farge, Jacques Soustelle et Gaston Monnerville. Le *R.G.R.* était alors présidé par le sénateur Marcel Astier et avait pour secrétaire général Jean-Paul David. Emile Bollaert en fut le président administratif et, après la mort d'Astier, Gabriel Cudenet, fondateur du *Parti Radical-Socialiste Camille Pelletan,* puis Edouard Daladier, en furent les présidents. Le *R.G.R.* avait comme adhérents fondateurs : le *Parti Radical et Radical-Socialiste,* l'*U.D.S.R.,* l'*Alliance Démocratique,* le *Parti Républicain Socialiste,* le *Parti Socialiste Démocratique,* et un groupement considéré comme « de droite », la *Réconciliation française,* reconstitution de l'ancien *Parti Social Français.* La *Ligue de la République* et le *Rassemblement de la Résistance* y adhérèrent également. Edgar Faure présidait le *R.G.R.* lorsqu'il entra en conflit avec Pierre Mendès-France, devenu le leader du Parti Radical-Socialiste, qui visiblement voulait l'éliminer. Après le congrès radical de novembre 1955, la rupture entre le *R.G.R.* et la rue de Valois fut alors complète. Si bien qu'aux élections suivantes (janvier 1956), tandis que Mendès-France entraînait son parti dans le sillage du *Front Républicain* (constitué avec Guy Mollet, de la *S.F.I.O.,* et Chaban-Delmas, du mouvement gaulliste), le *R.G.R.* donnait son investiture à des candidats qui s'opposèrent très souvent à ceux que soutenait le *Parti Radical-Socialiste.* Jean-Paul David fut longtemps l'animateur du *R.G.R.* C'est probablement sous son impulsion autant que sous celle des autres dirigeants du groupe que le *R.G.R.* se prononça pour le *oui* en septembre 1958. A l'Assemblée nationale, le *R.G.R.* fut pratiquement incorporé dans le groupe de l'*Entente Républicaine* puis, à partir de novembre 1962, les députés élus avec son appui ont siégé les uns au groupe du *Rassemblement Démocratique* (les plus nombreux) les autres à celui du *Centre Démocratique* (tel René Pleven).

RASSEMBLEMENT NATIONAL.

Groupement de droite fondé en 1937. Avait pour dirigeants : R. de Billy, ambassadeur, Abel Bonnard, Georges Brabant, le général Emily, le professeur Bernard Fay, Henri Garnier, René Gillouin, Gaston Le Provost de Launay, ancien député, président du Conseil municipal de Paris, le général Weygand.

RASSEMBLEMENT NATIONAL.

Mouvement créé en 1954 par Jean-Louis Tixier-Vignancour que les lois d'exception de 1944 avaient tenu éloigné du Parlement. « *Le Rassemblement National,* affirmait dans son manifeste le célèbre avocat, *n'est pas un nouveau parti* sur le modèle des anciens, mais le lieu de rencontre de tous les Français animés d'une volonté d'action. » Son programme se résumait en cinq points principaux : 1° lutte contre le Système « pourri », « incapable de remédier à la décadence intérieure comme de défendre le pays à l'extérieur » ; 2° politique économique de plein emploi, participation des travailleurs aux résultats de l'entreprise et organisation de l'économie sur une base syndicale et professionnelle ; 3° établissement d'un Etat national fort, dont sont exclus les « hommes trop récemment entrés dans la communauté nationale pour se permettre de le diriger » ; 4° défense de l'Empire par une « collaboration loyale avec les populations », et la « répression sévère des excès dus aux sociétés capitalistes ou aux fonctionnaires mal formés » ; 5° construction de l'Europe, unissant des nations fortes, mais bannissant « un mélange cosmopolite privé d'âme et de traditions (qui) ne ferait qu'étendre à un continent les maux dont chaque peuple est atteint, pour le seul profit d'une caste de financiers louches et de hauts fonctionnaires irresponsables ». Fondateur et secrétaire général du R.N., Tixier-Vignancour était secondé au Bureau Politique par une équipe d'hommes, jeunes pour la plupart, comprenant : Albert Frouard, délégué à la propagande, puis secrétaire général (après le retrait de Tixier-Vignancour), combattant de la Résistance, administrateur de la Sécurité Sociale ; Roger Juéry, comptable, trésorier ; Louis Allione, président de l'Institut National de l'Artisanat, directeur de la Mutuelle générale du Commerce, de l'Industrie et de l'Artisanat ; Julien Coudy, avocat, futur poujadiste ; Louis Bouchy, artisan, délégué général aux classes moyennes et à l'artisanat ; Jean Ebstein, ancien rédacteur à Paroles Françaises, co-fondateur du Comité National des Droits de l'Homme pour l'Amnistie ; Jean Thaly ; le Dr François Boyer ; Pierre Desprez, négociant ; Henri Borja de Mozota ; Jean Lesieur ; René Barrière (délégué départemental de la Gironde) ; Jean Féraudy ; le commandant Paul Ottaviani (de Nice); Hubert Saint-Julien, directeur de la collection Les Documents Français ; Raymond de Witte ; Michel Trécourt, ingénieur, ancien directeur de France Réelle; Georges Berthelier ; le Dr Henry Moreau, conseiller municipal de Marseille ; Marcel Courant ; Jean Trévilly (de Rouen). Diverses personnalités, sans adhérer au R.N., lui donnèrent leur appui. C'est ainsi qu'un meeting du R.N. (11-6-1954) fut présidé par le professeur Georges Darmois, de la Faculté des Sciences. A un autre meeting (12-10-1954), organisé par le R.N. également, plusieurs députés nationaux prirent la parole : Paul Estèbe, ancien collaborateur du maréchal Pétain, député de la Gironde, Jean Grousseaud, député de Paris, Jean Legendre, député de l'Oise, A.-F. Mercier, député des Deux-Sèvres, Jules Valle, député de Constantine, et Pierre C. Taittinger, conseiller municipal de Paris. L'antiparlementarisme évident des membres du R.N. ne les empêcha pas, cependant, de tenter « l'aventure électorale ». Un certain nombre de dirigeants et de militants du parti se présentèrent aux élections de janvier 1956 : Jean Montigny, ancien député de la Sarthe, qui présidait alors l'Union des Intellectuels Indépendants, dans le 1er secteur de la Seine ; Julien Coudy, Louis Holtzmann, délégué de la Fédération des Petites et Moyennes Entreprises du XVIe arrondissement, Albert Frouard, Michel Trécourt, Louis Allione, Christian Wagner. Candidat dans les Basses-Pyrénées, Tixier-Vignancour se présentait sous l'étiquette « républicaine d'action sociale et paysanne », avec son bras droit dans le Béarn, Samuel de Lestapis et l'ancien député J. Ybarnegaray ; il fut le seul élu de sa liste. Jean-Maurice Demarquet, qui avait été candidat du Rassemblement National, quelques mois plus tôt, fut élu dans le Finistère, mais sous l'étiquette poujadiste. Aux élections suivantes, en 1958, le R.N. ne présenta aucun candidat : Tixier-Vignancour s'était retiré du mouvement et ses militants rallièrent l'U.D.C.A., le Centre Républicain, le Parti Patriote Révolutionnaire, Jeune Nation ou divers groupes gaullistes.

RASSEMBLEMENT NATIONAL POPULAIRE.

Front constitué au lendemain du 13 décembre 1940. Pierre Laval venait d'être arrêté, d'ordre du maréchal Pétain, par un ancien collaborateur de Deloncle, devenu chef d'une police spéciale à Vichy. Les nationaux parisiens acquis à la politique de Montoire eurent l'impression que le gouvernement faisait marche arrière (pas tous, puisque le P.P.F. et le Parti Franciste ne bronchèrent pas). Les amis de Deloncle, ceux de Marcel Déat et les anciens combattants qui suivaient Jean Goy créèrent le R.N.P. en janvier 1941. Le M.S.R. d'Eugène Deloncle en constituait l'élément de choc, et son chef devenait le chef du Comité de Sécurité et celui de la Légion Nationale Populaire. Déat, Fontenoy, Goy et Vanor étaient, avec Deloncle, les cinq dirigeants du R.N.P. Une affiche, placardée sur les murs de Paris et des grandes villes de la zone nord, annonçait en ces termes la naissance du nouveau parti : *Le Rassemblement National Populaire,* au nom des innocents, au nom des victimes,

Accuse

Vichy de mépriser la réalité humaine et sociale française, de nous laisser crever de faim...

Vichy de nous avoir fait perdre, le 13 décembre

— des libérations de prisonniers,
— l'unification du territoire,
— la réduction de nos paiements,
— les perspectives d'une paix réparatrice dans l'honneur et l'équité.

Oui, Vichy veut restaurer un passé périmé et nous ridiculise par une parodie de révolution ;

Vichy fricote avec les dépeceurs de notre empire ;

Vichy intrigue avec les Juifs et les maçons internationaux, avec les financiers et les marchands de canons américains qui y font la loi.

Le Rassemblement National Populaire appelle à lui tous les Français qui n'ont pas voulu la guerre et ne veulent pas une paix d'écrasement, tous ceux qui ne désespèrent pas de la Patrie. Il les groupe contre ces sottises, il les dresse contre ces malfaiteurs.

Pour que la France ait sa place en Europe.

Pour un Etat fort appuyé sur un grand mouvement national et social.

Pour le mieux être de chacun, pour la famille, le métier, la Nation. » (Cf. *L'Œuvre,* 16-2-1941.)

De notoriété publique, Deloncle et Déat ne s'entendaient guère. Bien que le premier eût affirmé que Déat et lui s'étaient retrouvés, « *là où il le fallait, dans l'axe même de la France, pour unir les nationaux en les rendant sociaux et ceux des socialistes à qui l'on pouvait rendre le sens national »,* l'alliance ne dura guère. Un beau jour de 1942, le *M.S.R.* se retira du *R.N.P.,* laissant Déat seul à la tête du Rassemblement. Déat, qui venait de la gauche — il avait milité longtemps à la *S.F.I.O.* puis à la direction des partis néo-socialistes —, avait un état-major principalement formé d'anciens socialistes. Plusieurs d'entre eux étaient même maçons. Le *R.N.P.* eut dans *L'Œuvre* une tribune quotidienne, où son *leader* avait le loisir d'exposer assez librement les idées du parti. Il ne s'en priva point : chaque matin, le quotidien fondé par Gustave Téry, publiait un éditorial de Déat. Dès le début, celui-ci s'y affirma républicain : « *Le gouvernement actuel,* écrivait-il (25-10-1940), *ne tient son pouvoir et son mandat que de l'Assemblée nationale, laquelle ne tenait que du suffrage universel le droit de confier sa haute mission au maréchal Pétain. »* Pour lui, on restait donc en République. Plus tard, lorsque Mussolini proclamera la déchéance de la monarchie, Déat écrira, tout joyeux : « *L'Italie devient une République fasciste. Nous saluons cette alliance de mots, non pas comme une nouveauté, mais comme la consécration solennelle d'une évidence depuis longtemps proclamée par nous. »* (*L'Œuvre,* 17-9-1943.) Aux cadres du *R.N.P.,* réunis le 15 février 1941, à Paris, rue des Cloys, il déclarait que pour faire la révolution nationale, il fallait « *reprendre la France et la rendre à elle-même en délivrant le Maréchal »*. Il s'agissait, en effet, de le délivrer de la camarilla vichyssoise qui trahissait, disait-il, la Révolution.

Anti-vichyssois, Marcel Déat le restera jusqu'au jour où Pierre Laval lui fera, enfin, une place au gouvernement, — une place qu'il faillit bien ne pas obtenir, ainsi qu'en témoigne sa colère dans trois articles de *L'Œuvre* en février 1944 contre « *le plus costaud des sous-maurassiens »* dont les attaques avaient, pensait-il, fait échouer les tractations de ses amis à Vichy. Car, il n'est pas inutile de le rappeler, les diverses tendances de l'opinion — sauf les tendances marxistes — continuaient d'être représentées sous l'occupation, et, pour les nationalistes de Vichy — ou de Paris — le *R.N.P.* constituait l'adversaire auquel il était reproché toutes les tares de la IIIᵉ République et du Front Populaire ! La direction du *R.N.P., après* le départ du *M.S.R.,* était assurée par sa *commission permanente* réunie sous la présidence de Déat. Elle comptait treize membres : Georges Albertini, secrétaire général du mouvement, ancien dirigeant de l'*Institut Supérieur Ouvrier,* membre, avant la guerre, du *Comité de Vigilance des Intellectuels Antifascistes ;* Henri Barbé, ancien dirigeant du *Parti Communiste,* secrétaire général en 1936-1940 du *P.P.F. ;* René Benedetti ; Michel Brille, député de la Somme, ancien membre de l'*Alliance Démocratique ;* Francis Desphelippon ; Georges Dumoulin, ancien secrétaire général de la C.G.T. (« le rival de Jouhaux ») ; Emile Favier ; Jacques Guionnet ; Gabriel Lafaye, député de la Gironde, ancien sous-secrétaire d'Etat au Travail ; Maurice Lévillain, conseiller municipal de Paris, conseiller général de la Seine, ancien socialiste *S.F.I.O. ;* B. Montagnon, ancien député de Paris (*S.F.I.O.,* puis néo-socialiste) ; Georges Rivol-

Les fondateurs du R.N.P. : Vanor, Deloncle, Déat, Goy et Fontenoy

let, député, ancien ministre des Anciens Combattants ; Roland Silly, ancien secrétaire de la Fédération *C.G.T.* des Techniciens, ancien socialiste *S.F.I.O.* (tendance Paul Faure), fondateur du groupe *France-Europe,* chef des *Jeunesses Nationales Populaires.* Dans les cadres du *R.N.P.,* nombreux étaient les syndicalistes : Kléber Legeay (mineurs), Jean Pellisson (techniciens), Charles Dooghe (employés), président du *Centre Syndicaliste de Propagande,* une annexe du *R.N.P.,* Louis Louis (navigation), Roger Paul (textile), René Mesnard, président du *Comité Ouvrier de Secours Immédiat,* directeur de l'*Atelier,* Francis Delaisi, Vaillandet (*Union de l'Enseignement*). Il y avait aussi des jeunes : Michel Courage (Etudiants *R.N.P.*), Maurice Martin, Henri Offroy, Albert Mancasola, Jean Bringuier, Rodolphe Sabatier, J. Grau, Georges Grandhomme, Henri Macé, Raymond Fayolle (cadets *J.N.P.*), P.-L. Jouille, François Grampeix (propagande *J.N.P.*), Christiane de Clerck, Yves Guilbert, Roland Bernier, etc. Mohammed El Maadi assura quelque temps la direction du Comité *R.N.P.* des Nord-Africains, et Paul Perrin, ancien député, dirigea avec l'industriel Eugène Schueller (jusqu'à la brouille avec le *M.S.R.*) le *Comité d'Action Economique* et son bulletin intitulé *Petites et Moyennes Entreprises.* Après le départ des membres du *M.S.R.,* la *Légion Nationale Populaire* avait été remplacée par une *Milice Nationale Populaire* dont Roger Poisson était le responsable pour la région parisienne. Dans les milieux ouvriers, l'action psychologique, comme on dirait aujourd'hui, était confiée au *Centre Syndicaliste de Propagande.* Le *R.N.P.* fut interdit à la Libération et ses dirigeants connurent les rigueurs de l'épuration. Quant à son chef, Marcel Déat (voir à ce nom), il mourut en exil.

RASSEMBLEMENT DU PEUPLE FRANÇAIS (R.P.F.).

Le gaullisme est né en 1940 à Londres, quand le général De Gaulle lança son *appel du 18 juin.* Le gaullisme *politique* est né six ans plus tard, à Bayeux, lorsque l'ancien président du gouvernement provisoire ébaucha, dans un discours célèbre, les principes de son action future. Mais c'est à Bruneval, le 30 mars 1947, que le Général dit son intention de rassembler lui-même le peuple français et c'est à Strasbourg, huit jours plus tard, qu'il annonça solennellement la création du *R.P.F.* : « *Il est temps,* déclara-t-il, *que se forme et s'organise le Rassemblement du Peuple Français qui, dans le cadre des lois, va promouvoir et faire triompher par-dessus les différentes opinions le grand effort de salut commun et de réforme profonde de l'Etat.* » Aux élections de novembre 1946, les gaullistes s'étaient présentés sous diverses étiquettes et sous l'égide de plusieurs partis et groupements.

Quelques-uns avaient obtenu l'investiture de l'*Union Gaulliste* (voir à ce nom) constituée quelques semaines plus tôt. C'est le 14 avril 1947, avec le *R.P.F.*, que le général De Gaulle rassemble autour de lui les partisans éparpillés, en vue de réviser cette Constitution de 1946 qu'il avait formellement et bruyamment condamnée la veille de son adoption par référendum. Les statuts du *R.P.F.*, déposés le 29 mai 1947, étaient signés par les fondateurs : le général De Gaulle, André Malraux, le professeur Mazeaud, Pasteur-Vallery-Radot, Gilbert Renaud (colonel Rémy), Jacques Soustelle et Gaston Palewski. A ces premiers dirigeants, qui firent partie du Comité exécutif, puis du Conseil de direction du *R.P.F.*, se joignirent : Jacques Baumel, Pierre Benouville, dit Guillain de Benouville, le général Billotte (qui remplaça le colonel Rémy, démissionnaire), Chr. Fouchet, le professeur M. Prelot, Louis Vallon, Mme Félix Eboué, Victor Chatenay, Edmond Barrachin, René Capitant, Edmond Michelet, Louis Terrenoire, Paul Giacobbi, André Diéthelm, Jean Richemond, dit Alain Bozel, Jean Pompei, Léon Noël. Le secrétaire général du Conseil de direction fut (à partir de 1949) Pierre Troisgros ; Jacques Soustelle, lui, assumait les fonctions de secrétaire général du parti (Louis Terrenoire le remplaça en 1951). Au Conseil national (140 membres), comprenant les représentants des groupes d'entreprises, des délégués des fédérations et des membres désignés par la direction du *R.P.F.*, siégeaient : Raymond Aron, P.-L. Berthaud, Félix Garas, Jean Nocher, Albert Ollivier, Jean-Louis Vigier, André Rousseaux, écrivains et journalistes ; Aimé Clariond, artiste dramatique ; Paul Claudel, Brugère, Gabriel Puaux, ambassadeurs de France ; les généraux Catroux, de Monsabert; Mgr Jules Hincky et l'abbé Viallet ; Carlini, maire de Marseille ; Durbet, maire de Nevers ; Guthmuller, maire d'Epinal ; Raymond Boisdé ; Michel Maurice-Bokanowski ; le colonel Dupérier (connu au *P.S.F.*, avant la guerre, sous son patronyme : Sternberg de Arméla) ; Pierre Ferri ; René Fillon ; Jacques Foccart ; Marc Jacquet ; le professeur Robert Le Balle ; Michel Plouvier, conseiller à la Cour des comptes ; le professeur Leduc, de la Faculté de droit de Paris ; Irène de Lipkowski ; Bertrand Motte, Maurice Rheims, Georgette Soustelle, Henri Ulver, etc. L'organe officiel du *R.P.F.* était *Rassemblement* (voir à ce nom). A la tête du *Service d'ordre* du *R.P.F.* (qui était aussi, en partie, un service de renseignements), chargé d'assurer la sécurité des dirigeants du parti et de protéger les réunions contre les perturbateurs, se trouvait Dominique Ponchardier, frère de l'amiral Ponchardier, auteur de fameux romans de la *Série noire* dont « le Gorille » est le héros ; il avait pour principaux collaborateurs René Serre, qui était le garde du corps du général De Gaulle, Paul Comiti et Mattéi. Le *Service d'Action Civique* (S.A.C.) succéda au *service d'ordre* lorsque le *R.P.F.* suspendit ses activités. L'une des sections les plus importantes du *R.P.F.* était, certainement, celle des anciens combattants, constituée en groupement spécial, ayant son Conseil national propre. Sa direction effective était assurée par le professeur Léon Mazeaud, délégué national du *R.P.F.* aux Anciens combattants — mais aussi président de la *Fédération nationale des Déportés et Internés de la Résistance* — assisté de Marcel Guillot et Jean Bertin, puis par Marcel Faucher et Pierre Lamaison, secrétaire général de l'*Union nationale des Evadés de France*. Les membres du Conseil national du *Groupement des Anciens combattants du R.P.F.* étaient au nombre de trente-deux. Parmi eux figuraient le général d'aviation André Challe, Pierre Chanlaine, le colonel Dupérier, le capitaine de frégate Edouard Gamas, président de la *Fédération française des coloniaux et anciens coloniaux*, Mme Anthonioz, née Geneviève De Gaulle, nièce du général, l'abbé Georges Henocque, ancien aumônier militaire de 1914-1918, ancien dirigeant du parti bonapartiste et des *Jeunesses patriotes*, Paul Jonas, le général de Monsabert, Antoine Quinson, futur député-maire de Vincennes, le général de Vernejoul et l'amiral Commentry. La section *Organisation et action* était présidée par Edmond Michelet ; celle des *Questions économiques*, par Maurice Lemaire, futur ministre de Mendès-France ; celle des *Affaires extérieures*, de l'*Union française* et de la *Défense nationale*, par Léon Noël, ancien diplomate, devenu député et administrateur de sociétés. Parallèlement à ces grandes sections fonctionnaient des commissions : la commission de la *Réforme de l'Etat* (présidée par René Capitant), celles de l'*Action ouvrière* (Yvon Morandat), de l'*Action agricole* (Roger Dusseaulx), des *Jeunes et Etudiants* (Pierre Lefranc), de l'*Action cadres* (Henri Lespes), de l'*Action féminine* (Janine Alexandre-Debray), des *Fonctionnaires* (François Fabre), de *La Famille et la Santé* (Henri Mazeaud), du *Logement* (Roland Nisse), de la *Sécurité sociale* (prince Jean de Broglie). Le financement de cette formidable machine politique, qui compta jusqu'à 500 000 membres (en 1947), et dont les candidats recueillirent 6 millions de suffrages aux élections municipales de cette même année, était assuré par une sorte de comité financier dont Alain Bozel, trésorier général du mouvement, est le responsable. Henry Coston a expliqué, dans « Le Retour des 200 Familles », que le R.P.F. reçut un appui financier important du Grand Capital et que « ses représentants avaient été nombreux à y adhérer. » « Après la faillite du tripartisme, ajoute-t-il, le C.N.P.F. ne craignit plus de soutenir fiancièrement le mouvement gaulliste. M. Villiers aurait même tenté de constituer, d'accord avec le Général et pour son compte, un "cabinet fantôme", présidé par M. Paul Reynaud. Par la suite, le trésorier de l'organisation gaulliste, qui avait son bureau à la banque de Rothschild frères, fut un des fidéïcommissaires des puissants banquiers internationaux : le sénateur René Fillon. » Jean Richemond (dit Alain Bozel), dont le père avait été vice-président du C.N.P.F. et qui présidait la Sté Bozel-Malétra (trust de l'industrie chimique) savait pouvoir compter sur le grand patronat et sur nombre d'hommes d'affaires et de finances naviguant dans les eaux gaullistes : Jonas, président du Crédit Lyonnais ; Pierre Lebon, président de l'Union des Banques ; Marcel Verrière, fondé de pouvoir de la Banque Mobilière Privée ; André Diéthelm, directeur de L'Urbaine ; Raymond Boisdé, président du Bon Marché ; Léon Noël, administrateur de Rhône-Poulenc, d'Esso-Standard, de la Cie Foncière de France et diverses autres firmes; Pigozzi, directeur de Simca ; Marcel Dassault, l'industriel de l'aéronautique. Ce n'est qu'à partir de 1951, lorsque le C.N.P.F. s'intéressa de très près à l'entreprise de Roger Duchet, le Centre national des Indépendants, et après la scission qui suivit l'investiture du président Antoine Pinay, en 1952, que l'appui du « gros argent », comme dit Beau de Loménie, commença à manquer au R.P.F. Mais ce n'était probablement que la conséquence des échecs successifs du parti gaulliste. Au début, le R.P.F. fut un véritable rassemblement ; mais il devint bien vite un parti, encore que ses dirigeants s'en fussent défendus. Au thème de la révision constitutionnelle furent alors ajoutés deux nouveaux slogans : « L'association capital-travail » et « l'allocation-éducation », le premier visant à attirer les ouvriers, le second à rallier les catholiques. Mais ni cette aide détournée à l'école libre, ni cette promesse de participation aux bénéfices de l'entreprise n'allaient satisfaire la clientèle recherchée. A une époque où les classes moyennes et une fraction importante de la classe ouvrière redoutaient une action du P.C.F., le R.P.F. devait aussi, dans l'esprit de son fondateur, servir de point de ralliement aux adversaires du communisme. D'où ses attaques contre ceux qu'il appela les « séparatistes ». « Sur notre sol, dit-il dans son discours de Rennes (juillet 1947), au milieu de nous, des hommes ont fait vœu d'obéissance aux ordres d'une entreprise étrangère de domination dirigée par les maîtres d'une grande puissance slave... Pour atteindre leurs fins, il n'y a pas de moyens que ces hommes n'emploient... » Après le « raz de marée gaulliste » d'octobre 1947, on escompta la prise du pouvoir par le Général. Mais la IVᵉ République se défendit bien, et le reflux vint. Aux élections sénatoriales qui suivirent, le R.P.F. eût certes de nombreux élus, mais 52 seulement restèrent fidèles. A celles de juin 1951, grâce à un ingénieux système d'apparentement, grâce aussi aux candidatures C.N.I. qui glanèrent la moitié des voix de droite malgré les promesses gaullistes d'amnistie pour les pétainistes, le régime triompha : le R.P.F. n'eût que 120 élus. C'était l'échec. Sans doute, le groupe parlementaire gaulliste tenta-t-il de manœuvrer, votant avec ensemble contre les projets financiers du gouvernement, contre la C.E.C.A., contre les principes de la C.E.D. et pour la loi Barangé, s'abstenant en bloc lors des votes d'investiture, n'hésitant pas à mêler ses voix à ceux des communistes dans l'espoir d'empêcher le « Système » de fonctionner, tentant de provoquer la paralysie du Régime et de créer un climat politique favorable au retour du Général. Malgré tout, les chefs du R.P.F. devront attendre encore sept ans cet heureux événement, et le climat politique qui le rendra possible n'aura pas été créé par eux, mais par des gens qui n'étaient pas leurs amis... La situation financière, en se détériorant, ne facilita point la tâche du R.P.F. Lorsque le futur « sauveur du franc », Antoine Pinay, sollicita l'investiture de l'Assemblée nationale (6 mars 1952), le groupe parlementaire gaulliste se divisa : bien que la direction du R.P.F. eut invité à l'abstention, 27 députés R.P.F. votèrent pour Pinay. Ils se retrouvèrent 34 le 8 avril pour voter l'amnistie et 41, le 21 mai, pour approuver l'emprunt indexé sur l'or. Le gaullisme était en perte de vitesse et son parti entrait en agonie. On le vit bien lorsque le futur garde des Sceaux de la Vᵉ République, Edmond Michelet, posa sa candidature à l'élection partielle du 2ᵉ secteur de la Seine et y fut assez piteusement battu. Sa défaite montra aux modérés élus sous l'étiquette *R.P.F.* que leur avenir politique était sérieusement compromis s'ils demeuraient fidèles au parti moribond. Ils le quittèrent en juillet 1952 lorsque le concile *R.P.F.* eût adopté par 478 voix contre 56 une motion impliquant la discipline de vote des parlementaires gaullistes. Le 12 juillet, 26 députés *R.P.F.* démissionnaires constituaient le groupe d'*Action Républicaine et Sociale* dont les membres rejoignirent le *Centre national des Indépendants* par la suite (23-6-1954). N'attendant pas que ses parlementaires l'abandonnent, le général De Gaulle, ulcéré par le nouvel échec électoral du *R.P.F.* aux élections municipales du 26 avril 1953 (il ne recueillit que 10 % des suffrages), rendit leur liberté aux élus gaullistes (déclaration du 6 mai 1953). Ceux-ci formèrent à l'Assemblée le 12 juin 1953 le groupe d'*Union Républicaine d'Action Sociale* (U.R.A.S.) qui s'appela ensuite groupe des *Républicains Sociaux*. Chaque député U.R.A.S. ne conservait avec le *R.P.F.* que des liens personnels. Le *R.P.F.* n'était plus, dès lors, qu'un cercle de fidèles, auxquels la bonne parole de Colombey-les-Deux-Eglises était dispensée par l'intermédiaire du *Courrier d'Informations Politiques* (40 000 ex. environ) et par des conférences de presse assez irrégulières. Le général mit un terme à l'agonie de son mouvement en annonçant, le 2 juillet 1955, qu'il se désintéressait désormais des affaires publiques : le 14 septembre, le *Rassemblement du Peuple Français* s'éteignait. Les députés gaullistes se dispersèrent : quelques-uns rejoignirent leurs amis de l'*A.R.S.*, Mme de Lipkowski et Louis Vallon se rapprochèrent de la *Nouvelle Gauche* en gestation ; mais la plus grande partie des députés demeurés fidèles au général (69 au début) constituèrent le *Centre national des Républicains sociaux* (voir à ce nom).

RASSEMBLEMENT POPULAIRE

Plus connu sous le nom de *Front Populaire*, il remonte à l'élection du professeur Paul Rivet au Conseil municipal de Paris, due à l'union de la gauche et de l'extrême-gauche (mai 1935). A partir de juillet 1935, le *Comité permanent du Rassemblement Populaire* siégeait officiellement boulevard Magenta, à Paris ; en fait, il se réunissait au siège de la *Ligue des Droits de l'Homme*. Le secrétariat était assuré par Emile Kahn, de la *Ligue des Droits de l'Homme*, René Belin, de la *C.G.T.* et Octave Rabaté, du *Mouvement Amsterdam-Pleyel* et futur administrateur de *L'Humanité*. C'est ce dernier qui lut le texte du serment que les fondateurs du *Rassemblement populaire* prêtèrent à Buffalo, le 14 juillet 1935. Voici, d'après *L'Humanité* (10-7-1935), la liste des partis et groupements ayant donné leur adhésion au *Rassemblement Populaire* et qui participèrent, à une manifestation monstre, de la place de la République à celle de la Nation, à Paris : *Ligue des Droits de l'Homme, Comité de Vigilance des Intellectuels anti-fascistes, Amsterdam-Pleyel, C.G.T., C.G.T.U., Parti Républicain Radical et Radical-Socialiste, Parti Socialiste (S.F. I.O.), Parti Communiste (S.F.I.C.), Parti Socialiste de France, Parti Socialiste Français, Parti Républicain Socialiste, Parti Radical-Socialiste Camille-Pelletan, Parti d'Unité Prolétarienne, Jeune République ;*

Secours Rouge International, Amis de l'U.R.S.S., Rassemblement mondial des Femmes, Ligue Internationale des Combattants de la Paix, Comité National du Cinquantenaire de Victor Hugo, Fédération des Locataires de la Région Parisienne, Fédération Ouvrière et Paysanne des Associations de Mutilés, Veuves, Orphelins de guerre et anciens combattants, Union des Jeunesses Pacifistes de France, Fédération autonome des Fonctionnaires, Secours ouvrier international, C.G.P.T., Fédération Sportive et Gymnique du Travail, Fédération générale des P.T.T., Fédération des Libres Penseurs de France et des Colonies ;

Confédération du petit commerce et de l'artisanat, Cercle des coopérateurs révolutionnaires, Comité fraternel des Francs-Maçons révolutionnaires, Fédérations des Officiers de Réserves républicains, Association juridique internationale, Ligue anti-impéraliste, Ligue des Médecins contre la guerre, Association des Ecrivains et Artistes Révolutionnaires, Université Ouvrière, Union des Comités de chômeurs, Ligue des Femmes pour la Paix et la Liberté, Union Fraternelle des Femmes contre la Guerre et la Misère ;

Ligue Internationale contre l'Antisémitisme, Travailleurs sans Dieu, Comités de Défense de l'Humanité, Patronage Maçonnique, Ligue des Bleus de Normandie, Fédération Nationale des Comités d'Action et de Défense Laïque, Union Naturiste, Ligue Juive de l'Enseignement, Fédération des Socialistes Chrétiens, etc.

Venaient ensuite les associations suivantes : *Faucons rouges, Comité national de la Jeunesse, Jeunesses Laïques et Républicaines, Jeunes Socialistes Chrétiens, Comité National des Etudiants, Etudiants Socialistes, Etudiants Communistes, L.A.U.R.S., Etudiants du Front Social, Jeunesses Radicales-Socialistes, Equipes de la Jeune République, J.E.U.N.E.S., Jeunes de la LICA, Jeunes Démocrates Populaires, Jeunes des Volontaires de la Paix, Groupes des Auberges de la Jeunesse, Jeunes Anarchistes*, etc.

RASSEMBLEMENT REPUBLICAIN.

Groupement créé en décembre 1944 par des éléments radicaux et modérés cherchant à réagir contre les progrès communistes. Animé par Louis Rollin, Marc Rucart, Henri Roy, Boisvin-Champeaux.

RASSEMBLEMENT TRAVAILLISTE FRANÇAIS.

Parti créé après la Libération par Julien Dalbin. Candidat aux élections municipales en 1947 (4e secteur de Paris : 1er, 2e, 8e et 9e arrondissements), ce dernier, ancien déporté politique (Buchenwald et Dora), avait pour co-listiers du *Rassemblement Travailliste Français* : le colonel Pierre Demery ; Anaïs Guittard, professeur de langues, présidente des *Femmes Françaises Travaillistes ;* Emile Lalieux, ancien membre du *Parti Radical-Socialiste*, puis du *Parti Radical-Socialiste Camille Pelletan*, ancien président de la 3e section de la *Ligue des Droits de l'Homme ;* Kléber Poncin, ancien membre du *Parti Républicain d'Unité Populaire ;* Léonie François-Arlencourt, institutrice e.r. ; Jean Deberque, agent technique, ancien membre du *P.R.U.P. ;* Alain Grésillon, agent de fabrique, du C.D. de la *Fédération Démocratique des Travailleurs ;* Gilbert Labbé, comptable. Le *Rassemblement Travailliste Français* publiait un journal, *L'Appel de Paris* (voir à ce nom).

RASSINIER (Paul).

Professeur d'histoire, né à Bermont (Territoire de Belfort), le 18 mars 1906. Fils d'un militant socialiste qui fut vice-président du conseil général de Belfort de 1922 à 1942. Militant pacifiste, fut entraîné dès 1922 au *Parti Communiste* par Victor Serge et L.-O. Frossard. Ayant participé à l'opposition au sein du *P.C.*, fut exclu. Milita avec Souvarine et Pierre Monate dans une organisation communiste indépendante, puis rejoignit la *S.F.I.O.* en 1934 après les fameuses journées de février. Devint bientôt le secrétaire fédéral du *Parti Socialiste* à Belfort. Appartint à la tendance Marceau Pivert, puis à celle de Paul Faure, lorsque les risques de guerre se précisèrent. Son pacifisme le rendit suspect au gouvernement Daladier comme, plus tard, aux Allemands qui occupaient la France. Résistant de la première heure, fut l'un des fondateurs du *Mouvement Libé-Nord.* Arrêté par la Gestapo le 30 octobre 1943, fut déporté à Buchenwald, puis à Dora. Libéré en 1945, rentré en France sur un brancard, fut déclaré invalide à 100 % + 5 degrés. Reprit sa place à la tête de la Fédération *S.F.I.O.* de Belfort. Candidat à la première Constituante, fut battu par la coalition des communistes et des radicaux (1945) ; plus heureux l'année suivante, il entra à la deuxième Assemblée constituante (1946). Battu le 10 novembre 1946 par une nouvelle coalition communiste-radicale, se retira alors de la vie publique et se consacra plus particulièrement à la propagande pacifiste, donnant des articles à la presse libertaire, en particulier à *Défense de l'Homme* et *La Voie de la Paix*. Dénonça les exagérations du « Résistantialisme » en matière de crimes de guerre, soutenant qu'il y en eut autant et d'aussi horribles dans les deux camps. Il a publié plusieurs ouvrages, notamment : « *Le passage de la ligne* » (1949), « *Le Mensonge d'Ulysse* » (1950), « *Le Parlement aux mains des banques* » (1955), « *Le procès Eichmann* » (1962), « *Le Drame des Juifs européens* » (1964) et « *L'Opération Vicaire* » (1965). Son activité politique et littéraire a déchaîné contre lui les éléments progressistes et communistes, plus particulièrement visés dans ses livres et qui ont entraîné, contre ce Don Quichotte, leurs alliés les plus sûrs.

RATIONALISME.

Doctrine philosophique fondée sur la raison et rejetant toute croyance religieuse.

RASTEL (Georges, Maxime).

Homme politique, né à Montgeron (S.-et-O.), le 29 octobre 1910. Fonctionnaire des Finances (1931-1944), puis préfet des Ardennes (1944) et de la Loire-Inférieure (1945). Directeur de cabinet de Vincent Auriol, alors président de l'Assemblée nationale. A nouveau au ministère des Finances en 1945, fut nommé au Haut Commissariat à la Distribution en 1947, puis conseiller d'Etat en service extraordinaire en octobre 1947 et préfet d'Eure-et-Loir un an plus tard. Démissionnaire en 1951, se présenta aux élections législatives dans ce département et fut élu député *U.D.S.R.* (juin 1951). Nommé trésorier-payeur général de l'Oise, fut néanmoins le successeur de Maurice Viollette à la mairie de Dreux (1959-1965). Entre au conseil général d'Eure-et-Loir en octobre 1960 et fut réélu en juin 1961. Successivement : trésorier général de l'Algérie (août 1960), trésorier-payeur général du Loiret (août 1961) et trésorier général coordonnateur pour la région du Centre (1963). Auteur de « *Controverses doctrinales autour du bimétallisme au dix-neuvième siècle* » (1935), « *Jeux fiscaux* » (1953). Collabora également, avant 1939, à *L'Etat Moderne* et à *Finances Publiques,* et depuis la guerre à la presse régionale.

RAULET (Roger).

Directeur de société, né à Reims, le 28 avril 1900. Conseiller national de l'*U.N.R.* Adjoint au maire de Reims. Conseiller général du 1er canton de Reims (1949-1955). Proclamé député de la 2e circ. par suite du décès de Marcel Falala survenu le 30 novembre 1960. Réélu en 1962. Non candidat en 1967.

RAULIN-LABOUREUR (Etienne, André, Jules, Marie, Joseph de RAULIN de GUEUTTEVILLE de REALCAMP, dit).

Journaliste, né à Laval, le 17 janvier 1902, mort à Léhon (C.-du-N.), le 13 février 1956. Militant d'*Action Française* en Lot-et-Garonne, puis en Bretagne ; en fut exclu en 1925 à la suite d'un faux attentat dont il avait été l'instigateur et la victime. Fonda à Lyon, vers 1929, *L'Union Française,* journal de droite, qui devint en 1931 l'organe de la *Ligue Nationale Populaire* (ex-*Parti National Populaire,* fondé par le Dr Molle, député d'Oran). Fut plusieurs fois candidat aux élections au cours des années 1932-1938 et adhéra même au *P.S.F.,* au temps de Jean Mermoz et de Charles Vallin. Pendant l'occupation, milita dans la Résistance sous le pseudonyme de « *colonel Laboureur* » (*A.S., F.F.I., M.L.N.*). Après la Libération, fut élu député du Maine-et-Loire à la 1re Assemblée Constituante (octobre 1945) sous l'égide de l'*U.D.S.R. ;* son mandat non renouvelé à la 2e Constituante. Elu, cette fois dans la Seine, à la 1re Assemblée Nationale (novembre 1946), quitta bientôt l'*U.D.S.R.* (1948) pour le R.P.F. qu'il abandonna également (1950). Fut aussi conseiller municipal de Montrouge. Diverses excentricités provoquèrent, en 1951, son internement au Centre psychiatrique de Sainte-Anne : quelque temps auparavant, la mairie de Biarritz avait reçu sa visite,

revêtu d'un uniforme de général et, à l'Assemblée, ses propos incohérents avaient provoqué des murmures dans l'hémicycle. Fut néanmoins « *candidat d'Union Nationale et Catholique et d'Unité d'Action des Croyants et des hommes consciencieux* » à Paris, lors d'une élection législative partielle, le 22 juin 1952 : sans succès. La presse ne cita plus guère son nom par la suite, sauf à propos de la mort mystérieuse de sa secrétaire.

RAUST (André-Henri).

Fonctionnaire, né à Decazeville (Aveyron), le 21 décembre 1916. Maire de Cagnac-les-Mines. Conseiller général d'Albi (1949). Député *S.F.I.O.* du Tarn (1re circ.) depuis 1962.

RAUZY (Alexandre).

Homme politique, né à Albi, le 14 janvier 1903. Militant et journaliste socialiste, il collabora de 1923 à 1940 à *La Voix des Jeunes,* à *Germinal,* à *La Montagne* et au *Midi socialiste.* Il fut élu député pour la première fois le 29 avril 1928 et réélu en 1932 et en 1936. Il fit parti du bureau de la Chambre des députés et appartint à la commission des Affaires étrangères de 1937 à 1940. Entre temps, il fut conseiller général de l'Ariège (1931, réélu en octobre 1937). Nommé membre du Conseil national constitué par le maréchal Pétain, il en démissionna en 1941. Il est aujourd'hui le secrétaire général de l'*Association pour la Rénovation de nos Institutions et la Défense des Libertés Républicaines.*

REACTIONNAIRE.

Nom donné à celui qui, regrettant un état de choses passé, jugé plus satisfaisant que la situation présente, voudrait y revenir, en faisant revivre les institutions traditionnelles. Dans le langage politique courant, *réactionnaire* est souvent confondu avec *rétrograde.*

REAL DEL SARTE (Maxime).

Sculpteur (1888-1954). Par son père, il descendait d'une vieille famille d'origine italienne qui a été illustrée par le fameux peintre André del Sarto que François 1er appela chez nous pour embellir Fontainebleau ; par sa mère il appartenait à une famille de souche parisienne qui comptait parmi les siens Georges Bizet, l'auteur de *Carmen* et de *l'Arlésienne.* Il entra à l'Ecole Nationale des Beaux-Arts en 1908 et fut, au Quartier Latin, l'un des principaux militants de l'*Action française,* à laquelle il resta fidèle toute sa vie. Fantassin pendant la guerre de 1914-1918, il fut grièvement blessé aux Eparges et dût être amputé de l'avant-bras gauche. Sa mutilation ne l'empêcha pas d'être le sculpteur d'une « *Jeanne au bûcher* » (Rouen), d'un Foch et d'un Joffre (Paris), d'un Albert 1er (Nancy), d'un Du Guesclin (Mont Saint-Michel) et d'un grand nombre de monuments aux morts. Candidat de l'*Action française* à Paris, aux élections législatives de 1919 et de 1924, il ne fut pas élu. Maurras lui confia la direction des *Camelots du Roi* au moment où, par ses campagnes, l'*Action française* tentait de faire reconnaître officiellement Jeanne d'Arc comme héroïne nationale. Après quelques années de lutte et de sévères bagarres avec la police, Real del Sarte, par son action à la tête de ses jeunes équipes, put se vanter d'avoir « *imposé à la IIIe République le culte de la Sainte de la Patrie* ».

REALISATIONS DE LA DIRECTION DES RELATIONS PUBLIQUES ET DE L'INFORMATION.

Organisme gaulliste publiant un bulletin de propagande dont Emile Fauquenot est le directeur-gérant (5, rue de Solferino, Paris 7e).

REALISME.

Revue bi-mensuelle fondée à Paris le 11 décembre 1948. C'était une revue de 32 pages, d'une rare violence contre le système et contre le général De Gaulle, dirigée par J.-L. Bienaimé (remplacé quelques mois plus tard par Robert Giroux). Ses rédacteurs se recrutaient parmi les journalistes proscrits et épurés. Des caricatures agressives illustraient les textes : elles étaient l'œuvre de Pédro, le dessinateur de *Gringoire*, et de Ben, auteur de pamphlets clandestins. L'animateur réel de la revue était Christian Wolf, un industriel dynamique et farouchement nationaliste, qui n'hésitait pas à prendre lui-même la plume pour y malmener les « hommes du Système ». Dans son tableau de « la presse d'opposition d'inspiration maréchaliste », *L'Index quotidien de la Presse Française* (28-10-1954) écrivait, à propos de *Réalisme* : c'était « *un pamphlet anti-communiste, anti-gaulliste, dont les six premiers numéros (bi-mensuels) furent tirés à 250 000 exemplaires, ce qui inquiéta les Pouvoirs publics : un « commando » d'anciens résistants défenestra (sic), le 9 février 1949, le siège social des Editions Réalisme et, dès le lendemain le ministre de l'Intérieur frappa la revue d'une mesure d'interdiction à* l'*exposition dans les kiosques et à la vente à la criée* ». Après un succès considérable, le tirage baissa. C'est alors que M. Wolf, qui possédait l'un et subventionnait l'autre, imposa la fusion de *Réalisme* et de *Paroles Françaises* sous un nouveau titre : *France Réelle.*

REALITES.

Revue mensuelle du groupe *Hachette* (voir à ce nom).

REARMEMENT MORAL (Le).

Organisme de propagande et de documentation anti-communiste, de caractère international, animé par Philippe Schweisguth, président de la Société éditant *Le Journal de la France Agricole.* Publie *Courrier d'Information,* revue illustrée paraissant tous les quinze jours. A diffusé, en 1960, au moment de la visite de Khrouchtchev, une brochure intitulée « Idéologie et coexistence » dénonçant la « coexistence pacifique » comme une duperie. (Cette brochure fut tirée à cinquante millions d'exemplaires et distribuée dans quatre grands pays. L'ensemble de cette opération représente une dépense de 8 millions de nouveaux francs, soit 800 millions de francs anciens. Ces fonds, explique *Courrier d'Information* du 18-3-1960, ont été fournis au *Réarmement moral* par une souscription.)

REBATET (Lucien).

Homme de lettres, né à Moras-en-Valoire (Drôme), le 15 novembre 1903. Son grand-père, Hippolyte Tampucci, compagnon de jeunesse de Gérard de Nerval, était un ardent républicain qui faillit être fusillé lors du coup d'Etat du 2 décembre. Il entra dans la presse par la critique musicale et cinématographique et fit ses débuts à *L'Action Française,* il signait François Vinneuil, pseudonyme qu'il a conservé. Il fut ainsi rédacteur au quotidien royaliste de 1929 à 1939. Mais ce n'est qu'en 1935, qu'il publia ses premiers articles politiques, dans *Je suis partout,* que dirigeait alors Pierre Gaxotte et auquel il collabora de 1932 à 1944, c'est-à-dire jusqu'à la disparition du journal. A la même époque, il écrivait dans *Candide, La Revue Universelle, Le Jour* et, plus tard, il collabora régulièrement au *Petit Parisien* et au *Cri du peuple.* Après la guerre, il appartint à la rédaction de *Dimanche-Matin* et donna des articles au *Crapouillot.* Il est, aujourd'hui, l'un des principaux rédacteurs de *Rivarol* et des *Ecrits de Paris* et, sous son pseudonyme, le critique cinématographique du *Spec-*

tacle du monde. De ses trois ouvrages publiés, « *Les Décombres* » (1942), « *Les Deux Etendards* » (1952) et « *Les Epis Mûrs* » (1954), le plus connu, celui qui lui valut le titre redoutable de pamphlétaire, est naturellement le premier. Presque introuvables, payés jusqu'à 100 F d'occasion aujourd'hui, « *Les Décombres* », comme l'a écrit Jean Galtier-Boissière, « *resteront la plus pertinente satire de la drôle de guerre et du régime de Vichy* ». Lucien Rebatet prépare, actuellement, deux autres ouvrages : une « *Histoire de la Musique* » et un roman politique, qui pourrait s'appeler « *La Lutte Finale* » et que ses adversaires attendent avec une impatience mêlée d'appréhension.

REBIERE (André).

Garçon de restaurant (1909-1942). Militant révolutionnaire, membre du C.C. du *Parti communiste*, combattant des Brigades Internationales en Espagne. Fut l'un des organisateurs des *F.T.P.* Fusillé au Mont-Valérien pour le meurtre d'un officier allemand qu'il avait abattu à Bordeaux.

RECLUS (Jean-Jacques, Elisée).

Géographe, né à Sainte-Foy-la-Grande, le 15 mars 1830, mort à Thourout, près de Bruges, le 4 juillet 1905. Fils d'un pasteur protestant. Ses trois frères, Elie, Paul et Onésime, sont célèbres, comme lui-même, pour leurs travaux scientifiques. Son fils, Paul Reclus, fut un militant libertaire actif. Contraint de quitter la France en 1851, en raison de son opposition à Louis-Napoléon Bonaparte, il voyagea beaucoup. Il s'affilia à la 1re Internationale et soutint la Commune, ce qui lui valut une condamnation à la déportation puis à un bannissement. C'est à l'étranger qu'il écrivit le début de sa célèbre « *Géographie universelle* ». Il est considéré comme l'un des principaux théoriciens de l'anarchie. Ses principales œuvres politiques et sociologiques font autorité dans les milieux libertaires, en particulier : « *Pourquoi nous sommes anarchistes !* » (1889), « *Richesse et misère* » (1890), et « *L'évolution, la révolution et l'idéal anarchiste* » (1898). Il a, en outre, publié : « *La Terre* » (1867-1868), « *L'Afrique australe* » (1901), « *L'Empire du Milieu* » (1902) et « *L'Homme et la Terre* » (1905).

RECONCILIATION FRANÇAISE (La)

(voir : **Parti Républicain et Social de la Reconciliation Française**).

RECONSTRUCTION.

Groupe publiant depuis 1946 les *Cahiers Reconstruction* « *pour un socialisme démocratique, pour une culture sociale* ». Comité de direction : Pierre Ayçoberry, Albert Detraz, Emm. Germains, Marcel Gonin, Jacques Julliard, Raymond Marion, Louis Moulinet, Paul Vigneaux.

REFERENDUM.

En langage diplomatique, le *référendum* est la demande d'instructions qu'un diplomate adresse par dépêche à son gouvernement. En matière politique, c'est la pratique d'un gouvernement qui demande directement à l'ensemble des citoyens de se prononcer par *oui* ou par *non* sur une ou plusieurs questions d'intérêt général. Il arrive même de ne demander qu'une seule réponse à deux questions différentes. Par une extension arbitraire, le *référendum* est pratiqué en France en matière constitutionnelle, devenant ainsi un véritable *plébiscite* (voir à ce mot).

REFORME.

Hebdomadaire protestant fondé en 1945 et dirigé par le pasteur Albert Finet. Son équipe rédactionnelle se compose essentiellement d'Albert-Marie Schmidt, Jacques Ferchotte, Gilbert Prouteau, Jacques Bauchère, Louis-Paul Favre, Marcel Reguilhem et Georges Richard-Molard. Son tirage moyen, selon l'*O.J.D.* (11-3-1965), est de 18 000 exemplaires (53-55, avenue du Maine, Paris 14e).

REGARDS.

Magazine illustré d'obédience communiste fondé en 1931. A la veille de la guerre, sa rédaction était assurée par . Romain Rolland, André Malraux, Louis Aragon, Renaud de Jouvenel, Pierre Bénard, Claude Martial, Léon Moussinac, Paul Nizan, Gabriel Péri, Georges Sadoul, Simone Téry (fille du fondateur de *L'Œuvre*), Charles Vildrac, etc. Etait alors « l'hebdomadaire illustré du Front Populaire ».

REGAUDIE (René-Rémy).

Pharmacien, né à La Croisille-sur-Briance (Haute-Vienne), le 14 avril 1908. Conseiller général du canton de Châteauneuf-la-Forêt. Président du Conseil général de la Haute-Vienne. Maire de Châteauneuf-la-Forêt (depuis 1935). Membre de l'*Alliance France-Israël* et du groupe de la *L.I.C.A.* Député *S.F.I.O.* de la Haute-Vienne depuis le 10 novembre 1946.

REGENT.

Remplaçant d'un monarque pendant la minorité, l'absence ou la maladie du souverain (ex. : le « Régent » Philippe d'Orléans pendant la minorité de Louis XV). Acception particulière : le régent de la Banque de France, qui est en quelque sorte le directeur de cet établissement et fait partie de son conseil général.

REGIME.

Forme de gouvernement d'un Etat. L'Ancien Régime est le régime antérieur à la Révolution de 1789.

REGIME PRESIDENTIEL.

Forme de gouvernement inspirée de celui des Etats-Unis, dans lequel « à la tête du Gouvernement fédéral est placé un président élu pour quatre ans, doté de pouvoirs étendus. Ses actes sont contrôlés par le Congrès qui comprend le Sénat (deux membres élus pour six ans) et la Chambre des Représentants, élue pour deux ans par tous les citoyens, proportionnellement au nombre des habitants de chaque Etat ». (J. Bahon dans Encyclopédie Larousse méthodique.) Si l'on en croit Yvon-Gouet (même Encyclopédie). « On a pu voir dans la Constitution du 5 octobre 1958, une transaction entre le régime parlementaire et le régime présidentiel ». Mais déjà cette Constitution donne au président de la République des pouvoirs que n'avaient possédé aucun de ses prédécesseurs, comme par exemple : promulguer les lois, signer les ordonnances et décrets délibérés en Conseil des ministres — alors que le domaine de la loi formelle est fortement restreint par l'art. 34 —; demander une seconde délibération des lois ; envoyer des messages au Parlement; soumettre certains projets de loi au référendum ; dissoudre l'Assemblée ; exercer sans contreseing ministériel certaines des plus importantes attributions ; et surtout user de l'art. 16 qui met pratiquement entre ses mains l'administration complète de la nation. Si bien que le professeur Prélot a pu écrire dans son ouvrage « Pour comprendre la nouvelle Constitution » (1958) que « le président de la République dé-

tient le pouvoir gouvernemental dont le Premier ministre est l'organe exécutif ».

REGIONAL (Le).

Hebdomadaire démocrate-chrétien modéré, fondé après la Libération sous le titre de Régional de Salon et faisant suite au Petit Régional créé en 1912 par Raoul Francou. Son E.-M. comprend : Gabriel Valay, directeur politique, Jean Francou, secrétaire général, Georges Teissier, rédacteur en chef, P. Laugier, administrateur, Jean Chelini, Michel Bert, P. Laugier, G. Helmet. Tirage : 6 000 exemplaires. (10, boulevard de la République, Salon-de-Provence.)

REGIONALISME.

Doctrine de ceux qui désirent conserver à leur région, à leur province, son caractère propre, et diminuer le caractère centralisateur du régime né de la Révolution française (voir aussi : Autonomisme).

REGIS (MILANO, dit Max).

Militant politique (1873-1950). Encore étudiant, il prit la tête à Alger d'un mouvement antisémite qui avait commencé par un chahut contre un professeur israélite de la Faculté de droit ; la mesure disciplinaire, prise contre lui à cette occasion, avait provoqué une explosion, d'abord estudiantine, puis populaire. Au cours des manifestations de rue, un ouvrier maçon, Cayrol, partisan de Régis, fut tué ; lors des obsèques de ce dernier, un israélite, nommé Schébah, fut mortellement frappé. Max Régis fut, par la suite, arrêté comme responsable d'autres violences et traduit en correctionnelle, menottes aux mains. Devenu un martyr aux yeux de ses partisans, les femmes d'Alger lui offrirent, par souscription, des menottes en or, cadeau symbolique que le jeune militant portait en bracelet. Il venait d'avoir vingt-cinq ans lorsqu'il fut élu maire d'Alger (12 novembre 1898) ; six mois plus tôt, il avait fait élire Edouard Drumont député de la capitale de l'Algérie. Ses duels se comptent par dizaines ; ils contribuèrent à le rendre populaire chez les nationalistes. S'étant lié avec Henri Rochefort, qu'il fit venir à Alger, il prononça à son côté un discours incendiaire qui lui valut d'être emprisonné au Fort de Sidi Ferruch. On l'expédia ensuite à Grenoble pour le faire comparaître devant la cour d'assises de l'Isère, jugée moins passionnée que celle d'Alger. Max Régis fut acquitté. Mais on ne le relâcha pas : il fut retenu pour un autre délit, et rembarqué pour Sidi

Ferruch. Finalement, on le remit en liberté. Mais de nouvelles manifestations amenèrent les autorités à sévir à nouveau contre cet opposant : un mandat fut lancé contre lui. Regis n'échappa à l'arrestation qu'en s'enfuyant à bord d'une barque de pêche et se réfugiant à l'étranger. Il laissa passer l'orage. Plus tard, installé à Nice, il y fonda (autour de 1910), un journal, *La Grande France*, puis il s'occupa (dans l'entre-deux-guerres) d'une chaîne d'hôtels du Sud-Est. Retiré de la politique active, il s'intéressait encore au mouvement nationaliste en 1929-1930 et assistait, de temps en temps, au dîner des rédacteurs de *La Libre Parole*. Lorsqu'il s'éteignit, à soixante-dix-sept ans, dans les Hautes-Pyrénées, *Les Nouvelles Littéraires* (17-8-1950) furent probablement le seul journal à signaler sa disparition, en notant qu'il était l'auteur d'un roman de mœurs corses et de mémoires encore inédits.

REGROUPEMENT NATIONAL.

Fondé le 19 octobre 1960 par Jacques Soustelle avec, pour but principal, de tout mettre en œuvre pour « *maintenir l'Algérie dans la souveraineté française* ». Parmi ses adhérents figuraient des parlementaires tels : Delbecque, Brice, Beraudier, Miriot, Battesti, Picard. En décembre 1960, afin de pouvoir participer à la campagne du référendum du 8 janvier 1961, cette formation décida sa fusion avec le groupe *Unité de la République* de l'Assemblée nationale, mais le gouvernement ne reconnut pas cette fusion parce que trop tardive. Le *Regroupement National pour l'Unité de la République* se vit refuser l'usage de la télévision et de la radio et ne fut admis qu'à faire campagne en Algérie, interdiction était faite cependant à J. Soustelle de s'y rendre. Ce dernier décida, étant donné les circonstances, de « *mettre en veilleuse* » le *Regroupement National* (juillet 1961).

REGROUPEMENT DES RADICAUX ET RESISTANTS DE GAUCHE.

Formation des exclus du *Parti Radical* datant de 1946. Groupait, entre autres, Pierre Cot, Albert Bayet, Robert Chambeiron, Justin Godart, Jacques Kayser, Pierre Le Brun, etc.

REIBEL (Charles).

Avocat, homme politique (1882-1966). Fut membre dirigeant, après la guerre de 1914, du *Parti Républicain Démocratique et Social* (ex-*Alliance Républicaine Démocratique*). Député de Seine-et-Oise (1919-1936), puis sénateur de ce département (1936-1942). Inscrit au groupe de la *Gauche Républicaine Démocratique*. Dans l'opposition depuis la Libération, a collaboré à *La Victoire*, organe de la République autoritaire, et apporta le concours de son éloquence au *Mouvement National Progressiste*.

REIMBOLD (Jean, Emile, François).

Universitaire, né à Saint-Dié (Vosges), le 12 mars 1920. Enseigna de 1945 à 1962 à Nancy, Casablanca, Epinal, Clermont-Ferrand et Toulon. Milita au *R.P.F.* (1947-1953). Secrétaire, puis président de ce mouvement en même temps que l'adjoint du délégué au Maroc. Ensuite, vice-président de l'*Union Présence Française* au Maroc (1954-1956). Expulsé du Maroc, s'établit dans le Sud-Est où il fonda l'*Union pour l'Algérie Française* qu'il présida (1960-1961). Dirigea l'organe de ce groupe jusqu'à son entrée dans la clandestinité en janvier 1962 pour éviter l'internement. Chef du *C.N.R.* pour la IXe région militaire et, a-t-on dit, chargé de la structuration de l'ensemble de la métropole, fut arrêté en mars 1964 et condamné par un tribunal d'exception. Amnistié deux ans plus tard, n'a pas été réintégré dans l'enseignement. Vient de publier un livre résumant la position politique de l'auteur : « *Pour avoir dit " non " »* (Paris, 1966).

REMPART (Le).

Quotidien fondé le 22 avril 1933 par Paul Lévy, directeur d'*Aux Ecoutes*. Principaux rédacteurs : Claude Morgan, Jean-Pierre Maxence, René Richard, Jacques Boulanger, Georges Lechartier, Thierry Maulnier, etc. Y collaborèrent également : Paul Bourget, Abel Hermant, Daniel Halévy, André Maurois, René Benjamin, Lucien Corpechot, Henri Massis, Robert Havard de la Montagne, et beaucoup d'autres écrivains renommés. Karzou, E. Tap, R. Guérin, Pem étaient les caricaturistes attitrés du journal. *Le Rempart*, qui s'adressait à un public de modérés et de nationaux, se distingua par sa campagne contre l'Allemagne hitlérienne. Dès 1933, quelques mois après l'avènement de Hitler au pouvoir, il réclama avec force une intervention armée contre son régime. *Le Rempart* fut, à l'époque, un des rares journaux qui se montrèrent favorables à une guerre préventive contre l'Allemagne. « *Nous pouvons assurer aux Français de demain et à l'humanité tout entière une longue paix, si nous arrachons au régime hitlérien ses moyens d'offensive et*

*ses moyens d'invasion (...) Pour empê-
cher l'effroyable malheur que serait une
nouvelle guerre, il faut immédiatement,
l'Allemagne ayant contrevenu à toutes
les stipulations du traité de Versailles,
réoccuper Mayence.* » (Paul Lévy, *Le
Rempart*, 12-5-1933). « *Attendrez-vous,
Français, l'attaque des hordes germaniques ? Grâce à la victoire de 1918, nous
possédons encore la supériorité (...)
Nous ne nous lasserons pas de le répéter : il faut réoccuper la Rhénanie.* »
(*P.L.*, 15-5-1933.) D'abord peu écouté, il
fut entendu du président de la *Ligue
des Droits de l'Homme* : « *M. Victor
Basch* — écrivit-il — *verrait sans répugnance s'accomplir une vigoureuse opération contre l'Allemagne* « *pour la
défense de la démocratie* ». *Aujourd'hui
(...) M. Basch voudrait occuper Berlin.
Lui qui a poussé de toute son influence
occulte à l'évacuation de la Rhénanie,
crime contre la France, selon l'expression du maréchal Foch, s'aperçoit, un
peu tard, que la civilisation, pour se
défendre (...), ne peut se passer de la
force.* » (*P.L.*, 26-5-1933.) Après quelques mois de pulbication, *Le Rempart*
adopta le format dit « demi-quotidien »
— trente ans avant le quotidien de Cino
Del Duca — et s'appela *Aujourd'hui*. Il
disparut au début de l'*affaire Stavisky*,
lorsque son directeur fut inquiété en
raison des relations qu'il aurait eues
avec le financier.

REMY (Gilbert, Léon, Etienne, Théo-dore RENAULT, dit le colonel).

Homme de lettres, né à Vannes, le
6 août 1904. Ascendances bretonnes,
écossaises et luxembourgeoises. Marié
avec Edith Anderson. Avant-guerre fréquentait les milieux d'extrême-droite.
Fort discret sur ses occupations professionnelles entre 1923 et 1940 (le *Who's
Who* est muet sur cette période de sa
vie) ; on sait cependant qu'il débuta à
la *Banque de France* en 1923. Gagna
Londres en 1940 et fonda, en liaison
avec l'*Intelligence Service*, un réseau de
renseignements sous le nom de « *Confrérie Notre-Dame* » (novembre 1940). Participa dès lors à de nombreuses missions
en France occupée (voir ses « *Mémoires d'un agent secret* » (1946) couronnées
par l'Académie française). Irrité par les
excès de l'épuration, devint après la
guerre un partisan nuancé de l'amnistie.
Membre du Comité directeur du *R.P.F.*,
en démissionna après que le général
De Gaulle l'eût désavoué à propos du
maréchal Pétain, dont il demandait la
libération. Fit campagne pour l'amnistie des condamnés « Algérie française »

quinze ans plus tard et fut l'un des organisateurs du pèlerinage de Chartres de
1964. Rompit avec le *S.P.E.S.* (voir à ce
nom) en février 1965, à propos de
l'opportunité de faire célébrer une messe
pour l'Amnistie. Outre les « *Mémoires* »
(cités plus haut), a publié « *Livre du
courage et de la peur* », « *Comment
meurt un réseau* », « *Une affaire de trahison* », « *Les Mains jointes* », « *Mais
le temple est bâti* », « *Le Monocle noir* »,
« *La Ligne de démarcation* », « *Comment devenir agent secret* », etc.

RENAISSANCE DU LOIR-ET-CHER (La).

Hebdomadaire catholique et modéré
fondé le 1er avril 1947 par J. Tournesac.
Tirage : 6 000 exemplaires. (14, rue Che-
monton, Blois.)

RENAITOUR (Jean-Michel TOUR-NAIRE, dit.)

Homme de lettres, né à Paris le 31
mars 1896. Beau-père de Félix Gaillard
d'Aimé, ancien président du Conseil.
Directeur du théâtre Edouard VII et du
journal *La Griffe*. Militant de gauche et
membre de la loge *Francisco Ferrer*.
Appartint à l'*Union Socialiste et Républicaine* (de Paul-Boncour et M. Déat).
Député de l'Yonne depuis 1926, vota, le
10 juillet 1940, les pouvoirs constituants
au maréchal Pétain. Collabora ensuite
aux *Nouveaux Temps*, de Jean Luchaire,
comme il avait collaboré à *Notre Temps*,
fondé par celui-ci, et donna des articles
à *L'Œuvre*, de Marcel Déat. Maire d'Auxerre depuis 1929, le resta jusqu'en 1942.
Est aujourd'hui membre du Conseil général de l'Yonne, où il entra, pour la
première fois, en 1926. Malgré plusieurs
tentatives, n'a pu encore retourner au
Palais-Bourbon.

RENAN (Joseph, Ernest).

Historien, philologue, critique, professeur, né à Tréguier (C.-du-N.), le 23 fé-

vrier 1823, mort à Paris, le 2 octobre 1892. Etudes ecclésiastiques et classiques à Tréguier, au collège Saint-Nicolas-du-Chardonnet (sous la direction de Mgr Dupanloup), grand séminaire d'Issy, puis de Saint-Sulpice. Quitta le séminaire en 1845. Docteur ès lettres, bachelier ès sciences, agrégé de philosophie, spécialiste de l'hébreu et des langues sémitiques. Membre de l'Académie des Inscriptions et Belles-Lettres (1856). Professeur de langues sémitiques au Collège de France (1862). Membre de l'Académie française (13 juin 1878). Collabora à la *Revue des Deux-Mondes* et au *Journal des Débats*. Grand maître du scepticisme moderne et « *tissu de contradictions* », suivant lui-même. Avec « *La vie de Jésus* » (1863), s'affirme comme le champion du positivisme historique, encore que, pour lui, les faits historiques ne soient qu'un matériau que le psychologue interprète pour mieux comprendre les tendances fondamentales de l'esprit humain. La grande idée dominatrice de toute son œuvre — prétendue athée, alors qu'elle est une recherche de Dieu en dehors de la religion catholique et par la seule méthode rationnelle, ou mieux, rationaliste — est résumée par sa phrase favorite : « *Le christianisme est un fait juif.* » En politique, se montra antidémocrate convaincu, de conception aristocratique et même monarchique. Dans son livre « *La Réforme intellectuelle et morale* » paru en 1871, il écrivait : « *La France est (...) le résultat de la politique capétienne continuée avec une admirable suite. (...) Voilà ce que ne comprirent pas les hommes ignorants et bornés qui prirent en main les destinées de la France à la fin du siècle dernier. Ils se figurèrent qu'on pouvait se passer de roi ; ils ne comprirent pas que, le roi une fois supprimé, l'édifice dont le roi était la clef de voûte croulait.* » Et encore : « *L'élection encourage le charlatanisme, détruit d'avance le prestige de l'élu, l'oblige à s'humilier devant ceux qui doivent lui obéir (...) La fatalité de la République est de provoquer l'anarchie et de la réprimer très durement (...) La majorité numérique peut vouloir l'injustice, l'immoralité, elle peut vouloir détruire son histoire et alors la souveraineté de la majorité n'est plus que la pire des erreurs.* » Ce qui ne l'avait pas empêché de se présenter comme candidat à la Chambre dans la circonscription de Meaux en 1869, sans succès d'ailleurs. Principaux ouvrages : « *L'histoire des origines du christianisme* » (7 vol. comprenant « *Vie de Jésus* », 1863 ; « *Les Apôtres* », 1866 ; « *Saint Paul* », 1869, « *L'Antéchrist* »,

1873, « *Les Evangiles* », 1877 ; « *L'Eglise chrétienne* », 1879 ; « *Marc-Aurèle* », 1881), « *Histoire du peuple d'Israël* » (5 vol., 1887-1893), « *Qu'est-ce qu'une nation* » (1879), « *Drames philosophiques* » (1888), « *Avenir de la science* » (1890).

RENAUT (Henri JACOB, dit).

Journaliste et militant politique (voir : *La Dépêche de l'Aube*).

RENIEMENT.

Le terme a trois acceptions : déclarer faussement qu'on ne connaît pas une personne ou une chose ; désavouer ; abjurer. Fréquents en politique, les reniements ont pour motifs : une évolution sincère dans les convictions (cas assez rare) ; une déception idéologique ou personnelle ; l'*arrivisme ;* l'*opportunisme ;* la lâcheté ou la peur. Exemples de reniements : par évolution des conceptions : Lamennais ; par déception : Pucheu ; par lâcheté : Philippe-Egalité, dont H. d'Alméras écrit : « *Ce nom d'Egalité, il ne l'avait pris que pour donner des gages à la Révolution, dont il avait peur.* » (« *Autour de l'Echafaud* ») ; par peur : les Girondins, encore que ces divers exemples doivent être assortis de correctifs. Quant aux exemples de reniements par arrivisme ou par opportunisme, ils sont légion. On citera simplement les cas de Talleyrand et de Fouché, et plus récemment, ceux d'Alexandre Millerand, devenu la coqueluche du faubourg Saint-Germain après avoir renié ses opinions socialistes avancées, et de Michel Debré qui, devenu Premier ministre du général De Gaulle, a renié ses idées exprimées dans le *Courrier de la Colère,* pour en prendre l'exact contre-pied.

RENIER (Léon).

Journaliste, né et mort à Paris (8 juillet 1857-11 septembre 1950). Fils d'Emile Rénier, l'un des pionniers de la publicité en France. Fit ses premières armes au *Figaro* avant de devenir le directeur de *L'Union Libérale,* de Nantes, et l'un des rédacteurs de *L'Echo de Paris.* Puis, suivant l'exemple de son père, entra dans la publicité, et devint le « grand patron » de l'*Agence Havas,* reine incontestée, sous la Troisième République, de l'information et de la réclame. Son fils, Léon-Maurice Rénier, dirigea avant la guerre, la branche publicité de l'*Agence Havas.* L'une de ses deux filles a épousé le publicitaire Planson, secrétaire de la société *Petit Journal-Publicité,* et a donné le jour à Claude Planson, aujourd'hui directeur administratif d'un grand théâtre subventionné, avant la guerre, dirigeant des chemises bleues de Marcel Bucard, dont il était co-fondateur et, pendant la guerre, chef de la *Jeunesse de France et d'outre-mer* (1941-1942), puis des *Jeunesses Francistes*, à Paris, et membre du Comité du *Front Révolutionnaire National* (1943).

RENOUARD (Isidore, Marie).

Commerçant, né à Langon (Ille-et-Vilaine), le 2 février 1910. Marchand de produits agricoles (légumes). Maire de Langon (depuis 1940). Candidat *M.R.P.* en janvier 1956 sur la liste de P.-H. Teitgen (battu). Conseiller général de Redon (1958). Député d'Ille-et-Vilaine (4ᵉ circ.) depuis 1958. Se présenta aux élections générales de 1962 comme « *candidat républicain d'Union et d'Action Sociale et Rurale* » (avec l'investiture de l'organisation d'André Malraux) contre un « candidat d'Union Gaulliste », M. Joseph de Sonis. Dans sa profession de foi, M. Renouard ne parlait pas du général De Gaulle, ni de l'*U.N.R.* Il se prétendait même « libre de toute attache politique de parti ». Est, à l'Assemblée, apparenté au groupe des *Républicains Indépendants*.

RENAUDEL (Pierre Narcisse).

Homme politique (1871-1935). Entré dans le *Parti Socialiste Révolutionnaire* (*P.S.R.*) en 1899, fut délégué de la Fédération de la Seine-Inférieure au Congrès de son parti en 1900 et appartint au Comité interfédéral du *Parti Socialiste Français* (*P.S.F.*) après la scission survenue au sein du *P.S.R.* lors du congrès de Lyon, en 1901. Principal rédacteur du *Peuple*, de Rouen, candidat du *P.S.F.* aux élections législatives de 1902 (non élu). Au congrès d'Amsterdam se révéla comme l'un des animateurs de la fraction extrémiste de son parti. Fut, par la suite, secrétaire de rédaction de *La Vie Socialiste*, secrétaire du Parti, délégué permanent à la propagande et administrateur (délégué à la rédaction) de *l'Humanité*. Candidat malheureux, cette fois dans le Var, à une élection partielle en 1909, battu encore en 1910, fut enfin élu en 1914 ; à nouveau battu en 1919, prit sa revanche en 1924 et demeura au parlement jusqu'à sa mort, en 1935. Cofondateur du *Progrès Civique* (1922). Opposé à l'affiliation à la IIIᵉ Internationale communiste, demeura à la *S.F.I.O.* jusqu'en 1933 : à ce moment-là, provoqua (ou approuva) la scission et suivit Adrien Marquet, Marcel Déat, Paul Ramadier et leurs amis, avec lesquels il fonda le *Parti Socialiste de France*. Pendant trente ans, fut considéré comme l'un des principaux chefs du mouvement socialiste.

RENOUVEAU ET FIDELITE.

Groupe gaulliste créé en 1958 par des dissidents de la *Convention Républicaine*. Principaux animateurs : le colonel Charles Damary, Léo Méras, Louis Cambon, Michel Carrière, Charles Moyse, avocat, Philippe Baume, consul de France, ancien président des fonctionnaires *R.P.F.*, Jacques de Backer et surtout Guy Ribeaud, ancien secrétaire général des étudiants du *R.P.F.*, qui fut le collaborateur de Chaban-Delmas.

REPIQUET (Georges).

Agriculteur, né à Port-Vila (Nouvelles-Hébrides), le 15 avril 1912. Ancien maire de Sainte-Suzanne et ancien conseiller de l'Union française, sénateur de La Réunion (depuis 1955). Inscrit à l'*U.N.R.* Administrateur de la *Banque de La Réunion et Bourbonnaise de crédit réunies*.

REPUBLICAIN D'ALSACE (Le).

Fondé à Mulhouse en 1901 sous le titre *Der Republikaner*. Etait quotidien avant 1939 et l'organe de la *S.F.I.O.* en Alsace. Sabordé le 15 juin 1940 et reparu le 29 décembre 1944 comme quotidien et devenu ensuite hebdomadaire. Directeur : Pierre Martin. Tirage : 22 000 exemplaires. (35, rue des Trois-Rois, Mulhouse.)

REPUBLICAIN DU CENTRE (Le).

Quotidien modéré d'Orléans fondé en 1884 sous le nom de *Républicain Orléanais*. Publié avant et pendant la guerre sous la direction d'E. Humblot de Gérus. Seul quotidien du Loiret après l'armistice de 1940. Suspendu à la Libération.

REPUBLICAIN DU HAUT-RHIN (Le).

Journal socialiste créé en 1900 à Mulhouse. Fut dirigé, après la Libération, par Jean Wagner. D'abord quotidien, est devenu hebdomadaire sous le titre de : *Républicain d'Alsace* (35, rue des Trois-Rois, Mulhouse.)

REPUBLICAIN DES HAUTES-PYRENEES (Le).

Quotidien modéré fondé en 1915, à Tarbes et disparu pendant la Seconde Guerre mondiale.

REPUBLICAIN LORRAIN (Le).

Quotidien de gauche bilingue, fondé à

Metz en 1919, sous le double titre : *Le Républicain Lorrain-Metzer Freies Journal* et publié dans l'entre-deux guerres sous la direction de Victor Demange. Sabordé le 14 juin 1940, il reparut le 1er février 1945, Victor Demange en étant toujours le directeur. Absorba en 1961 *Le Courrier de Metz* et son édition bilingue *France-Journal*. La direction du quotidien est assurée par Victor Demange, directeur général et rédacteur en chef, assisté de sa fille Marguerite Puhl, directrice, de son gendre Claude Puhl, administrateur général, et d'Emile Richard, secrétaire général et directeur adjoint. *Le Républicain Lorrain* est publié par la *Société Messine d'Editions et d'Impression*, S.A.R.L. au capital de 679 440 F dont Victor Demange et ses deux filles, Marguerite Puhl et Monique Petit, sont les administrateurs. Son tirage est d'environ 230 000 exemplaires diffusés dans la Moselle, le Haut-Rhin, la Meurthe-et-Moselle, les Vosges et la Meuse (17, rue Serpenoise, Metz).

REPUBLICAIN DE LOT-ET-GARONNE (Le).

Hebdomadaire indépendant fondé en 1944 sous le titre de *Républicain du Marmandais*. Tirage : 5 000 exemplaires. (28, rue Léopold-Faye, Marmande.)

REPUBLICAIN DU SUD-OUEST (Le).

Quotidien radical fondé à Bayonne, le 30 décembre 1944 (24, boul. d'Alsace-Lorraine, Bayonne).

REPUBLICAINS INDEPENDANTS (groupe sénatorial des).

Groupe parlementaire réunissant indistinctement des sénateurs indépendants se réclamant du *C.N.I.P.* (anti-gaulliste) ou du parti de Giscard d'Estaing (pro-gaulliste), ou n'appartenant à aucune de ces deux tendances.

REPUBLICAINS INDEPENDANTS ET DE PROGRES (voir : Fédération Nationale des Républicains Indépendants).

REPUBLICAINS ET RESISTANTS (groupe des).

Apparenté au groupe communiste de l'Assemblée (1945), ce groupe parlementaire était composé de : Gabriel d'Arboussier, Emm. d'Astier de la Vigerie, Gilbert de Chambrun, Pascal Copeau, Pierre Parent, Paul Tubert, Sisscko et Houphouet.

REPUBLIQUE.

Régime politique dans lequel la souveraineté est, en principe, exercée soit par le peuple tout entier, qui délègue ses pouvoirs à des représentants (parlement) ou à un président élu par lui, soit par une partie du peuple (aristocratie). Certains adversaires de cette forme de gouvernement estiment que, trop souvent, le pouvoir est exercé en fait par des oligarchies financières. Le nom de *république* peut recouvrir des régimes très différents, allant de la *république populaire* à la *république autoritaire*. En France, la république fut proclamée pour la première fois par la Convention le 21 septembre 1792 ; devenue *consulaire* en 1799, elle disparut le 28 mai 1804, à l'instauration de l'Empire. Elle fut rétablie (Deuxième République) après la révolution de février 1848 qui renversa la Monarchie de Juillet ; elle céda la place au Second Empire le 7 novembre 1852. Proclamée par les révolutionnaires du 4 septembre 1870, la Troisième République fut organisée par la Constitution de 1875. Elle fut « mise en sommeil » en juillet 1940, lorsque le parlement vota les pouvoirs constituants au maréchal Pétain (voir : *Dix juillet 1940*), et réveillée par le gouvernement provisoire du général De Gaulle en août 1944 après la Libération de Paris. Après le vote de la Constitution de 1946, la Quatrième République fut établie ; elle dura douze ans. A la suite des événements de mai 1958, qui portèrent le général De Gaulle à la présidence du conseil, une nouvelle constitution proposée par le nouveau chef du gouvernement fut adoptée en septembre 1958 ; le général De Gaulle fut, peu après, élu président de la Cinquième République, par un collège restreint de 80 000 notables. Après modification de la Constitution, il fut réélu au suffrage universel (décembre 1965), au second tour de scrutin, avec 55 % des votants et 45 % des inscrits.

REPUBLIQUE (La).

Quotidien radical-socialiste fondé en 1928 et disparu en 1940. Directeur : Emile Roche. Rédacteur en chef : Pierre Dominique. Principaux collaborateurs : Joseph Caillaux, A. de Monzie, Marcel Déat, Jacques Kayser, L.O. Frossard, André Sauger, Pierre Paraf, Pierre Brossolette, Annette Sauger, etc.

REPUBLIQUE (La).

Quotidien créé en septembre 1944

dans les locaux du *Mémorial des Deux-Sèvres* interdit ; s'intitulait « *organe officiel du Comité de Libération des Deux-Sèvres* ». La rédaction en était assurée par un groupe de résistants sous la direction de Pierre Bruneteau, pharmacien, aujourd'hui décédé. Bien que plusieurs membres du Comité de Libération fussent des modérés, le journal était nettement axé à gauche. Faute de lecteurs, *La République* disparut en décembre et les éléments de gauche de sa rédaction, ayant apporté les listes et les plaques des abonnés au *Libre Poitou*, firent une édition départementale de ce journal pour les Deux-Sèvres.

REPUBLIQUE.

Quotidien socialiste varois, fondé en 1946 et dépendant du *Provençal* de Marseille. Son tirage est d'environ 60 000 exemplaires. Edité par une société dont le conseil d'administration comprend : François Leenhardt, président-directeur général, Jacques Defferre, directeur général adjoint, et Gaston Defferre (10, rue Truguet, Toulon).

REPUBLIQUE DU CENTRE (La).

Quotidien régional fondé à Orléans en 1944 et dirigé par Roger Secrétain, qui fut député *U.D.S.R.* du Loiret de 1951 à 1956. Organe de défense démocratique, du centre gauche. Outre Roger Secrétain, l'état-major de *La République du Centre* comprend : Pierre Carré, directeur général adjoint, Marc Carré, rédacteur en chef adjoint, Ch. Leroy, secrétaire général de la rédaction, que secondent à la rédaction : R. Lemesle, R. Guillaumin, P. Thévenin, Rousseau, M. Guerré, Janine Carré, J. Rameau, Robinet, Blanquet, etc. Le journal est édité par une société anonyme à participation ouvrière, fondée le 27 septembre 1944, mais enregistrée le 29 novembre 1945. Au cours de ces dix dernières années, ont appartenu (et pour certains, appartiennent encore) à son conseil d'administration : Roger Secrétain, Jean Guerold, Georges Carré, Pierre Gabelle, Félicien Robichon, Roger Neveu, Pierre Carré, Lucien Frézeau, Robert Smolevsky, Lucien Sabourin, Mme Rouzé, née Percheron, Guy Chemin et Roger Guillaumin. Les 70 000 exemplaires de *La République du Centre* sont diffusés dans le Loiret et l'Eure-et-Loir (39, rue de Bourdon-Blanc, Orléans).

REPUBLIQUE DEMOCRATIQUE, LAIQUE et SOCIALISTE (Pour une).

Bulletin fondé en 1964 par René Fallas, Charles Lussy, et Claude Willard. Exprime l'opinion d'une tendance à la fois avancée et indépendante du socialisme (direction : Cl. Willard, 4, rue Francisque-Sarcey, Paris 16e).

REPUBLIQUE DE L'EST (La).

Quotidien régional né de la fusion, en octobre 1933, de *L'Alsace*, de Belfort, et de *La Dépêche Républicaine*, de Besançon, respectivement dirigées par Louis Viellard et le marquis de Moustier. La société éditrice du journal, fondée la même année, au capital de 725 000 F avait pour administrateurs : le marquis de Moustier, sénateur, le comte Lionel de Moustier, député, Henry Lance, vétérinaire, Emile Lardier, avocat, et Emile Pourchet, négociant, auxquels se joignirent les années suivantes, le Dr Henri Roland, Auguste Vetter, de la société *Alsthom*, Stéphane Chabod, industriel, Charles Touvet et Victor Scheek, négociants. En raison de difficultés financières chroniques, la société dut procéder à une augmentation de capital à laquelle participèrent, outre Lionel de Moustier, *La Presse Réunie*, de Strasbourg, la *Société Générale d'Imprimerie*, de Belfort, et la maison d'édition *Alsatia*, de Colmar. Ayant poursuivi sa publication pendant l'occupation, et bien que le vieux marquis de Moustier eût été déporté par les Allemands avec l'un de ses fils, *La République* fut interdite et ses locaux furent occupés par les résistants. Une information pour intelligence avec l'ennemi fut ouverte contre les propriétaires du journal. Le 27 avril 1945, une ordonnance de classement mit fin à ces surprenantes poursuites. Mais si la famille de Moustier et leurs amis rentrèrent dans leurs biens, il leur fut interdit de faire reparaître leur journal. *La République de l'Est* devint *La République* avec, en petits caractères, sous le titre : *de Franche-Comté et du Territoire de Belfort.* En 1957, le journal fut racheté par *La Bourgogne Républicaine* et entra dans le groupe dijonnais, appelé aujourd'hui *Les Dépêches*, où son concurrent *Le Comtois* le rejoignit.

REPUBLIQUE FRANÇAISE (La).

Fondée en 1871 par Léon Gambetta, fut sous la direction du fameux tribun républicain secondé par Eugène Spuller — que Drumont n'appelait jamais autrement que « *le Badois Spuller* » — le journal le plus important du *Parti républicain* à une époque où l'Assemblée nationale était dominée par des légitimistes et des orléanistes. Jules Roche, alors député radical (du Var, en 1881-1885, de la Savoie, en 1885-1898, de l'Ardèche, en 1898-1919), en fut le directeur plusieurs années. Louis Latapie, Georges Bonnefous, député de Seine-et-Oise (1910-1936), Georges Weill, Louis Madelin, etc. y collaborèrent régulièrement. Disparu en 1914.

REPUBLIQUE LIBRE (La) (voir : **Parti Socialiste Démocratique**).

REPUBLIQUE LYONNAISE (La).

Hebdomadaire royaliste publié à Lyon de 1927 à la guerre. Le journal était dirigé par Louis Jasseron, délégué régional de *L'Action Française* pour la région lyonnaise.

REPUBLIQUE MODERNE ET SOCIALISME.

Groupement créé en mars 1966 par des amis et d'anciens collaborateurs de Pierre Mendès-France. Fondateurs : Paul Anxionnaz, ancien ministre, président du *Grand Orient de France*, Georges Bourdat, ancien chef de cabinet de Mendès-France, Paul Martinet, son ancien secrétaire particulier, Gérard Constant et Harris Puisais, dirigeants du *P.S.U.*, Richard Dartigues, du *Courrier de la République*, et Georges Scali, ancien secrétaire administratif du *Parti Radical-Socialiste* (18, rue Duret, Paris 16e).

REPUBLIQUE DE L'OISE (La).

Journal fondé à Beauvais en 1877. Etait, dans l'entre-deux-guerres, le quotidien d'union des gauches. Ses deux leaders, Raoul Aubaud et Jammy-Schmidt, appartenaient à la direction du *Parti Radical-Socialiste.* La direction effective du journal était assurée par Félix Séné. Ce dernier demeura à la tête de *La République de l'Oise* après l'armistice de 1940. Il était secondé par André Bonnard et Roger Fournier. A ce moment-là, le journal devint bi-hebdomadaire. Dans ses locaux, sont installés aujourd'hui les services de *L'Oise Libérée*, créée en 1944, sous la direction de Robert Séné, sénateur et maire de Beauvais après la Libération, et d'André Bonnard, rédacteur en chef.

REPUBLIQUE DES PYRENEES (La).

Quotidien de gauche fondé le 13 septembre 1944 sous le titre : *Quatrième République des Pyrénées*, par les animateurs d'une clandestine *Voix du Maquis.* Sa diffusion dépasse 19 000 exemplaires, et elle compte près de 5 000 abonnés. Son état-major est composé de : Ambroise Bordelongue, directeur, Georges Naychent, administrateur et rédacteur en chef, Léon Vergez, secrétaire et rédacteur, etc. (40, rue Emile-Guichenné, Pau).

REPUBLIQUE DE SEINE-et-MARNE (La).

Journal fondé à Melun en 1894. Organe des militants radicaux-socialistes, était animé avant la guerre et après l'armistice de 1940 par Abel Leblanc. Sous la direction de Jean Bonis, a aujourd'hui un tirage moyen de 10 000 exemplaires (3, boulevard Victor-Hugo, Melun).

REPUBLIQUE DU SUD-EST (La).

Quotidien catholique et démocrate fondé en 1901 à Grenoble. Absorba en décembre 1903 *Le Réveil du Dauphiné,* créé en 1870. Etait, avant la guerre, dirigé par Léon Poncet, très lié avec le *Parti Démocrate Populaire.* Parut pendant la guerre sous le titre : *Le Sud-Est,* et la direction d'Irénée Brochier (1896-1966). Suspendue à la Libération et bien que sa direction eût obtenu un non-lieu le 10 mars 1947, resta interdite. Irénée Brochier fit paraître, de 1944 à 1952 un quotidien, *Le Réveil,* qui la remplaça.

Journaux de la clandestinité (1940-1944)

RESISTANCE.

Nom donné, au cours de la Seconde Guerre mondiale, aux organisations s'opposant à la fois aux troupes d'occupation, au gouvernement du maréchal Pétain, aux partisans de la Révolution nationale et à ceux de la collaboration franco-allemande. L'histoire de la Résistance en France se confond avec celle des groupes qui l'ont animée : *Conseil National de la Résistance, C.O.M.A.C., M.U.R., F.F.I., F.-T.P.F.*, etc. (voir à ces noms). Elle a été écrite par de nombreux auteurs, tous favorables : H. Michel, « *Histoire de la Résistance en France* » ; M. Granet, H. Michel, « *Combat, histoire d'un mouvement de Résistance de juillet 1940 à juillet 1943* » ; M. Granet, « *Défense de la France* » ; A. Calmette, « *L'O.C.M. Organisation civile et militaire* » ; M. Granet, « *Ceux de la Résistance* » ; Charles Tillon, « *Les F.T.P.* » ; R. Hostache, « *Le Conseil National de la Résistance* » ; Claude Bellanger, « *Presse clandestine, 1940-1944* », etc. La loi n° 51-18 du 5 janvier 1951, complétant l'art. 30 de la loi du 29 juillet 1881, réprime sévèrement la diffamation commise envers la Résistance.

RESISTANCE-INFORMATIONS.

Bulletin clandestin du *C.N.R.-O.A.S.* paraissant en 1964.

RESISTANCE A L'OPPRESSION.

Selon la définition de Georges Burdeau, « *elle consiste dans le refus, de la part des gouvernés, de se soumettre aux volontés des gouvernants contraires à l'idée de droit d'où procède le Pouvoir dont ils exercent les prérogatives* » (voir : Insurrection).

RESISTANCE DE L'OUEST (La) (voir : Presse-Océan).

Journaux de la Résistance extérieure (1940-1944)

RESTAT (Etienne).

Agriculteur, né à Casseneuil (L.-et-G.), le 23 mai 1898. Sénateur radical de Lot-et-Garonne depuis 1948, conseiller général du canton de Cancon et maire de Casseneuil.

RESTAURATION NATIONALE (La).

Après la disparition de l'*Action Française* (voir à ce nom) et l'emprisonnement de ses principaux dirigeants et collaborateurs, le mouvement animé par Charles Maurras fut quelque temps sans organisation et, mis à part quelques feuilles semi-clandestines ou éphémères, sans moyens d'expression. Le 10 juin 1947, sous l'impulsion de Georges Calzant, ancien chef des *Camelots du Roi*, parut un hebdomadaire, *Aspects de la France et du Monde,* qui devint l'organe du nationalisme intégral. Dans les arrondissements de Paris et les villes de province se reformèrent alors des cercles, des groupes d'études et des comités de propagande qui reprirent l'œuvre des anciennes sections d'*Action Française*. Au congrès de 1950 fut constitué le service de la *Propagande et des Amis d'Aspects de la France,* afin de coordonner l'action des organismes locaux, de susciter la fondation de nouveaux comités et de nouvelles unions royalistes de province, de mettre à la disposition des groupes le matériel indispensable à la propagande et de recruter des conférenciers. C'est la nécessité de grouper toutes ces activités sous un même titre plus évocateur, et de constituer un véritable mouvement politique et hiérarchisé, qui amena la création, fin 1955, de la *Restauration Nationale, Centre de Propagande Royaliste et d'Action Française*. La doctrine du groupement, le *nationalisme intégral*, a été dégagé par Charles Maurras ; ses dirigeants la résument ainsi : 1° *Sans ordre politique, il n'est, pour les hommes vivant en société, ni sécurité, ni bonheur, ni honneur ;* 2° *Seule la Nation constitue une communauté assez complète, assez vaste et assez durable pour permettre aux hommes de créer dans un effort historique les lois, les mœurs et les œuvres de la civilisation humaine ;* 3° *Le Régime républicain met la France en danger de mort ;* 4° *La Restauration de la Monarchie traditionnelle peut, seule, sauver la France*. Favorable à l'Algérie Française, ce qui l'a conduite à préconiser le *oui* au référendum de 1958 — un *oui,* à vrai dire, bien réticent (cf. Georges Calzant, in *Aspects de la France* 13-9-1958) —, *La Restauration Nationale* s'oppose au général De Gaulle depuis 1959 et n'a cessé de faire campagne contre lui et contre ses amis de l'*U.N.R*. Autour du mouvement gravitent diverses organisations, dont les unes se reconnaissent dans la ligne de l'*Action Française,* et les autres n'ont apparemment aucun lien organique avec elle. Parmi les premières, mentionnons : l'*Association des Jeunes Filles Royalistes* et les *Cercles Féminins de Propagande Royaliste,* l'*Institut de Politique Nationale,* l'*Association d'Anciens Combattants Marius Plateau*. Parmi les secondes, citons : le *Cercle Fustel de Coulanges,* l'*Association Professionnelle de la Presse Monarchique et Catholique des départements, Le Souvenir Royaliste Historique,* successeur (récent) de l'*Œillet Blanc, Le Souvenir vendéen, Les Cercles de France,* de Marseille, *Le Souvenir Chouan de Normandie, Les Amis de Charles Maurras, Les Anciens de la Rue Saint-André-des-Arts, Les Amis du Chemin de Paradis*. Le Président du mouvement est l'industriel Bernard Mallet, qui a succédé au comte Louis-Olivier de Roux, fils du bâtonnier Marie de Roux, et gendre du sculpteur Maxime Réal del Sarte, dirigeants du mouvement d'*Action Française*. Le secrétaire général est Pierre Juhel, militant royaliste depuis l'âge de 16 ans ; il assume en fait la plupart des responsabilités du groupement. A l'Etat-Major de la *Restauration Nationale* et d'*Aspects de la France,* figurent : Xavier Vallat, ancien député, ancien ministre du maréchal Pétain, président de l'*Association de la Presse monarchique et catholique ;* Pierre Pujo, directeur d'*Aspects de la France ;* le bâtonnier Yves Le Maignan ; Jacques Bentegeat ; Hilaire de Crémiers, responsable des étudiants ; Bertrand Renouvin, animateur des Cercles d'études ; Hedwige de Cabrières, présidente des cercles féminins ; Maurice de Lansaye, administrateur de journal, J.-C. Fréaud, responsable de l'*A.F. université,* etc. Le dernier congrès du mouvement s'est tenu à Paris le 10 décembre 1966. Il réunit les cadres de la *Restauration Nationale* et les correspondants d'*Aspects de la France*. Il fut suivi d'un banquet de plusieurs centaines de convives parmi lesquels on remarquait, outre les dirigeants du mouvement et du journal : Jacques Maurras, Guy Coutant de Saisseval, la baronne François de Lassus Saint-Geniès, Mme Maurice Pujo, le Dr Raymond Tournay, Mme Guy Réal del Sarte, le bâtonnier Crevon (du Havre), Philippe Le Grand (de Nantes), Roger Joseph, Alain Le Marchand, Antoine Murat, G. Drieu La Rochelle, etc. Le président B. Mallet présenta les excuses de ceux qui n'avaient pu être présents : Henri Massis, Gubernatis, Jacques

Perret, le comte Horace Savelli, le professeur Bariety, le champion olympique Jonquères d'Oriola, Jean Brune, Bernard de Vaulx, Mlle de Paul, l'ingénieur général Ottenheimer, Louis Bonnefond, Maurice Pierrotet, ministre plénipotentiaire, et beaucoup d'autres personnalités du monde nationaliste. Le principal organe du groupement est, nous l'avons dit, l'hebdomadaire *Aspects de la France* (voir à ce nom), qui fusionna en juillet 1950 avec *L'Indépendance Française*. Se refusant à être un journal d'information, il se limite à un rôle essentiellement politique, et le ton de vive polémique, si cher à Léon Daudet, y est constamment à l'honneur. Lancées en mars 1955, *Amitiés Françaises Universitaires* est l'organe mensuel des étudiants de la *Restauration Nationale*. Dans le sillage de *La Restauration Nationale*, bien qu'indépendants d'elle, se trouvent les *Cahiers Charles Maurras* et *L'Ordre Français*. Plusieurs bulletins de sections de la *Restauration Nationale* paraissent à Paris et en province : leur distribution dans des milieux très divers permet une diffusion plus grande des idées maurrassiennes. (10, rue Croix-des-Petits-Champs, Paris 1er.)

RESURRECTION FRANÇAISE.

Bulletin clandestin publié par A. de Montpeyroux-Brousse (1963-1965).

RETHORE (Raymond).

Agriculteur, né à Liré (M.-et-L.), le 4 juin 1901. Maire de Magnac-Lavalette. Député radical-socialiste de Barbezieux (1936-1940). Ne prit pas part au vote sur les pouvoirs constitutionnels le 10 juillet 1940. Prépara sa candidature comme *R.P.F.* dans les Côtes-du-Nord en 1951. Renonça au dernier moment et s'effaça devant Louis Terrenoire, qui fut battu. Candidat tête de « *liste de Défense des Intérêts des Paysans, des Artisans, Commerçants et Travailleurs* », présentée par le parti gaulliste dans les Côtes-du-Nord en 1956 (battu). Nouvelle candidature, cette fois en Charente, où il avait été député radical : élu sous l'étiquette *U.N.R.* dans la 1re circ. le 30 novembre 1958. Réélu en 1962 et en 1967. Membre de l'*Alliance France-Israël*.

RETROACTIVITE.

Application d'une loi à des faits antérieurs à sa promulgation. Le droit romain classique disposait qu'aucune loi ne pouvait avoir d'effet rétroactif. Cette disposition a prévalu dans l'ensemble de la législation française jusqu'aux événements de 1944 — sauf pour certains règlements administratifs comme le Code des Impôts, encore que la rétroactivité en fût étroitement limitée dans le temps. L'ordonnance du 26 août 1944 instituait *rétroactivement* un crime inédit, l'*indignité nationale*, et une sanction nouvelle, la *dégradation nationale* : « *Tout Français qui*, même sans enfreindre une *loi pénale existante, s'est rendu coupable*, etc. » (signé : Charles De Gaulle, H. Queuille, F. de Menthon, E. d'Astier de la Vigerie, Giaccobi, Tixier, R. Pleven, F. Grenier, L. Jacquinot, H. Bonnet, H. Fresnay). L'abandon du principe de non-rétroactivité des lois, pour des motifs strictement politiques, manifeste une dégradation de l'esprit juridique français sous l'ingérence d'un pouvoir partisan, et a ouvert la porte à de nombreux abus.

REVEIL ECONOMIQUE (Le).

Hebdomadaire de l'*Union des Intérêts Economiques*, fondé en 1910. Dirigeants : Ernest et Louis Billiet. (*L'Union* commanditait la campagne électorale des candidats ayant accepté son programme économique et fiscal.)

REVEIL FRANÇAIS (Le).

Journal hebdomadaire anticommuniste et antimaçonnique, publié autour de 1928 par le professeur Emile Bergeron. (Voir : *Centre de Propagande des Républicains Nationaux*.)

REVEIL DU MAINE.

Hebdomadaire socialiste fondé en 1944 et dirigé successivement par Louis Paulus (clandestinité), Louis Duport, André Decreuse, René Couty, Roger Herbert et Maurice Beaulaton, l'actuel directeur général. Rédacteur en chef : Robert Collet, ancien maire du Mans ; directeur politique : Christian Pineau, ancien ministre ; principaux collaborateurs : Max Boyer, ancien sénateur, François Dornic, Jean-Jacques Germann, Ferdinand Legay, etc. Outre son édition pour Le Mans, ce journal possède deux autres éditions : *Le Réveil Castelorien* (Château-du-Loir) et *Les Nouvelles Mayennaises* (Mayenne) (4, place de Stalingrad, Le Mans).

REVEIL DU MORBIHAN (Le).

Hebdomadaire radical fondé en octobre 1945. A pris la succession du *Progrès du Morbihan*. (12, rue de la Monnaie, Vannes.)

REVEIL DU NORD (Le).

Quotidien lillois de gauche fondé en 1889, largement répandu dans les milieux socialistes du Nord (250 000 exemplaires). Ayant poursuivi sa publication après l'armistice de 1940, sous la direction de Mme Eugène Guillaume, Marcel Polvent, Lucien Le Masson et Gaston Fleury, il fut interdit à la Libération et remplacé par *Nord-Matin*. Sa société éditrice fut d'abord condamnée à la confiscation de 50 % de ses biens ; mais cette peine fut finalement commuée en une amende de cinq millions d'anciens francs, grâce aux interventions répétées des socialistes lillois dont *Le Réveil du Nord* avait été l'organe pendant de longues années.

REVEIL NORMAND (Le).

Hebdomadaire centre gauche, fondé en octobre 1944, ayant remplacé *Le Nouvelliste de l'Orne* (fondé en 1885), interdit à la Libération. Successivement dirigé par Francis Roland-Jacquelin, Roland Boudet et Gérard Nohant. Tirage : 17 000 exemplaires. (16-18, rue des Emangeard, Laigle.)

REVEIL DU PEUPLE (Le).

Journal fondé en 1936, par Jean Boissel (voir : *Front Franc*).

REVENDICATION.

Réclamation d'un droit politique ou social, vrai ou prétendu, qui prend l'allure d'une exigence et marque le plus souvent un appel à l'action judiciaire. Ex. : revendication de Gibraltar par l'Espagne ; — revendications salariales.

REVISIONNISTE.

Nom donné par les communistes prochinois aux communistes d'obédience soviétique qu'ils accusent de vouloir *réviser,* donc dénaturer la doctrine marxiste-léniniste.

REVIVRE (voir : Comité d'Action Antibolchevique).

REVOLTE POPULAIRE (La).

Organe de combat socialiste national, fondé par Pierre Pichon et dirigé par André Chaumet.

REVOLUTION.

Revue mensuelle communiste pro-chinoise, luxueusement éditée, abondamment illustrée et publiée en trois éditions (française, anglaise (1) et espagnole). Son

directeur-fondateur, Jacques Vergès, est un militant communiste connu. Il militait au *P.C.F.* lorsqu'il rallia le F.L.N. et constitua à Paris le fameux « collectif » des avocats chargés de défendre les partisans des rebelles et d'assurer la liaison entre les prévenus et l'Etat-Major fellagha. Il fut quelque temps attaché au cabinet du ministre marocain Khatib, puis détaché auprès de la Willaya IV. Au moment de l' « *affaire de Tlemcen* », Me Vergès prit le parti de Ben Bella. Après avoir collaboré avec Khemisti, il fut nommé directeur de *Révolution africaine*, la publication anti-colonialiste créée par les Nord-Africains. Il se rendit alors à Pékin où il fut reçu par Mao tsé Toung. A son retour, il manifesta des sentiments nettement pro-chinois et prit parti pour Pékin contre Moscou dans le conflit idéologique qui divise les deux Grands du communisme mondial. Finalement, il rompit en mai 1963 avec le gouvernement de Ben Bella et regagna Paris où il fonda bientôt la revue mensuelle *Révolution* (septembre 1963), première publication française d'obédience chinoise largement répandue. L'équipe rédactionnelle se composait principalement d'Asiatiques et d'Africains : Hamza Alavi, un Pakistanais extrémiste, Mohamed Babu, qui fut nommé ministre des Affaires étrangères de la nouvelle République populaire de Zanzibar, le Vénézuélien Amilcar Cabrera, l'Américain Richard Gibson, le Vietnamien Nguyen Kien, l'Egyptien Hassan Riad et un révolutionnaire portugais d'Angola, Castro da Silva, les dessinateurs Maurice Sinet, dit Siné, ancien collaborateur de *L'Express*, et Strelkoff (ces deux derniers assument le secrétariat de rédaction). L'administrateur de la revue est Patrick Kessel, le neveu de l'académicien, qui se fit remarquer à la rédaction de *L'Express* par un article préconisant la fusillade pour les poujadistes. A ses abonnés, *Révolution* promit le service gratuit de *Pékin-Information*, « hebdomadaire d'actualité de la Chine populaire ». Dans une page tout entière consacrée à la littérature marxiste-léniniste, *Révolution* annonçait qu'elle « *distribue dans toute la France les publications et les livres de la République populaire de Chine* » et invitait ses lecteurs à adresser leurs commandes et leurs demandes de renseignements aux *Nouvelles Editions Internationales*, à Paris, société éditrice de *Révolution*.

REVOLUTION NATIONALE.

Organe mensuel du *Mouvement Travailliste Français* (1935). Directeur : Raoul de Lagausie. Secrétaire général : René Bourgeois.

(1) Elle fut interdite sur le territoire helvétique en août 1964.

REVOLUTION NATIONALE.

Hebdomadaire fondé en 1941 par Jean Fontenoy. Directeur : Lucien Combelle. Principaux collaborateurs : Drieu La Rochelle, Léon Emery, Marius Richard, François-Paul Raynal, Henri Poulain, Georges Pelorson, Jean Pierret et, à partir de 1943, Robert Brasillach.

REVOLUTION PROLETARIENNE (La).

Revue syndicaliste d'extrême-gauche fondée en 1925 par Pierre Monatte, l'un des fondateurs de la *C.G.T.* et de la *C.G.T.U.*, après son exclusion du *Parti communiste*. Premiers collaborateurs : Rosmer, Boris Souvarine (alias Lifschitz), Maurice Chambelland, secrétaire de la Fédération des chapeliers, J.-P. Finidori, Joseph Peyra, Marcel Martinet, père du médecin, Robert Louzon, ingénieur, principal commanditaire de la revue, etc. Rédigée ensuite par Roger Haguenauer, instituteur « épuré » à la Libération (parce qu'il avait appartenu au Secours d'Hiver du Maréchal), Jean Duperrey, instituteur, venu du surréalisme, Cécile Michaud, institutrice, militante anarchiste, F. Charbit, socialiste *S.F.I.O.*, Gilbert Walusinski, professeur au collège Claude-Bernard, R. Guilloré, Maurice Dommanget, professeur d'histoire, l'un des fondateurs de la Fédération Unitaire (communiste) de l'Enseignement, Roger Lapeyre, haut fonctionnaire, Paul Barton, ami de B. Souvarine, etc. Politiquement, aile marchante du syndicalisme non communiste (anarcho-syndicalisme). S'en tint à la charte d'Amiens (suppression du patronat et du salariat, gestion ouvrière, indépendance syndicale, etc.).

REVOLUTIONNAIRE.

Partisan d'une transformation (brutale ou non) de la structure politique, sociale ou économique d'un Etat. Désigne d'ordinaire l'homme d'extrême-gauche. Mais, depuis Georges Valois, fondateur du *Faisceau*, et le maréchal Pétain, qui employèrent tour à tour l'expression *révolution nationale*, le terme désigne également le nationaliste plus ou moins social, plus ou moins socialisant, qui prône un changement de régime.

REVUE DE DEUX MONDES (La).

Revue bi-mensuelle fondée en 1829. Fut pendant cinquante ans, sous la IIIᵉ République, l'une des publications politico-littéraires les plus célèbres. Y collaboraient alors les grands écrivains de la droite modérée et libérale et même, parfois, des auteurs plus engagés comme Louis Bertrand, Henry Bordeaux, Pierre Benoît, André Demaison, Louis Madelin, etc. Elle parut quelque temps sous le nom de REVUE, *littéraire, histoire, arts et sciences* DES DEUX MONDES. Publiée par la société *A. Chaumeix et Cie, La Revue des Deux Mondes* avait pour dirigeants, avant la guerre, les académiciens René Doumic et André Chaumeix, Georges d'Avenel, le baron Ernest Seillières, Saint-René Taillandier, Edouard Pailleron, Jacques Richet, etc. Après la Libération, les quatre-vingt-deux parts sociales étaient réparties entre les personnes désignées ci-dessus ou leurs héritiers et le baron Guy de Rothschild, le duc Maurice de Broglie, Maurice et Rodolph Hottinguer et une trentaine d'autres associés auxquels se joignirent, par la suite, le marquis de Flers, Alfred Pose (de la B.N.C.I.), les académiciens Maurice Genevoix et Albert Buisson, Emile Mireaux, C.J. Gignoux, Hervé Bainville, la comtesse Jean de Pange, la *Shell Française*, etc. Après la réorganisation de 1965, la société *La Revue des Deux Mondes*, alors au capital de 168 000 F, reçut les apports de diverses personnalités et firmes, dont l'*Omnium Privé de Placement et Participation*, les *Etablissements Lapeyre*, les *Soudières Réunies*, l'*Agence pour l'Agriculture, le Commerce et l'Industrie* et la *Cie Française de Journaux* (de Raymonod Bourgine) s'élevant à 300 000 F. Depuis la mort de Cl.-Joseph Gignoux, le conseil d'administration comprend : le comte Arnaud de Vogüé, Emile Girardeau, Jean Olléon, Raymond Bourgine, Jean Vigneau et Robert Bourget-Pailleron. Claude Jeantet est le responsable de la rédaction (siège : 15, rue de l'Université, Paris 7ᵉ).

REVUE FRANÇAISE DE SCIENCE POLITIQUE.

Publication officieuse fondée en 1951 et paraissant tous les trois mois sous l'égide de l'*Association Française de Science Politique* et la *Fondation Nationale des Sciences Politiques*. Comité de direction : Raymond Aron, Jacques Chapsal, Jean-Jacques Chevallier, Maurice Duverger, François Goguel, Pierre Renouvin, Jean Stoetzel et Georges Vedel. Secrétaire général : Jean Touchard (27, rue Saint-Guillaume, Paris 7ᵉ).

REVUE DE FRANCE (La).

Publication bi-mensuelle fondée en 1921 et dirigée par Horace de Carbuccia, et disparue pendant la guerre.

REVUE HEBDOMADAIRE (La).

Publication fondée en 1891, et disparue pendant la dernière guerre. Dirigé avant la guerre par François Le Grix qui en avait fait une revue de droite, assez largement diffusée. Editée par *Plon*.

REVUE DES LECTURES (La).

Publication mensuelle créée en 1908 sous le titre : *Romans-Revue*. Pendant plus de trente ans, son fondateur, l'abbé Louis Bethléem, en assuma la direction. Chaque numéro contenait une étude approfondie de plusieurs revues et magazines en vogue, l'analyse critique des dernières nouveautés de librairie, le compte rendu des pièces de théâtre à l'affiche ainsi que des échos et des documents sur l'immoralité dans la littérature, dans la presse et les spectacles. Disparue au début de la guerre, *La Revue des Lectures* reparut en décembre 1946 sous la direction du chanoine Amédée Donot, qui avait collaboré à la revue pendant treize ans. Après la publication du numéro de janvier 1947, elle dut céder la place aux *Cahiers du Livre* (qui devinrent *Livres et Lectures*). La collection de *La Revue des Lectures* est, malgré le ton polémique de certaines chroniques et la vigueur des critiques, une précieuse source de renseignements sur les journalistes et les journaux, les auteurs et les livres. Tout en demeurant sur le plan de la religion et de la morale, son directeur apporta une contribution importante à l'étude de la presse et de l'édition de son époque, donc de la politique des années 1908-1939.

REVUE DE PARIS (La).

Publication fondée en 1894. Paraissait, dans l'entre-deux-guerres, deux fois par mois sous la direction du comte de Fels, qu'assistait Marcel Thiébaut. C'est dans *La Revue de Paris* que Flavien Brenier de Saint-Christo publia sa fameuse étude : « *Les origines secrètes du Bolchevisme* ». Paraît aujourd'hui mensuellement avec la collaboration de Thierry-Maulnier, Jean Mistler, Claude Roger-Marx, Marcel Gabilly, Claude Elsen, Robert Kanters, etc. (114, Champs-Elysées, Paris 8e).

REVUE POLITIQUE DES IDEES ET DES INSTITUTIONS (La).

Revue bimensuelle dirigée par Pierre Da Costa-Noble, fondée en 1912, et publiée depuis sans interruption. Son comité de rédaction (cf. *Annuaire de la Presse*, 1942-1943, p. 214) était composé, il y a un quart de siècle, de plusieurs parlementaires (F. Milan, J. Boivin-Champeaux, L. Linyer, Anatole Manceau, sénateurs, J. de Tinguy du Pouët, Jean Montigny, députés, Georges Pernot, Emile Taudière, conseillers nationaux, etc.). Aujourd'hui, les sénateurs Gilbert-Jules, Emile Hugues, Jozeau-Marigné, P. Marcilhacy, L. Tronc, plusieurs anciens députés et anciens ministres en font partie. Publie des études sur les grands problèmes de l'heure (22, rue de Châteaudun, Paris 9e).

REVUE POLITIQUE ET PARLEMENTAIRE (La).

Publication mensuelle fondée en 1894 et dirigée par Jacques Vrignaud. Principaux collaborateurs : Jean-Claude Vajou, Jacques Chastenet, Edouard Bonnefous, André Maréchal, Pierre Lyautey, Jean Rey, Ludovic Tron, Jean-Marcel Jeannenay, Emile Roche, Jean Lecanuet, Emile Hugues, Jacques Duhamel, Louis Armand, Edgar Faure, Louis Martin-Chauffier, Louis Perillier. Plusieurs numéros ont été, en partie, consacrés aux clubs et aux groupements politiques (18, rue Duphot, Paris 1er).

REVUE SOCIALISTE (La).

Revue fondée en 1885 par Benoît Malon pour être le lien entre les diverses écoles socialistes et servir de tribune aux socialistes indépendants. C'est sur son initiative que fut créée la *Société d'Economie Sociale* (voir à ce nom), dont les membres furent très divisés lors de la crise boulangiste. Fut dirigée, après Malon, par Gustave Rouanet, Georges Renard, Eugène Fournière et Albert Thomas. Devenue depuis la Libération l'organe du *Cercle d'Etudes Socialistes Jean-Jaurès*, est publiée sous le contrôle de la *S.F.I.O.* Actuellement dirigée par Etienne Weill-Raynal, que seconde Roger Pagosse, administrateur et secrétaire de rédaction. Au comité de rédaction et d'administration figurent, notamment : Armand Cuvillier, Raymond Fusilier, du C.N.R.S., Gérard Jaquet, ancien député, André Raust, député du Tarn, Jules Moch, ancien ministre, Fernand Robert, professeur à la Sorbonne, etc. Paraît dix fois par an (41, bd Magenta, Paris 10e).

REVUE UNIVERSELLE (La).

Publication bi-mensuelle fondée en 1920, en marge du mouvement d'Action française. Eut longtemps pour directeur Jacques Bainville. A la mort de ce dernier, en 1936, Henri Massis, qui en était le rédacteur en chef, prit sa direction. Disparut en 1944.

REY (André).

Universitaire, né à Fronton (Haute-Garonne) le 23 mai 1905. Participa à la Résistance. Professeur d'histoire et de géographie au Lycée Pierre de Fernat, à Toulouse. Conseiller général et maire de Fronton. Elu député S.F.I.O. de la Haute-Garonne le 17 juin 1951. Battu en 1956. Réélu dans la 1re circ. de la Haute-Garonne le 25 novembre 1962 et en 1967.

REY (Henry).

Directeur de sociétés, né à Pont-Aven (Finistère), le 2 novembre 1903. Directeur général de la Société des Transports de l'Ouest. Vice-président de la Féd. Nat. des Commissionnaires de transport. Conseiller municipal de Nantes. Elu député U.N.R. de la Loire-Atlantique (1re circ.) depuis 1958. Président du groupe U.N.R.-U.D.T. de l'Assemblée nationale. A démenti avoir signé un appel en faveur du retour en France de Georges Bidault et Jacques Soustelle, exilés depuis plusieurs années (cf. Le Monde, 4.11.1966).

REYNAUD (Paul).

Avocat, homme politique, né à Barcelonnette (B.-A.), le 15 octobre 1878, mort à Neuilly le 22 septembre 1966. Appartenait à une famille ayant fait fortune au Mexique (d'où le surnom que lui donnaient ses adversaires autour de 1930, de « bazardier de Mexico ». Gendre du célèbre avocat Henri-Robert et beau-frère de l'avocat et journaliste Jacques Ditte, de l'Ami du peuple et de La Libre Parole. Il entra au parlement en 1919, comme député républicain indépendant de son département d'origine mais n'y resta alors que cinq ans et attendit 1928 pour retourner à la Chambre, cette fois comme député de Paris ; il y restera jusqu'en 1940. Entre temps, il avait été « l'un des principaux initiateurs de l'alliance industrielle franco-allemande réalisé en 1926 et 1927 par les pactes franco-allemands de la potasse, du fer et des grandes industries chimiques ». (Déclarations de l'industriel Arnold Rechberg, in L'Echo de Paris, 27 septembre 1929.) L'intéressé rappela lui-même (cf. Le Matin, 9 octobre 1929) qu'il était « partisan d'une entente économique avec l'Allemagne » en 1922 et 1923 et qu'il en avait « soutenu à diverses reprises cette nécessité à la tribune de la Chambre ». Par la suite — notamment à partir de 1934 — il fut résolument anti-allemand et non moins résolument favorable à l'entente avec Moscou, déclarant lors du procès

Pertinax - Gringoire (mai 1938) qu'il « s'abonnerait à Brest-Litowsk ». Léon Blum venait de lancer sa formule de gouvernement d'union « de Thorez à Paul Reynaud ». C'est Tardieu qui en fit, pour la première fois — c'était en 1930 — un ministre. Il fut tour à tour aux Finances, aux Colonies (cabinet Laval, 1931-1932), à la Justice (cabinet Tardieu, 1932) et, juste avant la guerre, à nouveau ministre de la Justice, puis des Finances (cabinet Daladier 1938-1940). La guerre déclarée et mal engagée (quoi qu'il en ait dit : « La route du fer est coupée », « Nous vaincrons parce que nous sommes les plus forts. ») Il devint président du Conseil et ministre des Affaires Etrangères (21 mars-18 mai 1940), puis ministre de la Guerre (18 mai-5 juin 1940) et enfin des Affaires Etrangères (5-16 juin 1940). Il venait d'accepter le poste d'ambassadeur du gouvernement du maréchal Pétain à Washington lorsque ses deux émissaires, Leca et Devaux, qu'il envoyait aux Etats-Unis en qualité d'attachés financiers pour préparer sa venue, furent arrêtés en Espagne porteurs de lingots d'or, de bijoux, d'une forte somme d'argent et de documents. Les documents étaient à lui, les fonds étaient ceux des fonds secrets, mais les bijoux et l'or appartenaient à la comtesse de Portes. Le scandale aux Affaires Etrangères fut énorme (cf. « Montoire, Verdun diplomatique », par L.-D. Girard). Aussi, Paul Reynaud renonça-t-il au poste diplomatique et chercha-t-il à quitter la France. Parti avec Mme de Portes, il écrasa sa voiture contre un arbre à proximité de la frontière. Sa compagne fut tuée net. Des valises éventrées s'échappèrent des objets précieux et des monnaies d'or. Peu après, considéré comme l'un des responsables de la défaite, il était arrêté et emprisonné. Il resta deux ans dans les geôles françaises et fut ensuite déporté par les Allemands à Orianenburg et Itter, où il demeura de 1942 à 1945. A son retour en France, il reprit son activité politique et fut élu à la 2e Assemblée constituante (1946) puis à l'Assemblée nationale où il représenta le Nord de 1946 à 1962. Entre temps : ministre des Finances (1948), délégué au Conseil de l'Europe (1949--1957), président de la Commission des Affaires économiques du Conseil de l'Europe (1949-1955), délégué à l'Assemblée commune du pool charbon-acier, président de la Commission du Marché commun de cette assemblée, vice-président du Conseil (1953), président de la Commission des finances de l'Assemblée nationale (1951). Il accueillit avec satisfaction le retour au pouvoir du général De Gaulle qu'il avait lancé dans la politique en lui donnant un poste de sous-secrétaire d'Etat en 1940. Il présida le Comité consultatif constitutionnel (août 1958), et la Commission des finances de l'Economie générale et du plan de l'Assemblée nationale. Mais à partir de 1962, il rompit avec le général De Gaulle et prit ouvertement parti contre lui, l'accusant de viser au pouvoir personnel. Il fit voter *non* au référendum de 1962 — ce qui lui coûta son siège de député peu après — et recommanda la candidature Jean Lecanuet à l'éleciton présidentielle de décembre 1965. A publié plusieurs ouvrages politiques ou d'hitoire et des « *Mémoires* » (deux tomes). Détail curieux, qu'il semblait avoir oublié : il fut, en décembre 1935, un des rares députés qui votèrent la dissolution et l'interdiction de la Franc-Maçonnerie...

RHONE-PRESSE.

Hebdomadaire de nuance centriste fondé en 1958 par l'ancien champion cycliste Louis Pinay jadis animateur de l'édition lyonnaise du *Sud-Est-Sports* (1941-1946) et du clandestin *Lyon-Liberté* (1942-1944), et directeur-fondateur de *Champions* (crée en 1946). Tirage annoncé : 33 000 exemplaires (118, rue de Sèze, Lyon).

RIBADEAU-DUMAS (François).

Homme de lettres, né à Paris, le 17 juin 1904. Fils d'un président de la compagnie des avoués. Fut d'abord clerc d'avoué, puis journaliste. Milita, autour de 1928, dans les milieux démocrates-chrétiens et collabora régulièrement au *Petit Démocrate*. Fut ensuite rédacteur à *La Revue Mondiale* et aux *Nouvelles Littéraires*, et directeur de *La Semaine à Paris* (avant la guerre) et de *La Semaine de Paris* (depuis la Libération). Entré dans la franc-maçonnerie, préside en qualité de *vénérable* la loge *Tradition Jacobine* (fondée en 1953). Auteur de divers ouvrages dont une histoire de la magie et un livre sur les jésuites.

RIBADEAU-DUMAS (Roger, Louis, Marie).

Cinéaste, né au Chesnay (S.-et-O.) le 15 juillet 1910. Appartient à une famille d'avoués. Outre son père, Me Charles Ribadeau-Dumas, qui était avoué et même président de la compagnie des Avoués de Paris, il faut mentionner : Me Pierre Ribadeau-Dumas, fils de l'avocat Henri Ribadeau-Dumas et de Mme, née Henriette Naquet-Radiguet, qui a présidé également cette compagnie en 1959-1960, et l'écrivain François Ribadeau-Dumas, qui fut clerc d'avoué avant d'être le directeur de la *Semaine à Paris,* et l'une des illustrations de l'Ordre Souverain de Saint Jean de Jérusalem des Chevaliers de Malte. Par sa mère, née Camille Champetier de Ribes, le député Ribadeau-Dumas appartient à une famille de la grande bourgeoisie, originaire du Languedoc, illustrée par des avocats, des notaires, des avoués, des médecins, des élus locaux, et même par un ministre de la IIIe République, Auguste Champetier de Ribes, qui présida l'Assemblée de la IVe. Ancien employé de banque (B.N.C.I., 1934-1940). Secrétaire général adjoint du Comité d'Organisation de l'industrie cinématographique, créé par le gouvernement Pétain (1940-1943). Fondateur de la *Société Française Cinématographique,* directeur-gérant de la Société *Ecran des Jeunes.* Associé de *Cinételex,* animateur de l'*Ass. du Cinéma pour l'Enfance et des Jeunes.* Producteur de divers films. Trésorier de la Chambre Synd. de la production cinématographique française. Député *U.N.R.* de la Drôme depuis 1962.

RIBARD (André) (voir : La Vie Publique).

RIBAUD (Roger, Pierre FRESSOZ, dit André).

Journaliste, né à La Compôte (Savoie), le 30 octobre 1921. Après une licence de lettres, entra dans la presse et fut successivement, depuis la guerre : rédacteur parlementaire (après 1945) à *l'Union* de Reims, à *Franc-Tireur*, à *l'Indépendant* de Perpignan, puis rédacteur (1953) et enfin rédacteur en chef adjoint (depuis 1963) du *Canard enchaîné* où il publie, chaque semaine, sa chronique, désormais fameuse, de « la Cour ».

RIBEROL (Jean).

Médecin, né à Bracieux (L.-et-Ch.), le 7 décembre 1881, mort à Dax (Landes), le 18 août 1944. Ancien combattant de 1914-1918. Chirurgien à Dax, où il créa le service chirurgical hospitalier. Appartint successivement à *L'Action Française* (jusqu'en 1936), puis au *P.P.F.*, dont il fut conseiller national. Appartint aux *Cercles Populaires Français*. Fut assassiné à la Libération. Son fils, Jacques, également médecin, qui avait été condamné à mort par coutumace parce qu'il partageait les opinions paternelles, fut acquitté en 1952 par la Cour de Justice de Bordeaux.

RIBEYRE (Paul).

Directeur de sociétés, né à Aubagne (B.-du-Rh.), le 11 décembre 1906. Directeur de la *Sté des eaux minérales de La Reine*, à Vals. Connu pour ses idées nationales et catholiques depuis l'avant-guerre, fut élu député indépendant de l'Ardèche en 1945 et le resta jusqu'en 1958. Fut, entre temps : sous-secrétaire d'Etat à la Santé publique et à la Population (cabinet Bidault, 1949), ministre de la Santé publique (cabinets Pleven, 1951, E. Faure, 1952, Antoine Pinay, 1952), ministre du Commerce (cabinet René Mayer, 1953), garde des Sceaux, ministre de la Justice (cabinet Laniel, 1953-1954), ministre de l'Industrie et du Commerce (cabinets F. Gaillard, 1957-1958 et P. Pflimlin, 1958). Ancien président du Conseil général de l'Ardèche, est actuellement, conseiller général du canton d'Annonay, maire de Vals-les-Bains et sénateur de l'Ardèche (depuis 1959), inscrit au *Centre républicain d'action rurale et sociale*. Présidait, sous la IVe République, *l'Association parlementaire pour la Liberté de l'Enseignement*.

RIBIERE (René).

Préfet, né à Paris, le 21 janvier 1922. Fils d'un conseiller d'Etat. Pendant la guerre, nommé par le gouvernement Pétain chef de cabinet adjoint (21 août 1942), puis chargé de mission (2 novembre 1942) auprès du Préfet régional de Montpellier ; chef de cabinet du préfet des Basses-Pyrénées (6 mars 1943). Sous-préfet de 3e classe hors cadre, à la disposition du ministre de l'Intérieur (1er décembre 1944). Sous-préfet de Lesparre (1946-1947). Entre au secrétariat du général De Gaulle (1947-1951). Secrétaire général de la Chambre syndicale des fabricants de produits pharmaceutiques (1951-1958). Chargé de mission au cabinet du général De Gaulle, président du Conseil des Ministres (15 juin-22 octobre 1958). Fut alors nommé préfet de 3e cl. hors cadre. Placé sur sa demande en position de disponibilité (25 octobre 1958). Elu député de Seine-et-Oise (12e circ.) le 30 novembre 1958. Elu conseiller municipal de Montmorency (15 juin 1959). Réélu député *U.N.R.* en 1962 et 1967.

RICHARD (André, Alphonse, Joseph).

Ecclésiastique, né à Paris, le 9 avril 1899. Prêtre du diocèse de Paris, docteur en théologie, dirige depuis 1949 le journal *L'Homme nouveau* et préside l'association *Pour l'Unité*, qui luttent contre le progressisme dans les milieux catholiques. Membre du comité du *Centre Français de sociologie*, présidé par Marcel Clément (un des premiers rédacteurs d'*Itinéraires*) actuellement rédacteur en chef de *L'Homme nouveau*. Auteur de : « *L'Unité d'action des catholiques* » (1939), « *La Reines aux mains jointes* » (1958) et « *Monde maudit ou monde sauvé ?* » (1966).

RICHARD (Jacques).

Officier (C.R.), né à Ballée (Mayenne), le 23 mars 1918. Ancien délégué à la propagande du *R.P.F.* pour la région parisienne (1947), chargé du secrétariat général du Conseil national du mouvement, fut attaché aux cabinets de P. Ferri, Christian Fouchet, G. Palewski, J. Chaban-Delmas, et chargé de mission au cabinet du général De Gaulle (président du Conseil des ministres, 1958-1959). Sénateur *U.N.R.* de Seine-et-Oise (depuis 1959). Fut, en 1959-1961, le secrétaire général de l'*U.N.R.*

RICHARD (Lucien, François).

Médecin, né à Aigrefeuille-sur-Maine (Loire-Inférieure), le 29 juillet 1919. Adjoint au maire de La Planche. Elu député *U.N.R.* de Loire-Atlantique (8e circ.) le 25 novembre 1962, contre le député sortant, M. de Grandmaison (indépendant). Réélu en 1967.

RICHARD (René).

Ingénieur, né à Paris, le 10 avril 1904. Actuellement attaché à la direction générale des *Etablissements Japy*. Avant la guerre écrivit dans *Le Nouveau Siècle* de G. Valois, milita aux *Jeunesses Patriotes* et fut avec Pierre Taittinger l'un des fondateurs du *Parti Républicain National et Social* (1936) dont il devint le délégué général ; à ce titre, fit partie du comité directeur du *Front National* constitué par les mouvements nationaux pour lutter contre le *Front populaire*. Depuis la guerre, est devenu l'un des syndicalistes les plus connus de la *C.G.T.-F.O.* (membre du bureau confédéral de cette centrale syndicale). Fut successivement ou simultanément : membre de la commission technique des Ententes et du comité exécutif du *Mouvement européen*, membre (1951-1959) et vice-président du Conseil économique (1955-1959) ; membre du Conseil économique et social (1959, mandat renouvelé en septembre 1964, vice-président dudit Conseil (depuis 1959), membre du Conseil national de la Productivité et de sa commission restreinte, de la haute commission économique de l'Organisation commune des Régions sahariennes et de l'Institut d'études supérieures des techniques d'organisation (Conservatoire national des arts et métiers).

RICHE (MAMY, dit Paul (voir : L'Appel).

RICHET (Robert, François).

Ingénieur, né à Verdun (Meuse), le 26 juillet 1920. Entrepreneur de Travaux publics. Président du Syndicat patronal du Bâtiment et des Travaux publics des Côtes-du-Nord. Président de la Chambre de Commerce de Saint-Brieuc. *La Documentation Paul Dehème* indique qu'il fut président du *Centre des Indépendants* des Côtes-du-Nord. Membre de l'*U.D.T.*, se présenta comme candidat d'*Union Républicaine et Libérale* dans les Côtes-du-Nord : élu le 25 novembre 1962. Inscrit à l'*U.N.R.* Non réélu en 1967. Conseiller général du canton d'Etables-sur-Mer depuis 1965.

RIEUBON (René-Jean).

Ajusteur, né à La Grand'Combe (Gard), le 4 mars 1918. Ouvrier métallurgiste aux Chantiers Navals. Maire de Port-de-Bouc (depuis 1944). Député *communiste* des Bouches-du-Rhône (10ᵉ circ.) depuis le 25 novembre 1962.

RIEUNAUD (Edouard, Alexis).

Directeur de journal, né à Valderies (Tarn), le 15 décembre 1904. Délégué consulaire. Dirige depuis de longues années *Le Tarn libre*. Fut premier adjoint au maire d'Albi et député *M.R.P.* du Tarn (1958-1962). Préside le *Syndicat de la presse tarnaise*

RIOND (Georges, Jean).

Journaliste, né à Evian, le 12 juin 1909. Délégué du *Centre de Propagande des Républicains Nationaux* (de Henri de Kérillis) pour les Alpes avant la guerre, rédacteur à *France, revue de l'Etat nouveau* (de Gabriel Jeantet) en 1941, secrétaire général adjoint de la *Légion Française des Combattants* et délégué national à l'Action civique à Vichy (1940-1942). Fut également, dès l'origine, rédacteur en chef adjoint de l'*Agence Inter-France* et délégué général du *Syndicat des Journaux et Périodiques des Départements* (dont il est le fondateur). Après la guerre, directeur de la propagande du *Parti Républicain de la Liberté* (*P.R.L.*) (1946-1947), membre de l'Académie de la Méditerranée, président-directeur général des *Journaux régionaux associés*, président du Conseil permanent de la *Biennale internationale de l'information*, conseiller de l'Union française (1949-1958), vice-président de l'Assemblée de l'Union française (1952-1953), président du groupe des *Républicains indépendants* (1955-1958), du Comité central français pour l'outre-mer (1958), du Syndicat de la presse française outre-mer (1964) et membre du Conseil économique et social (1959-1964). Directeur des *Editions Communautés et Continents*.

RIPERT (Georges).

Membre de l'Institut, doyen de la Faculté de droit de Paris, nommé le 23 janvier 1941 membre du *Conseil National* (voir à ce nom).

RISBOURG (Jean).

Agriculteur, né à Pommereuil (Nord), le 2 mars 1913. Président de diverses organisations agricoles. Conseiller général de l'Aisne (depuis 1949). Président du Conseil général. Maire de Housset. Elu député *U.N.R.* de la 3ᵉ circ. de l'Aisne le 15 novembre 1962, contre le député national sortant Alliot, qui avait fait campagne pour le « Non à la dictature gaulliste ». Non réélu en 1967.

RITTER (Georges).

Administrateur de sociétés, né à Brumath (Bas-Rhin), le 23 septembre 1908. Directeur général de la *Société des Chemins de fer de Schiltigheim*. Président du Syndicat des transporteurs publics du Bas-Rhin. Président de l'*Association d'aide à la Construction*. Administrateur des *Transports Strasbourgeois*. Maire de Schiltigheim depuis octobre 1947. Vice-président de l'*Association des maires du Bas-Rhin* et membre du C.D. de l'*Association des Maires de France*. Conseiller général du canton de Schiltigheim (depuis octobre 1947). Vice-président du Conseil général du Bas-Rhin (depuis avril 1950). Membre de l'*Alliance France-Israël*. Elu député indépendant-paysan du Bas-Rhin, le 2 janvier 1956. Candidat indépendant, battu le 30 novembre 1958. Ayant signé en octobre 1962 un appel en faveur du OUI, fut désavoué par le comité départemental du *Centre des Indépendants* et considéré comme exclu du *C.N.I.* Se présenta néanmoins comme « indépendant », soutenu par l'*Association pour la Vᵉ République*, fut élu le 25 novembre 1962. S'affilia ensuite au groupe *U.N.R.* Réélu en 1967.

RITZENTHALER (Eugène).

Agriculteur, né à Holtzwihr (Haut-Rhin), le 10 mars 1906. Militant gaulliste, fut élu député *R.P.F.* en 1951. Non réélu en 1956. Président de la Chambre d'agriculture du Haut-Rhin, maire de Holtzwihr et conseiller général du canton d'Andolsheim. Sénateur du Haut-Rhin depuis 1958. Membre de l'*U.N.R.*

RIVAIN (Philippe).

Sous-préfet, né à Paris, le 9 avril 1912. Attaché à l'ambassade de France à Berlin (décembre 1934). Attaché au cabinet de Pierre-Etienne Flandin, ministre des Affaires étrangères (février 1936). Nommé (par le gouvernement Pétain) attaché à la Commission d'armistice de Wiesbaden (1er août 1940). Chargé de mission au Secrétariat d'Etat à l'Information (1er mars 1941). Chargé de mission au cabinet de l'amiral Darlan, vice-président du Conseil (1er mai 1941). Sous-préfet de Nyons (27 janvier 1942). Secrétaire général de la Meuse (25 novembre 1942), du Finistère (16 septembre 1943). Après le débarquement allié en Afrique du Nord, entra dans l'opposition. Arrêté par les Allemands, s'évada le 5 mai 1944. Secrétaire général de Maine-et-Loire (1er septembre 1944). Sous-préfet hors cadre, chargé de mission au secrétariat général du Gouvernement provisoire (1er juin 1945). Chef adjoint du cabinet du Commissaire général aux affaires allemandes et autrichiennes (1er avril 1946). Directeur du cabinet du Haut-Commissaire de France en Allemagne (16 août 1949). Administrateur civil à l'administration centrale de l'Intérieur (6 novembre 1953). Candidat gaulliste aux élections législatives de 1956 en Maine-et-Loire. (Battu.) Elu député *U.N.R.* de la 3e circ. de Maine-et-Loire, le 23 novembre 1958 ; réélu maire de Longué en 1962.

RIVAROL.

« Hebdomadaire de l'opposition nationale », fondé en janvier 1951. Il succéda, en quelque sorte, à *La Fronde* que Marcel Laignoux, Maurice Gaït et François Brigneau, avaient lancée deux mois auparavant, et dont le commanditaire, Christian Wolf, quelque peu effrayé par ce vigoureux pamphlet, avait exigé une modification radicale. L'équipe des *Ecrits de Paris* ayant fort bien réussi, c'est à elle que fut confiée la direction du nouveau journal. René Malliavin, qui signait Michel Dacier des éditoriaux très remarqués, secondé par sa femme, le Dr Madeleine Malliavin, tiennent la barre de l'esquif rivarolien depuis son lancement. Outre Maurice Gaït, Jean Pleyber (l'ancien gouverneur des colonies Emile Grandjean), Pierre Dominique, Henri Lebre, André Thérive, Lucien Rebatet, Robert Poulet, Sacher Basoche (Louis Truc), Edith Delamare, Mermoz et sa femme Liliane Ernoult, Marie-Luce Wacquez, Lardennois, Claude Martin, Robert Anders, Magre, etc. forment l'équipe rédactionnelle. Au cours de ces quinze dernières années, ont collaboré à *Rivarol* : Julien Guernec, qui signe aujourd'hui François Brigneau, rédacteur à *Minute* et auteur de divers ouvrages, Alfred Fabre-Luce, petit-fils du fondateur du *Crédit Lyonnais,* qui quitta le journal sur un article pro-mendésiste, l'écrivain Antoine Blondin, « Prix des Deux-Magots », Charles Mauban (le futur député Caillemer), B. de Carambé (Gilles Martain) aujourd'hui chroniqueur théâtral à *Paris-Presse* et au *Nouveau Candide* sous le pseudonyme de Marcabru, Georges Barbul, dit Christian Errans, Tony Guedel, qui signait Jacques Tegly, Albert Simonin, qui devait obtenir également le « Prix des Deux-Magots » pour son fameux « *Touchez pas au grisbi !* », Jean Arfel, dit Madiran, aujourd'hui directeur d'*Itinéraires,* Jacques Auberger, fils d'un président de société connu, qui signait *Le Muscadin,* et plusieurs autres écrivains et journalistes prestigieux, prématurément disparus : Pierre-Antoine Cousteau, le plus caustique des journalistes de l'opposition, Albert Paraz, grand admirateur de Céline et non-conformiste agressif, Guy Crouzet dit Yves Jacquemin, ancien rédacteur en chef des *Nouveaux Temps,* Ralph Soupault, dit Leno, le dessinateur de la presse nationaliste d'avant-guerre, Benjamin Guittoneau, dit Ben, le grand caricaturiste anti-résistantialiste, et Henri Sabarthez, auteur d'un livre sur Hitler. *Rivarol* compte des dizaines de milliers de lecteurs, vieux pétainistes et jeunes nationalistes, appartenant aux milieux les plus divers, provinciaux autant que parisiens (354, rue Saint-Honoré, Paris 1er).

RIVES-HENRY (André).

Parlementaire, né à Saint-Aubin-sur-Gaillon (Eure), le 24 janvier 1917. Le nouveau député fait indiquer, dans le dernier *Who's who,* qu'il s'appelle : « André Rives de Lavaysse ». (La famille « de Lavaysse » est inconnue au « *Catalogue de la noblesse française contemporaine* ».) Participa à la Résistance comme délégué du Comité Français de Londres. Chargé de mission au cabinet du général Corniglion-Molinier, ministre des Travaux publics (1955-1956). Chargé de mission au cabinet de M. Jacques Soustelle, ministre délégué auprès du Premier ministre (1959). Chef de cabinet (chargé des relations avec l'Assemblée Nationale) de B. Cornut-Gentille, ministre des Postes et Télécommunications

(1959-1960). Chargé de mission au cabinet de Jacques Chaban-Delmas, président de l'Assemblée nationale (1960-1962). Elu député *U.N.R.* de la Seine (29ᵉ circ.) en 1962. Non réélu en 1967. Adjoint au secrétaire général de l'*U.N.R.* (janvier 1963).

RIVIERE (Joseph, Jean).

Inspecteur d'assurances, né à Montagny (Loire), le 6 décembre 1914. Ancien instituteur libre. Participa à la Résistance. Maire et conseiller général de Tarare. Député du Rhône (9ᵉ circ.) en 1958-1967. Candidat Vᵉ Rép. en 1962 et 1967. Aux élections précédentes avait été élu avec l'investiture de la *Démocratie Chrétienne* (de Georges Bidault). Est, à l'Assemblée, apparenté au groupe du *Centre Démocratique*. Non réélu en 1967.

RIVIERE (Paul).

Officier supérieur, né à Montagny (Loire), le 22 novembre 1912. Frère du précédent. Participa à la Résistance et, à la Libération, entra dans l'armée avec le grade (homologué) de lieutenant-colonel. Affecté aux services de contre-espionnage. Envoyé à Tokyo, puis à Alger où on le chargea de la sécurité militaire et de l'épuration des éléments anti-gaullistes de l'armée d'Algérie. Bien que se proclamant lui-même « *vieux pétainiste* » (profession de foi électorale, 1962), fit partie de l'*Union Démocratique du Travail* et sollicita l'investiture de l'*U.N.R.* pour se faire élire député de la Loire (6ᵉ circ.) en novembre 1962. Réélu député *U.N.R.* en 1967.

RIVIERE et Cie (Libraire Marcel).

Maison d'édition, fondée en 1937 par Marcel Rivière, Jacques Rivière et Roger Meusnier sous la dénomination commerciale de *Librairie des Sciences Politiques et Sociales*. En 1945, Marcel Rivière et Roger Meusnier cédèrent leurs parts à Robert Joseph Abranson et à René Boule.

RIVOLLET (Georges).

Homme politique, né à Paris, le 3 novembre 1888. Père : maire-adjoint d'Asnières. Ancien combattant de 1914-1918 (Grand officier de la Légion d'honneur, médaille militaire, croix de guerre), secrétaire général de la *Confédération Nationale des Anciens Combattants* (1929-1940), fut ministre des Pensions dans les cabinets Gaston Doumergue et Pierre-Etienne Flandin (février 1934-juin 1935). Favorable à la politique du maréchal Pétain dès 1940, appartint à la commission permanente du *R.N.P.* Fit campagne pour l'amnistie des pétainistes à la tête du *Comité pour la Grande Amnistie*, au sein de l'*Union des Intellectuels Indépendants* et de l'*Association pour Défendre la mémoire du maréchal Pétain* et à la direction de l'*Association pour la Rénovation de nos Institutions et la Défense des Traditions Républicaines*, dont il est le secrétaire général adjoint. Opposé à la politique du général De Gaulle, fut l'un des défenseurs de l'Algérie française (ce qui lui valut une perquisition policière) et l'un des supporters de la candidature Tixier-Vignancours lors de l'élection présidentielle de décembre 1965. A collaboré à différents journaux (*L'Œuvre*, *Le Matin*, etc.) et à la presse des anciens combattants. Auteur d'ouvrages historiques sur les maréchaux de l'Empire, le général Morand et la Corse militaire.

ROBBE (Fernand).

Ingénieur, né à Lorient, le 28 février 1889. Fils d'un lieutenant-colonel d'artillerie tué en 1917. Lui-même grièvement blessé à Verdun en 1916. Attaché de cabinet du sous-secrétaire d'Etat à l'Aéronautique. Elu conseiller général de Seine-et-Oise (1928), puis député de ce département (1936). Membre des *Croix de Feu*, orateur du mouvement, vice-président du groupe parlementaire *P.S.F.*

ROBERT (Léopold, Marie, Fidèle).

Médecin, né à Soullans (Vendée), le 7 septembre 1878, mort à Vendrennes (Vendée), le 2 novembre 1956. Sénateur conservateur de la Vendée (1936-1942). Nommé le 23 janvier 1941 membre du Conseil National.

ROBIN (Paul).

Universitaire (1837-1912). Issu d'une famille de la bourgeoisie. A joué un rôle considérable dans le mouvement anarchiste. Fut membre du conseil général de l'*Internationale* en 1871. Fondateur de la *Ligue de la Régénération humaine* et de la revue *Régénération* consacrée à la propagande néo-malthusienne.

ROCCA-SERRA (Jean-Paul de).

Médecin, né à Bonifacio (Corse), le 11 octobre 1911. Fils du Docteur Camille de Rocca-Serra, député de la Corse (de 1928 à 1942). Conseiller général et maire de Porto-Vecchio. Elu sénateur de la Corse le 19 juin 1955 (inscrit à la Gauche démocratique). Réélu en avril 1959. Battu le 23 septembre 1962. Elu député de la 3ᵉ circ. de la Corse, le 25 novembre 1962. Election annulée par le Conseil Constitutionnel en mars 1963. Elu à nouveau le 12 mai 1963. Candidat Ve Rép., réélu le 12 mars 1967.

ROCHE (Emile).

Administrateur de sociétés, né à Estaires (Nord) le 24 septembre 1893 ; fils de petits commerçants, débuta dans la politique comme secrétaire (bénévole) de l'abbé Lemire, député démocrate-chrétien du Nord (1910) et dans la presse, comme rédacteur au *Cri des Flandres*. S'inscrit après la guerre au *Parti Radical et Radical-Socialiste* (1919). Menant de front une activité politique qui s'annonçait exceptionnelle et une activité commerciale débordante, fut successivement ou simultanément : négociant en huiles et graisses industrielles (1923), directeur du cabinet de Joseph Caillaux, ministre des Finances (1925), co-directeur des journaux *Notre Temps* (avec Jean Luchaire) et *La Voix* (avec Bertrand de Jouvenel, comme rédacteur en chef) (1927-1928), puis, après la fusion de cet hebdomadaire avec *La République* (1930), directeur politique de ce quotidien radical (et pratiquement son propriétaire jusqu'en 1939), succédant à ce poste à Edouard Daladier. Entre temps, s'affilia à la loge *Les Amitiés Internationales* où il retrouvait le rédacteur en chef de *Notre Temps*, Jacques Chabannes, futur chroniqueur de l'*O.R.T.F.* Fut également administrateur délégué de la *Société Immobilière et Foncière* de Vence (1929), de la *Librairie Valois* (1930), de la société *Les Métalliques Françaises Métalfra* (1930), administrateur général du *Petit Journal* (1933-1936), administrateur de *La Soie Artificielle d'Amiens* (1933) et de la *Société Française pour le Commerce de Roumanie* (1934). Porté à la présidence de la Fédération radicale-socialiste du Nord, entra au comité exécutif du Parti (1937) et appartint à la commission des Finances du Sénat, en qualité d'attaché, puis fut chargé de mission du gouvernement Daladier en Belgique (1939-1940). Après l'armistice de 1940, donna des articles aux *Nouveaux Jours* et publia un ouvrage intitulé : « *L'or n'est plus roi* ». Dans le domaine des affaires fut associé de la S.A.R.L. *Burdiga Films* (1938), président de la *Holpa* (1942), et administrateur des *Papeteries de Montevrain* (1943). Appartint, de nouveau, après la Libération, au comité exécutif du *Parti Radical et Radical-Socialiste* et fut l'éditorialiste du quotidien *La Dépêche de Paris* (1946), puis le vice-président du *Rassemblement des Gauches Républi-*

caines (1948). Gérant de la S.A.R.L. *Bureau d'études financières et économiques*, administrateur de la *Compagnie Générale des Voitures de Paris*, président-directeur général de la *Cie générale des machines agricoles Cogema* (future *S.A. Industrielle et agricole*) (1948) ; membre du conseil de surveillance de la *Semaine Economique et Financière* (future *La Semaine*, absorbée par *La Vie Française* en 1951), associé de la S.A.R.L. *La Terre Nouvelle* (1949) et de la S.A.R.L. *Economies Régionales* (avec *La Vie Française*), important actionnaire de : *Rocamer S.A.*, *Valinet S.A.*, *Cie Chérifienne Industrielle de Matériel Agricole*, *Cie Marocaine de Machines Agricoles*, *Société Générale de Matériel Industriel et Agricole*, *Téléphonie Universelle*, *Compagnie Française des Pétroles*, *Cofirep*, *Pétro-Fouga*, ainsi qu'administrateur de la *Banque de la Cité*, la *Cie des Glaces et Verres spéciaux du Nord de la France*, les Ets *Poliet et Chausson*, le *Lloyd Marocain*, la *Sté française d'entreprises de dragages et travaux publics*, des *Eaux de Contrexeville*, des *Glaces de Boussois*, etc. Poursuivant son ascension politique, devint en 1952 président administratif du *Parti Radical et Radical-Socialiste* et, en 1953, du *Cercle Joseph Caillaux*, en même temps que l'animateur du *Centre d'archives politiques et sociales* éditant *Les Informations politiques et sociales*. Successeur de Léon Jouhaux à la présidence du Conseil Economique de la IVe République, fut nommé en 1959 membre du Conseil Economique et Social et élu, la même année, président de cette assemblée. Présida également le Conseil économique et social des Communautés européennes (1962-1964), le Comité Européen Permanent pour le développement d'Israël et le Comité National d'Orientation économique. Au moment de l'élection présidentielle de 1965, se déclara partisan d'une candidature unique présentée par une convention allant des socialistes aux indépendants inclus (cf. *Le Monde*, 15-10-1965). Outre l'ouvrage déjà cité, est l'auteur de: « *Caillaux que j'ai connu* », etc.

ROCHE-DEFRANCE (Louis).

Négociant, né à Tournon (Ardèche), le 20 septembre 1901. Propriétaire d'une quincaillerie à Tournon. Conseiller municipal, puis maire de Tournon. Elu conseiller général de Tournon en remplacement de M. de Montgolfier, décédé le 3 décembre 1955. Elu député indépendant-paysan de l'Ardèche (2e circ.) le 30 novembre 1958. Réélu le 18 novembre 1962 et le 12 mars 1967. Inscrit au groupe des *Républicains Indépendants*.

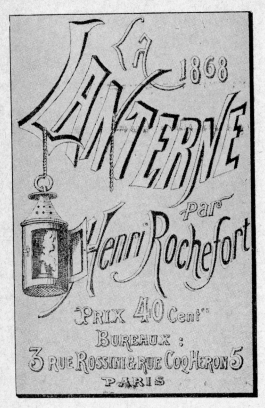

Numéro 1   Samedi 30 mai 1868

LA LANTERNE

PAR

HENRI ROCHEFORT

La France contient, dit l'*Almanach impe-rial*, trente-six millions de sujets sans compter les sujets de mécontentement. Avant d'essayer, devant mes confrères en sujétion, une sorte de cavalier seul dans le cotillon politique, je dois au public, qui m'a montré souvent tant de sympathies, le diable m'emporte si je sais pourquoi, je lui dois, dis-je, quelques explications sur les différentes particularités qui ont présidé à l'élaboration de *la Lanterne* :

Le premier numéro d'un pamphlet fameux

ROCHEFORT (marquis de ROCHEFORT-LUÇAY, dit Henri).

Journaliste (1830-1913). Il entra dans la presse après quelques tâtonnements dans le roman, le vaudeville et la critique dramatique et fit pratiquement ses premières armes au *Figaro*. Deux duels retentissants (avec Paul de Cassagnac et le prince Murat) attirèrent l'attention sur lui. Il mit à profit, en 1868, la nouvelle loi sur la presse pour lancer *La Lanterne* sous la forme d'une petite brochure à couverture rouge. « *La France contient, dit l'Almanach Impérial, trente-millions de sujets, sans compter les sujets de mécontentement.* » Cette boutade de Rochefort, qui figurait en tête du premier numéro de *La Lanterne*, est passée à la postérité. Son pamphlet eut un succès considérable. Le troisième numéro fut saisi et, au dixième, Rochefort fut condamné à un an de prison et à 10 000 francs d'amende. Réfugié en Belgique, il y fit imprimer sa *Lanterne* que l'on introduisait clandestinement en France, notamment dans des bustes en plâtre de

Napoléon III. Elu député aux élections législatives en 1869, il rentra en France couvert par l'immunité parlementaire et reprit sa campagne contre le gouvernement dans *La Marseillaise*. Après la chute de l'Empire, il fut membre du Gouvernement de la Défense nationale et, pendant la Commune, il prit parti contre le gouvernement de Versailles. Arrêté après l'échec de l'insurrection, il fut déporté en Nouvelle-Calédonie, d'où il s'évada bientôt. Mais il ne rentra en France qu'en 1880. Il créa alors *L'Intransigeant* où il défendit les positions radicales et socialistes. Elu député de Paris en 1885, il donna sa démission l'année suivante et prit position en faveur du général Boulanger qu'il suivit dans sa fuite en Belgique (1889). Condamné par contumace, il vécut à l'étranger, notamment à Londres, et ne rentra en France qu'en 1895. Il reprit aussitôt le combat, stigmatisa les « panamistes », puis les « dreyfusards » et rallia le nationalisme, sans cesser d'être, au fond, un homme de gauche. Il est considéré comme l'un des meilleurs journalistes de son temps. En souvenir de cette plume indépendante, des rédacteurs de la presse parisienne ont fondé, il y a quelques années, le *Cercle* qui porte son nom.

ROCHER (Bernard).

Directeur de sociétés, né à Paris, le 14 juillet 1920. Ancien membre de *Libération Nord*. Suppléant de M. Jacques Marette aux élections législatives des 18 et 25 novembre 1962 ; a été proclamé député de la Seine (17e circ.) le 7 janvier 1963, lorsque celui-ci devint membre du Gouvernement. Inscrit à l'*U.N.R.*

ROCHET (Waldeck).

Homme politique, né à Sainte-Croix (S.-et-L.), le 5 avril 1905, au foyer d'une famille d'artisans. Après avoir obtenu son certificat d'études à douze ans, il fut ouvrier maraîcher jusqu'à son départ au régiment. A dix-huit ans, il adhéra aux *Jeunesses Communistes* et, quelques années plus tard, s'étant fait remarquer par son zèle, devint secrétaire du parti pour la région lyonnaise (1932). Entretemps, il avait fait un long séjour à l'Ecole léniniste internationale de Moscou, qui l'avait politiquement formé (1929-1930). Il était alors l'un des agitateurs communistes les plus dynamiques dans les milieux paysans : en 1934, on lui confia donc le poste de secrétaire de la section agraire du *P.C.F.* et, l'année suivante, la cellule de Puteaux le fit élire conseiller général de la Seine. Candidat de son parti en 1936, il fut élu à la Chambre des députés (12e circ. de Saint-Denis-Nanterre-Colombes). Arrêté par la police du gouvernement Daladier en 1939, il fut déporté en Afrique du Nord. Libéré par le Comité Français du général De Gaulle en 1943, il fit partie de l'Assemblée consultative d'Alger et de Paris (1943-1945). Il appartint ensuite aux deux Assemblées constituantes (1945-1946) et entra à l'Assemblée nationale le 10 novembre 1946. Spécialiste des questions agricoles, il présida un an la Commission parlementaire de l'Agriculture (1947). Son habileté, qui l'incita à tenir un langage différent selon les milieux auxquels il s'adresse, l'amena parfois à se déjuger à quelques mois de distance. C'est ainsi qu'après avoir écrit dans *La Terre* (14-4-1949) que « contrairement à une opinion très répandue, il n'est pas vrai que la France soit uniquement un pays de petites exploitations », il déclarait à l'Assemblée nationale (séance du 24-11-1949) que « notre agriculture est essentiellement basée sur la petite et moyenne exploitation ». Dans ce même numéro de *La Terre*, il écrivait également que « le souci des communis-

Un buste
de Henri
Rochefort

tes est d'empêcher que les petites et moyennes exploitations soient, les unes après les autres, absorbées par les grosses », et dans l'*Humanité* du mois suivant (24-12-1949), citant Staline, il ajoutait « L'issue consiste à faire passer les petites exploitations paysannes arriérées, éparpillées, aux grandes exploitations collectives unifiées. » Cette attitude, qui fait considérer W. Rochet (par ses adversaires) comme un champion de la duplicité, lui vaut, au contraire, la confiance grandissante de ses amis : il fut leur candidat heureux aux élections des 17 juin 1951, 2 janvier 1956, 30 novembre 1958 (pour la Saône-et-Loire) et 18 novembre 1962 (pour la Seine) ; il présida, en second d'abord, puis en premier, le groupe communiste de l'Assemblée nationale ; et enfin, nommé secrétaire général adjoint du *P.C.F.* le 14 mai 1961, il a été porté à la tête du parti (secrétaire général) en mai 1964. Elève et homme de confiance de Moscou, il jouit dans le monde communiste d'un prestige incontestable bien que sa tactique politique soit fort critiquée dans les cellules françaises.

ROCHETTE (Nina MORGULEFF, dite Madeleine).

Publiciste, né à Saint-Pétersbourg (Léningrad), le 14 mars 1915. Elle entra dans la Résistance après la déclaration de guerre des Allemands à l'U.R.S.S., fut secrétaire du *Mouvement Franc-Tireur* pour la région R. 1. sous le pseudonyme de Nathalie et faillit être arrêtée à Lyon. Elle reprit son activité clandestine auprès de Lucien Roubaud-Astier, chef régional du *M.L.N.*, et se signala dans les maquis de l'Aude qui ont laissé un souvenir très particulier dans la région. En compagnie de son frère, le *capitaine Georges*, elle participa à l'épuration de Montpellier dans les semaines qui suivirent la Libération. Elle devint, à cette époque, la principale collaboratrice de Jacques Bellon (voir à ce nom) au *Midi libre*. La naturalisation française fut accordée à cette grande patriote par décret du 24 novembre 1945 (*Journal Officiel*, 25-11-1945, page 7830) et le gouvernement Mendès-France la décora de la Légion d'honneur (*Journal Officiel*, 3-9-1954, page 8537).

ROLLAND (Romain).

Ecrivain français, né à Clamecy en 1866, mort à Vézelay en 1944. Elève de l'Ecole normale supérieure, puis de l'Ecole française de Rome. Professeur d'histoire de l'art à l'Ecole normale supérieure et d'histoire de la musique à la Faculté de Paris. D'esprit très indépendant, d'une sincérité reconnue par ses adversaires, il fut toute sa vie écartelé entre un mysticisme sans foi et le rationalisme de la vie quotidienne. Son œuvre reflète ses efforts pour concilier la pensée occidentale et la pensée orientale, l'individualisme et le marxisme, l'humanisme et le communisme, la poésie et le réalisme. « *Le monde étouffe. Rouvrons les fenêtres, faisons rentrer l'air libre* », écrivait-il dans la préface de son « *Beethoven* », en dénonçant l'asservissement de l'esprit européen par le matérialisme. Ce dualisme interne apparaît en particulier dans la série des « *Jean-Christophe* » (10 vol., de 1904 à 1912). On le retrouve aussi dans son attitude politique. Alors que le bombardement de la cathédrale de Reims en 1914 lui avait fait écrire au directeur du *Journal de Genève* : « Rien ne peut effacer ce crime de son histoire ; et on le lui fera payer », peu après il proclamait, dans un remarquable article « *Au-dessus de la mêlée* », son opposition à tout essai de justification de la guerre. Son esprit internationaliste sincère l'avait amené à apporter en diverses occasions son appui à des manifestations d'inspiration marxiste comme le Congrès d'Amsterdam (1932). Il collabora d'autre part à des journaux et revues d'obédience communiste. Mais, tout en rendant hommage à Lénine et Trotsky, « *bûcherons historiques* », il s'est toujours déclaré hostile à toute forme de tyrannie, y compris la « *dictature du prolétariat* ». Son internationalisme et son pacifisme lui ont valu le Prix Nobel de la Paix en 1916 (au titre de 1915). Principales œuvres : « *Les Précurseurs* »

(1919), « *Vie de Ramakrishna* » (1929), « *Vie de Vivekananda* » (1930), « *Voyage musical au pays du passé* » (1919) ; Romans : « *Colas Brugnon* » (1919), « *Pierre et Luce* » (1920), « *Clérambaut* » (1920), « *L'Ame enchantée* » (six vol. 1922-1933). Théâtre : « *Aërt* », « *Danton* », « *La Montespan* », « *Robespierre* ». Les *Cahiers Romain Rolland* ont publié plusieurs recueils de lettres, « *Le Cloître de la rue d'Ulm* » (1886-1889), « *Credo quia absurdum* » (1952), etc.

ROLLAND (Maurice, Pierre, Félix).

Homme politique, né au Puy, le 27 octobre 1902. Avocat (1925-1945), député radical du Rhône (1932-1936), juge de paix suppléant à Lyon (1937-1940), conseiller municipal de Lyon (1935-1945), combattant volontaire de la Résistance, préfet du Cantal (1944-1946), de la Lozère (1946-1947), de la Nièvre (1947-1951), de la Dordogne (1951-1959), du Cher (1959-1961), puis en congé spécial (depuis 1961). Militant du *Parti Radical et Radical-Socialiste*, fut secrétaire général adjoint de la Fédération du Rhône du Parti (1933-1938) et secrétaire parlementaire du Bureau national du parti (1933-1946) ; collaborateur de : *L'Ere Nouvelle*, *La République*, *Le Petit Niçois*, *Lyon Républicain*, *La France* de Bordeaux, *Le Petit Marocain*. Appartient toujours au *Parti Radical et Radical-Socialiste*, et fait en outre partie du *Cercle Edouard-Herriot*, du *Siècle*, du *Club des Jacobins*, de la *Convention des Institutions Républicaines*.

ROMAINE (Eugène).

Minotier, né à Archignat (Allier), le 13 juillet 1905. Maire de Soumans et conseiller général du canton de Boussac, sénateur de la Creuse (depuis 1959). Membre du groupe de la *Gauche démocratique* du Sénat.

ROMAINS (Louis FARIGOULE, dit Jules).

Homme de lettres, né à Saint-Julien-Chapteuil (Haute-Loire), le 26 août 1885. Normalien, il enseigna la philosophie aux lycées de Brest, de Laon, de Paris et de Nice (1909-1919). Se lança dans la littérature en 1904. Ses livres sont nombreux (rien que « *Les Hommes de bonne volonté* » comptent 27 volumes) et plusieurs de ses pièces de théâtre sont célèbres, comme « *Le Trouhadec saisi par la débauche* », « *Knock ou le triomphe de la médecine* », « *Volpone* », « *Donogoo* » et « *Le Dictateur* ». Au cours des années 1934-1935, fut mêlé à ce que l'on appela le *Mouvement du 9 juillet* : « *Le but était clair — a-t-il écrit — le devoir l'était aussi. La tâche la plus pressante était d'empêcher les Français de se battre dans la rue, en des rencontres qui eussent été cent fois plus sanglantes que la nuit du 6 février. Or, ceux-mêmes qui auraient pu organiser ces batailles et y amener leurs troupes pour les jeter les unes contre les autres allaient se réunir plusieurs fois par semaine et travailler pacifiquement sous ma direction. C'est ainsi que les chefs des Volontaires Croix de Feu, le chef des Volontaires des Jeunesses Patriotes faisaient partie de mon équipe. En face d'eux allaient s'asseoir autour d'une table de jeunes chefs syndicalistes, socialistes, radicaux. Si ces gens-là ne se battaient pas, aucune bataille n'était possible, car ce n'étaient pas les vieux de chaque groupement qui descendraient les premiers dans la rue. Je tenais la guerre civile sous clef, pour plusieurs mois. C'était déjà quelque chose. »* « *Sept mystères du Destin de l'Europe* », New York, 1940.) Ayant réuni quelques jeunes militants connus de la Droite et de la Gauche, des hommes de trente ans pleins de dynamisme et d'ambition, et rédigé avec eux le « *Plan du 9 juillet* » (1934), Jules Romains semble ne pas attacher beaucoup d'importance à la présence, dans son « équipe », de plusieurs personnages qui, eux, ne représentaient pas les *Volontaires Nationaux*, les *Jeunesses Patriotes* : les Jeunes néo-socialistes de Marcel Déat ou syndicalistes (ils étaient d'ailleurs beaucoup plus âgés). Tels Jean Coutrot et ses amis Gérard Bardet et Jacques Branger considérés comme des « *synarques* ». A tel point qu'on peut se demander, comme le fit Roger Mennevée, si M. Jules Romains ne fut pas, « *dans ces manœuvres de haute politique qu'il croyait animer, un simple pantin dont d'autres tiraient les ficelles* » (in *Les Documents*, janvier 1949). Ce « *Plan du 9 juillet* » prévoyait la réforme de la constitution, le renforcement de l'exécutif, la limitation du législatif — où le Parlement serait « contré » par un « *Conseil National Economique* », — la refonte du judiciaire, la création d'un grand ministère de l'Economie Nationale, etc. On devait découvrir, plus tard, que les principes essentiels de ce « Plan » étaient conformes aux « *points fondamentaux* » et aux « *propositions* » du *Pacte synarchique révolutionnaire*, dont nous avons parlé et que nous reproduisons dans ce volume. Même primauté des techniciens, auxquels reviennent l'organisation et la réglementation de l'économique et

du social, même souverain mépris pour le politique, pour le « *pouvoir légal* » qui doit être subordonné au « *pouvoir réel* » exercé par les technocrates. Une phrase du « *Plan* » en dit long, à ce sujet, sur les intentions de ses inspirateurs : « *Le recrutement du personnel supérieur* (de l'Etat) *sera exclusivement assuré par une Ecole Polytechnique d'Administration* ». Une fois le système mis en place, nos technocrates se recruteraient par cooptation. N'est-ce pas, un peu, ce que nous voyons aujourd'hui ? Il faut croire que Jules Romains tenait à son idée puisque, peu après la Libération, il réclamait dans le journal de Fr. Quilici, *La Bataille* (octobre 1945), « *un laboratoire de recherches politiques* », Il écrivait : « *Je suggérais que, parmi les institutions de la France nouvelle, une des toutes premières à créer fut un laboratoire national de recherches politiques. Un petit nombre de spécialistes éminents y seraient attachés. On les choisirait parmi les hommes qui se sont acquis une autorité de premier plan dans l'étude des questions politiques, économiques, sociales, et qui, autant que possible, se sont tenus à l'écart de la politique active et des partis... Chacun d'eux s'entourerait d'un groupe de jeunes collaborateurs d'une formation scientifique déjà avancée, agrégés d'histoire ou de philosophie, docteurs en droit, techniciens sortant des grandes écoles, qu'attirerait la conception nouvelle du laboratoire.* » (Voir nos articles : *Synarchie* et *Technocratie*.) Entre-temps, Jules Romains s'était intéressé à la politique étrangère et, bien que marié avec une israélite, Lise Dreyfus, avait préconisé le rapprochement avec l'Allemagne hitlérienne dans un livre qui n'est plus mentionné parmi ses œuvres : « *Le couple France-Allemagne* ». Il avait même appartenu au *Comité France-Allemagne*. Pendant la guerre, il s'était réfugié aux Etats-Unis. Rentré en France, il prit la place d'Abel Bonnard à l'Académie française et devint l'un des principaux collaborateurs de *L'Aurore*. Lors du retour au pouvoir du général De Gaulle, en 1958, Jules Romains figura parmi les fondateurs de l'*Union Civique pour le Référendum*. Outre les œuvres déjà citées, mentionnons notamment : « *Les Copains* », « *Psyché* », « *Le Fils de Jerphanion* », « *Une femme singulière* », « *Le Besoin de voir clair* », « *Un grand honnête homme* », et divers essais : « *Visite aux Américains* », « *Interviews avec Dieu* », « *Examen de conscience des Français* », « *Hommes, Médecins, Machines* », « *Les Hauts et les Bas de la liberté* », « *Portraits d'inconnus* », « *Na-*

poléon par lui-même », « Ai-je fait ce que j'ai voulu ? », « Lettres à un ami », etc. Ancien président international des Pen-Clubs (1936-1941), il est aujourd'hui le président d'honneur du Pen-Club français.

ROMAINVILLE (Arsène de GOULE-VITCH, dit François de).

Journaliste, né à Saint-Pétersbourg (Russie), le 7 janvier 1900, d'une famille illustrée par Elisabeth de Goulévitch, fondatrice de la célèbre Académie de Kiev (en 1618), et par le général de Goulévitch, l'un des chefs de l'armée russe au cours de la 1re guerre mondiale. Entre les deux guerres, employé de banque, puis journaliste ; participa à l'action anti-communiste dans les milieux russes émigrés ; fonda en 1937 la Société des Amis de la Russie Nationale. Arrêté sous l'occupation par la police allemande, fut interné au fort de Romainville (d'où son pseudonyme littéraire). Après la Libération, créa l'Internationale de la Liberté (Union pour la Défense des Peuples Opprimés), collabora à La Liberté du Peuple, à Paroles françaises, et fonda Exil et Liberté (1954) dont il est le directeur. Auteur de plusieurs ouvrages dont : « Tsarisme et Révolution », « Du passé à l'avenir de la Russie » et « L'Islam et l'U.R.S.S. ».

RONSAC (ROSENWEIG, dit Charles).

Journaliste, né le 25 mars 1908. Militant des partis de gauche. Fut rédacteur à Franc-Tireur, puis à Demain. Actuellement rédacteur en chef de l'agence Opera Mundi et d'Opera Mundi Europe.

ROQUES (Fernand, Emile).

Médecin, né à Plaisance (Aveyron), le 21 février 1889. Médecin-chef de la Résistance de la zone Sud du Cher (1943-1944). Président du R.P.F. du Cher (1947). Conseiller municipal de Saint-Amand depuis 1945. Député U.N.R. du Cher (3e circ.) en 1958-1967.

ROSENFELD (Oreste).

Journaliste, né à Astrakan (Russie) en 1891, mort en avril 1964. Il militait à treize ans dans les groupes sociaux-démocrates russes et eut, à maintes reprises, maille à partir avec la police tsariste qui l'emprisonna plusieurs fois. Il prit part à la révolution de février 1917 et vint en France, avec un grade élevé, chargé d'une mission du gouvernement Kerensky. Après le triomphe des bolchevicks, resté en France avec les troupes russes combattant sur le front français, il fut blessé à Soissons.

Il s'établit dans notre pays et devint un militant actif et important de la S.F.I.O. Au quotidien du parti, Le Populaire, il tint de 1927 à 1932, la rubrique de politique étrangère et fut, constamment, au côté de Léon Blum. Après le départ de L.-O. Frossard, prit la direction des services rédactionnels du journal avec le titre de rédacteur. « Le cosaque » comme l'appelaient ses amis pour le faire enrager — car il détestait les cosaques auquel il attribuait quelques-uns des pogromes qui ensanglantèrent la vieille Russie — était un prodigieux animateur, un excellent éducateur pour les jeunes collaborateurs du Populaire. Au sein du Parti socialiste, il fut, à la veille de la guerre, l'un de ceux qui combattirent avec le plus d'acharnement les tendances pacifistes de la fraction Paul Faure. La guerre déclarée, Rosenfeld qui avait été, entre-temps, naturalisé français, partit sur le front et participa à la « drôle de guerre ». Fait prisonnier en 1940, il demeura jusqu'en 1945 dans un oflag, près de Lubeck, où il retrouva le fils de Léon Blum, Robert, l'actuel « patron » d'Hispano-Suiza, et le docteur Kohen, ancien chef des Etudiants socialistes. Après l'effondrement de l'Allemagne hitlérienne il revint au Parti Socialiste, mais se consacra plus particulièrement à la réédition de l'œuvre de Léon Blum qu'il prépara, en accord avec la famille de l'ancien leader socialiste. Il fut de ceux qui soutenaient, au sein de la S.F.I.O., que la lutte des classes constituait, encore de nos jours, le fondement même de la doctrine socialiste. C'est l'une des raisons qui l'amenèrent « à secouer le joug » de la direction du Parti Socialiste, à participer à la création du Parti Socialiste Autonome et à rejoindre l'Union des Forces démocratiques, puis le Parti Socialiste Unifié. Entre-temps, il avait apporté sa collaboration à Gavroche aux Cahiers de la République, de Mendès-France, à la Tribune du socialisme. Au moment de sa mort, ses amis du P.S.U. ont révélé que leur camarade, contrairement à ce qu'il avait laissé dire pendant cinquante ans, n'était pas Juif. (Cf. Tribune socialiste, 11-4-1964.)

ROSMER (Alfred).

Homme politique, né à New York le 23 août 1877, mort à Paris le 6 mai 1964. Militant socialiste, il fut l'animateur du Comité pour la reprise des relations internationales (devenu Comité pour l'adhésion à la IIIe Internationale), puis membre du Comité exécutif de l'Internationale communiste (1920-1921) et du « Petit Bureau » de l'I.C. (avec Zinoviev,

Boukharine, Radek et Bela Kun). Au IIe Congrès de l'*Internationale Communiste*, il appartint au Bureau. Créateur, avec Losovsky, de l'*Internationale Syndicale Rouge*, il fut délégué de celle-ci à la Conférence des trois Internationales à Berlin. Nommé membre du Bureau Politique du *Parti communiste français* et co-directeur de *l'Humanité* en 1923, il abandonna ces fonctions lorsqu'il quitta le *P.C.F.* en 1924. Il fut l'un des principaux collaborateurs de *La Vie Ouvrière*, au temps de Pierre Monatte, de *La Bataille syndicaliste*, de *La Révolution prolétarienne* et il écrivit également dans *Nache Slovo*, de Léon Trotsky dont il assura l'édition des œuvres.

ROSSE (Joseph).

Journaliste (1892-1951). Directeur de l'*Alsatia*. Conseiller général du Haut-Rhin. Elu député de ce département en 1928, fut invalidé en raison de son attitude considérée comme anti-nationale. Militant autonomiste, Rossé faisait une active propagande en faveur d'un Etat autonome alsacien (voir : *Autonomisme alsacien*). Elu à nouveau député du Haut-Rhin en 1932 ; réélu en 1936. Hostile à la prussianisation de l'Alsace annexée par l'Allemagne après 1940, demeura dans le pays mais resta en liaison avec le gouvernement du maréchal Pétain, fut arrêté et sévèrement condamné par les tribunaux de l'épuration après la Libération. Mort en 1951 à la prison centrale d'Eysses où il était interné avec des centaines d'autres détenus politiques.

ROSSI (André, Félix).

Fonctionnaire, né à Menton (A.-M.), le 16 mai 1921. Attaché de cabinet de préfet. Intendant régional de police à Nice du gouvernement Pétain (9 décembre 1943). Conseiller au Conseil de Préfecture Interdépartemental de Pau (1947), puis à celui de Châlons-sur-Marne (1949). Fut à maintes reprises le collaborateur immédiat de René Mayer, soit au gouvernement, soit à la C.E.C.A. (période 1950-1957). Sous-préfet de Sartène (3e cl.) (1951). Sous-préfet hors cadre (1952). Chef adjoint du cabinet de M. Emile Hugues, Garde des Sceaux (1954). Directeur adjoint du service personnel de la C.E.C.A. (1955). Elu député du *Centre Républicain* de l'Aisne (5e circ), le 30 novembre 1958. Membre de l'Assemblée parlementaire européenne (18 juin 1959). Membre de l'*Alliance France-Israël*. Réélu député le 25 novembre 1962. Inscrit au groupe du *Rassemblement Démocratique*. Elu conseiller général du canton de Charly-sur-Maine en 1964, bien qu'il eut voté la censure quelques semaines plus tôt. Elu au second tour contre le candidat communiste qui bénéficia du désistement du socialiste multimilionnaire Charles Baur. Rossi avait fait condamner Baur par le tribunal de Soissons pour injures (17-11-62). Réélu en 1967.

ROSTAND (André).

Président de la Chambre d'agriculture de Saint-Lô, nommé le 23 janvier 1941 membre du *Conseil National* (voir à ce nom).

ROTARY CLUB.

Bien que cette organisation ne s'occupe pas de politique, une fraction importante du monde catholique la taxe de « maçonnisme ». Nous nous garderons bien de trancher le différend en quelques lignes et nous nous bornerons à enregistrer, en même temps que les protestations des dirigeants rotariens français, les accusations portées contre leur association. Selon ses adversaires, le *Rotary Club* est lié à la franc-maçonnerie. Les premiers rotariens, l'avocat Paul P. Harris, fondateur du premier Rotary Club à Chicago, en 1905, était franc-maçon, tout comme M. Homer W. Wood, le fondateur du second Rotary Club, celui de San Francisco. L'un des plus actifs rotariens français (qui fut d'ailleurs quelque temps, le gouverneur du *Rotary* français) M. Ulysse Fabre était le vénérable de la loge « *La Cité Future* » d'Orange. On cite également les appréciations flatteuses de certaines revues maçonniques pour le *Rotary*. D'autre part, de hautes autorités ecclésiastiques ont formellement condamné le mouvement rotarien (Archevêques de Santiago, de Tolède, de Bordeaux, Episcopat hollandais, etc.). La Sacrée Congrégation Consistoriale du Vatican, consultée, a répondu qu'il était interdit aux prêtres d'en faire partie (4-2-1929). Commentant cette décision, l'*Osservatore Romano* (cité par *La Croix*) a précisé que « *la méfiance de l'Eglise catholique doit s'exercer contre le mouvement rotarien qui a des origines maçonniques* ». *L'Osservatore Romano* ajoutait *que le mouvement rotarien a fait la preuve souvent d'une attitude hostile vis-à-vis de l'Eglise catholique et que le code moral proposé à ses adeptes est presque en tous points semblable à celui des hauts-maçons* ». La *Revue Apologétique* (juin 1929) et *La France Catholique* (30 mars 1935) ont, à leur tour, désigné le Rotary comme une annexe de la maçonnerie. Il n'en est pas moins vrai que de très nombreux catholiques français sont rotariens et que les attaques dont leur association est l'objet les consternent. Ils nient toute accointance avec la Maçonnerie et protestent de leur fidélité à l'Église catholique. Le débat reste ouvert et, pour notre part, nous ne faisons que rappeler les faits, laissant au lecteur le soin de se faire une opinion personnelle.

ROTHSCHILD (Famille de).

Les Rothschild, que Jules Guesde désignait comme les « *rois de la République* », exercent depuis cent cinquante ans une influence considérable en Europe et plus particulièrement en France. Leur histoire a été retracée dans les ouvrages du comte Corti, de Bertrand Gille et de Henry Coston. En résumant au maximum, disons que, des « *cinq messieurs de Francfort* » installés au XIXᵉ siècle à Londres, Vienne, Paris, Naples et naturellement Francfort, berceau de la famille, il ne reste que ceux de Londres et de Paris, et leurs cousins de Bruxelles (voir, dans *les Financiers qui mènent le monde,* l'histoire de cette famille). La branche anglaise de ces banquiers israélites internationaux, *N.M. Rothschild and Sons,* l'une des premières maisons de la City, occupe une position dominante sur le marché de l'or, et par la *British Newfoundland Corporation* et la *Commonwealth Development Corporation* qu'elle contrôle, elle régente de grandes entreprises dans l'Empire britannique. La branche française, principalement représentée par le baron Guy de Rothschild, chef de la banque, occupe la première place dans les métaux non ferreux : *Penarroya* domine le marché du plomb et assure les 3/4 de la production française, *Le Nickel* représente 100 % de la production de la Communauté. Elle possède des intérêts très importants dans cinq établissements financiers, quatre compagnies d'assurances, neuf compagnies de chemins de fer, une société d'investissements et plusieurs compagnies pétrolières. Elle a des liens puissants en Israël.

Apparentée aux familles Anspach, de Chambure, Zuylen de Nyevelt van de Haar, Ephrussi, Cahen d'Anvers, de Weissweiller, de Wagram, Lambert (de Bruxelles), elle a des liens étroits avec la banque *H. Lambert.* Cette banque belge a absorbé la *Banque de Reports et de Dépôts* qui contrôle de grosses affaires en Belgique et au Congo, et d'importants intérêts dans diverses entreprises financières (*Banco di Roma,* de Bruxelles, *Société congolaise de Banque, Amsterdam Overseas Corp,* de New York,

Berliner Handelsgesellschaft, de Francfort). Les Rothschild dominent, avec leur cousin le baron Lambert, la *Cie d'Outre-Mer pour l'Industrie et la Finance,* que présidait encore récemment Camille Gutt, ancien ministre belge, assisté de divers membres de la famille (Ed.-Ad. de Rothschild, Guy de Rothschild, Adrien Thierry, ambassadeur de France, gendre d'un Rothschild et père d'un candidat *F.G.D.S.* aux élections de 1967). Par cette société ou directement, la famille de Rothschild anime ou contrôle d'importantes sociétés : *Pétrofina, Sofina, Electrorail, Rio Tinto, International Nickel, Aluminium Ltd, Anglo American Corp, Tanganyika Concession Limited,* etc. Elle a aussi des intérêts très importants dans plusieurs trusts belges : *John Cockerill* (30 000 ouvriers), *Providence* (10 000), *Ateliers de Construction Electrique de Charleroi* (groupe Empain), etc. Sous la IIIᵉ République, plusieurs hommes politiques furent en quelque sorte les représentants des Rothschild au parlement ou dans les conseils gouvernementaux (Léon Say, Maurice Petsche, etc.). Il leur arrivait d'intervenir plus directement dans les affaires de l'Etat (au moment de la fixation, puis du règlement de l'indemnité à payer à la Prusse, après la défaite de 1871, par exemple). Tandis que l'un d'eux soutenait les Républicains anticléricaux, un autre pactisait avec les conservateurs catholiques. Ils étaient alors les banquiers du Vatican à Paris. Le baron Maurice de Rothschild, non sans peine d'ailleurs, fut élu député des Hautes-Pyrénées en 1924 ; invalidé pour corruption électorale, il fut réélu en 1926, puis en 1928. En 1929, il entra au Sénat où il représenta les Hautes-Alpes jusqu'à l'effondrement de la IIIᵉ République. Au cours de son mandat, il manifesta ses sentiments pro-soviétiques en votant la ratification du pacte avec Moscou. Son fils Edmond, que la presse et la politique attirent, passe pour subventionner certains groupes de gauche : la présence, à la direction générale du *Nouvel Observateur,* de son ancien collaborateur Perdriel, et l'abondante publicité donnée à ce journal par des firmes dépendant de lui, donnent quelque consistance à ces bruits. Cependant, le baron Edmond de Rothschild — dont les intérêts dans l'alimentation, l'immobilier, l'hôtellerie, l'organisation du tourisme et du camping sont considérables — se garde de se mêler de trop près à la politique. Un autre Rothschild, le baron James, fut quelque temps maire de Compiègne, et s'il ne devint jamais parlementaire cela ne dépendit pas de lui. Réfugiés aux

Etats-Unis pendant la guerre, ayant été déchus de la nationalité française par décision du gouvernement (fin 1940), les Rothschild rentrèrent en France après le départ des Allemands et réinstallèrent leur banque dans l'immeuble de la rue Laffitte où, pendant leur absence, avait été établi le *Secours National-Entr'aide d'Hiver* du maréchal Pétain. (A noter que les biens de la banque Rothschild ne furent pas du ressort du Commissariat aux Questions juives, en 1940-1944, mais de celui de l'Administration des Domaines.) De nos jours, c'est par l'intermédiaire de deux de leurs fidéicommissaires, René Mayer et Georges Pompidou, que les Rothschild occupent une position privilégiée dans les hautes sphères de la République. (Consulter : « *La Maison Rothschild* », par le comte Corti, Paris, 1929, « *Les Financiers qui mènent le monde* » (1955) « *La République des Rothschild* » (1962) et « *L'Europe des banquiers* » (1963), par Henry Coston, « *Histoire de la Maison Rothschild* », par Bertrand Gille, etc.)

ROTINAT (Vincent).

Professeur, né à Briantes (Indre), le 10 juillet 1888. Professeur au collège de La Châtre. Député radical-socialiste (1936-1940), puis sénateur de l'Indre (depuis 1946), vice-président du groupe sénatorial de la Gauche démocratique, conseiller général du canton de Neuvy-Saint-Sépulcre, président du Conseil général de l'Indre, maire de Briantes. Président de l'Association des anciens combattants de l'Indre.

ROUANET (Armand, Gustave).

Journaliste, né à Oupia (Hérault), le 14 août 1855, mort en 1927. Engagé volontaire, il fit son service aux fameux bataillons d'Afrique et en revint socialiste révolutionnaire. Il milita dans le Gard, lors des grèves du bassin houiller, en 1881, et écrivit alors des articles incendiaires dans la presse socialiste de Paris et du Midi. Condamné à la prison par le tribunal d'Alais, il quitta la salle avant le prononcé du jugement pour venir purger sa peine à Paris. Il fut le disciple et le secrétaire de Benoît Malon et collabora à la *Revue Socialiste*, dont il devint plus tard le directeur. Il avait collaboré au *Cri du Peuple*, de Jules Vallès, et il donna des articles à *La Petite République* et à *L'Humanité*. Il fut élu successivement conseiller municipal de Paris en 1890, par le quartier de Montmartre, et député de la Seine, en 1893 : il représenta le 18e arrondissement à la Chambre jusqu'en 1914.

Entre temps, il était entré dans la Franc-Maçonnerie et appartenait aux loges *Les Vrais Amis* et *La Raison*, de Paris. Il se fit remarquer, au Palais-Bourbon, par ses mots à l'emporte-pièce qui ne lui attirèrent pas que des amitiés. Avant que le mouvement socialiste ne ralliât le camp dreyfusiste, Rouanet ne cachait pas ses sentiments d'hostilité envers les « grands Juifs ». Un jour que Jaurès s'en prenait à la haute finance, il y eut cet échange de propos qui en dit long sur les sentiments de Rouanet : « *La Troisième République a créé une nouvelle féodalité* », déclarait Jean Jaurès. — « *Laquelle ?* » questionna Dominique Forcioli, député de Constantine. Et Rouanet de répondre : « *La Féodalité juive !* »

ROUANET (Pierre, Georges, Léon).

Journaliste, né à Fontenay-sous-Bois le 12 mai 1921, d'un préfet de la IIIe République. Rédacteur politique et parlementaire à *La Démocratie*, de Toulouse (1945), puis à *La Dépêche du Midi* (1947) et chef du service politique de ce même journal (1959-1962). Correspondant politique du *Berry républicain* (depuis 1952). Collaborateur de la presse de gauche (*L'Express*, *France Observateur*, *Les Cahiers de la République*), ainsi que de l'O.R.T.F. et de la radio suisse. Secrétaire général de l'*Association de la Presse Parlementaire*. Auteur de « *Mendès-France au pouvoir 1954-1955* » (1965).

ROUAULT (Marie, Joseph).

Universitaire (1905-1965). Eut pour *labadens* le dessinateur Ben, à Angers, puis Robert Brasillach, à Louis-le-Grand. Publia « *La IIIe République, vue par Gobineau* » (1943), puis « *La vision de Drumont* » (1944), anthologie des œuvres de l'auteur de « *La France Juive* » et de « *La Fin d'un monde* », ouvrages qui furent mis au pilon d'ordre de la nouvelle direction du *Mercure de France* (éditions) à la Libération. Emprisonné en 1944 à Fresnes où il retrouva Brasillach. Enseigna dans diverses institutions religieuses en Italie et en France. Atteint d'une maladie incurable, Rouault mourut, après un long séjour à l'hôpital, dans la plus totale indigence, fidèle aux idées pour lesquelles il s'était tant dépensé un quart de siècle auparavant.

ROUBERT (Alex).

Avocat né à La Celle-sur-Loup (A.-M.), le 12 juin 1901. Compte parmi ses ascendants le docteur Sue, médecin du roi, son fils, le professeur Sue, de la faculté de médecine de Paris, et le fameux romancier Eugène Sue. Avocat au barreau de Grasse, milita jeune dans les milieux de gauche et fut, sous l'occupation, membre de l'exécutif de zone Sud du *Parti Socialiste* clandestin (1942) et chef départemental du *M.U.R.* (1943). Présida le *M.L.N.* des Alpes-Maritimes et le Comité de Libération du département en 1944. Elu conseiller municipal de Nice en 1945, entra la même année à l'Assemblée constituante (1re), fut réélu l'année suivante (2e Assemblée constituante). Appartient au Conseil de la République (devenu le Sénat) depuis 1946 ; y présida onze ans la Commission des finances (1947-1958) et neuf ans le Groupe socialiste (1947-1956). Est actuellement le président du Conseil de direction des biens et intérêts privés français à l'étranger, ainsi que le président de la Commission des finances du contrôle budgétaire et des comptes économiques de la Nation du Sénat.

ROUCAUTE (Roger).

Homme politique, né à Cendras (Gard), le 20 avril 1912. Débuta comme employé. Ancien commandant des *F.T.P.* pour la zone Sud. Membre de l'Assemblée consultative provisoire (1944). Membre du Comité central du *P.C.F.* (depuis 1945). Elu aux deux Assemblées constituantes (1945-1946). Député de l'Ardèche à la première Assemblée nationale (1946-1951). Battu en 1951. Elu à nouveau député de l'Ardèche en 1956. Battu en 1958. Elu à nouveau député communiste de la 3e circ. du Gard, le 25 novembre 1962. Réélu en 1967.

ROUERGAT (Le).

Hebdomadaire chrétien et républicain fondé en 1944. Directeur : A. Bion, secondé par M. Garrigues, secrétaire général, et Jean Monteillet, rédacteur en chef. Tirage : 12 200 exemplaires répandus dans tout le département de l'Aveyron. (12, rue de l'Abbé Bessou, Rodez.)

ROUERGUE REPUBLICAIN (Le).

Quotidien créé le 23 août 1944 à Rodez, après que ses fondateurs se furent emparés de l'imprimerie de *L'Union Catholique,* le journal modéré du département. Racheté par le groupe Hersant, a fusionné avec *Centre-Presse.*

ROUGE ET LE BLEU (Le).

Hebdomadaire socialiste et démocrate paraissant à Paris en 1941-1942. Directeur : Charles Spinasse, ancien ministre du gouvernement Blum. Principaux collaborateurs : Georges Albertini, R. de Marmande, etc.

ROUGE MIDI.

Journal de la *Fédération Communiste* des Bouches-du-Rhône, fondé à Marseille en 1932, d'abord hebdomadaire, puis bihebdomadaire sous le *Front Populaire.* Disparut en 1939, puis fut publié clandestinement à partir du 23 janvier 1941. Devint quotidien à la Libération, sous la direction de Jean Cristofol, député communiste avant et après la guerre. Disparut quelques années plus tard, sa clientèle (une cinquantaine de milliers de lecteurs) étant absorbée par *La Marseillaise.*

ROUGIER (Louis, Paul, Auguste).

Universitaire, né à Lyon, le 10 avril 1889. Fils d'un médecin. Enseigna (à partir de 1924) à la Faculté des lettres de Besançon, à l'Université du Caire, au Saint John College, à la New School for Social Research, à la Faculté des Lettres de Caen, et présida le premier Congrès international de philosophie scientifique tenu à Paris en 1935, et le Colloque Walter Lippmann à l'Institut international de coopération intellectuelle en 1938. Fut chargé, par le maréchal Pétain, d'une mission à Londres en décembre 1940, en vue de conclure un accord secret avec Churchill (cf. son livre « *Mission secrète à Londres* »). Puis gagna New York où il demeura jusqu'à la fin de la guerre. Après la Libération, présida l'*Union pour la Restauration et la Défense du Service Public* qui groupait principalement des fonctionnaires épurés en 1944. Collabora aussi à divers journaux d'opposition : *Ecrits de Paris, France Réelle,* etc. et appartint à la direction de *L'Alliance Démocratique,* alors présidée par Pierre-Etienne Flandin. Auteur de : « *Les Paralogismes du rationalisme* » (1920), « *Traité de la connaissance* » (1955), « *La Scolastique et le Thomisme* » (1925), « *La Mystique démocratique* » (1929), « *Les Mystiques économiques* » (1938), « *La Défaite des vainqueurs* » (1947), « *La Métaphysique et le langage* » (1960), « *L'Erreur de la démocratie française* » (1963), etc.

ROURE (Rémy).

Journaliste, né à Arcens (Ardèche), le 30 octobre 1885, mort à Paris, le 8 novembre 1966. Dans la presse depuis plus de cinquante ans, collabora successivement à *l'Information sociale,* à *l'Eclair,* au *Temps.* Replié à Lyon, pendant l'occupation, participa à la Résistance, fut membre du comité directeur de *Liberté*, du mouvement *Combat* et rédacteur du *Bulletin de la France Combattante*. Arrêté par les Allemands, fut déporté à Buchenwald (1943). Sa famille fut cruellement éprouvée par la guerre : épouse morte à Ravensbruck, sœur également décédée en déportation, neveu fusillé, fils tué par l'explosion d'une grenade à la fin de la guerre. Après sa libération, fut rédacteur politique du journal *Le Monde* (1945-1952) qu'il quitta après la publication dans ce journal du « *rapport Fechteler* » par Bloch-Morhange. Entra au *Figaro*. Auteur de : « *La Vie orgueilleuse de Trotsky* », « *Les Demi-Vivants* », « *L'Alsace et le Vatican* », « *La Quatrième République, naissance ou avortement d'un régime* », ainsi qu'une biographie du maréchal Toukhatchevski avec lequel il fut en captivité, à Ingolstadt, pendant la 1re Guerre mondiale, en compagnie de Charles De Gaulle.

ROUSSEAUX (André).

Journaliste. Né à Paris, le 23 mars 1896. Milita à l'*Action Française* après la guerre de 1914-1918. Collabora au quotidien du mouvement monarchiste de 1918 à 1929 et à l'*Almanach d'Action Française*. Au début du *Nouveau Siècle*, donna des articles au journal de Georges Valois. Par la suite, collabora au *Figaro*, alors dirigé par François Coty, et à divers autres journaux de droite. Rallié au gaullisme pendant la guerre, appartint en 1944 au *Comité National des Ecrivains*, qui épura les lettres des pétainistes, et en 1947, au Conseil national du *R.P.F.* Est aujourd'hui l'un des collaborateurs réguliers du *Figaro*. Auteur de divers livres de critique, dont « *Littérature du XXe siècle* ».

ROUSSEL (Edouard, Emile, Joseph).

Industriel, né à Roubaix, le 28 février 1890, mort dans cette ville, le 15 décembre 1965. Conseiller général du Nord. Sénateur de ce même département (1932-1941). Nommé le 23 janvier 1941 membre du *Conseil National*.

ROUSSEL (Philippe).

Publiciste, né à Luzarches (S.-et-O.) le 27 septembre 1928. Directeur de *L'ordre français* et auteur du « *Livre d'or de l'épopée vendéenne* », couronné par l'Académie des Sciences morales et politiques.

ROUSSEL (Romain).

Homme de lettres, journaliste, né au Teil (Ardèche), le 1er mars 1898. Secrétaire général du magazine *Le Monde et la Vie*. Ancien membre du comité de la Société des Gens de lettres. Auteur de : « *Les Chemins des Cercles* » (Prix du roman du Cercle littéraire français, Grand Prix Fabien-Artigue), « *La Maison sous la cendre* », « *La Vallée sans printemps* » (Prix Interallié, 1937), « *L'Herbe d'avril* » (couronné par l'Académie française), « *Les Pèlerinages à travers les siècles* » (couronné par l'Académie française), « *Les Pèlerinages* », « *Jacques Cœur* », etc.

ROUSSELOT (René, Edmond).

Agriculteur, né à Nicey - sur - Aire (Meuse), le 5 décembre 1899. Président de la *Fédération des Syndicats d'Exploitants agricoles* de la Meuse. Secrétaire général de la Chambre d'Agriculture de la Meuse. Animateur de nombreux organismes agricoles. Conseiller municipal de Nicey (1929) et maire (depuis 1939). Conseiller général de Pierrefitte (depuis 1945). Elu député de la Meuse le 17 janvier 1951 (sur la liste de l'*indépendant* Louis Jacquinot). Secrétaire du groupe d'action paysanne et sociale de l'Assemblée Nationale (janvier - juillet 1952). Battu le 2 janvier 1956. Suppléant de Louis Jacquinot devenu ministre. Fut proclamé député de la Meuse (1re circ.) le 9 février 1959. A nouveau suppléant de Jacquinot aux élections législatives du 18 novembre 1962. A été proclamé député de la Meuse le 7 janvier 1963, lorsque Jacquinot est redevenu membre du gouvernement. S'apparenta au groupe *U.N.R.*

ROUSSET (David).

Homme de lettres, né à Roanne (Loire) le 18 janvier 1912, d'une famille protestante (ses deux grands-pères furent pasteurs). Vécut en Allemagne et en Tchécoslovaquie entre 1931 et 1936, puis en Espagne, où, militant trotskyste, il joua un rôle dans les rangs des républicains à Barcelone. De 1937 à 1939, fut le correspondant politique et économique de *Time* et de *Fortune*. Marié à une anglaise, Susie Eliott, quelques mois avant la guerre. Sous l'occupation, fut arrêté par les Allemands alors qu'il faisait de la propagande trotskyste (1943). Emprisonné à Fresnes, fut déporté à Buchenwald, puis à Porta Westphalica, Neuengamme, Helmsteldt (mines de sel) et Wöbbelin. Libéré en mai 1945 par les troupes américaines. Fonda, en 1948, avec Sartre, Camus et A. Breton, le *Rassemblement Démocratique Révolution-*

naire qui mourut à peine né. Après avoir décrit les horreurs des camps de concentration allemands dans « *L'Univers Concentrationnaire* » (1946) et « *Les jours de notre mort* » (1947), s'en prit aux camps de concentration soviétiques et lança, dans *Le Figaro littéraire* (12-11-1949), l'idée d'une *Commission d'enquête sur les camps de travail de l'U.R.S.S.* Fut violemment pris à partie par les communistes et même par certains de ses amis du *R.D.R.* Collabora à *Franc-Tireur, Combat, Preuves, Arguments,* et donna des articles au *Monde* (en tribune libre). Fonda et dirigea la revue *Saturne* (1955-1959). Candidat gaulliste en 1967 : battu. Publia, outre les deux livres cités (dont le premier obtint le prix Théophraste-Renaudot 1946) : « *Le pitre ne rit pas* », « *Les entretiens sur la politique* » (avec J.-P. Sartre et Gérard Rosenthal), « *Le sens de notre combat* » et collabora à divers « *Livres blancs* » sur les camps et les prisons soviétiques, espagnols, grecs, chinois, algériens.

ROUX (Claude).

Avocat, né à Pointe-à-Pitre (Guadeloupe), le 27 octobre 1920. Ancien auditeur de l'Académie de droit international de La Haye. Conseiller municipal de Vincennes. Membre du Comité central de l'*Action républicaine et sociale* et du C.D. de l'*Association française pour la Communauté Atlantique.* Elu député de Paris (19ᵉ circ.) en 1958, réélu en 1962. Inscrit au groupe *U.N.R.* A publié différents ouvrages de droit sur le *Prêt-Bail* (1945), sur les *Réquisitions civiles immobilières,* etc.

ROUX (comte Dominique, Philippe de).

Ecrivain, né à Paris, le 17 septembre 1935. Petit-fils du bâtonnier Marie de Roux, historien et dirigeant de l'*Action Française* (notice ci-dessous). Directeur-fondateur des *Cahiers de l'Herne,* où ont paru d'importantes biographies de Georges Bernanos, Céline, etc. Directeur (1963) de la collection des classiques du xxᵉ siècle aux *Editions Universitaires,* directeur (1964) de la collection de l'Herne aux *Editions de la Table Ronde.* Auteur de « *Mademoiselle Anicet* », « *L'Harmonika-Zug* » et « *La mort de L.-F. Céline* ».

ROUX (comte Louis-Olivier de).

Directeur d'administration, né à Poitiers (Vienne), le 3 décembre 1914, mort à Dhuizy (S.-et-M.), le 9 septembre 1962. Fils du marquis Marie de Roux (voir ci-dessous). Directeur-adjoint du département des titres à la *Caisse Nationale de l'Energie.* Président de *La Restauration Nationale* et des comités directeurs de *L'Action Française,* après la guerre jusqu'en 1962.

ROUX (marquis Marie de).

Avocat, né à Saint-Florent-lès-Niort le 17 février 1878, mort à Fort-d'Aslonnes, le 3 décembre 1943. Issu d'une famille monarchiste, rallia le groupe maurrassien dès janvier 1901, publiant dans *Poitiers universitaire* un article favorable au maître du nationalisme intégral. Avocat éminent, bâtonnier de son Ordre à Poitiers, fut le défenseur attitré des dirigeants de l'*Action française* en même temps que l'orateur prestigieux des réunions du mouvement monarchiste dont il était le chef dans le Poitou. Auteur de « *La Restauration* », « *Origines et fondation de la IIIᵉ République* » et de divers autres ouvrages politiques, à la fois historiques et de doctrine.

ROUX-COSTADAU (Ferdinand, Bienvenu, Henri ROUX, dit).

Journaliste, né aux Mées (B.-A.), le 23 avril 1875, mort à Saint-Maurice (Seine), le 12 février 1946. Instituteur public dans la Drôme, sa candidature comme socialiste aux élections générales de 1906 lui coûta son poste ; poursuivi devant le Conseil départemental, qui refusa de le condamner, il fut révoqué par le gouvernement Clemenceau pour avoir prôné l'internationalisme socialiste dans une réunion de propagande. Il fut élu député *S.F.I.O.* de Valence en 1910 et réélu en 1914. Hors du parlement à partir de 1919, ayant évolué et répudié le marxisme, il fonda *La Libre Opinion* (1922), qui préconisait la révision de la Constitution pour renforcer les pouvoirs de l'exécutif, et qui disparut quelques années avant la guerre, faute de fonds. Roux-Costadau avait alors rejoint le nationalisme populaire.

ROY (Claude ORLAND, dit).

Homme de lettres, né à Paris, le 28 août 1915. Fit son entrée dans la politique sous la conduite de Thierry-Maulnier. Collabora avec Robert Brasillach, dont il classait les dossiers (cf. « *Les Quatre Jeudis* », de Robert Brasillach). Fut, avant la guerre, le collaborateur de *Je suis partout.* Fait prisonnier par les Allemands en 1940, parvint à s'évader l'année suivante. Entra dans la Résistance et participa à l'action du groupe

Les Etoiles en zone Sud et à celle du *Front National* en zone Nord. Rallié au *Parti communiste* en 1943, entra au Comité directeur du *Comité National des Ecrivains* (sous influence communiste) et à la rédaction des *Lettres Françaises*. Auteur de nombreux ouvrages dont « *Clefs pour la Chine* », « *Le Malheur d'aimer* », « *Le Journal des voyages* », « *De la sagesse des nations* », et, en collaboration avec Anne Philipe, « *Gérard Philipe* ».

ROY (Jules).

Homme de lettres, né à Rovigo (Algérie), le 22 octobre 1907. Appartient à une famille paysanne d'Algérie, d'origine ariégeoise et franc-comtoise. Fit ses études secondaires au séminaire d'Alger. Partit à la guerre comme officier d'active, passa en Afrique du Nord en 1940 et devint, en 1943, pilote de bombardier lourd de la R.A.F. Démissionna en 1953 de l'Armée de l'Air française pour se consacrer à la littérature et aux grands reportages. Devint bientôt l'un des collaborateurs les plus connus de *L'Express* dont il acceptait alors les thèses. Depuis son voyage en Chine, semble avoir singulièrement évolué, et ses amis politiques d'hier lui reprochent des prises de position politiques presque « réactionnaires ». Parmi ses œuvres les plus connues citons : « *La Vallée heureuse* », « *Le Métier des armes* », « *L'Homme à l'épée* », « *La Bataille dans la rizière* », « *Les Belles Croisades* », « *La Bataille de Dien-Bien-Phu* », « *Passion et Mort de Saint-Exupéry* », « *La Guerre d'Algérie* », « *Autour du drame* » et « *Le voyage en Chine* ».

ROY (Louis, Octave).

Chirurgien, né à Villers-sur-Tholon (Yonne), le 29 avril 1898, mort à Soissons, le 25 avril 1966. Ancien chef de clinique à la Faculté de médecine de Paris. Maire de Soissons, président du Conseil général de l'Aisne (jusqu'en octobre 1959), sénateur *U.N.R.* de l'Aisne (depuis 1959).

ROY (Pierre, André).

Négociant, né à La Chapelle-Palluau (Vendée), le 25 juin 1898. Maire de La Chapelle-Palluau, conseiller général de la Vendée, sénateur de la Vendée depuis 1963, membre du groupe des *Républicains indépendants*.

ROYER (Jean-François).

Membre de l'enseignement, né à Nevers, le 31 octobre 1920. Instituteur à Langeais, puis à Sainte-Maure. Professeur au cours complémentaire Michelet. Ancien délégué départemental du *R.P.F.* (1947-1951). Candidat *R.P.F.* en 1951 (battu). Se retira de la vie politique en 1953. En 1958, fit campagne pour le OUI. Elu député d'Indre-et-Loire (1re circ.) le 30 novembre 1958 comme « indépendant » (contre le candidat officiel des gaullistes) au cri de : « Vive De Gaulle ! » Elu conseiller municipal, puis maire de Tours (mars 1959). Réélu député « sans parti politique », le 18 novembre 1962, au premier tour, avec 62,68 % des suffrages. Dans sa profession de foi il rappelait qu'il avait « *condamné en censurant le Gouvernement sa politique de dégagement en Algérie* ». Il demandait l'amnistie et le maintien de l'*Alliance Atlantique*. Contrôlerait *Centre - Eclair* cédé par Bernard Manceau. Réélu député en 1967.

ROZIER (Arthur).

Homme politique (1870-1924). A dix-sept ans, créa à Troyes, avec son frère aîné, un journal socialiste *La République sociale*. Fonda, un peu plus tard, la *Jeunesse socialiste troyenne* et devint le correspondant dans l'Aube du journal *Le Parti ouvrier*, d'Allemane. Renvoyé de l'usine de bonneterie où il travaillait, condamné en correctionnelle et emprisonné, gagna ensuite Paris, collabora au *Prolétaire* de Paul Brousse et participa à la fondation de *La France socialiste*. Installé à Blois par la suite, il prit la rédaction en chef du *Progrès de Loir-et-Cher* et de *L'Eclaireur de l'Ouest*, milita à la *Fédération des Travailleurs Socialistes de France* et entra au conseil municipal blésois. Nommé secrétaire de la *Fédération Nationale des Employés*, se réinstalla à Paris et se fit élire conseiller municipal du quartier d'Amérique, puis député du XIXe arrondissement (1906). mandat qu'il conserva jusqu'à sa mort en 1924. En 1918, avait fondé avec Compère-Morel et Adrien Veber, le quotidien socialiste modéré *La France Libre*. Placé hors de la *S.F.I.O.* à la suite de son vote en faveur des crédits militaires (1919), se retrouva dans le parti après la scission de Tours.

RUAIS (Pierre).

Ingénieur, né à Nancy, le 29 septembre 1907. Ingénieur en chef des Ponts et Chaussées (Ecole Polytechnique, promotion 1927). Président de l'Office régional des Transports parisiens. Dirigea les travaux publics en Afrique Noire, avant la guerre. Membre de l'Etat-Major particulier du général De Gaulle à Londres (1942). Conseiller municipal de Paris et conseiller général de la Seine (1947-1959). Vice-président du Conseil municipal (1951-1952). Ancien président du groupe municipal *R.P.F.* Président du Conseil municipal (1956-1957). Membre de l'*Alliance France-Israël*. Député *U.N.R.* de Paris (28ᵉ circ.) depuis 1958.

RUCART Marc-Emile).

Journaliste (1893-1964). Initié à la loge *L'Indépendance* d'Orléans, le 16 février 1916, affilié à la loge *La Fraternelle Vosgienne*, d'Epinal, membre du Conseil National de l'*Ordre International Maçonnique Le Droit Humain*, fut dans les Vosges l'un des leaders du mouvement républicain et laïque. Rédacteur en chef de *La République des Vosges*. Dirigeant du *Parti Radical-Socialiste*, se fit élire député des Vosges en 1928 ; réélu en 1932 et 1936. Ministre de la Justice et de la Santé Publique (1936-1940). Ne prit pas part au vote du 10 juillet 1940. Membre du *Conseil National de la Résistance* (1943), appartint à l'Assemblée consultative d'Alger, au Conseil de la République (élu en Côte d'Ivoire, 1946, puis en Haute-Volta, 1948-1958).

RUEFF (Jacques, Léon).

Inspecteur général des Finances, né à Paris, le 23 août 1896. Issu d'une famille de la bourgeoisie israélite. Quelque peu détaché du judaïsme, épousa une Dᴵᴵᵉ Vignat et eut pour témoins le maréchal Pétain et Clément Colson (14 avril 1937). Mobilisé en avril 1915, fut nommé inspecteur adjoint des Finances en 1923 à sa sortie des grandes écoles (Polytechnique et Sciences politiques). Sa carrière s'étend sur un demi-siècle : professeur à l'Institut de Statistiques de Paris (1923). Inspecteur des Finances (1926). Attaché au cabinet du ministre des Finances (Poincaré, 1926-1927). Détaché à la Section Economique et Financière du Secrétariat Général de la S.D.N. (1927). Chargé de mission par la S.D.N. en Bulgarie, en Grèce et au Portugal (1928). Attaché financier à l'Ambassade de France à Londres. Directeur-adjoint (1934), puis directeur du Mouvement Général des Fonds (nommé en 1936 par le gouvernement de *Front Populaire*). Membre du Comité de Gestion du Fonds d'Egalisation des Changes. Commissaire du Gouvernement près la *Banque Nationale Française du Commerce Extérieur*. Conseiller d'Etat en service extraordinaire. Membre du Conseil général de la *Banque de France* (1937), puis sous-gou-

verneur (1939). Réintégré à l'Inspection des Finances par le gouvernement du maréchal Pétain (1941). Président de la Délégation Economique et Financière en Allemagne occupée (zone française) (1944-1945). Inspecteur général des Finances. Délégué adjoint, puis délégué titulaire à la Commission des Réparations (1945). Président de la Conférence de Paris sur les Réparations, puis de l'Agence Interalliée des Réparations à Moscou (1946). Membre de la Commission Tripartite de l'Or monétaire (1947). Ministre d'Etat du gouvernement de Monaco (1949). Président du Conseil Economique et Social de l'O.N.U. Juge à la Cour de Justice de la C.E.C.A. (1952), puis président de chambre (1953). Président du Comité d'Experts pour la Réforme Economique et Financière (septembre 1958). Vice-président du Comité pour la suppression des obstacles à l'expansion économique (1960). Membre de l'Académie française (1964). Conseiller financier du général De Gaulle. En outre et entre temps : professeur à l'Ecole libre des Sciences Politiques, au Centre Polytechnicien d'Etudes Economiques et à l'Institut National des Sciences Politiques, membre du Comité des Experts (créé par P. Laval en 1935), administrateur de la *Cie Nationale du Rhône*, membre du Groupe de Recherches Economiques et Sociales, président de la Société d'Economie Politique, de la Société de Statistiques de Paris, et du Conseil International de la philosophie et des Sciences humaines à l'U.N.E.S.C.O., vice-président du Comité Interparlementaire du Commerce, membre du Comité directeur de la Section française de l'Internationale Libérale, candidat d'Union des Indépendants et des Républicains Nationaux (liste Louis Rollin, 1951), puis dirigeant du *Centre des Indépendants* (1954), etc. Actuellement : administrateur de la *Société d'investissements mobiliers*, président de la *Compagnie de réassurances Nord-Atlantique* (Corena) et membre du Conseil économique et social (depuis 1962). Auteur de : « *Des sciences physiques aux sciences morales* », « *Théorie des phénomènes monétaires* », « *L'Ordre social* », « *Epître aux dirigistes* », « *L'Age de l'inflation* ».

RUFFE (Hubert).

Agriculteur, né à Penne d'Agenais, le 29 août 1899. Député communiste aux deux Assemblées constituantes (1945-1946) et à la première Assemblée nationale (1946-1951). Battu le 17 juin 1951. Conseiller général de Lavardac (1951-

1958). Elu à nouveau député de Lot-et-Garonne en 1956. Battu en 1958. Elu à nouveau, dans la 2ᵉ circ., le 25 novembre 1962 et le 5 mars 1967.

RUMEUR (La).

Quotidien éphémère paraissant à midi, lancé au temps du gouvernement Poincaré par Georges Anquetil. Ce dernier, journaliste de talent, d'opinions avancées mais sans grands scrupules, avait obtenu un succès énorme avec sa revue *Le Grand Guignol* et ses livres à scandales : « *Satan conduit le bal* » et « *La maîtresse légitime* ». Compromis dans l'affaire de la *Gazette du franc,* pour avoir soutiré de grosses sommes d'argent à Marthe Hanau, dont il connaissait les trafics, il fut arrêté et jugé : « *Les renseignements sur vous,* lui dit le substitut du procureur, *ne sont pas mauvais : ils sont déplorables.* » Condamné, il tenta vainement, à la veille de la guerre, de refaire surface en publiant un nouveau livre : « *Hitler conduit le bal* ». Mais l'homme était beaucoup trop déconsidéré pour réussir.

S

SABATIER (Guy).

Avocat, né à Vitré (I.-et-V.), le 2 octobre 1917. Membre du Conseil National de l'*U.N.R.* Membre de la section des activités sociales au Conseil Economique et Social (1er janvier-25 novembre 1962). Elu député *U.N.R.* de l'Aisne (1re circ.) en 1962, contre le député indépendant-paysan Devèze, qui avait voté la censure et préconisé le NON. Réélu en 1967.

SABIANI (Simon, Pierre).

Journaliste, né à Casamoccioli (Corse), le 19 mai 1888, mort à Barcelone (Espagne), le 19 septembre 1956. Frère du sergent François Sabiani, avocat, du sous-lieutenant Joseph Sabiani et du lieutenant Jean-Luc Sabiani, tous trois tués à la guerre de 1914-1918, au cours de laquelle il fut, lui-même, grièvement blessé. (Il perdit un œil à Douaumont, eut cinq blessures, fut quatre fois cité et reçut la Légion d'Honneur, la médaille militaire, la croix de guerre.) Père de François Sabiani, étudiant en droit, né le 22 novembre 1922 à Bastia, engagé à la *L.V.F.*, tué sur le front de l'Est le 2 juin 1942. Simon Sabiani se destinait au notariat ; après la Première Guerre mondiale il devint l'associé d'une firme de transit et directeur de journal. Ayant adhéré au *Parti Communiste* peu après sa création, il n'y resta guère plus de deux ans, adhérent de la section française du *Komintern*. Sous l'étiquette de socialiste indépendant il fut élu député de Marseille en 1928 et, à la même époque, appartint également au Conseil général des Bouches-du-Rhône. Le docteur Flaissières, vieux socialiste marseillais, ayant rompu avec ses amis politiques, Sabiani constitua avec lui et avec une autre personnalité apolitique, le docteur Ribot, une liste populaire où se retrouvaient des syndicalistes, des artisans et des anciens combattants, laquelle triompha aux élections municipales de 1929 des deux listes concurrentes, celle des marxistes et celle des modérés. Ce qui ne se fit pas sans luttes violentes, car, à Marseille, où les associations de malfaiteurs étaient puissantes, il fallait aussi compter avec elles : chaque clan avait alors ses partisans dans le « milieu » marseillais. Il devint adjoint au maire de Marseille (1929-1935). Pour soutenir son action, un journal, *Les Elections,* parut en 1929, dont Philibert Géraud était l'animateur. Avec celui-ci il transforma cette feuille en hebdomadaire de combat sous le nom de *Midi libre ;* une souscription publique fournit les fonds nécessaires à son lancement. Au parlement il fut l'un des rares députés socialistes indépendants ou de gauche à voter la dissolution de la Franc-Maçonnerie en décembre 1935. L'année suivante il fut battu aux élections législatives et, quelques mois plus tard, il participa à la fondation du *Parti Populaire Français* (de Jacques Doriot), dont il fut l'un des dirigeants. Son journal, *Midi libre* devint l'organe de la fédération du *P.P.F.* des Bouches-du-Rhône. Après l'armistice il fut nommé président de la délégation spéciale de Marseille et poursuivit son combat politique au *P.P.F.* Condamné par contumace par les tribunaux de l'épuration, il vécut jusqu'à sa mort hors de France. Saint-Paulien, qui parle longuement de Simon Sabiani dans son *Histoire de la Collaboration* (Paris, 1964), écrit : « *On ne parle généralement aujourd'hui que de « Simon Sabiani et de ses gangsters ». Cependant, le 2 octobre 1956, à treize heures, Radio-Nationale d'Espagne interrompait ses émissions et diffusait une information dont voici la traduction : « Pedro Multedo, qui est mort le 29 septembre à la clinique Notre-Dame de Lourdes à Barcelone, se nommait en réalité Simon Sabiani. C'était notre ami et notre camarade. Il déploya dans la lutte contre le communisme l'activité la plus énergique. Son rôle fut particulièrement important entre 1936 et 1938 quand, au péril de sa vie, il empêcha, à plusieurs reprises, l'acheminement vers l'Espagne des renforts en hommes, en armes et en matériel que le Front Populaire de France envoyait à son homologue espagnol. » Et, après avoir rappelé les sacrifices des Sabiani en 1914-1918, le poste espagnol concluait : « Deux fois condamné à mort en France par des tribunaux spéciaux, Simon Sabiani était une nationaliste français partisan convaincu de la collaboration avec l'Allemagne dans le cadre d'une Europe unie, et un sincère ami de l'Espagne. »* Ses obsèques eurent lieu dans son village natal, en présence d'une foule immense. « *On avait sorti de sa cachette*, nous dit Saint-Paulien, *le drapeau de la Fédération P.P.F. de la Corse, qui recouvrait le cercueil.* » L'auteur de l'*Histoire de la Collaboration* cite aussi ce trait qui montre le caractère de Sabiani : « *Sa mère était, en 1953, centenaire. Simon désirait ardemment la revoir avant qu'elle ne passât. Le condamné à mort organisa donc une expédition en Corse. Lorsqu'il débarqua, près de Bastia, des amis avaient éloigné gendarmes et douaniers. Dans la nuit, armés jusqu'aux dents, Sabiani et ses gens priaient la Vierge, redoutant que « quelque pauvre malheureux douanier ne commît l'imprudence de se dresser devant eux ». Il n'en fut rien, et Sabiani put passer huit jours dans sa maison natale en compagnie de sa mère. Elle quitta ce monde deux ans plus tard, heureuse d'avoir revu son fils.* »

SABLE (Victor).

Avocat, né à Fort-de-France, le 30 novembre 1911. Fils de magistrat. Ancien conseiller général. Elu sénateur de la Martinique (app. communiste), le 15 décembre 1946 ; battu le 7 novembre 1948. Elu député radical-socialiste, le 30 novembre 1958 ; réélu en 1962. Inscrit au groupe du *Rassemblement Démocratique. Juvenal* (17-12-1965) a noté qu'il avait quitté cette organisation et fait campagne pour De Gaulle en décembre 1965. Patronné par le Comité de la Ve République. Auteur de « *La Transformation des Iles d'Amérique en départements français.* »

SABLIER (Edouard SCHAMASCH, dit).

Journaliste, né à Bagdad (Irak), le 29 février 1920. Fils d'un agent consulaire. Engagé dans les F.F.L. (Syrie, Egypte, Afrique du Nord). Collabora à divers postes radiophoniques français et étrangers et fut, du 1er novembre 1945 au 7 février 1962, rédacteur diplomatique au *Monde*. Quitta ce journal du soir pour entrer au *Nouveau Candide*, plus conforme à ses convictions gaullistes de gauche. Collabora également à *Paris-Presse-L'Intransigeant, Notre République* et appartient au comité de direction de *La Nef*. Attaché à l'O.R.T.F., a été nommé directeur adjoint (1963), puis sous-directeur de l'actualité télévisée. Auteur de : « *De la Perse à l'Iran* », « *L'Orient arabe* », « *Le Crépuscule des Pachas* », « *Encyclopédie politique* », « *De l'Oural à l'Atlantique* ».

SABRIE (Joseph, Basile).

Ecclésiastique, né à Verlac (Aveyron), le 6 janvier 1875, mort à Montbazens (Aveyron), le 27 juillet 1944. Ordonné prêtre le 9 juin 1900, vicaire dans diverses paroisses de son diocèse d'origine, curé de Latour (1908), de Luc (1912), aumônier de la maison-mère de la Sainte-Famille à Villefranche-de-Rouergue (1922), chanoine (1932), curé-doyen de Montbazens (1934). Prit une part active à l'action catholique et traditionaliste dans sa région. Assassiné à la Libération.

SACQUET (Henri, Octave, Etienne).

Journaliste, né à Paris le 18 novembre 1905. Successivement rédacteur à *La Cote de la Bourse et de la Banque* (1923), au *Journal de la Bourse* (1927), rédacteur en chef de *La Feuille du Jour* (1929), directeur-rédacteur en chef de l'*Agence alsacienne-lorraine* (1932-1940), directeur-rédacteur en chef de l'*Agence quotidienne* (depuis 1945). Secrétaire général (1933), puis vice-président de l'*Association syndicale professionnelle des rédacteurs en chef* (depuis 1933), président de la *Fédération internationale des rédacteurs en chef* (depuis 1964), président de l'*Association fédérale internationale de la presse eurafricaine*, membre du bureau du *Syndicat de la presse économique et financière*, de l'*Association des journa-*

listes catholiques, du *Comité catholique des amitiés françaises dans le monde* et de divers autres organisations professionnelles.

SADOUL (Jacques).

Avocat, né et mort à Paris (1881-1956). Militant socialiste, envoyé comme attaché à la mission militaire française en Russie en 1917, le capitaine Sadoul avait pris le parti des bolcheviks et rejoint l'armée rouge. Condamné à mort par contumace (7 novembre 1919) et passé au *Parti communiste* après la scission de Tours, il demeura en U.R.S.S. et y joua un rôle actif, notamment comme inspecteur de la jeune armée soviétique. Rentré en France en 1924, il fut arrêté et jugé. La victoire du *Cartel des Gauches* avait singulièrement modifié le climat : on amnistia les condamnés de la Haute Cour ; on acquitta Sadoul. Ce dernier, au sein du *Parti communiste*, s'occupa surtout des rapports franco-soviétiques. Il publia quelques livres sur la Révolution russe et des articles dans la presse communiste, notamment dans *Ce Soir*.

SAGETTE (Jean).

Expert agricole, né à Cussac (Cantal), le 5 octobre 1907. Propriétaire. Maire de Neuve-Eglise. Conseiller général de Saint-Flour-Sud depuis le 24 avril 1955. Candidat *R.G.R.-U.D.S.R.* aux élections législatives de 1956 (battu). Elu député *U.N.R.* du Cantal (2e circ.) le 30 novembre 1958. Réélu en 1962.

SAINT-BONNET (voir : **Bonnet**).

SAINT-JUST (Editions) (voir : **Europe-Action**).

SAINT-JUST (François de).

Homme politique, né à Joigny, le 19 mars 1896. Membre de l'Institut International d'Anthropologie. A succédé, en quelque sorte, à Victor de Saint-Just, comme député modéré du Pas-de-Calais (1933-1942). Inscrit à la *Fédération Républicaine*.

SAINT-LAURENT (Jacques LAURENT-CELY, dit **Cécil**).

Homme de lettres, né à Paris, le 5 janvier 1919. Fils d'un avocat, dirigeant de *La Solidarité Française* en 1934-1935. Neveu de Charles Deloncle, fondateur du *Mouvement Social Révolutionnaire*. Se fit d'abord connaître par ses romans à succès dont plusieurs ont été portés à l'écran (« *Caroline chérie* », notamment). Ce n'est que beaucoup plus tard que ce jeune romancier, dont les idées nationales étaient cependant connues depuis longtemps déjà, se lança dans la bataille politique, d'abord avec *La Parisienne*, revue qu'il fonda, puis avec certains romans à la clé, dont les tendances étaient à peine voilées (« *Prénom Clotilde* », « *Ici Clotilde* », « *Les passagers pour Alger* », « *Les agités d'Alger* ») et surtout avec « *Année 40* » (écrit en collaboration avec Gabriel Jeantet) et son pamphlet : « *Mauriac sous De Gaulle* », qui lui valut poursuites judiciaires et condamnation. Il fut, d'autre part, président-directeur général de l'hebdomadaire *Arts*, scénariste de films, auteur de livres d'histoire sous le pseudonyme d'Alberic Varenne et de nombreux autres romans sous celui de Cécil Saint-Laurent.

SAINT-LOUP (Marc AUGIER, dit).

Homme de lettres, né à Bordeaux, le 19 mars 1908. Fonda en 1935, avec ses amis de la S.F.I.O. et du *Syndicat National des Instituteurs*, les *Auberges Laïques de la Jeunesse*, dont il fut longtemps l'un des principaux animateurs. Attaché au cabinet de Léo Lagrange, sous-secrétaire d'Etat aux sports et loisirs (1936). Lança l'*Ajisme* et parcourut l'Europe, sac au dos, battit des records. Délégué au *Congrès Mondial de la Jeunesse* (1937), entendit Mrs Roosevelt déclarer la guerre à l'Allemagne, à l'Italie et au Japon : quitta aussitôt le congrès. Se ralliant au socialisme national, prit la tête du refus collectif d'obéissance des *ajistes* au moment de la crise qui fut, provisoirement, résolue par les accords de Munich. Fonda en 1941 les *Jeunes de l'Europe Nouvelle*, section « Jeunesse » du *Groupe Collaboration*. Combattit dans la *L.V.F.* comme sergent en 1942. Réformé, fonda le journal *Le Combattant Européen*, à Paris. Collabora aussi à *La Gerbe* et à *Devenir*. En 1944, officier politique de la Division de *Waffen-SS* française *Charlemagne*, prit une part importante au mouvement oppositionnel « européen » de cette formation. Quitta le « réduit alpin » le 16 avril 1945 et rentra en France, clandestinement, par la haute montagne. Publia son premier livre d'après-guerre « *Face Nord* » en 1947. Alla en Amérique du Sud, y fut le conseiller technique du président Peron pour l'armée de montagne (avec le grade de lieutenant-colonel) et parcourut la Cordillère des Andes et la Terre de Feu jusqu'au Cap Horn. Revint en France en 1953. Abandonnant dès lors la politique active, se consacra à la littérature. Préside néanmoins le *Comité France-Rhodésie*. A publié, entre autres : « *J'ai vu l'Allemagne* », « *Les Partisans* » (avant 1945), puis : « *La nuit commence au Cap Horn* », « *La Peau de l'Aurochs* », « *Renault de Billancourt* », « *Marius Berliet, l'inflexible* », « *Les Volontaires* » (sur la L.V.F.), « *Les Hérétiques* » (sur les *Waffen S.S.* français), etc.

SAINT-MARTIN (Paul).

Membre de l'enseignement, né à Simorre (Gers), le 4 septembre 1901, mort en 1940. Instituteur public. Militant *S.F.I.O.* Elu député socialiste du Gers en 1936. Tué à l'ennemi en 1940.

SAINT-PAULIEN.

Homme de lettres (voir : *Sicard*).

SAINT-PIERRE (Michel de GROSOURDY, comte de).

Homme de lettres, né à Blois, le 12 février 1916. Fils du marquis de Saint-Pierre, historien. Arrière-petit-fils du maréchal Soult, duc de Dalmatie ; arrière-petit-neveu du naturaliste Buffon. Manœuvre aux ateliers métallurgiques des *Chantiers de la Loire*, puis matelot de pont sur le croiseur *La Marseillaise* (avant la guerre). Militant de la Résistance, fut conseiller municipal de Paris après la Libération. Chef de service d'une filiale de la banque de Rothschild (où il avait pour collègue Georges Pompidou), puis directeur de collections aux *Editions du Centurion*, a fait, depuis quinze ans, une prodigieuse carrière dans la littérature et a acquis une grande notoriété dans les milieux catholiques des deux mondes, surtout après la publication de ses « *Aristocrates* » (portés à l'écran) et de ses « *Nouveaux Prêtres* » (traduits en plusieurs langues). Membre du *Comité Tixier-Vignancour*, fut candidat de cette organisation aux élections municipales de 1965. Est considéré comme l'un des porte-parole les plus réputés de la droite catholique. Autres ouvrages : « *Contes pour les sceptiques* » (1945), « *Ce monde ancien* », « *La Mer à boire* », « *Essai sur le théâtre de Montherlant* », « *Bernadette et Lourdes* », « *Dieu vous garde des femmes !* », « *Les Murmures de Satan* », « *Les Nouveaux Aristocrates* », « *Le Dernier Viking : La Varende* », « *La Vie prodigieuse du Curé d'Ars* », « *La Nouvelle Race* », « *L'Ecole de la violence* », « *Plaidoyer pour l'amnistie* » (1963), etc.

SAINT-SIMON (Claude-Henry de ROUVROY, comte de).

Philosophe, né à Paris, le 17 octobre 1760, mort dans cette même ville, le 19 mai 1825. Il était le petit-neveu du fameux mémorialiste, ce qui faisait dire à Michelet : « *C'est une illustration suffisante que d'avoir produit, à cent ans de distance, le dernier des gentilshommes et le premier des socialistes.* » A treize ans, son père le fit emprisonner pour le punir de ne pas vouloir faire sa première communion. Il retourna en prison sous la Terreur : acquis aux *idées nouvelles*, ayant combattu pour l'indépendance américaine, peu suspect de sympathie pour les émigrés puisqu'il avait acquis d'importants biens nationaux, il avait été arrêté uniquement parce qu'il était un *ci-devant*. Il se lança dans les affaires, mais fut ruiné par des associés peu scrupuleux et par des dépenses importantes en faveur des savants, des artistes et des écrivains de son époque. Il avait la tête pleine d'idées originales : c'est lui qui, le premier, pensa au canal de Suez — que perça plus tard l'un de ses disciples — et à celui qui devait relier les deux océans à travers l'isthme américain ; il met aussi au point un projet de Madrid-Port de mer... Bien qu'il soit considéré par certains comme l'un des précurseurs du socialisme moderne — les Saint-Simoniens voulaient ordonner la société suivant le principe « *A chacun selon sa capacité, à chaque capacité selon ses œuvres* » et faire cesser l'exploitation de l'homme par l'homme —, on doit surtout voir en lui le père de la technocratie : en annonçant, un bon siècle avant Burnham, l'ère de ces *directeurs* plus préoccupés de l'administration des choses que du gouvernement des hommes, il pressentait l'importance que prennent aujourd'hui, dans notre société, les moyens de production et la technique. N'ayant que mépris pour la « politique », jetant volontiers le discrédit sur le gouvernement, Saint-Simon résumait sa doctrine en un slogan : « *Tout par l'industrie, tout pour elle.* » Il opposait les abeilles industrieuses aux frelons, ces parasites du gouvernement. Le marxisme a certes beaucoup emprunté au Saint-Simonisme ; mais la technocratie infiniment plus. Ses idées sont développées dans certaines de ses œuvres : « *Esquisse d'une Nouvelle Encyclopédie* », « *Histoire de l'Homme* », « *Mémoire sur la science de l'Homme* », « *Réorganisation de la Société européenne* » (avec A. Thierry). « *L'Industrie et les discussions politiques, morales et philosophiques, dans l'intérêt de tous* les *hommes livrés à des travaux utiles et indépendants* », « *Le système industriel* », « *Le Catéchisme des industriels* ». Au nombre des amis et disciples de Saint-Simon, on compte : Rodrigues, Enfantin, Pierre Leroux, Garnier, Blanqui, Bazard et même Auguste Comte.

SAINTOUT (Marc).

Officier, né à Saucats (Gironde), le 8 septembre 1904. Lieutenant en retraite, du cadre des adjoints de chancellerie des troupes d'outre-mer. Ancien directeur du journal *La Nation*. A été proclamé conseiller municipal du 9e secteur de Paris et conseiller général de la Seine, le 6 mars 1959 (en remplacement de M. Jacques Marette). Elu député de la 30e circ. de la Seine, en 1962. Inscrit au groupe *U.N.R.*

SAINTENY (Jean).

Gouverneur de la France d'Outre-Mer, né au Vésinet (S.-et-O.), le 29 mai 1907. Marié en premières noces avec Lydie Sarraut, nièce d'Albert Sarraut, ancien président du Conseil de la IIIe République. Fut autorisé par décret du 23 juin 1947 à changer son nom patronymique : *Roger* en *Sainteny*. Dans la banque jusqu'en 1940. Responsable du réseau « Alliance », prit une part active au débarquement allié en Normandie (1944). Commissaire de la République pour le Tonkin et le Nord-Annam (3 octobre 1945-1er décembre 1947). Gouverneur des Colonies (3e cl.) (21 novembre 1946). A publié en 1953 « *Histoire d'une paix manquée. Indochine 1945-1947* ». Délégué général de la France au Nord-Vietnam par Pierre Mendès-France (7 août 1954). Chargé de mission (questions afférentes au tourisme) au cabinet de Robert Buron, ministre des Travaux publics et des Transports (1er avril 1959). Président de l'*Association pour le soutien de l'action du général De Gaulle*. Commissaire général au Tourisme (3 juin 1959). Elu député *U.N.R.-U.D.T.* de la 2e circonscription de la Seine, le 25 novembre 1962. Ministre des Anciens Combattants et Victimes de guerre (cabinet Pompidou, décembre 1962-janvier 1966). Chargé de mission par le général De Gaulle en Chine et au Nord-Vietnam en juin 1966.

SAIVE (René, Clovis).

Journaliste, né à Bourg-en-Bresse, le 16 avril 1910. Ancien collaborateur d'Emile Buré à *L'Ordre*, avant et après la guerre. Entre-temps, secrétaire de rédaction de *La France au Travail*, puis secrétaire général de *La France Socialiste*. Rédacteur au *Bulletin de Paris* et à *La France Indépendante*. Membre du Conseil d'administration de *L'Echo d'Alger*. Editorialiste et membre du conseil d'administration du *Journal du Parlement*.

SAIVRE (Roger de).

Journaliste (1908-1964). De tendance bonapartiste, fut de longues années le collaborateur de Pierre Taittinger, aux *Jeunesses Patriotes*, au *National* (rédacteur en chef) et aux *Jeunesses Nationales et Sociales* (président). Fut, en 1940-1941, l'un des collaborateurs du maréchal Pétain (chef de son cabinet civil), puis tenta de gagner l'Espagne avec le prince Napoléon ; fut arrêté et déporté (1943). Lança, en 1951, le journal *Contre*, et se fit élire député d'Oran, la même année. Bien que n'appartenant plus à la représentation algérienne depuis 1956, tenta d'entrer dans le *Comité de Salut Public du 13 mai*, en 1958, mais en fut écarté par les fondateurs de cet organisme.

SALAGNAC (Léon).

Charpentier, né à Treignac (Corrèze), le 6 mars 1894. Maire de Malakoff (depuis 1944). Conseiller général de la Seine (depuis 1953). Elu député communiste de la 55e circ. de la Seine, le 25 novembre 1962.

SALAN (Raoul, Albin, Louis).

Général, né à Roquecourbe (Tarn), le 10 juin 1899. Sous-lieutenant en 1919, peu après sa sortie de l'Ecole de Saint-Cyr, il était commandant en 1940 et général de brigade en 1944. Il commanda la 14e D.I. à la 1er Armée, puis les troupes françaises en Extrême-Orient, fut commissaire de la République par intérim au Nord-Vietnam, et commandant en chef des trois armes en Indochine avant de devenir inspecteur général de la Défense en surface et membre du Conseil Supérieur de la Guerre. Il exerçait le commandement en chef des forces armées en Algérie lorsque survinrent les événements de mai 1958. Le général Salan n'avait pas la réputation d'un gaulliste. Il avait d'ailleurs échappé de justesse à un attentat « téléguidé », disait-on, par des familiers de la rue de Solférino, qui avait coûté la vie à un de ses proches collaborateurs. Aussi les partisans du général De Gaulle s'employèrent-ils à le gagner à leur cause. Les frères Bromberger ont raconté comment le général Salan, qui n'y songeait guère, lança la candidature du général De Gaulle à la direction du gouvernement : « *Le 15 mai*

1958, *jour le l'Ascension, va être à Alger la journée du PRONUNCIAMENTO. Salan va crier :* « *Vive De Gaulle !* »... *Delbecque, qui l'attend, l'assure de la confiance indéfectible du Comité.*

— *Vous devriez parler à la foule !*

— *Tout de suite ! répond le général...*

— *Algérois, mes amis, je suis des vôtres, lance le général. Je suis des vôtres puisque mon fils (un enfant) est enterré au Clos Salembier...*

Un tonnerre d'applaudissements couvre sa voix.

— *Vive l'Algérie française !*

On l'acclame.

Le général se retourne, lâche le micro, fait mine de se retirer. Il y a dix versions contradictoires de la seconde qui suivit. Avait-il oublié, ou s'est-il soudain décidé ? Léon Delbecque est derrière lui et, quand il se retourne, le regarde droit dans les yeux. Le général fait alors demi-tour, ressaisit le micro :

— *Et vive De Gaulle !*

A midi trente, le général Salan lui-même appelle de Costier au ministère de la Reconstruction :

— *Vous êtes content ? Je l'ai crié votre* « *Vive De Gaulle !* »

Guichard aussitôt téléphone à Colombey. Ce cri donne au général De Gaulle le pouvoir en Algérie. » (« *Les 13 complots du 13 mai* », par Merry et Serge Bromberger, Paris 1960.) On sait la suite... Se méfiant de la popularité du général Salan et redoutant son opposition à la politique qu'il entendait pratiquer en Algérie, le général De Gaulle lui confia un poste loin d'Alger : il le nomma inspecteur général de la Défense (décembre 1958), puis gouverneur de Paris (février 1959-juin 1960). Admis à la retraite, il gagna l'Espagne : « *Je dis non catégoriquement à cette Algérie algérienne* », déclarait-il le 11 novembre 1960 aux journalistes et aux amis qu'il recevait à son hôtel de Saint-Sébastien. Il séjournait toujours dans la péninsule ibérique lorsque le général Challe organisa le « putsch » d'avril 1961 à Alger. Après l'échec du soulèvement militaire, auquel il participa, il entra dans la clandestinité et prit la tête de l'*O.A.S.* qui, sous sa direction et malgré un effectif réduit, provoqua de vives inquiétudes dans l'entourage du président De Gaulle. Un an plus tard il était arrêté (avril 1962) et condamné à la détention criminelle à perpétuité (mai 1962). Ce prisonnier d'Etat est, depuis, détenu à Tulle. On a dit que le général d'armée Raoul Salan était « *l'homme le plus décoré de France* ». Dans le faire-part annonçant qu'il était le parrain de son enfant, André Figuéras, auteur d'une biographie très

complète du général Salan, a fait suivre le nom de l'ancien chef de l'*O.A.S.* de la liste impressionnante de ses décorations. La voici, à titre documentaire : Grand-Croix de la Légion d'Honneur, Croix de guerre 1914-1918, Croix de Guerre 1939-1945, Croix de Guerre des T.O.E. ; Croix du Combattant Volontaire ; Médaille Commémorative Française de la Guerre 1939-1945 ; Médaille Coloniale ; Médaille Inter-Alliée ; Médaille Commémorative de Syrie-Cilicie ; Mérite Syrien de 3e classe ; Grand-Croix de l'Etoile Noire du Bénin ; Grand-Croix du Dragon d'Annam ; Médaille Commémorative de la Guerre 1914-1918 ; Croix du Combattant; Médaille de l'Aéronautique ; Grand-Croix de l'Etoile d'Anjouan ; Palmes d'Officier d'Académie ; Croix de la Valeur Militaire ; Médaille Militaire ; Distinguished Service Cross ; Commandeur of British Empire ; Grand Officier du Nicham Iftikar ; Grand-Croix du Million d'Eléphants et du Parasol Blanc ; Grand-Croix de l'Ordre Royal du Cambodge ; Grand-Croix de l'Ordre National du Vietnam ; Médaille de la Défense Nationale du Cambodge ; Grand Commandeur du Mérite des Sip Hoc Chau ; Croix de la Vaillance ; Grand Cordon du Ouissam Alaouite ; Médaille de Vermeil de l'Ordre du Règne du Laos ; Mérite Militaire Vietnamien ; Grand Officier de l'Ordre Militaire Péruvien ; Grand-Croix de l'Ordre National de Monaco. Ajoutons qu'il était le président de l'*Association des Combattants de l'Union Française* et qu'il a publié, avant les événements que nous venons de mentionner, le premier tome de ses « *Mémoires* ».

SALARDAINE (André).

Officier de gendarmerie, né à Charron (Charente-Maritime), le 8 juin 1908. Capitaine de gendarmerie en retraite. Armateur. Maire de La Rochelle. Conseiller général du canton ouest de La Rochelle (1961). Elu député *UN.R.* de la Charente-Maritime (1re circ.), le 25 novembre 1962, contre le député national de Lacoste-Lareymondie. Réélu le 12 mars 1967.

SALLE (Louis).

Employé, né à Humerœuille (P.-de-C.), le 29 novembre 1917. Employé de pharmacie. Conseiller municipal d'Olivet. Secrétaire départemental de l'*U.N.R.* Elu député du Loiret (2e circ.), le 25 novembre 1962 contre le député sortant, Gabelle (*M.R.P.*), qui occupait le siège depuis la Libération et avait voté la censure. Réélu le 12 mars 1967.

SALLENAVE (Pierre).

Négociant, né à Pau (B.-P.), le 20 novembre 1920. Fils de Louis Sallenave, maire de Pau. Elu député indépendant-paysan des Basses-Pyrénées (1re circ.) en 1958. Réélu en 1962. Ayant voté la censure avait été plastiqué par de mystérieux partisans du général. N'a pas été réélu en 1967.

SALLERON (Louis).

Universitaire, né à Sèvres (S.-et-O.), le 15 août 1905. Professeur honoraire d'Economie politique à l'Institut Catholique de Paris. Délégué de l'*Union Nationale des Syndicats Agricoles* (1940-1942), membre du Conseil National du maréchal Pétain (1941), directeur du Cours Supérieur de l'*Institut d'Etudes Corporatives* (1941-1942) et du *Collège Paysan* de cet organisme (1942). A collaboré à de nombreuses revues et journaux : *Idées*, revue de la *Révolution Nationale*, *La Nation Française*, *Les Ecrits de Paris*, *Carrefour*, *Itinéraires*, etc. Membre dirigeant du *C.E.P.E.C.* Auteur de : « *Les catholiques et le capitalisme* », « *La France est-elle gouvernable ?* ».

SALMON (Robert).

Journaliste, né à Marseille le 6 avril 1918. Issu d'une famille israélite provençale. Participa à la Résistance et devint membre de l'Assemblée consultative provisoire, puis de la première Assemblée constituante. Est, depuis plusieurs lustres, l'un des fidéicommissaires du groupe Hachette pour le compte duquel il occupe la présidence du conseil de gérance de la *Franpar,* la direction générale de cette même société et de *France Editions et Publications* (qui éditent *France-soir*, *Paris-Presse-l'Intransigeant*, *Le Journal du Dimanche*, *France-Dimanche*, *Elle*), la présidence-direction générale de la *Société des Publications Economiques* (*Réalités*, *Entreprise*, etc.) et la gérance de la Sté d'exploitation de journaux de loisirs (*Vive les vacances*). Préside le comité français de l'*Institut International de la Presse* et assure le secrétariat général de la *Fédération Nationale de la Presse Française.*

SALUT PUBLIC (Le).

Hebdomadaire de la *Confédération Nationale du Public.* Nationaliste et antiparlementaire. Directeur : André Faillet (1928-1930). Commandité, a-t-on dit, par le parfumeur François Coty.

SALUT PUBLIC (Le).

Quotidien modéré publié à Lyon entre 1848 et 1944. Assez largement répandu, il était principalement lu par la petite bourgeoisie lyonnaise. Ayant paru pendant l'occupation, il fut interdit en 1944 et ses biens furent confisqués. L'un de ses administrateurs, Johannès Dupraz, qui le représentait aux journées d'*Inter-France*, devint depuis *M.R.P.*, et l'un de ses principaux rédacteurs, Georges Riond, fut élu vice-président de l'Assemblée de l'Union Française.

SALUT PUBLIC DE L'ALGERIE FRANÇAISE.

Hebdomadaire fondé par Jean Bernier en 1958. Dans le courant de l'hiver 1958-1959, il fut placé sous la direction de Martel et de Paul Chevallet, ancien directeur-gérant de *Fraternité Française*, militant national connu à Alger depuis l'avant-guerre. Son siège était alors à Alger ; il fut transféré à Paris, rue Daunou, après l'interdiction du *M.P.* 13 en Algérie. Ses principaux collaborateurs étaient : Maurice Jeanson, président national de l'*Union des Paysans de France*, Claude Mouton, François de Saizieu, Jacques Ploncard d'Assac, Jean de Bronac, Louis de Saint-Quentin, F. Pignatel, le dessinateur Sic et, à titre officieux, le Dr Henri Martin.

SAMEDI.

Journal hebdomadaire israélite de Paris ayant succédé aux *Archives Israélites* fondées en 1840 ; disparut à la guerre. Participa activement au combat antifasciste au cours des années 1936-1938. Se fit remarquer par la vigueur des articles qu'il publiait autant que par l'abondance des informations sur la montée de l'antisémitisme en Europe et en Amérique, attribuée à l'Allemagne hitlérienne. Dans son numéro du 31 décembre 1938, il donnait ce conseil à ses lecteurs : « *On parle beaucoup de la nécessité de contre-carrer la propagande antisémite organisée par les Allemands à travers le monde. Eh bien ! on n'obtiendra rien par l'action pro-juive, tout par l'action anti-allemande. Nous ne sommes pas aimés ; peut-être ne le méritons-nous pas. Mais eux sont partout détestés. Notre unique chance, la voilà !* »

SAMPAIX (Lucien).

Journaliste (1899-1941). Ancien ouvrier métallurgiste. Militant communiste, secrétaire général de l'*Humanité*. Se signala particulièrement, sous le Front Populaire, par ses attaques contre les *cagoulards* et ceux qu'il considérait comme tels. Fusillé par les Allemands comme otage à la prison de Caen. Considéré, à juste titre, comme un exemple de militant communiste.

SAND (Amandine, Aurore, Lucie DUPIN, baronne DUDEVANT, dite George).

Femme de lettres (1803-1876). Connue surtout comme romancière, elle fut intimement mêlée au mouvement politique de son époque, entretenant des relations étroites avec Lamennais, Barbès et surtout Pierre Leroux (voir à ce nom). Elle eut une grande influence dans le Gouvernement provisoire de 1848, à tel point que Ledru-Rollin lui confia la rédaction de ces *Bulletins* de la République, qui étaient expédiés pour affichage, tous les deux jours (mars-mai 1848) aux préfets. Jugés nettement communistes, les textes de G. Sand furent, à plusieurs reprises, remaniés. Ces proclamations n'en demeurèrent pas moins fortement teintées de socialisme. On peut considérer que George Sand eut ainsi une grande part de responsabilité dans les événements qui suivirent : effrayés par le ton de ces *Bulletins* gouvernementaux et persuadés que Paris était aux mains des *partageux*, les ruraux votèrent pour les candidats modérés et conservateurs qui enlevèrent nombre de sièges à la Constituante. Le roman de George Sand : « *Le Compagnon du tour de France* » est considéré comme l'un des meilleurs livres socialistes du milieu du XIXᵉ siècle.

SANGLIER (Jacques).

Imprimeur, né à Bois-Colombes (Seine), le 22 février 1919. Animateur des *Impressions Lincoln* (où se tirait le *Courrier du Parlement*). Directeur administratif du *Courrier de la Nouvelle République*. Conseiller municipal et adjoint au maire de Bois-Colombes. Suppléant de Michel Maurice-Bokanowski, nommé membre du gouvernement, fut proclamé député de la Seine (37ᵉ circ.) le 9 février 1959. Député *U.N.R.* dans la 22ᵉ circ., en 1962-1967. Membre du Conseil de Surveillance de l'O.R.T.F.

SANGNIER (Jean).

Journaliste, né à Paris le 7 février 1912. Fils de Marc Sangnier, il fut d'abord attaché d'ambassade, puis, pendant la guerre, secrétaire général de *l'Office de Publicité Générale*, que dirigeait un ami son père, Emilien Amaury. Il participa à la Résistance et, à la Libération, entra dans la presse. Il fut successivement ou simultanément : secrétaire général de *Carrefour*, rédacteur à *Havas*, directeur-gérant de *Marie-France*, administrateur des *Editions Illustrées* et de la *Société Nle d'Edition de Journaux*, associé de la Société *Ce Matin*, gérant statutaire de la *Société de Presse et d'Editions Féminines* et de la *Société de Diffusion d'organes de Presse*, membre du conseil de gérance de la *Coopérative des Publications Hebdomadaires et Périodiques N.M.P.P.* ainsi que conseiller du commerce extérieur.

SANGNIER (Marc).

Homme politique, né et mort à Paris (3 avril 1873-28 mai 1950). Il était le petit-fils de l'avocat d'assises Charles Lachaud et l'arrière-petit-fils de l'académicien Ancelot. Il passa par Stanislas, la faculté de droit, l'Ecole polytechnique, une caserne de Toul, — où il fut sous-lieutenant — et il se lança dans la politique à corps perdu. Déjà, à Stanislas, alors élève de mathématiques spéciales, il réunissait dans la crypte d'un des bâtiments du collège quelques-uns de ses camarades pour leur exposer ses idées démocratiques. Un petit journal, *La Crypte*, dont il était l'animateur, diffusait ces mêmes idées dans les milieux estudiantins. Il se proclamait alors démocrate-chrétien et s'opposait au conservatisme social. Il poursuivit sa propagande à Polytechnique, et même à la caserne. A ce moment-là, une petite revue fondée par Paul Renaudin, *Le Sillon*, groupait quelques jeunes gens s'intéressant surtout à la littérature. Progressivement, Marc Sangnier, qui y collaborait, en fit le porte-parole de son mouvement démocrate-chrétien, que l'on désigna bientôt sous ce nom de *Sillon*. En 1902, Sangnier devint le directeur de la revue. Il était déjà le *leader* incontesté du groupe, qui se proposait de réconcilier les hommes de gauche avec le catholicisme. L'affaire Dreyfus, en provoquant des remous et des bouleversements dans tous les milieux politiques, favorisa son entreprise. En 1905, Marc Sangnier fonda un quotidien, *La Démocratie*, qui faisait suite à *L'Eveil démocratique* créé quelques années auparavant. Parcourant la France avec ses amis, il gagna à sa cause de nombreux séminaristes et quelques prêtres. Des congrès se tinrent en présence de délégués de plus en plus nombreux. Des instituts populaires se créèrent un peu partout. La gauche, qui se méfiait beaucoup de l'Eglise — nous étions en plein combisme — voyait sans déplaisir ces *sillonnistes* à ses côtés dans les manifestations. Les hautes sphères de l'Eglise étaient, peu à peu, gagnées par le mouvement et lui donnaient leur appui : le cardinal Rampolla, secrétaire d'Etat de Léon XIII, assurait Sangnier de sa sympathie pour le *Sillon*. Bientôt, cependant, les catholiques traditionalistes attirèrent l'attention du Saint-Siège sur le courant « moderniste » qui avait gagné le mouvement. Le pape Pie X, convaincu de la nocivité des idées ainsi répandues par le *Sillon,* condamna celui-ci en 1910. Effondré par une telle mesure, Sangnier se soumit. Mais, moins de deux ans plus tard, il créa un nouveau mouvement, strictement politique celui-là, *La Jeune République,* qui poursuivit le rêve du *Sillon,* en rejetant — ses adversaires disaient : « *en faisant mine de rejeter* » — les théories modernistes qui avaient attiré sur le mouvement les foudres de Rome. Pendant la guerre de 1914-1918, laissant à son ami Georges Hoog la direction de l'hebdomadaire *Notre Etoile,* que celui-ci avait lancé avec sa bénédiction, Marc Sangnier endossa l'uniforme ; il termina commandant du génie avec la Légion d'honneur et la croix de Guerre. Le gouvernement ne l'utilisa pas seulement sur le front : en 1917, Aristide Briand lui confia une mission auprès du pape Benoît XV, mission qu'il remplit à la satisfaction de ses mandants. Ce fut, dans les milieux catholiques, un événement : en recevant l'homme dont le mouvement avait été condamné sept ans plus tôt, le Saint-Père laissait entendre que tout était oublié. Pour le militant sillonniste, c'était une sorte de réhabilitation. Entre temps, les éléments ex-sillonnistes s'étaient regroupés. *La Jeune République,* en sommeil et probablement dans l'impossibilité de réaliser elle-même ce rassemblement, avait cédé en fait la place à *L'Ame française,* dont Sangnier était absent. Sa *Jeune République,* réveillée en août 1919, entra peu après dans l'arène électorale et adhéra au *Bloc National Républicain.* Grâce à cette coalition, réalisée sous la présidence d'Adolphe Carnot, illustration des fameuses « *200 familles* », Marc Sangnier fut élu député de la 3ᵉ circonscription de Paris sur une liste du *B.N.R.* où il figurait aux côtés du constructeur d'automobiles Delaunay-Belleville, du président du Conseil municipal Evain, de François de Witt-Guizot, de Duval-Arnould et du futur ministre Louis Rollin. Ce succès ayant raffermi sa position, Sangnier s'employa à consolider son parti. Mais les rivalités d'hommes et de tactique — plus que de doctrine — ne permirent pas à *La Jeune République* de « déboucher, comme dit Ernest Pezet, *avec éclat, autorité et efficacité sur la scène politique* » (« *Chrétiens au service de la Cité* », Paris 1965). Après son échec électoral de 1924, son combat « *pour la paix* » prit peu à peu le pas sur l'action politique pure. Le congrès international de Bierville qu'il organisa

en 1926 fut un succès qui l'incita à profiter de l'époque favorable pour jeter les bases d'une organisation qui s'étendrait à tout le continent et même à divers états extra-européens. Son Internationale démocratique tint des congrès un peu partout, réunissant des délégués enthousiastes. Les idées de Sangnier, la veille combattues par la Hiérachie, trouvaient maintenant des appuis à Rome même. *L'Action Française* en subit le contrecoup : sa condamnation, seize ans après celle de son vieil adversaire, facilita grandement l'entreprise democrate-chrétienne dans les milieux jusque-là sympathisants du mouvement monarchiste. Sous le signe d'Aristide Briand, les idées pacifistes, que Marc Sangnier défendait, trouvèrent en France un terrain propice. La franc-maçonnerie, qui était alors à la pointe du combat pour la *S.D.N.,* ne voyait pas d'un mauvais œil les initiatives du *leader* démocrate-chrétien qui gagnaient du terrain parmi ces catholiques si longtemps hostiles à tout rapprochement. Pour désarmer les dernières préventions, Sangnier n'hésita pas à aller parler en loge certain jour de 1930 (cf. *Bulletin Hebdomadaire des Loges de la Région Parisienne,* n° 728, 1930). Son action « extérieure » finit cependant par créer un malaise au sein de la *Jeune République.* Le cuisant échec électoral de 1932 incita Sangnier à demander à ses amis du mouvement d'abandonner l'action politique classique pour l'action strictement pacifique. A une forte majorité, les autres dirigeants de la *Jeune République* refusèrent. Ce fut la cassure : Sangnier démissionna et se cantonna dans l'organisation de ses *Auberges de la Jeunesse.* Celles-ci avaient pris un essor prodigieux. Mais l'avènement de Hitler, survenant après l'écrasement du Centre catholique démocrate allemand, transforma l'espérance en déconvenue. Le démocrate Sangnier était partisan d'un rapprochement avec une Allemagne démocratique, mais il ne pouvait envisager ce même rapprochement avec une Allemagne qui persécutait les Juifs, les francs-maçons, les marxistes, bref tout ce qui était démocrate et lui inspirait confiance. Dès lors, le leader des *Auberges de la Jeunesse* prit une part active à la lutte contre le fascisme hitlérien et contre tout ce qui lui semblait être une manifestation, même étrangère, de ce complot permanent des dictatures contre la Démocratie (affaire d'Ethiopie, guerre d'Espagne, l'accord de Munich, etc.). Il créa tout spécialement, en 1934, un hebdomadaire, *L'Eveil des Peuples,* pour ce combat. Cependant, nous dit l'un de ses biographes, Sangnier

se trouvait isolé et « *il ressentait profondément l'absence d'un mouvement
travaillant dans une atmosphère de
confiance et d'amitié* » (« *Marc Sangnier* », par A. Darrican, Paris 1957).
Peut-être était-il, en effet, mal à l'aise au
milieu d'hommes qu'une commune haine
de Hitler et du fascisme avait, seule,
réunis ? Après la « drôle de guerre » et
la défaite, lorsque l'armée hitlérienne
abhorrée occupait une partie du sol de
la patrie et que l'adversaire politique
dominait à Vichy, Marc Sangnier se prit
à désespérer. Pas très longtemps, car le
vieux lutteur, qui se savait surveillé,
donc provisoirement impuissant, vit ses
ses disciples agir. Maurice Schumann,
André Colin, F. de Menthon étaient
auprès du général De Gaulle ; Gaston
Tessier, Emilien Amaury, Robert Lecourt animaient des réseaux de résistance et Georgs Bidault présidait le
C.N.R. qui les coiffait tous. « *C'est la
famille spirituelle des mouvements issus
de l'ancien Sillon, des formations des
démocrates populaires et des milieux
catholiques sociaux de l'A.C.F. qui fournit à la Résistance les contingents les
plus nombreux, les plus résolus, et jusqu'au bout fidèles* », écrit Ernest Pezet
(*op. cit.*). Et c'est l'imprimerie de l'ancien *Sillon* et de la défunte *Jeune République*, installée dans le sous-sol même
de l'hôtel particulier de Marc Sangnier,
qui imprima, finalement, une partie des
publications clandestines de la tendance.
En 1944, la police de l'occupant mit fin
à cette activité : le 18 février, la Gestapo
perquisitionna boulevard Raspail et
arrêta Marc Sangnier avec quelques-uns
de ses collaborateurs et ouvriers qui préparaient un numéro de *Défense de
la France*. Entre-temps, deux cent cinquante membres des *Auberges de la
Jeunesse* (dissoutes le 15 août 1943),
avaient été emprisonnés ou déportés.
Sangnier fut incarcéré à Fresnes, mais
ne connut pas la déportation. Après la
Libération, les militants des divers groupes démocrates-chrétiens, s'étant unis
pour créer le *M.R.P.*, portèrent à la présidence d'honneur Sangnier le précurseur. Sous cette étiquette et bien que toujours un peu en marge, le vieux *leader*
fut élu député de Paris aux deux Constituantes et à la 1ʳᵉ Assemblée nationale.
Mais, usé par la maladie, il ne devait
pas voir la fin de la législature : il s'éteignit en effet au printemps de 1950. L'œuvre littéraire de cet orateur prestigieux
se compose principalement de recueils
de discours, dix forts volumes, qui demeurent la base de sa doctrine. Il laisse,
en outre, diverses œuvres pour le théâtre (« *Par le Mort* », « *Chez les fous* »,

« *L'Anniversaire* » et un roman « *Le
Val noir* ». Marc Sangnier est considéré
à juste titre, par ses amis comme par
ses adversaires, comme le père spirituel de la démocratie chrétienne en
général et du *Mouvement Républicain
Populaire* en particulier. Il est probablement, avec Maurras, l'homme qui a
exercé, en France, l'influence la plus
durable sur le monde catholique.

SANGUINETTI (Alexandre, Antoine).
Gérant de sociétés, né au Caire
(Egypte), le 17 mars 1913. Pendant la
guerre, fut secrétaire administratif à la
Résidence à Tunis (au temps de l'amiral
Esteva) (1942-1943), puis officier de
l'armée française constituée en Afrique
du Nord. Attaché au cabinet (chargé de
la presse et des publications) de M.
François de Menthon, ministre de l'Economie nationale (juin-novembre 1946).
Chef de service au Centre national d'informations économiques (1945-1949). En
1950, fut membre du Comité d'organisation du *Centre de liaison pour l'Unité
française* (avec diverses personnalités de
droite, dont Jacques Isorni et Tixier-
Vignancour). Participa le 10 février 1952
à la « soirée Robert Brasillach ». En
1956, dirigeant de l'Amicale des commandos d'Afrique, participa à l'*U.S.R.
A.F.* (de M. Soustelle). Collabora avec
J.-B. Biaggi lors de la fondation du *Parti
Patriote Révolutionnaire* (1958). Fut l'un
des supporters du candidat national
Alexis Thomas (18ᵉ arrond.) en mars
1958. Collaborateur de Roger Frey, au
secrétariat général de l'*U.N.R.* (1958),
puis son chef de cabinet au ministère de
l'Information (8 janvier 1959), et auprès
du premier ministre (5 février 1960-
6 mai 1961). Chargé de mission auprès
de M. Roger Frey, ministre de l'Inté-

rieur (fut plus d'un an « *Monsieur anti-O.A.S.* ») (7 mai 1961-27 octobre 1962). Fut député *U.N.R.-U.D.T.* de la Seine (25ᵉ circ.) de 1962 à 1967. Entre-temps, fut gérant statuaire de la société Sanguinetti, animateur de la société *Glasso* et de *Siccolac,* et conseiller technique de *Sonopresse* (du groupe Hachette), ainsi que secrétaire général du *Comité d'Action des Associations Nationales d'Anciens Combattants.* Ministre des Anciens Combattants dans le cabinet Pompidou, de janvier 1966 à avril 1967.

SANSON (René).

Avocat, né à Paris, le 2 janvier 1910. Travailla, pendant la « drôle de guerre » (1939-1940) au 2ᵉ Bureau (cf. A. Weill-Curiel, « *Eclipse en France* », p. 47). Président de l'Association nationale des Résistants de 1940. Vice-président de la Confédération de la France Combattante. Partisan de Mendès-France (1954). Candidat républicain social en Haute-Marne aux élections générales de 1956 (avec l'investiture de *L'Express*) : battu. Fut député *U.N.R.* de Paris (13ᵉ circ.), en 1958-1967.

SANTO (Joseph).

Homme de lettres (1869-1944). D'origine alsacienne. Militant catholique et monarchiste, ancien conseiller municipal de Nancy, collaborateur d'un grand nombre de journaux de province, rédacteur à *La France Réelle.* Publia 115 brochures, livres et tracts de valeur inégale, mais toujours fort documentés, sur la Démocratie chrétienne, le Judaïsme, la Franc-Maçonnerie (cf. voir *La République du Grand-Orient,* par H. Coston, Paris, 1964).

SANVOISIN (Gaétan).

Journaliste, né à Moulins, le 28 juillet 1894, de vieille souche bourbonnaise dans ses deux ascendances. Débuts en 1919 à *Comœdia* et au *Gaulois.* Chef des informations du *Figaro* jusqu'à la guerre de 1939, chroniqueur et reporter au *Journal des Débats,* rédacteur politique à *L'Ami du Peuple,* éditorialiste au *Bulletin des Halles,* puis, successivement, chef des informations du *Pays,* de *Ce Matin,* de *L'Information.* Critique littéraire à *Combat* et à la Radio. Collaborations : *Revue des Deux-Mondes, Revue Hebdomadaire, Revue Universelle, Candide, Le Rappel, Paris-Midi, La Liberté.*

SARRAUT (Famille).

Les Sarraut ont exercé, au cours des cinquante dernières années de la IIIᵉ République, une influence considérable, non seulement dans le midi de la France qui était, en quelque sorte, leur fief électoral, mais aussi dans les hautes sphères de l'Etat. Leur journal, *La Dépêche* de Toulouse, fut très longtemps le moniteur de la gauche française : les *leaders* du socialisme et du radicalisme y collaboraient régulièrement, de Jean Jaurès à Edouard Herriot en passant par Léon Bourgeois, Clemenceau, Pelletan, Léon Jouhaux et Paul-Boncour. Le militant catholique François de Witt-Guizot, parlant du réseau de correspondants locaux, du « *filet* » que le journal de Sarraut « *étendait du Rhône à l'Océan* », déclarait aux propagandistes de la *Bonne Presse* : « *Ces* missi dominici, *qui prennent l'engagement de n'accepter aucune fonction publique, et c'est dans cette abstention qu'à notre époque de marchandage électoral résident la force et l'originalité de l'organisation, sont de véritables sous-préfets, sous-préfets de la* Carmagnole, *devant qui tremblent sous-préfets et préfets en pied, sénateurs, députés, conseillers, maires et électeurs. Ils s'estiment indépendants puisqu'ils ne sont pas élus, et criblent soigneusement opinions et nouvelles à travers le tamis de leur sectarisme ; ils sont agents d'épuration, inquisiteurs de haute marque, propagateurs patentés de la foi socialiste, et dans un pays où le rêve secret de tout citoyen est d'être fonctionnaire, ils sont les fonctionnaires par excellence, les fonctionnaires de l'Etat rapproché (celui de Toulouse), puisqu'ils mettent en tutelle fonctionnaires de l'Etat lointain et corps élus, et qu'ils ont la charge d'être, pour ainsi dire, les curateurs des idées.* » (Conférence organisée par *La Presse pour Tous,* reproduite dans le bulletin de l'œuvre, numéro de juillet 1904). Omer SARRAUT, le fondateur de cette dynastie républicaine, fut maire de Carcassonne. D'idées fort avancées pour son époque, maçon actif et anticlérical farouche, il sut communiquer à ses deux fils, Maurice et Albert, ce goût de la politique qu'il avait lui-même au plus haut degré. Maurice SARRAUT, né à Bordeaux, le 22 septembre 1869, après ses études de droit, débuta comme rédacteur à la *Dépêche* (1888), en fut l'un des secrétaires de rédaction, puis s'inscrivit au barreau de Paris tout en dirigeant l'agence parisienne du journal (à partir de 1893). A trente-deux ans, il reçut la Légion d'honneur et, à quarante, il devint, avec son beau-frère Arthur Huc, maître de *La Dépêche.* Il était déjà l'un des chefs du *Parti Républicain Radical et Radical-Socialiste* qu'il avait contribué à fonder et dont il sera, plus tard, le président, puis président d'honneur. Désigné par un congrès radical tenu la veille du scrutin, il fut élu sénateur de l'Aude à une élection partielle en 1913 ; il resta au Sénat jusqu'en 1932, date à laquelle il démissionna pour se consacrer exclusivement à la direction de *La Dépêche,* son beau-frère, Arthur Huc, également co-directeur du journal, ayant disparu. Bien que son quotidien eut pris position en faveur du gouvernement du maréchal Pétain dès 1940, — « *le nom de* La Dépêche *est devenu synonyme de vilenie* », écrivait le rédacteur d'un pamphlet de la Résistance (*Cahiers politiques,* n° 4, novembre 1943) — Maurice Sarraut fut assassiné le 2 décembre 1943. « *Qui a fait le coup ?* — se demandera Alfred Fabre-Luce dans son « *Journal de la France* » — *Le maquis blanc, le maquis rouge, la milice, les Allemands ? Toute la nation se pose la question en apprenant le meurtre de Maurice Sarraut, grand maître du Parti radical. Les deux camps en revendiquent l'honneur.* Radio-Brazzaville *qualifie le défunt de* « *collaborateur* », *tandis que* Je suis partout *le qualifie de gaulliste. En fait, ce sont les* «*collabos* » *qui ont fait le coup. Mais peut-être ont-ils simplement devancé leurs adversaires.* « *Nous allions le faire* », *semblent dire ceux qui ne peuvent plus prétendre :* « *nous l'avons fait.* » Albert SARRAUT, le jeune frère de Maurice, né à Bordeaux le 28 juillet 1872, fut l'homme d'Etat de la famille. Tandis que l'aîné tirait, en quelque sorte, les ficelles dans la coulisse, le cadet occupait le devant de la scène. Durant quarante années il fut parlementaire, d'abord député de l'Aude (1902-1924), puis sénateur de ce département (1926-1942). Il appartint à deux douzaines de gouvernements aussi différents que ceux de Clemenceau, de Poincaré, de Chautemps, d'Herriot, de Daladier, de Doumergue, de Blum ou de Paul Reynaud et en présida deux, en 1933 et en 1936. Le 10 juillet 1940, il vota la délégation des pouvoirs constituants au maréchal Pétain. Quelques semaines avant la Libération il fut arrêté avec Jean Baylet, qui avait pris la direction rédactionnelle du journal à la mort de Maurice Sarraut, tandis qu'il en prenait lui-même la direction politique : tous deux furent déportés à Neuengamme. A son retour de déportation (1945), Albert Sarraut se heurta aux « résistantialistes » qui l'avaient dépossédé de son journal, reprochant aux dirigeants de *La Dépêche* leur collaboration avec le gouvernement de Vichy. Il parvint cependant à se faire nommer à

l'Assemblée de l'Union Française dont il devint le président, puis le président d'honneur. A la même époque il parvint à faire reparaître son journal, sous un nom légèrement modifié pour se conformer à la loi — *La Dépêche du Midi* — et en fut le directeur politique jusqu'à sa mort survenue à Paris le 26 novembre 1962. Les Sarraut actuels sont représentés par deux filles de Maurice et une fille d'Albert. Suzanne Sarraut épousa Guy Bunau-Varilla ; Simone Sarraut, qui fut la femme de Charles Gault, administrateur de sociétés et membre du C.A. de *La Dépêche,* épousa ensuite Nicolas Kagan, banquier officieux des Soviets en France; Lydie, Jeanne Sarraut, ex-Mme Laroche, s'est remariée avec Jean Roger, dit Sainteny, futur député *U.N.R.* et ministre de la Ve République, puis a divorcé.

SARTHE (La).

Quotidien manceau fondé en 1868 par Haentjens, ancien député de la Sarthe (1876-1881 et 1882-1884). Etait, avant la guerre de 1914 un journal officiellement bonapartiste. Se proclamant « démocrate libéral » après l'effondrement du *Bloc National,* il devint nettement radicalisant après que Raymond Patenôtre en eût pris le contrôle et confié la direction à son collaborateur Albert Lejeune. Pour la diffusion hors du département d'origine (Perche, Basse-Normandie, Vendômois), le journal prenait un autre titre : *Le Régional de l'Ouest.* Son tirage atteignait 70 000 exemplaires. Ayant poursuivi sa publication entre 1940 et 1944,

31

La Sarthe fut interdite et, dans ses locaux, s'installèrent les services du *Maine libre*, fondé le 9 août 1944. Son directeur A. Lejeune, fut condamné à mort et fusillé.

SARTRE (Jean-Paul).

Philosophe, né à Paris, le 5 juin 1905. Petit-neveu d'Albert Schweitzer. Normalien, professeur de philosophie au lycée du Havre, puis aux lycées Pasteur et Condorcet. Fait prisonnier en 1940, parvint à s'échapper et à regagner Paris en mars 1941. Tout en faisant présenter sa pièce « *Les Mouches* » sur une scène parisienne, avec l'autorisation de la Censure allemande, participait à la rédaction de diverses feuilles clandestines. Après la Libération, collabora à *Combat* et au *Figaro* et fonda la revue *Les Temps Modernes*. Disciple de l'Allemand Heidegger, a exposé sa doctrine existentialiste (voir : *existentialisme*, dans « *L'Etre et le Néant* » (1943) et dans « *L'Existentialisme est un Humanisme* » (1946). Ses « *Réflexions sur la question juive* » (1947) ont suscité autant d'étonnement dans la communauté israélite que de sarcasmes dans les milieux antisémites : pour lui, le juif n'existe pas ; car n'est juif que celui que les autres désignent comme tel. Adhéra au *Comité National des Ecrivains* et à la *L.I.C.A.*, après la Libération, et fonda, avec David Rousset et Camus, le *Rassemblement Démocratique Révolutionnaire*. Pendant la guerre d'Algérie, apporta son concours aux organisations politiques favorables à l'indépendance algérienne, notamment à *Vérité-Liberté*, qui publiait les « cahiers d'information » portant ce titre. Auteur de : « *La Nausée* » (1938), « *Le Mur* », « *Les Chemins de la Liberté* », « *Situation* », I, II, III, IV, V, VI, VII, « *Sur l'amour* », « *L'idiot de la famille* », « *Critique de la raison dialectique* », « *Qu'est-ce que la littérature ?* », etc. et des pièces de théâtre : « *Les Mouches* », « *Huis-Clos* », « *La Putain respectueuse* », « *Les Mains sales* », « *Le Diable et le Bon Dieu* ». A reçu le Prix Nobel de littérature en 1964, mais refusa cette distinction « *pour des raisons personnelles et des raisons objectives* ».

SAUDUBRAY (François, Eugène).

Industriel, né au Mans, le 20 octobre 1888. Conseiller général et député démocrate populaire de la Sarthe (1927-1928 et 1936-1942).

SAUGE (Georges).

Sociologue et homme politique, né à Paris le 10 août 1920, d'un fonctionnaire des Postes, d'origine berrichonne. Milita d'abord aux *Jeunesses socialistes* au sortir de l'université. Sa rencontre avec le R. Père Fillère détermina sa conversion au catholicisme et fixa sa vocation. Participa, au côté de ce religieux, à la fondation du *Mouvement pour l'Unité* et du journal *L'Homme nouveau*, tout en poursuivant une formation théologique et sociologique. Pendant l'occupation, s'opposa au national-socialisme tant par la propagande que par une activité dans la Résistance. À la mort du R.P. Fillère (1949), prit avec ses amis la relève de l'action entreprise par ce dernier contre le *Parti communiste*. Fonda, pour ce faire, le *Comité de défense des persécutés* et le *Centre d'Etudes Supérieures de Psychologie Sociale* (voir à ce nom). La politique algérienne du général De Gaulle le rejeta rapidement dans l'opposition. Sa position devant le problème algérien est fondée sur la connaissance globale du communisme. Celle-ci lui fait considérer comme une faute politique grave la disparition de la France en Algérie qui livre pratiquement au mouvement communiste mondial un territoire avancé de l'Afrique. Est arrêté une première fois en 1960 ; mis en liberté provisoire, bénéficia d'un non-lieu trois ans après. En 1961, à l'arrivée de Khrouchtchev en France, ayant fait connaître publiquement son intention de demander audience au chef de l'Etat soviétique, est interné administrativement. Battu aux élections législatives dans le XVIIᵉ arrondissement par le candidat du gouvernement (1962). Préoccupé par les dissensions se manifestant dans l'Eglise catholique à l'occasion du Concile, se fait promoteur d'un dialogue entre chrétiens pour favoriser l'unité (1964). Cet appel entendu par la hiérarchie l'amena à diverses rencontres (notamment avec Georges Montaron, Georges Hourdin, Dubois-Dumée). Auteur de deux ouvrages : « *Echec au communisme* », et « *Tu parleras au peuple* », rédige chaque semaine un éditorial dans « *La lettre d'Information* » du *C.E.S.P.S.*

SAUGER (André, Jean).

Journaliste, né à Paris, le 17 mai 1896. Militant de gauche et résistant : sous l'occupation, appartint au *Bureau d'Information et de Presse* clandestin. Cofondateur de la société éditrice du *Canard enchaîné*, et rédacteur à cet hebdomadaire. Collabora, en outre, à *Messidor*, *Action*, *Franc-Tireur* et *Libération*.

SAULGEOT (Georges, Jean).

Journaliste (1895-1965). Originaire de Mostaganem. Chef du secrétariat particulier du ministre des Finances (1925).

chef adjoint du cabinet du ministre de l'Agriculture, du ministre de la Justice (1932), chargé de mission au cabinet du ministre du Budget (1933). Directeur de *Lutetia* (1920), *La République* (1922-1928), *Paris-Journal* (1928-1940), *La Dépêche de Paris* (1929-1939) et, après la Libération, de l' « *Encyclopédie permanente de l'administration française* », l' « *Annuaire des ministères* » et la « *Revue de l'Administration française* ».

SAURIN (Paul, Eugène).

Avocat, né à Rivoli (Algérie), le 6 octobre 1903. Fils de Paul-Louis Saurin, sénateur d'Oran (1927-1933). Agriculteur, viticulteur, conseiller général, puis président du Conseil général d'Oran (1935-1944). Maire de Rivoli, conseiller général et délégué à l'Assemblée algérienne, président du Conseil général de Mostaganem. Député radical modéré d'Oran (1934-1942). Membre du Conseil National (nommé en 1941). Ancien président des Etudiants de France, puis de la Confédération internationale des Etudiants.

SAUVAGEOT (Ella, Blanche, Lasthème née THUILLIER).

Directrice de journaux, née à Paris, le 31 octobre 1900, morte près de Calvi, le 28 juillet 1962. Nièce d'Adolphe Landry, ancien ministre. Prodigieuse animatrice, elle occupa pendant près de trente ans une place très importante dans la presse catholique. Entrée en relations avec le groupe de *La Vie Intellectuelle* que dirigeaient les Dominicains, elle se convertit au catholicisme en 1933. Depuis lors, elle se dévoua à leur œuvre et à leurs éditions, et fut l'animatrice des *Amis de Sept*, une de leurs publications. Lorsqu'en 1937, à la suite de certaines critiques, *Sept* se saborda pour reparaître sous le titre de *Temps Présents*, Ella Sauvageot fut nommée présidente-directrice générale de la nouvelle revue. En 1945 elle devint l'âme de *La Vie Catholique illustrée* et sa directrice jusqu'en 1957. Elle fut également vice-présidente du *Syndicat de la Presse Hebdomadaire Parisienne*, secrétaire générale de la *Fédération Nationale de la Presse Française*, directrice de *Télérama*, revue consacrée à la radio et au cinéma, gérante du *Centre d'Information Catholique*, administratrice des *Publications religieuses*, présidente du *Centre National de la Presse catholique*, membre du Conseil d'administration de l'*Institut Français de Presse*.

SAUVY (Alfred).

Economiste, né à Villeneuve-de-la-Raho (P.-O.), le 31 octobre 1898. Fils d'un viticulteur. Frère de la journaliste Titayna, de *Paris-soir* et de *La France au Travail*. Reçu à l'Institut National des Statistiques en 1922. Collabora bientôt à *l'Illustration Economique et Financière* et au *Capital*, où il se montra nettement opposé à l'ingérence de l'Etat dans l'économie et l'organisation professionnelle (cf. *L'Illustration économique et financière*, 11-5-1929). Huit ans plus tard, au sein des groupements de Jean Coutrot, le théoricien de la synarchie, se rallia aux thèses dirigistes qu'il défend aujourd'hui. Appartenait alors au *Centre Polytechnicien d'Etudes Economiques* (1935-1936), au *Centre d'Etudes des Problèmes humains* (1937) et au *Groupe d'Etudes de l'Humanisme économique* (1937), organisations animées par Jean Coutrot. Occupa d'importantes fonctions dans l'administration sous la IIIe République et fut même attaché de cabinet de Paul Reynaud, ministre des Finances. Après l'armistice de 1940, entra au cabinet d'Yves Bouthillier, ministre des Finances du maréchal Pétain, et fut nommé sous-directeur de la Statistique Nationale de l'Etat Français. En même temps, fut membre du Comité Consultatif de la Famille française, directeur de l'Institut de Conjonctures et inspecteur général de 2e classe au Service National des Statistiques (1941), collaborateur de *La Vie Industrielle* (1941-1942) et appartint au Conseil général du *Centre Français de Synthèse* fonctionnant sous le patronage du maréchal Pétain. Après la Libération son ascension se poursuivit dans une autre direction : secrétaire général à la Famille et à la Population ; directeur de l'Institut National d'Etudes Démographiques ; Commissaire du Gouvernement près le Conseil d'Etat pour les Affaires du ministère de la Santé Publique (1945); administrateur de l'Office National d'Immigration ; président de l'*Institut d'Etudes de l'Economie Soviétique* et administrateur des *Cahiers de l'Economie Soviétique* (devenus *L'Observation économique*) ; membre du Conseil National Economique (1951), de la Commission de la Main-d'Œuvre au Commissariat Général du Plan, de la Commission pour la Démocratisation de l'Enseignement, de la Commission de l'Economie Générale et du Financement au Commissariat Général du Plan ; président du groupe « Construction » du ministère de la Construction ; membre du Groupe d'Etudes fiscales, du Comité Rueff-Armand, de la Commission de Financement du Second Plan de Modernisation. Conseiller économique et social (juin 1959) et président de la Section de Conjonctures au

Conseil Economique et Social ; professeur à l'Institut d'Etudes politiques et au Collège de France. Participa aux travaux du *Centre Jeunes Patrons* (novembre 1956). Collabore ou a collaboré aux publications suivantes : *Les Cahiers politiques* (1945-1946), *Population* (1949), *Synthèse* (1953), *Après-Demain* (journal de la *Ligue des Droits de l'Homme*) et *L'Express*. Membre du Comité de direction des *Cahiers de la République* (de Pierre Mendès-France) (1956); membre du bureau national de l'*Union des Forces Démocratiques* (1958), conférencier à la *Fédération Nationale des Anciens d'Algérie* (groupement animé par J.-J. Servan-Schreiber). Auteur de « *Richesse et Population* » (1943), « *Le Pouvoir et l'Opinion* » (1949), « *L'Europe et sa population* », « *L'Opinion publique* » (1956-1961), « *La Bureaucratie* » (1956), « *De Malthus à Mao tsé-Toung* » (1958), « *La Montée des jeunes* » (1959), « *Histoire économique de la France entre les deux guerres* », etc.

SAUZEDDE (Fernand).

Artisan, né à Saint-Rémy-sur-Durolle (P.-de-D.), le 2 septembre 1908. Graveur. Maire de Thiers. Conseiller général du canton de Thiers. Candidat *S.F.I.O.* dans le Puy-de-Dôme, le 2 janvier 1956 (liste Mabrut) avec l'investiture de *L'Express* et la recommandation du *Comité National d'Action Laïque* (battu). Député *S.F.I.O.* du Puy-de-Dôme (4e circ.), depuis le 25 novembre 1962.

SAVARY (Alain, François).

Ancien député, né à Alger, le 25 avril 1918. Gendre du banquier Paulin Borgeaud (*Banque Borgeaud et Cie*). Chargé par le Comité Français de Londres d'administrer Saint-Pierre-et-Miquelon (1941-1943), appartint ensuite à l'Assemblée consultative provisoire d'Alger et de Paris (1944-1945) et fut nommé, à la Libération, commissaire de la République à Angers (1945-1946), puis secrétaire général du Commissariat aux Affaires allemandes et autrichiennes (1946-1947). Membre de la *S.F.I.O.*, fut nommé par ses amis au parlement conseiller de l'Union Française (1948-1951). Représenta ensuite Saint-Pierre-et-Miquelon au Palais-Bourbon (1951-1958) et fut secrétaire d'Etat aux Affaires étrangères pour les affaires marocaines et tunisiennes (cabinet Guy Mollet, 1956). Quitta le *Parti socialiste S.F.I.O.* en septembre 1958 pour constituer, avec Depreux et d'autres dissidents, le *Parti Socialiste Autonome,* dont il fut le secrétaire général adjoint (1959). Entra ensuite au bureau national du *Parti Socialiste Unifié.* Fut l'un des animateurs du *Groupe de liaison pour la Fédération démocrate-socialiste.* Préside le club *Socialisme et Démocratie,* ainsi que l'*Union des Clubs pour la renaissance de la Gauche.*

SAVOIE (La).

Hebdomadaire modéré et chrétien fondé en 1947. Directeur : Pierre Panquet. Tirage : 6 000 exemplaires. (3, rue Macornet, Chambéry.)

SCAMARONI (Fred).

Officier, né et mort à Ajacio (1914-1943). Lieutenant d'aviation en 1940, il gagna Londres où il s'engagea dans les F.F.L. Arrêté à Dakar, il fut libéré avant de rentrer en France où il appartint au réseau « Copernic ». Il retourna à Londres. Après le débarquement des Alliés en A.F.N., il organisa la résistance en Corse où il a débarqué en janvier 1943. Trahi, il fut capturé par les Italiens et préféra s'empoisonner dans sa prison.

SCAPINI (Georges).

Avocat, né à Paris le 4 octobre 1893. Inscrit au barreau de Paris (1922-1935). Député national de Paris (1928-1942), orateur des réunions des *Jeunesses Patriotes,* membre du *Comité de Défense des Libertés Républicaines et de Sympathie pour le P.S.F.* (avant la guerre). Nommé ambassadeur de France par le maréchal Pétain en 1940 (chargé des services des prisonniers de guerre et des biens français en Allemagne, en Pologne occupée et en Bohême-Moravie). Membre de l'*Association des Ecrivains Combattants,* a publié « *Apprentissage de la Nuit* » (1929) et « *Mission sans gloire* » (1960).

SCELLES (Jean).

Journaliste, né à Paris, le 1er février 1904. Disciple de Marc Sangnier. Cofondateur de *Combat d'Outre-Mer* et de *Résistance.* Fondateur et secrétaire général du *Comité Chrétien d'Entente France-Islam.* Président des *Equipes d'Action contre la Traite des Femmes et des Enfants.*

SCHAFF (Joseph).

Cheminot, né à Sarreguemines (Moselle), le 9 novembre 1906. Contrôleur technique principal à la S.N.C.F. Membre du Conseil supérieur des transports (23 août 1951). Vice-président de la Fédération des Maires de la Moselle. Membre de la deuxième Assemblée constituante. Maire de Montigny-lès-Metz. Conseiller

général du canton de Pange (1954). Elu
député M.R.P. de la Moselle à la première Assemblée nationale, le 10 novembre 1946. Réélu en 1951 et 1956. Battu
le 30 novembre 1958. Réélu à nouveau
dans la 2ᵉ circ. en 1962 et 1967. Membre
de l'Alliance France-Israël. Inscrit au
groupe Progrès et Démocratie.

SCHAFFNER (Ernest).

Médecin, né à Strasbourg, le 30 avril
1901. Radiologue. « Martyr de la science
au service des travailleurs ». Cité à
l'ordre de la Nation. Ancien F.F.L. Maire
de Lens. Conseiller général du canton
Est de Lens (1951). Candidat député en
janvier 1958 sur la liste Guy Mollet.
(Battu.) Elu député S.F.I.O. du Pas-de-
Calais (13ᵉ circ.) le 30 novembre 1958.
Réélu le 25 novembre 1962. Décédé en
1966.

SCHIAFFINO (Laurent).

Administrateur de sociétés, né à Alger,
le 22 janvier 1897. Sénateur du département d'Alger (1955-1962), apparenté au
groupe des Républicains indépendants
du Sénat. Principal actionnaire de la
Dépêche quotidienne d'Algérie. Après le
discours de Constantine du général De
Gaulle, France-Observateur écrivait :
« Dans les milieux financiers internationaux on s'attendait déjà à une évolution de la politique française. Il ne faut
pas s'étonner que le journal de M. Schiaffino ait été le premier à s'en faire l'écho.
M. Schiaffino représente en effet tout ce
qui, dans les intérêts français en Algérie, n'est pas lié directement au maintien du statu quo politique et économique. Il est, de très loin, le plus grand
armateur du port d'Alger. Il a personnellement des participations très importantes dans les plus grandes sociétés
industrielles en Algérie. Peu lui importe
que les colons gardent ou non leurs
vignobles, que les facteurs, les commissaires de police et les sous-préfets soient
ou non des Européens. Il s'intéresse
bien davantage aux possibilités offertes
à tous les capitaux internationaux d'investir en Algérie, au rétablissement d'un
climat plus favorable aux échanges du
territoire algérien : ce qu'il a retenu du
plan de Constantine ce n'est pas l'amalgame de quelques dizaines de milliers
de musulmans dans l'administration
française, c'est l'encouragement accordé,
sous forme de garanties et de subventions, à l'implantation d'entreprises industrielles nouvelles. » (20.8.1959.) Il est
en effet le grand « patron » de la
Société Algérienne et Navigation Charles
Schiaffino et Cie, administrateur de la
Banque Industrielle de l'Afrique du
Nord, du Crédit Populaire de France,
de la Caisse Centrale des Banques Populaires, des Chantiers Navals de la Ciotat,
de la Cie Minière et Phosphatière Comiphos et de la Société des Transports
Maritimes à vapeur, ainsi que le président d'Entreprise de Remorquage, de
Sauvetage et d'Acconage, qui est, elle-
même, associée et co-fondatrice de la
Librairie de l'Amitié. Il fut également
président du conseil algérien du Crédit
Populaire, de la Chambre de Commerce
d'Alger, de la Région Economique d'Algérie et administrateur des Phosphates
de Constantine. Il occupe un poste de
vice-président de l'Assemblée des Présidents des Chambres de Commerce de la
Communauté.

SCHMITT (René).

Professeur, né à Cormeilles (Eure), le
17 mars 1907. Secrétaire de section du
Parti Socialiste (1933-1939), puis secrétaire fédéral du même parti (1944), fut
dans la Résistance le responsable du
réseau Libé-Nord pour la Manche. Appartint aux deux Constituantes (1945-
1946), puis fut député de la Manche
(1946-1955, 1958-1962). Entre-temps fut
conseiller de l'Union Française, sous-
secrétaire d'Etat à la Reconstruction,
maire et conseiller général de Cherbourg
et vice-président du groupe parlementaire S.F.I.O. Appartient au comité
directeur du Parti Socialiste.

SCHLEITER (François).

Avocat, né à Verdun (Meuse), le 15 septembre 1911. Fils de Victor Schleiter,
député-maire de Verdun. Bâtonnier de
l'ordre des avocats de la Meuse, chef de
cabinet de Louis Jacquinot (ministre
d'Etat, 1945, puis ministre de la Marine,
1947), conseiller de l'Union française
(1947-1948), sénateur indépendant de la
Meuse depuis 1948. Secrétaire d'Etat à la
France d'outre-mer (cabinet Joseph Laniel, 1953-1954), puis au Commerce (cabinet F. Gaillard, 1957-1958), conseiller
général du canton de Verdun (depuis
1955), maire de Verdun, ancien vice-président du Sénat de la Communauté. Administrateur de la Société Gazocéan.

SCHLOESING (Edouard, François, Henry).

Ingénieur, né à Paris, le 26 décembre
1916. Ingénieur technique de l'Agriculture. Conseiller général du canton de
Monflanquin. Vice-président du Conseil
général de Lot-et-Garonne. Collaborateur

intime de Félix Gaillard, au gouvernement, et d'Emile Roche, au Conseil Economique (période 1947-1962). Candidat radical-socialiste dans la circonscription de Villeneuve-sur-Lot contre Raphaël dit Raphaël-Leygues en novembre 1958 (battu). A triomphé du fils de banquier et petit-fils du ministre de la III⁰ République le 25 novembre 1962, et fut élu député radical-socialiste de la 3⁰ circ. de Lot-et-Garonne. Réélu en 1967.

SCHMITTLEIN (Raymond).

Universitaire, né à Roubaix (Nord), le 19 juin 1904. Inspecteur général de l'enseignement français à l'étranger. Ancien professeur à l'Université de Kaunas (1934). Ancien directeur de l'Institut français de Riga (1938-1939). Ancien conseiller général de Belfort. Ancien conseiller municipal de Belfort. Directeur du journal *Le Courrier de Belfort* et de la *Revue Internationale d'Onomastique*. Capitaine d'infanterie (campagne de Norvège, 1940), participa aux opérations de Syrie avec les troupes anglaises contre les troupes fidèles au gouvernement Pétain commandées par le général Dentz (1941). Conseiller d'ambassade, attaché à la maison du général Catroux en U.R.S.S. (1942). Attaché à Alger au Comité de Libération nationale, chargé de la coordination des mouvements de résistance en Europe et en Afrique du Nord (1943-1944). Lieutenant - colonel, participa aux opérations des campagnes d'Italie, de France et d'Allemagne avec la 2⁰ D.I.M. (1944). Directeur général des affaires culturelles au Haut Commissariat français en Allemagne occupée (1945-1951). Député *R.P.F.*, puis *U.N.R.* de Belfort (1951-1956 et depuis 1958). Secrétaire d'Etat à la Présidence du Conseil chargé des relations avec les Etats associés (cabinet Laniel, 1954). Soutint le gouvernement Mendès-France au parlement. Ministre de la Marine marchande (cabinet Pierre Mendès-France, 1955). Président du groupe des *Républicains sociaux* (ex- *R.P.F.*) (1955). Président du groupe *U.N.R.* de l'Assemblée (1960-1962). Vice-président de l'association *France-U.R.S.S.* Membre du *Comité d'Action de Défense Démocratique*. Président du groupe parlementaire *France-Israël*. Membre du Comité de l'*Alliance France-Israël*. A nouveau député de 1962 à 1967. Accusa un jour, dans son journal, *Le Courrier de Belfort*, Edgar Faure (voir à ce nom) d'avoir touché une lourde enveloppe du sultan du Maroc pour avoir facilité son retour au pouvoir à Rabat. Fut sévèrement condamné par le tribunal. Il était alors partisan de la présence française en Afrique du Nord, et faisait même, dans *Jours de France* (de M. Bloch-Dassault) une très vigoureuse campagne contre la politique d'abandon (voir collection de cette revue, 2⁰ semestre 1955). En raison de cette condamnation, était privé de ses droits civiques — à l'instar de Mme Maréchal, directrice du *Canard enchaîné*, de Noël Jacquemart, directeur du *Charivari* et de J.-F. Devay, directeur de *Minute* — mais par décret du 31 décembre 1963 (signé par le président De Gaulle, Georges Pompidou, Jean Foyer) bénéficia d'une remise de l'amende et fut *ipso facto* rétabli dans ses droits civiques. (A vrai dire l'interdiction ne lui avait jamais été appliquée.)

SCHNEBELEN (Maurice, Edmond).

Pharmacien, né à Thionville (Moselle), le 17 juin 1910. Président de la chambre syndicale des pharmaciens de la Moselle. Maire de Sierck-les-Bains. Elu député de la Moselle (4⁰ circ.) en 1962 ; réélu en 1967 avec l'appui de l'organisation gaulliste. Inscrit au groupe des *Républicains Indépendants*.

SCHRAMECK (Abraham).

Homme politique, né à Saint-Etienne, le 26 novembre 1867, mort à Marseille, le 19 octobre 1948. Elu sénateur radical des Bouches-du-Rhône (1920). Ministre de la Justice, puis ministre de l'Intérieur en 1925, à l'époque de l'assassinat d'Ernest Berger, de l'*Action Française* (survenu peu après les drames Philippe Daudet et Marius Plateau). Charles Maurras, l'ayant rendu complice de ce meurtre, fut poursuivi pour menace de mort. Réélu sénateur jusqu'à la guerre, Schrameck n'appartint jamais plus au gouvernement. Vota les pouvoirs constituants au maréchal Pétain le 10 juillet 1940.

SCHUELLER (Eugène).

Industriel, né à Paris, le 20 mars 1881, mort à Ploubazlanec (C.-du-N.), le 23 août 1957. Il vit le jour dans l'arrière-boutique d'une pâtisserie alsacienne que tenaient ses parents rue du Cherche-Midi. Très tôt mis au travail, il fut apprenti pâtissier. Lorsque le scandale de Panama emporta les économies de ses parents, il dut quitter l'école privée pour la communale ; puis il entra à Sainte-Croix lorsque son père devint le fournisseur de gâteaux du fameux collège de Neuilly. Ensuite Eugène Schueller fut colporteur et vendit des étoffes sur les marchés, tout en étudiant la chimie. Il fut trois années préparateur à la *Pharmacie Centrale de France* ; par la suite il s'établit « à son compte » et exploita un nouveau procédé de coloration des cheveux, *L'Oréal*, qu'il lança au moyen d'un journal créé par lui, *La Coiffure de Paris*. Après la guerre de 1914-1918, qu'il fit avec honneur, il s'associa avec le baron Henri de Rothschild (au théâtre : André Pascal), qui lançait *Monsavon,* puis il reprit l'affaire à son propre compte. Homme d'affaires entreprenant, il ajouta, plus tard, à ces deux marques connues, les vernis *Valentine* et le shampooing *Dop,* et publia la revue *Votre Beauté.* Les activités politiques d'Eugène Schueller ne furent pas moins importantes. Vers 1910 il avait adhéré à la Franc-Maçonnerie mais il l'avait quittée en 1913, fort déçu. Après la victoire du *Front Populaire,* en 1936, il s'intéressa au mouvement nationaliste et devint l'intime d'Eugène Deloncle, alors considéré comme l'un des chefs de la Cagoule. Avec ce dernier, Jean Fontenoy et Jacques Dursort, futur conseiller municipal gaulliste de Paris, il fonda en octobre 1940 le *Mouvement Social-Révolutionnaire.* En 1941 il devint le président de la Commission des Affaires Economiques du *Rassemblement National Populaire* (R.N.P.). Après l'armistice de 1940, et jusqu'à l'effondrement de l'Etat Français, il collabora assez régulièrement à la presse parisienne (*La France au Travail, L'Atelier, Révolution Nationale,* etc.), et participa aux journées d'*Inter-France.* Ses amis bien placés le tirèrent heureusement de ce mauvais pas après la Libération et il put poursuivre sans trop d'ennuis son activité industrielle et commerciale et, notamment, l'édition de sa revue *Votre Beauté,* dont il confia la direction à François Mitterrand, alors beau-frère d'une nièce d'Eugène Deloncle. L'un des collaborateurs immédiats de ce dernier au *M.S.R.,* Corrèze, devenu le mari de Mme veuve Deloncle, fut chargé de la direction des affaires commerciales du groupe *L'Oréal - Monsavon* en Espagne et en Amérique du Sud. Eugène Schueller fit également paraître *L'Action patronale, Coiffures de Paris* et *Révolution fiscale.* Cette dernière publication prônait l'une des grandes idées de Schueller : l'Impôt sur l'Energie, que des disciples tentent encore de faire accepter en France. Le gendre d'Eugène Schueller, André Bettencourt, tour à tour député indépendant-paysan, indépendant-mendésiste et indépendant-gaulliste, appartient présentement au Gouvernement Pompidou.

SCHUMAN (Robert).

Homme politique, né à Luxembourg en 1886, mort à Metz en 1964. Il fit ses études de droit aux universités allemandes de Bonn, de Munich, de Berlin et de Strasbourg (alors annexée à l'Empire d'Allemagne). (C'est au séminaire de droit ecclésiastique de Bonn, que Robert Schuman aurait connu le futur chancelier Adenauer. Tous deux élèves du Dr Kaas, qui devait devenir, autour des années 1950, l'un des conseillers du pape.) En 1919, il fut élu député de la Moselle avec l'appui des Wendel dont il était l'ami et le conseiller (il fut même le co-listier de l'un d'eux, Guy de Wendel). Réélu en 1924, il s'affilia au groupe parlementaire des démocrates populaires (il s'en sépara en 1938 en raison de l'attitude antifranquiste du *Parti Démocrate Populaire*) et fut, de 1919 à 1939, membre de la Commission des Finances de la Chambre. Paul Reynaud en fit un sous-secrétaire d'Etat aux réfugiés en mars 1940 et le maréchal Pétain lui conserva ces fonctions dans son gouvernement. Retourné en Alsace, il fut arrêté par les Allemands ; mais il réussit à leur fausser compagnie et il se réfugia en zone non occupée, à Lyon, où il mena une existence discrète. Il ne fit pas partie de l'Assemblée consultative, mais, ayant adhéré au *M.R.P.* (il appartient à son Bureau national), il fut candidat du mouvement et élu aux deux assemblées constituantes (1945, 1946), dont il présida la Commission des Finances, au Conseil général de la Moselle, et à la Iʳᵉ Assemblée nationale (10 novembre 1946). Il fut constamment réélu jusqu'en 1962. Georges Bidault en fit son ministre des Finances, ainsi que Paul Ramadier (1946-1947). Du 22 novembre 1947 au 19 juillet 1948, il fut président du Conseil et le redevint quelques jours en septembre 1948. Pendant plusieurs annés, il eut le portefeuille des Affaires étrangères (cabinets A. Marie, Schuman, H. Queuille, G. Bidault, Pleven, E. Faure, A. Pinay) et fut, un peu plus tard (1958) élu président, puis président d'honneur de l'Assemblée parlementaire européenne. Ses efforts en faveur de l'unité européenne aboutirent au pool charbon-acier (C.E.C.A.) et aux accords de Rome sur la Communauté, ce qui lui valut d'être appelé « *le père de l'Europe* », bien qu'il n'eût été, semble-t-il, que l'exécutant du « *Mémoire* » de Jean Monnet datant de 1950. En novembre 1962, il ne sollicita pas le renouvellement de son mandat parlementaire : il abandonna la politique et mourut deux ans plus tard.

SCHUMANN (Maurice).

Journaliste, né à Paris, le 10 avril 1911, au foyer d'une famille israélite. S'est converti au catholicisme et, selon ses propres termes, *voua sa jeunesse à la famille spirituelle de Marc Sangnier* (cf. *Le Journal du Parlement*, 3-10-1962). Collabora à *La Jeune République*, à *La Vie Catholique*, à *Temps présent*. Etait correspondant de l'*Agence Havas* à Londres en juin 1940 lorsque survint l'armistice. S'engagea aussitôt dans les services radiophoniques de la *B.B.C.* et fut, durant quatre ans, le porte-parole du général De Gaulle. Dans une lettre ouverte à Maurice Schumann daté du 24 novembre 1946, le colonel Passy, qui fut le chef des services secrets de la France Combattante à Londres, pendant la guerre, accusa le fameux speaker des « *Français parlent aux Français* » d'avoir refusé de sauter lors d'un parachutage en Normandie, le 4 août 1944. (D'où le surnom donné au député *M.R.P.* : « le parachutiste ».) Membre de l'Assemblée Consultative provisoire (1944-45). Membre des deux Assemblées constituantes (1945-46). Elu député du Nord depuis 1946. Président d'honneur du *M.R.P.* Conseiller municipal de Lille (26 avril 1953-5 février 1955). Secrétaire d'Etat aux Affaires étrangères (cabinet Pleven, 1951-1952 ; Edgar Faure, 1952 ; Antoine Pinay, 1952 ; René Mayer, 1953 ; Laniel, 1953-1954). Ministre délégué auprès du Premier ministre, chargé de l'aménagement du territoire (cabinet Pompidou, 1962). Membre de l'*Alliance France-Israël* et du groupe parlementaire de la *L.I.C.A.* Bien que toujours membre du *M.R.P.* et inscrit au groupe du *Centre Démocratique*, est un fidèle soutien du général De Gaulle et de sa politique, en particulier dans ses articles du *Journal du Parlement* et ses émissions du lundi au micro d'un poste périphérique. Président de la *Ligue pour l'Autodétermination des Peuples*. Auteur de divers ouvrages, notamment, sous le pseudonyme d'André Sidobre, de deux romans.

SCHWARTZ (Julien).

Médecin, né à Bouzonville (Moselle), le 11 avril 1925. Maire et conseiller général de Boulay. Président de l'Union cantonale des Maires de l'arrondissement de Boulay. Député *U.N.R.* de la Moselle (5e circ.) depuis le 25 novembre 1962.

SCHWEIZER (Jacques).

Conseil juridique, né à Paris, le 16 novembre 1904. Avocat à la cour d'appel de Paris (1928-1945). Militant des organisations nationales de Pierre Taittinger, fut avant la guerre le président général des *Jeunesses Nationales et Sociales* (1938-1939), puis le chef des *Jeunes de l'Europe Nouvelle* (1941-1944). Il collabora plusieurs années à l'hebdomadaire du *Parti Républicain National et Social*, *Le National* (1937-1940) et publia divers livres et brochures : « *Les Jeunes et la Vie Sociale* » (1938), « *Les Jeunes et la Vie Ouvrière* » (1939), « *De France-Allemagne à France-Europe* » (1943), et « *La Jeunesse Française est une Jeunesse Européenne* » (1944).

SCHWOEBEL (Jean, Eugène).

Journaliste, né à Mordelles (I.-et-V.), le 10 juillet 1912. Entré à la rédaction de *L'Ouest-Eclair*, de Rennes, en 1939, devint, après la Libération, rédacteur au service étranger, puis rédacteur diplomatique du *Monde*. Ancien président de l'Association de la Presse diplomatique, assuma (depuis sa fondation) la présidence du conseil d'administration de la *Société des rédacteurs du Monde*. Auteur de : « *L'Angleterre et la sécurité collective* », « *Les Deux K* », « *Berlin et la Paix* ».

SCRUTIN.

D'une manière générale, le scrutin est un mode de vote par *bulletins* — plus rarement par *boules* — déposés dans une urne et comptés ensuite. Pour les votes politiques il existe une grande variété de scrutins, parmi lesquels les plus fréquents sont : le *scrutin secret*, qui utilise des bulletins anonymes pour qu'il ne soit pas possible de connaître le nom de l'électeur qui a exprimé son vote ; le *scrutin uninominal*, dans lequel l'électeur vote pour un seul candidat ; le *scrutin uninominal au suffrage majoritaire*, par lequel est seul élu le candidat ayant obtenu la majorité des votes ; le *scrutin de liste*, dans lequel l'électeur désigne l'ensemble des candidats figurant sur une liste, à laquelle il a parfois le droit d'apporter un *panachage*, c'est-à-dire de remplacer les candidats de la liste par d'autres figurant sur d'autres listes ; le *scrutin à la représentation proportionnelle*, dans lequel chaque groupe politique d'électeurs désigne un nombre d'élus proportionnel à son importance numérique (ce scrutin peut être sur le plan départemental ou sur le plan national, avec ou sans répartition des *restes*, c'est-à-dire avec ou sans répartition des nombres de voix excédant le *quotient* exigé pour l'élection) ; le *scrutin d'arrondissement*, par lequel les candidats se présentent par arrondissement ; le *scrutin à un tour*, dans lequel sont élus tous les candidats ayant obtenu la majorité relative ; le *scrutin à deux tours,* dans lequel sont seuls élus au premier tour les candidats ayant obtenu la majorité absolue, et au deuxième tour les candidats ayant obtenu la majorité relative, etc. La régularité des votes est assurée par des *scrutateurs* assistant le *président du bureau de vote.* Le choix du type de scrutin est déterminé par la majorité sortante de l'Assemblée nationale en fonction de la conjoncture et de ses espoirs d'être reconduite par les nouvelles élections.

SECOURS DE FRANCE.

Association créée en 1961 pour venir en aide aux partisans de l'Algérie française détenus et à leurs familles, ainsi qu'aux réfugiés d'Algérie. L'appel lancé en 1962 en faveur du *Secours de France* (présidente : Clara Lanzi) était signé par : Pascal Arrighi, J.-B. Biaggi, Alain de Lacoste-Lareymondie, Jean-Marie Le Pen, le colonel Thomazo, députés, Philippe Marçais, Pierre-Emile Menuet, Bernard Le Coroller et André J. Guibert. Par la suite, les messages en faveur du *Secours de France* ont été rédigés par Tixier-Vignancour (Noël 1963), le R.P. Delarue (Pâques 1964), le général Weygand (juin 1964), Michel de Saint-Pierre (Noël 1964), le général de Monsabert (Pâques 1965), le Bachaga Boualam (juin 1965), Marcel Aymé (Noël 1965), le général Valluy (Pâques 1966), Georges Scapini (juin 1966) et Jean Anouilh (Noël 1966) (93, rue Réaumur, Paris 2ᵉ).

SECOURS POPULAIRE PAR L'ENTRAIDE ET LA SOLIDARITE (voir : S.P.E.S.).

SECOURS POPULAIRE FRANÇAIS.

Organisme contrôlé par le *P.C.F.* et ayant pour objet de venir en aide aux militants communistes ou autres — pendant la guerre d'Algérie, il aida les partisans du *F.L.N.* — se trouvant dans une situation difficile en raison de leur activité et des poursuites judiciaires dont ils peuvent être l'objet. L'aide aux familles des détenus politiques, aux indigents et aux vieillards est aussi l'une de ses préoccupations. Le côté « *société de bienfaisance* », qu'il n'avait pas à l'origine lorsqu'il n'était que la section française du *Secours Rouge International,* lui vaut des sympathies dans les milieux de gauche non-communistes et lui a permis de constituer un Comité d'honneur où se côtoient communistes, progressistes, socialistes et républicains avancés, tels que : Henri Barbusse, Jean Cocteau, Edouard Ehni, Professeur Hadamard,

Frédéric Joliot-Curie, Francis Jourdain, Emile Labeyrie, Paul Langevin, général Le Corguille, Andrée Marty-Capgras, Romain Rolland et Weill-Halle (parmi les disparus), ainsi que : Louis Alvergnat, secrétaire de la *Confédération Syndicale des Familles,* Louis Aragon, écrivain, Lucie Aubrac, professeur, Claude Autant-Lara, metteur en scène, le Pasteur Botinelli, Alain Calmat, champion du monde de patinage artistique, Jacques Chatagner, professeur, Pierre Cot, ancien ministre, Eugénie Cotton, directrice honoraire de l'Ecole Normale Supérieure de Sèvres, Jean Effel, dessinateur, Suzanne Flon, actrice, Abbé A. Glasberg, Lucien Jayat, secrétaire-trésorier de la *C.G.T.,* Joseph Kosma, compositeur, Armand Lanoux, prix Goncourt 1963, Alain Le Léap, Jacques Madaule, écrivain, Marcelle Marquet, écrivain, Jean-Jacques Mayoux, professeur à la faculté des Lettres de Paris, Pierre Meunier, ancien député, Jacques Mitterrand, Grand Maître du *Grand Orient,* Amiral Moullec, ancien chef d'état-major des Forces Navales Françaises Libres, Marcel Paul, ancien ministre, Général Petit, sénateur, Raymond Sarraute, avocat, Sicard de Plauzolles, président d'honneur de la *Ligue des Droits de l'Homme,* Laurent Terzieff, acteur, Paul Tubert, ancien député-maire d'Alger, et Jean Wiener, compositeur (9, rue Froissard, Paris 3ᵉ).

SECRETAIN (Roger, Jules, Lucien).

Journaliste, né à Orléans, le 25 août 1902. D'abord fonctionnaire, débuta dans le journalisme à vingt-cinq ans. Co-directeur, avec Marcel Abraham, de la revue littéraire *Mail,* d'Orléans. Depuis sa création, en 1944, directeur et rédacteur en chef du quotidien régional *La République du Centre.* Membre de la direction de l'*Union Démocratique et Socialiste de la Résistance.* Député du Loiret (1951-1955), présida le groupe *U.D.S.R.* de l'Assemblée Nationale. Ayant pris position pour le « *Oui à De Gaulle* » en septembre 1958, quitta à ce moment-là l'*U. D. S. R.* qui avait recommandé le « *non* ». Créa, avec René Pleven, l'*Union pour une Démocratie Moderne* (février 1959). Appartient au *Rotary Club.* Fut élu peu après maire d'Orléans (1959). Rédige chaque jour l'éditorial de *La République du Centre.* Auteur de : « *Destins du Poète* » (1937), « *Péguy, soldat de la Vérité* » (1941), « *Saint-Jean du Ciel* », « *Quand montait l'orage* » (1946), « *Chroniques* » (1949, 1955, 1960).

SECTARISME.

Attitude — idéologique, en principe —

qui pousse à l'intolérance à l'égard des opinions adverses ou simplement divergentes (que la terminologie communiste appelle « *déviationnisme* »), sans vouloir tenir compte des arguments opposés. Il a pour base une conviction doctrinale plus ou moins justifiée, avec pour corollaire un réflexe de défense qui refuse d'envisager toute opinion ou tout fait risquant d'affaiblir la dogmatique de base. L'exemple classique de *sectarisme* est la condamnation de Galilée par le tribunal de l'Inquisition sur sa proposition du mouvement terrestre. En politique, le refus de rendre justice aux adversaires se traduit fréquemment par des actes déloyaux : tel le cas d'un auteur qui pille délibérément la documentation d'un adversaire ou lui emprunte des idées sans en citer les sources « *pour ne pas lui faire de publicité* ». Le sectarisme politique se rencontre dans tous les partis, mais il revêt un caractère d'hypocrisie lorsqu'il est le fait de partis qui se disent libéraux, c'est-à-dire partisans de la liberté. A l'extrême, le sectarisme politique conduit à la persécution : on n'en veut pour preuve que les excès des divers racismes, manifestations particulières du sectarisme.

SEDILLOT (René, Rodolphe, Jacques).

Journaliste, né à Orléans, le 2 novembre 1906. Fils du colonel Henri Sédillot. Etudes aux lycées de Bourges, de Mayence et Henri IV à Paris. Docteur en droit, licencié ès lettres, diplômé de l'Ecole Libre des Sciences Politiques. Fut successivement secrétaire de la rédaction de l'*Information*, d'*Inter-France-Informations,* rédacteur en chef de *La Vie Française* et directeur-rédacteur en chef de cet hebdomadaire. Egalement collaborateur du *New York Times* et de *Carrefour*. Membre de l'Académie d'Histoire (décembre 1962). Auteur de divers ouvrages dont « *Survol de l'Histoire du monde* », « *Survol de l'Histoire de France* », « *Histoire du Franc* », « *Histoire des Colonisations* », « *A.B.C. de l'Inflation* » et d'une monographie hors commerce sur la famille de Wendel.

SEGHERS (Editions Pierre).

Maison d'édition fondée à Villeneuve-les-Avignon (Gard) par Pierre Seghers, qui s'était associé avec Marthe Sophie Lebbe, Lucienne Dutron, née Wagner, Marius Chiabaud et Robert Thenon, dit Philippe Dumaine. Transférée à Avignon en 1952, puis à Paris. Dirigée par Pierre Seghers, Jacques Ahrweiler et Marthe Lebbe.

SEITZ (Thomas).

Publiciste, né à Artolsheim (B.-du-R.), le 21 décembre 1872. Militant démocrate chrétien, fut député de 1919 à la guerre. Anime l'Association des anciens parlementaires.

SELLIER (Henri).

Fonctionnaire, né à Bourges, le 22 décembre 1883, mort à Suresnes, le 24 novembre 1943. Rédacteur au ministère du Commerce, puis chef de bureau au ministère du Travail et secrétaire général du syndicat des fonctionnaires de ce ministère. Militant du mouvement socialiste, fidèle d'Edouard Vaillant, fut élu conseiller municipal de Puteaux, puis conseiller général de la Seine (1910). S'établit à Suresnes pendant la guerre et en devint maire après. Elu sénateur le 5 octobre 1935, entra dans le gouvernement Blum, l'année suivante, en qualité de ministre de la Santé publique (1936-1937). Ne prit pas part au vote du 10 juillet 1940 sur les pouvoirs constituants. Après sa révocation par l'amiral Darlan, secrétaire d'Etat à l'Intérieur, le 17 mai 1941, en raison de son « *hostilité manifeste à l'œuvre de rénovation nationale* », se retira de l'action politique.

SELLIER (Louis).

Postier, né à Dornes, le 6 novembre 1885. Conseiller général de la Seine et député du département (1932-1942). Militant socialiste. Membre de la direction du *P.C.* après le congrès scissionniste de Tours, et secrétaire général du parti en 1923. Quitta le *Parti Communiste* pour fonder, avec d'autres dissidents, le *Parti d'Unité Prolétaire* (1929). Vota les pouvoirs constituants au maréchal Pétain (1940).

SEMAINE DU LAIT (La).

Journal fondé par A.-L. Croset. Cet hebdomadaire occupe une place de choix dans la presse agricole. Il est le seul hebdomadaire de l'économie laitière diffusé dans quatre-vingt-six départements, le plus ancien aussi et le mieux documenté des journaux consacrés à la laiterie. Il est lu par près de dix mille producteurs de lait. Son directeur, qui joue un rôle politique non négligeable dans la région lyonnaise, et que l'on retrouve en 1958 constituant avec d'autres groupements une sorte de cartel des nationaux, est un « corporativiste » convaincu. Pour atteindre un plus grand nombre de lecteurs paysans, *La Semaine du Lait* consacre sa dernière page, intitulée *Les libertés paysannes*, à la politique agricole. Ses articles contre « les trusts margariniers et laitiers », contre « la démagogie marxiste » et la « folie des technocrates » lui attire la sympathie des petits producteurs de lait, mais aussi l'hostilité des grands annonceurs. Vigoureusement opposé aux gouvernements Debré et Pompidou, *La Semaine du Lait* a fait campagne contre le général De Gaulle à l'élection présidentielle de décembre 1965 (Administration : 68, avenue de Saxe, Lyon).

SEMAINE PROVENCE.

Journal catholique hebdomadaire, démocrate et modéré, né de la fusion de l'hebdomadaire *Semailles*, fondé à Marseille, le 7 octobre 1944, et de l'hebdomadaire *La Voix de Provence*, également créé en 1944. Directeur : Georges Frilet, secondé par M. Quinque (61, rue Saint-Jacques, Marseille, 6e).

SEMARD (Pierre).

Cheminot (1887-1942). Militant révolutionnaire, rallié au communisme au congrès de Tours (1920). Co-fondateur du *Parti Communiste* dont il fut le secrétaire général (1924-1930). Dirigeant de la *C.G.T.U.*, secrétaire général de la Fédération *C.G.T.* des Cheminots. Arrêté par la police de la III⁸ République (gouvernement Daladier, 1939), fut pris comme otage par les Allemands après les premiers attentats dirigés contre eux et fusillé le 7 mars 1942, à Evreux.

SEMBAT (Marcel).

Homme politique (1862-1922). Après le collège Stanislas, entra à la Faculté de droit de Paris et en sortit pour s'inscrire au barreau. Se lança bientôt dans le journalisme, à *La République Française*, dont il fut le chroniqueur judiciaire. Co-fondateur de *La Revue de l'Evolution*, se lia avec Edouard Vaillant, adhéra en 1891 au *Comité Révolutionnaire Central* (parti blanquiste), milita ensuite au *Parti Socialiste Révolutionnaire*, puis entra à la *S.F.I.O.* à sa création. Dirigea *La Petite République* et collabora à de nombreuses feuilles d'extrême-gauche (*La Revue Socialiste, Les Documents du Progrès, La Lanterne, Le Petit Sou, Paris-Journal, L'Humanité*, etc.). Fut élu député de Paris (18e) en 1893, comme socialiste indépendant, avec l'étiquette (assez vague) *républicain socialiste* bien qu'il fût membre du *C.R.C.* (voir plus haut), et c'est Millerand qui présida le banquet qui lui fut offert pour fêter son élection le 30 septembre

1893. Constamment réélu jusqu'à sa mort, appartint aux gouvernements Viviani et Briand (1914-1916) et fut l'un des hauts dignitaires du *Grand Orient de France*, dont il fut longtemps le vice-président.

SEMEUR (Le).

Hebdomadaire des Deux-Sèvres (voir : Gabriel Citerne).

SEMEUR DES HAUTES-PYRENEES (Le).

Quotidien de droite fondé en 1907 à Tarbes et disparu pendant la dernière guerre. Ses locaux furent occupés par l'éphémère *Pyrénées*, quotidien *M.R.P.*

SEMPE (Abel).

Viticulteur, né à Sabazan (Gers), le 24 janvier 1912. Propriéaire de la firme *Armagnac Sempé*. Maire et conseiller général d'Aignan. Sénateur socialiste du Gers (depuis 1955).

SENAT.

Assemblée politique composée de 274 membres (*sénateurs*), élus pour neuf ans au suffrage universel indirect, c'est-à-dire par les représentants des électeurs (députés, conseillers généraux et délégués des conseils municipaux). Dans les départements ayant plus de cinq sièges de sénateurs, les élections ont lieu à la représentation proportionnelle; dans les autres départements, les élections se font au scrutin majoritaire à deux tours. Pour être éligible, le candidat doit avoir au moins trente-cinq ans. Le *Sénat* est renouvelé par tiers tous les trois ans. Il a l'initiative des lois. Lorsqu'il y a conflit entre lui et l'Assemblée nationale, à propos d'une loi votée par celle-ci et rejetée par celui-là, ou vice versa, c'est l'Assemblée qui l'emporte. Jadis *chambre haute*, le *Sénat* a donc vu ses pouvoirs singulièrement restreints par la IVe République — qui ne l'appelait plus que *Conseil de la République* — et, du fait de son opposition constante au général De Gaulle, son existence même est singulièrement menacée sous la Ve. En cas de disparition brusque du chef de l'Etat, le président du *Sénat* exerce les fonctions de président de la République par intérim.

SENNEP (Jean-Jacques-Charles PEN-
NES, dit Jehan).

Caricaturiste, né à Paris, le 3 juin 1894, d'un père fabricant de produits pharmaceutiques. Anti-républicain de tendance bonapartiste, débuta dans la caricature politique à l'extrême-droite et fut longtemps un ami de *L'Action Française*, qui assura le succès de ses premiers albums : « *Cartel et Cie* » (premier ouvrage publié), « *A l'abattoir les Cartellistes !* » (édité à la veille des élections de 1928 sur papier de boucherie !), « *Au bout du quai* », etc. Lorsque *Le Charivari* reparut en 1927, sous le patronage de l'*Action Française*, il en fut le principal animateur. Collabora à *L'Echo de Paris*, à *L'Action Française*, à *Candide*, au *Rire*, à *Je suis partout* avant la guerre. A la Libération, fut l'un des plus féroces caricaturistes de l'épuration : son album « *Dans l'honneur et la dignité* », particulièrement injuste et injurieux pour le maréchal Pétain, le brouilla avec ses derniers amis politiques d'autrefois. Fut, en 1944, le premier dessinateur du quotidien crypto-communiste *Front National ;* donna ensuite des dessins à divers journaux, dont *La Bataille*. Est, depuis près de vingt ans, le caricaturiste attitré du *Figaro*. A également donné sa collaboration (exceptionnellement) à l'hebdomadaire gaulliste *Notre République* (1965). Considéré comme le meilleur caricaturiste politique des années 1925-1950.

SENTINELLE (La) (voir : Le Nouveau Prométhée).

SEPT.

Hebdomadaire catholique fondé le 3 mars 1934 par les Dominicains de Juvisy pour être « *l'antidote de publications comme La France Catholique* » (Aline Coutrot, « *Un courant de la pensée catholique : l'hebdomadaire Sept* », Paris 1961). Pendant ses quarante et un mois d'existence, ce journal exerça une influence très grande dans les milieux religieux et réunit une équipe qui devait, après 1944, prendre la direction de la presse catholique française. Publié par les *Editions du Cerf, Sept* était dirigé par les RR. PP. Bernadot et Boisselot, assistés des RR. PP. Avril et Louvel et de J. Berneix, auquel succéda, en novembre 1934, Joseph Folliet, un prodigieux animateur. Daniel-Rops, Jacques Madaule, Pierre-Henri Simon, Maurice Schumann, Etienne Gilson, Etienne Borne, Jacques Maritain, François Mauriac, Paul Bacon, P. Catrice, Urbain Falaize, M.-P. Hamelet, J. Morienval, Georges Bernanos, Louis Dimier, Georges Coquelle-Viance, etc. Après la publi-

cation d'un article de *L'Humanité* (11.4. 1936) vantant l'attitude compréhensive de *Sept* et surtout à la suite de l'interview accordée à ce dernier par Léon Blum (19.2.1937), de vives critiques s'élevèrent contre le journal des Dominicains, qualifié de « *rouge chrétien* ». *Le Journal du Loiret, Je suis partout, L'Echo de Paris, Le Jour, La France catholique, Credo, France Réelle* et *L'Action Française*, reprochèrent avec vigueur à *Sept* ses complaisances pour le Front Populaire. Le 27 août 1937, le journal suspendait sa publication sur un ordre venu de Rome. L'équipe reprit peu après ses activités : le 5 novembre 1937 parut *Temps présent* dont Stanislas Fumet était le directeur et Joseph Folliet la cheville ouvrière (voir : *Temps présent*).

SERAMY (Paul).

Universitaire, né à Saint-Voir (Allier), le 4 février 1920. Fils d'un directeur d'école, entra dans l'enseignement et fut professeur de lycée. Conseiller municipal et adjoint au maire de Fontainebleau (1952), puis maire (1958). Vice-président de l'Union des maires du département. Conseiller général du canton de Fontainebleau (1958). Elu député radical indépendant de Seine-et-Marne (5e circ.), le 25 novembre 1962 en remplacement du colonel Battesti, député sortant *U.N.R.*, qui refusa de se représenter pour se consacrer aux réfugiés d'Algérie. (M. Séramy battit le général Méric (*U.N.R.*), ex-mari de l'actuelle Mme Fourcade, secrétaire générale du *Comité d'Action de la Résistance*, elle-même candidate *U.N.R.* dans le Midi.) Non réélu en 1967.

SERANT (Paul SALLERON, dit).

Homme de lettres et journaliste, né à Paris, le 10 mars 1922. Après s'être orienté vers le journalisme radiophonique (service français de la *B.B.C.*, émissions vers l'Etranger de la *R.T.F.*), il a collaboré à divers journaux et publications, notamment : *Combat, Fédération, Le 20e Siècle Fédéraliste, Le Bulletin de Paris, La Parisienne, La Nation Française, Défense de l'Occident, La Revue des Deux Mondes, Carrefour*. Les premiers livres de Paul Sérant — notamment son étude sur *René Guénon* (prix Victor-Emile Michelet de la Société des Gens de Lettres) — sont inspirés par les doctrines ésotériques. L'écrivain devait ensuite aborder les problèmes idéologiques et les « questions disputées » de l'histoire contemporaine : il publia alors « *Les inciviques* », un libelle contre les intellectuels dits progressistes, « *Gardez-vous à gauche !* » et prit position dans « *Où va la Droite ?* » pour une rénovation de la Droite française dans un esprit fédéraliste européen. Il publia ensuite « *Le Romantisme fasciste* », étude critique de la pensée politique de quelques écrivains français avant et pendant la deuxième guerre mondiale, et « *Salazar et son temps* », analysant les idées et l'action du président portugais. Avec « *Les Vaincus de la Libération* », Paul Sérant a fait la première étude de synthèse sur l'épuration de 1945 dans les différents pays de l'Europe occidentale. Dans « *La France des Minorités* » il étudie les particularismes des provinces françaises où subsistent certaines traditions linguistiques et ethniques. Paul Sérant n'appartient à aucune formation politique ; il se déclare antimarxiste, fédéraliste, partisan d'une Europe unifiée, mais respectueuse des libertés fondamentales et des diversités essentielles : spirituelles, nationales et régionales.

SERGENT (André MAHE, dit Alain)
(voir : **Mouvement Social Révolutionnaire**).

SERGENT (Pierre).

Officier, né à Sèvres, le 30 juin 1926. Petit-fils de Henri Marion, professeur de philosophie à la Sorbonne. Maquisard à dix-huit ans en Sologne (1944). Après l'Ecole de Saint-Cyr fut officier de la Légion : 3ᵉ B.E.P. (1951), 1ᵉʳ C.S.P. (1954), 1ᵉʳ R.E.P. (1958). Partisan de l'Algérie française, le capitaine Sergent préconisa en janvier 1960 l'alliance de l'armée avec les insurgés des Barricades d'Alger et participa, avec sa compagnie, au « *putsch des généraux* » d'avril 1961. Fut ensuite le chef de l'E.-M. de l'*O.A.S.* en métropole (1961), puis du *C.N.R.* de Georges Bidault (1962) et, enfin, le chef du *Conseil National de la Révolution* clandestine (1963). Ses déclarations à *Rivarol* (17-6-1965) le situent parmi les adversaires des « *dogmes démocratiques* ». Néanmoins, sa position en faveur de François Mitterrand, à l'élection présidentielle de 1965, fut nette : « *J'ai donné l'ordre à ceux qui me suivent de voter au second tour pour François Mitterrand, s'il est le mieux placé* », car, ajoutait-il : « *Qui risque d'être le plus utile aux communistes, De Gaulle ou Mitterrand ? Sans aucun doute De Gaulle...* » (Cf. *Le Monde*, 9-11-1965.)

Le capitaine Sergent et l'adjudant Robin

SERIGNY (comte Alain, Georges, Marie, Gustave LE MOYNE de).

Administrateur de sociétés, né à Nantes, le 18 février 1912. Fils du marquis Aymard Le Moyne de Sérigny, directeur de la *Cie Générale Transatlantique* à Alger. Dirigea *L'Echo d'Alger* que possédait son beau-frère, Jean Duroux, le fils du sénateur gauchissant d'Alger (1921-1939). Anima également l'édition vespérale de ce journal, *Dernière Heure*, et son édition dominicale, *Dimanche Matin*. Fut, après la Libération, l'un des vice-présidents de l'Assemblée algérienne. Après le 13 mai 1958 lança dans son journal un appel en faveur du général De Gaulle, puis versa une forte somme au mouvement gaulliste pour lui permettre d'agir à Paris même sur l'opinion et sur les parlementaires. C'est le 17 mai, à la villa des Oliviers (Alger), en présence du général Guillain de Bénouville, qu'il promit à Jacques Soustelle d'avancer dix millions au secrétariat du général. Cette somme fut aussitôt versée par le directeur à Rouen des *Cargos Algériens*, Jean Richemond, dit Alain Bozel, ancien trésorier national du *R.P.F.* Par la suite, compromis dans le « *complot des barricades* » de janvier 1960, fut inculpé et écroué à la Santé. Mis en liberté provisoire onze mois plus tard, acquitté en mars 1961, reprit la direction effective de *L'Echo d'Alger*. Le lendemain du « putsch des généraux » son journal, publiant la proclamation du général Challe, titrait ainsi sa première page : « *L'armée assume tous les pouvoirs en Algérie. Arrivés à Alger, les généraux Challe, Zeller et Jouhaud sont à sa tête pour tenir le serment du 13 mai : garder l'Algérie* » (23 avril 1961). Usant des pouvoirs que lui confère l'article 16 de la Constitution, le général De Gaulle interdit *sine die L'Echo d'Alger* (3 mai 1961). Rentra définitivement en France en 1961. Ancien secrétaire de l'agence algéroise de la *Cie Générale Transatlantique*, est resté dans les affaires de transports maritimes : préside actuellement les *Cargos algériens* dont il est le principal actionnaire. Est, en outre, président de la *Sté d'Etude de Réalisations de groupements industriels* et administrateur des *Entreprises Campenon - Bernard*. Auteur de « *La Révolution du 13 mai* » et d' « *Un Procès* », ainsi que de « *La Bissectrice de la guerre* », écrit en collaboration avec René Richard, qui fut rééditée à Paris sous le titre « *L'Enigme d'Alger* ».

SERRE (Joseph, Maurice) (voir : Maurice Lebrun).

SEROT (Marie, Léon, Robert).

Ingénieur agronome, né à Saint-Dizier (Hte-Marne), le 18 février 1885, mort à Paris, le 28 mars 1954. Député modéré de la Moselle (1919-1949), sous-secrétaire d'Etat à l'Agriculture (1929-1930, cabinets Tardieu). Sympathisant du *P.S.F.* Nommé le 23 janvier 1941 membre du *Conseil National*.

SERRE (Philippe).

Avocat, né à Paris, le 4 mars 1901. Ancien premier secrétaire de la Conférence des avocats. Militant de la *Jeune République*, fut à la Chambre des Députés de 1933 à 1940, l'un des rares représentants du parti de Marc Sangnier (circonscription de Briey). Sous-secrétaire d'Etat à la Présidence du Conseil (cabinet Chautemps, 1938) et au Travail (cabinet Blum, 1938). Participa à la Résistance. Membre de l'Assemblée Consultative et conseiller général de Meurthe et Moselle après la Libération, a repris son activité au *Parti de la Jeune République* pendant plusieurs lustres.

SERVAN-SCHREIBER (Famille).

Les Schreiber (devenus *Servan-Schreiber* en vertu d'un décret du 5 novembre 1952, publié au *J.O.*, 1952, p. 10485) ont joué, jouent et, probablement, joueront encore un rôle de premier plan, non seulement dans la presse, mais aussi, plus ou moins directement, dans la politique. Le fondateur de cette « *dynastie bourgeoise* », — comme pourrait dire Emmanuel Beau de Loménie — Julius-Josef Schreiber, naquit le 31 mars 1845 à Gleiwitz, en Prusse aujourd'hui annexée à la Pologne. Il avait vingt-neuf ans lorsqu'il vint s'établir en France. De son mariage avec Klara Feilchenfeld, originaire elle aussi de cette partie de la Prusse, annexée à la Pologne (née à à Thorn, le 12 décembre 1853), il eut trois fils : Robert, Georges et Emile, qui devinrent Français en même temps que lui, en 1894. C'est en effet cette année-là que fut naturalisé J.-J. Schreiber, et que ses fils acquièrent la nationalité française par déclaration faite devant le juge de paix du Xe arrondissement de Paris. Josef était représentant de commerce. Il mourut le 1er août 1902.

Son fils Robert, l'aîné (voir ci-dessous), eut de son mariage avec Suzanne Crémieux, sénateur (voir à ce nom), trois enfants :

Jean-Claude-Fernand-Robert-Servan-(voir ci-dessous), qui eut de son premier mariage deux enfants : Sophie et Fabienne, et du second deux enfants : Marie-Christine et Pierre-Robert ;

Marie-Claire-Suzanne, née à Paris-VIIIe le 3 avril 1921, mariée à Paris-VIIIe, le 16 juillet 1946, avec le comte Jacques Claret de Fleurieu (divorcée le 22 mars 1960) ; deux enfants issus du mariage : Nathalie et Jean-René ;

et Marie-Geneviève-Fernande-Esther, née à Paris-VIIIe, le 13 décembre 1930, mariée à Montfrin (Gard), le 24 mai 1958, avec Robert Tranié, journaliste ;

Le second fils de Josef, Georges, né à Paris-IXe le 1er janvier 1884, est docteur en médecine. Marié le 19 mars 1920 avec Isabelle-Fanny Sauphar, qui lui a donné trois enfants :

Philippe, né à Paris-XVIe, le 17 mars 1922, avocat à la cour d'appel de Paris-V^e, marié le 26 mars 1947 avec Elisabeth Spanien ;

Francine, née à Paris-XVIe, le 5 février 1924, mariée avec Jacques Trèves ;

et Marianne, née à Paris-XVIe, le 18 septembre 1925, mariée avec M. Lewis.

Le troisième et dernier fils de Josef Schreiber, Emile (voir ci-dessous), eut de son mariage avec Denise Bresard cinq enfants :

Jean-Jacques (voir ci-dessous) ; trois enfants sont nés de son second mariage : David, Emile, Franklin ;

Brigitte, née à Saint-Germain-en-Laye, le 12 juin 1925, journaliste à *L'Express*, directrice de *La Liberté de la Vallée de la Seine*, maire de Meulan (Yvelines) et membre de la *Convention des Institutions Républicaines* ; mariée en premières noces avec Alain Tabouis, fils d'un administrateur de sociétés financières, (mariage : Paris-VIIIᵉ, le 1ᵉʳ mars 1947 — divorce : le 21 mars 1949), en secondes noces avec Emeric Grosz, dit Gros, maroquinier (sacs en plastic *Dofan*), administrateur de *Presse-Union*, société éditrice de *L'Express* (mariage à Veulettes, le 30 juin 1952) ; de cette seconde union naquirent : Olivier, France et François ;

Bernadette, née à Paris-XVIᵉ, le 9 mai 1928, mariée à Veulettes, le 29 septembre 1949 avec Henri Gradis, issu d'une famille de négociants juifs portugais établis à Bordeaux ; quatre enfants sont nés de cette union : Patricia, Corinne, Diego et Yvan ;

Christiane, née à Paris-XVIᵉ, le 29 octobre 1930, collaboratrice de *L'Express*, (sous le nom de Christiane Collange), mariée successivement avec : Jean-François Coblentz dit Coblence (mariage : Veulettes, le 9 juin 1951 — divorce : 22 avril 1959) et Jean Ferniot, rédacteur en chef de *L'Express* (mariage : Veulettes, le 27 septembre 1959) ; du second mariage est né : Vincent ;

et, enfin, Jean-Louis, né à Boulogne-Billancourt le 31 octobre 1937, ancien directeur de la rédaction du quotidien *Les Echos,* adjoint au directeur de *L'Express*, marié à Paris-VIIIᵉ, le 7 novembre 1957, avec Claude-Andrée Sadoc.

Les *Servan-Schreiber* sont les fondateurs des *Echos* et de *L'Express* (voir à ces noms).

SERVAN-SCHREIBER (Emile).

Journaliste, né à Paris-16ᵉ, le 20 décembre 1888, marié à Paris-8ᵉ, le 4 mai 1923 avec Denise Brésard. Collabora à *L'Illustration* pendant plusieurs années, fit des conférences à travers le monde pour *l'Alliance Française* et publia, entre 1917 et 1939, des livres sur les pays visités: U.S.A., U.R.S.S., Extrême-Orient, Portugal et même sur l'Italie fasciste, pas du tout hostile à Mussolini. Après la guerre, fit paraître : *L'U.R.S.S. 28 ans après* » (1959), « *La Chine 25 ans après* » (1960), « *Chine rouge* » (1963), « *Regards sur un demi-siècle* » (1954). Fut directeur, puis P.D.G. des *Echos* (1958-1963) ; collabora à une dizaine de journaux dont *Le spectacle du monde*, vice-président de l'*Association de la presse latine*, président du Conseil supérieur des auditeurs et téléspectateurs (1963). Fut, en 1945, expert économique de la France à la Conférence de San Francisco et est, depuis de longues années, maire de Veulettes-sur-Mer, en Seine-Maritime.

SERVAN-SCHREIBER (Jean-Claude, Fernand, Robert, Servan).

Journaliste, né à Paris-8ᵉ, le 11 avril 1918. Epousa successivement : Christiane Laroche, fille de l'ambassadeur de France (mariage à Paris-16ᵉ, le 16 avril 1947 — divorce le 20 juillet 1953) et Jacqueline Guix de Pinos (mariage à Paris-7ᵉ, le 19 février 1955), cette dernière, présentatrice à l'*O.R.T.F.* sous le pseudonyme de Jacqueline Barsac. Fut successivement directeur adjoint (1949), directeur (1954), directeur général adjoint (1958), administrateur (1963) du journal *Les Echos*. Administrateur de l'agence de publicité *Jacques de Saint-Phalle et Cie*, vice-président de l'*Union* de la presse économique et financière européenne, ancien membre de la section de la conjoncture et du revenu national au Conseil économique et social (1963-1964). Co-fondateur de la société éditrice de *L'Express*, mendésiste en 1954-1956 et ami du *Club des Jacobins*, rallié au général De Gaulle en 1958, fut l'un des membres du comité directeur de l'*U.D.T.*, avant la fusion de ce parti des gaullistes de gauche avec l'*U.N.R.* dont il devint l'un des dirigeants. En 1965, député de la Seine : suppléant de Roger Frey (élu à une élection partielle) fut automatiquement proclamé député lorsque celui-ci, conservant son portefeuille de ministre de l'Intérieur, dut abandonner son écharpe de député. Candidat *U.N.R.* au Creusot en 1967 : battu.

SERVAN-SCHREIBER (Jean-Jacques).

Journaliste, né à Paris-16e, le 13 février 1924. Marié successivement avec Robert-Madeleine Chapsal, fille d'un ancien ministre de la IIIe République (mariage : Paris-16e, le 18 septembre 1947 — divorce : le 6 mai 1960) et Sabine Becq de Fouquières, fille d'un éditeur (mariage : Veulettes, Seine-Maritime, le 11 août 1960). Ancien élève de l'Ecole polytechnique, collabora au *Monde* (1948-1953) et fonda, avec les autres membres de sa famille, le journal *L'Express* (1953), qui devint l'organe officieux de Pierre Mendès-France (voir : *L'Express*). Candidat de la gauche dans la Seine-Maritime aux élections législatives de novembre 1962 : non élu. Lança, en 1964, la candidature de Gaston Defferre, « *Monsieur X* », pour l'élection présidentielle. Fondateur de la *Fédération Nationale des Anciens d'Algérie*. P.D.G. de la *Sté Presse-Union* (qui édite *L'Express*) et administrateur de la *Sté Française d'Editions économiques*. Ses adversaires lui prêtent des ambitions politiques démesurées ; mais ses amis le considèrent comme un des espoirs de la Gauche.

SERVAN-SCHREIBER (Robert).

Journaliste, né à Paris (9e), le 22 mars 1880. Marié à Paris (8e), le 17 février 1916 avec Suzanne Crémieux, fille du sénateur du Gard (divorce prononcé le 28 avril 1944). Fondateur (1908) et président-directeur général (jusqu'en 1958) du journal *Les Echos ;* prit une part active à l'organisation de la Loterie nationale française. Décédé le 21 avril 1966.

SERVICE D'ACTION CIVIQUE.

Groupe de choc gaulliste composé, à l'origine, d'anciens membres du service d'ordre du *R.P.F.* (voir : *Rassemblement du Peuple Français*).

SERVICE D'ORDRE LEGIONNAIRE (S.O.L.) (voir : Milice Française).

SERVICES ET METHODES.

« Conseil en propagande », cette société est spécialisée dans le lancement publicitaire. C'est elle qui a lancé les romans d'espionnage de James Bond et qui s'est occupée de la propagande de Jean Lecanuet, lors de la campagne pour l'élection présidentielle de décembre 1965. A été chargée de l'organisation de la propagande de l'*U.N.R.-U.D.T.* pour les élections législatives de mars 1967. La S.A.R.L. *Services et Méthodes* a été fondée le 25 janvier 1959 à Boulogne-sur-Seine par Yves Bossard, ingénieur en organisation, et la *S.A. Office d'édition, d'impression et de publicité, (O.E.D.I.P.)*. Associés : Yves et Jean Bossard, François Rosset et Mme Nicole Garneau. Michel Brongrand en est le directeur général et Ch.-H. Perrin, le chef de publicité. Claude Barret, ancien collaborateur de *L'Express* et de *France-Soir,* et son confrère Richard Béranger appartiennent également à l'état-major de l'agence (12-12 bis, rue Christophe-Colomb, Paris 8e).

SERVIR LA FRANCE.

Revue mensuelle fondée en février 1945 par les communistes pour la propagande dans les milieux ouvriers patriotes. Dirigée par Gaston Monmousseau. Disparut après quelques années faute d'un nombre suffisant de lecteurs.

SESMAISONS (marquis Olivier, François, Robert, Marie, Rogatien de).

Agriculteur, né à Saumur (M.-et-L.), le 21 mai 1894. Vice-président de la Coopérative centrale des agriculteurs de la Loire-Atlantique. Président du *Crédit immobilier rural de la Loire-Atlantique*. Ancien secrétaire de la Chambre d'agriculture de la Loire-Atlantique (1933-1945). Maire de La Chapelle-sur-Erdre (1933). Membre des deux Assemblées constituantes (1945-46). Elu député modéré de la Loire-Inférieure à la première Assemblée nationale le 10 novembre 1946. Réélu député *R.P.F.* le 17 juin 1951. Démissionnaire du groupe gaulliste (1952). Vice-président du groupe parlementaire de l'*A.R.S.* (1952-1955). Réélu député le 2 janvier 1956 et inscrit au groupe des *Indépendants-Paysans*. Réélu en 1958 et en 1962. Inscrit au groupe des *Républicains Indépendants*.

SEULE FRANCE (Editions de la).

Créée en 1945 par les héritiers de l'*Action française* cette maison d'éditions a publié des ouvrages de Maurras et sur Maurras, ainsi que des livres de doctrine et des brochures de propagande royaliste, en liaison avec la *Restauration Nationale* et l'hebdomadaire *Aspects de la France* (voir à ce nom).

SÉVERINE (Caroline REMY, dite).

Femme de lettres et journaliste, née à Paris, le 24 avril 1855, d'une famille originaire de Vaucouleurs. A seize ans (26-10-1871), épousa Antoine Montrobert, dont elle divorça quelques années plus tard, puis se maria avec le Docteur Paul Guebhard. Séparée de ce dernier, eut une longue liaison avec Jules Vallès (vers 1880), collabora à son journal *Le Cri du Peuple* et acheva son livre *L'Insurgé* après sa mort. Ecrivit également à *La Fronde*, au *Gil Blas*, au *Voltaire*, se signalant surtout par sa fougue et sa générosité. Fut la première femme journaliste qui effectua des reportages sensationnels (par exemple dans « *les entrailles de la terre* », lors des grèves de mineurs). Ardente boulangiste, puis antidreyfusarde, change de camp lorsqu'elle eut la conviction que le capitaine israélite était innocent, cédant en cela à son éternel réflexe de générosité. Fut très liée avec Edouard Drumont — elle habitait le même immeuble que son journal, 14, boulevard Montmartre —, collabora à *La Libre Parole* et y défendit les anarchistes. Lorsque Rochefort la traita de « marmite » (fille de police), Drumont fut l'un des rares à riposter au fameux polémiste et à se brouiller avec lui. Adhéra à la *Ligue des Droits de l'Homme*, où son indépendance fit souvent scandale, ainsi qu'au *Parti Socialiste*, et collabora à *L'Humanité*. Ayant suivi les majoritaires au *Parti Communiste*, après la scission de Tours, en fut expulsée en même temps qu'Anatole France. On a pu railler l'inconstance de ses opinions ; par contre, il faut reconnaître qu'elle n'a jamais dévié de la ligne qu'elle s'était fixée à ses débuts : « *Avec les pauvres, toujours, malgré leurs erreurs, malgré leurs fautes, malgré leurs crimes.* » Collabora entre temps à *L'Œuvre*, de Gustave Téry, à *La France*, au *Matin*, au *Journal*, à *La Vie féminine*, mena une ardente campagne en faveur du vote des femmes, ainsi que pour l'extension de la citoyenneté française aux indigènes d'Algérie, défendit Sacco et Vanzetti. Retirée dans sa propriété de Pierrefonds (Oise), transformée en refuge pour animaux, voire en ménagerie, Séverine y mourut le 23 avril 1929. Sa disparition, devait écrire Romain Rolland, « *est un deuil pour tous les malheureux du monde* ». Ce n'était pas sans raison que son adversaire, Rochefort, l'avait surnommée « *Notre-Dame de la larme à l'œil* ». Lorsqu'il était l'époux de sa petite-fille, Bernard Lecache lui a consacré (1930) un livre où il retrace son existence tumultueuse (sans omettre son amitié pour Drumont) et constate que « *aux obsèques de Séverine, Dreyfus, devenu colonel, oublia d'assister* ». Elle a laissé quelques ouvrages : « *Line* » (souvenirs autobiographiques), « *Pages rouges* », « *Notes d'une frondeuse* », « *Vers la lumière* », etc.

S. F. I. O. (voir : Parti Socialiste).

SICARD (Marie, Philippe, Maurice, Yvan).

Homme de lettres (pseudonyme : Saint-Paulien), né au Puy-en-Velay, le 21 avril 1910, d'une famille d'origine paysanne à traditions militaires. Pupille de la nation, Sicard fit ses études au lycée Condorcet et fut professeur de français quelque temps. Il collaborait en même temps aux magazines *Voilà* et *Vu* et au quotidien *Le Petit Journal*. Entre-temps, il avait fondé un pamphlet, *Le Huron*, et assumé la rédaction en chef de deux autres hebdomadaires, *Germinal* et *Spectateur*. En 1932, il fut l'objet de poursuites judiciaires sur plainte de l'académie Goncourt : il avait en effet reproduit les propos de Lucien Descaves : « *Cette académie est une foire, tout y est à vendre.* » N'ayant jamais été membre d'aucun mouvement politique, il adhéra au *Parti Populaire Français*, de Jacques Doriot, dès sa fondation (1936). Rédacteur en chef de l'organe des jeunes doriotistes, *Jeunesse de France*, chef des informations du quotidien *La Liberté* en 1937, puis rédacteur en chef de *L'Emancipation Nationale*, Sicard entra au bureau politique du *P.P.F.* en 1938. Mobilisé en 1939, il fit la guerre jusqu'à l'armistice de 1940 dans l'infanterie, bien qu'il eût lutté pour la paix et qu'il fût, depuis 1931, partisan de la réconciliation franco-allemande. Secrétaire à la presse et à la propagande du *P.P.F.* (1942), membre du directoire que Doriot avait mis en place avant de partir sur le Front de l'Est, finalement adjoint politique de son chef à la présidence du *Comité de Libération antibolchevique*, créé par Doriot en

Allemagne au début de 1945. Sicard avait été également appelé au sein du Comité central de *Rassemblement de la Révolution Nationale* du maréchal Pétain. Réfugié en Espagne, il prit le pseudonyme littéraire de Saint-Paulien (1950), en souvenir de son Velay natal, et publia sous ce nom de nombreux ouvrages, en particulier : « *Le Soleil des Morts* » (1953), « *Double-Cœur* » (1954)), « *Les Maudits* » (1958), « *Saint-François Borgia* » (1959), « *Vélasquez et son temps* » (1961), « *Histoire de la Collaboration* » (1964), importante contribution à l'histoire politique de la France pendant la guerre, « *Goya, son temps, ses personnages* » (1965) et un grand nombre d'autres essais, romans et reportages (dont plusieurs ont été traduits en anglais, en espagnol, en italien et en portugais). Avant et pendant la guerre, il avait fait paraître sous son nom patronymique : « *Les 16 assassinats de Moscou* » (1937), « *Etude sur l'Allemagne* » (1938), « *Doriot contre Moscou* » (1941), « *Vive la France !* » (1942), « *Doriot et la guerre du Rif* » (1943), « *La Commune de Paris contre le Communisme* » (1943) et, en collaboration avec divers écrivains des *Cercles populaires français*, une « *Histoire de France à l'usage de ceux qui l'ont oubliée* » (1944). Au cours de ces vingt dernières années, Saint-Paulien a collaboré à la presse espagnole (*Arriba, Semana, Madrid, Mundo*), nord-américaine (*Weekly Crusader, Intelligence Digest*), portugaise (*Découvertes*), française (*Revue des Deux Mondes, Ecrits de Paris, Lectures Françaises, Midi cinq, Rivarol, Esprit Public, Le Spectacle du Monde, Minute*). Depuis 1945, Sicard n'a adhéré à aucun mouvement politique. Il demeure cependant fidèle à ses idées, à ses amis et à la mémoire de ses camarades. Il déclarait, il y a quelques années, à *Juvenal* (31 octobre 1958) : « *Très sincèrement, je crois avoir été toute ma vie un révolutionnaire. C'est avec fierté que je continuerai à considérer la Révolution socialiste, nationale, unitaire, comme une nécessité impérieuse, non seulement pour la France, mais pour l'Occident. Je serais heureux si mes livres pouvaient servir à unir d'anciens adversaires qui ont la foi.* »

SIDOS (Famille).

Les Sidos sont une famille de militants nationaux, fort connue dans le Sud-Ouest et la Région Parisienne. François Sidos, né à Mouzaïaville (Algérie) en 1889, mort à La Rochelle, le 28 mars 1946. Ancien combattant de Verdun, fut dirigeant régional des *Jeunesses Patriotes*, de Pierre Taittinger, dans l'entre-deux guerres. Rallié au maréchal Pétain en 1940, il fut chargé de mission au cabinet du chef du gouvernement, délégué du Chef de l'Etat dans les Territoires occupés et inspecteur général adjoint des Forces du Maintien de l'Ordre. Condamné et fusillé à la Libération. Il eut six enfants : une fille, Marie-Thérèse, et cinq garçons. Son fils aîné, Jean Sidos, fut tué à l'âge de vingt ans, le 16 juin 1940 (croix de guerre, médaille militaire). Son fils Henri Sidos, « béret rouge », est tombé en Algérie le 14 mars 1957. Ses trois autres fils ont, très jeunes, milité dans le mouvement nationaliste. François Sidos fut, lors du dépôt des statuts de *Jeune Nation*, le président du groupement. Pierre Sidos a été, jusqu'à la dissolution, le *leader* de ce mouvement (voir ci-dessous). Jacques Sidos, le plus jeune, a été surnommé le « *Blanqui du Nationalisme* » en raison de ses longues captivités (voir ci-dessous).

SIDOS (François, Pierre, Henri).

Ingénieur commercial, né à Tamatave (Madagascar), le 26 octobre 1922. Fils de François (voir : Famille Sidos). Combattant volontaire dans les *F.F.L.*, rescapé du pétrolier *Nivose*, fut le président statutaire de *Jeune Nation* à ses débuts. Il ne prit aucune part à la création du *Parti Nationaliste*, sans toutefois cesser d'être fidèle aux idées du mouvement dissous.

SIDOS (Jacques, Jean, Jérôme).

Militant politique, né à Saint-Pierre-d'Oléron (Charente-Inférieure), le 5 juin 1928. Anti-communiste ardent, a été mêlé à la plupart des entreprises dirigées contre les groupes et partis marxistes depuis une vingtaine d'année. Cela lui valut d'être grièvement blessé en 1944 et de connaître la rigueur des tribunaux. A passé dix années de sa vie en prison, purgées à trois époques différentes. A fini ses études « derrière les barreaux ». Spécialiste averti des questions communistes.

SIDOS (Pierre, Lucien, Jérôme).

Journaliste, né à Saint-Pierre d'Oléron (Charente-Inférieure), le 6 janvier 1927. Fils de François (voir : Famille Sidos). Jeune chimiste, il fonda *La Jeune Nation*, qui devint le *Mouvement Jeune Nation* (voir : *Jeune Nation*) et qui eut pour emblème la croix celtique. L'histoire de Pierre Sidos, entre 1951 et 1958, est celle de son parti. Peu avant le 13 mai, ce dernier ayant été dissous, Sidos créa avec ses amis le *Parti Nationaliste*, qui fut interdit à son tour par le premier gouvernement de la Ve République. Il n'en poursuivit pas moins son action à la direction du journal *Jeune Nation*, qu'il avait lancé en juillet 1958. Très vite, cette publication et son directeur battirent un record : celui des saisies et des poursuites. « *Cent fois saisi, cent fois poursuivi en justice, Pierre Sidos est un des seuls chefs activistes à pouvoir prétendre qu'il n'a jamais composé avec le système gaulliste* », a dit de lui Jean-André Faucher. Dès 1958, Pierre Sidos expliqua par la parole et l'écrit, ce qu'allait être le processus d'abandon de l'Algérie, au moment où, à droite comme à gauche, on croyait que le général De Gaulle entendait conserver les départements français d'Afrique du Nord. Finalement, le journal *Jeune Nation* fut contraint à cesser sa publication, et son principal animateur dut entrer, en janvier 1960, dans la clandestinité, d'où il participa à la lutte pour le maintien de l'Algérie française. Arrêté en juillet 1962 — il eut à supporter cinq procès politiques —, il resta près d'un an en prison. A sa libération (juin 1963), se trouvant sans moyen d'expression — la *Société de Presse et d'Edition de la Croix Celtique* avait été mise en faillite (*Affiches Parisiennes*, 5-4-1963) pendant son incarceration —, il collabora à la revue *Europe-Action* que son ancien adjoint à *Jeune Nation*, libéré huit mois plus tôt, avait fondée fin 1962. Mais, désapprouvant la ligne générale de la revue en même temps que son organisation et tenu à une certaine réserve en raison de ses condamnations, il reprit sa liberté (décembre 1963) et limita son activité à quelques conférences privées données au *Cercle pour la Défense de la Culture Française*, et à des interviews accordées à divers journaux. Malgré cette discrétion, le gouvernement lui créa maintes difficultés au cours de l'année 1965. Le 15 janvier ses meubles furent saisis pour payer les frais de justice de l'ensemble des condamnés — une douzaine — du procès intenté aux dirigeants du *Parti Nationaliste*. Sans un esprit de solidarité assez rare à droite, il eût été probablement jeté à la rue avec sa femme et ses jeunes enfants : alertés par *Rivarol, Aspects de la France* et *Lectures Françaises*, les amis, par centaines, intervinrent et la menace qui pesait sur la petite famille du *leader* nationaliste fut écartée. En février 1966, son nom revint dans les conversations : il avait pris la tête de la rédaction du journal d'action nationaliste *Le Soleil* qui venait d'être fondé par André Cantelaube, un ancien d'Indochine connu pour son action nationaliste. Depuis une quinzaine d'années, Pierre Sidos est considéré, aussi bien par ses adversaires que par ses amis, comme le chef d'une des fractions les plus dynamiques du nationalisme français. Il est, comme l'écrivait un jour un quotidien britannique, « *un homme mûr, grave et concentré, un chimiste de formation et un révolutionnaire par vocation* » (*News Chronicle*, 4/5-11-1959).

SIECLE (Le).

Quotidien fondé en 1836. Organe de la gauche militante, combattit la Monarchie, l'Empire et l'Eglise. Avant la Première guerre mondiale, Henry Bérenger et J.-L. de Lanessan furent ses dirigeants. Y collaboraient régulièrement : A. Aulard, Ferdinand Buisson, L. Lafferre, etc.

SIEGEL (Maurice).

Journaliste, né à Paris, le 22 mai 1919. Issu d'une famille israélite parisienne [1]. Fut secrétaire général du *Populaire*, rédacteur en chef de *Globe* et de *Semaine de France*, directeur des informations de *Paris-Presse*, puis de *France-Soir*. Entra ensuite à *Europe N° 1* et devint directeur-rédacteur en chef du journal parlé, puis directeur général adjoint du poste *Europe N° 1*. Enfin, après avoir dirigé les services d'information d'*Europe N° 1* et de *Télé Monte-Carlo* (1959), a été nommé directeur général d'*Europe N° 1* (1961).

SILLON (Le).

Mouvement démocrate-chrétien créé en 1898, dont Marc Sangnier était le leader et qui fut condamné par le Saint Siège en 1910 (voir : *Sangnier*). Peu avant la décision du pape Pie X, le *Sillon* s'était scindé en deux mouvements : l'*Union pour l'Education Civique* et le *Comité Démocratique d'Action sociale*. Après la soumission de Sangnier, ces deux groupements, touchés par la condamnation papale, furent dissous. Les motifs de la condamnation du *Sillon* par le Vatican ont été exposés dans la lettre que Pie X adressa aux évêques de France le 25 août 1910 : le Pape frappait trois erreurs qu'il avait décelé dans la doctrine du mouvement : « *une conception anarchique de la liberté qui exigerait, au nom de la dignité humaine, que l'homme s'affranchisse de toute autorité extérieure, — une idée chimérique de la justice qui tendrait au nivellement absolu des clas-*

---

(1) *Le Journal Officiel* du 20-12-1936 précise qu'un M. David Siegelbaum, « né le 3/15 novembre 1892, à Ostrow (Pologne), naturalisé le 11 novembre 1925 » a été autorisé à s'appeler Siegel.

ses, — *enfin et surtout une notion purement naturelle de la fraternité qui effa-
cerait toute distinction de croyances
pour unir les hommes dans une sorte
d'Eglise toute humaine, sans dogme,
sans discipline, sans vérité. »*

SIMON (Paul).

Homme politique, né à Landerneau, en
1887, mort en 1956. Fondateur, avec
Pierre Tréminetin, de la *Fédération des
Républicains-Démocrates* du Finistère.
Elu député de Brest en 1913 contre un
conseiller général conservateur, il pré-
sida longtemps le groupe parlementaire
du *Parti Démocrate Populaire.* Après la
Libération, il entra au Conseil de la
République et appartint au groupe
M.R.P.

SIMONNET (Maurice-René).

Journaliste, né à Lyon (Rhône), le
4 octobre 1919. Secrétaire général de
*l'Association catholique de la jeunesse
française,* directeur des *Cahiers de notre
jeunesse,* militant démocrate-chrétien,
participa activement à la Résistance.
Elu député *M.R.P.* de la Drôme en 1946,
fut réélu en 1951, 1956 et 1958. Fut secrétaire d'Etat à la Marine marchande (cabinet F. Gaillard, 1957-1958) et a dirigé
le secrétariat général du *M.R.P.* Conseiller général du canton de La Chapelle-en-
Vercors (1964).

SINSOUT (Charles).

Agriculteur, né à Villamblard (Dordogne), le 13 janvier 1889. Conseiller général du canton de Vélines (depuis 1931).
Elu sénateur de la Dordogne (avril 1959),
invalidé par décision du Conseil constitutionnel, élu à nouveau, aussitôt, et
réélu en 1962. Membre du groupe de la
Gauche démocratique du Sénat.

SIONISME.

Doctrine tendant à établir un Etat
commun à tous les juifs. Pendant deux
mille ans, cette idée d'une terre juive,
qui serait la terre des ancêtres, a hanté
les communautés israélites du monde
entier. Le retour à Sion était un souhait :
il devint une espérance, puis une certitude au cours du XIXᵉ siècle, lorsque de
grands financiers juifs s'intéressèrent au
mouvement sioniste, et que le baron Edmond de Rothschild commandita les
premières colonies établies en Palestine
avec l'autorisation du Grand Turc. Les
fondateurs et les doctrinaires du mouvement sioniste furent aidés dans leur
tâche par les mouvements extrémistes
qui se développaient en Russie et en
France. Les pogromes tsaristes et l'affaire Dreyfus, tout comme plus tard les
persécutions nazies, incitèrent les Juifs
à s'établir en Palestine. Herzl, le père du
sionisme, disait : « *Les Juifs sont un
Peuple, un seul Peuple.* » Son ami et
disciple, Max Nordau écrivait, un peu
plus tard : « *Le sionisme politique est la
conclusion logique de deux promesses :
l'existence de la Nation juive et l'impossibilité pour celle-ci, prouvée par l'histoire et par l'observation contemporaine,
de s'intégrer honorablement dans la vie
nationale des pays de la dispersion.* »
Mais il fallut attendre l'effroyable hécatombe de 1939-1945 pour que l'Etat juif
désiré par les sionistes pût enfin s'établir
en Palestine, en plein cœur du monde
arabe, ce qui allait créer de très graves
problèmes. En France, 80 % des Israélites sont sionistes et presque toutes les
associations juives le sont ouvertement.
L'organe principal du sionisme à Paris
est le bi-mensuel *La Terre retrouvée*
(voir à ce nom).

SIRIUS.

Pseudonyme utilisé par Hubert Beuve-
Méry dans *Le Monde,* qu'il dirige.

SIRJEAN (Gaston).

Médecin biologiste, né à Pelissier (Algérie), le 26 mars 1904. Auteur de l' « *Encyclopédie des Maisons Souveraines du
monde* » en de nombreux tomes.

SIXTE-QUENIN (Anatole).

Homme politique, né à Arles (B.-du-
Rh.) le 2 juillet 1870, mort dans cette
ville, le 27 septembre 1957. Militant socialiste dès l'âge de vingt ans, fut l'un
des plus jeunes rédacteurs du *Petit Arlé-
sien.* Dirigea le mouvement socialiste
d'Arles et fut l'un des fondateurs du
Parti socialiste de France dans les Bouches-du-Rhône. Tant à la municipalité
d'Arles qu'au parlement — il fut député
socialiste de 1910 à 1919 et de 1928 à
1936 —, Sixte-Quenin, membre influent
de la *S.F.I.O.* et de la *Ligue de l'Enseignement* joua un rôle important. Est
considéré comme l'un de ceux qui implantèrent le socialisme dans la cité
arlésienne.

SOCIALISME.

Dénomination de diverses théories
politiques, économiques et sociales tendant à l'amélioration du sort de la partie la moins favorisée de la société.
Dans l'*Histoire Lavisse* (tome V), S.
Charletty rappelle : « *Dans la première
moitié du XIXᵉ siècle, on a appelé socialisme, un courant d'idées qui exprime*

plus un état d'esprit qu'une doctrine, qui s'est fixé pour objet la transformation de toutes les institutions sociales de telle sorte qu'elles permettent l'amélioration physique et morale de la classe la plus nombreuse et la plus pauvre, et créent « un état d'égalité sociale qui ne « soit ni communauté, ni despotisme, ni « morcellement, ni anarchie, mais liberté « dans l'ordre et indépendance dans « l'unité. » (Proudhon : « Idée générale de la Révolution au XIXᵉ siècle ».) Des doctrinaires aussi différents que Robert Owen en Angleterre, Karl Marx et Hitler, en Allemagne, Mussolini, en Italie, Vanderveld et Henri de Man, en Belgique, Saint-Simon, Proudhon, Louis Blanc, Blanqui, Jaurès, Georges Sorel et Maurice Barrès, en France, se sont proclamés socialistes ou ont exprimé des idées socialistes. La paternité du mot fut attribué abusivement à l'Anglais Robert Owen, qui l'employa dans sa brochure « What is socialism ». En fait, Owen l'aurait emprunté à Joseph Applegath, qui semble l'avoir inventé en 1821 ou 1822. En France, en tout cas, Pierre Leroux l'utilisa dans Le Semeur (n° 12, 23.11.1831). Les partis socialistes, depuis trois-quarts de siècle, ont été nombreux dans notre pays, du Parti Socialiste-révolutionnaire d'Edouard Vaillant, à la Milice Socialiste Nationale, de Gustave Hervé, en passant par le Parti Socialiste de France, de Marquet et Déat.

SOCIALISTE (Le).

Journal fondé en 1884 par Jules Guesde. Fut successivement l'organe du Parti Ouvrier Français, du Parti Socialiste de France et de la S.F.I.O. (disparu).

SOCIALISTE (Le).

Journal P.S.U. répandu dans le Finistère (1, rue Haute, Morlaix).

SOCIALISTE CHRETIEN (Le).

Bulletin mensuel du groupe parisien de la Fédération des Socialistes Chrétiens, qui publiait aussi une revue Terre Nouvelle dont la couverture s'ornait d'une croix frappée de la faucille et du marteau. Les dirigeants parisiens de cette fédération étaient alors : Paul Passy, président (remplacé par F. Gouttenoire de Toury), André Philip, vice-président, Maurice Laudrain, Dora Anderson, J. Cocreman, Henri Tricot, Pierre Nourrisson, Liane Viala, J. Gaschet, Robert Angleviel, Sabas, Jeanne Bayon, etc.

SOCIALISTES INDEPENDANTS.

Cette étiquette est utilisée depuis trois-quarts de siècle par les candidats se réclamant du socialisme sans appartenir à l'une des grandes formations socialistes. D'anciens membres de la S.F.I.O. ou du Parti communiste se sont présentés comme socialistes indépendants aux élections législatives sous les trois républiques. A la fin du XIXᵉ siècle, les socialistes indépendants s'exprimaient principalement dans les colonnes de la Revue socialiste — tour à tour dirigée par Benoît Malon, Georges Renard, Gustave Rouanet et Eugène Fournière — et étaient groupés dans deux organisations aux liens assez lâches : La Fédération des Socialistes Indépendants et la Fédération des Socialistes Révolutionnaires Indépendants, réunies sous le nom de Confédération des Socialistes Indépendants.

SOCIETE D'ECONOMIE SOCIALE.

Association créée sur l'initiative de la Revue Socialiste de Benoît Malon. Selon la définition de ce dernier, elle devait être « au socialisme ce que la Société d'Economie politique est à l'orthodoxie officielle et à l'optimisme bourgeois conservateur ». La première réunion de la Société eut lieu le 7 novembre 1885, sous la présidence d'Elie May, assisté de Benoît Malon et de Camélinat. Outre ces trois militants socialistes, y adhérèrent : Jourde, Bedouce, Ernest Roche, Auguste Chirac, Antide Boyer, Louis Fiaux, etc.

SOCIETE FRANÇAISE DU LIVRE (S. F. L.).

Maison d'édition et de diffusion fondée à Paris, le 31 juillet 1950, par Jacques et Pauline Roullier et Madeleine Lecoq, née Hamelin, dont la Librairie Payot, de Lausanne et le Centre de Documentation et de Vente du Livre suisse, de Paris (du domaine Payot) prirent le contrôle en 1953 avec le concours d'Hermann Hauser et la firme Hallwag A.G. Pendant quelques années, les services commerciaux de la S.F.L., installés au siège de Payot, ont eu l'exclusivité de vente des firmes Payot, de Paris, Payot, de Lausanne, A la Baconnière, de Neuchâtel-Boudry, et Hallwag, de Berne. La firme Payot-Paris a repris, tout récemment, la diffusion de ces quatre fonds.

SOCIETE GENERALE DE PRESSE.

Entreprise de presse fondée le 17 avril

1947, réunissant en un seul organisme les agences et services créés précédemment par Georges Bérard-Quélin (voir à ce nom). Les fondateurs de la société sont au nombre de trois : le journaliste G. Bérard-Quélin, qui apporta ses connaissances techniques, la clientèle et la documentation déjà réunie, Alof de Louvencourt, inspecteur des Finances, ancien directeur de cabinet de Joannès Dupraz, ministre de la marine, dont il avait été le collègue au cabinet de Charbin quelques années auparavant, et Jacques Desmyttère, également inspecteur des Finances, alors délégué général adjoint de l'*Union des Industries Textiles*, cousin par sa mère du second associé. La *Société générale de Presse* publie : *La Correspondance de la Presse, La Correspondance européenne, La Correspondance économique*, l'*Index Revue de Presse, La Correspondance de la Publicité, Bilans hebdomadaires, Documents et informations parlementaires, Actualités économiques* et possède plusieurs services de documentations (cabinets ministériels, Assemblée nationale, Sénat, etc.) et un bureau de coupures de presse (13, avenue de l'Opéra, Paris 1er).

SOCIETE PARISIENNE D'EDITIONS.

Maison d'édition (S.A. au capital de 30 000 F) fondée par la famille Offenstadt (voir à ce nom). En décembre 1940 les dirigeants de la société étaient : Maurice Offenstadt, Nathan Offenstadt, Edmond Offenstadt, Louis Dauvin et Robert Alfred Edmond Mouquet, qui présidait le conseil d'administration. Pendant l'occupation, les trois premiers furent exclus et Frédéric Debains devint administrateur avec les deux derniers, auxquels se joignit en 1941, Gérard Hibbelen, qui apparut avec le titre de président-directeur général à l'assemblée extraordinaire des actionnaires du 16 mars 1942 (scrutateurs : Louis Thomas et Louis de Lesseps). Naturellement, à la Libération on revint au *statu quo ante*. A ce moment-là, les actionnaires légalement reconnus étaient au nombre de neuf : Mme Vve Maurice Offenstadt, Mme Cointe, née Suzanne Offenstadt, Cointe, Claude Offenstadt Eric-Jean Offenstadt, Edmond Offenstadt, Henri Schalit, et les héritiers de Nathan Offenstadt. Réunis en assemblée générale le 7 août 1945, ils désignèrent Raymond Schalit, Marcel Zivi et Auguste de Villiers comme administrateurs. Germain Beaussire entra au conseil en 1950, et, quelques années plus tard, le groupe *Ventillard*, représenté par J.G. Poincignon et Jean-Pierre Ventillard prit une participation si importante dans l'affaire, que celle-ci est devenue aujourd'hui un satellite dudit groupe.

SOCIETE DE PUBLICITE (voir : S.P.R.).

S.O.D.A.F.E.

Société de diffusion de livres, fondée en 1964, animée par Yvon Chotard, éditeur, conseiller économique et social. La *S.O.D.A.F.E.* a la diffusion exclusive de la production de diverses maisons d'éditions : *France-Empire, Editions du Fuseau, Esprit Nouveau* (Esprit Public), collection *Action* (*Editions Saint-Just*), etc. (29, rue Saint-Sulpice, Paris 6e.)

SOFIRAD (Société Financière de Radio-diffusion).

Société créée sous l'occupation. L'Etat Français en est le principal actionnaire. En raison de son caractère, elle relève, par délégation du Premier ministre, du ministre de l'Information ; elle est administrée par un conseil composé de douze membres dont dix (y compris le président) sont nommés par le gouvernement. L'ancien préfet de police intérimaire Armand Ziwès en fut, il y a quelques années, le président. La *Sofirad* possède 51 % du capital d'*Andorradio*, 83 % de *Radio-Monte-Carlo* et 35,26 % de la société *Images et Son* qui contrôle *Europe N° 1* (26, rue Beaujon, Paris 8e).

SOIR (Le).

Edition vespérale du *Provençal* (voir à ce nom).

SOLDANI (Edouard, Angelin).

Magistrat municipal, né aux Arcs (Var), le 19 septembre 1911. Fut quelque temps dans l'enseignement, puis entra au quotidien *Le Provençal*, dont il devint inspecteur des ventes. Participa à la Résistance et fut élu sénateur socialiste du Var en 1946 ; constamment réélu depuis. Est, en outre, président du Conseil général du Var (depuis novembre 1956) et maire de Draguignan (depuis 1959).

SOLEIL (Le).

Plusieurs journaux ont porté ce titre, notamment le quotidien d'Edouard Hervé (fondé en 1872), qui avait pour principaux collaborateurs au moment de la Première Guerre mondiale : le bâtonnier Emile de Saint-Auban, François Veuillot et Emile Flourens ; la revue mensuelle d'Armand Bernardini, organe des *Comités Nationalistes de la Seine* (créée en 1931) ; le journal lancé en 1966 par un groupe d'amis de Pierre Sidos, pour servir de tribune à l'ancien directeur de *Jeune Nation ;* également mensuel et foncièrement nationaliste, ce dernier a pour principaux collaborateurs, outre Pierre Sidos, l'éditorialiste : Louis de Charbonnières, Hubert Biucchi, Thomas Molnar, André Cantelaube, Jean-Claude Le Goff, J.G. Malliarakis, Jacques Wagner, etc. (siège : 68, rue Vieille-du-Temple, Paris 3e).

SOLIDARITE FRANÇAISE (La).

C'est en 1933 que *La Solidarité Française* fut lancée par François Coty (voir à ce nom) dont *L'Ami du Peuple* fut la tribune. Ce quotidien était alors dirigé par une équipe de journalistes chevronnés, très fasciste et fortement teintée d'antisémitisme, que conduisait Jacques Roujon, l'ancien rédacteur en chef du *Nouveau Siècle.* Trois des principaux rédacteurs de *L'Ami du Peuple* devinrent, avec Coty, les dirigeants de la *Solidarité Française :* Jacques Fromentin, directeur de la page des anciens combattants, qui fut, après la Libération et jusqu'à sa mort en 1965, secrétaire général de la *Maison des Journalistes ;* Jacques Ditte, gendre de Henry-Robert et beau-frère de Paul Reynaud, comme eux avocat réputé, qui rédigeait fréquemment les éditoriaux ; et le commandant Jean-Renaud, ancien officier d'ordonnance d'Albert Sarraut en Indochine, également éditorialiste de *L'Ami du Peuple.*

A leurs côtés, constituant les cadres — souvent inexpérimentés — de cette foule enthousiaste et impatiente, des anciens combattants et de jeunes intellectuels : le comte de Gueydon, dit Vinceguide, fils d'un ancien gouverneur général de l'Algérie, responsable des troupes de choc ; le lieutenant-colonel Sallerin, directeur de la « maison-bleue » ; Jean-Pierre Maxence, délégué à la propagande, orateur fort goûté des jeunes nationalistes d'alors ; le marquis de Tanlay, membre influent du comité directeur ; Georges Cormont, qui occupait un poste de direction au secrétariat général et collaborait à l'hebdomadaire du mouvement ; R. A. Dordet, doctrinaire du mouvement ; François Ditte, avocat, frère de Jacques Ditte ; Lucien Durand, de l'*Union Artisanale Corporative Française* ; Pierre Hepp ; Robert Pannetier ; Jeanne Lecouvreur, dirigeante de la Brigade féminine de la *S.F.* ; Louis Mouilleseaux, éditeur et écrivain, auteur d'un petit livre sur « *le Corporatisme et la Réforme de l'Etat* » et d'un pamphlet écrit en collaboration avec P. Nicolle : « *Pour nettoyer les écuries d'Au-*

gias » ; F. Lelong, chef des milices de la *S.F.* ; E. Reifenrath, Alsacien entreprenant et ambitieux, qui dota le mouvement d'un hebdomadaire agressif, *La Solidarité Française,* auquel succéda, après le départ de son fondateur, *Le Journal de la Solidarité Française* ; ce dernier, également hebdomadaire, avait pour secrétaire générale Lucienne Blondelle et pour collaborateurs, outre les chefs du mouvement, l'écrivain Robert Francis, frère de J.-P. Maxence, René Vincent et Jacques Saint-Germain. Les membres actifs du mouvement endossaient la chemise bleue. On hésitait encore à s'avouer *fascistes,* mais l'organisation semblait calquée sur celle du parti mussolinien et les paroles prononcées du haut des tribunes par les « chemises bleues » rappelaient étrangement celles qui tombaient d'un célèbre balcon. Autorité, justice sociale, anticommunisme, corporatisme, lutte contre les trusts et la franc-maçonnerie, tels étaient les points essentiels de son programme.

La mort de François Coty, au cours de l'été 1934, marqua l'apogée du mouvement. *La Solidarité Française* connut alors de nombreux avatars avant de disparaître. Frappée, comme les autres ligues, elle tenta de se survivre sous le nom d'*Amis de la S.F.* et de *Parti du Faisceau Français.* Les premiers étaient dirigés par un conseil central présidé par le commandant Jean-Renaud. Le second, également présidé par Jean-Renaud, avait pour secrétaire général Raymond Jouxtel, que secondaient Me Laurent-Cely, avocat à la Cour d'Appel de Paris, père de Cécil Saint-Laurent, l'auteur de « *Caroline Chérie* » et Me Raymond Prince, également avocat, le fils du conseiller Prince dont la mort mystérieuse troubla longtemps l'opinion publique. L'organe du Parti, *La Solidarité Française de Paris,* avait pour directeur politique, le commandant Jean-Renaud, et pour collaborateurs : Pierre Quimay, rédacteur en chef, Lucien Renault, Jacques Tissier, Roger Cazy, Michel Legendre, etc. Les meetings du mouvement, fort nombreux au moment du *Front Populaire* réunissaient autour du président et des parlementaires nationaux qui acceptaient de prendre la parole à ses côtés — tels que Pierre Taittinger et le Dr Cousin, président de l'*Union antimaçonnique* —, un public fidèle, mais de plus en plus réduit. La guerre mit fin à cette longue agonie.

SOLIDARITE INTERNATIONALE ANTI-FASCISTE.

Groupe constitué par des anarchistes et des socialistes de gauche au cours de la guerre d'Espagne.

SONDAGES.

Trimestriel s'intitulant « Revue française de l'Opinion publique » fondé en 1938, et dépendant de l'Institut Français d'Opinion Publique (voir à ce nom). Directeur : Alain Girard ; gérant : Noël Pouderoux ; comité de rédaction : Michel Brulé, Alain Girard, Philippe Lévy, Jeanne Piret (Editions Le Chancelier, 18, rue Séguier, Paris 6e).

SOREL (Alphonse, Louis, Marie).

Ecclésiastique, né à Toulouse, le 5 juillet 1880. Ordonné prêtre le 18 mai 1904, vicaire à Revel (mai 1905) et curé de La Grâce-Dieu (juillet 1913-décembre 1943). Orateur catholique et militant national, fut nommé le 23 janvier 1941 membre du Conseil national, par le maréchal Pétain. Assassiné par les F.T.P., le 20 décembre 1943.

SOREL (Georges).

Sociologue, né à Cherbourg le 2 novembre 1847, mort à Boulogne-sur-Seine, le 28 août 1922. Issu d'une famille bourgeoise de Normandie, il fit ses études au collège Rollin, de Paris, et à l'Ecole Polytechnique et fut, jusqu'à l'âge de quarante-cinq ans, ingénieur, puis ingénieur en chef des Ponts et Chaussées. Il démissionna et se consacra à des études personnelles. Trente années durant il écrivit articles, études et livres, collaborant à quantité de revues et de publications françaises, allemandes et italiennes. Ce fils de bourgeois méprisait la bourgeoisie et cette démocratie qui permet aux capitalistes de régenter le peuple au nom des grands principes. Mais il méprisait tout autant les chefs socialistes qui pactisent avec le Régime ou qui le tolèrent. Il accusait la démocratie bourgeoise de corrompre le peuple et d'attirer à elle ceux des prolétaires qui auraient pu devenir des guides et des chefs de la révolution. Il reprochait aux démocrates de faire croire au peuple que l'égalité était l'aboutissement de la démocratie. Pour lui, cette croyance incitait les masses laborieuses à la patience, donc à la soumission. « Dans les pays de démocratie avancée, écrivait-il, on observe dans la plèbe un profond sentiment du devoir d'obéissance passive, un emploi superstitieux de mots fétiches, une foi aveugle dans les promesses égalitaires. » Il accusait Karl Marx et Engels d'avoir « introduit des prévisions que leur suggérait leur imagination dans des formules hégéliennes de manière à obtenir un « monstre » capable de fasciner les gens aventureux qui se hasardent à naviguer dans les régions de la Thulé sociale (...) En se donnant pour le disciple d'un maître que l'on comparait souvent à l'énigmatique Héraclite, l'auteur du « Capital » s'assurait les immenses avantages que procure une exposition obscure à un philosophe qui a réussi à se faire passer pour profond. » Contrairement à Marx, il se gardait de toute anticipation, écartant l'utopie, assignant au socialisme une tâche essentielle : la conquête des moyens de production au profit des travailleurs constituant la République des Producteurs. Opposant le Travail à la Propriété privée des moyens de production, Georges Sorel voulait que celle-ci disparût. Comme le capitalisme refuse de céder, il faut l'y contraindre ; l'emploi de la violence sera donc nécessaire : « C'est à la violence que le socialisme doit les hautes valeurs morales par lesquelles il apporte le salut au monde moderne. » Les masses doivent se détourner de ceux qui voudraient les entraîner vers des compromis. Sans tendresse pour les chefs socialistes de son époque, il écrivait que « le but de leurs rêves » était principalement de « coucher dans des hôtels somptueux ». Comptant sur l'action syndicaliste plus que sur l'action politique, il regardait l'unité syndicale comme souhaitable, mais se méfiait des parlementaires socialistes qui la préconisaient et qui, pensait-il, cherchaient à transformer les grèves ouvrières en manifestations politiques. Pour Sorel, l'unité syndicale ne serait qu'un leurre si elle faisait « passer le pouvoir d'un groupe de politiciens à un autre groupe de politiciens, le peuple restant toujours la bonne bête qui porte le bât. » Répondant à l'enquête de Georges Valois sur « la monarchie et la classe ouvrière », il faisait ces réflexions qui en disaient long sur son état d'esprit : « La royauté, c'est UNE famille dont l'intérêt est lié — en vertu des lois élémentaires de la physiologie sociale, et que peut reconnaître, aussi bien que la plus savante logique, le simple bon sens — à l'intérêt de la nation. L'assemblée, c'est mille familles distinctes ; c'est cent groupes rivaux ; c'est dix clans ennemis. Nulle famille, nul groupe, nul clan ne connaît son intérêt lié à celui de la nation et n'obéit à d'autres lois que celles de son intérêt personnel. Devant les comman-

dements de cet intérêt l'opinion est peu de chose. Tous peuvent SAVOIR que le Roi apaiserait leurs rivalités qui déchirent le pays ; mais, malgré leurs opinions, leurs désirs, leurs vœux, — leurs volontés opposées au service d'intérêts différents se dressent les unes contre les autres. C'est ainsi que mille députés royalistes, ne peuvent jamais constituer autre chose qu'une assemblée républicaine. » Veuf depuis 1897, Georges Sorel vivait retiré à Boulogne-sur-Seine lorsque la mort le surprit : il allait avoir soixante-quinze ans. Son œuvre ne fut guère comprise de ceux auxquels elle s'adressait. Ce ne sont pas les prolétaires qui lirent ses livres (« *L'Avenir socialiste des Syndicats* », « *Réflexions sur la violence* », « *Les illusions du progrès* », « *Introduction à l'économie moderne* », « *La décomposition du marxisme* », « *Matériaux pour la théorie du prolétariat* », « *De l'utilité du pragmatisme* », etc.) mais des bourgeois et des intellectuels, et ce sont les fascistes (Mussolini, Georges Valois) qui en tirèrent partie, non les démocrates de gauche.

SOREL (Jean, Albert) (Voir : **Albert-Sorel**).

SORLOT (Fernand).

Editeur, né à Bedoin (Vaucluse), le 2 mars 1904. Dans l'industrie et le commerce du livre depuis 1928, a fait connaître aux Français, dans son édition intégrale, « *Mein Kampf* » d'Adolf Hitler dès 1934. Ses *Nouvelles Editions Latines* sont considérées, à juste titre, comme l'une des rares maisons d'édition non-conformistes de Paris.

S.O.S. OCCIDENT.

Journal fondé en 1932, sous le nom de *Psyché*, pour la défense des traditions occidentales. Dirigeants : Jacques Heugel et A. Savoret.

SOUCHAL (Roger).

Avocat, né à Saint-Dié, le 5 avril 1927. Inscrit au barreau de Nancy. Résistant-déporté. Dirigeant du *Mouvement lorrain de rénovation nationale*. Candidat aux élections législatives de 1956 en Meurthe-et-Moselle sur la liste gaulliste Philippe Barrès (battu). Conseiller municipal de Nancy. Elu député de Meurthe-et-Moselle (1re circ.), le 30 novembre 1958, et inscrit au groupe de l'*U.N.R.* Se retira de ce groupe, demeura non inscrit (16 octobre 1960) puis réintégra l'*U.N.R.*

(16 juin 1961). Réélu député *U.N.R.* en 1962 et suppléant de Chr. Fouchet en 1967.

SOUCHET (Claude-Roland) (voir : Jeune République).

SOUDANT (Robert).

Agriculteur, né à Marvaux (Ardennes), le 21 mai 1905. Conseiller général du canton de Ville-sur-Tourbe (depuis 1945), président du Conseil général de la Marne (1964), maire de Sommepy et sénateur *M.R.P.* de la Marne (depuis 1959).

SOUFFLET (Jacques, Lucien).

Administrateur de société, né à Lesbœufs (Somme), le 4 octobre 1912. Commandant du groupe Lorraine des Forces aériennes françaises libres (1942-1944), colonel de l'armée de l'air. Conseiller technique de la compagnie *Air Transport*, administrateur de la *Société générale de transports départementaux*. Militant gaulliste, fut élu sénateur *U.N.R.* de Seine-et-Oise en avril 1959.

SOULES (Georges) (voir : Abellio).

SOULIE (Michel, Victor).

Journaliste, né à Saint-Etienne, le 10 février 1916. Fils de Louis Soulié, journaliste, neveu d'Alphonse Gintzburger, directeur de *La Tribune Républicaine*. Après un stage dans la diplomatie, (ambassade de France au Danemark, 1946-1948), prit en main la rédaction de *La Tribune* (quotidien ayant succédé à *La Tribune Républicaine*). Radical-mendésiste et maçon, fut élu député radical de la Loire en 1956 et devint secrétaire d'Etat à la Présidence du Conseil, chargé de l'Information (cabinet Maurice Bourgès-Maunoury — 1957). Battu aux élections législatives de 1958, entra au Conseil municipal de Saint-Etienne l'année suivante. Membre du Comité de direction du *Progrès* de Lyon. Vice-président du *Parti Radical*, appartient au *brain-trust* de F. Mitterrand. Auteur de : « *La vie politique d'Edouard Herriot* » (1962).

SOULIE (Pierre, Léopold, Hugues, Abraham).

Journaliste, né et mort à Saint-Etienne (1912-1965). Fils de Louis Soulié (voir ci-dessus et neveu d'Alphonse Gintzburger. Secrétaire général de *La Tribune de Saint-Etienne* (1935), puis directeur du journal (1938). Après la Libération, dirigea *La Tribune* (jusqu'en 1963).

SOUPAULT (Raphaël, Ernest, Louis, dit Ralph).

Caricaturiste, né aux Sables-d'Olonne (Vendée), le 5 octobre 1904, mort à Cauterets (Hautes-Pyrénées), le 12 août 1962. Fils d'un instituteur républicain et d'une mère descendante des chouans. Publia son premier dessin dans *L'Humanité* du 20 juin 1921 pour illustrer un article de Charles Rappoport et son dernier dans *Rivarol*, auquel il collabora assidûment pendant une dizaine d'années. Entre temps dessina dans *L'Action Française*, *Le Charivari*, *Courrier Royal*, *La France enchaînée*, *L'Emancipation nationale*, *Le Petit Parisien*, etc. S'intitulait « *artisan de la plume et du pinceau* » : en cette qualité, illustra sous divers pseudonymes (Rio, Leno, etc.) des livres publiés chez *Amiot-Dumont*, *Bias*, aux *Editions de Fleurus*. Fut courriériste et chroniqueur littéraire, théâtral, cinématographique et artistique à de nombreux journaux dans l'entre-deux guerres (*Comœdia*, *Gringoire*, etc.). Militant d'*Action Française*, rallia le *Parti Populaire Français* de Jacques Doriot en 1936, et fut, en 1944, le secrétaire général de ce mouvement pour Paris-ville, tandis que l'un de ses enfants allait combattre dans les rangs de la *L.V.F.* Condamné à quinze ans de travaux forcés par les tribunaux de l'épuration, le « *caricaturiste du Maréchalat* » fut libéré en raison de son état de santé, le 21 novembre 1950. A vécu les douze dernières années de sa vie à Tourettes-sur-Loup, dans un état voisin de la misère, avec sa femme Hélène et leurs cinq enfants, s'épuisant au travail pour subvenir aux besoins des siens. A recherché toute sa vie, avec dynamisme et honnêteté, une vérité qu'il estima avoir trouvée, après la mort de Doriot, dans le christianisme généreux et sans fadeur dont l'expression concrète demeure cette petite église de Tourettes-sur-Loup, sur la Côte d'Azur, anonymement et bénévolement décorée par ce grand artiste.

SOUS LE DRAPEAU DU SOCIALISME.

Revue communiste se présentant comme « *l'organe de la tendance marxiste-révolutionnaire de la IV*e *Internationale* », et qui publie une édition en anglais pour l'Afrique ex-britannique. Directeur : G. Marquis. (10, cité Lesnier, Clamart, Hauts-de-Seine.)

SOUSTELLE (Jacques, Emile, Yves).

Universitaire, né à Montpellier (Hérault), le 3 février 1912, d'une famille protestante. Sous-directeur du Musée de l'Homme et chargé de cours au Collège de France. Se trouvait au Brésil lorsque la guerre survint. Rentré en France, fut aussitôt envoyé en mission en Amérique centrale, d'où il rejoignit le général De Gaulle à Londres (1940). Entre temps, militant de gauche, membre actif du *Comité de Vigilance des Intellectuels Antifascistes* et collaborateur (occasionnel) de *L'Humanité*, avait assumé le secrétariat général de l'*Union des Intellectuels Français*, groupant les éléments les plus durs et les moins pacifistes du *Comité de Vigilance*. A Londres, fut chargé par le général De Gaulle de la direction du *B.C.R.A.*, organisme chargé de recueillir des informations et des renseignements sur l'adversaire pétainiste et l'ennemi allemand et d'organiser les sabotages, les attentats et les expéditions punitives (ses adversaires lui imputent la responsabilité de diverses actions contre les partisans du maréchal Pétain et notamment le meurtre de Philippe Henriot, mais cela n'a jamais été établi). Occupa le poste de commissaire national à l'Information de la France Libre (1942) et de directeur général des Services spéciaux à Alger (1943-1944). A la Libération, le général De Gaulle le nomma commissaire de la République à Bordeaux (1944), ministre de l'Information et ministre des Colonies (1945). Membre de l'*U.D.S.R.*, puis secrétaire général du *Rassemblement du Peuple français*, fut élu député de la Mayenne (Constituante 1945-1946) et réélu député du Rhône (1951). Tout en demeurant l'un des hommes de confiance du général De Gaulle et le principal *leader* des gaullistes au parlement, entretenait alors les meilleures relations avec la gauche mendésiste et collaborait à *L'Express*. En janvier 1955, le président Mendès-France le nomma gouverneur général de l'Algérie. Réélu député du Rhône en 1956, son action est alors un double objectif : défendre l'Algérie française et préparer le retour au pouvoir du général De Gaulle. Sa déception fut grande lorsque *l'homme du 18 juin*, devenu président de la République, ne lui confia pas le poste très important qu'il était en droit d'espérer. Se consacra désormais à la seule défense de l'Algérie française et, cherchant des alliés contre les Arabes, se lia avec les Israéliens ; d'où la création de l'*Union pour le Salut et le Renouveau de l'Algérie Française*, avec les anciens gouverneurs Le Beau, Naegelen, Viollette et Léonard, et la fondation de l'*Alliance France-Israël* avec Lazare Rachline dit L. Rachet, le général Koenig, Pierre André et divers parlementaires. Lança également la revue

Voici pourquoi, le *Comité d'Action de Défense Démocratique* et le *Rassemblement pour l'Algérie Française.* Prenant peu à peu à le contre-pied de la politique du général De Gaulle — dont il ne semble avoir connu les véritables intentions qu'en 1960 bien qu'elles fussent connues des lecteurs de *France-Observateur* et des abonnés de *Lectures Françaises* depuis l'été 1957 —, fut finalement expulsé de l'*U.N.R.* — dont il était l'un des dirigeants-fondateurs — et s'engagea hardiment dans l'opposition. Soupçonné d'appartenance au *Conseil National de la Résistance,* créé par Georges Bidault en 1962, poursuivi pour complot contre l'autorité de l'Etat (22 septembre 1962), démissionnaire du Conseil Municipal de Lyon dont il était membre depuis plusieurs années (25 septembre 1962), n'a échappé à l'ordre d'arrestation lancé contre lui (8 décembre 1962) qu'en demeurant à l'étranger où il s'était réfugié dès la fin de l'été 1962. Lors de l'élection présidentielle de 1965, prit position officiellement pour Jean Lecanuet au 1er tour et pour François Mitterrand au 2e. Présenta sa candidature aux élections législatives de 1967 (3e circ. du Rhône) ; bien que tenu éloigné de France par la crainte d'une arrestation, obtint 9 509 voix au deuxième tour. Auteur de : « *Envers et contre tout* » (deux volumes de souvenirs sur la France libre), « *La Vie quotidienne des Aztèques* », « *Aimée et souffrante Algérie* » et « *l'Espérance trahie* ».

SOUVENIR SANCERROIS (Le).

Cercle royaliste fondé en 1954 par G. Saclier de la Batie, co-fondateur et ancien secrétaire de l'*Association Générale des Légitimistes de France,* animateur du *Centre d'Entr'aide Généalogique* qu'il a également fondé. Le *Souvenir Sancerrois* groupe des monarchistes de toutes les tendances dynastiques du Berry et du Nivernais. Outre une messe à la mémoire de Louis XVI, il fait célébrer, tous les ans, en l'église de Sancerre, une messe pour les morts de « *la petite Vendée sancerroise* », qui s'était soulevée sous la conduite de Le Picard de Phelippeaux et avait été écrasée par les Bleus. Le Comité se compose, essentiellement, de G. Saclier de la Batie, éleveur (Chanteloup, Cours, par Cosne, Nièvre), Marcel Reverdy, commerçant, Jean Planchon, vigneron, François Chéron, industriel, Henri Brochard, vigneron et Maurice Reffault, vigneron.

SOUVENIR VENDEEN.

Organisation catholique et monar-chiste perpétuant le souvenir des Vendéens qui prirent les armes en 1793 contre la Révolution, pour Dieu et le Roi. Publie depuis plusieurs lustres la *Revue du Souvenir Vendéen,* à laquelle collaborent le chanoine A. Billaud, François Gousseau, Paul Tallonneau, Pierre Fréor, G. de Cadoudal, Hervé de Lorgeril, Jean Lagniau, Maurice Muel, etc. Le *Souvenir Vendéen* possède une implantation en Maine-et-Loire, en Vendée, en Loire-Atlantique et même dans le Poitou. (Secrétariat : Boîte Postale 204, Cholet, Maine-et-Loire).

SPARTAKUS.

Mensuel socialiste fondé en 1934. Directeur : René Lefeuvre. Rédacteurs : A. Patri, Collinet, Paul Bénichou, Jacques Soustelle. (Disparu avant la guerre.)

SPECTACLE DU MONDE (Le).

Grande revue illustrée, d'une présentation luxueuse, fondée en avril 1962 par Raymond Bourgine qui en est, à la fois, le directeur et le rédacteur en chef. Il est secondé, à la rédaction, par Jean Lousteau (Dominique Lindet) et Marie-Paule Trottet. Collaborateurs principaux : Jean Grandmougin, Jean Choffel, Pierre Hofstetter, Raymond Millet, François Dauture, Jean Brune, Maurice Eisner, André Thérive, Jean Mabire, René Chabbert, Thérèse de Saint-Phalle, Lucien Rebatet, Paul Chambrillon, Alexandre Vialatte, Jacques Bardonèche, Jean-Pierre Lacour, Pierre Guéna, etc. Sa tenue et son libéralisme lui valent une grande diffusion dans tous les milieux. C'est, en quelque sorte, une réplique nationale et indépendante à *Réalités,* la revue de la maison *Hachette,* fortement influencée par la Gauche. Selon l'*O.J.D.* (22-7-1965), son tirage dépasse 131 000 exemplaires avec une très forte proportion d'abonnés (14, rue d'Uzès, Paris 2e).

SPENALE (Georges).

Fonctionnaire, né à Carcassonne, le 29 novembre 1913. Ancien administrateur des colonies (Guinée, Haute-Volta). Directeur du cabinet du Haut Commissaire en A.E.F. (1946-1951), puis celui du Cameroun (1951-1952). Secrétaire général du Cameroun (1952-1954). Directeur adjoint des affaires politiques au ministère de la France d'Outre-Mer (1955). Nommé gouverneur de la F.O.M. (janvier 1956). Directeur du cabinet de Gaston Defferre, ministre de la F.O.M. (avril 1956-mars 1957). Haut-Commissaire de France au Togo (mars 1957). Elu député S.F.I.O. du Tarn (3e circ.), le 25 novembre 1962. Réélu en 1967.

AIDEZ SA FEMME ET SES GOSSES

Liberté, Liberté chérie !
(La Marseillaise)

1.NF

S. P. E. S.
42, R. de Tocqueville, PARIS-17
C. C. Postal Paris 51.6075

Bon de solidarité
du S.P.E.S.

S. P. E. S.

Le *Secours Populaire par l'Entraide et la Solidarité* a été fondé par Jean La Hargue, professeur au lycée Carnot, qui en assume la présidence depuis l'origine. Il fut créé, en mai 1961, sous l'égide du *Comité de Secours Universitaire*, dont La Hargue était le secrétaire général. Son but est d'aider les personnes frappées en raison de leurs opinions politiques lors des événements d'Algérie, soit par les tribunaux (condamnés), soit par le ministre de l'Intérieur (internés des camps de concentration de Thol et de Saint-Maurice-l'Ardoize), soit par l'administration (fonctionnaires révoqués sans jugement). Un groupe de parlementaires apporta son appui au *S.P.E.S.* sous la forme d'une lettre envoyée aux députés et sénateurs (juillet 1961). Cette lettre était signée par : Edmond Barrachin, Henry Bergasse, Christian Bonnet, général Bourgund, Léon Delbecque, Vincent Delpuech, René Dubois, Claude Dumont, général Ganeval, Bernard Lafay, Edouard Lebas, Pierre Marcilhacy, André Marie, André Maroselli, général Pigeot, colonel Poutier, général Renucci, François Valentin et Henri Yrissou. Sous l'impulsion de son actif président, le *S.P.E.S.* a recueilli des sommes importantes qui ont été distribuées aux familles des victimes de la seconde épuration. Il a également joué dans la campagne pour l'amnistie, un rôle éminent qui n'a pas eu, jusqu'ici, le succès espéré, mais qui a indiscutablement incité le gouvernement et l'Elysée à se montrer plus cléments à l'endroit des partisans de l'Algérie française emprisonnés au cours des dernières années. Jean La Hargue a réuni en un volume les documents concernant l'activité du *S.P.E.S.* sous le titre : « *Cinq ans de combat* ». (42, rue de Tocqueville, Paris, 17e; 9, rue de Hanovre, Paris, 2e.)

SPIRALE (La).

Mouvement discret (considéré alors comme « cagoulard ») fondé en 1937 par le commandant Navarre, alias Loustaunau-Lacau, que secondait Mme Marie-Madeleine Méric (aujourd'hui Mme M.-M. Fourcade). Comprenait divers annexes ou organes : *L'Union Militaire Française, Notre Prestige, Barrage, L'Ordre National,* etc. Le Comité directeur, appelé « Spirale centrale » était composé, en 1938, de : Loustaunau-Lacau, président ; l'intendant militaire Tristani ; Bassot, officier de marine ; commandant Couret; capitaine de Mareuil ; commandant Marot ; de la Raudière, inspecteur des finances ; commandant Michel-Dansac, trésorier ; capitaine Valabre ; Jean de Richemont, avocat ; général Lavigne-Delville (Paris) ; Bonzon, ministre de France ; Le Lorrain, consul général ; Péringuey, bâtonnier de l'Ordre des Avocats (Alger) ; Craignic, avocat (Tunisie) ; commandant La Batie (Lyon) ; colonel Paul-Martin (Tours) ; professeur Coll de Carrera (Montpellier) ; commandant Bail (Béziers) ; docteur Germain (Metz) ; capitaine Le Brasseur (Brest) ; etc. Comité d'honneur : René Benjamin, Boivin-Champeaux, général Brécard, Claude Farrère, général Duval, amiral Joubert, H. Lémery, sénateur, Louis Marin, ancien ministre, de Monicault, etc. Le mouvement avait signé avec le *Parti Populaire Français* (de Jacques Doriot) un « pacte anticommuniste » (1938).

SPIRE (André).

Homme de lettres, né à Nancy, le 28 juillet 1868, mort à Paris, le 29 juillet 1966. Auditeur au Conseil d'Etat (1894). Participa au mouvement dreyfusiste et milita dans les milieux marxistes. Collabora aux *Cahiers de la Quinzaine* de

Péguy. Ses principales œuvres, d'inspiration néo-symbolistes («*Poèmes juifs* », « *Problèmes juifs* ») ont fait de lui le grand poète du judaïsme français contemporain.

S. P. R.

Société de publicité, fondée en 1883. Enseigne commerciale : *Sté de Publicité Religieuse*. Cette agence assure la publicité d'un grand nombre de journaux chrétiens de province (*L'Aisne dimanche, Terre Vivaroise, Reims-Ardennes, La Croix de l'Ariège, La Croix de l'Aude, Voix du Cantal, Le Courrier français*, etc.). Son E.-M. comprend : René Clément, Michel Dannand, Pierre Marseille et un citoyen helvétique, Serge Sallin, originaire de Fribourg (1907), président-directeur général de la société depuis la mort de Gaston Baret. Cette entreprise florissante a triplé son capital social en cinq ans par incorporation des bénéfices : 91 000 NF en 1960, 286 000 F en 1965 (52, boulevard Malesherbes, Paris-8e).

STAVISKY (affaire).

Aucun des scandales financiers de l'entre-deux-guerres ne provoqua des remous semblables à ceux de l'affaire Stavisky. Peut-être parce que les personnalités politiques compromises n'étaient que d'un bord et qu'il était aisé à la presse et aux partis de l'autre bord, de dauber sur « *les complices francs-maçons du bel Alexandre* » ? C'est bien possible, encore que *La Lumière*, l'organe officieux du Grand Orient, ait fait, en son temps, de très curieuses révélations sur l'avocat de *la Foncière* — l'une des société Stavisky — qui n'était autre qu'un homme politique très important, mort il y a plus de quatre lustres dans des circonstances tragiques. Rappelons, en quelques mots, l'affaire qui ébranla si fortement la République. Herriot, Paul-Boncour, Daladier, Sarraut, Chautemps s'étaient succédé à la tête du gouvernement en dix-huit mois. Tandis que l'Allemagne se donnait un chef, la France musardait dans la politique à la petite semaine. Nous sommes en janvier 1934. Brusquement, l'affaire Stavisky éclate comme une bombe. On apprend qu'un financier d'origine israélite, Alexandra Sacha Stavisky (né à Slobodva. Russie, en 1886), a réussi, avec la complicité de nombreux politiciens, à escroquer près de 650 millions de francs, une somme colossale pour l'époque. Sur le point d'être arrêté, Alexandre (prénom et pseudonyme de Stavisky) s'est échappé. On retrouve peu après son cadavre dans un chalet isolé des Alpes. Meurtre ? Suicide ? On ne sait — on ne le saura probablement jamais. En haut-lieu cherchat-on à étouffer le scandale ? Toujours est-il que, maintenant, la mort de Stavisky, peut-être utile en fin de compte aux politiciens complices, attire l'attention du public sur l'affaire. Après Stavisky, le conseiller Prince, qui connaissait bien le dossier, est trouvé mort à la Combeaux-fées, sur la voie du chemin de fer. C'en est trop. La presse d'opposition s'indigne, accuse des personnages haut placés, ameute ses lecteurs. Des manifestations se déroulent, plusieurs soir de suite, place de la Concorde. Puis, c'est la fusillade : le 6 février, la garde mobile, qui défend le Palais-Bourbon, tire sur la foule. Des centaines de manifestants tombent sous les balles, une trentaine d'entre eux ne se relèveront plus. C'est la consternation et la colère dans le pays. Effrayés par la tournure des événements, les gouvernants démissionnent. Inquiet et indécis, le président Lebrun hésite sur le choix du successeur de Daladier. On lui souffle un nom : Doumergue. Le vieil homme politique, qui vit retiré à Tournefeuille, en Haute-Garonne, est appelé. Sa bonhommie et sa modération lui valent la confiance de la droite, son affiliation ancienne à la Maçonnerie rassure la gauche. Il rétablira très vite la situation ou, si l'on préfère, l'ordre républicain. Il n'est d'ailleurs venu que pour cela. L'affaire Stavisky, elle, suiva son cours, jusqu'à l'enterrement final. Des listes circulent, au parlement, dans les ministères, dans les salles de rédaction. On y lit que les protecteurs, les avocats, les auxiliaires de Stavisky sont des maçons, que les chefs de la police chargés de rechercher les coupables, que certains hauts magistrats sont également maçons. Il y a, sans doute, beaucoup d'exagération dans tout cela, mais l'essentiel est exact : Stavisky avait des complices très haut placés. Ceux qui savaient et se sont tus, par contre, appartenaient aussi bien à la droite qu'à la gauche, au monde profane qu'aux loges maçonniques. Astruc, l'un des sous-ordres de Stavisky, a révélé devant la Commission d'enquête parlementaire qu'il avait distribué le budget annuel de la *Foncière* (2 millions de frs-Poincaré) à 580 journaux. Il cita ces chiffres :

1 100 000 frs à la presse parisienne ;

200 000 frs à la grande presse : *Le Temps* (15 000 frs), *Paris-Midi* (5 000 frs), *Le Figaro* (10 000 frs), *La Liberté* (5 000 frs), *Le Journal des Débats* (5 000 frs), etc. ;

400 000 frs à l'*Agence Havas* pour les « six grands » ;

Fiche anthropométrique de Stavisky

100 000 frs au *Capital* et à l'*Agence Economique et Financière* ;
25 000 frs au *Petit Bleu*, etc.

Les hommes de gauche, maçons ou non, s'émurent. Plusieurs *frères* dirent, au cours des *tenues,* ce qu'ils pensaient des arrivistes et des escrocs que leurs partis ou leurs loges abritaient. L'un d'eux, qui signait Jean Barles dans *Le Var,* déclara que : « *l'extension donnée en toutes circonstances au principe d'entr'aide a fait trop de passe-droit et d'injustices : elle a couvert trop d'actions blâmables ; elle a soustrait trop de coupables aux justes lois, en quelques circonstances même, l'entr'aide mal entendue a trop pris la forme d'une complicité.* (Cf. *La Libre Parole*, mai 1934, n. 29.) Il y eut beaucoup de démissions. Pour ne pas envenimer les choses, les deux grandes obédiences maçonniques recommandèrent, dans un manifeste, de s'abstenir « *de toute manifestation extérieure,* en refusant de participer à une démonstration quelconque (*réunion, déclaration, communiqué) qu'elles seraient sollicitées de faire seules ou en compagnie d'autres groupements. Sur ce point, les deux Obédiences qui ont le sentiment de leurs responsabilités et des graves répercussions que pourrait avoir l'expression publique d'une opinion — celle d'une Loge ou de quelques FF∴ agissant comme tels — demandent instamment à tous les Vén∴ de s'opposer résolument à de telles manifestations.* » Une épuration eut lieu au sein de la Maçonnerie : elle frappa tous ceux qui s'étaient trop visiblement compromis avec l'escroc. Elle entérina, en quelque sorte, les décisions prises par le *Parti Radical-Socialiste* qui, au congrès de 1934, avait prononcé l'exclusion de sept de ses membres, dont cinq étaient maçons. Le coup porté à la Maçonnerie fut très rude, malgré les paroles rassurantes du *frère* Marc Rucart, maçon intègre, qui affirmait que l'affaire Stavisky n'était qu'un « *fait-divers banal, odieusement amplifié et exploité par la réaction qui voulait s'en servir pour combattre la Maçonnerie* ». Il est certain que, si les protecteurs les plus connus de Stavisky appartenaient à la Maçonnerie, beaucoup d'autres n'en faisaient pas partie. Il est non moins certain que, parmi ceux qui lui apportaient leur concours, gracieux ou rétribué, plusieurs ignoraient les antécédents judiciaires de l'escroc et ne voyaient en lui qu'un financier comme beaucoup d'autres (s'il avait réussi, peut-être eut-il fondé une de ces dynasties financières qui régentent notre économie). Stavisky avait le génie de ce que l'on appelle maintenant les « relations publiques ». D'où ses liens avec les parlementaires René Renoult et André Hesse, ses avocats, avec Albert Dalimier, Louis Proust et Gaston Bonnaure, qui furent exclus de la Maçonnerie et du *Parti Radical-Socialiste,* mais aussi avec : Albert Dubarry, directeur de *La Volonté,* dont il afferma la publicité ; Camille Aymard, directeur de *La Liberté,* qui lui présenta Joseph Kessel à déjeuner ; et Pierre Darius, directeur de *Bec et Ongles.* Même Paul Lévy, le directeur d'*Aux Ecoutes,* qui avait pourtant révélé, quelques années plus tôt, que le financier Alexandre n'était autre que l'escroc Stavisky (arrêté en 1926), ne paraissait lui en vouloir. Homme habile, l'aventurier avait su se concilier des amitiés dans divers camps. La commission parlementaire d'enquête, nommée après le 6 janvier 1934, pour rechercher les complicités de l'entreprise, devait découvrir que Stavisky avait offert des subventions à certains groupements de droite et que l'un d'eux, *Les Jeunesses Patriotes,* avait reçu de lui, par l'intermédiaire d'un administrateur de *La Foncière,* deux chèques d'un montant d'ailleurs fort modeste, s'élevant à 4 000 et 2 000 francs. Le scandale Stavisky eut, dans le domaine politique, des conséquences exceptionnelles : les réactions en chaîne dont il est l'origine aboutirent aux manifestations de février 1934, à l'agitation des ligues et au *Front Populaire.*

STEPHANE (Roger, André, Paul WORMS, dit).

Journaliste, né à Paris, le 19 août 1919. Participa, sous les pseudonymes de Stéphane et de Sanssier, à la Résistance et s'y distingua en procédant à l'arrestation du président du Conseil municipal de Paris, Pierre Taittinger (cf. « *Et Paris ne fut pas détruit* », par P. Taittinger, pages 208 et suivantes). Chargé de missions auprès d'Adrien Tixier, ministre de l'Intérieur (1944-1946). Co-fondateur de *L'Observateur* (1950), devenu *France-Observateur,* puis le *Nouvel Observateur.* Fut arrêté, en 1955, pour avoir divulgué des secrets de la défense nationale (document Navarre). Passait alors pour être l'un des conseillers et confidents du président Mendès-France et l'intime du ménage Edgar Faure; collaborait, d'ailleurs, à *La Nef,* la revue de Lucie Faure. Remis en liberté, son affaire n'eut pas de suites. (Ordonnance de non-lieu signée par le juge Perez en octobre 1962.) Grâce aux contacts qu'il avait avec le général De Gaulle, qu'il rencontrait de temps en temps, put dès 1957 révéler aux lecteurs de *France-Observateur* les grandes lignes des desseins du futur président de la République : indépendance de l'Afrique et rapprochement avec l'Est (voir le passage de la notice *De Gaulle* concernant la politique de ce dernier). A partir de 1958, s'éloigna de *France-Observateur* pour se rapprocher de l'entourage du général De Gaulle. Devint alors producteur à la *R.T.F.,* puis le conseiller écouté du directeur-général adjoint de l'*O.R.T.F.* Auteur de : « *Chaque homme est lié au monde* », « *Portait d'un aventurier* » (Prix Sainte-Beuve 1965), « *Parce que c'était lui* ».

STERN (famille).

Famille de banquiers israélites dont Auguste Chirac parle longuement dans ses livres, en particulier dans « *Les rois de la République* ». Elle apparaît dans les affaires au cours de la seconde moitié du xixᵉ siècle. Certains de ses membres figurent en 1872 parmi les fondateurs de la *Banque de Paris et des Pays-Bas.* La banque *A.J. Stern et Cie* fut, sous la IIIᵉ République, un établissement discret mais puissant, ayant un caractère international évident en raison de ses liens avec la banque *Stern* de Londres, dont l'un des chefs avait été fait baronnet par le roi. Les Stern sont apparentés aux Halphen, aux Fould, aux Langlade, aux Chasseloup-Laubat et aux Murat. C'est ainsi que la marquise de Chasseloup-Laubat, la princesse Achille Murat et sa fille, Mme Albin Chalandon, la baronne F. de Seroux, la comtesse Bertrand d'Aramon, etc., descendent du banquier Stern établi en France au début du siècle dernier. Les liens de la finance et de la politique sont trop connus pour que nous ayons besoin d'insister sur l'influence que la famille Stern a pu exercer ou exerce encore dans l'Etat : les gendres ont parfois occupé des situations importantes dans la politique (Murat, Chalandon, B. d'Aramon, etc.). Jacques STERN, qui fut le collaborateur de Léon Bourgeois, au ministère des Affaires étrangères, appartint à la Chambre de 1914 à 1919 et de 1928 à 1936 comme député des Basses-Alpes et fut trois fois ministre (cabinet Steeg, 1930 ; premier cabinet Sarraut, 1933, et deuxième cabinet Sarraut, 1939). Il appartint, en outre, au *Monde Illustré,* dont il fut le directeur politique.

STIBIO (André).

Journaliste, né à Marseille (B.-du-Rh.), le 15 mai 1901. Fils d'un trésorier-payeur en Indochine. Appartint d'abord au corps enseignant et fut professeur en province, puis au Collège Sainte-Barbe à Paris. Puis entra dans le journalisme et fut l'un des principaux collaborateurs de l'*Ordre* avant la guerre. Ardent gaulliste, devint après la Libération rédacteur à *La Bataille,* à *Carrefour,* à *La Voix du Nord,* au *Journal du Parlement,* etc. Depuis la perte de l'Algérie, a pris ses distances avec le gaullisme et critique, avec vigueur, la politique du gouvernement. Auteur de : « *Indiscrétions* » et « *Antoine Pinay* ».

STIL (André).

Journaliste, né à Hergnies (Nord), le 1ᵉʳ avril 1921. Fils d'un tailleur. Fut d'abord instituteur (1940), puis professeur (1942-1944). Entra dans le journalisme après la Libération et fut successivement : secrétaire général de *Liberté* de Lille (1944-1949), rédacteur en chef de *Ce Soir* (1949), puis de *L'Humanité* (1950-septembre 1959). Poursuivi en 1952 pour atteinte à la Sûreté intérieure de l'Etat, à la suite de la manifestation du 28 mai 1952, place de la République, fut maintenu en prison quelque temps ; les protestations de ses confrères (Georges Montaron, de *Témoignage Chrétien,* Jean Fabiani, de *Combat,* Claude Bourdet, de *L'Observateur,* Louis Martin-Chauffier, André Spire, etc.), ne furent pas étrangères à sa mise en liberté. Avait reçu, quelques semaines plus tôt, le *Prix Staline 1952* (9 millions de francs) pour son livre « *Premier choc* », roman politique où les dockers français étaient incités à saboter la défense nationale en refusant de décharger le matériel de guerre. Est également l'auteur de « *Paris avec nous* », « *Le Dernier quart d'heure* », « *Vers le réalisme socialiste* », etc.

STURMEL (Marcel).

Cheminot, né à Mulhouse, le 17 juin 1900. Collabora à divers journaux syndicaux d'Alsace. Député du Haut-Rhin (1929-1942). Inscrit à l'*Union Populaire d'Alsace*.

SUD-OUEST.

Quotidien régional bordelais ayant pris, en 1944, la suite de *La Petite Gironde*, interdite à la Libération. Contrairement à ce qui s'est produit dans la plupart des cas analogues, le nouveau journal ne semble pas avoir fait preuve, à l'égard de son devancier, de cette volonté d'usurpation que le président Herriot appelait « *l'expropriation pour cause d'utilité privée* » (*J.O.*, Débats parlementaires, 14-3-1946). Bordeaux fut libéré le 27 août 1944. Le lendemain, le Commissaire de la République entré en fonction, prit un arrêté supprimant les trois journaux qui avaient paru jusque-là : *La Liberté du Sud-Ouest* (nationale et catholique), *La France de Bordeaux* (radicale et socialisante) et *La Petite Gironde* (centriste). En même temps, suivant les instructions du Gouvernement provisoire présidé par le général De Gaulle concernant la nouvelle presse, le commissaire accorda à un ancien collaborateur du journal clandestin *Combat*, nommé Dubosc, l'autorisation de faire paraître, sur les presses de l'ancienne *France* dont il avait été le correspondant, un journal portant ce titre, et à Jacques Lemoine, ancien rédacteur en chef de *La Petite Gironde*, vice-président du *Comité départemental de Libération*, le droit de publier *Sud-Ouest* et de le tirer sur les presses de l'ancien quotidien centriste. Le lendemain, à la demande du *C.D.L.*, un troisième journal fut autorisé à paraître : *La République de Bordeaux et du Sud-Ouest*. Au bout de quelques jours, *Combat* disparut, et seuls se maintinrent *La République* et *Sud-Ouest*. Aujourd'hui, *Sud-Ouest*, qui a bénéficié de la disparition du quotidien toulousain *La République* (en 1950), qui a traité dans de bonnes conditions avec l'ancien *Sud-Ouest*, qui contrôle le quotidien angoumisin *La Charente libre*, qui possède une édition dominicale à fort tirage et qui est « couplé » avec son seul concurrent bordelais, *La France* — officiellement

pour la seule publicité, mais en fait les liens paraissent beaucoup plus étroits — est le quotidien provincial français le plus important après *Ouest-France*, *Le Progrès* de Lyon, *Le Dauphiné libéré* et *La Voix du Nord*. Ses 325 000 exemplaires vendus sont lus dans quatorze départements : Gironde, Charente-Maritime, Charente, Dordogne, Gers, Basses-Pyrénées, Hautes-Pyrénées, Landes, Lot, Lot-et-Garonne, Tarn, Tarn-et-Garonne, Ariège et Corrèze. Il est pratiquement sans concurrent dans plusieurs départements de la région et est lu, dans les autres, par la clientèle modérée et centriste. Son état-major se compose de : Jacques Lemoine, directeur-rédacteur en chef ; Paul Counord et Henri Amouroux, rédacteurs en chef ; Marcel Hoursiangou, secrétaire général de la rédaction ; R. Courrech et Louis Colonna-Césari, chefs des informations ; André Lemoine dit de Wissant, critique littéraire, etc. *Sud-Ouest* est la propriété de la S.A. de Presse et d'Edition du Sud-Ouest (S. A. P. E. S. O.). Cette société anonyme, au capital de 1 760 000 F, a été créée, le 14 novembre 1945, par Jacques Lemoine. A la fondation, son capital (2 millions de francs anciens) était ainsi réparti : Jacques Lemoine : 25 % ; Marcel, François Astier, sénateur : 7,50 % ; André Reiss, industriel : 7,50 % ; Josette-Marie Lassalle : 7,50 % ; Félix Napias, garagiste : 7,50 % ; Adrien Binaud, administrateur du journal : 7,50 % ; André Lemoine, dit de Wissant, directeur des services parisiens du journal : 5 % ; Paul Counord : 3,50 % ; Yves Bermond : 3,50 % ; Marcel Hoursiangou : 3,50 % ; Francis Brown de Colstoun : 3,5 % ; René Labbé : 3,5 % Léone Bordan : 2,5 % ; Paul Raboutet : 1 % ; Louis Emie : 1 % ; Jean-François Dupeyron : 1 % ; Pierre-Armand Beydts :1 % ; François Latappy :1 % ; Jean-Pierre, Fernand Samazeuilh : 1 % ; Gérard Fiquemont : 1 % ; Etienne Destrade : 1 % ; Roger Manciet : 1 % ; Fernand Marson : 1 % ; François Aussaresses : 1 % ; Henri Amouroux : 1 % ; Jean Luc : 1 %. Après l'accord intervenu avec la *S.A. des Journaux et Imprimeries de la Gironde* et le groupe Chapon, représentant l'ancienne *Petite Gironde* (cf. Assemblée générale extraordinaire du 25-4-1955), le Conseil d'administration de la société éditrice de *Sud-Ouest* se composait de : Jacques Lemoine, président-directeur général, Léonie Bordan, Amouroux, Binaud, Colonna-Cesari, Counord, Hoursiangou, Reiss, A. Lemoine de Wissant et *Société Civile des Journalistes de la S.A.P.E.S.O.* Depuis 1966 il comprend surtout des sociétés ; en dehors de Jacques Lemoine, qui a conservé la présidence-direction générale, et de Mme de Tristan, sept administrateurs sont des personnes morales : la *Société Civile Bordelaise de Gestion*, la *Société d'Investissements et Placements*, la *Société Girondine de Gestion*, la *Société Civile des Journalistes de la S.A.P.E.S.O.*, la *Société Française de Financement* et la *Société d'Imprimeries Régionales de Presse*, cette dernière étant elle-même une filiale de la *S.A.P.E.S.O.* (8, rue de Cheverus, Bordeaux).

SUSINI (Jean-Jacques).

Etudiant en médecine, né à Alger le 30 juillet 1933. Son premier geste politique fut, en 1949, l'adhésion au *R.P.F.* Peu après, il devint le responsable du groupe estudiantin gaulliste à Alger. A ce titre, il participa à la préparation du voyage du général De Gaulle en Algérie et à la campagne électorale de 1951. La maladie l'éloigna pendant quatre ans de la politique active. C'est à Lyon qu'il reprit contact avec les milieux politiques : il adhéra alors au mouvement Poujade. Mais lors de « la folle équipée de Suez », il quitta l'*U.D.J.F.* avec les députés Le Pen et Demarquet et il rentra en contact avec les éléments actifs du gaullisme qui préparaient le retour au pouvoir du général De Gaulle. « *Aux vacances de 1957, a-t-il dit, nous étions certains que la IV* République était incapable de vaincre en Algérie. Il importait de la changer. J'y ai participé.* » A Lyon, où il vint, il participa à la constitution de groupes francs destinés à contrer la propagande pro-F.L.N. Au printemps de 1958, il sentit l'imminence de « l'événement » : « *Nous avons rassemblé,* déclarera-t-il au « procès des barricades », *les étudiants à Lyon, prêts à l'alerte. Nous nous entraînions dans une caserne sous couvert d'une préparation militaire supérieure. Petit à petit, nous avons appris le maniement des armes. Nous étions sous les ordres d'officiers du général Descour. Et nous devions préparer l'opération* « *Résurrection.* » (Cf. *Le Monde*, 20-21 novembre 1960.) A peine eut-il contribué à ramener le général De Gaulle au pouvoir qu'il découvrit dans les paroles de son chef des intentions fort différentes de celles que les Français d'Algérie lui prêtaient. C'est alors qu'il fleureta quelque temps avec le groupe *Jeune Nation* — dissous mais encore actif, grâce à son journal — puis qu'il découvrit en Ortiz, « *dans le vide politique de l'Algérie (...), l'homme qui a le plus de sens politique.* » Ayant adhéré au *Front National Français*, il en rédigea les tracts et les communiqués. Il fut élu,

en 1959, président de l'*Association générale des étudiants d'Alger* grâce à l'appui de Lagaillarde. C'est à la tête des membres de l'*A.G.* et aux côtés des militants du *F.N.F.* qu'il prit part aux *journées des barricades de* 1960. Celles-ci l'amenèrent, après son arrestation, devant le Tribunal militaire, en novembre de la même année. Il fit alors, à ses juges, une profession de foi socialiste et nationaliste qui eut un certain retentissement. Remis en liberté au cours du procès, il fut condamné à deux ans de prison avec sursis (mars 1961) après une éloquente plaidoirie de son oncle, Me Roger Palmieri, l'un des leaders du mouvement paysan et national. Rentré en Algérie presque aussitôt, il joua un rôle très important dans l'*O.A.S.*, au côté du général Salan. Il représentait alors l'élément *dur* de l'organisation secrète. En 1962, changeant brusquement de cap, il eut une attitude particulièrement conciliatrice et conclut, au nom de l'*O.A.S.* (on ne sait s'il avait reçu mandat de ses amis pour le faire), un accord avec Farès, qui assurait l'autorité gouvernementale à Alger au moment de l'indépendance. En vertu de ce « traité », devait cesser la résistance armée de son groupe algérois. Susini disparut aussitôt après et gagna l'étranger où il vit actuellement.

SUSSET (Raymond).

Industriel, né à Magné (Vienne), le 5 juin 1895. Elu conseiller municipal de Paris en 1935, et député républicain socialiste de la Seine en 1932 (réélu en 1936). Conseiller de l'Union Française (1952-1953), sénateur de la Guinée (1952-1958), inscrit au groupe des Républicains sociaux, et directeur de *La Presse de Guinée*.

SY (Michel).

Maître de recherches au *C.N.R.S.*, né aux Ponts-de-Cé (M.-et-L.), le 26 septembre 1930. Stagiaire de recherches au laboratoire de chimie organique de l'Institut du Radium (1952-1955). Attaché de recherches (1955-1957). Chargé de recherches (depuis novembre 1962) au *C.N.R.S.* et directeur du laboratoire de synthèse organique de l'Ecole nationale vétérinaire de Maisons-Alfort. A succédé, en 1960, à Jean Pécastaing au siège de député de Paris (jusqu'en 1962). Inscrit au *Centre National des Indépendants et Paysans*, a défendu avec vigueur ses convictions Algérie Française. Fondateur et président du club *Tradition et Progrès*. Lauréat de l'Académie nationale de médecine (1958) et du Prix de la Fondation van t'Hoff (1960). Vice-président des Angevins de Paris.

SYMPHOR (Paul).

Directeur d'école, né au Robert (Martinique), le 7 août 1893. Sénateur socialiste de la Martinique (depuis 1948). Conseiller général du canton du Robert.

SYNARCHIE.

Selon le « *Petit Larousse* » : mode de gouvernement dans lequel plusieurs princes ou souverains administrent simultanément les diverses parties d'un Etat. Par ext. et depuis l'enquête de l'inspecteur général Chavin, de la Sûreté nationale (Vichy, 1941), on désigne ainsi une organisation secrète tendant à s'emparer des principaux leviers de commande économiques et politiques de l'Etat en vue d'établir un régime technocratique (cf. « *Cinquante mois d'armistice* », par Pierre Nicolle, t. I, Paris 1947 ; *Les Documents,* dirigés par Roger Mennevée, notamment n° d'avril 1948 ; « *Les technocrates et la Synarchie* », par Henry Coston, Paris 1962).

SYNDICAT.

Association constituée pour défendre des intérêts communs. Les *syndicats ouvriers,* qui groupent les travailleurs des diverses professions, ont joué depuis le XIXᵉ siècle un rôle important dans la vie politique française. Depuis quelques années, en raison des difficultés rencontrées par les partis et de la semi-léthargie qui frappe les groupes parlementaires sous la Vᵉ République, ils ont pris une importance plus grande encore.

La *Confédération Générale du Travail* (*C.G.T.*), la plus importante numériquement, est sous le contrôle du *Parti Communiste.* Fondée à Limoges en 1895, son apolitisme réaffirmé au congrès d'Amiens en 1909 la tint longtemps à l'écart des luttes partisanes. Au lendemain de la Première Guerre mondiale, les communistes qui militaient dans ses rangs provoquèrent une scission et fondèrent la *Confédération Générale du Travail Unitaire,* sous la direction de Gaston Monmousseau (1921). L'unité syndicale fut rétablie en 1936. Le gouvernement Blum donna satisfaction aux principales revendications de la *C.G.T.* : convention collective, semaine de 40 heures, congés payés, augmentation de salaires (accords de Matignon, 7-6-1936). Après la signature du pacte germano-soviétique, les communistes qui avaient des fonctions dans la centrale syndicale furent expulsés. A la suite de sa dissolution (1940), nombre de ses dirigeants se rallièrent au gouvernement du maréchal Pétain et approuvèrent la *charte du travail.* A la Libération, les résistants chassèrent des syndicats les militants et les cadres qui avaient sympathisé avec la *Révolution nationale* de Vichy ou qui, par pacifisme, s'étaient ralliés à la politique de collaboration franco-allemande. Comme les communistes étaient les plus actifs dans la résistance ouvrière, ils occupèrent les postes-clés, ne laissant souvent aux non-communistes que des fonctions honorifiques. Il s'ensuivit une scission (1948) dont Léon Jouhaux, leader de la *C.G.T.* depuis un quart de siècle, prit l'initiative : la *C.G.T.-Force Ouvrière* fut créée. Malgré l'hémorragie que provoqua le départ d'un grand nombre de ses adhérents, partisans de Jouhaux, la *C.G.T.* est demeurée la plus puissante organisation syndicale française. Reliée à la *Fédération Syndicale Mondiale* communiste depuis 1949, elle compte environ 1 700 000 membres. Sous l'impulsion de son secrétaire général, le communiste Benoît Frachon, assisté d'un Etat-Major également communiste, la *C.G.T.* a participé à toutes les luttes politiques de ces dernières années bien que le préambule de ses statuts, adopté au congrès de Toulouse en 1936, stipule le respect de l'indépendance du mouvement « *à l'égard*

Le serment du « Synarchiste »

du patronat, des gouvernements, des partis politiques, des sectes philosophiques ou autres groupes extérieurs. » (Siège : 213, rue Lafayette, Paris 10ᵉ.)

La *C.G.T.-F.O.* est née en 1948. Groupés sous l'égide du journal *Force Ouvrière*, les minoritaires de la *C.G.T.*, réunis à Paris les 18 et 19 décembre 1947, avaient décidé de demander à Jouhaux et à ses amis Robert Bothereau, Albert Bouzanquet, Pierre Neumeyer et Georges Delamarre, de démissionner du Bureau confédéral. Ce qu'ils firent aussitôt. Le 12 et 13 avril suivant, 1 435 délégués, représentant les Fédérations professionnelles et les Unions départementales reconstituées après la scission de décembre, procédaient à la création de la *Confédération Générale du Travail - Force Ouvrière*. Influente parmi les fonctionnaires et les employés du secteur privé, la *C.G.T.-F.O.* groupe environ un demi-million de membres. Elle est affiliée à la *Confédération Internationale des Syndicats Libres*, créée par les groupes nationaux démissionnaires de la *Fédération Syndicale Mondiale* communiste. Après Léon Jouhaux et Robert Bothereau, c'est André Bergeron, du *Syndicat du Livre*, qui en assume le secrétariat général ; il est secondé par Pierre Tribié, trésorier, et plusieurs secrétaires. La *C.G.T.-F.O.* est officieusement reliée au *Parti Socialiste*. (198, avenue du Maine, Paris 14ᵉ.)

La *Confédération Française des Travailleurs Chrétiens* (*C.F.T.C.*) fut constituée en 1919. Se réclamant de l'encyclique *Rerum Novarum*, ses fondateurs étaient favorables à une collaboration entre patrons et ouvriers. Considérée alors comme une entreprise réactionnaire en raison de son caractère confessionnel, elle ne participa pas aux négociations de 1936 qui aboutirent aux accords de Matignon. Elle fut dissoute comme les autres syndicats en novembre 1940. Une partie de ses membres rejoignit la Résistance où les démocrates-chrétiens étaient particulièrement nombreux et actifs. Reconstituée clandestinement elle lança, avec la *C.G.T.*, l'appel de grève générale au moment de la Libération (août 1944). En 1947, toute référence à l'encyclique fut abandonnée sous la pression d'éléments nouveaux qui, dix ans plus tard, amèneront la majorité à rejeter le mot « *chrétienne* » et à le remplacer par le mot « *démocratique* ». Tandis que les plus nombreux transformaient la *C.F.T.C.* en *C.F.D.T.* (voir ci-dessous), les minoritaires, sous la conduite de Jacques Tessier et Joseph Sauty, fidèles à la référence chrétienne, se regroupaient et conservaient le vieux titre. La *C.F.T.C. maintenue* compte environ

150 000 membres, principalement des mineurs, des agents hospitaliers, des fonctionnaires de la S.S. et des employés de banque. (9, rue Bachaumont, Paris 2ᵉ.)

Les majoritaires de l'ancienne *C.F.T.C.*, 550 000 environ, sont regroupés au sein de la *Confédération Française Démocratique du Travail*. Au congrès de novembre 1964, qui décida le changement de titre, ils avaient obtenu 70 % des mandats. Tandis que les dirigeants de la *C.F.T.C. maintenue* demeurent sur une prudente réserve à l'endroit du régime — certains lui seraient favorables, — l'Etat-Major de la *C.F.D.T.*, conduit par Eugène Levard, président, et Eugène Descamps, secrétaire général, a maintes fois marqué son hostilité à la Vᵉ République. Descendant résolument dans l'arène, son secrétaire général déclarait, à la veille de l'élection présidentielle, au congrès de la *C.F.D.T.* d'Issy-les-Moulineaux (13-11-1965) : « *Nous avons condamné le régime, son style, condamné Pompidou. Si le 5 décembre au soir, nous voulons que De Gaulle comprenne que le peuple ne le veut plus, faisons en sorte qu'il y ait le plus grand nombre possible d'opposants.* » (26, rue Montholon, Paris 9ᵉ.)

La *Confédération Nationale du Travail* (*C.N.T.*) groupe les éléments anarchistes qui ont quitté la *C.G.T.* en 1946, quand il leur parut évident que les communistes la dominaient. Elle publie *L'Action syndicaliste*. (39, rue de la Tour-d'Auvergne, Paris 9ᵉ.)

La *Confédération Générale des Syndicats Indépendants* (*C.G.S.I.*) a regroupé les syndicats créés en dehors des grandes centrales. Sulpice Dewez, ancien député communiste du Nord, qui rompit avec le *P.C.* après la signature du pacte germano-soviétique, en est le secrétaire général. La *C.G.S.I.* publie *Le Syndicalisme indépendant* et *Le Guide du militant*, deux périodiques mensuels. (5, rue de Palestro, Paris 2ᵉ.)

Sous la direction de Jacques Simakis, président du *Syndicat Indépendant des Instituteurs* et participant du *Colloque de Vincennes*, la *Confédération Française du Travail* groupe des syndicalistes indépendants, surtout aux usines *Simca* et *Rhône-Poulenc* et dans la fonction publique. *Indépendance syndicale* et *Le lien* sont ses deux publications officielles avec *Evolution sociale*, revue bimestrielle.

La *Confédération Française des Syndicats Travail et Liberté*, animée par Jean Berthet, date de 1959 : elle compte des adhérents isolés dans toutes les branches des secteurs public et privé. (62, rue Tiquetonne, Paris 2ᵉ.)

A la suite de la scission survenue à la *C.G.T.*, des membres de l'enseignement ont créé la *Fédération de l'Education Nationale* (*F.E.N.*), qui compte plus de 300 000 adhérents, professeurs et instituteurs. Sa revue, *L'Enseignement public*, est mensuel. Trois tendances s'expriment au sein de la *F.E.N.* : les socialistes modérés et les sans parti, les communisants favorables à la *C.G.T.* et les syndicalistes révolutionnaires. G. Laure est le secrétaire général de la *F.E.N.* (10, rue de Solférino, Paris 7e.)

Mentionnons également l'*Union Nationale des Etudiants de France*, syndicat estudiantin lié à la gauche et la *Fédération Nationale des Etudiants de France* (*F.N.E.F.*), qui groupe des modérés et des apolitiques (voir à ces noms).

La Confédération Générale des Cadres, créée au lendemain de la Libération par des techniciens et des ingénieurs soucieux de conserver leur indépendance à l'endroit des grandes centrales syndicales, a participé avec celles-ci à divers mouvements revendicatifs, notamment aux grèves de 1963. Son principal animateur, André Malterre, après avoir pris publiquement position pour le *oui* en septembre 1958, milita en faveur de l'Algérie française. La *C.G.C.* donna même son adhésion à la charte de l'*Union pour le Salut et le Renouveau de l'Algérie française* (*U.S.R.A.F.*), organisation dont André Malterre devint l'un des dirigeants. (30, rue de Grammont, Paris 2e.)

La *Fédération Nationale des Syndicats d'Exploitants Agricoles*, constituée depuis la guerre, groupe des centaines de milliers de petits et de moyens agriculteurs qui résistent à la pression industrielle. Elle est dirigée depuis 1963 par Gérard de Caffarelli, ancien président des *Jeunes Agriculteurs* de l'Aisne, et a fait preuve, au moment de la campagne pour l'élection présidentielle, d'un esprit d'indépendance à l'endroit du régime qui l'a conduite à inciter les agriculteurs à « *ne pas voter le 5 décembre pour le candidat gaulliste* » (Conseil national de la *F.N.S.E.A.*, 21-10-1965). Contrairement au *Centre National des Jeunes Agriculteurs*, partisan de la réforme des structures (ce qui fait dire à ses adversaires qu'il est dirigé par des marxistes et des technocrates), la *F.N.S.E.A.* est surtout préoccupée de défense paysanne. (11 *bis*, rue Scribe, Paris 9e.)

Du côté patronal, fédérations, confédérations et unions sont légions. Deux méritent d'être citées ici parce qu'elles ont joué et jouent toujours, dans le monde politique, un rôle considérable : le *C.N. P.F.* et la *C.G.P.M.E.* Le *Conseil National du Patronat Français* (31, avenue Pierre Ier de Serbie, Paris 16e), héritier de l'ancienne *Confédération Générale du Patro-* *nat Français*, groupe les grandes entreprises industrielles et financières sous la direction d'un Etat-Major composé d'hommes d'affaires et d'administrateurs. Georges Villiers, qui fut nommé maire de Lyon par le gouvernement de Vichy et qui rendait, à l'époque, un hommage exceptionnel à Charles Maurras, a présidé le *C.N.P.F.* pendant une vingtaine d'années après un indispensable passage dans la Résistance. Paul Uvelin, président de *Kléber-Colombes* et vice-président de la *Banque de l'Union Parisienne*, l'a remplacé dernièrement. Son influence dans les hautes sphères gouvernementales et au parlement est bien souvent évoquée par la presse de gauche. (Elle fait l'objet de plusieurs chapitres du « *Retour des 200 Familles* », de Henry Coston, Paris 1960.) La *Confédération Générale des Petites et Moyennes Entreprises*, animée par Léon Gingembre, défend plus particulièrement les intérêts des entreprises familiales menacées à la fois par les trusts et par le collectivisme. Son journal, *La Volonté du Commerce et de l'Industrie*, paraît mensuellement. (18, rue Fortuny, Paris 17e.)

SYNDICALISME NATIONAL COMMUNAUTAIRE (Sydicom-France).

Organisme de travail sur le plan national du *Mouvement International des Communautés*, collaborant avec les autres *Syndicom* européens. Sa doctrine est basée sur les principes syndicalistes-chrétiens des encycliques, dont le Dr Bernard Lefevre est le théoricien. Le délégué général pour la France est Henri Le Rouxel, de Nice. Publie mensuellement des *Cahiers* (siège : 47 b., av. de Californie, Nice, A.-M.).

SYNTHESE-INFORMATION.

Revue politique et économique fondée en 1952 et dirigée par Jean Bidault, animateur du *Comité d'Etudes Politiques, Economiques et Institutionnelles*. D'abord tiré au duplicateur, puis imprimé, *Synthèse-Information* n'est pas en vente publique ; il est réservé aux abonnés. Son tirage n'en est pas moins très important puisque, selon l'*O.J.D.* (20-12-1965), il compte près de 7 000 abonnés, principalement recrutés dans les milieux d'affaires, les fonctionnaires, les hommes politiques et les responsables d'organisations professionnelles. L'équipe de *Synthèse* comprend, outre Jean Bidault, Jacques Fessard, directeur adjoint, Marcel Amiot, Maurice Fabry, Pierre Guillaume, Maurice Vallas, membres du conseil technique, et Alfred Silbert (Boîte postale 319-02, Paris R.P.).

T

TABOUIS (Geneviève LEQUESNE, épouse).

Journaliste, née à Paris, le 23 février 1892. Nièce des ambassadeurs Paul et Jules Cambon. Femme de Robert Tabouis, administrateur de sociétés et, récemment encore, de *Radio-Luxembourg*. Collabora, avant la guerre, à *La Petite Gironde* (1922) puis à *L'Œuvre* (1930-1940). Réfugiée aux Etats-Unis en 1940 en raison de ses prises de positions politiques, publia à New York « *Pour la Victoire* » (1940-1945) ; rentrée en France, appartint aux services de politique étrangère de *La France Libre* (1945-1949), de *L'Information* (1949-1956) et de *Paris-Jour* (à partir de 1959). Collabore également à *Juvénal* et à *Radio-Luxembourg*. Auteur de divers ouvrages dont : « *Chantage à la guerre* » et « *Vingt ans de suspense diplomatique* ».

TAILHADES (Edgar, Armand, Louis).

Avocat, né à Riols (Hérault), le 12 janvier 1904. Inscrit au barreau de Nîmes. Sénateur socialiste du Gard (depuis 1948), ancien maire de Nîmes.

TAINE (Hippolyte, Adolphe).

Philosophe et historien, né à Vouziers en 1828, mort à Paris en 1893. Entré à l'Ecole Normale Supérieure, (1848) où il était le condisciple de Francisque Sarcey et d'Edmond About. Professeur à Nevers et à Poitiers, il fut envoyé en disgrâce à Besançon. Il se fit alors mettre en congé et collabora au *Journal des Débats* et à la *Revue des Deux Mondes*. Plus tard, il professa à Oxford (1871) et fut élu à l'Académie française (1878). Maurras a dit ce que son *nationalisme intégral* devait à ce vieux républicain : « *Bien d'autres maîtres ont aidé à orienter et à développer l'envie de reconstruction nationale... Mais nul autre n'a surgi à un meilleur moment, ni à un point plus décisif, ni en forme plus efficace. Nul autre, en termes plus impérieux, ni plus éclatants.* » (*L'Action française*, 25-3-1928.) Cette phrase de l'auteur des « *Origines* » résume assez bien la pensée de Taine : « *Il y a des lois dans le monde moral, comme dans le monde physique, nous pouvons bien les méconnaître, nous ne pouvons pas les éluder.* » « *Dans l'œuvre de Taine*, a écrit Drumont, *la Révolution se révèle ce qu'elle fut vraiment : une immense expropriation opérée par la bourgeoi-*

sie. » (« *Figures de bronze et statues de neige* ».) Principaux ouvrages : « *Essai sur Tite-Live* », « *Etudes sur les philosophes français du dix-neuvième siècle* », « *L'Intelligence* », « *Essais de critique et d'histoire* », « *Du suffrage universel* » et, surtout « *Les origines de la France contemporaine* ».

TAITTINGER (famille).

Le fondateur de cette dynastie politique, qui prit naissance sous la IIIe République, s'épanouit sous l'Etat Français, parut régresser sous la IVe République et prit un nouvel essor sous la Ve, avait débuté dans la vie comme employé des magasins du *Printemps*. Actif et avisé, conscient de sa valeur, il sut user des atouts que la nature et les circonstances placèrent dans son jeu. Né à Paris, le 4 octobre 1887, Pierre-Charles Taittinger entra très tôt dans la politique. Tout jeune, il milita aux *Comités plébiscitaires de la Seine* où Gaston Le Provost de Launay le remarqua. Ce solide gaillard, qui eut une fort belle conduite au front en 1914-1918, lui plut : il en fit son second et le présenta sur sa liste bonapartiste en Charente-Inférieure et le fit élire avec lui en 1919. Aux élections suivantes, volant de ses propres ailes, le jeune parlementaire se fit réélire dans la Seine tandis que son protecteur restait sur le carreau (il devint cependant, un peu plus tard, président du Conseil municipal de Paris). La victoire du *Cartel des Gauches*, en provoquant l'élimination d'un très grand nombre de *leaders* parlementaires nationaux, eut un double résultat : elle contraignit les droites au combat et elle donna une importance accrue à ceux de leurs chefs qui avaient échappé à l'hécatombe de mai 1924. Pierre Taittinger y gagna en influence et eut alors la possibilité de fonder son propre parti : *les Jeunesses Patriotes* (voir à ce nom), et son propre journal : *Le National*, qui en fut l'organe officiel. Dès lors, la vie politique de Taittinger fut liée à son organisation : s'il ne parvint pas à entrer dans l'un des gouvernements modérés des années 30, il fut toujours considéré comme l'un des porte-parole des milieux nationaux au parlement (il fut réélu en 1928, 1932 et 1936) et cela le servit grandement dans la carrière d'homme d'affaires qu'il poursuivit parallèlement. La situation de fortune de sa première femme, Gabrielle Guillet, l'y avait d'ailleurs beaucoup aidé. Autour de 1930, Pierre Taittinger était administrateur des *Forces Motrices de la Vienne*, de la *Société Française du Chocolat Suchard*, de l'*Omnium de Con-*

centration Financière et Industrielle (du Luxembourg) et de la *Société Franco-Belge de Carrières Neves La Falize et Extensions*. Après la dissolution des ligues, conséquence du 6 février 1934 auquel les *Jeunesses Patriotes* avaient participé activement, Taittinger dut organiser un nouveau mouvement : ce fut le *Parti National Populaire*, qui s'appela ensuite *Parti Républicain National et Social*. Après l'armistice, le jeune parti n'eut plus d'activité, mais son président-fondateur, qui avait voté les pouvoirs constituants au maréchal Pétain, le 10 juillet 1940, devint le président du Conseil municipal de Paris. C'est en cette qualité qu'il intervint avec beaucoup de diplomatie et de fermeté auprès du général von Choltitz, en compagnie du consul de Suède à Paris, et qu'il parvint à fléchir ce soldat (voir : « *...Et Paris ne fut pas détruit* »). Epuré à la Libération, déclaré inéligible, privé de ses journaux (*Le National*[1] et *Le Journal du Loiret*, volontairement suspendus en 1940, mais aussi *Le Matin Charentais* et *Le Courrier des Charentes*) et de leurs imprimeries, Pierre Taittinger présida quelques années durant les *Indépendants de Paris*, pour ne pas avoir l'air de capituler[2], mais c'est principalement aux affaires qu'il se consacra désormais. La liste des firmes qu'il présida ou administra comporte une bonne vingtaine de sociétés — presque toutes contrôlées par la banque *Worms* — allant de la *Société du Louvre* et de l'*Hôtel Lutétia* aux *Raffineries de Soufre Réunies* et à l'*Européenne de traitement des Minerais*, en passant par les *Brasseries de l'Espérance* et l'*Imprimerie Chaix*, sans oublier, naturellement, le *Champagne Taittinger*. C'est l'époque où les *Magasins du Louvre* organisèrent, sous la présidence de l'ambassadeur Vinogradov et de Pierre Taittinger, l'exposition « *Moscou à Paris* » (6 octobre 1964) qui dut faire tressaillir les mânes des *J. P.* tombés en 1925, rue Damrémont... Le 22 janvier 1965, Pierre Taittinger mourait, laissant à ses enfants le soin de continuer son œuvre. Des deux filles et des six fils qu'il eut de ses deux mariages, seuls Guy, Jean et Pierre-Christian semblent avoir un rôle politique et économique de premier plan.

Guy, Napoléon, Pierre, Marie, Jules

---

(1) Il fut aussi le fondateur de l'éphémère *Paris-Nouvelles* (1931) et eut des intérêts dans *La Liberté* (1934) et *L'Ami du Peuple* (1938).
(2) En août 1958 — ce fut probablement son dernier acte politique — il fit voter pour le général De Gaulle : « *Voter oui, c'est donner un coup de frein dans la dégringolade* », déclara-t-il (cf. *Le Figaro*, 26-8-1958).

TAITTINGER, né à Saintes (Charente-Inférieure), le 17 août 1918, est l'homme d'affaires de la famille. Il aurait hérité, de son grand-père Guillet, les qualités qui font les bons administrateurs et les manieurs d'argent. Fondé de pouvoirs de la banque *Worms et Cie* — que Marcel Déat désignait dans *L'Œuvre* comme la banque officieuse de l'Etat Français — il est le gérant de l'ancienne *Banque Meyer*, devenue la banque *C. de Fels, R. Paluel-Marmont, G. Taittinger et Cie*, et le président du *Consortium Industriel et Financier*, en même temps que l'un des administrateurs de la Cie *La Préservatrice*, la Cie *La Foncière*, la banque de l'*Union Occidentale du Portefeuille-Investissements*, des *Ets V.-Q. Petersen*, de la *Cie des Entrepôts et Gares frigorifiques*, etc.

Jean TAITTINGER, député *U.N.R.-U.D.T.* fait l'objet d'une notice particulière (voir ci-dessous).

Pierre-Christian TAITTINGER, issu du second mariage de Pierre Taittinger avec Anne-Marie Mailly, est avocat et, depuis 1953, conseiller municipal de Paris et conseiller général de la Seine (inscrit au *C.N.I.P.*). En 1959-1960, il fut vice-président de l'assemblée départementale et, en 1962-1963, président de l'assemblée municipale, comme son père l'avait été vingt ans auparavant. Depuis la mort de celui-ci, il préside la société de l'*Hôtel Lutétia*.

TAITTINGER (Jean).

Négociant, né à Paris, le 25 janvier 1923. Fils de Pierre Taittinger, ancien député (voir ci-dessous), et de Mme, née Gabrielle Guillet. Négociant en vins de champagne. Maire de Reims. Ancien maire de Gueux. Administrateur de la *Société des Grands Hôtels de la Rive Gauche-Hôtel Lutétia*. Elu député indépendant de la Marne (1re circ.), le 30 novembre 1958. Elu conseiller municipal et maire de Reims, les 15 et 20 mars 1959. Réélu député en 1962 et 1967. Inscrit au groupe gaulliste (*U.D. Ve Rép.*).

TALAMONI (Louis).

Comptable, né à Vezzani (Corse), le 19 décembre 1912. Maire de Champigny-sur-Marne, sénateur communiste de la Seine (1958-1959, et depuis 1963).

TANGER (Léon LE MENAGE, dit Albert).

Militant socialiste (1873-1910). A dix-huit ans, se lança dans le combat politique, au *Comité Révolutionnaire Central*, et fonda les premiers groupes de jeunesses socialistes et la première fédération de ces groupes. Participa, plus tard, à la création du *Parti Socialiste de France* et à la fusion des divers mouvements révolutionnaires au sein de la *S.F.I.O.* dont il devint membre de la Commission administrative permanente.

TANGUY-PRIGENT (François).

Agriculteur, né à Saint-Jean-du-Doigt (Finistère), le 11 octobre 1909. Conseiller général du canton de Lanmeur (depuis 1934). Maire de Saint-Jean-du-Doigt (1935-1942 et depuis 1945). Membre du Parti socialiste *S.F.I.O.* (1926-1958). Fondateur d'une coopérative de défense paysanne à Morlaix (1933). Député socialiste du Finistère (1936-1940). Vota contre le maréchal Pétain (juillet 1940). Membre du mouvement *Libé-Nord* (novembre 1940) et organisateur du *Parti Socialiste* clandestin. Fondateur du journal *La Résistance paysanne* (devenue depuis la *Libération paysanne*). Membre des deux Assemblées constituantes (1945 - 1946). Membre du Comité directeur de la *S.F.I.O.* (1945-1958). Elu député du Finistère à la première Assemblée nationale, le 10 novembre 1946. Ministre de l'Agriculture (Gouv. De Gaulle, 1945-1946). Ministre de l'Agriculture (Gouv. Gouin, 1946 ; Bidault, 1946 ; Blum, 1946-1947 et cabinet Ramadier, 1947). Réélu député du Finistère le 17 juin 1951 et le 2 janvier 1956 (avec l'investiture de *L'Express*). Ministre des Anciens Combattants et Victimes de guerre (cabinet Guy Mollet, 1956-1957). Membre de l'Assemblée parlementaire européenne (1958). Battu aux élections le 30 novembre 1958. Quitta (1959) la *S.F.I.O.*, pour adhérer au *Parti Socialiste Autonome* de Depreux, fit part de cette décision dans une lettre où il déclarait : « *Notre pauvre parti de la S.F.I.O. n'est plus qu'un comité de nantis et d'arrivistes.* » Milite au *P.S.U.* Fut député *P.S.U.* de la 4e circ. du Finistère, de 1962 à 1967.

TANT QU'IL FAIT JOUR.

Journal mensuel protestant fondé en 1958 par un groupe d'écrivains et de militants de droite parmi lesquels Roland Laudenbach, neveu de l'acteur Pierre Fresnay et directeur littéraire des *Editions de La Table Ronde*, O. Beigbeder, Philippe Brissaud, H. Engelhard, Raymond Haurie, R. de Lignerolles et Claude Chopy. Le journal, propriété de la *Sté Protestante Française d'Editions et de Publications* (S.A.R.L. au capital de 500 F), est actuellement dirigé par Philippe Brissaud, secondé par André Jallaguier et par un comité de rédaction auquel appartiennent Jean-Louis Cartier, Claire-Eliane Engel, Georges Merz, Bernard Pélissier, Philippe Rossi, Henri de Saint-Blanquat, Stanislas Schaaff et Jean Theis. (14, rue du Cherche-Midi, Paris-6e.)

TARBOURIECH (Ernest-Hippolyte).

Homme politique (1865-1911). Avocat, professeur au Collège libre des Sciences sociales (dont il fut l'un des fondateurs), milita en faveur du capitaine Dreyfus et fut l'un des fondateurs de la *Ligue des Droits de l'Homme.* Député socialiste du Jura (1910-1911).

TARDIEU (André).

Homme d'Etat, né à Paris, le 22 septembre 1876, mort à Menton, le 16 septembre 1945. Professeur, puis journaliste, notamment au *Temps,* où il rédigea le « Bulletin de l'Etranger » (de 1903 à 1914) placé en tête du grand journal officieux. Elu député de Seine-et-Oise en avril 1914. Au front de 1914 à 1916, comme capitaine de chasseur à pied (croix de guerre, légion d'honneur). En avril 1917, nommé haut-commissaire aux Etats-Unis. Appelé par Clemenceau pour participer à la rédaction du traité de Versailles, puis pour prendre le ministère des Régions libérées. Hors du parlement en 1924 et 1925, y fit sa rentrée, comme député de Belfort, en février 1926. Fut ministre dans les cabinets Poincaré (1926-1929), Laval (1930-1931), Doumergue (1934) et fut trois fois président du Conseil (1929, 1930, 1932). Etait, alors, l'objet des plus vives attaques de la part de la presse de gauche et de *L'Action Française,* qui rappelaient ses relations désolantes avec la *N'Goko-Sangha* et le *Chemin de fer de Homs-Bagdad* (cf. *Les Documents Politiques,* de Roger Mennevée, 1929). Après la victoire du *Front populaire,* borna ses activités à une collaboration plus suivie d'importants journaux : après *L'Echo National* et *La Liberté,* ce fut *L'Illustration* et surtout *Gringoire.* Outre divers livres d'actualité sur la politique étrangère, il a laissé : « *L'Heure de la décision* », « *Sur la pente* », « *La Réforme de l'Etat* ». Dans les années qui précédèrent la guerre, sa critique des institutions démocratiques l'avait amené progressivement à la monocratie.

TARN LIBRE (Le).

Hebdomadaire départemental fondé en août 1944 à Albi, pour remplacer le vieux *Journal du Tarn.* Dirigé par Edouard Rieunaud, ancien député *M.R.P.* du Tarn, membre actif de la Résistance, ce journal est lu par les démocrates-chrétiens et les modérés du département. Son ti-rage atteint 23 000 exemplaires. (58, rue Seré-de-Rivières, Albi.)

TAUDIERE (Emile).

Industriel, né à Absie, le 14 juillet 1890. Député indépendant des Deux-Sèvres (1928-1942), département qui avait été déjà représenté par deux Taudière : Jacques-Paul, en 1889-1893, et Henry, en 1913-1914. Conseiller national (1941) et président du Comité d'Organisation du machinisme agricole et du Comité d'Organisation de la mécanique. Administrateur des *Docks et Entrepôts du Havre,* des *Entrepôts et Magasins généraux de Paris,* de la *Société Emile Marot.*

TAURINES (Jean).

Fonctionnaire, né à Baziège (Haute-Garonne), le 21 janvier 1884, mort à Paris, le 22 octobre 1958. Grand mutilé de la guerre 1914-1918. Conseiller général de la Loire, fut député de ce département (1919-1924, 1928-1932) puis sénateur (à partir de 1933). Inscrit au groupe des *Républicains de gauche,* était alors premier vice-président du Groupe sénatorial des Anciens Combattants. Accompagné de ses collègues Paul-Boncour, Jacquy et Chaumié, fut reçu en audience par le maréchal Pétain le 6 juillet 1940 dont il a donné le compte rendu dans sa brochure « *Tempête... sur la République* ». Il est, du point de vue historique, intéressant de reproduire une partie du procès-verbal de cette audience, établi et signé par les quatre sénateurs (publié en fac-similé photographique dans l'ouvrage cité ci-dessus) :

« *M. Paul-Boncour et nous tous* (...) *lui avons déclaré* (au maréchal) *qu'à lui-même nous acceptions de faire toute confiance pour la révision de la Constitution, que nous n'hésiterions pas à suspendre la Constitution pour lui donner à lui et à lui seul, même une dictature comme la loi romaine l'avait plusieurs fois établie.*

Le Maréchal nous a répondu en souriant qu'il n'était pas un César et ne souhaitait pas l'être.

Paul-Boncour, insistant sur ce point, dit : « *Maréchal, pour vous prouver à*
« *quel point ceux qui, avec moi, ne*
« *peuvent donner leur vote à un projet*
« *de Constitution dont on ne précise*
« *pas les bases, sont prêts à vous don-*
« *ner à vous, je dis à VOUS, tous les*
« *pouvoirs, je dis TOUS, que vous juge-*
« *rez nécessaires pour maintenir l'or-*
« *dre, rétablir, libérer et reconstituer*
« *ce pays et conclure la paix, j'irais*
« *jusqu'à voter un texte qui dirait :*

« *La Constitution est suspendue jus-*
« *qu'à la signature de la Paix. Le maré-*
« *chal Pétain, chef du Pouvoir exécutif,*
« *a pleins pouvoirs de prendre par*
« *décret toutes les mesures qu'il jugera*
« *nécessaires et, en même temps, d'éta-*
« *blir, en collaboration avec les As-*
« *semblées, les bases d'une constitution*
« *nouvelle.* »

— Mais voilà une proposition, *dit le Maréchal,* transmettez-moi un texte.

Revenant sur les réformes éventuelles pour lesquelles il ne nous a pas caché qu'il s'entourerait d'autant plus d'avis que sa vie et ses études ne l'avaient pas préparé à la solution de ces problèmes, il nous a rappelé qu'il estimait néces- saire, après que chaque texte serait établi, de le transmettre à l'avis de nos Commissions et de s'en entretenir avec elles avant de les promulguer.

Nous lui avons exprimé à nouveau notre profond respect et notre absolue confiance et lui avons fait connaître combien ce qu'il nous avait dit, lui sur- tout dont la parole n'a jamais été dé- mentie, nous donnait et donnait à tout le Parlement un immense apaisement et réunissait, à notre avis, l'unanimité au- tour de lui, car c'était à sa personne et à sa loyauté que nous nous confiions et que nous confiions le pays tout entier. »

TECHNIQUE ET DEMOCRATIE.

Club fondé à la fin de 1963 par Jean Barets, un industriel connu en Europe par ses méthodes et ses usines de pré- fabrication de logements. Groupe princi- palement des anciens élèves des grandes écoles (ceux que l'on désigne souvent sous le nom de *technocrates*). A quitté le Comité permanent des Clubs, créé en 1965 sur l'initiative de la *Convention des Institutions Républicaines,* pour rester indépendant. Son comité directeur na- tional comprend neuf membres, assistés d'un secrétaire général : Jean Barets, président ; André Granouillac, directeur de bureau d'études économiques et so- ciales ; Albert Lévy-Soussan, avocat ; Roger Marcot, syndicaliste, vice-prési- dents ; Robert Lacan, industriel, tréso- rier ; Roger Bonnet, économiste ; Jean Broussois, industriel ; Odette Broussois, agent commercial ; Jean-Marie Marcillat, ingénieur, membres ; Michel Barrault, administrateur de sociétés, secrétaire gé- néral. A son conseil national siègent : Georges Soulès, dit Raymond Abelio, ingé- nieur-conseil ; Gourdon, conseiller ré- férendaire à la Cour des comptes ; P.-L. Reynaud, professeur à la Faculté de droit ; de Longevialle, président de *Syn- tec ;* Frances, inspecteur du Trésor ; Bertaux, professeur à la Faculté des

lettres, etc. Josué de Castro, président du Centre International de Développement ; Bertrand de Jouvenel, conseiller écono- mique et social ; M. Stern, président du Bureau d'Etudes et de Réalisations Ur- baines, et Servier, professeur à la Faculté de droit, appartiennent à son *collège de consultants.* (4, rue de la Paix, Paris-2e.)

TECHNOCRATIE.

Système qui place le pouvoir d'orga- nisation et de décision à l'échelon de l'Etat ou à celui de la grande entreprise, entre les mains d'une groupe de techni- ciens. Les technocrates, liés par une for- mation commune (grandes écoles : Poly- technique, Sciences Politiques, E.N.A., H.E.C.), un « esprit de corps », ne sont pas seulement des techniciens, mais des *partisans du gouvernement des techni- ciens.* Jouissant d'une autonomie gran- dissante à l'égard des groupes capita- listes et des ministres qui les ont man- datés, ils exercent (ou tendent à exercer) le pouvoir réel en leurs lieu et place. Ils se recrutent pratiquement par coopta- tion, aussi bien parmi les experts finan- ciers et les directeurs des grandes admi- nistrations publiques ou privées que parmi les dirigeants des organismes internationaux ou des trusts. Les ingé- nieurs et les techniciens (les *cadres*), ainsi que les chercheurs spécialisés, n'entrent pas dans la catégorie des tech- nocrates puisqu'ils n'ont aucun pouvoir de décision sur la marche du ministère ou sur celle de l'entreprise. Certains ont cependant tendance à le croire et, très habilement, les technocrates entretien- nent chez eux cette idée, dans l'intention de se les attacher. En fait, ils ne sont que des instruments au même titre que les ouvriers, les employés et les fonction- naires placés sous leurs ordres. Fort heureusement, nous assistons également — ainsi que l'a souligné Georges Fried- mann, à la Semaine Sociologique, sous la IVe République —, « *à des efforts qui impliquent, de la part des techniciens, une attitude beaucoup plus complexe et beaucoup plus humaine. Les meilleurs d'entre eux, en nombre non négligeable, aussi bien dans l'industrie, le commerce, que les ateliers, les bureaux d'études, les directions, les services du personnel, véritable élite, découvrent l'importance des sciences de l'homme et affirment indispensable la coopération entre elles et avec les techniques de production, d'administration et de distribution, cette coopération si complètement omise par les technocrates.* » (Consulter : « *Les technocrates et la Synarchie* », par Henry Coston, Paris, 1962.)

TEISSIER (Jacques).

Négociant, né à Miliana (Algérie), le 27 janvier 1920, d'un père qui fut préfet et trésorier-payeur général. Conseiller du Consul général américain Murphy, il fut l'un de ceux qui préparèrent le débarquement des Alliés en Afrique du Nord. C'est dans sa propriété de Gouraya que s'installa la mission américaine commandée par le général Clark, envoyée secrètement en Algérie pour mettre au point les derniers détails de l'opération militaire. Officier d'ordonnance du dit général commandant les 5ᵉ et 8ᵉ Armées, il représenta le Comité Français de Libération Nationale auprès des Unités américaines en 1942-1945. Négociant en vins à Avignon, il appartient depuis 1958 au Conseil municipal de l'ancienne cité des Papes. Aux élections législatives de 1962, il porta les couleurs du *Centre National des Indépendants et Paysans.*

TEITGEN (Pierre-Henri).

Avocat et homme politique, né à Rennes, le 29 mai 1908. Fils de l'ancien vice-président de l'Assemblée nationale. Professeur de droit à Nancy en 1939, mobilisé, fait prisonnier en 1940, parvint à s'évader et à joindre la zone Sud ; fut alors professeur de droit à la faculté de Montpellier. Participa à la Résistance au groupe *Combat* avec François de Menthon et fut révoqué par le gouvernement. Vécut alors dans la clandestinité sous le pseudonyme de Tristan, et fut nommé, en 1943, commissaire général provisoire à l'Information de la Résistance. Prépara les textes législatifs destinés à la future presse. Arrêté par la Gestapo le 6 juin 1944, réussit à s'échapper dans des circonstances demeurées mystérieuses. En septembre, fut désigné par le général De Gaulle pour les fonctions de ministre de l'Information ; puis devint Garde des Sceaux et ministre de la Justice de l'Epuration. Dressant à la tribune de l'Assemblée nationale, le 6 août 1946, le bilan des quelques cent mille condamnations prononcées à cette date par les cours de justice et les Chambres civiques : « *Vous jugez sans doute que, par rapport à Robespierre, Danton et d'autres, le garde des Sceaux qui est devant vous est un enfant —* s'écriait-il — *Eh bien ! ce sont eux, Messieurs, qui sont des enfants si l'on en juge par les chiffres.* » Député *M.R.P.* d'Ille-et-Vilaine aux deux Assemblées nationales constituantes (1945-1946), puis député à l'Assemblée nationale (1946-1958), ministre de la Justice (gouvernements De Gaulle, Gouin et Bidault 1945-

1946), vice-président du Conseil (cabinet Ramadier, 1947), ministre des Forces armées (cabinet Schuman, 1947-1948), vice-président du Conseil (cabinet A. Marie, 1948), ministre d'Etat, chargé de l'Information (cabinet Bidault, octobre 1949-juin 1950). Présida le *Mouvement Républicain Populaire* de mai 1952 à mai 1956. Vice-président du Conseil (cabinet J. Laniel, juin 1953-juin 1954), ministre de la France d'outre-mer (cabinet Edgar Faure, février 1955-janvier 1956) ; ancien vice-président de l'Assemblée consultative du Conseil de l'Europe, ancien Délégué à l'Assemblée parlementaire européenne, ancien conseiller général de Fougères-Nord, et ancien membre du Comité consultatif constitutionnel (août 1958). Actuellement membre du Bureau national du *M.R.P.* et professeur à la faculté de droit de Paris après avoir été à celle de Rennes. Depuis 1944, est l'un des actionnaires du journal *Ouest-France* (voir à ce nom).

TELE-LIBERTE.

Association de téléspectateurs de l'O. R.T.F., créée en 1964 et dirigée par un groupe de militants d'extrême-gauche. Secrétaire général : Lucien Monjauvis, ancien député communiste (1932-1936), préfet de la Loire à la Libération, membre du Conseil économique et social au titre de la *C.G.T.*

TELE-MONTE-CARLO.

Poste d'émissions télévisées exploité en co-propriété par les deux groupes qui ont fondé *Régie Nº 1*, c'est-à-dire *Images et Son (Europe Nº 1)* et *Publicis*, de Marcel Bleustein-Blanchet. Ses installations techniques sont celles qui avaient été prévues pour *Télé-Saar* et qui furent démontées au lendemain du plébiscite qui rattacha la Sarre à l'Allemagne. L'antenne du poste est installée au Mont-Agel (1 107 m), situé près de la Principauté de Monaco, mais en territoire militaire français. Son Etat-Major est essentiellement composé de : Jean Frydman, administrateur délégué, Jean-François Micheo, secrétaire général, et Jacques Antoine, directeur des programmes. (28, rue François-1ᵉʳ, Paris 8ᵉ, et 16, boulevard Princesse Charlotte, Monte-Carlo.)

TELEGRAMME DE BREST (Le).

Quotidien républicain modéré fondé en 1944. Fut dirigé par Marcel Coudurier, ancien directeur de *La Dépêche de Brest.* Le président-directeur général de la société éditrice du journal est aujourd'hui Jean-Pierre Coudurier. La rédaction, dirigée par Henri Anger, comprend notamment : J. Chavigny, E. Lambry, Juillac, Ch. Chassé, Camille Rougeron, Lucien Hérard. Tirage : 130 000 exemplaires. (Rue Anatole-Le Braz, Morlaix.)

TELEGRAMME DE PARIS (Le).

Feuille mensuelle de tendance gaulliste. Directeur politique : Jacques Dauer, ancien animateur du *Mouvement pour la Communauté* (en Algérie) et principal dirigeant du *Front du Progrès ;* rédacteur en chef : Philippe de Saint-Robert ; directeur de la publication : Jean-Claude Brouard. Principales signatures : Philippe Dechartre, Christian Perroux, Louis Carret, Michel Rodet, Jean Savard, Odette Goncet, Michel Karlof, Gabriel Enkiri, Betty Durot, Jean de Beer, René Lucien, Bernard Chevassu-Perigny, J.-M. Domenach, Roger Stéphane, Pierre Le Brun, etc. (B.P. 116-05, Paris-5e.)

TELEGRAMME DU PAS-DE-CALAIS ET DE LA SOMME (Le).

Quotidien national fondé à Boulogne-sur-Mer en 1905 et disparu à la Libération. Il eut pour rédacteur en chef, avant la Première Guerre mondiale, Gabriel Bureau, qui devint le directeur du *Nord-Est*, à Reims, avant de se retirer dans les ordres. Avec un tirage de 40 000 exemplaires, il était alors le premier quotidien de sa région.

TELEGRAMME DES VOSGES (Le).

Quotidien national paraissant entre les deux guerres à Epinal. Avait repris, en l'augmentant, la clientèle du *Vosgien,* trihebdomadaire, et du *Nouvelliste des Vosges*, journaux monarchistes publiés depuis les débuts de la IIIe République dans la cité épinalienne.

TELESPECTATEURS ET AUDITEURS DE FRANCE.

Association d'usagers de l'*O.R.T.F.*, d'inspiration gaulliste, fondée en 1963, sous la présidence d'honneur de François Mauriac. La direction effective de *T.A.F.* est assurée par le secrétaire général, Jean-Claude Servan-Schreiber, ancien député *U.N.R.* de la Seine, assisté de Jean-Pierre Hutin, collaborateur de *France-Soir*, et de Maurice Toesca, délégué général. Au comité fondateur de l'association figurent, notamment Georges Altschuler, chef des services politiques d'*Europe No 1*, Emm. d'Astier de la Vigerie, Gérard Blitz, président du *Club Méditerranée*, Maurice Clavel, le professeur Robert Debré, Jean Dutourd, Hélène Gordon-Lazareff, Philippe La-

mour, Armand Lanoux, Wladimir d'Ormesson, Armand Salacrou, Roland Sadoun, directeur de l'*Institut Français d'Opinion Publique*, etc. (siège : 104, rue Réaumur, Paris 2e).

TEMOIGNAGE CHRETIEN.

Hebdomadaire catholique de gauche, fondé en 1941. C'est dans la clandestinité qu'il fut créé sous la forme de *Cahiers* par un jésuite, le R.P. Pierre Chaillet, que secondèrent d'autres religieux, les RR. PP. Gaston Fessard, Pierre Ganne, Henri de Lubac, Yves de Montcheuil. R. d'Harcourt, André Desqueyrat, l'abbé Bockel et quelques laïcs, Joseph Vialatoux, Fernand Belot, Joseph Hours et André Mandouze. En juin 1943, ces cahiers furent doublés par une feuille intitulée *Courrier français du témoignage chrétien*, rédigée par la même équipe, dont André Mandouze prit la direction. Ce dernier, qui n'a jamais caché ses sentiments — « *Les communistes,* dit-il un jour, *je suis avec eux !* » —, devait marquer *Témoignage Chrétien* de son empreinte, et cela définitivement. C'est en grande partie à son influence et à celle de son ami Georges Suffert, qui dirigea la rédaction du journal un peu plus tard, que *T.C.* doit la réputation dont il jouit. Sous une autre direction — *Témoignage Chrétien* a connu de nombreux changements de direction — le journal est demeuré l'un des grands hebdomadaires de la gauche française. Son tirage, qui atteignit 100 000 exemplaires il y a quelques années, se situe aujourd'hui autour de 50 000. Vivant et bien rédigé, *T.C.* demeure très influent dans les milieux *J.O.C.* et *C.F.T.C.* A l'origine, la société qui l'édite avait pour associés : un écrivain, Robert d'Harcourt, deux inspecteurs des Finances : Jacques Auboyneau et Henri Bizot, un professeur, Henri Bédarida, et Marcel Van Hove, auxquels se joignirent, un peu plus tard : Jean Baboulène, J.-P. Dubois-Dumée, Joseph Folliet, directeur de *La Chronique Sociale de France* et de *La Vie Catholique Illustrée*, Georges Montaron, de la *Jeune République*, le P. Chaillet, etc. La direction de *Témoignage Chrétien* est assurée par Georges Montaron. Claude Gault a succédé, en quelque sorte, à Georges Suffert et à Robert de Montvalon, à la tête de la rédaction. Jean Rabinovici est secrétaire de la direction. Au cours de ces derniers dix ans, ont collaboré au journal : Bernard Féron, Jean Schwœbel, Pierre-Henri Simon, passés au *Monde*, Robert Barrat, André Mandouze, Charles d'Aragon, Jacques Madaule, Joseph Folliet, Jean Rous, Jean Baboulène, Robert Buron, André Philip, André Jeanson,

Wintzen, André Atger, Gilbert Salachas, André Goléa, etc. Résumant la doctrine de son journal, Georges Montaron déclarait récemment à *Presse-Actualité* : « *J'accepte le pluralisme des engagements et je revendique le droit pour des chrétiens d'être engagés dans la voie du socialisme. T.C. s'efforce d'être présent dans cette voie, et si nous l'avons choisie c'est pour des raisons qui découlent de notre vision du christianisme. Le socialisme, c'est tout de même l'éliminatioin du profit et la domestication du capital. Il cherche à satisfaire les masses d'une façon plus juste, à secourir les pauvres d'une manière plus efficace (...) Nous sommes partisans d'un socialisme concret, pragmatique. Nous sommes contre l'idée de démocratie chrétienne à cause de la confusion entre la polique et le christianisme.* » (49, rue du Faubourg-Poissonnière, Paris-9e.)

TEMPLE (Emmanuel, Jacques).

Avocat, né à Montpellier, le 21 septembre 1895. Elu député de l'Aveyron, en 1936, sur un programme anti-*Front Populaire*. S'inscrivit à la *Fédération Républicaine*. Nommé conseiller national par le maréchal Pétain (1941), puis préfet d'Alger (avril 1942) et gouverneur général de l'Algérie par intérim (octobre 1942). Rallia la France libre après le débarquement allié en Afrique du Nord. Elu à nouveau député de l'Aveyron en 1946 ; réélu en 1951 et 1956. Poursuivant son évolution, l'homme de droite des années 1930-1942 devint le collaborateur de Pleven (1951), d'Edgar Faure (1952) et de Mendès-France, comme ministre des Anciens Combattants (1954), de la Défense nationale (1954-1955), puis de la Justice (1954-1955). N'appartient plus au parlement depuis 1958.

TEMPS (Le).

Quotidien fondé par Coste en 1829, *Le Temps* ne devint un grand journal que lorsqu'il eut détrôné, sous la IIIe République, *Le Journal des Débats* qui occupait la première place dans la presse française. Auguste Nefftzer, un protestant alsacien, que subventionnaient des hommes d'affaires et le duc de Penthièvre, en fit, dans la seconde partie du règne de Napoléon III, un journal sérieux pour gens sérieux. Au début, l'existence du journal fut difficile. On raconte que Nefftzer, qui était à la fois son directeur et son rédacteur en chef, ne touchait que 1 000 F d'appointements par mois. Son collaborateur Adrien Hébrard, qui devint le directeur du journal sous la IIIe République, se contentait de 800 F. Les autres rédacteurs étaient rétribués *à la pige,* c'est-à-dire à la ligne : Charles Floquet, Jules Ferry, Paschal Grousset, Edouard Hervé, recevaient de quatre à sept sous la ligne ! Lorsque le Second Empire s'effondra, une partie de la rédaction, qui avait frondé le régime impérial, se retrouva dans les avenues du Pouvoir, en tout cas au parlement, (à l'exception de Paschal Grousset, devenu communard, et d'Hervé, qui dirigea *Le Soleil* monarchiste). La nouvelle équipe, conduite par Hébrard, était fort hétéroclite : on y trouvait des bonapartistes et des royalistes, des modérés et des révolutionnaires, des croyants et des libre-penseurs. Les conseils de rédaction étaient souvent très animés ; Hébrard, qui arbitrait ces affrontements, en tirait les éléments du « papier » de tête qu'un de ses collaborateurs était chargé de rédiger. L'affaire Dreyfus divisa la maison comme elle divisa toutes les autres. Mais l'habile directeur ne tarda pas à sentir d'où le vent venait : d'abord prudent, *Le Temps* prit bientôt le parti du capitaine israélite et fit campagne pour la révision de son procès. Par son format, le quotidien d'Hébrard était le plus grand de la presse française. Par son influence également. « *Organe de cette grande bourgeoisie qui, parce qu'elle avait beaucoup obtenu de la République, se croyait investie du privilège de la diriger, il demeurait, malgré son faible tirage, le journal le plus influent de France, celui que l'étranger, désireux de connaître nos réactions, étudiait en s'aidant d'un dictionnaire (...). Ce qui constituait, aux yeux de son public averti, le mérite essentiel du Temps, c'étaient ses correspondances dignes de foi sur les pays étrangers. Francis de Pressensé et André Tardieu étaient passés par là. Ils avaient organisé un service unique dans la presse française. En principe, une nouvelle parue dans* Le Temps *était une nouvelle contrôlée. Aussi tous les journaux puisaient-ils sans pudeur dans ses colonnes compactes. L'observateur d'après la guerre pouvait répéter ce qu'avait écrit, en 1914, un témoin compétent :* « Entrez à cinq heures dans n'importe quel cabinet de rédacteur en chef ou du premier chef d'information venu. Vous trouverez ces personnages occupés à lire *Le Temps* et tenant en main les ciseaux avec lesquels ils couperont les articles. » (R. Manevy, « *Histoire de la Presse* », Paris 1945.) La possession d'un tel instrument conférait une grande puissance. Aussi est-il normal que « les financiers qui mènent le monde » s'y soient intéressés; on retrouvait leurs représentants au conseil d'administration de la société anonyme propriétaire du journal. Sous la présidence d'Adrien Hébrard, de la famille des Hébrard qui dirigea le journal de 1867 à 1929, siégeaient à la veille de la guerre : Emmanuel Rousseau, administrateur du *Crédit Foncier* et de diverses sociétés minières, qui passait pour le représentant du Comité des Forges; Ernest Roume, administrateur d'*Air-France*, de la *Cie de Suez*, des *Mines de Boleo* et du *Nickel* (contrôlé par les Rothschild) ; André Brun, de la *Banque Adam* ; Charles Duplaquet, administrateur du groupe d'assurances *L'Urbaine* ; Joseph Barthélémy, beau-père de Marcel Laurent-Atthalin (famille de financiers liés à la *Banque de Paris et des Pays-Bas*) ; le comte Edouard de Warren, ancien député, président du *Comité du Chemin de fer Transsaharien*, administrateur de la *Cie Régionale des Engrais du Berry*, de la *Cie Auxiliaire Industrielle et Financière* et de diverses autres sociétés agricoles et commerciales. Les deux directeurs, qui règlaient la ligne économique et politique du *Temps* représentaient l'un, Jacques Chastenet du Castaing, le *Comité des Houillères*, l'autre, Emile Mireaux, le *Comité des Forges*. Leur prédécesseur, Louis Mill ancien député, était, par sa femme, née Griolet, apparenté à l'un des fidéicommissaires des Rotschild. (Cf. Augustin

Hamon, « Les Maîtres de la France », tome II, Paris 1937). L'organe officieux de la République était rédigé, avant 1939, par une brillante équipe dont faisaient partie, outre Chastenet du Castaing et Mireaux : André Chênebenoit, Emile Henriot, Robert Kemp, Simon Arbellot, Rémy Roure, Georges Suarez, André Thérive, Emile Vuillermoz, etc.

TEMPS MODERNES.

Revue fondée en 1937 pour servir d'organe au Mouvement Radical Français. Dirigée par René Auscher et Mme Charlotte Charpentier. Jean Goldsky (Goldschild), ancien rédacteur au Bonnet Rouge, en fut ensuite le directeur politique. (A pris le titre de Revue des Temps Modernes.) Ressuscitée en 1945 par J.-P. Sartre, est devenue une revue progressiste (30, rue de l'Université, Paris 6e).

TEMPS NOUVEAUX.

Groupement de gauche fondé en 1960 pour « rechercher les évolutions qui, dans l'organisation des sociétés s'imposeront aux générations à venir ». Comité directeur : Mlle Germaine Tillion, Me Henri Torrès, le bâtonnier R.W. Thorp, François Perroux, ex-rédacteur à Idées, professeur à l'Ecole des Cadres du Mayet-de-Montagne, aujourd'hui professeur à la faculté de droit de Paris.

TEMPS NOUVEAUX.

Journal publié à Lyon par les anciens de Temps présent, l'héritier de Sept (voir : Temps présent).

TEMPS NOUVEAUX (Les).

Journal anarchiste fondé le 4 mai 1895 et disparu en août 1914. Son principal animateur, Jean Grave, fut à la fin du XIXe siècle et au début du XXe, l'un des écrivains libertaires les plus connus. Les Temps Nouveaux succédaient, en quelque sorte, aux précédents périodiques de Jean Grave, Le Révolté et La Révolte. Les principaux collaborateurs des Temps Nouveaux ont laissé un nom dans la presse, la littérature ou le dessin : Paul Adam, Jean Ajalbert, Lucien Descaves, Augustin Hamon, Bernard Lazare, Georges Lecomte, Octave Mirbeau, Elie et Elisée Reclus, Hermann-Paul, Delannoy, Paul Iribe, etc. Jean Maîtron note dans son « Histoire du Mouvement Anarchiste » (Paris 1951) que Léon Daudet figura parmi les généreux lecteurs de ce journal.

TEMPS DE PARIS (Le).

Quotidien du soir de nuance libérale, lancé le 17 avril 1956 par un groupe désirant contre-battre l'influence du Monde, considéré comme « neutraliste ». Le journal démarra avec de puissants moyens : 400 millions avaient été réunis par ses fondateurs, Jacques Dupuy et Philippe Boegner. Une équipe rédactionnelle admirablement dosée, avait été constituée par eux. Elle comprenait cent cinquante journalistes et était dirigée par Philippe Boegner, assisté par André Guérin, qui avait quitté L'Aurore pour prendre les fonctions de rédacteur en chef du nouveau journal. Parmi les rédacteurs chevronnés, on remarquait particulièrement : Dominique Canavaggio, ancien rédacteur à Libération, et qui devint le gendre de Cerf-Ferrière ; Amy Bellot, ancien directeur de Samedi-Soir et de Paris-Matin ; Claude Martial, ancien directeur de l'A.F.T. et ancien rédacteur à Libération ; Raymond Sellier, ancien administrateur de Vu et de La Tribune Economique ; A.-L. Jeune, ancien directeur de Paris-Midi et rédacteur en chef de Paris-Soir ; Albert Ollivier, ancien dirigeant de Combat ; Jean Rigade, ancien directeur des services photographiques de Paris-Match ; Dreux, ancien collaborateur de l'Associated Press ; Jean Kroutchtein, ancien chef des services de l'Agence France-Presse ; Emmanuel Bromberger, frère de Serge et de Merry Bromberger ; Charles Favrel, qui collabora au Monde ; Paul Mousset, jadis à l'Illustration. En prenant ce titre, les fondateurs du Temps de Paris voulaient profiter du renom qui s'attachait encore au grand quotidien de la IIIe République. A vrai dire, ils n'étaient pas les seuls à avoir songé à ressusciter Le Temps. Plusieurs tentatives avaient eu lieu. La dernière en date, celle de la Sté d'Etudes et d'Exploitations de la Presse Quotidienne et Périodique (S.E.E.P.P.) avait été inspirée et commanditée, en décembre 1951, par les animateurs de la Sté d'Etudes et d'Informations Industrielles Economiques et Sociales (S.E.D.E.I.S.), une émanation de la Sté d'Etudes Economiques et Sociales, fondée en 1929 par le Comité des Houillères, l'Office des Houillères sinistrées, le Groupement des Houillères du Nord et du Pas-de-Calais, la Société Financière, Industrielle et Minière, la Chambre Syndicale des Usines Métallurgiques et leurs fidéï-commissaires. Mais on en était resté aux projets. Cette fois, on passait aux réalisations. Une Société Parisienne de Presse, d'Information et de Publications, au capital de 400 millions de francs, avait été constituée chez

Me Champetier de Ribes, notaire à Paris, le 15 mars 1956. Les fondateurs-souscripteurs étaient au nombre de vingt :

Philippe Boegner, 3 000 000 de frs ; Georges Morisot, animateur de l'*Association pour la Libre Entreprise* (présidée par Georges Villiers, le président du *C.N.P.F.*), 20 000 000 de frs ; Michel, Victor, Etienne, René Bouvet, associé de la maison *Bouvet-Ponsar et Cie* (bois, chaux et ciments) et gérant de la Sté *Ponsar et Cie*, 5 000 000 de frs ; Jean du Bois de Montulé, directeur de sociétés, 2 000 000 de frs ; Jacques Dupuy, fils de feu Paul Dupuy, ancien sénateur, neveu de Pierre Dupuy, ancien député de l'Indre et beau-frère du prince Guy de Polignac, président de la *Sté d'Editions du Petit Parisien* ainsi que de la *Sté Excelsior Publications* (éditrice avant la guerre du quotidien *Excelsior* et actuellement de la revue *Science et Vie*), et administrateur des *Papeteries de la Seine* et du *Terrazzolith*, 100 000 000 de frs ; Jean Lebreton, importateur, 5 000 000 de frs ; Jean-Baptiste, Georges Sierro, secrétaire général administratif, 5 000 000 de frs ; *Excelsior-Publications*, 5 000 000 de frs ; Antonin Coulaudon, ancien associé de la *Sté Française Franco-Tchèque d'Exportation, d'Importation et de Commission* (commerce avec Prague), gérant du *Comptoir Electro-ménager d'Auvergne* et membre du Comité consultatif de la Sté *Le Colis de France*, 5 000 000 de frs ; Robert André, frère de Serge André (ancien collaborateur de Valois au *Faisceau* et ancien membre du *P.P.F.*), président d'honneur d'*Esso Standard*, administrateur de la *Française des Pétroles*, de la *Radiotechnique* et de *Philips Eclairage Radio*, président de l'*Union des Chambres Syndicales de l'Industrie du Pétrole*, ancien dirigeant de la *Spidoléine*, 60 000 000 de frs ; Robert Puiseux, gendre de l'industriel Michelin, gérant des *Etablissements Michelin* et de la *Manufacture Française des Pneumatiques Michelin* et président de la *Société André Citroën*, 20 000 000 de frs ; Roger Mouton, administrateur de la *Banque Hoskier* et président de la *Société Technique d'Etudes Industrielles et Commerciales*, associé de la Sté *Bazy, Cazes, Denivelle, Dhavernas, Favre-Gilly, Meynial et Mouton*, 60 000 000 de frs ; Henry Dhavernas, de la banque *Worms et Cie*, administrateur, gérant ou associé de l'*Omnium France Etranger*, de la *Cie Française de Transactions Internationales*, de *G.E.T.C.O.*, de la *Sté Financière d'Etudes, de Participation et de Gestion*, de la *S.A. Universal Travellers Diner's Club de France*, de la *Sté Commerciale de Développement Industriel pour la France et*

l'Etranger, de la *Sté Montagnac Amérique Distribution*, de la *Sté Oxy-France*, de la *Sté Kinéo*, de la *Sté Bazy, Cazet, Denivelle, Dhavernas, Favre-Gilly, Meynial et Mouton*, etc., 5 000 000 de frs ; le duc François, Charles d'Harcourt, ancien député du Calvados (1929-1942), président de la *Sté Agricole Viticole Agrumicole de Meknès* et de la *Sté de l'Ouest Marocain*, 40 000 000 de frs ; le marquis Oswen de Keroüartz, ancien député des Côtes-du-Nord, membre du Conseil de surveillance de la *Sté Bazy, Cazes, Denivelle, Dhavernas, Favre-Gilly, Meynial et Mouton*, 20 000 000 de frs ; le comte Yan de Keroüartz, ingénieur des Eaux-et-Forêts (frère du précédent), 20 000 000 de frs ; Paul Dumont, 10 000 000 de frs ; Léonce Febvrel, industriel, dirigeant de la *Sté pour l'application des produits plastiques*, 5 000 000 de frs ; Jacques Rouvier, fils du diplomate Charles Rouvier, président des *Entrepôts frigorifiques Louis-Blanc*, administrateur de la *Banque L.G. Beaubien* (du Canada), de la *Sté Industrielle des Produits Alimentaires*, de la *Caisse de Garantie Mutuelle des Transports Routiers* et des *Laiteries Amiot*, 5 000 000 de frs ; Yves Gautier, gérant de la *Sté Commerciale de Développement Industriel pour la France et l'Etranger*, de l'*Omnium France-Etranger*, de la *G.E.T.C.O.*, administrateur de la *S.A. Universal Traveller Diner's club de France*, etc., 5 000 000 de frs. En moins de trois mois, ces 400 millions d'anciens francs s'étaient volatilisés et, avec eux, beaucoup d'autres. Dans son 66e numéro, *Le Temps de Paris* prenait congé de ses lecteurs (cf. « *La Haute Banque et les Trusts* », par Henry Coston, Paris 1958 ; un chapitre entier du livre est consacré à cette curieuse entreprise).

TEMPS PRESENT.

Hebdomadaire démocrate-chrétien fondé en 1937. Il avait succédé, en quelque sorte, à *Sept*, dont la publication fut suspendue après un désaveu de l'épiscopat. « *Coupez un arbre vivant*, écrivait dans son n° 1 François Mauriac, *la souche se hérisse de rejets. Sept a disparu en pleine vie. Temps présent naît gonflé de la même sève.* » Les abonnés de *Sept* reçurent *Temps présent*, dont les rédacteur étaient, pour la plupart, ceux de son devancier. Directeur : Stanislas Fumet. Collaborateurs : François Mauriac, Pierre-Henri Simon, Daniel-Rops, Gabriel Marcel, Joseph Folliet, Maurice Carité, Henri Pourrat, Georges Hourdin, Léon Boussard, René Moreux, Jacques Madaule, Charles Du Bos, Louis Gillet, Jacques Maritain, François Perroux, etc. Après l'armistice, le journal parut quelques mois à Lyon, sous la même direction, mais avec un nouveau titre : *Temps nouveaux.* Y collaboraient : Joseph Hours, Jean Lacroix, Emmanuel Mounier et, sous le pseudonyme de Sirius, le futur directeur du *Monde,* Hubert Beuve-Méry. Le journal suspendit sa publication le 15 août 1941. Il reparut à la Libération, avec André Frossard comme rédacteur en chef, et, jusqu'en 1946, fut un partisan du général De Gaulle qui avait donné son adhésion aux « *Amis de Temps présent* » avant la guerre (cf. *Temps présent,* 26-8-1944). Mais au bout de quelques années et malgré un changement de titre — il s'appela *L'Amitié française* à partir du 24 janvier 1947 —, il disparut définitivement au printemps de la même année. *Témoignage Chrétien,* créé dans la clandestinité par d'anciens rédacteurs ou amis de *Temps présent* (dont S. Fumet), prit la place qu'il avait occupée.

TERRE (Henri).

Industriel, né à Paris, le 16 février 1900. Maire de Troyes. Conseiller général et président du Conseil général de l'Aube. Candidat aux élections de 1956 dans l'Aube sur la liste des indépendants-paysans d'A. Mutter. (Battu.) Fut député Indépendant-Paysan de l'Aube (2ᵉ circ.) de 1962 à 1967. Inscrit au groupe des *Républicains Indépendants.*

TERRE (La).

Hebdomadaire agricole du *P.C.F.,* dirigé par Waldeck Rochet, l'actuel secrétaire général du parti (5, rue du Faubourg-Poissonnière, Paris).

TERRE DE CHEZ NOUS (La).

Hebdomadaire paysan fondé en 1948 par une équipe qui le dirige encore. Henri Chatras en est le président, Joseph Ligier, le rédacteur en chef, et Louis Pourchet, le directeur. Le premier, conseiller économique et social, préside la Chambre d'Agriculture et la *Caisse Régionale de Crédit Agricole Mutuel.* Le journal est de tendance libérale et défend le point de vue traditionnel et chrétien. Sa direction annonce un tirage de 20 000 exemplaires (5, square Saint-Amour, Besançon).

TERRE ET LIBERTE.

Organe de la *Ligue pour la Réforme foncière,* animée par Daudé-Bancel.

TERRE NOUVELLE.

Fondée en 1935. Organe des chrétiens révolutionnaires. Arborait la croix, la faucille et le marteau. Dirigée par Henri Tricot, André Philip et Maurice Laudrain. Etait le mensuel du *Front Révolutionnaire des Chrétiens Socialistes et Communistes.* (Voir aussi : *Le Socialiste chrétien,* et *Communistes chrétiens.*)

TERRE RETROUVEE (La).

Journal bi-mensuel des sionistes de France, fondé par Joseph Ariel en 1928 et dirigé par une équipe de journalistes israélites composée essentiellement de : J. Jefroykin, directeur de la publication, Paul Giniewski, secrétaire général de la rédaction, S. Szejner, gérant, Anne-Marie Gentily, Daniel D. Gerson, Nicole Reich, etc. Disparu pendant la guerre, a repris sa publication après la Libération. (12, rue de la Victoire, Paris-9ᵉ.)

TERRENOIRE (Louis).

Journaliste, né à Lyon, le 10 novembre 1908. Ancien gendre de Francisque Gay (directeur de *La Vie Catholique,* ancien ministre *M.R.P.,* ancien ambassadeur). Ancien secrétaire général de l'Union du Sud-Est des syndicats chrétiens (1928). Rédacteur en chef de *la Voix Sociale,* puis du *Nouveau Journal* de Lyon (1930-1931). Secrétaire de rédaction de *l'aube* (1932-1939). Secrétaire du *C.N.R.* (1943). Arrêté et déporté à Dachau (1944). Rédacteur en chef de *l'aube* (1944-1945). Ancien administrateur de la Société du journal *Ce Matin* (1947). Ancien directeur d'*A Présent* (1948). Député *M.R.P.* de l'Orne aux deux Assemblées Constituantes (octobre 1945-novembre 1946). Réélu député (novembre 1946). Au cours de la discussion sur les entreprises de presse confisquées à leurs légitimes propriétaires, déclara à l'Assemblée : « *On a prétendu qu'au moment de la libération, cette presse (la nouvelle) a pratiqué je ne sais quelles opérations de gangstérisme, qu'elle avait dit :* « *Otetoi de là que je m'y mette.* » *Oui, elle l'a dit et elle en est fière.* » (*Journal Officiel,* débats A.N. 1946, p. 1798.) Adhéra au groupe des *Républicains Populaires Indépendants* (gaullistes) après avoir quitté le *M.R.P.* Battu comme candidat *R.P.F.* dans les Côtes-du-Nord, en juin 1951. Secrétaire général du *R.P.F.* (1951-1954). Directeur du personnel de *Régie Presse* (de M. Bleustein-Blanchet, le « *roi de la Publicité* »). Candidat républicain social en Seine-et-Oise (1ʳᵉ) le 2 janvier 1956 (battu). Directeur des informations et du journal parlé à la R.T.F. (18 juillet 1958). Elu député *U.N.R.* de l'Orne (1ʳᵉ circ.) le 30 novembre 1958. Président du groupe parlementaire de l'*U.N.R.* (mai 1959).

Maire de Céaucé (Orne). Démissionnaire de son mandat de député le 5 janvier 1960, pour devenir ministre de l'Information (cabinet Debré, 1960-1961). Ministre délégué auprès du Premier ministre (cabinet Debré, 1961-1962). Secrétaire général de l'*U.N.R.* (9 mai 1962). Membre de l'*Alliance France-Israël* et du groupe parlementaire de la *L.I.C.A.* Réélu député *U.N.R.* de l'Orne, le 18 novembre 1962. Nommé président du groupe parlementaire d'*Amitié France-Etats-Unis* (juin 1966) ; donna quelques jours plus tard sa démission de l'*Association Française pour la Communauté atlantique.*

TERRIEN (Claude de LA POIX DE FRE-MINVILLE, dit).

Journaliste, né à Perpignan (P.-O.), le 14 septembre 1914, mort à Paris, le 18 janvier 1966. Fils d'un officier de carrière. Il passa son enfance en Algérie et fit ses études aux lycées d'Oran et d'Alger ; il les poursuivit à la faculté de droit de Paris. Avant de devenir journaliste, il fut employé dans l'imprimerie et dans l'édition à Alger (1937-1946), Condisciple de Paul Camus et, comme lui, homme de gauche, il fut rédacteur au *Populaire* après la Libération. En 1954, il entra à *Europe N° 1*, comme critique littéraire, puis devint l'éditorialiste de ce poste, où il défendit avec talent le point de vue gaulliste. Il a publié : « *A la vue de la Méditerranée* », « *Bien sous tous les rapports* », « *Le manège et la noria* », etc.

TERRORISME.

Régime de violence institué par un gouvernement ou par des groupes révolutionnaires ayant pour but de répandre la terreur, non seulement chez l'adversaire que l'on veut intimider, mais aussi dans la population, pour l'impressionner. Sous la Révolution, la Terreur que les *sans-culottes* firent régner sur la France coûta la vie à des milliers de royalistes et de républicains modérés. Au début de la Restauration, la *Terreur blanche* des royalistes fit de nombreuses victimes dans le midi de la France. Les anarchistes de la « *Belle époque* » furent aussi des *terroristes*, mais leurs victimes furent rares. Pendant l'occupation, le gouvernement du maréchal Pétain qualifia de « *terroristes* » les groupes de résistance qui assassinaient ou exécutaient sommairement des *révolutionnaires nationaux*, des *collaborationnistes* ou les fonctionnaires fidèles à Vichy. A la Libération (1944-1945), ces « *terroristes* » poursuivirent leur œuvre de vengeance, et leurs victimes, surtout dans le Midi,

se comptèrent par dizaines de milliers (voir : *Epuration*). Le *terrorisme* fut, également, l'arme des insurgés indochinois et nord-africains contre l'armée et la population françaises. L'*O.A.S.*, enfin, employa ce moyen contre le gouvernement et les partisans du *F.L.N.* ou de l'indépendance algérienne. Le *terrorisme* a ses partisans et ses défenseurs. Francis Jeanson écrivait, en 1960 : « *Les actes terroristes relèvent d'options que les Algériens sont amenés à prendre dans la conduite de la guerre et de la révolution et dont ils sont les seuls qualifiés à assumer la responsabilité.* » (*Le Monde*, du 26-9-1960). Dans « *Nous sommes des rebelles* » (Paris 1945), Idomitus, présentant un recueil d'articles parus dans la presse clandestine, reproduit l'un deux, daté du 15 mars 1944, intitulé : « *Le devoir de tuer* ». En voici des passages : « *Certains d'entre vous ont pu croire, jusqu'à présent, qu'ils pouvaient, au mépris de tout sens de l'honneur, éluder le terible devoir de la guerre. Se croyant protégés par la « finesse d'un Pétain » ou « l'habileté d'un Laval », ils appelaient intensément « terrorisme » tout ce qui ressemblait à la guerre... Le devoir est clair, il faut tuer... Tuer les traitres, tuer celui qui a dénoncé, celui qui a aidé l'ennemi. Tuer le policier qui a aidé de manière quelconque à l'arrestation de patriotes...* » Par contre, Marcel Cachin, dans une affiche placardée pendant l'occupation, condamnait les attentats terroristes (voir : *Cachin*).

TERY (Gustave).

Journaliste, né à Lamballe en 1871, mort à Paris en 1928. Sorti de l'Ecole Normale Supérieure, professeur agrégé aux lycées de Laval, de Roanne et de Laon, il fut révoqué au début du siècle en raison de son attitude à l'endroit du ministre de l'Instruction Publique Chaumié, qu'il devait poursuivre, par la suite, de sa haine vigilante. Il se lança alors dans le journalisme, transforma son petit pamphlet mensuel *L'Œuvre* en hebdomadaire et mena campagne contre le régime, en compagnie d'Urbain Gohier. En même temps, il collaborait au *Journal* ou au *Matin*. Ses évolutions successives : franc-maçon et radical avant 1906, puis antimaçon et antisémite jusqu'en 1914, et, à nouveau, républicain radical à partir de 1915, lui valurent de sérieuses empoignades. A partir de 1915, date à laquelle *L'Œuvre* devint quotidienne, il conserva à son journal une ligne à peu près droite, nettement de gauche et modérément pacifiste, faisant lui-même ouvertement campagne pour la

Les Hommes du jour

Dessin de A. Delannoy   Texte de Flax

Gustave Tery (derrière Bunau-Varilla)
vu par Delannoy

S.D.N. et soutenant Aristide Briand. Il a gardé la direction de *L'Œuvre* jusqu'à sa mort. Son ex-femme, Andrée Viollis, devenue l'épouse de l'écrivain H. d'Ardenne de Tizac, collabora au *Petit Parisien*, à *L'Echo de Paris*, à *Excelsior*, et sa fille, Simone Téry, journaliste d'extrême-gauche, fut rédactrice à *Regards* et à *L'Humanité* et milita au *Comité de Vigilance des Intellectuels Antifascistes*.

TESSIER (Mme André DUBOIS, née Carmen, Clotilde, Julienne).

Journaliste, née à Allaines (E.-et-L.), le 24 juin 1911. A épousé le 13 mars 1961, l'ancien préfet de police André-Louis Dubois (voir à ce nom). Débuta comme vendeuse dans une quincaillerie, puis fut la collaboratrice de Maurice Bourdet au *Poste Parisien*. Après l'armistice, revenue à Paris, entra à *Paris-soir*, où elle travailla sous la direction de Pierre-Antoine Cousteau. La guerre terminée, fut *speakrine* à la R.T.F. Depuis une vingtaine d'années, appartient à la rédaction du groupe de presse *France-soir*, d'abord comme rédactrice à *France-Dimanche*, puis comme *commère* à *France-Soir*. A publié quelques recueils d'histoires *rosses*, dont « *Le Bottin de la Commère* ».

TESSIER (Gaston).

Syndicaliste, né et mort à Paris (1886-1960). Il fut l'un des principaux chefs du syndicalisme chrétien : d'abord secrétaire du *Syndicat des Employés*, puis de l'*Union des Syndicats Chrétiens d'ouvriers* et de la *Fédération Française des Syndicats chrétiens d'employés*, et enfin de la *C.F.T.C.* et de la *Fédération internationale des Syndicats chrétiens d'employés*, il fut élu président de la *Confédération Internationale des Syndicats Chrétiens*. Il appartint quelques années au conseil d'administration du *Crédit Lyonnais* nationalisé. Son action politique s'est exercée dans le sens démocrate-chrétien. Il fut d'ailleurs le collaborateur régulier de diverses revues d'esprit sillonniste entre les deux guerres (*Politique*, *L'Ame Française*, *La Vie Catholique*, *Le Petit Démocrate*, etc.) et le codirecteur du quotidien *L'aube*.

TESSIER (Georges).

Membre de l'enseignement (1894-1966). Originaire du Limousin. Militant socialiste, élu député de la Haute-Vienne en 1936. Ayant voté, le 10 juillet 1940, les pouvoirs constituants au maréchal Pétain, fut déclaré inéligible après la Libération.

TEXCIER (Jean).

Né à Rouen, le 6 octobre 1888, mort à Paris, le 22 mars 1957. Militant socialiste, ancien combattant de la Première Guerre mondiale, peintre de talent, prit une part active à la Résistance sous les pseudonymes de François Berteval, Serge Boze et André Maulnier. Membre du comité directeur du *Mouvement Libération* qu'il avait contribué à créer, rédigea le journal clandestin portant ce titre. Lorsque *Libé-Soir* quotidien parut, en fut le directeur politique. Délégué à l'Assemblée consultative provisoire, puis membre de l'Assemblée constituante. En 1947, présida la *Ligue des Droits des Peuples* et devint, la même année, membre du comité directeur de la *S.F.I.O.* Dirigea également *Gavroche* et collabora régulièrement à *Combat*, au *Populaire*, au *Populaire-Dimanche* et à la presse socialiste régionale.

THERIVE (Roger PUTHOSTE, dit André)

Homme de lettres, né à Limoges, le 18 juin 1891. Fils du colonel Puthoste. Au retour de la guerre de 1914-1918, au cours de laquelle il fut grièvement blessé (croix de guerre, médaille militaire, Légion d'honneur), publia « *Lettres de Guy Patin* » et collabora à divers journaux, dont *Le Nouveau Siècle*. A partir de 1929 et jusqu'en 1942, fut critique littéraire du *Temps*. Après l'armistice, donna en outre des articles au *Petit Parisien* et aux *Nouveau Temps*. A la Libération, fut l'une des victimes du *C.N.E.* Publia alors plusieurs volumes d'une ironie souvent féroce sous divers pseudonymes : Zadok Monteil (« *Francfort - sur - Oise* »), Candidus d'Isaurie (« *Vie de Phocion* », illustré par Ben), Romain Motier, citoyen de Genève (« *Traité de la Délation* », « *Traité de l'Intolérance* »). Utilisa ce dernier pseudonyme dans *Rivarol* pendant de longues années. Collabore ou a collaboré à de nombreux journaux, dont : *France Réelle, Carrefour, Les Ecrits de Paris* et appartient à l'*Union des Intellectuels Indépendants* dont il est vice-président. Outre les livres déjà cités, a publié un très remarquable « *Essai sur les trahisons* », des romans : « *Le plus grand péché* », « *Anna* », « *Sans âme* », « *Le Charbon ardent* », « *Noir et Or* », « *Fils du jour* », « *L'Homme fidèle* », des ouvrages de critique : « *Galerie de ce temps* », « *Le Français, langue morte* », « *Clotilde de Vaux* », « *Querelles de langage* » (3 vol.), « *Procès de langage* », « *La Foire littéraire* », etc.

THEVENIN (Raymond).

Journaliste, né à Désertines (Allier), le 10 juin 1915. Après la Libération, fut successivement : chef du service politique de *La Dépêche de Paris* (1946-1947), attaché de presse au cabinet d'Edouard Herriot (président de l'Assemblée nationale, 1947-1948), rédacteur à *France-Soir* (1947), secrétaire général du journal parlé de la *R.T.F.* et rédacteur en chef de la *Tribune de Paris* (1948-1951), chef de cabinet d'Emile Hugues (secrétaire d'Etat aux Finances, 1951-1952), conseiller technique au cabinet du même (secrétaire d'Etat, chargé de l'Information, 1953), conseiller technique au cabinet d'Emile Claparède (secrétaire d'Etat, chargé de l'Information, 1957-1958), rédacteur en chef à la *R.T.F.* Depuis 1961, chroniqueur politique à *Radio-Luxembourg*. Fut, en novembre 1958, candidat républicain de gauche, dans le VIIIe arrondissement de Paris avec un programme net : « *Le général De Gaulle a créé les conditions nécessaires du rétablissement de la paix en Algérie. L'offre a été faite au F.L.N. d'un cessez-le-feu et d'une communauté politiquement et économiquement solide. Cette offre sera* fatalement *acceptée à*

plus ou moins longue échéance (...) Dans le cadre de ses alliances traditionnelles, et sans en renier aucune, *notre pays doit retrouver le prestige que nos palinodies internes nous avaient fait perdre. La communauté franco-africaine dont chacun peut aujourd'hui saisir la puissante réalité, donnera au monde la mesure de la vitalité nationale. Grâce à cet ensemble, la France entrera dans la communauté européenne avec des atouts...* »

THIBON (Gustave, Ernest).

Homme de lettres, né à Saint-Marcel-d'Ardèche (Ardèche), le 2 septembre 1903. Fils d'un agriculteur ardéchois, Gsutave Thibon n'avait entrepris aucune étude un peu sérieuse lorsque, brusquement, à vingt-trois ans, il eut ce qu'il appela lui-même « *la faim de sa voie* ». Il se mit à lire : les bibliothèques de ses voisins y passèrent et, seul, il apprit le latin, le grec, l'anglais, l'allemand, l'italien, l'espagnol. Cet autodidacte rencontra Jacques Maritain qui lui donna le goût d'écrire ; les *Cahiers de Philosophie thomiste* accueillirent son article. Par la suite, Henri Massis et Gabriel Marcel l'encouragèrent. C'est ainsi que, selon le mot de Pierre Langevin du *Courrier d'Angers*, Gustave Thibon est devenu « *notre Montaigne chrétien, aussi indépendant, aussi curieux, aussi épris de voyages, d'observations, de lectures, aussi spontané et coloré dans son style que l'auteur des « Essais ». Mais avec, en plus, le goût non seulement de la vérité, mais de la vérité essentielle, c'est-à-dire divine.* » En quarante ans, Gustave Thibon a publié des milliers d'articles — notamment dans : *Idées*, « revue de la Révolution nationale », *La Nation Française* — et plusieurs livres : « *Diagnostics* », « *Echelle de Jacob* », « *Le Pain de chaque jour* », « *Nietzsche ou le déclin de l'esprit* », « *Notre regard qui manque à la lumière* », « *Vous serez comme des dieux* », qui lui valurent un Grand Prix de littérature de l'Académie française en 1964. Littérateur engagé — son œuvre le montre — Thibon n'a jamais hésité à payer de sa personne et à donner l'exemple. Aussi le trouve-t-on à la direction d'organismes aussi nettement marqués que le *Centre Français de Synthèse*, à Vichy en 1942, le *Centre Français de Sociologie*, fonctionnant à Paris, sous l'égide de la revue *Itinéraires*, ou l'*Alliance Jeanne d'Arc*, présidée par le général Weygand.

THIERRY D'ARGENLIEU.

Les Thierry d'Argenlieu appartiennent

à une famille picarde dont les membres, aux XVIIIe et XIXe siècles, se distinguèrent principalement dans les douanes. Olivier Thierry d'Argenlieu était, en 1907, contrôleur général de la Marine. Ses fils Olivier, René et Georges embrassèrent la carrière des armes : le premier fut général ; le second (gendre de l'amiral Guépratte) fut capitaine de vaisseau ; le troisième, entré dans les ordres, fut également officier de marine (de réserve) et devint amiral à la Libération et, en outre, Grand Chancelier de la Légion d'Honneur. Le cousin de ces derniers, Philippe Thierry d'Argenlieu, né à Bordeaux le 25 septembre 1892, fut élu à la 1re Constituante (1945) et appartient au Sénat (ex-Conseil de la République) depuis 1951. Maire de Coulonge, il est un gaulliste fidèle, inscrit à l'*U.N.R.-U.D.T.* depuis le début. Si les Thierry d'Argenlieu ne semblent figurer dans aucun annuaire de la noblesse, leur famille par contre est inscrite dans le « *Recueil de la Bourgeoisie ancienne* ».

THIERS (Louis, Adolphe).

Homme politique et historien, né à Marseille en 1797, mort à Saint-Germain-en-Laye en 1877. Ce petit homme, que ses adversaires avaient surnommé « le foutriquet », connut un destin à la hauteur de son ambition effrénée. La caricaturiste Daumier l'a magistralement campé en gnome hydrocéphale, au rire diabolique et aux doigts crochus. Il voyait grand, en tout. Son « *Histoire de la Révolution* » comprend dix volumes, et son « *Histoire du Consulat et de l'Empire* », une vingtaine. Les manuels scolaires, du cours élémentaire jusqu'aux facultés, lui accordent une telle place qu'il nous paraît superflu de reprendre ici, dans l'ordre chronologique les étapes successives de sa prodigieuse ascension, depuis l'hôtel borgne où il séjourna à son arrivée à Paris jusqu'à la présidence de la République, en passant par l'Académie française. Le labyrinthe de ses circonvolutions politiques défie tous les fils d'Ariane. Les historiens s'y perdent et s'y heurtent. Cet ancien carbonaro (1)

(1) Il fut publiquement accusé d'avoir été initié dans une *vente* (loge) de carbonari par *La Provence* (1-12-1872), journal paraissant à Aix où il passa sa jeunesse et fit ses premières armes dans la presse. On lui rappelait, dans l'article, cette déclaration de Michel de Bourges devant le 15e Bureau de l'Assemblée nationale en 1849 : « *Tous deux élèves en droit, nous jurâmes, M. Thiers et moi, haine à la Monarchie avec cette circonstance assez piquante : M. Thiers tenait le crucifix quand j'ai prêté serment et je tenais le même crucifix quand M. Thiers a juré haine à la Monarchie.* » L'intéressé, mis au courant par ses amis, ne protesta pas davantage contre cette publication qu'il n'avait démenti les

devenu, sous la monarchie de Juillet, ministre puis président du Conseil, pleura au départ du roi, se rallia à la candidature de Louis Napoléon, prit pour cible les Républicains, s'affirma anti-bonapartiste dès qu'il sentit le vent tourner... Arrêté le 2 décembre, il fut libéré dès le lendemain, vécut quelques mois dans un exil doré pendant que des milliers de déportés allaient croupir dans les chiourmes de Cayenne ou d'Algérie. Après la capitulation et l'effondrement de l'Empire, devenu chef du pouvoir exécutif (2), il dirigea la répression de la Commune de Paris avec cette rigueur implacable qu'il avait montrée sous la monarchie dans les représailles contre les canuts de Lyon et lors du massacre de la rue Transnonain. Il était cependant l'homme qui avait déclaré, le 17 janvier 1848, à ses collègues de la Chambre : « *Je suis du parti de la Révolution tant en France qu'en Europe.* » Mais sans doute, dans son esprit, ne s'agissait-il que de la Révolution bourgeoise, celle qui avait renversé la monarchie traditionnelle pour lui substituer un régime où l'argent serait roi (voir : *Bourgeoisie*). Renversé le 24 mai 1873, il en appela au jugement de l'Histoire. Depuis quelque cent ans, les historiens ont répondu, innombrables, tantôt pour l'encenser, tantôt pour l'accabler. Il serait vain de s'évertuer à extirper de ces témoignages contradictoires des conclusions savamment équilibrées entre le réquisitoire et l'apologie. On ne saurait, pensons-nous, mieux servir la vérité qu'en glanant dans l'un et l'autre champ.

Cette autocritique, en exergue : « *Je ne suis et ne serai jamais sage ; les passions me dévorent.* » (Lettre à Séverin Benoit.)

« *Sa formule était celle d'une République sans républicains. Ministre du dernier de nos rois, jadis familier de Talleyrand, ce vieillard illustre a, si l'on veut, cautionné la République.* » (Maurice Reclus.) « *Ce parodiste de Napoléon !* » (Lamartine.) « *Sa capacité et son courage étaient hors de doute, mais, vainqueur de l'insurrection, il manqua de générosité.* » (André Maurois, « *Histoire de France* ».) « *Ce bon serviteur du pays n'en fut pas moins congédié alors qu'il avait tout juste eu le temps de mettre de l'ordre dans la maison.* » (Jo-

révélations du *Crédit*, de *La Presse* et de *L'Opinion publique* lorsque ces journaux avaient enregistré, en 1849, ces souvenirs de Michel de Bourges.
(2) Il importe de souligner que Thiers, nommé « chef du pouvoir exécutif » le 16 février 1871, ne se vit conférer le titre de président de la République que le 31 août suivant (vote du projet Rivet).

seph Caillaux, « *Souvenirs de ma vie* ».)
« *Thiers était le type du bourgeois borné
et féroce qui s'enfonce dans le sang sans
broncher.* » (Georges Clemenceau, in
Clemenceau par lui-même », par Jean
Martet.) « *Un homme qui, dans une longue carrière, a rendu d'immenses services à la France, libéré le territoire,
remis le pays sur pied ; mais il a donné
sous Charles X et Louis-Philippe, le
spectacle des plus cyniques reniements.
Il avait dit en 1830 « que la République
finirait dans le sang et l'imbécillité ». Il
déclarait quelques mois après, qu'il était
du parti de la Révolution.* » (André Tardieu, « *La Profession parlementaire* ».)
Egon César comte Corti, a apporté, dans
son « *Histoire de la maison Rothschild* »
des révélations troublantes sur les conditions dans lesquelles se déroulèrent, à
Versailles, les « *pourparlers préliminaires de paix* ». Les délégués français
jugeant les propositions de Bismarck
« *tout à fait nouvelles et d'une technique
compliquée* », Thiers sollicita l'autorisation d'en appeler à la compétence du
banquier de Rothschild. Le « chancelier
de fer », d'abord réticent, se laissa convaincre et on expédia un télégramme au
financier israélite. Celui-ci arriva le
25 février, et Thiers le mit aussitôt au
courant des exigences des Prussiens.
« *Les Rothschild*, poursuit l'historien,
*participèrent dans une large mesure aux
pourparlers qui aboutirent à la signature
définitive de la paix, Thiers et Favre
sachant qu'il y avait, derrière eux, tous
leurs cousins des autres grandes places
d'Europe. C'est ainsi qu'ils réussirent
non seulement à sauvegarder leur position et leur fortune, mais à se tailler dans
la vie politico-financière de la IIIᵉ République un rôle considérable* (1). » En
1938, un nouveau témoignage vint encore
passionner le débat entre partisans et
adversaires du « libérateur du territoire ». Dans un volumineux recueil consacré à la correspondance de Gambetta,
les auteurs, Daniel Halévy et Félix Pil-
las, faisaient état d'une lettre, inédite,
adressée par le tribun, avec la mention
« *expressément confidentielle* », à son
ex-condisciple et ami Léon Gallouye :
« *Je partage pleinement*, écrivait Gambetta, *ton opinion sur la valeur patriotique et les efforts libérateurs du chef de
la bourgeoisie française (...) Ceci pour te
dire que tu peux citer le propos, si cela
te plaît, mais jusqu'à ce que le moment
propice soit venu, je te prie de ne pas
citer mon nom. Le moment viendra où*

---

(1) La première entrevue entre Jules Favre et
Bismarck s'était déroulée à Ferrières, près de
Meaux, dans le château des Rothschild.

*nous pourrons tout raconter sur ce qui
s'est passé entre moi et lui dans le salon
de Crémieux.* » Nous ne connaissons pas,
notaient avec désolation les auteurs de
l'ouvrage, *le propos* qui fait l'objet de la
lettre ci-dessus. Nous avons fait en sorte
de combler cette lacune : l'entrevue dans
le salon de Crémieux se déroula la veille
du jour où Thiers se rendit à Versailles
pour demander un armistice à Bismarck.
Le « foutriquet » voulait qu'on l'autori-
sât à signer la paix coûte que coûte.
Gambetta exprima son indignation en
tapant du poing sur la table. Exaspéré,
Thiers s'exclama : « *Peuh ! Peuh ! Qu'est-
ce que cela nous fait, les Alsaciens-Lor-
rains ? Ils étaient allemands ! Eh bien !
ils redeviendront allemands ! C'est le
jeu de la guerre.* » Ce propos déconcer-
tant — c'est le moins qu'on puisse dire
— fut publié par Léon Gallouye dans
Le Nouvelliste de Bordeaux, avec la lettre « inédite » de Gambetta, en août
1884. L'hebdomadaire catholique *Le Clocher* reprit les deux textes le 18 septembre suivant, en les faisant suivre de ce
commentaire : « *Gambetta, on le voit,
n'hésita pas à dire ce qu'il pensait du
patriotisme de M. Thiers. Il n'a donc pu
lui décerner dans la séance du 16 juillet
1877, illustrée par l'imagerie d'Epinal, le
titre de Libérateur du territoire. Cette
lettre est un document historique.* » On
aurait mauvaise grâce à le contester.
Indiquons, simplement, qu'au moment de
la publication de ce document (historique) ni Léon Gallouye, ni *Le Clocher* ne
risquaient de s'attirer un démenti de
Thiers ou de Gambetta : le premier était
mort depuis sept ans, le second depuis
deux.

THILLARD (Paul-Jean).

Médecin, né à Arras (P.-de-C.), le
19 mars 1911. Pédiatre des hôpitaux.
Elu conseiller municipal de Tarbes en
1947 et adjoint au maire en 1959. Fut
député *U. N. R.* des Hautes-Pyrénées
(2ᵉ circ.) de 1962 à 1967.

THIVRIER (Joseph, Isidore).

Distillateur, né à Commentry (Allier)
le 5 octobre 1874, mort pour la France
à Natzwiller-Struthof (Allemagne), le 5
mai 1944. Fils d'un boulanger. Militant
socialiste, élu député de l'Allier en 1924
et constamment réélu jusqu'à la guerre.
Vice-président du Conseil général de
l'Allier. Nommé le 23 janvier 1941 membre du *Conseil National*.

THOMAS (René).

Industriel, né à Paris le 23 août 1911.
Conseiller municipal de Paris et conseil-

ler général de la Seine (1947-1965). Ancien vice-président des deux assemblées (municipale et départementale). Candidat du *Centre National des Indépendants et Paysans.* Président d'honneur de l'*Union des Commerçants* des VIIIᵉ et XVIIIᵉ arrondissements et des *Vieux de Montmartre.* Ancien président du *Comité extra-municipal de Défense contre l'Arbitraire fiscal.* Président du *Centre d'Action Sociale de la Région Parisienne* et de la *Ligue Nationale pour la protection de l'enfance martyre.* Ancien directeur de *La Commune moderne.* Directeur de *L'Indépendant de Montmartre.*

THOMAZO (Jean, Robert).

Officier supérieur, né à Dax, le 14 janvier 1904. Elève de l'Ecole spéciale de Saint-Cyr ; officier de tirailleurs algériens pendant la guerre du Rif. Prit part à la campagne d'Italie (1944) où il fut blessé à la face (surnommé : « *Nez de cuir* »). Combattit ensuite en Indochine (1946-1953). Plus tard, successivement : chef d'Etat-Major de la 25ᵉ division d'infanterie aéroportée, chef d'Etat-Major de la division d'Alger, puis du corps d'armée d'Alger, commandant militaire de Corse (juin 1958). Participa à l'action de mai 1958 en Algérie et devint membre du *Comité de Salut Public d'Algérie.* Partisan du « oui » en septembre 1958, se fit élire député *U.N.R.* des Basses-Pyrénées en novembre de la même année et fut porté à la vice-prsidence de l'Assemblée nationale. Hostile à la politique algérienne du général De Gaulle, démissionna de l'*U.N.R.* en octobre 1959 et s'inscrivit au groupe *Unité de la République.* Présida le *Front pour l'Algérie française* (1960) et participa au *Colloque* de Vincennes (même année). Fut en 1964-1965 l'un des dirigeants du *Comité Tixier-Vignancour* où ses interventions contre le Grand Capital cosmopolite furent particulièrement remarquées. Appartient aujourd'hui au bureau de l'*Alliance Républicaine pour les Libertés et le Progrès.*

THOME-PATENOTRE (Jacqueline).

Parlementaire, née à Paris, le 3 février 1906. Fille d'André Thome, ancien député de Seine-et-Oise (1914-1916) et ex-épouse Raymond Patenôtre, ancien ministre. Sénateur radical-socialiste de Seine-et-Oise (1946-1948), sous-secrétaire d'Etat à la Reconstruction et au Logement (cabinet Bourgès-Maunoury, 14 juin-5 novembre 1957), déléguée à l'Assemblée parlementaire européenne (1958), ancien Président du *Mouvement européen des élus locaux.* A été élue député de Seine-et-Oise (17ᵉ circonscription : Rambouillet), le 30 novembre 1958 et réélue le 25 novembre 1962 (inscrite au groupe du *Rassemblement démocratique*). Vice-présidente du groupe des députés-maires (janvier 1959) et membre du Comité directeur de l'*Association des maires de France.* Vice-présidente de l'Assemblée nationale (octobre 1960-juillet 1961, et avril 1962-mars 1964). Secrétaire générale du *Rassemblement des femmes républicaines,* ancienne présidente du groupe parlementaire d'*Amitié France-Etats-Unis* ainsi que de l'*Entente Démocratique.* Directrice des *Nouvelles de Rambouillet.* Maire et conseiller général de Rambouillet. Favorable au *oui* en septembre 1958, a pris par la suite une attitude nettement hostile au pouvoir personnel, notamment au sein du *Rassemblement des Gauches Républicaines,* et au bureau national du *Parti Radical et Rad.-Socialiste.* Réélue député en 1967.

THOREZ (Maurice).

Homme politique né à Noyelles-Godault (P.-de-C.) le 28 avril 1900. Fils de mineur, lui-même ouvrier aux mines de Noyelles-Godault, il milita très jeune au *P.C.* et, nommé secrétaire de la Fédération communiste du Pas-de-Calais, il devint, ainsi qu'il l'écrivit lui-même, « *un permanent du Parti, un « révolutionnaire professionnel* ». En 1924, il était favorable au trotskysme et entretenait des rapports suivis avec Boris Souvarine, allant jusqu'à lui promettre par écrit son appui pour la création du très « déviationniste » *Bulletin communiste.* A la même époque, il entra au Comité Central du *P.C.F.* et, en 1925, au Bureau Politique. Sa fidélité au Komintern lui valut la confiance de ses amis russes et français : en 1930, il fut nommé secrétaire du parti. Elu député de la Seine (6ᵉ circ.), le 8 mai 1932 et réélu le 26 avril 1936, il devint secrétaire général du P.C.[1] en même temps que l'un des *leaders* du Front populaire. Il scella alors la réconciliation des communistes et des francs-maçons en acceptant d'aller faire une conférence à la loge « *Les Amis de l'Humanité* », le 20 novembre 1936 (finalement il se fit remplacer par son ami et collaborateur le député Florimond Bonte). Comme tout le *Parti communiste,* il fut antimilitariste et pacifiste jusqu'en 1935 : « *Nous ne voulons pas croire un seul instant à la défense nationale* », déclarait-il à la Chambre le 15 juin 1934. Et il ajoutait, l'année suivante : « *Je veux répondre à*

---

(1) Bien qu'on ait dit que Maurice Thorez était secrétaire général du *P.C.* depuis 1930, on ne trouve aucune pièce antérieure à 1936 faisant mention de ce titre.

l'affirmation que l'on a produite à cette tribune : « Les travailleurs de France se lèveraient pour résister à une agression hitlérienne ». Nous ne permettrons pas qu'on entraîne la classe ouvrière dans une guerre dite de défense de la démocratie contre le fascisme... Nous sommes résolus à accomplir sans défaillance et en dépit de la répression, la tâche antimilitariste. » Après le voyage du président Laval à Moscou, l'attitude de Maurice Thorez changea. Le communiqué publié par le Kremlin le 15 mai venait de préciser que *« Staline comprend et approuve pleinement la politique de défense nationale faite par la France ».* Aussi, le leader communiste affirmera-t-il le 17 octobre 1935, devant le comité central du parti : *« Le seul fait que nous sommes prêts à utiliser les contradictions internationales pour obtenir, dans tous les cas, la victoire des armées soviétiques, signifie que nous envisageons avec beaucoup de calme la possibilité d'une guerre. »* Le *« tournant patriotique »* s'accentua et, tandis que la presse communiste participait à la campagne d'excitation à la guerre, Thorez déclara le 21 novembre 1938, à la réunion du comité central du Parti : *« Défendre la France contre Hitler comporte en ce moment une signification très précise pour la classe ouvrière... Défendre la France contre Hitler, c'est être fidèle à l'internationalisme prolétarien. »*

La position « patriotique » du secrétaire général du *Parti communiste* ne l'empêchera nullement, après la conclusion du pacte Hitler-Staline, de suivre la ligne du Komintern. Mobilisé le 3 septembre 1939 au 3ᵉ Génie cantonné à Chauny, dans l'Aisne, il quitta son unité le 4 octobre et fut porté déserteur deux jours plus tard. Pris en charge par l'appareil clandestin du parti, Maurice Thorez traversa la frontière en compagnie de Marthe Desrumeaux et de la femme du député Ramette, et il s'installa en Belgique. Le 20 octobre, il donna une interview au quotidien communiste anglais *Daily Worker* où, à la question : *« Que penses-tu de la guerre ? »,* il répondait : *« Les forces de la réaction en France, Daladier aussi bien que les chefs qui ont trahi le Parti socialiste, expriment toutes la même fureur devant la dénonciation que nous avons faite des buts impérialistes de la guerre imposée au peuple français. Ils ont tous l'impudence de mettre en avant leurs sentiments antihitlériens pour s'en servir comme d'une excuse dans l'espoir de tromper les ouvriers. Des hommes sont tués et on se prépare à en faire tuer*

— J'ai fait don de sa personne à la France.
(Caricature de Ben)

davantage pour la défense des coffres-forts des capitalistes. Les communistes luttent de toutes leurs forces contre la guerre impérialiste... » En Belgique, Thorez devait être hébergé par un centre clandestin servant de relai entre la France, l'Italie et la Suède, que dirigeait Fried, dit Albert, délégué du Komintern auprès du *P.C.F.* depuis 1933. Mais les polices française et belge veillaient, et le leader communiste français faillit être arrêté. Il échappa de justesse aux policiers, abandonnant Marthe Desrumeaux qui fut ramenée en France et incarcérée à la prison de Loos. Rentré clandestinement en France avec Jeannette Vermeersch et Ramette, fut hébergé avec eux à l'ambassade soviétique à Paris. De là, sous la conduite d'un secrétaire de l'ambassade et toujours accompagné de sa femme et de Ramette, il gagna Annemasse, passa en Suisse et fut pris en charge par Léon Nicolle, dirigeant du *Parti du Travail* (communiste) à Genève. Les clandestins furent logés chez une parente de Nicolle à Soleure, de décembre 1939 à mars 1940. La présence de Thorez ayant été décelée par la police française, les autorités helvétiques exigèrent le départ du réfugié. Celui-ci partit pour Zurich où il se cacha chez un militant communiste, dans la cité des cheminots. Des négociations furent alors engagées avec les autorités allemandes pour obtenir le transit de Thorez et de ses amis à travers l'Allemagne jusqu'à la frontière soviétique. On crut longtemps que cette autorisation allemande avait été accordée, ce qui accrédita la version du départ pour l'U.R.S.S. à travers l'Allemagne ; mais en réalité les négociations n'aboutirent pas. Thorez et ses compa-

De juin 1940 à décembre 1944, Maurice Thorez, sa femme et Arthur Ramette demeurèrent en U.R.S.S. Le secrétaire général du *P.C.F.* habita non loin de Moscou, à Kunsevo et à Oufa, sous le pseudonyme d'Ivanov. Il portait également la barbe. Ce « camouflage » faisait dire à André Marty que Thorez était

---

1128   JOURNAL OFFIC|

ORDONNANCES

Ordonnance du 28 octobre 1944 concernant l'octroi de la grâce amnistiante aux personnes ayant fait l'objet de certaines condamnations militaires.

Le Gouvernement provisoire de la République française,

Sur le rapport du garde des sceaux, ministre de la justice,

Vu l'ordonnance du 3 juin 1943 portant institution du Comité français de la libération nationale, ensemble les ordonnances des 3 juin et 4 septembre 1944 ;

Le comité juridique entendu ;

Ordonne :

Art. 1er. — Le bénéfice de la grâce amnistiante pourra être accordé à toutes personnes condamnées pour infraction aux articles 193 à 198 du code de justice militaire pour l'armée de terre, et 192 à 198 du code de justice militaire pour l'armée de mer, commise avant le 17 juin 1940, lorsque les intéressés auront pris postérieurement une part très active dans la résistance à l'ennemi de la nation française.

Art. 2. — La présente ordonnance sera publiée au *Journal officiel* de la République française et exécutée comme loi.

Fait à Paris, le 28 octobre 1944.

C. DE GAULLE.

Par le Gouvernement provisoire de la République française :

Le garde des sceaux, ministre de la justice,
FRANÇOIS DE MENTHON.

Le ministre de la guerre,
A. DIETHELM.

Le ministre de la marine,
LOUIS JACQUINOT.

Le ministre de l'air,
CHARLES TILLON.

Extraits du Journal Officiel

gnons revinrent donc en France où ils furent, à nouveau, hébergés par l'ambassade soviétique à Paris. Entre-temps, le centre clandestin de Bruxelles avait été consolidé, et les relais avec la Hollande et la Suède fonctionnaient d'une manière satisfaisante. Le groupe Thorez fut donc, une nouvelle fois, pris en charge par l'appareil soviétique et dirigé sur Bruxelles (mai 1940). De la capitale belge, sous la direction de Fried et avec l'aide de ses services, il gagna Stockholm d'où il s'envola pour Léningrad. Rentré à Bruxelles, Fried fut, à quelque temps de là, abattu à la mitraillette par un inconnu.

Art. 2. ·
publiée a
que franç

Fait à P

Par le
Républ|
Le garde d

Ordonnan
à la cr
tution (

Le Gouv
blique fra

Sur le
publiés et
Vu l'or
institution
tion nati
des 3 jui
Vu l'or
au rétabl
caine su
Le com

Ord

Art. 1er.
travaux p
vice cen|
communi(

Ce serv
1° D'éta
truction d
de contrô|
vus par c|
2° De d
nécessaire
3° De r|
vaux publ
organisme
mission d|
4° D'ass
alliées so|
ral aux r
les questi
des voies

---

7 Novembre 1944   JOURNAL OFFICI|

Décrète :

Art. 1er. — M. Capitant, ministre de l'éducation nationale, est chargé de l'intérim du ministère de la justice, pendant l'absence de M. François de Menthon.

Art. 2. — Le présent décret sera publié au *Journal officiel* de la République française.

Fait à Paris, le 2 novembre 1944.

C. DE GAULLE.

Par le Gouvernement provisoire de la République française :

Le garde des sceaux, ministre de la justice,
FRANÇOIS DE MENTHON.

Décret du 6 novembre 1944 accordant le bénéfice de la grâce amnistiante.

Le Gouvernement provisoire de la République française,

Vu l'ordonnance du 10 septembre 1943 modifiée par celle du 24 novembre 1943 sur l'exercice du droit de grâce ;

Vu l'ordonnance du 28 octobre 1944 concernant l'octroi de la grâce amnistiante aux personnes ayant fait l'objet de certaines condamnations militaires ;

Sur le rapport du garde des sceaux, ministre de la justice,

Décrète :

Art. 1er. — Le bénéfice de la grâce amnistiante est accordé aux ci-après nommés :

Barre (Emile), condamné le 1er avril 1940 par le 1er tribunal militaire de Paris à six mois d'emprisonnement pour désertion à l'intérieur en temps de guerre ;

Gabrois (Marc), condamné le 15 mai 1940 par le 1er tribunal militaire de Paris à six mois d'emprisonnement pour désertion à l'intérieur en temps de guerre ;

Lamidey (René), condamné le 4 avril 1940 par le 1er tribunal militaire de Paris à un an d'emprisonnement pour désertion à l'intérieur en temps de guerre ;

Malagnoux (Pierre), condamné le 12 avril 1940, à neuf mois d'emprisonnement par le 1er tribunal militaire de Paris pour désertion à l'intérieur en temps de guerre ;

Thorez (Maurice), condamné le 28 novembre 1939 par le tribunal militaire d'Amiens à six ans d'emprisonnement pour désertion à l'intérieur en temps de guerre.

Art. 2. — Les condamnations visées à l'article 1er sont anéanties dans tous leurs effets. Défense est faite aux commandants de l'ordre judiciaire et administratif de les rappeler dans tout acte ou document officiel.

Le bulletin n° 1 du casier judiciaire et les duplicata qui en auraient été délivrés seront détruits.

Art. 3. — Le garde des sceaux, ministre de la justice, est chargé de l'exécution du présent décret.

Fait à Paris, le 6 novembre 1944.

C. DE GAULLE.

Par le Gouvernement provisoire de la République française :

Le garde des sceaux, ministre de la justice,
FRANÇOIS DE MENTHON.

Décret du | tion d'un centrale.

Par décret
M. Saunier, centrale, ei fonctions, es

Décret du | gradation (tion centra

Par décret
M. Farçat, centrale du demment sus gradé au gra(

Décret du | d'un direct

Par décret
M. Coutret, trale du min sans pension

Décret du 6 | du direct

Par décret
M. Bernard économique,

Décret du 6 | du directer nationale.

Par décret
M. Mino, in(délégué dans ral adjoint d ment suspen| sans pension

Décret du 6 | d'un charg raires.

Par décret
M. Vaton, temporaires Paris, est ré

Commission

Le ministr
Vu l'ordon ternement gereux pour rité publiqu|

Arrête

un « maquisard de Sibérie » (*Le Figaro,* 29-8-1959). Au cours des années 1943-1944, Thorez adressait sur les ondes de *Radio-Moscou* des appels destinés à galvaniser la résistance des communistes luttant dans la clandestinité. (Le texte de ces appels a été publié après la Libération, dans *L'Humanité,* sous le titre : « *Maurice Thorez vous parle de Moscou* ».) Le général De Gaulle le gracia en 1944 (voir clichés page 1016). A son retour en France, Thorez fut aussitôt nommé membre de l'Assemblée consultative provisoire (1944-1945), et les électeurs de la Seine l'envoyèrent siéger, en 1945 et 1946, dans les deux Assemblées constituantes. Le général De Gaulle en fit un ministre d'Etat (gouvernement provisoire De Gaulle 21-11-45 - 20-1-46), puis il fut nommé vice-président du Conseil (gouvernement Gouin, 26-1 - 11-6-46 ; gouvernement Bidault, 24-6 - 28-11-46 ; gouvernement Ramadier, 22-1 - 9-5-47). Entre-temps, Thorez avait était élu député à l'Assemblée nationale, dans le 4ᵉ secteur de la Seine (10-11-46), et il avait posé, sans succès, sa candidature à la présidence du gouvernement provisoire (4-12-46). Il fut réélu député en 1951, 1956, 1958 et 1962. Il prit naturellement position contre le général De Gaulle en septembre 1958 — ce qui n'empêcha pas plus d'un million d'électeurs communistes de voter « oui » ; mais à partir de 1959, au retour d'un voyage à l'Est, il adopta une attitude beaucoup plus conciliante à l'égard de l'Elysée. Intervenant au Comité central du parti, réuni à Choisy-le-Roi, il déclarait : « *Le souhait de voir la guerre d'Algérie prendre fin par la négociation sur la base de l'autodétermination du peuple algérien, l'espoir que pourront s'établir entre la France et l'Algérie des rapports nouveaux conformes aux intérêts des deux pays, répondent aux aspirations du peuple français.* » (Cf. *Le Monde,* 8-11-1959.) Dès lors, Thorez convaincu que De Gaulle finirait par accorder l'indépendance à l'Algérie, évita soigneusement de gêner l'action du gouvernement et, dans certaines circonstances, — en particulier lors du coup d'Etat des généraux à Alger — il engagea pratiquement son parti au côté du Général. Officiellement cependant, il prit position pour le « non » aux divers référendums. En 1964, il fut porté à la présidence du *P.C.F.,* poste que l'on créa spécialement pour lui (sa santé était mauvaise depuis octobre 1950, date à laquelle il avait été frappé d'hémiplégie), et la direction effective du Parti fut assurée par Waldeck Rochet, nommé secrétaire général. Deux mois plus tard,

le 11 juillet 1964, étant à bord du paquebot soviétique *Litva* se rendant à Odessa, Maurice Thorez fut frappé d'une crise cardiaque et il mourut presque aussitôt, sans avoir repris connaissance. Ses obsèques se déroulèrent à Paris le 16 juillet en présence d'une foule énorme. Le général De Gaulle adressa ses condoléances à la famille dans une lettre envoyée à Jean Thorez, fils du leader communiste et de Jeannette Vermeersch, où il rendait hommage à celui qui avait « *à mon appel et comme membre de mon gouvernement, contribué à maintenir l'unité nationale* » (Cf. *Le Monde,* 15-7-1964). Maurice Thorez est l'auteur de quelques brochures de propagande, d'un livre de souvenirs « *Fils du Peuple* » (publié en 1937 et souvent réédité et modifié depuis) et d'un ouvrage intitulé : « *Une politique de grandeur française* » (1949). Ses écrits ont été réunis en plusieurs volumes sous le titre « *Œuvres de Maurice Thorez* ».

THOREZ-VERMEERSCH (Julie, Marie, VERMEERSCH, veuve Maurice THOREZ, dite Jeannette).

Tisserande, née à Lille (Nord), le 26 novembre 1910. Membre des deux Assemblées constituantes (1945-1946), député de la Seine (2ᵉ secteur) (1946-1958), puis sénateur de la Seine (depuis 1959). Membre du Bureau politique du *Parti Communiste Français* et vice-présidente de l'*Union des femmes françaises.*

THORP (René-William).

Avocat et homme politique, né à Paris, le 18 novembre 1898. Fils de l'ancien bâtonnier du barreau de Paris, ancien bâtonnier lui-même (1955-1957) et ancien président de l'*Association nationale des Avocats de France* (1959-1961), il appartenait, avant la guerre, au *Parti Radical-Socialiste* et fut élu député, sous cette étiquette, en Gironde (1936-1942). Avant voté pour le maréchal Pétain en 1940, il fut déclaré inéligible à la Libération. Vigoureusement opposé aux juridictions d'exceptions, il fréquenta au cours des années 50 l'*Union des Intellectuels Indépendants* qui faisait campagne pour l'amnistie. Les événements d'Algérie le jetèrent de nouveau dans la mêlée politique. Il présida l'*Association de Sauvegarde des Institutions Judiciaires et des Libertés individuelles,* des colloques juridiques et fut l'un des dirigeants *Temps nouveaux* et de la *Convention des Institutions Républicaines.* En 1965, il fut porté à la tête du *Comité de Soutien de la Candidature de François Mitter-*

rand à la Présidence de la République. R.-W. Thorp est l'auteur de deux ouvrages publiés par Julliard : « *Vues sur la Justice* » (1963) et « *Le procès du Caire* » (1964).

THUROTTE (Pierre, Désiré).

Journaliste et éditeur, né à Saint-Quentin, le 21 décembre 1900. Il milita après la guerre de 1914-1918 dans les *Jeunesses Socialistes*, dont il devint le secrétaire de la section saint-quentinoise en 1924. Il fut successivement : conseiller municipal socialiste de Saint-Quentin (1927-1933), membre sup. de la C.A.P. du *Parti socialiste S.F.I.O.*, du *Congrès anti-fasciste d'Amsterdam* (devenu *Mouvement Amsterdam-Pleyel*), délégué national à la propagande de ce groupement, dirigeant et animateur de la section socialiste de Nice. Participant alors à l'action syndicale, il fut l'un des délégués qui signèrent avec *Les Dames de France*, les *Galeries Lafayette* et *Bouchara* les premiers contrats collectifs (1936). Devant les excès du Front Populaire, il rallia le *P.P.F.* que venait de constituer Jacques Doriot. Membre du bureau politique de ce parti, il fut successivement son délégué régional pour le Sud-Ouest et son secrétaire national à la propagande. Il fonda à Bordeaux l'*Alerte*, puis l'*Assaut*, deux journaux qui participèrent à l'action anti-communiste en Aquitaine. Résidant à Rome, après la guerre, il fut le correspondant de *La Presse*, de Montréal, et de *Paroles Françaises*, de Paris, et fit paraître, en français et en italien, les *Lettres de Rome*, spécialisées dans la lutte contre l'athéisme communiste. Il fut le commissaire général de l'Exposition pour la Liberté organisée, en 1953, au parc Colle Oppio, de Rome. Rentré en France, il fit paraître les *Lettres de Paris*, puis *L'Indiscret de Paris* (fondé avec Jean-André Faucher. Lorsque, en 1961, le gouvernement interdit les lettres confidentielles de ses confrères Paul Dehème, André Noël et J.-A. Faucher, il saborda *L'Indiscret de Paris*, par solidarité et n'en reprit la publication que lorsque le gouvernement suspendit l'application de l'article 16 de la Constitution. Elu conseiller municipal de Saint-Maur-des-Fossés en 1959, sur une liste « Algérie française », il devint maire-adjoint de cette commune. Adversaire déterminé de la politique du général De Gaulle, il fit campagne pour le « *non* » à tous les référendums. En 1962, il a fondé *Ambassades*, revue de la diplomatie, du monde et des arts, dont il assume la direction générale, conjointement avec celle de *L'Indiscret de Paris*.

THYRAUD (Jacques).

Avoué, né à Romorantin le 2 juin 1925. Maire de Romorantin depuis 1959 et conseiller général *U.N.R.* du Loir-et-Cher depuis 1962. Fut candidat *U.N.R.-U.D.T.* dans la 2e circonscription du Loir-et-Cher aux élections législatives de novembre 1962 et de mars 1967.

TILLARD (Paul).

Ecrivain et journaliste, né à Soyaux (Charente), le 30 septembre 1914, mort à Paris, le 27 juillet 1966. Fils d'un officier de la légion étrangère, devenu antimilitariste après un long séjour au Prytanée de La Flèche, il adhéra au *Parti Communiste* et milita dans la Résistance au sein de F.-T.P.F. Arrêté par les Allemands en 1942 en raison de sa participation à divers attentats, il fut condamné à mort six mois plus tard et finalement déporté au camp de Mauthausen. Libéré dans un état physique lamentable par les troupes américaines (1945), il publia trois mois plus tard « *Mauthausen* », qui fut le premier ouvrage français sur les camps de concentration allemands. Il compléta ce témoignage par « *Le Pain des temps maudits* ». En 1960, il rompit avec le *P.C.F.* : son livre « *La Rançon des purs* » lui valut de vifs reproches de ses amis politiques. Ayant mis en cause Danielle Casanova, il fut d'ailleurs l'objet d'un démenti catégorique, publié par *L'Humanité*, de l'allégation selon laquelle la militante communiste aurait été arrêtée à la sortie d'un cinéma avec, dans son sac, la liste de vingt membres de son réseau qui auraient été fusillés par la suite. Il obtint plusieurs prix littéraires (*Prix Eve Delacroix, Grand Prix de la Société des Gens de lettres, Prix des Quatres Jurys*). Il mourut à cinquante et un ans, des suites de maladies contractées en déportation.

TILLION (Germaine, Marie, Rosine).

Ethnologue, née à Allègre (Haute-Loire), le 30 mai 1907. Fille d'un juge de paix. Participa à la Résistance (réseau du Musée de l'Homme). Arrêtée et déportée (1942-1945). Favorable au gouvernement Mendès-France (1954-1955). Fut chargée de mission au cabinet de Jacques Soustelle, gouverneur général de l'Algérie (1955-1956). Membre de la Commission internationale contre le régime concentrationnaire, entra en rapport avec Saadi Yacef, chef *F.L.N.* de la zone d'Alger et fit de plus en plus ouvertement campagne pour l'indépendance de l'Algérie et contre les « *lois les plus scélérates de notre histoire* » (les lois

56 268 et 56.269 du 17 mars 1957, qui avaient créé les cours martiales en Algérie, signées par François Mitterrand, garde des Sceaux du gouvernement Guy Mollet). Signa la pétition en faveur des insoumis et des membres des réseaux d'aide au *F.L.N.* Militante de gauche ralliée au gaullisme, devenue la collaboratrice plus ou moins régulière de hauts personnages de la V°, fait partie du groupe des vingt-neuf personnalités de la Gauche qui proclamèrent leur attachement à la politique gaulliste (voir : *Manifeste des vingt-neuf*). Auteur de : « *Ravensbruck* », « *Algérie en 1957* », « *Les ennemis complémentaires* », « *Le Harem et les cousins* ».

TILLON (Charles).

Homme politique, né à Rennes, le 3 juillet 1897. Ouvrier ajusteur et marin, il participa aux mutineries de la mer Noire déclenchées par l'anarchiste Villemin et auxquelles fut mêlé André Marty, en 1919, puis milita au *P.C.* et fut élu conseiller général communiste de la Seine en 1935 et député de la Seine en 1936. Il suivit Marty en Espagne pendant la guerre civile et appartint à l'Etat-Major des Brigades Internationales avec Fabien et Rol Tanguy qu'il retrouva pendant l'occupation. Il fut l'un des neuf députés communistes qui échappèrent à la police du gouvernement Daladier en 1939. Une instruction fut ouverte contre lui par le Parquet militaire pour trahison et crime contre la sécurité de l'Etat, mais l'occupation de la France par les Allemands interrompit l'instruction qui ne fut jamais reprise. Dans la clandestinité, Charles Tillon organisa d'abord la résistance à la « *guerre impérialiste* » menée par son parti (clandestin), puis devint le responsable des *Francs-Tireurs et Partisans* (F.T.P.), créés par les communistes à l'appel de Staline lorsque Hitler eut attaqué la Russie soviétique (1941). A la Libération, il fut nommé maire d'Aubervilliers — il le restera jusqu'en 1953 — et ministre de l'Air en remplacement de François Billoux (1944-1945). Il devint ministre de l'Armement des gouvernements De Gaulle, Gouin et Bidault (1945-1946) et membre des deux Assemblées constituantes (1945-1946). Le 10 novembre 1946, il fut élu député communiste de la Seine (6° circ.) et fit partie quelques mois du gouvernement Ramadier en qualité de ministre de la Reconstruction et de l'Urbanisme. Sa gestion de ministre fut sévèrement critiquée dans le rapport Pellenc et dans celui de René Pleven. Il n'en fut pas moins réélu député en 1951. Mais, peu après, il fut évincé par la direction du *P.C.F.* de l'Etat-Major du *Mouvement de la Paix,* du secrétariat et du Bureau politique du parti et même du Comité central, et « replacé à la base » en raison de ses liens avec l'exclu André Marty. Il donna alors sa démission des postes électifs qu'il occupait dans la vie publique. Il fut rétabli dans tous ses droits de membre du *P.C.F.* par décision du Comité central en février 1957, mais il n'a désormais qu'un rôle effacé dans l'organisation. L'ancien commandant en chef des *Francs-Tireurs et Partisans* a publié un livre intitulé : « *Les F.T.P. Témoignage pour servir à l'histoire de la Résistance* » (Paris 1962).

TINANT (René).

Agriculteur, né à Cauroy-lès-Machault (Ardennes), le 24 avril 1913. Maire de Cauroy-lès-Machault. Conseiller général du canton de Machault, sénateur des Ardennes (depuis 1959). Membre du *M.R.P.*

TINAUD (Jean-Louis).

Avocat, né à San-Juan (Porto-Rico), le 23 septembre 1910. Membre de la première Assemblée constituante (1945-1946), député *M.R.P.* des Basses-Pyrénées (1946-1951), puis sénateur du département (depuis 1951); apparenté au groupe des *Républicains indépendants.* Ancien président du Conseil général des Basses-Pyrénées.

TINÉ (Famille).

Les *Tiné* ont joué un rôle important dans le mnode des affaires à Alger, au cours de ces cent dernières années. Les magasins Tiné étaient, dans l'ancienne province française d'Algérie, les plus renommés. L'influence des Tiné, installés sur la terre africaine depuis 1838, s'exerçait également dans le domaine politique, en particulier au moment des élections municipales et législatives. Ils avaient des intérêts dans *Le Journal d'Alger,* seul quotidien algérois autorisé à paraître après l'interdiction de l'*Echo d'Alger* et de *La Dépêche Algérienne.* C'est Jean-Marie Tiné qui assuma d'ailleurs quelque temps (1961), la direction de ce quotidien. Né à Alger le 25 février 1920, il était alors le président-directeur général de la *Société Algérienne des Boissons (Coca-Cola)* et de la *Société Commerciale de transports transatlantiques,* « patron » (avec ses frères), de la *Société Tiné* et de la société *Les Petits-Fils de F. Tiné,* et fut, ensuite, administrateur de la *Banque Algérienne de dépôts et de titres,* de la *Société Commerciale de Transports routiers,* gérant de la *Société*

Algérienne de gestion et études financières, de la société *Briques blanches,* et directeur d'*Algeropia.* Les Tiné avaient jusqu'en 1950, soutenu assez ouvertement les modérés. Mais après l'insurrection de novembre 1954, ils parurent évoluer et leurs adversaires les accusèrent de faire passer leurs intérêts avant ceux de la Communauté française d'Algérie dont ils avaient été, très longtemps, les plus remarquables représentants. Aussi furent-ils l'objet, au cours des années 1960-1962, de plusieurs attentats : les Etablissements *Tiné frères,* la *Banque Algérienne de Dépôts et de Titres* et la société filiale de *Coca Cola* furent « plastiqués ». C'était l'époque où il déclarait : « *Je suis un pied-noir et j'entends le rester, c'est-à-dire rester en Algérie. Pour y rester, il faut nous entendre avec la communauté musulmane... Le passé est révolu...* » Jean-Marie Tiné, en accord avec l'ancien maire mendésiste d'Alger, Jacques Chevalier, servit d'intermédiaire entre l'exécutif provisoire du *F.L.N.* et Jean-Jacques Susini, agissant (disait-il) pour le compte de l'*O.A.S.* en vue d'un accord mettant fin à l'activité terroriste. Demeuré en Algérie, J.-M. Tiné fut nommé membre de la nouvelle Chambre de Commerce d'Alger. Au cours de l'installation officielle des membres de cet organisme, il prononça un discours où perçaient ses craintes de voir compromis les intérêts de ceux qui, Français de souche, avaient opté pour la République Algérienne. En octobre 1964, on apprit que Jean-Marie Tiné venait d'être arrêté à Alger pour trafic de devises. On crut, tout d'abord, qu'il avait agi pour le compte de sa famille en voulant sauver les biens que la politique de collaboration avec les Algériens ne suffisait plus à sauvegarder. Mais *Hebdo-Coopération,* organe de l'*Association de sauvegarde* des Français demeurés en Algérie, annonça le 13 novembre suivant que les autorités d'Alger reprochaient à J.-M. Tiné d'avoir effectué des transferts illégaux de devises « *en partie pour le compte d'agents de la contre-révolution* » (cf. *Le Monde,* 15/16-11-1964). Ses deux frères, sans cesser d'être intéressés dans les affaires Tiné, ont opté pour la France :

Jacques Tiné, né à Alger, le 24 mai 1914, est dans la diplomatie : d'abord attaché au consulat de France à Los Angeles (1938-1939), puis à l'Administration centrale (Vichy, 1941-1942), il fut à Alger et à Lisbonne dans les services diplomatiques du Comité Français de Libération Nationale ; il est aujourd'hui représentant permanent adjoint de la France à l'O.N.U. ;

Jean-Claude Tiné, né à Pornichet (Loire-Inférieure), le 24 août 1918, est administrateur de sociétés (*Cie Franco-Coloniale, Tiné, Banque Algérienne de dépôts et de titres,* etc.) et membre du Conseil Economique et Social (depuis 1959).

TINGUY DU POUET (Lionel de).

Conseiller d'Etat, né à Paris le 6 avril 1911. Fils de Jean, Charles, M. Lanos de Tinguy du Pouët, maître des requêtes au Conseil d'Etat et député conservateur de la Vendée (1919-1942). Ancien élève de l'Ecole Polytechnique (promotion 1929). Auditeur au Conseil d'Etat (1935). Maître des requêtes (1943). Conseiller d'Etat (1960). Membre de la 2e Assemblée Constituante (juin-novembre 1946). Elu député *M.R.P.* de la Vendée à la 1re Assemblée nationale le 10 novembre 1946. Sous-Secrétaire d'Etat aux Finances et aux Affaires économiques (Cab. Bidault, 1949-1950). Ministre de la Marine marchande (cab. Queuille, 1950). Réélu député *M.R.P.* en 1951 et 1956 ; non réélu en 1958. Elu à nouveau député de la 1re circ. de la Vendée le 25 novembre 1962. Inscrit au groupe du *Centre Démocratique.* Non réélu en 1967. Maire de Saint-Michel-Mont-Mercure.

TIXIER-VIGNANCOUR (Jean-Louis TIXIER, dit).

Avocat et homme politique, né à Paris, le 12 octobre 1907. Il est le fils du Dr Léon Tixier, pédiatre et hématologue, et d'Andrée Vignancour, dont le père, Louis Vignancour, député puis sénateur des Basses-Pyrénées, fit partie des 363 parlementaires qui consolidèrent la République en 1877 et de la Haute Cour qui jugea Déroulède, Lur-Saluces et Jules Guérin en 1899. Depuis le 20 janvier 1938, il est marié avec Janine Auriol, dont la famille a donné à la IIIe République plusieurs parlementaires et élus départementaux : Henri Auriol (1880-1959), père de Mme Tixier-Vignancour, fut député de Haute-Garonne de 1906 à 1914 et de 1919 à 1936 ; Auguste Auriol, le grand-père paternel, appartint de longues années au Conseil général du même département ; Armand Leygue, l'arrière-grand-père, exilé après le coup d'état du 2 décembre, en raison de ses sentiments républicains, fut maire de Toulouse ; le fils de celui-ci, Raymond Leygue, grand oncle de Mme Tixier-Vignancour, également maire de la cité des capitouls, entra au Sénat en 1906 et y resta quatorze ans ; l'autre fils, Honoré, le grand-père maternel, ancien sous-préfet de Moissac, fut député de Haute-Garonne de 1898 à 1906, puis sénateur de 1907 à 1924.

Au sortir du lycée Louis-le-Grand, le jeune Tixier — ce n'est que beaucoup plus tard qu'il ajoutera le nom prestigieux de son grand-père maternel à son patronyme légal — entra à la Faculté de droit de Paris où il côtoya deux autres futurs hommes politiques : Pierre Mendès-France et Edgar Faure. Tandis que le premier allait à gauche, à la Ligue d'Action Universitaire Républicaine et Sociale, et que le second fleuretait avec les milieux d'Alexandre Millerand (après avoir suivi, dit-on les Lycéens d'Action Française), Jean-Louis Tixier, tout d'abord passionné de sport, milita aux Etudiants d'Action Française, avec Louis d'Estienne d'Orves (frère d'Honoré, fusillé par les Allemands en 1941) dont l'un des fils est son filleul. Tixier fut alors de toutes les bagarres politiques du Quartier Latin. Il fut même arrêté, en mars 1926, et enfermé à La Roquette, alors réservée aux mineurs, pendant onze jours. Léon Daudet, qui admirait son courage, lui consacra tout un article de tête dans L'Action Française du 16 octobre 1926, lorsque le tribunal correctionnel condamna le jeune militant à six mois de prison. En juillet 1927, Jean-Louis Tixier prêta son serment d'avocat : il n'avait pas vingt ans. Après avoir passé sa thèse de docteur en droit, il partit au service militaire qu'il fit à Lunéville dans l'artillerie. A son retour, en juin 1931, il commença sa véritable carrière d'avocat. Cinq ans plus tard, débuta aussi sa carrière politique : le 3 mai 1936, élu député d'Orthez sous le nom, aujourd'hui célèbre, de Tixier-Vignancour, dans le département qu'avait représenté son grand-père Louis Vignancour. Invalidé par la Chambre du Front populaire, il se représenta aussitôt, soutenu par l'éloquence de François Valentin, Fernand Laurent, François Martin, Michel Brille, Léon Bérard et Champetier de Ribes ; il fut élu au premier tour. Il n'appartenait plus à l'Action Française, mais il était toujours un militant national. Pendant les années qui précédèrent la guerre, il prit la parole dans les réunions organisées par les divers partis qui se partageaient alors la clientèle de droite : Front national, Parti Républicain National et Social (Taittinger), Parti Social Français, Front de la Liberté. Emmanuel d'Astier de la Vigerie, qui n'était pas encore progressiste, brossait du jeune député national ce portrait dans Vu : « Jean-Louis Tixier, député d'Orthez, est un curieux personnage. De taille moyenne, de bonne carrure, l'œil vif, il a une superbe voix de basse dont l'effet est d'autant plus surprenant qu'il en use avec modération, et qu'il la maîtrise d'une diction lente (...) Je ne serais guère étonné qu'il devint un des talents les plus vifs de l'opposition. » De la IIIe République qui n'avait su ni s'armer contre l'Allemagne, ni faire la paix avec elle, Tixier-Vignancour disait : « Après le pacifisme imbécile de 1930, c'est le bellicisme dément de 1939. » La guerre déclarée, il partit comme sous-lieutenant au 5e R.A. divisionnaire, affecté à la 10e batterie antichar. Il en revint avec la croix de Guerre et deux citations, mais son frère Raymond, mobilisé dans l'aviation, fut abattu avec son appareil. Au début de juillet 1940, Tixier était à Vichy, ulcéré par la défaite, bien décidé à en punir les responsables. A la séance du 9 juillet de l'Assemblée réunie à Vichy sous la présidence d'Edouard Herriot, il déposa une proposition de résolution concernant, disait-il, « les responsabilités politiques, administratives et militaires qui ont conduit la France au désastre ». Car, précisait-il, « le désastre ne doit jamais faire oublier les responsabilités du désastre ». Mais le président de la Chambre écarta la proposition jugée irrecevable pour des questions de forme. Le lendemain, avec l'immense majorité des députés et sénateurs de la IIIe République, il vota pour le maréchal Pétain. Quelques jours plus tard, il fut chargé des services de la Radiodiffusion et du Cinéma, puis, le 13 décembre, de l'ensemble de l'Information. Il ne conserva ce poste que quelques semaines : le 25 janvier 1941, il passa ses pouvoirs au professeur Portmann, mais il s'occupa jusqu'en mai des Comités de propagande du Maréchal. Lorsqu'il en démissionna, la radio de Londres publia le texte de sa lettre à l'amiral Darlan : cinq jours plus tard, l'ancien chef de l'Information vichyssoise fut interné à Vals-les-Bains, où il resta six semaines. A la fin de 1941, il gagna la Tunisie, où les Allemands l'emprisonnèrent l'année suivante. Libéré par les alliés et mobilisé en mai 1943, il fut arrêté à nouveau, cette fois par les autorités gaullistes : à la prison d'Alger, il eut comme compagnon Pierre Pucheu qui y vivait ses derniers jours. Après onze mois de détention, Tixier fut libéré et remobilisé, puis arrêté encore une fois en novembre 1944 et transféré en France. Enfin, un jour d'octobre 1945, grâce à son père qui avait multiplié les démarches, il bénéficia d'une mesure d'élargissement et son dossier fut classé. Sept ans après l'avoir quitté, il retrouva le Palais de Justice, d'où le procureur Boissarie tenta de le faire expulser par le conseil de l'Ordre. Peu à peu, Tixier reprit contact avec ses amis : il rendait visite à ceux qui étaient en prison et recevait ceux qui n'y étaient plus. Il accorda son patronage à *Défense de l'Occident* et au *Mouvement Social Européen,* que Maurice Bardèche venait de créer (1952), prit la parole aux réunions de l'*Union des Intellectuels Indépendants,* fonda le *Rassemblement National* (1954). Lorsque Loustaunau-Lacau mourut, laissant vacant son siège de député des Basses-Pyrénées (1955), il se présenta. Mais ce n'est que l'année suivante, aux élections générales, qu'il fut élu. Il dirigea alors *L'Espoir,* à Orthez, qui mena une active campagne pour l'Algérie française. Lorsque l'insurrection populaire du 13 mai 1958 permit au général De Gaulle de revenir au pouvoir, appelé par le président Coty, Tixier fut de ceux qui, oubliant leurs griefs et restant sourds aux avertissements de quelques-uns, lui accordèrent — deux fois sur trois — leurs suffrages au parlement et firent voter « oui » au référendum du 16 septembre. Aux élections législatives qui suivirent, les gaullistes ne lui en surent aucun gré : leurs voix allèrent à un autre candidat qui, au second tour, l'emporta. Cet échec lui permit, non pas de devenir un grand avocat — ce qu'il était déjà — mais un avocat célèbre. S'il avait été réélu, il n'aurait pu participer aux grands procès, le gouvernement ayant interdit aux avocats-députés de plaider au pénal. Car l'un de ses titres de gloire, celui qu'il revendique très haut, c'est d'avoir été le défenseur des hommes qui combattirent pour l'Algérie française (procès des barricades, du général Salan, de Bastien-Thiry). Mais il n'en abandonna pas pour autant la lutte dans l'arène politique : il fit partie du *Front National pour l'Algérie Française* de Jean-Marie Le Pen, signa le manifeste du *Colloque* de Vincennes, animé par Jacques Soustelle, adhéra à la *Démocratie Chrétienne de France,* présidée par Georges Bidault. Puis ce fut la grande campagne politique de l'élection présidentielle et la création du *Comité T.-V.* (voir : *Comité Tixier-Vignancour*), les centaines de meetings et de réunions, les émissions télévisées précédant un douloureux échec. Eliminé au premier tour, Tixier-Vignancour fit voter au second pour François Mitterrand, par opposition au général De Gaulle. Aujourd'hui, fort des 1 260 000 suffrages du 5 décembre 1965, comptant récupérer la majeure partie des nationaux et des modérés qui ont « voté utile » — c'est-à-dire « pour le libéral Lecanuet mieux placé que le libéral Tixier-Vignancour » — le grand avocat a fondé l'*Alliance Républicaine pour les Libertés et le Progrès,* dont ses amis espèrent qu'il fera, malgré son échec à Toulon (1967), le grand parti parlementaire de cette Droite qui n'ose pas dire son nom.

TOESCA (Maurice).

Homme de lettres, né à Confolens (Charente), le 25 mai 1904. Ancien intendant de police du gouvernement de Vichy, ancien chef de cabinet du préfet de police Bussières pendant l'occupation. Se lança dans la littérature après la Libération, et devint professeur à l'Ecole du Haut Enseignement Commercial. Collaborateur de *Réalités* et du *Figaro littéraire.* Délégué général de l'association gaulliste *Téléspectateurs et Auditeurs de France.*

TOMASINI (François-René).

Fonctionnaire, né à Petreto-Bicchisano (Corse) le 14 avril 1919. Fils du préfet Hyacinthe Tomasini. Chef adjoint du cabinet du préfet de Seine-et-Marne (1er novembre 1940). Chargé de mission auprès du préfet régional de Limoges (1er août 1942). Chef de cabinet auxiliaire du préfet de la Haute-Vienne (27 juillet 1943), de la Corrèze (décembre 1943). Chef de cabinet du préfet de la Loire-Atlantique (6 mars 1944). Sous-préfet de 1re classe, directeur du cabinet de Michel Debré, commissaire de la République à Angers (10 août 1944). Chargé de mission à la présidence du Gouvernement (1er mai 1945). Chargé de mission au cabinet d'André Le Troquer, ministre de l'Intérieur (février-juin 1946). Elevé à la hors-classe et sous-préfet de Constantine (15 juin 1950), de Riom (24 mars 1953). Conseiller technique auprès du Résident général de France au Maroc (27 septembre 1954). Directeur du Centre d'orientation des Français rapatriés du Maroc et de Tunisie (janvier 1957). Elu député de l'Eure (4e circ.) le 30 novembre 1958. Secrétaire général du Comité central de l'U.N.R. (28 mars 1961). Anc. président de *Séquifrance,* président de la *Sacodec* (prises de participation dans les affaires financières et industrielles). Maire de Corny (Eure). Réélu député de l'Eure en 1962 et 1967. Vice-Président du groupe *U.N.R.* de l'Assemblée (déc. 1962) et du groupe parlementaire de la *L.I.C.A.* Président du Conseil supérieur du Gaz et de l'Electricité (1966).

TOP (Gaston, Emile, Alfred).

Médecin, né à Metz-en-Couture (P.-de-C.) le 30 juillet 1883, mort à La Souterraine (Creuse) le 7 octobre 1943. Ancien combattant de 1914-1918, exerça à Laon-Plage, près de Dunkerque, puis à La Souterraine, pendant l'occupation. Milita de longues années à l'*Action Française* et fut le délégué du *Secours National* dans la Creuse. Assassiné par des adversaires politiques. Auteur de : « *Un groupe de 75, avec le 1ᵉʳ corps d'armée* » et « *Sous la loi d'Amour* » (dédié « *au maréchal Pétain qui sauva la France en 1917 et la sauve à nouveau en 1940* »).

TORIBIO (René).

Directeur d'école, né à Lamentin (Guadeloupe), le 10 décembre 1912. Maire et conseiller général de Lamentin, sénateur *S.F.I.O.* de la Guadeloupe (depuis 1959).

TORRES (Henry).

Avocat, né aux Andelys (Eure), le 17 octobre 1891, mort le 4 janvier 1966. Petit-fils d'Isaïe Levaillant. Premier mari de l'actuelle générale Massu. Militant du *Parti Socialiste*, passa au *Parti Communiste* lors de la scission de Tour en 1920. Après son exclusion du *P.C.*, fut l'un des fondateurs du *Parti Communiste Unitaire*, puis fit partie de la *Ligue pour la Défense des Libertés Publiques* (1923) et de l'*Union Socialiste Communiste*. Défenseur devant les Tribunaux des militants d'extrême-gauche, fut l'avocat de Germaine Berton, qui assassina Marius Plateau faute de pouvoir atteindre Léon Daudet ; de Schwartzbard, le meurtrier de l'exilé ukrainien Petliura ; d'Ernesto Bonomini, jeune anarchiste italien qui avait tué Nicolà Bonzervizi, chargé de mission de Mussolini à Paris, etc. Fut, entre les deux guerres, secrétaire général de *La Vérité*, rédacteur en chef du *Journal du Peuple*, rédacteur à *L'Humanité*, directeur politique de *L'Œuvre*, rédacteur (et conseil juridique) de *Gringoire* et député des Alpes-Maritimes de 1932 à 1936 (fit adopter par la Chambre une proposition de résolution favorable au pacte franco-soviétique). Réfugié aux Etats-Unis pendant la guerre, anima à New York le journal *France-Amérique*. Puis, revenu en France, fut sénateur *R.P.F.* de la Seine (1948-1958), vice-président de la Haute Cour de Justice (1956-1958) et, après le retour au pouvoir du général De Gaulle, président du Conseil Supérieur de la *R.T.F.* Appartint, en outre, au Comité directeur de l'*U.D.T.* (1959), de l'*Alliance France-Israël*, au comité d'honneur de la *L.I.C.A.* et au groupement de gauche *Les Temps Nouveaux* (1960). Dans les dernières années de sa vie, fut l'un des défenseurs ardents de l'amnistie des condamnés politiques, d'abord au *Comité Français pour la défense des Droits de l'Homme* (première épuration), ensuite à l'*Union Française pour l'Amnistie* (deuxième épuration). Auteur de divers ouvrages, dont « *De Clemenceau à De Gaulle* », et « *Accusés hors série* », ainsi que de pièces de théâtre.

TOTALITARISME.

Régime politique méprisant les droits de la personne humaine et concentrant tous les pouvoirs (exécutif, législatif et judiciaire) entre les mains d'un groupe d'hommes représentant le parti au pouvoir et agissant au nom de la raison d'Etat. A tel point qu'on a pu se demander si, dans les pays vivant en régime *totalitaire,* c'est la société qui est faite pour l'homme ou l'homme pour la société.

TOURNAN (Henri).

Administrateur civil, né à Paris le 22 décembre 1915. Fils d'Isidor Tournan, sénateur du Gers (1925-1939). Rédacteur à l'administration centrale des finances (1941), administrateur civil (1946). Chargé de mission au cabinet de P. Ramadier (ministre des affaires économiques et financières, 1956-1957). Contrôleur d'Etat aux Charbonnages de France. Conseiller général du canton de Lombez (1945-1949), maire de Montadet, sénateur socialiste du Gers (depuis 1962).

TOURNE (André, Sébastien).

Représentant, né à Villelongue-de-la-Salanque (P.-O.), le 9 août 1915. Viticulteur. Secrétaire de la Fédération départementale du *P.C.F.* Ancien prisonnier de guerre. Libéré, entra dans la résistance. Mutilé des deux mains (combat de la libération de Lyon). Conseiller général des Pyrénées-Orientales. Directeur du journal *Le Travailleur Catalan*. Ancien directeur du journal *France d'abord*. Député communiste des Pyrénées-Orientales (1946-1958). Battu le 30 novembre 1958. Elu à nouveau — dans la 2ᵉ circ. — le 25 novembre 1962. Réélu en 1967.

TOURNOUX (Jean-Raymond, Léon, Marie).

Journaliste, né aux Rousses (Jura), le 15 août 1914. Secrétaire de rédaction à *La République de l'Est* (1934-1939). Correspondant de presse à Vichy (1940-1944), fut désigné avec onze de ses confrères pour accompagner le maréchal Pétain dans ses voyages (cf. *Echo de la Presse*, 10-5-1955) et collabora à la revue *La Légion* où il publia un article remarqué sur « *Les jeudis du Maréchal* » : « *D'une sobre et émouvante grandeur,* profonds dans leur simplicité, plaisants à l'occasion, sévères quand il le faut, tels sont les « jeudis du Maréchal ». Comment les intituler ? Un conte magnifique ? Un beau poème ? Un morceau de légende ? C'est tout cela. C'est plus que cela : une page de la grande Histoire à travers la petite Histoire... » (J.-R. Tournoux, in *La Légion*, n° 23, avril 1943.) Titulaire de la Croix du Combattant volontaire de la Résistance et de la Croix du Combattant. A la Libération, chef de service au quotidien progressiste *Libération* (1944-1948), puis à *Ce Matin* (1949-1950) et éditorialiste à *L'Information* (1950-1955). Collabora en même temps au *Progrès*, de Lyon, et à *Paris-Match*, dont il devint directeur du service politique (janvier 1964). A publié des ouvrages ayant eu un fort tirage, notamment « *Carnets secrets de la politique* », « *L'Histoire secrète* » et « *Pétain et De Gaulle* » et « *Secrets d'Etat* ». Bien que ses sentiments gaullistes fussent aujourd'hui notoires, J.-R. Tournoux écrivait dans ce dernier livre, à propos du général Salan : « *Un grand général ? Nous ne sommes pas qualifiés pour en juger. En tout cas, un grand politique. Il a*

ALPH. TOUSSENEL
A l'âge de 40 ans.

droit à la reconnaissance de tous les Français. La justice n'est pas de ce monde. Sinon Raoul Salan, bien que n'ayant pas commandé en chef victorieusement devant l'ennemi aurait reçu aux Invalides, face au front des troupes de l'opération « *Résurrection-Stop* », *le bâton parsemé, sur champ de velours bleu, des étoiles d'or prestigieuses du maréchalat de France. Et d'Algérie.* » (« *Secrets d'Etat* », Paris 1960, p. 406.)

TOURTOU (Adolphe, Ernest, Emile, Louis).

Médecin, né à Pignans (Var), le 4 janvier 1896, mort à Nice le 24 novembre 1943. Adhéra au *Parti Populaire Français* en 1936. Fut membre du bureau de la Fédération *P.P.F.* de Nice avant la guerre, secrétaire fédéral de la même région et adjoint au maire de Nice. Militant anti-communiste ardent, participant activement à la propagande de son parti, il tomba sous les balles de ses adversaires.

TOUSSENEL (Alphonse).

Ecrivain républicain et socialiste, né d'une famille aisée à Montreuil-Bellay (Maine-et-Loire), le 27 ventôse an XI (18 mars 1804). Fils de Jean-Baptiste-Nicolas Tousnel (*sic*), maire de la commune et de Marie-Louise-Céleste Malecot. Jusqu'à l'âge de trente ans, il s'occupa d'agriculture, mais, après la révolution de 1830, il s'établit à Paris. Fouriériste ardent, il se lia avec les partisans du doctrinaire socialiste. Il fut, tour à tour, rédacteur en chef de *La Paix* (1837), commissaire civil à Bouffarick (1841) et l'un des fondateurs, avec Victor Considérant, du journal *La Démocratie pacifique*, organe du système phalanstérien. Après la révolution de 1840, il fit partie de la commission du Travail, créée au Luxembourg par Louis Blanc. C'est à cette époque qu'il rédigea, en collaboration avec M.-F. Vidal, « *Le Travail affranchi* ». Il se proclamait « *républicain hiérarchiste* » : ce socialiste, qui n'admettait pas que l'hérédité pût transmettre le pouvoir à une même famille, croyait qu'une autorité suprême et graduée était nécessaire dans la société. « *Il jugeait important*, disait l'un de ses éditeurs, G. de Gonet, *que le dépositaire de l'autorité suprême fût digne du choix qui l'avait élevé à cette haute fonction TEMPORAIRE et, vu l'état actuel de l'instruction populaire, il convenait que l'élu à cette MAGISTRATURE devait être choisi avec soin parmi les sommités intellectuelles du pays.* » Son œuvre politique se borne à quelques articles de journaux et à deux livres : « *Travail et fainéanterie, programme démocratique* », paru en 1849, et surtout « *Les Juifs, rois de l'époque : Histoire de la féodalité financière* », publiés deux ans plus tôt par Gabriel de Gonet, dont les premières lignes ne laissent aucun doute sur la définition que l'auteur donnait au mot « juif » : « *J'appelle, comme le peuple, de ce nom méprisé de juif, tout trafiquant d'espèces, tout parasite improductif, vivant de la substance et du travail d'autrui, Juif, usurier, trafiquant sont pour moi synonymes.* » Cet ouvrage devait inspirer Drumont, beaucoup plus tard, et exercer sur les socialistes de son temps une influence discrète, mais indéniable. Toussenel laisse divers autres travaux, en particulier ceux qui firent sa notoriété sur les animaux et sur la chasse, souvent fort drôles et agréablement écrits. Les premiers furent réunis sous le titre générique de « *L'esprit des bêtes, zoologie passionnelle* » : « *Les mammifères de France* » (1847), « *Le monde des oiseaux* », en trois volumes (1853-1855). Il fit paraître en 1863 : « *Tristia, Histoire des misères et des fléaux de la chasse en France* ». Il est mort à Paris, âgé de plus de quatre-vingt-un ans (3 mai 1885).

TOUTE LA VIE

Magazine hebdomadaire fondé en 1941 par Jean Luchaire et dirigé par ce dernier, avec le concours de Paul de Montaignac et Alfred Mallet.

TRADITION FRANÇAISE (voir : **Légitimiste**).

TRADITION ET PROGRÈS.

Club de tendance modérée, fondé et animé par Michel Sy, député indépendant de Paris (1960-1962). (136, rue Lamarck, Paris-18ᵉ.)

TRAHISON.

Le « *Larousse universel* » définit la trahison : « *Intelligence coupable avec les ennemis de l'Etat.* » Cette définition, reprise du code pénal, introduit deux éléments de relativité : la notion d'Etat et la notion de culpabilité. Lorsque Louis XIV déclarait : « *L'Etat, c'est moi* », la trahison s'identifiait avec toute rébellion envers le monarque et sa politique. Mais dès qu'est intervenue dans la définition de l'Etat une relativité idéologique, par l'idée de démocratie, la trahison devenait une affaire d'appréciation

subjective. « *Rappelons qu'autrefois le traître était nettement identifié*, écrit André Thérive dans son « *Essai sur les trahisons*», *puisqu'il rompait le lien naturel qui l'attachait à son roi ; aujourd'hui, comme il n'existe pas de liens naturels entre l'Etat et le citoyen, on est bien obligé de confondre la notion d'Etat avec la notion de patrie. Grâce à cette équivoque, toute infidélité au gouvernement sera taxée d'atteinte à la nation. Toute résistance passive ou machination active contre le régime sera réputée trahison...* » Et Anatole France a déjà écrit : « *En politique, il n'y a pas de traîtres ; il n'y a que des perdants.* » Par suite, accuser de trahison ceux qui, au cours d'une guerre, ont opté pour une alliance étrangère ou pour une autre ne se justifie que par le succès : « *La trahison se marque de plus en plus à l'insuccès*, dit encore Thérive. *La prudence, pour ne pas devenir un* traître, *est toujours de parier sur le succès final, de ne pas se laisser abuser par les succès immédiats.* » *(op. cit.)* Et dans sa préface au même livre, Robert Aron n'hésite pas à écrire : « *Le jour où chaque faction choisit le camp de son idéologie, il n'y a plus d'unité nationale et, du même coup, il n'y a plus de traîtres.* » Mais, dans la définition du « *Larousse* », est bien spécifié le caractère de culpabilité dans la faute pour qu'elle constitue une trahison. La bonne foi suffirait donc à faire tomber l'accusation de trahison. Que penser alors de la phrase accompagnant le refus de grâce de Pucheu : « *Je lui garde mon estime. Faites-lui savoir que je suis persuadé que ses intentions étaient bonnes, qu'il était sincère* », sinon que le verdict de trahison se confond en politique avec la commode « *Raison d'Etat* », vérité du jour, erreur du lendemain. Le jeu démocratique présupposant l'existence de partis, la notion de raison d'Etat ne tarde pas à dégénérer en passion partisane. Et Marcel Cachin a expliqué comment l'accusation de trahison pouvait faciliter l'éviction des adversaires politiques : « *A l'égard de leurs adversaires et aussi vis-à-vis de leurs compagnons, les Montagnards de la Convention usèrent des mêmes procédés qui servent à nos gouvernements du moment. Lorsque la Terreur voulait se débarrasser d'adversaires gênants, elle les accusait de corruption, d'intelligence avec l'ennemi, de trahison morale. Elle jetait en pâture à l'opinion les députés d'affaires, les agents de l'étranger, les traîtres (ou ceux qui se trouvaient ainsi qualifiés), et la raison d'Etat couvrait quotidiennement le crime politique.* » (*L'Humanité*, 2 juillet 1919.) N'est-ce

33

point un dirigeant britannique, venu en France en 1945, qui déclarait : « *La trahison est une affaire de temps* » ?

TRAIT (Le).

Revue entièrement dessinée, fondée en 1961 et dirigée par le caricaturiste Pinatel, qui la rédige et l'illustre avec humour. (22, rue Saint-Paul, Paris IVᵉ.)

TRANSPORTS-PRESSE.

Société de messageries de journaux dépendant du groupe *Ventillard* (voir à ce nom). Elle fut fondée en 1936 par Georges Ventillard, décédé en 1960 (qui fournit 90 % du capital), Georges Leval (5 %), Jean Estève (4,35 %), Lucien Legros (0,2 %), Jean Hervé (0,05 %), Lucien Tridon (0,2 %), Emile Mars (0,1 %), Paul Perret (0,1 %). Pendant l'occupation, *Transports-Presse* fut présidée par Georges Antoine. A la mort de Georges Ventillard, Paul Campargue, ancien député, directeur-adjoint de *l'Aurore*, a pris la présidence de la société. Le bruit ayant couru que *Transports-Presse* était passé sous le contrôle du groupe *Hachette*, et l'hebdomadaire *Finance* (9-7-1964) s'en étant fait l'écho, le président de la société démentit formellement, précisant que le « *trust vert* » ne détenait que 30 % du capital, 70 % des actions appartenant à Jean-Pierre Ventillard, héritier de son père Georges Ventillard. Il a été toutefois précisé que, sur les avis du Conseil Supérieur des Messageries, dans le cadre de la coordination des transports, certains services de *Transports-Presse* avaient été « conjugués » avec ceux des *N.M.P.P.* (contrôlées par *Hachette*). *Transports-Presse* diffuse un certain nombre de journaux et périodiques qui, pour des motifs divers, ne désirent pas être distribués par les messageries dépendant d'*Hachette* (5, rue d'Argout, Paris 2ᵉ).

TRAVAIL.

Journal syndicaliste à la fois hostile au marxisme et à la technocratie fondé le 1ᵉʳ mai 1955. Tribune du *Comité Technique de Liaison*, auquel adhèrent : Maximilien Gras, délégué général de *l'Union des Salariés de France* (U.S.F.), secrétaire général du *Syndicat Indépendant Renault* ; Marcel Driot, secrétaire général de la *Confédération Générale des Syndicats Unifiés* (C.G.S.U.), secrétaire général du *Syndicat Indépendant de l'Enseignement Public* ; Henri Philippo, secrétaire général de la fédération des Métaux de la *Confédération Française du Travail* (C.F.T.) ; L. Robert, fédération des Alpes Maritimes de la

Confédération Générale des Syndicats Indépendants (C.G.S.I.). L'équipe du journal est animée par Louis Mauger, qui fut, à treize ans, apprenti ajusteur à Saint-Denis ; cet ancien militant cégétiste fut membre suppléant du Comité des *Jeunesses Communistes* ; co-fondateur de la *C.G.S.I.*, il est secondé par Chr. Le Bouteiller, anc. élève de l'Ecole Supérieur de Journalisme de Lille. (Siège : 219, rue Saint-Denis, Paris 2ᵉ.)

TRAVAIL DES DEUX-SEVRES (Le).

Journal socialiste fondé le 22 janvier 1928 comme hebdomadaire *S.F.I.O.* du département. Son rédacteur en chef était André Blumel ; les difficultés financières obligèrent le journal à ne paraître que deux fois par mois sur quatre pages, à partir du 1ᵉʳ juillet 1939, et seulement une fois par mois sur deux pages à partir du 15 septembre 1939. Suspendit sa publication en mai 1940. Ne reparut que le 4 janvier 1946, s'intitulant « *hebdomadaire départemental de la Fédération Socialiste S.F.I.O.* ». Est placé sous la direction de M. Durandeau et d'Emile Bêche, son principal rédacteur, ancien député. Les abonnés du *Travail* reçoivent également, deux fois par mois, un numéro du *Populaire de Paris* (38, rue Brisson, Niort).

TRAVAILLISTE (Le).

Organe du *Parti Travailliste*, fondé en 1929. Directeur : Aristide Jobert.

TRAVAILLISTE (Le).

Organe du *Front travailliste* (1966) auquel collaborent des dirigeants du mouvement : Frank Arnal, Yvon Morandat, Claude Serreulles, Bernard Farbmann, Roger Raoux, Raoul Textoris ainsi que : Emmanuel d'Astier de la Vigerie, Léo Hamon, Thomas Cercielio, Nicole Patrice, Hervé Fischer, André Philip, Suzette Roussineau, Marcel Sailly, Michel et Philippe Cazenave, Roland Verniseau, Pierre Hervé, Darius Le Corre (ancien dirigeant *S.F.I.O.*), etc. Le journal est dirigé par Lucien Junillon, secrétaire général du *Front Travailliste*, et François Morin, connu comme chef d'E.-M. de l'Armée secrète sous le pseudonyme de Forestier, directeur de la publication. (26, rue Feydeau, Paris 2ᵉ.)

TREICH (Léon).

Journaliste, né à Tulle (Corrèze), le 17 mars 1889, d'une famille du Massif central (contrairement à ce que Celine prétendait, n'est pas israélite). Débuta au *Bonnet Rouge* en 1914, puis fut le collaborateur fidèle de Buré et, à la Libération, celui du quotidien crypto-communiste *Front National*. Ensuite, rédacteur en chef de *L'Aurore*. Auteur de divers ouvrages dont « *Enigmes de l'Histoire* » et « *L'Esprit français* ».

TREILLE (Georges).

Pharmacien, né à Niort, le 2 septembre 1921. Etudes au lycée Fontanes, de Niort. Ancien combattant, engagé volontaire (1939-1945). Conseiller général du canton de Brioux-sur-Boutonne depuis 1958 ; président de la fédération radical-socialiste des Deux-Sèvres, membre du bureau national du *Parti Républicain Radical et Radical-socialiste*.

TREMINTIN (Pierre).

Avocat (1876-1966). Milita au *Sillon* de Marc Sangnier, puis au *Parti Démocrate Populaire*. Elu conseiller général du Finistère en 1904, devint député de Morlaix en 1924. Fut, en 1940, au nombre des 80 parlementaires qui refusèrent les pouvoirs constituants au maréchal Pétain. Nommé à l'Assemblée consultative provisoire après la Libération, fut conseiller de la République (*M.R.P.*) de 1946 à 1948. Etait maire de Plouescat depuis 1912, et président d'honneur de l'*Association nationale des maires de France*.

TREMOLET DE VILLERS (Henri).

Avocat, né à Paris le 4 janvier 1912. Conseiller général de la Lozère (canton de Châteauneuf-de-Randon, 1949-1955, puis canton de Meyruels, 1958, réélu en 1964) fut ensuite député de la Lozère (1956-1962). Membre du Comité directeur du *Centre des Indépendants et Paysans*, ancien vice-président du groupe des Indépendants et Paysans de l'Assemblée Nationale. Fut l'un des dirigeants du *Comité Tixier-Vignancour*, lors de la campagne pour les élections présidentielles de 1965. Appartient aux cadres dirigeants de l'*Alliance Républicaine pour le Progrès et les Libertés*.

TREMOLLIERES (Robert).

Parlementaire, né à Cahors le 10 septembre 1911. Directeur du bureau d'aide sociale. Suppléant de François Missoffe aux élections législatives de 1962. A été proclamé député de la Seine le 7 janvier 1963, ce dernier étant devenu membre du Gouvernement. Inscrit à l'*U.N.R.*

TRENO (Ernest, Augustin RAYNAUD, dit.)

Journaliste, né à Vias (Hérault), le 9 février 1902. Collaborateur du *Canard Enchaîné* depuis 1934 et son rédacteur en chef depuis la mort de Pierre Bénard en 1946. Rédacteur en chef de *Franc-Tireur* (1949-1954). Membre du conseil d'administration des *Editions Maréchal-Le Canard Enchaîné*. A fait preuve, en maintes circonstances, de cette indépendance d'esprit qui conduit à dire la vérité, même lorsqu'elle est gênante pour le camp politique auquel on appartient (affaire de *l'Express*, affaire Perdriel-*Nouvel Observateur*, etc.).

TRIBOULET (Raymond).

Agriculteur, né à Paris, le 3 octobre 1906. Membre du réseau « Ceux de la Résistance » pendant l'occupation. Secrétaire du Comité de la libération du Calvados. Sous-préfet de Bayeux (juin 1944-mai 1946). Inspecteur régional de la Rhénanie-Palatinat (mai-novembre 1946). Député du Calvados (*R.P.F.*, puis républicain-social, puis *U.N.R.*) à l'Assemblée nationale (1946-1962). Président du Groupe parlementaire des *Républicains-Sociaux* (ex-*R.P.F.*) (juillet 1954-mars 1955). Ministre des Anciens Combattants et Victimes de guerre (deuxième cabinet Edgar Faure, 25 février-6 octobre 1955). A nouveau président du groupe des *Républicains-Sociaux* (1er février 1956). Déclarait alors à l'Assemblée nationale, après avoir félicité le gouvernement d'avoir capturé Ben Bella, qu'il « *convenait que nous assurions à tout prix le maintien de l'Algérie française et que nous subordonnions à cet impératif l'ensemble de notre action politique* » (Discours prononcé à l'Assemblée nationale, séance du 28 mars 1957). Elu conseiller général de Tilly-sur-Seulles, le 20 avril 1958. Président du groupe parlementaire de l'*U.N.R.* (décembre 1958-janvier 1959). Ministre des Anciens Combattants et Victimes de guerre (cabinet Debré, 8 janvier ; premier cabinet Pompidou, 15 avril 1962). Ministre délégué, chargé de la Coopération (1962-1966). Réélu député en 1967.

TRIBUNAL MILITAIRE INTERNATIONAL.

Juridiction créée par l'accord du 8 août 1945 signé entre le Gouvernement Provisoire de la République Française et les gouvernements des U.S.A., de Grande-Bretagne et de l'Union Soviétique, chargé de réprimer les *crimes de guerre* (voir à ce nom) commis par les vaincus (ressortissants des pays européens de l'Axe). Improprement appelé *international* puisqu'il fut uniquement *allié* (et même strictement franco-angloaméricano-russe, les autres pays ennemis de l'Axe ayant été tenus à l'écart). Outre Henry Donnedieu de Vabres, professeur de droit renommé, et Robert Falco, magistrat et membre influent de la communauté israélite, qui siégèrent parmi les juges composant le Tribunal, le Gouvernement Provisoire avait délégué une douzaine de procureurs, avocats généraux et substituts : François de Menthon, qui avait présidé à l'épuration en France comme ministre de la justice du gouvernement De Gaulle, A. Champetier de Ribes, que certains procès écœurèrent (voir : *Champetier de Ribes*), Charles Dubost, Edgar Faure, Pierre Mounier, Charles Gerthoffer, Delphin Debenest, Jacques B. Herzog, Henry Delpech, Serge Fuster, Constant Quatre et Henri Meierhof qui se faisait déjà appeler Monneray (il y fut autorisé par décret en date du 13-12-1945).

TRIBUNE (La).

Quotidien démocrate-chrétien fondé à Mulhouse en 1945 et disparu quelques années plus tard.

TRIBUNE - LE PROGRES (La).

Edition stéphanoise du *Progrès* de Lyon. Se réclame de *La Tribune Républicaine*, de Saint-Etienne (voir à ce nom). Après la guerre, le journal parut sous le titre *La Tribune*. Des difficultés l'obligèrent, il y a quelques années, à signer un accord avec *Le Progrès* qui en a pris le contrôle et l'a transformé en édition régionale pour la Loire (voir : *Le Progrès*). Sa direction est à Lyon, mais il possède toujours son immeuble à Saint-Etienne (10, place Jean-Jaurès).

TRIBUNE DE L'AUBE (La).

Quotidien fondé à Troyes en 1886. Se réclamait, dans l'entre-deux-guerres, de l'*Alliance Démocratique*. Avait en 1939 pour directeur politique, A. Hugay, ancien conseiller général, pour directeur général, Gaston Martin, et pour rédacteur en chef, Léon Colomès, qui conservèrent leurs fonctions après l'armitice de 1940. Rayonnait sur l'Aube et la Haute-Marne. Disparu en 1944.

TRIBUNE DU COMMUNISME.

Groupe fondé en 1958 par quarante-neuf anciens membres du *P.C.F.* qui avaient décidé de constituer un organisme de liaison en vue de « *la réunification du mouvement ouvrier français* » et de « *la création d'un parti socialiste-communiste unitaire* ». Jean-Poperen fut le secrétaire du groupe qui ne compta guère que quelques centaines de membres dont : Revault d'Allonnes et François Chatelet, anciens professeurs à l'Université Nouvelle, G. Lyon-Caen, André Delcroix, François Lelièvre, Serge Mallet, Ludovic Marcus, Michel Sapir, Marcel Penin. Une feuille, qui parut une demi-douzaine de fois, était l'organe d'expression du groupe. Celui-ci fusionna en 1960 avec l'*U.G.S.* et le *P.S.A.* pour former le *Parti Socialiste Unifié*.

TRIBUNE ETUDIANTE.

Mensuel des étudiants de l'*U.G.S.*, puis du *P.S.U.*, animé par Michel Capron (81, rue Mademoiselle, Paris-15e).

TRIBUNE DE MONTELIMAR (La).

Hebdomadaire du Tricastin et du Bas-Vivarais se réclamant d'un journal fondé en 1816 et connu, dès avant la guerre de 1914, sous le titre de *Journal de Montélimar et de la Drôme*. De nuance modérée, il était dirigé jadis par Abel Bourron, journaliste libéral indépendant, et dans l'entre-deux-guerres, par Paul Matras, d'opinion centriste. Sa direction actuelle est assurée par Germaine Ayzac et M.-L. Ayzac, et sa rédaction, par J.-J. Ayzac (rédacteur en chef), Alain Pierre Rodet (études politiques), Henri-Pierre Ardonceau (études économiques), Daniel Négri, Philippe Lefebvre, etc. Avec son édition *La Drôme agricole*, *La Tribune de Montélimar* atteint un tirage d'environ 7 000 exemplaires. (22, rue Sainte-Croix, Montélimar.)

TRIBUNE DES NATIONS (La).

Hebdomadaire fondé en 1934 par Jean de Rovera. Paraissait alors en cinq langues et publiait des suppléments nationaux. Y collaboraient : J. Thouvenin, M. Pobers, P. Dominique, Henry Bérenger, etc. Contrôlé depuis la Libération par des militants communistes et progressistes : Joseph Dubois, André Ulmann, le professeur Bernard Lavergne, etc.

TRIBUNE DE L'OISE (La).

Journal de Beauvais, ayant succédé au *Moniteur de l'Oise* fondé en 1845. Quotidien de tendance modérée. Après l'armistice de 1940, ne parut que deux fois par semaine et disparut à la Libération.

TRIBUNE DU PEUPLE.

Hebdomadaire né de la fusion des journaux *Nouvelle Gauche* et *Monde Ouvrier* au lendemain de la fondation de l'*Union de la Gauche Socialiste* en 1957.

Fusionna, à son tour, en 1960, avec *Tribune du Communisme* et *Tribune du Socialisme* ; ces trois journaux furent remplacés par *Tribune socialiste*, organe officiel du *P.S.U.*

TRIBUNE REPUBLICAINE (La).

Quotidien de gauche de Saint-Etienne, dont les vingt éditions rayonnaient sur toute la région (plus de 200 000 exemplaires). Il avait été fondé en 1899 par les Gintzburger, israélites alsaciens établis dans le Forez au XIXᵉ siècle, qui ont eu un rôle important dans la politique du Centre et du Sud-Est de ces soixante dernières années. Par leur journal, *La Tribune Républicaine*, ils furent les pionniers du radicalisme dans toute cette partie de la France englobant les vallées de la Loire et de l'Allier, le Morvan et une partie de la Bourgogne. Aujourd'hui encore, leurs descendants occupent une position enviée dans la politique. La grande figure de la famille, Alphonse Gintzburger, qui vit le jour à Saint-Etienne, le 5 juillet 1873, consacra toute sa vie au journalisme : très jeune, alors qu'il poursuivait ses études au lycée de sa ville natale, il écrivait déjà dans les journaux. C'est sous l'égide de Waldeck Rousseau que fut créée *La Tribune Républicaine*, mais c'est sous la direction d'Alphonse Gintzburger qu'elle conquit une place au premier rang de notre presse régionale d'avant-guerre. Alphonse Gintzburger fut aidé par l'un de ses parents, René Grumbach, rédacteur en chef, et surtout par Louis Soulié (qui avait épousé sa sœur, Adrienne Gintzburger) et par le fils de ce dernier, Pierre Soulié, secrétaire général, puis directeur de *La Tribune*. Louis Soulié, qui avait deux ans de plus que lui — il naquit à Saint-Etienne, le 4 mars 1871 — débuta au *Stéphanois*, puis se consacra avec son beau-frère au développement de *La Tribune Républicaine*. Il fut l'un des fondateurs du *Syndicat des Quotidiens Régionaux*. Homme de gauche et franc-maçon, il fut maire de Saint-Etienne pendant une vingtaine d'années et appartint au Sénat, de 1920 à 1933. Il a réuni sous le titre « *Quarante-cinq ans de vie publique* » l'essentiel de ses discours politiques. Ses fils Pierre et Michel Soulié ont été ses collaborateurs (voir à ces noms).

TRIBUNE DE SAONE-ET-LOIRE (La)

Quotidien radical-socialiste fondé en 1945, à Chalon, dans les locaux du *Progrès de Saône-et-Loire*, quotidien interdit, dont il chercha à rallier l'ancienne clientèle. Malgré les efforts de ses dirigeants, Paul Devinat, ministre de la IVᵉ République, Gabriel Perreux et René Simonin, il ne parvint pas à prendre la place de l'ancien *Progrès* et il passa sous le contrôle de *La Tribune* de Saint-Etienne, qui devait, au cours de ces dernières années, devenir elle-même l'annexe du *Progrès* de Lyon.

TRIBUNE SOCIALISTE.

Hebdomadaire du *Parti Socialiste Unifié* (P.S.U.), animé par Harris Puisais, directeur politique, Gérard Constant, directeur adjoint, Eric Bergaire, rédacteur en chef, Roger Cérat, directeur-gérant et un comité de rédaction composé de : Claude Bourdet, Manuel Bridier, Maurice Combes, Richard Dartigues, Christian Guerche, Pierre Marchi, Victor Masson, Paul Parisot, Pierre Stibbe, Robert Verdier, Jean-Marie Vincent. (Adresse : 54, boul. Garibaldi, Paris 15ᵉ.)

TRICON (Emile, Henri).

Parlementaire, né à Paris le 17 avril 1908. Maire de Bois-Colombes. Vice-président de la *R.A.T.P.* Conseiller général du 11ᵉ secteur de la Seine. Suppléant de Maurice-Bokanowski aux élections législatives du 18 novembre 1962 ; a été proclamé député de la Seine quand ce dernier devint membre du gouvernement Pompidou. Elu dans la 3ᵉ circ. des Hauts-de-Seine en 1967.

TRIDON (Edme, Marie, Gustave).

Avocat, né à Châtillon-sur-Seine (Côte-d'Or), le 1ᵉʳ janvier 1841, mort à Bruxelles, le 29 août 1871. Après des études classiques, vint à Paris faire son droit et y fut ensuite avocat, ce qui lui permit surtout de se défendre lui-même devant les tribunaux du Second Empire. Après avoir traversé l'orléanisme et le proudhonisme, fit, en 1862, la connaissance de Blanqui à la prison de Sainte-Pélagie où il purgeait une peine à la suite d'un article paru dans *Le Travail*, et considéré comme outrageant pour la morale publique et religieuse. Dès lors, devint l'adepte fervent du grand révolutionnaire. Publia en 1864 un pamphlet sur les hébertistes, intitulé : « *Plainte contre une calomnie de l'Histoire* » où, à travers Hébert et ses amis, il cherchait à réhabiliter Blanqui. A la suite de cette publication, fut emprisonné pendant trois mois. Fonda *Le Candide* en mai 1865 ; ce journal fut interdit au huitième numéro, et son directeur fit six mois de prison. A peine libéré, créa un autre journal, *La Critique*, qui fut supprimé aussi promptement. A la suite du premier congrès de l'Internationale (1886), fut arrêté avec les principaux membres du mouvement pour sa participation à une assemblée tenue à Paris et considérée comme secrète. Fut alors condamné à quinze mois de prison, en plus de quatre mois de prévention. A la suite de ces incarcérations répétées, sa santé s'altéra. C'est pendant sa captivité que Tridon écrivit ses pamphlets « La Force » et « Gironde et Girondins », ainsi que le début de son ouvrage « Le Molochisme juif », qui ne parut qu'après sa mort, à Bruxelles (1884) et qui fit de lui, comme le pense l'historien Dommanget, l'un des représentants les plus autorisés de « l'antisémitisme socialiste français ». Compromis lors du procès de Blois, où malgré ses dénégations on l'accusait d'attentat contre la sûreté de l'Etat et la vie de l'Empereur, s'enfuit en Belgique et fut condamné par contumace à la déportation (9 avril 1870). Revenu à Paris, le 4 septembre, aida Blanqui à fonder La Patrie en danger et fut élu député de la Côte-d'Or. A l'Assemblée nationale de Bordeaux, vota contre les préliminaires de paix, puis donna sa démission en même temps que Henri Rochefort, Benoît Malon et Ranc. Elu membre de la Commune, ne put jouer qu'un rôle assez effacé en raison d'une « maladie de poitrine » déjà inquiétante. Présenta toutefois un projet de loi sur les échéances. Bien que blanquiste, fit partie de la minorité dont il signa le manifeste. S'éleva contre le Comité de Salut public et se fit remarquer par sa modération. Retiré à la clinique Dubois, échappa ainsi à la répression et put ensuite gagner Bruxelles où il mourut quelques mois plus tard. Tridon avait dépensé une partie de sa fortune pour la propagande de ses idées ; il légua une somme importante à son mouvement par testament, mais les fonds furent, semble-t-il, détournés par les exécuteurs testamentaires. Jean Allemane a publié en 1891 les « Œuvres diverses de G. Tridon ». Bien que systématiquement ignoré aujourd'hui des auteurs socialistes, ce blanquiste doit être considéré comme l'un des fondateurs du socialisme français.

TRINQUIER (Roger, Paul).

Officier, né à La Beaume (Hautes-Alpes), le 20 mars 1908. Issu d'une famille paysanne, fut d'abord instituteur, puis entra à l'Ecole de Saint-Maixent et partit, en 1938, comme officier d'infanterie coloniale pour l'Extrême-Orient. Servit en Chine, puis en Indochine. Combattit en Algérie, où il commandait le 3ᵉ Régiment de Parachutistes coloniaux au moment du 13 mai 1958. Entra au Comité de Salut public d'Alger, puis fut nommé adjoint au général commandant la subdivision de Nice (1960). Après avoir obtenu sa mise à la retraite anticipée (1961), partit pour Elisabethville où il aida à l'organisation de l'armée katangaise de Moïse Tschombé. A son retour, annonça la création du Parti du Peuple qui prit finalement le titre d'Association pour l'étude de la réforme des structures de l'Etat et lança le journal L'Etat nouveau qui fut la tribune de son groupement. Participa à la Convention Nationale Libérale (1965) réunie pour désigner un candidat à l'élection présidentielle. Auteur de « La Guerre moderne », « Le coup d'Etat du 13 mai », « L'Etat Nouveau ».

TROCHU (Abbé).

Journaliste (1867-1950). D'abord vicaire à Fougères, puis chapelain du pensionnat Saint-Etienne de Rennes, il fut l'un des fondateurs de L'Ouest-Eclair, le quotidien rennais qui eut une si grande influence dans l'évolution politique de la Bretagne catholique. Il avait eu l'idée de réunir en une seule famille les différents journaux, principalement hebdomadaires, qui avaient soutenu la candidature de l'abbé Gayraud, élu démocrate-chrétien à Brest en 1897. Son comportement politique, commercial et privé le mit bien souvent en difficultés avec la hiérarchie. Son évêque, Mgr Dubourg, lui interdit même, en 1910, d'assumer la direction effective de L'Ouest-Eclair. Ce n'est qu'à la faveur de la guerre, lorsque le directeur-gérant du journal, Emmanuel Desgrées du Lou, fut mobilisé ainsi que son rédacteur en chef, Henri Teitgen, qu'il put reprendre en main les rênes du journal. Après un nouvel incident avec le cardinal Dubourg, il promit d'abandonner la direction de L'Ouest-Eclair un an après la fin de la guerre. En attendant, il se fit nommer co-gérant de la société éditrice du journal. En 1920, l'archevêque de Rennes prononça à l'encontre du prêtre-journaliste une nouvelle interdiction : l'attitude prise par L'Ouest-Eclair, aux élections législatives de 1919, avait fortement mécontenté le cardinal Dubourg qui reprochait à l'abbé Trochu d'avoir fait battre des députés catholiques de droite au profit d'adversaires de gauche. Fort heureusement pour lui — et pour L'Ouest-Eclair —, le prêtre journaliste avait des appuis à Rome et à la Nonciature, et il put continuer le combat qu'il avait engagé, depuis des lustres, contre les parlementaires de droite. En 1924, Gustave de Lamarzelle, compagnon d'Albert de Mun, qui siégeait depuis trente ans au Sénat, tomba, grâce à la campagne de *L'Ouest-Eclair*, sous les coups d'un radical fort lié avec les loges. En 1928, d'autres catholiques traditionalistes mordirent la poussière, ce qui provoqua d'autres remous dans les cercles catholiques bretons. Sa réussite dans l'Ouest incita les démocrates-chrétiens du Midi à faire appel à lui pour damer le pion au journal catholique et national *L'Eclair* de Montpellier : en 1930, il participa à la fondation du quotidien *Le Sud*. A la même époque, une sentence de l'Officialité diocésaine de Rennes lui porta un coup très rude : le procès intenté par son journal au curé-doyen de Bain-de-Bretagne, qui l'avait qualifié de « *mauvais journal* », se termina par une sorte de condamnation religieuse de *L'Ouest-Eclair*, le tribunal ecclésiastique déboutant celui-ci de sa plainte. Furieux, l'abbé Trochu, dans une lettre publiée par un journal du Vaucluse, *Le Ventoux*, attaqua avec violence l'Officialité. Plusieurs animateurs de *L'Ouest-Eclair* comprirent le danger et ce fut bientôt la rupture entre l'abbé et eux. Bien qu'appuyé par un puissant groupe d'actionnaires, le premier ne put triompher des seconds. L'abbé Trochu se retira donc de l'entreprise en 1932 et il vendit le paquet d'action qu'il détenait. Sa disparition de *L'Ouest-Eclair* permit à ceux qui dirigèrent alors, sans lui, le grand quotidien rennais — notamment Pierre Artur, gendre de l'un des fondateurs de la société éditrice du journal, — de mettre une sourdine aux campagnes de *L'Ouest-France* contre les milieux catholiques traditionalistes et contre leurs porte-parole au parlement. Il est probable que certains ennuis que connurent les dirigeants de ce quotidien à la Libération ne sont pas étrangers à cette évolution du journal de l'abbé Trochu. Celui-ci vécut à l'aise de longues années, grâce à la rente que lui fit le groupe du *Petit Parisien*, en vertu d'un accord passé avec Pierre Dupuy en 1931. Les événements de 1944 l'obligèrent, néanmoins, à faire un procès pour obtenir le versement de cette rente après la dévolution des biens du *Petit Parisien*, frappé par l'épuration. Un jugement du 16 juin 1947 lui donna satisfaction. Trois ans plus tard, le combattif abbé rendait son âme à Dieu : il allait avoir quatre-vingt-deux ans. Sous le pseudonyme de Paul Delourme, il a publié : « *35 années de politique religieuse ou l'histoire de l'Ouest-Eclair* » (qu'il a préfacé lui-même sous son nom). C'est à ce prodigieux animateur, qui avait su faire de *L'Ouest-Eclair* le directeur de conscience des grandes masses catholiques de l'Ouest, que la démocratie chrétienne est redevable de son extraordinaire développement dans les départements bretons. C'est à lui également que l'héritier de son journal, le prestigieux *Ouest-France*, doit d'être aujourd'hui notre plus important quotidien provincial.

TROMBINOSCOPE.

Nom donné par les journalistes parlementaires à l'annuaire de l'Assemblée Nationale dans lequel figurent les portraits des députés (Imprimerie de l'Assemblée Nationale, Paris). Un « *Trombinoscope de la V*ᵉ » a paru en mai 1963, donnant les biographies et des extraits des professions de foi des députés élus en 1962 (*Lectures Françaises*, 27, rue de l'Abbé-Grégoire, Paris VIᵉ).

TROTSKYSTE.

Marxiste-léniniste opposé au *Parti Communiste* d'obédience russe ou chinoise, se réclamant de Leiba Bronstein, dit Lev Davidovitch Trotzky, plus communément appelé Léon Trotsky, révolutionnaire fameux (1879-1940), assassiné par des communistes staliniens. L'ancien compagnon de Lénine, évincé par Staline, représente aux yeux de certains marxistes-léninistes le véritable théoricien de la Révolution mondiale. Quelques mois avant sa mort Trotsky présentait ainsi le mouvement dont il était le créateur : « *Le mouvement auquel j'appartiens est un mouvement jeune qui surgit sous les persécutions sans précédent de la part de l'oligarchie du Kremlin et de ses agences dans tous les pays du monde. Pour parler en général, il est difficile de trouver dans l'histoire un autre mouvement qui ait eu à déplorer autant de victimes en si peu de temps que le mouvement de la Quatrième Internationale. C'est ma profonde conviction personnelle que dans notre époque de guerres d'annexions, de régimes, de destructions et de toutes sortes de bestialités, la Quatrième Internationale est destinée à jouer un grand rôle historique. Mais ceci est l'avenir.* » (Cf. *L'Epoque*, 10-11-1946). En 1928, il y eut une *Ligue Communiste Internationaliste*, ex-« opposition de gauche » de l'*Internationale Communiste (Komintern)* qui donna naissance à deux groupes rivaux. A la veille de la Seconde Guerre, mondiale, le mouvement trotskyste en France comptait trois organisations : l'*Union Communiste*, le *Parti Ouvrier Internationaliste* et le *Parti Communiste Internationaliste*. Ce dernier subit, en

1937, une scission : une partie de ses militants rejoignirent le *Parti Socialiste Ouvrier Paysan* de Marceau Pivert, tandis que d'autres adhéraient très officiellement au *Parti Socialiste* ou créaient des partis indépendants. Jacques Fauvet a noté que « *l'état d'esprit trotskyste a souvent contaminé les jeunesses socialistes* ». Le fait est que les jeunes de la *S.F.I.O.*, sous la direction de Fred Zeller, étaient ouvertement trotskystes avant la guerre, et eurent maints démêlés avec la direction du Parti. Dispersés en 1939, tenus à l'œil par la police d'Édouard Daladier ou de Laval, traqués par celle des Allemands, les trotskystes reconstituèrent leur parti dans la clandestinité en février 1944. Le nouveau *Parti Communiste Internationaliste* réunit les éléments des trois tendances trotskystes d'avant la guerre. Il se proclama aussi *Section française de la IVᵉ Internationale*. Il était alors dirigé par Albert Demazière, Max Clemenceau, Maurice Laval et Beaufrère (dit Liber, dit aussi Lestin) tous militants chevronnés. (Le plus connu, Maurice Laval, sera plus tard secrétaire général de *Combat*, puis administrateur de *France-Observateur*, conseiller municipal socialiste de Montrouge et dirigeant du *P.S.U.*) Tenus pour dangereux par les communistes alors tout-puissants, les trotskystes eurent beaucoup de peine, après la Libération, à obtenir l'autorisation d'œuvrer à ciel ouvert. La guerre finie, ils purent enfin s'exprimer plus librement. Aux élections d'octobre 1945 ils présentèrent des candidats, notamment à Paris, ainsi qu'aux élections de juin 1946, cette fois dans une dizaine de départements, notamment : Marcel Bleibtreu, Pierre Frank, Marc Paillet et le professeur Laurent Schwarz (cousin germain de Michel Debré). Après les élections de 1951, la division scindait le *P.C.I.* Au congrès de 1948 une tendance ultra-gauchiste s'opposait à la majorité, rejetant Tito aussi bien que Staline. Auparavant, les membres du parti qui avaient adhéré au *R.D.R.* (*Rassemblement Démocratique Révolutionnaire*) de Sartre, Altman et David Rousset — lui aussi ancien trotskyste en 1936 — avaient été exclus. La direction du *P.C.I.* fut alors assurée par Jacques Privas, Marin, Pierre Frank, Pierre Lambert. Une partie des dissidents ayant rejoint les *Jeunesses Socialistes* et les ayant noyautées, la *S.F.I.O.* dut s'amputer de ce « membre gangrené ». Séparées du *Parti Socialiste*, les *J.S.* se transformèrent en *Mouvement d'Action Socialiste Révolutionnaire*, qui s'étiola et se perdit dans le *R.D.R.* Au cours de ces dernières années, on a compté une bonne douzaine de tendances se réclamant du trotskysme dont celles de :

La Vérité et *Les Informations ouvrières*, publications (assez irrégulières) rédigées par le groupe Lambert qui a pris pied dans certains syndicats *C.G.T.-F.O.* (métallurgistes, employés) et dans le corps enseignant ;

Socialisme ou Barbarie, du groupe *Pouvoir ouvrier* ;

le groupe *Défense du Marxisme*, provenant d'une dissidence du groupe Lambert ;

la revue *Programme communiste* ;

le *Cercle Léon Trotsky* et *Voix ouvrière* ;

Sous le drapeau du socialisme ;

le *Parti Communiste révolutionnaire*, qui publie *Lutte communiste* ;

le groupe Frank-Germain qui anime le *Parti Communiste internationaliste*, le journal *La Quatrième Internationale* et la revue *Quatrième Internationale*.

(*Nous avons consacré une notice aux plus importants d'entre eux.*)

TRUST.

Mot américain désignant, communément, une concentration d'entreprises réalisée en vue de dominer un secteur économique, une branche de ce secteur, ou un marché. La réalisation des projets du *trust* exige des complicités gouvernementales, administratives ou parlementaires, d'où le rôle politique joué dans la société française par les grandes entreprises capitalistes (lire : « *Les maîtres de la France* », par Augustin Hamon, « *Les responsabilités des Dynasties bourgeoises* », par E. Beau de Loménie ; « *La guerre froide du pétrole* », par Pierre Fontaine, « *La Haute Banque et les Trusts* » et « *L'Europe des Banquiers* », par Henry Coston).

TUCCI (Albert).

Administrateur de sociétés, né à Mouzaiaville (Algérie) le 9 février 1896. Fils d'un entrepreneur de travaux publics. Sénateur du département de Constantine (1948-1952), membre du groupe *R.G.R.* du Conseil de la République, conseiller du commerce extérieur. Membre du Rotary-Club. Président de la *Société des Vignobles de la Méditerranée* et de la société *Cavdal*, administrateur de la *S.A. du Domaine de la Lorraine* et de la *S.A. du Domaine Sainte-Marie*. Associé et co-fondateur de la *Librairie de l'Amitié*. Ancien président de la *Fédération des Vignerons de la Fédération de Constantine*.

U

ULRICH (Henri).

Chef de bureau aux *Mines de Potasse d'Alsace*, né à Mulhouse, le 5 décembre 1912. Militant *M.R.P.*, fut de 1948 à 1956, secrétaire général du Syndicat *C.F.T.C.* des mineurs de la potasse. Elu député *M.R.P.* du Haut-Rhin en 1956 et réélu en 1958 (Battu en 1962 par le candidat *U.N.R.* Kroepfle). Conseiller général du Haut-Rhin depuis 1958. Candidat malheureux du *Centre Démocrate* en 1967.

UNION.

Association formée par le groupement hétérogène de plusieurs organisations, partis ou syndicats en vue d'une action commune. On a remarqué, dans la pratique, que les tentatives d'union de groupes voisins, mais de conception, de formation ou de tendance différente aboutissaient, dans la plupart des cas, à une plus grande division, soit parce que le programme ou le contrat n'avait pas été assez précis au départ, soit en raison de l'affrontement des personnalités que l'on essayait de rapprocher et de faire cohabiter au sein d'une telle organisation. *L'unité*, c'est-à-dire la fusion de plusieurs groupes en un seul, suppose au contraire une entente préalable plus étroite et l'effacement, du moins provisoire, de la plupart des *leaders* au profit de l'un d'eux, ou d'une direction commune.

UNION (L').

Quotidien régional fondé en 1944 par le *Comité de Libération* de la Marne et dont la direction fut, au début, confiée à un conseil composé de représentants de la *C.G.T.*, de *Libé-Nord*, du *Front National*, de la *S.F.I.O.*, du *P.C.*, du *M.R.P.*, de la *C.F.T.C.*, etc. Il s'installa dans les locaux et l'imprimerie de *l'Eclaireur de l'Est*, journal radical dirigé par l'ancien ministre Paul Marchandeau et interdit à la Libération. En 1950, Robert Mirande, secrétaire de la Fédération *S.F.I.O.* de la Marne, dénonça dans l'hebdomadaire socialiste *Le Travail*, ce qu'il appelait le « *boycottage* » intérieur et extérieur de *l'Union* par le *Parti Communiste*. Il expliqua que, dès le début, le *P.C.F.* était parvenu à diriger effectivement le quotidien, lequel était alors catalogué procommuniste. Puis, dit-il, « *le journal devint progressivement un journal d'information objective qui ouvrait ses colonnes à tous les arguments des associations membres de la société* ». Selon Robert Mirande, ceci ne fit pas l'affaire des communistes qui, « *voyant qu'ils n'étaient plus maîtres absolus du journal* (...) *déclenchèrent une offensive violente contre* l'Union, *en particulier dans le journal* La Champagne ». Le fait est que ce dernier recommandait, le 7 mai 1950, à ceux qui le lisaient : « *Refusez d'acheter* L'Union *pour appuyer l'action qui peut se dérouler à l'intérieur du journal.* » Le secrétaire fédéral socialiste précisait comment et par qui pouvait s'exercer cette action : « *Non seulement par les gérants aux ordres du P.C., M. Guéri-*

neau, du Front National, et M. Lejeune, de la C.G.T., mais encore par la foule d'ouvriers et d'employés du journal, membres du P.C. Voilà pourquoi, concluait Robert Mirande, L'Union a encore bien souvent les allures d'un journal communiste. » Par la suite, sous la direction de Charles-André Guggiari, ancien syndicaliste et résistant, L'Union s'est soustraite au contrôle communiste tout en restant un journal de gauche. La S.A.R.L. Journal L'Union a été fondée le 1er septembre 1945. Au conseil de gérance figurent ou ont figuré les représentants des divers groupes fondateurs : Gabriel, René, Désiré Lejeune (qui remplaça Jean Lambert), de l'Union Départementale des Syndicats Ouvriers de la Marne ; Léon Bolgniet, puis Albert-René Guérineau, du Front National de Lutte pour la Libération, l'Indépendance et la Renaissance de la France ; Serge Pigny, puis Lucien Paul, de Ceux de la Libération-Vengeance ; Charles Guggiari, secrétaire départemental de l'association Libération Nord ; Pierre, Jean, Michel Bouchez, successeur d'André Martin et de Henri Bertin, président de Ceux de la Résistance ; Franck Lucas, puis Adolphe Laberte et enfin Fabien Hourdeaux, représentant de l'Union Française des Associations de Combattants de la Libération et Victimes des Deux Guerres. La société Journal L'Union a racheté l'actif de la Société L'Eclaireur de l'Est pour 140 millions de francs (45 millions pour l'immeuble, 70 millions pour le matériel et le mobilier, 10 millions pour le fonds de commerce et 15 millions pour couvrir le passif de la S.N.E.P.). Les 165 000 exemplaires quotidiens de L'Union sont diffusés dans la Marne, l'Aisne, les Ardennes, l'Aube et la Haute-Marne. (87 à 91, place Drouet d'Erlon, Reims.)

UNION DES CERCLES D'ETUDES SYNDICALISTES.

Fondée par des socialistes et des syndicalistes de Force Ouvrière, le 17 septembre 1947. Changea d'orientation à la suite d'une assemblée générale tenue le 9 juin 1962. Présidée par Raymond Le Bourre, ancien secrétaire confédéral de la C.G.T.-F.O., assisté de Jean-Baptiste Tréviaux, vice-président, et d'Athanase Hadji-Gavril, secrétaire général (52, rue Jacques-Dulud, Neuilly-sur-Seine).

UNION DES CHRETIENS PROGRESSISTES.

Parti communisant, créé et dirigé par le marquis Gilbert de Chambrun, député, membre du groupe progressiste de l'Assemblée nationale. A l'origine, l'Union ne voulait être ni un parti politique, ni un groupement professionnel, mais un « mouvement d'opinion des chrétiens, qui, ayant connaissance de leur solidarité avec les travailleurs, prennent place à côté d'eux dans les forces progressistes ». Ils voulaient « être DE l'Eglise DANS le progressisme AVEC les communistes ». Le secrétaire général de l'U.C.P., Moiroud, secondait G. de Chambrun ; le professeur Mandouze, de Témoignage Chrétien, était l'un des doctrinaires. Les chrétiens progressistes exerçaient une certaine influence dans les milieux syndicalistes chrétiens où leurs publications, Les Chrétiens prennent position et l'U.C.P. en marche étaient largement diffusées.

UNION CIVIQUE POUR LE REFERENDUM

Ce groupement gaulliste, constitué en vue du référendum de septembre 1958, était présidé par le professeur Pasteur-Vallery-Radot, gaulliste fidèle, assisté de Claude de Peyron, secrétaire général, Guy Vaschetti, avocat, dirigeant des Jeunes républicains-sociaux, futur député U.N.R., Jacques Mouzel, directeur de sociétés, Jacques Mousseau, journaliste, Henri Monnet, industriel, trésorier de l'Union Civique, Baldensperger, administrateur de sociétés, et Jean Lageat, administrateur de la Genarep (Pétroles), des Etablissements Antoine Cheris, de Cogema et d'Astra (la branche française d'Unilever). Etaient également membres du Comité directeur : Victor Bassot, directeur d'éditions, Bareth, maire-adjoint de Boulogne, Jacques Chaban-Delmas, député, Jacques Chabannes, journaliste, ancien collaborateur de Jean Luchaire à Notre Temps, Gabriel du Chastain, ancien speaker de Radio-Tunis, directeur de L'Opinion en 24 heures, le Dr Demay, Mme Fontaine, docteur en médecine, Dreyfous-Ducas, futur député U.NR., Georges Jouin, reporter à la R.T.F., Marcel Martin, maître des requêtes au conseil d'Etat, Guy Ribeaud, administrateur de sociétés, André Schmit, directeur des Coopératives des Messageries de la Presse Parisienne (N.M.P.P.), Sursol, industriel, et Gérard Van den Kemp, conservateur des musées de Versailles et des Trianons. Parmi les membres fondateurs de l'Union, on remarquait encore le journaliste Ludovic Barthélemy, le professeur Camille Bégué, la comédienne Jeanne Boitel, l'économiste Camille Brissat, le professeur d'Allaines, le journaliste Georges Delamare, le colonel Passy (André Dewavrin), conseiller de la banque

Worms, Mme Eboué, le professeur P. Funck-Brentano, l'ambassadeur Garreau, Léo Hamon (Goldenberg), ancien sénateur, Mme Leclerc de Hautecloque, conseiller municipal de Paris, Roger Heim, de l'Institut, Julliot de la Morandière, Lecoq de Kerland, du Conseil de la Magistrature, R. Margot-Noblemaire, administrateur de la *Cie des Wagons-Lits,* des *Ateliers et Chantiers de Bretagne,* etc., l'avocat Michard-Pélissier, Montel, de l'Académie des sciences, le député Mondon, Mme J. Pagniez, femme de lettres, le député de Pierrebourg, l'ambassadeur Pila, le sénateur Alain Poher, l'avocat Marcel Poignard, ancien bâtonnier, le professeur Charles Richet, l'écrivain Jules Romains, l'industriel Jean Rosenthal, le journaliste Rémy Roure, Trefouel, directeur de l'Institut Pasteur, Louis Terrenoire, collaborateur de Bleustein-Blanchet à *Publicis,* futur secrétaire d'Etat à l'Information, le député R. Triboulet, le professeur de Vernejoul, président de l'Ordre des médecins, le général Henri Zeller, ancien gouverneur de Paris. Enfin, au comité départemental de la Seine figuraient : Robert Charrier, président de l'*U.N.C.* à Paris, le syndicaliste Maurice Nickmilder, Mme Rives-Henrys, vice-président de l'*Union Féminine Française,* Robert Dupont, président de l'*Union des Commerçants et Artisans de la Seine,* Pierre De Gaulle, Decaris, de l'Institut, le professeur Marchal, de la Faculté de médecine, François de La Noé, du *Comité des Ecrivains Catholiques,* le journaliste Jacques Baumel, le syndicaliste Robert Calmejane, l'avocat Habib-Deloncle, le cinéaste Roger Ribadeau-Dumas, le général de Goys de Mezeyrac, le syndicaliste Alex Parisot et André Harth, administrateur de sociétés (*Mines de Douaria, Société de Banques et de Participations, Aciéries et Forges de Firminy, Ateliers et Forges de la Loire, S.T.E.M.I., Cotonnière de Saint-Quentin, Mines de Huaron,* etc.). La plupart de ces personnalités rallièrent l'*U.N.R.* à sa fondation quelques mois plus tard.

UNION DES CLUBS POUR LE RENOUVEAU DE LA GAUCHE.

Groupement formé de cinq clubs et associations qui ont uni leurs efforts en février 1966, en vue de leur adhésion à la *Fédération de la Gauche démocrate et socialiste.* Ce sont : l'*Association des Jeunes Cadres,* le *Cercle Tocqueville* (Lyon), *Démocratie et Socialisme* (Clermont - Ferrand), *République moderne* (Nîmes) et *Socialisme et Démocratie.* Président : Alain Savary, ancien ministre ; secrétaire général : Jacques-Antoine

Gau, président d'honneur de la *Mutuelle nationale des étudiants de France* (10, rue Victorien-Sardou, Paris 16e).

UNION DES COMITES D'ACTION DEFENSIVE (U. C. A. D.)

Groupe dit « *cagoulard* » (voir à ce nom) créé en novembre 1936 par le général Duseigneur, général de l'air en retraite, avec le concours du duc Pozzo di Borgo et d'un ancien franciste, Robert Jurquet de la Salle. L'*U.C.A.D.* était peu active à ses débuts. C'est alors qu'elle fut noyautée par des activistes révolutionnaires de droite qui venaient, pour la plupart, de *L'Action Française.* C'est ceux-là que Maurice Pujo, qui les connaissait bien, baptisa « les cagoulards ». Parallèlement, s'était constitué, toujours avec d'anciens ligueurs, souvent d'*A.F.,* le C.S.A.R. Aucun lien organique ne rattachait ce *Comité Secret d'Action Révolutionnaire* au groupement de Duseigneur et de Pozzo di Borgo. Mais, très rapidement — du moins c'est ce que l'on croit — des éléments du *C.S.A.R.* manœuvrèrent l'*U.C.A.D.* (voir : *Comité Secret d'Action Révolutionnaire*).

UNION DES CORPORATIONS FRANÇAISES.

Organisation fondée par des militants d'*Action Française.* Elle fonctionna d'abord sous le nom de *Confédération de l'Intelligence et de la Production française,* avec, pour organe officiel, *La Production Française.* Georges Valois la présida quelque temps, secondé par Pierre Dumas, le colonel Calté, secrétaire général, et Remy Wasier, un cheminot qui anima *Le Rail,* organe nationaliste du personnel des chemins de fer, et qui devint le chef de publicité de *L'Action Française.* Le colonel Bernard de Vesins, président de la *Ligue d'A.F.,* était alors vice-président de l'*U.C.F.* Par la suite, Pierre Chaboche, industriel (« *La Salamandre* ») et Firmin Bacconnier en furent les animateurs. L'*Union* groupa surtout des militants d'*Action Française* et des sympathisants.

UNION DE DEFENSE DES AGRICULTEURS DE FRANCE.

Filiale paysanne de l'*U.D.C.A.,* fondée à Saint-Affrique (Aveyron) le 1er mai 1955. Eut pour animateurs Léon Dupont, futur directeur de *Chevrotine,* et Raoul Lemaire, qui prit la présidence du *Rassemblement Paysan* (avec Dorgères et Antier). Dirigée actuellement par R. Larrieu un agriculteur du Sud-Ouest, resté fidèle à Pierre Poujade contre vents et marées. (Voir : *Mouvement Poujade* et *Chevrotine*.)

UNION DE DEFENSE DES COMMER-ÇANTS ET ARTISANS (U. D. C. A.)
(voir : **Mouvement Poujade**).

UNION POUR LA DEFENSE DES PEU-PLES OPPRIMES.

Organisation anti-communiste publiant un journal mensuel, *Exil et Liberté* (fondé en 1954), dirigé par François de Romainville (A. de Goulévitch, 7, avenue Léon-Heuzey, Paris 16e). (Voir : *Romainville*.)

UNION DEMOCRATIQUE DE LA HAUTE-SAONE (L').

Journal républicain fondé à Vesoul en 1903 et dirigé, dans l'entre-deux-guerres, par Gilbert Bletner. Paraissait alors deux fois par semaine et tirait à environ 10 000 exemplaires. Il était l'organe de *l'Union des Gauches* du département. Suspendu pendant de longues années, reparut après la Libération sous la direction d'André Liautey, député, et avec la collaboration de René Besnard, Hippolyte Ducos, Albert Le Bail. Se réclamait alors du *R.G.R.* Aujourd'hui mensuel, sert d'organe de presse aux milieux radicaux du département. (18, esplanade du Chêne, Luxeuil.)

UNION DEMOCRATIQUE DES INDE-PENDANTS.

Fusion du *Parti Radical Indépendant* et de l'*Union Démocratique des Français Indépendants*, réalisée en décembre 1953. Dirigeants : André Liautey et Jacques Bardoux.

UNION DEMOCRATIQUE DU MANI-FESTE ALGERIEN.

Parti créé par Ferhat Abbas en 1946. Héritier des *Amis du Manifeste et de la Liberté* (créés en 1944) et, dans une certaine mesure, de l'*Union Populaire Algérienne* (fondée en 1938). Groupait autonomistes et séparatistes musulmans.

UNION DEMOCRATIQUE ET SOCIA-LISTE DE LA RESISTANCE (U.D.S.R.).

L'*U.D.S.R.* fut, à l'origine (1945), un rassemblement de mouvements de résistance (*O.C.M.*, *M.L.N.*, *Libération-Nord*, etc.). En juillet 1946, elle changea de structure et devint un parti politique. Liée au *Rassemblement Démocratique Africain*, elle avait, sous la IVe République, un groupe commun avec lui. Les deux fortes personnalités de l'*U.D.S.R.*, René Pleven et F. Mitterrand, s'affrontèrent des années durant. Finalement, le premier quitta le parti avec ses amis, abandonnant à M. Mitterrand sa direction exclusive, lorsque le comité directeur de l'*U.D.S.R.* se prononça à la majorité pour le « *non* » en 1958. Les minoritaires fondèrent un autre groupe *l'Union Démocratique*, dont *Le Petit Bleu*, de René Pleven, est le porte-parole. Les majoritaires sont aujourd'hui derrière F. Mitterrand, à la *Fédération de la Gauche Démocrate et Socialiste*.

UNION DEMOCRATIQUE DU TRAVAIL.

L'*U.D.T.* fut créée le 14 avril 1959 par des « gaullistes de gauche » groupés, depuis l'année précédente, au sein du *Centre de la Réforme Républicaine* et du *Comité Républicain et Démocrate* (voir à ces noms). Elle s'employa principalement à rassembler, autour du général De Gaulle, les éléments de gauche qui avaient soutenu, en 1954-1955, le gouvernement Mendès-France. « *Devant l'incapacité des formations traditionnelles à se rénover, face au désarroi des travailleurs, l'Union Démocratique du Travail souhaite répondre par son action à l'espoir du pays et devenir le grand mouvement populaire et national que l'opinion démocratique attend.* » Les fondateurs du nouveau parti appartenaient, pour la plupart, à cette « *bourgeoisie intelligente* » dont parlent avec sympathie les communistes, et qui s'émerveille des réalisations soviétiques tout en restant très attachée aux avantages de la fortune. Le comité directeur de l'*U.D.T.*, qui siégeait alors 25, rue Marbeuf (le parti s'installa ensuite 25, rue Le Peletier), se composait de : Georges Altmann, Roger Barberot, J. Debû-Bridel, Philippe Dechartre, J. Dutourd, Léo Hamon, Irène de Lipkowski et son fils Jean, Jacques Mercier, Yvon Morandat, Victor Rochenoir, Henri Romans-Petit, Robert Tenger, Louis Vallon, dirigeants du *Centre de la Réforme Républicaine*, et de : Gilbert Beaujolin, fondateur des *Amitiés chrétiennes*, secrétaire général du *Comité des anciens chefs de réseaux*, président de la *Société d'Equipement pour l'Afrique* et de la *Cie Fermière d'Oulmès-Etat*, Pierre Billotte, Jean-Claude Broustra, dirigeant de l'*U.D.S.R.* ; Thaddée Diffre, ancien secrétaire particulier de René Pleven et collaborateur d'Houphouët-Boigny, auteur d'un livre sur l'Etat d'Israël ; André Gillois (Diamant-Berger), journaliste, ancien speaker à la *B.B.C.* (« *Les Français par-*

lent aux Français ») et producteurs à la *R.T.F.* ; Gaston Gosselin, collaborateur d'Edmond Michelet ; Gilbert Granval (précédemment : Hirsch-Ollendorf), ancien Haut-Commissaire au Maroc, secrétaire général à la Marine marchande ; Azziz Kessous, fondateur du journal *Communauté Algérienne*, inspecteur général de la Santé Publique ; Jean-Pierre Lévy, co-fondateur de *Franc-Tireur* ; Jean Mairey, secrétaire général du ministère de l'Intérieur, ex-directeur de la Sûreté Nationale ; Simone Pélabon, épouse du préfet André Pélabon, président des *Ateliers de Construction du Nord de la France*, ancien collaborateur du président Mendès-France ; Roland Pré, ancien gouverneur des colonies, président du *Bureau Minier de la France d'Outre-Mer*, membre du Comité Technique de l'*Organisation des Régions Sahariennes* (connu pour ses opinions « technocratiques »); Pierre Sandahl, directeur de *La Semaine Internationale ;* Claude Serreulles (Bouchiney), ancien collaborateur du général De Gaulle (à Londres) et du ministre Tixier (Intérieur), administrateur directeur général des *Ateliers de Construction Lavalette* et de la *Société Financière Brésilienne* pour l'*Europe*, administrateur de la *Compagnie Financière* et de la *S.A.V.E.M.*, président-directeur général de *La Finance des Caraïbes* ; Jean-Claude Servan-Schreiber, co-fondateur de *L'Express*, directeur général adjoint des *Echos* ; Henry Torrès, ancien député radical, ancien sénateur *R.P.F.*, jadis rédacteur à *L'Humanité*, à *L'Œuvre* et à *Gringoire*. Le secrétariat général administratif était assuré par Georges Guillemin, chef du service des relations extérieures de l'Aéroport de Paris, et Roger Sauphar. Plusieurs personnalités de gauche apportèrent leur adhésion à l'*U.D.T.* : Joseph Kessel, Maurice Clavel, Albert Ollivier, collaborateur du président De Gaulle, Jacques Chevalier, ancien député-maire d'Alger, ministre du gouvernement Mendès-France, etc. (cf *Le Monde*, 16-4-1959). A peine constituée, l'*U.D.T.* organisa une conférence de presse à Paris (21-4-1959), au cours de laquelle Louis Vallon, Philippe Dechartre, Roland Pré, le général Billotte et Gilbert Granval définirent les objectifs du mouvement. A ceux qui pensent que le général est un homme de droite, Louis Vallon expliqua qu'il n'en est rien : « *Etre de droite, c'est presque toujours avoir peur de ce qui existe, car l'existence c'est le changement. De ce point de vue, De Gaulle n'est manifestement pas un homme de droite. Aujourd'hui comme hier, des hommes de gauche ont le droit de soutenir son action, sans rien*

abandonner de leurs préférences personnelles. » L'*U.D.T.* faisait confiance au Général pour résoudre le problème algérien : « *S'il fallait, dès aujourd'hui*, dit P. Billotte, *dans la situation telle qu'elle est, opter entre les différentes formules : fédération, autonomie, et a fortiori intégration, assimilation, et à l'opposé indépendance, y aurait-il une seule chance sur mille pour que le statut politique choisi soit valable, acceptable, durable ? Nous ne le pensons pas ; nous pensons, au contraire, avec De Gaulle, qu'au fur et à mesure des progrès accomplis dans tous les domaines, la sécurité enfin revenue avec « la Paix des Braves », les pressions et les contraintes, même involontaires, écartées, les esprits enfin apaisés, se dégagera du fond des populations mieux informées une volonté clairement exprimée. Alors avec tous ses représentants qualifiés pourra être conçu et débattu un statut politique conforme à la réalité vivante.* » Complétant leur pensée dans la brochure « *L'U.D.T. vous parle...* », les « gaullistes de gauche » écrivaient : « *L'autodétermination — elle est dans la nature des choses... Les « ultras » répondent : personne n'admet, ne parle d'autodétermination pour la Corse ou la Bretagne... C'est vrai, parce que la question n'y est pas posée, mais si la Corse ou la Bretagne voulait quitter la France, aucune Constitution ne pourrait, à la longue, les en empêcher.* » (Page 9.) Au journaliste étranger qui lui demandait ce qui avait déterminé « *l'éloignement de certains d'entre vous de Mendès-France* ». Louis Vallon répondit qu'il n'y avait pas « *éloignement* », mais que la position prise par leur chef de file lors du référendum avait momentanément écarté ses amis et lui de Mendès-France. Question de tactique et de forme, mais on demeure d'accord sur le fond, et on espère qu'il reprendra « *sa place comme l'un des animateurs de la Gauche française.* » C'était, semble-t-il, à la demande expresse du Général lui-même que les « *gaullistes de gauche* » avaient créé l'*Union Démocratique du Travail.* Le président De Gaulle, fort mécontent de l'*U.N.R.*, en particulier de l'attitude de la majorité de ses parlementaires à l'égard du problème algérien, aurait chargé son proche collaborateur Albert Ollivier, « gaulliste de gauche », de réorganiser la gauche gaulliste. C'est, croit-on, pour ce motif qu'il reçut, en mars et avril 1959, Louis Vallon, J.-C. Servan-Schreiber, Maurice Clavel et le colonel Barberot. (Cf. *Le Monde* du 16-4-1959.) L'entreprise des « gaullistes de gauche » n'était pas de tout repos. Le 23 juin 1959, onze membres du comité directeur démissionnaient : le colonel Barberot, G. Beaujolin, Broustra, Dechartre, Diffre, Dutourd, Gosselin, J. Mercier, Romans-Petit, J.-C. Servan-Schreiber et Tenger, qui jugeaient impossible le rôle « *d'opposition de Sa Majesté* » qu'ils entendaient assumer. Ils furent remplacés par François Baron, Stanislas Fumet, Joseph Kessel, Etienne Krafft, Raymond Lefèvre, Christiane Marcilhacy, Jean Poilvet, Maurice Rheims, Alfred Rosier (*Le Monde*, 6-9-1959). L'année suivante, au printemps, l'*U.D.T.* suspendit la publication régulière de son hebdomadaire *Notre République* et se mit pratiquement en sommeil, ses dirigeants se bornant à publier un bulletin ronéotypé. Aux élections législatives de 1962, les animateurs de l'*U.D.T.* firent alliance avec l'*U.N.R.* et obtinrent ainsi l'appui du seul mouvement gaulliste représenté au parlement. L'Elysée aurait insisté pour que les candidats de l'*U.D.T.* fussent bien placés. Cela permit à un certain nombre d'entre eux d'être élus. Entrèrent ainsi au Palais Bourbon : Pierre Billotte (Seine), René Caille (Rhône), René Capitant (Seine), Diomède Catroux (Alpes-Maritimes), Alban Fagot (Isère), Yves Guéna (Dordogne), le docteur Hébert (Manche), Jean de Lipkowski (Charente-Maritime), Pierre Marquand-Gairard (Bouches-du-Rhône), Edmond Nessler (Oise), Christian Poncelet (Vosges), Robert Richet (Côtes-du-Nord), Henri Rivière (Loire), Antonin Tirefort (Tarn), Louis Vallon (Seine-et-Oise). Commentant le succès de ces membres de l'*U.D.T.*, *Lectures Françaises* écrivait (décembre 1962) : « *Quand on sait que M. Capitant est l'un des principaux membres de l'Association France-U.R.S.S. que le général Billotte fréquente l'ambassade de Pologne, et que M. Louis Vallon préconise ouvertement le rapprochement avec l'U.R.S.S., on devine ce que cela signifie.* » Quelques mois plus tard, l'*U.D.T.* fusionnait avec l'*Union pour la Nouvelle République* afin de ne former qu'un seul parti gaulliste, l'*U.N.R.-U.D.T.*, au comité duquel entrèrent plusieurs de ses dirigeants. La tendance *U.D.T.*, toujours active au sein du parti gaulliste, reprit la publication hebdomadaire de *Notre République,* qui est aujourd'hui son principal moyen d'expression.

UNION DES ECRIVAINS POUR LA VERITE.

Organisation de gauche présidée par Louis Martin-Chauffier, assisté de : Edith Thomas, vice-présidente ; Claude Aveline, Marc Beigbeder, Edmond Humeau, Alfred Kern, Guy Le Clec'h, Jean Lescure, Mme Clara Malraux, MM. Maurice Nadeau, Gérard Rosenthal et René Tavernier.

UNION DES ETUDIANTS COMMUNISTES.

Association des étudiants dépendant du *P.C.F.*, placée depuis avril 1966 sous le contrôle du *Conseil du Mouvement de la Jeunesse Communiste* (voir à ce nom).

UNION DES ETUDIANTS POUR LE PROGRES.

Groupement estudiantin gaulliste, né en novembre 1966 de la fusion de l'*Action étudiante gaulliste de Paris* et de de l'*Union des jeunes pour le progrès*. en présence de Jacques Baumel et de Michel Habib-Deloncle, dirigeants de l'*U.N.R.-U.D.T.* Est placée sous l'égide de l'*Union des Jeunes pour le progrès*. Président : Maurice Boudin-Hurel (lettres) ; secrétaire général : Georges Berlioz (droit) ; trésorier : Vincent Raedecker (droit) ; délégué à la formation : Jean-Louis Bourlanges (langues orientales) ; délégué à l'information : Jean-Paul Fasseau (droit) ; déléguée aux questions estudiantines et syndicales : Francine Gentilini (sciences) ; délégué à l'implantation : Gérard Née (sciences politiques) ; délégué à la documentation : Dominique de Tourneau (I.A.E.).

UNION FEMININE DU RASSEMBLEMENT DEMOCRATIQUE.

Organisation des femmes radicales (voir : *Parti Radical et Radical-Socialiste*).

UNION DES FORCES DEMOCRATIQUES

Fondée au lendemain du 13 mai 1958 par des républicains et socialistes de gauche, groupés autour de la *Ligue des Droits de l'Homme* dont le président Daniel Mayer avait lancé un appel à l'union le 18 juillet 1958. Y adhérèrent : Pierre Mendès-France, Edouard Depreux, Robert Verdier, François Mitterrand, Maurice Lacroix, Francis Perrin, le doyen Chatelet, Laurent Schwartz (cousin germain de Michel Debré et l'un des signataires de l'appel à l'insoumission), Maurice Merleau-Ponty, Pierre Lebrun, Forestier, Pierre Dreyfus-Schmidt, Gilles Martinet. La plupart des adhérents de l'*U.F.D.* étaient des antigaullistes inconditionnels ayant participé au défilé du 25 mai « de la Nation à la République ». L'*U.F.D.* n'eut pas à attendre longtemps pour éprouver sa force. Elle le fit à l'occasion de trois consultations populaires. Aux élections législatives de novembre

1958, elle patronna quatre-vingt neuf personnalités appartenant à la fraction mendésiste du *Parti Radical,* au *P.S.A.,* à l'*U.G.S.,* au progressisme, à l'*U.D.S.R.* Au lendemain de la consultation, *Le Journal du Parlement* (4-12-1958) constatait que ces 89 candidats n'avaient obtenu que 153.840 voix sur 4.084.537 suffrages exprimés dans les circonscriptions où ils se présentaient, soit en moyenne 3,8 p. 100 par candidat. Aux élections présidentielles, l'*U.F.D.* présenta le doyen Chatelet contre le général De Gaulle : il obtint 9 p. 100 des voix. « *Les maires et conseillers municipaux U.G.S., P.S.A. et mendésistes ne dépassaient pas quelques centaines. La plus grande partie des suffrages recueillis par M. Chatelet viennent de S.F.I.O. ou de radicaux classiques et peut-être parfois de M.R.P.* » (*Tribune du Peuple,* 27-12-1958). Les élections municipales furent plus satisfaisantes : un chiffre de voix important fut enregistré par l'*U.F.D.* à Saint-Brieuc, Toulouse, Carcassonne, Narbonne, Sotteville, Rouen, Château-Chinon, Rocroy, Alfortville, Alès, Evreux, Antony, Sceaux, Belfort, Saint-Gratien, Louviers. Dans la Seine, l'*U.F.D.* n'eut qu'un élu : Claude Bourdet, directeur de *France-Observateur.* Mais dans la grande banlieue et en province, de nombreux candidats *U.F.D.* triomphaient au second tour, soit sur des listes communes avec le *P.C.,* soit sur des listes néo-front populaire (*S.F.I.O.-P.C.-U.F.D.*). Cet essai de « cartel de la Gauche rénovée » fut sans lendemain, malgré le soutien que lui apportèrent les hebdomadaires *L'Express, La Tribune socialiste, France-Observateur* et divers journaux de gauche des départements, dont le tirage global atteignait cependant un demi-million d'exemplaires.

UNION FRANÇAISE (L').

Journal fondé à Lyon, en 1929, par Etienne de Raulin — le futur colonel Laboureur, de la Résistance — avec le concours actif d'un jeune militant nationaliste nommé Sape. Ce dernier, sous le pseudonyme de Philippe Dreux, ressuscita le journal en 1940 et en fit un hebdomadaire résolument fasciste. La rédaction, animée à Lyon par René Rozand, et, à Paris, où *L'Union Française* avait des bureaux, par Michel Moyne, auteur du *Mythe bolchevique* (avec André Chaumet) et futur chef des informations de *Radio-Luxembourg,* était nombreuse et variée : Jean Drault et Urbain Gohier y publiaient leurs articles antisémites, Philippe Henriot, ses éditoriaux radiophoniques les plus incisifs ; Claude Wacogne y parlait des sociétés secrètes

et Jean-A. Foëx, de l'Europe future, avec Jacques Schweizer ; le dessinateur A.-R. Charlet ridiculisait l'adversaire politique tandis que son confrère Jean Mara caricaturait les célébrités de la scène et de l'écran. Il y avait aussi José Germain, Maurice Cesbron, Robert Franca, Maurice Giffard, Jean Trigery, Maurice Voisin, Paul Burnat, Robert de Beauplan (de *l'Illustration*), C.E. Duguet (du *Matin*), Jean Barral, Olivier Dussian, Jean Florac, Armand Charpentier, Gaston Derys, Jean Ajalbert, Rudy Cantel, J.A. Faucher, J.L. Rimaud, Jean Monfisse, André Moréal, etc. A la Libération, le directeur du journal, Philippe Dreux, fut condamné à mort et fusillé. Un an plus tôt, l'un des collaborateurs de l'*Union Française,* François Cusquin, avait été tué par les *F.T.P.*

UNION FRANÇAISE DES NATIONAUX.

Groupement dirigé en 1955 par Raymond Martini et Henry Bandier.

UNION FRANÇAISE NORD-AFRICAINE.

Groupement fondé en 1956 et animé par L. Boyer-Banse et Robert Martel. Première forme du *M.P. 13* (*Mouvement Populaire du 13 mai*).

UNION ET FRATERNITE FRANÇAISE (voir : **Mouvement Poujade**).

UNION DE LA GAUCHE SOCIALISTE.

Parti politique provenant de la fusion, en décembre 1957, de diverses tendances socialistes et progressistes : *Nouvelle Gauche* (secrétaire général : Claude Bourdet), *Mouvement de Libération du Peuple* (voir à ce nom), d'une fraction de *La Jeune République* (conduite par Maurice Lacroix) et de *L'Union Progressiste* (représentée par Gilles Martinet) et de divers groupes de province, tels que : *L'Action Socialiste,* fondée en 1956, qui avait pour animateurs Pierre Doridam, secrétaire général, et Andrée Vienot, ancienne parlementaire, qui quitta la S.F.I.O. le 12 novembre 1956 pour protester contre la politique de Guy Mollet dans l'affaire de Suez ; l'*Unité Socialiste,* qui rassemblait, dans quelques départements, d'anciens militants de la *S.F.I.O.* et du *Parti Communiste.* L'*U.G.S.* était favorable à l'unité d'action avec les communistes. Elle entendait jouer, selon l'un de ses animateurs, Manuel Bridier, « *un rôle important dans le rassemblement des forces de gauche, SANS AUCUNE EXCLUSIVE, pour renverser la position réactionnaire au pouvoir* » (cf. *Le Monde,*

10-12-1957). Après le retour au pouvoir du général De Gaulle, et peu avant le referendum, l'*U.G.S.* tint son premier grand congrès à Lyon (19, 20 et 21 septembre 1958). Gilles Martinet mit ses camarades en garde contre un glissement du parti « *vers ce qu'on appelle le « travaillisme »*, *c'est-à-dire vers une formule qui renie la réalité des positions socialistes, qui cherche à faire amalgame entre le radical-socialisme, le libéralisme bourgeois et les perspectives socialistes.* » Par contre, les congressistes décidèrent de constituer avec le *Parti Socialiste Autonome* (voir à ce nom) un *Comité d'Entente et de Liaison* en vue d'unifier les deux mouvements, et approuvèrent l'adhésion de l'*U.G.S.* à l'*Union des Forces Démocratiques* créée par les éléments de gauche, hostiles au général De Gaulle à une époque où socialistes *S.F.I.O.* et radicaux s'étaient ralliés à lui et faisaient, en grande majorité, campagne pour le *Oui*. Le congrès termina ses travaux par un appel invitant les républicains et les hommes de gauche à répondre « *Non à De Gaulle* » : « *Debout pour un NON massif ! En avant sous la grande devise que le socialisme a faite sienne : Liberté, Égalité, Fraternité !* » Le Comité politique du parti, élu par le congrès, se composait de : Jean Arthuys, Claude Bourdet, Manuel Bridier, Yves Dechézelles, Pierre Hespel, Yves Jouffa, Gilles Martinet, Alexandre Montariol, Reginald Poingt, Philippe Vianney, Pierre Stibbe, qui venaient de la *Nouvelle Gauche ;* Louis Alvergnat, Roger Beaunez, Jean Begassat, Pierre Belleville, Jean Bonneville, André Buisson, Alphonse Garelli, Louis Guéry, Henri Longeot, Georges Tamburini, qui représentaient l'ancien *Mouvement de la Libération du Peuple;* J.-J. Gruber, Jacques Nantet, Jean Bron, de la tendance *Jeune République ;* Pierre Doridam, Paul Drevet, des anciens groupes socialistes provinciaux, auxquels se joignirent : Pierre Naville, Edmond Barthelémy, Paul Fraisse, Yvonne Beuque, Jean Verlhac, Roland Filiatre, André Laprade, Jean-Paul Béron, Paul Cornière, Jean Chovet, Michel Barthold et Lucien Kiner. La fusion englobait également les journaux *Nouvelle Gauche* (Colette Audry, Philippe Vianney, Roger Cirat, Lucien Kiner) et *Monde ouvrier*. L'*U.G.S.* fusionna avec le *Parti Socialiste Autonome* et *Tribune du Communisme* le 3 avril 1960 pour former le *Parti Socialiste Unifié.*

UNION GAULLISTE (L').

Premier en date des partis gaullistes. Fondée en juillet 1946, l'*Union gaulliste* tenta de regrouper les partisans du général autour de son programme révisionniste de Bayeux. René Capitant, professeur à la Faculté de droit de Strasbourg, ancien ministre de l'Education Nationale, réunit, dans cette intention, un brillant Etat-Major ; ceux qui en faisaient partie étaient des partisans éprouvés. Outre René Capitant, le fondateur, qui en était le véritable président sous le titre de « délégué général », le Comité Exécutif provisoire se composait de : Etienne de Raulin, dit colonel Laboureur, secrétaire général ; Paul Langenu, secrétaire général adjoint ; Marcel Lévêque, trésorier général, que secondait Jean Lion ; René Vivier et Louis Sabatié, délégués à la propagande ; le général François d'Astier de la Vigerie, ambassadeur de France ; Alfred Coste-Floret, maître des Requêtes au Conseil d'Etat ; Paul Frixon ; Léo Goldenberg, conseiller municipal *M.R.P.* de Paris ; le professeur Léon Mazeaux, de la Faculté de droit de Paris ; Antoine de Récy, président de l'Union des Evadés de France (compromis un peu plus tard dans l'affaire des « bons d'Arras »); Claude Rey, délégués nationaux ; Irène de Lipkowski et Marianne Verger, responsables des organisations féminines ; et Jean Drouot l'Hermine, responsable des organisations de jeunesse. D'autres personnalités apportèrent leur concours ou leur appui moral : Pierre Clostermann, député indépendant de gauche, le général Corniglion-Molinier, l'amiral Lacaze, Jean Nocher, qui appartenaient d'ailleurs au Conseil National de l'*Union Gaulliste,* et les professeurs Charles Eisenmann et Henri Mazeaud, le colonel Rémy, le baron Pierre Surcouf, Aubry Avricourt, ancien chef d'E.-M. de l'Armée Secrète, Bouvier O'Cottereau, député *P.R.L.*, Christian Funck-Brentano, du journal *Le Monde,* René Malbrant, député *U.D.S.R.*, Paul Viard, député *M.R.P.*, etc. Les résultats obtenus aux élections de novembre 1946 furent décevants : une dizaine d'élus seulement. Peu après l'*Union Gaulliste* fut dissoute et René Capitant demanda à ses amis de rejoindre le *Rassemblement du Peuple Français* (voir à ce nom).

UNION DES INTELLECTUELS INDEPENDANTS.

Association créée, quelques années après la Libération, par Charles de Jonquières, journaliste, fondateur des *Editions Les Actes des Apôtres,* et un groupe d'intellectuels parisiens (avocats, journalistes, médecins, etc.), désirant fournir une aide morale à leur amis politiques emprisonnés et travailler en faveur de l'amnistie. Pendant de longues années, l'*U.I.I.* fut la seule tribune de l'opposition nationale. Son comité directeur eut plusieurs présidents successifs : Pierre Heuzé, Jean-Marie Aimot, ancien dirigeant du *Parti Franciste* et du *P.P.F.*, François Le Grix. Jusqu'en 1956, date à laquelle il céda la place de président à Mᵉ Pierre Leroy, avocat à la Cour et ancien défenseur de Henri Béraud, pour accepter celle de président d'honneur, ce fut Mᵉ Jean Montigny, ancien député, qui assuma la direction de l'*Union*. Enfin, Jacques Isorni remplaça Pierre Leroy, et Pierre Cathala succéda à Isorni. Au comité de l'association figurent ou ont figuré, au cours de ces six dernières années : José Germain, André Thérive, Raoul Minjoz, ingénieur, Pierre Henry, Pierre Morel, Mlle Blanche Maurel, agrégée de l'Université, Rivollet, ancien ministre, Pierre Girard, docteur en droit, Corvisy, ancien conseiller à la Cour de Cassation, A. Cathrine, journaliste, Mᵉ Guitard, avocat à la Cour, C. Hisard, journaliste, Noble, secrétaire général de Chambre syndicale, général Ruby, colonel Tézé, Pelicier, ancien gouverneur de colonies, colonel Langlade, Rauzy, ancien député, Claude Adam, etc. Les créations de l'*U.I.I.* furent nombreuses, la plus importante étant le *Comité pour la Grande Amnistie* qui poursuivit sa lutte contre l'Epuration. Elle a participé aussi à la fondation de *Vigilance Française*, présidée par Jean Montigny, du Comité *Défense de la France* dont le but était la sauvegarde de l'Algérie Française. Ces manifestations devaient tout naturellement porter l'*U.I.I.* à s'opposer à la venue au pouvoir du général De Gaulle. C'est pourquoi, presque seule, même parmi les organisations de droite, l'*Union des Intellectuels Indépendants*, a fait voter *non* au référendum de 1958, écrivant, dans une circulaire envoyée à tous les membres :

« *Le Bureau et le Comité directeur de l'Union des Intellecteuls Indépendants* (...) *constatent :*

1° Que la Constitution qui nous est proposée ramène le Système et constitutionnalise les partis.

2° Qu'elle prépare et organise la liquidation de la France d'Outre-Mer.

En conséquence, ils invitent les adhérents de l'Union à voter « *non* ».

Depuis, l'*U.I.I.* n'a cessé de combattre la politique du général De Gaulle, de faire voter *non* aux référendums et de soutenir les adversaires du président de la République (notamment Tixier-Vignancour à l'élection présidentielle de 1965). Ne pouvant plus tenir de réunions publiques depuis plusieurs années, en raison de l'interdiction qui les frappait presque automatiquement, l'*U.I.I.* organisa des ventes-signatures de livres avec le concours des écrivains d'opposition et des dîners-débats sous la présidence de François Cathala, généralement à l'hôtel Lutétia (Secrétariat : Claude Adam, 15, rue de la Croix-Nivert, Paris 15ᵉ).

UNION DES INTERETS ECONOMIQUES.

Fondée en 1910. Se proposait alors de défendre les compagnies d'assurances que l'on s'apprêtait à nationaliser. Plus tard, reçut l'adhésion de diverses associations d'industriels, de propriétaires terriens et de commerçants et se transforma en *lobby* — comme on dirait aujourd'hui — du patronat et du grand capital. Le sénateur Ernest Billiet —, auquel son frère Louis Billiet succéda — en fit un formidable instrument de pression sur les Pouvoirs publics et sur le parlement. Comme il avait misé sur le *Bloc National* en 1919, le *Cartel des Gauches*, vainqueur aux élections de 1924, voulut lui faire payer son hostilité. La chambre cartelliste nomma une commission d'enquête chargée de découvrir l'origine des fonds électoraux ; elle interrogea les dirigeants des grandes associations patronales ; ceux-ci durent avouer leur participation au financement de la propagande électorale. Le sénateur Billiet s'étant refusé à toute déclaration fut condamné à 300 francs d'amende.

UNION INTERNATIONALE ANTI-RACISTE.

Organisation de lutte contre l'antisémitisme, dirigée par E.-R. Louapre, Pierre Fricot, Paulette Haguenauer, Irène Gleizer-Krawczyk, Simon Wichène, Victor Germains, José Fresco, André Meffa, Armand Ziwès, le docteur Pierre Vachet, Oreste Rosenfeld, Mme Eboué-Tell, Jean Rous, Pierre Stibbe, Marceau Pivert, Louis Bigmann, etc.

UNION DES JEUNES FILLES DE FRANCE.

Groupe des jeunesses féminines du *Parti communiste français*. Placé depuis avril 1966 sous le contrôle du *Conseil du Mouvement de la Jeunesse Communiste* (voir à ce nom).

UNION DES JEUNES POUR LE PROGRES (U. J. P.).

Mouvement politique gaulliste fondé en 1965 par Robert Grossmann, attaché de cabinet de ministre, qui en assume la présidence. Outre R. Grossmann, le Bureau national de l'*U.J.P.* se compose de : Michel Cazenave, secrétaire général ; Alain Rigolet, collaborateur de Chaban-Delmas à la mairie de Bordeaux, trésorier ; Philippe Rothea, de Strasbourg, Roger Roche, attaché de cabinet du ministre Dumas, et Robert Vironneau, autre collaborateur de Chaban-Delmas, tous trois vice-présidents ; Philippe Cazenave, délégué à la formation ; Alain Michaud, de Parthenay, délégué aux questions sociales ; Joël Mordelet, délégué à l'Information ; Patrick Delnatte, Yves Leguy (de Rennes), Hervé Fischer et Mlle Le Bretton (de Brest).

UNION DE LA JEUNESSE COMMUNISTE.

Organisation de jeunes du *Parti Communiste Français* placée depuis avril 1966 sous le contrôle du *Conseil du Mouvement de la Jeunesse Communiste* (voir à ce nom).

UNION DE LA JEUNESSE REPUBLICAINE DE FRANCE.

Titre adopté par la *Fédération des Jeunesses Communistes* au congrès de la Mutualité (31 mars-2 avril 1945).

UNION DES JEUNESSES AGRICOLES DE FRANCE.

Groupement des jeunes paysans communistes, dépendant du *P.C.F.* et placé depuis avril 1966 sous le contrôle du *Conseil du Mouvement de la Jeunesse communiste* (voir à ce nom).

UNION NATIONALE DES COMMERÇANTS ET ARTISANS.

Association de tendance gaulliste, présidée par Robert Dupont, maire du VIIIᵉ arrondissement de Paris. Fit ouvertement campagne pour le général De Gaulle à l'élection présidentielle de 1965 (14, rue Duperré, Paris 9ᵉ).

UNION NATIONALE DES ETUDIANTS DE FRANCE.

Bien que se réclamant du mouvement corporatif étudiant d'avant guerre, l'*U.N.E.F.* existe sous sa forme actuelle depuis la *Charte de Grenoble* (24 avril 1946), qui contient les principes de base de son action. A ce congrès se sont effrités les derniers remparts du corporatisme strict. La *Charte* place l'étudiant dans le monde du travail et dans la na-

tion. En même temps, elle le fait entrer de plain-pied dans la politique par le biais du syndicalisme. La guerre d'Algérie lui en fournit l'occasion. Au lendemain du 13 mai, l'*U.N.E.F.* prit part à la manifestation de la Gauche (28 mai 1958), puis au congrès de Lyon, elle se déclara favorable aux négociations avec le *F.L.N.* et elle soutint le général De Gaulle en participant à la grève du 24 avril 1961. Son assemblée générale de juillet 1963 décida son affiliation à l'*Union Internationale des Etudiants* qui siège à Prague, accentuant ainsi son glissement vers l'extrême-gauche. Par ses liens avec la *Convention des Institutions Républicaines* elle a confirmé son embrigadement politique. Depuis septembre 1966 (dépôt officiel au service des associations de la Préfecture de Police) son Bureau national est ainsi composé : président : Jean Terrel (E.N.S.) ; secrétaire général : Pierre Vandenburie (Lille) ; secrétaire général adjoint : Philippe Peyron (E.N.S.) ; V.P. universitaire : André Cuisinier (Lille) ; V.P. universitaire adjoint : Besnier (U.G.E.) ; V.P. (Formation) Guy Lamande (U.G.E.) ; V.P. (Information) Antoine Spire (H.E.C.); V.P. (Jeunesse, Affaires militaires) : François-Régis Mahieu (Lille) ; V.P. (Social) : Madeleine Piquel (U.G.E.) ; trésorier : Jean-Jacques Gros (Grenoble). L'*U.N.E.F.* publie *L'Etudiant de France*, dont Serge July est le rédacteur en chef, et Michel Rostein, le directeur-gérant (15, rue Soufflot, Paris 5ᵉ).

UNION NATIONALE ET SOCIALE DE SALUT PUBLIC.

Groupe national de la banlieue-Ouest de Paris fondé en 1956 par Jean Ebstein et Georges Bellancourt, avec le concours de Jacques Laulaigne, maire adjoint de Boulogne, Gérard Lacombe, conseiller municipal d'Asnières, etc.

UNION POUR LA NOUVELLE REPUBLIQUE (U. N. R.).

L'*U.N.R.* s'est constituée, au lendemain du *référendum* du 28 septembre 1958. Elle est issue de la fusion des divers groupements gaullistes qui avaient appelé ou soutenu le général De Gaulle, à l'exception du groupe des gaullistes de gauche notamment qui la rejoignirent (en majorité) après les élections de 1962. Il y avait la *Convention Républicaine*, animée par Léon Delebecque, secrétaire régional des *Républicains-Sociaux* du Nord, qui fut l'un des artisans du retour du général.

Il y avait aussi les *Comités Ouvriers, pour le soutien de l'Action du général De Gaulle*, dirigés par des militants républicains-sociaux, notamment Jean Bernasconi, hier encore député, le *Centre National des Républicains Sociaux*, et l'*Union pour le Renouveau Français*, groupant quelques activistes fidèles au Général. La création de l'*U.N.R.* avait été précédée d'une très habile propagande, officiellement destinée à inciter les électeurs à approuver la nouvelle constitution, en fait à rallier le plus grand nombre possible de Français au gaullisme politique. Cette propagande avait été principalement organisée par deux groupements importants : l'*Association nationale pour le soutien de l'action du général De Gaulle* et l'*Union civique pour le référendum en vue de l'avènement de la V*e* République* (voir à ces noms). Les anciens du *R.P.F.* furent naturellement nombreux au berceau du nouveau parti gaulliste. Avec l'*U.N.R.*, le gaullisme politique prit un nouveau départ. Sans faire entièrement « peau neuve », il n'était plus cette « *petite phalange* », dont parlait Jacques Soustelle au Conseil national du parti en juillet 1959, qui se battait désespérément pour la conquête du pouvoir. Elle était devenue l'armée civique du Général au pouvoir. « *Que doit être* l'Union pour la Nouvelle République ? demandait Soustelle à ce Congrès. *Je voudrais répondre très brièvement à cette question, d'abord en disant que l'Union pour la Nouvelle République, dans cette République, doit être, disons-le franchement, un parti, c'est-à-dire l'expression organisée et concertée d'un certain secteur que nous voulons naturellement majoritaire de l'opinion. On a souvent discuté, et on discutera sans doute jusqu'à la fin des temps, sur la question de savoir si une organisation politique comme la nôtre doit être un parti de cadres ou un parti de masses. Je crois que cette discussion n'a pas de fondement réel : les cadres ne peuvent servir qu'à une chose, c'est à y mettre des masses ! Et si je n'aime pas beaucoup l'expression de « masses » trop souvent galvaudée par ceux qui cherchent à faire de ces masses des robots automatiquement soumis à la mécanique de la propagande totalitaire, je dirai plus justement, dans notre tradition française et gaulliste, que l'U.N.R. doit être un parti du peuple. Donc, premier point, l'U.N.R. doit être un parti, un parti populaire, un parti largement ouvert, et un parti imbu d'un esprit d'action*, je dirai même d'agression contre les adversaires. » (*Bulletin de Presse* de l'*U.N.R.*, 6-11-1959).

Toujours au même Conseil national, qui fixa les grandes lignes du programme *U.N.R.*, Albin Chalandon, alors secrétaire général du parti, déclarait à son tour : « *Pour avoir mis fin à la IV*e* République, on nous accuse de fascisme. Il y a bien des fascistes dans le pays ; à l'extrême-gauche comme à l'extrême-droite, il y a des hommes qui complotent et qui espèrent profiter des circonstances pour supprimer tout ce qui peut s'opposer à eux. Mais, ce n'est pas nous ; et, s'il n'y a pas l'un de ces fascistes aujourd'hui au pouvoir, c'est grâce à nous : à ceux qui nous reprochent d'avoir fait disparaître la IV*e* République, il nous est facile de répondre qu'en créant la V*e*, nous avons sauvé la liberté et la République tout court.*

« *Mais nous avons plus à faire encore : nous devons permettre au général De Gaulle de faire sa politique. Certes, il y a des anti-gaullistes dans le pays mais, plus dangereux qu'eux, sont ceux qui sont gaullistes à la condition que le général De Gaulle pense comme eux, fasse comme ils veulent. Il y a toujours, et il y aura toujours, des tentatives pour intégrer l'U.N.R. dans un bloc qui puisse forcer la main du général De Gaulle et en faire un prisonnier. L'U.N.R. doit rester à l'écart de toutes ces manœuvres : elle doit rester libre, toujours à la disposition du Président de la République. Il s'agit donc pour nous d'être purement et simplement des gaullistes et non pas de vouloir embrasser le Général pour mieux l'étouffer. Cette fidélité impose le devoir de le suivre dans tous les problèmes pour lesquels l'intérêt national se trouve engagé et qu'il se réserve de trancher lui-même en tant que chef de l'Exécutif. IL S'AGIT ESSENTIELLEMENT DE LA POLITIQUE INTERNATIONALE, DE LA COMMUNAUTE ET DE L'ALGERIE.* » (*Ibid.*)

Et, abordant le problème économique, Albin Chalandon ajoutait : « *Qui veut la fin, veut les moyens. L'instrument de l'expansion a été, en France comme dans les pays collectivistes, l'existence d'un plan. Pour faire une expansion accélérée et coordonnée, il faut une planification accrue des investissements publics et privés et qui s'étende de l'industrie lourde, où elle existe déjà, vers les industries de transformation* (...). *Les entreprises doivent se conformer aux objectifs du plan, être raisonnables en matière de prix et de profits et la propriété elle-même doit devenir une fonction sociale ; si cette fonction n'est pas remplie, l'Etat doit intervenir. La nationalisation n'apparaît donc plus comme l'appropriation des moyens de production, comme cela a été le cas en 1944-45, mais comme le fait, pour une profession, de se soumettre à l'intérêt général. La nationalisation conçue comme l'appropriation des moyens des production ne peut donc plus être conçue que comme une sanction. C'est à des formes économiques nouvelles, associant l'épargne, l'Etat et les techniciens, qu'il appartient de compléter l'initiative privée, éventuellement déficiente, et de permettre aux objectifs du plan d'être atteints.* » (*Ibid.*) La politique étrangère de l'*U.N.R.* est subordonnée aux décisions prises par le général De Gaulle. On sait que celle-ci n'a pas toujours obtenu l'assentiment de l'opinion. Le rapprochement tenté du côté de Moscou a quelque peu désorienté les modérés, gaullistes ou non, qui se souviennent des diatribes du *R.P.F.* contre le Kremlin et les communistes français. Ils ne pouvaient naturellement prévoir que l'homme qui tonnait contre « *les séparatistes de notre époque* (servant) *les ambitions d'une puissance qui tient sous la loi de fer plus de la moitié de l'Europe* », dont l'organe officiel, *Le Rassemblement*, dénonçait les communistes qui « *sous le masque de la paix* (...) *préparent la guerre* » et les desseins diaboliques de « *Staline* (qui) *conquiert l'Europe par la peur* », inviterait un jour « *Monsieur K* » à Paris, se retirerait de l'O.T.A.N. considérée comme un instrument de défense contre la poussée soviétique. C'est probablement cette attitude progressiste — s'ajoutant aux importants changements intervenus depuis huit ans dans la politique extérieure de la France — qui permettait à *Notre République*, l'hebdomadaire officiel du parti, de titrer en gros, le 10 décembre 1965 : « *Non, De gaulle n'est pas de droite.* » Quant à la politique algérienne, qui a provoqué déjà le départ ou l'exclusion de plusieurs personnalités gaullistes de premier plan — dont Jacques Soustelle —, elle n'a été possible que parce que la gauche y était favorable et parce qu'une grande partie des gaullistes eurent la même attitude que le colonel Hubert, délégué de Sétif au congrès *U.N.R.* de Bordeaux (novembre 1959), qui déclarait avec beaucoup d'assurance : « *Il ne nous appartient pas de discuter les intentions du général De Gaulle, mais nous déclarons que nous le suivrons quoi qu'il commande.* » (cf. *Le Monde*, 15/16-11-1959). D'abord installée avenue George V, dans les locaux de *Sofifrance* (*Société Française de Financement des Ventes à Crédit*) l'*U.N.R.* a établi son siège rue de Berri, puis rue de Lille.

Le Parti est dirigé par un Comité central composé : des présidents d'assemblée, des ministres en exercice apartenant au Mouvement, de membres parlementaires, de membres non parlementaires pris parmi les membres du Conseil national du parti, du secrétaire et du trésorier. A la fondation de l'*U.N.R.*, le comité central était ainsi composé : Michel Debré, Jacques Soustelle, Edmond Michelet, Jacques Chaban-Delmas, Léon Delbecque, Roger Frey, Albin Chalandon, directeur général de la *Banque commerciale de Paris*, Marie-Madeleine Fourcade (ex-Mme Meric), André Jarrot, ancien secrétaire départemental du *R.P.F.* en Saône-et-Loire, Ali Mallem, avocat musulman, fondateur des *Comités d'Informations et d'Action Nationale pour l'Algérie et le Sahara*, Albert Marcenet, chef du personnel ouvrier de *SIMCA*, Pierre-Marie Picard, avocat, fondateur avec Jacques Soustelle de l'*Union pour le Renouveau de l'Algérie Française*, Jacques Veyssières, inspecteur des P.T.T.

L'élargissement du comité central a été effectué au Conseil national de juillet 1959. La démission ou l'éviction des partisans de l'intégration ou francisation de l'Algérie, des « soustelliens » (Soustelle, Delbecque, Picard, Pascal Arrighi, le colonel Battesti, Biaggi, Brice, Cathala, Grasset, Souchal, le colonel Thomazo, Jacques Dominati, députés, etc.) et le remplacement, au secrétariat, de Roger Frey par Albin Chalandon, puis de ce dernier par François Missoffe, fils de l'amiral, administrateur d'une filiale du trust *Unilever* et petit-gendre de l'industriel de Wendel, jusque-là trésorier général, modifia quelque peu la composition du dit comité qui comprit une soixantaine de membres, dont les ministres Louis Terrenoire, Maurice-Bokanowski et Triboulet, les sénateurs Jean Bertaud et Bayrou, le député Neuwirth et le délégué à la jeunesse du parti, Bertrand Flornoy.

Le Bureau politique, créé le 29 juillet 1959, est une émanation du Comité central qui l'élit. Il comprend : le secrétaire général, les membres de la commission permanente, les ministres en exercice, le président de l'Assemblée nationale, les présidents des groupes parlementaires, le trésorier. Un *Conseil national*, qu'il ne faut pas confondre avec les Assises nationales — il n'en a ni l'assiette, ni l'ampleur, ni les pouvoirs —, est chargé de veiller à l'application des décisions prises par celles-ci. Le Conseil national est composé des parlementaires (sénateurs, députés), ainsi que des membres du Conseil économique et social appartenant au parti, des secrétaires généraux d'Union départementale et des membres désignés par les Unions départementales, leur nombre étant fixé par le Comité central, proportionnellement au nombre d'adhérents de chaque Union et de telle sorte que les représentations parlementaires et non parlementaires au Conseil national soient égales. Auprès du secrétariat général fonctionnent divers services : l'Action ouvrière, l'Action agricole, les Actions professionnelles (commerçants et artisans, fonction publique), Jeunes et étudiants, Elus locaux, Action féminine et familiale, Entr'aide sociale.

Au lendemain des élections législatives de 1962, l'*U.N.R.* absorba l'*Union Démocratique du Travail* (gaullistes de gauche) et devint l'*U.N.R.-U.D.T.* Aux *Assises* de 1963, le parti se flattait d'avoir recueilli 8 millions de suffrages, de compter 18 ministres au gouvernement, 265 parlementaires dans les deux Assemblées, 28 conseillers économiques et sociaux, 3 500 maires et conseillers généraux, 10 000 élus locaux et 150 000 militants (dépliant *U.N.R.-U.D.T.*, imprimerie Mallessard, Paris, novembre 1963). En faisant la part du *bluff* publicitaire, commun à beaucoup d'organisations politiques, on arrive à des chiffres assez différents, mais néanmoins très importants : 5 847 000 suffrages se sont portés, au premier tour, sur les candidats gaullistes et, au second tour, après les désistements habituels, 6 166 000 (1). Le nombre des élus *U.N.R.-U.D.T.* s'élevait à 234, chiffre auquel il faut ajouter les deux douzaines de sénateurs affiliés au parti. Depuis, le nombre des membres *U.N.R.-U.D.T.* du Conseil économique et social, qui sont nommés et non élus, doit avoir augmenté légèrement, bien que l'on ait souvent désigné des personnalités non officiellement engagées, mais connues pour leurs sentiments favorables à la politique du général De Gaulle. Quant aux élus locaux, le reflux de mars 1965 a dû réduire considérablement leur nombre, sauf à Paris où la division de leurs adversaires simplifia beaucoup leur tâche. L'évaluation du nombre des adhérents est difficile à faire car, en dehors des chiffres avancés par le secrétariat du parti (et en l'absence de rapport analogue à celui que produisent la *S.F.I.O.* et le *P.C.F.*, par exemple), il n'existe aucune donnée très précise. L'*U.N.R.*, rappelons-le, est surtout un parti de cadres. On

possède, par contre, des précisions officielles sur l'importance de la presse *U.N.R.-U.D.T.* En dehors des journaux connus pour leurs sympathies gaullistes (*Le Figaro*, *Paris-Jour*, *France-Soir*, *Paris-Presse*, etc.), l'*U.N.R.-U.D.T.* peut compter sur les trois publications officielles du parti qui sont : *La Nation*, journal quotidien, dont le tirage est fort modeste ; *Notre République*, hebdomadaire, qui touche un public assez restreint ; et *Nouvelle Frontière*, revue principalement lue par les responsables locaux et régionaux du parti et diffusée dans les services officiels (voir à ces noms). Le secrétariat de l'*U.N.R.-U.D.T.* donne, en outre, comme journaux du parti : *16e Dernière* et *Mon Quartier* (*Epinettes nationales*), à Paris; *Banlieue-Nord-Est* et *Colombes-Informations*, dans la Seine ; *Les Nouvelles nivernaises, La Dépêche d'Auvergne, Le Courrier de l'Orne et du Bocage, La Voix de Bigorre, L'Echo de Touraine, Le Courrier de sarthois, La Dordogne de demain, L'Echo du Poitou, L'Espoir des travailleurs, La Voix de la Haute-Saône*, etc. en province.

La personnalité du général De Gaulle et sa présence à l'Elysée permettent à l'*U.N.R.-U.D.T.* d'être, actuellement, le premier parti à l'Assemblée. Mais sa situation, depuis mars 1967, serait inconfortable si ses 180 députés n'étaient pas appuyés par le groupe des *Républicains indépendants* avec lequel l'*U.N.R.-U.D.T.* avait conclu une entente électorale au sein du *Comité d'action pour la Ve République* (voir à ce nom). Outre son secrétaire général, Jacques Baumel, assisté de Claude Labbé et Jean-Claude Servan-Schreiber, secrétaires généraux adjoints, le Comité central comprend les personnalités suivantes : Robert Aubé, Alfred Chavanac, Maurice Bayrou, Robert Boulin, Yvon Bourges, Amédée Bouquerel, Jacques Chaban-Delmas, Albin Chalandon, Michel Debré, Pierre Dumas, Roger Dusseaulx, Christian Fouchet, Jean Foyer, Roger Frey, Gilbert Grandval, Michel Habib-Deloncle, Maurice Herzog, Marc Jacquet, Louis Jacquinot, Christian de La Malène, André Malraux, Jacques Marette, Michel Maurice-Bokanowski, Jacques Maziol, Pierre Messmer, Paul Minot, François Missoffe, Alain Peyrefitte, Michel Plouvier, Henry Rey, Jacques Richard, Jean Sainteny, Louis Terrenoire, Raymond Triboulet, André Valabrègue, Louis Vallon, Pierre Ruais, Robert Baillard, Guy Baudoin, Paul Bauer, Marcel Bayle, Jean Bernasconi, Marcel Berthon, général Billotte, Jean Boinvilliers, Roger Boisseau, André Bord, Edmond Borocco, René Bouillon,

---

(1) En octobre 1962, les partisans du *oui* à la réforme gaulliste de la Constitution étaient 13 150 516.

Jean-Eric Bousch, Jacques Braconnier, Edmond Bricout, Louis Briens, Jacques Bruneau, René Cadiou, Bernard Cahen, René Caille, René Canoby, René Capitant, Pierre Carous, Diomède Catroux, Jean Charbonnel, Albert Chavanac, le professeur Comiti, Gabriel Cordoin, Claude Cuvier, Liévin Danel, Jacques Debû-Bridel, Jean Declomesnil, André Delesalle, Charles Desanges, Hubert Desouches, Marcelle Devaud, Armand Ducap, André Dumont, Alain Dutaret, Henri Duvillard, André Eigner, André Fanton, Bertrand Flornoy, Maurice Fraudeau, Pierre Fraysse, Paul Fric, Paul Gaillet, Maurice Georges, Hubert Germain, Robert Grossmann, Yves Guena, Léo Hamon, Marcel Hoffer, Holman, Gabriel Kaspereit, Pierre Jalu, André Jarrot, Jean Josse, Louis Labri, René La Combe, Pierre Laurès, Charles Le Goasguen, Maurice Lemaire, François de Lestrade, André Levêque, Aldo Limousin, Eugène Louguet, Christiane Marcilhacy, Pierre Marquand-Gairard, le professeur Georges Mathé, Jean-Paul Mathis, Robert Meaux, Robert Menu, André Merchiol, Fred Moore, Yvon Morandat, Jean Marquin, Marcel Narquin, Roland Nungesser, Lucien Neuwirth, Jean-Paul Palewski, Pierre Pasquini, Simone Pelabon, Camille Petit, Claude de Peyron, Pezé, Edouard Pick, René Plazanet, Jean-Marie Poirier, Nicolas de Poli, Robert Poujade, Jean de Préaumont, Gérard Prioux, Jean-Pierre Profichet, René Radius, Georges Repiquet, Robert Richet, André Rives-Henrys, Victor Rochenoir, André Roulland, J. Michel Royer, Alexandre Sanguinetti, René Sanson, Roger Sauphar, William Tardrew, Jean Tastevin, René Tomasini, Jean Valleix, Jacques Vendroux, Henri Viaud, Michel Vittori, Raymond Wolff, Pierre Ziller ; à titre consultatif : Jacques Legendre, Robert Vironneau et à titre d'information : Schmit, Chancogne, Guillermin, Le Calloc'h, Mmes Gougeard, Braun, Coget, Renaud (Siège : 123, rue de Lille, Paris-7e).

UNION PACIFISTE DE FRANCE.

Groupement pacifiste lié à la *Voie de la Paix*. Fondée en 1961 par diverses *unions pacifistes* départementales : Seine (Philippe Humbert), Rhône (René Villard), Aube (Jean Michiels), Loire-Atlantique (Louis Chéneau), Eure-et-Loir (André Baudet et Albert Ratz), Calvados

(Emile Bauchet), Loire (Jacques Pichon), Moselle (Daniel Stephann), Var (Marcel Viaud), etc. Président d'honneur : Félicien Challaye ; secrétaire général : Jean Cauchon (Siège à Auberville-sur-Mer, Calvados).

UNION PARLEMENTAIRE REPUBLICAINE ET RURALE.

Groupe sénatorial des indépendants liés à V. Giscard d'Estaing. Principaux dirigeants : les sénateurs Robert Schmitt (Moselle), Louis Courroy (Vosges), Lucien Gautier (Maine-et-Loire), Michel Yver (Manche).

UNION PATRIOTIQUE REPUBLICAINE.

Fondée en 1944 par Charles Vallin et Edmond Barrachin, ancien dirigeant du P.S.F. (du colonel de la Rocque).

UNION PATRIOTIQUE REPUBLICAINE ANTI-FASCISTE.

Etiquette sous laquelle le *Parti Communiste* présenta ses candidats aux élections municipales de 1945 (29 avril et 13 mai), lesquels obtinrent à Paris 29,6 % des voix et obtinrent la majorité dans 1 413 conseils municipaux (contre 310 en 1935).

UNION POUR LE PROGRES.

Organisation fondée en 1965 par Roger Duchet, sénateur, en vue de rallier ses anciens amis *indépendants* et *paysans* au régime gaulliste. L'*Union* a des liens étroits avec Edgar Faure, ancien président du Conseil et ministre de l'Agriculture et le club *Nouvelle Génération*. Président : Roger Duchet ; secrétaire général, Vincent Brugère. (Siège : 27, quai Anatole-France, Paris 7e.)

UNION PROGRESSISTE.

Parti communisant provenant de la fusion, en décembre 1950, du *Parti Socialiste Unitaire*, de l'*Union des Républicains* et de l'*Union des Chrétiens Progressistes*. Une conférence nationale qui réunit les dirigeants de ces trois groupes nomma alors le bureau national de cette nouvelle *Union Progressiste*, parmi les membres duquel figurèrent : Gilles Martinet, Jacques Bounin, ancien député, Jacques Ambroise, Pierre Stibbe, Camille Val, Yves Farge, directeur d'*Action*, Justin Godart, ancien sénateur, Maurice de Barral, ancien dirigeant du parti fasciste *Le Faisceau*, animateur d'associations d'anciens combattants, et plusieurs parlementaires : Pierre Cot, d'Astier de la Vigerie, Paul Rivet, Gilbert de

Chambrun, Robert Chambeiron, Marcel Pouyet, Charles Serre et Pierre Meunier. *L'Union Progressiste* installa alors son siège dans les locaux du journal quotidien *Libération*, dont Emmanuel d'Astier de la Vigerie était le directeur. La position politique de l'*Union* fut précisée dans un tract diffusé peu après la création du mouvement : « *Nous sommes, disaient les dirigeants de l'U.P., déterminés à mener le combat à côté d'eux* (les communistes) *et de tous les autres démocrates qui voudront se joindre à nous, dans l'esprit du Front Populaire qui a permis les conquêtes sociales de 1936, et du Programme du Conseil National de la Résistance qui a permis celles de 1945.* » La direction de l'*Union Progressiste* était assurée par une Commission administrative. En raison de scissions répétées sa composition a constamment varié. Mentionnons, à titre documentaire, les personnalités et les militants politiques qui en ont fait partie depuis 1956 : Emmanuel d'Astier de la Vigerie, Pierre Cot, R. Chambeiron, P. Dreyfus-Schmidt, Dr Pierre Ferrand, P. Meunier, Jean Duret, directeur des *Cahiers Internationaux*, P. Le Brun, de la *C.G.T.*, Jacques Mitterrand, l'amiral Moullec, le général Petit, tous anciens parlementaires ou conseillers de l'Union Française ; Elie Bloncourt, ancien député de l'Aisne, G. de Chambrun, Louis-Léon de Danne, Jean Guignebert, ancien conseiller municipal de Paris, Gilles Martinet, futur directeur de *France Observateur*, Pierre Stibbe, le général Le Corguillé, Marc Jacquier, le général Paul Tubert, ancien maire d'Alger, etc. Le mouvement disposait de deux organes : *Libération*, le quotidien d'Emmanuel d'Astier de la Vigerie et les *Cahiers du Progressisme* (remplaçant le journal *L'Union progressiste*, fondé en 1951). La rédaction de ces derniers, revue officielle du mouvement, était assurée par les dirigeants ; mais divers collaborateurs extérieurs y publiaient également des articles, par exemple : Louis Vallon, Madeleine Jacob, Odile Arnaud et Albert-Paul Lentin. L'*Union Progressiste* participa à la création de la Fédération des *Groupements unis de la Nouvelle Gauche*, en 1955. Elle estimait qu'il était urgent d'unir les groupes et les personnalités qui se situaient politiquement entre le *Parti Communiste* et le *Parti Socialiste*. Finalement, la majeure partie de ses membres se retrouvèrent au *P.S.U.* après être passés dans les organisations socialistes de gauche dont ce parti est issu. L'*Union Progressiste* s'est cependant maintenue sous la présidence de Pierre Cot.

UNION POUR LE RENOUVEAU FRANÇAIS.

Organisation disparue, fondée en 1958 par Jacques Soustelle, avec l'appui de l'*U.S.R.A.F.*

UNION REPUBLICAINE D'ACTION SOCIALE (U. R. A. S.).

Groupe parlementaire créé en juin 1953 par les députés *R.P.F.* demeurés fidèles au général De Gaulle ; il devint ensuite le groupe des députés du *Centre National des Républicains Sociaux*. Les dissidents avaient constitué, l'année précédente, l'*Action républicaine et sociale* (A.R.S.).

UNION REPUBLICAINE DE LA MARNE (L').

Quotidien de Châlons-sur-Marne, fondé en 1869. Fut sous la IIIe République un journal radical modéré, dirigé, dans l'entre-deux-guerres, par Ch. Barré. Après une éclipse, la Libération opérée, reparut sous la direction d'A. Barré. Est aujourd'hui dirigée par Marcel Varlet. Seul quotidien édité à Châlons et doyen des journaux du département, il compte une dizaine de milliers d'acheteurs au numéro et d'abonnés (23-27, rue d'Orfeuil, Châlons-sur-Marne).

UNION DES REPUBLICAINS INDEPENDANTS D'ACTION SOCIALE.

Mouvement national fondé en 1946 par Roger North, expert en timbres-poste. Au congrès de 1951, les principaux dirigeants et rapporteurs de l'*U.R.I.A.S.* étaient : Roger North, président, André David (Maine-et-Loire), Maurice Barrier, président de Chambre patronale, le Dr Lagaillarde (Cher), Michel Domange (Sarthe), E. Beau de Loménie, le colonel de Rosières, Pierre Vinot, du Conseil économique, Marc de Bruchard, Bernard Jousset, du patronat chrétien, Jean Montigny, Armand Massard, ancien conseiller municipal de Paris, Jacques Roulleaux-Dugage, conseiller de l'Union française, le sénateur Pellenc, le général Hanotaux, René Bazin de Jouy, etc. Assistaient au banquet de clôture : Guy de La Vasselais, Mallet, ancien député de la Charente, René Fiquet, Pierre Morel, des Intellectuels Indépendants, Lévêque, ancien député de la Vienne, Jacques de Schryver, le colonel de Mazerat, Max Richard, de la revue *La Fédération*, etc. L'année suivante, l'*U.R.I.A.S.* s'allia très étroitement avec la *Fédération des Indépendants de Paris et de la*

R.P., présidée par Pierre Taittinger et dont Roger North était le secrétaire général. Aux réunions organisées en commun par les deux groupements prirent la parole : Jean Maze, Noël Pinelli, Roger de Saivre, le sénateur Armengaud, Jean Duchier, Robert Bos, Pierre Guerard, député, Pierre Pichery, Pierre-Christian Taittinger, Jacques Isorni, etc.

UNION DES REPUBLICAINS PROGRESSISTES.

L'*Union des Républicains Progressistes* s'était d'abord appelée l'*Union Républicaine et Résistante*. Elle fut surtout un groupe parlementaire qui compta jusqu'à sept députés. Son président était Emmanuel d'Astier de la Vigerie (voir à ce nom) et le leader du groupe parlementaire, Pierre Cot, l'ancien ministre radical du gouvernement Blum, devenu très soviétophile après la Libération. L'*U.R.P.* s'était renforcée en 1947 et 1948 d'éléments radicaux de gauche, membres d'un *Comité National des Radicaux et des Résistants de gauche,* animé par Pierre Cot, Robert Chambeiron, Pierre Meunier et Dreyfus-Schmidt, tous députés. Fusionna avec deux autres organisations progressistes pour constituer, en 1950, l'*Union Progressiste* (voir à ce nom).

UNION SACREE.

Lorsque la guerre de 1914 éclata, la plupart des partis et groupements, faisant taire leurs rivalités, réalisèrent « *l'Union sacrée* » contre l'ennemi. Par conviction, ou par prudence, les antimilitaristes et les pacifistes de l'extrême-gauche, de Gustave Hervé à Edouard Vaillant, rallièrent le camp des patriotes : *La Guerre sociale,* hebdomadaire, devint *La Victoire* quotidienne, tandis que *La Bataille syndicaliste* se transformait en *Bataille* tout court. *L'Action française,* malgré les réticences de Henri Vaugeois, proclama aussi l' « union sacrée » autour du gouvernement. Pour un temps, les polémiques de presse cessèrent. La stratégie prenant la place de la politique, les politiciens cédèrent la plume aux militaires. Désormais le technicien, ce n'était plus l'homme politique, mais l'homme de guerre : Maurice Barrès s'effaça devant le général Cherfils qui commentait les opérations des divers fronts pour les lecteurs de *L'Echo de Paris.* Au *Matin,* le confrère du général Cherfils était le commandant de Civrieux ; au *Petit Parisien,* le lieutenant-colonel Rousset. La censure veillait à maintenir cet état d'esprit. Elle aussi était militaire. Bien qu'exercée par des civils revêtus d'un uniforme de circonstance, elle était féroce à l'endroit des journalistes qui faisaient mine de critiquer la conduite de la guerre. Dès août 1914, un *bureau de presse* avait été créé pour surveiller les informations et censurer sans pitié les dépêches et les articles susceptibles de fournir des renseignements à l'ennemi par d'indiscrètes révélations sur les mouvements de troupes, les inventions d'ordre militaire, le moral au front et à l'arrière. Ce bureau de censure dépendait du ministère de la Guerre, mais il recevait en fait ses consignes du Grand Quartier Général. La Censure étendit, peu à peu, ses prérogatives aux événements politiques et s'institua la gardienne des gens en place, tant civils que militaires. Les « bonnes nouvelles » seules étaient autorisées. *L'Union sacrée* sauva probablement la République en même temps qu'elle permit au pays de résister victorieusement à l'assaut ennemi. Sans l'*Union sacrée,* qui sait si les officiers nationalistes, qui avaient été exclus de l'armée lors de la fameuse *affaire des fiches* dix ans plus tôt et qui constituaient, depuis la mobilisation générale, les cadres supérieurs de la défense nationale (le monarchiste Lyautey fut même ministre de la guerre !) n'auraient pas eu l'idée de profiter de l'occasion pour « *étrangler la gueuse* », renouvelant ainsi l'exploit des républicains de 1870, qui renversèrent le régime impérial en pleine guerre franco-allemande, ou précédant la révolution russe de 1917 opérée devant l'ennemi ?

UNION POUR LE SALUT DE LA NATION.

Fondée en 1954. Secrétaire général : Michel Trécourt. Organisa le 23 mars 1954 une journée « municipaliste » avec la collaboration de Deutschmann, sénateur, Jean Montigny, ancien ministre, Frédéric Dupont, député, Robert Castille, conseiller municipal de Paris, Médecin, député-maire de Nice, Paul Estèbe, député, André Grisoni, ancien député, Jacques Isorni, député.

UNION POUR LE SALUT NATIONAL.

Fondée en 1958 par soixante groupements politiques, familiaux, professionnels et syndicaux, parmi lesquels l'*Association de l'Entreprise à Capital Personnel,* l'*Association Nationale des Sociétés à Responsabilité Limitée,* les *Cercles de la Liberté,* la *Coordination Nationale.* L'animateur en était A.-L. Croset, directeur de *La Semaine du Lait.*

UNION POUR LE SALUT ET LE RENOUVEAU DE L'ALGERIE FRANÇAISE.

Association disparue, fondée le 20 avril 1956, par les anciens gouverneurs de l'Algérie Le Beau, Naegelen, Viollette, Léonard et Soustelle. A la charte de l'*U.S.R.A.F.* adhérèrent des milliers de personnes, parmi lesquelles de nombreux noms illustres. Citons au hasard : Michel Debré, le Dr Devraigne, Pierre De Gaulle, François-Poncet, Baylot, Bidault, Bruyneel, Carcopino, Duhamel, André Marie, Michelet, Mutter, Pinay, Queuille, Robert Schuman, les généraux Kœnig, de Larminat, Monsabert, Touzet du Vigier, la maréchale Leclerc. A ces adhésions individuelles s'ajoutèrent d'importantes adhésions collectives : *Confédération Générale des Cadres, Fédération Nationale des Syndicats d'Exploitants Agricoles, Fédération Nationale des Femmes, Mouvement National des Elus Locaux* et vingt-deux associations d'anciens combattants. Outre les personnalités citées, figuraient comme dirigeants de l'*U.S.R.A.F.* (conférence de presse le 31 mai 1956, à l'Hôtel Continental) : Vincent Badie, Mmes Eboué-Tell et Brigitte Luc, Emmanuel Monick, ancien gouverneur de la *Banque de France,* Paul Rivet, Emile Roche, Rémy Roure, Ludovic Tron, etc. L'organisation était dirigée par un comité directeur, d'abord de trente-quatre, puis de cinquante-neuf membres, présidé par Naegelen, puis, à compter du 2 février 1958, par Jacques Soustelle ; les vice-présidents étaient alors G. Bidault, Bruyneel, André Morice, Lauriol, députés, Malterre, président de la *Confédération Générale des Cadres,* Alexis Thomas, président général de l'*U.N.C. ;* le secrétaire général était Picard, le secrétaire administratif, Henri Buat, le secrétaire de bureau, Mlle Menut, les conseillers : Bougouin, professeur agrégé, Léon Delbecque et Massenet, auditeur au Conseil d'Etat.

UNION ET SAUVEGARDE DE LA REPUBLIQUE.

Prit position pour le *Non* au référendum d'octobre 1962. Avait alors pour principaux dirigeants : Raymond Dronne, Guy Vaschetti et Robert Abdesselam.

UNION SOCIALISTE-COMMUNISTE.

Née d'une scission du *Parti Communiste* (congrès scissionniste de Dijon, décembre 1922, constitution en avril 1923). Fondée par Pierre Brizon, Verfeuil, H. Sellier, anciens communistes rebelles à la IIIe Internationale. Se proposait d'être le trait d'union entre la S.F.I.O. et le *Parti Communiste* et de préparer la réunification du parti ouvrier divisé depuis le congrès de Tours en 1920. Principaux dirigeants et militants : L.-O. Frossard, Victor Méric, Oscar Bloch, Henry Torrès, Morizet, Charles Lussy, Georges Pioch, Henri Sellier, Raoul Verfeuil, Ernest Lafont, Ferdinand Faure, Bachelet, Paul Louis, etc. Organes de presse : *L'Egalité,* hebdomadaire, et *Les Cahiers Jaurésiens.*

UNION SOCIALISTE JUIVE (Bund).

Parti exclusivement composé d'israélites marxistes, principalement originaires d'Europe centrale ou orientale. N'a que peu d'activité publique. S'est cependant manifestée aux obsèques de Léon Jouhaux.

UNION SOCIALISTE ET REPUBLICAINE.

Parti provenant de la fusion, le 3 novembre 1935, du *Parti Républicain Socialiste,* du *Parti Socialiste Français* et du *Parti Socialiste de France.* Le parti était, à l'époque, présidé par Paul Boncour, sénateur ; Maurice Viollette, sénateur, et Georges Etienne en étaient les vice-présidents ; et Marcel Déat, député, l'un des dirigeants, avec Barthélemy Montagnon, Paul Perrin, Eugène Frot, L.-O. Frossard, R. Berenger, René Gounin, Max Hymans, Paul Ramadier, Alexandre Varenne, J.-M. Renaitour, P.-O. Lapie.

UNION DES SPIRITUALISTES-COMMUNISTES.

Groupement de chrétiens d'extrême-gauche, animé par Henri Tricot, qui devint le vice-président de la *Fédération des Socialistes Chrétiens* (1934). (Voir *Le Socialiste Chrétien* et *Terre Nouvelle.*)

UNIONS CIVIQUES.

Groupements formés en 1919-1920 pour lutter contre les grèves communistes : à Lyon, par Millevoye, à Paris, par le général Bailloud, etc. Comprenaient des volontaires classés par catégories d'emploi, entraînés d'accord avec l'Etat et les compagnies de chemin de fer, du métro et des transports de surface, qui étaient chargés de prendre la place des grévistes en cas d'arrêt des services publics. En principe, ces *Unions civiques* bornaient leur intervention aux cas de « *grèves lésant les intérêts vitaux de la cité et de la nation* ».

U.N.I.R.

Aux élections de 1951, les « pétainistes » — du moins ceux qui n'étaient pas frappés d'inéligibilité par les divers tribunaux de l'épuration — eurent leurs candidats : Jacques Isorni, le défenseur du maréchal Pétain, Roger de Saivre et Paul Estèbe, qui avaient appartenu au cabinet du Maréchal. Le premier fut élu à Paris, le second à Oran, le troisième dans la Gironde. La liste parisienne se présentait sous l'étiquette d'*U.N.I.R.* (*Unité Nationale et Indépendants Républicains*), mouvement constitué par M*e* Isorni avec le concours d'Odette Moreau, déportée de Ravensbruck, d'André Moulinier, compagnon de la Libération, de l'amiral Decoux et de Pierre Henry, ancien secrétaire général de la Préfecture de la Seine. *U.N.I.R.* préconisait la réconciliation des Français et fondait en juin 1951 un journal *Unir,* dirigé par Michel Petitjean, dont le premier numéro lançait cet appel : « *Hors de tous les conformismes de droite et de gauche, uniquement soucieux de l'unité nationale, fidèles aux traditions, adversaires des privilèges, défenseurs des libertés, nous voulons un gouvernement qui gouverne et une république qui ne fasse plus rire d'elle. Et nous appelons tous les Français, sans distinction de classe ou d'opinion, à participer à ce bon combat.* » (2 mai 1951.) Le numéro 2, qui parut le 1er septembre 1951, demandait l'aide des 250 000 électeurs qui venaient de voter pour les candidats des listes *U.N.I.R.* Mais l'initiative n'eut pas de suite, Isorni rejoignit bientôt le *Centre des Indépendants.*

UNIR POUR LE SOCIALISME.

Groupe communiste fondé en octobre 1952 pour protester contre la ligne politique dite de « *Front National uni* » par laquelle le Comité central du *P.C.F.,* dans sa session de septembre 1952, entendait allier les communistes aux militants du *R.P.F.* gaulliste. Son bulletin comptait 250 abonnés en janvier 1954 et en annonçait vingt fois plus en 1966. S'est rapproché de *Débat communiste,* autre groupe communiste (voir à ce nom).

UNITAIRE FRANÇAIS (L') (voir : Le Francisme).

UNITE (voir : UNION).

UNITE POPULAIRE (L')

L'Unité Populaire, organe du *Parti Républicain d'Unité Populaire* (P.R.U.P.), paraissait en 1949. Animée par Maurice Plais, ancien adjoint communiste au maire de Clamart, René Binet, Fernand Pignatel, Jacques Gras, Paul Lefèvre, etc. Devise : « *La France aux vrais Français !* »

UNITE REPUBLICAINE.

Groupe parlementaire créé au lendemain de la Libération (1945). Présidé par Jules Ramarony, député de la Gironde, il réunissait quelques élus modérés.

UNIVERS (L').

Quotidien fondé en 1833. Sous la direction de Louis Veuillot, *L'Univers* fut l'organe des « ultra-montains », comme disaient ses adversaires, c'est-à-dire des catholiques traditionalistes. *L'Univers* fut royaliste sous la Monarchie de Juillet et républicain en 1848 : « *Qui songe aujourd'hui à défendre la monarchie ?* » écrivait Veuillot le 27 février 1848. Et, le 19 mars, il ajoutait : « *La monarchie meurt de gangrène sénile. Les rois l'ont tuée... La Révolution a ses prémisses dans l'Evangile qui est la terre natale de la démocratie.* » Il combattit Louis-Napoléon et fut suspendu pour avoir défendu le pouvoir temporel du Pape contre l'Empereur. Plus tard, ayant reparu, il polémiqua avec Mgr Dupanloup et *Le Figaro.* Après Veuillot et sous la direction du chanoine Lecigne, *L'Univers* fut un journal de droite auquel collaboraient Dom Besse, Gustave Gautherot, futur sénateur, Maurice Talmeyr et un jeune prêtre, alors inconnu, l'abbé Boulin, qui devait être, sous le nom de Pierre Colmet, l'un des dirigeants de la *Revue Internationale des Sociétés Secrètes* après la Première Guerre mondiale.

UNIVERSITE NOUVELLE.

Ecole d'économie politique du *P.C.F.,* dite *Université du marxisme-léninisme,* fonctionnant à Paris ; quatre adresses différentes selon les jours : 12, rue de Navarin (lundi); 12, rue du Renard (mardi); 94, rue J.-P. Timbaud (jeudi); 44, rue de Rennes (vendredi).

URGENCE.

L'état d'urgence est un régime exceptionnel autorisant le gouvernement à prendre des mesures énergiques en cas de troubles intérieurs graves. La *procédure d'urgence* est une procédure exceptionnelle permettant au parlement d'accélérer le vote de lois jugées importantes, en particulier lorsqu'il y a désaccord entre les deux assemblées ; dans ce dernier cas, cette procédure est demandée par le gouvernement.

URI (Pierre, Emmanuel).

Banquier, né à Paris le 20 novembre 1911. Fils d'Isaac Uri, ancien secrétaire de la Faculté des Lettres de Paris. Ancien de l'Ecole Normale Supérieure. Professeur de philosophie (1936-1940). Chargé de mission à l'Institut de Science Economique appliquée (1944-1947). Conseiller économique et financier au Commissariat Economique du Plan (1947-1952). Professeur à l'École Nationale d'Administration (1947-1951). Membre du Comité d'Experts de l'O.N.U. sur le plein emploi (1949). Directeur de la Division Economique de la C.E.C.A. (1952-1959). Directeur pour l'Europe de la banque *Lehman Brothers,* de New-York. Actuellement conseiller de l'Institut Atlantique. Entre temps : rapporteur à la Commission du Bilan national (1947), de la Délégation française du Plan Schuman (1951) et du Comité Intergouvernemental créé par la Conférence de Messine (1956). Joue un rôle important dans les coulisses de la politique : c'est chez lui que se réunirent, en janvier 1962, les *leaders* des grands partis (Pinay, Mollet, Maurice Faure, etc.) en vue de mettre au point la formule gouvernementale appelée à « *remplir le grand vide* » que laisserait la disparition du général De Gaulle. Est, ensuite, devenu l'une des personnalités, dirigeantes de la *Fédération de la Gauche démocrate et socialiste* et du Contre-Gouvernement Mitterrand. Ses articles dans *Le Monde* (« Libres opinions ») sont remarqués. Auteur de : « *La réforme de l'enseignement* », « *Le Fonds monétaire international* », « *La Crise de la zone de libre-échange* » (1959, sous le pseudonyme d'*Europeus*), « *Dialogue des continents* » (1963), etc.

U. S. R. A. F. (voir : **Union pour le Salut et le Renouveau de l'Algérie Française**).

V

VACHER DE LAPOUGE (Georges).

Professeur, né à Neuville-du-Poitou, le 12 décembre 1854, issue d'une ancienne famille poitevine. Il se destinait tout d'abord à la magistrature, mais il donna sa démission au bout de quatre ans (1883) pour s'adonner aux études d'anthropologie. Il occupa des fonctions de bibliothécaire aux universités de Paris, Montpellier, Rennes et Poitiers et donna des cours d'anthropologie à l'université de Montpellier tout en publiant de nombreux articles et mémoires dans des revues spécialisées (*La Revue d'Anthropologie, L'Anthropologie, la Politische Anthropologische*). En 1909, la candidature qu'il avait posée à une chaire d'anthropologie au Muséum ne fut pas acceptée. Il prit sa retraite en 1922 et mourut à Poitiers le 3 avril 1936. L'essentiel de son œuvre se trouve dans ses trois ouvrages : « *Les sélections sociales* » (1896), « *L'Aryen, son rôle social* » (1899), et « *Race et milieu social* » (1909). Autant que Gobineau, dont il critiquait les notions scientifiques tout en rendant hommage à son « *œuvre d'intuition géniale* », Vacher de Lapouge est l'un des principaux théoriciens du racisme. Considérant les Aryens comme supérieurs aux autres races, — il évaluait le nombre des Ayrens de race pure à cinquante millions répartis dans une douzaine d'Etats (Etats-Unis, Angleterre, Canada, France, Allemagne, Autriche, Hollande, Italie, pays scandinaves, etc.) —, il redoutait à ce point le métissage qu'il mettait ses contemporains européens en garde contre l'immigration croissante des éléments de couleur : « *Avant un siècle*, écrivait-il, *l'Occident sera inondé de travailleurs exotiques.* » (« *Race et milieu social* », p. 69). Convaincu que la lutte pour la domination du monde provoquera une « *guerre de conquêtes sans réserve et d'extermination sans merci* », il frémissait à l'idée que la terre une fois « *toute peuplée, l'expansion des uns* (eût) *pour condition nécessaire l'extermination des autres. C'est alors*, ajoutait-il, *que la lutte deviendra inévitable et atroce* » (« *L'Aryen* », p. 501). Bien qu'il ait été très dur pour Edouard Drumont, le doctrinaire catholique de l'antisémitisme français, Vacher de Lapouge redoutait la domination de l'Europe par les Juifs, qui constituent, selon lui, une *race ethnographique* dont la durée et la force sont conditionnées par l'exacte séquestration sexuelle qu'Israël s'est imposée depuis des millénaires. Mais il pensait qu'une telle domination, si elle se réalisait, serait éphémère en raison du manque d'esprit politique des juifs. La Russie lui paraissait, déjà, fort dangereuse pour l'Occident. « *Tant que le bouclier* (allemend) *tiendra, la civilisation que nous avons pourra durer. Dès qu'il sera rompu, je crois que l'Empire des Tsars s'étendra aussitôt jusqu'aux limites extrêmes, à l'Atlantique et à la Méditerranée. L'événement pourra être retardé par l'action de l'Angleterre ou des Etats-Unis, par la coalition des nations occidentales, mais il me paraît inévitable. La situation de l'Occident est celle de la Grèce à la fin des luttes d'Athènes, de Thèbes et de Sparte : les Macédoniens s'avancent.* » (« *L'Aryen* », p. 495.) Mais après ? Qui triomphera en fin de compte ? Il répondait : « *Il est très difficile de prévoir quand et au bénéfice de qui sera réalisé l'empire universel. Je ne crois pas, cependant, que cela prenne plus de deux ou trois siècles. Les événements se précipitent avec une vitesse croissante. Je crois aussi que les Etats-Unis sont appelés à triompher. Au cas contraire, l'univers sera russe.* » (« *L'Ayren* », p. 501-502.) Les œuvres de Vacher de Lapouge n'ont pas été rééditées. Quant à l'auteur, il est ignoré des grandes encyclopédies.

VAGUE (La).

Journal hebdomadaire fondé par le député socialiste Pierre Brizon à son retour du Congrès international de Kienthal (Pâques 1916), auquel il avait assisté avec ses amis Alexandre Blanc et Raffin-Dugens, également députés socialistes. La particularité de ce journal, qui atteignit un tirage important et circulait sous la capote dans les cantonnements du front, c'est qu'il était principalement rédigé par les poilus. *La Vague* était une sorte de tableau d'affichage où chacun pouvait venir coller sa réclamation. Elle était considérée comme un antidote au « bourrage de crâne ». Le plus étonnant, c'est que la Censure — la fameuse Anastasie — laissait paraître tout cela — ou presque — et n'interdisait pas cette publication pacifiste et, au dire de ses adversaires, *défaitiste*. On a dit que les lettres de poilus qu'elle publiait étaient pour le G.Q.G. de précieux éléments d'information.

VAILLANT (Edouard).

Homme politique (1840-1915). Ami de Blanqui et de Tridon, délégué à la commission exécutive de la Commune, se réfugia en Angleterre après la répression. Après l'amnistie, rentra en France et organisa le *Comité Révolutionnaire Central*, puis le *Parti Socialiste Révolutionnaire*. Conseiller municipal de Paris (1884-1893), représenta le XXe arrondissement à la Chambre des Députés de 1893 à sa mort, survenue en 1915. Sa petite-fille, Sophie Vaillant, épousa Bleustein-Blanchet, le « roi de la Publicité ».

VAILLANT-COUTURIER (Paul).

Journaliste et homme de lettres, né à Paris en 1892, mort en 1937. Issu d'une famille d'artistes qui comptait le peintre Besnard parmi ses membres. Etudes au lycée Janson de Sailly ; licencié d'his-

Les Hommes du jour

Dessin de A. Delannoy   Texte de Flax

Edouard Vaillant

toire et docteur en droit. S'inscrivit au barreau de Paris en 1912. Fit toute la guerre (deux fois blessé cité à l'ordre de l'armée, chevalier de la Légion d'honneur), qu'il acheva en prévention de conseil de guerre et aux arrêts de forteresse. Etait entré au *Parti socialiste* en 1916 et avait fondé, l'année suivante, l'*Association Républicaine des Anciens Combattants* (avec Henri Barbusse et Raymond Lefebvre), dont il fut le président. Elu député socialiste de la Seine en novembre 1919. Appartint au *Comité pour l'adhésion à la IIIe Internationale* et, au lendemain de la scission de Tours, rédigea le manifeste des majoritaires qui ralliaient le communisme (cf. *L'Humanité*, 31.12.1920). Fit partie du Comité directeur du jeune *P.C.* Au congrès de Marseille (novembre 1921), prit parti pour Boris Souvarine non réélu au Comité et, devant l'intransigeance de la majorité, donna sa démission en même temps que d'autres éléments de gauche. L'Internationale communiste, après avoir refusé sa proposition de tenir un congrès consommant la scission du parti, provoqua l'expulsion des « opportunistes » et des « petits-bourgeois ». Vaillant-Couturier reprit alors sa place au Comité. Fut l'un des rares députés communistes élus en 1924 ; essuya un échec aux élections législatives de 1928 et 1932 ; ne revint au parlement qu'en 1936. Rédacteur en chef de *L'Humanité* à laquelle il sut donner l'allure d'un grand journal politique et d'information. Ses écrits antimilitaristes lui valurent de nombreuses poursuites et, par trois fois, un séjour plus ou moins long dans les geôles de la III⁵ République. Etait détenu à la Santé, en 1929, lorsqu'il fut élu maire de Villejuif, poste qu'il conserva jusqu'à sa mort. Fondateur de l'*Association des Ecrivains et Artistes Révolutionnaires* (A.E.A.R.), co-fondateur des associations *Aviation populaire, Ciné-Liberté,* et *Radio-Liberté,* dont il était vice-président. Membre du Comité directeur de *Commune,* rédacteur en chef de *Front Rouge* et rédacteur à *La Littérature Internationale.* Publia en outre plusieurs romans, reportages, enquêtes, poèmes et pièces de théâtre : « *La visite du berger* », « *Une permission de détente* », « *La guerre des soldats* », « *Treize danses macabres* », « *Trains rouges* », « *Trois conscrits* », « *Le Père Juillet* », « *Un mois dans Moscou-le-Rouge* », « *Le malheur d'être jeune* », « *Terre de blé, champs de pétrole* », « *Au pays de Tamerlan* », « *Les géants industriels* », « *Jean-sans-Pain* », « *Histoire d'âne pauvre et de cochon gras* », etc. Sa veuve, Marie-Claude VAILLANT-COUTURIER, née Vogel, fille du fondateur de *Vu,* remariée avec Roger Ginsburger, dit Pierre Villon, est député du Val-de-Marne.

VALAT (Fernand).

Instituteur (1886-1944). Militant révolutionnaire, fut élu député communiste du Gard en 1936. Quitta le *P.C.* après l'intervention soviétique en Pologne et son agression contre la Finlande, et fonda, avec d'autres camarades, également parlementaires, le groupe d'*Union Populaire Française.* Bien qu'ayant été emprisonné, pendant l'occupation, par les Allemands, fut à la Libération assassiné par ses anciens camarades communistes (25-8-1944).

VALENET (Raymond, Louis).

Directeur d'usine, né à Paris le 6 août 1912. Maire de Gagny. Conseiller général du canton du Raincy (1961). Elu député *U.N.R.* de Seine-et-Oise (11ᵉ circ.) le 25 novembre 1962. Réélu le 12 mars 1967.

VALENTIN (Jean).

Administrateur de sociétés, né à Luchapt (Vienne), le 13 juin 1920. Agent d'assurances. Président-directeur général du *Disque Bleu* (Limoges et Brive). Président de la chaîne C.I.D.E.F. Vice-prési-

dent de la *Société A et O International* de Bâle. Maire de Chabanais. Ancien conseiller général du canton de Chabanais (1951-1958). Elu député de la Charente (3ᵉ circ.), le 30 novembre 1958, apparenté au groupe des *Indépendants-Paysans.* Se retira de ce groupe et s'apparenta au groupe de l'*Entente démocratique* (octobre 1959); rompit son apparentement le 10 novembre 1960. Membre de l'*Alliance France-Israël.* Réélu député le 25 novembre 1962. Considéré par les gaullistes et la gauche comme « *l'auteur de l'amendement Salan* », a été combattu avec vigueur par l'*U.N.R.* Arrivé (au 1ᵉʳ tour) en tête des non-communistes, il bénéficia du retrait du candidat gaulliste Alloncle et put vaincre le candidat communiste Soury. Réélu de la même manière en 1967. Inscrit au groupe *Progrès et Démocratie.*

VALENTINOIS (Le).

Hebdomadaire modéré ayant pris la succession du *Journal de Valence* (quotidien fondé en 1873). Directeur : Pierre Richard. Tirage : 3 500 exemplaires (18, rue des Alpes, Valence, Drôme).

VALEURS ACTUELLES.

Hebdomadaire politique et économique, né, en 1966, de la transformation de *Finance* (ex-*Aux Ecoutes de la Finance*). De tendance nationale et libérale, la publication est animée par Raymond Bourgine, directeur du *Spectacle du Monde,* secondé par Georges Raud et Pierre Guitard. L'équipe rédactionnelle, sous la conduite de Jean Lousteau, comprend : Maurice Eisner, Jean Brune, Jeanine Bourgine, Pierre Guéna, Gérald Gohier, Jacques Rebèche, Philippe Luyt, Pierre Toulza, Jean Grandmougin, Guy Laborde, Jean Choffel, Lucien Lammers, Claude-Henry Leconte, Georges Ras, Marie-Gisèle Landes, Robert Pichenet, Pierre Devaux, Charles-Noël Martin, Roger Martin, Philippe Durupt, Christiane Degot, Maurice Denesles, Jean Place, Robert Renaut, François Vinneuil, François d'Orcival, Georges Hilaire, Jean-Daniel Scherb, Gisèle Bourgine, Philippe Castelnau, Sylvain de La Tourasse, Jean Neyrac, François Gardet, et des correspondants particuliers : Pierre Hoffstetter (à Londres), Jean Mally (à Rome), Henri Azskenazy (à Bruxelles et à Bonn), Enrique Duran (à Madrid). La revue est éditée par la *Compagnie Française de Journaux* (14, rue d'Uzès, Paris-2ᵉ).

VALLAT (Xavier, Joseph).

Avocat et homme politique, né à Villedieu (Vaucluse), le 23 décembre 1891, où son père, Ardéchois d'origine, était instituteur public. Dixième d'une famille de onze enfants. Fit ses études secondaires, grâce à une bourse privée, d'abord au Petit Séminaire Saint-Charles de Vernoux (Ardèche), puis au collège du Sacré-Cœur d'Annonay. Bachelier en 1910, professeur au collège du Caousou, à Toulouse, puis au Collège catholique d'Aix-en-Provence. Entré à la caserne en octobre 1913, au 61e R.I., était caporal à la déclaration de guerre et finit la campagne comme lieutenant au 114e Bataillon de Chasseurs Alpins, trois fois blessé, trois fois cité, trois retours au front comme volontaire (amputé de la cuisse gauche, énucléé de l'œil droit, invalide à 100 % + 9). Elu le 16 novembre 1919 en tête de la liste d'*Union nationale de l'Ardèche*. Réélu en 1928, 1932 et 1936 au premier tour comme député de la 2e circonscription de Tournon. A toujours siégé à l'extrême-droite. Elu vice-président de la Chambre en 1940. Inscrit au Barreau de Paris en 1923, élu en 1936 membre du Conseil de l'Ordre, où il siégea jusqu'en 1942. Conseiller général de Saint-Félicien (Ardèche) de 1919 jusqu'en 1945, maire de Paillarès (Ardèche) jusqu'à la Libération. Avant la guerre, appartint au *Faisceau* de Georges Valois pendant un an (1925-1926), puis aux *Croix de Feu* (de 1928 à leur dissolution), aux *Camarades du Feu*, animés par le duc Pozzo di Borgo et de Hauteclocque et au *Parti Républicain national et social*, de Taittinger (1936-1939). Fut également membre du Comité directeur de la *Fédération nationale catholique* (présidée par le général de Castelnau) de 1925 à 1937. Nommé par le maréchal Pétain secrétaire général aux Anciens Combattants en juillet 1940. Fondateur de la Lé-des Combattants Français. Nommé en avril 1941 commissaire général aux Questions Juives, puis en mai 1942 ministre plénipotentiaire de 2e classe, détaché aux cabinets du chef de l'Etat et du chef du gouvernement. Fin juin 1944, succéda à Philippe Henriot comme éditorialiste de la radio d'Etat. Ami de Charles Maurras, devint le collaborateur d'*Aspects de la France*, puis son co-directeur avec Georges Calzant (1960-1962) et, après la mort de ce dernier, son directeur (1962-1966). Depuis le début de 1966, retiré définitivement en Ardèche, il est le directeur honoraire du journal royaliste.

VALLES (Jules).

Ecrivain, né au Puy-en-Velay, en 1832, mort à Paris, en 1885. Lancé tôt dans

le combat politique, il publia son premier livre à Nantes, en 1856 : « *L'Argent* », puis collabora au *Figaro* et à *l'Evénement*, fonda *La Rue*, sous l'Empire, et *Le Cri du Peuple*, après la proclamation de la République. Acquis à l'Internationale, il fut l'un des membres de la Commune de Paris et s'enfuit à Londres après l'écrasement du mouvement dont il a laissé une vivante peinture dans le fameux « *Insurgé* ». De son exil, il continua à écrire dans la presse française, notamment au *Siècle*. Après l'amnistie, il rentra en France et ressuscita en 1883 son *Cri du Peuple*, qui devint le porte-parole de la fraction la plus révolutionnaire du mouvement socialiste renaissant. Il mourut deux années plus tard, laissant quelques livres dont une autobiographie, « *Jacques Vingtras* », qui réunit ses œuvres maîtresses : « *L'Enfant* », « *Le Bachelier* » et « *L'Insurgé* ».

VALLIN (Camille).

Contrôleur des postes, né à Givors (Rhône), le 22 novembre 1918. Député communiste du Rhône (1956-1958), maire et conseiller général de Givors puis sénateur communiste du Rhône (depuis 1959).

VALLON (Louis).

Ingénieur, né à Crest (Drôme), le 12 août 1901. Polytechnicien (promotion 1921). Ancien directeur au ministère des Finances. Adhéra en 1923 au *Parti Socialiste*. Signataire en 1934 du fameux « Plan du 9 juillet », fut considéré alors comme l'un des animateurs du *Centre Polytechnicien d'Etudes Economiques*, de Coutrot (voir « *Les Technocrates et la Synarchie* », par H. Coston). Nommé par le gouvernement Blum, chef des émissions économiques et sociales de la Radiodiffusion (1936-1939). Collaborait avant la guerre à la presse de gauche (*La Vie Socialiste, Monde,* de Henri Barbusse, *L'Homme nouveau, L'Homme réel, Le Peuple,* etc.) et appartenait à la *Ligue des Droits de l'Homme* et à l'*Atelier 38.* Mobilisé en 1939 comme capitaine du génie. Prisonnier. Libéré en 1941 sur intervention. L'un des premiers militants du mouvement de résistance *Libération-Nord.* Gagna Londres et devint chef de la section civile du *B.C.R.A.* (services secrets) (1942). Chef d'Etat-Major adjoint de la 1re division française libre en Lybie (février 1943). Délégué à l'Assemblée consultative provisoire d'Alger (1943-1944). Directeur adjoint du cabinet du général De Gaulle (1944-1946). Délégué général du *R.P.F.* pour la région parisienne et membre des Comités de direction du parti (1947). Secrétaire national de l'action professionnelle ouvrière et sociale du *R.P.F.* (1948). Directeur des Monnaies et Médailles (1946-1951). Collaborateur de *Rassemblement,* organe du *R.P.F.* Elu député *R.P.F.* de la Seine (4e circ.) le 7 juin 1951. Ne resta pas avec les *Républicains sociaux* (ex-*R.P.F.*) en 1953. Battu le 2 janvier 1956. A voté contre la levée de l'immunité parlementaire du député communiste Jacques Duclos et de quatre de ses collègues communistes (*J.O.* - A.N. 7-11-1953). Fit partie du *Club des Jacobins* et soutint Mendès-France. Participa à l'action contre la C.E.D. avec les communistes. *L'Humanité* (15 et 25 février, 8 et 17 mars, 6 avril 1954) soulignait avec fierté sa présence aux meetings organisés par le *P.C.F.* Collabora à *Libération* et à *France-Observateur.* Membre du Conseil économique et social (4 juin 1959). Cofondateur du *Comité Républicain et Démocrate* (1958) — qui fusionna, pratiquement, avec le *Centre de la Réforme Républicaine* (gaullistes de gauche) — et *de l'Union Démocratique du Travail,* dont il devint le Secrétaire général (1959). Membre dirigeant de l'*U.N.R.-U.D.T.,* député de Seine-et-Oise (10e circ.) (1962-1967). Dirigeant du journal *Notre République,* hebdomadaire de l'*U.N.R.-U.D.T.* Auteur d'un amendement relatif à l'intéressement des travailleurs aux bénéfices de leur entreprise.

VALMY.

Quotidien communiste (disparu) de l'Allier, fondé à Moulins après la Libération. Etait animé par H. Joannin.

VALOIS (Georges GRESSENT, dit).

Fondateur du *Faisceau* (voir à ce nom).

VALS (Francis).

Parlementaire, né à Leucate (Aude), le 9 janvier 1910. Directeur départemental de la Jeunesse et des Sports. Maire de Narbonne (depuis mars 1959). Ancien président du Comité départemental de Libération (1944). Conseiller municipal de Leucate. Conseiller général de Sigean. Ancien président du Conseil général de l'Aude (1948-1951). Député *S.F.I.O.* de l'Aude depuis 1951.

VAN HAECKE (Louis, Joseph, Charles).

Membre du corps enseignant, né à La Ferté-Macé (Orne), le 1er janvier 1940. Professeur de l'enseignement secondaire. Ancien inspecteur primaire. Maire de Villalet (1955). Suppléant du prince Jean de Broglie, élu député de la 1re circ. (Evreux) de l'Eure le 30 novembre 1958 ; a été proclamé député de l'Eure le 25 septembre 1961, Broglie ayant été nommé membre du gouvernement. A nouveau suppléant de J. de Broglie, aux élections législatives de 1962, a été proclamé député de l'Eure le 7 janvier 1963 (lorsque le prince redevint membre du gouvernement). Inscrit au groupe des *Républicains Indépendants.*

VAR-INFORMATION (Le).

Bi-hebdomadaire indépendant, créé en 1956, et dirigé par Maurice Riccobono. Tirage moyen : 5 000 exemplaires. (46, boulevard Georges-Clemenceau, Draguignan.)

VARENNE (Alexandre).

Avocat, né à Clermont-Ferrand, le 3 octobre 1870, mort le 15 février 1947. Fils d'un petit commerçant de la capitale auvergnate, fut d'abord clerc d'avoué et employé de commerce, puis avocat au barreau de Clermont-Ferrand. Collabora alors au *Petit Clermontois,* puis au *Stéphanois.* Installé ensuite à Paris, donna des articles à *La Revue Blanche,* entra à la rédaction de *La Volonté,* puis à celle de *La Lanterne* et de *L'Action* ; en 1904, devint rédacteur à *L'Humanité.* Adhéra à la fin du siècle dernier au *Parti Socialiste Révolutionnaire,* dont il devint l'animateur dans le Puy-de-Dôme. Fut l'un des fondateurs de la *Fédération Socialiste Autonome d'Auvergne* et l'un des dirigeants de la Fédération *S.F.I.O.* du Puy-de-Dôme après l'unité (1904). Se fit également initier dans la Franc-Maçonnerie et appartint à la loge *Les Rénovateurs*. Elu député socialiste du Puy-de-Dôme en 1906, après un échec honorable quatre années auparavant, fut battu en 1910 et élu à nouveau en 1914 ; resta à la Chambre des députés jusqu'en 1936. Entre temps, fut conseiller général du canton sud-ouest de Clermont et, au temps du *Cartel des Gauches*, gouverneur général de l'Indochine. En 1919, avait créé le quotidien régional *La Montagne* qu'il dirigea jusqu'à sa mort. Ayant quitté la *S.F.I.O.*, fonda avec les néo-socialistes Marquet, Déat et Ramadier, le *Parti Socialiste de France* (1933), puis l'*Union Socialiste et Républicaine* (1935). Pendant l'occupation, poursuivit la publication de son journal — qui se trouvait en zone Sud — et fut l'avocat de Jean Zay. Lors du procès de Riom, son imprimerie fut utilisée par la défense de Léon Blum. « *Démissionné* » de ses fonctions de maire de Saint-Eloy-les-Mines (octobre 1942), par le gouvernement de Vichy, saborda *La Montagne* en août 1943. Nommé membre de l'Assemblée consultative provisoire, puis élu député du Puy-de-Dôme aux deux Assemblées constituantes, entra comme ministre d'Etat dans le gouvernement Bidault, auquel il apporta son expérience et son appui au moment des négociations sur l'Indochine. Elu député à l'Assemblée nationale le 10 novembre 1946, s'inscrivit au groupe de l'*U.D.S.R.* Lors de l'épuration, prit la défense de ses adversaires : Maurice Vallet, rédacteur en chef de *L'Avenir du Plateau Central*, quotidien national et catholique, fut très ouvertement et très efficacement soutenu par lui contre ses accusateurs. Défendant la liberté de la presse, qu'il estimait violée à la Libération, Alexandre Varenne écrivait dans *La Montagne* (10-3-1945) : « *Ce fut un des mots d'ordre d'Alger, de condamner, presque sans examen toute la presse française à disparaître le jour de la Libération (...) Et puis, que signifie cette excommunication en bloc et en vrac de toute la presse française ? Où a-t-on pris que nos journaux de province, en particulier ceux de la zone Sud, fussent tous dirigés par des mauvais Français et des capitalistes cupides ?* »

VASSOR (Jacques).

Agriculteur, né à Tours (I.-et-L.), le 1er juillet 1903. Ingénieur agricole. Maire de Saint-Antoine-du-Rocher (1945-1948 et à nouveau depuis 1953), conseiller général du canton de Neuillé-Pont-Pierre (depuis 1945), fut élu député d'Indre-et-Loire en 1951 et réélu en 1956. Sénateur d'Indre-et-Loire depuis avril 1959, est inscrit au groupe du *Centre républicain d'action rurale* du Sénat.

VAUGEOIS (Henri).

Universitaire et homme politique, né à L'Aigle (Orne), le 25 avril 1864. Issu d'une famille qui comptait un conventionnel régicide et un aumônier de l'armée de Condé, il fut jusqu'à l'affaire Dreyfus un républicain convaincu. Sa rencontre avec Maurras, au moment de « l'Affaire » qui bouleversait le pays, détermina son orientation politique. Il fut lent à se laisser convaincre par le jeune écrivain monarchiste, mais finit par rallier le camp royaliste. *L'Action française*, créée en 1899, lui doit la vie : c'est lui qui fonda, le 8 avril de l'avant-dernière année du siècle, le comité qui portait ce nom et c'est sous sa direction que parut, huit ans plus tard, le quotidien *L'Action française*. Il mourut à Paris le 11 avril 1916, laissant plusieurs livres, édités après sa mort, dont « *Notre Pays* » et « *La Fin de l'Erreur Française* ». Vaugeois est considéré à juste titre comme l'un des maîtres du nationalisme monarchiste.

VAVASSEUR (Georges, Emilien, Marie, Gaëtan).

Bouquiniste, né à Alençon, le 7 septembre 1900. Après ses études de médecine à la faculté de Paris, G. Vavasseur s'établit à Lyon. De 1924 à 1939, il anima *La Tribune du Rhône*, sorte de « Club du Foubourg » lyonnais, où prirent la parole des centaines d'orateurs de toutes tendances, de Julien Benda à Philippe Henriot. En 1941, il adhéra au mouvement clandestin *France d'Abord* et fut, l'année suivante, arrêté par la police et condamné à un an ferme pour propagande illégale. Interné au Fort Montluc, puis à la prison Saint-Paul de Lyon, il recouvra la liberté en 1943 et reprit aussitôt son activité clandestine, au bureau de presse du mouvement *France d'Abord*. En 1944, il devint le chef du bureau du mouvement et, à la Libération, il fut l'un des membres du Comité de Libération de Lyon. Il succéda à Jacques Baumel, au secrétariat général du *M.N.L.* (1945) et fut l'un des douze fondateurs de l'*U.D.S.R.* C'est comme représentant de ce dernier parti qu'il fut élu secrétaire général du *Rassemblement des Gauches Républicaines* en même temps que Jean-Paul David. Un peu plus tard, il fonda avec le général Cochet, le *Comité d'Action de la Résistance*, et avec Bollaert, A. Boulloche et Rosier, le groupe *Civisme*. De

34

1948 à 1955, il fut l'un des principaux membres de la *Commission Nationale des Internés et Déportés de la Résistance*, chargé d'examiner les titres pour l'obtention de la carte de déporté ou résistant. En 1955, il démissionna de tous les postes qu'il occupait dans ces organisations. Il s'établit alors bouquiniste à Paris et se retira de la vie politique. Depuis mars 1966, il préside les « *Amis d'Edouard Drumont* » dont il est l'un des fondateurs. Georges Vavasseur a préfacé le livre de Marius Celestin : « *Statut des déportés et internés de la Résistance* », publié à Paris en 1955.

VENDEE (La).

Hebdomadaire départemental disparu. Fondé en 1881 à La Roche-sur-Yon sous le signe de l'Union catholique et monarchiste. Fut transférée entre les deux guerres à Fontenay-le-Comte. Dirigée avant 1939 par Emile Marsac.

VENDEE LIBRE.

Hebdomadaire créé en septembre 1944 par le *Comité de Libération* de la Vendée. Ses 15 000 exemplaires sont mis en vente dans tout le département (31, rue des Halles, La Roche-sur-Yon).

VENDEE NOUVELLE.

Hebdomadaire démocrate-chrétien, fondé après la Libération. Tirage : 3 000 exemplaires. (23, rue du Port, Fontenay-le-Comte.)

VENDEE-SEMAINE.

Hebdomadaire modéré et chrétien fondé en 1945 à La Roche-sur-Yon et diffusé dans tout le pays vendéen. Tirage moyen : 14 000 ex. (47, boulevard Louis-Blanc, La Roche-sur-Yon.)

VENDREDI.

« *Hebdomadaire littéraire, politique et satirique, fondé sur l'initiative d'écrivains et de journalistes et dirigé par eux.* » Formule : « *D'André Gide à Jacques Maritain. Des intellectuels qui ont rallié la Révolution aux intellectuels catholiques qui ont maintenu le parti de la liberté.* » Ce journal crypto-communiste, qui disparut peu avant la guerre, fut créé le 8 novembre 1935. Son comité directeur était alors composé de : André Chamson, Jean Guéhenno et Andrée Viollis, la veuve de Gustave Téry.

VENDROUX (Jacques).

Biscuitier, né à Calais le 28 juillet 1897. Frère de Mme Charles De Gaulle. Directeur général des *Biscuits Vendroux*. Maire de Calais (1945-1947 et, à nouveau, depuis mars 1959). Ancien conseiller général du canton nord-ouest de Calais (1949-1955). Membre des deux Assemblées constituantes (1945-1946). Elu député du Pas-de-Calais (1re circ.) à la première Assemblée nationale le 10 novembre 1946. Réélu député *R.P.F.* en 1951. Battu en 1956. Elu à nouveau dans la 7e circ. le 30 novembre 1958. Membre de l'*Alliance France-Israël*. Réélu député *U.N.R.* en 1962 et 1967. Président de l'*Association France-Allemagne* (depuis 1963). Son fils, J.-Ph. Vendroux, est député gaulliste de St-Pierre-et-Miquelon depuis 1967.

VENNER (Dominique-Charles).

Journaliste, né à Paris-7e, le 16 avril 1935, d'un père architecte et administrateur de sociétés immobilières, qui milita jadis au *P.P.F.* Ancien engagé volontaire en Algérie, dirigeant de *Jeune Nation*, rédacteur au journal de ce mouvement, cofondateur de la *Société de Presse et d'Edition de la Croix Celtique*, base commerciale de l'organisation, il participa en 1958 à la création du *Parti Nationaliste* et fut, pour ce motif, poursuivi, arrêté et condamné avec d'autres dirigeants et militants nationalistes dont Pierre Sidos (voir à ce nom). Mis en liberté provisoire après un séjour assez long à la prison de la Santé, où Pierre Sidos l'avait rejoint, il fonda avec le dessinateur Coral et Mme Gingembre, la femme d'un de ses codétenus, la société des *Editions Saint-Just* (6-11-1962), firme éditrice du mensuel *Europe - Action* (voir à ce nom), qu'il dirigea. Il est, depuis 1966, le principal animateur du *Mouvement Nationaliste du Progrès*, créé par d'anciens militants de *Jeune Nation*, des membres de la *Fédération des Etudiants Nationalistes* et quelques isolés venus de l'ancien *Comité Tixier-Vignancour*, organisme auquel il avait apporté son concours (1964-1965). Auteur de : « *Pour une critique positive* » (1962) et, sous le pseudonyme de Jean Gauvin, « *Le Procès Vanuxem* ».

VENTILLARD (groupe).

Groupe de presse créé par Georges Ventillard, un ancien porteur de journaux, disparu en 1960, qui avait à la fois « du flair » et « la bosse des affaires ». L'ensemble comprend *Transport-Presse*, la *Société Auxiliaire des Messageries Transport-Presse*, *La Semaine radiophonique*, la *Société Française d'Edition et de Publications Illustrées*, qui édite *Le Hérisson*, les *Publications Ventillard*, propriétaires de *Mon Film* et *Marius*, la *Société de Publication et d'Edition du* journal *La Presse, Le Haut-Parleur* (qui parut pendant la guerre), la *Société Auxiliaire de Publicité*, ainsi que plusieurs revues d'électricité : *L'Electronique professionnelle, Le Moniteur de l'Electricité, L'Electro-Journal* et *Procédés électroniques*. Il contrôlait, à sa fondation, le quotidien *Le Pays*, qui fusionna avec *Le Matin* et fut absorbé ensuite par *L'Aurore*. Outre Jean-Pierre Ventillard, le fils du fondateur, Paul Campargue, ancien député socialiste de l'Yonne, est parmi les principaux dirigeants du groupe Ventillard (142, rue Montmartre, Paris 2e).

VER (Antonin).

Membre de l'enseignement, né à Lafrançaise (T.-et-G.), le 13 juillet 1904. Directeur honoraire de cours complémentaires. Maire et conseiller général de Lafrançaise. Elu député de Tarn-et-Garonne (2e circ. le 25 novembre 1962. Inscrit au groupe du *Rassemblement Démocratique*. Réélu en 1967 (*F.G.D.S.*).

VERCORS (Jean, Marcel BRULLER, dit).

Homme de lettres, né à Paris, le 26 février 1902. D'abord dessinateur et graveur (1925-1939). Cofondateur des *Editions de Minuit* clandestines en 1941. Président d'honneur du *Comité National des Ecrivains*. Soutint *Vérité-Liberté*, groupe favorable à l'indépendance algérienne. Auteur de nombreux ouvrages dont « *Le silence de la mer* », « *Le marché à l'étoile* », « *Les animaux dénaturés* », etc.

VERDEILLE (Fernand, Jean, Géraud).

Homme politique, né à Penne (Tarn), le 26 septembre 1906. Fils d'artisan, fit ses études à l'école primaire supérieure de Beaumont-de-Lomagne, au lycée de Montauban, puis à l'Ecole normale d'instituteurs de cette ville. D'abord instituteur laïque (1926-1938), puis libraire (« *Librairie des Ecoles* », à Albi). Elu conseiller général du Tarn en 1945 (réélu en 1955, 1958 et 1964) et porté aussitôt à la présidence de l'Assemblée départementale qu'il conserva dix ans. Sénateur socialiste du Tarn depuis 1946, maire de Penne-du-Tarn depuis 1947 et membre du comité directeur de l'*Association des maires de France*. Président du groupe interparlementaire Chasse-Pêche et Protection de la Nature pour les trois assemblées. Fondateur du *Républicain du Tarn*, d'Albi.

VERILLON (Maurice).

Pharmacien, né à Lyon, le 14 octobre 1906. Maire et conseiller général de Die, vice-président du Conseil général de la Drôme, sénateur *S.F.I.O.* de la Drôme (depuis 1959).

VERITE-LIBERTE.

Cahiers d'information publiés pendant la guerre d'Algérie, favorables à une paix immédiate et à l'indépendance réclamée par le F.L.N. Collaborateurs : R. Barrat, C. Bourdet, M. Crouzet, J.-M. Domenach, L. Lalande, H. Marrou, J.-J. Mayoux, P. Mounier, J. Panijel, A. Philip, J. Pouillon, P. Ricœur, C. Roy, J.-P. Sartre, L. Schwartz, P. Stibbe, P. Thibaud, E. Thomas, Vercors, P. Vidal-Naquet, A.-P. Vienot, Pasteur Voge.

VERS LA VIE NOUVELLE (voir : Vie Nouvelle).

VESINS (comte Bernard de LEVEZOU de).

Officier, né à Bourges, le 13 mars 1869, mort à Laval, le 4 juillet 1951. Ancien élève de l'Ecole polytechnique, sous-lieutenant d'artillerie (1892), il quitta l'armée en 1902, avec le grade de capitaine. Il fut quelques temps directeur d'une usine de produits chimiques. C'est l'époque (1903) où il entra en rapport avec Charles Maurras et fonda, à Versailles qu'il habitait alors, le premier groupe d'*Action française* de la cité royale. Ayant pris part à une action contre les « inventaires », il fut arrêté et condamné à deux ans de prison ferme. A peine libéré, il participa à la campagne *antidreyfusarde* et devint membre des comités directeurs de l'*Action Française* (1907). L'année suivante, il prenait en main l'administration du quotidien royaliste nouvellement créé. En 1910, il signa avec ses amis Léon de Montesquiou, Jacques Delebecque et Robert de Boisfleury une série de lettres adressées au ministre de la Guerre, le général Brun, pour protester contre l'attentat dont venait d'être victime Maxime Réal del Sarte, qui effectuait son service militaire : pour cette « incartade », il fut cassé de son grade. C'est donc comme simple artilleur qu'il fut mobilisé en 1914, mais trois semaines plus tard, il fallut bien lui rendre ses galons. Deux fois blessé, huit fois cité, il revint du front avec le grade de lieutenant-colonel à titre temporaire. Aussitôt, il reprit sa place dans le parti monarchiste et fut porté (mai 1919) à la présidence de la *Ligue d'Action Française*. L'année suivante, il devint vice-président de l'*Union des Corporations Françaises* qu'avait fondé Georges Valois ; en 1925, lorsque ce dernier quitta le mouvement maurrassien, il prit la présidence de l'*Union*. En février 1930, lors de la grande scission provoquée par le départ des docteurs Guérin et Henri Martin, et des frères Jeantet, Bernard de Vesins démissionna de l'*Action Française* et se retira près de Château-Gontier. Sans abandonner ses idées, il mit fin à son activité politique. *Turfiste* distingué, président du *Syndicat de la Presse Hippique*, il se consacra dès lors aux sociétés hippiques rurales de sa région et donna régulièrement des chroniques du cheval à la presse parisienne. De 1940 à 1944, il fut syndic agricole dans sa commune. Bien qu'il n'eut point caché ses sentiments pétainistes, il ne connut pas les rigueurs de l'épuration et mourut à Laval, en 1951, âgé de quatre-vingt-deux ans.

VEUILLOT (Louis, François).

Ecrivain, né à Boynes, dans le Loiret, en 1813, mort à Paris, en 1883. Fils d'un artisan tonnelier, ayant quitté l'école à treize ans, il s'instruisit lui-même et collabora très jeune — il n'avait que dix-sept ans — à la presse de province. Polémiste fougueux, ardent défenseur de la Foi et de l'Ordre, il devint, à la tête de *L'Univers*, l'un des champions du catholicisme traditionnel. Rallié à Napoléon III après le 2 décembre, son ultramontanisme l'amena à rompre avec le Régime à propos de la *question romaine* (pouvoir temporel des Papes) et le gouvernement supprima son journal en 1860. Ce n'est qu'en 1867 qu'il put reprendre la publication de *L'Univers,* dans lequel il se fit le défenseur du dogme de l'infaillibité pontificale. Entre-temps, il avait exprimé ses idées dans plusieurs ouvrages qui firent grand bruit à l'époque : « *Le Pape et la Diplomatie* » (1861), « *Biographie de Pie IX* » (1863), « *Satires* » (1863), « *Le Parfum*

L. M.

de Rome » (1865), « *Les Odeurs de Paris* » (1886). Après l'écroulement du Second Empire, il s'attacha au parti monarchiste et rompit des lances pour le comte de Chambord et la Légitimité. Ses attaques contre le roi d'Italie, après la disparition du pouvoir temporel du Pape, provoqua la suspension de *L'Univers* par le cabinet de Broglie en 1874. Son exceptionnel courage et la vigueur de son style en même temps que son grand désintéressement demeurent un modèle pour les catholiques traditionnalistes auxquels il est souvent cité en exemple. Outre les livres désignés, on lui doit une « *Vie de N.-S. Jésus-Christ* », « *Rome pendant le Concile* », « *La République de tout le monde* », « *Paris pendant les deux sièges* », etc. Il avouait, à la fin de sa vie, avoir « *joué un rôle de dupe* » : « *J'ai défendu le capital sans avoir eu jamais un sou d'économies, la propriété sans posséder un pouce de terrain, l'aristocratie et j'ai à peine pu rencontrer deux aristocrates, la royauté dans un siècle qui n'a pas vu et ne verra pas un roi. J'ai défendu tout cela par amour du peuple et de la liberté, et je suis en possession d'une réputation d'ennemi du peuple et de la liberté, qui me fera « lanterner » à la première bonne occasion. Cependant ma pensée est droite et logique ; mais j'ai trop cru au devoir et j'en ai trop parlé. C'est la seule chose qui me console, quand je considère, hélas ! tout ce que je n'ai pas fait.* »

VIANSSON-PONTE (Pierre).

Jornaliste, né à Clisson (L.-Inf.), le 2 août 1920. Débuta à l'*A.F.P.* où il fut successivement : directeur régional à Nancy (1945), premier secrétaire de rédaction à Paris (1946-1947), chef adjoint du service politique (1948-1952). Puis entra à *L'Express* comme rédacteur en chef (1953-1958) et au *Monde*, dont il est devenu le chef du service politique (1958). Auteur de « *Risques et chances de la Ve République* » (1959) et d'un remarquable recueil de biographies non-conformistes intitulé « *Les gaullistes* » (1963).

VICHY (Assises de).

Colloque organisé à Vichy en avril 1964 par divers clubs de gauche (A l'issue de ces assises fut constitué un *comité permanent*). Y participèrent notamment: Jourdan (*Cercle Tocqueville*, de Lyon), Cayrol (*Club Jean-Moulin*), Mme Seligman (*Club Après-Demain*), Coursier (*Citoyens 60*), Joutard (*Démocratie nouvelle*), Bilbaut (*Association des jeunes* cadres), Jean Cluzel (*Positions*), Claude Bernardin, le professeur Lavau, ainsi que des représentants et délégués des clubs : *C.R.E.P.T.*, *C.I.P.E.S.*, *A.D.E.L.S.*, *Rencontres*, etc.

VICTOIRE (La).

Journal qui prit la suite de *La Guerre sociale* après la déclaration de guerre en 1914. Fut quotidienne pendant un quart de siècle. Son directeur, Gustave Hervé, réussit après une volte-face surprenante mais certainement sincère à troquer ses lecteurs d'extrême-gauche contre des lecteurs catholiques. Dans l'entre-deux-guerres, *La Victoire* subsistait grâce aux gros sous de vingt mille fidèles recrutés principalement parmi les curés de province que cet ancien anticlérical, touché par la Grâce, impressionnait. *La Victoire* fut le premier journal qui reparut à Paris après l'entrée des Allemands dans la capitale en juin 1940. Mais elle dut bien vite suspendre sa publication : on n'appelle pas ainsi un journal français après la défaite.

VIDAL (Georges).

Ecrivain (1903-1964). Militant anarchiste, administrateur du *Libertaire* après la guerre de 1914-1918, soutint une atroce polémique avec *L'Action Française* après la mort mystérieuse du jeune Philippe Daudet, fils du *leader* royaliste. Retiré de la scène politique, publia désormais des romans d'aventures.

VIE CATHOLIQUE ILLUSTREE (La).

Hebdomadaire de tendance démocrate-chrétienne. Ne date que de 1945, mais le groupe qui l'édite est plus ancien puisqu'il existait déjà avant la guerre et publiait le journal *Temps présent* que rédigeaient Stanislas Fumet, Joseph Folliet, Pierre-Henri Simon, Jacques Madaule, Jacques Maritain, François Mauriac, et qui avait succédé à *Sept*, supprimé en 1938 par la Hiérarchie. On aurait eu scrupule à ranger ce grand magazine catholique parmi les revues *de gauche* si l'historien Adrien Dansette ne l'avait fait : « *Il existe*, écrit-il, *depuis la Libération, une gauche chrétienne notable... Elle dispose d'organes importants... Aux revues d'intérêt général d'avant-guerre*, La Vie Intellectuelle, Esprit, *sont venus s'ajouter des hebdomadaires tels que* Témoignage Chrétien... *et* La Vie Catholique. *Mentionnons enfin* La Quinzaine, *organe des chrétiens progressistes.* » (A. Dansette, *Destins du Catholicisme Français*, Paris, 1957, page 133.) Les fondateurs de *La Vie Catholique Illustrée*

sont au nombre de sept. L'acte constitutif de la société du journal, en date du 30 août 1945, donne leurs noms : Mme Chambert, G. Hourdin, Joseph Folliet, le R.P. Pierre Boisselot, Mlle Geneviève de Bonduwe, Mme Sauvageot et la Société *Temps Présent*. Il précise que : « *Mme Ella, Blanche, Lasthème Thuillier, administrateur de sociétés, demeurant à Paris, 59, rue de Babylone, divorcée de M. Sauvageot, (agissait) en vertu des pouvoirs qui lui ont été conférés par le Conseil d'Administration de la société anonyme* Les Editions du Temps Présent, *en date du 12 juillet 1945* » et que cette société avait « *elle-même agi comme fondateur et futur gérant de la société en commandite par actions* La Vie Catholique Illustrée, *etc.* » Outre Mme Sauvageot, la société des *Editions du Temps Présent* avait pour dirigeants au moment de la fondation de la Société *La Vie Catholique Illustrée* : Pierre Bernard, Georges Hourdin, Joseph Folliet, J. de Menil, P.-H. Simon et Gaston Tessier (de la Confédération des Travailleurs Chrétiens). A l'Assemblée générale extraordinaire du 26 juin 1956, présidée par Mme Sauvageot, les deux scrutateurs étaient Hubert Beuve-Méry et Georges Hourdin. Depuis les transformations intervenues en juin 1956 — la société en commandite par actions fut transformée en société anonyme — Hubert Beuve-Méry, directeur du *Monde*, a fait son entrée dans la société comme actionnaire, et quatre nouveaux administrateurs sont venus siéger aux côtés de Georges Hourdin, P.-H. Simon, J. Folliet, Stanislas Fumet et Mme Sauvageot : Robert Buron, ancien ministre de Mendès-France et futur ministre des cabinets De Gaulle et Debré ; André Catrice, ex-gérant de la société du journal *Le Monde*, représentant le groupe Beuve-Méry ; Désiré Goddyn, administrateur de la *Franpar* (*France-Soir, Paris-Presse*, le *Journal du Dimanche*), représentant le groupe *Hachette* ; et Francis Michel, industriel. Son tirage atteint 486 000 exemplaires. Le groupe de presse dont *La Vie Catholique Illustrée* est le principal organe contrôle *Les Informations Catholiques Internationales*, revue bi-mensuelle dirigée par G. Hourdin et J.-P. Dubois-Dumée, *Croissance des Jeunes Nations, Images du mois, Le Cri du Monde* et le *Centre d'Information Catholique*, qui publie un bulletin de presse à l'intention des journaux et revues catholiques — 400 publications le reçoivent — dont le R.P. Boisselot, du Comité directeur de *La Quinzaine*, est (ou était) l'animateur ; il possède des intérêts dans plusieurs autres entreprises de presse (*Société Radio-Ci-*

néma-Télévision, Société des Publications Religieuses, La Quinzaine, etc.). Georges Hourdin est le directeur-rédacteur en chef de La Vie Catholique Illustrée, dont Pierre Vilain est rédacteur en chef adjoint (163, boulevard Malesherbes, Paris 17e).

VIE FRANÇAISE (La).

Hebdomadaire économique et financier fondé le 5 mai 1945, dans l'immeuble du Journal de la Bourse, interdit à la Libération. Le journal, qui absorba en 1951 La Semaine Economique et Financière, fut longtemps dirigé par Didier Lambert. Pour son exploitation fut créée la S.A.R.L. La Vie Française au capital de 2 250 000 francs. Les associés étaient au nombre de quatre : Edouard Niermans (1 050 000 francs), Félix Garas (75 000), Didier Lambert (450 000), Albert Cadot (300 000), Henri Noël (300 000) et Gaston Hamelin (75 000). Ce dernier, administrateur de L'Auto, journal interdit à la Libération, était le beau-père de J. Chaban-Delmas (du moins le premier beau-père, puisque le président de l'Assemblée nationale, après divorce, s'est remarié avec Mme Geoffroy, née Marie-Antoinette Ion). Diverses modifications intervinrent par la suite. A la mort de Didier Lambert (1962), des changements importants se produisirent dans la maison. La Vie Française fut, dès lors, contrôlée par le groupe Hachette (représenté notamment au conseil d'administration par René Coulet, du Nouveau Candide) en accord avec Jacques Chaban-Delmas. Mme veuve Didier Lambert est présidente-directrice générale et René Sedillot, directeur-rédacteur en chef. Collaborent régulièrement au journal : Bertrand de Jouvenel, F.F. Leguen, Alfred Fabre-Luce, J. Plassard, F. Montalenti, etc. Avec un tirage moyen de 136 000 exemplaires et une diffusion qui dépasse 104 000 exemplaires, La Vie Française est le premier journal économique, financier et (fatalement, bien que discrètement) politique de France (67, avenue Franklin-D.-Roosevelt, Paris 8e).

VIE INDUSTRIELLE, COMMERCIALE, AGRICOLE, FINANCIERE (La).

Journal économique, destiné à remplacer la Journée industrielle et L'Usine d'avant la guerre, qui parut pendant l'occupation (1940-1944). Elle avait pour rédacteur en chef un ancien collaborateur de Pierre-Etienne Flandin, André Terrasse, ancien secrétaire général de l'Alliance Démocratique, auquel succédera, en 1941, un autre collaborateur de Flandin, Pierre Béranger. Y collaborè-

rent notamment : l'ancien président du Conseil déjà nommé, le professeur Barthélémy, le sénateur Georges Portmann, l'économiste F.-F. Le Gueu, C.-J. Gignoux.

VIE NOUVELLE (Mouvement).

Organisation catholique de gauche se réclamant du « personnalisme communautaire d'Emmanuel Mounier » et « d'un christianisme ouvert aux valeurs du monde d'aujourd'hui ». Possède plus d'une centaine de groupes en France et en Afrique. A donné naissance au club Citoyens 60 (adhérant à la Convention des Institutions Républicaines) (voir à ce nom) et publie Vers la vie nouvelle, revue dirigée par R. Labourie et rédigée par une équipe animée par J. Lestavel, J.-L. Morel et H. de Montrond (73, rue Sainte-Anne, Paris 2e).

VIE OUVRIERE (La).

Hebdomadaire syndicaliste devenu l'organe de la C.G.T. après avoir été celui de la C.G.T.U. Fondée en 1908 par Pierre Monatte. Dirigée de 1922 à 1960 par le communiste G. Monmousseau. Avait pour rédacteur en chef, avant la guerre, A. Clément, assassiné en 1942. Benoît Frachon, secrétaire général communiste de la C.G.T., est le président d'honneur de son comité de rédaction. L'équipe du journal comprend : Henri Krasucki, directeur ; Robert Telliez, rédacteur en chef ; Jacques Pain, administrateur ; Lucien Jayat, Livio Mascarello, Léon Mauvais, Lucien Midol, etc. (Direction : 18, rue des Fêtes, Paris 19e.)

VIE PUBLIQUE (La).

« Groupe d'étude et d'informations politiques » fonctionnant après la Libération, jusqu'à la mort, survenue le 19 octobre 1963, d'André Ribard, son animateur. Ce dernier était un communiste intransigeant pour qui Marx et Lénine étaient des guides sûrs, infaillibles, que l'on doit suivre aveuglément. Ancien fonctionnaire de l'Administration préfectorale, collaborateur de feu Painlevé et de feu Henri Barbusse, écrivain et journaliste, durement éprouvé par un long séjour dans les K.Z. nazis, Ribard s'était consacré, après la guerre, à une tâche difficile : celle d'éduquer politiquement ses amis marxistes et, éventuellement, les autres. Tous les mois, dans la grande salle de la Mutualité, il réunissait un auditoire souvent nombreux, toujours attentif, rarement déçu. Ce dialecticien de classe, non seulement savait prendre son public, mais il réussissait aussi à se faire comprendre de lui. Conférencier brillant, il incitait ses auditeurs à la réflexion. Il leur présentait sans fard les problèmes de l'heure, et leur donnait chaque fois une excellente leçon de tactique politique. Ses critiques ne plaisaient pas toujours aux chefs du *P.C.F.*, mais elles étaient acceptées sans trop de mauvaise humeur par les militants, qui finissaient par comprendre que le but à atteindre vaut bien qu'on sacrifie en chemin quelques préférences personnelles. C'est ainsi que ce communiste-léniniste a fait applaudir par des marxistes et des progressistes, en 1958, le général De Gaulle, présenté par lui comme le libérateur de l'Afrique noire, le bouclier de la gauche contre le fascisme et le seul homme qui puisse apporter en Algérie une solution libérale sans provoquer une réaction trop brutale de la droite et des colonels d'Alger. Quelques années auparavant, alors que les militants de la gauche parlaient surtout de la revalorisation des salaires, il leur avait fait comprendre que le plus important n'était pas d'obtenir une petite augmentation mais bien d'empêcher le réarmement allemand, c'est-à-dire « *la constitution d'une barrière armée de 60 millions d'habitants s'interposant entre la patrie du communisme et l'Europe occidentale* ». Et il avait fait applaudir celui qui, fort habilement, allait faire rejeter par le parlement la fameuse C. E. D. : le président Mendès-France. Cet homme, physiquement diminué par trente mois de souffrances, fut l'un des « meneurs » les plus lucides de l'extrême-gauche. L'influence qu'il exerça sur les étudiants noirs de l'Université de Paris, qui formaient souvent le gros de son auditoire, fut considérable. Ce fut pour l'Eglise, qu'il exécrait, et pour la Droite, qu'il méprisait, un dangereux adversaire. Il prolongeait l'effet de ses causeries par des livres, assez peu répandus, mais lus avec confiance par une élite de marxistes et d'hommes de couleurs. Les plus connus sont : « *La prodigieuse histoire de l'Humanité* », « *1960 et le secret du Vatican* » et « *La Révolution est-elle pour demain ?* ».

VIE QUERCYNOISE (La).

Hebdomadaire chrétien et social fondé en octobre 1944 (2, quai Bessières, Figeac) et diffusé dans tout le département du Lot. Son tirage atteint 10 000 exemplaires.

VIELJEUX (Léonce).

Armateur à La Rochelle, nommé le 23 janvier 1941 membre du *Conseil National* (voir à ce nom).

VIGIE DE DIEPPE (La).

Journal républicain-libéral bi-hebdomadaire fondé en 1815 et disparu en 1944, dirigé pendant plusieurs années par Louis-M. Poullain (tirage : 20 000 ex.).

VIGIER (Jean-Louis).

Publiciste, né à Corneilla-del-Vercol (P.-O.), le 25 décembre 1914. Participa à la Résistance, dont il préside encore l'une des associations (*Amitiés de la Résistance*). Après la Libération, fut le directeur du journal *L'Epoque* (mai 1945-juillet 1947), puis le co-directeur-gérant de *l'Agence parisienne d'information* (1947-1953). Ayant adhéré au *R.P.F.*, devint l'un des membres de son conseil national. Fut conseiller municipal de Paris et conseiller général de la Seine (1947-1959), président du Conseil municipal de Paris (juin 1958-mars 1959) et député de la Seine (1951-1958). Elu sous l'étiquette gaulliste, devint ensuite indépendant (*C.N.I.P.*) et fut réélu sous cette étiquette. Appartient à la *L.I.C.A.* Est, en outre, sénateur indépendant de la Seine (avril 1959), administrateur de la *Société d'études et de recherches économiques et de publicité* (*Serep*) et de la *Société d'éditions, d'impression et de cartonnage* (*Seic*).

VIGNEAUX (Paul, Marius).

Fonctionnaire (e.r.), né à Toulouse le 9 octobre 1901. Inspecteur des Sports en retraite. Maire et conseiller général de Lombez. Député *S.F.I.O.* du Gers (1re circ.) depuis 1962.

VIGNON (Robert).

Préfet, né à Constantine (Algérie), le 17 novembre 1910. Fils d'un proviseur de lycée. Fut successivement : chef adjoint, puis chef de cabinet du préfet du Tarn (1936), du préfet de la Haute-Vienne (1939), secrétaire général de la Vendée (1940), directeur du cabinet du préfet d'Orléans (1943), à l'Administration centrale (1944), chef de cabinet du ministre de l'Agriculture (1946), préfet de la Guyane (1947), de l'Allier (1955), de Tizi-Ouzou (1956), hors cadres (1959). Fut ensuite chargé de mission au Commissariat à l'énergie atomique (1960-1962). Appartient au Sénat, comme élu de la Guyane, depuis septembre 1962. Apparenté au groupe *U.N.R.*

VILLEBOIS-MAREUIL (Georges, Henri, Aimé, Marie, Victor de).

Officier, né à Nantes, en 1847, mort à Boshof (Transvaal) en 1900. Participa comme lieutenant à la guerre de 1870, après avoir combattu en Cochinchine ;

fut blessé grièvement à Blois. Promu colonel en 1892, démissionna de l'armée trois ans plus tard, et milita dans les rangs nationalistes. Fit partie du *Comité d'Action Française* fondé par Vaugeois et Maurice Pujo (août 1898). L'année suivante, mettant son épée au service de la cause des Boers, alla combattre « *la perfide Albion* » à la tête d'une troupe de partisans opérant sur les communications du général Methuen. Trahi par son guide, fut attiré dans une embuscade près de Boshof, où, rencontrant des forces britanniques supérieures en nombre, il trouva la mort dans le combat (5 avril 1900). Son « *Carnet de campagne* » (sur la guerre du Transvaal a été publié en 1902.

VILLEMAREST (Pierre, Jean FAILLANT, dit de).

Journaliste, né à Châlon-sur-Saône le 10 décembre 1922. Descendant, par sa mère, des Villemarest, dont l'un, Maxime de Villemarest (1784-1852), ancien collaborateur de Talleyrand, fut directeur des *Annales politiques et littéraires* et cofondateur de *La France*. Participa à la Résistance. En 1945-1947, fut critique littéraire à *Paru*, puis rédacteur à l'*A.F.P.*, de 1952 à 1962. Fondateur et animateur du *Comité de Résistance à la désagrégation de la France et de l'Union Française* (1955-1960) et l'un des principaux militants de *M.P. 13*. En raison de ses activités pro-Algérie Française, fut plusieurs fois perquisitionné et arrêté entre 1959 et 1966 et fit vingt et un jours de prison en 1961 et treize mois en 1964-1965. Collabora au *Bulletin de Paris*, au *Charivari* et à nombre d'autres publications d'opposition. Auteur d'une « *Histoire intérieure de l'U.R.S.S.* » (1962).

VILLON (Roger GINSBURGER, dit Pierre).

Architecte, né à Soultz (Haut-Rhin), le 27 août 1901. Marié avec la veuve de Paul Vaillant-Couturier, écrivain, ancien rédacteur de *L'Humanité*. Arrêté au début de la guerre et condamné à huit mois de prison pour activité communiste ; maintenu en prison à la fin de sa peine. Ne fut pas, néanmoins, reconnu comme « *interné-résistant* » malgré son recours en Conseil d'Etat (cf. *Le Monde*, 11-4-1964). Vice-président du Conseil National de la Résistance, délégué à l'Assemblée consultative provisoire (1944), député de l'Allier aux deux Assemblées nationales constituantes (1945-1946), puis à l'Assemblée nationale (1946-1962). Membre du Comité central du *Parti Communiste*.

VINATREL (Gilbert PRADET, dit Guy).

Journaliste, né à Paris, le 11 mai 1915. Petit-fils de Rémy Jardel, fondateur de *L'Indépendant*, de Lunéville. Militant d'extrême-gauche dans sa jeunesse, il débuta dans la presse, en 1934, comme correspondant de *L'Indépendance luxembourgeoise* et fut le rédacteur en chef de *La Jeune Garde* (1936). Membre de la Franc-Maçonnerie — il était affilié à la loge *L'Europe Unie* en 1955 —, il créa avec quelques-uns de ses *frères* les revues *Contacts littéraires et sociaux* et *Les Lettres M* (devenues les *Lettres mensuelles*), la première consacrée aux nouveaux livres, la seconde exclusivement réservée aux maçons actifs. A la même époque, il assuma le secrétariat général de l'*Association Fraternelle des Journalistes*, qui groupe des rédacteurs de journaux et revues appartenant à la Franc-Maçonnerie. Il est l'un des fondateurs du *Club des Montagnards*, qu'il dirige aujourd'hui, et du *Comité pour l'Etude des Problèmes d'Extrême-Orient*. Il fut, en outre, le collaborateur de *Dimanche-Matin, C'est-à-dire, Est et Ouest, Artaban, Les Ecrits de Paris* ; il dirige aujourd'hui *Le Montagnard, Les Lettres mensuelles* et *Les Guêpes* et est rédacteur à l'hebdomadaire *Juvénal*. Lors de la campagne pour l'élection présidentielle (1965), il fut le collaborateur du sénateur radical André Cornu, dont il soutint la candidature à la *Convention Nationale Libérale*, puis se rallia à la candidature de François Mitterrand. Il est, avec l'ancien préfet Baylot, l'animateur de la « résistance anti-communiste » à l'intérieur de la Maçonnerie française. Auteur de : « *Les falsificateurs de l'Histoire ou les journées de février 1934* », « *Communisme et Franc-Maçonnerie* » et « *L'Union soviétique et la Chine en Afrique* ».

VINCENNES (Colloque de).

Le *Colloque de Vincennes* se tint, en juin 1950, sur l'initiative de Jacques Soustelle. Les partisans de l'Algérie française y avaient été conviés, mis à part ceux qui, dès 1958-1959, s'étaient montrés hostiles au général De Gaulle. Parmi les assistants et les orateurs de cette réunion on relève les noms de Georges Bidault, Bourgès-Maunoury, Robert Lacoste, André Morice, Alfred Coste-Floret, François-Valentin, Robert Bichet, Vincent Delpuech, Jean-Paul David, Philippe Vayron, Yrissou, Bernard Lafay, Cathala, Olivier Lefèvre d'Ormesson, Philippe Marçais, Portolano, Roger Duchet, Quinson, Pierre André, Raymond Dronne, Arrighi, Bernard Cornut-Gentille, Georges-René Laederich, président du *C.E.P.E.C.*, et son vice-président, Yvon Chotard, Pierre Devraigne, Léon Delbecque, Brice, Claude-Alexandre Dumont, sénateur, Renucci, Béraudier, Mellero, secrétaire général de l'*Association des Français d'Afrique du Nord*, Simakis, président du *Syndicat Indépendant des Instituteurs*, Pierre Picard, député *U.N.R.*, André Lafond, René Maotti, le colonel Thomazo, le bachaga Boualam, Porteu de la Morandière, président de l'*Union Nationale des Combattants d'Afrique du Nord*, Deprince, dirigeant de l'*Association des Combattants de l'Union Française*, Morvan Duhamel, Legaret, député, Faggianelli, sénateur, Pierre Thurotte, Guy Vinatrel, du *Club des Montagnards*, etc. Le « Colloque » s'est terminé par un serment que prêtèrent la plupart des personnalités déjà citées, et par la création d'un *Centre de Liaison et de Coordination du Colloque de Vincennes*. Une motion fut adoptée : elle rejetait « *toute formule, telle que celle de l'Algérie algérienne, qui conduirait à la sécession et à la dictature du terrorisme* ». Le « Comité de Vincennes », comme on l'appelait, fut dissous par le gouvernement en novembre 1961.

20ᵉ SIECLE FEDERALISTE.

Bi-mensuel fondé en octobre 1948 pour défendre l'idée fédéraliste européenne. Dirigé par André Voisin, a pour principaux collaborateurs : l'académicien Thierry-Maulnier, ancien rédacteur à *Je suis partout* et à *L'Action Française*, Max Richard, Robert Aron, Jean-Maurice Martin (38, avenue Hoche, Paris-8ᵉ).

VINGT-QUATRE HEURES.

Quotidien du matin fondé le 5 octobre 1965 par l'industriel de l'aéronautique, Marcel Dassault, député *U.N.R.* de l'Oise. Discrètement gaulliste, abondamment illustré, d'une mise en pages soignée, il n'obtint cependant pas le succès espéré par son fondateur : sa rédaction ne correspondait pas à l'attente du public qu'il voulait atteindre. Il disparut en septembre 1966. Le général Guillain de Bénouville dirigeait sa rédaction et Marcel Minckes, frère de Mme Marcel Dassault, en était le directeur-administrateur. La diffusion de *Vingt-quatre heures* ne dépassa jamais une dizaine de milliers d'exemplaires.

VIOLLETTE (Maurice).

Avocat (1870-1960). Député (1902-1928) puis sénateur (1929-1940) d'Eure-et-Loir, il fut conseiller général du canton de Dreux à partir de 1906, président du Conseil général d'Eure-et-Loir et maire de Dreux (1908-1959). Il appartint à plusieurs gouvernements de la IIIᵉ République et occupa le poste de gouverneur général de l'Algérie (1925-1929). Membre de la franc-maçonnerie, il fut vénérable de la loge *Les Enfants de Rabelais*, de Chinon, et de la loge *Justice et Raison*, de Dreux, en même temps que membre du conseil de l'Ordre du *Grand Orient de France* ; il appartint également au comité central de la *Ligue des Droits de l'Homme*. Après la Libération, il appartint aux deux Constituantes (1945-1946) et fut député républicain socialiste d'Eure-et-Loir (1946-1955).

VIOLLIS (Andrée).

Journaliste (voir : Gustave Téry).

VIRET (Paul).

Journaliste, né à Chambéry en 1913, mort à Paris, en 1966. Ancien militant syndicaliste de gauche, fut officier de l'Armée secrète en Savoie pendant la guerre et se consacra au journalisme social après la Libération. Co-fondateur du *Club des Montagnards*. Présida l'*Association des Journalistes Savoyards*. Auteur d'une brochure démontrant que le *Parti communiste* avait fortement exagéré le nombre de ses militants fusillés en 1941-1944.

VITIANO (Jean).

Editeur, né à Galatz (Roumanie), le 12 juin 1900. Venu en France après la guerre de 1914-1918, y fonda la revue *France-Roumanie* (1933), puis créa l'agence de presse *International Press Service* et le centre d'édition *L'Horizon International* (15.1.1936). Il fut ensuite le correspondant du journal roumain *Ordinea* et le secrétaire général de *Paris-Balkans* (1939-1940). Il était alors l'un des principaux membres du *Groupement Parisien des Journalistes Balkaniques* et l'un des associés de la *Société Expansion Economique Franco-Danubienne*. Rédacteur à *France, revue de l'Etat Nouveau*, publiée à Vichy en 1942, il fit paraître, l'année suivante, un livre « *Le génie français et son influence sur la science médicale roumaine* », qui fut honoré d'une souscription du ministère de l'Education nationale. Après la Libération, Jean Vitiano, qui fut naturalisé en 1947, reprit ses activités d'éditeur, publia divers ouvrages historiques sur la Franc-Maçonnerie dont il est, d'ailleurs, l'un des adeptes. Appartenant à la fraction anticommuniste de l'ordre maçonnique, il participa à la création et au lancement du *Club des Montagnards*.

VITTER (Pierre).

Pharmacien, né à Gray (Haute-Saône) le 29 octobre 1913. Maire de Gray. Conseiller général de la Haute-Saône (depuis 1951). Ancien président du Conseil général. Membre du *Rotary*. Sénateur de la Haute-Saône (1948-1952). Elu député de la Haute-Saône le 2 janvier 1956, s'inscrivit au groupe paysan, puis au groupe d'action rurale et sociale. Membre de l'*Alliance France-Israël*. Réélu depuis avec l'appui de l'*Association pour la V⁰ République* (gaulliste).

VIVE LA FRANCE.

Bulletin clandestin publié en 1961-1963 par un groupe nationaliste lié à l'*O.A.S.*

VIVIEN (Robert, André).

Industriel, né à Saint-Mandé (Seine), le 24 février 1923. Fabricant de jupes et de robes semi-confectionnées (*Tricel, stands Do it Yourself*). Conseiller municipal de Saint-Mandé (depuis 1947). Elu conseiller général du 35ᵉ sect. le 15 mars 1959. Anc. vice-président du Conseil général de la Seine (1959-1960). Membre du C.C. de l'*U.N.R.* Président des « Anciens de Corée ». Accusé par *L'Humanité* (7-8-1960) d'avoir eu des contacts avec Philippe de Massey, activiste en fuite, a fait condamner pour diffamation le journal communiste par le Tribunal correctionnel (17ᵉ Chambre de la Seine, 7-6-1961). Membre de l'*Alliance France-Israël*. Député *U.N.R.-U.D.T.* de la 46ᵉ circ. de la Seine depuis novembre 1962. Auteur de « *Solution du problème de la prostitution* ».

VOGEL (Lucien, Antoine, Hermann).

Journaliste, né à Paris, le 13 décembre 1886. Fils du peintre Hermann Vogel. Père de Marie-Claude Vaillant-Couturier. Débuta chez *Hachette* et fut successivement directeur artistique de *La Vie Heureuse* (1906), rédacteur en chef d'*Art et décoration* (1909), directeur-fondateur de *La Gazette du Bon Ton* (1911), de *L'Illustration des Modes*, qui devint *Le Jardin des Modes*. Fonda en 1927 le magazine *Vu* et l'hebdomadaire *Lu*, axés à gauche et fort bien faits. Directeur adjoint de *Messidor*, hebdomadaire de la *C.G.T.*, qui paraissait dans les années qui précédèrent la guerre. Se réfugia en Amérique dès juillet 1940, participa à l'activité de *France for ever* et collabora à la revue *Free World* et *Monde Libre*. Revenu à Paris après la Libération, reprit la direction du *Jardin des Modes*.

VOIE COMMUNISTE (La).

Publication hostile à la direction du *P.C.F.*, se présentant comme « *l'organe de l'opposition communiste* ». Liée avec les amis de Boudiaf, le *leader* du *Parti* (algérien) *de la révolution socialiste*, était dirigée par Gérard Spitzer (longtemps emprisonné sous la V⁰ République) et Simon Blumenthal, deux anciens membres du *Parti Communiste*, secondés par des trotskystes ayant appartenu au groupe Frank (*Parti Communiste Internationaliste*). Disparue, fut remplacée par *La Voie*, rédigée par certains de ses anciens rédacteurs (Lucien Jubelin, 7, rue du Chemin de fer, Saint-Michel-sur-Orge).

VOILQUIN (Albert).

Fonctionnaire, né à Medonville (Vosges), le 17 février 1915. Inspecteur central du Trésor. Ancien adm. au contrôle des dépenses engagées en Allemagne et en Autriche. Ancien percepteur. Est député des Vosges (4ᵉ circ.) depuis novembre 1958, inscrit au groupe de l'*Entente Démocratique* qu'il quitta en décembre 1960 et demeura non inscrit jusqu'au 24 avril 1962 où il s'apparenta à nouveau au groupe de l'*Entente Démocratique*. Avait adhéré au *Parti Libéral Européen* fondé par M. J.-P. David en 1961. En démissionna lorsque le général De Gaulle fut l'objet de la méfiance des principaux animateurs de ce parti. (Cf. *L'Est Républicain*, 4-4-1961.) Membre de l'*Alliance France-Israël*. Réélu député (*Rép. ind.*) avec l'investiture gaulliste en 1967.

VOISIN (André, Georges).

Exploitant forestier, né à l'Ile-Bouchard (I.-et-L.), le 28 mars 1918. Président du syndicat des exploitants forestiers. Maire de l'Ile-Bouchard (depuis 1947). Conseiller général d'Indre-et-Loire (1955). Député *U.N.R.* depuis novembre 1958.

VOIX DU CANTAL (La).

Hebdomadaire catholique et démocrate fondé à la Libération en remplacement de *La Croix du Cantal*. Tirage : 10 000 exemplaires. (4, rue Guy-de-Veyre, Aurillac.)

VOIX DES LANDES (La).

Hebdomadaire radical, fondé le 15 octobre 1949. Directeur : Camille Labat.

Tirage : 2 500 exemplaires. (4, impasse Vincent-de-Paul, Dax.)

VOIX DU LIMOUSIN (La).

Hebdomadaire indépendant fondé en 1955 et dirigé par Jacques-Louis Bourdelle, ancien bâtonnier, secrétaire des *Indépendants et Paysans* de Corrèze. Lu par les éléments modérés et nationaux de la région (7, quai de Rigny, Tulle).

VOIX LORRAINE (La).

Hebdomadaire couplé avec *L'Ami des Foyers Chrétiens* (voir à ce nom). Même direction. Tirage : 12 000 exemplaires.

VOIX DU NORD (La).

Quotidien lillois fondé à la Libération. Avec une diffusion de 379 000 exemplaires, *La Voix du Nord* est l'un des premiers grands régionaux français. Elle a pris la suite, au nom de la Résistance, du *Grand Echo du Nord*, frappé d'interdit. Installée dans les locaux de ce journal, elle a utilisé son imprimerie, employé ses stocks de papier et servi ses abonnés. *La Voix du Nord* se disait l'émanation d'un groupe de résistants qui avait fait paraître une feuille clandestine portant ce nom de 1940 à 1944. « *Après quatre ans de clandestinité,* La Voix du Nord *peut enfin paraître au grand jour* », lisait-on dans la première édition vendue librement, datée du 5 septembre 1944, et portant le n° 66. Pour donner à l'exploitation du journal une existence légale, une société en commandite par actions fut créée le 28 février 1945, sous le nom : *La Voix du Nord,* avec raison et signature sociale *Houcke & Cie.* Son capital social, fixé à 6 500 000 francs, était réparti, à la fondation, entre :

Jules Houcke, confectionneur (6 millions 374 000), Marcel Houcke, confectionneur (20 000), Jules Obin, directeur d'école (12 000), Albert Marie, fonctionnaire des finances (20 000), Georges Vankemmel, pharmacien (20 000), Charles Bertrand, surveillant général au Lycée Faidherbe (10 000), André Danchin, ingénieur (20 000), Pierre Glorian, étudiant (2 000), Léon Chadé, directeur-rédacteur en chef, l'actuel directeur général de *L'Est Républicain* (10 000), Émile Descarpentries, ecclésiastique (2 000), et Mme Alice Petithory, directrice du Service social (10 000).

Lorsque les déportés du Mouvement *Voix du Nord* revinrent, — certains sur une civière comme Pierre Hachin, — ils furent un peu surpris d'apprendre que le journal était la propriété d'une société dont tous les fondateurs et les animateurs du groupe clandestin ne faisaient pas partie. On leur promit de sauvegarder leurs droits. Lors d'une augmentation de capital, en 1946, on émit 1 000 actions réparties en 137 souscripteurs, parmi lesquels l'*Amicale des Anciens de la Voix du Nord,* qui en reçut... 10 ! Devant les protestations de Pierre Hachin et de ses camarades déportés, une nouvelle augmentation de capital fut votée. Mais elle ne fut pas réalisée. « *D'année en année,* écrit Pierre Hachin dans *Voix du Nord* (n° 1, novembre 1964), *on nous demandait de patienter. J'avais encore confiance, mais cette confiance diminuait chaque année. En 1948, avec trois cent cinquante camarades, nous saisissons le Ministre de l'Information. Mais déjà les ministres changeaient tous les trois mois et nous attendons toujours la réponse. Bien plus, la Loi avait prévu une Commission spéciale pour les résistants dans notre cas. Grâce à de puissantes pressions, cette Commission ne fut jamais réunie.* » Finalement les évincés créèrent une société de défense sous la présidence de Pierre Hachin qui, appuyée par l'*Union des Mouvements de Résistance du Nord,* alla en justice. En référé on lui répondit (1952) que ses membres auraient dû protester en novembre 1944, au moment de la création de la société. « *Mais nous étions dans les camps de concentration nazis !* » répondirent les plaignants. Les années passèrent. Le tribunal civil, la Cour de cassation rejetèrent la plainte de Hachin et de ses amis. Ceux-ci s'acharnèrent, forts de leur bon droit. Un nouveau procès vint devant les juges de Douai. Me André Diligent, qui défendait Hachin, démontra que les rescapés avaient été évincés d'une manière pour le moins anormale. Un arrêt fut rendu le 28 juin 1963 : il reconnaissait que le quotidien *La Voix du Nord* est la continuation du journal clandestin, qu'il « *est la propriété de ses fondateurs, c'est-à-dire de l'ancien réseau de Résistance Voix du Nord* » et que son Conseil de Gérance a commis de lourdes fautes ; la Cour soulignait que la société *n'a pas accompli tous les actes de recherches qu'elle avait l'obligation d'accomplir ; que, notamment, elle n'a publié dans son journal aucun avis, ce qui était évidemment le moyen le plus normal pour toucher ceux que la vie de leur journal intéressait ; que des Assemblées générales extraordinaires ont décidé l'émission de tranches d'actions destinées aux déportés dès leur retour, mais que ces décisions n'ont pas été suivies d'effet et que les tranches décidées n'ont pas été émises.* » Bref, Hachin obtenait satisfaction. Mais la justice est lente en France, et au moment où ces lignes sont écrites, les évincés de *La Voix du Nord* attendent toujours... (Cf. étude sur *La Voix du Nord*, in *Lectures Françaises*, juillet 1965.) La société en commandite par actions *La Voix du Nord* est toujours administrée par un conseil de gérance composé de Jérôme-René-Charles Decock, président-directeur général, Georges-Louis Vankemmel, ancien socialiste *S.F.I.O.*, Charles Bertrand, Louis-Joseph Berdin, le Dr Henri-Jean-Baptiste Duflot, député *U.N.R.* du Pas-de-Calais (1958-1967), et Jules-René Houcke, ancien président du *C.D.L.* du Nord, député *M.R.P.*, puis gaulliste (*R.P.F.*, *U.N.R.*) du département. Ces six administrateurs sont assistés d'un conseil de surveillance comprenant : le Dr J.-R. Carré, Auguste Damette, député gaulliste du Nord (*R.P.F.*, *U.N.R.*), Paul-André-Gaston Cresson, ancien candidat poujadiste aux élections législatives et toujours dirigeant du mouvement Poujade ; Lucienne D'Hallendre, Léonie Durier, Jean-Louis Espouy, Léon-Louis Flèche, libraire, Pierre Glorian, Albert Marie, Fernande Poulain, Henri Rammaert et Yvonne Titren. L'équipe rédactionnelle est animée par Robert Décout, assisté de Claude Faillet, Lucien Pluvinage, Paul Gerin, Roger Giron, Robert Boulay, etc. Ce grand journal régional compte 1 850 correspondants locaux dont la prose vient compléter la « copie » et les clichés des 185 journalistes, reporters, photographes et sténos de presse, que composent ou fabriquent quelque 300 linotypistes, photograveurs et typographes. Une centaine de clicheurs, rotativistes, chauffeurs, mécaniciens et manœuvres, et plus de deux cents employés participent à la confection, à l'administration et à l'expédition des 404 000 exemplaires réservés aux abonnés ou mis en vente quotidiennement par des milliers de dépositaires établis dans le Nord, le Pas-de-Calais, l'Aisne et la Somme (8, place du général De Gaulle, Lille.)

VOIX DU NORD ET DU PAS-DE-CALAIS (La).

Journal clandestin fondé le 1er avril 1941 par Natalis Dumez et Jules Noutour. Fut rédigé, du n° 1 au n° 39, par une équipe composée de Dumez, Louis Blanckaert, Georges Bulteuw, Henri Lagache, Maurice Vanhoenacker et Ernest Very, du n° 40 au n° 63, par Maurice Pauwels, Noutour, Marthe Alexandre, Lionel Alloy, Albert Van Wolput, puis par Blanckaert, Gilbert Botzaron, Maurice Bouchery, Gaston Dassonville, Paul Petit,

Robert Pouille, Kléber Ringot et Georges Kemmel, et pour les numéros 64 et 65, par Jules Houcke, Charles Bertrand, Marcel Houcke et Jules Obin (cf. *Catalogue des périodiques clandestins*, Bibliothèque Nationale, Paris, 1954). Depuis 1964, paraît sous ce titre, le « *Bulletin de liaison des Résistants Voix du Nord* », animé par Pierre Hachin, cheminot, syndicaliste *C.G.T.*-*F.O.*, ancien déporté (voir ci-dessus : *La Voix du Nord*). Ce bulletin a publié, dans ses premiers numéros, le dossier du procès qui oppose les anciens déportés de *La Résistance Voix du Nord* (président : Raymond Leroux, secrétaire : René Potigny, trésorier : Jean Strady) aux dirigeants du quotidien *La Voix du Nord* (12, rue Turgot, Hellemmes, Nord).

VOIX OUVRIERE.

Journal bi-mensuel trotskyste représentant le courant latino-américain de la IVe Internationale. Organe du *Cercle Léon Trotsky*. Principaux collaborateurs : M. Schrœdt, directeur de la publication, Jacques Morand, Georges Kaldy, V. Goria, H. Vauquelin, P. Vial, L. Stern, Christian Jung (29, rue de Château-Landon, Paris 10e).

VOIX DE LA PAIX (La).

Journal fondé en 1950 par Emile Bauchet avec le concours de Félicien Challaye. Ce mensuel, fort répandu dans les milieux de gauche, a fortement contribué à unir les pacifistes intégraux de France et a facilité les prises de contact avec des organisations pacifistes internationales. Depuis 1961, date de constitution de l'*Union Pacifiste de France*, ce journal, qui a fusionné avec *Le Pionnier*, exprime officiellement les thèses du pacifisme intégral, toujours sous la direction de son fondateur (Siège : Auberville-sur-Mer, Calvados).

VOIX DE LA PATRIE (La).

Quotidien communiste de Montpellier, né sous le signe du *Front National* en 1944. Dirigé par Louis Mardon et Montcouquiol. Après avoir eu un certain succès (son tirage atteignit 90 000 exemplaires), il disparut au bout de quelques années faute d'un nombre suffisant de lecteurs.

VOIX DU PEUPLE (La).

Quotidien communiste fondé à Lyon en 1945 et dirigé par Georges Lévy, leader du *P.C.F.* dans la région lyonnaise. Disparut après une dizaine d'années de publication déficitaire.

VOIX DE LA RESISTANCE (La).

Organe du *Comité d'Action de la Résistance.* Fondé en 1950, ce journal mensuel a pour directeur-gérant René Jugie (10, rue de Charenton, Paris 12e).

VOLONTAIRES NATIONAUX (Les)
(voir : **Les Croix de Feu**).

VOLONTAIRES DE L'UNION FRANÇAISE.

Groupement créé en 1956 pour défendre l'Algérie. « *Plus de huit millions de Français musulmans attendent que la France se ressaisisse, plus d'un million de Français de culture chrétienne défendent leurs tombes et leurs berceaux. Il faut faire face.* » (Manifeste mars 1956.) Comité : général d'Astier de la Vigerie, Roger Delpey, Henri Gorce-Franklin, Bernard Dupérier, Dominique Ponchardier, Jean Tastevin, Pierre Bourgoin, Roger Barberot, Jean-Baptiste Biaggi.

VOLONTE (La).

Quotidien de gauche fondé en 1925. Dirigé par Albert Dubarry, avait pour rédacteur en chef Aimé Méric, que secondait Bernard Lecache. Parmi les collaborateurs du journal, figuraient : Pierre Bonardi, Jean Luchaire, Louis Vauxcelles, etc., et divers parlementaires radicaux-socialistes et socialistes indépendants. Le journal disparut lors de l'affaire Stavisky (voir à ce nom), son directeur s'étant compromis avec le financier véreux. Albert Dubarry, qui avait soixante-quatre ans lorsque le scandale éclata, était le fils d'un instituteur du Sud-Ouest. Il avait fait son droit à Paris, puis s'était mis à écrire dans les feuilles de gauche, notamment en Corse. Au temps de Waldeck-Rousseau (1899), il avait dirigé un journal départemental à Moulins. En récompense des services rendus pendant la campagne électorale de 1902, qui se termina par un succès du radicalisme le plus intransigeant, il fut nommé fonctionnaire des Colonies et séjourna au Dahomey, à la Réunion, au Sénégal et dans diverses autres possessions d'outremer jusqu'à la guerre. En 1915, il créa à Paris un hebdomadaire d'échos, *Le Carnet de la Semaine* et, après la guerre, il participa au lancement d'un quotidien de gauche *Le Pays*. Par la suite, il fut le directeur du quotidien radical *L'Ere Nouvelle*, que l'industriel Lederlin lui racheta un peu plus tard. Peu après, il lança *La Volonté*. C'est au Casino de Cannes, en décembre 1931, qu'il fit la connaissance de Stavisky. Celui-ci afferma la publicité de *La Volonté*, moyennant une mensualité substantielle qui plaçait le journal sous le contrôle de l'escroc et qui transformait son directeur en démarcheur des entreprises financières de « Monsieur Alexandre ».

VOYANT (Joseph).

Administrateur d'immeubles, né à Saint-Chamond (Loire), le 3 juillet 1910. Fut employé de soieries (jusqu'en 1932), puis contremaître dans la métallurgie (1932-1943) et commerçant en même temps qu'administrateur d'immeubles (à partir de 1943). Participa à la Résistance. Sénateur du Rhône (depuis 1946), apparenté au groupe *M.R.P.* Maire de Longes.

VU.

Magazine hebdomadaire illustré, nettement axé à gauche, paraissant entre les deux guerres sous la direction de Lucien Vogel. Modèle du genre, est considéré comme l'ancêtre de nos magazines d'actualités politiques. Avait deux publications annexes : *Lu,* qui reproduisait des articles parus dans les journaux du monde entier, et *Témoignage de Notre Temps,* dont chaque numéro traitait d'un sujet (les Juifs, les dictateurs, les scandales, etc.).

W

WAGNER (Robert).

Ingénieur, né à Thann (Haut-Rhin), le 6 mars 1911. Directeur d'une maison de construction d'appareils téléphoniques et d'isolants thermiques. Maire de Velizy-Villacoublay (depuis 1953). Député *U.N.R.* de Seine-et-Oise (6e circ.) depuis le 30 novembre 1958. Réélu en 1967.

WALLON (Henri).

Universitaire (1879-1962). Professeur au Collège de France (1937-1949). Fut l'un des enseignants de l'Université Ouvrière (avant la guerre) et du Cours de marxisme du *P.C.* (en 1935-1936). Collaborateur de *l'Humanité*. Ministre de l'Education nationale du Gouvernement provisoire présidé par le général De Gaulle (1944).

WALTER (Albert, Joseph).

Homme politique (1852-1919). Originaire de Saint-Denis, y fut dessinateur-mécanicien. Milita d'abord au *Parti Socialiste Révolutionnaire* et fonda le *Parti Socialiste Dyonisien*. Conseiller municipal 1884), puis maire de Saint-Denis (1892), organisa la Conférence des Conseillers municipaux de France. Député socialiste de la Seine de 1893 à 1919.

WEBER (Pierre).

Médecin, né à Lyon le 8 septembre 1911. Arrêté par les Allemands peu avant la libération de Nancy, fut nommé à la délégation spéciale provisoire de la ca-

pitale lorraine. A été décoré de la *Bundesverdienstkreuz* (décoration de la République Allemande de l'Ouest) en raison de son « européanisme ». Président de l'Association synd. des Médecins de Meurthe-et-Moselle. Conseiller général du canton de Nancy-Est (depuis 1945). Maire de Nancy (1961). Elu député indépendant le 30 novembre 1958 (contre un candidat gaulliste). Intervint en décembre 1959 auprès du ministre de l'Information à propos d'une séquence diffusée à la veille des entretiens De Gaulle-Adenauer sur le caractère « abusif de la propagande faite à la R.T.F. en faveur de l'U.R.S.S. » (Cf. *Le Figaro*, 4-12-1959.) S'est présenté en novembre 1962 sous l'étiquette *Union et Action sociale*. Rallié au gaullisme, ne vota pas la Censure en 1952 et fut réélu, cette année-là, avec l'appui de l'*U.N.R.* Réélu en 1967. Inscrit au groupe des *Républicains indépendants*.

WEIL-CURIEL (André, Pierre WEIL, dit).

Avocat, né Paris, le 1er juillet 1910. Militant socialiste, il anima avant la guerre le *Parti Socialiste Ouvrier-Paysan* avec Marceau Pivert, après avoir quitté la *S.F.I.O.* dont il était l'un des jeunes orateurs. Partisan du rapprochement franco-allemand, il était devenu l'ami d'Otto Abetz dont les sentiments sociaux-démocrates le rassuraient (Abetz ne fut jamais un véritable nazi et ses amis à Paris, sous l'occupation, étaient de gauche). Il participait alors aux rencontres qu'organisaient Abetz et Luchaire avant la guerre. Après l'armistice, il fut quelque temps à Toulouse et à Vichy, puis il vint à Paris. « *The last but not the least* », *la raison qui me détermina définitivement à tenter le coup du voyage à Paris*, écrit-il dans « *Eclipse en France* » (Paris 1946), *était la présence d'Otto Abetz comme représentant tout-puissant du Führer. Je l'avais connu en 1930, au cours d'une rencontre franco-allemande qu'il avait organisée au Sohlberg, en Forêt Noire, dans une auberge de la jeunesse. Nous nous étions liés d'amitié (...) Pendant plusieurs années nous ne cessâmes de nous revoir. Nous édifiâmes en France une vaste organisation, le* Comité d'Entente des Jeunesses françaises pour le Rapprochement franco-allemand, *dont je fus le secrétaire général (...) Le rapprochement franco-allemand n'eut pas de meilleur défenseur que moi (...) Mon amitié avec Abetz n'avait fait que se fortifier (...) En 1936, il m'avait invité aux Jeux Olympiques, et m'avait logé à l'hôtel particulier de la* Société France-Allemagne *dans la Hildebrandtstrasse, en même temps que les* Brinon, les Pomaret, les Renaitour, les Melchior de Polignac, les Jean de Castellane, les Fourneau *(...) Mon dernier geste en faveur du rapprochement franco-allemand fut de transmettre, à la prière d'Abetz, à Léon Blum, une invitation indirecte à rencontrer Hitler. Léon Blum déclina la proposition (...) Nos relations s'étaient espacées et, au cours des années 38-39, je ne me rappelle pas l'avoir vu. Cependant, j'avais lieu d'espérer qu'il pourrait, le cas échéant, me tirer d'un mauvais pas (...) Je me promettais d'obtenir le plus possible d'indications de sa part sur les desseins allemands. J'en avais parlé longuement avec les amis qui étaient au courant de mes relations anciennes avec Abetz, et j'étais d'accord avec eux que ce n'était pas le moment de raffiner sur la délicatesse des sentiments. Nous étions engagés dans une lutte inexpiable ; je n'avais aucune raison de me priver des avantages qu'une reprise de contact avec Abetz pouvait présenter pour notre cause.* » (p. 122 à 127.) Un peu plus tard il gagna l'Angleterre et participa à la Résistance. A la Libération, il milita à nouveau dans le mouvement socialiste, fut candidat de la *S.F.I.O.* aux élections législatives (notamment en 1956), puis rallia les gaullistes de gauche et se présenta aux élections de 1958 avec l'investiture du *Centre de la Réforme Républicaine*, dont les dirigeants devaient constituer l'*Union Démocratique du Travail*. Il fut élu conseiller municipal de Paris et conseiller général de la Seine en 1959 et manifesta à plusieurs reprises ses sentiments favo-

rables à la politique du général De Gaulle. Lors de « l'affaire *Larousse* » (voir à ce nom), il fut un de ceux qui demandèrent l'interdiction du *Petit Larousse* dans les écoles primaires. Il est, avec quatre autres associés, l'un des fondateurs de la *Société Médico-Pharmaceutique d'Orsay*, laboratoire d'analyses, dont Mme Fernand Cohen est la gérante. Auteur de « *Règles de savoir-vivre à l'usage d'un jeune Juif de mes amis* », « *Le jour se lève à Londres* », « *Eclipse en France* », « *Un voyage en enfer* », etc.

WEINMANN (Jacques, André).

Agent d'assurances, né à Besançon le 7 août 1906. Assureur-conseil. Conseiller général du canton de Besançon-Nord depuis le 14 octobre 1951. Conseiller municipal de Besançon (1947 et 1953). Candidat républicain-social dans le Doubs en janvier 1956 (battu). Elu député *U.N.R.* du Doubs (1re circ.) le 30 novembre 1958 et réélu en 1962 et 1967. Selon *Le Charivari*, serait le « *petit-neveu d'un prélat du Second Empire... ce qui n'a pas empêché le Congrès Juif Mondial de présenter son élection comme un succès israélite.* » (*Le Charivari*, sept. 1959.) Appartient au Comité *Alliance France-Israël*.

WEISS (Louise).

Journaliste, femme de lettres, conférencière, née à Arras (P.-de-C.), le 25 janvier 1893. Petite-fille d'Emile Javal (1839-1907), député de l'Yonne, membre de l'Académie des sciences. Directrice de l'hebdomadaire *l'Europe nouvelle* (1918-1934), présidente de la *Femme nouvelle* (association pour l'égalité des droits politiques) (1934-1939). Anima le journal clandestin *Nouvelle République*. Auteur de plusieurs ouvrages dont : « *L'Or, le Camion et la Croix* », « *Le Voyage enchanté* », « *Souvenirs d'une enfance républicaine* », « *Années de lutte pour le droit de suffrage* ».

WENDEL (Famille de).

L'une des grandes dynasties financières de France, dont Jean-Martin Wendel, fils d'un officier du duc de Lorraine et petit-fils d'un officier de l'Empereur d'Allemagne François III, est le fondateur. Ce Wendel acheta en 1704 les forges d'Hayange qu'un chroniqueur considérait comme « *les plus belles qui soient en Europe* ». Peu après il se rendit acquéreur de la seigneurie foncière d'Hayange (1705), puis d'une autre forge dans la vallée de la Fensch et enfin d'une charge de conseiller secrétaire du roi en la chancellerie du Parlement de Metz. Quand il mourut en 1737, J.M. de Wendel — que Léopold de Lorraine venait d'anoblir — laissait à son fils Charles une entreprise florissante et pleine de promesses. Ce dernier, qui épousa la fille d'un receveur des finances, développa l'affaire. A sa mort, sa veuve, la « dame d'Hayange », dirigea l'entreprise, tandis que son fils Ignace s'allia au financier Sérilly et dirigea la manufacture d'armes de Charleville, l'arsenal d'Indret, près de Nantes, celui de Ruelle, près d'Angoulême, et prit part à la création de la manufacture du Creusot. Quand la Révolution éclata, il émigra en Thuringe, et son jeune fils s'enrôla dans l'armée de Condé. Ignace de Wendel mourut en exil en 1795. Si le mari et le fils furent du côté des émigrés, la femme demeura à Hayange, *affectée spéciale* en quelque sorte ; au plus fort de la Terreur elle dirigea la fabrication des armes pour le compte de la Convention. Mais sans doute finit-on par s'inquiéter en haut lieu de ce double jeu, et les forges d'Hayange furent vendues aux enchères à un certain Granthil qui fut mis en faillite peu après. Le fils d'Ignace, François de Wendel, qui apprit, en même temps que la mort de sa mère, la nouvelle de la mise en vente des forges, rentra en France (1803) et, avec l'aide de parents et d'amis, racheta les installations et les rééquipa. En 1811 il acquit même les anciennes forges domaniales de Moyeuvre. Ses successeurs firent de la maison de Wendel une puissance de la sidérurgie. En 1871, la Lorraine étant annexée par l'Allemagne, les forges devinrent allemandes. Une branche des Wendel fut allemande tandis que l'autre restait française. Il y eut donc deux sociétés, *Les Petits-Fils de François de Wendel*, dont Charles de Wendel, député au Reichstag, était l'animateur, et *de Wendel et Cie* (Briey), à laquelle les Schneider participaient et que François de Wendel, qui fut député français, dirigea à partir de 1903. Sous l'égide de ce dernier, qui présida le Comité des Forges (1918-1940), la firme prit le contrôle de diverses mines (Nord, Rhénanie, Westphalie, Limbourg) et s'intéressa à de nombreuses sociétés métallurgiques. Maurice de Wendel, frère de François, devint président du Comité des Houillères. Guy de Wendel, fils de l'ancien député au Reichstag, administrateur de diverses sociétés du trust familial, fut sénateur de la Moselle. Au cours de la guerre 1914-1918 les installations de Wendel furent épargnées volontairement, tant par les Allemands que par les Français (voir « *Les Financiers qui mènent le monde* », par Henry Coston, p. 85 et la suite). Aujourd'hui, le groupe de Wendel contrôle tout un secteur industriel et financier de notre économie (métallurgie, sidérurgie, mécanique, mines, banques, assurances). Son influence dans la politique française est grande en raison de sa puissance financière qui s'exerce dans divers domaines touchant de près à « ceux qui fabriquent l'opinion », mais aussi grâce aux alliances de famille. Une proche parente des Wendel est la belle-mère de Michel Debré, ancien Premier ministre de la Ve République, actuellement ministre des Finances. La femme de François Missoffe, ministre de la Jeunesse et des Sports, est la petite-fille de François de Wendel, dont la fille Odile a épousé le comte de Montalembert, sénateur gaulliste de la Seine-Maritime.

WESTPHAL (Alfred-Paul).

Médecin, né à Rittershaffen (B.-du-Rh.), le 2 juillet 1907. Fils du pasteur Charles Westphal. Conseiller général du Bas-Rhin depuis 1947. Vice-président du Conseil général. Ancien conseiller de la République (1946-1952). Candidat gaulliste (rép. soc.) en janvier 1956 (battu). Elu député *U.N.R.* de la 6e circ. du Bas-Rhin, le 25 novembre 1962. Réélu en 1967.

WEYGAND (Maxime).

Général, né à Bruxelles, le 21 janvier 1867, mort à Paris le 28 janvier 1965. Son acte de naissance stipule : « *Maxime, né le vingt et un de ce mois* (1867) à *huit heures du matin, boulevard de Waterloo n° 59, fils de père et de mère dont les noms sont inconnus du déclarant. Sur la déclaration de Louis Laussedot, accoucheur, âgé de 51 ans, domicilié rue des Comédiens, n° 59* (signé :) *Docteur Louis Laussedot, Vandermeelen.* » En marge de cet acte figure la mention suivante : « *L'enfant ci-contre a été reconnu par François-Joseph Weygand, comptable à Arras* (Pas-de-Calais), *France, le 23 juin 1888, demeurant à Marseille* (Bouches-du-Rhône), *France, suivant l'acte reçu par M. Godet, notaire résidant à Marseille, en date du 18 octobre 1888.* — *Bruxelles le 22 novembre 1888.* » La naissance mystérieuse du futur généralissime a suscité des hypothèses diverses : pour ceux-ci, il était l'enfant naturel de Maximilien de Habsbourg, empereur du Mexique et d'une Indienne; pour ceux-là, il était le fils de l'Impératrice et de Juarez, l'adversaire mexicain de Maximilien. (Selon la première hypothèse, certains ajoutaient qu'il était, aussi, l'arrière-petit-fils de Napoléon Ier puisque Maximilien aurait été le fils adultérin de l'archiduchesse Charlotte et de l'Aiglon !). C'est sous le nom de Maxime de Nimal (1) qu'il s'inscrivit à titre étranger à l'Ecole militaire de Saint-Cyr et y fut admis, sans examen, par décision ministérielle du 19 octobre 1885. Chef d'E.-M. de Foch en 1914, major général des armées alliées et général de division en 1918, c'est lui qui lut les conditions d'armistice aux parlementaires allemands à Rethondes. Envoyé en Pologne (1920), il défendit Varsovie contre les bolchevicks. Successivement Haut-Commissaire en Syrie (1923), directeur du Centre des Hautes Etudes Militaires (1924), chef d'E.-M. de l'Armée (1930), il fut mis à la retraite en 1935 et entra presque aussitôt au conseil d'administration de la *Cie du Canal de Suez*. Il commanda les forces françaises du Levant en 1939, puis devint généralissime de l'Armée française, le 19 mai 1940. Ministre de la Défense nationale dans le premier gouvernement Pétain, il fut nommé par le Maréchal délégué général en Afrique du Nord (septembre 1940), mais dut quitter ce poste l'année suivante sous la pression des Allemands qui l'accusaient de préparer la revanche en reconstituant l'armée française en Afrique. Rentré en France, il fut arrêté par la Gestapo près de Vichy (novembre 1942) et déporté en Allemagne. Délivré par les troupes américaines en mai 1945, et rapatrié, il fut arrêté par la police française. Hospitalisé au Val de Grâce, il obtint un non-lieu trois ans plus tard (mai 1948). Bien que s'étant peu mêlé de politique, il passait, depuis l'affaire Dreyfus, pour un homme de droite. Son nom n'avait-il pas été relevé dans une liste de souscription pour la veuve du *faussaire* Henry ? A chaque crise un peu grave, son nom était prononcé comme celui d'un « *général de coup d'Etat* ». Clemenceau le pensait déjà au cours des années 20 : « *Qu'un coup d'Etat soit entrepris, ce sera par lui !* » avait dit le Tigre à son ami Emile Buré. En 1937, il figurait parmi les dirigeants du *Rassemblement National*. Après la guerre, il manifesta publiquement sa sympathie à l'*Association pour défendre la mémoire du maréchal Pétain*, à l'*Union des Intellectuels Indépendants*, au *C.E.P.*

(1) Ce nom — la particule en plus — était le patronyme de Thérèse-Joséphine Denimal, née à St-Jossen-ten-Noode, près de Bruxelles, le 12 novembre 1837, fille d'un fleuriste originaire de Cambrai et future épouse d'un ami du président Maurice Rouvier, David Jassuda de Léon Cohen, de Marseille. C'est le comptable de cet homme d'affaires israélite, François-Joseph Weygand, qui reconnut le jeune Maxime lorsque ce dernier fut devenu majeur (1888).

E.C. (qu'il présida), à *L'Alliance Jeanne-d'Arc* (président d'honneur), à la *Cité Catholique* (président du X° congrès, 1960). Bien que partisan de l'Algérie française et détestant le général De Gaulle, il avait voté *oui* au référendum de septembre 1958 — tout comme Mme la maréchale Pétain — et le regretta amèrement par la suite. Ses obsèques se déroulèrent en présence d'une foule énorme. Membre de l'Académie française et de l'Académie des Sciences d'outremer, il a laissé plusieurs ouvrages, notamment une « *Histoire de l'Armée Française* », une biographie de Foch, trois volumes de « *Souvenirs* » et une œuvre à la fois historique et polémique « *En lisant les mémoires de guerre du général De Gaulle* ».

WIEDEMANN-GOIRAN (Fernand, Adolphe, Victor WIEDEMANN, dit).

Ingénieur, né à Nice, le 26 juillet 1889. Beau-père de l'écrivain Pierre de Boisdeffre. Personnalité nationaliste de Paris dans l'entre-deux-guerres. Conseiller municipal de Paris et conseiller général de la Seine. Député de la Seine (1936-1942). Demeuré fidèle à ses idées, prit part au banquet du Congrès de la *Restauration Nationale* (monarchiste en novembre 1959, ainsi qu'à diverses manifestations de l'*Union des Intellectuels Indépendants* au cours des années 1956-1960.

WILLARD (Marcel).

Avocat (1899-1956). Militant communiste depuis la scission de Tours (1920). Collaborateur de *Fraternité*, journal des immigrés (communistes) en France, et de diverses feuilles antifascistes. Fut l'un des défenseurs de Dimitrov au procès de Leipzig (1933) et des députés communistes traduits devant le Tribunal militaire pour avoir approuvé le pacte germano-soviétique (début 1940). Ministre de la Justice du Gouvernement provisoire présidé par le général De Gaulle (1944).

WINCKLER (Paul).

Editeur, né à Budapest, le 7 juillet 1898. Son père était l'une des figures les plus attachantes de la communauté israélite de la capitale hongroise. Immigré à Paris après la guerre, naturalisé français le 12 décembre 1932, affilié à la Grande Loge de France (Loge *Cosmos*), Paul Winckler créa (1931), en association avec un certain Biro et en liaison avec des entreprises anglo-saxonnes, l'agence *Opera Mundi Press Service*, laquelle devint, en 1937, la Sté *Opéra Mundi* (voir à ce nom). Puis il lança diverses publications, dont *Le Journal de Mickey, Confidences, Robinson, Hop là, Presse-Publicité*. En août 1940, il se réfugia à Marseille, puis gagna les Etats-Unis où il dirigea pendant quatre ans *Presse Alliance*, tout en collaborant à la *Washington Post*. Revint en France avec les armées américaines, en qualité de correspondant de guerre. Ses entreprises ressuscitées prirent un essor particulier. A côté d'*Opéra Mundi*, de *Confidences* et de *Journal de Mickey* (publiés par *Edi-Monde*, société dans laquelle *Hachette* est intéressée), il fonda *Samedi-Soir*, hebdomadaire aujourd'hui disparu, et annonça en 1950 la création, prochaine de *Paris-Monde*, qui ne vit jamais le jour. Cofondateur en 1935 du *Syndicat National des Agences de Presse*, il préside aujourd'hui le *Syndicat Général des Agences de Presse d'Informations générales* et l'*Association Européenne des Editeurs de Périodiques Féminins et Familiaux*, ainsi qu'une entreprise de publicité, la *Société Nationale de Publicité Presse*. Il est l'auteur de plusieurs livres dont « *Paris-Underground* » (paru aux U.S.A. en 1943), « *L'Allemagne secrète* » (1946) et « *Les Sources mystiques des concepts moraux de l'Occident* ».

WIRIATH (Marcel, Georges).

Banquier, né à Sainte - Menehould (Marne) le 19 novembre 1898. Fils de notaire. Milita très tôt dans les milieux d'extrême-droite. En 1930-1931, commandait l'une des équipes des *Camelots du Roi* et fut longtemps l'un des cadres parisiens de l'*Action Française*. Employé de banque, puis directeur de service du *Crédit Lyonnais*, est aujourd'hui l'une des personnalités marquantes de la banque et des affaires. Président (depuis 1962) du *Crédit lyonnais*, administrateur de la *Société des téléphones Erickson*, de la *Compagnie bancaire*, de la *Compagnie des forges de Châtillon-Commentry et Neuves-Maisons*, de la *Société française des Nouvelles Galeries Réunies*, etc.

WITTMANN (René, Gabriel).

Editeur, né à Saint-Maur-les-Fossés (Seine), le 23 août 1899. Le grand-père Wittmann dirigeait avec son beau-frère Poulenc la maison *Poulenc-Wittmann*. Au retour de la guerre de 1914-1918, qu'il fit avec honneur, s'établit éditeur et l'est resté. Fonda (et dirigea pendant sept ans) le *Jardin des Arts*. Franchement nationaliste, a été l'un des animateurs (vice-président) du *Cercle Jacques Bainville* et l'éditeur de nombreux ouvra-

ges contre le communisme, dont ceux de Rossi, sous l'enseigne des « *Iles d'Or* ». Dirige actuellement les *Editions du Fuseau* qui publient des souvenirs et des essais politiques d'auteurs nationaux.

WODLI (Georges).

Cheminot (1900-1943). Militant syndicaliste, membre du C.C. du *Parti Communiste*, animateur du syndicat de la S.N.C.F. en Alsace et en Lorraine. Fut pendu par les Allemands au camp du Struthof.

WOLF (Christian).

Industriel, né à Paris, le 29 décembre 1892. Ingénieur des arts et métiers et de l'Ecole supérieure d'électricité. Président-fondateur de la société *P.I.C.* (*Préparation Industrielle des Combustibles*). Conseiller du commerce extérieur de la France. Au cours des années qui suivirent la Libération, collabora et soutint financièrement la presse d'opposition et les organismes pétainistes (*Réalisme, Paroles Françaises, France Réelle, Rivarol*, les *Editions du Conquistador*, etc.) et s'intéressa ensuite au journal de Roger Duchet, *La France Indépendante*, lorsque celui-ci était anti-gaulliste. Par la suite, retiré du mouvement nationaliste dont il fut pendant dix ans le mécène désintéressé, se consacra uniquement aux affaires, devenant l'un des fournisseurs préférés de l'U.R.S.S. et de ses satellites (au point que Khrouchtchev, lors de sa visite du printemps 1960 à Paris cita la *P.I.C.* en exemple aux hommes d'affaires accourus pour lui faire leurs offres de service). Depuis 1963, est président d'honneur de la société qu'il a fondée.

WOLF (Pierre-René).

Imprimeur et directeur de journal, né à Rouen, le 19 février 1899. Il appartient à une famille israélite établie au XIXe siècle en Normandie, où son père créa une imprimerie. Avant la guerre, il présidait la Chambre syndicale des Maîtres imprimeurs de Rouen et de la région et il occupait ses loisirs à écrire des romans, dont quelques-uns furent édités par Albin Michel, et des chroniques qui parurent dans le *Mercure de France* et *Marianne*. Bien qu'il se fût intéressé, à l'époque, à la revue *La Normandie illustrée*, il n'appartenait pas encore à la presse. C'est à la faveur de la Libération qu'il fit carrière dans le journalisme. Un ancien rédacteur au *Journal de Rouen*, Charles Vilain, ayant reçu l'*autorisation préalable* (instituée par l'ordonnance du général De Gaulle en date du 22 juin 1944), fit paraître dans les locaux dudit quotidien, frappé d'interdiction, un nouveau journal, *Normandie*. Un beau jour (1945), le fondateur fut évincé avec l'accord du ministère de l'Information, et P.R. Wolf devint le directeur du quotidien rouennais. Le Conseil d'Etat (arrêt du 28 avril 1958) condamna la décision du ministère, mais le nouveau directeur n'en garda pas moins son poste. (Depuis, les deux parties sont en perpétuel procès.) Editorialiste et directeur de *Paris-Normandie* (titre modifié du journal fondé par Charles Vilain), quotidien classé à gauche, mais qui reprit la clientèle du modéré *Journal de Rouen*, P.R. Wolf est aujourd'hui l'une des personnalités marquantes de la presse française : président du Syndicat National des Quotidiens Régionaux, il a présidé, de 1961 à 1966, la *Fédération de la Presse Française*.

WORMS (famille).

Dans les milieux financiers, sous la III⁰ République, il y avait deux banquiers Worms que les profanes confondaient parfois. L'un, Edouard-Raphaël Worms, avait débuté dans les affaires en défrayant la chronique judiciaire (cf. *Le Journal*, 24-2-1914), puis, tout s'étant fort bien arrangé — pour lui — il était devenu le grand « patron » d'un groupe comprenant à la fois une banque, des entreprises indochinoises, la *Grande Maison de Blanc*, *Le Petit Bleu* et *Le Cri de Paris*. Un de ses neveux, qui a choisi une tout autre voie, est connu dans la presse sous le pseudonyme de Roger Stephane. L'autre Worms, prénommé Hippolyte, dirigeait la maison *Worms et Cie* fondée par son grand-père. Contrairement à la précédente banque, celle-ci n'est pas à proprement parler israélite. Hippolyte Worms, principal associé de la banque, était de mère protestante et avait été baptisé. Il avait épousé une chrétienne et sa fille s'est mariée, à son tour, avec un chrétien. Worms et Cie sont, à la fois, banquiers, armateurs, négociants et courtiers. Ils contrôlent 5 % de notre flotte marchande et 30 % de notre flotte pétrolière. Souvent associés aux Rothschild, ils ont de très gros intérêts dans les pétroles, la métallurgie, la mécanique, les sociétés coloniales, les grands magasins, etc. Pétainiste à Vichy, collaborationniste à Paris, giraudiste à Alger et gaulliste à Londres, la famille Worms a joué un rôle considérable dans cinq dernières années. Agissant avec prudence et habileté, elle a subventionné divers organismes et journaux de droite tout en facilitant l'introduction et la vente, en France, de la production industrielle des pays de l'Est.

WURMSER (André).

Homme de lettres, journaliste, né à Paris, le 27 avril 1899. Fut, avant la guerre, rédacteur à *Ce Soir* et à *L'Humanité*. Après la Libération fut critique littéraire aux *Lettres françaises* (depuis 1947) et éditorialiste à *L'Humanité* (depuis 1954). Auteur de : « *Variations sur le rénégat* », « *Aux meilleurs Français et aux pires* », « *L'U.R.S.S. à cœur ouvert* » (en collaboration avec Louise Mamiac), etc.

X Y Z

XENOPHOBIE.

Haine des étrangers (ne pas confondre avec *nationalisme*).

YBARNEGARAY (Jean).

Avocat, né à Uhart-Cize (B.-P.) le 16 octobre 1883, mort à Paris le 25 avril 1956. Député national des Basses-Pyrénées (1914-1942). Fut l'un dirigeants des *Jeunesses Patriotes*, puis des *Croix de Feu*. Au moment de la dissolution des ligues, en décembre 1935, fut formellement accusé par une partie de la droite d'avoir capitulé devant le *Front populaire* en offrant spontanément de dissoudre les *Croix de Feu*. Dans une affiche, le *Parti National Populaire* (ex-*Jeunesses Patriotes*) dénonça la « *manœuvre Ybar* » et son groupement qui « *lâchant pied au milieu du combat (...) a replié son drapeau et, pour apaiser communistes et socialistes, s'est rendu à eux sans conditions. M. Ybarnegaray a tendu la main au Front Populaire ! La journée du 6 décembre, commencée par une embrassade à Thorez, Blum et le représentant des Croix de Feu à la Chambre, s'est terminée le soir par l'étranglement du Front National et le triomphe des socialo-communistes. Joli travail en vérité !* » (Affiche tirée par l'imprimerie Rochelaise, La Rochelle, 1935.) Fut l'un des chefs les plus éloquents du *Parti Social Français*, du colonel de La Rocque. Vota les pouvoirs constituants au maréchal Pétain en 1940. Fut quelque temps ministre des Anciens Combattants, puis de la Jeunesse (gouvernement Pétain, 1940).

Après la guerre tenta vainement de se faire élire à nouveau, notamment en constituant une liste commune avec Tixier-Vignancour en 1956.

YVER (Michel, Jean, Léon).

Agriculteur, né à Fresville (Manche), le 17 septembre 1907. Sénateur de la Manche (1948, réélu en 1955, 1959 et 1965). Appartient au groupe sénatorial des *Républicains indépendants*. Maire de Saint-Martin-de-Bonfossé et conseiller général de son département.

YVETOT (Georges).

Syndicaliste (1868-1942). Militant anarchiste. Secrétaire des Bourses du Travail, rédacteur au *Libertaire* et à divers journaux révolutionnaires, co-fondateur de la *Ligue antimilitariste*, plusieurs fois condamné pour son activité politique, exerça une grande influence dans les syndicats cégétistes avant la Première Guerre mondiale et dans l'entre-deux-guerres. Fut l'un des signataires du tract *Paix immédiate* rédigé par Louis Lecoin en 1939. Dirigea le *Comité Ouvrier de Secours Immédiat* (C.O.S.I.) pendant la Seconde Guerre mondiale. Auteur de : « *La vache à lait* » (Paris 1905), « *L'A.B.C. du Syndicaliste* » (Paris 1908), « *Ma pensée libre* » (Paris 1913), « *Le Syndicalisme révolutionnaire* » (Paris 1914).

YONNE REPUBLICAINE (L').

Quotidien issu de la Résistance en août 1944 et dont les services furent installés dans les locaux de l'ancien *Bour-*

guignon. Son directeur général Henri Cuinat, son directeur-administrateur, Charles Proust, ancien administrateur du *Bourguignon* et son rédacteur en chef, Georges Carré, ancien secrétaire de rédaction du quotidien radical disparu, ont fait de *L'Yonne républicaine* un grand quotidien d'informations politiques du centre gauche tirant à plus de 42 000 exemplaires. Appartiennent au conseil d'administration de la société éditrice du journal (fondée le 31 octobre 1945) : Jean Bardin, Louis Clément, Alfred Gounot, Paul Verneiges, Jean-Louis Camus, Maxime Courtis, Pierre Frémy, Antoine Garcia, Auguste Lefebvre, Georges Alexandre Lemoine, Raymond Linderme, Pierre Maurice. La plupart d'entre eux avaient été précédés dans ces fonctions, au cours des années 1945-1964, par : Henri Cuinat, René Manuel, Lucien Rémy, Roger Rigot, Adrien Demouchy, Jean Marot, Clair Renault, Emile Genet, Jack Bigé, Pierre Dufour, Georges Lalandre, Robert Minard, Henri Oudot, René Aubin et Ghislaine, Neele Vinot, née Reperant (8, rue du Temple, Auxerre).

YVON (Gérard-Pierre).

Membre de l'enseignement, né à Courmamin (L.-et-Ch.), le 30 décembre 1908. Instituteur, puis directeur d'école. Maire de Vendôme (depuis 1953). Candidat socialiste aux élections de 1956 (battu). Est député *S.F.I.O.* de Loir-et-Cher (3e circ.), depuis le 25 novembre 1962.

YVON (Joseph).

Avocat, né à l'Ile-de-Groix, le 28 août 1906. Ancien bâtonnier. Conseil municipal de Lorient. Conseiller général du Morbihan (depuis 1945). Député à la 2e Assemblée constituante (1946), puis à l'Assemblée nationale (1946-1951). Sénateur du Morbihan (depuis 1952), apparenté au *M.R.P.*

ZADOC (Georges-Marie).

Journaliste (1905-1944). Membre de l'*Association de la Presse Monarchique et Catholique*. Mort en déportation.

ZADOK (Jacques, Robert).

Publicitaire, né à Paris, le 19 septembre 1909, ancien administrateur de *Publicis*. Homme de confiance de Bleustein-Blanchet. Directeur général de *Cinéma et Publicité*, administrateur de la *Régie publicitaire des transports parisiens*, de la *Société spéciale d'entreprise* (Télé Monte-Carlo) et de *Claude Publicité*.

ZAY (Jean, Elie, Paul).

Avocat, né à Orléans le 6 août 1904, mort le 20 juin 1944. Fils de Léon Zay, directeur du *Progrès du Loiret*. Il milita jeune au *Parti Radical-Socialiste* et fut, à vingt-deux ans, initié à la Loge *Etienne Dolet* d'Orléans (24 janvier 1926), où son père avait été lui-même initié vingt ans plus tôt (27 mai 1906) et qui compta plusieurs membres célèbres (Marcel Donon, Henri Roy, Fernand Rabier et Eugène Frot, parlementaires de la IIIe République). C'est dans sa jeunesse qu'il écrivit la fameuse *ode au drapeau* qui devait exciter contre lui tant de haines. Elu député radical-socialiste du Loiret en 1932 et réélu en 1936, il fut chargé par Léon Blum du ministère de l'Education Nationale dans le gouvernement de Front Populaire constitué en 1936 (il avait été sous-secrétaire d'Etat dans le gouvernement Sarraut, janvier 1936). Il conserva ce portefeuille dans les cabinets Chautemps (1938), Blum (1938) et Daladier (1938-1940) qui suivirent. La presse nationaliste lui reprocha, à l'époque, ses sympathies pour les « *Rouges espagnols* » et son attitude « *belliciste* », en même temps que certaines mesures jugées par elle « *anticléricales* », dans le domaine de l'enseignement. Son intelligence, son énergie, son attachement à la démocratie faisaient de ce jeune ministre l'un des espoirs de la gauche française. Mobilisé comme sous-lieutenant à l'Etat-Major du train des équipages pendant la « *drôle de guerre* », il participa à l'équipée du *Massilia*, en juin 1940, qui finit si lamentablement. Arrêté, il demeura quatre ans emprisonné. Le 20 juin 1944, à 5 km de Cusset, il tombait sous les balles de trois hommes qui, munis d'un ordre signé du sous-directeur de l'Administration Pénitenciaire, l'avaient extrait de sa cellule de Riom. Cette exécution sommaire, véritable assassinat, est d'autant plus horrible que Jean Zay n'avait eu aucune responsabilité dans la mort du comte Thierry de Ludre, abattu par ses gardiens, ni dans la fin tragique des « *21 fusillés d'Abbeville* » (1), exécutés par l'ordre de l'officier chargé de les convoyer. Il n'était plus ministre et, de toute manière, il n'avait jamais été ministre de l'Intérieur, donc ne pouvait être l'objet de représailles plus ou moins justifiées de la part des « cagoulards » emprisonnés sous la IIIe République. Faut-il voir

---

(1) Il s'agit des prisonniers politiques belges et français exécutés sommairement au kiosque à musique d'Abbeville le 20 mai 1940. Parmi eux se trouvaient Joris van Severen, père spirituel du Benelux (avant la lettre), et son fidèle compagnon, Jan Rijckoort.

dans la publication, en 1942, de ses fameux « *Carnets* » (2) l'origine d'un regain de haine ?

ZED (Publications) (voir : **Publications Zed**).

ZEVAES (Gustave, Antoine, Alexandre BOURSON, dit).

Avocat, né à Moulins le 24 mai 1873, mort à Paris le 26 octobre 1953. Fils d'officier. Milita très jeune au sein du *Parti Ouvrier Français*, fut député socialiste de l'Isère de 1898 à 1902 et de 1904 à 1910. Appartint à la direction du *Parti Républicain Socialiste* et à la Franc-Maçonnerie. Dirigea divers journaux révolutionnaires, collabora à d'autres, notamment à *La Lanterne*, à *La Petite République*, au *Socialiste*, à *La Bataille*, et, plus tard, après la Première Guerre mondiale, à *Monde*, de Barbusse, à *L'Œuvre*, de Téry, à *Vu*, de Vogel. Ecrivit dans l'entre-deux-guerres, une « *Histoire de la IIIe République* » (avec Jean Héritier), « *Le socialisme en France depuis 1870* » et plusieurs autres livres d'histoire. Pendant la guerre, continua d'écrire dans *L'Œuvre*, alors dirigée par Marcel Déat. Se retira de la politique à la Libération.

ZILLER (Pierre).

Parfumeur, né à Haguenau (Bas-Rhin), le 9 février 1909. Fils de Jacob Ziller, commerçant. Directeur d'une usine de parfumerie. Ancien maire de Grasse. Conseiller général des Alpes-Maritimes. Membre de l'*Alliance France-Israël* et du groupe parlementaire de la *L.I.C.A.* Député *U.N.R.* des Alpes-Maritimes (6e circ.) depuis novembre 1958.

ZIMMERMANN (Raymond).

Avocat, né à Mulhouse (Haut-Rhin), le 31 mai 1912. Est député *U.N.R.* du Haut-Rhin (4e circ.) depuis novembre 1962. Conseiller général du canton de Mulhouse-Est (depuis 1964).

(2) Il s'agit des « *Carnets secrets de Jean Zay* », publiés par les *Editions de France*, d'après les notes manuscrites prises au jour le jour par l'ancien ministre, du 19 septembre 1938 au 14 septembre 1939. Mme Jean Zay fit condamner (21 décembre 1949) les éditeurs des anciens hebdomadaires *Je suis partout* et *Gringoire* qui, sans l'autorisation de leur auteur, avaient reproduit ces « *Carnets* » et avaient commenté les textes d'une manière jugée offensante et injurieuse (250 000 francs de dommages-intérêts pour diffamation et 800 000 francs pour contrefaçon). La Cour de Cassation rejeta, en janvier 1955, le pourvoi introduit par les *Editions de Paris* (direction : Carbuccia), qui avaient pris la suite des *Editions de France*.

ZOLA (Emile).

Ecrivain, né et mort à Paris (1840-1902). Fils d'un ingénieur italien qui avait eu des déboires dans l'armée, il débuta comme petit employé à la *Librairie Hachette*. Ses premiers ouvrages passèrent inaperçus. « *Thérèse Raquin* » et « *Madeleine Férat* » attirèrent l'attention sur lui à la fin du Second Empire. La série des « *Rougon-Macquart* », où il entendait peindre une famille sous Napoléon III, lui valut, en même temps que de solides inimitiés, une grande notoriété. « *Germinal* », largement répandu grâce aux livraisons illustrées, a puissamment aidé la propagande socialiste dans les milieux populaires. Avec « *L'Argent* », Zola eut l'air de participer à la campagne antisémite que Drumont avait déclenchée cinq ans plus tôt : « *Ah ! le Juif ! Il avait contre le juif l'antique rancune de race, qu'on trouve surtout dans le Midi de la France ; et c'était comme une révolte de sa chair même, une répulsion de peau qui, à l'idée du moindre contact, l'emplissait de dégoût et de violence... Il dressait le réquisitoire contre la race, cette race maudite qui n'a plus de patrie, plus de prince, qui vit en parasite chez les nations, feignant de reconnaître les lois, mais en réalité n'obéissant qu'à son Dieu de vol, de sang et de colère ; et il la montrait remplissant partout la mission de féroce conquête que ce Dieu lui a donnée, s'établissant chez chaque peuple comme l'araignée au centre de sa toile, pour guetter sa proie, sucer le sang de tous, s'engraisser de la vie des autres. Est-ce qu'on a jamais vu un juif faisant œuvre de ses dix doigts ? Non, le travail déshonore, leur religion le défend presque, n'exalte que l'exploitation du travail d'autrui. Ah ! les gueux !* » (« *L'Argent* », page 92). Il n'avait pas été plus tendre avec les protestants, notamment dans « *Une campagne* » où il écrivait que « *si on les laissait faire la France deviendrait une grande Suisse qui, avant dix ans, serait toute d'hypocrisie et d'ennui* » (page 288). Mais il n'avait pas poursuivi dans cette voie et, lors de l'affaire Dreyfus, il prit avec autant de vigueur la défense de ceux qu'il avait attaqués (cf. « *Pour les Juifs* », in *Le Figaro*, 16.5.1896). Son article de *L'Aurore*, « *J'accuse* », — qui lui valut, outre le reproche de s'être « *vendu au syndicat* » dreyfusiste, un procès retentissant et une condamnation — est demeuré célèbre : il marque un tournant dans la fameuse affaire qui divisa, pendant plusieurs lustres, la France en deux camps. Après un exil de courte

**Une caricature
contre Zola**

durée, en Angleterre, Zola revint en
France où ses amis politiques l'accueillirent comme un champion de la Justice bafouée par l'Etat-Major. Il mourut
quelques années plus tard, asphyxié par
les émanations d'une cheminée. Autres
œuvres : « *L'Assommoir* », « *La Débâcle* », « *Lourdes* », « *Rome* », « *Paris* »,
« *Fécondité* », « *Travail* », « *Vérité* »,
etc.

ZONE.

La *zone des armées* est la portion du
territoire occupée par l'armée nationale
en temps de guerre ; elle est placée sous
l'autorité militaire. Après l'armistice de
juin 1940, la France fut divisée en deux
zones : la *zone occupée,* placée sous l'autorité du commandement militaire allemand, et la *zone libre,* restée sous l'autorité du gouvernement français. Après
le débarquement des Alliés en Afrique
du Nord, les Allemands estimant que
l'armistice n'avait pas été respecté (puisque les départements français d'outre-
mer ne devaient commettre aucun acte
d'hostilité à l'égard de l'Allemagne, de
l'Italie et de leurs alliés) envahirent la
zone libre, qui demeura néanmoins sous
l'autorité civile française (Vichy). Dès
lors la France fut divisée en *zone Nord*
et en *zone Sud* jusqu'à la Libération de
1944.

ZOUSSMANN (Alexis).

Magistrat, né à Odessa (Russie), le
18 septembre 1908. Militant de la *Ligue
d'Action Universitaire et Socialiste* au
Quartier Latin (1930). Orateur de la loge
Francisco Ferrer (avant la guerre). Avocat à la cour d'appel de Paris, 1933-
1939. Prisonnier de guerre. Fut nommé,
sur sa demande, juge d'instruction de la
Cour de Justice de la Seine (épuration
des pétainistes et des partisans de la
collaboration). Instruisit les procès de
Je suis partout, du service des sociétés
secrètes, etc. (1945-1946). Substitut à
Marseille (1946), Juge d'instruction de
1re classe détaché au tribunal de la

Seine (1947), Juge d'instruction détaché à la suite au tribunal de la Seine (1953), Juge (1954), Juge d'instruction au tribunal de la Seine (1955), Conseiller à la Cour d'appel de Douai (1962), Conseiller à la Cour de sûreté de l'Etat (1963). A ce titre participa à la seconde épuration. Premier vice-président du tribunal de grande instance de la Seine (depuis 1964). Membre dirigeant de *La Ligue des Droits de l'Homme*, préside le *Cercle maçonnique Condorcet-Brossolette*. Auteur de : « *Le Pacte à quatre* », « *La Guerre de dévolution et le rattachement de Douai à la France* ». Collaborateur de l'*Encyclopédie Dalloz*.

ZUCCARELLI (Jean, Crucien).

Avocat, né à Bastia, le 7 mars 1907.

Maire de Santa-Lucia-di-Mercurio. Ancien conseiller général de la Corse. Ancien président du Conseil général. Vice-président de la Fédération radicale-socialiste de la Corse. Membre du *Rotary*. Elu député radical de la Corse (2e circ.) le 25 novembre 1962. Non réélu en 1967 (élections contestées en raison d'incidents).

ZUSSY (Modeste).

Comptable, né à Willer - sur - Thur (Haut-Rhin), le 16 février 1897. Sénateur du Haut-Rhin (depuis 1948) ; appartient au groupe de l'*U.N.R.* Vice-président du Conseil général du Haut-Rhin, ancien maire de Thann (1945-1956), est également président honoraire des maires du Haut-Rhin.

ANNEXES

Nous croyons utile de publier, en annexes, la chronologie des gouvernements qui se sont succédés depuis la proclamation de la République en 1870 ainsi que les résultats des consultations électorales et des référendums depuis 1945.

Ces tableaux ont été établis d'après des sources sérieuses. Le lecteur peut, cependant, relever des différences avec d'autres statistiques (1). Nous avons, nous-mêmes, remarqué ces désaccords.

C'est donc à titre indicatif que nous publions ces chiffres, persuadés qu'ils seront, de toute manière, intéressants pour celui qui, par obligation ou par curiosité, est appelé à les consulter.

ANNEXE I

CHRONOLOGIE DES GOUVERNEMENTS DEPUIS 1870

TROISIEME REPUBLIQUE.

Gouvernement de la Défense nationale, présidé par le général Trochu (4 sept. 1870).

Adolphe Thiers,
chef du Pouvoir exécutif (1871)
puis président de la République
(1871-1873)

Dufaure (19 fév. 1871).

Présidence de Mac-Mahon
(1873-1879)

de Broglie (25 mai 1873).
de Broglie (26 nov. 1873).
de Cissey (22 mai 1874).
Buffet (10 mars 1875).
Dufaure (23 fév. 1876).
Dufaure (9 mars 1876).
Jules Simon (12 déc. 1876).
de Broglie (17 mai 1877).
de Rochebouet (23 nov. 1877).
Dufaure (13 déc. 1877).

Présidence Jules Grévy
(1879-1887)

Waddington (4 fév. 1879).
de Freycinet (28 déc. 1879).
Jules Ferry (23 sept. 1880).

Léon Gambetta (14 nov. 1881).
de Freycinet (30 janv. 1882).
Duclerc (7 août 1882).
Fallières (29 janv. 1883).
Jules Ferry (21 fév. 1883).
H. Brisson (6 avril 1885).
de Freycinet (7 janv. 1886).
René Goblet (11 déc. 1886).
Rouvier (30 mai 1887).

Présidence Sadi-Carnot
(1887-1894)

Tirard (12 déc. 1887).
Floquet (3 avr. 1888).
Tirard (22 fév. 1889).
de Freycinet (17 mars 1890).
Loubet (27 fév. 1892).
Ribot (6 déc. 1892).
Ribot (11 janv. 1893).
Charles Dupuy (4 avr. 1893).
Casimir-Périer (3 déc. 1893).
Charles Dupuy (30 mai 1894).

Présidence Casimir-Périer
(1894-1895)

Charles Dupuy (1er juil. 1894).

Présidence Félix Faure
(1895-1899)

Ribot (26 janv. 1895).
Léon Bourgeois (1er nov. 1895).

---

(1) Par exemple, les chiffres donnés dans les ouvrages de M.F. Goguel ne sont pas toujours ceux qui publie la *Revue politique et parlementaire.*

Méline (29 avr. 1896).
Brisson (28 juin 1898).
Charles Dupuy (1ᵉʳ nov. 1898).

Présidence Emile Loubet
(1899-1906)

Charles Dupuy (18 fév. 1899).
Waldeck-Rousseau (22 juin 1899).
Combes (7 juin 1902).
Rouvier (24 janv. 1905).

Présidence Armand Fallières
(1906-1913)

Rouvier (18 fév. 1906).
Sarrien (14 mars 1906).
Clemenceau (25 oct. 1906).
Briand (24 juil. 1909).
Briand (3 nov. 1910).
Ernest Monis (2 mars 1911).
Caillaux (27 juin 1911).
Poincaré (14 janv. 1912).
Briand (21 janv. 1913).

Présidence Raymond Poincaré
(1913-1920)

Briand (18 fév. 1913).
Barthou (22 mars 1913).
Doumergue (9 déc. 1913).
Ribot (10 juin 1914).
Viviani (13 juin 1914).
Viviani (27 août 1914).
Briand (29 oct. 1915).
Briand (12 déc. 1916).
Ribot (20 mars 1917).
Painlevé (12 sept. 1917).
Clemenceau (16 nov. 1917).
Millerand (20 janv. 1920).

Présidence Paul Deschanel (1920)

Millerand (18 fév. 1920).

Présidence Alexandre Millerand
(1920-1924)

Leygues (24 sept. 1920).
Briand (16 janv. 1921).
Poincaré (15 janv. 1922).
Poincaré (29 mars 1924).
François-Marsal (9 juin 1924).

Présidence Gaston Doumergue
(1924-1931)

Herriot (14 juin 1924).
Painlevé (17 avril 1925).
Painlevé (29 oct. 1925).
Briand (28 nov. 1925).
Briand (9 mars 1926).
Briand (23 juin 1926).
Herriot (19 juil. 1926).
Poincaré (23 juil. 1926).
Poincaré (11 nov. 1928).
Briand (29 juil. 1929).
Tardieu (3 nov. 1929).
Chautemps (21 fév. 1930).
Tardieu (2 mars 1930).
Steeg (13 déc. 1930).
Laval (27 janv. 1931).

Présidence Paul Doumer
(1931-1932)

Laval (13 juin 1931).
Laval (14 janv. 1932).
Tardieu (20 fév. 1932).

Présidence Albert Lebrun
(1932-1940)

Herriot (3 juin 1932).
Paul-Boncour (18 déc. 1932).
Daladier (31 janv. 1933).
Sarraut (26 oct. 1933).
Chautemps (26 nov. 1933).
Daladier (30 janv. 1934).
Doumergue (9 fév. 1934).
Flandin (8 nov. 1934).
Fernand Bouisson (1ᵉʳ juin 1935).
Laval (7 juin 1935).
Sarraut (24 janv. 1936).
Blum (4 juin 1936).
Chautemps (22 juin 1937).
Chautemps (18 janv. 1938).
Blum (13 mars 1938).
Daladier (10 avril 1939).
Daladier (11 mai 1939).
Daladier (13 sept. 1939).
Reynaud (21 mars 1940).
Pétain (16 juin 1940).

ETAT FRANÇAIS.

Maréchal Philippe Pétain,
chef de l'Etat

Pétain-Laval (12 juil. 1940).
Pétain-Darlan (13 déc. 1940).
Pétain-Darlan (10 fév. 1941).
Laval (18 avril 1942).

GOUVERNEMENT PROVISOIRE
DE LA REPUBLIQUE FRANÇAISE.

(faisant suite au *Comité Français*
de la Libération Nationale constitué
à Alger le 10 novembre 1943)

Charles De Gaulle (29 août 1944).
Charles De Gaulle (9 sept. 1944).
Charles De Gaulle (21 nov. 1945).
Félix Gouin (26 janv. 1946).
Georges Bidault (23 juin 1946).
Léon Blum (16 déc. 1946).

QUATRIEME REPUBLIQUE.

Présidence Vincent Auriol
(1947-1953)

Ramadier (22 janv. 1947).
Robert Schuman (24 nov. 1947).
André Marie (26 juil. 1948).
R. Schuman (5 sept. 1948).
Queuille (11 sept. 1948).
Bidault (28 oct. 1949).
Queuille (2 juil. 1950).
Pleven (12 juil. 1950).
Queuille (10 mars 1951).

Pleven (10 août 1951).
Edgar Faure (20 janv. 1952).
Pinay (8 mars 1952).
René Mayer (8 janv. 1953).
Laniel (27 juin 1953).

Présidence René Coty (1953-1958)

Mendès-France (19 juin 1954).
Edgar Faure (23 fév. 1955).
Mollet (1er fév. 1956).
Bourgès-Maunoury (12 juin 1957).
Gaillard (5 nov. 1957).
Pflimlin (14 mai 1958).
Charles De Gaulle (1er juin 1958).

CINQUIEME REPUBLIQUE.

Présidence Charles De Gaulle

Michel Debré (8 janv. 1959).
Georges Pompidou (14 avril 1962).
Georges Pompidou (28 nov. 1962)[1].
Georges Pompidou (8 janv. 1966).
Georges Pompidou (7 avril 1967).

(1) Mis en minorité par l'Assemblée nationale M. Pompidou présenta la démission du cabinet au président de la République qui le maintint en fonctions. Après les élections de novembre 1962, le général De Gaulle mit fin aux fonctions du gouvernement (28 novembre 1962), mais nomma aussitôt à nouveau Premier ministre M. Pompidou.

ANNEXE II

ASSEMBLEES CONSTITUANTES

	1945	ÉLUS	1946	ÉLUS
Inscrits	24 622 862		24 696 949	
Votants	19 657 603		20 215 200	
Blancs et nuls	504 887		409 870	
Communistes et progressistes	5 024 174	148	5 145 325	152
Divers gauche				
Socialistes S.F.I.O.	4 491 152	134	4 187 747	127
Radicaux-socialistes, R.G.R., U.D.S.R.	2 018 665	35	2 299 963	50
M.R.P.	4 580 222	141	5 589 213	166
Modérés [1]	3 001 063	62	2 538 167	66
Autres partis	37 440		44 915	11 [2]

(1) Parti Républicain de la Liberté, Républicains indépendants, Paysans, etc.
(2) *Manifeste algérien.*

ANNEXE III

ASSEMBLEE NATIONALE

	1946	ÉLUS	1951	ÉLUS	1956	ÉLUS
Inscrits	25 083 039		24 530 523		26 774 899	
Votants	19 578 126		19 670 655		22 171 957	
Blancs et nuls	361 751		541 231		671 167	
Communistes et progressistes	5 430 593	168	5 056 605	101	5 514 403	144
Divers gauche					393 219 [6]	
Socialistes S.F.I.O.	3 433 901	93	2 744 842	106	3 247 431	95
Radicaux-socialistes,			1 887 583	97	2 240 538 [7]	77 [12]
R.G.R., U.D.S.R.	2 136 152	59			593 727 [8]	14 [13]
M.R.P.	4 988 609	160	2 369 778	88	2 366 321	73

Gaullistes	585 430	9[1]	4 058 336	120[3]	842 351[9]	22
Modérés	2 487 313	73[2]	2 656 995	96[4]	3 257 782[10]	95[14]
Poujadistes					2 483 813	52[15]
Extrême-droite					260 749[11]	
Divers	154 377		129 424	13[5]	98 600	16[16]

(1) Union gaulliste.
(2) Républic. Indépendants : 23 ; Paysans : 8 ; P.R.L. et app. : 42.
(3) R.P.F. et apparentés.
(4) Républ. ind. : 53 ; Centre Rép. d'Act. Pays. et Sociale : 22 ; Groupe Paysan et d'Union sociale : 21 (apparentés compris).
(5) Français indép. : 2 ; Indépendants d'Outre-mer : 9 ; Rassembl. Dém. Africain : 2.
(6) Ayant adhéré au Front Républicain.
(7) Partisans du Front Républicain (Rad. soc. : 58 ; R.G.R. : 14).
(8) Non rattachés au Front Républicain.
(9) Républicains sociaux (liés au Front Républicain).
(10) Indépendants, A.R.S., paysans, R.G.R.I.FF., etc.
(11) Rassemblement National, Réforme de l'Etat, etc.
(12) Rad. soc., U.D.S.R., R.D.A., etc.
(13) R.G.R.
(14) I.P.A.S., Paysans, etc.
(15) Avant les invalidations.
(16) Indépendants d'O.-M. et non inscrits.

ANNEXE IV

ASSEMBLEE NATIONALE

(1er tour seulement) (1)

	1958	ÉLUS	1962	ÉLUS	1967	ÉLUS
Inscrits	27 236 491		27 535 019		28 291 838	
Votants	20 994 797		18 931 733		22 887 151	
Blancs et nuls	652 889		601 747		494 834	
Communistes et apparentés	3 882 204	10	3 992 431	41	5 029 808	73
Divers gauche et ext.-gauche	347 298	2	449 743	3	506 592[5]	121[1]
Socialistes S.F.I.O.	3 167 354	42	2 319 662	65	4 207 166	
Radicaux-soc.	938 201		679 812			
Centre gauche	716 869	34	705 186	41		
Centre républicain	647 919		81 627			
M.R.P.	2 378 788	54	1 635 452	36	2 864 272	41[7]
			1 660 896	28[3]		
Modérés	4 092 600	111	798 092	20[4]	8 453 512	200
Gaullistes et app.	3 603 958	194	5 847 403	229		42
Extrême-droite[2]	669 518	1	159 682		194 776	
Divers		17		2	1 136 191	8

(1) Seul le premier tour de scrutin peut donner une indication sur la physionomie du corps électoral.
(2) Pour 1958 et 1962, les statistiques groupent sous cette étiquette les voix obtenues par les candidats poujadistes (alors non gaullistes) et par les candidats nationaux de droite. Pour 1967, il s'agit essentiellement des suffrages recueillis par les candidats de l'*Alliance Républicaine* (Tixier-Vignancour) et du *R.E.L.*, soit une soixantaine de candidats. Parmi les « divers », figurent nombre de voix obtenues par des hommes de droite.
(3) Centre National des Indépendants et Paysans (non gaullistes).
(4) Républicains Indépendants (gaullistes).
(5) Principalement P.S.U.
(6) Groupe de la Fédération de la Gauche démocrate et socialiste auquel se sont joints les élus P.S.U.
(7) Groupe Progrès et démocratie.

ANNEXE V

LES REFERENDUMS DE 1945 à 1962
(Métropole seulement)

21 OCTOBRE 1945 :

Electeurs inscrits	24 622 000
Votants	19 654 000
Abstentions	4 968 000

Première question :

« *Voulez-vous que l'Assemblée élue ce jour soit constituante ?* »

Oui	17 957 000
Non	670 672
Blancs et nuls ..	1 025 000

Deuxième question :

« *Approuvez-vous que les Pouvoirs publics soient, jusqu'à la mise en vigueur de la nouvelle Constitution, organisés conformément aux dispositions du projet de loi dont le texte figure au verso de ce bulletin ?* »

Oui	12 317 000
Non	6 271 000
Blancs et nuls ..	1 064 000

5 MAI 1946 :

Pour l'adoption de la Constitution élaborée par l'Assemblée constituante élue le 21 octobre 1945.

Electeurs inscrits	24 657 000
Votants	19 895 000
Abstentions	4 761 000
Oui	9 109 000
Non	10 272 000
Blancs et nuls ..	513 000

13 OCTOBRE 1946 :

Pour l'adoption de la Constitution élaborée par l'Assemblée constituante élue le 2 juin 1946.

Electeurs inscrits	24 905 000
Votants	17 129 000
Abstentions	7 775 000
Oui	9 002 000
Non	7 790 000
Blancs et nuls ..	336 000

28 SEPTEMBRE 1958 :

Pour l'adoption de la Constitution proposée par le général De Gaulle, président du Conseil (1).

Electeurs inscrits	26 603 000
Votants	22 596 000
Abstentions	4 006 000
Oui	17 668 000
Non	4 624 000
Blancs et nuls ..	303 000

8 JANVIER 1961 :

Approbation de l'autodétermination de l'Algérie proposée par le général De Gaulle, président de la République.

Electeurs inscrits	27 184 000
Votants	20 791 000
Abstentions	6 393 000
Oui	15 200 000
Non	4 996 000
Blancs et nuls ..	594 000

8 AVRIL 1962 :

Approbation des accords d'Evian qui consacraient l'indépendance de l'Algérie.

Electeurs inscrits	26 991 000
Votants	20 401 000
Abstentions	6 589 000
Oui 17 508 000	
Non 1 795 000	
Blancs et nuls .. 1 098 000	

28 OCTOBRE 1962 :

Pour l'élection du président de la République au suffrage universel.

Electeurs inscrits	27 582 000
Votants	21 301 000
Abstentions	6 280 000
Oui 12 809 000	
Non 7 932 000	
Blancs et nuls .. 559 000	

---

(1) Au lendemain du *référendum* de septembre 1958, qui fut assimilé par les adversaires du général De Gaulle à un véritable plébiscite, la revue *Lectures Françaises* publiait (octobre 1958) ce tableau établi par un de ses amis, haut fonctionnaire de l'Intérieur, spécialisé « *dans la statistique* » (électorale). D'après cette estimation, les OUI et les NON se répartissaient ainsi :

	OUI	NON
Communistes, progressistes.....................	1 750 000	3 700 000
Socialistes	3 200 000	350 000
P.S.U., trotykyste, U.D.S.R. de Gauche...........	250 000	150 000
Rad.-soc. et assimilés..........................	2 200 000	150 000
U.N.R.-U.D.T. (ex-Rép. soc.).....................	1 000 000	—
R.G.R. et ass., Centre gauche....................	560 000	20 000
M.R.P. et Démocrates-chrétiens.................	2 450 000	50 000
Modérés (Indép.-paysans, Rép. indép., etc.)......	3 400 000	60 000
Poujadistes, nationalistes, extrême-droite........	2 650 000	130 000
Divers	200 000	10 000
	17 660 000	4 620 000

Bien que le P.C.F. se fut prononcé *contre* en 1958, de l'aveu même des dirigeants communistes au Comité Central tenu à Ivry les 4 et 5 octobre 1958 (cf. *Le Monde*, 7-10-1958), il y eut plus d'un million d'électeurs communistes qui votèrent *pour* au référendum-plébiscite de septembre 1958.

ANNEXE VI

ELECTION PRESIDENTIELLE DE 1965 (5 et 19 décembre)
(Métropole et outre-mer)

	Premier tour	Second tour
Inscrits	28 913 422	28 902 704
Votants	24 502 957	24 371 647
Blancs et nuls	248 403	668 213
Ch. DE GAULLE	10 828 523	13 083 699
Fr. MITTERRAND	7 694 003	10 619 735
J. LECANUET	3 777 119	
J.-L. TIXIER-VIGNANCOUR	1 260 208	
P. MARCILHACY	415 018	
M. BARBU	279 683	

ANNEXE VII

L'ASSEMBLEE NATIONALE

(issue des élections des 5 et 12 mars 1967)

1. — GROUPE D'UNION DEMOCRATIQUE POUR LA Vᵉ REPUBLIQUE (ex-U.N.R.-U.D.T. et gaullistes divers). Président : Henry Rey (180 membres) :

M. Ansquer, Mme Baclet, MM. Bailly, Pierre Bas, Baumel, François Bénard, Béraud, Berger, Bignon, Billotte, Bisson, Blary, Boinvilliers, Bord, Bordage, Borocco, Boulin, Georges Bourgeois, Bourges, Bourgoin, Bousquet, Bousseau, Bozzi, Brial, Bricout, Briot, Buot, Pierre Buron.

Antoine Caill, René Caille, Catalifaud, Chaban-Delmas, Chalandon, Charié, Charret, Chauvet, Chirac, Clostermann, Cointat, Pierre Cornet, Maurice Cornette, Coumaros, Damette, Danel, Danilo, Dassault, Debré, Degraève, Delatre, Louis-Alexis Delmas, Delong, Pierre Dumas, Dusseaulx, Duterne, Duvillard, Albert Ehm.

Faggianelli, Falala, Fanton, Edgar Faure, Jean Favre, Flornoy, Fossé, Christian Fouchet, Foyer, Frey, Georges, Gerbaud, Godefroy, Gorse, de Grailly, Granet, Grussenmeyer, Guéna, Guichard, Guillermin.

Habib-Deloncle, Hauret, Mme de Hautecloque, MM. Hébert, Herzog, Hinsberger, Hoffer, Inchauspe, Marc Jacquet, Jacson, Jamot, Jarrot, Jenn, Joxe, Julia, Kaspereit, Krieg.

Labbé, La Combe, Laudrin, Le Bault de La Morinière, Le Douarec, Lemaire, Lepage, Lepeu, Lepidi, Le Tac, Le Theule, Limouzy, de Lipkowski, Luciani, Gabriel Macé, Macquet, Mainguy, de La Malène, Marette, Marie, Massoubre, Mauger, Meunier, Michelet, Miossec, Missoffe.

Nessler, Neuwirth, Nungesser, Offroy, Jean-Paul Palewski, Peretti, Perrot, Camille Petit, Peyrefitte, Peyret, Pisani, Mme Ploux, MM. Poirier, Pompidou, Poncelet, Pons, Robert Poujade, de Poulpiquet, Pierre Pouyade, de Préaumont, Quentier.

Rabourdin, Radius, Rethoré, Henry Rey, Ribadeau-Dumas, René Rivière, Jacques Richard, Lucien Richard, Ritter, Rivain, Paul Rivière, Rivierez, de Rocca Serra, Roux, Ruais, Sabatier, Salardaine, Louis Sallé, Scholer, Schvartz, Sprauer.

Taittinger, Alain Terrenoire, Louis Terrenoire, Tomasini, Triboulet, Tricon, Trorial, Valenet, Valentino, Valleix, Jacques Vendroux, Jacques-Philippe Vendroux, Vertadier, Robert-André Vivien, Wagner, Weinman, Westphal, Ziller et Zimmermann.

Apparentés (20 membres) :

Mme Aymé de La Chevrelière, MM. Baudouin, Bizet, Boscher, Capitant, de Chambrun, Chapalain, Christiaens, Cousté, Xavier Deniau, Mlle Dienesch, MM. Frys, Hoguet, Jacquinot, Lehn, Ahmed Mohamed, Saïd Ibrahim, Maurice Schumann, Thomas et Voisin.

2. — GROUPE DES REPUBLICAINS INDEPENDANTS (gouvernementaux). Président : Raymond Mondon (39 membres) :

MM. d'Aillières, Anthonioz, André Beauguitte, Bettencourt, Bichat, Raymond Boisdé, Christian Bonnet, Boscary-Monsservin, de Broglie, Caillaud, Cattin-Bazin, Chamant, Couderc.

Delachenal, Bertrand Denis, Destremau, Dijoud, Dominati, Duval, René Feït, Giscard d'Estaing, Griotteray, du Halgouët, Marcellin, Maujouan du Gasset, Mondon, Morison, d'Ornano.

Paquet, Pianta, Picquot, Poniatowski, Renouard, Sanford, Schnebelen, de la Verpillière, Vitter, Voilquin et Weber.

Apparentés (3 membres) :

MM. Deprez, Lainé et Sablé.

3. — GROUPE PROGRES ET DEMOCRATIE. Président : Jacques Duhamel (38 membres).

MM. Abelin, Achille-Fould, Barberot, Jacques Barrot, Jean Bénard, Bosson, Boudet, Bourdellès, Brugerolle, Cazenave, Chalazon, Claudius-Petit, Duhamel, Michel Durafour.

Fontanet, Fouchier, Fourmond, Fréville, Halbout, Ihuel, Michel Jacquet, Lafay, Lombard, Médecin, Méhaignerie, Montagne, de Montesquiou, Jean Moulin.

Ollivro, Orvoën, Palmero, Pidjot, René Pleven, Poudevigne, Restout, Rossi, Sudreau et Valentin.

Apparentés (3 membres) :

MM. Commenay, Frédéric-Dupont et Schaff.

4. — GROUPE DE LA FEDERATION DE LA GAUCHE DEMOCRATE ET SOCIALISTE. Président : Gaston Defferre (116 membres) :

MM. Allainmat, Léon Ayme, Raoul Bayou, Benoist, Berthouin, Billères, Georges Bonnet, Bordeneuve, Boulay, Boulloche, Bouthière, Brettes, Brugnon, Carpentier, Cassagne, Cazelles, Chandernagor, Charles, Chauvel, Chazelle, Chochoy, Cléricy, Arthur Cornette.

Darchicourt, Dardé, Darras, Daviaud, Dayan, Defferre, Dejean, Delelis, Louis-Jean Delmas, Delorme, Delpech, Delvainquière, Denvers, Deschamps, Desouches, Emile Didier, Dreyfus-Schmidt, Ducos, Duffaut, Roland Dumas, Dumortier, Paul Duraffour.

Guy Ebrard, Escande, Estier, Robert Fabre, Gilbert Faure, Maurice Faure, Fillioud, Forest. Fouet, Félix Gaillard, Gaudin, Gernez, Guerlin, Guidet, Guille, Hersant.

Labarrère, Lacoste, Pierre Lagorce, Lagrange, Lamarque-Cando, Tony Larue, Marceau Laurent, Lavielle, Lebon, Leccia, Max Lejeune, Le Sénéchal, Longuequeue, Loo, Loustau, Maroselli, Jean Masse, Massot, Maugein, Mermaz, Métayer, Milhau, Mitterrand, Guy Mollet, Montalat, Morlevat.

Naveau, Nègre, Notebart, Périllier, Péronnet, Philibert, Pic, Pieds, Pimont, Planeix, Ponseillé, Charles Privat, Raust, Regaudie, André Rey, Rosselli, Rousselet, Sauzedde, Schloesing, Sénès, Spénale, Tezier.

Mme Jacqueline Thome-Patenôtre, MM. Francis Vals, Antonin Ver, Vignaux, Vinson, Vivier et Yvon.

Apparentés (5 membres) :

MM. Alduy, Desson, Le Foll, Mendès-France et Prat.

5. — GROUPE COMMUNISTE. Président : Robert Ballanger (71 membres).

MM. Andrieux, Arraut, Baillot, Robert Ballanger, Balmigère, Raymond Barbet, Virgile Barel, Bertrand, Bilbeau, Billoux, Boucheny, Bustin, Canacos, Carlier, Cermolacce, Chambaz, Combrisson, Coste, Couillet.

Depietri, Doize, Ducoloné, Dupuy, Duroméa, Eloy, Fajon, Léon Feix, Fiévez, Garcin, Gosnat, Gouhier, Fernand Grenier, Marcel Guyot, Hostier, Houël, Jans, Juquin.

Lamps, Paul Laurent, Leloir, Lemoine, Leroy, Robert Levol, Waldeck L'Huillier, Lolive, Maisonnat, Manceau, Mancey, Marin, Merle, Millet, Morillon, Musmeaux.

Nilès, Odru, Mme Prin, Mme Colette Privat, MM. Quettier, Ramette, Rieubon, Rigout, Waldeck Rochet, Roger, Roucaute, Ruffe, Tourné.

Mme Vaillant-Couturier, Mme Vergnaud, MM. Villa, Villon et Robert Vizet.

Apparentés (2 membres) :

MM. Pierre Cot et Lacave.

6. — NON INSCRITS (9 députés) :

MM. Cerneau, Césaire, Cornut-Gentille, Douzans, Guilbert, Hunault, de Pierrebourg, Roche-Defrance et Royer.

CET OÙVRAGE A ÉTÉ ACHEVÉ D'IMPRIMER LE VINGT AVRIL MIL NEUF CENT SOIXANTE-SEPT PAR LES IMPRIMERIES RÉUNIES A RENNES, ET RELIÉ PAR LA SOCIÉTÉ DE RELIURE INDUS-TRIELLE DE DREUX POUR LE COMPTE DE HENRY COSTON, AUTEUR ET EDITEUR.

DÉPOT LÉGAL : 2e TRI. 1967